VON EICHBORN · WIRTSCHAFTSSPRACHE

DER KLEINE EICHBORN

Taschenwörterbuch der Wirtschaftssprache

Englisch-Deutsch

REINHART VON EICHBORN

SIEBENPUNKT VERLAG

1. Auflage 1975
2. Auflage 1977

Gesetzt aus der 7 Punkt Times der Linotype GmbH
Gesamtherstellung: Bonner Universitäts-Buchdruckerei
Printed in Great Britain by
Fletcher & Son Ltd, Norwich
ISBN 3 921392 00 4

VORWORT

Mit der Drucklegung dieses Taschenwörterbuches der Wirtschaftssprache ist ein lange gehegter Wunsch des Verfassers in Erfüllung gegangen. Die Freude ist um so größer, als das Buch als Erstwerk im eigenen Verlag verlegt werden kann.

Doch es gibt keine Rose ohne Dornen. Nur wer, wie der Autor, in dreißig Jahren danach getrachtet hat, den deutsch-englischen Wortschatz der Wirtschaftssprache durch immer neue Lesefrüchte zu vermehren und zu vervollständigen, wird ermessen können, wie schmerzlich der Kürzungsprozeß war, bis aus dem Hauptwerk die für modernes Wirtschaftsenglisch als unbedingt notwendig erachteten Eintragungen erarbeitet waren. In die Stoffbegrenzung konnten immerhin 56 Sachgebiete einbezogen werden.

Wer von den Benutzern des kleinen Eichborn tadelnd den Finger hebt und auf die eine oder andere unverzeihliche Lücke aufmerksam macht, ist des Einverständnisses des Verfassers von vornherein sicher. Als einziger Trost verbleibt ihm, sofern er sich laufend mit schwierigen Übersetzungen auf ausgefallenen Gebieten zu beschäftigen hat und auch die moderne Umgangssprache nicht missen will, sich eines Tages den großen Eichborn zuzulegen, der weiterhin beim ECON Verlag in Düsseldorf erscheint.

Ein in Formulierungen besonders bewanderter Kritiker schrieb seinerzeit über das Originalwerk:

„Was dem Banker sein Bowler Hat, das ist dem Manager von heute der „Eichborn". Was er weder auf dem Kopf noch im Kopf haben kann, trägt er getrost im Aktenköfferchen bei sich."

Verlag und Verfasser wünschen sich, daß der kleine Eichborn zum unentbehrlichen Requisit aller jener werden möge, die mit Wirtschaftsenglisch Tag für Tag umgehen müssen und ihre Zukunft noch vor sich haben.

Burscheid, Neujahr 1975 — Reinhart von Eichborn

FOREWORD

With the going to press of this pocket dictionary of commercial terminology a long-cherished wish of the author has at last gone into fulfilment.

And his satisfaction is greatly enhanced by the fact that this work is now born as the first child of his own publishing house.

However – no rose without a thorn: Only he who, like the author, has spent some thirty years in striving to enlarge and perfect the German-English vocabulary of business usage with continually fresh gleanings, will be able to appreciate just how painful the necessary curtailment process has been so as to reduce the main work to the items considered absolutely essential for presentday commercial English. Nevertheless it has been found possible to cover 56 different branches of subject matter in the limited material.

Whosoever of the users of the little Eichborn waves a reproachful finger over the discovery of one or another seemingly unpardonable lacuna can be assured beforehand of the author's sympathetic understanding. His only consolation, inasmuch as he is constantly engaged on difficult translation work in abstruse subjects, but at the same time has no wish to be deprived of up-to-date colloquialisms, must lie in his wise decision some day to invest in the big Eichborn which is still being published by the firm of ECON in Duesseldorf.

A critic particularly wellknown for his pithy formulation wrote at the time of the original work's appearance:

> "What his bowler hat is to the banker is indeed the 'Eichborn' to the manager of today. What he can't wear on, or carry in, his head, he can quite cheerfully take along in his briefcase."

Publisher and author alike express the hope that the little Eichborn will prove to be an indispensable requisite of all who are regularly called upon to exercise their knowledge of commercial English and still have their future before them.

Burscheid, New Year 1975 — Reinhart von Eichborn

VORBEMERKUNG

I. Alphabetische Anordnung

1. Stichwörter sind grundsätzlich alphabetisch geordnet.

2. Pluralformen sind, soweit sie angeführt werden müssen, hinsichtlich ihrer alphabetischen Anordnung wie Singularformen behandelt.
Selbständig behandelt sind lediglich die Pluralformen der Wörter auf -y.

3. Verben, bei denen auf die Partikel „to" verzichtet wird, sind durch (v.), Adjektive durch (a.) kenntlich gemacht.

4. Über die Einordnung eines Wortes als Stichwort oder seine Unterordnung unter ein Stichwort entschied der Grad seiner Selbständigkeit.

5. Die Untergruppen sind in nachstehender Reihenfolge angeordnet:

   a) reines Substantiv, ohne Beifügung;
   b) Substantiv, erweitert durch Synonyme und Hinweise auf seinen besonderen Anwendungsbereich (eingeklammerter Kursivtext, in alphabetischer Reihenfolge), z. B.
   abatement *(decrease)* [Ver]minderung, Abnahme, *(deduction)* Abzug, *(discount)* Abschlag, [Preis]nachlaß, Rabatt, *(law of real property)* widerrechtliche Besitzergreifung;
   c) Substantiv, erweitert durch Präposition, z. B.
   for account and risk auf Rechnung und Gefahr; **for third** ~ für fremde Rechnung; **not taken into** ~ unberücksichtigt;
   d) Substantiv, erweitert durch unverbundene adjektivische oder substantivische Appositionen, durch welche die Bedeutung des Substantivs modifiziert wird, z. B.
   account Konto; **advance** ~ Vorschußkonto; **appropriation** ~ Bereitstellungskonto; **"~ attached"** „Konto beschlagnahmt"; **bank** ~ Bankkonto;
   e) Substantiv, erweitert durch verbundene, nachgestellte Appositionen (alphabetisch, ohne Berücksichtigung der Bindewörter, nach den Anfangsbuchstaben der Appositionen geordnet), z. B.
   account | in arrears Rechnungsrückstand; ~ **in bank** Bankkonto; ~ **of charges** Unkostenkonto; ~ **with customers** Kundenkonto;
   f) Adjektiv (a.), das mit dem Stichwort-Substantiv gleichlautend ist;
   g) einfaches Verb (v.), das mit dem Stichwort-Substantiv gleichlautend ist;

h) Verb, erweitert durch Synonyme und Hinweise auf seinen besonderen Anwendungsbereich (eingeklammerter Kursivtext, in alphabetischer Reihenfolge), z. B.
abate (v.) *(decrease)* abnehmen, geringer werden, *(deduct)* herabsetzen, abziehen, nach-, ablassen, *(reduce legacies)* (Legate) verkürzen;
i) Verb, erweitert zur Phrase durch beliebige grammatische Konstruktionen, alphabetisch geordnet nach dem Anfangsbuchstaben des jeweils wichtigsten Wortes dieser Konstruktion, z. B.
accept | *(v.)* **a bill** Wechsel akzeptieren, mit Akzept versehen; ~ **bills for collection (discount)** Wechsel zum Einzug (Diskont) hereinnehmen; ~ **in blank** blanko akzeptieren;
k) Substantiv, erweitert zur Phrase durch verbale Konstruktionen, in alphabetischer Reihenfolge dieser Verben, z. B.
to add to an account einem Konto zuschlagen; **to "age" ~s** Konten nach ihrer Fälligkeit aufgliedern; **to appear in an** ~ auf einer Rechnung stehen; **to audit ~s** Rechnungen überprüfen;
l) Einfaches Kompositum des Stichworts, alphabetisch geordnet nach den Anfangsbuchstaben des jeweils nachgestellten (unbetonten) Kompositumgliedes, z. B.
account | **analysis** Kontenanalyse; ~ **book** Kontobuch; ~ **day** *(stock exchange)* Abrechnungstag.

6. Die Untergruppen eines Stichworts sind im Text jeweils durch einen Absatz hervorgehoben.

II. Erläuterungen der angewandten Abkürzungen und Zeichen

1. Abkürzungen

a.	=	Adjektiv	print.	=	(printing term) = drucktechnischer Ausdruck
abbr.		(abbreviation) = Abkürzung	s. o.	=	someone
Br.	=	hauptsächlich in Großbritannien gebräuchlich	s. th.	=	something
[etwa]	=	annähernd entsprechender Begriff	Scot.	=	schottisch
fam.	=	familiär	sl.	=	Slang
fig.	=	bildlich	tel.	=	Telefon
j., jds., jem.	=	jemand, jemandes, jemandem	th.	=	thing
lat.	=	aus dem Lateinischen	US	=	hauptsächlich in den USA gebräuchlich
o. s.	=	oneself	v.	=	Verb
pol.	=	politisch	v. i.	=	verbum intransitivum
			v. t.	=	verbum transitivum
			→	=	siehe

2. **Tildenzeichen**
Fettgedruckte Stichwörter werden bei Wiederholungen innerhalb ihres Abschnittes durch eine Tilde (~) ersetzt, wobei sich die Tilde auf die Gesamtheit eines evtl. mehrteiligen Stichwortes bezieht. Beginnt das durch die Tilde ersetzte Wort im Gegensatz zum Stichwort mit einem großen Buchstaben oder umgekehrt, so wird dies durch einen Kreis über der Tilde (≗) angedeutet.

3. **Senkrechter Strich**
Wird vom Ordnungswort eines mehrteiligen Stichwortes (z. B. **extension agreement)** eine Untergruppe abgeleitet (~**course** = Fortbildungskurs), so wird das Ordnungswort dieses Stichwortes von seinem restlichen Teil durch einen dünnen senkrechten Strich **(extension | agreement)** abgetrennt.

4. **Runde Klammern**
a) Steht ein Buchstabe innerhalb eines Wortes in runden Klammern, z. B. bei **hono(u)r,** so deutet die Klammer eine zweite Schreibmöglichkeit an;
b) steht ein Wort innerhalb eines Ausdrucks in runden Klammern, so verweist die Klammer auf ein Synonym, z. B.
current account laufendes (tägliches) Konto, **to audit (balance) accounts** Konten saldieren (ausgleichen).

5. **Eckige Klammern**
Sie bedeuten, daß die eingeklammerten Stellen (Buchstaben oder Wörter) mitgelesen oder ausgelassen werden können, z. B. **abandonment** [Verzicht]-leistung; **abatement** *(remittance of tax)* [Steuer]erlaß, Nachlaß.

6. Während im Englischen die Wiederholung eines Wortes durch eine Tilde (~) bezeichnet wird, sind kurz nacheinander wiederholt auftretende deutsche Wörter oder Wortteile durch einen kurzen Strich (-) markiert, z. B.
able to earn dienst-, unterhaltsfähig;
ability to pay Zahlungs-, Leistungsfähigkeit;
bear account Baissekonto, -position.

III. Rechtschreibung

Die amerikanische Rechtschreibung weicht häufig von der englischen ab. Den wesentlichen Abweichungen wurde durch nachfolgende Regelung Rechnung getragen:

1. Wörter, die im Amerikanischen verkürzt wiedergegeben werden, bekamen folgendes Druckbild: **hono(u)r, program(me).**

2. Die Wortendung **ise** oder **ize** wurde in Anlehnung an die vom Oxford Dictionary durchgeführte Schreibweise meist mit **ise** wiedergegeben.
3. Die amtlichen Regeln für die englische Silbentrennung wurden strengstens beachtet und an Hand von Webster's New International Dictionary kontrolliert.
4. Die Verwendung der Bindestriche zwischen einzelnen selbständigen Substantiven ist heute zwiespältiger denn je. In der englischen und amerikanischen Literatur finden sich alle Varianten (Bindestrich, kein Bindestrich, Zusammenschreibung). Da die Entwicklung mehr in die Richtung geht, den Bindestrich wegzulassen oder die Wörter zusammenzuschreiben, wurde dieser Tendenz im allgemeinen entsprochen.

NOTES

I. Alphabetical Order

1. Catchwords are placed in alphabetical order.
2. The plural form has been treated, as far as it has to be mentioned, in the same alphabetical order as the singular. The plural form of words ending with a "y" has been treated separately.
3. Verbs have been marked with a (v.) where the participle "to" has been omitted. Adjectives with an (a.).
4. The classification of a word as catchword has been decided according to the grade of its independency, or its sub-division under a catchword.
5. The sub-grouping is arranged in the following manner:
   a) pure substantives without attributes;
   b) nouns extended by synonyms and indication of their special use (in brackets, text in italics) are in alphabetical order, i. e.
   abatement *(decrease)* [Ver]minderung, Abnahme, *(deduction)* Abzug, *(discount)* Abschlag [Preis]nachlaß, Rabatt, *(law of real property)* widerrechtliche Besitzergreifung;
   c) nouns extended by prepositions, i. e.
   for account and risk auf Rechnung und Gefahr; **for third** ~ für fremde Rechnung; **not taken into** ~ unberücksichtigt;
   d) nouns extended by detached adjectival or substantival appositions in which the meaning of the nouns is modified, i. e.
   account Konto; **advance** ~ Vorschußkonto; **appropriation** ~ Bereitstellungskonto; **"~ attached"** „Konto beschlagnahmt"; **bank** ~ Bankkonto;
   e) nouns extended by joined following appositions (alphabetical order without any regard to the conjunction) are arranged according to the first letter of the apposition, i. e.
   account | in arrears Rechnungsrückstand; ~ **of charges** Unkostenkonto; ~ **with customers** Kundenkonto;
   f) adjectives (a.) which are of homonymous value with the catchword noun;
   g) simple verb (v.) which is of homonymous value with the catchword noun;
   h) verbs extended by synonyms and with explanations as to their special use (in brackets, text in italics) are in alphabetical order, i. e.

abate (v.) *(decrease)* abnehmen, geringer werden, *(deduct)* herabsetzen, abziehen, nach-, ablassen, *(reduce legacies)* (Legate) verkürzen;

i) verbs extended into phrases through any grammatical construction have been placed alphabetically according to the first letter of the most important word in this construction, i. e.
accept | *(v.)* **a bill** Wechsel akzeptieren, mit Akzept versehen; ~ **bills for collection (discount)** Wechsel zum Einzug (Diskont) hereinnehmen; ~ **in blank** blanko akzeptieren;

k) nouns extended into phrases by means of verbal construction have been placed in alphabetical order of the verbs, i. e.
to add | **to an account** einem Konto zuschlagen; **to age** ~ **s** Konten nach ihrer Fälligkeit aufgliedern; **to appear in an** ~ auf einer Rechnung stehen; **to audit** ~**s** Rechnungen überprüfen;

l) simple compounds of the catchwords have been placed in alphabetical order according to the first letter of the following unaccentuated part of the compositum, i. e.
account | **analysis** Kostenanalyse; ~ **book** Kontobuch; ~ **day** *(stock exchange)* Abrechnungstag.

6. The sub-grouping of a catchword is always shown in the text by a paragraph.

II. Explanation of the use of abbreviations and signs

1. Abbreviations

a.	= adjective		pol.	= political	
abbr.	= abbreviation		print.	= printing term	
Br.	= chiefly used in Great Britain		s. o.	= someone	
[etwa]	= approximate translation		s. th.	= something	
fam.	= familiar		Scot.	= Scotch	
fig.	= figurative		sl.	= slang	
j., jds., jem.	= jemand, jemandes, jemandem (someone, someone's, to someone)		tel.	= telephone	
			th.	= thing	
			US	= chiefly used in the USA	
			v.	= verb	
lat.	= Latin		v. i.	= verbum intransitivum	
o. s.	= oneself		v. t.	= verbum transitivum	
			→	= see	

2. Repetition sign

Heavy typed catchwords when repeated in the paragraph are substituted by a repetition mark (~). When the catchword consists of one or more sections, this sign replaces the whole. When in contrast with the catchword the repeated word begins with a capital letter or vice versa, this is indicated by a circle put over the repetition mark (~̊).

3. **Perpendicular stroke**
   If however a subdivision is formed of a catchword consisting of one or more words (i. e. **extension agreement**) whose first part determines the alphabetically placed word of the whole the catchword is separated from the remaining part by a thin perpendicular stroke **(extension | agreement).**

4. **Round brackets**
   a) If a letter is placed in round brackets, i. e. **hono(u)r,** then the bracket shows a second form of spelling;
   b) if a word is placed in round brackets, then the bracket refers to a synonym, i. e.
   current account laufendes (tägliches) Konto, **to audit (balance) accounts** Konten saldieren (ausgleichen).

5. **Square brackets**
   These mean that the bracketed letters (or words) can be read or omitted, i. e. **abandonment** Verzicht[leistung]; **abatement** *(remittance of tax)* [Steuer]erlaß, Nachlaß.

6. In order to save space the separation sign (-) is used frequently in the German text and it indicates that the same word is used before and after, i. e.
   able to earn dienst-, unterhaltsfähig;
   ability to pay Zahlungs-, Leistungsfähigkeit;
   bear account Baissekonto, -position.

III. Correct Spelling

The American spelling often differs from the English. The most important differences have been accounted for by the following scheme:

1. Words which are used by Americans in an abbreviated manner have been printed as follows: **hono(u)r, program(me).**
2. The Oxford Dictionary way of spelling has been adopted for words ending in **ise** and **ize.**

3. The recognized rules for dividing syllables in English have been most carefully followed and checked with the Webster's New International Dictionary.
4. The use of the hyphen between single simple nouns is nowadays even more disputable than ever. One finds all sorts of variations in both English and American literature (hyphen, no hyphen, written together). Since the development tends more to leave the hyphen out or to write words together this tendency has generally been followed.

A

A 1 *(US)* erstklassig, ausgezeichnet, prima.
ABC Anfangsgründe, *(Br.)* alphabetisches Kursbuch;
not to know the ~ of finance nicht einmal die Grundbegriffe des Finanzwesens begreifen.
abandon *(underwriting)* Aufgabe eines Schiffes;
~ *(v)* *(balance sheet)* ausbuchen, *(customs)* abandonnieren, *(give up to)* überlassen, übergeben;
~ **a claim** Anspruch fallenlassen; ~ **a mine** Grube auflassen; ~ **an option** Optionsrecht aufgeben; ~ **a railway** Eisenbahnlinie stillegen.
abandoned aufgegeben, verlassen, herrenlos;
~ **ship** Wrack.
abandonee Schiffsabwracker.
abandonment *(accounting)* Ausbuchung, *(customs)* Zollabandonnierung, *(ship)* Preisgabe;
malicious ~ böswilliges Verlassen;
~ **of business** Geschäftsaufgabe; ~ **of the gold standard** Abgang vom Goldstandard; ~ **of lines** Einstellung des Verkehrs; ~ **of a ship to the underwriters** Überlassung eines Schiffes an die Versicherungsgesellschaft;
~ **clause** Abandonklausel.
abate *(v.)* *(decrease)* abnehmen, geringer werden, *(deduct)* herabsetzen, nachlassen, ablassen, *(price)* herabsetzen, ermäßigen, mindern, *(remit taxes)* [Steuern] erlassen, *(make void)* umstoßen, aufheben;
~ **a fee** Gebühr niederschlagen; ~ **the purchase price** Kaufpreis herabsetzen; ~ **a tax** Steuer erlassen.
abatement *(accounting)* [Bilanz]berichtigung, *(deduction)* Abzug, Herabsetzung, *(discount)* Abschlag, [Preis]nachlaß, Preisermäßigung, *(duty)* Zollerlaß, *(remittance of tax)* [Steuer]erlaß, Nachlaß;
~ **of debts** teilweiser Schuldenerlaß; ~ **of fees** Gebührenermäßigung; ~ **of income tax** Steuernachlaß; ~ **of purchase money (price)** [Kaufpreis]minderung; ~ **of rent** Rentenkürzung;
to allow an ~ Nachlaß bewilligen.
abdicate *(v.)* ~ **a child** Kind enterben.
abdication of the throne Thronniederlegung.
abide *(v.)* **by an award** Schiedsspruch annehmen.
abiding place Aufenthaltsort.
ability *(technics)* Leistungsfähigkeit;
administrative ~ Organisationsfähigkeit; **specialized** ~ besondere Fachkenntnisse;
~ **to earn a livelihood** Erwerbsfähigkeit; ~ **to negotiate** Verhandlungsgeschick; ~ **to pay** Zahlungs-, Leistungsfähigkeit, Solvenz; ~ **to supply** Lieferfähigkeit;
~ **-to-pay-principle** *(taxation)* Steuerleistungsprinzip; ~ **requirements** Befähigungsnachweis.
able [leistungs]fähig, tauglich, *(law)* berechtigt, fähig; ~ **to dispose of property** verfügungsberechtigt, testierfähig; ~ **to earn a livelihood** arbeits-, erwerbsfähig; ~ **to meet competition** konkurrenzfähig; ~ **to pay** zahlungsfähig, solvent; ~ **to work** arbeitsfähig.
able-bodied seaman *(Br.)* Vollmatrose.
aboard an Bord;
to go ~ an Bord gehen, sich einschiffen; **to go ~ a train** in einen Zug einsteigen.
abode Wohnort, Aufenthaltsort, Wohnung;
fixed ~ fester Wohnsitz, ständiger Aufenthalt;
to make (set, take up) one's ~ sich niederlassen, seinen Wohnsitz begründen.
abolish *(v.)* aufheben, beseitigen;
~ **a government** Regierung stürzen; ~ **an office** Stelle einsparen; ~ **a post** Stelle streichen; ~ **a tax** Steuer abschaffen.
abolition Aufhebung, *(post)* Streichung;
~ **of debts** Schuldenannullierung; ~ **of resale price maintenance** Aufhebung der Preisbindung; ~ **of a tax** Steueraufhebung.
aboveground *(mining)* über Tage.
abrade *(v.)* abnutzen, verschleißen.
abrasion *(of coin)* Abnutzung.
abreast nebeneinander, *(fig.)* auf der Höhe;
to keep ~ of one's field sich auf seinem Gebiet auf dem laufenden halten.
abridge *(v.)* *(condense)* Auszug machen, *(shorten)* [ab]kürzen;
~ **a privilege** Sonderrecht einschränken.
abridged version gekürzte Ausgabe.
abridgement *(book)* Auszug, Leitfaden, *(shortening)* [Ab]kürzung;
~ **of damages** Beschränkung des Schadenersatzanspruchs.
absconding debtor unbekannt verzogener Schuldner.
absent on medical certificate ärztlich entschuldigt.
absentee Abwesender, Nichterschienener;
~**s'list** Abwesenheitsliste; ~ **ownership** Managerfunktion ohne Eigentümerrisiko; ~ **rate** *(workers)* Abwesenheitssatz; ~ **voter** *(US)* Briefwähler.
absenteeism Wohnen im Ausland, *(labo(u)r)* Abwesenheit [vom Arbeitsplatz], Arbeitsversäumnis, Feier-, Fehlschichten;
~ **rate** Abwesenheitssatz.
absolute unbeschränkt, absolut, bedingungslos, *(unmixed)* unvermischt, unverdünnt;
~ **assignment** Forderungsabtretung; ~ **bill of sale** unbedingter Lieferschein; ~ **indorsement** unbeschränktes Giro; ~ **liability** unbeschränkte Haftpflicht; ~ **majority** absolute Majorität; ~ **owner** unumschränkter Eigentümer.
absorb *(v.)* *(carrier)* Frachtnachlaß gewähren, *(prices)* auffangen, *(stocks)* aufnehmen;

~ **buying power** Kaufkraft abschöpfen; ~ **expenses** Unkosten übernehmen; ~ **the extras** Sonderausgaben anderweitig ausgleichen; ~ **part of the cost increase** Kostenerhöhungen teilweise selbst tragen; ~ **freight charges** Frachtkosten übernehmen; ~ **liquidity** Liquidität abschöpfen; ~ **losses** Verluste auffangen; ~ **its full share of overhead** voll zur Deckung des Gemeinkostenanteils beitragen; ~ **new workers in the labo(u)r force** neue Kräfte in den Arbeitsprozeß eingliedern.

absorbed expenses verrechnete Gemeinkosten.

absorbent paper Saugpost.

absorbing | capacity (power) Aufnahmefähigkeit, Absorptionsvermögen [des Marktes]; ~ **company** *(merger)* aufnehmende Gesellschaft; ~ **freight** sich nicht tragende Transportkosten.

absorption *(carrier)* Frachtnachlaß, *(prices)* Auffangen;

cost ~ Kostenübernahme; **freight** ~ Frachtkostenübernahme;

~ **of buying power** Abschöpfung der Kaufkraft; ~ **of charges** Gebührenübernahme; ~ **of liquidity** Liquiditätsabschöpfung, -entzug;

~ **account** Wertberichtigungskonto; ~ **costing** Kostenaufteilungsverfahren; ~ **power** *(market)* Sättigungspunkt; ~ **value** berichtigter Wert.

abstention [from voting] Stimmenthaltung.

abstract kurze Übersicht, *(books)* Auszug;

~ **of account** Konto-, Rechnungsauszug; **equated** ~ **of account** Staffelauszug; ~ **of balance** Vermögensübersicht; ~ **of balance sheet** Bilanzauszug; ~ **of record** Aktenauszug; ~ **of title** Eigentumsnachweis, Grundbuchauszug;

~ **service** *(US)* Ausschnittsdienst.

abstraction of documents Urkundenunterschlagung.

abundance Ergiebigkeit, Überfluß, Fülle, Menge;

~ **of lab(u)r supply** Überangebot an Arbeitskräften; ~ **of money** Geldschwemme;

~ **economy** Überflußgesellschaft.

abuse | of authority Amtsmißbrauch, Mißbrauch der Ermessensfreiheit; ~ **of distress** Pfand-, Vollstreckungsmißbrauch; ~ **of monopoly** Mißbrauch einer Monopolstellung.

abutter Anlieger, Anrainer.

abbutting piece of land (property) Nachbargrundstück.

accede *(v.)* *(agree)* einwilligen, zustimmen, willfahren;

~ **to an estate** Erbschaft antreten.

accelerate *(v.)* *(traffic)* beschleunigen, Geschwindigkeit erhöhen;

~ **one's departure** seine Abfahrt vorverlegen.

accelerated | allowance erhöhte Abschreibung; ~ **course** Schnellkurs; ~ **express goods** beschleunigtes Eilgut.

accelerating premium progressive Leistungsprämie.

acceleration | of inflation Inflationszunahme; ~ **of maturity** frühzeitige Fälligstellung;

~ **clause** *(instal(l)ment contract)* Fälligkeitsklausel; ~ **lane** Überholungsbahn; ~ **principle** *(investment)* Beschleunigungsprinzip.

accelerator Gaspedal, *(advertising agency)* Terminüberwacher, *(railway)* Postwagen.

accept *(v.)* an-, entgegennehmen, *(assume discharge of duty)* übernehmen;

~ **a bill** Wechsel akzeptieren; ~ **bills for collection (discount)** Wechsel zum Einzug (Diskont) hereinnehmen; ~ **in blank** blanko akzeptieren; ~ **a bribe** sich bestechen lassen; ~ **[delivery of] goods** Waren[lieferung] abnehmen; ~ **a risk** Risiko übernehmen; ~ **the treasurer's account** Schatzmeister entlasten.

acceptable annehmbar, *(as collateral)* beleihbar, lombardfähig;

~ **quality level** ausreichende Qualität.

acceptance Annahme, *(bill of exchange)* Akzept, Akzeptierung, *(marine insurance)* Entgegennahme der Abandonerklärung;

accommodation ~ Gefälligkeitsakzept; **blank** ~ Blankoakzept; **clean** ~ reines Akzept; **collateral** ~ Wechselbürgschaft, *(in case of need)* Interventions-, Notakzept; **consumer** ~ Aufnahmefreudigkeit [des Marktes]; **local** ~ Platzakzept; **qualified** ~ Annahme unter Vorbehalt; **rebated** ~ vor Fälligkeit bezahltes Akzept; **refused** ~ Annahmeverweigerung [eines Wechsels];~ **of a bid** *(auction sale)* Zuschlag; ~ **in case of need** Notakzept; ~ **for (upon) hono(u)r** Interventionsakzept; ~ **of persons** Günstlingswirtschaft; ~ **of product** Produktaufnahme [im Markt] ~ **supra protest** Interventionsakzept; ~ **of rent** Mietannahme; ~ **of report** Entlastungserteilung; ~ **of shipment** Frachtabnahme; ~ **of tender** Zuschlag, Auftragserteilung; ~ **on trail** *(ship)* Abnahmefahrt; ~ **by wire** Drahtannahme;

to discharge ~**s** Akzepte einlösen; **to hono(u)r (meet) an** ~ Akzept einlösen; **to obtain** ~ Akzept einholen;

~ **account** Akzeptkonto; ~ **bill** Dokumentenwechsel; ~ **commitments** Akzeptumlauf; ~ **credit** Akzept-, Trassierungs-, Rembourskredit; ~ **creditor** Akzeptgläubiger; ~ **house** Diskontbank; ~ **ledger** Obligobuch; ~ **line** Akzepthöchstkredit; ~ **maturity tickler** Wechselverfallbuch; ~ **sampling** statistische Qualitätskontrolle; ~ **tolerance** Abnahmetoleranz.

accepting | commission Akzeptprovision; ~ **house** Akzeptbank.

acceptor Akzeptant, Wechselverbundener, *(drawee)* Bezogener;

~ **dead** Akzeptant verstorben;

~ **for hono(u)r (supra protest)** Ehrenakzeptant, Intervenant.

access Zugang, *(data processing)* Zugriff;

~ **to studies** Zulassung zum Studium;

to gain ~ to capital Zugang zum Kapitalmarkt; **to have ~ to the books of a company** Einsichtrecht in die Bücher einer Firma haben;
~ **point** *(freeway)* Autobahnauffahrt; ~ **road** Zubringer, Anliegerstraße.
accession *(addition)* Zuwachs, *(to agreement)* Beitritt;
~**s** *(books)* Neuerwerbungen, -anschaffungen, *(labo(u)r force)* Belegschaftszuwachs;
~ **to an estate** Nachlaßübernahme, Erbschaftsantritt; ~ **of property** Vermögenszuwachs;
to enter in the ~ book Bücher inventarisieren.
accessorial | **agency** nachgeordnete Behörde; ~ **services** *(carrier)* zusätzliche Dienstleistungen.
accessories Zubehör, Beistellteile.
accessory *(a.)* hinzukommend, nebensächlich;
~ **advertising** begleitende Werbeaktion; ~ **charges (expenses)** Nebenausgaben.
accident *(casualty)* Unglücks-, Unfall, *(event)* Zufallserscheinung;
automobile ~ Autounfall; **industrial** ~ Betriebsunfall; **lost time** ~ Unfall mit Arbeitsausfall; **nonoccupational (off-the-job)** ~ Unfall außerhalb der Arbeitszeit; **road (street)** ~ Verkehrsunfall; **working** ~ Betriebsunfall;
~ **at sea** Schiffsunglück;
to be killed in an ~ bei einem Unfall den Tod finden;
~ **annuity** Unfallrente; ~ **avoidance** Unfallvermeidung, -hütung; ~ **benefit** freiwillige Unfallzulage; ~ **black spot** typische Unfallstelle; ~ **branch** *(insurance)* Gefahrenklasse; ~ **death** Unfalltod; ~ **frequency** Unfallhäufigkeit; ~ **hazard** Unfallrisiko; **personal** ~ **insurance** private Unfallversicherung; ~ **policy** Unfallversicherungspolice; ~ **-prone** unfallgefährdet; **spotless** ~ **record** unfallfreier Fahrrekord; ~ **report form** Unfallberichtsformular; ~ **severity** Unfallzeitverlust.
accidental | **collision damages** durch Autounfall entstandener Schaden; ~ **death** tödlicher Unfall; ~ **sampling** stichprobenartige Untersuchung.
accommodate unterbringen, bewirten, *(oblige)* Gefälligkeit erweisen;
~ **s. o. with small change** jem. mit Kleingeld aushelfen; ~ **o. s. to circumstances** sich den Verhältnissen anpassen; ~ **a client** einem Kunden einen Dienst erweisen; ~ **local traffic** dem Ortsverkehr dienen; ~ **vessels of any draught** *(harbo(u)r)* Schiffe ohne Rücksicht auf den Tiefgang aufnehmen.
accommodated party Begünstigter.
accommodation *(favo(u)r)* Gefallen, Gefälligkeit, Hilfsbereitschaft, *(loan)* finanzielle Unterstützung, *(lodgement, US)* Unterbringung, *(settlement)* Verständigung, Beilegung;
for ~ merely aus reiner Gefälligkeit;
hotel ~ Hotelmöglichkeiten; **single-room** ~ Einzelzimmerreservierung; **sleeping** ~ Schlafgelegenheit;
~ **of conflicting interests** Ausgleichung widerstreitender Interessen; ~ **for the night** Nachtquartier; ~ **of a railway carriage** Laderaum eines Waggons;
to arrange for ~s Quartier beschaffen; **to come to an** ~ Vergleich abschließen; **to supply bank** ~ bankmäßige Geschäfte besorgen;
~ **acceptance** Gefälligkeitsakzept; ~ **address** Hilfs-, Deck-, Gefälligkeitsadresse; ~ **allowance** Wohnungsgeldzuschuß; ~ **bill** Keller-, Gefälligkeitswechsel; ~ **endorsement** Gefälligkeitsgiro; ~ **endorser** Gefälligkeitsgirant; ~ **land** Spekulationsbauplatz; ~ **loan** Überbrükkungskredit; ~ **maker** Gefälligkeitsaussteller; ~ **paper** Gefälligkeitspapier; ~ **registry** *(Br.)* Wohnungsnachweis.
accompany *(v.)* **an account with receipts** Abrechnung mit Quittungen belegen.
accompanying | **documents** Begleitpapiere; ~ **letter** Begleitbrief.
accord *(v.)* | **a commission** Provision gewähren; ~ **a respite** Frist einräumen.
account Soll und Haben, Konto, *(~ stated)* Kontobestätigung, *(advertising agency)* Kunden-, Werbeetat, *(bill)* Rechnung, *(client)* Kunde einer Werbeagentur, *(financial statement)* Jahresabschluß, *(invoice)* Faktura, *(report)* Bericht, *(stock exchange)* Liquidationstermin;
as per ~ laut Rechnung; **for ~ and risk** auf Rechnung und Gefahr; **for my sole** ~ auf meine alleinige Rechnung; **for third** ~ für fremde Rechnung; **in full discharge of our** ~ zum Ausgleich unserer Rechnung; **on one's own** ~ auf Eigenrechnung; **received on** ~ a conto; **when opening an** ~ bei Kontoeröffnung;
~**s** Buchhaltungsunterlagen, Rechnungswerk;
~ **payee only** *(check)* nur zur Verrechnung;
adjustment of property ~ Wertberichtigungskonto; **advance** ~ Vorschußkonto; **annual** ~ Jahresabschluß; **appropriation** ~ Bereitstellungskonto; **bank[ing]** ~ Bankkonto; **bear** ~ Baisseposition; **bills receivable** ~ Rimessenkonto; **blocked** ~ Sperrguthaben; **bull** ~ Hausseposition; **checking** ~ *(US)* Girokonto; **contingency** ~ Delkrederekonto; **continuing** ~ Kontokorrentkonto; **cost** ~ Unkostenkonto; **current** ~ laufende Rechnung, Kontokorrent; **dead** ~ umsatzloses Konto; **debit** ~ Debetkonto, Soll; **deficiency** ~ Verlustkonto; **deposit** ~ Hinterlegungskonto; **doubtful** ~**s** dubiose Guthaben; **expense** ~ Spesenkonto; **furniture and fixtures** ~ Sachkonto; **goods** ~ Warenkonto; **impersonal** ~ Sachkonto; **intercompany** ~**s** interne Konten; **itemized** ~ spezifizierte Rechnung; **joint** ~ Konsortial-, Metakonto; **special loan** ~ Kreditsonderkonto; **loose-leaf** ~**s** Loseblattbuchhaltung; **national** ~ volkswirtschaftliche Gesamtrechnung; **numbered** ~ Nummernkonto; **operating** ~ Gewinn- und Verlustrechnung; **other** ~**s** *(balance sheet)* sonstige Forde-

rungen; **our** ~ *(US, balance sheet)* Nostroguthaben; **overdrawn** ~ überzogenes Konto; **overhead charges** ~ Handlungsunkostenkonto; **~s paid up** *(balance sheet)* geleistete Anzahlungen; **~s payable** ausstehende Rechnungen, *(US, balance sheet) Kreditoren,* [Kreditoren aus] Buchforderungen;**~s payable for goods received and services accepted** *(balance sheet)* mittel- und kurzfristige Verbindlichkeiten; **post-office transfer** ~ Postscheckkonto; **pro-forma** ~ fingierte Rechnung; **profit and loss** ~ Gewinn- und Verlustrechnung; **property** ~ Liegenschaftskonto; **purchase** ~ Wareneingangskonto; **~s receivable** *(US, balance sheet)* Forderungsbestand; **aging ~s receivable** *(US)* Debitorenaufstellung nach Fälligkeit; **pledged ~s receivable** *(US)* abgetretene Kundenforderungen; ~ **rendered** vorgelegte Rechnung; **reserve** ~ Rücklagenkonto; **revenue** ~ Gewinn- und Verlustkonto; **salary** ~ Gehaltskonto; **sales** ~ Warenausgangskonto; **returned sales and allowances** ~ Retouren und Nachlaßkonto; **savings** ~ Sparguthaben; **securities** ~ Stückekonto; **security** ~ Depotkonto; **settled** ~ beglichene Rechnung; ~ **showing a credit balance** Guthabenkonto; ~ **stated** bestätigter Kontoauszug, Kontoauszugsbestätigung; **stock** ~ *(capital)* Kapitalkonto, *(securities)* Effektenrechnung; **sundry ~s** Konto pro Diverse; **their** ~ *(US)* Vostroguthaben; **unsettled** ~ offenstehende Rechnung; **valuation** ~ Betriebsmittelreserve; **worksheet ~s** *(US)* Loseblattbuchhaltung;

~s agreed upon festgestellter Rechnungsabschluß; ~ **in arrears** Rechnungsrückstand; ~ **of assets and liabilities** Gewinn- und Verlustrechnung; ~ **of customs** Zollrechnung; ~ **of goods purchased** Einkaufsrechnung; **~s to be settled every six months** halbjährlicher Kontoabschluß; ~ **of settlement** Abschlußrechnung;

~ *(v.) (give an account)* Rechnung ablegen, abrechnen *(place to account)* buchen;

~ **for one's expenses** seine Spesen abrechnen; **to adjust an** ~ Konto ausgleichen; **to age ~s** Konten nach ihrer Fälligkeit aufgliedern; **to appear in an** ~ auf einer Rechnung stehen; **to balance an** ~ Konto saldieren; **to block an** ~ Guthaben sperren; **to carry to new** ~ auf neue Rechnung übertragen; **to control special ~s on an imprest fund basis** Sonderkonten nach Portokassenrichtlinien überwachen; **to cook the ~s** bei der Kontenführung Unregelmäßigkeiten begehen; **to credit an** ~ Konto erkennen; **to debit an** ~ Konto belasten; **to dot ~s** Rechnungsposten nachprüfen; **to enter in** ~ in Rechnung stellen; **to even up an** ~ **in funds** Konto regulieren; **to foot up an** ~ Rechnungsbeträge addieren; **to give an** ~ **to an attorney for collection** ausstehende Rechnung einem Anwalt zum Inkasso übertragen; **to handle an** ~ Werbeetat verantwortlich bearbeiten; **to have an** ~ **with a bank** Bankkonto haben; **to invest one's money to good** ~ sein Geld gut anlegen; **to keep the ~s** Bücher führen; **to keep a current** ~ **with s.o.** mit jem. in Kontokorrentverkehr stehen; **to keep a strict** ~ **of the expenses** Spesen genauestens überwachen; **to make up one's** ~ Bilanz aufstellen, Jahresabschluß machen; **to make an extract of an** ~ Kontoauszug anfertigen; **to open an** ~ **with a bank** Konto bei einer Bank eröffnen; **to operate on own** ~ auf eigene Rechnung betreiben; **to overdraw an** ~ Konto überziehen; **to pass (place) to the credit of an** ~ Konto kreditieren (gutschreiben); **to pay into an** ~ auf ein Konto einzahlen; **to place an** ~ **in funds** Konto dotieren (alimentieren); **to put to** ~ **every single item** jeden Posten verrechnen; **to run up an** ~ anschreiben lassen; **to stop an** ~ Konto sperren; **to tamper with the ~s** bei der Kontenführung Unregelmäßigkeiten begehen; **to withdraw from an** ~ Kontoabhebung vornehmen;

~ **book** Kontobuch; ~ **carrying charges** Kontospesen; ~ **duty** *(Br.)* Vermächtnissteuer; ~ **executive** *(advertising agency)* Sachbearbeiter eines Werbeetats, Kontakter; ~ **folder** Kundenakte; ~ **form** Kontoblatt; ~ **holder** Kontoinhaber; ~ **manager** Kontoführer; ~ **number** Kontonummer; **~s payable** *(US)* Lieferantenschulden; **~s payable department** *(US)* Kreditorenbuchhaltung; **~s payable ledger** *(US)* Kontokorrentbuch; ~ **price** Ultimopreis; **~s receivable department** *(US)* Debitorenbuchhaltung; **~s receivable financing** *(US)* Finanzierung durch Abtretung der Debitoren; **~s receivable ledger** *(US)* Debitorenbuch; **~s receivable loan** *(US)* Debitorenkredit; **~s receivable statement** *(US)* Debitorenauszug; **pro-forma** ~ **sales** fingierte Verkaufsrechnung; ~ **solicitation service** Bonitätsauskunft; **~s statement** *(Br.)* Rechnungsaufstellung; ~ **supervisor** Kontoführer, *(advertising agency)* leitender Kontakter; **to arrange** ~ **terms** Kundenkreditkonto eröffnen; ~ **turnover** Kontoumsatz; ~ **year** Rechnungs-, Wirtschaftsjahr.

accountable verantwortlich, rechenschaftspflichtig;

~ **condition (event)** Buchungsvorgang; ~ **person** Rechnungsleger; ~ **receipt** Empfangs-, Belegquittung, Buchungsbeleg; ~ **warrant** Auszahlungsanweisung.

accountability *(employee)* Haftung des Erfüllungsgehilfen, *(liability)* Haftpflicht, Verantwortlichkeit, *(liability to give account)* Rechnungslegungspflicht, *(measure of liability)* Haftungsumfang.

accountancy Rechnungswesen;

~ **profession** Wirtschaftsprüferberuf.

accountant Rechnungsführer, Bilanzbuchhalter, -prüfer, bilanzsicherer Buchhalter, *(accounting*

expert) Buchsachverständiger;
accounts payable ~ Lieferantenbuchhalter; **certified public** ~ *(US)* öffentlich zugelassener Wirtschaftsprüfer; **chartered** ~ *(Br.)* geprüfter Bücherrevisor, Wirtschaftsprüfer; **chief** ~ Hauptbuchhalter; **cost** ~ [Betriebs]kalkulator; **private** ~ betriebseigener Prüfer;
~ **in charge** leitender Außenrevisor;
to employ a private ~ **on a full-time basis** Wirtschaftsprüfer ganztags beschäftigen;
~**'s certificate** Prüfungsbescheinigung ≗**'s Department** *(Br.)* Staatsschuldenregister.

accounting *(bookkeeping)* Buchführung, -haltung, Rechnungswesen, *(internal auditing)* Revisionswesen, *(rendition of account)* Rechnungslegung;
budgetary ~ Finanzplanung; **cash** ~ Kassenbuchführung; **contribution margin** ~ Dekkungsbeitragsrechnung; **cost** ~ betriebliches Rechnungswesen; **cost centre** ~ *(Br.)* Kostenstellenrechnung; **cost location** ~ *(US)* Kostenstellenrechnung; **good** ~ ordnungsgemäße Buchführung; **government** ~ Staatsrechnungswesen; **job order cost** ~ Stückerfolgsrechnung; **manufacturing** ~ Betriebsbuchhaltung; **national income** ~ volkswirtschaftliche Erfolgsrechnung; **personnel** ~ Lohn- und Gehaltsbuchhaltung;
~ **for units** Stück-, Einheitsrechnung;
~ **adviser** Betriebsberater; ~ **axioms** Bilanzierungsgrundsätze; ~ **cycle** Buchungskreislauf; ~ **date** [Bilanz]stichtag; ~ **dollar** Verrechnungsdollar; ~ **entity** selbständig bilanzierendes Unternehmen; ~ **firm** Revisionsfirma; ~ **machine** Buchungsmaschine; ~ **manoeuvre** angreifbares Buchungsverfahren; **General** ≗ **Office** *(US)* Bundesrechnungshof; ~ **period** Rechnungsabschnitt, Buchungszeitraum; ~ **policy** Bilanzpolitik; ~ **practitioner** Bilanzierungsfachmann; ~ **principles** Bilanzierungsrichtlinien; ~ **records** Buchungsunterlagen; ~ **supervisor** Buchhaltungschef; ~ **system** Buchungsverfahren; ~ **technique** Bilanzierungstechnik; ~ **transaction** Buchhaltungsvorgang; ~ **unit** Rechnungsposten; ~ **year** Rechnungsjahr.

accredit *(v.)* bevollmächtigen, akkreditieren, *(letter of credit)* Akkreditiv einräumen.

accredited representative Bevollmächtigter.

accreditee Akkreditivinhaber.

accreditif, dos-a-dos *US)* Gegenakkreditiv.

accrual Zuwachs;
~**s** *(balance sheet)* Zugänge;
depreciation ~**s** entstandene Abschreibungen;
~ **of a dividend** Dividendenanfall; ~ **of exchange** Devisenzugang; ~ **of interest** Auflaufen von Zinsen;
~ **basis** Fälligkeitsbasis; ~ **date** Fälligkeitstag; ~ **method** Gewinnermittlung durch Betriebsvermögensvergleich.

accrue *(v.)* anwachsen, *(interest)* auflaufen, fällig werden, *(liability)* eintreten, *(proceeds)* anfallen, auflaufen;
~ **to an enterprise** einem Unternehmen zufließen.

accrued aufgelaufen, angewachsen, entstanden;
~ **payable accounts** *(balance sheet)* entstandene [aber noch nicht fällige] Aufwendungen; ~ **receivable accounts** *balance sheet)* entstandene [aber noch nicht fällige] Forderungen; ~ **assets** *(balance sheet)* antizipative Aktiva; ~ **depreciation** Abschreibungsreserve; ~ **expenses** *(balance sheet)* antizipatorische Passiva; ~ **holiday remuneration** einklagbare Ferienvergütung; ~ **interest** Stückzinsen; ~ **payrolls** *(accounting)* fällige Löhne und Gehälter; ~ **rent** Mietrückstände; ~ **revenue** antizipative Erträge; ~ **royalty** entstandene Tantiemenforderung: ~ **taxes** *(balance sheet)* Steuerschulden; ~ **wages** noch nicht fällige Lohnforderungen, Lohnrückstände.

accruing fällig werdend, entstehend;
~ **amounts** anfallende Beträge; ~ **costs** Auflaufen von Kosten.

accumulate *(funds)* ansammeln, *(interest)* auflaufen.

accumulated | **charges** aufgelaufene Kosten; ~ **demand** Nachfrageballung; ~ **depreciation on fixed assets** *(balance sheet)* Wertberichtigung auf Posten des Anlagevermögens; ~ **dividend** aufgelaufene (rückständige) Dividende; ~ **earnings** *(US)* thesaurierter Gewinn;~ **income** Unternehmensertrag, nicht verteilter Gewinn, Gewinnvortrag; ~ **interest** aufgelaufene Zinsen, Verzugszinsen; ~ **profits** angesammelte Gewinne; ~ **surplus** Gewinnvortrag; ~ **value** Endwert.

accumulation *(of capital)* Kapitalansammlung, *(of interest)* Auflaufen, *(life insurance)* Gewinnansammlung, *(stock exchange)* spekulativer Effektenaufkauf während einer Baisse;
~ **of an annuity** Endwert einer Annuität; ~ **of capital** Kapital-, Vermögensbildung; ~ **of charges** Auflaufen von Kosten; ~ **of interest** Auflaufen von Zinsen; ~ **of property** Vermögensanhäufung; ~ **of reserves** Reservenbildung; ~ **of savings** Spareinlagenzunahme;
~ **plan (schedule)** Kapitalansammlungsplan.

achievement Arbeit, Leistung;
scientific ~**s** Errungenschaften der Forschung;
~ **quotient** Leistungsquotient.

acid test *(balance sheet)* Liquiditätsprüfung;
~ **ratio** *(US)* Flüssigkeitsverhältnis, Liquiditätsgrad.

acknowledge *(receipt)* [Empfang] bestätigen, quittieren.

acknowledgement Anerkenntnis, *(of account)* Richtigbefund, *(receipt)* Empfangsbestätigung, Quittung;
~ **of debt (indebtedness)** schriftliches Schuldanerkenntnis; ~ **of liability** Haftpflichtaner-

kenntnis; ~ **of order** Auftragsbestätigung; ~ **of receipt of payment** Zahlungsbestätigung; ~ **by record** schriftliches Anerkenntnis.

acquire *(v.)* **a controlling interest in a concern** Kapitalmehrheit eines Unternehmens erwerben; ~ **a customer** Kunden werben (gewinnen); ~ **by purchase** käuflich erwerben.

acquisition Erwerb, Anschaffung, Ankauf;
new ~**s** Neuerwerbungen; **original** ~ Ersterwerb;
~ **of a 50-percent interest** fünfzigprozentiger Beteiligungserwerb; ~ **of stock** Aktienerwerb; ~ **agreement** Übernahmevertrag; ~ **binge** Aufkauftour; ~ **commission** Abschlußprovision; ~ **cost** *(insurance)* Akquisitionskosten; **to play the** ~ **game** sich in immer größerem Ausmaß Beteiligungen zulegen; ~ **program(me)** Akquisitionsprogramm; ~ **value** Anschaffungswert.

acquisitive erwerbssüchtig;
~ **capital** Erwerbskapital.

acquit *(v.)* *(discharge debt)* abtragen, abzahlen, erfüllen, begleichen, tilgen.

acquittance Tilgung, Abtragung, *(release)* Schulderlaß.

acre produce Ertrag pro Morgen.

acreage Anbaufläche;
~ **restriction** Anbaubeschränkung.

across-the-board global;
~ **broadcasting** Werbesendung jeweils zur gleichen Tageszeit; ~ **increase** genereller Lohnanstieg (Preisanstieg).

act Werk, *(broadcasting)* festes Rahmenprogramm, *(deed)* Urkunde, Schriftstück, *(legal transaction)* Rechtsgeschäft;
Bankrupty ≗ Konkursordnung; **final** ~ *(dipl.)* Schlußakte; **ministerial** ~ Verwaltungsmaßnahme;
~ **of bankruptcy** Konkursvoraussetzung; ≗ **of God** höhere Gewalt, Natur-, Elementarereignis; ~ **of hono(u)r** Ehreneintritt, Notadresse; ~ **of sale** Kaufvertrag; ≗ **of State** politischer Hoheitsakt;
~ *(v.)* agieren, handeln, sich verhalten;
~ **in accordance with the rules** gemäß den Bestimmungen handeln; ~ **adversely to s. one's interests** gegen jds. Interessen handeln; ~ **in an advisory capacity** beratend tätig sein; ~ **ex officio** von Amts wegen tätig werden; ~ **upon an order** Auftrag ausführen; ~ **beyond the scope of one's authority** seine Vollmacht überschreiten;
to commit an ~ **of bankruptcy** Konkursvergehen begehen.

acting tätig, diensttuend, *(managing)* geschäftsführend;
~ **manager** stellvertretender Leiter, *(Br.)* geschäftsführendes Vorstandsmitglied; ~ **partner** geschäftsführender Teilhaber; ~ **president** amtierender Präsident.

action Tätigkeit, *(lawsuit)* Klage, Prozeß, Rechtsstreit, -sache, *(machine)* Gang, Funktionieren; **administrative** ~ Verwaltungshandlung; **breach-of-contract** ~ Schadenersatzklage; **diplomatic** ~ diplomatischer Schritt;
~ **for breach of contract** Klage wegen Vertragsbruchs; ~ **for damages for deceit** Schadenersatzklage wegen arglistiger Täuschung; ~ **for specific performance of contract** Erfüllungsklage;
to bring an ~ **against s. o.** j. [bei Gericht] verklagen, Klage gegen j. anstrengen (erheben).
~ **report** Tätigkeitsbericht.

activation | **research** *(advertising)* Kaufentschlußanalyse.

active tätig, *(market)* lebhaft, *(share)* gängig;
~ **account** Konto mit häufigen Umsätzen; ~ **assets** Aktiva; ~ **balance** Aktivsaldo; ~ **bonds** *(Br.)* festverzinsliche Obligationen; ~ **capital** flüssiges Kapital; ~ **commerce** lebhafter Handelsverkehr, *(export)* Aktivhandel, *(mercantile shipping on own ships)* Außenhandel mit eigenen Schiffen; ~ **competition** starke Konkurrenz; ~ **debts** Außenstände; ~ **demand** lebhafte Nachfrage; ~ **owner (partner,** *Br.)* tätiger Teilhaber; ~ **securities** Effekten mit täglichen Börsenumsätzen; ~ **shares** gängige Aktien; ~ **side** *(balance sheet)* Aktivseite; ~ **trade balance** aktive Handelsbilanz.

activities Tätigkeitsbereich;
to sell off its peripheral ~ seine Randgeschäfte aufgeben.

activity Tätigkeit, *(functions)* Aufgabengebiet;
building ~ Bautätigkeit; **nonbanking** ~ bankfremde Geschäfte; **political** ~ politische Betätigung; **subsidiary** ~ Nebentätigkeit;
~ **of accounts** Kontenbewegung;
to show renewed ~ neuen Aufschwung nehmen.

actual effektiv, vorhanden, tatsächlich;
~ **amount** Effektiv-, Istbestand; ~ **assets** Reinvermögen; ~ **cash value** Versicherungswert; ~ **costs** Selbst-, Ist-, Herstellungskosten; ~ **damages** tatsächlich entstandener Schaden; ~ **deaths** *(insurance)* eingetretene Todesfälle; ~ **hours** tatsächliche Arbeitsstunden; ~ **price** Markt-, Tagespreis; ~ **profit** echter Gewinn; ~ **rate of output** Istausstoß; ~ **receipts (takings)** Effektiveinnahmen; ~ **total loss** tatsächlicher Gesamtverlust, *(ship)* Totalverlust; ~ **value** Effektivwert, Marktwert.

actuarial versicherungstechnisch, -statistisch, -mathematisch;
~ **method** Tafelmethode; ~ **science** Versicherungsmathematik; ~ **value** Versicherungswert; ~ **valuation** Aufstellung einer versicherungstechnischen Bilanz.

actuarially sound versicherungsmathematisch durchaus einwandfrei.

actuary *(filing clerk)* Registrator, *(insurance business)* Versicherungsstatistiker.

ad *(abbr. for advertisement)* Anzeige, Inserat;
four-colo(u)r- ~ Vierfarbenanzeige; **small** ~**s** kleine Anzeigen;
to run free ~**s for jobseekers** Stellengesuche kostenlos veröffentlichen;
~ **budget** Werbeetat; ~ **-page traffic** Blickverlauf auf einer Anzeigenseite; ~ **placements** Stellenanzeigen; ~ **rate** Anzeigenpreis; ~ **revenues** Anzeigeneinnahmen; ~ **spender** Werbeaufwandträger; ~ **writer** Anzeigentexter.

adapt *(v.)* | **a factory to the production of other products** Fabrikationsbetrieb umstellen; ~ **a room to office use** Zimmer als Büro einrichten (herrichten).

adaptable demand anpassungsfähige Nachfrage.

add *(v.)* hinzurechnen, -fügen, *(make a supplementary payment)* zuzahlen, nachschießen;
~ **a column of figures** Zahlenkolonne zusammenrechnen; ~ **the interest to the capital** Zinsen zum Kapital schlagen;
~**-ons** miteinander verbundene Abzahlungsverträge.

addenda Nachtrag, Zusatz.

adder Addiermaschine.

adding [-listing] machine Additionsmaschine.

addition Zusammenrechnung, *(balance sheet)* Zugang [beim Sachanlagevermögen], *(employees)* Zugänge, *(suburban area)* neu erschlossenes Wohngebiet, *(thing added)* Zugabe;
subsequent ~**s** *(balance sheet)* Zugänge;
~**s and improvements** Wertveränderungen; ~**s to management** Vorstandserweiterung; ~ **to reserve** Zuführung zum Reservefonds; ~ **to s. one's salary** Gehaltsaufbesserung; ~**s to the staff** Personalerweiterung; ~ **to [our] stocks** Lagerbereicherung.

additional zuzüglich, zusätzlich;
~ **amount** Zuschußbetrag; ~ **annuity** Zusatzrente; ~ **care** besondere Vorsicht; ~ **charges** Aufschlag, Mehrkosten, [Preis]zuschlag; ~ **claim** Nachforderung; ~ **comsumption** Mehrverbrauch; ~ **costs** Mehrkosten; ~ **cover** Nachschußzahlung; ~ **delivery** Nachlieferung; ~ **dividend** Zusatzdividende, Bonus; ~ **duty** Steuerzuschlag, *(customs)* Zollaufschlag; ~ **entry** Nachbuchung; ~ **expenditure** Mehrausgabe; ~ **freight** Frachtzuschlag, ~ **income** Nebeneinkommen; ~ **insurance** Nachversicherung; ~ **interest** Stückzinsen; ~ **order** Nachbestellung; ~ **pay** Gehaltszulage; ~ **plant** Nebenanlage; ~ **policy** Nachtragspolice; ~ **postage** Nach-, Mehrporto; ~ **premium** Prämienzuschlag; ~ **price** Preisaufschlag; ~ **tax** Steuerzuschlag.

address Adresse, *(letter)* Anschrift, *(superscription of letter)* Anrede;
of no fixed ~ ohne festen Wohnsitz;
abbreviated ~ Telegrammadresse; **business** ~ Geschäftsanschrift; **cable** ~ Drahtanschrift; **code** ~ Deckadresse; **home** ~ Privatanschrift; **mailing** ~ Zustellanschrift; **radio** ~ Rundfunkansprache; **registered** ~ Geschäftssitz;
~ **in case of emergency** *(bill of exchange)* Notadresse; ~ **for service** *(Br.)* Zustellungswohnort;
to change the ~ umadressieren;
~ **commission** *(ship)* Schiffsüberführungsgebühr; ~ **label** Adressenzettel; **public** ~ **system** Lautsprecheranlage.

addressed bill Domizilwechsel.

addressee Empfänger, Adressat;
~ **firm** angeschriebene Firma.

addresser Aussteller.

addressing machine Adressiermaschine.

adequate | **compensation** angemessene Abstandsumme; ~ **sample** repräsentative Marktuntersuchung; ~ **supply of provisions** ausreichende Vorräte.

adhesive gummierte Briefmarke; ~ **envelope** gummierter Briefumschlag; ~ **label** Klebevignette.

adjacent aneinandergrenzend;
~ **land** Anlieger-, Nachbargrundstück; ~ **owner** Anlieger; ~ **waters** Küstengewässer.

adjoining angrenzend;
~ **highway** vorbeiführende Landstraße; ~ **table** nebenstehende Tabelle.

adjourn *(v.)* *(break off)* vertagen, [Sitzungsort] verlegen, *(postpone)* verschieben;
~ **a general meeting** Generalversammlung vertagen.

adjournment Vertagung, Verlegung;
~ **of a meeting** Sitzungsunterbrechung; ~ **of a petition in bankruptcy** Aufschub eines Konkursantrages;
~ **motion** Vertagungsantrag.

adjudge *(v.)* *(award)* (zuerkennen, zuteilen);
~ **s. o. a bankrupt** Konkursverfahren über jds. Vermögen eröffnen; ~ **a complaint** einer Beschwerde abhelfen; ~ **damages** Schadenersatz zusprechen (zuerkennen).

adjudicate *(v.)* zuteilen, zuschlagen;
~ **s. o. [to be] bankrupt** über j. den Konkurs verhängen; ~ **a claim** Forderung anerkennen.

adjudicated | **bankrupt** Gemeinschuldner; ~ **limitation** Zwangsliquidation.

adjudication *(at auction)* Zuschlag[serteilung], *(award)* Zuerkennung, Zusprechung;
~ **in bankruptcy** Konkursverhängung, -eröffnung; ~ **order** Konkurseröffnungsbeschluß.

adjunct account Hilfskonto.

adjust *(v.)* *(balance)* ausgleichen, abwickeln, *(determine amount of loss)* [Versicherungs]ansprüche regulieren, *(income tax)* fortschreiben, *(settle)* [gütlich] beilegen;
~ **accounts** Konten (bereinigen); ~ **the average** Versicherungsschaden durch Besichtigung feststellen; ~ **damages** Schadenersatzansprüche regeln; ~ **an entry** Buchung berichtigen; ~ **a weight** Gewicht eichen.

adjusted berichtigt, bereinigt;
seasonally ~ saisonbereinigt;
~ **for price** preisbereinigt;

~ **basis** *(federal income tax)* bereinigte Besteuerungsgrundlage; ~ **costs** auf den Tageswert umgerechnete Kosten; ~ **gross income** *(US)* steuerpflichtiges Bruttoeinkommen; ~ **production index** bereinigter Produktionsindex.

adjuster, adjustor Schadenssachverständiger, *(marine insurance)* Schadensregulierer;

adjusting | journal entry Berichtigungsbuchung; ~ **shop** Zurichterei.

adjustment Anpassung, *(balancing)* Regulierung, *(balance sheet)* Wertberichtigung, *(bookkeeping)* Berichtigungsbuchung, *(insurance)* Regulierung, *(reorganization)* Sanierung;
amicable ~ gütlicher Vergleich; **average** ~ Havarie-, Seeschadensberechnung; **capital** ~ Kapitalberichtigung; **cash** ~ Barausgleich; **currency** ~ Währungsangleichung; **end-of-the-year** ~ Rechnungsabgrenzung; **financial** ~ Finanzausgleich; **foreign exchange** ~ s Devisenwertberichtigungen; **wage** ~ Lohnangleichung;
~ **of accounts** Kontenabstimmung, -glattstellung; ~ **of damages** Schadensregulierung; ~ **of depreciations** Abschreibungskorrekturen; ~ **of interest** Zinsausgleich; ~ **of prices** Preisanpassung; ~ **in production** Produktionsangleichung; ~ **of prior year's profits** Berichtigungen der Vorjahresbilanz; ~ **[and relationship] of rates** *(railway)* Angleichung der Frachtsätze; ~ **of real-estate value** Fortschreibung des Grundstückswertes; **global** ~ **of value** Sammelwertberichtigung;
~ **account** Berichtigungskonto; ~ **[income] bond** *(US)* Besserungsschein; ~ **column** Berichtigungsspalte; ~ **entry** Berichtigungseintrag; ~ **item** [Wert]berichtigungsposten; ~ **letter** Beschwichtigungsbrief; ~ **measures** *(European Community)* Ausgleichsmaßnahmen;
~ **policy** Beschwichtigungspolitik.

admass Massenpublikum [bei Werbesendungen].

administer *(v.)* verwalten, handhaben, *(price)* regulieren, kontrollieren, *(real estate)* bewirtschaften;
~ **upon the estate of s. o.** Nachlaß von jem. verwalten; ~ **the government** Regierungsgeschäfte wahrnehmen.

administered | competition regulierter Wettbewerb; ~ **price** Richtpreis, regulierter Preis.

administration Verwaltung, *(apparatus)* Verwaltungsapparat, -behörde, *(estate)* Nachlaßverwaltung, *(politics, US)* Ministerium, Regierung, Kabinett, *(trustee)* Vermögensverwaltung; **bribable** ~ korrupte Verwaltung; **industrial** ~ Betriebswirtschaft; **wage and salary** ~ Lohn- und Gehaltswesen;
~ **of assets** Nachlaßverwaltung; ~ **of a bankrupt's estate** Konkursverwaltung; ~ **of custodianship accounts** Depotverwaltung; ~ **of an estate** Nachlaßverwaltung; ~ **ot the National Debt** Staatsschuldenverwaltung;
~ **machinery** Verwaltungsapparat.

administrative verwaltungstechnisch, -mäßig;
~ **act** Verwaltungshandlung; ~ **authority** Verwaltungsbehörde; ~ **board** Verwaltungsstelle, *(European Investment Bank)* Verwaltungsrat; ~ **body** Verwaltungsgremium; ~ **chief** Aufsichtsinstanz; ~ **fine** Zwangsgeld; ~ **headquarters** Verwaltungssitz.

administrator Verwalter, Verweser, *(of an estate)* Nachlaßverwalter;
public ~ Abwesenheitspfleger;
~ **in bankruptcy (of a bankrupt's estate)** *(Br.)* Konkursverwalter.

admission Zugeständnis, Einräumung;
duty-free ~ Zulassung zur zollfreien Einfuhr;
~ **free** Eintritt frei;
~ **in a partnership** Gesellschafteraufnahme; ~ **of securities** Zulassung von Effekten zum Börsenhandel;
~ **fee** Zulassungsgebühr, Eintrittspreis; ~ **tax** *(US)* Lustbarkeits-, Vergnügungssteuer; ~ **ticket** Einlaß-, Eintrittskarte.

admit *(v.)* ein-, zulassen *(acknowledge)* anerkennen, ein-, zugestehen, zugeben;
~ **a claim** Forderung anerkennen; ~ **s. o. to a club** j. in einen Verein aufnehmen; ~ **of two interpretations** zwei Auslegungen zulassen; ~ **as partner** als Teilhaber aufnehmen; ~ **for quotation on the stock exchange** zum Börsenhandel zulassen; ~ **visitors one at a time** Besucher einzeln einlassen; ~ **in writing** schriftlich bestätigen.

admittance Zugang, Zu-, Eintritt, Einlaß, Eingang;
no ~ **except on business** Unbefugten ist der Eintritt verboten;

admitted zulässig, *(acknowledged)* anerkannt;
~ **to the stock exchange** börsenfähig;
to be ~ **to citizenship** naturalisiert werden; **to be** ~ **as partner** als Teilhaber eintreten;
~ **[net] assets** von der Versicherungsgesellschaft anerkanntes Vermögen; ~ **claim** anerkannter Schadenersatzanspruch; ~ **company** zugelassene Versicherungsgesellschaft.

admonition Verweis, Rüge, Verwarnung,

admonitory letter Mahnbrief.

adrate *(US)* Anzeigengebühr.

adult | education Erwachsenenbildung; ~ **education courses** Volkshochschule; ~ **school** Volksbildungsstätte.

adulterate *(v.)* [Nahrungsmittel] verfälschen;

adulteration of food Nahrungsmittelfälschung.

adulterator Falschmünzer.

advance Erhöhung, *(auction sale)* Mehrgebot, *(budget)* Vorgriff, *(earnest money)* Handgeld, *(law of inheritance)* [Erb]voraus, *(loan)* Kredit, *(payment beforehand* Vorschuß[zahlung], Anzahlung, *(to consignee of a shipment of goods)* Warenbevorschussung, *(stock exchange)* Aufwärtsbewegung, Kursbesserung;
by way of ~ als Vorschuß;

cash ~ Barvorschuß; **collateral** ~ Effektenlombard; **interest** ~ Zinsvorauszahlung; **obligatory** ~ Pflichteinlage; **price** ~ Preis-, Kurssteigerung; **salary** ~ Gehaltsvorschuß; **scattered** ~**s** *(stock exchange)* vereinzelte Kurserhöhungen; **uncovered** ~ ungedeckter Blankovorschuß;
day-to-day ~ **from banks** kurzfristige Bankvorschüsse; ~**s on the succeeding budget** Haushaltsvorgriff; **modest** ~ **in business** maßvoller Konjunkturanstieg; ~ **on current account** Kontokorrentkredit; ~**s to customers and other accounts** *(balance sheet)* Schuldner in laufender Rechnung; ~ **to a new high** Steigerung auf einen neuen Höchstkurs; ~**s against [hypothecation of] merchandize** *(US)* Warenlombard, -vorschüsse; ~ **free of interest** zinsloses Darlehen; ~ **upon mortgage** Hypothekendarlehen; ~ **against products** Warenbevorschussung; ~ **in profits** Gewinnzunahme, -steigerung; ~ **on the rent** Mietvorauszahlung; ~**s and loans on security of negotiable stock** Report- und Lombardvorschüsse; ~ **by seniority** Beförderung nach dem Dienstalter; ~ **for travel(l)ing** Reisekostenvorschuß;
~ *(v.)* steigen, anziehen, *(building society)* zuteilen, *(get on)* voran-, vorwärtskommen, *(lend)* [aus]leihen, [ver]borgen, *(pay money before due)* bevorschussen, *(promote)* [be]fördern;
~ **funds** Vorschüsse zahlen; ~ **one's interests** seine Eigeninteressen fördern; ~ **money** Vorschuß leisten; ~ **money on securities** Effekten beleihen (lombardieren); ~ **the price (rate)** *(stock exchange)* Kurs hinaufsetzen; ~ **in the social scale** sozial aufsteigen; ~ **from the start in brisk dealings** bei Börseneröffnung mit lebhaften Umsätzen beginnen;
to be on the ~ *(stock exchange)* anziehen; **to close with small** ~**s** *(stock exchange)* mit kleinen Kursaufbesserungen schließen; **to pay (make payments) in** ~ vor Verfall (pränumerando) zahlen, vorausbezahlen; **to receive an** ~ *(law of inheritance)* [Erb]voraus erhalten; **to score an** ~ **of 5 points** Kursgewinn von 5 Punkten verzeichnen;
~ **account** Vorschußkonto; ~ **agent** auf Vorschußbasis arbeitender Vertreter; ~ **billing** *(carrier)* Rückvergütung; ~ **booking** [Karten]-vorverkauf, Vorausbestellung; ~ **charge** *(carrier)* vorausbezahlte Frachtgebühr; ~ **commitment** Kreditzusage; ~ **compensation** Schadensbevorschussung; ~ **copy** Vorabdruck, Vorausexemplar; ~ **dating** Vorausdatierung; ~ **notice** Vorabinformation; ~ **order** Vor[aus]bestellung; ~ **pay** Gehaltsvorschuß; ~ **quota** Vorgriffskontingent; ~ **rental** Mietvorauszahlung; ~ **salary** Gehaltsvorschuß; ~ **sale** Vorverkauf; ~ **sheet** Aushängebogen, Druckfahne.

advanced fortgeschritten;
~ **capital** Einlage; ~ **charges** *(carrier)* verauslagte Kosten; ~ **cost of living** gestiegener Lebenshaltungsindex; ~ **member** *(building society, Br.)* zugeteilter Bausparer; ~ **price** erhöhter (angehobener) Preis; ~ **tax payment** Steuervorauszahlung; ~ **views** moderne Ansichten.

advancement *(gift of intestate during life)* Vor[aus]empfang eines Erben, *(money advanced)* Vorschuß, *(payment on advance)* An-, Vorschußzahlung, *(person)* Beförderung [in einer Stellung];
economic ~ wirtschaftlicher Fortschritt;
~ **costs** Fortbildungskosten; ~ **roster** Beförderungsplan.

advancing | **market** Markt mit steigendem Preisniveau; ~ **prices** steigende Preise (Kurse).

advantage günstige Gelegenheit, *(profit)* Nutzen, Gewinn;
~ **of location** *(advertising)* Placierungsvorteil; **to execute an order to the best** ~ Auftrag bestens ausführen; **to lay out one's money to** ~ sein Geld vorteilhaft anlegen.

adventure *(carrier)* Versand auf eigene Rechnung, *(hazardous enterprise)* gewagtes Unternehmen, *(risk)* Risiko, Wagnis, *(speculation)* Spekulation[s-geschäft];
gross ~ Bodmerei; **marine** ~ Seerisiko.

adverse | **balance** Unterbilanz, Verlustsaldo, Defizit; ~ **budget** unausgeglichener Haushalt; ~ **selection** *(insurance)* Ausscheiden der besseren Risiken.

advertise, advertize *(v.)* werben, Werbung betreiben, Reklame machen, *(in newspaper)* annoncieren, Anzeige aufgeben, inserieren, *(situation)* Stelle ausschreiben;
~ **o. s. (one's work)** für sich selbst Reklame machen; ~ **a vacancy** freie Stelle (Wohnung) ausschreiben, annoncieren.

advertised article Reklame-, Werbeartikel.

advertisement, advertizement *(advertising)* Reklame, Werbung, *(newspaper)* Anzeige, Annonce, Inserat, *(poster)* Anschlag;
~**s** Anzeigenteil;
big-splurge ~ großformatige Anzeige; **classified** ~ nach Branchen geordnete Inserate; **display** ~ Schlagzeilenwerbung, **editorialized** ~ redaktionell gestaltete Anzeige; **illustrated** ~ Bildwerbung; **movie** ~ *(US)* Lichtspielhauswerbung; **original** ~ Einführungsreklame; **printed** ~ gedruckte Anzeige; **puffing** ~ marktschreierische Reklame; **reader** ~ Textanzeige; **self-**~ Eigenreklame; **teaser** ~ *(US)* Rätselreklame; **wall** ~ Maueranschlag; **want** ~ Suchanzeige;
~**s of appointments (for positions)** Stellenanzeigen; ~ **for deposits** *(Br.)* Einlagenwerbung; ~ **in short story** feuilletonistische Anzeige;
to key an ~ Anzeige kennzeichnen; **to place** ~**s in various media** Anzeigen bei verschiedenen Werbeträgern unterbringen; **to run an** ~ **only once** Einzelinserat aufgeben;

~ **canvasser** Anzeigenakquisiteur; ~ **charges** Insertionsgebühren; ~ **column** Anzeigenspalte; ~ **department** Anzeigenabteilung, Inseratenannahme; ~ **director** Anzeigenleiter; ~ **money** Beträge aus der Werbewirtschaft; ~ **office** Inseratenannahme; ~ **rates** Anzeigentarif; ~ **space salesman** Anzeigenakquisiteur.

advertiser, advertizer Inserent, Werbetreibender, *(newspaper)* Anzeigenblatt;
industrial ~ Anzeigenblatt der Wirtschaft; **regular** ~ Dauerkunde für die Werbung.

advertising, advertizing Reklame, Werbung, Anzeigenwesen;
aerial ~ Himmelsschrift; **association** ~ Gemeinschaftswerbung; **billboard** ~ *(Br.)* Plakatwerbung; **black-and-white** ~ Schwarzweißanzeige; **brand** ~ Markenwerbung; **camouflaged** ~ Schleichwerbung; **colo(u)r** ~ Farbanzeige; **[large-scale] consumer** ~ [breit gestreute] Verkaufswerbung; **corporate [image]** ~ Firmen-, Prestigewerbung; **direct mail** ~ Postwurfsendung; **display** ~ Schlagzeilenwerbung; **electric-sign** ~ Lichtreklame; **high-pressure** ~ hochtönende Reklame; **illuminated** ~ Lichtreklame; **indirect-action** ~ Prestigewerbung; **industrial** ~ Betriebsreklame, **institutional** ~ Prestigewerbung; **launch** ~ *(US)* Einführungswerbung; **mail-order** ~ Versandhausreklame; **masked** ~ Schleichwerbung; **national** ~ Werbung auf Bundesebene; **newspaper** ~ Zeitungsreklame; **outdoor** ~ Plakatwerbung; **point-of-purchase** ~ Werbung innerhalb des Ladens; ~ **pulling the best results** Werbung mit größter Durchschlagskraft; **reason-why** ~ *(US)* Aufklärungswerbung; **retail** ~ Einzelhandelswerbung; **stopgap** ~ Füllanzeige; **tie-in** ~ eingeblendete Reklame; **tie-up** ~ kombinierte Werbeaktion; **tourist** ~ Fremdenverkehrswerbung; **window** ~ Schaufensterreklame;
to be down in ~ Werbeetat gekürzt haben; **to place** ~ **direct** unter Umgehung einer Agentur inserieren;
expert ~ **advice** Werbeberatung; ~ **adviser** Werbeberater; ~ **agency** Werbeagentur, Anzeigenannahme, Annoncenexpedition, Annoncenvertreter, -akquisiteur; ~ **aids** Werbematerial; ~ **allowance** *(retailer)* Werberabatt, Reklamenachlaß, Werbezuschuß des Herstellers; ~ **appeal** Werbekraft; ~ **approach** Aufhänger; ~ **appropriation** *(US)* bewilligter Werbeetat, ~ **artist** Werbegraphiker; ~ **block** Anzeigenklischee; ~ **brochure** Werbebroschüre; ~ **budget** Werbeetat; **to run an** ~ **campaign** Werbefeldzug durchführen; ~ **canvasser** Anzeigenakquisiteur; ~ **card** Annoncentarif; ~ **columns** Reklameteil, Anzeigenteil; ~ **consultant (counsel,** *(US)* frei[beruflich]er Werbeberater; ~ **contract** Insertionsvertrag; ~ **copy** Werbetext; ~ **discount** Rückvergütung an die Agentur; ~ **editorial** redaktionell gestaltete Anzeige; ~ **engineer** *(US)* Werbefachmann; ~ **expenditure** Werbeaufwand; ~ **fee** Insertionsgebühr; ~ **film** Reklamefilm; ~ **gift** Werbegeschenk; **to test the** ~ **impact** Werbeerfolgskontrolle durchführen; ~ **industry** Werbewirtschaft; **to be in the** ~ **line** im Werbefach tätig sein; ~ **manager** Werbeleiter; ~ **media selection** Medienauswahl; ~ **medium** Werbeträger; ~ **motto** Slogan; ~ **operator** Anzeigenvermittler; ~ **page** Anzeigenseite; ~ **page plan** Anzeigenspiegel; ~ **pillar** Anschlag-, Litfaß-, Plakatsäule; ~ **prospectus** Werbeschrift; ~ **rate** Anzeigentarif; ~ **rate card (book)** Anzeigenpreisliste; ~ **schedule** Einschalt-, Erscheinungsplan; ~ **screen** Werbefilm, -streifen; ~ **spot** *(television)* Werbespot; ~ **space** Reklame-, Werbefläche, Inseratenteil; ~ **space buyer** Anzeigenexpedition; **outdoor** ~ **stand** Plakatanschlagfläche; ~ **tape** Werbestreifband; ~ **volume** Anzeigenvolumen.

advertorial *(US sl.)* Textanzeige.

advice Empfehlung, Rat, *(notice)* Anzeige, Benachrichtigung;
credit ~ Gutschrift[saufgabe], -anzeige; **debit** ~ Belastungsanzeige, Lastschrift; **shipping** ~ Versandanzeige;
~ **of collection** Inkassoanzeige; ~ **in due course** Aufgabe folgt; ~ **of credit** Gutschriftsanzeige; ~ **of deal** *(stock exchange, Br.)* Ausführungsanzeige; ~ **of debit** Belastungsanzeige, Lastschrift; ~ **of delivery** Rückschein; ~ **of draft** Trattenavis; ~ **of fate** Bezahltmeldung; ~ **of nondelivery** Unbestellbarkeitsmeldung; ~ **of receipt** Empfangsbestätigung; ~ **in return** Rückanzeige; ~ **of shipment** Verschiffungsanzeige, Versandnote, -anzeige;
to seek s. one's ~ j. konsultieren;
covering ~ **memorandum** beigefügte Kommissionsanzeige; ~ **note** Benachrichtigungsschreiben; ~ **slip** Aviszettel.

advise anzeigen, avisieren;
~ **a client** Mandant beraten; ~ **a draft** Tratte anmelden; ~ **fate** *(banking term)* sofortige Auskunft über Deckung [für einen Scheck];
~ **duration and charge call** Gespräch mit Gebührenansage.

adviser, advisor Berater;
vocational ~ Berufsberater.

advisory | board Beratungsgremium; ~ **service** Gutachtertätigkeit; ~ **service for customers** Kundenberatungsdienst.

aerial Antenne;
shared ~ Gemeinschaftsantenne;
~ **advertising** Luftwerbung, Himmelsschrift; ~ **cable** Luftkabel; ~ **cableway** Drahtseilbahn; ~ **piracy** Luftpiraterie, Flugzeugentführung; **prohibited** ~ **space** Luftsperrgebiet.

aerobus Großflugzeug.

aerocab Lufttaxi.

aerodrome *(Br.)* Flugplatz, -hafen, -feld;
~ **beacon** Landelicht; ~ **forecast** Flugplatzwettervorhersage.

aerogram Funkspruch.
aeromancy Wettervorhersage.
aeromechanic Flugzeugmechaniker.
aeronaut Luftschiffer.
aeronautical | station Bodenfunkstelle; ~ **weather station** Flugwetterdienst.
aeroplane Flugzeug;
commercial ~ Verkehrsflugzeug; **heavy transport cargo** ~ Frachtflugzeug.
aerotel *(US)* Flugplatzhotel.
affair *(business)* Geschäft, Handel, *(matter)* Sache, Angelegenheit;
business (commercial, mercantile) ~**s** Handelssachen; **costly** ~ kostspielige Angelegenheit; **cultural** ~**s of a town** kulturelle Belange einer Stadt;
to attend to one's ~**s** seinen eigenen Angelegenheiten nachgehen; **to settle an** ~ **among one's selves** Sache intern regeln.
affected | estate property *(restitution)* entzogene Vermögensgegenstände.
affiliate Zweig-, Konzern-, Tochtergesellschaft, Filiale, Zweigorganisation, *(US, radio)* Nebensender;
~ *(v.)* angliedern, *(member)* aufnehmen, zulassen;
~ **with an association** sich einem Verband anschließen;
~ **group of corporations** *(US)* Konzern; ~ **office** Filialbüro.
affiliated angeschlossen;
~ **company (corporation, US)** Konzern-, Tochtergesellschaft; ~ **firm** Zweigfirma, -niederlassung; ~ **organization** Konzern-, Zweigbetrieb.
affiliation Angliederung, *(of member)* Mitgliedsaufnahme;
labo(u)r union ~ Gewerkschaftszugehörigkeit.
affirm *(v.)* eidesstattliche Erklärung abgeben.
affirmation eidesstattliche Erklärung, *(politics)* Amtseid.
affluent society Überflußgesellschaft.
afford *(v.)* **an expense** sich eine Ausgabe leisten können.
affreight *(v.)* Frachtschiff heuern (chartern).
affreightment Schiffsfrachtvertrag.
afloat im Umlauf, zirkulierend, *(debts)* ohne Schulden;
goods ~ unterwegs befindliche Ware;
to keep bills ~ Wechsel im Umlauf haben.
after | -acquired clause *(mortgage)* Nachverpfändungsklausel; **-tax profit** Gewinn nach Steuern.
afterhours *(stock exchange)* Nachbörse.
afterservice for customers Werkstätten- und Pflegedienst.
aftertreatment Nachbehandlung, Weiterverarbeitung.
agate | line *(US, advertising)* Anzeigenmaß; ~ **rate** *(advertising)* Zeilenpreis.
age Lebensalter, *(full age)* Mündigkeit, *(generation)* Zeit-, Menschenalter, Generation;
~ **admitted** *(insurance)* anerkanntes Alter; **pensionable** ~ Pensionierungsgrenze;
~ *(v.)* **accounts** Konten nach ihrer Fälligkeit aufgliedern;
to be of ~ volljährig sein; **to be under** ~ minderjährig sein; **to be eligible of** ~ **to retire** im pensionsfähigen Alter sein;
~ **allowance** *(taxation)* Altersfreibetrag; ~ **analysis** Fälligkeitsanalyse; ~ **bracket** Altersgruppe, -stufe; ~ **data** Altersangaben; ~ **distribution** Altersaufbau; ~ **exemption** Altersfreibetrag; ~ **grade (group)** Altersklasse, -gruppe, Jahrgang; ~ **pyramid** Bevölkerungspyramide; ~ **relief** *(taxation)* altersbedingte Einkommensteuervergünstigung, ~freibetrag für über 65jährige, Altersfreibetrag.
agency Tätigkeit, *(US, authority)* [Verwaltungs]-behörde, Dienststelle, *(branch of bank)* Filiale, Depositenkasse, *(business of agent)* Agentur, Vertretung, *(distribution centre)* Verkaufsbüro, Lieferstelle, *(district of agent)* Vertreterbezirk, *(place of business)* Geschäftsstelle, Büro, *(trading station)* Faktorei, ausländische Niederlassung;
through the ~ **of** durch Vermittlung von;
chief ~ Generalvertretung; **commission** ~ Kommissionslager; **employment** ~ Stellenvermittlung; **enforcement** ~ Ausführungsbehörde; **forwarding** ~ Speditionsgesellschaft; **general (head)** ~ Generalvertretung; **job-creating** ~ Arbeitsbeschaffungsstelle; **literary** ~ Verlagsmittler; **mercantile** ~ Auskunftei; **procurement** ~ Bedarfsträger; **real estate** ~ Immobilienbüro; **recognized** ~ anerkannte Werbeagentur; **specialized** ~ *(UNO)* Sonderorganisation; **state buying** ~ staatliche Einkaufsstelle; **travel** ~ Reisebüro, -agentur;
~ **coupled with an interest** gewinnbeteiligte Vertretung, Provisionsvertretung; ~ **of the United Nations** Hilfsorganisation der Vereinten Nationen;
to retain an ~ Werbeagentur beschäftigen; **to take up an** ~ Vertretung übernehmen;
~ **account** Filialkonto; **special** ~ **account** Treuhandsonderkonto; ~ **agreement** Geschäftsbesorgungs-, Agenturvertrag; **on an** ~ **basis** kommissionsweise; ~ **business (commission)** Kommissionsgeschäft; ~ **car** Vertreterwagen; ~ **commission** Vertreterprovision; ~ **contract** Auftragsverhältnis; ~ **discount** Agenturskonto; ~ **head** *(government)* Stellen-, Behördenleiter; ~ **service** Dienstleistungsgeschäft; ~ **station** Speditionsniederlassung; ~ **team** Agenturmannschaft; ~ **work** Vertretertätigkeit.
agenda Tagesordnung, Verhandlungsgegenstände;
draft ~ Tagesordnungsentwurf;
to adopt the ~ Tagesordnung annehmen; **to be on the** ~ auf der Tagesordnung stehen; **to cut out an item from the** ~ Punkt von der Tagesordnung absetzen.

agent *(go-between)* Zwischenhändler, Vermittler, Makler, *(representative)* Agent, Vertreter, Bevollmächtigter, Handlungsbeauftragter, Geschäftsführer [im Sinne des BGB], Kommissionär, *(travel(l)er)* Handlungsreisender;
duly (lawfully) appointed (authorized) ~ ordnungsgemäß bestellter Vertreter; **bargaining** ~ Tarifvertragsbevollmächtigter; **casual** ~ Gelegenheitsagent; **closing** ~ Abschlußagent; **forwarding (freight)** ~ Spediteur; **full-time** ~ hauptberuflicher Vertreter; **general** ~ Generalvertreter, -bevollmächtigter; **house** ~ Immobilienmakler; **insurance** ~ Versicherungsvertreter; **land** ~ Domänenverwalter, *(broker)* Immobilienmakler; **loan** ~ Darlehensvermittler, Finanzmakler; **local** ~ Platzvertreter; **manufacturer's** ~ Firmenvertreter; **real-estate** ~ *(US)* Grundstücksmakler; **sales** ~ Verkaufsvertreter; **shipping** ~ Schiffsmakler, *(US)* Verlader, Spediteur; **sole** ~ Alleinvertreter; **ticket** ~ Fahrkartenbüro;
~**s in the field** auswärtige Vertretung;
~ *(v.)* Firma vertreten, als Agent auftreten;
to act as ~ in fremdem Namen handeln; **to be sole** ~ alleiniges Vertriebsrecht haben;
~**'s business** Kommissionshandel; ~**'s commission** Vertreterprovision; ~ **middleman** unselbständiger Kommissionär; ~**'s territory** Vertreterbezirk.

agglomeration area Ballungsraum, -gebiet.

aggregate | amount Gesamtbetrag; ~ **funding** *(pension plan)* Fundierung der Altersversorgungskosten; ~ **income** Gesamteinkommen; ~ **mortality table** *(insurance)* Aggregattafel; ~ **wage tax** Lohnsummensteuer.

aggregated shipment Sammelladung.

aggressive initiativ, aktiv, unternehmungslustig;
~ **management** unternehmerischer Vorstand; ~ **portion** *(investment trust)* risikoreicherer Teil; ~ **sales manager** draufgängerischer Verkaufsleiter.

aging Alter, *(technics)* Veredelung;
~ **accounts receivable** Debitorenfälligkeitstabelle; ~ **schedule** Fälligkeitstabelle, Terminliste.

agio Agio, Aufgeld, *(brokerage)* Maklergeschäft, *(of a coin)* Wertverlust durch Abnutzung;
~ **account** Aufgeldkonto.

agiotage Börsenspiel, Wechselgeschäft, *(speculation in stocks)* Aktienspekulation.

agony column *(Br.)* Seufzerspalte.

agrarian | policy Agrarpolitik; ~ **reform** Agrar-, Bodenreform; ~ **state** Agrarstaat.

agree *(v.)* abmachen, vereinbaren, übereinkommen, *(make a contract)* [Vertrag] abschließen;
~ **accounts** Konten abstimmen; ~ **upon a period of one month's notice** monatliche Kündigung vereinbaren; ~ **about [upon] a price** Preisvereinbarung treffen.

agreed abgemacht, einverstanden;
~ **price** abgemachter (vereinbarter) Preis; ~ **value** (vereinbarter) Wert; ~**-value clause** Abschätzungsklausel; ~ **weight** *(carrier)* einverständlich festgelegtes Gewicht.

agreement Übereinkommen, -einkunft, Vereinbarung, Abkommen, Abmachung, *(basis of contract)* Vertragsgrundlage;
by ~ **between themselves** in gegenseitigem Einvernehmen;
arbitration ~ Schiedsvereinbarung; **barter** ~ Tauschhandelsabkommen; **clearing** ~ Verrechnungsabkommen; **covering** ~ Mantelvertrag; **credit** ~ Kreditabkommen; **hire purchase** ~ *(Br.)* Abzahlungsvertrag; **industry-wide** ~ Manteltarifvertrag; **licensing** ~ Lizenzabkommen; **marketing** ~ Marktabsprache; **master** ~ Mustertarifvertrag; **monetary** ~ Währungsabkommen; **multilateral** ~ mehrseitiges Abkommen; **pocket** ~ Revers; **purchase and sales** ~ *(US)* Grundstückskaufvertrag; **skeleton** ~ Rahmenvertrag; **standard** ~ Einheitstarifvertrag; **trade** ~ Handelsabkommen; **reciprocal trade** ~ Gegenseitigkeitsabkommen; **tying** ~ Ausschließlichkeitsvertrag; **transfer** ~ Verrechnungsabkommen; **underlying** ~ *(banking)* Rahmenkreditvertrag; **working** ~ Interessengemeinschaft;
~ **with one's creditors** Akkord, [Gläubiger]vergleich; ~ **for collective enforcement of conditions as to resale prices** Kartellvereinbarung zur Durchsetzung von gebundenen Wiederverkaufspreisen; ~ **of interests** Interessenabstimmung; ~ **by the piece** Stückakkord; ~ **subject to registration** *(cartel law, Br.)* anmeldepflichtige Absprache;
to abide by an ~ vertragstreu sein; **to cancel an** ~ Vertrag aufheben; **to enter into an** ~ Vertrag (Vereinbarung) abschließen (eingehen), übereinkommen; **to make an** ~ **as to one's remuneration** Honorarvereinbarung treffen; **to work by** ~ im Akkord arbeiten;
~ **country** Verrechnungsland; ~ **restraining trade** Wettbewerbsbeschränkungsvereinbarung.

agricultural | area landwirtschaftliche Betriebsfläche; ~ **bloc** *(parl.)* grüne Front; ~ **commodity** landwirtschaftliches Erzeugnis; ~ **crisis** Agrarkrise; ~ **duty** Agrarzoll; ~ **economics** Agrarwirtschaftslehre; ~ **enterprise (estate)** landwirtschaftlicher Betrieb; ~ **fair** Landwirtschaftsmesse; ~ **labo(u)rer** Landarbeiter; ~ **land** *(Br.)* landwirtschaftlich genutztes Gelände; ~ **loan bank** Landwirtschaftsbank; ~ **marketing** Absatz landwirtschaftlicher Erzeugnisse; ~ **subsidies** *(Br.)* **(support)** Agrarhilfe; ~ **wages** Landarbeiterlohn; ~ **worker** Landarbeiter.

aid Hilfe, Beistand, Unterstützung, *(politics)* Entwicklungshilfe;
US-financed foreign ~ amerikanische Auslandshilfe; **grant-in-** ~ Staatszuschuß; **short-**

term interim ~ kurzfristige Zwischenfinanzierung; **visual** ~ bildliche Verkaufsunterstützung; ~ **for building** Bauzuschuß; ~ **to memory** Gedächtnisstütze; ~ **for research** Forschungszuschuß;
~ *(v.)* Beihilfe leisten, beistehen, behilflich sein;
~ **s. o. with money** j. unterstützen, jem. mit Geld aushelfen;
to make ~ available for developing countries Hilfsmittel für Entwicklungsländer bereitstellen;
~ **bill** *(US)* Auslandshilfegesetz; ~ **cut** Kürzung des Hilfsprogramms; ~ **fund** Unterstützungsfonds; ~ **-to-education program(me)** Ausbildungsbeihilfeplan; ~ **official** Entwicklungshelfer; **no-strings ~ program(me)** nicht verklausuliertes Hilfsprogramm; ~ **project** Hilfsprojekt.
aided recall Gedächtnisstütze, Erinnerungshilfe;
~ **survey** *(insurance)* Fragebogen mit vorgedruckten Antworten; ~ **test** Erinnerungstest.
air *(appearance)* Auftreten, Allüren;
by ~ auf dem Luftwege, per Flugzeug; **in the** ~ *(fig.)* in der Schwebe; **on the** ~ durch Rundfunk;
~ *(v.)* *(to go on the ~)* Rundfunkwerbung betreiben.
to be on the ~ *(broadcasting)* senden, über den Rundfunk sprechen, *(programme)* gesendet werden; **to be off the** außer Betrieb sein; **to carry goods by** ~ Lufttransporte durchführen; **to go on the** ~ Sendung beginnen, *(advertising)* Rundfunkkampagne starten; **to go on the ~ nationally** über alle Sender sprechen;
~ **beacon** Leuchtfeuer; ~ **bill** Luftfrachtbrief; ~ **brake parachute** Landefallschirm.
air cargo Luftfracht;
~ **carrier** Luftfrachtgesellschaft; ~ **rate** Luftfrachttarif; ~ **terminus** Luftfrachtbahnhof.
air | carrier Lufttransportgesellschaft; ~ **coach** *(US)* Passagierflugzeug der Touristenklasse, ~ **-condition** *(v.)* klimatisieren; ~ **-conditioning** Klimatisierung, Klimaanlage; ~ **consignment note** *(Br.)* Luftfrachtbrief; ~ **conveyance** Lufttransport; ~ **corridor** Einflugschneise, Luftkorridor; ~ **express** Lufteilgut, -expreßfracht; ~ **express rates** *(US)* Luftexpreßtarif; ~ **fare** Flugschein; ~ **fee** Luftpostzuschlag; ~ **industry** Flugzeugindustrie; ~ **lane** Luftkorridor; ~ **letter** Luftpostbrief; ~ **mechanic** Bordmonteur; ~ **piracy** Luftpiraterie; ~ **plot** Kursaufzeichnung; ~ **pocket** Luftloch, ~ **pollution** Luftverschmutzung; ~ **post** Luftpost; ~ **to-ground radio** Bord-Boden-Funkverkehr; **internal ~ route** Inlandfluglinie; ~ **safety** Flugsicherheit; ~ **service** Luftverkehr; ~ **shipment** Luftfrachtsendung, ~ **sickness** Flugkrankheit; ~ **sovereignty** Lufthoheit; ~ **speed** Fluggeschwindigkeit; **~-speeded** per Luftpost; ~ **taxi** Lufttaxi; ~ **tee** Landekreuz; ~ **terminal** Großflughafen, *(building)* Flughafenabfertigungsgebäude; ~ **ticket** Flugkarte, -schein; ~ **time** *(broadcasting)* Sendezeit; ~ **tour** Flugreise; ~ **traffic** Flug-, Luftverkehr; ~ **traffic control** Flugüberwachung; ~ **traffic control center** Flugsicherungszentrale; ~ **transport company** Luftverkehrsgesellschaft; ~ **transport convention** Luftverkehrsabkommen; ~ **traveller** Flugreisender; ~ **waybill** Luftfrachtbrief.
airbill Luftfrachtbrief.
aircast Rundfunksendung.
aircraft Flugzeug, Luftfahrzeug;
~s *(stock exchange)* Flugzeugwerte;
~ **business** Flugzeugindustrie; ~ **carrier** Flugzeugträger; ~ **crash** Flugzeugunglück, -absturz; ~ **development** Flugzeugentwicklung; ~ **direction finding** Flugzeugortung; ~ **engine** Flugmotor; ~ **engineer** Flugzeugingenieur; ~ **engineering** Flugzeugbau; ~ **factory** Flugzeugfabrik; ~ **hull insurance** Luftkaskoversicherung; ~ **industry** Flugzeugindustrie; ~ **insurance** Flugzeug-, Luftfahrtversicherung; ~ **kilometer** Flugkilometer; ~ **manufacturing** Flugzeugherstellung; ~ **mechanic** Flugzeugmechaniker; ~ **operation** Flugbetrieb; ~ **parking** Abstellplatz für Flugzeuge; ~ **passenger** Fluggast; ~ **performance** fliegerische Leistung; ~ **production** Flugzeugproduktion; ~ **radio** Bordfunkgerät; ~ **shed** Flugzeugschuppen.
aircraftman *(Br.)* Flieger.
aircrew Flugzeugbesatzung, fliegendes Personal.
aircrewman Besatzungsmitglied.
airdrome Flughafen, -platz.
airdrop Fallschirm-, Flugzeugabwurf;
airfield Flugplatz, -hafen;
auxiliary ~ Hilfsflugplatz; **civil** ~ Zivilflughafen.
airfreight Luftfracht;
~ **bill** Luftfrachtbrief, Luftfrachtgeschäft, -spedition; ~ **service** Frachtluftverkehr.
airfreighter Frachtflugzeug.
airlift Luftbrücke.
airline Flug[verkehrs]linie, *(company)* Flug-, Luftverkehrsgesellschaft, -linie, *(network)* Luftverkehrsnetz;
commercial ~ Linienfluggesellschaft; **non-scheduled** ~ Chartergesellschaft; **scheduled** ~ fahrplanmäßige Flugverkehrslinie.
~ **accident** Flugzeugunfall; ~ **catering** Verproviantierung von Fluggesellschaften; ~ **company (corporation,** *US)* Luftverkehrsgesellschaft; ~ **industry** Flugverkehrsindustrie; **long-distance ~ operation** Langstreckenflugbetrieb; ~ **passenger** Fluggast; ~ **pilot** Flug[zeug]kapitän; **[scheduled] ~ service** [fahrplanmäßiger] Luftverkehrsdienst; ~ **ticket** Flugkarte; ~ **ticket tax** *(US)* Flugscheingebühr; ~ **traffic** Fluglinienverkehr; ~ **travel** Flugreise.
airliner Passagier-, Linien-, Verkehrsflugzeug;
commercial ~ Linienflugzeug.

airmail Luft-, Flugpost;
~ *(v.)* **a letter** Luftpostbrief schicken;
~ **company** Luftpostgesellschaft; ~ **fee** Luftpostgebühr; ~ **letter** Luftpostbrief; ~ **receipt** Luftposteinlieferungsschein; ~ **service** Luftpostverkehr; ~ **stamps** Luftpostmarken.
airpark Kleinflughafen.
airplane *(US)* Flugzeug;
company ~ Betriebsflugzeug;
~ **engine** Flugzeugmotor; ~ **luggage** *(Br.)* Fluggepäck.
airport [Verkehrs]flughafen, Flugplatz;
commercial ~ Zivilflughafen; **customs-free** ~ Freiflughafen; **heavy-traffic** ~ häufig angeflogener Flugplatz;
to serve an ~ **commercially** Flugplatz mit Linienflugzeugen anfliegen;
~ **lighting** Flugplatzbefeuerung; ~ **location** Flugplatzgelände; ~ **page** Ausrufanlage auf einem Flugplatz; ~ **property** Flughafengelände; ~ **restaurant** Flughafenrestaurant; ~ **service charge** Fluggastgebühr; ~ **terminal** Flughafenabfertigungsgebäude.
airship Luftschiff.
airshipped auf dem Luftwege befördert.
airsick luftkrank.
airspace Luftgebiet, -raum.
airstrip Behelfsflugplatz, *(runway)* Start- und Landestreifen, Lande-, Rollbahn.
airway Fluglinie, -straße, Luftverkehrslinie, -straße;
~ **beacon** Flugstreckenfeuer; ~ **bill** Flugfrachtbrief; ~ **weather report** Streckenmeldung.
airworthiness Flugtüchtigkeit.
airworthy flugtüchtig, -tauglich, *(airplane)* zugelassen.
alcoholic beverage tax *(US)* Steuer auf alkoholische Getränke.
alehouse [Gast]wirtschaft.
alien Ausländer, Fremder;
~ **corporation** *(US)* ausländische Gesellschaft; ~ **department** Fremdenpolizei; ~ **duty** Fremdensteuer; ~ **employee** Gast-, Fremdarbeiter; ~ **'s labo(u)r permit** Arbeitserlaubnis für Ausländer; ~ **property** Feindvermögen; ~ **property custodian** *(US)* ausländische Vermögensverwaltung; ~ **registration** Ausländerkontrolle.
alienate *(v.)* veräußern, *(transfer)* übertragen, abtreten;
~ **capital** Kapital abziehen; ~ **customers** Kunden ausspannen; ~ **funds from their natural channels** Gelder anderen als den vorgesehenen Zwecken zuführen.
alienation Veräußerung, *(transfer)* [Besitz]übertragung, Umschreibung;
~ **of capital** Kapitalbezug; ~ **of an estate** Umschreibung eines Grundstücks.
alighting run Landestrecke.
alignment *(pol.)* Blockbildung, Gruppierung.
alimentation of an account Dotierung eines Kontos.
alimony Unterhaltsbeitrag [an getrennt lebende (geschiedene) Ehefrau], Alimente;
~ **in gross** Pauschalabfindung;
to be under an obligation of ~ unterhaltspflichtig sein; **to pay** ~ Unterhalt gewähren;
~ **payment** Unterhaltszahlung.
all *(a.)* gesamt, vollständig, ganz, alles;
to be ~ **for making money** nur auf Geldverdienen aus sein;
~**-American** *(US)* repräsentativ für die USA; ~**-at-one price** Einheitspreis; ~**-cargo service** durchgehende Gepäckabfertigung; **-commodity rate** Stücktarif; ~ **-European course** gesamteuropäischer Kurs; ~**-expense tour** *(US,* **trip)** kostenlose (vollbezahlte) Besichtigungsreise; ~ **-freight cargo plane** Universalfrachtflugzeug; ~ **hands** gesamte Schiffsmannschaft; ~**-in insurance** Globalversicherung; ~**-industry average** gesamter Industriequerschnitt; ~ **-loss insurance** *(US)* Global-, Gesamtversicherung; ~ **-metal airplane** Ganzmetallflugzeug; ~ **-night service** durchgehender Betrieb; ~**-out demand** Gesamtnachfrage; ~ **-rail** lediglich im Bahntransport; ~ **-red route** *(Br.)* Verkehrsverbindungen innerhalb des Commonwealth; ~ **-risk insurance** Globalversicherung; ~ **sales final** kein Umtausch; ~ **-steel body** Ganzstahlkarosserie; ~ **-terrain vehicle** geländegängiges Fahrzeug; ~ **-time** ganztägig beschäftigt; ~**-time high** *(US)* absoluter Höchststand; ~**-up** Gesamtfluggewicht; ~**-water** Transport nur auf dem Wasserweg; ~**-weather body** Allwetterkarosserie; ~**-wheel drive** Allradantrieb; ~**-wing type** *(aircraft)* Nurflügelflugzeug; ~ **-wood construction** Ganzholzbauweise; ~ **-wool** *(US)* reine Wolle.
alleged piece of information angebliche Information.
alleviation of unemployment Behebung der Arbeitslosigkeit.
allocate *(v.)* zuwenden, zuweisen, zuteilen, umlegen, bestimmen, *(adjudicate)* zuschlagen, vergeben, *(intergovernmental control)* zuteilen, rationieren;
~ **an account** Konto dotieren; ~ **an amount to the reserve fund** Betrag dem Reservefonds zuführen; ~ **to the highest bidder** dem Meistbietenden zuschlagen; ~ **export quotas** Export kontingentieren; ~ **profits** *(income tax)* Gewinne zurechnen; ~ **a sum amongst several people** Betrag unter verschiedenen Leuten aufteilen.
allocated dotiert;
~ **goods** rationierte Waren.
allocatee Bezugsberechtigter.
allocation Zuwendung, -weisung, -teilung, Bestimmung, *(of an account)* Dotierung, *(adjudication)* Zuschlag[serteilung], *(allowance of balance item)* Anerkenntnis [eines Bilanzpostens], *assignment of advertising expenditure)* Kostenverteilung, *(quota)* Kontingent;

foreign exchange ~ Devisenzuteilung; **reserve** ~ Rückstellungszuweisung;

~ **of channels** Fernsehkanalzuweisung; ~ **of contract** Auftragsvergabe, -lenkung; ~ **of cost** Kostenverrechnung; ~ **of currency** Devisenzuteilung; ~ **of funds** Geldbewilligung; ~ **of markets** Marktaufteilung; ~ **of profits** *(income tax)* Gewinnzurechnung; ~ **to reserve fund** Zuweisung an den Reservefonds; ~ **of seats** Sitzverteilung; ~ **of shares** Aktienzuteilung; ~ **to staff pension and provident fund** Zuweisung an die Pensions- und Unterstützungskasse; ~ **to lowest tenderer** Berücksichtigung des billigsten Angebots; ~ **by tenders** Vergabe im Submissionswege;

to be under ~ bewirtschaftet sein, zugeteilt werden;

~ **committee** Zuteilungsausschuß; ~ **system** Bewirtschaftungssystem.

allocator Zuteilungsstelle.

allodium Erbgut.

allonge Verlängerungs-, Ansatzstück, Allonge.

allot *(v.)* *(assign)* zuweisen, *(lottery)* durch Los zuteilen, verlosen, *(shares)* Aktion nach erfolgter Zeichnung zuteilen, repartieren, quotieren;

~ **to the highest bidder** dem Meistbietenden zuschlagen.

allotment *(adjudication)* Zuerkennung, Zuschlag, *(allocation)* Zuweisung, -teilung, *(lot)* [Grundstücks]parzelle, Kleingarten *(Br.)*, Schrebergarten[land], *(lottery)* Verlosung, *(portion)* Anteil, *(of shares)* Aktienzuteilung;

~ **of appropriation** Budgetaufschlüsselung; ~ **of pay** teilweiser Gehaltsverzicht;

~ **certificate** Zuteilungsanzeige, **small** ~ **holder** *(Br.)* Schrebergärtner, ~ **letter** Zuteilungsanzeige, ~ **note** *(Br.)* Lohnanteilszuweisung; ~ **notice** *(US)* Zuteilungsanzeige, ~ **sheet** Aktienzeichnungsliste; ~ **system** *(Br.)* Landzuteilungssystem; ~ **ticket** Lohnauszahlungsanweisung.

allottee Bezugsberechtigter, Zeichner.

allotter Zuteiler, Ausloser, *(tel.)* Wählersucher.

allow *(v.)* *(admit)* zulassen, *(deduct)* in Abzug (Anrechnung) bringen, anrechnen, vergüten, *(periodical)* Zuschuß gewähren;

~ **for** vergüten, in Abzug bringen;

~ **3%** 3% abziehen ~ **in full** voll vergüten; ~ **4% interest on deposits** Einlagen mit 4% verzinsen; ~ **for sums paid in advance** im voraus bezahlte Beträge in Anrechnung bringen;

~ **a bill to be protested** Wechsel zu Protest gehen lassen; ~ **a claim** Forderung (Anspruch) anerkennen; ~ **costs** für Unkosten in Abzug bringen; ~ **a credit** Kredit einräumen; ~ **a debtor time to pay** einem Schuldner Zahlungsfrist gewähren; ~ **a discount** Nachlaß gewähren; ~ **an item of expenditure** Unkostenposten anerkennen; ~ **a margin for errors** Fehlerquelle mit einkalkulieren; ~ **a reduced price to s. o.** jem. einen Preisabzug einräumen; ~ **one's daughter a stipend** seiner Tochter Nadelgeld zukommen lassen; ~ **a sum for leakage** für Leckage in Abzug bringen; ~ **for [the] tare** Tara vergüten, Verpackungskosten abziehen.

allowable *(admissible)* zulässig, statthaft, *(deductible)* abziehbar;

~ **claim** zulässige Forderung; ~ **expense** abzugsfähige Ausgabe.

allowance *(allotment)* Zuteilung, *(board expenses)* Kostgeld, Deputat, *(of a claim)* Anerkennung, *(compensation)* Vergütung, Entschädigung, *(dipl.)* Auslandszulage, *(discount)* Abzug, Abstrich, Rabatt, [Preis]ermäßigung, Nachlaß, *(for entertainment)* Aufwandsentschädigung *(pocket money)* Taschengeld, *(ration)* Unterhaltszuschuß, *(taxation, Br.)* Steuerfreibetrag, -ermäßigung, *(tolerance)* Remedium, Toleranz, *(weight)* Gutgewicht;

additional ~ Zusatzkontingent, *(taxation)* zusätzlicher Freibetrag für das Arbeitseinkommen der Ehefrau; **age** ~ Altersfreibetrag; **annual** ~ *(Br.)* jährliche Absetzung für Abnutzung; **capital** ~ *(Br.)* steuerlich zulässige Abschreibungen; **child** ~ *(Br.)* **(children's)** Steuerfreibetrag für Kinder; **civilian** ~**s for foreign travel** Devisenzuteilungen für zivile Auslandsreisen; **cost-of-living** ~ Lebenshaltungszuschuß; **[daily] meal** ~ [tägliches] Verpflegungsgeld, Tagesgelder; **daily subsistence** ~ Existenzminimum; **dependency** ~ Beihilfe für ein [unterstütztes] Familienmitglied; **duty-free** ~ Zollfreibetrag; **earned-income** ~ *(Br.)* Freibetrag für Einkünfte aus freiberuflicher Tätigkeit; **expense** ~ Aufwandsentschädigung, Spesenzuschuß; **family** ~ *(Br.)* Familienzulage, -beihilfe, Kindergeld; **free baggage** ~ *(US)* Freigepäcksgrenze; **gasoline** ~ *(Br.)* Kraftstoff-, Treibstoffzuteilung; **income tax** ~ **for wife and child** Steuerfreibetrag für Familienangehörige; **initial** ~ *(taxation, Br.)* erhöhte Sonderabschreibung; **language** ~ Sprachenzulage; **lodging** ~ Wohnungsgeldzuschuß; **mil(e)age** ~ Kilometergeld; **monthly** ~ Monatswechsel; **office** ~ Repräsentationsfonds; **overtime** ~ Überstundenvergütung; **per diem** ~ Reisespesentagessatz; **personal** ~ persönlicher Zuschuß, *(taxation, Br.)* Steuerfreibetrag; **promotion** ~ Vorzugsrabatt; **rental** ~ Wohnungsgeld; **repairs** ~ 7b-Abschreibung; **representation** ~ Aufwandsentschädigung; **seniority** ~ Dienstalterszulage; **separation** ~ Trennungszulage; **sickness** ~ Krankenbeihilfe; **statutory** ~ **to the board of directors** satzungsgemäße Vergütung an den Aufsichtsrat; **supplementary** ~ Zusatzkontingent; **tax** ~ *(Br.)* Steuerfreibetrag; **temporary living quarter** ~ Freibetrag für vorübergehende Zweitwohnung; **travel(l)ing** ~ Spesensatz;

~ **for board** Beköstigungsgeld; ~ **of a bonus** Prämiengewährung; ~ **to cashier for errors**

Fehlgeld; ~ **of costs** Kostenanerkenntnis; ~ **for cost of living** Teuerungszulage; ~ **for dependents** Steuerfreibetrag für Familienangehörige, Kinderfreibetrag; ~ **for depreciation** Entwertungsrücklage; **systematic** ~ **for depreciation** laufender Abschreibungsbetrag; ~ **for doubtful (bad) debts** Rückstellung für Dubiose; ~ **for exchange fluctuations** Rückstellung für Devisenschwankungen; ~ **for professional expenditure** Abzüge für Werbungskosten; ~ **for special expenditure** Aufwandsentschädigung; ~ **for hardship conditions** Härtezulage; ~ **of interest** Zinsvergütung; ~ **of items in an account** Rückstellung für einzelne Rechnungsposten; ~ **in kind** Deputat, Sachbezüge, -leistungen; ~ **for loss** Refaktie; ~ **for losses** *(taxation)* Steuerermäßigungen für Verluste; ~ **for moving** Umzugsgeld; ~ **for night duty** Nachtdienstentschädigung; ~ **on premises** Grundstücks-, 7b-Abschreibung; ~ **for vacancies** Rückstellung für unvermietete Räume; ~ **for wear and tear** Absetzung für Abnutzung;

~ *(v.)* Rationen bewilligen, auf Rationen setzen, rationieren;

to be entitled to an ~ Anspruch auf Unterhalt haben; **to cut down s. one's monthly** ~ jds. Monatswechsel beschneiden; **to make** ~ *(accounting)* Rücklage bilden, *(grant reduction)* [vom Preis] nachlassen, Rabatt geben; **to make** ~ **for age** Altersvergünstigungen gewähren; **to make** ~ **for losses** Verluste berücksichtigen; **to put s. o. on short** ~ jem. den Brotkorb höher hängen; **to stop s. one's** ~ jem. den Unterhaltszuschuß sperren.

allowed time Erholungspause.

alloy *(inferior metal)* Beisatz, Münzzusatz, *(quality of gold)* Feingehalt;

~ *(v.)* legieren, Metalle versetzen.

allround vielseitig gebildet;

~ **inquiry** Rundfrage; ~ **man** Alleskönner, Tausendsassa; ~ **price** Pauschal-, Gesamtpreis.

almoner *(US)* Sozialpfleger[in], Betreuer, Fürsorgebeamter.

almonry *(Br.)* soziale Fürsorge.

alms Armenunterstützung, Almosen;

to live on ~ von Almosen leben; **to spend money in** ~ Geld zur Unterstützung der Armen geben;

~ **bag** Klingelbeutel.

almshouse *(Br.)* Armenhaus, Spital.

almsman Almosenempfänger.

alongshoreman Werftarbeiter.

alphabetic filing alphabetische Ablage.

alter *(v.)* ändern, *(document)* abändern;

~ **the time to summer time** Sommerzeit einführen;

~ **ego** zweites Selbst, *(crony)* Busenfreund.

alteration *(company)* Satzungsänderung, *(written instrument)* Abänderung;

author's ~**s** Textkorrektur; **material** ~ *(bill of exchange)* nachträgliche Wechseländerung;

~ **of a check** Scheckfälschung; ~ **of contract** Vertragsänderung; ~ **of course** *(ship)* Kurswechsel, -änderung; ~ **of passport** unberechtigte Paßänderung;

to initial an ~ Zusatz abzeichnen.

alternate | **aerodrome** Ausweichflughafen; ~ **deposit** gemeinschaftliches Depot; ~ **director** turnusmäßig zuständiger Direktor; ~ **material** *(US)* Austauschwerkstoff.

alternative | **airfield** Ausweichflugplatz; ~ **application** Verwendung von Ausweichfrachtsätzen; ~ **draft** Gegenentwurf; ~ **tariff** Ausweichfrachtsatz.

altitude Höhe, Gipfel, *(aircraft)* Flughöhe;

cruising ~ Reiseflughöhe;

~ **cabin** Überdruckkammer.

amalgamate *(v.)* zusammenlegen, fusionieren;

~ **shares** Aktien zusammenlegen.

amalgamated craft union vereinigte Fachgewerkschaft.

amalgamation Verschmelzung, Fusion[ierung].

amass a fortune Vermögen ansammeln.

amassing of capital Kapitalansammlung.

amateur edition Liebhaberausgabe.

ambassador Botschafter;

~ **plenipotentiary** außerordentlicher und bevollmächtigter Botschafter;

~**-at-large** Sonderbotschafter;

to recall an ~ **to report** Botschafter zur Berichterstattung zurückbeordern.

ambassadorial | **conference** Botschafterkonferenz;

~ **group** Botschafterlenkungsausschuß.

ambassadorship Botschafterposten.

amber traffic lights gelbes Licht, Gelb.

ambit Anwendungsbereich;

to fall within the ~ **of an agreement** in den Bereich eines Abkommens fallen.

ambulance Unfall-, Rettungs-, Sanitäts-, Krankenwagen, *(~ station)* Sanitätswache;

~ **box** Verbandskasten; ~ **plane** Sanitäts-, Rettungsflugzeug; ~ **station** Unfallstation.

amelioration Bodenverbesserung, *(prices)* Preissteigerung;

~ **works** Meliorationen.

amend *(v.)* | **an appropriation bill** Haushaltungsvoranschlag abändern; ~ **a complaint** einer Beschwerde abhelfen.

amendment Änderungsvorschlag, Zusatz, Ergänzungsvorschlag, Novelle, *(parl.)* Abänderungsvorschlag;

~ **of a charter** Konzessionsänderung;

to move an ~ **[to a bill]** Zusatzantrag einbringen; **to table an** ~ Zusatzantrag (Gegenantrag) einbringen.

amends [Schaden]ersatz, Wiedergutmachung;

to make ~ Schadenersatz leisten, wiedergutmachen.

amenity value *(real estate)* Annehmlichkeitswert.

American | **Bankers Association** *(US)* Banken-

und Bankiervereinigung; ~ **envelope** Versandtasche; ~ **market** *(Br.)* Markt für amerikanische Werte; ~ **plan** *(US)* Vollpensionssystem.

amicable arrangement gütliche Einigung, Vergleich.

amortization [Schulden]tilgung, Amortisation, *(alienation in mortmain)* Veräußerung von Grundstücken an die tote Hand, *(depreciation)* Abschreibung;
~ **of a loan** Anleihetilgung;
to pay ~ Tilgungsraten leisten, amortisieren;
~ **charges** Abschreibungslasten; ~ **fund** Tilgungsstock; ~ **instal(l)ment** Amortisationsrate; ~ **loan** Amortisationsanleihe; ~ **mortgage** Amortisationshypothek; ~ **payment** Amortisationszahlung; ~ **quota** Tilgungsrate; ~ **schedule** Tilgungsplan.

amortize *(v.)* tilgen, amortisieren, *(depreciate)* abschreiben, *(mortmain)* Grundstücke an die tote Hand veräußern;
~ **costs over a period of 3 years** Unkosten über 3 Jahre verteilen.

amount *(accounting)* Kapital und Zinsen, *(fig.)* Inhalt, Kern, *(quantity)* Menge, *(significance)* Bedeutung, Wert, Umfang, *(total)* [Gesamt]summe;
good for any ~ gut für jeden Betrag; **in one** ~ *(instalment)* auf einmal, in einer Summe;
actual ~ Ist-, Effektivbestand; ~**s advised** avisierte Zahlungen; **aggregate** ~ Gesamtsumme; ~ **allowed** ausgesetzte Summe; **any** ~ beliebiger Betrag; ~ **brought in** *(bookkeeping)* Vortrag aus vorjährigem Rechnungsjahr; ~ **carried (brought) forward** Vortrag auf neue Rechnung, Saldoübertrag; ~ **covered** *(insurance)* von der Versicherung gedeckter Betrag; **credited** ~ verfügbares Guthaben; **deposited** ~ hinterlegter Betrag; **depreciation** ~ Abnutzungsbetrag; ~ **due at maturity** Fälligkeitsbetrag; **estimated** ~ Schätzwert; **face** ~ Nennbetrag; **fractional** ~ *(stock exchange)* Spitzenbetrag; **guaranteed** ~ Haftsumme; **higher** ~ Spitzenbetrag; ~ **invested [in a company]** Beteiligung; **invoiced** ~ Rechnungsbetrag; **missing** ~ Fehlbetrag; **net** ~ Nettobetrag; **original** ~ Grundbetrag; ~ **owing** Schuldbetrag; ~ **paid on account** angezahlter Betrag; ~ **paid in advance** Vorauszahlung; **remitted** ~ überwiesene Summe; ~ **set up** Ansatz; **uncovered** ~ offenstehender Betrag, offener Posten; **uneven** ~ *(stock exchange)* Spitzenbetrag; ~ **written off** Abschreibungsbetrag;
~ **of [ordinary] annuity due** Endwert einer (vor[nach]schüssigen) Rente; ~ **due to banks** *(balance sheet)* Verbindlichkeiten gegenüber Banken); ~ **brought to debit of revenue account** auf Ertragskonto gutgeschriebener Betrag; ~ **carried over** Übertrag; ~ **of cash** Kassenbestand; ~ **of compensation** Abfindungssumme; ~ **of damages** Schadenshöhe; ~ **of depreciation earned** verdiente Abschreibung; ~ **of freight** Frachtanteil; ~ **of income** Einkommensbetrag; ~ **of indebtedness** Höhe der Verschuldung; ~ **of insurance** Versicherungsbetrag; ~ **of interest** Zinshöhe; ~ **of premium** Prämienhöhe; ~ **of production** Produktionsmenge; ~ **of rainfall** Niederschlagsmenge; ~ **of revenue** Nutzungswert; **net** ~ **of risk** *(life insurance)* Risikobetrag; ~ **of space** Anzeigenraum, *(retail shop)* Regalfläche; ~ **of stock** Kapitalanteil; ~ **of time required** erforderlicher Zeitaufwand; ~ **of traffic** Verkehrsumfang;
~ *(v.)* **to** betragen, ausmachen, sich beziffern auf;
to advance an ~ Betrag vorschießen; **to bring an** ~ **up to round figures** Betrag nach oben abrunden; **to collect outstanding** ~**s** Außenstände einziehen; **to credit an** ~ Summe gutschreiben; **to prorate an** ~ Betrag aufteilen; **to refer the** ~ **of rent to arbitration** Miethöhe schiedsgerichtlich festlegen lassen.

amphibian *(airplane)* Amphibienflugzeug.

ample | **house** geräumiges Haus; ~ **means (resources)** reichliche Mittel; **to have** ~ **money for building** ausreichendes Baukapital haben.

amusement Unterhaltung, Kurzweil, Zeitvertreib;
~ **park** Vergnügungsgelände; ~ **place** Stimmungslokal; ~ **tax** Lustbarkeitssteuer.

analyse *(v.)* analysieren, auswerten, *(picture)* abtasten;
~ **a balance sheet** Bilanz zergliedern; ~ **an economic theory** volkswirtschaftliche Theorie analysieren.

analysis Analyse, Zer-, Aufgliederung, Auswertung;
~ **of an account** Kontenaufgliederung; ~ **of expenses** Kostenanalyse; ~ **of the market** Marktanalyse; ~ **of the cost price** Selbstkostenberechnung; ~ **of surplus** Gewinnanalyse;
~ **sheet** Bilanzanalyse.

analyst, security Effektenberater.

anchor Anker, *(fig.)* Rettungsanker, Zuflucht.

ancillary untergeordnet, ergänzend;
~ **industries** Hilfsindustriezweige, Zulieferindustrie; ~ **service** Nebenleistungen; ~ **undertaking** Neben-, Hilfsbetrieb, Filiale; ~ **workers** Hilfspersonal.

angle *(fig.)* Gesichtspunkt;
~ *(v.)* **news** Nachrichten tendenziös aufmachen.

animate *(v.)* beleben, anregen, aufmuntern;
~ **a cartoon** Trickfilm zeichnen.

animated cartoon Zeichentrickfilm.

animation | **of buyers** Kaufbereitschaft, -lust; **little** ~ **among buyers** wenig Kauflust;
~ **studio** Trickfilmstudio.

animator Trickfilmzeichner.

annex Anhang, Zusatz, Nachtrag, *(building)* Nebengebäude, Anbau, *(document)* Anlage;
~ *(v.)* **another company** sich eine weitere Gesellschaft einverleiben.

annexation Annexion, Einverleibung.
anniversary Jahrestag, Gedenkfeier, -tag, Stiftungsfest;
~ **publication** Jubiläumsausgabe, -zeitschrift; ~ **volume** Festschrift.
announce *(v.)* ankündigen, *(broadcasting)* durchgeben, -sagen;
~ **shares** Aktien auflegen.
announcement Ankündigung, Bekanntmachung, Veröffentlichung, *(advertisement)* Anzeige, *(broadcasting)* kurze Werbeeinblendung, -durchsage, *(newspaper)* Hinweis, Notiz; **personal** ~ Familienanzeige; **prestige** ~ Repräsentationsanzeige;
~ **of the government** Regierungserklärung; ~ **of sale** Verkaufsangebot;
~ **campaign** Einführungskampagne.
announcer Rundfunkansager, -sprecher.
annual *(book)* Taschen-, Jahrbuch;
~ *(a.)* jährlich [wiederkehrend];
~ **account** Jahresrechnung, Jahresauszug; ~ **allowance** jährlicher Abschreibungsbetrag; ~ **audit** Jahresabschlußprüfung; ~ **average earnings** Jahresdurchschnittsverdienst; ~ **balance [sheet] earnings** -bilanz; ~ **budget** Jahreshaushalt[-splan]; ~ **convention** Jahrestagung; ~ **depreciation** jährliche Abschreibung auf das Anlagevermögen; ~ **general meeting** *(Br.)* Hauptversammlung; ~ **grant** Jahreszuschuß; ~ **income** Jahreseinkommen; ~ **increment** *(salary)* jährliche Gehaltssteigerung; ~ **meeting day** Hauptversammlungstag; ~ **production** Jahresproduktion; ~ **receipts** Jahreseinnahme, ~ **report (return)** *(Br.)* Tätigkeits-, Jahresbericht, -abschluß; ~ **requirements** Jahresbedarf; ~ ~ **return** Jahresrendite; ~ **review** *(UNO)* Jahreserhebung; ~ **subscription** Jahresbeitrag, -abonnement; ~ **turnover** Jahresumsatz; **gross** ~ **value** Bruttojahresertrag; ~ **yield** Jahresrendite.
annuitant Rentenempfänger, Rentner;
life ~ Leibrentner.
annuity [Jahres]rente, Jahreseinkommen, *(annual payment)* Jahreszahlung, *(Br.)* Staatspapier, Annuität;
~ **certain** Zeitrente; **contingent** ~ Rente mit unbestimmter Laufzeit; **deferred [life]** ~ Anwartschaftsrente; **disablement** ~ Invalidenrente; **joint (last) survivor** ~ gemeinsame Überlebensrente; **life** ~ Leibrente; **ordinary** ~ nachschüssige Rente; **cash refund [life]** ~ Rente mit Barausschüttung nicht erschöpfter Prämienzahlungen; **modified refund** ~ Restbetragsrente; **reversionary** ~ Anwartschaftsrente; **survivorship** ~ Überlebensrente; **two-life** ~ Überlebensrente; **unearned** ~ Kapitalrente;
~ **in redemption of a debt** Tilgungsrente; ~ **on the last survivor** Überlebensrente;
to buy an ~ sich in eine Rentenversicherung einkaufen; **to hold an** ~ Rente beziehen; **to settle an** ~ **on s. o.** jem. eine Jahresrente aussetzen; **to sink money in an** ~ sich in eine Rentenversicherung einkaufen; **to transfer the cash value into an** ~ Kapitalwert in eine Rente umwandeln;
~ **basis** Rentenbasis; ~ **bond** Rententitel; ~ **certificate (coupon)** Rentenschein; ~ **charge** Rentenschuld; ~ **computation** Rentenberechnung; ~ **contract** [Leib]rentenvertrag; ~ **holder** Rentenempfänger...

annul *(v.)* annullieren, rückgängig machen;
~ **a contract** Vertrag kündigen; ~ **a sale by paying a fine** Kaufvertrag gegen Bezahlung einer Geldbuße annullieren; ~ **a train** Zug ausfallen lassen.
annulment Aufhebung, *(invalidation)* Abschaffung, Ungültigkeitserklärung;
~ **of a contract** Vertragsaufhebung; ~ **of a train** Zugausfall.
anomaly *(stock exchange)* Kursanomalie.
answer Antwort, Bescheid, *(fig.)* Reaktion;
in ~ **to your letter** in Beantwortung Ihres geehrten Schreibens; **in** ~ **to a request** in Erledigung eines Gesuchs;
~ **prepaid (A. P.)** Antwort bezahlt; **registered** ~ Rückschein;
~ **by return of post** umgehende Antwort;
~ *(v.)* verantwortlich sein, Rechenschaft abgeben über;
~ **for** haften für; ~ **for s. o.** für j. bürgen;
~ **a bill of exchange** Wechsel einlösen (decken, honorieren); ~ **a claim** Anspruch befriedigen;
~ **expectations** nach Wunsch ausfallen; ~ **by return of post** umgehend [be]antworten;
~ **print** Originalfilm.
answerable beantwortbar, *(liable)* haftbar, -pflichtig, *(responsible)* verantwortlich;
to be ~ **for damages** schadenersatzpflichtig sein.
answering service *(tel.)* telefonischer Auftragsdienst.
antedate Vor-, Zurückdatierung;
~ **a check** Scheck zurück-, vordatieren.
antedated paper vordatierte Zeitung.
antedating Zurückdatieren.
antenna Antenne;
to be an ~ **for possible sales** für Verkaufsmöglichkeiten auf Empfang stehen.
antenuptial | debts voreheliche Schulden; ~ **settlement (contract)** Ehevorvertrag.
anteroom Vorraum, Vestibül, *(waiting room)* Wartezimmer.
antetype Prototyp.
anticipate *(v.)* im voraus bezahlen;
~ **a bill** Wechsel vor Verfall einlösen; ~ **one's salary** Vorschuß nehmen.

anticipated | acceptance vor Fälligkeit bezahltes Akzept; ~ **interest** Antizipandozinsen; ~ **redemption** vorzeitiger Rückkauf; ~ **requirements** voraussichtlicher Bedarf.
anticipation *(using beforehand)* Vorwegnahme, Vorausnahme, Vorgriff, *(date)* Vorausdatierung, *(extra cash discount)* [Bar]rabatt, *(marketing)* Erwartungsstruktur, *(rebatement)* Kleinhandelsrabatt bei frühzeitiger Warenlieferung;
~ **of property** Vorausverfügung über Vermögenserträge; ~ **of salary** Gehaltsvorgriff; ~ **of tax payments** Steuervorgriff;
~ **rate** Rabattsatz.
anticipatory *(patent)* neuheitsschädlich;
~ **drawing of a draft** Vorausziehung einer Tratte; ~ **expenditure** [Ausgaben im] Vorgriff; ~ **interest** Antizipandozinsen.
anticyclical | approach antizyklische Methode; ~ **measures** marktkonforme Mittel; ~ **program(me)** Konjunkturprogramm; **for ~ reasons** aus konjunkturpolitischen Gründen.
antidazzle | requirements Abblendvorschriften; ~ **screen** Blendschutzscheibe.
antidumping duty Antidumpingzoll.
antifreeze Frostschutz;
~ **agent (fluid, solution)** Frostschutzmittel.
antihalo *(film)* lichthoffrei.
antiinflation | program(me) Inflationsprogramm.
antiinflationary inflationsfeindlich;
to build ~ forces into the economy antiinflationistische Maßnahmen in der Konjunkturpolitik ergreifen.
antiknock *(motor)* klopffest;
antimonopoly legislation Kartellgesetzgebung.
antisaloon league Blaukreuzlerverein.
antiskid rutschfest, schleudersicher.
antisocial gemeinschaftsfeindlich.
antitrust gesellschafts-, kartellfeindlich;
≗ **Act** *(US)* Kartellgesetz; ~ **action** *(US)* Kartellklage; ~ **division** *(US)* Kartellbehörde; ~ **lawyer** Kartellanwalt; ~ **suit** *(US)* Kartellklage, -verfahren.
antiunion attitude gewerkschaftsfeindliche Einstellung.
antiunionist Gewerkschaftsgegner;
~ *(a.)* gewerkschaftsfeindlich.
apart einzeln, getrennt, abgesondert;
to live ~ getrennt leben; **to set ~** *(bankruptcy proceedings)* absondern.
apartment *(US)* [Miet]wohnung, Etagenwohnung, Etage, Appartment, Zimmerflucht, *(room, Br.)* Zimmer;
cooperative ~ Eigentumswohnung; **furnished ~** möblierte Wohnung; **higher-bracket ~** Wohnung für gehobenere Ansprüche;
~ **on the ground floor** Parterrewohnung; **~s to let** Zimmer zu vermieten;
to let furnished ~s möbliert vermieten; **to make a house over into several ~s** Einfamilienhaus etagenweise vermieten;
~ **block** Wohnblock; ~ **building** Mietshaus, Wohngebäude, Appartment-, Mehrfamilienhaus; ~ **house** *(US)* Mehrfamilienhaus mit Komfort; ~ **project** Wohnungsprojekt; ~ **rent** [Wohnungs]miete.
apparel Kleidung;
necessary wearing ~ and bedding *(bankrupt)* notwendige Kleidungsstücke und Bettstücke;
~ **manufacture** *(US)* Konfektionsindustrie.
appeal *(customers)* Anklang, Anziehungskraft, Signalreiz, *(law)* Berufung;
mass-emotional ~ auf Massenwirkung gerichtete Werbung; **snob ~** Ansprechen snobistischer Gefühle; **tax ~** Steuereinspruch;
~ **to the country** *(Br.)* Ausschreibung von Neuwahlen; ~ **by the Red Cross** Hilferuf des Roten Kreuzes;
~ *(v.)* Beschwerde führen, sich beschweren, *(law)* Berufung (Revision, Rechtsmittel) einlegen;
~ **to the country** *(Br.)* Neuwahlen ausschreiben; ~ **against a decision of the Inland Revenue** gegen eine Entscheidung des Finanzamtes Berufung einlegen; ~ **for funds** um Mittel werben;
~ **bond** Sicherheitsleistung; ~ **letter** Beschwerdebrief.
appear *(v.)* *(on account)* [auf einem Konto] erscheinen (figurieren), *(books)* erscheinen, herauskommen, *(law court)* vor Gericht erscheinen;
~ **on the debit side of the balance sheet** auf der Passivseite der Bilanz erscheinen; ~ **in the gazette** *(Br.)* in der Konkursliste erscheinen; ~ **from the record** aus den Akten hervorgehen.
appearance Vorkommen, *(publication)* Veröffentlichung, Erscheinen;
to default an ~ Termin versäumen; **to make ~** *(bill of exchange)* vorgelegt werden.
appeasement policy Befriedungs-, Beschwichtigungspolitik.
appeaser *(politics)* Beschwichtigungspolitik.
append *(v.)*;
~ **a document to a dossier** Urkunde einem Exposé beifügen; ~ **marginal notes** Randbemerkungen machen.
appendant Anhang, Anhängsel, Zusatz.
appendix Zubehör, *(supplement)* Anhang, Anlage.
applicant Bewerber, Antragsteller, *(issue of shares)* Zeichner, *(job)* Stellungsuchender, Stellenbewerber;
~ **for insurance** Versicherungsnehmer; ~ **for shares** *(Br.)* Aktienzeichner.
application *(appropriation)* Konkretisierung, *(customs)* Anwendungsgebiet, *(insurance)* Versicherungsaufnahmeantrag, *(for a petition)* Bewerbung, Stellengesuch, Bewerbungsschreiben;
payable on ~ zahlbar bei Bestellung (Antragstellung);
employment ~ Bewerbungsantrag, -schreiben;

handwritten ~ handschriftliche Bewerbung; **loan** ~ Kreditantrag; **mailed** ~ schriftliche Bewerbung; **territorial** ~ räumlicher Geltungsbereich; **written** ~ Bewerbungsschreiben;
~ **for adjournment** Vertagungsantrag; ~ **for admission** Zulassungsgesuch, -antrag; ~ **for allotment** *(issue of shares)* Antrag auf Zuteilung, Zuteilungsantrag; ~ **with full career details** Bewerbung mit vollständigem Lebenslauf; ~ **for discharge** Rehabilitierungsantrag [des Konkursschuldners]; ~ **for employment** Bewerbungsantrag; ~ **of funds** Mittelverwendung; ~ **of funds statement** Ausweis über die Verwendung von Barmitteln; ~ **for increase** Tariferhöhungsantrag; ~ **for leave of absence** Urlaubsgesuch; ~ **for listing** *(US)* Antrag auf offizielle Einführung [von Effekten] an der Börse; ~ **for membership** Mitgliedschaftsantrag, Aufnahmegesuch, ~ **of payments** Zweckbestimmung von Zahlungen; ~ **of proceeds** Verwendung des Gegenwertes; ~ **for rediscount** Rediskontantrag; ~ **for registration** Eintragungsantrag; ~ **for release** Freigabeantrag; ~ **for relief** Unterstützungsgesuch; ~ **for shares** *(Br.)* Aktienzeichnung; ~ **in writing** schriftlicher Antrag;
to act on an ~ über einen Antrag entscheiden; **to approve of an** ~ einem Aufnahmeantrag stattgeben; **to file an** ~ Gesuch einreichen; **to make an** ~ **for membership** Aufnahmeantrag stellen, **to make** ~ **for shares** *(Br.)* Aktien zeichnen; **to secure an** ~ [Versicherungs]antrag entgegennehmen;
~ **backlogs** nicht bearbeitete Anträge, Antragsrückstände; ~ **blank** Bewerbungs-, Anmelde-, ~ **call** erste Einzahlung [auf Aktien]; ~ **fee** Zeichnungsgebühr; ~ **files** Bewerbungsakten; ~ **form** Antragsformular, -vordruck, *(Br., deposit receipt)* Einzahlungsformular, *(shares)* Bezugsrechtsformular; ~ **money** Zeichnungsbetrag [bei Aktienzeichnung]; ~ **papers** Bewerbungsunterlagen; ~ **request** Etatsvorlage; ~ **slip** Antragszettel; ~ **stage** Antragsstadium.

applied | **art** Gebrauchsgraphik; ~ **cost** verrechnete Gemeinkosten; ~ **political economy** angewandte Volkswirtschaft.

apply *(v.)* **for** *(position)* sich bewerben um, nachsuchen, *(make request)* beantragen, ansuchen, *(make use of)* verwenden, gebrauchen, anwenden;
~ **to an authority** bei einer Behörde vorstellig werden; ~ **for a credit line** Kreditantrag stellen; ~ **for an increase in salary** um eine Gehaltserhöhung einkommen; ~ **for instructions** Informationen einholen; ~ **to Mr. N.** bei Herrn N. zu erfragen; ~ **at the office** sich im Büro melden; ~ **payments to the reduction of interest** Zahlungen zur Verkürzung der Zinsrückstände verwenden; ~ **shares as collateral security** *(US)* Aktien als Kreditdeckung verwenden; ~ **in writing** schriftliches Gesuch einreichen.

appoint *(v.)* *(date)* ansetzen, anberaumen, *(engage)* anstellen, *(install)* bestellen, einsetzen, *(nominate)* ernennen, berufen;
~ **an agent** Vertreter bestellen; ~ **a committee** Ausschuß einsetzen; ~ **as a guardian** zum Vormund bestellen; ~ **a meeting** Versammlungstermin festlegen; ~ **s. o. to a professorship** j. zum Professor ernennen;
to draw per ~ per Saldo trassieren.

appointed ernannt, beamtet;
permanently ~ fest angestellt;
~ **by the articles** satzungsgemäß; ~ **for life** auf Lebenszeit angestellt;
~ **agent** ständiger Vertreter; ~ **day** Termin, Stichtag; ~ **space** *(advertising)* Platzvorschrift.

appointee Kandidat, *(beneficiary)* Nutznießer.

appointive term Beschäftigungszeit.

appointment *(appropriation of money)* Zweckbestimmung für einen Geldbetrag, *(commission)* Auftrag, *(engagement)* Verabredung, *(nomination)* Ernennung, Einsetzung, Bestallung, *(office)* Stelle, Anstellung, Amt;
by ~ nach Vereinbarung;
mistaken ~ Fehlbesetzung; **new** ~ Neubesetzung; **probationary** ~ Probeanstellung;
~ **of an agent** Vertreterbestellung; ~**s for a hotel** Ausstattung eines Hotels; ~ **for life** Anstellung auf Lebenszeit, Lebensstellung; ~**s of an office** Amtseinkünfte, Sporteln;
to be here on ~ bestellt sein; **to break an** ~ Verabredung nicht einhalten können (absagen); **to keep an** ~ Termin wahrnehmen; **to meet s. o. by** ~ sich mit jem. verabredet haben;
~**s board** *(Br.)* Büro für die Vermittlung von Führungskräften; ~ **book** Terminkalender.

apportion *(v.)* zuteilen, zumessen, zuweisen, *(shares)* repartieren, gleichmäßig verteilen;
~ **the costs** Kosten umlegen (aufteilen); ~ **losses evenly over the year** Verluste gleichmäßig über das ganze Jahr verteilen; ~ **part of profits to a particular tax year** Gewinnteile steuerlich aufteilen.

apportionable costs Gemein-, Schlüsselkosten.

apportionment Verteilung, Aufteilung, *(shares)* Repartierung;
~ **of contract** Sukzessivlieferungsvertrag; ~ **of cost** Kostenumlegung, ~ **of indirect cost** Gemeinkostenumlage; ~ **of a tax** Steueraufteilung;
~ **distribution** *(passenger traffic)* Teilstreckenaufteilung; ~ **sheet** Aufteilungsbogen.

appraisal [Ab]schätzung, Bewertung, Wertbestimmung, -ansatz, *(appraised value)* Taxwert, *(tariff)* Zollbewertung;
condemnation ~ Enteignungstaxe; **property** ~ Vermögensschätzung; **real-estate** ~ Grundstücksschätzung, -bewertung;
~ **of damage(s)** Schadensabschätzung; ~ **for inheritance taxation purposes** Abschätzung zu Erbschaftssteuerzwecken; ~ **of investment** Anlagenbewertung;

~ **committee** Bewertungsausschuß; ~ **company** Schätzerfirma; ~ **profile** Bewertungsskala; ~ **report** Schätzungsbericht.
appraise *(v.)* abschätzen, bewerten, taxieren.
appraised value Schätz[ungs]wert.
appraisement *(valuation)* [Ab]schätzung, Taxierung, Wertbestimmung, *(value)* geschätzter Wert, Taxwert;
official ~ amtliche Schätzung, Bewertung durch Sachverständige;
~ **of the productive capacity** Bonitierung der Produktionskapazität;
~ **committee** Bewertungskommission.
appraiser Schätzer, Taxator, *(insurance)* Schadensabschätzer, *(US)* gerichtlich bestellter Sachverständiger;
general ~ *(US)* Zollsachverständiger; **merchant** ~ *(US)* sachverständiger Schätzer bei Zollwertfestsetzungen; **official** ~ amtlicher Schätzer;
~**'s fees** Taxgebühren; ~**'s store** Zollager.
appreciate *(v.) (improve)* sich im Wert verbessern, *(raise in value)* Wert erhöhen, *(rise in value)* im Wert steigen, Wertsteigerung erfahren, *(valuate)* bewerten, taxieren, [ab]schätzen.
appreciated surplus auf Neubewertung beruhender Gewinn.
appreciation *(balance sheet)* Aufwertung von Anlagen, *(investment fund)* Wertzuwachs, *(rise in value)* Wertzuwachs, -steigerung, -zunahme, Preiserhöhung, *(valuation)* [Ab]schätzung.
~ **of fixed assets** *(US)* Höchstbewertung von Anlagegütern; ~ **of prices** Kurs-, Preissteigerung; ~ **of real estate** Wertzuwachs eines Grundstücks;
to show an ~ im Wert gestiegen sein;
~ **possibilities (potentialities)** Wertsteigerungsmöglichkeiten.
appreciator Taxator.
apprehensive period *(insurance)* Zeitspanne erhöhter Gefahr.
apprentice Volontär, Eleve, Lehrling, Lehrjunge, -bursche;
~ *(v.)* **s. o.** j. in die Lehre geben;
~ **age** Lehrlingsjahre; ~ **program(me)** [Lehrlings]ausbildungsprogramm; ~ **teacher** Lehrlingsausbilder; ~ **training** Lehrlingsausbildung.
apprenticeable | occupation Lehrberuf; ~ **trade** Beruf mit anerkannter Lehrlingsausbildung.
apprenticeship [kaufmännische] Lehre, Lehrzeit, -jahre, Lehrlingsstand;
to be through one's ~ seine Lehre beendet haben; **to serve (be serving) one's** ~ in der Lehre sein;
~ **agreement** Lehrlingsvertrag; ~ **executive** Lehrlingsausbilder; ~ **program(me)** Ausbildungsprogramm; ~ **system** Lehrlingswesen; ~ **training agreement** Lehrvertrag.
approach Annäherung, *(access)* Auffahrt, Zufahrt, Zugang, *(advertising)* Aufmerksamkeitserreger, Aufhänger, Blickfänger im Anzeigentextanfang, *(airplane)* Anflug, *(manner of taking)* Verhalten, Stellungnahme, *(tentative steps)* Annäherungsversuch;
of easy ~ leicht zugänglich;
go-slow ~ vorsichtiges Vorgehen; **meat-axe** ~ Fleischhackermethode; **missed** ~ *(airplane)* Fehlanflug; **velvet-glove** ~ Samthandschuhmethode;
~ *(v.) (airplane)* anfliegen, *(make offer)* [mit einem Angebot] herantreten;
~ **s. o. with bribe** sich j. mit Bestechungen zugänglich machen; ~ **a purchase** an einen Kunden herantreten;
to reflect the ~ **of the Administration** Regierungsansicht widerspiegeln; **to restructure its whole** ~ **to the customer** Kundenwerbung auf eine völlig neue Basis stellen;
~ **flight** Zielanflug; ~ **ramp** Zufahrtsrampe.
approbation Zustimmung, Genehmigung, Billigung;
on ~ zur Ansicht, auf Probe.
appropriate *(v.) (allocate)* bewilligen, [Geld] zuweisen, [zweck]bestimmen, *(bankruptcy proceedings)* aussondern, *(executor)* Nachlaß verteilen, *(take possession)* Besitz ergreifen, beschlagnahmen;
~ **goods to the contract** Eigentum konkretisieren; ~ **a piece of land** Stück Land in Besitz nehmen; ~ **to free reserve** in die freie Rücklage einstellen; ~ **unlawfully** sich rechtswidrig aneignen;
~ *(a.) (appurtenant)* zugehörig, sachdienlich; **for** ~ **action** zur weiteren Veranlassung; ~ **earnings** *(US)* den Rücklagen zugewiesene Gewinne; ~ **funds** zweckgebundene Mittel; **at the** ~ **time** zur gegebenen Zeit.
appropriated surplus zweckgebundene Rücklagen.
appropriation Anwendung, *(bankruptcy proceedings)* Aussonderung, *(US, funds set apart)* Bereitstellungsfonds, *(seizure)* Aneignung, Inbesitznahme, *(setting apart of funds)* Bereitstellung, Zuweisung [von Mitteln], [Geld]bewilligung, Geldzuwendung, [Zweck]bestimmung;
~s bereitgestellte Haushaltsmittel, *(US)* Rücklagen;
advertising ~ genehmigter Reklamefonds; **budgetary** ~**s** Ansätze des Haushaltsplans; **contractual** ~**s** *(US)* satzungsmäßige Rücklagen; **discretionary** ~**s** freie Rücklagen; **itemized (segregated)** ~ detaillierte Mittelzuweisung; **legal** ~**s** *(US)* gesetzliche Rücklagen; **unbudgeted** ~s im Haushaltsplan nicht vorgesehene Posten; **unspent** ~**s** *(budgeting)* Haushaltsüberschüsse;
~ **-in-aid** finanzielle Zuwendung; ~ **to a debt** Anrechnung auf eine Schuld; ~ **of an estate** Nachlaßverteilung; ~ **of funds** Geldzuweisung; ~ **of unascertained goods** Konkretisierung einer Gattungsschuld; ~ **of money to a debt** Verrechnung auf die Schuldsumme; ~ **of pay-**

ments Zweckbestimmung von Zahlungen; ~ **of profit** Gewinnverwendung; ~ **of surplus** Rücklagen-, Reservenbildung;
to trim one's ~ by 4 per cent bereitgestellte Mittel um 4% kürzen;
~ **account** Rückstellungskonto; ~ **bill** *(parl.)* Haushaltsvorlage; ~ **trust** Investmentgesellschaft mit sofortiger Anlage der zufließenden Mittel.

approval Zustimmung, Genehmigung, *(of account)* Richtigbefund;
in need of (subject to) ~ genehmigungsbedürftig;
qualified ~ bedingte Zustimmung;
~ **of account** Kontoanerkennung; ~ **of the acts of directors** Entlastung des Vorstands; ~ **of the balance sheet** Bilanzverabschiedung; ~ **of minutes** Genehmigung des Protokolls; ~ **of profit and loss account** Genehmigung der Gewinn- und Verlustrechnung;
to be subject to s. one's ~ von jds. Genehmigung abhängen; **to meet with a lively ~** lebhaftes Echo finden;
~ **book** *(philately)* Ansichtsalbum; ~ **sale** Kauf auf Probe.

approve *(v.)* genehmigen, billigen, zustimmen, ratifizieren;
~ **an account** Richtigkeit einer Rechnung anerkennen; ~ **waste land** Brachland kultivieren.

approved, read and gelesen und genehmigt;
~ **bill** anerkannter Wechsel; ~ **indorsed notes** zusätzlich girierte Solawechsel; ~ **price** genehmigter Preis; ~ **school** *(Br.)* Fürsorgeerziehung; ~ **stamp** Genehmigungsstempel.

approximate;
~ **amount** ungefährer Wert; ~ **calculation** Kostenüberschlag; ~ **formula** Faustformel; ~ **value** Annäherungswert.

approximation annähernde Berechnung;
~ **error** Näherungsfehler.

apron Talon, *(airdrome)* Hallenvorplatz, *(runway)* Landebahn;
~ **-string tenure** Nutznießungsrecht des Ehemannes am eingebrachten Gut.

aptitude test Eignungsprüfung.

arable land Ackerland, Anbaufläche.

arbitrable schiedsgerichtsfähig.

arbitrage Arbitrage, *(arbitration)* Schiedsspruch;
compound ~ Mehrfacharbitrage; **interest ~** Zinsarbitrage; **stock ~** Effektenarbitrage;
~ **in bullion** Goldarbitrage; ~ **in securities** Effektenarbitrage;
~ **dealer** Arbitragehändler; ~ **stocks** Arbitragewerte; ~ **transactions** Arbitragegeschäft.

arbitral schiedsrichterlich;
~ **award** Schiedsspruch; ~ **body** Schiedsstelle; ~ **case** Schiedssache; ~ **settlement** schiedsgerichtliche Beilegung.

arbitrary willkürlich, eigenmächtig, *(discretionary)* in das Ermessen gestellt;
~ **action** Willkürakt; ~ **assessment** auf Schätzungen beruhende Veranlagung; ~ **decision** Ermessensentscheidung; ~ **government** Willkürherrschaft; ~ **method of profit distribution** *(insurance)* mechanisches Dividendensystem; ~ **notice** einseitige Kündigung; ~ **power** Ermessensvollmacht; ~ **price** willkürlicher Preis.

arbitrate *(v.)* [durch Schiedsspruch] schlichten, Schiedsspruch fällen, *(stock exchange)* durch Kursvergleich feststellen.

arbitration Schlichtungs-, Schiedsverfahren, *(award)* Schiedsspruch.
commercial ~ Schiedsgerichtswesen der Wirtschaft; **compound ~** Mehrfacharbitrage; **compulsory ~** obligatorisches Schiedsverfahren; **industrial ~** Schlichtungsverfahren; **stock ~** Effektenarbitrage; **voluntary ~** frei vereinbarte schiedsgerichtliche Regelung;
~ **of exchange** Wechselarbitrage, -kursvergleich;
to refer to ~ an ein Schiedsgericht verweisen; **to settle by ~** schiedsgerichtlich beilegen; **to submit to ~** sich einem schiedsrichterlichen Verfahren unterwerfen;
~ **agency** Schlichtungsstelle; ~ **award** Schiedsspruch; ~ **board** *(US)* Schlichtungsausschuß, -amt; ~ **bond** schriftlich anerkannte Schiedsgerichtsvereinbarung; ~ **clause** Schiedsgerichtsklausel; ~ **committee (commission)** Schlichtungs-, Vermittlungs-, Schiedsausschuß; ~ **court** Schiedsgericht[shof]; ~ **procedure governing disputed firings** Schiedsverfahren wegen strittiger Arbeiterentlassungen; ~ **treaty** Schieds[gerichts]vertrag.

arbitrational schiedsgerichtlich, -richterlich.

arbitrator Schiedsrichter, -mann, Schlichter;
~ **of average** Dispacheur;
to act as ~ Schiedsrichter (schiedsrichterlich tätig) sein; **to appoint as ~** als Schiedsrichter seinsetzen;
~'s award (finding) Schiedsspruch, -urteil, schiedsgerichtliche Entscheidung.

architectural baulich, architektonisch;
~ **design** Raumgestaltung; ~ **engineer** Bauingenieur.

archives Archiv, Urkundensammelstelle, Dokumentensammlung.

area Fläche, Raum *(region)* Region, Bezirk, [Geltungs]gebiet, *(range)* Spielraum, *(tel.)* Gebührenzone;
in the ~ of N im Großraum von N;
backward ~s in der Entwicklung zurückgebliebene Gebiete; **big-city ~** Großstadtgebiet; **built-up ~** geschlossene Ortschaft, neuentstandenes Siedlungsgebiet; **congested ~** dichtbesiedeltes Gebiet; **depressed (distressed) ~** Notstandsgebiet; **less developed ~** Entwicklungsgebiet; **development ~** Förderungsgebiet; **labo(u)r-short ~** ungenügend mit Arbeitskräften versorgtes Gebiet; **noparking ~** Parkver-

botszone; **postal** ~ Postzustellungsbezirk; **prohibited** ~ Sperrgebiet, -zone; **restricted** ~ Stadtteil mit Geschwindigkeitsbeschränkung; **special (stricken)** ~ Notstandsgebiet; **suburban** ~ Vorstadtbezirk; **trading** ~ Wirtschaftsraum; **undeveloped** ~ unbebautes (noch nicht erschlossenes) Gelände;
large ~ **of agreement** breite Verständigungsgrundlage; ~ **of application** Anwendungsbereich; ~ **of assessment** Steuerbezirk; **principal** ~ **of consumption** Hauptverbrauchsgebiet; ~ **under cultivation** Anbaufläche; ~ **of destination** Verkaufs-, Absatzgebiet; ~ **of friction** Spannungsgebiet; **white (unexplored)** ~ **on the map** weißer Fleck auf der Landkarte; ~ **of production** *(US)* Produktionsgebiet; ~ **of responsibility** Verantwortungsbereich; ~ **of supply** Auslieferungsgebiet; ~ **of taxation** Besteuerungsgebiet;
to forbid an ~ Gebiet sperren;
~ **agreement** *(bargaining)* Regionalabkommen; ~ **-development program(me)** Notstandsgebietsplan; ~ **director** Bereichsleiter; ~ **headquarters** Bezirksgeschäftsstelle; ~ **manager** Bezirksdirektor; ~ **municipality** Gebietskörperschaft; ~ **planning** Raumplanung; ~ **pricing** Zonentarif; ~ **sample** *(statistics)* regionale Marktuntersuchung; ~ **sampling** Flächenstichprobeverfahren; ~ **-wide bargaining** Gesamttarifvertrag.

arena of politics politische Bühne.

armament | boom Rüstungshochkonjunktur; ~ **company** *(Br.)* Rüstungsbetrieb; ~ **credit** Rüstungsanleihe, -kredit; ~ **industry** Rüstungsindustrie; ~ **order** Rüstungsauftrag; ~ **plant** Rüstungsbetrieb.

armchair am grünen Tisch, theoretisch;
~ **politician** Stammtisch-, Bierbankpolitiker; ~ **shopper** Schreibtischeinkäufer.

arrange *(v.) (agree upon)* vereinbaren, verabreden, *(plan)* Vorkehrungen treffen, veranstalten;
~ **in alphabetical order** alphabetisch anordnen; ~ **with creditors** Gläubigervergleich schließen; ~ **an insurance** Versicherung[svertrag] abschließen; ~ **for the manufacture** Vorkehrungen für die Herstellung treffen; ~ **a meeting** Tagung veranstalten; ~ **privately** sich außergerichtlich vergleichen; ~ **a settlement** Vergleich herbeiführen.

arrangement *(agreement)* Ab-, Übereinkommen, Vereinbarung, Verabredung, *(compromise)* [Gläubiger]vergleich;
against previous ~s entgegen früheren Abmachungen;
~s Vorkehrungen, Vorbereitungen, Maßnahmen;
amicable ~ gütliche Erledigung; **blocking** ~ Stillhalteabkommen; **contractual** ~ vertragliche Vereinbarung; **financial** ~s Zahlungsvereinbarungen; **private** ~ außergerichtlicher Vergleich; **revised** ~ Neuregelung; **special** ~ Sondervereinbarung; **temporary** ~ Übergangsregelung; **well ordered** ~ übersichtliche Anordnung;
~ **of claims** Rangfolge von Konkursforderungen; ~ **with one's creditors** Gläubigervergleich; ~ **of an exhibition** Gestaltung einer Ausstellung; ~ **for an extension of time** Zahlungsabkommen;
to come to an ~ zu einem Vergleich gelangen, sich vergleichen; **to come to an** ~ **with one's creditors** sich mit seinen Gläubigern arrangieren; **to file a petition for an** ~ Vergleichsverfahren beantragen; **to make all necessary** ~s notwendige Anordnungen treffen.

arrears [Zahlungs]rückstände, Restanten, Verzugszinsen;
in ~ im Rückstand, rückständig;
rent ~ rückständige Miete; **tax** ~ Steuerrückstände;
~ **of correspondence** Briefschulden; ~ **of interest** rückständige Zinsen; ~s **on interest** Verzugszinsen; ~ **of wages** Lohnrückstand; ~ **of work** unerledigte Arbeit;
to be in ~ [mit der Zahlung] im Rückstand sein; **to be in** ~ **with one's correspondence** Briefschulden haben; **to clear off** ~ **of work** Arbeitsrückstände erledigen; **to make up** ~ **[of work]** Rückstände aufarbeiten.

arrest *(attachment)* Beschlagnahme, Pfändung;
~ **of goods** Warenbeschlagnahme;
~ **a debt** Forderung pfänden; ~ **a ship** Schiff mit Beschlag belegen.

arrival Ankunft, Ankommen;
~s *(goods)* Eingänge, Zufuhr, *(ships, trains)* eingelaufene Schiffe (Züge);
~s **and departures** Ankunfts- und Abfahrtszeiten; ~ **of goods** Warenzufuhr; ~ **of a report** Eingang eines Berichts;
to notify the police of one's ~ sich polizeilich melden; **await** ~ *(post)* nicht nachsenden!;
~ **board** Ankunftstafel; ~ **book** Fremdenbuch; ~ **draft** *(US)* Tratte mit beigefügten Verschiffungsdokumenten; ~ **notice** Eingangs-, Frachtbenachrichtigung; ~ **platform** Ankunftsbahnsteig; ~ **time** Ankunftszeit: ~ **track** Einfahrgleis.

arrive *(v.) (letter, goods)* eingehen, *(order, ship)* einlaufen;
~ **at an agreement** zu einer Einigung gelangen; ~ **on the minute** auf die Minute (pünktlich) ankommen (eintreffen); ~ **at a price** Preis festsetzen.

arrived, to have arriviert sein.

arrow filter signal Pfeil für Linksabbieger.

art künstlerisches Schaffen, Kunst, *(patent law)* Fachgebiet, -kenntnisse;
applied ~ Kunstgewerbe; **finished** ~ Reinzeichnung, reproduktionsreife Vorlage;
to be ~ **and part in s. th.** planend und ausführend an etw. beteiligt sein;

~ **buyer** *(advertising)* Referent für freie Mitarbeiter; ~ **cardboard** Kunstdruckkarton; ~ **director** Atelierleiter [einer Werbeagentur]; ~ **paper** Kunstdruckpapier; **to order ~ work from free-lancers** Anzeigengestaltung an freiberuflich tätige Graphiker vergeben.

arterial | highway *(US)* Durchgangs-, Fernverkehrsstraße; ~ **road** Ausfallstraße.

artery *(traffic)* Hauptverkehrsader, Hauptstrecke; ~ **of commerce** Handelsweg.

article *(agreement)* Vertrag, Kontrakt, *(clause)* Klausel, Bestimmung, Paragraph, Abschnitt, Absatz, *(commodity)* Artikel, Ware, *(brief composition)* Artikel, Aufsatz, *(item)* Posten, *(object)* Gegenstand, Sache, Ding, Stück, Artikel;
additional ~ Zusatzartikel; **branded ~s** Markenartikel; ~ **certain to sell** sicher abzusetzende Ware; ~ **hard to get rid of** schwer verkäuflicher Artikel; **high-class** ~ Qualitätsware; **knock-down** ~ Massenware; **leading** ~ Leitartikel; **personal** ~ persönlicher Gebrauchsgegenstand; **price-maintained** ~ Waren mit gleichbleibenden Preisen; **proprietary** ~ patentiertes Monopolerzeugnis; **scarce ~s** Mangelwaren; **semifinished** ~ Halbfabrikat; **superior** ~ Qualitätsware; **tear-sheet** ~ Belebartikel;
~ **of consumption** Verbrauchsartikel, Konsumgut; ~ **of merchandise** Handelsware; ~ **of average quality** Durchschnittsware; ~ **of quick sale** Zugartikel, Verkaufsschlager; ~ **of everyday use** täglicher Gebrauchsartikel;
~ *(v.)* *(bind as apprentice)* in die Lehre geben, *(formulate)* artikelweise abfassen;;
~ **a seaman for a voyage** Seemann für eine Reise anheuern;
to be out of an ~ Ware nicht mehr führen; **to have (keep) an ~ in stock** Artikel (Ware) führen; **to stock an** ~ Artikel führen.

articles Satzung, *(goods)* Güter, Waren;
factory-produced ~ Fabrikware; **mass-produced** ~ Massenartikel, -ware; **ship's ~s** Heuervertrag; ~ **wanted** *(newspaper)* Kaufgesuche; ~ **of apprenticeshup** Lehrvertrag; ~ **of association** Gesellschaftsvertrag, Satzung; ~ **made in bulk** Massenartikel, -ware; ~ **of commission** Kommissionsgut; ~ **of [co]partnership** Gesellschaftsstatuten, Kommanditvertrag; ~ **of incorporation** *(US)* Gründungsurkunde (Satzung) einer AG; ~ **of foreign manufacture** ausländische Erzeugnisse; ~ **of first necessity** lebenswichtige Artikel; ~ **of high quality** Qualitätsware; ~ **of quick sale** Artikel mit hoher Umschlagsgeschwindigkeit; **~s shown in the window** Auslege-, Schaufensterware.
to rewrite ~ Artikel umschreiben; **to serve one's** ~ seine Lehrjahre durchmachen; **to sign the ship's** ~ sich anheuern lassen; **to write ~ for a newspaper** Beiträge für eine Zeitung liefern.

articled vertraglich gebunden, *(apprentice)* in der Lehre;
~ **clerk** *(Br.)* Schreiber, Anwaltsgehilfe.

artificial synthetisch, nachgemacht, künstlich;
~ **antenna** Ersatzantenne; ~ **material** Werkstoff; ~ **person** juristische Person.

artist *(advertising)* Gebrauchsgraphiker, Layouter.

artistic merit künstlerischer Wert.

artotype *(printing)* Lichtdruck.

as-is merchandize Ausschußware.

ascertain *(v.)* feststellen, festsetzen;
~ **a balance** Saldo vergleichen; ~ **the costs** Kosten ermitteln; ~ **interest** Zinsen errechnen; ~ **a price** Preis festsetzen; ~ **the value** Wert ermitteln.

ascertained | damages festgestellter Schaden; ~ **goods** Gattungssachen.

ascertainment;
~ **of costs** Kostenerfassung; ~ **of damages** Schadensfeststellung; ~ **of loss** Schadensfeststellung; ~ **of price** Preisfestsetzung; ~ **of profits** Gewinnfeststellung; ~ **of returns** Erfolgsermittlung;
~ **error** *(statistics)* Erhebungsfehler.

ascribe *(v.)* **to an accident** einem Unfall zuschreiben.

ask *(v.)* ersuchen, bitten, fragen;
~ **s. o. to come** j. bestellen; ~ **for larger credits** um größere Kredite nachsuchen; ~ **for damages** Schadenersatz verlangen; ~ **a dollar a dozen** pro Dutzend einen Dollar verlangen (berechnen); ~ **for the manager** Geschäftsführer verlangen; ~ **payment in advance** Vorauszahlung verlangen; ~ **the price** sich nach dem Preis erkundigen; ~ **moderate prices** niedrige Preise berechnen; ~ **£ 10 a month as rent** Monatsmiete von 10 Pfund verlangen.

asked gefragt, gesucht, *(stock exchange)* Brief;
at the best possible ~ bestens;
~ **and bid** *(stock exchange)* Brief und Geld;
~ **price** Preisforderung, *(stock exchange)* Briefkurs;
~ **quotation** Briefkurs.

aspect *(fig.)* Seite, Gesichtspunkt;
~s of financial activities gesamter Bereich des Finanzgeschäfts;

aspirant Bewerber, Anwärter.

assay Metallprobe, -analyse;
~ *(v.)* Feingehalt feststellen;
~ **balance** Goldwaage; ~ **office bar** amtlich auf Feingehalt geprüfter Goldbarren; ~ **office value** Feingehaltswert; ~ **sample** Probestück; ~ **value** Münzwert.

assemblage Versammlung, Vereinigung, *(fitting together)* Montage, *(real estate law)* Zusammenschreibungskosten;
political ~ politische Vereinigung;
~ **value** Sammelwert.

assemble einberufen, versammeln, *(fit together)* zusammensetzen, montieren, *(machine)* zusammenbauen, *(stocks)* [Vorräte] ansammeln,

bevorraten, *(train)* zusammenstellen;
~ **a car** Wagen montieren; ~ **two parcels of land** zwei Grundstücksparzellen zusammenschreiben.
assembler Versammlungsteilnehmer, *(fitter)* Monteur.
assembling;
~ **parcels of land** Grundstückszusammenschreibung, Parzellenvereinigung;
~ **shop** Montagebetrieb.
assembly Versammlung, Zusammenkunft, *(fitting together)* Zusammenbau, Montage, *(production unit)* Fertigungseinheit;
General ≗ Generalsynode, **legislative** ~ gesetzgebende Versammlung; **popular** ~ Volksversammlung; **unlawful** ~ Zusammenrottung, Auflauf;
~ **agreement** Montagevereinbarung; ~ **cost system** Kostenrechnung für Montagebetrieb; ~ **department** Montageabteilung; **automated** ~ **facilities** automatische Montageeinrichtungen; ~ **fault** Montagefehler.
assembly line laufendes Band, Montagebahn, Fließband;
to rumble off the ~ Fließband verlassen.
assembly-line | production Fließbandfertigung; ~ **worker** Fließbandarbeiter.
assembly | operation Montagetätigkeit, ~ **plant** Montagewerk; ~ **schedule** Montageplan; ~ **shop** Montagehalle, -werkstatt; ~ **work** Montagearbeit.
assented bonds (stocks, securities) im Sammeldepot hinterlegte und im Sanierungsverfahren abgestempelte Wertpapiere.
assess *(v.) (charge with a tax)* besteuern, [steuerlich] veranlagen, *(members, US)* Vereinsbeitrag fordern, *(value)* [steuerlich] bewerten, einschätzen, taxieren;
incorrectly ~ falsche Steuerveranlagung vornehmen; ~ **separately** *(income-tax return)* steuerlich getrennt veranlagen;
~ **a building** Einheitswert feststellen; ~ **[the amount of] damages** (Entschädigungssumme) festsetzen, *(ship)* Havarie aufmachen; ~ **a fine** Bußgeld festsetzen; ~ **members of a society for expenses** Unkosten auf die Vereinsmitglieder umlegen; ~ **for additional payment** zu zusätzlichen Zahlungen heranziehen; ~ **a property** Vermögen bewerten; ~ **property for improvements** Einheitswert eines Grundstücks neu feststellen; ~ **for taxable value** nach dem Steuerwert abschätzen.
assessable taxierbar, [ab]schätzbar, bewertbar, *(liable to duty)* abgabesteuerpflichtig, steuerbar;
~ **income** steuerpflichtiges Einkommen; ~ **stock** *(US)* nachschußpflichtige Aktien.
assessed Besteuerter;
~ *(a.)* veranlagt;
~ **rental** steuerlicher Mietwert; ~ **taxes** direkte (im Veranlagungswege erhobene) Steuern; ~ **valuation (value)** Einheits-, Steuerwert.
assessee *(US)* Zahlungspflichtiger.
assessment *(allocation)* anteilsmäßige Festsetzung, *(amount fixed)* Steuerbetrag, *(apportionment of taxes)* [Steuer]veranlagung, *(appraisal)* Einschätzung, [steuerliche] Bewertung, *(capital stock)* Nachzahlungsveranlagung, *(contribution, US)* Umlage, Beitrag, *(of damages)* Festsetzung von Schadenersatz, *(duty)* Steuer, Abgabe, *(levying of a tax)* Steuererhebung, *(mutual life insurance)* Versicherungsnachzahlung, *(ship)* Havarieaufmachung, *(tax amount to a deficiency)* Steuernachzahlungsbetrag, *(tax system)* Steuersystem, -tarif, *(valuation of property)* Grundstücksbewertung;
additional ~ Nachveranlagung; **rating** ~ Einschätzung der Kreditfähigkeit; **special** ~ Sonderumlage, *(real estate)* Anliegerbeiträge; **stock** ~ *(US)* Nachschußaufforderung; **tax** ~ Steuerveranlagung;
~ **of costs** Kostenfestsetzung; ~ **of damages** Schadenfeststellung; ~ **of income tax** Einkommensteuerveranlagung; ~ **of profitability** Rentabilitätsschätzung; ~ **on property** Vermögensteuerveranlagung; ~ **of taxes** Steuerveranlagung; ~ **of value** Wertberechnung, Wertermittlung;
to apply for a separate ~ um getrennte Steuerveranlagung einkommen; **to reduce the** ~ **on a building** Einheitswert eines Hauses herabsetzen;
pure ~ **mutual association** Gegenseitigkeitsverein; ~ **committee** Abschätzungskommission; ~ **costs** Veranlagungskosten; ~ **district** Steuer[veranlagungs]bezirk; ~ **instal(l)ment** Steuerrate; ~ **list** Steuer-, Veranlagungsliste; ~ **notice** Steuerbescheid; ~ **period** Veranlagungsperiode, ~ **roll** Steuerliste, -rolle, Veranlagungsliste.
assessor Beisitzer, *(taxation)* Steuerschätzer, -veranlagungsbeamter, Taxator;
loss ~ Schadensabschätzer; **nautical** ~ Schiffssachverständiger;
~ **of taxes** Steuereinnehmer.
asset *(balance sheet)* Aktivposten, Haben, *(merit)* wertvolle Eigenschaft, Vorzug, *(possession)* Vermögensgegenstand, -wert;
to be an ~ zu den Pluspunkten zählen; **to discard an** ~ [Betriebs]anlage außer Betrieb setzen; **to write up the value of an** ~ Wert einer Anlage heraufsetzen.
assets *(balance sheet)* Aktiva, Deckungsforderungen, *(deceased estate)* Hinterlassenschaft, Erbmasse, *(insolvency)* [Konkurs]masse, *(of merchant)* Betriebsvermögen, *(property)* Vermögenskomplex, -bestand, Güter und Rechte;
active ~ produktives Betriebsvermögen; **actual** ~ Nettovermögen; **admitted** ~ *(insurance law)* anerkannte Versicherungsansprüche; **bankruptcy** ~ Konkursmasse; **brought-in** ~ Einlage;

business ~ Betriebsvermögen; **capital** ~ Anlagevermögen; **cash** ~ Barvermögen, **circulating** ~ Umlaufvermögen; **concealed** ~ stille Reserve, verschleierte Vermögenswerte; **current** ~ kurzfristiges Umlaufvermmögen; **dead** ~ unproduktive Anlagen; **deferred** ~ transsistorische Aktiva; ~ **employed** eingesetztes Aktivvermögen; **fixed** ~ Anlagevermögen, Sachanlagen; **floating (fluid,** *US)* ~ Betriebsmittel, Umlaufvermögen; **frozen** ~ blockierte Vermögenswerte; **fund** ~ Fondsvermögen; **hidden** ~ stille Reserven; **inadmitted** ~ *(income-tax return)* geringwertige Anlagegüter; **intangible** ~ immaterielle Anlagewerte; **intercompany** ~ Konzernguthaben; **legal** ~ frei verwertbare Nachlaßaktiva; **limited-life** ~ kurzfristige Anlagegüter; **liquid** ~ *(accounting)* flüssige (liquide) Mittel, *(US, balance sheet)* Umlaufvermögen; **medium-term and short-term** ~ mittel- und kurzfristiges Umlaufvermögen; **net** ~ Reinvermögen; **no** ~ *(on bill of exchange)* kein Guthaben; **nominal** ~ Buchwerte; **operating** ~ Betriebsvermögen; **ordinary** ~ Geschäftsvermögen; **original** ~ Anfangskapital; **other** ~ *(balance sheet)* sonstige Aktiva; **permanent** ~ *(accounting)* Anlagevermögen; **personal** ~ Privatvermögen, *(bankrupt)* persönliches Vermögen des Gemeinschuldners, *(deceased person)* beweglicher Nachlaß; **fully pledged** ~ nur zur Deckung der Sicherungsübereignungsansprüche ausreichende Aktiva; **quick** ~ leicht realisierbare Aktiva, *(US, balance sheet)* Umlaufvermögen; **realizable** ~ Effektivbestand; **service-yielding** ~ Dienstleistungsanlagen; **short-life** ~ kurzlebige Wirtschaftsgüter; **suspense** ~ transitorische Aktiva; **unencumbered** ~ freies Vermögen; **wasting** ~ in der Substanz abnehmende Anlagen; **watered** ~ Wirtschaftsgüter mit überhöhtem Buchwert; **working** ~ Betriebskapital;
~ **held abroad** Auslandsbesitz, -vermögen; ~ **of a bankrupt's estate** Vermögensmasse des Konkursschuldners; ~ **for use in the business** dem Geschäftsbetrieb dienende Anlagen; ~ **in kind brought in** Sacheinlage; ~ **and liabilities** Aktiva und Passiva;
to arrange ~ **in the order of liquidity** Aktiva nach Liquiditätsgesichtspunkten aufführen; **to carry as** ~ [in der Bilanz] aktivieren; **to pay out of the** ~ aus der [Konkurs]masse zahlen.

asset | **account** Bestandskonto; ~ **backing** Aufkauf von Industrieunternehmungen; ~ **costs** Kosten des Anlagevermögens; ~ **-creating** vermögenswirksam; ~ **purchases** Anlagenkäufe; ~ **side** *(balance sheet)* Aktivseite; ~ **and liability statement** Gewinn- und Verlustrechnung; ~ **stripping** Anlagenausschlachtung; ~ **transfer** Anlagenüberschreibung; ~ **valuation** Anlagenbewertung; ~ **valuation reserve** Wertberichtigung; **net** ~ **value** Liquidations-, Inventarwert [eines Investmentfonds].

assign Zessionar;
~ *(v.) (allot)* anweisen, zuweisen, zuteilen, *(transfer)* übertragen, -eignen, Eigentumsübertragung vornehmen;
~ **in blank** blanko übertragen; ~ **a duty to s. o.** jem. einen Aufgabenbereich zuweisen; ~ **a flat to s. o.** j. in eine Wohnung einweisen; ~ **shares** Aktien übertragen; ~ **a task** Aufgabe stellen (zuweisen).

assignable zessions-, abtretungsfähig;
~ **instrument** begebbares Papier.

assignation *(allotment)* Zuweisung, Zuteilung.

assigned | **account** abgetretenes Konto; ~ **siding** Verladegleis.

assignee Zessionar, *(agent)* Beauftragter, Vertreter, *(transferee)* Zessionar, Forderungsübernehmer;
~ **in bankruptcy (of a bankrupt)** Konkursverwalter [im freiwilligen Konkurs]; ~ **for the benefit of creditors (in insolvency)** zugunsten der Gläubiger bestellter Pfleger (Treuhänder).

assignment *(allotment)* Zu-, Anweisung, Zuteilung, *(bill)* trassierter Wechsel, *(deed)* Zessions-, Übertragungsurkunde, *(transfer)* Zession, Übertragung;
binding ~ gültige Abtretung; **general** ~ *(US)* Vermögensübertragung zugunsten der Gläubiger; **permanent** ~ Dauerstellung; **voluntary** ~ freiwillige Vermögensübertragung [auf Konkursverwalter];
~ **of account** Kontoabtretung; ~ **of accounts receivable** Diskontierung von Buchforderungen, Debitoren-, Forderungsabtretung; ~ **for the benefit of creditors** außerkonkursliche Abwicklung zugunsten der Gläubiger; ~ **in blank** Blankogiro; ~ **of costs** Kostenaufteilung; ~ **of duties** Aufgabenzuweisung; ~ **of advertising expenditure** Aufteilung des Werbeetats; ~ **of land** Landzuweisung; ~ **of lease** Mietabtretung; ~ **of policy** Abtretung der Rechte aus einer Versicherung; ~ **of property** Vermögensübertragung; ~ **of a share in partnership** Abtretung eines Gesellschafteranteils; ~ **of stock** Aktienübertragung; ~ **of wages** Lohnabtretung;
~ **agreement** Zessionsvertrag; ~ **sheet** Interviewanweisung.

assignor Zedent.

assist *(v.)* unterstützen;
~ **s. o. with money** j. finanziell unterstützen.

assistance Unterstützung, Hilfe;
government ~ staatliche Unterstützung; **national** ~ *(Br.)* Fürsorge[unterstützung], Sozialhilfe; **public (social)** ~ *(US)* Sozialhilfe, Fürsorge[unterstützung];
~ **to ships in distress** Hilfeleistung für in Seenot geratene Schiffe;
public ~ **benefits** *(US)* Fürsorgeleistungen.

assistant Mitarbeiter, Gehilfe, Hilfskraft, -person, Assistent, *(administration)* Substitut, *(deputy)* Stellvertreter;

shop ~ Verkäufer, Ladenangestellter; **unestablished** ~ wissenschaftlicher Hilfsarbeiter;
~ *(a.) (deputizing)* stellvertretend;
~ **accountant** Hilfsprüfer; ~ **auditor** Hilfsrevisor; ~ **bookkeeper** Hilfsbuchhalter; ~ **cashier** zweiter Kassierer; ~ **controller** Hilfsrevisor; ~ **director** stellvertretender Direktor; ~ **member of a committee** Ersatzmitglied eines Ausschusses; ~ **person** *(Br.)* Fürsorgeempfänger; ~ **secretary** *(US)* Ministerialdirektor.
assisted take-off *(plane)* Abflug mit Starthilfe.
associate Gesellschafter, Teilhaber, *(ally)* Bundesgenosse, Verbündeter;
business ~ Teilhaber, Geschäftspartner;
~ *(v.)* sich verbinden, assoziieren;
~ **with intelligent people** mit intelligenten Leuten verkehren; ~ **o. s. with s. o. in an undertaking** jds. Teilhaber in einem Unternehmen werden;
~ *(a.)* eng verbunden, vereinigt, assoziiert;
~ **counsel** Mitanwalt, Sozius; ~ **editor** Mitherausgeber.
associated | buying office gemeinsames Einkaufsbüro; ~ **company** *(Br.)* nahestehende (angegliederte) Gesellschaft, Konzern-, Beteiligungsgesellschaft; ~ **country** *(Common Market)* assoziiertes Land; ~ **overseas territories** assoziierte überseeische Gebiete; ~ **trademarks** Sortiments-, Serienmarken.
association *(Common Market)* Assoziierung, *(corporation)* Gesellschaft, *(society)* Genossenschaft, Verband, *(with other people)* Umgang, Verkehr;
building and loan ~ Bausparkasse; **collective bargaining** ~ Tarifverband, **homestead aid benefit** ~ *(US)* Bausparkasse; **industrial** ~ *(US)* Wirtschaftsverband; **local** ~ Ortsverband; **mutual-aid** ~ Gegenseitigkeitsverein; **producer's** ~ Kartellvereinigung; **professional** ~ Berufsgenossenschaft; **regional** ~ Gebietsverband; **trade** ~ Berufsgenossenschaft; **unincorporated** ~ nichteingetragener (nicht rechtsfähiger) Verein; **vocational** ~ Fachverband;
≗ **for the Advancement of Science** Stifterverband; ~ **of better business bureau** *(US)* Vereinigung zur Erzielung besserer Geschäftsmethoden; ~ **of creditors** Gläubigervereinigung, -konsortium; ~ **of employers** Arbeitgeberverband; ≗ **of Executive Recruiting Consultants** Unternehmensberaterverband; ~ **of trademarks** Verbindung von Warenzeichen;
~ **advertising** Gemeinschaftswerbung; ~ **agreement** Verbandsabkommen, *(bargaining)* Tarifvereinbarung, *(Common Market)* Assoziationsabkommen; ~ **attorney** Verbandssyndikus; ~ **negotations** Assoziierungsverhandlungen; ~ **test** Werbewirksamkeitstest.
associative marketing genossenschaftlicher Absatz.
assort *(v.)* passend zusammenstellen, sortieren, *(replenish)* auffüllen;
~ **a cargo** Ladung zusammenstellen; ~ **a stock of goods** mit einem Warensortiment ausstatten.
assortment Zusammenstellung, Sortieren, *(set of goods)* Sortiment, Auswahl, Kollektion, [Waren]lager;
broken ~ unvollständiges Warensortiment.
assume *(v.) (office)* übernehmen,
~ **a specified amount of each loss** Selbstbehalt in festgesetzter Höhe übernehmen; ~ **the chair** Verhandlungsleitung (Vorsitz) übernehmen; ~ **a mortgage** Hypothek übernehmen; ~ **obligations** Verbindlichkeiten eingehen; ~ **all risks** volles Risiko übernehmen; ~ **a succession** Erbschaft antreten.
assumpsit Verbindlichkeit, Versprechen;
assumption Annahme, Voraussetzung, Vermutung;
~ **of authority** Amtsanmaßung; ~ **of mortgage** Hypothekenübernahme; ~ **of risk** Risikoübernahme, Handeln auf eigene Gefahr; ~ **of succession** Erbantritt.
assurable versicherungsfähig.
assurance Selbstsicherheit, sicheres Auftreten, *(life insurance, Br.)* [Lebens]versicherung, Assekuranz;
common ~ *(Br.)* Auflassung; **convertible term** ~ *(Br.)* Risikoumtauschversicherung; **deferred** ~ *(Br.)* aufgeschobene Lebensversicherung; **endowment** ~ *(Br.)* [abgekürzte] Todesfallversicherung, **industrial** ~ *(Br.)* Kleinlebensversicherung; **ordinary life** ~ *(Br.)* große Lebensversicherung; **partnership** ~ *(Br.)* Teilhaberversicherung;
~ **payable at death** *(Br.)* Todesfallversicherung;
to take out an endowment ~ **maturing at the age of 60** *(Br.)* sich mit Abkürzung auf das 60. Jahr versichern.
assure *(v.) (life insurance, Br.)* versichern, assekurieren, *(property)* auflassen; [Vermögen] übertragen;
~ **delivery** Lieferung sicherstellen; ~ **one's life with a company** *(Br.)* sein Leben bei einer Gesellschaft versichern; ~ **s. one's life** *(Br.)* j. in eine Lebensversicherung einkaufen; ~ **s. one's position** jds. Stellung festigen; ~ **s. o. a definite salary** jem. ein bestimmtes Gehalt zusichern.
assurer *(Br.)* Assekurant, Versicherer, Versicherungsträger.
astray | freight Stückgutfracht; ~ **waybill** Stückgutbegleitschein.
attach bei-, anheften, befestigen *(fig.)* für sich einnehmen, *(seize)* beschlagnahmen, pfänden, *(wag(g)on)* anhängen;
~ **o. s.** sich anschließen; ~ **an account** *(US)* Konto pfänden.
attachable beschlagnahmefähig, pfändbar;
attaché Attaché;
~ **case** Aktentasche, -koffer, Stadtkoffer.

attached unbeweglich, fest, *(annexed)* angeheftet, beigeschlossen;
~ **business value** Verkehrswert; ~ **sample** beigefügtes Muster.
attaching creditor Pfändungsgläubiger.
attachment *(execution sales)* Arrest [im Zwangsvollstreckungsverfahren], *(seizure)* Beschlagnahme, Pfändung;
economic ~ wirtschaftliche Angliederung;
~ **of debts** Forderungspfändung; ~ **of earnings** *(Br.)* Lohnpfändung aus Unterhaltsklage; ~ **of property** Vermögensbeschlagnahme; ~ **of risk** *(insurance)* Risikobeginn; ~ **against security** Pfändung gegen Sicherheitsleistung;
~ **order** Beschlagnahmeverfügung, Pfändungs- und Überweisungsbeschluß; ~ **proceedings** Pfändungsverfahren.
attend erledigen, besorgen, *(machinery)* bedienen, warten, pflegen;
~ **to s. one's affairs** jds. Angelegenheiten besorgen; ~ **strictly to business** sich nur ums Geschäft kümmern; ~ **to the collection of a bill** Inkasso eines Wechsels besorgen; ~ **to the correspondence** eingegangene Post erledigen; ~ **to one's interests** seine Interessen wahrnehmen; ~ **to an order** Auftrag ausführen; ~ **regularly** regelmäßig besuchen; ~ **to the unloading** Abladen übernehmen.
attendance Gegenwart, Anwesenheit, *(at meetings)* Teilnahmefrequenz, Besucherzahl, *(service)* Bedienung, Aufwartung;
good ~ at a meeting gut besuchte Versammlung; ~ **on the stock exchange** Börsenbesuch;
~ **fee** Tage-, Präsenzgeld; ~ **record** Anwesenheitsnachweis; ~ **register** Teilnehmerverzeichnis, Präsenzliste; ~ **time** Wartezeit.
attendant *(companion)* Begleiter, Gesellschafter, *(visitor)* Besucher, Anwesender.
attention Aufmerksamkeit, Beachtung, *(care)* Wartung, Pflege;
~ **of** zu Händen von; **for your** ~ zur Einsichtnahme;
for your kind ~ zur gefälligen Kenntnisnahme;
~ **of a conscientious businessman** Sorgfalt eines gewissenhaften Kaufmanns;
to give one's best ~ to orders Aufträge bestens (prompt) ausführen;
~ **getter** *(advertising)* Blickfang, Aufmerksamkeitserreger; ~ **value** Werbe-, Zugkraft, Reklamewirkung, Aufmerksamkeitswert.
attest *(v.)* [amtlich] bestätigen, bescheinigen, beglaubigen;
~ **a copy of record** Abschrift beglaubigen.
attestation [Unterschrifts]beglaubigung, *(evidence)* Zeugnis, Bescheinigung;
~ **of signature** Unterschriftsbeglaubigung.
~ **clause** Beglaubigungsformel, -vermerk.
attested copy beglaubigte Abschrift.
attic Dachkammer, -geschoß, Mansarde;
~ **flat** ausgebaute Mansardenwohnung.
attitude Einstellung, Haltung, Verhalten, Stellungnahme;
employee ~ Arbeitnehmereinstellung; **political** ~ politische Einstellung;
to adopt a firm ~ feste Haltung einnehmen, fest bleiben; **to hold the affirmative** ~ positive Lebenseinstellung haben; **to maintain (preserve) a firm** ~ feste Haltung einnehmen, *(stock exchange)* fest bleiben;
~ **study** Verhaltensstudie, -prüfung.
attraction Anziehungskraft, *(advertising)* Zugkraft.
attractive zugkräftig;
~ **offer** reizvolles (vorteilhaftes) Angebot; ~ **price** günstiger Preis.
attributable *(income)* anfallend.
attribute Eigenschaft, [wesentliches] Merkmal, *(marketing)* qualitatives Merkmal *(v.)*;
~ **profits** Gewinne [steuerlich] zurechnen.
auction [öffentliche] Versteigerung, Auktion, Verkauf im Wege der Versteigerung;
Dutch ~ Versteigerung unter Zuschlag an das geringste Gebot; **mock** ~ Scheinauktion;
~ **of an estate** Nachlaßversteigerung;
~ *(v.)* **[off]** in die Auktion geben, verauktionieren, versteigern;
to be sold at *(US)* **(by,** *Br.)* ~ zur Auktion kommen; **to put up at** *(US)*, **to,** *Br.)* ~ öffentlich versteigern, meistbietend verkaufen; **to sell at** *(US)* **(by,** *Br.*) ~ [öffentlich] versteigern, verauktionieren, in die Auktion geben;
~ **bill** Versteigerungsliste; **to be on the ~ block** zum Verkauf anstehen; ~ **charges** Versteigerungsgebühren; ~ **company** Versteigerungsfirma; ~ **day** Versteigerungstermin; ~ **fees** Auktionsgebühren, Versteigerungskosten; ~ **market** Auktionsmarkt; ~ **mart** Auktionslokal; ~ **price** Auktions-, Versteigerungspreis; ~ **room** Auktionssaal, -lokal; ~ **sale** Auktion, Versteigerung, Verkauf im Wege der Versteigerung.
auctioneer Auktionator, öffentlicher Versteigerer.
audience Audienz, Empfang, *(attendance)* Zuhörer[schaft], Versammlung, Auditorium, Zuschauer[schaft], Publikum, *(readers)* Hörer-, Leserkreis;
average-issue ~ Leserschaft einer Durchschnittsauflage; **high-income** ~ wohlsituiertes Publikum; **inherited** ~ *(television)* Dauerhörer; **magazine** ~ Zeitschriftenleserkreis; **public** ~ öffentliche Audienz; **stand-in** ~ vorgesehenes Publikum; **viewing** ~ Fernsehpublikum;
to get across with the ~ beim Publikum ankommen; **to hold one's** ~ sein Publikum in Spannung halten;
~ **analysis** Hörer-, Zuschauer-, Leseranalyse; ~ **attention** Leserschaftsinteresse; ~ **builder** zugkräftige Sendung (Werbung), ~ **flow** Hörergesamtheit bei Programmende; ~ **interest** Publikumsinteresse; ~ **participation** Publikumsbeteiligung; ~ **research** Leser- und Höreranaly-

se; ~ **turnover** Zuhörerbeteiligung, Teilnehmerzahl.

audit [amtliche] Rechnungsprüfung, Buch-, Bilanzprüfung, *(fig.)* Rechenschaftslegung, *(marketing)* Durchleuchtung, *(newspaper)* Auflagenprüfung, *(rent)* Mietabrechnung, *(statement of accounts)* Bilanz, *(final statement)* Hauptrechenschaftsbericht;
annual ~ [Jahres]abschlußprüfung; **balance-sheet** ~ Bilanzprüfung, -revision; **cash** ~ Kassenrevision, **desk** ~ Buchprüfung auf Grund mitgenommener Belege; **external** ~ Buchprüfung durch [betriebsfremde] Berufsprüfer; **internal** ~ [betriebs]eigene Buchprüfung, Betriebsrevision; **voucher** ~ Belegprüfung;
~ **of circulation** Auflagenüberwachung; ~ **for credit purpose** Kreditprüfung; ~ **of personnel** *(US)* Personalbeurteilung;
~ *(v.)* Rechnungen prüfen, Revision durchführen, *(marketing)* durchleuchten;
~ **an abstract of account** Kontoauszug vergleichen; ~ **a balance sheet** Bilanz prüfen;
~ **adjustment** durch die Revision veranlaßte Berichtigungsbuchung; ≗ **Bureau of Circulations** *(US)* freiwillige Auflagenselbstkontrolle; ~ **certificate** Revisionsbericht; ~ **commission** Buchprüfungskommission; ~ **date** Revisions-, Prüfungstermin; **internal** ~ **department** Innenrevision; ~ **engagement** Prüfungs-, Revisionsauftrag; ~ **fees** Prüfungsgebühren; ~ **notebook** Revisionsunterlagen; ~ **office** *(Commissioner of Audits)* Rechnungshof, Oberrechnungskammer; ~ **period** Prüfungszeitraum, Berichtsperiode; **to land s. o. on the ~ pile** zur Steuerprüfung dran sein; ~ **program(me)** Revisionsplan; ~ **report** Prüfungs-, Revisionsbericht; ~ **store** Testladen; ~ **work** Revisionsarbeiten; ~ **year** Prüfungs-, Revisionsjahr.

audited | balance sheet geprüfte Bilanz.

auditing Rechnungsprüfung, Revision[swesen];
operational ~ betriebsinterne Überprüfung der Arbeitsabläufe;
~ **of accounts** Rechnungsprüfung; ~ **above local level** überörtliche Revision;
~ **commission** Prüfungs-, Revisionsausschuß; ~ **company** Prüfungs-, Revisionsgesellschaft, Treuhandbüro; ~ **department (division)** Revisionsabteilung; ~ **expert** Buchsachverständiger, Prüfer, Revisor; ~ **fee** Prüfungs-, Revisionsgebühr; ~ **order** Revisions-, Prüfungsauftrag; ~ **staff** Prüferstab.

auditor Buch-, Kassen-, Rechnungsprüfer, Buchsachverständiger, Wirtschaftsprüfer, Bücherrevisor, *(firm)* Treuhandgesellschaft, *(investment fund)* Kontrollstelle;
government ~ Beamter des Rechnungshofes; **internal** ~ betriebseigener Revisor, Betriebsrevisor; **official** ~ Revisionsbeamter; **operational** ~ Betriebsrevisor; **professional (public)** ~ öffentlicher Bücherrevisor, Wirtschaftsprüfer;
to have the ~s in Betriebsprüfung haben;
~**'s certificate** Prüfungs-, Revisionsbericht; ~**'s report** Buchprüfungsbericht.

auditorium Zuhörerraum, Auditorium.

augmentation of salary Gehaltserhöhung.

auspices, under the unter der Schirmherrschaft.

austerity eingeschränkte Lebensweise, *(public financing)* Sparprogramm der öffentlichen Hand;
to lift the ~ lid a bit erste Maßnahmen zur Erleichterung in der Konsumbeschränkung treffen; ~ **program(me)** auf Konsumbeschränkung abgestelltes Wirtschaftssystem, Not-, Sanierungsprogramm.

autarchic, autarcic selbstregierend, selbstgenügsam, autark.

autarchy Autarkie, *(self-government)* Selbstverwaltung.

authentic *(genuine)* echt, *(reliable)* glaubwürdig, verbürgt, zuverlässig, authentisch;
~ **copy** ordnungsgemäß beglaubigte Abschrift; ~ **interpretation** gültige Auslegung; ~ **translation** maßgebliche Übersetzung.

authenticate *(v.)* **a signature** Unterschrift beglaubigen.

authenticity of a signature Rechtsgültigkeit einer Unterschrift.

authorities, leading Spitzen der Behörden.

authority *(decree)* amtlicher Erlaß, *(expert)* Sachverständiger, Fachmann, Autorität, *(government agency)* [Verwaltungs]behörde, Regierung, *(power)* Gewalt, Autorität, Amtsgewalt, *(delegated power)* Ermächtigung, Vertretungsmacht, Bevollmächtigung, Vollmacht, Mandat, *(source)* Quelle, Beleg, Gewährsmann;
beyond the scope of one's ~ außerhalb des Rahmens seiner Vertretungsmacht; **from a competent** ~ aus berufenem Munde; **on good** ~ aus sicherer Quelle; **printed by (under) ~ of** mit amtlicher Erlaubnis gedruckt;
appropriate ~ zuständige Behörde; **approving** ~ Genehmigungsbehörde; **broad** ~ umfassende Vollmacht; **local** ~ örtliche Stelle; **port** ~ Hafenbehörde; **public** ~ Verwaltungsbehörde; **taxation (taxing)** ~ Steuerbehörde;
~ **to act** Vertretungsbefugnis; ~ **to collect debts** Inkassovollmacht; ~ **to contract** Abschlußvollmacht; **recognized ~ in his field** anerkannter Fachmann auf seinem Gebiet; ~ **to negotiate** Verhandlungs-, Abschlußvollmacht, *(banking)* Ankaufsermächtigung; ~ **to pay** Zahlungsvollmacht, *(banking)* Einlösungsermächtigung; ~ **to purchase** *(export trade, US)* Ankaufsermächtigung; ~ **to sell** Verkaufsvollmacht; ~ **to sign** Zeichnungsberechtigung, Unterschriftsvollmacht;
to be an ~ on a subject kompetent (Autorität auf einem Gebiet) sein; **to be given express** ~ ausdrückliche Vollmacht haben; **to be invested with full** ~ mit Vollmacht versehen sein; **to have ~ over s. o.** jem. übergeordnet sein; **to**

misuse one's ~ Mißbrauch mit seiner Vollmacht treiben; **to quote s. o. as one's** ~ j. als Gewährsmann angeben.

authorization Ermächtigung, *(approval)* Genehmigung, Erlaubnis;
subject to ~ genehmigungspflichtig;
government ~ amtliche Bescheinigung; **written** ~ Berechtigungsschein;
~ **to fill in a blank** Blankettausfüllungsbefugnis; ~ **to pay** Auszahlungsermächtigung; ~ **to sign** Unterschriftsvollmacht; ~ **in writing** schriftliche Vollmacht;
~ **budget** genehmigungspflichtiger Etat; ~ **card** Tarifvertragsvollmacht; ~ **form** Vollmachtsformular; ~ **request** Behördenanforderung.

authorize *(v.)* bevollmächtigen, Vollmacht erteilen, ermächtigen, autorisieren;
~ **s. o.** j. zum Bevollmächtigten einsetzen; ~ **s. o. to sign a contract** j. zur Vertragsunterschrift bevollmächtigen; ~ **the levy of a tax** Steuererhebung zulassen; ~ **the sale of effects** Effektenverkaufsauftrag erteilen.

authorized befugt, verfügungsberechtigt, ermächtigt, bevollmächtigt, beauftragt, autorisiert, *(story)* verbürgt;
to be duly ~ ordnungsgemäße Vollmacht haben; **to be** ~ **to negotiate** Verhandlungsvollmacht haben;
~ **agent** Bevollmächtigter, bevollmächtigter Vertreter; **duly** ~ **agent** ordnungsgemäß bestellter Vertreter; ~ **capital** *(Br.)* [**stock,** *US*] Stamm-, Grundkapital; **through** ~ **channels** auf dem Dienstwege; ~ **dealer** Vertragshändler; ~ **depositary** *(Br.)* Hinterlegungsstelle für Devisenwerte; ~ **recipient** Zustellungsbevollmächtigter; ~ **signer** Unterschriftsberechtigter; ~ **version** maßgebende Fassung.

authorizing body maßgebende Genehmigungsbehörde.

auto, pollution-free abgasfreies Auto;
~ **accident** Autounfall; ~ **assembly** Automontage; ~ **company** Autofirma; ~ **court** Motel; ~ **dealer** Autohändler, -vertreter; ~ **dealership** Autovertretung; ~ **factory** Autofabrik; ~ **industry** Autoindustrie; ~ **insurance** Kraftfahrzeugversicherung; ~ **insurance customer** Kraftfahrzeugversicherungsnehmer; ~ **loan** Autokredit; ~ **manufacturer** Automobilproduzent, -hersteller; ~ **manufacturing** Autoproduktion, -herstellung; ~ **market** Automarkt; ~ **mechanic** Kraftfahrzeug-, Automechaniker; ~ **pilot** *(plane)* automatische Kurssteuerung; ~ **production** Autoproduktion; ~ **repairs** Autoreparatur; ~ **sales** Umsätze der Autoindustrie; ~ **scrap** Autowrack; ~ **servicing** Autokundendienst; ~ **trial** Kfz-Abnahme.

autobus Autobus, Omnibus.

autocade Autokolonne.

autograph eigenhändiges Manuskript;
~ *(a.)* eigenhändig unterschrieben.

automated vollautomatisiert.

automatic Automat;
~ *(a.)* [voll]automatisiert, automatisch, selbsttätig;
~ **basement** Ausverkaufsabteilung; ~ **checkoff** *(US)* tarifvertraglich durchgeführter Gehaltsabzug von Gewerkschaftsbeiträgen; ~ **coverage** *(insurance)* automatische Deckung; ~ **currency** elastische Währung; ~ **exchange** *(tel.)* Selbstwählamt; ~ **pencil** *(US)* Druck-, Drehbleistift; ~ **pilot** *(airplane)* automatische Kurssteuerung; ~ **salary increase** automatischer Gehaltsanstieg; ~ **selling** Automatenverkauf; ~ **starter** *(car)* Selbstanlasser; ~ **telephone** Selbst-[wähl]anschluß; ~ **telephone answering machine** automatischer Anrufbeantworter; ~ **telephone answering service** Fernsprechauftragsdienst; ~ **volume control** *(wireless)* selbsttätiger Schwundausgleich, ~ **wage adjustment** automatische Lohnregulierung.

automation Automatisierung, Automation;
~ **sales** Umsatzgeschäft in der Automatenindustrie; ~ **spending** Automatisierungsaufwand.

automatize (automate) *(v.)* automatisieren.

automobile *(US)* Kraftfahrzeug, -wagen;
~ **accessories** Autozubehör; ~ **accident** Kraftfahrzeugunfall; ~ **bill** Autorechnung; ~ **body** Autokarosserie; ~ **business** Kraftfahrzeugbranche; ~ **collision insurance** Kraftfahrzeug-, Autohaftpflichtversicherung; ~ **dealer** Autohändler; ~ **expressway** *(US)* Autobahn; ~ **ferry** Autofähre; ~ **garage** Autogarage; ~ **guest** Mitfahrer; ~ **injury** Autounfall; ~ **insurance** Kraftfahrzeugversicherung; ~ **mechanic** Autoschlosser; ~ **owner** Kraftfahrzeugbesitzer, -halter; ~ **public liability** Kraftfahrzeughaftung; ~ **repair shop** Autoreparaturwerkstatt.

automotive | components Autozubehör; ~ **plant** Autofabrik; ~ **replacement parts** Autoersatzteile; ~ **supplier** Autozulieferungsbetrieb.

autonomous tariff system autonomer Zolltarif.

autonomy Selbstregierung, -verwaltung, Autonomie.

autosilo Hochhausgarage.

auxiliary Hilfskraft;
~ *(a.)* zusätzlich;
~ **account** Hilfskonto; ~ **advertising** Zusatzwerbung; ~ **book** Kladde; ~ **goods** Produktionsgüter.

availability Verfügbarkeit, *(broadcasting)* noch verfügbare Werbezeit, *(politics, US)* Erfolgschance [eines Kandidaten], *(ticket)* Gültigkeit;
~ **of loan for home purchase** Darlehensgewährung für Eigenheimerwerb;
~ **date** *(US, banking)* Wert[stellung], Valuta.

available verfügbar, vorhanden, *(ticket)* gültig;
~ **in all sizes** in allen Größen lieferbar;
not to be ~ **to talk to the press** sich der Presse nicht stellen;
~ **assets** jederzeit greifbare Aktiva; ~ **audience**

Gesamtzahl der eingeschalteten Rundfunk- und Fernsehgeräte; ~ **funds** liquide Mittel; ~ **surplus** *(balance sheet)* nicht zweckgebundener Gewinn.

avails *(US)* Ertrag;
net ~ Nettoerlös.

aval Wechselbürgschaft, Aval.

avenue Allee, *(US)* [Pracht]straße, Promenade, Allee;
to provide new ~s for industry der Wirtschaft neue Aufgaben stellen.

average Durchschnitt, Mittelwert, *(charge in addition)* kleiner Frachtaufschlag, *(ship)* Havarie, Seeschaden, *(statistics)* arithmetisches Mittel;
free from ~ nicht gegen Havarie versichert; **with** ~ *(marine insurance)* ohne Beschränkung; **general (gross)** ~ große (gemeinschaftliche) Havarie; **particular (simple)** ~ besondere (einfache) Havarie;
~ **of the class** Klassendurchschnitt;
~ *(v. intr.)* durchschnittlich betragen (ergeben), *(v. tr.)* Mittelwert errechnen, *(income statement)* steuerlich verteilen;
~ **down** *(stock exchange)* Durchschnittskosten vermindern; ~ **80 miles an hour** Durchschnittsgeschwindigkeit von 130 km erzielen; ~ **out** *(stock exchange)* Kursgeschäft ohne Verlust abschließen;
to adjust the ~ Havarie aufmachen, dispachieren;
~ **account** Havarierechnung; ~ **adjuster** Dispacheur, Havarievertreter; ~ **adjustment** Havarieverteilung; ~ **audience rating** durchschnittliche Leser-, Hörerbeteiligung; ~ **balance** Durchschnittsguthaben; ~ **book** Durchschnittssaldenliste; ~ **burden rate** Durchschnittsgemeinkostensatz; ~ **clause** Verhältnisklausel, *(sea damages)* Freizeichnungsklausel; ~ **collection period** durchschnittliche Zahlungsfrist; ~ **consumer** Durchschnittsverbraucher; ~ **due date** mittlerer Zahlungstermin; ~ **hourly earnings** Durchschnittsstundenverdienst; ~ **life** durchschnittliche Nutzungsdauer; ~ **money** Havariegelder; ~ **net assets** Nettovermögen; ~ **net paid** Durchschnittsverkaufsauflage; ~ **quality** Durchschnittsqualität; ~ **rate of wages** mittlerer Lohnsatz; ~ **shipping weight** Durchschnittsverladegewicht; ~ **sort** Mittelsorte; ~ **statement** Dispache, Seeschadensberechnung; ~ **stock** durchschnittlicher Lagerbestand; ~ **tare** Durchschnittstara.

averaging down *(stock exchange)* Durchschnittskostenverminderung.

averse to labo(u)r arbeitsscheu, -unlustig.

aviation Luftfahrt, Flugwesen, Fliegerei;
commercial ~ Verkehrsluftfahrt;
[civil] ~ **agreement** Luftfahrtabkommen; ~ **beacon** Flugzeugbake; ~ **facility** Luftverkehrsanlagen; ~ **ground** Flugplatz; ~ **industry** Flugzeugindustrie; ~ **insurance** Flugzeug-, Luftfahrtversicherung; ~ **insurer** Flugzeugversicherungsgesellschaft; ~ **organization** Luftfahrtverband, ~ **school** Fliegerschule; ~ **shares** Flugzeugaktien; ~ **spirit** Flugzeugbenzin, Sprit; ~ **weather service** Flugwetterdienst.

avocation Nebenbeschäftigung, -beruf, Steckenpferd.

avocatory letter Rückberufungsschreiben.

avoid *(v.)* vermeiden, umgehen, *(invalidate)* ungültig machen, annullieren;
~ **double taxation** Doppelbesteuerung vermeiden.

avoidable annullierbar, *(contract)* anfechtbar.

avoidance Annullierung, Widerruf;
~ **of an agreement** Annullierung einer Vereinbarung; ~ **of bankruptcy proceedings** Konkursabwendung; ~ **of a contract** Vertragsanfechtung; ~ **of taxes** Steuerumgehung.

avoirdupois [weight] Handelsgewicht.

avowal of guaranty Bürgschaftserklärung.

award Zuerkennung, Zubilligung, *(arbitration)* Schiedsspruch, *(prize show)* Preis, Prämie;
state ~ staatlicher Schiedsspruch;
~ **of alimony (maintenance)** Zuerkennung von Unterhalt; ~ **of a contract** Auftragsvergabe; ~ **of damages** Zubilligung von Schadenersatz;
~ *(v.)* **a contract** [Fabrikations-, Lieferungs]-auftrag (Zuschlag) erteilen; ~ **damages against** auf Schadenersatz gegen j. erkennen; ~ **a prize** prämieren;
to offer an ~ Belohnung aussetzen; **to set aside an** ~ Schiedsspruch aufheben.

awarded damages zuerkannter Schadenersatz.

awarding | of contracts Auftragszuteilung; ~ **of travel grants** Reisezuschußgewährung.

axe *(cut in expenditure)* Etatkürzung, Sparkommission;
~ *(v.)* Dienststellen abbauen, Ausgaben radikal herabsetzen;
~ **expenditure** Ausgaben beschneiden; ~ **a number of officials** radikalen Beamtenabbau durchführen;
to get the ~ *(US, coll.)* entlassen werden; **to have an** ~ **to grind** Privatinteressen verfolgen.

axle load zugelassenes Achsengewicht.

B

b *(trade)* Güteklasse B, zweite Qualität;
~ **girl** Animierdame.

babloid *(US)* Boulevardzeitung, -blatt.

baby bonds *(US)* kleingestückelte Schuldverschreibungen, Wertpapiere mit geringem Nominalwert; ~ **car** Kleinwagen; ~ **stock** *(US)* neu ausgegebene Aktie.

bachelor | of Commerce *(Br.)* [etwa] Diplomkaufmann;
~ **flat** Junggesellenwohnung.

back *(bill of exchange)* Rückseite, *(book, house)* Hinter-, Rückseite, Rücken, *(car)* Rücksitz, *(Br., stock exchange)* Prolongationsgebühr;
~ *(v.)* unterstützen, befürworten, *(bill of exchange)* [fremde Wechsel] indossieren, girieren;
~ **s. o.** jem. die Stange halten;
~ **the currency** Währung stützen; ~ **down from a statement** Aussage widerrufen; ~ **the wrong horse** auf die falsche Karte (aufs falsche Pferd) setzen; ~ **notes** Noten decken; ~ **out of a bargain** sich aus einem Geschäft zurückziehen; ~ **out of a contract** sich vertraglich übernommenen Verbindlichkeiten entziehen; ~ **up a candidate** Kandidaten unterstützen;
to be at the ~ of s. th. hinter einer Sache stehen (stecken); **to be ~ in one's rent** mit seiner Miete im Rückstand sein; **to be a little high ~** *(stocks)* stark zurückgefallen sein; **to have one's ~ to the wall** in Schwierigkeiten sein; **to have broken the ~ of the work** über den Berg sein;
~ *(a.) (overdue)* rückständig, im Rückstand;
~ **alley** *(US)* Seitengäßchen; ~ **charges** Rückspesen; ~ **cover** vierte Umschlagseite; **~-to-~ credit** *(US)* Gegenakkreditiv; ~ **door** *(fig.)* Hintertür; ~ **freight** Rückfracht; ~ **interest** Zinsrückstände; ~ **issue** alte Nummer (Ausgabe); ~ **land** billigeres Bauland; ~ **number** *(person)* rückständiger Mensch; ~ **room** Hinterzimmer; **~-room boy** wissenschaftl. Experte; ~ **seat** Rücksitz; **to take a ~ seat** *(fig.)* in den Hintergrund treten; ~ **spread** Arbitragegeschäft; ~ **taxes** Steuerrückstände; **~-to-work movement** Antistreikbewegung.

backbencher *(Br. politics)* Hinterbänkler.

backbone *(book)* Buchrücken, *(business undertaking)* Stammpersonal.

backed | bill avalierter Wechsel; ~ **note** abgestempelter Ladeschein.

backer Hintermann, *(bill of exchange)* Wechselbürge.

backfire Fehlzündung.

background Vorgeschichte, Vergangenheit, Werdegang, *(radio)* Hintergrundgeräusch, *(window dressing)* Schaufensterhintergrund.
financial ~ finanzieller Rückhalt;
to have a ~ Vorkenntnisse haben; **to have a ~ of various parts in the world** auf verschiedenen Plätzen im Außendienst gewesen sein;
~ **story** Stimmungsbericht.

backing Hilfe, Stütze, Unterstützung, *(bank notes)* Deckung, *(bill of exchange)* Giro, Indossament, *(stock exchange)* Stützungskäufe;
~ **of notes** Notendeckung.

backletter *(US)* Ungültigkeitsvereinbarung.

backlog *(of orders, US)* unerledigter Auftragsbestand;
~ **of money** Geldüberhang; ~ **of purchasing power** Kaufkraftüberhang;
~ **demand** Bedarfsreserven.

backspacer *(typewriter)* Rücktaste.

backstage negotiations hinter den Kulissen geführte Verhandlungen.

backstairs Hintertreppe;
~ **influence** geheimer Einfluß; ~ **politics** Hintertreppenpolitik.

backtrack *(v.)* sich von einem Unternehmen zurückziehen.

backtracking *(US)* Beibehaltung langjähriger Angestellter bei Entlassungen.

backup *(delivery)* Wartezeit;
~ **of goods** Warenanhäufung;
~ **pilot** *(US)* Reservepilot.

backward rückständig, hinterwäldlerisch;
~ **areas** in der Entwicklung zurückgebliebene Gebiete.

backwardation *(Br.)* Deport, Kursabschlag, *(Br., stock exchange)* Prolongationsgebühr;
~ **business** *(Br.)* Deport-, Kostgeschäft; ~ **rate** *(Br.)* Prolongationsgebühr.

bad *(soil)* unfruchtbar, *(unfavo(u)rable)* ungünstig.
to go ~ Havarie machen;
~ **accident** schwerer Unfall; ~ **bargain** schlechtes Geschäft; **in s. one's ~ books** schlecht angeschrieben bei jem.; ~ **check** ungedeckter Scheck; ~ **claim** unbegründeter Anspruch; ~ **coin** falsche (schlechte) Münze, Falschgeld; **~-debt deductions** Freibeträge für ungewisse Forderungen; ~ **debtor** zahlungsunfähiger Schuldner; ~ **delivery** mangelhafte Lieferung; **~-faith taker** bösgläubiger Erwerber; ~ **voting paper** ungültiger Stimmzettel.

bag Sack, *(Br.)* Geldbeutel, Börse;
~ **and baggage** mit Sack und Pack; **the whole ~ of tricks** das ganze Repertoire;
to give s. o. the ~ jem. den Laufpaß geben; **to hold the ~** *(US)* auf seiner Ware sitzenbleiben, *(fig.)* Kopf hinhalten; ~ **list** *(postal service)* Abgangszettel.

baggage *(US)* [Reise]gepäck;
checked ~ aufgegebenes Gepäck; **excess ~** Mehrgepäck, gebührenpflichtiges Gepäck;
to check one's ~ sein Gepäck aufbewahren lassen;

free ~ allowance Freigepäcksgrenze; ~ **car** Gepäckwagen; ~ **check** Gepäckschein, ~ **checkroom** Gepäckaufbewahrung; ~ **counter** Gepäckaufgabe; ~ **locker** Handgepäckschließfach; ~ **label** Gepäckanhänger; ~ **office** Gepäckannahme, -abfertigungsstelle; ~ **room** Handgepäckaufbewahrung; **self-claim ~ system** Gepäckselbstbedienung; ~ **ticket** Gepäckschein; ~ **truck** Handgepäckwagen; ~ **van (waggon)** Gepäckwagen.

baggageman *(US)* Gepäckträger.

bagman *(Br.)* Handlungsreisender.

bail Bürge, *(security)* Bürgschaft, Kaution, Sicherheit[sleistung];
~ *(v.)* Bürgschaft leisten, bürgen, *(deposit)* [Waren] hinterlegen;
~ **out** aus dem Flugzeug springen, *(stock market)* aussteigen, seine Bestände verkaufen; ~ **out of public business** sich aus dem Geschäftsleben zurückziehen;
~ **bond** schriftliche Bürgschaftserklärung, Bürgschaftsschein, Wechselbürgschaft.

bailable bürgschafts-, kautionsfähig.

bailee Verwahrer, Gewahrsamsinhaber, Depositar, Pfandgläubiger, *(trustee)* Treuhänder;
gratuitous ~ unentgeltlicher Verwahrer.

bailment Bürgschafts-, Kautionsleistung, Kaution[sgestellung], *(pledging)* Verpfändung;
gratuitous ~ unentgeltlicher Hinterlegungsvertrag;
~ **for hire** entgeltlicher Hinterlegungsvertrag; ~ **for repair** Werkvertrag; ~ **for the sole benefit of one party** einseitiges Hinterlegungsgeschäft.

bailor Hinterleger, Verpfänder;

bait *(advertising)* Lockartikel, Köder, *(on journey)* Imbiß, Erfrischungspause;
~ **advertising** Werbung mit Lockartikeln.

balance Bilanz, *(difference between Cr. and De.)* Rechnungs-, [Konten]saldo, Saldoauszug, Kontostand, Bestand, Überschuß, Ausgleichsbetrag;
account ~ Kontoausgleich; **active** ~ Aktivsaldo; **adjusted trial** ~ berichtigte Rohbilanz; **adverse** ~ passive Bilanz, Unterbilanz; **blocked** ~ Sperrguthaben; ~ **carried down** Saldovortrag; ~ **brought (carried) forward** Saldovortrag, -übertrag, Vortrag auf neue Rechnung; **cash** ~ Kassenbestand; **credit** ~ Haben-, Kreditsaldo, Guthaben; **debit** ~ Soll- Debetsaldo, Verlustabschluß; ~ **due to us** Guthabensaldo; **favo(u)rable** ~ Aktivbilanz; **net** ~ Saldobilanz, Nettosaldo; **remaining** ~ Restsaldo; **rough** ~ Rohbilanz, Bruttobilanz; **post-closing trial** ~ Rohbilanz ohne Aufwand und Ertrag; **unappropriated** ~ Gewinnvortrag; **unfavo(u)rable** ~ Passivbilanz; **unpaid** ~ überschießender Betrag;
~ **of accounts agreed upon** festgestellter Rechnungssaldo; ~ **of the budget** ausgeglichener Haushalt; ~**s with home and foreign bankers** Nostroguthaben bei in- und ausländischen Bankfirmen; ~ **in favo(u)r** Saldoguthaben; ~ **in** Kassenbestand; ~ **actually in hand** Istbestand; ~ **of interest** Zinssaldo; ~ **of merchandise imports** Wareneinfuhrbilanz; **favo(u)rable ~ of payments in tourism** positive Tourismusbilanz; **favo(u)rable ~ of trade** aktive Handelsbilanz; **unfavo(u)rable ~ of trade** passive Handelsbilanz; ~ **of trade in goods and services** Waren- und Dienstleistungsbilanz;
~ *(v.)* bilanzieren, ausgleichen, Bilanz machen, saldieren, abschließen;
~ **an account** Rechnung berichtigen, *(by equalizing De. and Cr.)* Saldo ausgleichen, Konto ausgleichen; ~ **the books** Bilanz ziehen; ~ **one item against the other** einen Posten gegen einen anderen aufrechnen; ~ **the budget** Etat ausgleichen;
to carry a ~ forward [to new account] Saldo auf neue Rechnung vortragen; **to close the ~ of an account into another account** Saldo eines Kontos auf ein anderes Konto übertragen; **to hold the** ~ Zünglein an der Waage bilden; **to make up a** ~ Bilanz aufstellen; **to pay the ~ in instal(l)ments** Restschuld in Raten abzahlen; **to show a** ~ Guthaben (Saldo) aufweisen; **to show in the** ~ in der Bilanz aufführen; **to strike a** ~ Saldo ziehen (feststellen), Bilanz aufstellen (ziehen); **to turn out a** ~ Saldo ausweisen;
~ **account** Restbetrag, Bilanzkonto; ~ **bill** Saldowechsel; ~ **clerk** Bilanzbuchhalter; ~ **deficit** Verlustabschluß; ~ **ledger** Saldenliste; ~ **remittance** Ausgleichszahlung.

balance of payments Zahlungsbilanz;
~ **adjustment** Zahlungsbilanzbild; ~ **burden** Zahlungsbilanzverpflichtung; ~ **deficit** Zahlungsbilanzdefizit, Passivsaldo der Handelsbilanz; ~ **surplus** Zahlungsbilanzüberschuß.

balance sheet Bilanz[bogen], Rechnungsabschluß, Kassenbericht, aufgestellte Bilanz, Bilanzaufstellung;
shown by the ~ bilanzmäßig;
actual ~ Istbilanz; **audited** ~ geprüfte Bilanz; **comparative** ~ Vergleichsbilanz; **consolidated** ~ konsolidierter Jahresabschluß, Konzernbilanz; **pro-forma** ~ fiktive Bilanz; **sample** ~ Bilanzmuster; ~ **that shows a deficit** Verlustbilanz;
to make the ~s public Bilanzziffern veröffentlichen; **to place on the ~ among the long-term liabilities** in der Bilanz unter langfristigen Schulden aufführen; **to show in the** ~ bilanzieren, bilanzmäßig ausweisen;
~ **account** Bestandskonto; ~ **audit** Bilanzprüfung; ~ **date** Bilanz[ierungsstich]tag; **[consolidated]** ~ **item** [konsolidierter] Bilanzposten; ~ **ticket** Skontozettel.

balanced ausgewogen;
~ **budget** ausgeglichener Etat; ~ **trade** ausgeglichener Handelsverkehr.

balancing Saldieren, Saldierung, Bilanzziehung;
~ **of accounts** Bücher-, Rechnungsabschluß; ~ **of the budget** Budget-, Etatausgleich;
~ **amount** Ausgleichsbetrag; ~ **entry** Ausgleichsposten, Gegenbuchung.

bale Ballen[ware];
~ *(v.)* in Ballen verpacken, emballieren;
to make up in ~**s** in Ballen verpacken;
~ **goods** Ballengut; ~ **mark** Ballenzeichen.

balecloth Verpackungsleinwand.

baled papers gebündelte Zeitungen.

balk *(v.)* **at an expense** *(fam.)* Kosten scheuen.

ballast Ballast[ladung], *(fig.)* sittlicher Halt;
in ~ ohne Ladung;
~ *(v.)* mit Ballast beladen;
to discharge ~ Ballast abwerfen; **to take in** ~ Ballast einnehmen;
~ **passage** Ballastreise.

ballastage Ballastgebühren.

balloon [Fessel]ballon, Luftballon, *(advertising film)* Test-, Sprechblase;
~ *(v.)* im Ballon aufsteigen, *(stock exchange)* Börsenpapiere künstlich in die Höhe treiben;
~ **tyre** Ballonreifen.

ballooning Ballonluftfahrt, *(stock exchange)* Hervorrufung einer künstlichen Hausse.

ballot geheime Abstimmung, [Zettel]wahl, *(ticket)* Wahlzettel, Stimmzettel, *(votes)* abgegebene Wahlstimmen;
in (on) the first ~ im ersten Wahlgang;
additional ~ engere Wahl, Stichwahl; **blanket** ~ Allparteienliste; **mail** ~ Briefwahl; **second** ~ Stichwahl;
~ *(v.)* geheim abstimmen;
~ **for a candidate** *(US)* für einen Kandidaten stimmen;
to cast the ~ Stimmzettel abgeben; **to mail** ~**s** *(US)* Wahlvorschläge versenden; **to vote by** ~ in geheimer Wahl abstimmen;
~ **box** [Wahl]urne; ~ **paper** Stimmzettel; ~ **vote** *(bargaining)* Urabstimmung.

ballyhoo *(US)* laute Reklame, Mordspropaganda, Werberummel.

ban Verbot, *(banishment)* Ächtung, Landesverweisung, Verbannung;
driving ~ Fahrverbot;
~ **of gathering** Versammlungsverbot; ~ **of immigration** Einwanderungssperre;
to lift a ~ Beschränkung (Verbot) aufheben.

band Gruppe, Bande, *(advertising)* Streifenanzeige, *(exchange system)* Bandbreite;
~ **conveyor** Transport-, Fließband.

bandit Räuber, Bandit;
one-armed ~ *(US)* Spiel-, Glücksautomat.

bandwaggon Paradewagen, *(politics)* erfolgreiche politische Bewegung;
to get on the ~ ins Geschäft einsteigen;
~ **effect** steigende Nachfragewirkung.

banish *(v.)* des Landes verweisen, ausweisen.

banished person Ausgewiesener.

banishment Landesverweisung, Verbannung.

bank Bank[haus], Bankgeschäft, *(typewriter)* Tastatur;
acceptance ~ Akzeptbank; **branch** ~ Filialbank, Filiale; **Central Reserve** ~**s** *(US)* Nationalbanken in New York und Chicago; **clearing** ~ Abrechnungsstelle; **credit** ~ Darlehenskasse; **deposit** ~ Depositenbank; **drawee** ~ bezogene Bank; **Export-Import** ≗ of Washington Export-Import-Bank; **Federal Reserve** ≗ *(US)* [etwa] Landeszentralbank; **industrial** ~ Industriekreditbank; **investment** ~ Emissionsbank; **joint-stock** ~ *(Br.)* Aktienbank; **labor** ~ *(US)* Gemeinwirtschaftsbank; **land** ~ landwirtschaftliche Bodenkreditbank; **mortgage** ~ Hypothekenbank; **mutual savings** ~ *(US)* Genossenschaftsbank; **nonmember (outside,** *US)* ~ Nichtmitgliedsbank des Federal Reserve Systems; **penny** ~ Kleinsparkasse; **post-office savings** ~ *(Br.)* Postsparkasse; **private** ~ Privatbankhaus, -geschäft; **reporting** ~ korrespondierende Bank; **savings** ~ Sparkasse; **works savings** ~ Betriebssparkasse;
~ **of discount** Diskontbank; ~ **of ideas** Ideenvorrat; **International** ≗ **for Reconstruction and Development** Weltbank; ≗ **for International Settlements** Bank für Internationalen Zahlungsausgleich;
~ *(v.)* Banktätigkeit ausüben, Bankgeschäfte machen, *(~ with s. o.)* mit einer Bank arbeiten, Bankkonto haben, *(realize)* flüssigmachen, realisieren;
~ **the takings** Einnahmen zur Bank bringen;
to ask a ~ **for a line of credit** bei seiner Bank eine Kreditlinie beantragen; **to be deeply in hock to the** ~**s** stark bei den Banken verschuldet; **to break one's piggy** ~ sein Sparschwein schlachten; **to have (keep) an account with a** ~ Konto bei einer Bank (Bankkonto) unterhalten; **to pay money into a** ~ Geldbetrag bei einer Bank einzahlen; **to run on a** ~ Ansturm auf die Bankschalter machen;
~ **acceptance** Bankakzept, -wechsel.

bank account Bankkonto, -guthaben;
to garnish a ~ Kontoguthaben pfänden; **to overdraw one's** ~ sein [Bank]konto überziehen.

bank | **accountant** Bankbuchhalter; ~ **accounting** Bankbuchhaltung; **day-to-day-**~ **advances** kurzfristige Bankvorschüsse; ~ **annuities** *(Br.)* Staatspapiere, -Konsols; ~ **auditor** Bankrevisor; ~ **bill** *(banknote)* Banknote, *(bill of exchange)* Bankwechsel, *(US)* Kassenanweisung; ~ **book** Kontobuch; ~ **cashier** Kassierer; ~ **charges** Bankspesen; ~ **charter** Bankprivileg; ~ **cheque** *(Br.)* **check,** *US)* Bankscheck, -anweisung; ~ **clerk** *(Br.)* Bankangestellter, -beamter; ≗ **Commissioner** *(US)* Bankenkommissar, Bankaufsichtsbehörde; ~ **confirmation** Bestätigung des Kontoauszuges; ~ **credit** Bankkredit; ~ **credit card** Kreditkarte; ~ **debits** *(US)* Bankumsätze auf der Debetseite; ~ **debts** Bankschulden; **to subordinate** ~ **debt to trade debt** mit den Bankschulden hinter den Lieferantenschulden zurücktreten; ~ **deposit** Bankeinlage, Depositenguthaben; ~**-deposit insurance** Depotversicherung; ~ **depositor** Einleger; ~ **discount** [Bank]diskont; ~ **draft** Banktratte; ~ **embezzlement** Bankunterschlagung; ~ **establishment** Bankinstitut; ~ **examination** *(US)* Bankrevision; ~ **examiner** *(US)* Bankrevisor; ~ **facilities** Bankfazilitäten; ~ **failure** Bankkrach; ~ **group** Bankenkonsortium, -gruppe; ~ **guaranty** Einlagengarantie, Depositenversicherung; ~ **holdings** Bankguthaben; ~ **holiday** *(Br.)* Bankfeiertag; ~ **inspector** Bankrevisor; ~ **lendings abroad** ausländische Bankkredite; ~ **loan** Bankkredit, Anleihe einer Bank; ~ **manager** Bankdirektor; ~ **merger** Bankenfusion; ~ **messenger** Kassen-, Bankbote; ~ **money** Bankguthaben, *(banknotes and deposits)* Bankwährung, -valuta; ~ **money order** Bankanweisung; ~ **note** Banknote, Kassenschein; ~ **-note printing** Banknotendruck; ~ **place** Bankenplatz; ~ **post bill** *(Br.)* Solawechsel der Bank von England; ~ **premises account** *(balance sheet)* Liegenschaftskonto; **current** ~ **rate** gültiger Bankdiskonto; ~ **rate policy** *(Br.)* Diskontopolitik; ~ **receipt** Bankbeleg; ~ **reconciliation statement** Kontoabrechnung; ~ **records** Bankbelege; ~ **reference** Bankauskunft; ~ **report** Bankausweis, -bericht; ~ **return** *(Br.)* Bankausweis, *(US)* wöchentlicher Ausweis des New Yorker Clearinghauses; ~ **robbery** Banküberfall; ~ **shares** Bankwerte; ~ **shareholder** Bankaktionär; ~ **shutdown** Bankenschließung; ~ **statement** Bankauszug, *(balance sheet)* Bankbilanz; ~ **stock** Bankkapital~ **teller** *(US)* [Bank]kassierer; ~ **withdrawal** Bankabhebung, Abhebung vom Bankkonto.

bankable bankfähig, diskontierbar.

bankbook Einzahlungs-, Kontobuch.

banker Bankier, Bankverbindung, Zahlstelle;
merchant ~ Akzept-, Handelsbank; **originating** ~ Konsortialführerin; **private** ~ Privatbankier, -bankhaus.

banker's | **acceptance** Bankakzept; ~ **acceptance credit** Akzeptkredit; ~ **advance** Bankkredit, ~ **association** Bankverein; ~ **commission** Bankprovision; ~ **lien** Zurückbehaltungsrecht der Banken; ~ **order** *(Br.)* Bank-, Dauerauftrag; ~ **receipt** Depotschein; ~ **reference** Bankauskunft; ~ **rule** Goldene Bankregel.

bankers' | **buying rate** Geldkurs; ~ **clearing house** *(Br.)* Bankenabrechnungsstelle.

banking Bankwesen, -geschäft, Kreditgewerbe;
branch ~ Filialbanksystem; **commercial** ~ Depositenbankgeschäft; **investment** ~ Investitionsgeschäft;
~ **account** Bankkonto; ~ **accommodation** Bankfazilitäten; ~ **association** Bankenvereinigung; ~ **business** Bankgeschäft, -gewerbe; **to transact all types of** ~ **business** sämtliche Bankgeschäfte ausführen; ~ **charges** Provisionssätze der Banken; ~ **circles** Bankkreise; ~ **committee** Bankenausschuß, -enquête; ~ **company (corporation)** Bankfirma, Aktienbank; ~ **concern** Bankunternehmen; ~ **control** Bankenkontrolle; ~ **experience** Bankerfahrung; ~ **failure** Bankzusammenbruch; ~ **field** Bankfach; **supplementary** ~ **functions** irreguläre Bankgeschäfte; ~ **hours** Schalterstunden; ~ **house** Bankgeschäft, -haus; ~ **institution** Bankinstitut; **to be in the** ~ **line** im Bankfach tätig sein; ~ **power** Umfang der zugelassenen Bankgeschäfte; ~ **practice** Bankpraxis; ~ **regulations** bankgesetzliche Bestimmungen; ~ **supervision** Bankenüberwachung; ~ **support** Stützungsaktion durch Banken, Bankenintervention; ~ **syndicate** Bankenkonsortium; ~ **system** Bankapparat; **free** ~ **system** *(US)* Bankenprivileg; ~ **trade** Bankgewerbe; ~ **transaction** Bankgeschäft, -transaktion.

bankroll *(US)* Bündel Banknoten;
~ *(v.)* finanzieren;
to have a big ~ viel Geld zur Verfügung haben.

bankrupt, [adjudicated] Konkurs-, Gemeinschuldner, Insolvent, Bankrotteur;
certificated ~ rehabilitierter Konkursschuldner; **involuntary** ~ Zwangsgemeinschuldner;
~ *(a.)* bankrott, im Konkurs, insolvent, zahlungsunfähig, pleite;
to adjudge (adjudicate) s. o. a. ~ j. bankrott erklären, über jds. Vermögen das Konkursverfahren eröffnen; **to declare o. s.** ~ seinen Konkurs (Bankrott) anmelden; **to discharge a** ~ Konkursverfahren aufheben;
to be amenable to the ~ **laws** konkursrechtlichen Bestimmungen unterliegen.

bankrupt's | **certificate** Konkursvergleich; ~ **creditor** Gemein-, Konkursgläubiger; ~ **estate** Konkurs-, Debitmasse; ~ **stocks** Restlager aus Konkursen.

bankruptcy Bankrott, Konkurs[verfahren], Zahlungseinstellung, Insolvenz, *(fig.)* Ruin, Bankrott, Schiffbruch;
fraudulent ~ betrügerischer Bankrott; **national** ~ Staatsbankrott;
to file a petition in (declaration of) ~ Antrag auf Konkurseröffnung stellen; **to lodge a proof in** ~ Konkursforderung anmelden;
National ≗ **Act** *(US)* Konkursordnung; **to file a** ≗ **Act petition** Konkursantrag stellen; **to be thrown into a** ~ **action** in ein Konkursverfahren verwickelt sein; ~ **commissioner** Konkursverwalter; ~ **notice** Konkursanmeldung; ~ **proceedings** Konkursverfahren; **to initiate (institute)** ~ **proceedings** Konkursverfahren einleiten (eröffnen); **to be in** ~ **reorganization** im Vergleichsverfahren sein.

banner *(Br. advertising)* Spann-, Werbespruchband, Streifenanzeige, *(at demonstrations)* Transparent, Banner, *(headline)* Balkenüberschrift, Schlagzeile über die ganze Seite;
~ *(a.) (US)* hervorragend, führend;
~ **cry** Wahlkampfslogan, -parole; ~ **headline** Balkenüberschrift, ~ **profit** einmaliger Gewinn; ~ **year for crops** hervorragendes Erntejahr.

bar *(ingots)* Barren, *(barristers)* Anwaltsstand;
at the ~ **of public opinion** vor den Schranken der Öffentlichkeit; **in** ~**s** ungemünzt;
~ **of public opinion** Macht der öffentlichen Meinung;
~ *(v.)* **s. o. from voting his stocks** j. an der Ausübung seines Aktienstimmrechts hindern;
~ **gold** Barrengold.

bargain Geschäft, Abschluß, Kaufvertrag, *(cheap purchase)* Gelegenheitskauf, Sonderangebot, Spottpreis, *(contract work)* im Stücklohn hergestellte Ware, *(stock exchange, Br.)* [Geschäfts]abschluß, Börsengeschäft;
into the ~ als Zugabe, gratis, obendrein, zusätzlich; **cash** ~ Barabschluß; **chance** ~ Gelegenheitskauf; **dead** ~ Spottpreis; ~**s done** *(stock exchange)* gehandelte Kurse; **firm** ~ *(stock exchange)* fester Abschluß; **losing** ~ Verlustabschluß; **optional** ~ Prämiengeschäft; **real** ~ Okkasion; **time** ~ Lieferungszeit-, Termingeschäft;
~ **and sale** *(US)* notarielle Eigentumsübertragung;
~ *(v.)* feilschen, schachern, handeln, *(stipulate for)* vereinbaren, verhandeln;
~ **away** mit Verlust verkaufen; ~ **on a local basis** örtlich begrenzte Tarifverträge aushandeln; ~ **collectively** Tarifverhandlungen führen;
to get a th. dead ~ etw. spottbillig kaufen; **to make the best of a bad** ~ sich mit Humor aus der Affäre ziehen; **to rescind a** ~ von einem Geschäft zurücktreten; **to seal a** ~ Abschluß perfekt machen;
~ **basement** Ausverkaufsabteilung im Erdgeschoß; ~**-basement prices** *(stock exchange)* gewinnbringende Anfangskurse; ~ **book** Schlußnotenregister; ~ **counter** Effektenschalter, *(warehouse, US)* Verkaufstisch für Sonderangebote; **to be on the** ~ **counter** *(stock exchange)* billig angeboten sein; ~ **hunter** Börsenspekulant; ~ **hunting** *(stock exchange)* Effektenspekulation; ~ **level** niedrigst kalkulierbarer Preis; ~ **money** Drauf-, An-, Handgeld; ~ **price** Vorzugs-, Gelegenheits-, Spott-, Ausverkaufspreis; ~ **sale** Sonder-, Ausverkauf; ~ **sales advertising** Ausverkaufsreklame; ~ **tour** verbilligte Reise.

bargainee Käufer, Abnehmer, Erwerber.

bargainer, bargainor Schacherer, Feilscher, *(negotiator)* Verhandler, *(vendor)* Verkäufer;
close ~ Preisdrücker.

bargaining Kuhhandel, *(collective agreement)* Tarifabschluß;
collective ~ Tarifverhandlungen; **industry-wide** ~ Manteltarifvertragsverhandlungen; **single-plant** ~ Betriebsvereinbarung;
~ **agent** Tarifvertragsbevollmächtigter; **to be outside the** ~ **area** außerhalb des Verhandlungsspielraums liegen; **to be on the** ~ **cards** im Verhandlungsspielraum liegen; ~ **counter** Verhandlungsinstrument; ~ **position** Verhandlungsposition; ~ **power** Verhandlungsstärke, -position; ~ **room** Verhandlungsspielraum; ~ **round** Verhandlungsphase, -runde; ~ **session** Tarifsitzung; ~ **table** Verhandlungstisch; ~ **unit** Tarifgruppe.

barge Lastkahn, Schlepper, Schute, Leichter;

bargee *(Br.)* Leichterführer;

bargeman Leichterführer.

bark *(v.) (US sl.)* marktschreierisch Kunden werben;
~ **up the wrong tree** auf der falschen Fährte (auf dem Holzweg) sein.

barn *(broadcasting, film)* Klangreflektor, Neger.

barometer of public opinion Stimmungsmesser der öffentlichen Meinung;
~ **stocks** *(US)* Standardwerte.

barrel Faß, Tonne, *(US sl., candidate)* Bestechungsgeld;
~ **cargo** Faßladung.

barren money totes Kapital.

barrier Schranke, *(customs)* Schlagbaum;
customs ~**s** Zollschranken.

barter Tausch[geschäft], -handel;
~ *(v.)* Tauschhandel treiben, handeln;
~ **away** verschachern, verschleudern;
~ **agreement (deal)** Tauschabkommen; ~ **exchange (trade)** Kompensationsverkehr; ~ **transaction** Kompensations-, Tauschgeschäft.

base Basis, Grundlage, *(building)* Fundament, *(film)* Filmrohmaterial, *(fig.)* Basis, Fundament, *(statistics)* Bezugs-, Grundwert, *(taxation)* Steuerobjekt;
~ *(a.) (debased)* unecht, falsch, *(inferior)* untergeordnet, *(of little value)* gering-, minderwertig;
~ *(v.)* out *(marketing)* Widerstandslinie aufbauen;
~ **taxation on the revenue** Einkommen zur Besteuerungsgrundlage nehmen;
~ **coin** *(US)* Scheidemünze, *(Br.)* falsche Münze; ~ **crude** Rohöl; ~ **fee** Grundgebühr; ~ **line** *(advertising)* Schlußaussage; **to form a** ~ **pattern** *(marketing)* Widerstandslinie aufbauen; ~ **pay** Grundgehalt, *(guaranteed rate)* garantiertes Grundgehalt, Mindestlohn; ~ **period** *statistics)* Zeitbasis, Ausgangszeitpunkt, Bezugsperiode; ~ **price** Einkaufs-, Grundpreis; ~ **rate** Grundtarif, -gehalt; ~ **salary** Grundgehalt; ~ **time** Normalarbeitszeit; ~ **wage rate** Grundlohn; ~ **year** *(statistics)* Vergleichsjahr.

based cash auf Barzahlung berechnet.
basement Unterbau, Tiefparterre, Kellergeschoß; ~ **shop (store)** Kellerladen[geschäft].
basic grundlegend, grundsätzlich, fundamental; ~ **abatement** [Grund]freibetrag, Steuerfreibetrag; ~ **agreement** Rahmenvertrag; ~ **allowance** Grundbetrag; ~ **course** Grundlehrgang; ~ **crops** *(US)* preisgestützte Landwirtschaftserzeugnisse; ~ **data** statistisches Anfangsmaterial; ~ **expenditure** bleibende Unkosten; ~ **food** Grundnahrungsmittel; ~ **hourly rate** Ecklohn; ~ **industry** Schlüssel-, Grundstoffindustrie; ~ **inventory** Anfangsinventur; ~ **message** Hauptwerbeaussage; ~ **network** Fernsehkette; ~ **pay** Grundlohn, -gehalt; ~ **petrol** Benzinnormalzuteilung; ~ **piece rate** Stücklohn; ~ **policy** grundsätzliche Richtlinien; ~ **price** Grundpreis; ~ **rate** Grundtarif; ~ **standard cost** anfängliche Normalkosten; ~ **value** Einheitswert eines Grundstücks; ~ **yield** risikofreier Ertrag.
basin *(canal)* Ausweichstelle, *(of a port)* Hafenbecken.
basing point *(long-distance rates)* Knotenpunkt, *(price determination)* Ausgangspunkt;
~ **system** *(US)* Preisberechnungsverfahren auf einheitlicher Frachtbasis.
basing | rate Ausgangsfrachtsatz; ~ **tariff** Strekkentarif.
basis Basis, Grundlage, -stock, *(securities)* Rendite;
on a royalty ~ gegen Zahlung einer Lizenzgebühr;
adjusted ~ bereinigte Besteuerungsgrundlage; **cost** ~ Bewertungsgrundlage; **gold** ~ Goldbasis; **profit and loss** ~ rein wirtschaftliche Grundlage; **sound economic** ~ gesunde wirtschaftliche Grundlage;
~ **of accounting** Buchführungsmethode; ~ **of agreement** Vertragsgrundlage; ~ **of allocation** Verteilungsschlüssel; ~ **of assessment** steuerliche Berechnungsgrundlage; ~ **of exchange** Umtauschverhältnis, ~ **of existence** Existenzgrundlage; ~ **of negotiations** Verhandlungsgrundlage; ~ **of prices** Grundlage der Preisberechnung;
to operate on a nonprofit ~ gemeinnützig arbeiten; **to work on a cost-sharing** ~ auf der Basis der Kostenteilung zusammenarbeiten;
~ **rate** *(fire insurance)* Grundtarif.
basket *(economics)* Warenkorb;
~ **of available commodities** Wareneinkaufsangebot;
~ **cart** Einkaufswägelchen; ~ **clause** *(US)* Generalklausel.
batch Gruppe, *(processing)* Liefermenge;
~ **of letters** Stoß Briefe.
beacon Funkfeuer, -bake, *(mar.)* Leuchtfeuer, -turm, landfestes Seezeichen, *(pedestrian traffic)* Verkehrszeichen für Fußgänger, Verkehrsampel;
~ **buoy** Bakentonne, Leuchtboje; ~ **course** Peilstrahl.
beam Gleit-, Landungsstrahl, *(loudspeaker)* erfaßter Bereich;
off [the] ~ *(sl.)* auf dem Holzweg; **on the** ~ *(sl.)* auf Draht;
~ *(v.)* mit Richtstrahler senden, ausstrahlen, *(plane)* mit Funkleitstrahl führen;
~ **out a program(me)** Sendung ausstrahlen;
to fly the ~ auf dem gefunkten Kurs steuern;
~ **aerial (antenna)** Richtstrahler;
to be at one's ~ **-ends** pleite sein.
bean *(sl.)* Münze, Geldstück;
~**s** Moneten;
not to have a ~ keinen roten Heller haben; **not to know** ~**s** *(US)* nicht die leiseste Ahnung besitzen; **to spill the** ~**s** *(US sl.)* aus der Schule plaudern.
bear *(stock exchange)* Baissespekulant, Baissier;
~ *(v.)* *(stock exchange)* fixen, auf Baisse spekulieren;
~ **the costs (charges)** Kosten bestreiten (tragen); ~ **the damage** für den Schaden aufkommen; ~ **interest at ... per cent** sich mit ...% verzinsen, mit ...% verzinslich sein; ~ **the market** Baisse herbeizuführen trachten; ~ **an office** Amt innehaben;
to go a ~ auf Baisse spekulieren; **to sell** ~ fixen, konterminieren;
~ *(a.)* *(market)* flau, lustlos, *(prices)* fallend;
~ **account** Baisseposition, -engagement; ~ **clique** Baissepartei; ~ **covering** Deckungskäufe der Baissepartei; ~ **leader** Reisebegleiter; ~ **operation** Baissespekulation; ~ **transaction** Baissegeschäft.
bearer *(bringer)* Überbringer, *(holder)* [Wechsel]-inhaber, *(presenter of bill)* Präsentant;
made out to ~ auf den Inhaber lautend; **payable to** ~ an den Überbringer zahlbar;
office ~ Amtsträger;
~ **of a cheque** *(Br.)* **(check,** *US)* Scheckinhaber;
~ **bond** Inhaberobligation; ~ **certificate** Inhaberzertifikat; ~ **debenture** Inhaberschuldverschreibung; ~ **instrument** Inhaberpapier; ~ **share** Inhaberaktie; ~ **stock** Inhaberaktie.
bearish *(stock exchange)* baissetendenziös;
to be ~ **about unemployment** Arbeitslosenentwicklung negativ beurteilen;
~ **attitude** Baissehaltung; ~ **covering** Dekkungskäufe der Kontermine; ~ **speculation** Baissespekulation; ~ **tendency (tone)** Baissetendenz, -strömung.
beat *(fig.)* [geistiger] Horizont, Gesichtskreis, *(patrol)* Streife, Runde, *(US, piece of news)* sensationelle Erstmeldung, Alleinmeldung, *(of policeman)* Revier;
~ *(v.)* *(price)* herabdrücken;
~ **down** *(seller)* herunter-, abhandeln; ~ **a proof** Korrekturbogen abziehen, Bürstenabzug machen.

bee *(US)* Nachbarschaftshilfe;
~ **line** Luftlinie.
beggar-my-neighbo(u)r policy Leistungsbilanzüberschußpolitik.
beginning investment Gründungseinlage.
behavio(u)r Verhalten, Einstellung, Betragen;
crowd ~ Massenverhalten.
behind *(in arrears)* im Rückstand;
to be ~ with one's payments mit seinen Zahlungen im Rückstand sein.
behindhand im Rückstand, *(badly off)* heruntergekommen;
to be ~ with one's rent mit der Miete im Rückstand sein.
bellboy *(US)* Page, Laufjunge.
bellyload Flugzeugladung.
bellytank Rumpfabwurfbehälter.
belt Streifen, Zone;
green ~ *(city)* Grüngürtel;
~ **conveyor** Förderband; ~ **line** *(US)* Verkehrsgürtel; ~ **system of production** Produktion am laufenden Band.
beneficial | to business einträglich, vorteilhaft;
~ **enjoyment** Nießbrauchrecht; ~ **improvement** Schönheitsreparaturen; ~ **interest** Nießbrauch[recht]; ~ **occupant** Nießbrauchberechtigter; ~ **owner** Nutznießer, Nießbrauchberechtigter, *(trust)* Treugeber; ~ **ownership** Nießbrauchrecht.
beneficiary Begünstigter, *(insurance)* Versicherungsnehmer, Leistungsberechtigter, *(law)* Nießbraucher, *(life annuity)* Forderungs-, Bezugsberechtigter, *(loan)* Kreditnehmer, *(trust)* Bedachter, Berechtigter, Stipendiat;
authorized ~ Empfangsberechtigter; **primary** ~ Hauptnutznießer, *(life annuitant)* Rentenempfänger;
~ **in a provident fund** Bezugsberechtigter einer Versorgungsstiftung;
~ **association** Unterstützungsverein; ~ **owner** Nießbraucher; ~ **student** Stipendiat.
benefit *(advantage)* Vergünstigung, Vorteil, *(insurance)* Versicherungsleistung, *(social insurance)* Leistung, *(pecuniary aid)* Unterstützung, Beihilfe, Zuschuß, *(privilege)* Vorrecht, *(valuable consideration)* Vertragsinteresse;
for the public ~ im öffentlichen Interesse; **in pecuniary** ~ in gewinnsüchtiger Absicht;
~**s** *(factory)* Sozialeinrichtungen;
accident ~ Unfallentschädigung; **death** ~ Sterbegeld; **disability (disablement)** ~ Invalidenrente; **financial** ~ Vermögensvorteil; **fringe** ~ Sonder-, Nebenvergütung, *(director)* Aufwandsentschädigung; **general** ~ *(real estate)* Nachbarschaftsgewinn; **immediate** ~ *(insurance)* sofortiger Versicherungsschutz; **insurance** ~ Versicherungsleistung; **layoff** ~ Entlassungsentschädigung; **maternity** ~ Wochengeld; **monthly retirement** ~ monatliche Altersrente; **out-of-work** ~ Arbeitslosenunterstützung; **package** ~ tarifliche Sondervergütung; **pecuniary** ~ Vermögensvorteil; **severance** ~ Trennungsgeld, Abfindung; **sickness** ~ Krankengeld; **special** ~ Enteignungsentschädigung; **tax** ~ Steuererleichterung; **unemployment** ~ Arbeitslosenunterstützung; **withdrawal** ~ Abgangsregulierung [beim Versicherungsrückkauf];
~ *(v.)* begünstigen, Nutzen bringen, nützen, *(taxation)* bevorzugt behandeln;
~ **by the exchange** Kursgewinne mitnehmen; ~ **public welfare** im öffentlichen Interesse liegen; **to be in** ~ [Arbeitslosen]unterstützung beziehen; **to be out of** ~ *(unemployment)* ausgesteuert sein; **to claim** ~ Unterstützungsansprüche stellen; **to take the** ~ **of an act** Schutzbestimmungen eines Gesetzes in Anspruch nehmen;
~ **association** Unterstützungsverein; ~ **building society** Bausparkasse; ~ **certificate** Berechtigungsschein; ~ **club** *(Br.)* Wohltätigkeitsverein; ~ **fund** Unterstützungs-, Versicherungsfonds; ~ **pension** Wohlfahrtsrente; ~ **period** Unterstützungsperiode, -zeitraum; ~ **plan** Sozialzulagensystem, Vergünstigungswesen; ~ **society** Wohltätigkeitsverein, Hilfskasse; **mutual** ~ **society** *(insurance)* Versicherungsverein auf Gegenseitigkeit.
benevolent wohltätig, gemeinnützig;
~ **association** Wohltätigkeitsverein; ~ **corporation** gemeinnützige Gesellschaft; ~ **fund** Versicherungsfonds; ~ **neutrality** wohlwollende Neutralität; ~ **society** Wohltätigkeits-, Unterstützungsverein.
bequest Vermächtnis, Legat.
berth *(position, Br.)* Stelle, *(ship)* Ankerplatz, *(sleeper)* Schlafwagenplatz, *(sleeping place)* Koje;
discharging ~ Löschplatz; **good** ~ einträgliche Stelle; **loading** ~ Verladeplatz;
~ *(v.)* am Kai festmachen, vor Anker gehen, *(bed)* Bettplatz zuteilen;
~ **s. o.** j. unterbringen; ~ **in the dock** docken;
to load a ship on the ~ Schiff mit Stückgut befrachten;
~ **cargo** Stückgutladung; ~ **deck** Zwischendeck; ~ **freighting** Stückgutfrachtgeschäft; ~ **terms** Platzbedingungen.
berthing Bettplatzverteilung.
best, at *(price)* bestens, bestmöglich;
to sell at ~ [possible rates] bestens verkaufen; **to work with the** ~ es mit jedem aufnehmen können;
~ **buy** vorteilhafter Einkauf; ~ **parts** *(city)* elegantes Viertel; ~ **quality** erste Sorte, feinste Qualität; ~ **seller** Verkaufsschlager, *(publishing)* Bucherfolg.
betterment tax Wertzuwachssteuer.
beverage Getränk, Erfrischung;
~ **industries** Getränkeindustrie; ~ **tax** Getränkesteuer.

bias Voreingenommenheit, *(market research)* subjektives Vorurteil, *(test)* Verzerrung;
~ *(v.)* **the opinion of the people** öffentliche Meinung beeinflussen.

biassed voreingenommen, unsachlich, tendenziös, *(test)* unzuverlässig;
~ **error** systematischer Fehler; ~ **estimate** verzerrter Schätzwert; ~ **question** Suggestivfrage.

bid [Lieferungs]angebot, Offerte, *(at auction)* Gebot, *(estimate)* Kostenvoranschlag, *(stock exchange)* geboten, Geld;
at the best possible ~ bestens;
cash ~ Bargebot; **feigned** ~ Scheingebot; **first** ~ *(at an auction)* Erstgebot; **maximum** ~ Meist-, Höchstgebot; **winning** ~ *(US)* Zuschlagssubmission;
~**s and offers** *(stock exchange)* Brief und Geld;
~ **for bartering** Verhandlungsobjekt;
~ *(v.)* **on government contracts** sich an staatlichen Ausschreibungen beteiligen; ~ **a fair price** angemessenen Preis bieten; ~ **up a stock $2^1/_4$ points to 178** Aktie um $2^1/_4$ Punkte auf 178 in die Höhe treiben;
to invite ~**s** *(US)* Auftrag ausschreiben; **to raise one's** ~ sein Angebot erhöhen;
~ **bond** *(US)* Bietungsgarantie; ~ **competition** Ausschreibungswettbewerb; ~ **price** gebotener Preis, *(stock exchange)* Geldkurs; ~ **and asked quotations** Geld- und Briefkurse.

bidder Bietender, Bieter, Bewerber, Submittent, Ausschreibungsbeteiligter, Kauflustiger, -interessent;
best (highest) ~ Höchst-, Meistbietender; **by-**~ Scheinbieter; **successful** ~ Auftragnehmer;
to allot to the highest ~ dem Meistbietenden zuschlagen.

bidding Gebot, Bieten, *(labo(u)r relations)* Arbeitsplatzausschreibung;
first ~ Erstgebot;
~ **of orders** Auftragsbeschaffung;
to lose out on a ~ bei einer Auftragszuteilung leer ausgehen;
~ **agreement** Angebotsausschließungsvertrag; ~ **period** Ausschreibungsfrist; ~ **price** Erstangebot; ~ **procedure** Vergabeverfahren; ~ **process** Ausschreibungsverfahren.

big | **boss** Vorgesetzter; ~ **business** Großunternehmen; ~ **city press** Großstadtpresse; ~ **income earner** Großverdiener; ~ **money** *(US)* Haufen Geld; ~ **shot** *(US)* Bonze, hohes Tier; ~ **ticket** teurer Verkaufsartikel; ~ **ticket durables** teure Kapitalgüter; ~ **wheel** *(US)* einflußreiche Persönlichkeit.

bill *(US, abstract of account)* Kontoauszug, *(account)* Rechnung, Faktura, Nota, *(US, bank note)* Banknote, *(bill of exchange)* Wechsel, Tratte, *(certificate)* Schein, Bescheinigung, Zettel, *(list)* Verzeichnis, Liste, Aufstellung, *(paper money)* Papiergeld, *(poster)* Anschlag-[zettel], *(receipt)* Quittung, *(statement of terms of contract)* Zusammenstellung der Vertragsbestimmungen;
when the ~ **matures** bei Ablauf des Wechsels;
accommodation ~ Gefälligkeits-, Freundschafts-, Proformawechsel; **addressed** ~ Domizilwechsel; **advance** ~ Lombard-, Vorauswechsel; **after-sight** ~ Nachsichtwechsel; **auction** ~ Auktionsliste; **backed** ~ avalierter Wechsel; **blank** ~ Blankowechsel; **bogus** ~ Kellerwechsel, fingierter Wechsel; **branch** ~ Zahlstellenwechsel; **clean** ~ reiner Wechsel, *(ship)* positives Gesundheitsattest; **commercial** ~ Handels-, Warenwechsel; **continuation** ~ Verlängerungswechsel; **creditor's** ~ gerichtlich festgestellter Gläubigeranteil; **deficiency** ~ *(Br.)* kurzfristige Regierungsanleihe der Bank von England; **demand** ~ Sichtwechsel; **discount** ~ Diskontwechsel; **discountable** ~ diskontfähiger Wechsel; **dishono(u)red** protestierter Wechsel; **domiciled** ~ Domizilwechsel; ~ **drawn after date** Datowechsel; **eligible** ~ landeszentralbankfähiger Wechsel; **finance** ~ langfristiger internationaler Wechsel, Finanzierungswechsel, *(parl.)* Finanzvorlage; **fine** ~ prima Wechsel, erstklassiger Handelswechsel; **fortnightly** ~ *(Br.)* Mediowechsel; **foul** ~ *(ship)* negatives Gesundheitsattest; **government** ~ *(parl.)* Regierungsvorlage; **guaranteed** ~ Avalwechsel; **hand** ~ Schuldschein, *(bill of exchange)* eigener (trokkener) Wechsel; **investment** ~ Diskontwechsel, angekaufter Wechsel; **long[-dated]** ~ langfristiger Wechsel; **made** ~ *(Br.)* girierter Wechsel; **money** ~ *(parl.)* Finanzvorlage; **noneligible** ~ nicht [landes]zentralbankfähiger Wechsel; ~ **noted for protest** protestierter Wechsel; ~ **obligatory** [notarielles] Schuldversprechen; **out-of-town** ~ *(Br.)* Distanzwechsel; ~ **overdue** überfällige Rechnung; **pawned** ~ sicherungsübereigneter Wechsel;~ **payable on demand (sight)** Wechsel auf Sicht, Sichtwechsel; ~ **payable (made out) to order** Orderpapier, auf Order lautender Wechsel; ~**s payable** *(US, balance sheet)* Wechselverpflichtungen, Verbindlichkeiten aus Wechseln, Schuldscheinen und Akzepten, Kreditoren; **pro-forma** ~ Kellerwechsel; **receipted** ~ quittierte Rechnung; ~**s receivable** *(US, balance sheet)* Wechselbestand; **renewal** ~ Prolongations-, Verlängerungswechsel; **shipping** ~ Konnossement, Frachtbrief, Ladeschein; **skeleton** ~ unausgefülltes Wechselformular; **swingeing** ~ *(fam.)* gepfefferte Rechnung; **third-party** ~ Kundenwechsel; **touched** ~ *(ship)* negatives Gesundheitsattest; **town** ~ Platzwechsel; **trade** ~ Handels-, Warenwechsel; **treasury** ~ *(Br.)* unverzinsliche Schatzanweisung; **value** ~ Konsignationswechsel; **worthless** ~ fauler Wechsel; ~**s and money** *(stock exchange)* Brief und Geld;
~ **of gross adventure** Bodmereivertrag; ~ **of charges** [Un]kosten-, Gebührenrechnung; ~**s in**

circulation Wechselumlauf; ~ **of clearance** Zollabfertigungsschein; ~ **for collection** Inkassowechsel; ~ **of commission** Provisionsrechnung; ~ **of consignment** Frachtbrief; ~ **of conveyance** Speditionsrechnung; ~ **of costs** Spesenrechnung; ~ **of course of exchange** Kurszettel; ~ **of credit** Kreditbrief, Kreditkassen-, Darlehnskassenschein, *(US)* Schatzanweisung; ~ **in foreign currency** Auslandswechsel; ~ **of customs** Zollgebührenrechnung; ~ **after date** Datowechsel; ~ **on demand** Sichtwechsel; ~ **on deposit** Depot-, Kost-, Pensionswechsel; ~ **of discount** Diskontnota; ~ **in distress** notleidender Wechsel; ~ **drawn on o. s.** eigener (trockener) Wechsel; ~**s eligible for discount** Diskontmaterial; ~ **of emption** Kaufbrief, -kontrakt, -vertrag; ~ **of entry** Zolldeklaration, Einfuhrdeklaration;

bill of exchange Wechsel, Tratte;
bankable ~ bankfähiger Wechsel; **clean** ~ reiner Wechsel; **provisional** ~ Interimswechsel;
~ **against documents** Wechsel gegen Dokumente.

bill | of exchequer Schatzanweisung; ~ **of expenditure** Ausgabenrechnung; ~ **of expenses** Kostenrechnung; ~ **of fare** Speisekarte, Menü; ~ **of freight** Frachtbrief; ~**s in hand** Wechselbestand, -portefeuille; ~ **under one's own hand** Schuldschein; ~ **of health** *(ship)* Gesundheitsattest.

bill of lading Seefrachtbrief, Konnossement, *(US)* Frachtbrief;
air ~ *(US)* Luftfrachtbrief; **custody** ~ Lagerhalterkonossement; **grouped** ~ Sammelkonnossement; **inland waterway** ~ Flußladeschein; **order** ~ *(US)* Orderfrachtbrief; **railroad** ~ *(US)* Eisenbahnfrachtbrief; **received-for-shipment** ~ Übernahmekonnossement; **shipped** ~ Bordkonnossement; **straight** ~ *(US)* Namensfrachtbrief; **transhipment** ~ Umladekonnossement;
~ **contract** Konnossementsvertrag.

bill | of parcels spezifizierte Warenrechnung; ~ **of particulars** spezifizierte (detaillierte) Klageschrift, Leistungsverzeichnis; ~ **in pension** Kost-, Pensionswechsel; ~**s in portfolio** Wechselportefeuille, -bestand; ~ **of protest** Protesturkunde; ~ **of quantities** Baukostenvoranschlag; ~ **of receipts and expenditures** Einnahmen- und Ausgabenrechnung; ~ **of sale** *(US)* Lieferschein, *(attachment)* Mobiliarschuldverschreibung, Sicherungsübereignungsvertrag, *(Br., letter of hypothecation)* Abtretungs-, Verpfändungsurkunde, Pfandverschreibung, *(transfer of title)* Kaufvertrag, Verkaufsnote, -urkunde; ~**s in a set** Satz Wechsel; ~ **of sight** Eingangsdeklaration, Zollerlaubnisschein; ~ **of specie** Sortenzettel, Bordereau, Stückverzeichnis; ~ **of store** *(US)* **(stores,** *Br.)* Wiedereinfuhrgenehmigung, -schein; ~ **of sufferance** *(Br.)* Erlaubnis zollfreier Warenausfuhr von Hafen zu Hafen, Zollpassierschein; ≗ **of supply** Nachtragshaushaltsvorlage; ~ **of taxes** Steuerbescheid; ~ **of tonnage** Meßbrief; ~**s on us** *(balance sheet)* Abschnitte auf uns; ~ **[payable] at usance** Usowechsel; ~ **by way of security** *(Br.)* Sicherungsübereignung durch schriftliche Erklärung;
~ *(v.)* berechnen, in Rechnung stellen, fakturieren, *(poster)* Zettel ankleben, durch Plakat bekanntmachen, plakatieren, *(register)* in eine Liste eintragen, registrieren;
~ **goods** Waren in Rechnung stellen;
to accept a ~ Wechsel akzeptieren; **to back a** ~ Wechselbürgschaft leisten; **to block a** ~ **in a committee** Gesetzentwurf bei den Ausschußberatungen blockieren; **to charge s. th. on the** ~ etw. auf die Rechnung setzen; **to collect a** ~ Wechsel einziehen; **to compute a** ~ Verfallstag eines Wechsels berechnen; **to discount a** ~ Wechsel diskontieren; **to dishono(u)r a** ~ Wechselannahme verweigern; **to domiciliate a** ~ Wechsel zahlbar stellen (domizilieren); **to endorse (indorse) a** ~ Wechsel mit Giro versehen (indossieren, girieren); **to foot a** ~ Zeche bezahlen; **to forge a** ~ Wechsel fälschen; **to furnish a** ~ **with a stamp** Wechsel verstempeln; **to give currency to a** ~ Wechsel in Umlauf setzen; **to give a** ~ **on discount** Wechsel diskontieren lassen; **to guarantee (guaranty) [due payment of] a** ~ Wechselbürgschaft leisten; **to have a** ~ **noted** Wechselprotest aufnehmen lassen; **to leave a** ~ **unpaid (unprotected)** Wechsel nicht einlösen (honorieren); **to make out a** ~ Rechnung aufsetzen (erteilen, ausfertigen), (~ *of exchange)* Wechsel ziehen; **to make a** ~ **payable** Wechsel zahlbar stellen; **to make a** ~ **payable to order** Wechsel an Order stellen; **to make a** ~ **of entry** deklarieren, verzollen; **to make out a** ~ of lading Konnossement ausstellen; **to meet a** ~ Rechnung begleichen, *(~ of exchange)* Wechsel einlösen; **to note a** ~ Wechselprotest erheben; **to post** ~s Zettel anschlagen (ankleben); **to present a** ~ **for acceptance** Wechsel zur Annahme (zum Akzept) vorlegen; **to present a** ~ **for payment** Wechsel zur Zahlung vorlegen; **to provide a** ~ **with acceptance** Tratte mit Akzept versehen; **to protest a** ~ Wechselprotest einlegen; **to receipt a** ~ Rechnung quittieren; **to retire a** ~ Wechsel einlösen; **to return a** ~ **unpaid** Wechsel unbezahlt zurückgehen lassen; **to run up a** ~ große Rechnung, Rechnung anwachsen (anschreiben) lassen; **to sight a** ~ Wechsel mit Sicht versehen; **to take a** ~ Wechsel trassieren (nehmen); **to take up a** ~ Rechnung begleichen, *(~ of exchange)*, Wechsel einlösen; **to trade in** ~s Wechselreiterei betreiben;
stick (post, *US)* **no** ~**s!** Plakatanschlag verboten!

~ **account** Wechselrechnung, -konto; ~ **board** Anschlagtafel; ~ **book** Wechselobligo, -buch; ~ **broker** *(Br.)* Wechselmakler, *(exchange broker)* Geldwechsler, *(money broker)* Geldvermittler, -makler; ~ **brokerage** Akzeptgeschäft; ~ **case** *(Br.)* Wechselportefeuille, -bestand; ~ **charges** Wechselspesen; ~ **collector** Wechselinkassobüro; ~ **copying book** Wechselkopierbuch; ~ **credit** offener Wechselkredit; ~ **creditor** Wechselgläubiger; ~ **debtor** Wechselschuldner; ~ **discount** *(Br.)* Wechseldiskont; ~ **forger** Wechselfälscher; ~ **forgery** Wechselfälschung, *(bank notes)* Banknotenfälschung; ~ **form** Wechselvordruck; ~ **guaranty** Wechselbürgschaft; ~ **jobber** Wechselreiter; ~ **market** Diskontmarkt; ~**s payable book** Wechselverfallbuch; ~ **protest** Wechselprotest; ~ **stamp** Wechselstempel; ~ **sticker** Zettel-, Plakatankleber.

billboard *(US)* Anschlagtafel, -brett, -stelle, Litfaßsäule, *(broadcasting)* Vorspann;
~ **advertising** Plakatwerbung; ~ **hoarding** Anschlagstelle, -tafel, Litfaßsäule.

billed in Rechnung gestellt, berechnet;
~ **order** angekündigte Kommissionsware.

billfold *(US)* Brief-, Geldscheintasche.

billhead Rechnungsvordruck.

billholdings Wechselbestand, -portefeuille.

billing Fakturieren, Rechnungsschreibung, *advertising.)* Gesamtetat (Umsatz) einer Werbeagentur, *(bill sticking)* Zettel ankleben;
memorandum ~ *(railroad)* Ausstellung eines Ersatzfrachtbriefes; ~ **clerk** Fakturist; ~ **date** Fakturendatum; ~ **error** Fakturierungsfehler; ~ **reference** *(railroad)* Warenbezeichnung.

billposter Plakat-; Zettelankleber.

billposting Plakatanschlag, Plakatierung;
~ **order** Plakatierungsauftrag.

bimetallism Doppelwährung, Bimetallismus.

binder *(cover)* Umschlag, Aktendeckel, *(insurance.)* Deckungszusage, *(newspaper)* Kreuzband, *(purchase of real estate)* Vorverkaufsvertrag;
spring-back ~ Ringmappe.

binding *(book cover)* Bucheinband, -decke, *(files)* Aktendeckel, Hefter;
flexible (limp) ~ flexibler Einband; **rich** ~ Luxuseinband;
~ *(a.)* verbindlich;
legally ~ rechtsverbindlich;
~ **agreement** unwiderrufliches Abkommen; **not** ~ **offer** freibleibendes Angebot; ~ **receipt (slip)** *(insurance)* Deckungszusage.

bit Stückchen, *(broadcasting, film)* kleine Rolle, *(coin, Br.)* kleine Münze, *(coll.)* Weilchen, Augenblick, Kleinigkeit.

black *(balance sheet)* Gewinnzone, -bereich;
in the ~ zahlungsfähig, ohne Schulden;
~ *(v.)* **out** verdunkeln, *(censorship)* unterdrükken, *(jamming)* Rundfunkprogramm stören;
to be in the ~ in der Gewinnzone (rentabel) sein; **to show up in** ~ **on the balance sheet** sich auf der Aktivseite der Bilanz niederschlagen;
~ *(a.)* schwarz, *(black marketing)* schwarz (ohne Marken) erhältlich, *(unlawful)* ungesetzlich;
~ **book** Verzeichnis (fauler) Kunden; ~**-coated** *(Br.)* im Büro angestellt; ~**-coated proletariat** *(Br.)* Stehkragenproletariat; ~**-coated worker** *(Br.)* Büroangestellter; ~ **list** schwarze Liste, *(bankruptcy)* Insolventenliste, „Konkurse".

black market Schwarzmarkt;
to operate the ~ sich als Schwarzmarkthändler betätigen;
~ **operations** Schwarzhandel[sgeschäft]; ~ **price** Schwarzmarktpreis.

black | **marketeer** Schwarzhändler; ~ **-marketeer** *(v.)* sich als Schwarzhändler betätigen; ~ **marketing** Schwarzmarkthandel; ~ **print** Fettdruck; ~ **rent** ungesetzliche Miete; ~ **sheep** *(Br.)* Streikbrecher.

blackleg *(strike, Br.)* Streikbrecher;
~ *(v.)* *(Br.)* gegen die Gewerkschaftssatzungen verstoßen;
~ **work** *(Br.)* Streikarbeit.

blackleggery *(Br.)* gewerkschaftsfeindliches Verhalten, Streikbrechertum.

blacklist *(v.)* auf die schwarze Liste setzen;

blank *(fig.)* hoffnungsloser Zustand, *(lottery)* Niete, *(printed form)* Formular, Vordruck, *(~ space)* Lücke, leerer Raum, Zwischenraum, *(US)* unausgefülltes Formular;
~ *(a.)* *(form)* leer, *(form of bill)* unausgefertigt, *(unfilled space)* unbeschrieben, unbedruckt, unausgefüllt, unausgefertigt, blanko;
~ *(v.)* **out** *(print.)* gesperrt drucken;
to accept in ~ blanko akzeptieren; **to be a** ~ *(stock exchange)* ohne Abschluß sein; **to draw a** ~ Niete ziehen, *(fig.)* Fehlschlag erleiden; **to draw in** ~ blanko trassieren; **to sign in** ~ *(document)* blanko unterschreiben;
~ **acceptance** Blankoakzept, -annahme; ~ **advance** Blankovorschuß; ~ **bill** Blankowechsel, Wechselblankett; ~ **check (cheque,** *Br.)* Blankoscheck, Scheckformular; **to give s. o. a** ~ **check** jem. unbegrenzte Vollmachten erteilen; ~ **credit** Blankokredit, offener Kredit; ~ **day** dienstfreier Tag; ~ **endorsement** Blankoindossament; ~ **form** Blankoformular, Blankett; ~ **policy** Generalpolice; ~ **signature** Blankounterschrift; ~ **voting paper** leerer Stimmzettel.

blanket *(expense account)* pauschale Kostenangabe;
~ *(v.)* **the entire market** ganzen Markt erfassen;
~ *(a.)* umfassend, gesamt, generell, allgemein gültig;
~ **ballot** Kandidatenliste aller Parteien; ~ **bond** Blankoverpflichtung, *(mortgage)* sicherungsweise abgetretene Hypothek; ~ **clause** Generalklausel; ~ **insurance** Kollektivversicherung; ~ **order** Blankoauftrag; ~ **price** Einheits-, Pau-

schalpreis; ~ **rate** Pauschaltarif; ~ **sheet** Zeitung im Weltformat; ~ **waybill** Kollektivfrachtbrief.

bleed *(advertising)* Anschnitt, angeschnittener Druck;
gutter ~ Innenanschnitt;
~ *(a.)* druckangeschnitten;
~ **charge** Anschnittzuschlag; ~**-page advertisement** angeschnittene Anzeige; ~ **-off page** druckangeschnittene Seite; ~ **premium** Anschnittzuschlag.

blimp *(airship)* Kleinluftschiff, *(cabin)* schalldichte Kabine.

blind *(pretext)* Bemäntelung, Vorwand;
to fly ~ blindfliegen;
~ **advertisement** Blindanzeige; ~ **alley** Sackgasse; ~ **-alley job** Beruf ohne Aufstiegsmöglichkeiten; ~ **area** Funkschatten, *(car)* toter Winkel; ~ **baggage (deadhead,** *US sl.)* blinder Passagier; ~ **bargain** *(fam.)* Katze im Sack; ~ **booking** *(film)* Blindbuchung; ~ **carbon copy** zusätzliche Kopie; ~ **copy** unleserliches Manuskript; ~ **entry** *(booking without voucher)* Blindbuchung, Pro-memoria-Buchung; **to turn a** ~ **eye on s. th.** bei etw. ein Auge zudrücken; ~ **flying** Blindfliegen, -flug, Instrumentenflug; ~ **landing** Blindlandung; ~ **letter** schlecht adressierter (unbestellbarer) Brief; ~ **product test** Anzeigenerinnerungstest; ~ **space** *(print.)* Zwischenraum; ~ **spot** *(fig.)* schwache Stelle, *(radio)* Empfangsloch.

blitz training Schnellkurs.

bloc *(politics)* Block, Einheitsfront;
agricultural (farm) ~ grüne Front;
~ **grant** zur freien Verfügung gewährter Zuschuß.

block *(advertising)* Sendereihe, *(blockade)* Absperrung, *(Br.)* Reihenhäuser, *(bookbinding)* Prägestempel, *(of buildings, US)* Häuser-, Geschäftsblock, Häuserkomplex, -viertel, Straßenquadrat, *(business)* Anhäufung, *(parl.)* Obstruktion, Lahmlegung, *(print.)* Klischee, Druckstock, -form, *(railway)* Blockabschnitt, *(traffic)* Verkehrsstockung;
in ~**s** in Bausch und Bogen; **on the** ~ zur Versteigerung anstehend;
currency ~ Währungsblock; **writing** ~ Schreibblock;
~ **of delegates** Delegiertengruppe; ~ **of flats** *(Br.)* Mietskaserne; ~ **of securities** Effektenpaket;
~ *(v.)* blockieren, verhindern, sperren, *(parl.)* durch Opposition verhindern;
~ **an account** Guthaben (Konto) sperren; ~ **a credit balance** Guthaben sperren; ~ **traffic** Verkehr aufhalten;
to market one's ~ **of shares** sein Aktienpaket auf den Markt bringen; **to tool a** ~ Klischee nachschneiden;
~ **booking** *(motion picture)* Blockbuchung, *(advertising)* Gesamtauftrag; ~ **calendar** Abreißkalender; ~ **letters** Blockschrift; ~ **policy** Generalpolice; ~ **pull** Klischeeabzug; ~ **slip** *(check book)* Kupon; ~ **trade** *(stock market)* Pakethandel; ~ **vote** Sammelstimme.

blockade | [by sea] Blockade, Schiffahrts-, Hafensperre;
economic ~ Wirtschaftsblockade; **paper** ~ unwirksame Blockade;
~ **runner** Blockadebrecher.

blockage of exchange Devisensperre.

blockbuster *(US)* Kassenschlager.

blocked gesperrt, blockiert;
to be ~ *(capital)* eingefroren sein;
~ **account** Sperrkonto; ~ **currency** nicht frei konvertierbare und transferierbare Währung; ~ **deposit** Sperrdepot; ~ **-out** für Werbesendungen gesperrt; ~ **road** Straße gesperrt.

blocking of account Kontensperre;
~ **arrangement** Stillhalteabkommen; ~ **period** Sperrfrist.

blockmaking Klischeeherstellung.

blockmaster Klischeehersteller.

blotter Löscher, *(brokerage)* Orderbuch, Klasse;
police ~ *(US)* polizeiliches Meldebuch;
~ **blow** *(v.)* | **up** als Riesenformat herausbringen, *(photo, television)* vergrößern;
~ **post** *(Br.)* Rohrpost.

blowup Vergrößerung, *(advertising)* zum Plakat vergrößerte Anzeige, Riesenformat, *(smash, US)* Zusammenbruch, Pleite, Bankrott.

blue | book *(Br.)* Blaubuch, *(US)* Reiseführer für Autofahrer; ~ **chips** *(US, stock exchange)* Standardwerte, Spitzenwerte; ~**-collar people** *(US)* Fabrikarbeiter; **to have a** ~ **eye in the city** *(US)* an der Börse einen guten Namen haben; ~ **period** schlechte Zeiten; ~**-ribbon task force** hochdotierter Arbeitsstab; ~**-sky bargaining** unsinnige Forderungen im Rahmen eines Manteltarifvertrages.

blueprint Lichtpause, *(fig.)* Planung, Entwurf, Projektstudie;
~ *(v.)* Lichtpause machen, *(fig.)* planen, detaillierten Entwurf ausarbeiten;
~ **stage** Entwurfsstadium.

blurb Reklamestreifen, *(book reviews)* kurze Buchbesprechung, Waschzettel;

board *(billboard)* Anschlagtafel, *(board money)* Pension, Verpflegung, Kostgeld, *(directors of a company)* Vorstand, *(committee)* Ausschuß, Kommission, *(radio, television)* Kontrollpult, *(ship)* Bord[wand], Schiffsseite, *(governmental department)* Ministerium, Ministerialabteilung, [Kollegial]behörde, Verwaltungsbehörde, Dienststelle, Amt, *(US)* Börse;
bound in ~**s** steif broschiert, kartoniert; **free on** ~ *(f. o. b.)* frei an Bord; **on the** ~ *(stock exchange) (US)* börsenfähig;
advisory ~ beratender Ausschuß; **bulletin** ~ Anschlagtafel, Schwarzes Brett; **executive** ~

geschäftsführender Ausschuß, *(company)* Vorstand; **full** ~ volle Pension; **original** ~ Gründerversammlung; **partial** ~ Halbpension **rationing** ~ Bewirtschaftsstelle; **revenue** ~ Finanzausschuß; **supervisory** ~ Aufsichtsamt; **trade** ~ *(Br.)* Schlichtungsstelle für arbeitsrechtliche Streitfragen;
~ **and lodging** volle Pension, Kost- und Logis, *(servant)* Unterkunft und Verpflegung; **free** ~ **and lodging** freie Station;
≗ **of Agriculture** *(Br.)* Landwirtschaftsministerium; ~ **of arbitration** Schlichtungsausschuß; ~ **of assessment** *(US)* Steuerbehörde; ≗ **of Audit** *(US)* Landesrechnungshof; ~ **of control** Überwachungsstelle; ~ **of creditors** Gläubigerausschuß; ≗ **of Customs** Zollbehörde; ~ **of directors (governors)** Verwaltungsrat nach angelsächsischem Recht, *(acting board)* Firmenvorstand, *(newspaper)* Herausgebergremium; ~ **of examiners** Prüfungsausschuß; ≗ **of Exchequer** *(Br.)* Finanzministerium; ≗ **of Governors** *(International Monetary Fund)* Direktorium; ≗ **of Governors of the Federal Reserve System** *(US)* Bundesbankdirektorium; ≗ **of Inland Revenue** *(Br.)* Oberste Steuerbehörde; ~ **of inquiry** Untersuchungsausschuß; ~ **of management** Vorstand, Direktorium; ~ **of referees** *(income tax, Br.)* Sachverständigenbeirat für Steuerveranlagungen; ~ **of reference** Schiedskommission; ≗ **of Regents** *(US)* Kuratorium; ~ **of tax appeals** Oberfinanzgericht; ≗ **of Trade** *(Br.)* Wirtschafts-, Handelsministerium, *(US)* Handelskammer; ~ **of treasury** Finanzamt; ~ **of trustees** Beirat, Treuhänderausschuß, -rat, Kuratorium; ≗ **of Works** *(Br.)* Amt für öffentliche Arbeiten, *(building)* Bauamt, -behörde;
~ *(v.)* *(provide with meals)* ver-, beköstigen, in Pension haben;
~ **the gravy train** *(US)* Druckposten erhalten, *(shift expenses)* Ausgaben auf j. abwälzen; ~ **out** auswärts essen; ~ **a ship at B** sich in B einschiffen;
to appoint a ~ Verwaltungsausschuß einsetzen; **to be represented on the** ~ im Aufsichtsrat [vertreten] sein; **to leave the** ~ aus dem Vorstand ausscheiden; **to ship on** ~ an Bord verladen; **to take goods on** ~ Waren an Bord nehmen; **to take full** ~ **and lodgings** mit voller Pension mieten;
~ **approval** Vorstandsgenehmigung; ~ **chairman** Vorstandsvorsitzender, -vorsitzer; ~ **election** Vorstands-, Aufsichtsratswahl; ~ **lot** *(US, stock exchange)* handelsfähige Nominalgröße; ~ **meeting** Präsidial-, Aufsichts-, Verwaltungsratssitzung- ~ **member** Präsidial-, Aufsichtsratsmitglied; ~ **room** Sitzungsraum, *(stock exchange)* Börsensaal; ~ **of Trade unit** Kilowattstunde; **to put on** ~ **wages** Kostgeld zahlen.

boarder Pensionär, Kostgänger.

boarding | **clerk** *(Br.)* Hafenzollbeamter; ~ **gate** Abgangsflugsteig; ~ **money** Kostgeld.

boardinghouse Gasthaus, [Fremden]pension.

boat Boot, Schiff, Wasserfahrzeug;
cargo ~ Frachter, Frachtschiff;
to be in the same ~ *(fig.)* in der gleichen Lage sein;
~ **landing** *(US)* Anlegestelle; ~ **train** Zug mit Dampferanschluß.

body *(advertisement)* Haupttext, Kernbestandteil einer Anzeige, *(airplane)* Rumpf, *(car)* Karosserie, *(corporation)* Körperschaft, *(number of persons)* Gremium;
in a ~ geschlossen, insgesamt, gemeinsam;
advisory ~ beratendes Organ; **diplomatic** ~ diplomatisches Korps; **electoral** ~ Wählerausschuß, **executive** ~ Exekutivorgan; **supervisory** ~ Kontrollorgan;
~ **of creditors** Gläubigergemeinschaft, -ausschuß; ~ **of an instrument** Hauptteil eines Vertrages; ~ **of a letter** eigentlicher Briefinhalt; ~ **of merchants** Kaufmannschaft; **strong of** ~ **police** starkes Polizeiaufgebot; ~ **of voters** Wählerschaft; ~ **of workers** Arbeitskräfte;
~ *(v.)* verkörpern;
to act as a ~ als kollegiales Gremium (korporativ) handeln;
to treat as a ~ **corporate for tax purposes** steuerlich wie eine juristische Person behandeln; ~ **style** Karosserieausführung.

bog *(v.)* **down** sich festfahren, *(economics)* zusammenbrechen.

bogus *(a.)* nachgemacht, falsch, gefälscht;
~ **bill** Kellerwechsel;
~ **check** *(US)* gefälschter Scheck; ~ **company** Schwindelfirma; ~ **money** *(US)* Falschgeld, falsche Banknoten; ~ **press** Fälscherwerkstatt; ~ **transactions** Schein-, Schwindelgeschäft.

boil *(v.)* | **over** *(business cycle)* überschäumen.

bolster *(v.)* **an industrial concern** einem Industriekonzern finanzielle Polster verschaffen.

bona fide gutgläubig, *(genuine)* echt, solide;
~ **capital** aus verkäuflichen Waren bestehendes Kapital; ~ **creditor** gutgläubiger Forderungsinhaber; ~ **offer** solides Angebot; ~ **third party** gutgläubiger Dritter; ~ **transaction** gutgläubiger Erwerb.

bonanza Goldgrube, *(US)* unerwartet großer Gewinn;
~ **period of industrial development** wirtschaftliche Blütezeit; ~ **year** Erfolgsjahr.

bond *(agreement)* Übereinkommen, Abkommen, *(customs)* Zollverschluß, *(debenture)* [öffentliche] Schuldverschreibung, festverzinsliches Wertpapier, Obligation, Anleihepapier, Pfandbrief, *(guaranty)* Bürgschaft[surkunde], Garantieschein, *(obligation)* Schuldschein;
in ~ unter zollamtlichem Verschluß; **out of** ~ verzollt, ab Zollager;
active ~**s** *(Br.)* festverzinsliche Obligationen;

attachment ~ [gerichtliche] Sicherheitsleistung; **average** ~ Havarieschein; **baby** ~**s** Kleinaktien, Wertpapiere mit geringem Nominalwert; **blanket position** ~ *(US)* Globalversicherungsschein gegen Verluste aus unerlaubten Handlungen im einzelnen festgelegter Angestellter; **business corporation** ~ Industrieobligation; **called** ~**s** aufgerufene (ausgeloste) Obligationen; **collateral trust** ~**s** durch Effektenlombard gesicherte Schuldverschreibungen (Obligationen); **consol** ~**s** Ablösungsanleihe; **construction** ~ Kaution des Bauunternehmers; **convertible** ~**s** *(US)* Wandelschuldverschreibungen, **corporate** ~**s** Industrieobligationen; **corporation** ~**s** *(US)* Industrieobligationen; **coupon** ~**s** Inhaberschuldverschreibungen, festverzinsliche Schuldverschreibungen; **customs** ~ Zollbegleitschein; **denominational** ~**s** in Stücken ausgegebene Obligationen; **development** ~**s** Meliorationsschuldverschreibungen; **drawn** ~**s** ausgeloste Schuldverschreibungen; **Exchequer** ~**s** *(Br.)* langfristige Schatzanweisungen; **export** ~ *(customs)* Ausfuhrkaution; **external** ~**s** in ausländischer Währung zahlbare Staatspapiere; **farm loan** ~ landwirtschaftlicher Pfandbrief; **fidelity** ~ Verpflichtungs-, Garantieschein; **first mortgage** ~ durch Ersthypothek gesicherte Schuldverschreibung; **gold** ~**s** Goldobligationen; **guaranty** ~ Garantieschein; **high-yield** ~**s** hochverzinsliche Obligationen; **improvement** ~**s** *(US)* zur Verbesserung öffentlicher Anlagen ausgegebene Obligationen; **indemnity** ~ Ausfallbürgschaft; **individual** ~ persönliche Schuldverpflichtung; **indorsed** ~ durch die Muttergesellschaft garantierte Obligation; **interest** ~ Gratisobligationen [an Stelle von Barverzinsung]; **interest-bearing** ~ zinstragende Obligation; **interim** ~ kurzfristige Überbrückungsanleihe; **investment** ~**s** Anlagepapiere; **irredeemable** ~ ewige Rente; **joint and several** ~ gesamtschuldnerische Verpflichtungserklärung; **junior lien** ~ durch im Range nachstehendes Pfandrecht gesicherte Schuldverschreibung; **legal tender** ~ in gesetzlichen Zahlungsmitteln zahlbare Obligation; **liability** ~ absolut gültiger Unfallversicherungsschein; **liberty** ~**s** *(US)* Kriegsanleihe; **prior lien** ~ durch Vorranghypothek gesicherte Obligation; **local** ~ *(Br.)* Kommunalschuldverschreibung; **lottery** ~ Auslosungsanleihe; **master** ~ Unternehmerbürgschaft; **mortgage** ~ Hypothekenpfandbrief; **municipal** ~ *(US)* Kommunalschuldverschreibung; **naked** ~ einseitige Verpflichtung; **national war** ~ Kriegsanleihe; **negotiable** ~ Orderschuldverschreibung; **nonnegotiable** ~ Namensschuldverschreibung; **obligatory** ~ festverzinsliche Schuldverschreibung; **option** ~ Aktienbezugsrechtsobligation; **other** ~**s** *(balance sheet)* sonstige Verbindlichkeiten; **participating** ~ Schuldverschreibung mit Gewinnbeteiligung; **partial** ~ Teilschuldschein; **passive** ~ zinslose Schuldverschreibung; **preference** ~ Vorzugsobligation; **premium** ~ Prämienobligation; **public** ~**s** öffentlich-rechtliche Obligationen; **purchase-money** ~ Kaufgeldobligation; **reciprocal** ~ gegenseitiger Verpflichtungsschein; **redemption** ~ Ablösungspfandbrief; **registered** ~ Namensobligation; **removal** ~ *(customs)* Umlagerungskaution; **reorganization** ~ Sanierungsschuldverschreibung; **revenue** ~ *(US)* kurzfristige Staatsanleihe; **savings** ~**s** *(US)* festverzinsliche Staatsobligationen; **single** ~ persönlicher Verpflichtungsschein; **sinking-fund** ~**s** Amortisationsobligationen; **special assessments** ~ Anliegerbeiträge; **surety** ~ Verpflichtungs-, Garantieschein, Kautionsversicherung; **tax** ~ *(US)* Steuergutschein; **tax-exempt** ~**s** ertragsteuerfreie Obligationen; **temporary** ~**s** kurzfristige Überbrückungsanleihe; **treasury** ~**s** Schatzanweisungen; **trustee's** ~**s** mündelsichere Papiere; **underlying** ~ durch eine im Range vorgehende Hypothek gesicherte Schuldverschreibung; **unified** ~**s** *(US)* Konsols;

~**s and other interests** *(balance sheet)* Beteiligungen und Wertpapiere; ~ **to bearer** Inhaberobligation; ~ **of indemnity** *(US)* Ausfallbürgschaft; ~ **with surety** Schuldverschreibung mit zusätzlicher Bürgschaftsurkunde; ~**s with attractive tax features** mit attraktiven Steuervorteilen ausgestattete Obligationen;

~ *(v.)* unter Zollverschluß (nehmen), *(debenture)* Schuldverschreibung ausstellen, *(mortgage)* hypothekisieren, verpfänden;

~ **s. o.** Kaution für j. stellen lassen; ~ **goods** Ware in Zollverschluß legen; ~ **a road** Straße mit Kommunalobligationen finanzieren;

to be in ~ im Zollverschluß liegen; **to give a** ~ Verpflichtungsschein ausstellen; **to issue** ~**s** Pfandbriefe ausgeben; **to release from** ~ aus dem Zollverschluß nehmen; **to retire** ~**s** Schuldverschreibungen einlösen; **to subscribe** ~**s** Pfandbriefe zeichnen; **to take out of** ~ aus dem Zollverschluß nehmen, ausklarieren;

~ **amount** Anleihebetrag; ~ **broker** *(US)* Fondsmakler; ~ **capital** Anleihekapital; ~ **circulation** Pfandbriefumlauf; ~ **conversion** Anleihekonversion; ~ **coupon collection** Dividendeninkasso; ~ **creditor** Pfandbriefgläubiger; ~ **crowd** *(US)* Fondshändler, -makler; ~ **debt** Pfandbriefschuld; ~ **debtor** Obligationsschuldner; **to spread** ~ **discount over the years** das Disagio eines Pfandbriefs über die Jahre verteilen; ~ **house** Pfandbriefinstitut; ~ **indenture** Schuldverschreibungsurkunde; ~ **interest** Obligationenzinsen; ~ **issue** Pfandbriefausgabe; ~ **market** Pfandbriefmarkt; ~ **note** Zollvermerkschein; ~ **premium** Pfandbriefagio; ~ **ratings** Schätzungen des Nettowertes festverzinslicher Effekten; ~ **store** Zollager; ~ **trading depart-**

ment Pfandbriefabteilung; ~ **underwriter** Anleihegarant; ~ **washing** Umwandlung steuerpflichtiger Pfandbriefrenditen in steuerfreie Kapitalgewinne; ~ **yielding** Pfandbriefrendite.

bonded *(under bond)* unter Zollverschluß [lagernd], *(pledged)* verpfändet, belastet;
~ **to destination** Verzollung am Bestimmungsort;
to have goods ~ Waren unter Zollverschluß lagern;
~ **debt** fundierte Schuld; ~ **goods** zollpflichtige Waren, Waren unter Zollverschluß; ~ **indebtedness** Anleiheschuldenlast; ~ **period** Zollagerfrist; ~ **port** [Zoll]freihafen; ~ **store** Zollspeicher, -lager; ~ **warehouse** privates Zollgutlager, Transitlager.

bonder Zolleinlagerer.

bondholder Obligationär, Obligationsinhaber, Pfandbriefinhaber.

bondholdings Pfandbriefbesitz.

bonding Zolleinlagerung;
~ **company** *(US)* Kautionsversicherungsgesellschaft; ~ **warehouse** Lagerhaus für unverzollte Waren.

bonus *(compensation for a loan)* Kreditprovision, *(consideration for charter)* Konzessionsgebühr, *(douceur)* Bestechungsgeld, *(extra dividend)* Extra-, Superdividende, [Dividenden]bonus, *(gratuity)* Gehaltsprämie, Tantieme, *(increase in salary)* Gehaltszulage, *(insurance)* Dividende, *(lump sum)* Pauschalvergütung, *(premium)* Prämie, *(salesman)* Umsatztantieme, *(share of profits)* Gewinnbonus, -anteil, Gratifikation, *(subsidy to industry)* Subvention, *(sum given in addition)* Zugabe, Zuschlag, Bonus;
cash ~ Bardividende; **Christmas** ~ Weihnachtsgratifikation; **cost-of-living** ~ Teuerungszulage; **dependency** ~ Kinderzulage; **executive** ~ Tantieme leitender Angestellter; **flat** ~ Pauschalprämie; **hazard** ~ Risikoprämie, Gefahrenzulage; **incentive** ~ Leistungszulage; **no-claims** ~ Prämie für unfallfreies Fahren; **overtime** ~ Überstundenzulage; **piece-rate** ~ Akkordprämie; **profit-sharing** ~ Gewinnbeteiligungszulage; **share** ~ Gratisaktie;
~ **in cash** *(insurance)* ausgezahlter Gewinn; ~ **for special risk** Risikoprämie; ~ **on shares** Gratisaktie;
~ *(v.)* durch Prämien fördern, subventionieren;
to be entitled to a ~ tantiemeberechtigt sein;
~ **arrangement** Tantiemenvereinbarung; ~ **fund** Dividendenfonds; ~ **income** Tantiemeneinkünfte; ~ **issue** Prämiengewährung, *(company law)* Ausgabe von Gratisaktien; ~ **scheme** Tantiemenregelung, *(insurance)* Gewinnplan; ~ **share (stock)** Genuß-, Gratisaktie; **to work on the** ~ **system** auf Prämienbasis arbeiten; ~ **week** wohlfeile Woche.

book Kassen-, Geschäftsbuch, *(membership)* Mitgliederverzeichnis, *(minutes)* Protokollbuch, *(ticket)* Block;
by the ~ vorschriftsmäßig; **in looking over the** ~**s** bei Durchsicht der Bücher;
account ~ Rechnungs-, Kontobuch; **bargain** ~ Schlußnotenregister; **check (cheque,** *Br.)* ~ Scheckbuch; **gift** ~ Geschenkausgabe; **inventory** ~ Bestands-, Inventarbuch; **invoice** ~ Einkaufsjournal; **slovenly kept** ~**s** unordentlich geführte Bücher; **loose-leaf** ~ Buch in Loseblattform; **order** ~ Auftragsbuch; **rate** ~ Steuerrolle; **ration** ~ Lebensmittelkarte; **reference** ~ Nachschlagewerk; **rough cash** ~ Kassenkladde; **savings bank** ~ Sparkassenbuch; **signature** ~ Unterschriftenverzeichnis; **warehouse** ~ Lager-, Bestandsbuch; **waste** ~ *(Br.)* Strazze, Kladde; **White** ≗ *(pol.)* Weißbuch;
~ **of arrivals** Fremdenbuch; ~ **of charges** Ausgabenbuch; ~ **of commissions** Auftrags-, Bestell-, Orderbuch; ~ **of [printed] forms** Formularsammlung; ~ **of merchandise** Warenkontobuch; ~ **of rates** Zolltarif; ~ **of sales** Verkaufsbuch, -journal; ~ **of stamps** Markenheft, Freimarkenheftchen; ~**s of a tax receiver** Steuerunterlagen des Finanzamtes; ~ **of tickets** Fahrscheinheft;
~ *(v.)* buchen, anschreiben, aufzeichnen, *(airplane)* Buchung aufgeben, (enter in books) [ver]buchen, *(passenger)* Fahrkarte kaufen (lösen), *(register)* eintragen, notieren;
~ **in advance** im voraus bestellen, vorausbestellen, im Vorverkauf besorgen; ~ **a long-distance call** Ferngespräch anmelden; ~ **a personal call** Voranmeldung bestellen; ~ **a contract for shipment** Lieferungsvertrag abschließen; ~ **in conformity** gleichlautend buchen; ~ **s. o. for reckless driving** jem. wegen rücksichtslosen Fahrens einen Strafzettel verpassen; ~ **an omitted item** Posten nachtragen; ~ **an order** Auftrag annehmen; ~ **one's passage** seine Schiffskarte bestellen; ~ **a place** Platz belegen; ~ **a room** Zimmer bestellen; ~ **a seat** Karte im Vorverkauf lösen; ~ **a sleeper** Schlafwagenkarte lösen; ~ **space** Anzeigenraum in Auftrag geben; ~ **through [to . . .]** durchbuchen; ~ **a trunk call** *(Br.)* Ferngespräch anmelden;
to audit the ~**s** Bücher prüfen (revidieren); **to be deep in the** ~**s** hohe Schulden haben; **to be in the black** ~ auf der schwarzen Liste stehen; **to be in s. one's good** ~**s** gute Nummer bei jem. haben; **to be on the** ~**s** als Mitglied eingetragen sein, *(balance sheet)* zu Buche stehen; **to get in s. one's** ~**s** bei jem. Schulden machen; **to go back on the** ~**s** auftragsmäßig wieder interessant werden; **to inspect the** ~**s** Bücher einsehen; **to keep the** ~**s** Bücher führen; **to make up the** ~**s** Bücher abschließen; **to run into s. one's** ~**s** bei jem. in Schulden geraten; **to shut the** ~**s** Unternehmen aufgeben; **to take one's name off the** ~**s** aus einer Gesellschaft austreten;
~ **account** Kontokorrentkonto; **assigned** ~ **accounts** *(US)* abgetretene Buchforderungen; ~

canvasser Subskribentensammler; ~ **claim** Buchforderung; ~ **club** Lesezirkel; ~ **cost** Buchwert; ~ **cover** Buchumschlag; ~ **credit** Buchkredit; ~ **creditor** Buchgläubiger; ~ **debt** Buchschuld; ~ **entry** Buchung; ~ **figures** *(bookkeeping)* Buchwerte; ~ **post** *(Br.)* Beförderung als Drucksache; **to send by** ~ **post** *(Br.)* (unter Kreuzband) verschicken; ~ **publisher** Verlagsbuchhändler; ~ **review** Buchbesprechung; ~ **surplus** buchmäßiger Überschuß.

book value Bilanz-, Buchwert, *(net worth)* Nettowert eines Unternehmens;
to yield a profit over the ~ Buchwert übersteigenden Erlös erzielen.

bookable im Vorverkauf zu haben.

booked besetzt, belegt, *(registered)* gebucht;
to be fully ~ ausverkauft sein.

booking Buchung, Bestellung, *(registration)* Eintragung, (space) Platz belegen;
advance ~ Vorverkauf, **freight** ~ Belegen von Frachtraum; **heavy** ~**s** umfangreiche Vorbestellungen; **onto (onward)** ~ *(airport)* Anschlußbuchung;
~ **a call** *(US)* Gesprächsanmeldung;
~ **clerk** *(Br.)* Schalterbeamter, Fahrkartenverkäufer; ~ **fee** Vormerk-, Eintragungs-, Vorverkaufsgebühr; ~ **item** Buchungsposten; ~ **office** *(railway)* Fahrkartenschalter, *(US, railroad)* Gepäckschalter;
~ **order** Bestellzettel.

bookkeeper Buchhalter, Rechnungsführer.

bookkeeping Buchführung, -haltung;
columnar ~ amerikanische Buchführung; **electronic** ~ elektronische Buchführung; **factory** ~ Betriebsbuchhaltung;
~ **by double (single) entry** doppelte (einfache) Buchführung;
~ **costs** Buchführungskosten; ~ **entry** Buchungsposten; ~ **loss** Buchverlust; ~ **records** Buchführungsbelege, Buchungsunterlagen; **duplicated** ~ **system** Durchschreibebuchführung; ~ **voucher** Buchhaltungsbeleg.

booklet Werbebroschüre, -faltblatt, Prospekt.

bookmarking of assigned accounts Kenntlichmachung abgetretener Forderungen.

boom starke Nachfrage, Hausse, geschäftliche Blütezeit, wirtschaftlicher Aufschwung, plötzliche Kurssteigerung, *(US, electioneering)* Stimmungs-, Wahlmache, Reklamerummel, *(sudden prosperity)* [Hoch]konjunktur, Konjunkturaufschwung;
backlog ~ Aufholkonjunktur; **consumer** ~ Konsumgüterkonjunktur; **internal** ~ Inlandskonjunktur; **overheated** ~ überhitzte Konjunktur; **stock-market** ~ Aktienhausse;
~**-and-bust** *(US coll.)* Zeit außergewöhnlichen Aufstiegs; ~ **in capital investment** Investitionsgüterkonjunktur; ~ **in equities** Aktienhausse; ~ **of production goods** Produktionsgüterhochkonjunktur; ~ **of a town** rapide Entwicklung einer Stadt;
~ *(v.)* *(advance with a rush)* hochkommen, aufwärtsstreben, rapiden Aufschwung nehmen, *(advertise)* Reklame machen, *(business)* konjunkturellen Auftrieb haben, *(electioneering)* Wahlpropaganda treiben, *(rise in value)* im Wert steigen; ~ **the market** Kurse steigern; ~ **after the war** nach dem Krieg groß ins Geschäft gekommen sein;
to be on the dark side of the ~ im Konjunkturschatten liegen; **to curb the** ~ Hochkonjunktur bremsen; **to overtake the** ~ Konjunktur überhitzen; **to place a check on the** ~ Konjunktur dämpfen;
~ **city** aus dem Boden geschossene Stadt; ~ **conditions** Haussebedingungen; ~ **market** Haussemarkt; ~ **years** Zeiten wirtschaftlicher Blüte.

booming | **business** glänzend gehendes Geschäft; ~ **demand** Nachfragekonjunktur; ~ **economy** glänzende Konjunktur, Hochkonjunktur; **to keep up the** ~ **pace of capital investment** langfristige Kapitalanlagen weiterhin bevorzugt vornehmen; ~ **recovery** konjunkturelle Erholung.

boomlet Kleinkonjunktur.

boomtime konjunkturelle Blütezeit;
~ **prices** Preise in hochkonjunkturellen Zeiten.

boomtown schnell aufstrebende Stadt.

boost Preistreiberei, -steigerung, *(ballyhoo)* Reklame;
~ **to exports** Ausfuhr-, Exportförderung; ~ **in taxes** Steueranstieg;
~ *(v.)* **s. th.** Werbetrommel für etw. rühren;
~ **business** Wirtschaft ankurbeln; ~ **a candidate** Kandidaten unterstützen; ~ **a company into the black** Unternehmen in die Gewinnzone führen; ~ **the stagnant economy** Maßnahmen zur konjunkturellen Belebung treffen; ~ **sales** Umsatzsteigerung herbeiführen.

booster Fürsprecher, *(advertising)* Reklamemacher, *(prices)* Preistreiber.

boosting of exports Ausfuhrankurbelung.

booth Verkaufs-, Schau-, Jahrmarktsbude, *(tel.)* Fernsprechzelle;
fund-raising ~ Sammelstelle für Geldspenden; **polling** ~ Wahlzelle.

border Grenzgebiet, *(print.)* Rand-, Zierleiste;
~ **clash** Grenzzwischenfall; ~ **country** Anliegerstaat; ~ **district** Grenzbezirk; ~ **guards** Grenzschutzwache; ~ **incident** Grenzzwischenfall; ~ **traffic** Grenzverkehr.

bordereau Sortenzettel, Inhaltsvermerk.

borderer Anlieger, Anwohner, Grenzbewohner.

borderline Grenze, Grenzlinie, *(study)* Grenzgebiet.

borough *(Br.)* Gemeinde[bezirk], Stadtgemeinde, Marktflecken.
country ~ Provinzialverband; **municipal** ~ Stadtgemeinde;
~ **councillor** *(Br.)* Ratsherr, Stadtrat; ~ **master**

(*Br.*) Bezirksbürgermeister; ~ **rate** (*Br.*) Gemeindesteuer, -umlage, -abgabe.

borrow (*v.*) borgen, entnehmen, [ent]leihen;
~ **heavily on a short-term basis** sich kurzfristig erheblich verschulden; ~ **money on the security of an estate** Hypothek[arkredit] aufnehmen; ~ **for the purchase of land** Grundstücksankauf finanzieren; ~ **on securities** Effekten lombardieren; ~ **stock** Wertpapiere hereinnehmen.

borrowed capital Fremd-, Leih-, Kreditkapital.

borrower Darlehns-, Kreditnehmer;
first-class ~ erste Adresse.

borrowing Leihen, Entlehnen, Borgen, (*loan*) Schuld-, Kreditaufnahme;
business ~ Geschäftskredit; **long-term** ~ langfristige Kreditaufnahme; **treasury** ~ Steuergutscheinausgabe;
~ **on accounts receivable** Kreditaufnahme durch Abtretung von Debitoren;
to increase the ~s at the bank bei der Bank in erhöhtem Maße Kredit in Anspruch nehmen;
~ **arrangements** Kreditvereinbarungen; ~ **corporation** Darlehensnehmerin; ~ **costs** Kreditkosten; ~ **demand** Geldbedarf; ~ **member** (*building society, Br.*) zugeteilter Bausparer; ~ **power** (*director*) Kreditaufnahmebefugnis; ~ **rate** Ausleihungssatz; ~ **reserve** Kreditreserve.

boss (*US*) Betriebsleiter, Chef, (*leading personality*) tonangebender Mann, Macher;
~ (*v.*) **the show** (*US sl.*) den Laden schmeißen;
to act the ~ Vorgesetzten herauskehren;
~ **rule** (*US*) Bonzentum.

both-to-blame (*law of insurance*) beiderseitiges Verschulden.

bottleneck of production Engpaß in der Produktion.

bottom (*ship*) Schiffsboden, (*stock exchange*) Tiefpunkt;
~ **dropped out** neuer Tiefstand;
~ **of the business** des Pudels Kern;
~ (*v.*) **[out]** (*market*) Widerstandslinie aufbauen;
to come ~ of a list ganz am Ende einer Liste stehen; **to reach (touch) the** ~ tiefsten Stand erreichen; **to stand one one's own** ~ auf eigenen Füßen stehen, [wirtschaftlich] selbständig sein;
to stake one's ~ dollar (*US*) alles auf einmal riskieren; ~ **price** Tiefstpreis, niedrigster Preis, (*stock exchange*) Tiefst-Kurs; ~ **quality** schlechteste Qualität.

bottomry Bodmerei[geld], Schiffsverpfändung;
~ (*v.*) verbodmen, Schiff verpfänden;
to advance money on ~ Geld auf Bodmerei geben; **to borrow (raise, take) money on** ~ Geld auf Bodmerei leihen;
~ **bond** Bodmereibrief, Schiffswechsel; ~ **bondholder** Bodmereigläubiger; ~ **debt** Bodmereischuld; ~ **insurance** Bodmereiversicherung; ~ **interest** Bodmereizinsen, -prämie.

bought | by auction ersteigert;
~ **book (journal)** Einkaufsbuch; ~ **note** (*Br., contract note*) Kaufnote, (*broker's memorandum*) Schlußschein.

bouncer (*cheque*) ungedeckter Scheck.

boundary Grenze, Grenzlinie, (*marketing*) Reizschwelle, (*technics*) Toleranzgrenze;
~ **crossing** Grenzübergang, ~ **lighting** (*aerodrome*) Randbefeuerung; ~ **stone** Grenzstein;
~ **suit** Grenzstreitigkeit.

bounty Handgeld, (*trade*) Subvention, Ausfuhr-, Einfuhrzuschuß, [Ausfuhr]prämie, Bonus;
child ~ Kinderzulage;
~ **on exportation** Ausfuhrprämie;
~**-fed** subventioniert; ~ **feeding** Subventionswesen.

box (*advertisement*) Kästchen, (*coll.*) Radio-, Fernsehgerät, (*fig.*) Kasse, Fonds, (*luggage, Br.*) [großer] Reisekoffer, (*post office, US*) Schließfach, (*print.*) Kasten, Rahmen, Linieneinrahmung;
ballot ~ Wahlurne; **cash** ~ Geldkassette; **letter** ~ Briefkasten, Abholungsfach; **post-office** ~ Postschließfach; **safe-deposit** ~ Schließ-, Stahl-, Bankfach, Safe; **strong** ~ Geldschrank;
~ (*v.*) **in** (*advertisement*) Text in Umrahmung stellen; ~ **an article for sale** Ware für den Verkauf verpacken;
~ **board** Kartonpapier; ~ **head** (*print.*) umrandete Überschrift; ~ **letter** postlagernder Brief.

box number Chiffrenummer;
~ **advertisement** Chiffre-, Kennzifferanzeige.

box office Vorverkaufsstelle, Kiosk, (*cinema*) Kinokasse, Kassenraum, (*fig. US*) Kassenerfolg.

box-office (*a.*) im Vorverkauf;
to be a great ~ attraction (*actor*) Kassenschlager sein; ~ **draw** Kassenmagnet, **to be a ~ success** volle Kasse bringen, Kassenschlager sein; ~ **takings** Kasseneinnahmen.

box | rent (*US*) Schließfachmiete; ~ **truck** Kastenlieferwagen; ~ **wag(g)on** (*Br.*) gedeckter (geschlossener) Güterwagen, Fracht-, Güterwaggon, (*US*) Blockwagen, Lore.

boxcar (*US*) Güterwaggon.

boxed in Schachteln verpackt, (*books*) in Kassette;
~ **for export** in Seeverpackung.

boxing Verpackungsmaterial.

boy sales (*newspaper*) Einzelverkauf.

boycott Boykott[verfahren];
compound ~ zwangsweise ausgeübter mittelbarer Boykott; **negative** ~ Boykott durch Veröffentlichung einer schwarzen Liste;
to call off a ~ Boykott aufheben; **to put a shop under a** ~ Laden boykottieren;
~ **campaign** Boykottfeldzug.

boycottage Boykottanwendung.

bracket Gruppe, Schicht, (*loan*) Tranche, (*prop*) Schaufensterständer, (*taxation*) Steuerklasse, Einkommensstufe, Rubrik;
income [tax] ~ Einkommensteuerklasse,

-gruppe; **salary** ~ Besoldungsgruppe; **social** ~ Gesellschaftsschicht; **wage** ~ Lohnstufe;
~ *(v.) (taxation)* in die gleiche Steuerklasse einordnen;
to be in the higher income ~s zu den wohlhabenden Leuten zählen; **to be in low income** ~s geringes Einkommen haben.

brain | drain Abwanderung von Wissenschaftlern; ~ **storm** *(US)* Geistesblitz; ~**-storming** Ideenwirbel, -sitzung; ~ **trust** *(US)* Beraterstab, Gehirntrust, hochqualifizierte Expertengruppe, wissenschaftlicher Beirat; ~ **wave** guter Einfall, Geistesblitz.

branch *(banking)* Neben-, Zweigstelle, Filiale, Depositenkasse, *(of business establishment)* Zweiggeschäft, -stelle, -niederlassung, Betriebsabteilung, Außen-, Nebenstelle, Filiale, Niederlassung, *(railway)* Zweigbahn, Nebenstrecke;
city ~ Stadtfiliale; **main** ~ Hauptniederlassung, Stammhaus; **manufacturing** ~ Fabrikationszweig;
provincial ~ **of an association** Landesgeschäftsstelle einer Vereinigung; ~ **of business** Geschäftszweig; ~ **of industry** Gewerbe; ~ **of production** Produktionszweig;
to maintain ~**es** Zweigstellen unterhalten;
~ **account** Filialkonto; ~ **accounting** Filialbuchführung; ~ **bank** Bankfiliale, Zweigbank; ~ **business** Zweiggeschäft; ~ **establishment** Zweiggeschäft, -stelle, -niederlassung; ~ **expenses** Filialaufwand; ~ **line** Anschluß-, Nebenlinie; ~ **office** Zweigniederlassung, Filialgeschäft, *(bank)* Depositenkasse; ~ **plant** Zweigbetrieb; ~ **road** *(US)* Nebenstraße; ~ **store** *(US)* Zweiggeschäft; ~ **terminal line** Stichbahn; ~ **transactions** Filialabschlüsse.

branchlet kleine Filiale.

brand Sorte, Marke, Klasse, *(quality)* Qualität, *(trademark)* Güte-, Waren-, Fabrikzeichen, Markenerzeugnis;
first-class ~ erstklassiges Fabrikat; **house** ~ Firmenzeichen; **national** ~**s** überall bekannte Qualitätserzeugnisse; **top-selling** ~ Spitzenerzeugnis der Markenindustrie;
~ *(v.)* zum Markenartikel entwickeln;
~ **advertising** Markenartikelwerbung; ~ **competition** Markenartikelwettbewerb; ~ **image** Markenbild, Werbestil; ~ **leader** Spitzenmarke; ~ **manager** Markenbetreuer, Produkt-Manager; ~ **name** Produkt-, Markenname; ~**-new** ganz neu, fabrik-, funkelnagelneu; ~ **recognition** Anerkennung als Markenartikel durch die Verbraucher; ~ **supplier** Markenlieferant; ~ **trend survey** Markenindex.

branded article Markenartikel.

breach Bruch, *(infringement)* Übertretung, Verstoß, Verletzung;
free from ~ **and damages** frei von Bruch und Beschädigung;
continuing ~ fortgesetzte Vertragsverletzung;
~ **of confidence** Verletzung der Geheimhaltungspflicht; ~ **of professional etiquette** standeswidriges Verhalten; ~ **of the peace** Störung der öffentlichen Ordnung; ~ **of trust** Verletzung der Treuepflicht, Vertrauensbruch; ~ **of warranty** Verletzung der Gewährleistungspflicht, Gewährleistungsbruch.

bread Brot, *(livelihood)* Lebensunterhalt;
in bad ~ in einem Schlamassel; **in good** ~ in einer guten Stellung;
~ **coupon** Brotmarke; ~ **line** Schlange Bedürftiger, *(fig.)* Existenzminimum; ~ **shortage** Brotverknappung; ~ **ticket** *(US)* Essensbon.

bread and butter *(fig.)* notwendiger Lebensunterhalt.

bread-and-butter materialistisch, prosaisch;
~ **program(me)** wirklichkeitsnahes Programm.

breadearner, breadwinner Ernährer.

break *(breakage)* Bruch, Bruchstelle, *(labo(u)rer)* Arbeitspause, *(opening, US sl.)* Chance, glückliche Gelegenheit, *(print.)* Abschnitt, Absatz, *(radio program(me)* Sendeunterbrechung für Werbedurchsagen, *(stock exchange, US)* Kurseinbruch;
coffee ~ Kaffeepause; **open** ~ *(politics)* offener Bruch;
~ **in one's life** Einschnitt im Leben; **sharp** ~ **on the stock market** starker Kurseinbruch; ~ **from work** Arbeitsunterbrechung;
~ *(v.) (go bankrupt)* bankrott machen, in Konkurs gehen, *(stocks)* plötzlich im Kurs fallen;
~ **an agreement** Abmachung verletzen; ~ **far below the previous low level** weit unter den letzten Tiefststand fallen; ~ **bulk** mit Entladen (zu löschen) anfangen; ~ **a code** entschlüsseln; ~ **a contract** Vertragsverletzung begehen; ~ **down** *(analyse, US)* aufgliedern, -schlüsseln, Analyse vornehmen, *(car)* Panne haben, *(engine)* nicht mehr funktionieren, *(negotiations)* scheitern, zusammenbrechen; ~ **down the contribution of major divisions to sales and pretax earnings** Anteil größerer Abteilungen am Umsatz und Ertrag aufschlüsseln; ~ **into the motion-picture industry** sich in der Filmindustrie beteiligen; ~ **an item of news** *(US)* Nachricht veröffentlichen; ~ **a note** Geldschein wechseln; ~ **away from a party** aus einer Partei austreten; ~ **the peace** öffentliche Ruhe und Ordnung stören, ~ **sharply** *(stock exchange)* starken Einbruch erleiden; ~ **and enter a shop** Ladeneinbruch begehen; ~ **up** entflechten, *(safe deposit)* aufbrechen, *(ship)* verschrotten, abwracken; ~ **a warranty** Garantieverpflichtung nicht einhalten;
to make a ~ Schicht machen.

break even *(US)* Geschäftsabschluß ohne Gewinn und Verlust;
~ *(v.)* Gewinnschwelle, Rentabilitätsschwelle erreichen;

~ **analysis** Deckungsbeitragsrechnung; ~ **chart** Rentabilitätstabelle, Gewinnschwellendiagramm; ~ **date** Rentabilitätstermin; ~ **point** Kosten-, Nutz-, Ertragsschwelle; ~ **rent** Ertragsmiete.

break-in period Einarbeitungszeit.

breakage Bruch[schaden), *(allowance)* Abzug für Bruchwaren, Refaktie;
no risk for ~ keine Gewähr für Bruch;
~ **clause** Bruchklausel.

breakdown Zusammenbruch, *(analysis)* Analyse, Aufschlüsselung, -gliederung, *(car)* Panne, *(negotiations)* Scheitern, Zusammenbruch, *(of operation)* Betriebs-, Verkehrsstörung, Verkehrsstockung, *(statistics)* Zer-, Aufgliederung;
~ **of a budget** Etataufschlüsselung; ~ **of costs** Kostenaufgliederung; ~ **of global output figures** Aufschlüsselung der gesamten Produktionszahlen; ~ **of a firm** Zusammenbruch einer Firma; ~ **of machinery** Maschinenausfall; ~ **by occupations** berufliche Aufgliederung; ~ **on the railway** Zusammenbruch des Eisenbahnverkehrs;
~ **gang** Unfallkolonne, Abschleppmannschaft; ~ **lorry** Abschleppwagen; ~ **service** Abschleppdienst; ~ **value** *(securities)* Substanzwert; ~ **van** *(Br.)* Abschleppwagen.

breaking Bruch, *(insolvency)* finanzieller Zusammenbruch;
~ **up cartels** Entkartellisierung; ~ **a close** unbefugtes Betreten eines fremden Grundstücks; ~ **up of an establishment** Geschäftsaufgabe; ~ **a quorum** Herbeiführung der Beschlußfähigkeit; ~ **up of work** Arbeitsaufteilung;
~ **bulk** Löschen der Ladung.

breakup | price Abbruchpreis; ~ **value** Altmaterial-, Abbruchswert.

bribery Bestechung, Korruption;
~ **of a creditor** Gläubigerbestechung; ~ **at elections** Wahlkorruption;
~ **scandal** Bestechungsskandal.

bribe taker Bestochener.

brief *(cab driver's licence)* Taxilizenz, -konzession, *(concise statement)* kurze Sachdarstellung, *(writ)* Schriftsatz;
counsel's ~ Mandat;
~ *(v.)* einweisen, unterrichten, beauftragen und informieren;
~ **a case** Dossier redigieren;
~ **account** kurze Sachdarstellung; ~ **bag (case)** Aktentasche, -mappe; ~ **paper** Kanzleipapier; ~ **sojourn** vorübergehender Aufenthalt.

briefing Einweisung, Unterrichtung, Instruktionsgebung;
conference ~ Auftragsbesprechung;
~ **tour** Informationsreise.

bring down | a balance Bilanz abschließen.

bring forward *(bookkeeping)* übertragen, auf neue Rechnung vortragen.

bring in | 80,– DM a week wöchentlich 80 DM abwerfen; ~ **interest** Zinsen abwerfen.

bring into | account berechnen; ~ **money into the court** Geld bei Gericht hinterlegen; ~ **s. th. into hotchpot** aufs Erbteil anrechnen.

bring out a book Buch herausbringen (veröffentlichen).

bring up | a resolution at a meeting Resolution in einer Versammlung einbringen; ~ **to date** auf den neuesten Stand bringen.

bringing | into hotchpot Anrechnung aufs Erbteil, Erbausgleich; ~ **money into court** gerichtliche Hinterlegung; ~**-out** *(books)* Herausgabe, Veröffentlichung.

brink, to be on the ~ **of a crisis** kriseln; **to be on the** ~ **of ruin** kurz vor dem Zusammenbruch stehen; **to bring back from the** ~ **of bankruptcy** gerade noch am Konkurs vorbeisteuern; **to walk on the** ~ *(pol.)* Krise durchstehen.

brinkman Krisenpolitiker.

brinkmanship *(mil.)* Krisenpolitik unter Eingehung außerordentlich hoher Risiken.

brisk *(business)* lebhaft, flott;
to go off ~**ly** reißenden Absatz finden; **to move** ~**ly ahead** rasch steigen;
~ **demand** lebhafte Nachfrage; ~ **sale** glatter Absatz; ~ **state of trade** flotter Geschäftsgang.

briskness of trade flotter Geschäftsgang.

broad breit, weit, ausgedehnt, *(radio)* unscharf;
~ **gauge** *(railway)* Breitspur; ~ **market** aufnahmefähiger Markt.

broadcast Rundfunk[übertragung], Radiosendung, *(program(me)* Rundfunkprogramm;
delayed ~ Bandaufzeichnung; **news** ~ Nachrichtensendung; **sponsored** ~ *(US)* Patronatssendung;
~ *(v.)* durchgeben, durchsagen, durch Rundfunk verbreiten;
~ **on the shortwave band** auf Kurzwelle senden;
~ **account** Rundfunkbericht; ~ **address** Rundfunkansprache; ~ **advertising** Werbefunk; ~ **announcement** Rundfunkansage, -durchsage; **outside** ~**s commentator** Rundfunkreporter; ~ **media campaign** über den Rundfunk ausgestrahlte Werbekampagne; ~ **network** Sendergruppe; ~ **program(me)** Rundfunkprogramm; ~ **research** Höreranalyse.

broadcaster Rundfunksprecher, *(station)* Rundfunksender, -station.

broadcasting Rundfunk[übertragung], Radio;
~ **of news** Nachrichtendurchsage;
~ **business** Rundfunkindustrie; ~ **company (corporation)** Rundfunkgesellschaft; ~ **network** Sendergruppe; ~ **receiver** Rundfunkempfänger; ~ **rights** Senderechte; ~ **room** Senderaum; ~ **station** Rundfunkstation, -anstalt.

broaden *(v.)* **its line of products** sein Produktionsprogramm ausweiten.

broadsheet Plakat, Prospekt-, Flugblatt, großformatige Drucksache.

broadside [großer] Faltprospekt, Schautafel, Planobogen.

brochure geheftete Druckschrift, Flugschrift, Broschüre.

broke *(sl.)* pleite, abgebrannt. blank.

broken kaputt, entzwei, *(bankrupt)* bankrott, ruiniert;
~ **down by** aufgeschlüsselt nach;
~ **account** *(Br.)* umsatzloses Konto; ~ **fortune** zerrüttete Vermögensverhältnisse; ~ **letter** Defektbuchstabe; ~ **money** Kleingeld; ~ **line** punktierte Linie; ~ **lot** *(US)* Effektenpaket unter 1000 Dollar Nominalwert; ~ **time** Verdienstausfall.

broker [Börsen-, Waren-, Wechsel-, Handels]-makler, *(go-between)* Mittelsmann, *(dealer in secondhand furniture, Br.)* Trödler;
associate ~ selbständiger Makler; **bill** ~ Wechselmakler, *(money ~)* Geldvermittler; **bond** ~ Fondsmakler; **curb[stone]** ~ *(US)* Freiverkehrsmakler; **customs** ~ Zollagent; **discount** ~ Wechselmakler; **exchange** ~ Devisen-, Kurs-, Börsenmakler; **floor** ~ *(US)* Börsenmakler; **hotel** ~ Hotelnachweis; **inside** ~ *(Br.)* amtlich zugelassener Makler; **insurance** ~ Versicherungsagent; **mortgage** ~ Hypothekenvermittler; **odd-lot** ~ *(US)* Makler in kleinen Effektenabschnitten; **outside** ~ freier (nicht zur Börse zugelassener) Makler; **real-estate** ~ Grundstücks-, Häuser-, Immobilienmakler; **ship** ~ Schiffs-, Frachtenmakler; **sworn** ~ Kursmakler; **to be a** ~ Maklergeschäfte betreiben.

broker's | **award** Maklergutachten; ~ **commission** Maklerprovision; ~ **confirmation** *(US)* Kommissionsnote; ~ **memorandum (note)** Schlußnote, -schein, -zettel; ~ **row** Trödelmarkt; ~ **ticket** Börsenabrechnungszettel.

brokerage Maklergeschäft, *(commission)* Maklergebühr, -provision, Courtage;
banking ~ Bankprovision; **buying** ~ Einkaufsprovision; **ship** ~ Schiffsmaklergeschäft; ~ **account** Courtagerechnung, -konto; ~ **business** Maklergeschäft; ~ **concern (firm, house, office)** Maklerfirma, -büro; ~ **contract** Maklervertrag; ~ **operation** Maklergeschäft; ~ **payment** Provisionsgewährung.

brought | **forward** Vortrag, Übertrag; ~**-in capital** eingebrachtes Kapital; ~ **up in business** kaufmännisch geschult.

bubble *(advertising, film)* Sprechblase, *(motorcar, US)* Kleinstwagen;
~ **car** Kabinenroller; ~ **company** Schwindelgesellschaft; ~ **scheme** Schwindelunternehmen.

buck *(sl.)* Dollar;
to make a quick ~ *(sl.)* schnell zu Geld kommen; **to pass the** ~ *(US sl.)* sich vor der Verantwortung drücken;
~ **passing** *(US sl.)* Abwälzen der Verantwortung; ~ **slip** interne Aktennotiz, innerbetriebliche Mitteilung.

bucket | **seat** *(car, plane)* Klappsitz, Notsitz; ~ **shop** *(US)* Winkelbörse.

bucketeer *(US)* unreeller Börsenmakler.

bucketing *(US)* Betreiben unreeller Maklergeschäfte.

budget Haushalt[splan], Staatshaushalt, Budget, Etat, *(advertising)* Werbeetat, *(cost of living)* Lebenshaltungskosten, *(estimate of costs)* Kostenvorschau;
on a ~ knapp dran;
adverse ~ Haushaltsdefizit; **approved** ~ genehmigter Etat; **balanced** ~ ausgeglichener Haushalt; **business-as-usual** ~ normaler Haushaltsplan; **capital expenditure** ~ Kapitalaufwandsvorschau; **cash** ~ Kassenvoranschlag; **city** ~ städtischer Haushaltsplan; **direct labo(u)r** ~ Arbeitskräftebedarf; **direct materials** ~ geschäftlicher Materialverbrauch; **draft** ~ Hausetatansatz; **forecast** ~ Konjunkturvorschau; **give-away** ~ Haushalt mit Steuergeschenken; **household** ~ *(fam.)* Familienbudget; **minimum weekly** ~ wöchentliches Existenzminimum; **municipal** ~ Gemeindehaushalt; **production** ~ Produktionsprogramm, -plan; **proposed** ~ Etats-, Haushaltsentwurf; ~ **that shows a deficit** Verlustetat, -haushalt, Defizithaushalt; **time** ~ Zeiteinteilung; **unbalanced** ~ unausgeglichener Etat; **workmen's** ~ Arbeiterhaushalt;
~ **of inventions** Sack voll Erfindungen; ~ **of news** Fülle von Nachrichten;
~ *(v.)* Haushaltsplan aufstellen, im Haushaltsplan unterbringen (vorsehen);
~ **one's time** seine Zeit verplanen;
to balance the ~ Etat (Haushalt) ausgleichen; **to balance an adverse** ~ Haushaltsdefizit ausgleichen; **to bite deeper into shoppers' ~s** größeres Loch in den Einkaufsetat reißen; **to exceed the** ~ Etat (Haushalt) überschreiten; **to introduce the** ~ Haushaltsplan einbringen; **to keep an actual** ~ regelrechten Etat aufstellen und danach leben; **to open the** ~ Haushaltsrede halten, Budget (Etat, Haushalt) vorlegen; **to prune a** ~ Etat beschneiden; **to put the** ~ **in the red** Haushaltsdefizit herbeiführen; ~ **for possible cutbacks** Etat auf Streichungsmöglichkeiten hin überprüfen; **to slash a** ~ Etat zusammenstreichen; **to trim fat from one's** ~ übersetzten Etat (Haushalt) kürzen; **to wrench a** ~ **into final shape** Etatumfang endgültig festlegen;
~ **accounting** Soll-, Plankostenrechnung; ~ **analyst** Haushaltsspezialist; ~ **balancing** Etatsausgleich; ~ **bill** *(US)* Haushaltsvorlage; ~**-busting additions** ausweitende Etatsergänzungen; ~ **costs** Soll-, Plankosten; ~ **cut** Etatskürzung, -abstrich; ~ **debate** Etatsberatung; ~ **deficit** Haushaltsdefizit; ~ **dissavings** Etatsmißbrauch; ~ **estimates** Haushaltsvoranschlag, Etatansatz;; **to fall below** ~ **figure** Etatsansätze nicht erreichen; ~ **grant** bewilligte Haushaltsmittel; ~ **heading** Haushalts-, Etattitel; ~ **item** Haushalts-, Etattitel; **to hold the** ~ **line** festgesetzten Etat nicht überschreiten; ~ **period**

Haushaltsperiode; ~-**priced** preisgünstig, *(advertising)* realistisch kalkuliert; ~ **request** Haushaltsanforderung; ~ **savings** Etatseinsparungen; ~ **slash** Etatskürzung; ~ **speech** Haushalts-, Etatsrede; ~ **work sheets** *(US)* Haushaltsvoranschlag; ~ **year** Budgetjahr.

budgetary haushaltsmäßig, -rechtlich, etatsmäßig; ~ **account** Haushaltskonto; ~ **accounting** Finanzplanung; ~ **allocation** Etatszuweisung; ~ **appropriations** bewilligte Haushaltsmittel; ~ **balance** Etatsausgleich; ~ **board (commission)** Haushaltsausschuß; ~ **control** Etats-, Haushaltskontrolle; **industrial** ~ **control** finanzielle Betriebsplanung; ~ **economics** Etatseinsparungen; ~ **estimate** Etats-, Haushaltsvoranschlag; **extra-~expenditure** außeretatmäßige Ausgaben; ~ **means** Etats-, Haushaltsmittel; ~ **officer** Haushaltsreferent; ~ **operations** Etatverschiebungen; ~ **period** Finanzperiode; ~ **practices** Budgetmaßnahmen; ~ **preparation** Etatsvorbereitung; ~ **receipts** Haushaltseinnahmen; ~ **regulations** haushaltsrechtliche Bestimmungen; ~ **troubles** Etatsschwierigkeiten; ~ **year** Etats-, Haushaltsjahr.

budgeted production Produktionsplanung.

budgeteer Haushaltsexperte.

budgeting Haushaltsaufstellung, Etatisierung, *(management)* Finanzplanung, Plankosten-, Planungsrechnung;
long-rate ~ langfristige Haushaltspolitik;
~ **method** Etatisierungsmethode.

bug *(breakdown, US sl.)* technische Panne, *(burglar alarm, US)* Alarmanlage, *(monitoring device, US)* Abhörvorrichtung, Wanze, *(trade unionism, US)* Gewerkschaftsmarke [an Waren];
~**s in television** Fernsehstörung.

build *(v.)* errichten, bauen, *(construct)* aufbauen, konstruieren;
~ **one's business in a country** sich in einem Land absatzmäßig verankern; ~ **a road** Straße anlegen; ~ **a room in the attic** Dachgeschoß ausbauen.

build up | **s. o.** j. [politisch] aufbauen; ~ **a campaign** Wahlfeldzug vorbereiten; ~ **a new connection** neue Verbindung herstellen;~ **an inventory** Lager aufstocken; ~ **a lot of loan demand** erheblichen Kreditbedarf auslösen; ~ **a reputation** sich einen Namen machen; ~ **reserves** Reserven ansammeln.

builder Baumeister, -unternehmer.

builder's | **estimate** Baukostenvoranschlag.

building Gebäude, Bauwerk;
~**s** *(balance sheet)* Geschäfts- und Wohngebäude;
factory ~ Fabrikgebäude; **high-rent** ~ hochverzinsliches Renditeobjekt; **industrialized** ~**s** Fließbandbauten; **prefabricated** ~ Fertigbau; **public** ~ öffentliches Gebäude; ~ **standing empty** leerstehendes Gebäude;
~ **under construction** im Bau befindliches Haus; ~**s less depreciation** *(balance sheet)* Gebäude nach Abschreibungen;
~ **account** Gebäudekonto; ~ **boom** Baukonjunktur; ~ **business** Bauwirtschaft; ~ **byelaw** Ortsstatut; **fallen** ~ **clause** Einsturzklausel; ~ **code** Bauordnung, [städtische] Bauvorschriften; ~ **contractor** Bauunternehmer; ~ **costs** Baupreise; ~ **estate** Baugrundstück; ~ **ground** Bauplatz, -stelle; ~ **inspector** Baupolizei; ~-**land prices** Baulandpreise; ~ **lease** *(Br.)* Erbbauvertrag; ~ **line** Bauflucht, Fluchtlinie; ~ **and loan association** *(US)* Bausparkasse; ~ **loan contract** *(US)* Bausparvertrag; ~ **lot** *(US)* Baugrund; ~ **maintenance** Gebäudeunterhaltung; ~ **material** Baubedarf; ~ **operations** Bauvorhaben; ~ **permit** Bauerlaubnis, -genehmigung; ~ **plot** Baugrundstück, -parzelle; ~ **restrictions** Baubeschränkungen; ~ **site** Bauplatz, -stelle; ~ **slump** rückläufige Baukonjunktur; ~ **society** *(Br.)* Bausparkasse; ~ **time** Bauzeit; ~ **trade** Bauindustrie, -gewerbe; ~ **tradesman** Bauhandwerker.

buildup *(advertising)* Propaganda [für Einzelperson], *(politics)* Persönlichkeitsaufbau;
~ **of stocks** Lageraufbau;
to be given a great ~ **in the press** in der Presse groß herausgebracht werden.

built-in eingebaut;
~ **aerial** Einbauantenne; ~ **flexibility** *(economic policy)* eingebaute Flexibilität; ~ **maid service** Übernahme von Aufgaben des Verbraucherhaushalts.

built-on angebaut.

built-up area bebautes Gebiet, *(traffic regulations)* geschlossene Ortschaft.

bulge *(prices, US)* plötzliches, leichtes Anziehen der Effektenkurse.

bulk *(cargo)* unverpackte [Schiffs]ladung, *(stand)* Verkaufsstand;
in ~ in Bausch und Bogen, *(cargo)* lose, unverpackt;
~ **of population** Mehrzahl der Bevölkerung; **the** ~ **of his property** die Masse seines Vermögens;
to get the ~ **of one's income by way of commission** Hauptteil seines Einkommens im Provisionswege verdienen; **to load a vessel in** ~ Schiff mit Massengütern beladen; **to lose the** ~ **of one's goods** fast sein ganzes Vermögen verlieren;
~ *(a.) (loose)* lose, unverpackt;
~ **article** Massenartikel, -gut; ~ **buyer** Großabnehmer; ~ **buying** Mengeneinkauf, Engrosbezug; ~ **cargo** Waggonladung, Schüttgut; ~ **carrier** Großraumtransporter; ~ **consumer** Großverbraucher; ~ **freight** Waggonfracht; ~ **goods** Schüttgut, Sturzgüter; ~ **mail** Postwurfsendung, Massendrucksachen; ~-**order price** Pauschalbezugspreis; ~ **production** Massenferti-

gung; ~-**purchased** im Großeinkauf; ~ **rate** *(Br.)* Mengenrabatt; ~ **sample** Stückmuster; ~ **sampling** Stichprobenentnahme; ~ **shipment** Sturzgütersendung; ~ **tour** Pauschalreise; ~ **transfer** *(enterprise, US)* Übertragung der beweglichen Sachwerte; ~ **transport** Massentransport.

bulky cargo sperrige Ladung; ~ **goods** Sperrgut.

bull Haussier, Haussespekulant;
~ **in a china shop** Elefant im Porzellanladen;
~ *(v.)* auf Hausse spekulieren, *(prices)* im Preis steigen;
~ **the market** Preise hochtreiben, Kurse steigern;
to be all (feel) ~**s** *(market)* in Haussestimmung sein; **to give on a** ~ Hausseposition hereinbringen;
~ *(a.)* steigend, haussetendenziös;
~ **account** Hausseengagement; ~ **campaign** Kurstreiberei; ~ **operation** Haussespekulation; ~ **point** *(coll.)* Vorzugsstellung; ~ **session** *(US)* Herrenabend; ~ **transaction** Haussespekulation.

bulldog | **clip** Büroklammer; ~ **edition** *(US)* vordatierte Zeitung, inkomplette Provinzausgabe.

bulletin Nachrichtenblatt, *(broadcast report)* Wetterbericht, Nachrichtensendung, *(official report)* amtlicher Bericht, Tagesbericht, Bulletin;
~ **board** *(US)* Anschlagtafel, Schwarzes Brett.

bullion [Gold-, Silber]barren, ungemünztes Edelmetall [in Barren];
gold ~ Barrengold;
~ **office** Ankaufsstelle für ungemünztes Gold, Münzanstalt; ~ **point** Goldpunkt; ~ **reserve** Goldreserve.

bullish steigend, haussetendenziös, haussierend;
to be ~ **in the long run** auf lange Sicht auf eine Hausse setzen; **to feel** ~ haussieren;
~ **demonstration** Hausse[bewegung]; ~ **tendency (tone)** Haussestimmung, -tendenz.

bumping *(US)* Beibehaltung langjähriger Angestellter bei Entlassungen.

bunch of orders Pack von Aufträgen, Auftragsbündel.

bunched *(US, stock exchange)* fortlaufend notiert;
~ **costs** pauschalierte Kosten; ~ **gains** sich steuerlich kräftig auswirkende Gewinnrealisierungen; ~ **income** für längeren Zeitraum in einem Steuerjahr anfallendes Einkommen.

bundle Bündel, Paket, Gebinde;
~ **of files** Stoß Akten;
~ **sale** Koppelungsverkauf.

buoy [Anker]boje, Bake, Seezeichen;
life ~ Rettungsboje; **whistling** ~ Heulboje;
~ **the bond market** Rentenmarkt inspirieren; ~ **up the economic index** dem Konjunkturindex Auftrieb geben.

buoyancy *(market)* Elastizität, Erholungsfähigkeit.

buoyant *(market)* sehr fest, steigend;
~ **performance** sehr feste Haltung.

burden Ladung, *(accounting)* Gemein-, Handlungskosten;
absorbed ~ verrechnete Gemeinkosten;
~ **of debts** Schuldenlast;
~ **with a mortgage** mit einer Hypothek belasten; ~ **with taxes** besteuern;
to be encumbered with the ~ **of a lost war** mit der Hypothek eines verlorenen Krieges belastet sein; ~ **absorption rate** Gemeinkostenverrechnung; ~ **adjustment** Unkostenaufteilung; ~ **center** Kostenstelle; ~ **sharing** *(NATO)* Lasten-, Kostenausgleich.

burdened | **with debts** schuldenbelastet;
~ **estate** belastetes Grundstück.

bureau Amts-, Geschäftszimmer, Büro, *(Br., desk)* Schreibtisch, -pult;
information ~ Informationsbüro; **travel** ~ Reisebüro.

Bureau | **of the budget** *(US)* Haushaltsabteilung des Schatzamtes der Vereinigten Staaten; ~ **of the Census** *(US)* Statistisches Bundesamt; ~ **of Employment Security** *(US)* Sozialversicherungsbehörde; ~ **of Foreign and Domestic Commerce** *(US)* Innen- und Außenhandelsamt; ~ **of Old-Age and Survivors Insurance** *(US)* Versicherungsaufsichtsamt; ~ **of Internal Revenue** *(US)* Einkommensteuerabteilung;
≗ **company** Versicherungsverband.

bureaucracy bürokrat. Regierungssystem, Bürokratie.

bureaucratic expenditure Büroaufwand.

bursar Schatzmeister, *(scholar, Scot.)* Stipendiat.

bursary Stipendium, *(Br.)* Schatzmeisteramt.

burst *(tyre)* Panne, Reifenschaden;
~ **of consumption** Konsumexplosion;
~-**up** Pleite, Bankrott.

bus [Omni]bus, Autobus;
long-distance ~ Fernverkehrsautobus; **electric trolly** ~ Obus;
to go by (take a) ~ mit dem Omnibus fahren; **to miss the** ~ *(sl.)* Gelegenheit (Chance) verpassen; **to put a** ~ **on the road** Omnibus in Betrieb nehmen; **to take a** ~ **off the road** Omnibus aus dem Verkehr ziehen;
~ **company** Omnibusunternehmen; ~ **conductor** Omnibusschaffner; ~ **fare** Omnibusfahrgeld; ~ **ride** Omnibusfahrt; ~ **schedule** Omnibusfahrplan; ~ **station** Omnibusstation, -haltestelle; ~ **stop** Autobus-, Omnibushaltestelle;
~ **ticket** Omnibusfahrschein.

business *(affair)* Angelegenheit, Sache, Geschäft, *(agenda)* Tagesordnung, *(bargain)* Abschluß, Geschäft, *(total box-office receipts)* Gesamteinnahme, *(calling)* Beruf, Geschäft, Beschäftigung, Gewerbe, Geschäftszweig, *(commercial house)* Geschäfts-, Handelsbetrieb, Firma, Geschäft, *(customers)* Kundschaft, *(shop)* [Laden]geschäft, Geschäftslokal, *(stock exchange)* Abschlüsse, *(trade)* Handel, Geschäftsleben, *(turnover)* Umsatz;

away on ~ geschäftlich verreist; **before commencing** ~ vor Geschäftsbeginn; **held up by** ~ geschäftlich verhindert; **on** ~ geschäftlich; **on the way to** ~ auf dem Wege zur Arbeit; **strictly for** ~ nur zu Geschäftszwecken;
~ **done** *(stock exchange)* tatsächlich getätigte Börsenabschlüsse; **no** ~ **[done]** ohne Umsatz; **banking** ~ Bankgewerbe; **big** ~ *(US)* Großunternehmen, -industrie; **big-block** ~ *(stock exchange)* Pakethandel; **capital-oriented** ~ kapitalintensives Unternehmen; **less-than-carload** ~ *(railroad)* Stückgutverkehr; **contango** ~ Prolongationsgeschäft; **over-the-counter** ~ Tafelgeschäft **departmentalized** ~ *(US)* dezentralisierter Betrieb; **dirty** ~ *(fig.)* sehr unangenehme Sache; **family-owned** ~ Familienbetrieb; **freight** ~ Spedition[sgeschäft]; **fancy-goods** ~ Luxus-, Modewarengeschäft; **high-level** ~ Hochkonjunktur; **hotel** ~ Hoteliergewerbe; **investment** ~ Anlagegeschäft; **land-office** ~ *(US coll.)* Bombengeschäft; **large-scale** ~ Großbetrieb; **losing** ~ verlustbringendes Geschäft; **mail-order** ~ Versandhausgeschäft; **new** ~ Neuabschlüsse; **nobody's** ~ außergewöhnliche Angelegenheit; **official** ~ Dienstsache; **one-line** ~ Spezialgeschäft; **one-man** ~ Einmannfirma; **option** ~ Terminhandel; **ordinary** ~ normaler Geschäftsgang; **paying** ~ lohnendes (rentables) Geschäft; **private** ~ Privatwirtschaft; **publishing** ~ Verlagsbuchhandel; **railway express** ~ Expreßgutverkehr; **real-estate** ~ Immobiliengeschäft; **retail** ~ Einzelhandelsgeschäft; **rival** ~ Konkurrenzunternehmen; **roaring** ~ Bombengeschäft; **routine** ~ normale (laufende) Geschäftsangelegenheiten; **shipping** ~ *(US)* Transportgewerbe; **slower** ~ Umsatzrückgang; **small** ~ Kleinbetrieb, Mittelstand; **sound** ~ gesundes Unternehmen; **spot** ~ Platzgeschäft; **unauthorized** ~ unbefugter Geschäftsbetrieb; **unfinished** ~ *(agenda)* Unerledigtes; **unofficial** ~ *(stock exchange)* Freiverkehr; **well-established** ~ gut eingeführtes Geschäft; **wholesale** ~ Großhandels-, Engrosgeschäft;
~ **on joint account** Konsortialgeschäft; ~ **for own account** Propre-, Eigengeschäft; ~ **in used cars** Gebrauchtwagengeschäft; ~ **done for the monthly clearance** Ultimogeschäft; ~ **with first-rate connections** Geschäft mit erstklassigem Kundenkreis; ~ **affected with a public interest** im öffentlichen Interesse liegendes Geschäft; ~ **at issue** *(law court)* anstehende Sache; ~ **of same nature** gleichartiger Geschäftsbetrieb; ~ **of the state** Staatsangelegenheiten; ~ **of transportation** Transportgewerbe;
to accord permission to transact ~ Gewerbelizenz erteilen; **to be about one's master's** ~ für seinen Dienstherrn tätig sein; **to be in** ~ **for o. s.** auf eigene Rechnung arbeiten; **to be employed in a line of** ~ in einer Branche tätig sein; **to be out of** ~ sich zurückgezogen haben; **to be sick of the whole** ~ den ganzen Kram satt haben; **to be well versed in** ~ geschickter Geschäftsmann sein; **to boost** ~ Konjunktur anheizen; **to build up a** ~ **on a sound basis** fundierte Geschäftsgründung vornehmen; **to carry on a** ~ Geschäft führen; **to carry on the** ~ **under one's name** Geschäft unter seinem eigenen Namen führen; **to come on** ~ in einer geschäftlichen Angelegenheit kommen; **to commence** ~ Betrieb eröffnen; **to do** ~ geschäftlich tätig sein; **to do** ~ **as a banker** Bankier sein; **to double** ~ Geschäftsvolumen (Umsatz) verdoppeln; **to drop out of a** ~ Geschäftszweig aufgeben; **to embark upon a** ~ sich auf ein Geschäft einlassen; **to fail in** ~ bankrott machen; **to get down to** ~ zur Sache kommen; **to give up one's** ~ sein Geschäft aufgeben; **to go into** ~ kaufmännischen Beruf ergreifen; **to go into** ~ **for o. s.** sich selbständig machen; **to go out on** ~ *(sales agent)* auf [Vertreter]tour gehen; **to have a share in the** ~ Geschäftsanteil haben; **to lose** ~ Kundschaft verlieren; **to manage the** ~ Geschäftsführer sein; **to plough back in** ~ wieder im Geschäft anlegen; **to proceed with the** ~ **of the day** Tagesordnung behandeln; **to put out of** ~ brotlos machen, *(firm)* aus dem Markt drängen; **to quit (retire from)** ~ sich aus dem Geschäft[sleben] zurückziehen, sich zur Ruhe setzen; **to register a** ~ Gewerbe anmelden; **to set up in** ~ **in competition** Konkurrenzbetrieb eröffnen; **to start a** ~ sich etablieren; **to stick to** ~ bei der Stange bleiben; **to transact** ~ geschäftlich tätig sein; **to travel on** ~ geschäftlich unterwegs sein; **to wind up a** ~ Geschäft liquidieren; **to work up a** ~ Geschäft hochbringen;
~ **account** Geschäftskonto; ~ **action** Geschäftsvorgang; ~ **acumen** Geschäftssinn; ~ **address** Büroadresse; ~ **administration** Betriebswirtschaft[slehre]; ~ **advertising** Wirtschaftswerbung; ~ **agent** Vertreter, *(US, trade union)* Gewerkschaftsvertreter; ~ **agreement** Wirtschaftsabkommen; ~ **allowance** *(income tax)* Werbungskosten; ~ **analyst** Konjunkturanalytiker; ~ **appointment** geschäftliche Verabredung; **to be a long-term** ~ **asset** zu den langfristigen Aktivposten eines Unternehmens zählen; ~ **association** Wirtschaftsvereinigung; ~ **auditing service** Buch- und Betriebsprüfung; ~ **background** wirtschaftlicher Hintergrund; **to spread its** ~ **base** Grundlage seines Unternehmens verbreitern; ~ **boom** Konjunktur[periode]; ~ **branch** Geschäftszweig; ~ **briefs** Kurznachrichten aus der Wirtschaft; ~ **call** Geschäftsbesuch, *(tel.)* Dienstgespräch; ~ **capital** Firmen-, Geschäftskapital; ~ **car** Firmenwagen; ~ **card** Visiten-, Geschäftskarte; ~ **career** berufliche Laufbahn; ~ **casualties** Betriebskonkurse; ~ **center** *(US)* **(centre,** *Br.)* Wirtschafts-, Geschäftszentrum; ~ **climate** Konjunkturklima; ~ **clothes** Berufskleidung; ~ **collapse** wirt-

schaftlicher Zusammenbruch; ~ **college** *(US)* Handelsakademie, -schule; **to graduate from a ~ college** *(US)* [etwa] Kaufmannsprüfung bestehen; ~ **community** Geschäftswelt; ~ **conditions in the shipbuilding industry** Konjunktur in der Schiffsbauindustrie; ~ **conference** geschäftliche Besprechung; ~ **connection** Geschäftsverbindung, *(business firm)* befreundete Firma; **to open up ~ connections with a firm** in geschäftliche Beziehungen zu einer Firma treten; ~ **consultant** *(US)* Wirtschaftsberater; ~ **corporation** *(US)* Erwerbsgesellschaft, Geschäftsunternehmen; ~ **correspondent** Geschäftsfreund, Handelsverbindung; ~ **course** Handelskursus; ~ **customs** Geschäftsusancen; ~ **cycle** Konjunkturzyklus, -ablauf, -verlauf; ~**-cycle analysis** Konjunkturanalyse; ~**-cycle study** Konjunkturstudie; ~ **data** geschäftliche Angaben; ~ **debts** Geschäftsschulden; ~ **department** Akquisitionsabteilung; ~ **depression** Depression, Flaute; ~ **directory** Handelsadreßbuch; ~ **discretion** berufliche Schweigepflicht; ~ **district** Geschäftsgegend; ~ **downturn** Konjunkturrückgang; ~ **economics** *(Br.)* Geschäftspolitik, *(economic theory)* Betriebswirtschaftslehre; ~ **edge** Geschäftszweck; ~ **engineer** *(US)* selbständiger Betriebsberater; ~ **English** Handels-, Kaufmannsenglisch; ~ **enterprise** gewerbliches Unternehmen, Handelsunternehmen, Gewerbebetrieb; ~ **environment** sozialpolitische Einflußfaktoren; ~ **equipment** Büroausstattung; ~ **errand** Geschäftsbesorgung; ~ **etiquette** geschäftliche Umgangsformen; **top ~ executives** Spitzenkräfte der Wirtschaft; ~ **expansion** Betriebsausdehnung; ~ **expenses** Geschäftsunkosten, -spesen; ~ **failure** Zahlungseinstellung; **to level out ~ fluctuations** Konjunkturschwankungen ausgleichen; ~ **forecaster** Konjunkturprognostiker; ~ **forecast[ing]** Konjunkturprognose; ~ **fraud** betrügerisches Geschäftsgebahren; ~ **friend** Geschäftsfreund, Korrespondent; ~ **gaming** Planspieldurchführung; ~ **getting** Akquisition; ~**-getting** akquirierend; ~ **gifts** Werbegeschenke; ~ **guest** Geschäftsfreund; ~ **hand** kaufmännische Handschrift; ~ **hazard** Unternehmerwagnis; **after ~ hours** nach Geschäftsschluß; ~ **image** Firmenimage; ~ **improvement** konjunktureller Auftrieb; ~ **indicator** Konjunkturbarometer; ~ **institution** Wirtschaftsunternehmen; ~ **insurance** Betriebsversicherung; ~ **interest** Geschäftsanteil; ~ **inventory** Betriebsinventar; ~ **invitee** Geschäftsbesuch; ~ **journey** Geschäftsreise; **reasonable ~ judgment** im Verkehr erforderliche Sorgfalt; ~ **leader** Wirtschaftsführer; ~ **letter** Geschäftsbrief; ~ **licence** Gewerbelizenz; ~ **line** Wirtschaftszweig; ~ **loan** Betriebs-, Geschäftskredit; ~ **location** Geschäftliche Niederlassung, Geschäftssitz; ~ **loss** Geschäftsverlust; ~ **lunch[eon]** Arbeitsessen, geschäftliche Mittagsverabredung; ~ **machines** Büromaschinen; ~ **manager** kaufmännischer Direktor; ~ **meeting** geschäftliche Verabredung; ~ **morals (morality)** Geschäftsmoral; ~ **name** Firmen-, Geschäftsname; ~ **news** Wirtschaftsnachrichten; ~ **notice** Geschäftsmitteilungen, *(newspaper)* Bezugsbedingungen; ~ **occupation** gewerbliche Tätigkeit; ~ **office** Geschäftslokal; ~ **outlook** Geschäftslage, *(business cycle)* Konjunkturaussichten; ~ **page** Wirtschaftsteil einer Zeitung; ~ **paper** Handelsblatt *(trade acceptance)* Warenwechsel; ~ **part [of a town]** Geschäftszentrum; ~ **policy** Geschäftsgebaren; **unethical ~ practices** standeswidriges Geschäftsgebaren; ~ **premises** Geschäftslokal; ~ **profit tax** Gewerbesteuer; **to speed up one's ~ progress** sein berufliches Vorwärtskommen beschleunigen; ~ **property** Geschäfts-, Betriebsgrundstück; ~ **prospects** Geschäftsaussichten; ~ **psychology** Betriebspsychologie; ~ **recession** Geschäftsrückgang, Rezession; ~ **record** Geschäftsbericht; **to be engaged in (have) ~ relations** in Geschäftsverbindung stehen; ~ **reply card (envelope,** *US)* [bezahlte] Rückantwort, Freiumschlag; ~ **research** Konjunkturforschung; ~ **revival** Geschäftsbelebung; ~ **risk** Geschäftsrisiko; ~ **savings** betriebliche Ersparnisse; ~ **secret** Geschäftsgeheimnis; ~ **seminar** Wirtschaftsseminar; ~ **sense of all ~ men** allgemeine kaufmännische Anschauung; ~ **share** Geschäftsanteil; **unfavo(u)rable ~ situation** ungünstige Konjunktur; ~ **slowdown** verlangsamte Konjunkturbewegung; **domestic ~ slowdown** rückläufige Binnenkonjunktur; ~ **slump** konjunkturelle Baissezeit; ~ **solvency** Zahlungsfähigkeit; ~ **spending** Investitionsaufwand; ~ **stagnation** Geschäftsstockung; ~ **successor** Geschäftsnachfolger; ~ **switchboard** Werkszentrale; ~ **tax** Gewerbesteuer; ~ **tour** Geschäftsreise; ~ **trainee** kaufmännischer Lehrling; ~ **transaction** Geschäftsabschluß; ~ **trend** Konjunkturentwicklung; **upward ~ trend** konjunkturelle Aufwärtsbewegung; ~ **usages** Handelsgebräuche; ~ **use** Betriebszweck; ~ **user** gewerblicher Verbraucher; ~**-wise** geschäftlich; ~ **world** Geschäftswelt, -leben; ~ **writing** Geschäftskorrespondenz.

business year Geschäftsjahr;
natural ~ vom Kalenderjahr abweichendes Geschäftsjahr.

businesslike geschäftsmäßig;
~ **letter** kühler (nüchterner) Geschäftsbrief.

businessman Kauf-, Geschäftsmann;
prudent ~ umsichtiger Kaufmann;
to be ~ all the time sich nur für das Geschäft interessieren.

busman Autobus-, Omnibusfahrer;
~**'s holiday** Berufsarbeit in der Freizeit.

bust *(bankruptcy)* Pleite, Bankrott, *(film)* Nah-, Großaufnahme;

~ *(v.)* bankrott machen, pleite gehen.
busy beschäftigt, tätig, betriebsam, fleißig, *(intrudingly active)* aufdringlich, lästig, *(tel., US)* besetzt;
[very] ~ day arbeitsreicher Tag; ~ **hours** *(traffic)* Hauptverkehrszeiten; ~ **period** verkehrsstarke Zeit; ~ **signal** *(tel., US)* Besetztzeichen.
button *(advertising)* Plastikplakette, *(auction, sl.)* Scheinkäufer, Lockvogel;
~ **boy** Hotelpage, Liftboy.
buy Kauf, Kaufmöglichkeit, Geschäft;
good ~ guter Einkauf;
~ *(v.)* [an-, ab]kaufen, käuflich erwerben, *(auction)* ersteigern, erstehen, *(bribe)* bestehen, *(obtain)* beziehen, abnehmen;
~ **by auction** ersteigern; ~ **at best** bestens einkaufen; ~ **bulk or packed goods** Ware lose oder verpackt kaufen; ~ **for cash** gegen bar (Kasse) kaufen; ~ **on credit** auf Kredit (Borg, Pump) kaufen; ~ **[at] first hand** direkt beziehen; ~ **in** sich eindecken mit, *(auction)* selbst ersteigern, *(stock exchange)* Deckungskauf vornehmen; ~ **on impulse** auf Grund plötzlicher Eingebung kaufen; ~ **s. o. off** j. [mit Geld] abfinden; ~ **a place in a home for the aged** sich in ein Altersheim einkaufen; ~ **in quantity** Großeinkauf tätigen; ~ **ready-made** fertig (von der Stange) kaufen; ~ **for a rise** auf Hausse spekulieren; ~ **in under the rule** sich zwangsweise eindecken; ~ **on a scale** zu festen Preisen kaufen; ~ **for settlement** *(Br.)* auf Lieferung (Termin) kaufen; ~ **for a song** fast umsonst (spottbillig) kaufen; ~ **on the instal(l)ment (deferred payment,** *US)* **system** auf Raten (Stottern, Abzahlung) kaufen; ~ **on tick (trust)** auf Kredit (Borg, Pump) kaufen.
buy out a partner seinen Partner auszahlen.
buy up s. one's stock jds. ganzen Vorrat abkaufen.
buyer [An]käufer, Abnehmer, Erwerber, *(buying agent)* Einkäufer, *(would-be purchaser)* Reflektant, Kaufinteressent;
~**s** Kundschaft, *(stock exchange)* Geld;
no ~s Brief; **~s over** mehr Brief als Geld;
let the ~ beware Risiko beim Käufer;
departmental ~ Warenhauseinkäufer; **seriously disposed** ~ ernsthafter Reflektant; **quantity** ~ Grossist; **would-be** ~ Kaufinteressent, Reflektant;
to be paid by the ~ zu Lasten des Käufers gehen.
buyer's | market Käufermarkt, vom Käufer beherrschter Markt; ~ **monopoly** Käufermonopol; ~ **resistence** Kaufhemmung, Käuferwiderstand; ~ **contract good the year** *(US)* das ganze Jahr gültiger Lieferungsvertrag.
buying An-, Einkauf, Kauf, Kaufen, Bezug;
direct ~ Direkteinkauf, -bezug; **impulse** ~ plötzliches und unmotiviertes Kaufen; **space** ~ Buchen von Anzeigenraum; **time** ~ Belegen von Sendezeit; ~ **in** *(securities)* [zwangsweise] Eindeckung; ~ **outright** *(stocks)* Kassakauf; **~-up** Aufkauf;
~ **on margin** *(stock exchange)* Effektendifferenzgeschäft; **giant scale ~ of securities** Erwerb von Anlagepapieren in großem Umfang; ~ **agent** Einkäufer; ~ **area** Einzugsgebiet; ~ **association** Einkaufsgenossenschaft; ~ **behavio(u)r** Einkaufsverhalten; ~ **binge** Kauforgie; ~ **choice** Sortimentsbreite; ~ **combine** Einkaufsverband; ~ **country** Käuferland; ~ **decision** Kaufentschluß; ~ **habits** Kaufgewohnheiten [der Kundschaft]; ~ **location** Einkaufsgegend; ~ **motive** Kaufanlaß; ~ **office** Einkaufsbüro; ~ **order** Kaufauftrag; **go-slow ~ pattern** zurückhaltendes Einkaufsverhalten; ~ **public** Anlagepublikum; ~ **quota** Einkaufskontingent; ~ **rate** Geld-, Ankaufskurs; ~ **value** Kaufwert; ~ **wave** Käuferansturm.
buzz Summerzeichen.
by | -bidder Scheinbieter; **~-business** Nebengeschäft; **~-pass** Ausweich-, Umgehungsstraße; **~-product** Abfall-, Nebenprodukt; **~-station** Ausweichbahnhof; **~-work** Nebenbeschäftigung.
bylaw Statuten, Satzung, *(local law, Br.)* Ortsstatut, Gemeindesatzung.

C

cab [Miet]wagen, Auto, Taxe, Taxi, *(truck)* Fahrerhaus;
~ **it home** mit dem Taxi nach Hause fahren;
~ **company** Taxiverleih; ~ **driver** Taxifahrer; ~ **rank** Taxihaltestelle, Taxistand.
cabby *(Br.)* Taxichauffeur.
cabin *(airplane)* Flugzeugkabine, Pilotensitz, *(railway, Br.)* Stellwerk, *(ship)* Kabine;
sleeping ~ Schlafkoje;
~ **baggage** Hand-, Bordgepäck; ~ **class** *(ocean ship)* Luxusklasse; ~ **passenger** Kajütsfahrgast, Passagier der Luxusklasse.
cabinet *(case)* Schrank, *(photo)* Fotoformat, *(pol.)* Kabinett, Regierung, Ministerium, *(study)* Privat-, Studierzimmer;
filing ~ Aktenschrank; **shadow** ~ *(Br.)* Schattenkabinett;
to form a ~ Regierung bilden; **to have a seat in the** ~ Regierungsmitglied sein; **to make changes in the** ~ Regierung umbilden; **to reshuffle the** ~ Regierung umbilden;
~ **committee** Kabinettsausschuß; ~ **council** *(Br.)* Kabinettssitzung; ~ **crisis** Regierungskrise; **on ~ level** auf Regierungsebene; ~ **meeting**

Kabinettssitzung; ~ **member** Regierungsmitglied; ~ **question** Vertrauensfrage; ~ **reshuffle** Kabinettsumbildung.

cabinetmaking Regierungsbildung.

cable Kabel[depesche];
by ~ telegrafisch;
~ *(v.)* kabeln, depeschieren, drahten;
~ **address** Kabel-, Telegrammadresse; ~ **advice** Drahtaviso; ~ **code** Telegrammcode; ~ **expenses** Kabelspesen; ~ **order** Kabelauftrag; ~ **rate** telegrafische Auszahlung; ~ **television** Kabelfernsehen.

cablegram Kabel, Überseetelegramm, Depesche.

cablese Telegrammstil.

cabotage Küstenfahrtlizenz, *(airline)* Inlandsfluglizenz.

cabstand *(US)* Taxistand, -haltestelle.

ca'canny absichtliche Arbeitsverzögerung, *(factory)* künstliche Produktionseinschränkung;
to adopt a ~ **policy** *(fam.)* Obstruktionspolitik betreiben; ~ **strike** absichtliche Produktionsverlangsamung.

cadger Hausierer, Trödler, *(liver by trickery)* Nassauer, Schnorrer, Schmarotzer.

cafeteria Selbstbedienungsrestaurant.

calculate *(v.)* berechnen, kalkulieren, Berechnungen anstellen, *(price)* kalkulieren;
~ **closely** knapp kalkulieren; ~ **the selling price** Verkaufspreis berechnen; ~ **on a good trade** mit einem guten Abschluß rechnen.

calculated risk wohlabgewogenes Risiko.

calculating machine Rechenmaschine; ~ **rule** Rechenschieber.

calculation Be-, Er-, Ausrechnung, *(estimate)* Kosten-, Voranschlag;
after much ~ nach sorgfältiger Überlegung; **at the lowest** ~ bei niedrigster Berechnung; **on a strictly commercial rate-of-return** ~ bei reinem Rentabilitätsdenken;
exact ~ *(business)* knappe Kalkulation; **rough** ~ Überschlag, Voranschlag; **standard** ~ Normalkalkulation; **unit** ~ Einzelkalkulation;
~ **of cost** Selbstkostenrechnung; ~ **of earning power (productiveness, yield)** Rentabilitätsberechnung; ~ **of interest** Zins[be]rechnung; ~ **of profitability** Wirtschaftlichkeitsberechnung; ~ **of time** Fristenberechnung;
to be out in one's ~ sich verrechnet haben;
~ **basis** Berechnungsgrundlage, Kalkulationsbasis; ~ **item** Kalkulationsfaktor.

calculator Kalkulator, *(calculating machine)* Rechenmaschine.

calendar Kalender, *(parliament, US)* Sitzungskalender;
block ~ Abreißkalender; **follow-up** ~ Terminkalender.

calendered paper satiniertes Papier, Glanzpapier.

call *(appointment)* Berufung, Ruf, Ernennung, (bonds) Aufruf [zur Einziehung], *(broker's note)* Schlußnote, -schein, *(claim)* Anspruch, *(demand)* Nachfrage, *(demand for unpaid capital)* Nachzahlungsaufforderung [auf nicht eingezahlte Aktien], *(for funds)* Zahlungsaufforderung, Abruf von Geldern, *(option)* Bezugsoption, *(roll call)* namentliche Abstimmung, *(stock exchange, Br.)* Differenz-, Zeitgeschäft *(tel.)* [Telefon]anruf;
at (on) ~ auf Abruf (tägliche Kündigung);
collect ~ *(US)* R-Gespräch; **conference** ~ *(tel.)* Sammelgespräch; **duty** ~ Höflichkeitsbesuch; **false** ~ Verwählen; **farewell** ~ Abschiedsbesuch; **first (second)** ~ erste (zweite) Notierung; **foreign** ~ *(tel.)* Auslandsgespräch; **local** ~ *(tel.)* Ortsgespräch; **long-distance telephone** ~ *(US)* Ferngespräch; **night-time** ~ Nachtzeitgespräch; **manually operated** ~ handvermitteltes Gespräch; **person-to-person** *(US)* **(personal,** *Br.*) ~ *(tel.)* [Gespräch mit] Voranmeldung; **public** ~ *(stock exchange)* Kursfestsetzung im Zurufverfahren; **put and** ~ *(US)* Zeitkauf, Stellage; **roll** ~ Namensaufruf; **toll (trunk,** *Br.)* ~ Ferngespräch; **transferred charge** ~ R-Gespräch;
~ **for bids** öffentliche Ausschreibung; ~ **charged for** *(tel.)* gebührenpflichtiges Gespräch; ~ **for additional cover** Nachschußpflicht; ~ **for margin** Nachzahlungsaufforderung für Aktionäre; ~ **of more** *(Br.)* Nochgeschäft; ~ **on the purse** *(fam.)* Attacke auf die Geldbörse; ~ **of a salesman** Vertreterbesuch; ~ **for supplies** Abruf von Versorgungsgütern; ~ **for tenders** Submissionsaufforderung;
~ *(v.)* *(issue bonds)* Schuldverschreibungen kündigen (aufrufen), *(tel.)* anrufen;
~ **about s. th.** wegen einer Sache vorsprechen;
~ **s. o. to the chair** j. zum Vorsitzenden wählen;
~ **s. o. long distance** Ferngespräch zu jem. anmelden; ~ **a meeting of the creditors** Gläubigerversammlung einberufen; ~ **a meeting of shareholders (stockholders,** *US*) Hauptversammlung einberufen; ~ **an option** Prämiengeschäft eingehen; ~ **to order** zur Ordnung rufen; ~ **when required** *(train)* nach Bedarf halten; ~ **at every station** *(train)* auf jeder Station halten; **a strike** Streik ausrufen.

call back *(tel.)* zurückrufen, *(dipl.)* abberufen.

call for | **letters** Briefe abholen; ~ **additional payment** Nachschußzahlung fordern; ~ **redemption** zur Kündigung aufrufen.

call in kurz vorsprechen, *(debts)* [Forderung] einziehen, *(loan, mortgage)* [Kredit, Hypothek] kündigen, *(retire from circulation)* außer Kurs setzen, einziehen;
~ **the police against demonstrators** Polizei gegen Demonstranten einsetzen; ~ **a specialist** Spezialisten zuziehen.

call off abberufen;
~ **a boycott** Boykott aufheben; ~ **workers** Arbeitskräfte abziehen; ~ **a strike** Streik abbrechen.

call on s. o. bei jem. [kurz] vorsprechen.
call up *(bill)* auf die Tagesordnung setzen, *(demand payment of)* einfordern, *(tel.)* antelefonieren, anrufen, ans Telefon rufen.
call upon | the insurance office for indemnity von der Versicherung Entschädigung verlangen; ~ **one's readers** sich an seine Leser wenden;
call, to book a ~ Gespräch anmelden; **to cancel a** ~ Gespräch abmelden; **to have the** ~ sehr gefragt (begehrt) sein; **to make a** ~ **at the hospital** Krankenhausbesuch machen; **to make a** ~**-collect** *(US)* R-Gespräch führen; **to make a** ~ **on shares** Einzahlung auf Aktien verlangen; **to make a** ~ **on s. one's time** j. zeitlich in Anspruch nehmen; **to place a long-distance** ~ *(US)* Ferngespräch anmelden; **to screen a** ~ Telefonanruf überprüfen; **to take for the** ~ Vorprämie verkaufen; **to transfer a** ~ durchverbinden;
~**-back** *(salesman)* nachfassender (zweiter) Vertreterbesuch; ~**-back pay** Überstundenbezahlung nach Dienstschluß; ~ **box** *(Br.)* Telefon-, Fernsprechzelle, Münzfernsprecher; ~ **car** Funktaxi; ~ **deposits** Sichteinlagen; ~ **letter** schriftliche Einzahlungsaufforderung; ~ **letters** *(broadcasting)* Sendezeichen; ~ **loan** *(US)* tägliches Geld; ~ **loan renewal rate** Prolongationssatz für tägliches Geld; ~ **market** Markt für tägliches Geld; ~ **money** Tagesgeld; ~ **number** *(library, US)* Bibliotheks-, Buchnummer, *(tel.)* Anschlußnummer; **to vote ba** ~**-over** namentlich abstimmen; ~ **pay** Anwesenheitsgeld; ~ **prefix** *(tel.)* Vorwählnummer;~ **rate** Tagesgeldsatz; ~ **slip** Vertreterbericht, *(library, US)* Bestellschein, *(tel.)* Telefonzettel; ~ **station** Telefonzentrale; ~ **ticket** *(shares)* Zahlungsaufforderungsschein.
callable bond kündbares Wertpapier.
callboy [Hotel]page, *(ship)* Schiffsjunge.
called genannt, *(bonds)* zur Rückzahlung aufgerufen;
to be ~ **for** postlagernd; **to be** ~ **away on business** geschäftlich abgerufen werden; ~**-for article** begehrter Artikel; ~ **bond** außer Kurs gesetztes Wertpapier.
caller Besucher, *(tel.)* Anrufer;
~**'s letters** postlagernde Briefe.
calling Beruf, Metier, *(stockholders)* Ladung;
middle-class ~**s** bürgerliche Berufe;
~ **on customers** Kundenbesuch; **due** ~ **of meeting** ordnungsgemäße Einberufung einer Versammlung.
calling off | a deal Annullierung eines Geschäfts; ~ **a strike** Streikeinstellung.
calling | card Visitenkarte; ~ **costs** Kontaktkosten; ~ **round** Besuchstour.
calm *(stock exchange)* still, lustlos.
cambist Devisenhändler, *(book)* Umrechnungstabelle.
camera fotografischer Apparat, *(television)* Fernsehkamera;
in ~ unter Ausschluß der Öffentlichkeit;
~ **reporting** *(television)* Direktübertragung; ~ **safari** Fotosafari; ~ **shots** Bildausschnitt, Kameraeinstellung, *(television)* Bildeinstellung.
camp Lager[platz], *(politics)* Lager, Partei, Anhänger, *(vacation)* Ferienlager;
~ *(v.) (holidayer)* zelten, im Freien lagern.
campaign Werbekampagne, -feldzug, Sonderaktion, *(pol.)* Wahlfeldzug;
advertising ~ Einführungsfeldzug; **cream** ~ erfolgversprechendster Werbefeldzug; **public relations** ~ Aufklärungsfeldzug; **whispering** ~ Flüsterpropaganda;
~ **to raise funds** Sammelaktion; ~ **for members** Mitgliederwerbung; ~ **for road safety** Feldzug für Straßensicherheit;
~ *(v.)* werben, *(politics)* Wahlpropaganda machen;
to launch a ~ Wahlfeldzug organisieren;
~ **abuses** unlautere Wahlkampfmethoden; ~ **chest** Wahlkampffonds; ~ **financing** Wahlkampffinanzierung; **to divert** ~ **funds to one's personal use** Spendengelder für persönliche Zwecke verwenden; ~ **gift** Wahlgeschenk; ~ **platform** Wahl[kampf]programm; ~ **series of sales letters** großangelegte Serie von Verkaufsbriefen.
camper Lagerteilnehmer, Zeltbewohner.
camping | equipment Zeltausstattung; ~ **fees** Zeltplatzgebühren; ~ **ground** Lager-, Zeltplatz.
can Kanister *(garbage, US)* Mülleimer, *(tin, US)* [Konserven]dose;
~ **industry** *(US)* Konservenindustrie.
canal Kanal;
inter-oceanic ~ Seekanal;
~ **for navigation** Schiffahrtskanal;
~ *(v.)* kanalisieren;
~ **dues** Kanalgebühren; ~ **zone** Kanalzone.
canalize *(v.)* kanalisieren, *(fig.)* in eine bestimmte Bahn lenken.
cancel Rückgängigmachung, Annullierung, *(print.)* Streichung, Korrektur;
~ *(v.)* durch-, ausstreichen, *(annul)* annullieren, *(claim)* [Forderung] streichen, *(deface)* unkenntlich (unleserlich) machen, *(print.)* [aus]korrigieren;
~ **one's booking** Platzbestellung rückgängig machen; ~ **the charges** Kosten niederschlagen; ~ **a check** *(US)* **(cheque,** *Br.)* Scheck stornieren; ~ **an order** Auftrag rückgängig machen, abbestellen; ~ **a power of attorney** Vollmacht widerrufen; ~ **a trademark registration** Warenzeichen im Register löschen.
cancellation Annullierung, Ungültigkeitserklärung *(countermanding)* Storno, Abbestellung, *(effacement)* Entwertung *(insurance)* Policenverkürzung; **subject to** ~ kündbar;
~ **of a contract** Vertragsrücktritt; ~ **of a deed** Ungültigkeitserklärung einer Urkunde; ~ **of a firm in the register of business names** Löschung

einer Firma im Handelsregister; ~ **of a licence** Lizenzrücknahme; ~ **of an order** Auftragsstreichung; ~ **of a premium** Prämienstornierung; ~ **of securities** Kraftloserklärung verlorengegangener Wertpapiere; ~ **of trademark registrations** Löschung von Warenzeicheneintragungen; ~ **of unissued shares** Kaduzierung von Aktien;

~ **mark** Entwertungsmarke, ~ **rate** Stornierungssatz.

cancelled check *(US)* **(cheque,** *Br.)* entwerteter Scheck.

cancelling | price Abstandssumme; ~ **stamp** Entwertungsstempel.

candidate Kandidat, *(applicant)* [Berufs]anwärter, *(examinee)* Prüfling;

running ~ Gegenkandidat;

to be a possible ~ als Bewerber in Betracht kommen; **to be on the short list of ~s** als Kandidat in der engeren Wahl stehen; **to run a** ~ Kandidaten aufstellen; **to vote for the Labour** ~ *(Br.)* sozialdemokratisch wählen.

canned *(tinned)* konserviert, *(recorded)* auf Tonband aufgenommen, *(US)* mechanisch reproduziert;

~ **goods** Konserven; ~ **music** Bandmusik.

canner Konservenfabrikant.

cannibalize *(v.)* [Betrieb, Kraftfahrzeug] ausschlachten.

canon Regel, Richtschnur, *(fixed annual payment)* Erbzins;

~s of taxation gesunde Steuergrundsätze.

canteen Kantine, *(buffet)* Erfrischungsstand; **industrial (works)** ~ Betriebskantine;

~ **facilities** Kantineneinrichtungen; ~ **keeper** Kantinenwirt.

canvas Packleinwand, *(truck)* Wagenplane.

canvass Wahl-, Propagandafeldzug, *(orders)* Auftrags-, Kundenwerbung, Werbefeldzug;

~ *(v.)* *(advertisements)* Inserate sammeln, *(customers)* [Kunden] besuchen, akquirieren, *(votes)* Wahlstimmen werben, Wahlbezirk bearbeiten;

~ **for s. o.** jds. Kandidatur unterstützen; ~ **an area** Gebiet abklappern; ~ **on (in) behalf of charity** Geld für wohltätige Zwecke sammeln; ~ **from door to door** hausieren gehen; ~ **for a newspaper** Abonnenten für eine Zeitung werben.

canvasser *(advertisements)* Annoncenwerber, *(US, returning officer)* Wahlstimmenprüfer, *(salesman)* Handlungsreisender, *(subscriptions)* Akquisiteur;

book ~ Subskribentsammler; **directory** ~ Adreßbuchsubskribent; **freight** ~ Frachtenmaler; **insurance** ~ Versicherungsvertreter;

No ~s, no hawkers, no circulars! Betteln und Hausieren verboten!

canvassing *(advertisements)* Annocenakquisition, *(orders)* Akquirieren, *(votes)* Stimmenwerbung, Wahlpropaganda;

door-to-door ~ Hausierertum;

~ **of a constituency** Bearbeitung eines Wahlbezirks;

~ **department** Kundenwerbeabteilung.

capable | to act in law geschäftsfähig; ~ **of attachment** pfändbar; ~ **to compete** wettbewerbs-, konkurrenzfähig; ~ **of high production** hochleistungsfähig.

capacity *(cubic content)* Fassungsvermögen, Kapazität, *(factory machine)* Leistungsfähigkeit, *(ship)* Ladungs-, Tragfähigkeit;

in managerial ~ in leitender Stellung; **in an unofficial** ~ inoffiziell;

banking ~ Bankvolumen; **carrying** ~ Trag-, Ladungsfähigkeit; **earning** ~ Rentabilität; **financial** ~ finanzielle Leistungsfähigkeit; **full operating** ~ Leistungsfähigkeit bei voller Kapazitätsausnützung; **seating** ~ Sitzmöglichkeiten; **storage** ~ Lagerfähigkeit; **taxable** ~ Steuerkraft, steuerliche Leistungsfähigkeit;

~ **to contract a loan** Kreditaufnahmebefugnis; ~ **to earn a rental return** Ertragswertseignung; ~ **to pay** Zahlungsfähigkeit;

to act in one's individual ~ als Privatperson handeln; **to be booked to** ~ *(advertising)* ganzen Anzeigenraum vergeben haben; **to be working to** ~ voll ausgelastet (beschäftigt) sein; **to bring to full** ~ auf Hochtouren bringen; **to have excellent business** ~ ausgezeichneter Geschäftsmann sein; **to operate close to (at near)** ~ Betriebskapazität beinahe (fast) voll ausnützen;

large-~ car Großraumfahrzeug; ~ **costs** Kosten bei voller Betriebsnutzung; ~ **variance** Leistungsabweichung.

capital Kapital[ien], Stammvermögen, *(chief city)* Hauptstadt, *(funds)* [Geld]mittel, *(proprietorship)* Eigenkapital;

in ~s *(print.)* in Versalien gedruckt;

active ~ Betriebs-, Umlaufkapital; **advanced** ~ eingebrachtes Kapital; **authorized** ~ genehmigtes (bewilligtes, registriertes) Kapital; **borrowed** ~ Fremdmittel; **building** ~ Eigenmittel; **business** ~ Geschäfts-, Betriebskapital; **circulating** ~ Umlaufvermögen; **declared** ~ ausgewiesenes Kapital; **employed** ~ arbeitendes Kapital; **fixed** ~ Anlagevermögen; ~ **fully paid** voll eingezahltes Kapital; **initial** ~ Anfangskapital; **instrumental** ~ Produktionsgüter; **interest-bearing** ~ werbendes Kapital; **invested** ~ Kapitaleinlage, Einschuß, Einlage; ~ **invested abroad** Auslandsinvestitionen; **liquid** ~ flüssige Mittel; **nominal** ~ *(Br.)* Grund-, Gründungs-, Nominal-, Gesellschafts-, Stammkapital, *(US)* geringfügiges (nominelles) Kapital; **original** ~ Anfangs-, Gründungskapital; **partly paid-up** ~ nicht voll eingezahltes Kapital; **put-in** ~ Einlage[kapital]; **quick** ~ werbendes (zinsbringendes) Kapital; **registered** ~ genehmigtes Kapital, Nominalkapital; **requisite** ~ notwendiges Be-

triebsvermögen; **share** ~ *(Br.)* Grund-, Aktienkapital; ~ **to start with** Anfangskapital;
to add to the ~ dem Kapital zuschlagen; **to be strapped for** ~ knappe Kapitaldecke haben; **to convert into** ~ kapitalisieren, in Kapital umwandeln; **to get new** ~ **through the equity security route** neues Kapital auf dem bewährten Wege der Aktienausgabe beschaffen; **to infuse fresh** ~ neues Kapital zuführen; **to live on the** ~ vom Kapital (von der Substanz) leben; **to make holes in (inroads on) one's** ~ sein Kapital angreifen; **to raise additional** ~ **for new plant facilities** neues Kapital zur Durchführung von Betriebserweiterungen aufnehmen; **to realize** ~ Kapital flüssigmachen; **to withdraw one's** ~ seine Einlage zurückziehen; **to write down** ~ Kapital herabsetzen; **to write off** ~ Kapitalzusammenlegung vornehmen;
~ **account** Kapitalkonto; ~ **accumulation** Kapitalbildung; ~ **adjustment** Kapitalberichtigung; ~ **allowance** *(Br.)* steuerlich zulässige Abschreibungen; ~ **appreciation** *(Br.)* Kapitalaufstockung; ~ **appropriation** Kapitalverwendung, -einsatz; ~ **base** Kapitalbasis; ~ **bonus** Gratisaktie; ~ **boom** Investitionskonjunktur; ~ **charges** Kapitalaufwand; ~ **city** Hauptstadt; ~ **coefficient** *(national income accountancy)* Kapitalkoeffizient; ~ **contribution** Kapitaleinlage; ~ **control** Kapitalsteuerung; ~ **demand** Kapitalbedarf; ~ **deposit** eingeschossenes Kapital; ~ **depreciation** Kapitalabschreibung; ~ **depreciation account** Kapitalentwertungskonto; ~ **distribution** Ausschüttung von Kapitalgewinnen; ~ **drain** Kapitalabfluß; ~ **endowment** Kapitalausstattung; ~ **expenditure[s]** Kapitalaufwand; ~ **expenditure cutback** Investitionsdrosselung; ~ **export** Kapitalausfuhr; ~ **flight** Kapitalflucht; ~ **formation** Kapitalbildung; ~ **fund** Grund-, Stammkapital; **misappropriated** ~ **funds** Kapitalfehlleitung; ~ **gain** Kapitalgewinn.

capital-gains | **account** Kapitalgewinnkonto; ~ **provision** *(income tax)* Bestimmungen über die steuerliche Behandlung von Kapitalgewinnen; ~ **tax** *(US)* Kapitalzuwachssteuer; **to qualify for** ~ **treatment** der steuerlichen Behandlung als Kapitalgewinn unterworfen sein.

capital goods Investitionsgüter, Produktionsmittel, Anlagewerte, -güter;
~ **area** Kapitalgüterbereich; ~ **industry** Kapitalgüterindustrie, Investitionsgüterbereich; ~ **sector** Investitionsgüterbereich.

capital | **grant** Kapitalzuschuß; ~ **improvement program(me)** *(community)* Kapitalanlageprogramm; ~ **increase** Kapitalzuwachs; ~**-intensive** kapitalintensiv; ~ **interest** Kapitalbeteiligung; ~ **investment** Investitionskapital, langfristige Kapitalsanlage; **to service its** ~ **investment** Kapitaldienst sicherstellen; ~ **issue** Effektenemission; ~ **issue restrictions** Emissionssperre; ~ **items charged against profits** über Gewinn- und Verlustkonto abgebuchte Kapitalbeträge; ~ **items disallowed for income-tax purposes** einkommensteuerlich nicht anerkannte Kapitalabschreibungen; ~ **levy** Vermögensabgabe; ~ **liability** Kapital-, langfristige Verbindlichkeit; ~ **loss** Kapitalverlust; ~ **market** Geld-, Kapitalmarkt; ~**-poor** kapitalschwach; ~ **prize** Hauptgewinn; ~ **program(me)** Investitionsprogramm; ~ **property** Kapitalvermögen.

capital rating *(US)* Kapitalbewertung;
~ **figures** Kapitalbewertungsziffern.

capital | **ratio** Kapitalverhältnis; ~ **reconciliation statement** *(Br.)* Ausweis über die Verwendung von Kapitalmitteln; ~ **redemption insurance** Sparversicherung; ~ **reduction** Kapitalzusammenlegung, -herabsetzung; ~ **rent** Kapitalrente; ~ **reserve[s]** nicht steuerpflichtiger Kapitalgewinn; ~ **resources** *(bank)* Eigenkapital; ~ **safety** sichere Vermögenslage; ~**-seeking investment** anlagesuchendes Publikum; ~**-short** kapitalknapp; ~ **spending** Kapitalaufwand; ~ **spending boom** Investitionsgüterkonjunktur.

capital stock *(US)* Aktien-, Grund-, Stammkapital, *(amount to be paid in)* Kapitaleinlage;
authorized ~ genehmigtes Grundkapital; ~ **not paid up** nicht eingezahltes Aktienkapital; ~ **subscribed** gezeichnetes Aktienkapital;
to increase the amount of ~ **contributed** Kapitaleinlage erhöhen; **to reduce the** ~ Aktienkapital zusammenlegen;
~ **account** Kapitalkonto; ~ **exchange offer** Aktienumtauschangebot; ~ **law** *(Br.)* Anleihestockgesetz; ~ **tax** Kapitalvermögenssteuer.

capital | **surplus account** Kapitalgewinnkonto; ~ **transfer** Kapitaltransferierung; ~ **value** Kapitalwert; ~ **yield tax** *(Br.)* Kapitalertragssteuer.

capitalism Kapitalismus;
infant ~ Frühkapitalismus; **mature** ~ Hochkapitalismus.

capitalist economies kapitalistische Wirtschaftssysteme.

capitalistic | **enterprise** kapitalistisches Unternehmen; ~ **order** kapitalistische Wirtschaftsordnung.

capitalization Kapitalisierung, Aktivierung, *(capital stock)* Grund-, Gesellschaftskapital, *(issuing watered stock)* Kapitalverwässerung;
~ **of expenditure** Ausgabenübernahme auf Kapitalkonto; ~ **of interest** Hinzuschlagen der Zinsen zum Kapital;
~ **unit** Kapitalisierungsaufwand.

capitalize *(v.)* aktivieren, kapitalisieren, *(charge to capital account)* auf Kapitalkonto übernehmen, *(provide with capital)* mit Kapital ausstatten;
~ **interest** Zinsen zum Kapital schlagen; ~ **on s. th. politically** aus einer Sache politisch Kapital

schlagen; ~ **on a strike** von einem Streik profitieren.

capitalized | expenses kapitalisierte (auf Kapitalkonto übernommene) Ausgaben; ~ **value** kapitalisierter Wert.

captain | of industry Wirtschaftsführer, Großindustrieller;

~'s entry Zolldeklaration des Kapitäns; **~'s manifest** Ladungsverzeichnis, -manifest; **~'s protest** Havarieattest, Seeprotest.

caption *(advertising)* Textzeile, Bildtext *(deed)* Einleitungsformel, Präambel, *(film)* Zwischentitel, *(heading)* Überschrift, *(newspaper, US)* Bildunterschrift, Legende.

captive shop *(US)* dem Betrieb gehöriges Geschäft.

car *(airship)* Gondel, *(US, railroad carriage)* [Eisenbahn]waggon, Eisenbahnwagen, *(car)* Wagen, *(film, US)* Aufnahmewagen, *(motorcar)* Auto[mobil], [Kraft]wagen, Kraftfahrzeug;

air-conditioned ~ klimatisierter Wagen; **armo[u]red** ~ Geldtransportwagen; **container** ~ *(US)* Behälterwagen; **dining** ~ *(US)* Speisewagen; **drawing-room** ~ *(US)* Salonwagen; **four-passenger** ~ Viersitzer; **freight** ~ *(US)* Güterwagen; **intermediate-sized** ~ Wagen der Mittelklasse; **low-milage** ~ wenig gefahrener Wagen; **licensed** ~ zugelassenes Auto; **low-priced** ~ billiges Auto; **popular-priced** ~ Volkswagen; **pullmann** ~ *(Br.)* Salonwagen, *(US)* Schlafwagen; **nonpolluting** ~ abgasfreies Auto; **passenger** ~ *(railway)* Personenwagen; **piggyback flat** ~ *(US)* Flachwagen für den Huckepackverkehr; **rented** ~ Mietauto; **self-drive** ~ selbstgefahrener Mietwagen; **sleeping** ~ Schlafwagen; **smoking** ~ *(US)* Raucher[wagen]; ~ **taken in part exchange** in Teilzahlung genommener Wagen;

used ~ **with a small milage** wenig gefahrener Gebrauchtwagen;

to design a ~ **with lower accident and repair-cost potential** unfallsicheres Kraftfahrzeug mit niedrigeren Reparaturkosteneigenschaften kreieren; **to give up one's** ~ sein Auto abschaffen; **to pick up a** ~ Auto abschleppen; **to soup (tune) up a** ~ Auto [für den Verkauf] frisieren;

~ **accident** Autounfall; ~ **allowance** Auto-(Kfz-)Zuschuß; ~ **body** Karosserie; ~ **building** Waggonbau; ~ **card** Omnibusplakat; ~ **dealer** Autohändler; ~ **demurrage charges** *(US)* [Waggon]liegegelder; ~ **dump** Autofriedhof; ~ **ferry** Eisenbahnfähre; ~ **hire service** Automietverleih; ~ **insurance** Kraftfahrzeugversicherung; ~ **licence** Kraftfahrzeugpapiere; ~ **maker** Autofabrikant; ~ **manufacturing** Autoherstellung; **~-mile revenue** Unterhaltungsaufwand für ein Auto; ~ **number** Auto-, Wagennummer, *(railroad)* Waggonnummer; ~ **owner** Autobesitzer, Kraftfahrzeughalter; ~ **park** *(Br.)* Parkplatz; ~ **park attendant** *(Br.)* Parkwächter; ~ **radio** Autoradio; **new** ~ **registrations** Neuzulassung von Kraftfahrzeugen; ~ **rental** Wagenmiete; ~ **rental agency** Mietwagenvertretung, -verleih; ~ **repair** Autoreparatur; ~ **service** Waggonliegegeld; ~ **shopping** Autoanschaffung; ~ **shortage** *(US)* Waggonknappheit; **~-sleeper express** Ferienreisezug.

caravan *(Br.)* Wohnwagen[anhänger], *(motor car)* Kombiwagen;

~ **park (site)** Wohnwagenabstellplatz; ~ **test** motorisiert durchgeführter Werbetest.

carbon Kohlepapier;

~ **copy** Durchschlag; ~ **paper** Kohlepapier.

card Karte, Billet, *(business)* Visiten-, Geschäftsanzeige, *(notice)* Mitteilung, Ankündigung, *(membership)* Mitgliedskarte;

on the ~s nicht unwahrscheinlich; **by the** ~ präzise;

admission ~ Einlaß-, Eintrittskarte; **Christmas** ~ Weihnachtskarte; **index** ~ Kartothek-, Karteikarte; **insurance** ~ Versicherungskarte; **rate** ~ Anzeigenpreisliste; **ration** ~ Lebensmittelkarte;

~ **of admission** Einlaßkarte;

to ask for one's ~s um die Entlassungspapiere bitten; **to give s. o. his ~s** j. feuern; **to have a** ~ **up one's sleeve** etw. in petto haben; **to speak by the** ~ es sehr genau mit seinen Worten nehmen;

~ **carrier, ~-carrying member** eingetragenes Parteimitglied; ~ **file of writers** Einsenderkartei.

card-index Kartei, Kartothek;

~ *(v.)* katalogisieren, Kartei anlegen.

card-index | cabinet Karteischrank.

card | -indexed in Karteiform; ~ **rate** Anzeigentarif; **punch** ~ **system** Lochkartensystem.

cardboard Pappe, Kartonpapier;

~ **engineer** Packungsspezialist.

carder Plakateur, Plakatanschläger.

care [Für]sorge, Betreuung, *(interest)* Anteilnahme;

~ **of public money** Verwaltung öffentlicher Gelder; ~ **of securities** Effektenverwaltung;

~ **committee** Wohltätigkeitsausschuß.

career Laufbahn, Karriere, Werde-, Entwicklungsgang;

candidate ~ beruflicher Werdegang eines Bewerbers; **previous** ~ bisherige Tätigkeit;

to carve out a ~ **for s. o.** j. lancieren; **to follow diplomacy as** ~ Berufsdiplomat werden; **to round off one's** ~ Höhepunkt seiner Laufbahn erreichen; **to spend one's entire** ~ **on the financial side** sich beruflich lediglich mit finanzwirtschaftlichen Fragen beschäftigen;

~ **advancement** berufliche Förderung; **~-building bureau** Berufsberatungsstelle; **high-~ civil service** qualifiziertes Berufsbeamtentum; ~ **experience** Berufserfahrung; ~ **interest** Berufsinteresse; ~ **master** *(Br.)* Berufsberater;

~ **objectives** erstrebte Laufbahn; ~ **pay** *(pension scheme)* auf das Durchschnittsgehalt abgestellte Rentenzahlung; ~ **position** beruflich bedeutsame Stellung; ~ **prospects** Laufbahnaussichten; **to be a good step ~-wise** sich karrieremäßig positiv auswirken; ~ **woman** berufstätige Frau.

caretaker Wärter, Pfleger;
~ **government** geschäftsführende Regierung.

cargo [Schiffs]fracht, [Schiffs]ladung, Frachtgut;
without ~ unbeladen;
deck ~ Deck-, Beiladung; **general** ~ Stückgüterladung; **homeward** ~ Retourfracht; **mixed** ~ Stückgut, -fracht; ~ **saved** geborgene Ladung; **short-landed** ~ bei Schiffsankunft festgestellte Fehlmenge; **undeclared** ~ nicht deklarierte Fracht;
to close for ~ Endtermin für Frachtannahme festsetzen; **to discharge a** ~ Ladung löschen; **to unload** ~ ausladen, Ladung löschen;
~ **agent** Frachtspediteur; ~ **aircraft** Transportflugzeug; **hot** ~ **agreement** Zwangsabkommen mit Kunden eines bestreikten Betriebes; **hot** ~ **ban** Belieferungsverbot [für bestreikten Betrieb]; ~ **boat** Frachtdampfer; ~ **[carring] capacity** Ladefähigkeit; ~ **clerk** *(US)* Expedient; **automated ~-handling facility** automatische Gepäckbeförderungsanlage; ~ **insurance** Fracht-, Güterversicherung; ~ **list** Kontenzettel; ~ **manifest** Ladungsverzeichnis; ~ **parachute** Lastenfallschirm; ~ **plan** Laderaum; ~ **port** Ladepforte; ~ **revenue** Frachteinnahmen; ~ **service** Frachtdienst; **to divert a ~ vessel** Frachter umleiten.

carhop *(US)* Bedienung im Autorestaurant.

carload *(US)* Waggon-, Wagenladung;
~ **freight** Waggonfracht; **less-than- ~ freight** *(US)* Stückgut; **mixed ~ freight** Sammel-, Stückgutladung, Stückgüter; ~ **lot** *(US)* genormte Frachtlademenge; **less-than-~ order** *(US)* Stückgüterauftrag; **less-than-~rate** *(US)* Stückgütertarif.

carloading *(US)* Waggonsendung;
~ **company** Frachtspediteur.

carlot *(US)* Waggon-, Güterwagenladung, genormte Frachtlademenge;
~ **rate** Waggontarif; **mixed ~ rate** Sammelladungstarif; ~ **shipment** Waggonladung.

carpool *(US)* Fuhrpark, Fahrbereitschaft.

carport *(US)* Behelfsgarage.

carriage *(business of carrying)* Fuhr-, Transportgeschäft, *(coach)* Wagen, *(cost of transport, Br.)* Transportkosten, -spesen, Beförderungs-, Frachtkosten, *(postage, Br.)* Paketporto, *(railway passenger car, Br.)* Eisenbahnwaggon;
by ~ per Achse;
~ **forward** Spesennachnahme, unfrankiert; **~-free** frachtfrei, franko, frei Haus; ~ **paid home** Transportkosten trägt der Absender;
additional ~ Frachtaufschlag; **express** ~ *(Br.)* Eilzuwagen; **first-class** ~ *(Br.)* Personenwagen erster Klasse; **railway** ~ *(Br.)* [Eisenbahn]waggon; **through** ~ *(Br.)* Kurswagen;
~ **by air** Lufttransport; ~ **by canal** Kanalfracht; ~ **of goods** Gütertransport; ~ **on hire** Beförderung gegen Entgelt; ~ **by land** Landtransport; ~ **of letters** Briefbeförderung; ~ **by sea** Seetransport;
to charge for ~ Frachtkosten berechnen;
~ **account** Frachtkonto; ~ **body** Karosserie; ~ **cradle** Gepäcknetz; ~ **drive** Zufahrtsweg; ~ **examiner** *(Br.)* Fahrkartenkontrolleur; ~ **rate** Frachtsatz, -rate; ~ **receipt** Ladeschein; ~ **return** Waggonrücklauf; ~ **trade** Luxusindustrie; ~ **trade restaurant** Luxusrestaurant.

carriageable befahrbar, *(transportable)* transportfähig, transportierbar.

carriageway Fahrbahn, -weg.

carried | forward Vortrag; ~ **in stock** vorrätig.

carrier Fuhr-, Rollfuhr-, Transportunternehmer, Frachtführer, Spediteur, *(aircraft)* Luftfrachtführer, Lufttransportgesellschaft, *(water transport)* Verfrachter, Verkehrsträger;
~s Transportgesellschaft, Speditionsgeschäft, -firma, *(Br.)* Paketfahrtgesellschaft;
aircraft ~ Flugzeugträger; **airline** ~ Lufttransportgesellschaft; **common** ~ [bahnamtlicher] Spediteur; **connecting** ~ Korrespondenzspediteur; **contract** ~ bahnamtlicher Rollfuhrunternehmer; **delivering** ~ Abrollspediteur; **direct-working** ~ Erst-, Rückversicherer; **highway** ~ *(US)* Beförderungsgesellschaft; **inland** ~ Binnenfrachtführer; **issuing** ~ Hauptspediteur; **marine** ~ Seefrachtführer; **motor-truck** ~ Lastwagentransportunternehmen; **pneumatic dispatch** ~ Rohrpostbüchse; **private** ~ Gelegenheitsspediteur; **supplemental** ~ Charterfluggesellschaft; **terminal** ~ Empfangsspediteur;
common ~ by air Luftfrachtspediteur; ~ **by land** Frachtführer; ~ **by sea** Seefrachtführer;
~ **and forwarding agent** Spediteur; **motor ~ business** Lastwagenspeditionsgeschäft; **~-s' charges** Zustell-, Speditionsgebühr, Transportkosten; ~ **liability** Transport-, Spediteurhaftung; **~s' manifest** Frachtladungsverzeichnis; **~'s negligence** mangelnde Sorgfalt des Spediteurs; ~ **pigeon** Brieftaube; **~'s receipt** Ladeschein, Spediteurbescheinigung.

carry *(v.)* *(appropriate money)* [Geld] verwalten, *(car)* Platz (Raum) bieten, *(motion)* [Antrag] durchbringen, *(transfer entry)* übertragen.
~ **as asset[s]** aktivieren, auf der Aktivseite [einer Bilanz] aufführen; ~ **in the books** in den Büchern führen (ausweisen); ~ **a customer** Kunden anschreiben lassen; ~ **an election** siegreich aus einer Wahl hervorgehen; ~ **the farmers** *(US)* Landwirtschaft unterstützen; ~ **a financial page** *(journal)* Wirtschaftsteil enthalten; ~ **goods at published fare on set schedule** Gütertransport zu öffentlich festgelegten Tarif-

sätzen durchführen; ~ **an insurance** Versicherung unterhalten, versichert sein; ~ **an interest of 5%** mit 5% verzinslich sein; ~ **as liability (liabilities)** passivieren, als Passiva behandeln,; ~ **an amount to reserve** Betrag der Reserve zuweisen; ~ **securities** *(US)* Wertpapiere durchhalten; ~ **silver** *(ore)* silberhaltig sein; ~ **goods in stock** Waren auf Lager halten; ~ **heavy stocks** im Warenlager stark investiert haben.

carry forward *(v.)* vortragen, übertragen, *(stock exchange)* prolongieren;
~ **long-term losses** Verluste längerfristig vortragen; ~ **to new account** auf neue Rechnung vortragen.

carry on *(v.)* [Geschäft, Prozeß] fortführen, -setzen, weiterführen, -treiben;
~ **a business** Geschäft betreiben, ~ **a business under one's name** Geschäft unter seinem Namen fortführen.

carry out *(v.) (contract)* ausführen, durchführen, zum Abschluß bringen;
~ **a commission** sich eines Auftrags entledigen; ~ **a product** *(bookkeeping)* Posten umbuchen; ~ **within a given time** fristgemäß erledigen.

carry over *(v.)* übertragen, Übertag durchführen, *(stock exchange, Br.)* prolongieren, in Prolongation nehmen.

carryall *(bag)* Einkaufs-, Reisetasche, *(car, US)* Kombiwagen.

carryback *(US) (taxation)* Verlustausgleich.

carryforward *(balance sheet)* Vortrag;
tax-loss ~ Steuerverlustvortrag.

carrying Beförderung, Transport, *(cost of ~)* Beförderungskosten;
~ **over** *(stock exchange, Br.)* glatte Prolongation;
~ **of an insurance** Aufrechterhaltung einer Versicherung; ~ **on of a partnership business** Fortsetzung der Gesellschaftertätigkeit (des Gesellschafterverhältnisses);
~ **agent** Spediteur; ~ **business** Speditionsgeschäft; ~ **capacity** Lade-, Tragfähigkeit; ~ **charges** Betriebs-, Lagerkosten, *(building)* laufende Instandhaltungskosten, *(stock exchange, Br.)* Maklerausführungsspesen; ~ **cost** Transport-, Beförderungskosten; **high** ~ **costs** *(inventory)* hohe Unterhaltungskosten; ~ **day** *(Br.)* Report-, Prämien-Erklärungstag; ~**-over business** *(Br.)* Prolongations-, Report-, Kostgeschäft; ~**-over rate** *(Br.)* Reportsatz, -kurs,Prolongationsgebühr, Kostgeld; **dual** ~ **road** Fernverkehrsstraße mit doppelter Fahrbahn; ~ **trade** Speditions-, Transportgewerbe; ~ **value** Buchwert; ~ **van** Speditionswagen.

carryover *(Br.)* Report, Prolongation, *(reserve)* Überbrückungsreserve, *(taxation)* Verlustvortrag;
~ **in the public mind** Nachhinken der öffentlichen Meinung;
~ **funds** Etatüberschüsse; ~ **rate** *(Br.)* Reportsatz.

cartage Fuhrlohn, Frachtgebühr, Zustellungsgebühren;
regular ~ **company** Bahnspediteur; ~ **limit** Zustellbezirk; ~ **service** Rollfuhrdienst.

carte blanche Blankett, unbeschränkte Vollmacht;
~ **order** Blankoauftrag.

carted goods Rollgut.

cartel Kartell[konvention];
domestic ~ Inlandskartell; **electoral** ~ Wahlabkommen; **marketing** ~ Absatz-, Vertriebskartell;
~ **agreement** Kartellvertrag, -vereinbarung; ~ **ban** Kartellverbot; ~ **negotiations** Kartellvereinbarungen; ~ **price** gebundener Preis,· Kartellpreis.

cartelize kartellisieren, zu einem Kartell zwingen.

carter Fuhrmann, [Roll]fuhrunternehmer.

cartoon *(design)* Musterzeichnung, *(film)* Zeichentrickfilm.

cartoonist *(in newspapers)* Karikaturist, Pressezeichner;
advertising ~ Werbezeichner.

cartridge *(film)* Filmpatrone, *(tape recording)* Kassette;
pre-recorded ~ bespielte Kassette;
~ **movie for television** Kassettenfernsehfilm; ~ **television** Kassettenfernsehen.

cartrivision Kassettenfernsehen.

case Kiste, Behälter, Kasten, *(~ at law)* Fall, Sache, Rechtssache;
in ~ **of nondelivery** im Falle der Unzustellbarkeit;
commercial ~ Handelssache;
~**s and casks** Rollgut;
~ *(v.)* in Kisten verpacken;
~ **load** zu bearbeitende Fürsorgefälle; ~ **room** Setzerei.

casework Fürsorgearbeit, *(print.)* Handsatz.

caseworker Sachbearbeiter, Sozialfürsorger.

cash Bargeld, -zahlung, bares Geld, Barmittel, *(balance sheet)* Kassenbestand, *(stock exchange)* per Kasse;
for ~ **only** nur gegen Kasse (Barzahlung); **in [ready]** ~ [in] bar, in klingender Münze; **out of** ~ ohne jedes Geld; **short of** ~ knapp bei Kasse; **3% for** ~ 3% Skonto für Barzahlung;
foreign ~ Bardevisen; **loose** ~ Klein-, Münzgeld; **net** ~ bar ohne Abzug; **petty** ~ Portokasse; **spot** ~ bar ohne Abzug, netto Kasse; ~ **terms** nur gegen Barzahlung, Barzahlung vorgesehen;
~ **in advance** netto Kasse im Voraus; ~ **in bank (at bankers)** *(balance sheet)* Bankguthaben; ~ **on delivery** Empfänger bezahlt, Vorauskasse; ~ **against documents** Kasse gegen Dokumente; ~ **down** in (gegen) bar, ~ **in (on) hand** Bargeld, Barbestand, -vorrat, Kassenbestand; ~ **with order** zahlbar bei Auftragserteilung; ~ **in transit**

durchlaufende Gelder; ~ **in vaults** Barbestand einer Bank;
~ *(v.)* zu Geld machen, realisieren, *(collect)* einkassieren, einziehen;
~ **a bill** Wechsel einlösen; ~ **in on an idea** aus einer Idee Kapital schlagen; ~ **in on one's profits** seine Gewinne realisieren;
to balance the ~ Kassensturz machen; **to be rolling in** ~ im Geld schwimmen; **to commit** ~ **near the bottom end** Barmittel beim Börsentiefstpunkt einsetzen; **to free up bogged-down** ~ Bargeldreserven freisetzen; **to have plenty of** ~ [gut] bei Kasse sein; **to lock up one's** ~ **in one's trade** sein Geld ins Geschäft stecken; **to prove** ~ Kassenprüfung vornehmen; **to run out of** ~ sich verausgaben; **to send** ~ **on delivery** per Nachnahme schicken;
~ *(a.)* kassenmäßig;
~ **account** Kassa-, Kassenkonto, *(bank credit)* Bankguthaben; ~ **adjustment** Barregulierung; ~ **advance** Bar-, Kassenvorschuß; ~ **allowance** Barzuschuß; ~ **assets** Kassenbestand; ~ **assistance** bar ausgezahlte Unterstützung; ~ **audit[ing]** Kassenrevision; ~ **balance** Geldbestand, Barguthaben; **adverse** ~ **balance** Kassendefizit; **to maintain a** ~ **balance at a bank on a nonborrowing account** mit einer Bank nur kreditorisch arbeiten; ~ **benefit (bonus)** *(life insurance)* Barvergütung, -dividende; ~ **buildup** Baransammlung, Ansammlung von Bargeld; ~ **business** Kassa-, Bar-, Lokogeschäft; ~ **capital** Barkapital, -vermögen;
cash-and-carry *(US)* Verkauf gegen Barzahlung und ohne Kundendienst, Barverkauf [ohne Skontoabzug];
~ *(a.)* nur gegen bar [und ohne Hauszustellung];
~ **concern** Großhandelsunternehmen; ~ **wholesaler** Engros-Sortiment, Abholgroßhändler.
cash | cheque *(Br.)* Barscheck; ~ **clerk** Kassierer; ~ **coiner** Dukatenesel; ~ **credit** Bar-, Kontokorrentkredit; ~ **deficit** Fehlbetrag, Kassendefizit.
cash on delivery (C. O. D.) gegen Nachnahme (Kasse), [zahl]bar bei Lieferung;
~ **consignment** Nachnahmesendung; ~**fee** Nachnahmegebühr.
cash | demand Barbedarf; ~ **deposit** Hinterlegung in bar; ~ **diary** Kassenkladde.
cash disbursement[s] Kassenausgang, -auszahlungen;
~ **journal** Kassenausgangsjournal; ~ **record** Kassenausgabebeleg.
cash discount Bar[zahlungs]rabatt, Kassaskonto;
to take ~ Skonto ausnutzen.
cash | distribution Barausschüttung; ~ **drain** Kassenanspannung; ~ **drawing** Barabhebung; ~ **entry** Kasseneintragung; ~ **equity** Barkapital; ~ **expenditure** Barausgaben; ~**funds** Barmittel, -bestände *(temporary investment)* kurzfristige Zwischenanlage; ~**-heavy** äußerst liquide, sehr flüssig; ~ **holdings** Bar-, Kassenbestand; ~ **indemnity** Mankogeld; ~ **investor** Bargeldanleger; ~ **journal** Kassenjournal; ~ **letter** Geldbrief; ~ **line** Kreditlinie; ~ **loan** Kassendarlehn; ~ **market** Kassamarkt; ~ **note** Kassenanweisung *(banking, Fr.)* [Aus]zahlungsanweisung; ~ **offer** Barangebot; ~ **order** *(Br.)* Sichtwechsel, *(stock exchange)* Kassaorder; ~ **outlet** Kassamarkt; ~ **payment** Barzahlung; ~ **position** Flüssigkeit, Liquiditätslage; ~ **price** Bar-, Effektivpreis, *(stock exchange)* Kassakurs, Kurs bei Barzahlung; ~ **rate** *(cheque, Br.)* Scheckkurs; ~ **rebate** Kassenrabatt; ~ **receipt** Kassenquittung; ~ **reconciliation** Kassenabstimmung; ~ **record** Kassenbeleg; ~ **reduction** Barabzug; ~ **refund** Barvergütung; ~ **remittance** Barüberweisung; ~ **report** Kassenbericht; ~ **requirements** Geldbedarf; ~ **reserve** bare Reserve *(investment fund)* Barmittel; **minimum** ~ **reserve** *(bank)*, Mindestreserve; **operating** ~ **reserve** Betriebsmittelrücklage; ~**-rich** flüssig, liquide; ~ **sales only** Verkauf nur gegen bar; ~ **security** Barsicherheit; ~ **short** Kassendefizit, -manko; ~ **squeeze** Liquiditätsdruck; ~ **store** *(US)* Barzahlungsgeschäft; **to husband meager** *(US)* **(meagre,** *Br.*) ~ **supplies** sorgsam mit knappen Liquiditätsmitteln umgehen; ~ **surrender value** *(life insurance)* Rückkaufswert; **on the** ~ **system** nur gegen bar; ~ **terms [of sale]** Zahlungsbedingungen bei Barzahlung; ~ **transaction** Kassa-, Bargeschäft; ~ **value** *(policy)* Effektiv-, Geld-, Kapitalwert; ~ **voucher** Kassenbeleg.
cashbook Kassa-, Verkaufsbuch;
~ **balance** Kassenbuchsaldo.
cashbox Geldschatulle, -kassette, *(shop)* Ladenkasse.
cashflow Dividendenausschüttung zuzüglich Abschreibung, Bruttoertragsziffer;
~ **position** Bruttoertragslage; ~ **statement** Kapitalabschlußrechnung.
cashier Kassierer, *(official)* Kassenführer, -wart, Schalterbeamter, *(US)* Kassenvorsteher;
assistant ~ zweiter Kassierer; **petty** ~ Portokassenwart;
to act as ~ Kasse führen.
cashier's | check *(US)* Kassen-, ~ **desk** Zahlstelle; ~ **receipt** Kassenquittung.
cashkeeper Kassierer.
cashless payment *(US)* bargeldlose Zahlung.
cask *(barrel)* großes Faß, Tonne, Gebinde;
~ **buoy** Tonnenboje.
cassette tape recorder Kassettengerät.
cast Addition, *(computation)* Berechnung;
~ *(v.)* addieren, zusammenrechnen, Saldo ziehen;
~ **interest** Zinsen ausrechnen; ~ **a page** Seite klischieren; ~ **one's vote** seine Stimme abgeben.

cast off Berechnung des Manuskriptumfangs;
~ *(v.) (copy)* Manuskriptteil absetzen, *(goods)* [Ware] ausmustern, -sondern.

cast up *(v.)* **a column of figures** zusammenrechnen, addieren; ~ **the votes** Stimmen zählen.

cast | goods Ramschwaren; ~ **votes** abgegebene Stimmen.

castaway Schiffbrüchiger.

casual Aushilfsarbeiter, -kraft, *(public aid)* vorübergehender Unterstützungsempfänger;
~ *(a.)* zufällig, gelegentlich;
~ **customer** Lauf-, Gelegenheitskunde; ~ **deficit** *(budgeting)* unbeabsichtigtes Defizit; ~ **emolument** Nebeneinnahme; ~ **employee** Gelegenheitsarbeiter; ~ **insurance** Unfallhaftpflichtversicherung; ~ **pauper** *(Br.)* Obdachlose; ~ **ward** Asyl für Obdachlose; ~ **work** Gelegenheitsarbeit; ~ **worker** Gelegenheitsarbeiter.

casualization Beschäftigung von Gelegenheitsarbeitern.

casualty Unfall[tod], Unglücksfall, *(chance)* Zufall, *(inevitable accident)* unvermeidlicher Unfall;
~ **insurance** *(US)* Unfall-, Schadensversicherung.

cats and dogs *(stock exchange, US)* billige Spekulationspapiere.

catalog(ue) Katalog, Verzeichnis, Liste, *(price list)* Preisverzeichnis, *(prospectus)* Prospekt;
subject ~ Stichwortverzeichnis; **trade** ~ illustrierte Preisliste, Versandhauskatalog;
~ **of merchandise** Warenkatalog;
~ *(v.)* [im] Katalog aufnehmen, katalogisieren;
to sell from one's ~ nur nach dem Katalog verkaufen;
~ **sent free on request** auf Wunsch kostenlose Katalogzusendung;
~ **business** Versandhausgeschäft; ~ **company** Versandhausunternehmen; ~ **price** Katalog-, Listenpreis; ~ **sales** Versandhausumsatz; ~ **store** Versandhausgeschäft.

cataloguer Katalogbearbeiter.

cataloguize *(v.)* katalogisieren.

catastrophe | hazard (risk) Katastrophenwagnis, -risiko; ~ **reserve** außerordentliche Reserve, Katastrophenreserve.

catastrophic loss Katastrophenschaden.

catch Gewinn, Fang;
no ~ schlechtes Geschäft;
~ *(v.)* **on** *(article)* populär werden, einschlagen;
~ **the speaker's eye** *(Br.)* das Wort erhalten;

catch | line Schlagzeile; ~ **phrase** Werbespruch; ~ **question** Fangfrage.

catchall *(US)* Tragetasche.

catchpenny wertlos, für den Kundenfang berechnet;
~ **article** Pfennig-, Schleuderartikel, Schundware.

category [Rang]klasse, Kategorie;
~ **of occupation** Berufsabteilung; ~ **of risks** *(insurance)* Gefahrenklasse.

cater *(v.)* verpflegen, liefern, *(for airliner)* fertige Menüs anliefern, *(furnish provisions)* Lebensmittel anschaffen (einkaufen);
~ **for the needs of customers** Kundenbedürfnisse befriedigen; ~ **to the public demand for the sensational** sich der Sensationslust der Öffentlichkeit beugen.

caterer *(provider of provisions)* [Lebensmittel]-lieferant fertiger Speisen, Menülieferant, *(catering establishment)* Gaststättenbetrieb;
industrial contract ~ Vertragslieferant von Betriebskantinen.

catering | for employees Angestelltenverpflegung; ~ **adviser** Werksküchenberater; ~ **contractor** Vertragslieferant für Betriebskantinen; ~ **costs** Verpflegungskosten; ~ **department** *(plant)* Werksküche, Betriebskantine, *(shop)* Stadtküche; ~ **establishment** Gaststättenbetrieb; ~ **firm** Gaststättenlieferant, *(film)* Verleiher, Verleihfirma; ~ **industry** Gaststättengewerbe; ~**market** Gaststättengewerbe; ~ **service** *(airliners)* Kabinendienst, gastronomische Betreuung an Bord; ~ **system** *(plant)* Küchenverwaltung; ~ **trade** Gaststättengewerbe.

caucus Parteiversammlung, -kongreß;
~ **funds** Partei-, Wahlfonds.

cause Sache, Angelegenheit, *(law case)* Prozeß, Rechtsstreit, Fall, *(law of contract)* Vertragsgegenstand, *(reason)* Grund, Motiv, Ursache;
~ **for leaving** Ausscheidungsgrund; **[proximate]** ~ **of loss** [unmittelbare] Schadensursache; ~ **for rescission** Anfechtungs-, Rücktrittsgrund.

caution *(police)* Verwarnung, *(prudence)* Vorsicht, *(real estate)* Vormerkung;
pre-weekend ~ *(stock market)* Zurückhaltung am Wochenende;
to show ~ **in the placing of orders** knapp disponieren;
~ **money** *(Br.)* [hinterlegte] Kautions-, Bürgschaftssumme.

caveat *(lat.)* Einspruch, Warnung, Vorbehalt, *(advice)* Vorausbenachrichtigung, *(land registry)* Vormerkung;
~ **emptor** Gewährleistungs-, Mängelausschluß.

cease *(v.) (firm)* erlöschen, *(payment)* fortfallen;
~ **to do business** Geschäftsbetrieb einstellen; ~ **payment** *(bank)* Zahlungen einstellen;
~ **and desist order** *(US)* Wettbewerbsverbot.

ceiling Höchstbetrag, *(price)* gesetzlicher Höchstpreis, *(rent)* gesetzliche Höchstmiete;
to put a ~ **on spending** Ausgabenhöchstgrenze festsetzen;
retail ~ **price** Verbraucherhöchstpreis; ~ **wages** festgesetzte Höchstlöhne.

censor Zensor;
must be submitted to the ~ zensurpflichtig.

censored passage zensierte (von der Zensur gestrichene) Stelle;

censorship of the mail Briefzensur.

censure Zensur, Tadel, Verweis;
to pass a vote of ~ on the government Mißtrauensantrag gegen die Regierung annehmen;
~ motion Tadelsantrag.

census Volkszählung, Totalerhebung, *(ground rent)* Grundrente;
industrial ~ Betriebszählung;
~ of business Wirtschaftsstatistik; **~ of distribution** *(advertising)* Streuungserfassung; **~ of population** Volkszählung;
to take a ~ of the population Volkszählung vornehmen;
≗ Bureau *(US)* Statistisches Bundesamt; **~ data** Erhebungsangaben; **~ enumeration** statistische Erfassung; **~ paper** Haushaltsfragebogen; **~ questionnaire (questionary,** *Br.)* statistischer Fragebogen; **~ result** Volkszählungsergebnis; **~ taker** Hilfsangestellter bei der Volkszählung.

central Zentrale, Zentralstelle, *(telephone, US)* Fernsprechamt, -vermittlung;
~ administration Hauptverwaltung; **~ area** *(aerodrome)* Flugsicherungskontrollbezirk; **~ area shop** Geschäft im Stadtzentrum; **~ bank policy** Politik der Bundesnotenbank; **~ business district** Hauptgeschäftsgegend; **~ buyer** Zentraleinkäufer; **~ entity** Kerngesellschaft; **~ executive committee** Zentralausschuß; **~ file** Zentralkartei; **~ management** Hauptverwaltung; **~ market** Hauptabsatzgebiet, Großmarkt; **~ office of information** Informationszentrale; **~ railway station** *(Br.)* Hauptbahnhof; **~ reservation** *(motorway)* Mittelstreifen; **~ valuation committee** Steuerveranlagungsausschuß.

centre *(Br.)*, **center** *(US)* Zentralstelle, Zentrum, wichtiger Platz, Mittelpunkt, *(fig.)* Ausgangspunkt, Herd, *(pol.)* Zentrum, Mitte;
amusement ~ Vergnügungsviertel; **business (commercial) ~** Geschäftszentrum; **shopping ~** Einkaufszentrum;
~ of government Regierungsviertel; **~ of fashionable residence** vornehme Wohngegend; **to move into the ~ of community affairs** am Gemeindeleben regen Anteil nehmen;
~ spread *(advertisement)* doppelseitige Anzeige [in Heftmitte].

certain price durchschnittlicher Marktpreis.

certificate [amtliche] Bescheinigung, Bestätigung, Beglaubigung, Schein, *(customs)* Geleitzettel, *(policy)* Transportpolice, *(record)* Beleg, Urkunde, *(shipper)* Befähigungsschein, *(stock)* Zertifikat, Anteilschein, *(testimonial)* Berechtigungsnachweis, [Prüfungs]zeugnis;
audit ~ Prüfungsbescheinigung; **bankrupt's ~** *(Br.)* Rehabilitierungsbescheinigung, Konkursaufhebungsbescheid; **benefit ~** Lebensversicherungspolice; **clearance ~** Zollerlaubnisschein; **customhouse ~** Bescheinigung für zollfreie Wiederausfuhr; **death ~** Sterbeurkunde; **gold ~** *(US)* Goldzertifikat; **insurance ~** Versicherungsschein; **leaving ~** Abschluß-, Abgangszeugnis; **loan ~** Darlehnsurkunde; **motor-vehicle registration ~** Kraftfahrzeugbrief; **organization ~** *(US)* Gründungsurkunde, *(bank)* Konzessionsurkunde; **registration ~** Eintragungsbescheinigung; **tax-reserve ~** Steuergutschein; **treasury ~** *(US)* Schatzanweisung; **weight ~** *(railway)* Wiegeschein;
~ of airworthiness Zulassungsbescheinigung eines Flugzeuges; **~ of appointment** Bestallungsurkunde; **~ of approval** Genehmigungsd bescheinigung; **~ [payable] to bearer** Inhaberpapier; **~ of birth** Geburtsschein; **~ of character** Führungszeugnis; **~ of citizenship** Staatsangehörigkeitsausweis; **~ of civil status** Personenstandsurkunde; **~ of clearance inward** Einfuhrbescheinigung; **~ of clearance outward** Ausfuhrbescheinigung, **~ of good conduct** Leumunds-, Führungszeugnis; **~ of the customhouse** Zollquittung; **~ of deposit** Einzahlungs-, Hinterlegungsschein, Depotquittung; **General ≗ of Education** *(Br.)* mittleres Reifezeugnis, *(advanced level)* Abitur[zeugnis]; **~ of employment** Beschäftigungsnachweis, Arbeitsbescheinigung; **~ of health** Gesundheitsattest; **~ of identity** Identitätsnachweis; **~ of incorporation** *(US)* Gründungsurkunde; **~ of indebtedness** Schuldschein; **~ of inspection** Abnahmebescheinigung; **~ of interest** *(US)* Investmentzertifikat; **~ of inventory** Bestandsprüfungsbescheinigung; **~ of nationalization** Staatsangehörigkeitsausweis; **~ of naturalization** Einbürgerungsurkunde; **~ of organization** Gründungsurkunde; **~ of origin** Ursprungszeugnis, Herkunftsbescheinigung; **~ of participation** Anteilschein; **~ payable to bearer** Inhaberpapier; **~ of posting** Postquittung; **~ of priority** Dringlichkeitsbescheinigung; **~ of qualification** Befähigungsnachweis; **~ of receipt** Empfangsbescheinigung, Übernahmeschein, *(ship)* Verladeschein; **~ of registration** Eintragungsbescheinigung; **~ of registry** Eintragungsbescheinigung, *(pol.)* Einbürgerungsurkunde, *(ship)* Flaggenattest, Schiffsregisterbrief; **~ of renewal** Erneuerungsschein; **~ of residence** Aufenthaltserlaubnis; **~ of shipment** Lade-, Versandschein; **~ of stock** *(US)* Aktienzertifikat; **~ of tonnage** Meßbrief; **~ of transfer** *(Br.)* [Effekten]lieferungsbescheinigung; **~ of warranty** Garantieschein;
~ *(v.)* bescheinigen, Bescheinigung (Zeugnis) ausstellen;
to buy in ~s on a no-load basis Investmentanteile ohne Provisionsaufschlag erwerben; **to submit a ~ of good character** Leumundszeugnis vorlegen; **to have been educated to general ~ standards** *(Br.)* abgeschlossene höhere Schulbildung besitzen.

certificated amtlich zugelassen, *(Br.)* diplomiert;
~ bankrupt *(Br.)* Gemein-, Konkursschulden.

certification Bescheinigung, Schein, *(of a check, US)* Bestätigungs-, Gültigkeitsvermerk;
~ **of an aircraft** Flugtauglichkeitszeugnis; ~ **of a check** *(US)* Scheckbestätigung;
~ **department** *(US)* Scheckkontrollabteilung;
~ **mark** Gütezeichen.

certified *(attested)* bescheinigt, *(licensed)* amtlich zugelassen;
~ **accountant** *(US)* amtlich zugelassener Wirtschaftsprüfer; ~ **carrier** Spediteur im Güterfernverkehr; ~ **check** *(US)* [von einer Bank] bestätigter Scheck; ~ **copy** beglaubigte Abschrift; ~ **net sales** *(newspaper)* beglaubigte Auflage; ~ **financial statement** mit Prüfungsvermerk versehene Bilanz.

certify bescheinigen, bestätigen, Zertifikat ausstellen;
~ **a check** *(US)* Scheck [als gedeckt] bestätigen;
this is to ~ hiermit wird beglaubigt.

certifying officer Urkundsbeamter.

cessation | of imports Einfuhrstopp; ~ **of work** Arbeitseinstellung, -niederlegung.

cession | of administration Übertragung der Verwaltungshoheit; ~ **of goods** *(debtor)* Vermögensübertragung.

cesspool Sickergrube;
~ **clearing company** Senkgrubenabfuhr.

cestui que trust Treuhandnehmer.

chaffer Feilschen, Schacherei;
~ *(v.)* handeln, feilschen, schachern.

chain Kette, *(advertising agency)* zusammenarbeitende Gruppe, *(branch)* Kettenunternehmen, Filialbetrieb, *(broadcasting)* Zusammenschluß von Sendern;
complete ~ **of sales efforts** lückenlose Verkaufsanstrengungen;
~ **banking** Filialbankbetrieb; ~ **break** Werbeeinblendung; ~ **broadcast** Ringsendung; ~ **discount** Stufenrabatt; **to be ~-owned** Filialbetrieb sein; ~ **retailing organization** Einzelhandelskette.

chain store Kettenladen, Einheitspreisgeschäft;
~ **business** Kettenladenunternehmen.

chain trade Kettenhandel.

chair *(chairman)* Präsident, Vorsitzender;
with A. in the ~ unter dem Vorsitz von A.;
~ **on the supervisory committee** Aufsichtsratsposten;
~ *(v.)* als Vorsitzender fungieren, Vorsitz übernehmen;
to be moved into (voted in) the ~ zum Vorsitzenden gewählt werden; **to leave the** ~ Sitzung aufheben; **to occupy the** ~ Vorsitz führen; **to support the** ~ sich der Meinung des Vorsitzenden anschließen; **to vacate the** ~ Sitzung aufheben;
~ **car** *(railroad, US)* Salonwagen.

chairman Obmann, Vorsitzender, Präsident;
committee ~ Ausschußvorsitzender;
~ **of the board** Verwaltungsratsvorsitzender; ~ **of the executive board** Vorstandsvorsitzer; ~ **by seniority** Alterspräsident.

chairmanship Präsidentenamt, Vorsitz;
rotating ~ turnusmäßig wechselnder Vorsitz.

chalk *(v.)* **it up** Rechnung auflaufen lassen.

challenge Herausforderung, *(electioneering)* Anfechtung der Gültigkeit einer Stimme;
~ **the competence** Zuständigkeit bestreiten;
~ **a vote** Gültigkeit einer Abstimmung anfechten.

chamber *(Exchequer, Br.)* Schatzamt, *(hall for meeting)* Sitzungssaal, *(parl.)* Kammer, Haus;
~s *(Br.)* Junggesellenwohnung, *(business use, Br.)* Geschäftsräume;
≗ of Accounts Rechnungskammer; **≗ of Commerce** Handelskammer; ~ **of shipping** Schiffseigentümervereinigung;
to live in ~s *(Br.)* möbliert wohnen;
~ **business** Tätigkeit als Einzelrichter.

chance Zufall, *(opportunity)* Chance, Möglichkeit;
slim ~ **of success** geringe Erfolgschance; ~ **in a thousand** einmalige Gelegenheit;
~ **acquaintance** Zufallsbekanntschaft; ~ **bargain** Gelegenheitskauf.

Chancellor of the Exchequer *(Br.)* Finanzminister, Schatzkanzler.

chancery securities mündelsichere Wertpapiere.

Chandler Act *(US)* Konkursordnung.

change Abänderung, *(balance returned)* Wechselgeld, *(exchange)* Tausch, Austausch, *(stock exchange, Br.)* Börse;
small ~ Wechsel-, Kleingeld;
~ **of abode** Wohnsitzwechsel; ~ **in the economic activities** konjunktureller Wandel; **~s in depreciation** Änderung der Abschreibungspolitik; **~s in the direction of a firm** Veränderungen im Vorstand; ~ **of goods** Güteraustausch; ~ **of government** Regierungswechsel; **~s in holding** Umstellungen im Wertpapierbesitz; **~s in prices** Preisveränderungen; ~ **in process** Änderung des Produktionsverfahrens; ~ **in rates** Anzeigenpreisänderung; ~ **of requirement** Nachfrage-, Bedarfswandel; ~ **of residence** Wohnsitzveränderung; ~ **of trade name** Firmenänderung; ~ **in the par values** Paritätenänderung;
~ *(v.) (money)* ein-, umwechseln;
~ **about** *(prices)* schwanken; ~ **hands at** . . . *(stock exchange)* gehandelt werden zu, umgesetzt werden mit; ~ **oil** Öl erneuern (wechseln);
~ **a partnership to a corporation** Offene Handelsgesellschaft in eine Aktiengesellschaft umwandeln; ~ **one's profession** umsatteln;
to get ~ Geld herausbekommen; **to give the wrong** ~ **to a customer** einem Kunden falsch herausgeben.

change-over | costs Umstellungskosten; ~ **employment** Übergangsbeschäftigung.

channel Kanal, Fahrrinne, *(band of frequencies)* Frequenzband, Kanal;

through official (authorized) ~s auf dem Dienstweg;
radio telephone ~ Funksprechkanal;
~ **of distribution (trade)** Absatzweg; **~s and outlets** Vertriebskanäle, **~s of supply** Versorgungswege;
~ *(v.)* **one's interests** seine Interessen in eine Richtung lenken; ~ **refugees into a camp** Flüchtlinge in ein Lager einschleusen;
to go through the usual ~s durch alle Instanzen gehen; **to ignore ~s** Instanzenweg überspringen;
~ **freight** Kanalfracht; ~ **markings** Fahrwasserbezeichnung.
channelize *(v.)* kanalisieren;
channelling of scarce materials Steuerung von Engpaßwaren.
char *(Br. coll.)* Gelegenheitsarbeit;
~ *(v.)* als Reinemachefrau beschäftigen.
charabanc *(Br.)* Ausflugsautobus.
character *(reputation)* Ruf, Leumund, *(status)* Stellung, Dienstrang;
public ~ in der Öffentlichkeit bekannte Persönlichkeit;
~ **of business** Geschäftstyp;
to deliver a certificate of good ~ gutes Führungszeugnis vorlegen; **to have the ~ of reserves** *(funds)* Reservecharakter haben;
~ **assassination** Rufmord; ~ **reference** persönliche Referenzen.
charge *(bookkeeping)* Belastung, *(care)* Aufsicht, Gewahrsam, Obhut, Sorge, Verwaltung, *(commission)* Anweisung, Auftrag, *(financial burden)* Belastung, finanzielle Last, Schuld, *(fee)* Gebühr, Taxe, *(load)* Last, Belastung, Fracht, *(office)* Amt, Stelle, Verantwortlichkeit, *(person entrusted to the care)* Pflegebefohlener, Pflegling, Schützling, Mündel, *(price)* geforderter Preis, Forderung, Kosten, *(on property)* [Vermögens]belastung, Pfandbestellung, *(thing entrusted to the care)* anvertrautes Gut, Pfandeigentum;
at his own ~ auf seine Kosten; **free of** ~ unentgeltlich, gratis, kostenfrei, -los, gebührenfrei, lasten-, spesenfrei, *(delivery)* frei Haus, *(postage)* franko; **no ~ is made for packing** Verpackung wird nicht berechnet;
additional ~ Zusatzgebühr, Preis-, Gebührenzuschlag; **account-carrying** ~ Kontospesen; **capital** ~ Kapitalaufwand; **consular** ~ Konsulargebühr; **deferred** ~ Berichtigungsposten; **fixed** ~ feste Belastung; **floating** ~ offene Gesamtbelastung, Höchstbetragshypothek; **land** ~ Grundschuld; **maintenance**~ *(banking)* monatliche Bankspesen; **mortgage** ~ hypothekarische Belastung; **reconsignment** ~ Rücksendungsgebühr; **reserve** ~ *(postage)* Gebühr bezahlt Empfänger; **service** ~ Dienstleistungs-, Bearbeitungsgebühr; **transfer** ~ *(railroad)* Umladegebühr;
no ~ for admission Eintritt frei; ~ **for depreciation** Abschreibungskosten; ~ **for overdraft** Überziehungsprovision; ~ **on property** Eigentumsbelastung;
~ *(v.)* *(costs)* erheben, *(debit)* anlasten, belasten, in Rechnung setzen, debitieren, abrechnen, ansetzen, anschreiben, *(entrust with)* beauftragen, betrauen, *(fix price)* berechnen, ansetzen, fordern;
~ **[against] s. one's account** debitieren; ~ **forward** nachnehmen; ~ **[an account] with all the expenses** [Konto] mit sämtlichen Unkosten belasten; ~ **s. th. on the bill** etw. auf die Rechnung setzen; ~ **commission** Provision berechnen; ~ **the expense to s. o.** jem. die Spesen anlasten; ~ **an expense to the public debt** Kosten auf die Staatskasse übernehmen; ~ **a fee** Honorar liquidieren; ~ **off** abschreiben; ~ **the postage to the customer** dem Kunden Porto belasten; ~ **the old price** früheren Preis berechnen;
to become a ~ upon the parish der Gemeinde zur Last fallen; **to have the ~ of s. th.** für etw. zuständig sein; **to make an additional** ~ nachberechnen, -belasten; **to take ~ of s. one's property** jds. Vermögen verwalten.
charge account Kunden-, Anschreibungskonto, *(US)* laufendes Konto;
~ **payment** Regulierung eines Anschreibungskontos.
charge | book Ausgabenbuch; ~ **customer** Kunde [der anschreiben läßt]; ~ **card** Kundenkreditkarte; ~ **ticket** *(US)* Belastungsformular.
charges *(accessory expenses)* Spesen, Gebühren, *(costs)* [Un]kosten, *(customs)* Belastungen;
adding ~ einschließlich der Spesen; **all ~ paid** gebühren-, kostenfrei; **liable to** ~ gebührenpflichtig;
accumulated ~ aufgelaufene Kosten; **additional** ~ *(postage)* Nachporto; **advertising** ~ Insertionsgebühren, Annoncentarif; **airline** ~ Flugpreise; **auction** ~ Versteigerungsgebühren; **back** ~ Retour-, Rückspesen, *(banking)* Abschlußgebühr; **bank** ~ Bankspesen; **bill** ~ Wechselspesen; **brokerage** ~ Maklergebühren; **business** ~ Geschäftsspesen; **capital** ~ [aktivierungspflichtiger] Kapitalaufwand; **carrier** ~ Zustellungsgebühr; **carrying** ~ *(US, for commodities)* Verwaltungsgebühren, *(stocks)* Makler[ausführungs]spesen; **collect-on-delivery** ~ Nachnahmespesen; **dead** ~ Betriebsunkosten; **deferred ~ [to expense]** *(balance sheet)* transitorische Posten; **demurrage** ~ Liegegebühren; **depreciation** ~ Abschreibungskosten; **discount** ~ Diskontspesen; **financing** ~ Finanzierungskosten; **fiscal** ~ Steuerlasten; **forwarding** ~ Versandspesen; **insurance** ~ Versicherungskosten; **interest** ~ Zinsbelastung; **landing** ~ Löschungsgebühren; **moderate** ~ zivile Preise; **ocean** ~ Verschiffungskosten; **other** ~ *(balance*

sheet) sonstige Verbindlichkeiten; **overhead** ~ Generalunkosten; **packing** ~ Verpackungskosten; **postal** ~ Portokosten; **salvage** ~ Bergungskosten; **shipping** ~ Transport-, Versandkosten; **social** ~ Soziallasten; **telephone**~ Telefongebühren; **underabsorbed** ~ zu niedrig angesetzte Gemeinkosten; **warehouse** ~ Lagerkosten;

~ **paid in advance** Kostenvorschuß; ~ **to be collected** Nachnahmegebühren; ~ **on an estate** Nachlaßkosten; ~ **of merchandize (merchandise,** *Br.)* Handlungsunkosten; ~ **for recovering** Erhebungskosten; ~ **for reloading (transshipment)** Umladegebühren; **to be burdened with** ~ **for depreciation** mit Abschreibungskosten belastet sein;

to involve additional ~ mit beträchtlichen Kosten verbunden sein; **to put o. s. to** ~ sich in Unkosten stürzen.

chargeable *(taxable)* der Besteuerung unterliegend, besteuerbar;

~ **to the parish** zu Lasten der Gemeinde;

~ **income** steuerpflichtiges Einkommen; ~ **weight** frachtpflichtiges Gewicht.

charitable wohltätig, mildtätig, karitativ, gemeinnützig;

~ **construction** freundliche Auslegung; ~ **contract** Schenkungsvertrag; ~ **contribution** *(income tax return)* Beiträge für wohltätige Zwecke (zu wohltätigen Stiftungen); ~ **foundation** milde Stiftung; ~ **institution** Versorgungsanstalt; ~ **organization** Hilfswerk; ~ **relief** Fürsorgeunterstützung; ~ **society** Wohltätigkeitsverein; ~ **trust** wohltätige Stiftung.

charity Wohltätigkeit, *(alms)* milde Gabe, Almosen, *(institution)* Pflegeheim;

to be reduced to ~ auf Almosen angewiesen sein, der Fürsorge anheimfallen;

~ **collection** Sammlung zu wohltätigen Zwecken; ~ **stamp** Wohlfahrtsmarke; ~ **work** Sozialarbeit, Wohlfahrtspflege; ~ **worker** Wohlfahrtspfleger, Sozialfürsorger.

charm price optischer Preis, Blickfangpreis.

chart Karte, *(US)* graphische Darstellung, *(in tabular form)* Tabelle, Berechnungstafel, Schaubild, Diagramm;

organizational ~ Organisationsplan;

~ **of accounts** Kontenplan; ~ **of the organization** Organisationsschema;

~ *(v.)* **a course** Kurs abstecken, einem Kurs folgen; ~ **a course of action** Aktionsplan entwerfen;

~ **room** Navigationsraum.

charter Chartern, Mieten, Befrachten, *(US, of corporation)* Satzung [einer Aktiengesellschaft], *(privilege)* [Bank]konzession, *(instrument in writing)* Gründungs-, Stiftungsurkunde;

bank ~ Bankenprivileg; **dead-weight** ~ Faulfracht; **time** ~ Zeitcharter;

~ **of a borough** Gemeindesatzung; ~ **by the lump** Verfrachtung eines Schiffes im ganzen;

~ *(v.)* chartern, *(bank)* privilegieren;

~ **a bank** Bankkonzession erteilen; ~ **a car** Auto mieten;

to go on ~**s** Charterflugzeug benutzen; **to grant a** ~ Privilegien (Konzession) gewähren, konzessionieren; **to take on** ~ chartern;

~ **airline** Chartergesellschaft; ~ **amendment** Satzungsänderung; ~ **flight** Charterflug; ~ **party** Befrachtungs-, Frachtvertrag, Charterpartie, -vertrag; ~ **plane** Charterflugzeug; ~ **powers** Konzessionsumfang; ~ **price** Charterpreis; ~ **provisions** Satzungsbestimmungen; ~ **rates** Befrachtungstarif.

chartered befrachtet, gechartert, *(licensed)* verbrieft, konzessioniert;

~ **accountant** *(Br.)* beeidigter (geprüfter) Bücherrevisor, Wirtschaftsprüfer; ~ **bank** *(Br.)* priviligierte (konzessionierte) Bank; ~ **corporation** *(US)* zugelassene Gesellschaft; ~ **exemption** *(Br.)* Steuerfreiheit; ~ **time** Konzessionszeit.

charterer Befrachter.

chartering | broker Befrachtungs-, Schiffsmakler;

~ **business** Charter-, Frachtgeschäft.

chattel|s Hab und Gut, Mobilien;

land and ~**s** *(balance sheet)* Grundvermögen und bewegliche Sachen;

mortgage ~ *(US)* [etwa:] Sicherungsübereignung; **to invest 5% of their assets in** ~ **paper** 5% des Anlagevermögens in Beleihungen beweglichen Vermögens investieren.

cheap *(price)* billig, niedrig, preiswert, wohlfeil, *(of inferior value)* von geringerem Wert;

to sell dirt-~ verschleudern, zu Schleuderpreisen verkaufen;

exceptionally ~ **article** spottbilliger Gegenstand; ~ **fare** ermäßigter Fahrpreis; ~ **money** billige Geldsätze; ~ **money policy** Politik des billigen Geldes; ~ **quality** minderwertige Qualität; ~ **seats** Plätze zu volkstümlichen Preisen;

~ **ticket** Fahrkarte zu zurückgesetzten Preisen.

cheapen *(v.)* *(become cheaper)* billiger werden, im Preis sinken, *(lower the price)* verbilligen, Preis herabsetzen.

cheapening of money Geldverbilligung.

check *(US)* Scheck, Zahlungsanweisung;

cashier's ~ Kassenscheck; **counter** ~ Quittungsformular für Barabhebungen; **rubber** ~ ungedeckter Scheck;

to bounce a ~ Scheck platzen lassen.

check *(baggage)* [Gepäck]aufbewahrungsschein, *(control)* Aufsicht, Kontrolle, Nach-, Überprüfung, *(cloakroom, US)* Garderobenmarke, *(restaurant, US)* Rechnung, *(slip, US)* Kassenzettel, *(voucher)* Bon, Gutschein;

delivery ~ *(railroad)* Gepäckempfangsschein; **on-the-spot** ~ erste Augenscheinnahme; **storage** ~ *(railroad)* [Eisenbahn]lagerschein; **time [-keeping]** ~ Kontrollmarke;

~ **on the operation** *(US)* Arbeitskontrolle;

~ *(v.) (accounts)* justifizieren, *(collate)* kollationieren, Abschriften vergleichen, *(US, railroad)* zur Beförderung als Reisegepäck übernehmen;
~ **in with a hotel** *(US)* sich [bei einem Hotel] anmelden; ~ **off goods** Bestandsaufnahme machen; ~ **[off] names on a list** Namen auf einer Liste abhaken; ~ **out** *(Br.) (US)* aus einem Hotel ausziehen, Hotel nach Rechnungsbegleichung verlassen, *(US, cash)* Geld mittels Scheck abheben; ~ **out luggage** *(Br.)* Gepäck abholen; ~ **up [on] information** Auskunft nachprüfen;
~ **one's baggage** *(US)* sein Gepäck aufgeben; ~ **the books** Bestandsaufnahme machen, *(auditing)* Bücher revidieren; ~ **a copy with the original** Abschrift mit dem Original vergleichen; ~ **investments** Subventionen bremsen; ~ **production** Produktion drosseln;
to put a ~ on production Produktion drosseln (abbremsen);
~ **account** *(US)* Kontrollkonto, Gegenrechnung; ~ **alteration and forgery insurance** Scheckversicherung; ~ **clerk** *(US)* Arbeitszeitkontrolleur; ~ **-in** *(airport)* Abfertigung; **no ~ -in time** *(airport)* kein Meldeschluß; ~ **list** Kontrolliste; ~ **sample** Probemuster; ~ **stamp** Wechselstempel; ~ **system** *(US)* Girowesen, -system.

checkbook Scheckbuch, Kontrollbuch;
~ **money** *(US)* Giralgeld.

checking Kontrolle, *(advertising)* Streuprüfung, *(inventory)* Inventurkontrolle;
~ **of accounts** Bücherrevision, Rechnungsprüfung; ~ **of baggage** *(US)* Gepäckaufgabe; ~ **of books** Abstimmung der Bücher; ~ **of coverage** *(insurance)* Überprüfung der Gültigkeit einer Police; ~ **of credits** Kreditkontrolle; ~ **of quality** Qualitätsprüfung;
~ **account** *(US)* Scheckkonto, Girokonto; ~ **credit** Prüfung der Kreditunterlagen; ~ **form** Kontrollzettel, -abschnitt;

checkoff *(US)* Lohnabzug von Gewerkschaftsbeiträgen durch den Betrieb, *(company store)* Abzüge für Kantinenverbrauch;
~ **system** *(US)* Lohnabzugsverfahren.

checkout | **clerk** Kontrollangestellter; ~ **counter** Abfertigungsschalter.

checkpoint Grenzkontroll-, Übergangsstelle.

checkroom *(US)* Gepäckaufbewahrung;
~ **fee** Aufbewahrungsgebühr; ~ **woman** Garderobenfrau, Garderobiere.

checkup Kontrolle, Überprüfung;
~ **of cash** Kassenrevision.

cheerful *(market)* freundlich, lebhaft, etw. fester.

chemist *(Br.)* Apotheker, Drogist;
~**'s shop** *(Br.)* Apotheke, Drogerie.

cheque *(Br.)* **(check,** *US)* Scheck;
advised ~ avisierter Scheck; **bearer** ~ Inhaberscheck; **blank** ~ Blankoscheck; **certified** ~ [von einer Bank] bestätigter Scheck; **crossed** ~ *(Br.)* Verrechnungsscheck; ~ **dated ahead** vordatierter Scheck; **dishono(u)red** ~ nicht eingelöster Scheck; **dud** ~ ungedeckter Scheck; **flash** ~ ungedeckter Scheck; **forged** ~ gefälschter Scheck; **kite** ~ ungedeckter Scheck; **marked** ~ *(Br.)* bestätigter (gekennzeichneter) Scheck; **open** ~ Inhaber-, Barscheck; **out-of-town** ~ *(Br.)* auswärtiger Scheck; **pay** ~ Gehaltsscheck; **post-dated** ~ nachdatierter Scheck; **postal** ~ Postscheck; **stopped** ~ gesperrter Scheck; **town** ~ *(Br.)* Platzscheck; **travel(l)er's** ~ Reisescheck; **unpaid** ~ nicht eingelöster Scheck;
~**s in process of collection** zum Einzug gesandte Schecks; ~**without cover** ungedeckter Scheck; ~**s in hand** Scheckbestand;
to cash a ~ Scheck zur Einlösung vorlegen; **to cross a** ~ *(Br.)* Verrechnungsscheck ausstellen; **to date a** ~ **ahead** Scheck vorausdatieren; **to draw a** ~ Scheck girieren; **to issue bad** ~**s** ungedeckte Schecks ausgeben; **to pay a** ~ Scheck honorieren; **to present a** ~ **for payment** Scheck zur Zahlung vorlegen; **to raise a** ~ Scheck höher beziffern;
~ **account** Giro-, Scheckrechnung; ~ **alteration** Scheckfälschung; ~ **bank** *(Br.)* Girobank; ~ **clearing system** Scheckverrechnungssystem; ~ **collection** *(Br.)* Scheckinkasso; ~ **currency** Giralgeld; ~ **stub** Scheckleiste; ~ **writing** Scheckausstellung.

chequelet *(Br.)* Quittungsheft [einer Bank].

chief Leiter, Vorsteher, *(superior)* Vorgesetzter, Chef;
~ *(v.)* hauptsächlich;
~ **of state** Staatschef, -oberhaupt;
~ **accountant** Hauptbuchhalter; ~ **agent** Generalvertreter; ~ **cashier** Hauptkassierer; ~ **clerk** Bürovorsteher; ~ **executive [officer]** Vorstandsmitglied; ~ **manager** Hauptgeschäftsführer; ~ **market** Hauptabsatzmarkt; ~ **operator** [Telefon]zentrale; ~ **parner** Seniorchef; ~ **town [of a country]** Landeshauptstadt; ~ **value** *(customs)* Höchstwert.

children's | **allowance** *(Br.)* Steuerfreibetrag für Kinder; ~ **endowment insurance** Aussteuerversicherung.

chink *(sl.)* Pinkepinke.

choice *(assortment)* [Aus]wahl, Sortiment;
wide ~ **of candidates** viele Bewerber;
~ **article[s] (goods)** Qualitätsware; ~ **quality** ausgesuchte (erste) Qualität.

choicest quality erlesene Qualität.

chop *(brand)* Marke, Sorte;
first ~ erster Güte; **grand** ~ Zollschein, Einfuhrbewilligung;
~ *(v.)* **prices** Preise stark herabsetzen.

chophouse billiges Restaurant.

chore *(uneasy job)* unangenehme Aufgabe, *(US)* Gelegenheits-, Hausarbeit.

chuck *(Br. sl.)* Entlassung;
~ **(v.) one's money around** mit seinem Geld herumwerfen; ~ **up** *(sl.)* seine Stellung an den Nagel hängen.

cinema *(Br.)* Kino, Lichtspieltheater;
~ **advertising** *(Br.)* Diapositivwerbung; ~ **industry** Filmindustrie, -wesen; ~ **operator** Filmvorführer; ~ **rights** Filmrechte; ~ **screen** Filmleinwand; ~ **slide** *(Br.)* Diapositiv.

cipher *(fig.)* Null, unbedeutende Person, *(figure)* Ziffer, Zahl;
~ *(v.) (put into secret writing)* chiffrieren, verschlüsseln;
~ **telegrams by hand** Telegramme ohne Schlüsselmaschine verschlüsseln;
~ **clerk** Verschlüsseler; ~ **code** Telegrammcode; ~ **documents** Verschlüsselungsunterlagen; ~ **key** Chiffreschlüssel; ~ **text** verschlüsselter Text.

ciphering service Verschlüsselungsabteilung.

circle Kreis, *(circus)* Arena, Zirkusmanege, *(society)* Gesellschaftskreis, Zirkel, *(sphere of influence)* Wirkungsgebiet, -kreis, Einflußsphäre;
in financial ~**s** in der Finanzwelt;
specialist ~**s** Fachwelt;
~ **of readers** Leserkreis;
~ *(v.)* **over the landing field** über dem Flugplatz kreisen;
to move in the leading ~**s** in den führenden Kreisen verkehren;
~ **line** *(underground, Br.)* Ringlinie.

circuit *(airplane)* Rundflug, *(area)* Gebiet;
~ **of the city** Rundfahrt durch die Stadt;
to do a ~ *(airplane)* Platzrunde fliegen.

circular Zirkular, Rundschreiben, *(advertisement)* Prospekt;
~ **cheque** *(Br.)* Reisescheck; ~ **letter** Rundschreiben; ~ **note** Prospekt, Rundschreiben, Zirkular; ~ **offer** Prospektangebot; ~ **order** Runderlaß; ~ **road** Ringstraße, -bahn; ~ **ticket** Fahrscheinheft; ~ **tour (trip)** Rundreise, -fahrt; ~ **traffic** Kreisverkehr.

circularization Prospektversand.

circularize *(v.)* Rundschreiben versenden, *(advertisement)* Prospekte verschicken.

circulate *(v.)* in Umlauf sein, umlaufen, zirkulieren, *(money)* umlaufen, kursieren;
~ **bills** Wechsel girieren; ~ **false news** falsche Nachrichten verbreiten; ~ **freely (slowly)** *(money)* hohe *(niedrige)* Umlaufgeschwindigkeit haben.

circulating | **assets** Umlaufvermögen; ~ **library** Wanderbücherei; ~ **magazine** Lesezirkel; ~ **medium** Zahlungsmittel; ~ **notes** Notenumlauf.

circulation *(legal tender)* umlaufende Zahlungsmittel, *(newspaper)* Auflage, Auflagenhöhe;
out of ~ außer Kurs [gesetzt];
active ~ Notenumlauf; **city-zone** ~ Ortsverbreitung; **guaranteed minimum** ~ garantierte Mindestauflage; **net paid** ~ tatsächlich abgesetzte Auflage;
~ **of bills** Wechselumlauf; ~ **of money** Geldumlauf; **to be in** ~ kursieren; **to recall (withdraw) from** ~ außer Umlauf (Kurs) setzen, aus dem Verkehr ziehen;
~ **analysis** Auflagenanalyse; ~ **area** Verbreitungsgebiet; ~ **density** Verbreitungsdichte; ~ **figure** Auflagenziffer; **mass** ~ **newspaper** Massenblatt; ~ **privilege** Banknotenprivileg.

circumferential expressway Umgehungsstraße.

circumstances *(formalities)* Zeremoniell, Förmlichkeiten, *(financial condition)* finanzielle Verhältnisse, Vermögensverhältnisse;
in easy ~ gut situiert; **without** ~ ohne Aufwand;
easy (flourishing, good) ~ günstige (gute) Vermögensverhältnisse;
my worldly ~ meine finanziellen Verhältnisse;
to live in narrow ~ in ärmlichen Verhältnissen leben.

circumstanced, well in guten Verhältnissen.

circumstantial property wirtschaftlicher Wohlstand.

citizen Bürger, *(inhabitant)* Einwohner, *(subject)* Landesangehöriger, Staatsbürger,-angehöriger;
fellow ~ Mitbürger; **naturalized** ~ *(US)* naturalisierter Amerikaner;
~ **of honor** *(US)* Ehrenbürger;

citizenship Bürgerrecht, *(nationality)* Staatsangehörigkeit.

city [Groß]stadt, *(center)* Stadtmitte, Innenstadt, Geschäftsgegend, *(London)* Altstadt, *(municipal corporation, US)* Stadtgemeinde;
to be in the ~ Geschäftsmann sein;
~ **article** Börsenbericht; ~ **bonds** Stadtanleihe; ~ **branch** Stadtfiliale; ~ **by(e)-law** Ortsstatut; ~ **collections** Stadtinkassi; ~ **councilman** Stadtverordneter, Ratsherr; ~ **desk** *(newspaper)* Lokalredaktion; ~ **edition** Stadtausgabe; ~ **editor** *(Br.)* Redakteur des Börsenteils, *(US)* Lokalredakteur; ~ **election** Gemeindewahlen; ~ **employee** *(US)* städtischer Angestellter; **at** ~ **expenses** auf Kosten der Stadt; ~ **fathers** Stadtrat, -väter; ~ **federation** *(US, trade unions)* Ortskartell; ~ **gas** Stadtgas; ~ **guide** Städteführer; ~ **hall** *(US)* Magistratsgebäude, Rathaus; ~ **institutions** städtische Einrichtungen; ~ **levy** städtische Umlage; ~ **man** *(Br.)* Finanz-, Geschäftsmann, *(bank)* Bankangestellter; ~ **manager** *(US)* Stadtdirektor, Amtsbürgermeister; ~ **news** Börsennachrichten; ~ **office** Stadtbüro, *(newspaper)* Lokalredaktion; ~ **plan** Stadtplan; **big** ~ **press** Großstadtpresse; **price** Großhandelspreis, *(stock exchange)* Börsennotierung; ~ **property** *(real estate)* städtischer Grundbesitz; ~ **recorder** *(US)* Stadtsyndikus; ~ **taxes** städtische Gebühren; ~ **transport** *(Br.)* **(transportation,** *US)* städtische Verkehrsmittel; ~ **treasurer** Stadtkämmerer; ~ **zone** Stadtgebiet.

civic [staats]bürgerlich, *(pertaining to a city)* städtisch;

~ **authorities** *(Br.)* Gemeinde, Stadtverwaltung; ~ **center** *(US)* **(centre,** *Br.)* Behördenviertel; ~ **enterprise** Kommunalbetrieb; ~ **heads** prominente Bürger; ~ **reception** *(Br.)* Empfang durch die Stadtverwaltung.

civil bürgerlich, privat-, zivilrechtlich;
~ **administration** Zivilverwaltung; ≗ **Aeronautics Board** *(US)* Flugsicherungsbehörde; ~ **bonds** *(US)* Schuldverschreibungen der öffentlichen Hand; ~ **commotion insurance** Aufruhrversicherung; ~ **damages** Schadenersatzansprüche; ~ **death** Rechtstod; ~ **disobedience** bürgerlicher Ungehorsam, *(nonpayment of taxes)* Steuerstreik; ~ **district** Verwaltungsbezirk; ~ **economy** städtischer Haushalt; ~ **employment** bürgerlicher Beruf; ≗ **List** *(Br.)* Zivilliste; ~ **loan** *(US)* öffentliche Anleihe; ~ **obligation** Schuldrechtliche Verpflichtung; ~ **salvage** Bergung.

civil servant Berufs-, Zivil-, Staatsbeamter, Beamter im höheren (öffentlichen) [Staats]dienst;
established ~ *(Br.)* Planstelleninhaber.

civil service Staats-, Verwaltungsdienst, Zivilverwaltung, Beamtenapparat, Berufsbeamtentum;
to enter the ~ Beamtenlaufbahn einschlagen.

civil | stock Schuldverschreibungen der öffentlichen Hand; ~ **year** Kalenderjahr.

claim Klageanspruch, *(advertising)* Werbeanspruch, -behauptung, *(insurance)* Versicherungsanspruch, *(mining)* Mutung, Schürfeinheit, *(purchase)* Beanstandung, [Mängel]rüge;
allowed ~ anerkannte Forderung; **assigned** ~ abgetretene Forderung; **book** ~ Buchforderung; **compensation** ~ Entschädigungsanspruch; **contractual** ~ Vertragsanspruch; **creditor** ~ Gläubigerforderung; **know-loss** ~ Schadenersatzanspruch wegen unbestrittenen Frachtverlustes; **outlawed** ~ *(US)* verjährte Forderung; **preference (preferential, priority)** ~ *(bankruptcy)* abgesonderte Befriedigung; **provable** ~ *(bankruptcy)* anmeldefähige Forderung; **proved** ~ *(bankruptcy)* anerkannte Konkursforderung; **salary** ~ Gehaltsforderung; **statute-barred** ~ verjährte Forderung; **unsecured** ~ *(bankruptcy)* Masseanspruch;
~ **for abatement** Steuererlaßantrag; ~ **of (to) alimony** Unterhaltsanspruch [der geschiedenen Ehefrau]; ~ **provable in bankruptcy** Konkursforderung; ~ **barred by the Statute of Limitations** verjährter Anspruch, verjährte Forderung; ~ **to benefit** Unterstützungsanspruch; ~ **arising from a bill** Wechselforderung; ~ **for compensation (damages)** Entschädigungs-, Schadenersatzanspruch; ~ **for damages observed** Schadenersatzanspruch für festgestellte Schäden; ~ **against the estate** Masseanspruch; ~ **of exemption** *(US)* Aussonderungsanspruch; ~ **for shorter hours** Forderung nach Arbeitszeitverkürzung; ~ **for loss or damages** Schadenersatz; Entschädigungsanspruch; ~ **for maintenance** Unterhaltungsanspruch; ~ **entitled to priority** bevorrechtigte Forderung; ~ **for tax refund** Steuerrückerstattungsanspruch; ~ **for taxes** Steuerforderung; ~ *(v.)* beanspruchen, [ein]fordern; ~ **s. th. from s. o.** Forderung gegen j. geltend machen; ~ **benefits** Unterstützungsansprüche stellen; ~ **compensation for a loss** Schadenersatz beanspruchen; ~ **repayment** Erstattung beantragen;
~ **to be an expert** sich als Sachverständiger aufspielen;
to adjust a ~ Versicherungsanspruch regulieren; **to admit a** ~ Forderung (Anspruch) anerkennen (zulassen); **to advance a** ~ **for indemnification** Schadenersatzklage einreichen; **to buy up a** ~ **for cash** Anspruch in bar abfinden; **to collect a** ~ Forderung eintreiben; **to handle** ~**s** Schadensfälle bearbeiten; **to have a** ~ anspruchsberechtigt sein; **to have no** ~ **whatsoever on s. o.** überhaupt keine Ansprüche gegen j. haben; **to lodge a** ~ Forderung erheben, Anspruch geltend machen; **to make a** ~ **in respect of a defect** Mängelrüge vorbringen; **to mark out a** ~ Grundstück abstecken; **to meet the** ~**s of one's creditors** seine Gläubiger befriedigen; **to moderate one's** ~**s** seine Forderungen herunterschrauben, seine Ansprüche mäßigen; **to prove a** ~ [Konkurs]forderung nachweisen (anmelden); **to put in a** ~ Anspruch geltend machen, *(after an accident)* Ansprüche gegen die Versicherungsgesellschaft erheben; **to waive a** ~ auf einen Anspruch verzichten; **to write off a doubtful** ~ zweifelhafte Forderung abschreiben;
~ **adjuster** *(insurance)* Versicherungsberater, Schadensregulierer; ~ **administration** *(insurance)* Bearbeitung von Versicherungsansprüchen; ~ **agent** Schadensregulierer; ~ **check** *(US)* Fahrzeugpapiere; ~ **costs** *(insurance)* Regulierungskosten; ~ **debtor** Anspruchsschuldner; ~ **department** Reklamationsabteilung; ~ **expense** *(insurance)* Rückstellung für Schadensfestsetzungskosten; ~ **form** Antrags-, Schadensformular; ~ **letter** Beschwerdeschreiben; ~ **reserves** *(insurance company)* Schadensreserve; ~ **settlement** *(insurance)* Schadens-, Anspruchsregulierung, Regelung eines Versicherungsfalles; ~ **tracer** Ersuchen um Feststellung der Gültigkeit eines Anspruchs.

claimant Antragsteller, Forderungsberechtigter, *(bill of exchange)* Regreßnehmer, *(insurance)* Geschädigter.

clamp | *(v.)* **a ban on newspapers** Zensurvorschriften für Zeitungen erlassen; ~ **ceilings on prices** Höchstpreise festsetzen; ~ **down** *(administration)* schärfer überwachen; ~ **down on credit** Kreditbremse zur Anwendung bringen; ~ **down on liquidity** Liquiditätsbestimmungen verschärfen.

clampdown schärfere Überwachung;
~ **on credit** Kreditbeschränkung; ~ **on money** verschärfte geldmarkttechnische Maßnahmen.

claptrap Reklame, Anpreisung;
~ **journalism** Revolver-, Boulevardjournalismus.

clash Konflikt, Reibung, *(car)* Zusammenstoß, Kollision;
~ **of interests** Interessenkollision; ~ **of opinions** Meinungsverschiedenheit;
~ *(v.) (interest)* widerstreiten, sich kreuzen, kollidieren, *(statements)* unvereinbar sein.

class Art, [Wert]klasse, Schicht, Gruppe, Rangstufe, Kategorie, *(lecture)* Kurs[us], Lehrgang, Vorlesung, *(quality)* ausgezeichnete Qualität, Grad, Güteklasse, Sorte, *(railway)* Wagenklasse, *(rank)* soziale Stellung, Stand, gesellschaftlicher Rang, *(society)* Gesellschaftsklasse, Schicht, Kaste;
the ~es die oberen Zehntausend;
middle ~ Mittelstand; **trading ~** Geschäftsleute; **the working ~es** Arbeiterstand, -schaft;
the ~es and the masses die Besitzenden und das Proletariat;
~ **of business** Geschäftszweig; **my ~ of business** meine Kundschaft; ~ **of consumers** Verbraucherschicht; ~ **of entrepreneurs** Unternehmerschicht; **taxable ~ of goods** steuerpflichtige Warengattung; **best ~ of hotel** erstklassiges Hotel; ~ **of risk** *(insurance)* Gefahrenklasse; ~ **of securities** Wertpapiergattung; ~ **of vehicle** Kraftfahrzeugklasse;
~ *(v.)* einstufen, klassifizieren, in Gruppen einordnen, eingruppieren;
~ **basis** Grundtarif; ~ **bonds** in Serien ausgegebene Schuldverschreibungen; **first-~ cabin** Kabine in der ersten Klasse; **high-~ goods** erstklassige Erzeugnisse; ~ **lottery** Klassenlotterie; **first-~ matter** Briefpost; **second-~ matter** Drucksachen; ~ **meeting of shareholders** gruppenweise stattfindende Aktionärsversammlung; ~ **price** Preis für gehobene Schichten; ~ **rate** Grundgehalt, -tarif, *(insurance)* Tarifprämie, *(common carrier)* Gruppentarif; ~ **restaurant** vornehmes Restaurant; **first-~ road** Straße erster Ordnung; **first-~ ticket** Fahrkarte erster Klasse.

classification An-, Rangordnung, Eingruppierung, Klassifizierung, Klassifikation, *(insurance)* Einteilung in Gefahrenklassen, *(salaries)* [Gehalts]einstufung;
freight ~ Frachttarif; **functional ~** Aufgliederung nach Sachgebieten; **job (occupational) ~** Berufszugehörigkeit;
~ **of accounts** Kontengliederung; ~ **of entries** Buchungsaufgliederung; ~ **of goods** Warenklasseneinteilung; ~ **of properties** Vermögensschichtung; ~ **in customs tariffs** Einteilung von Waren in Zolltarife;
~ **certificate** *(ship)* Klassifikationsattest; **in-grade ~ change** niedrigere Einstufung ohne Lohnkürzung; ~ **plan** Stellenplan; ~ **rating** Tarifeinstufung; ~ **record** Verwendungskarte; ~ **sheet** Beurteilungsblatt; ~ **territory** *(railway)* Tarifanwendungsgebiet; ~ **yard** *(railway)* Verschiebebahnhof.

classified klassifiziert, nach Klassen eingeteilt;
~ **advertisements** kleine Anzeige; ~ **directory** Branchenadreßbuch; ~ **files** nach Sachgebieten abgelegte Akten; ~ **index** Sachgruppenindex; ~ **road** *(Br.)* Landstraße erster Ordnung; ~ **service** *(US)* gehobener Dienst; ~ **trial balance** nach Gruppen geordnete Probebilanz.

classify *(v.)* einstufen, klassifizieren, nach Klassen einteilen, kategorisieren, einordnen, eingruppieren, rangieren, *(customs)* tarifieren;
~ **a road** *(Br.)* zur Landstraße erster Ordnung erheben; ~ **under a tariff item** unter Tarifposition einreihen.

clause Klausel, [besondere] Bedingung, (Bestimmung, *(paragraph)* Absatz, Paragraph, *(reservation)* Zusatz, Vorbehalt;
acceleration ~ Fälligkeitsklausel; **agreed-amount ~** *(insurance)* Versicherungspolice unter Ausschluß des Selbstbehalts; **arbitration ~** Schiedsgerichtsklausel; **both-to-blame collision ~** Kollisionsklausel für beiderseitiges Verschulden; **cancellation ~** Rücktrittsklausel; **co-insurance ~** Selbstklausel; **competitive ~** Konkurrenzklausel; **defeasance ~** Verwirkungsklausel; **latent defect ~** Klausel über Haftung für versteckte Mängel; **devaluation ~** Abwertungsklausel; **dragnet ~** *(tariff law)* Generalklausel; **escalator ~** Gleitklausel; **loss payable ~** Schadenersatzklausel; **memorandum ~** *(insurance)* Freizeichnungsklausel; **most-favo(u)red-nation ~** Meistbegünstigungsklausel; **nonliability ~** Haftungsausschlußbestimmung; **omnibus ~** Sammelklausel; **overreaching ~** Weitergeltungsklausel; **saving ~** Vorbehaltsklausel; **sue-and-labo(u)r ~** *(insurance)* Selbstbehaltsklausel; **valuation ~** Wertklausel; **war-risk ~** Kriegsrisikoklausel; **warranty ~** Gewährleistungsklausel;
~ **of preëmption** Vorverkaufsklausel; ~ **which can not be upheld** unhaltbare Bestimmung;
to come within the scope of (be covered by) a ~ unter eine Bestimmung fallen; **to guard by ~s** verklausieren, mit Klauseln absichern.

clean einwandfrei, *(faultless)* fehlerfrei;
~ *(v.)* | **up a balance sheet** Bilanz bereinigen;
~ **acceptance** bedingungsloses (vorbehaltloses, allgemeines) Akzept; ~ **advertisement** einwandfreie (saubere) Reklame; ~ **bill** Wechsel ohne Dokumentensicherung, *(bill of lading)* echtes Konnossement [ohne Einschränkungen (Giro, Vorbehalt)]; **to make a ~ breast of it** jem. reinen Wein einschenken; ~ **copy** Reinschrift; ~ **credit** nicht dokumentarisch gesicherter Trassierungskredit; ~ **[printer's] proof**

Reinabzug, Revisionsbogen, fehlerloser Korrekturbogen; ~ **receipt** vorbehaltlose Empfangsbestätigung; ~ **ticket** Wahlzettel ohne Abänderungen.

clear *(cargo)* unbefrachtet, leer, ohne Ladung, *(claim)* unanfechtbar, *(net)* netto, ohne Abzug, *(road)* offen, frei, bereit, *(unencumbered)* unbelastet, schuldenfrei; **in** ~ im Klartext;
~ **of charges** spesenfrei; ~ **of income tax** nach Abzug der Einkommensteuer;
~ *(v.) (check)* kompensieren, im Clearingwege abrechnen, *(debt)* bezahlen, begleichen, abführen, [Schulden] abtragen, glattstellen, *(gain)* Reingewinn erzielen, netto verdienen, *(pay dues)* ausklarieren, Zollformalitäten erledigen;
~ **an account** Rechnung bezahlen; ~ **the balance** Saldo ausgleichen; ~ **a bill** Wechsel einlösen; ~ **15 per cent** *(sl.)* 15 Prozent Reingewinn erzielen; **not to** ~ **one's expenses** nicht einmal seine Unkosten decken; ~ **goods at the customhouse** Waren verzollen; ~ **by instal(l)ments** in Raten abzahlen; ~ **one's luggage through the customs** *(Br.)* sein Gepäck zollamtlich abfertigen lassen; ~ **a port** aus dem Hafen auslaufen; ~ **one's quarantine** Quarantäne machen; ~ **a room** Zimmer räumen; ~ **a ship of her cargo** Schiff entladen, Ladung löschen; ~ **a shop** ausverkaufen; ~ **slums** Elendsgebiete sanieren; ~ **old stock** Lager räumen; ~ **a thousand £ a year** netto 1000,– Pfund jährlich verdienen.

clear off *(v.) (debt)* abtragen, bezahlen;
~ **arrears of work** Rückstände aufarbeiten.

clear out *(v.)* Lager ausverkaufen, *(ship)* ausklarieren.

clear, to get ~ **of debt** seine Schulden bezahlen;
~ **amount** Nettobetrag; ~ **annuity** steuerfreie Rente; ~ **bills** bezahlte Rechnungen; ~ **business day** Bankschaltertag; ~ **estate** unbelastetes Grundstück; ~ **loss** Nettoverlust; ~ **majority** absolute Majorität (Mehrheit); ~ **market price** angemessener Tagespreis; ~ **market value** *(inheritance tax)* echter Verkehrswert; ~ **profit[s]** Nettoeinkommen, Reinertrag; ~ **residue** reiner Nachlaß, Nachlaßrest; ~ **water** offenes Fahrwasser.

clearance *(airplane)* Abfertigung, Freigabe, *(car)* Bodenfreiheit, *(cheque)* Ver-, Abrechnung, *(certificate of clearing)* Zollschein, *(customs)* Zollabfertigung, -erledigung, *(debts)* Zahlung, Begleichung, *(disencumbering)* Freimachen von grundbuchlichen Belastungen, *(dues)* Klarierungsgelder, *(of letter box)* Briefkastenleerung, *(ship)* Klarierung, Auslaufgenehmigung;
~ **inwards** Ein[gangsde]klarierung; ~ **outwards** Aus[gangsde]klaration;
~ **through the customs** Zollabfertigung, Verzollung; ~ **of goods** zollamtliche Abfertigung; **to effect customs** ~ Zollabfertigung veranlassen; **to have a favo(u)rable** ~ **over the road** *(car)* auf der Straße gut liegen, gute Straßenlage haben;
~ **card** *(employee, US)* Dienstzeugnis; ~ **certificate** Unbedenklichkeitsbescheinigung, *(ship)* Seebrief, Zollbescheinigung, Ausklarierungsschein; ~ **charges** Zollabfertigungsgebühren; ~ **chit** Laufzettel; ~ **item** Abrechnungsposten; ~ **loan** *(banking)* Tagesgeld; ~ **papers** Zoll-, Verzollungspapiere; ~ **sale** Räumungsverkauf.

clearing *(banking)* Ver-, Abrechnung, Abrechnungsverfahren, -verkehr, Giroverkehr, *(ship)* Ausklarierung, Auslaufen;
bank ~**s** Bankabrechnung; **country** ~ Giroverkehr; **interbank** ~**s** Lokalumschreibung;
~ **of an account** Kontoglattstellung; ~ **of goods** *(liquidation)* [Total]ausverkauf;
~ **account** Verrechnungs-, Clearingkonto; **bilateral** ~ **agreement (arrangement)** zweiseitiges Zahlungsabkommen; ~ **balance** Verrechnungssaldo, -spitze; ~ **business** Verrechnungs-, Abrechnungsverkehr; ~**certificate** Auseinandersetzungszeugnis; ~ **cheque** *(Br.)* Verrechnungsscheck; ~ **currency** Verrechnungswährung; ~ **item** Abrechnungsposten; ~ **office** Konversionskasse; ~ **rate** Verrechnungskurs; ~ **sheet** Abrechnungsbogen; ~ **transfer** Spitzenausgleich; ~ **unit** Verrechnungseinheit; ~ **works** Aufräumungsarbeiten.

clearinghouse Abrechnungs-, Giroausgleich;
~ **association** Giroverband; ~ **business** Abrechnungsverkehr; ~ **system** Girosystem.

clerical | assistant Bürogehilfe; ~ **costs** Bürounkosten; ~ **force (staff)** Büropersonal, Schreibkräfte; ~ **routine** Büroerfahrung; ~ **position** Bürotätigkeit; ~ **procedure** Sekretariatssystem; ~ **service** Bürodienst; ~ **worker** Büroangestellter.

clerk *(employee)* Büroangestellter, kaufmännischer Angestellter, Kontorist, *(US, shop assistant)* Handelsgehilfe, Verkäufer, *(officer in charge of records)* Urkundsbeamter;
bank ~ Bankangestellter; **bookkeeping** ~ Buchhalter; **chief** ~ Bürovorsteher; **collecting** ~ Inkassokommi; **copying** ~ Expedient; **estimating** ~ Kalkulator; **forwarding** ~ Expedient; **head** ~ Bürovorsteher, -vorstand; **managing** ~ Disponent, Geschäftsführer; **shipping** ~ Expedient, *(US)* Spediteur; **town** ~ *(Br.)* Stadtsekretär; **unsalaried** ~ Volontär;
~ **of the treasury** Finanzbeamter.

clerkship Schreiberstelle, Buchhalterposten.

cliché *(Br.)* Druckstock, Klischee;
~ **manufacturer** Klischeeanstalt.

client *(customer)* Kunde, Auftraggeber, *(factoring)* Anschlußfirma, *(stock market)* Auftraggeber, Besteller;
industrial ~**s** Kunden aus der Industrie;
~ **contact** Kundenkontakte; ~ **list** Mandanten-, Kundenliste.

clientele Kundschaft *(of professional men)* Praxis; **upper-income** ~ gutverdienende Kundschaft.

climate *(company)* Betriebsklima;
business ~ Konjunkturklima.
clip Heft-, Papierklammer;
~ *(v.)* **a ticket** Fahrkarte lochen;
~ **sheet** Waschzettel.
clipper Schnelldampfer, *(airplane)* Verkehrsflugzeug.
clipping *(of coupons)* Abtrennung, *(newspaper)* Zeitungsausschnitt;
~ **bureau** *(US)* Korrespondenz-, Ausschneidebüro; ~ **service** *(US)* Zeitungsausschnittdienst.
cloakroom *(railway)* Gepäck[aufbewahrungs]-raum;
to leave one's luggage at the ~ *(Br.)* sein Gepäck aufbewahren lassen;
~ **fee** Aufbewahrungsgebühr; ~ **ticket** Gepäckaufbewahrungsschein.
clock Uhr, *(taxi)* Fahrpreisanzeiger;
~ *(v.)* Arbeitszeit registrieren;
~ **card** Stechkarte; ~ **hours** *(time study)* Ist-Zeit; ~ **stamp** *(US)* Eingangsstempel.
close *(accounting)* Abschluß, *(last element of advertising)* Anzeigenschluß, abschließender Kaufappell;
at the ~ **of the financial period** am Schluß der Rechnungsperiode;
~ **of exchange** Börsenschluß; ~ **of the meeting** Sitzungsschluß; ~ **of navigation** Schiffahrtssperre;
~**-down** Betriebsstillegung; ~**-up** eingehender Untersuchung, *(film, photo)* Großaufnahme;
~ *(v.)* *(account, debate)* [ab]schließen, *(mortgage)* für verfallen erklären;
~ **at 185½ against 185** *(stock exchange)* mit 185½ gegen 185 schließen; ~ **an account** Konto abschließen; ~ **a bankruptcy** Konkursverfahren einstellen; ~ **a bargain** Geschäft abschließen; ~ **the books** Bücher abschließen; ~ **dearer** *(stock exchange)* bei Börsenschluß höher notieren; ~ **its doors for reasons of economy** Betrieb aufgrund von Sparsamkeitsmaßnahmen schließen; ~ **down** *(factory)* Betrieb schließen (stillegen), *(stop work)* Schicht machen; ~ **down a branch office** Filiale eingehen lassen; ~ **down a factory because of lack of orders** Fabrik wegen Auftragsmangels stillegen; ~ **down for holidays** Betriebsferien machen; ~ **higher in active trading** in gängigen Aktien höhere Schlußkurse erzielen; ~ **with an offer** Anerbieten annehmen; ~ **a submission list** Subskriptionsliste schließen; ~ **a year in the red** Jahr mit Verlust abschließen, Verlustabschluß tätigen;
~ *(a.)* ab-, eingeschlossen, *(capital)* knapp, *(stock exchange)* Schluß fest;
~ **copy** wortgetreue Kopie; ~ **correspondence** vertraulicher Briefwechsel; ~ **election** knappe Wahl; ~ **money** *(capital market)* teures Geld; ~ **port** Binnenhafen; ~ **price** scharf kalkulierter Preis.
closed | **road** Straße gesperrt;
~ **today** heute Betriebsruhe;
~ **for a half-holiday** am Nachmittag geschlossen; ~ **for vehicles** für Fahrzeuge gesperrt;
~ **account** abgeschlossenes Konto, *(fig.)* endgültig abgeschlossene Angelegenheit; ~ **area** Sperrgebiet; ~**-circuit television** Betriebsfernsehen; ~ **door** *(tariff policy)* Tarifbegünstigung.
closed-end | **account** *(depreciation method)* geschlossener Bestand; ~ **fund** Investmentfonds mit begrenzter Emissionshöhe.
closed | **freight car** geschlossener Güterwagen; ~ **issue** *(capital market)* unveränderliche Anleihe;
~ **mortgage** dem Betrag nach unveränderliche Hypothek; ~ **professions** gesperrte Berufszweige; ~ **sea** *(international law)* zum Hoheitsgebiet gehöriges Gewässer; ~ **session** nichtöffentliche Sitzung, Sitzung unter Ausschluß der Öffentlichkeit; ~ **shop** gewerkschaftspflichtiger Betrieb; ~ **union** Gewerkschaft mit Mitgliedersperre.
closeout *(US, clearance sale)* Teilausverkauf.
closet Arbeitszimmer, Kabinett, Privatraum.
closing *(advertising)* Anzeigenschluß, *(account)* [Ab]schluß, *(broadcasting)* Werbefunkschluß, *(contract)* Abschlußverhandlung, *(shutting)* Schließung, Stillegung;
owing to the ~ **of business** wegen Geschäftsaufgabe;
earlier ~ früherer Ladenschluß; **fiscal** Rechnungsabschluß; **half-day** ~ *(Br.)* früher Ladenschluß; **real estate** ~ Abschlußformalitäten beim Grundstückskauf; **steady** ~ *(stock exchange)* fester Schluß; **Sunday** ~ Sonntagsruhe;
~ **of an account** Rechnungsabschluß; ~ **of a deal** Geschäftsabschluß; ~ **of the exchange** Börsenschluß; ~ **down of a factory** Betriebsstillegung; ~ **of subscription** Zeichnungsschluß; **to be** ~ **down** schließen, zumachen, *(plant holiday)* geschlossen Ferien machen;
~ **agent** Abschlußagent; ~ **bid** Höchstgebot, letztes Gebot; ~ **date** *(advertising)* Anzeigenschluß, *(tender)* Ausschreibungsgebühr; ~ **date for application** Anmeldefrist; ~**-down sale** Räumungsschlußverkauf; ~ **entry** Abschlußbuchung; ~ **fees** Abschlußgebühren; **official** ~ **hours** Dienstschluß; ~ **item** Abschlußposten; ~**-out sale** Räumungsschlußverkauf; ~ **price** Schlußkurs; ~ **quotation** Schlußnotierung; ~ **time** Laden-, Geschäftsschluß, Feierabend, *(restaurant)* Polizeistunde; ~ **trial balance** bereinigte Probebilanz; ~ **words** Schlußworte.
closure Schließung, Schluß, Ende;
~ **for cargo** Verladeschluß; ~ **of the frontier** Abriegelung der Grenze;
~ *(v.)* *(Br.)* Debatte zum Abschluß bringen;
to move the ~ *(parl.)* Schluß der Debatte beantragen.
cloth binding Leinenband.
clothing | **allowance** Kleidergeld, -zulage; ~ **coupon** Textilpunkt, Kleiderkartenabschnitt.

cloudland Wolkenkuckucksheim.
cloverleaf *(highway)* Kleeblatt[konstruktion].
club Klub, Verein;
workman's ~ Arbeiterverein;
~ *(v.)* **together** [für gemeinsame Zwecke] zusammensteuern, -legen;
~ **book** Mitgliederliste; ~ **chit** abgezeichneter Ausgabenbeleg, Bon; ~ **facilities** Klubeinrichtungen; ~ **manager** Vereins-, Klubsekretär; ~ **subscription** Vereins-, Klub, Mitgliedsbeitrag.
clubbing offer *(US, advertising)* Anzeigenrabatt beim Belegen mehrerer Zeitschriften.
cluster sampling *(statistics)* Klumpenauswahlverfahren.
coach Omnibus, Autobus, *(railroad, US)* Eisenbahnwagen, *(training)* Repetitor, Einpauker, *(US, sedan)* Limousine;
~ *(v.)* Nachhilfeunterricht geben;
~ **party** Reisegesellschaft; ~ **tour** Omnibusreise.
coachbuilder Karosseriebauer.
coaching fee Stundengeld.
coal | bank *(US)* Kohlenlager, -flöz; ~ **board** *(Br.)* Kohlenbehörde; ≗ **and Steel Community** Montanunion; ~ **contractor** Kohlenlieferant; ~ **factor** *(Br.)* Kohlenhändler; ~ **field** Kohlenrevier; ~ **industry** Kohlenindustrie; ~ **miner** Bergarbeiter, Kumpel.
coaling ship Bekohlungsschiff.
coalition Koalition;
left-wing ~ Linkskoalition;
to work out a :: Koalitionsregierung zustande bringen;
~ **cabinet (government)** Koalitionsregierung.
coast | guard *(Br.)* Küstenpolizei, -wache; ~ **light** Leuchtfeuer; ~ **pilot** Küstenlotse; ~ **waiter** *(Br.)* Zollbeamter im Küstenhandel.
coast-to-coast *(US)*;
~ **network** Gemeinschaftssendung.
coastal | shipping Küstenschiffahrt; ~ **waters** Küstengewässer.
coaster Küstenfahrer, -dampfer.
coasting trade Küstenhandel.
cocket *(Br.)* Zollpassierschein, *(seal)* Zollsiegel;
~ *(v.)* zollamtlich versiegeln.
cockpit *(airplane)* Führerraum, Pilotensitz.
cocktail of ads Anzeigenfriedhof, -plantage.
code Code, Geheimschrift, Chiffrierschlüssel;
highway ~ Straßenverkehrsordnung; **International Seamen's** ≗ Seemannsordnung; **zip** ~ *(US)* Postleitzahl;
≗ **of Commerce** Handelsgesetzbuch; ~ **of ethics** Standesordnung;
~ *(v.)* *(advertising)* mit Kennziffer versehen, *(message)* verschlüsseln, chiffrieren;
to write a dispatch in ~ Code benützen; **to live up to the** ~ sich nach ungeschriebenen Gesetzen richten;
~ **address** Chiffreanschrift; ~ **centre.** Schlüsselzentrale, Chiffrierstelle; ~ **clerk** Verschlüßler, Chiffrierbeamter; ~ **key** Chiffrierschlüssel; ~ **letters** Rufzeichen; ~ **number** Kennziffer, -zahl; ~ **table** Tarntafel; ~ **telegram** Chiffretelegramm; ~ **word** Deck-, Codewort.
coding *(advertising)* Kennziffernanbringung, Chiffrierung.
coemption Aufkauf.
coffee | break *(US)* Kaffeepause; ~ **room (shop,** *US)* *(hotel)* Frühstückszimmer, -raum.
cognovit Schuldenanerkenntnis.
coin Münze, Geldstück, *(coined money)* gemünztes Geld, *(hard money)* Hartgeld;
in ~ Hartgeld;
base ~ *(Br.)* Falschgeld, *(US)* Scheidemünze;
counterfeit ~ Falschgeld; **foreign** ~**s** ausländische Geldsorten; **spurious** ~ Falschgeld; **wornout** ~ abgegriffene Münze;
~ *(v.)* münzen, prägen, *(fig.)* zu Gelde machen;
~ **money** Geld prägen (scheffeln); ~ **base money** Falschmünzerei betreiben;
~**-box telephone** *(US)* Münzfernsprecher.
coinage *(coins)* geprägtes Geld, Münzen, Hartgeld, *(stamping)* Münzprägung;
debased ~ Münzverschlechterung.
coined brand name Phantasiemarkenname.
coining Geldprägen, Geldprägung;
to be simply ~ **money** *(Br.)* Geld wie Heu (Mist) haben, Geld scheffeln;
~ **value** Münzwert.
coinsurance Mitversicherung, Selbstbehalt;
~ **clause** Mitversicherungs-, Selbstbehaltsklausel.
coinsure *(c.)* mit-, rückversichern.
coinsurer Selbstversicherer.
cold | check *(US sl.)* gefälschter Scheck; ~ **storage** Kühlhauslagerung; **to put into** ~ **storage** *(fig.)* auf die lange Bank schieben; ~ **training** *(US)* vorsorgliche Ausbildung leitender Angestellter.
collapse | of a bank Bankkrach; ~ **of an enterprise** Zusammenbruch eines Unternehmens; ~ **of a minister** Sturz eines Ministers; ~ **of prices** Preiszusammenbruch, -sturz;
~ *(v.)* *(price)* zusammenbrechen;
to face the ~ **of one's business** vor dem geschäftlichen Zusammenbruch stehen.
collapsible corporation aus Steuergründen vorübergehend gegründete Gesellschaft.
collated telegram verglichenes Telegramm.
collateral Sicherheitsgegenstand, Pfand *(security)* Deckung, Sicherheit;
commodity ~ Warensicherheit;
to borrow on the ~ **of securities** Darlehn gegen Lombardierung von Wertpapieren aufnehmen;
to furnish ~ Sicherheit leisten; **to serve as** ~ als Deckung dienen;
~ **acceptance** Interventions-, Notakzept; ~ **advance** Lombardvorschuß; ~ **agreement** Nebenabkommen, Lombardvertrag; ~ **bill** Lombardwechsel; ~ **credit** abgesicherter (gedeckter) Kredit, *(securities)* Lombardkredit; ~ **debt**

Lombardschuld; ~ **endorsement** Gefälligkeitsgiro; ~ **government** Nebenregierung; **by ~ hand** auf indirektem Wege; ~ **holdings** Lombardbestände; ~ **loan** Lombardkredit, -darlehn; ~ **performance** Nebenleistung; ~ **promise** Bürgschaftsversprechen; **to apply shares as ~ security** *(US)* Aktien als Kreditunterlage verwenden; **to serve as ~ security** als Lombarddeckung fungieren; ~ **trustee share** Anteilschein einer Kapitalanlagegesellschaft; ~ **value** Beleihungs-, Lombard[ierungs]wert.

collaterate *(v.) (US)* Verpfändung von Wertpapieren vornehmen.

collation *(bookkeeping)* Kollation, Vergleichung, Kollationierung, *(telegram)* Verifizierung durch Wiederholung.

collect *(v.) (accumulate)* [an]sammeln, *(cheques)* einziehen, einlösen, einkassieren, *(taxes)* erheben, einziehen;
~ **a bill** Rechnungsbetrag kassieren; ~ **a bill when due** Wechsel bei Fälligkeit einlösen; ~ **a claim** Forderung eintreiben; ~ **the letters** Briefkasten leeren; ~ **money due** Außenstände einziehen; ~ **rents** Mieten einziehen; ~ **stamps** Briefmarken sammeln;
~ **call** *(tel.)* R-Gespräch; ~ **shipment** Frachtnachnahme.

collect on delivery *(C. O. D.) (US)* Zahlung gegen Nachnahme, zahlbar bei Lieferung;
~ **fee** Nachnahmegebühr.

collecting | of bills of exchange Wechselinkasso;
~ **agency** Inkassostelle, -büro; ~ **box** Sammelbüchse; ~ **business** Inkasso[geschäft]; ~ **clerk** Kassenbote; ~ **commission** Inkasso-, Einziehungsprovision; ~ **point** *(US)* Sammelstelle, -lager; ~ **society** *(Br.)* gemeinnütziger Verein; ~ **vehicle** Zubringerfahrzeug.

collection Inkasso, *(bill, debts)* Einziehung, Einzug, *(sum collected)* Spende, Almosensammlung, *(taxes)* Beitreibung, Einziehung;
house-to-house ~ Haussammlung; **slow ~s** schleppende Eingänge; **stamp** ~ Briefmarkensammlung; **~s due from banks** *(balance sheet)* Inkassoforderungen an Banken; ~ **of bills** Wechselinkasso; ~ **of charges** Spesennachnahme; ~ **by the customer** Selbstabholung; ~ **of debts** Forderungseinziehung; ~ **on delivery** *(US)* Zahlung gegen Nachnahme; ~ **of documents** Dokumenteninkasso; ~ **of illegal fees** übermäßige Gebührenerhebung; ~ **of freight charges** Frachteninkasso; **~s by hand** *(US)* Boteninkassi; ~ **of patterns** Musterkollektion; ~ **for charitable purposes** Sammlung für wohltätige Zwecke; ~ **of rents** Mietinkasso; ~ **at the source** Quellenbesteuerung; ~ **of taxes** Steuererhebung;
to attend to the ~ of a bill Wechselinkasso besorgen; **to await** ~ abholbereit sein; **to effect ~s** Inkassi besorgen; **to take up a** ~ mit dem Klingelbeutel herumgehen;
~ **account** Inkassokonto; ~ **agency (agent)** Inkassobüro, -stelle; **house ~ agency** eigene Inkassogesellschaft; ~ **business** Inkassogeschäft; ~ **check** *(US)* **(cheque,** *Br.)* Inkassoscheck; ~ **commission** Inkassokommission, -provision, -gebühr; ~ **department** Inkassoabteilung; ~ **district** Steuererhebungsbezirk; ~ **expense(s)** Inkassospesen; ~ **form** Inkassoformular; ~ **item** Inkassoabschnitt; ~ **letter** *(US)* Mahnschreiben; ~ **manager** Inkassobearbeiter; ~ **order form** Postauftragsformular; ~ **service** Inkassodienst; ~ **speedup** beschleunigtes Einzugsverfahren; ~ **teller** Schalterbeamter für den Inkassoverkehr; ~ **window** Einziehungsschalter.

collective | account Sammelkonto; ~ **agreement** *(bargaining)* Tarifvertrag, -vereinbarung, Kollektivvertrag; ~ **bargainer** Tarifvertragspartner.

collective bargaining Tarifverhandlungen;
~ **commission** Tarifkommission.

collective | bill of lading Sammelkonnossement; ~ **call** *(tel.)* Konferenzgespräch; ~ **consignment** Sammelladung; ~ **deed** Sammelurkunde; ~ **farm** Kolchose; ~ **insurance** Gruppenversicherung; ~ **labo(u)r agreement** ganzen Industriezweig umfassendes Tarifabkommen; ~ **mark** Verbandszeichen; ~ **mortgage** Gesamthypothek; ~ **note** *(dipl.)* Kollektivnote; ~ **number** *(tel.)* Sammelanschluß, -nummer; ~ **security** *(pol.)* kollektive Sicherheit; ~ **shipment** Sammelladung; ~ **shopping** Gemeinschaftseinkauf; ~ **ticket** Sammelfahrschein; ~ **transport** Sammeltransport.

collector Sammler, *(customs)* Zolleinnehmer, *(debts)* Inkassobeamter, -bearbeiter, *(taxes)* Steuereinnehmer, Vollziehungsbeamter;
debt ~ Inkassobeauftragter; **rent** ~ Mieteinnehmer; **stamp** ~ Briefmarkensammler; **ticket** ~ Fahrkartenabnehmer;
~ **of internal revenues** *(US)* Finanzamtsleiter;
~ **of taxes** Steuereinnehmer.

colliery Kohlenbergwerk, Zeche;
~ **company** Bergwerksgesellschaft.

collision Zusammenstoß, Kollision, *(car)* Karambolage;
~ **of interests** Interessenkonflikt;
~ **clause** Kollisionsklausel; ~ **course** *(fig. and ship)* Kollisionskurs; ~ **insurance** Zusammenstoß-, Kollisionsversicherung.

colonial kolonial, aus den Kolonien stammend;
~ **government** Kolonialregierung; ~ **market** *(Br., stock exchange)* Markt für Kolonialwerte, Überseemarkt; ~ **merchant** Kolonialwarenhändler; ~ **preference** *(Br.)* Vorzugszölle zwischen England und seinen Kolonien.

colony Kolonie, Niederlassung, Ansiedlung;
industrial ~ Industrieansiedlung; **labo(u)r** ~ Arbeitersiedlung.

colo(u)r *(character)* Gesinnung, Charakter *(US,*

law) auf den ersten Anschein hin glaubhaftes Recht, *(pretence)* Vorwand, Deckmantel;
under false ~**s** unter falscher Flagge; **under** ~ **of one's office** unter Mißbrauch seiner amtlichen Stellung;
political ~ politische Gesinnung;
~ **of authority** scheinbare Vertretungsmacht; **political** ~ **of a journal** politische Tendenz einer Zeitung;
to nail one's ~**s to the mast of free trade** überzeugter Anhänger der Freihandelslehre sein;
~ **ad** mehrfarbige Anzeige; ~ **block** *(Br.)* Farbklischee; ~ **cast** Farbfernsehsendung; ~ **printing** Mehrfarben-, Buntdruck; ~ **television** Farbfernsehen; ~ **television broadcasting** Farbfernsehsendung; ~ **television set** Farbfernsehgerät, -fernseher.

colo(u)rable | claim *(bankruptcy)* aussonderungsberechtigte Forderung, Aussonderungsanspruch; ~ **transaction** Scheingeschäft.

colo(u)red report gefärbter Bericht.

column *(of figures)* senkrechte Reihe, Zahlenkolonne, *(newspaper)* Rubrik, Spalte, Kolumne, *(print.)* Schriftblock, Satzspalte, *(US special department)* Unterhaltungsteil, Feuilletonabteilung;
advertisement ~**s** Anzeigenteil; **auxiliary** ~ *(bookkeeping)* Hilfsspalte; **financial** ~**s** Handels-, Wirtschaftsteil;
~ **of local news** Lokalspalte; ~ **of motor vehicles** Kraftwagenkolonne;
to arrange in ~**s** rubrizieren;
~ **depth** Spaltenhöhe; ~ **inch** Spaltenmaß; ~ **width** Spaltenbreite.

columnar | [system of] bookkeeping amerikanische Buchführung; ~ **sheet** Kolonnenbogen.

columnist *(US)* Kolumnist, Feuilletonist, Leitartikler.

comanagement Mitbestimmung[srecht].

combination Verbindung, Kombination, *(alliance)* Zusammenschluß, Bündnis, *(cartel)* Ring, Kartell, *(of concerns)* Trust, Konzern, Interessengemeinschaft, Pool;
close ~**s** *(US)* Zusammenschlüsse auf kapitalistischer Basis; **horizontal** ~ horizontaler Konzern; **price** ~ Preiskartell; **production** ~ Produktionskartell;
~ **in restraint of trade** Wettbewerbskartell;
~ **milage and rate prorate** *(US)* kombinierter Frachttarif; ~ **offer** Kopplungsangebot; ~ **rate** *(advertising)* kombinierter Anzeigenpreis, *(railway)* Durchfrachtsatz, -tarif; ~ **sheet** Sammelbogen; ~ **tariff** kombinierter Tarif.

combine Trust, Konzern, Pool *(community of interests)* Interessengemeinschaft;
buying (purchasing) ~ Einkaufsverband, Abnehmerkartell; **horizontal** ~ horizontales Kartell;
~ **of producers** Erzeugerverband;
~ *(v.)* fusionieren, zusammenschließen, -stellen;
~ **business with pleasure** das Angenehme mit dem Nützlichen verbinden; ~ **two electoral lists** zwei Wahllisten miteinander verbinden;
~ **price** Verbandspreis.

combined | action gemeinsames Vorgehen; ~ **board** gemischter Ausschuß; ≗ **Certificate of Value and Origin** *(Br.)* kombiniertes Wert- und Ursprungszeugnis; ~ **depreciation and upkeep method** kombinierte Abschreibungs- und Erhaltungsmethode; ~ **annual fee** pauschale Jahresgebühr; ~ **endowment and wholelife insurance** gemischte Lebensversicherung auf den Erlebens- und Todesfall; ~ **financial statement** Konzernbilanz; ~ **income** *(married couple)* gemeinsames Einkommen; ~ **rail and road ticket** Anschlußfahrkarte.

come forward | as a candidate sich als Kandidat vorstellen; ~ **as surety** sich als Bürge anbieten.

come in *(v.)* *(arrive)* ankommen, einlaufen, *(fashion)* in Mode kommen, *(goods)* eintreffen, *(money, order, tax)* eingehen, *(train)* einfahren, einlaufen.

come into | a business in ein Geschäft eintreten; ~ **property** Vermögen erben (erwerben).

come out *(article)* [mit einem Artikel] herauskommen, *(book, newspaper)* erscheinen, herauskommen, *(strike)* streiken, in Ausstand treten.

come to sich belaufen auf, ausmachen;
~ **a great deal of money** eine dicke Stange Geld kosten; ~ **double the estimate** sich auf das Doppelte des Voranschlags belaufen.

come upon | s. o. for damages j. wegen Schadenersatzes belangen; ~ **the parish** der Gemeinde zur Last fallen.

comeback *(pol.)* Rück-, Wiederkehr, Rehabilitierung.

comfortable independence finanzielle Unabhängigkeit.

coming | together of firms Firmenzusammenschluß;
~ **fashion** kommende Mode; ~ **man** *(politics)* vielversprechender Politiker.

commencement | of an action Klageerhebung; ~ **of business** Geschäftsbeginn, -eröffnung; ~ **of a policy** Versicherungsbeginn.

commencing salary Anfangsgehalt.

commendatory letter Empfehlungsbrief.

commentary Kommentar, Erläuterung, *(annotation)* Anmerkung, *(broadcasting)* Hörbericht;
press ~ Pressekommentar; **radio** ~ Rundfunkkommentar.

commentator Kommentator, *(radio)* Funkberichterstatter, Rundfunkkommentator.

commerce [Handels]verkehr, Warenverkehr, Handel;
active ~ lebhafter Handelsverkehr, *(mercantile shipping on own ships)* Außenhandel mit eigenen Schiffen; **internal** ~ *(US)* inner-

staatlicher Handelsverkehr; **maritime** ~ Handelsschiffahrt; **overseas** ~ Überseehandel;
~ **and industry** Handel und Gewerbe;
to carry on ~ **with** Handel treiben.

Commerce Department *(US)* Handels-, Wirtschaftsministerium.

commerce | destroying Handelskrieg, *(sales agent)* Tour; **to go out** ~ **destroying** *(sales agent)* auf Tour gehen.

commercial *(broadcasting, television)* Patronatssendung, Werbesendung, -funk, *(traveller, Br. coll.)* Handelsreisender, Vertreter;
integrated ~ eingeblendete Werbesendung;
~ *(a.)* geschäftlich, kaufmännisch, handeltreibend, gewerblich, kommerziell, *(having financial profit)* auf Gewinn abgestellt, *(large-scale)* in großen Mengen erzeugt;
~ **acceptance credit** Warenrembourskredit; ~ **adventurer** Spekulant; ~ **advertising** Wirtschaftswerbung; ~ **advice** Handels-, Wirtschaftsbericht; ~ **agency** *(US)* [Kredit]-auskunftei; ~ **air transportation** Güterflugverkehr; ~ **aircraft** Verkehrsflugzeug; ~ **airport** Verkehrsflughafen; ~ **announcements** *(broadcasting)* geschäftliche Mitteilungen; ~ **appointment** kaufmännische Beschäftigung; ~ **arbitration** Schiedsgerichtswesen der Wirtschaft; ~ **art** Werbegraphik; ~ **artist** Gebrauchsgraphiker; ~ **association** Wirtschaftsvereinigung; ~ **attaché** Handelsattaché; ~ **automobile** Lieferwagen; ~ **bank** Handelsbank, Rembourskreditinstitut; ~ **books** Geschäftsbücher; ~ **broadcasting** Werbefunk; ~ **broker** Produktenmakler; ~ **car** Nutzfahrzeug, Geschäfts-, Lieferwagen; ~ **circles** Kaufmannskreise; ~ **clerk** Handlungsgehilfe; ~ **communications** geschäftliche Mitteilungen; ~ **construction** gewerbliche Bautätigkeit; ~ **convention** Handelsabkommen; ~ **correspondence course** Handelskorrespondenzkurs; ~ **credit** Handelskredit, Waren-, Bankrembourskredit, *(credit rating)* geschäftlicher Kredit; ~ **crisis** Wirtschaftskrise; ~ **custom** Handelsbrauch; ~ **dealings** Handelsgeschäfte; ~ **debt** Warenschuld; ~ **directory** Branchenadreßbuch; ~ **discount** Skonto; ~ **domicile** Wohnsitz der gewerblichen Niederlassung; ~ **education** kaufmännische Ausbildung; ~ **enterprise** Geschäftsunternehmen; ~ **establishment** Handelsunternehmen; **medium-sized** ~ **establishment** Unternehmen des gewerblichen Mittelstandes; ~ **factory** Handelsniederlassung; ~ **failure** Konkurs, Bankrott; ~ **firm** Geschäftshaus, Handelsfirma; ~ **hotel** Durchgangshotel; ~ **insolvency** Zahlungsunfähigkeit; ~ **interests** Wirtschaftsinteressen; ~ **invoice** Warenrechnung; ~ **land** Geschäftsgrundstück; ~ **law** Handels-, Wirtschaftsrecht; ~ **letter** Geschäftsbrief; ~ **letter of credit** Warenkreditbrief; ~ **location** Handelsniederlassung; ~ **magazine** Wirtschaftszeitschrift; ~ **man** Geschäftsmann, *(US)* Geschäftsreisender; ~ **minute** *(broadcasting, television)* Werbeminute; ~ **mission** Handelsmission; ~ **news** Handels-, Wirtschaftsnachrichten; ~ **newspaper** Wirtschaftszeitung, Börsenblatt; ~ **operator** gewerbliches Unternehmen; ~ **paper** kurzfristiges Handelspapier, Schuldschein; ~ **plane** Verkehrsflugzeug; ~ **price** im freien Kräftespiel entstandener Preis; ~ **profit** Geschäftsgewinn; ~ **program(me)** *(broadcasting)* Werbefunksendung; ~ **prospects** Geschäftsaussichten; ~ **puff** Warenanpreisung; ~ **radio** Werbefunk; ~ **rate of exchange** *(US)* Devisen-, Wechselkurs; ~ **representative** Wirtschaftsvertreter; ~ **risk** Geschäftsrisiko, Unternehmerwagnis; ~ **room** *(hotel, Br.)* Besprechungs-, Konferenzzimmer; **on a** ~ **scale** gewerbsmäßig; ~ **school** Handelsschule; ~ **school examination** Kaufmannsgehilfenprüfung; ~ **shipping** Handelsschiffahrt; ~ **size** marktfähige (gängige) Größe; ~ **standards of solvency** übliche Liquiditätsfordernisse; ~ **stationery** Geschäftsdrucksachen; ~ **statistics** Handelsstatistik; ~ **street** Geschäftsstraße; ~ **survey** Marktanalyse; ~ **television** Werbefernsehen; ~ **terms** Lieferklauseln; ~ **transaction** Geschäftsabschluß; ~ **treaty** Handelsvertrag, Wirtschaftsabkommen; ~ **use** gewerbliche Nutzung; ~ **value** Handels-, Marktwert; ~ **vehicle** Nutzfahrzeug; ~ **volume** Handelsvolumen; ~ **work** Akzidenzdrucksachen.

commercialize *(v.)* kommerziell auswerten (verwerten).

commission *(agent's remuneration)* Kommission[sgebühr], [Makler]provision, *(bailment)* unentgeltliche Verwahrung, *(bankruptcy)* Bonifikation, *(brokerage)* Courtage, *(charge)* [Geschäfts]auftrag, *(committee)* Ausschuß, *(office)* Amt, Funktion;
free of ~ provisionsfrei;
in ~ in gebrauchsfähigem Zustand; **liable (subject) to** ~ provisionspflichtig;
accepting ~ Akzeptprovision; **accrued** ~ Provisionsforderung; **agent's** ~ Vertreterprovision; **buying** ~ Einkaufsprovision; **counterbalance** ~ Stornogebühr; **delcredere** ~ *(Br.)* Delkredereprovision; **insurance** ~ Versicherungsprovision; **overdraft** – Überziehungsprovision; **overriding** ~ Abschlußprovision des Generalvertreters; **tax** ~ Steuerausschuß; **turnover** ~ Umsatzprovision; **underwriting** ~ Bonifikation;
~ **of appraisement** Bewertungsausschuß, -kommission; ~ **charged by the bank** von der Bank in Ansatz gebrachte Provision; ~ **for domicil[at]ing** Domizilprovision; ~ **on guarantee** Avalprovision; ~ **on sales effected** Umsatzprovision; ~ **of the stock exchange** Börsenzulassungsausschuß;
~ *(v.)* beauftragen, bevollmächtigen, ermächtigen, *(ship)* in Dienst stellen;
~ **one's bank to pay one's taxes** seine Bank mit

der rechtzeitigen Bezahlung seiner Steuern beauftragen;
to appoint s. o. as buyer on ~ j. auf Provisionsbasis anstellen; **to be on the** ~ Ausschuß-, Kommissionsmitglied; **to buy and sell on** ~ Provisionsgeschäfte machen; **to have earned one's** ~ provisionsberechtigt sein; **to put into** ~ provisorisch verwalten, *(ship)* in Dienst stellen; **to sell on** ~ auf Provisionsbasis arbeiten; **to send on** ~ kommissionsweise überlassen; **to take goods on** ~ Waren in Kommission nehmen; **to trade on** ~ Kommissionsgeschäfte abschließen;
~ **account** Provisionskonto, -rechnung; ~ **agency** Agentur, Kommissionsgeschäft; ~ **agent** Kommissionär; **to be paid (operate) on a** ~ **basis** als Provisionsvertreter (auf Provisionsgrundlage) arbeiten; ~ **book** Bestell-, Auftrags-, Orderbuch; ~ **broker** *(US)* Börsenkommissionsfirma, ~ **charge** Provision, *(broker)* Courtage[satz]; ~ **cost** Provisionshöhe; ~ **earnings** Provisionseinnahmen; ~ **man** Kommissionär, Abschlußagent; ~ **rate** Provisions-, Kommissionssatz; ~ **rebate** *(stockbroker)* Provisionsnachlaß; ~ **schedule** Provisionstabelle; ~ **selling** Verkauf auf Provisionsbasis; ~ **splitting** Provisionsteilung.

commissionable provisionspflichtig.

commissioner Beauftragter, Bevollmächtigter, *(committee member)* Kommissions-, Ausschußmitglied;
bankruptcy ~ Konkursverwalter; **wreck** ~ Strandvogt;
≗ **of Audit** Oberster Rechnungshof, Rechnungsprüfungsamt; ~ **of banking** *(US)* Bankenkommissar; ≗ **of Customs** *(US)* Oberste Zollverwaltung; ≗ **of Supply** Grundsteuerausschuß.

commit *(v.) (entrust)* anvertrauen, betrauen, übertragen, *(order)* in Auftrag geben, bestellen;
~ **an act of bankruptcy** Konkursvergehen begehen; ~ **a fund to the care of trustees** Vermögensmasse Treuhändern anvertrauen; ~ **o.s. on easing money** sich für Geldmarkterleichterungen einsetzen; ~ **s. th. to writing** etw. zu Papier bringen.

commitment Verbindlichkeit, [finanzielle] Verpflichtung, *(commission)* Auftrag, *(consignment)* Überweisung, *(engagement)* [Börsen]engagement;
advance ~ Kreditzusage; **foreign-exchange** ~**s** Devisenengagements; **fortnightly** ~**s** Mediofälligkeiten; **purchase** ~ Bonifikation;
~**s arising from endorsements** Indossamentverbindlichkeiten;
to meet ~**s** Verpflichtungen nachkommen; **to shorten** ~**s** Aufträge zurückziehen;
~ **commission** Bereitstellungsprovision.

committee Ausschuß, Kommission, Komitee;
ad-hoc ~ Sonderausschuß; **advisory** ~ Gutachterkommission; **appraisement** ~ Bewertungsausschuß; **assessment** ~ Veranlagungsausschuß; **departmental** ~ ministerieller Ausschuß; **drafting** ~ Redaktionsausschuß; **Economic and Finance** ≗ *(UNO)* Wirtschafts- und Finanzausschuß; **managing** ~ geschäftsführender Vorstand; **price-control** ~ Preisüberwachungsausschuß; **procedural** ~ Verfahrensausschuß; **shop** ~ *(Br.)* Betriebsrat; **stock exchange** ~ *(Br.)* Börsenkommission, -vorstand; ~ **of creditors** Gläubigerbeirat; ~ **of inspection** *(Br., bankruptcy)* Gläubigerausschuß; ~ **for merchandize (merchandise,** *Br.*) **traffic** Frachtenausschuß; ~ **of the Stock Exchange** Börsenvorstand; ~ **on Stock List** *(US)* Börsenzulassungsstelle; ~ **of Supply** *(Br.)* Haushaltsausschuß; ~ **in a winding up** *(Br.)* Gläubigerausschuß bei einer Liquidation;
to appoint a ~ Ausschuß einsetzen (konstituieren); **to resolve itself into a** ~ sich als Ausschuß konstituieren;
~ **assignment** Ausschußbesetzung; ~ **chairman** Ausschußvorsitzender; ~ **consultation** Ausschußberatungen; ~ **discussions** Ausschußberatungen; ~ **files** Ausschußakten; ~ **member** Ausschußmitglied; **to be in the** ~ **stage** dem Ausschuß vorliegen.

committeeman *(US)* Ausschußmitglied.

commodities Waren, Artikel, Gebrauchsgüter;
agricultural ~ landwirtschaftliche Erzeugnisse; **bulk** ~ Massengüter; **graded** ~ sortierte Waren; **high-priced** ~ Waren mit hohen Verkaufspreisen; **import** ~ Einfuhrwaren; **manufactured** ~ Industrieerzeugnisse; **price-maintained** ~ preisstabile Waren; **primary** ~ Rohstoffe; **rationed (scarce)** ~ Mangelwaren, bewirtschaftete Waren; **stockpiled** ~ eingelagerte Waren; **well-known** ~ guteingeführte Artikel;
~ **[not] under control** [nicht] bewirtschaftete Waren.

commodity [Handels]ware, [Gebrauchs]artikel, Erzeugnis;
scarce ~ Mangelware;
~ **advance** Warenbevorschussung; ~ **agreement** Warenabkommen; ~ **aid** projektgebundene Hilfe; ~ **cargo** Warenladung; ~ **classification** Warenverzeichnis; ~ **consumption** Warenverbrauch; ~ **dividend** *(US)* Sachdividende; ~ **futures** Warentermingeschäft; ~ **money** *(US)* Indexwährung; ~ **paper** *(US)* Dokumententratte; ~ **price** Rohstoff-, Warenpreis; **wholesale** ~ **price** Großhandelspreis; ~ **rate** *(airline)* ermäßigte Luftfrachtrate; ~ **sales** Warenverkauf; ~ **value** Waren-, Sachwert.

common *(a.)* allgemein üblich, gewöhnlich, gebräuchlich, *(inferior)* geringwertig, *(public)* öffentlich, *(shared)* gemeinsam, gemeinschaftlich;
~ **apartment** Gastzimmer; ~ **average** einfache Havarie; ~ **capital stock** *(US)* Stammkapital.

common carrier *(US)* Spediteur, Frachtführer.
~ **by air** Luftfrachtspediteur.

common | debtor Gemeindeschuldner; ~ **enterprise** Gemeinschaftsbetrieb; ~ **hazard** *(fire insurance)* allgemeine Feuersgefahr; ~ **labo(u)r** ungelernte Arbeit, Handarbeit, *(Sunday laws)* normale Geschäftstätigkeit; ~ **labo(u)rer** ungelernte Arbeiter.

Common Market Gemeinsamer Markt;
~ **Community** Europäische Wirtschaftsgemeinschaft; ~ **territory** europäische Wirtschaftsregion; ~ **Treaty** Montanunionsvertrag.

common | point *(carrier)* gemeinsamer Tarifausgangspunkt; ~ **price** üblicher Preis; ~ **property** Gemeingut; ~ **purse** gemeinsame Kasse; ~ **seller** gewerbsmäßiger Verkäufer; ~ **seal** Firmensiegel; ~ **share** *(Br.)* Stammaktie, -anteil; ~ **supplies** gemeinschaftliche Versorgungsgüter.

commonplace Gemeinplatz, Platitüde, Binsenwahrheit, Alltäglichkeit;
~ **kind of man** Durchschnittsbürger.

communal kommunal, gemeindlich, *(owned in common)* in gemeinsamem Besitz;
~ **elector** Gemeindewähler; ~ **estate** *(law)* Gütergemeinschaft; ~ **kitchen** Volks-, Gemeinschaftsküche; ~ **trading (undertaking)** Kommunal-, Gemeindebetrieb.

communalization Kommunalisierung.

communalize *(v.)* eingemeinden, kommunalisieren.

communication Gedanken-, Meinungsaustausch, Informationsfluß, *(information)* Mitteilung, Benachrichtigung, *(line of ~)* Verkehrsverbindung, -weg;
banking ~ Bankverkehr; **commercial** ~**s** geschäftliche Mitteilungen; **confidential** ~**s** vertrauliche Mitteilungen; **postal** ~ Postverbindung; **written** ~ schriftliche Benachrichtigung;
~ **by rail** Eisenbahnverbindung;
~ **company** Verkehrsgesellschaft; ~ **cord** *(railway)* Notbremse; ~ **cost** Übermittlungskosten; ~ **facilities** Fernmeldeeinrichtungen; ~ **gap** Informationslücke; ~ **industry** Verkehrsindustrie; ~ **satellite** Nachrichtensatellit; ~**s system** Verkehrssystem, -netz, Verteilungssystem, *(tel.)* Nachrichtenwesen.

community Gemeinwesen, Gemeinde, *(public)* Öffentlichkeit, Volk, Publikum, Allgemeinheit;
conventional ~ vertraglich vereinbarte Gütergemeinschaft;
~ **of goods** Gütergemeinschaft; ~ **of [rights and] interests** [Rechts- und] Interessengemeinschaft;
to be harmful to the ~ für die Allgemeinheit abträglich sein;
~ **account** Gemeinschaftskonto; ~ **antenna** *(radio)* Gemeinschaftsantenne; ~ **centre** *(Br.)* Volksbildungsheim; ~ **facilities** Kommunalanlagen; ~ **fund** gemeinsamer Fonds; ~ **hospital** Kommunalkrankenhaus; ~ **property** *(married couple)* Gesamtgut; ~ **support** Kommunalhilfe.

communization Sozialisierung, Vergesellschaftung.

communize *(v.)* sozialisieren, vergesellschaften.

commutation *(buying-off)* Ablösung, *(interchange)* Austausch, Auswechslung, *(money paid by way of ~)* Ablösungssumme, *(US, travel(l)ing on a commutation ticket)* Benutzung einer Dauerkarte, regelmäßige Benutzung öffentlicher Verkehrsmittel;
~ **of an annuity** Rentenablösung; ~ **of taxes** Steuerablösung;
~ **column** *(life insurance)* Kommutationswertspalte; ~ **fare** *(US)* Abonnementsfahrpreis; ~ **rates** *(US)* Zeitkartentarif; ~ **tables** Umrechnungstabelle; ~ **ticket** *(US)* Zeit-, Abonnementsfahr-, Dauerkarte.

commute *(v.)* *(buy off)* [Lasten]ablösen, *(communication ticket, US)* hin- und herfahren, pendeln, Dauerfahrkarte benutzen, *(instalment system)* einmalige *(interchange)* leisten, *(interchange)* um-, austauschen, *(pay in gross)* durch Kapitalzahlung abfinden;
~ **freight charges** Frachtkosten bezahlen.

commuter *(Br.)* Vorortbewohner, *(US, railroad ticket)* Monats-, Dauer-, Zeitkarteninhaber, Pendler;
~ **airlines** Flugzeugnahverkehr; ~ **airliner** Nahverkehrsflugzeug; ~ **line** Pendlerstrecke; ~ **rail service** Berufsverkehrseinrichtungen der Bahn; ~ **surburban area** Nahverkehrsgebiet; ~ **train** Vorort-, Pendler-, Nah-, Berufsverkehrszug; ~ **zone** Nahverkehrs-, Pendelgebiet.

commuting *(US)* Nah-, Berufsverkehr, Pendeln;
~ **business** Pendlerverkehr; **rush hours** ~ **trip** Pendlerverkehr in Spitzenverkehrszeiten.

Companies Registration Office *(Br.)* Firmenregister.

company [Handels]gesellschaft, Firma, Unternehmen, Betrieb;
accepting ~ *(insurance)* Rückversicherer; **affiliated** ~ Tochter-, Konzerngesellschaft; **banking** ~ Bankinstitut; **bogus** ~ Schwindelgesellschaft; **broadcasting** ~ Rundfunkgesellschaft; **bubble** ~ Schwindelgesellschaft; **ceding** ~ *(insurance law)* Erstversicherer; **commercial** ~ Handelsgesellschaft; **constituent** ~ Gründergesellschaft; **Controlling** ~ Dachgesellschaft; **debtor** ~ Schuldnerin; **family-held** ~ Familienunternehmen; **financial** ~ *(Br.)* Finanzierungsgesellschaft; **gas** ~ Städtisches Gaswerk; **guarantee** ~ Kautionsversicherungsgesellschaft; **holding** ~ Holding-, Dachgesellschaft; **industrial** ~ Industrieunternehmen; **insurance** ~ Versicherungsgesellschaft; **interrelated** ~ Schachtelunternehmen; **investment** ~ Emissionsbank; **joint-stock** ~ *(Br.)* Aktiengesellschaft, *(US)* [etwa] Kommanditgesellschaft auf Aktien; **limited [liability]** ~ *(Br.)* [etwa] Gesellschaft mit beschränkter Haftpflicht; **managing** ~ Betriebsgesellschaft; **multimarket** ~ Unternehmen mit breit gestreuten Absatzmärkten; **multiproduct** ~ Unternehmen mit breitgestreutem Produk

tionsprogramm; **nonprofit [-making]** ~ gemeinnützige Gesellschaft; **one-man** ~ *(US)* Einmanngesellschaft; **operating** ~ Betriebsgesellschaft; **overdiversified** ~ Unternehmen mit überproportionalem Fertigungsprogramm; **parent** ~ Dach-, Muttergesellschaft; **prospectus** ~ *(Br.)* Gründergesellschaft; **public-utility** ~ öffentlicher Versorgungsbetrieb; **publishing** ~ Verlagsunternehmen; **real-estate** ~ Grundstücks-, Terrain-, Immobiliengesellschaft; **registered** ~ *(Br.)* [handelsgerichtlich] eingetragene Gesellschaft (Firma); **reorganized** ~ sanierte Gesellschaft; **shipping** ~ Reederei; **subsidiary** ~ Organ-, Schachtel-, Tochter-, Konzerngesellschaft; **transferee** ~ übernehmende Gesellschaft; **trucking** ~ Speditionsbetrieb; **unincorporated** ~ nicht rechtsfähige Gesellschaft; **wound-up** ~ aufgelöste Gesellschaft; **direct writing** ~ Rückversicherungsgesellschaft; **to administer a ~ from red to black** Betrieb aus den roten Zahlen herausführen; **to float (found) a** ~ Gesellschaft gründen; **to put a private ~ on the road to a public stock offering** Aktieneinführung einer privaten Kapitalgesellschaft vorbereiten; **to put a ~ in the black** Finanzrendite bei einem Unternehmen erzielen; **to register a** ~ Firma handelsgerichtlich eintragen lassen; **to reorganize a** ~ Firma sanieren; **to wind up a** ~ Gesellschaft auflösen (liquidieren);

~ **address** Firmenanschrift; ~ **anniversary** Betriebsjubiläum; ~ **archive** Firmen-, Betriebsarchiv; ~ **benefit** betriebliche Sozialbeihilfe; **to expand ~ business** Geschäftsbetrieb ausweiten; ~ **cafeteria** Betriebskasino; ~ **car** firmeneigener Wagen; ~ **celebration** Betriebsfest; ~ **colony** Belegschaftssiedlung; ~ **comments** *(Br.)* Hauptversammlungsberichte; ~ **contribution** Firmen-, Betriebszuschuß; ~ **dining room** Betriebskasino; ~ **dwelling (flat)** Werkswohnung; ~ **employee** Firmenangestellter; ~ **form** Betriebsformular; ~ **hotel suite** betriebseigene Hotelsuite; ~ **house** Werkswohnung; ~ **identification card** Firmen-, Betriebsausweis; ~ **magazine** Werkszeitung; ~ **meeting** Gesellschafterversammlung; ~ **name** Firmenname; ~ **old-timer** langjähriges Belegschaftsmitglied; ~ **[-financed] pension** Betriebspension; ~ **plane** Firmenflugzeug; ~ **plant** Werksanlage; ~ **physician** Betriebsarzt; ~ **policy** Unternehmenspolitik; ~ **premises** Betriebsgebäude, -grundstück; ~ **property** Firmen-, Betriebsvermögen; ~ **release** Firmenmitteilung; ~ **size** Betriebs-, Firmen-, Unternehmensgröße; ~ **stationery** Firmenbriefbogen; ~ **store** betriebseigenes [Laden]geschäft, Kantine; ~ **supplier** Firmenlieferant; ~ **town** Werkssiedlung.

comparable

~ **period** Vergleichszeitraum.

comparative | **balance sheet** vergleichende Bilanz; ~ **income statement** vergleichende Gewinn- und Verlustrechnung.

comparison | **of costs** Kostenvergleich; ~ **of handwritings** Handschriftenprüfung.

compartment *(agenda, Br.)* Abschnitt der Tagesordnung, *(railway)* [Wagen]abteil, Coupé; **first-class** ~ Erste-Klasse-Abteil; **pressured** ~ Druckluftkabine;

~ **car** Schlafwagen; ~ **train** Schlafwagenzug.

compassionate allowance Unterhaltszahlung an die geschiedene Ehefrau.

compensable | **death** *(Workmen's Compensation Act)* schadenersatzpflichtiger Unfalltod; ~ **injury** *(US)* ersatzpflichtiger Betriebsunfall.

compensate *(v.)* *(counterbalance)* ausgleichen, kompensieren *(indemnify)* entschädigen, schadlos halten;

~ **s. o. for a loss** j. für einen Verlust entschädigen; ~ **s. o. for his broken time** jem. seinen Verdienstausfall ersetzen.

compensating adjustment Entschädigungsausgleich.

compensation *(amends)* [Schaden]ersatz, *(counterbalance)* Ausgleich[ung], Kompensation, *(US, customs)* Ausgleichszoll, *(indemnification)* Entgelt, Abstandsgeld, Entschädigung, Abfindung, *(offset)* Gegenrechnung, *(salary, US)* Lohn, Gehalt, Vergütung, *(workmen)* Unfallentschädigung;

cash ~ Barvergütung, -abfindung; **dismissal** ~ Abfindung; **equivalent** ~ Wertersatz; **gross** ~ Bruttoverdienst; **money (pecuniary)** ~ Abfindungssumme; **sickness** ~ Krankengeld; **year-end** ~ Jahresabschlußvergütung;

~ **in cash** Barabfindung; ~ **for loss of amenities** Schadenersatz für Verschlechterung der Wohngegend; ~ **for pain and suffering** *(US)* Schmerzensgeld; ~ **for use** Nutzungsentschädigung; **to accept** ~ sich abfinden lassen; **to assess the** ~ Entschädigung festsetzen;

~ **account** Ausgleichskonto; **Workmen's** ~ **Act** Arbeiterunfallversicherungsgesetz; ~ **agreement** Kompensationsabkommen; ~ **business** Kompensationsgeschäft; ~ **expert** *(US)* Gehälterexperte; ~ **fund** Ausgleichsfonds; ~ **package** *(US)* Gesamtvergütung; **overall** ~ **program(me)** *(US)* umfassendes Programm zusätzlicher Vergünstigungen.

compensatory | **balance** *(banking)* Ausgleichskonto; ~ **damages** *(US)* Ersatz des tatsächlichen Schadens; ~ **duty** Ausgleichszoll; ~ **fiscal policy** antizyklische Konjunkturpolitik; ~ **interest** Staffel-, Zinseszinsen; ~ **principle of taxation** Steuerausgleichsprinzip; ~ **spending** Defizitwirtschaft; ~ **tax** Ausgleichssteuer; ~ **time off** Ausgleichsurlaub für Überstunden.

compete *(v.)* im Wettbewerb stehen, konkurrieren;

~ **for a job** sich um einen Posten bewerben; ~ **for a prize** an einem Preisausschreiben teilnehmen; ~ **for a scholarship** sich um ein Stipendium bemühen.

competence, competency *(ability)* Fähigkeit, Befähigung, *(authority)* Kompetenz, [Amts]befugnis, Zuständigkeit, *(subsistence)* genügendes Auskommen, Fortkommen;
~ **in marketing** umfassende Kenntnisse des Absatzwesens;
to enjoy a ~ sein [gutes] Auskommen haben; **to fall within the** ~ **of s. o.** zu jds. Zuständigkeit gehören.

competent kompetent, befugt, fachkundig, zuständig, berechtigt;
~ **authority** zuständige Behörde; ~ **parties** Vertragsparteien; **in** ~ **quarters** in unterrichteten Kreisen; ~ **supply of provisions** ausreichende Versorgung.

competing im Wettbewerb, konkurrierend;
~ **brands** Konkurrenzmarken; ~ **business** Konkurrenzgeschäft; ~ **product** Konkurrenzerzeugnis.

competition Konkurrenz[kampf], Wettbewerb, *(prize contest)* Preisausschreiben;
out of ~ außer Konkurrenz, konkurrenzlos;
commodity ~ Warenwettbewerb; **cut-throat** ~ Schmutzkonkurrenz; **fair** ~ ehrlicher Wettbewerb; **imperfect** ~ *(US)* unvollkommener Wettbewerb; **industry** ~ Warenkonkurrenz; **knocking** ~ herabsetzende Werbung; **low-price** ~ Unterbietung mittels niedriger Preise; **open** ~ freier Wettbewerb; **prize** ~ Preisausschreiben; **retail** ~ Einzelhandelswettbewerb; **unfair** ~ **in trade** unlauterer Wettbewerb;
to be up against stiff ~ von scharfem Wettbewerb bedrängt werden; **to defy** ~ der Konkurrenz die Spitze bieten; **to engage in unfair** ~ unlauteren Wettbewerb betreiben; **to restrain** ~ Wettbewerb beschränken; **to throw open a job to** ~ Position ausschreiben;
~ **clause** Wettbewerbsklausel.

competitive konkurrenzfähig, wettbewerbsfähig;
~ **ability** Wettbewerbsfähigkeit; ~ **advertising** *(US)* aggressive Werbung; ~ **article** Konkurrenzerzeugnis; ~ **bid** Gegenangebot; ~ **bidding** Submissionsverfahren; ~ **brand** Konkurrenzerzeugnis; **under fully** ~ **conditions** unter Bedingungen des freien Wettbewerbs; ~**-distorting** wettbewerbsverzerrend; ~ **distortions** Wettbewerbsverzerrungen; ~ **economy** Konkurrenzwirtschaft; ~ **exhibition** Leistungsschau; ~ **firm** Konkurrenzfirma; **unfair** ~ **methods** unlautere Geschäftsmethoden; ~ **price** Konkurrenz-, Kampfpreis; ~ **product** Konkurrenzerzeugnisse; ~ **requirements** Wettbewerbserfordernisse; ~ **tendering** Ausschreibung.

competitor Bewerber, *(firm)* Konkurrenzfirma, Konkurrent, *(prize)* Preisbewerber;
to be ahead of one's ~**s** konkurrenzlos dastehen.

complaint Beanstandung, *(economics)* Reklamation, Beanstandung, Mängelrüge, *(insurance)* Schadenanzeige;
~**s if any** eventuelle Beschwerden;
to adjust ~**s** Beschwerden abhelfen; **to bring a** ~ **to s. one's notice** Beanstandungen bei jem. geltend machen;
~ **department** Beschwerde-, Reklamationsabteilung; ~ **letter** Reklamations-, Beschwerdebrief.

complementary | goods komplementäre Güter; ~ **line** verwandtes Sortiment.

complete vollständig, vollkommen, komplett, ganz, total;
~ *(v.)* ergänzen, fertigstellen, vervollständigen, *(bring to a close)* abschließen, *(fill up)* ausfüllen;
~ **a call** [telefonische] Verbindung herstellen;
to give a ~ **account** detaillierten Bericht geben;
~ **audit** zum Jahresschluß durchgeführte Prüfung, Jahresrevision; **to have** ~ **charge of a business** Geschäft vollständig allein leiten; ~ **outfit** komplette Ausstattung; ~ **payment** Abschlußzahlung; ~ **voucher copy** vollständiges Belegexemplar.

completed | audit Jahresrevision; ~ **transaction** abgeschlossenes Geschäft.

completion Vollendung, Ergänzung, *(filling out)* Ausfüllung, *(transfer of land)* Abschlußformalitäten;
on ~ **of contract** nach Vertragserfüllung;
~ **of form** Formularausfüllung.

complex trust *(income tax)* wohltätige Stiftung.

complimentary | account Werbungskonto; ~ **copy** Freiexemplar, *(magazine)* Werbenummer; ~ **prefixes (suffixes)** Höflichkeitsfloskeln; ~ **subscription** kostenloser Bezug; ~ **ticket** Ehren-, Freikarte.

comply *(v.)* | **with a clause in a contract** sich an eine Vertragsbestimmung halten; ~ **with a request** einem Gesuch stattgeben; ~ **with a time limit** Frist einhalten.

compose *(v.)* [Schriftstück] abfassen, aufsetzen, ausarbeiten, *(print.)* [ab]setzen;
~ **a line** *(print.)* Zeile setzen; ~ **a scheme** Plan ausarbeiten.

composing | machine Setzmaschine; ~ **room** Setzerei.

composite | advertisement Kollektivanzeige; ~ **index number** Generalindex; ~ **life method of depreciation** Gruppenabschreibung; ~ **photography** Photomontage; ~ **rate** Durchschnittssteuersatz.

composition Übereinkunft, Abkommen, *(cliché)* Klischeemontage, *(compromise)* Kompromiß, Vergleich, *(print.)* Setzen, [Schrift]satz, *(sum paid to compound)* Vergleichs-, Abfindungssumme *(lump-sum settlement)* Ablösungs-Pauschalsumme, Pauschalierung;
amicable ~ gütliche Abmachung (Übereinkunft); **machine** ~ Maschinensatz;

~ **in bankruptcy** Konkurs-, Gläubiger-, Zwangsvergleich; ~ **for stamp duty** Stempelsteuerpauschalierung; ~ **of ten shillings in the pound** *(Br.)* fünfzigprozentige Steuerbefreiung; **to enter into a ~ with s. o.** in Verhandlungen mit jem. eintreten; **to make a ~** vergleichsweise Regelung treffen; **to make a ~ with one's creditors** sich mit seinen Gläubigern akkordieren; **to pay for the ~** Satzkosten bezahlen; ~ **agreement** Vergleichsvertrag, -vereinbarung; ~ **cost** *(print.)* Satzkosten; ~ **tax** pauschalierte Steuer.

compound *(fenced enclosure)* Diplomatenghetto;
~ *(v.) (debt)* [Schuld] ablösen (tilgen), *(settle in bulk)* pauschalieren, *(settle by mutual concession)* in Güte regeln, durch Vergleich erledigen;
~ **with one's creditors** Arrangement mit seinen Gläubigern treffen; ~ **a debt** Schuld abtragen; ~ **one's interest quarterly** Zinsen vierteljährlich bezahlen; ~ **for a tax** Steuerpauschale zahlen;
~ *(a.)* zusammengesetzt;
~ **amount** Zinseszinsbetrag; ~ **arbitration** Mehrfacharbitrage; ~ **duty** gemischter Wertzoll; ~ **interest** Staffel-, Zinseszinsen.

compounding | of claims vergleichsweise Forderungsbefriedigung; ~ **of rates** Steuerablösung.

comprehensive detailliertes Layout;
~ *(a.)* umfassend;
~ **coverage** *(insurance)* Vollkasko; ~ **high-ticket family policy** hochwertige Familienpauschalversicherung; ~ **liability and property damage insurance** Haft- und Diebstahlautoversicherung; ~ **offer** umfassendes Angebot.

comptroller *(public officer)* Rechnungs-, Kostenprüfer, Revisor, *(US)* Bilanzprüfer;
≗ **General** *(US)* Präsident des Bundesrechnungshofs, *(Br.)* Präsident des Patentamtes.

compulsory obligatorisch, verbindlich;
~ **arbitration** Zwangsschlichtung; ~ **checkoff** *(US)* zwangsweise Einhaltung von Gewerkschaftsbeiträgen durch den Arbeitgeber; ~ **contribution** Zwangsbeitrag; ~ **insurance against third party risks** Unfallhaftpflichtversicherung; ~ **labo(u)r** Arbeitsverpflichtung; ~ **levy** Zwangsgeld; ~ **listing** *(real estate)* Maklerkartell; ~ **loan** Zwangsanleihe; ~ **pilotage** Lotsenzwang; ~ **prepayment** Frankierungszwang; ~ **surrender** *(Scot.)* Zwangsverkauf, Enteignung; ~ **syndicate** Pflichtkartell; ~ **winding up** Zwangsliquidation.

computation Schätzung, Überschlag;
at a rough ~ bei vorläufiger Schätzung;
income-tax ~ Einkommensteuerberechnung;
lowest ~ allerniedrigster (äußerster) Preis;
~ **of account** Kontoabrechnung; ~ **of income** Einkommensberechnung;
~ **table** Berechnungstafel.

computational error Rechen-, Berechnungsfehler.

compute *(v.)* er-, be-, ausrechnen, *(estimate)* Überschlag machen, kalkulieren, überschlagen;
~ **a bill** Verfall[stag] eines Wechsels ausrechnen; ~ **one's losses at £ 100** seine auf 100 £ schätzen; ~ **a profit** Gewinn einkalkulieren.

computed tare Durchschnittstara.

conceal *(v.) (balance sheet)* verschleiern;
~ **foreign assets** ausländische Vermögenswerte verheimlichen.

concealed | assets verschleierte Vermögenswerte;
~ **loss** unbemerkt gebliebener Verlust.

concealment Verschleierung, *(insurance law)* Anzeigenpflichtverletzung;
active (fraudulent) ~ arglistiges Verschweigen;
material ~ Verschweigen wesentlicher Tatsachen;
~ **of assets** Vermögensverschleierung.

concentration Konzentration, Konzentrierung;
market ~ Absatzkonzentration;
~ **of capital** Kapitalkonzentration.

concern *(enterprise)* Betrieb, Handelsgeschäft, [industrielles] Unternehmen, Firma, Geschäft, Konzern, *(interest)* Interesse, *(matter)* Angelegenheit, Sache;
big ~ Großbetrieb; **business ~** Geschäftsunternehmen; **commercial ~** [Handels]firma, Geschäftsbetrieb; **going ~** in Betrieb befindliches Unternehmen, bestehendes Handelsgeschäft; **paying ~** rentables Geschäft; **the whole ~** der ganze Krempel;
to have a ~ in a business Geschäftsanteil besitzen; **to sink all one's money in the ~** sein ganzes Geld ins Geschäft stecken.

concession Vergünstigung, Zugeständnis, Entgegenkommen, Genehmigung, *(customs)* Zollzugeständnis, *(piece of land)* Konzession, überlassenes Stück Land, *(stock exchange)* [Kurs]abschwächung *(US)* Gewerbeerlaubnis, -genehmigung, Lizenz;
international ~ internationale Niederlassung;
mining ~ Abbaurecht; **preliminary ~** *(US)* Vorkonzession; **price ~** Preiskonzession, -zugeständnis; **tariff ~** Tarifzugeständnis;
~**s on depreciation** Abschreibungsvergünstigungen;
to apply for a ~ um eine Konzession einkommen; **to grant a ~** Konzession verleihen, Lizenz vergeben;
to let out on a ~ basis im Konzessionswege vergeben; ~ **fee** Konzessionsgebühr; ~ **stand** Verkaufsbude, Kiosk.

conciliation Schlichtung, Ausgleich;
industrial ~ Schlichtungswesen in der Wirtschaft;
≗ **Act** Schiedsordnung; ~ **board** Schlichtungsstelle; ~ **commissioner** ständiger Schlichter.

conciliator Schlichter, Vermittler;
government ~ staatlicher Schlichter.

conciliatory | proceedings Güteverfahren; ~ **proposal** Vermittlungsvorschlag.

conclusion *(concluding part)* Schlußbestimmungen, *(termination)* [Ab]schluß, Ausgang, Ende;
~ **of a bargain** Geschäftsabschluß;

to bring a business to a successful ~ Geschäft zu einem erfolgreichen Abschluß bringen.

concurrent | **claims** konkurrierende Ansprüche; ~ **fire insurance** gleichzeitige Feuerversicherung bei mehreren Gesellschaften.

condemn *(v.) (building)* für gebrauchsunfähig erklären, *(goods)* beschlagnahmen, konfiszieren, einziehen, *(land, US)* enteignen, *(ship)* für seeuntüchtig erklären;
~ **land for a railway** Grundstück für Eisenbahnzwecke enteignen; ~ **as a lawful prize** für gute Prise erklären, mit Beschlag belegen.

condemnation *(building)* Unbrauchbarkeitserklärung, *(goods)* Beschlagnahme, Einziehung, Konfiskation, *(ship),* Seeuntauglichkeitserklärung;
~ **award** *(US)* Enteignungsbeschluß; ~ **money** *(US)* Entschädigungsbetrag.

condemned property enteignetes Grundstück.

condensed kurz gefaßt, abgekürzt, *(print.)* kompreß;
~ **balance sheet** kondensierte Bilanz, Bilanzauszug.

condition Bedingung, Auflage, *(social standing)* Vermögenslage, gesellschaftliche Stellung, *(shop)* Klima, *(stipulation)* Bedingung, Klausel, Abmachung;
in a dilapidated ~ *(building)* in heruntergekommenem Zustand; **under favo(u)rable** ~**s** zu günstigen Bedingungen;
deliverable ~ lieferfähiger Zustand; **distressed** ~ Notlage; **economic** ~ Wirtschaftslage; **local** ~**s** örtliche Verhältnisse; **market** ~**s** Marktlage, Konjunktur, Absatzverhältnisse; **normal working** ~**s** *(machine)* übliche Betriebsbedingungen; **trading** ~**s** Geschäftsbedingungen;
~**s of employment** Beschäftigungsverhältnisse; **excellent** ~ **of goods** ausgezeichnete Beschaffenheit von Waren; ~**s of labo(u)r** Arbeitsbedingungen; ~ **of a road** Straßenbeschaffenheit; ~**s of sale** Liefer-, Verkaufsbedingungen; ~**s of supply** Vorsorgungsbedingungen;
~ *(v.)* bedingen, zur Bedingung machen, *(stipulate)* [Vertragsbestimmungen] ausbedingen, *(test)* Beschaffenheit von Waren prüfen;
to be subject to a ~ **as to the price** einer Preisbindung unterliegen, preisgebunden sein; **to make one's** ~**s** seine Bedingungen stellen.

conditional bedingt, ausbedungen, abhängig, vertragsgemäß;
~ **acceptance** bedingte Annahme, Annahme unter Vorbehalt; ~ **indorsement** beschränktes Giro; ~ **rate** Frachttarif mit ausgeschlossenem Risiko; ~ **sales contract** Kauf[vertrag] unter Eigentumsvorbehalt.

condominium Gemeinschafts-, Miteigentum, *(apartment, US)* Eigentumswohnung;
~ **apartment** *(US)* Eigentumswohnung; ~ **building** Appartmenthaus; ~ **residence** Eigentumswohnung.

conduct *(behavio(u)r)* Betragen, Benehmen, Verhalten, Wesen, dienstliche Führung;
professional ~ standesgemäßes Verhalten; **[proper]** ~ **of business** ordnungsmäßige Geschäftsführung, -leitung;
~ *(v.) (manage)* anordnen, führen, verwalten, leiten;
~ **a business** Geschäft betreiben; ~ **correspondence** Korrespondenz führen;
~ **money** *(travel(l)ing expenses)* Reisegeld.

Confederation of British Industries Bundesverband der britischen Industrie.

confer *(v.) (grant)* verleihen, gewähren, übertragen;
~ **a reward on s. o.** jem. eine Belohnung gewähren.

conferee *(US)* Besprechungs-, Konferenzteilnehmer.

conference Beratung, Besprechung, *(association of firms)* Absprache über eine gemeinsame Politik;
industrial ~ Handelsbesprechungen; **informal** ~ informelles Treffen; **news** ~ Pressekonferenz; **world economic** ~ Weltwirtschaftskonferenz;
~ **via picturephone** Bildtelefonkonferenzschaltung;
~ **bargaining** Tarifkonferenz; ~ **call hookup** Sammelgesprächsschaltung; ~ **center** *(US)* **(centre,** *Br.*) Konferenzzentrum; ~ **delegate** Konferenzteilnehmer; ~ **fee** Beratungsgebühr; ~ **member** Konferenzmitglied; ~ **paper** Tagungsbericht; ~ **room** Konferenz-, Besprechungszimmer; ~ **selling** Verkaufsaktion im Vorführungsraum; ~ **telephone call** Konferenzgespräch.

conferring of contract Auftragserteilung.

confidence *(information)* vertrauliche Mitteilung;
personal ~ persönliches Vertrauensverhältnis; **to have** ~ **in newspaper reports** Zeitungsberichten Glauben schenken; **to treat in strictest** ~ streng vertraulich behandeln;
~ **figure** *(forecasting)* Vertrauensgrad; ~ **game** Bauernfängerei; ~ **man** Bauernfänger, *(US)* gewerbsmäßiger Börsenschwindler; ~ **trickster** Betrüger, Bauernfänger.

confidential vertraulich;
~ **clerk** Privatsekretär; ~ **communication** vertrauliche Mitteilung; ~ **data** vertrauliche Angaben; ~ **place (post)** Vertrauensposten, -stellung.

confirm *(v.)* | **an agreement** Übereinkommen bestätigen; ~ **an appointment** Ernennung bestätigen; ~ **by letter** brieflich bestätigen; ~ **a telephone message by letter** Telefongespräch brieflich bestätigen.

confirmation Bestätigung[sschreiben];
in ~ **of our conversation** in Bestätigung unseres Gesprächs;
~ **of arrangement** Vergleichsbestätigung; ~ **of**

balance Kontokorrentbestätigung; ~ **of order** Auftragsbestätigung; ~ **in writing** schriftliche Bestätigung;
~ **blank** Bestätigungsformular; ~ **note** Bestätigungsschreiben; ~ **slip** Ausführungsanzeige.
confirmatory | **letter** Bestätigungsschreiben; ~ **note** *(common carrier, US)* Auftragsbestätigung, Übernahmebescheinigung.
confirming house *(Br.)* Zahlungsgarant für Auslandsaufträge.
confiscate *(v.)* beschlagnehmen, einziehen, kassieren;
~ **contraband goods** Schmuggelwaren mit Beschlag belegen.
confiscation Beschlagnahme, Verfallserklärung, Einziehung, Konfiszierung;
~ **loss** Beschlagnahmeverlust; ~ **order** Beschlagnahmeverfügung.
confiscatory | **rates** kostenmäßig nicht gedeckte Tarifsätze; ~ **taxes** ruinöse Steuern.
conform *(v.)* | **with an arrangement** einem Abkommen (einer Vereinbarung) entsprechen; ~ **to fashion** der Mode entsprechen;
~ *(a.)* übereinstimmend, konform;
~ **copy** gleichlautende Abschrift.
conformable gleichlautend, konform;
~ **to your advice** konform Ihrer Aufgabe; ~ **to your books** mit Ihren Büchern übereinstimmend.
conformity | **in dividend politics** gleichbleibende Dividendenpolitik;
to enter in ~ gleichlautend buchen.
confuse *(v.)* **accounts** Konten durcheinanderbringen.
confusion *(escheat)* Heimfall, *(intermixture)* Vermischung, Vermengung, *(merging of rights)* Verschmelzung;
~ **of debts** Untergang von Forderungen; ~ **of goods** Gütervermengung, Warenvermischung;
~ **of trademarks** Verwechslung von Warenzeichen.
congest | *(v.)* **the market** Markt überschwemmen;
~ **the traffic** Verkehr behindern.
congested | **area** dichtbesiedeltes (übervölkertes) Gebiet; ~ **streets** verstopfte Straßen.
congestion Ansammlung, Andrang, Stauung;
traffic ~ Verkehrsstockung, -stauung;
~ **of population** Übervölkerung;
~ **charge** *(shipping)* Frachtzuschlag [bei Güterstau]; ~ **problems** Wartezeitprobleme.
conglomerate Zusammenballung, Konglomerat, *(industrial concern, US)* Konzern[gruppe], Großkonzern, Industriezusammenballung;
~ **merger** Konzernfusion; **to see an out in the ~ route** Ausweg in weiteren Konzernzusammenschlüssen sehen; ~ **target** Konzernziel.
congratulation card Gratulations-, Glückwunschkarte.
congratulatory | **address** Glückwunschansprache;
~ **letter** Glückwunschschreiben; ~ **telegram** Glückwunschtelegramm.
congress Tagung, Begegnung, Zusammenkunft, Kongreß, Versammlung;
≗ **of Industrial Organization** *(C. I. O.)* Industriegewerkschaftsverband;
~ **center** Kongreßzentrum; ~ **member** Kongreßteilnehmer.
connect *(v.)* | **o.s. as a partner with a house** in eine Firma als Teilhaber eintreten; ~ **with a train** Zuganschluß haben.
connected verbunden;
~ **by telephone** mit Telefonanschluß;
~ **expenses** notwendige Aufgaben; ~ **load** Gesamtbelastung.
connecting | **carrier** Anschlußreederei; ~ **line** Nebenlinie; ~ **line accounting** gemeinsames Frachtrechnungswesen; ~ **link** Verbindungslinie; ~ **train** Anschlußzug.
connection (connexion, *Br.)* Anschluß, *(airplane)* Anschluß, *(body of customers)* Kundschaft, Klientele, *(friends)* Bekanntenkreis, *(line of communication)* Verbindung, Anschluß, *(tel.)* Anschluß, Verbindung;
broken ~ unterbrochenes Telefongespräch; **business** ~ Geschäftsverbindung; **financial** ~ kapitalmäßige Bindung; **first-rate ~s** erstklassiger Kundenkreis; **high-echelon ~s** Verbindungen auf höchster Ebene; **train** ~ Bahnanschluß; **trunk** ~ Fernverbindung; **wrong** ~ falsche Telefonverbindung, Fehlverbindung;
~ **by air** Flugverbindung; ~ **by sea** Schiffsverbindung; ~ **of long standing** langjährige Verbindung;
to catch one's ~ seinen Anschluß erreichen; **to dispose over wide ~s** über gute Beziehungen verfügen; **to open up a business ~ with a firm** Geschäftsbeziehungen mit einer Firma aufnehmen; **to run in ~ with** *(train)* Anschluß haben.
conscience money *(Br.)* anonyme Steuernachzahlung, Reugeld.
conscript *(v.)* *(labo(u)r)* dienstverpflichten;
~ **capital** Kapital der staatlichen Zwangswirtschaft unterwerfen;
~ **labo(u)r** zwangsverpflichtete Arbeitskräfte.
conscription | **of labo(u)r** Dienstverpflichtung; ~ **of wealth** verschärfte Besteuerung größerer Vermögen.
consecutive quotation laufende Notierung.
consecutively, to quote fortlaufend notieren.
consent Zustimmung, Einverständnis, Einwilligung;
recording ~ Eintragungsbewilligung;
~ **to a request** Antragsgenehmigung;
~ *(v.)* **to a reduction of price** in eine Preisherabsetzung einwilligen.
consequential | **damages** mittelbarer Schaden, Schadenersatz für entgangenen Gewinn, Folgeschaden; ~ **effects of an action** Rückwirkungen einer Klage.
conservation Naturschutzgebiet;
~ **of assets** Erhaltung von Vermögenswerten.

conservative practice *(balance sheet)* Realisationsprinzip.

considerable | damages beträchtlicher Schaden; ~ **expenses** erhebliche Unkosten; ~ **income** gutes Einkommen.

consideration *(bill of exchange)* Valuta, *(compensation)* Entschädigung, *(of contract)* [Gegen]-leistung, Vergütung, Entgelt;
adequate ~ gleichwertige (angemessene) Gegenleistung; ~ **bargained for** vereinbarte Gegenleistung; **valuable** ~ Gegenwert, angemessene Gegenleistung, Vertragsinteresse;
~ **of a debt** Rechtsgrund einer Forderung;
to be under ~ in Beratung sein; **to be still under** ~ noch beraten werden; **to give a matter careful** ~ Angelegenheit sorgfältig überlegen;
~ **money** Gegenwert, Entschädigung, *(shares, Br.)* Effektenstempel.

consign übergeben, behändigen, *(deposit in bank)* [in die Bank] einzahlen, hinterlegen, *(entrust)* anvertrauen, *(transfer)* übertragen, *(transmit)* [Waren] über-, zusenden, ausliefern, verschikken, konsignieren, in Kommission geben;
~ **by rail** per Bahn schicken; ~ **to writing** schriftlich aufsetzen.

consignation *(depositing)* Hinterlegung, *(transmitting)* Übersendung, Zusendung.

consigned | goods Konsignations-, Kommissionsware; ~ **money** anvertrautes Geld, Depositengelder.

consignee *(addressee)* [Waren]empfänger, Adressat, Auftragnehmer, *(commission merchant)* Kommissionär;
duty for ~ 's account Zoll geht zu Lasten des Empfängers.

consignment *(assigning)* Übertragung, *(commission)* Kommission, Kommissionsauftrag, Konsignation[sgeschäft], *(delivery)* Verabfolgung, Übergabe, *(depositing)* Hinterlegung, Deponierung, *(goods consigned)* [Waren]sendung, Auslieferung, Kommissionssendung, -ware, *shipping)* Ver-, Übersendung, Zustellung, Spedition;
on ~ kommissionsweise; **on checking the** ~ bei Durchsicht der Sendung; **shipping on** ~ auf eigene Rechnung versandt;
gold ~ Goldtransport; **mixed** ~ Sammelladung; **small ~s** Stückgut;
~ **on approval** Auswahl-, Ansichtssendung; ~ **of goods** Warenpartie; ~ **by goods train** Frachtgut[sendung]; ~ **in specie** Barsendung;
to make out a ~ Frachtbrief ausstellen; **to send on** ~ in Kommission geben; **to take goods on** ~ Waren in Kommission nehmen;
~ **account** Kommissionskonto; **to supply on a ~ basis** Kommissionslieferungen vornehmen; ~ **goods** Konsignationswaren; ~ **invoice** Kommissionsrechnung, Konsignationsfaktura; ~ **note** Ladeschein; ~ **stock** Kommissionslager.

consignor *(assignor)* Übertragender, Zedent, *(freighter)* Verfrachter, Verlader, Aufgeber *(sender)* Ver-, Über-, Absender.

consistent business policy Stetigkeit in der Geschäftsführung.

consolidate *(v.) (combine)* vereinigen, zusammenziehen, *(debts)* konsolidieren, fundieren, *(mortgages)* zusammenschreiben, *(shares)* [Aktien] zusammenlegen;
~ **companies** Firmen zusammenschließen; ~ **shipments** *(US)* Sammelladungen zusammenstellen.

consolidated vereinigt, fundiert, *(balance sheet)* konsolidiert;
≗ **Act** *(Br.)* Haushaltsgesetz; ~ **balance sheet** Gemeinschafts-, Konzernbilanz; ~ **corporation** Konzerngesellschaft; ~ **delivery system** gemeinsames Auslieferungssystem; ~ **fund** *(Br.)* konsolidierter Staatsfonds; ~ **group** Konzerngruppe; ~ **loan** fundierte Anleihe; ~ **mortgage** *(US)* Gesamthypothek; ~ **[financial] statement** Konzernbilanz, konsolidierte Bilanz; ~ **income statement** konsolidierte Gewinn- und Verlustrechnung; ~ **shipment** *(Br.)* Sammelladung.

consolidation *(loan)* Konsolidierung, *(market)* [Be]festigung, *(merger)* Zusammenlegung, Fusion[ierung];
~ **of banks** Bankenfusion; ~ **of corporations** *(US)* Fusion von Aktiengesellschaften; ~ **of funds** Fondsvereinigung; ~ **of mortgages** Zusammenschreibung von Hypotheken; ~ **of shares** Zusammenlegung des Aktienkapitals;
~ **balance sheet** Fusionsbilanz; ~ **expenditure** Fusionskosten; ~ **policy** *(balance sheet)* Anwendung der konsolidierten Bilanzmethode; ~ **profit** Fusionsgewinn.

consols *(Br.)* fundierte Staatsanleihe;
~ **market** Markt für Staatsanleihen.

consortium Konsortium, Syndikat, Gruppe;
~ **of banks** Finanz-, Bankenkonsortium;
to head a ~ Konsortialführung haben;
~ **aid** Konsortialhilfe; ~ **partner** Konsortialmitglied.

conspicuous service hervorragende Dienste.

constant gleichbleibend, konstant, unveränderlich;
~ **costs** feste (gleichbleibende, konstante) Kosten; ~ **production** kontinuierliche Produktion.

constituency Wählerschaft, Wahlkreis, *(body of customers, coll.)* Kundenkreis, Kundschaft, *(readership)* Leserkreis.

constituent | company Gründer-, Tochter-, Konzerngesellschaft; ~ **territory of a customs unit** Zollunionsteilnehmerland.

construct *(v.)* | **a building** Gebäude errichten; ~ **a factory** Fabrik bauen.

construction Bau, Errichtung, Aufführung, Konstruktion, *(building)* Gebäude, Bauwerk, Baulichkeit, Anlage;
housing ~ Wohnungsbau;
~s in progress im Bau befindliche Anlagen;

to be of very solid ~ sehr solide gebaut sein; **to be still under** ~ noch im Bau sein;
~ **agreement** *(bargaining)* Tarifabkommen der Bauindustrie; ~ **company** Baufirma; ~ **costs** Baukosten; ~ **cost index** Baukostenindex; ~ **financing** Baufinanzierung; ~ **industry** Bauwirtschaft, -industrie; ~ **market** Baumarkt; ~ **pay** Bauarbeiterlöhne; ~ **project** Bauprojekt; **public** ~ **project** öffentliches Bauvorhaben; ~ **site** Baugelände; **modern** ~ **techniques** moderne Bauverfahren; ~ **work** Neubauten.
constructional bau-, konstruktionstechnisch;
~ **steel** Baustahl; ~ **trade** Baugewerbe.
constructive baulich, *(law)* angenommen, fingiert; **to claim** ~ **damages** Ersatz des mittelbaren Schadens verlangen; ~ **[total] loss** *(marine insurance)* fingierter Totalverlust; ~ **receipt of income** *(taxation)* als im Vorjahr zugeflossen behandeltes Einkommen; ~ **trade** Baugewerbe.
consul Konsul;
~ **general** Generalkonsul; **honorary** ~ Wahl-, Honorarkonsul; **trading** ~ Wahlkonsul; **vice** ~ Vizekonsul;
~ **of career** Berufskonsul.
consulage Konsulatsgebühren.
consular konsularisch;
~ **affairs** Konsulatsangelegenheiten; ~ **agency** konsularische Vertretung; ~ **agent** Konsularvertreter; ~ **certificate** Konsulatsbescheinigung; ~ **fees** Konsulatsgebühren; **to prepare a** ~ **invoice** Konsulatsfaktura ausstellen; ~ **seal** Konsulatssiegel; ~ **section** Konsulatsabteilung.
consulate Konsulat;
~ **general** Generalkonsulat.
consult *(v.)* *(call in as adviser)* [als Beirat] zuziehen, *(seek advice from)* um Rat fragen, konsultieren;
~ **documents** Urkunden einsehen; ~ **one's own interests** an sich selbst denken, auf seinen Vorteil bedacht sein; ~ **a lawyer** sich mit einem Anwalt beraten.
consultancy Beratungstätigkeit;
~ **agreement** Beratungsvertrag.
consultant [ständiger] Gutachter, [technischer] Berater;
actuarial ~ versicherungsstatistische Autorität; **economic** ~ Wirtschaftsberater;
~ **on business policy** Berater der Geschäftsleitung;
to be retained for three years as ~ dreijährigen Beratungsvertrag bekommen;
~ **service** Beratungsdienst.
consultation Rücksprache, Beratung, Konsultation, Fühlungnahme;
~ **of documents** Einsichtnahme in Urkunden; ~**s on cabinet level** Konsultationen (Beratungen) auf Regierungsebene;
~ **fees** Beratungskosten.
consulting | **agreement** Beratungsvertrag; ~ **engineer** beratender Ingenieur, technischer Berater; ~ **engineering firm** Industrieberatung; ~ **service** Beratungsdienst.
consumable goods Verbrauchswaren, -güter.
consume a lot of oil *(car)* viel Öl verbrauchen, starken Ölverbrauch haben.
consumer Verbraucher, Konsument, Abnehmer, Kunde;
bulk ~ Großverbraucher; **final** ~ End-, Letztverbraucher;
~**s'ability to buy** Konsumentenkaufkraft; ~ **acceptance** Kaufbereitschaft; ~ **advertisement (advertising)** Kunden-, Endverbraucherwerbung; ~ **assembly** Verbrauchertagung; ~ **association** Verbraucherverband; ~ **behavio(u)r** Verbraucherverhalten; ~ **buying** Verbrauchsnachfrage; ~ **buying habit** Verbrauchergewohnheiten; ~ **caution** Zurückhaltung auf der Verbraucherseite; ~**-conscious** verbraucherbewußt, -freundlich; ~ **cooperative store** Konsum[laden].
consumer credit Verbraucher-, Kundenkredit;
~ **restrictions** Konsumtivkreditbeschränkungen.
consumer | **crusade** Verbraucherfeldzug; ~ **deposit** Kundenguthaben; ~ **durables** langlebige Gebrauchs-, Konsumgüter; ~ **economics** Verbraucherwirtschaft; ~ **enterprise** Konsumbetrieb.
consumer|['s] goods Konsum-, Verbrauchsgüter;
~ **company** Unternehmen der Konsumgüterindustrie; ~ **industry** Bedarfs-, Konsumgüterindustrie.
consumer | **group** Verbrauchergruppe; ~ **habits** Verbrauchergewohnheiten; ~ **industry** Konsumgüterindustrie; ~ **instal(l)ment credit** Kunden-, [Verbraucher-], Abzahlungskredit; ~ **item** Gebrauchs-, Konsumartikel; ~ **loan company** *(US)* Finanzierungsgesellschaft für Kleinkredite; ~ **loan rates** Abzahlungskreditsätze; ~ **magazine** Verbraucherzeitschrift; ~ **mail panel** postalische Verbraucherbefragung; ~ **market** Konsum-, Verbrauchsgütermarkt; ~**-orientated** konsumbewußt, -orientiert; ~ **panel** Verbrauchergruppe, -ausschuß; ~**'s price** Konsumenten-, Verbraucherpreis; ~ **price index** Lebenshaltungsindex; ~ **promotion** Verkaufsförderung beim Endverbraucher; ~ **protection** Verbraucherschutz; ~ **purchasing behavio(u)r** Kaufverhalten des Konsumenten; ~ **purchasing power** Konsumentenkaufkraft; ~ **research** Kunden-, Verbraucheranalyse, Verbraucherbefragung, Konsumforschung; ~ **sentiment** Verbraucheransichten; ~ **service** Kundendienst; ~ **shortage** Konsumknappheit; ~ **spending slowdown** abnehmende Kauflust der Verbraucherschaft; ~ **spending spree** Ausgabenfreudigkeit der Verbraucherschaft; ~ **survey** Verbraucherumfrage.
consuming | **area** Verbrauchsgebiet; ~ **country** Bedarfsland; ~ **industry** Verbrauchsindustrie; ~ **public** Verbraucherschaft.

consummate *(v.)* | **a sale** Verkauf abschließen;
to be a ~ master of one's craft sein Handwerk restlos beherrschen.

consummation of a deal Geschäftsabschluß.

consumption Verbrauch, Verzehr, Konsum, *(waste)* Verschwendung;
additional ~ Mehrverbrauch; **decreased** ~ Verbrauchsrückgang; **domestic** ~ Inlandsverbrauch, -bedarf; **fuel** ~ Kraftstoff-, Benzinverbrauch; **high-mass** ~ Massenkonsum; **home** ~ Inlands-, Eigenverbrauch; **local** ~ Platzbedarf; **low oil** ~ *(car)* geringer Ölverbrauch; **peacetime** ~ Friedensbedarf; **private** ~ Eigen-, Selbstverbrauch; **seasonal** ~ Saisonbedarf;
~ **of costs** Kostenverzehr; ~ **of a fortune** Vermögensverschleuderung; ~ **in use** Substanzverzehr;
to enter goods for ~ Waren zum freien Verkauf einführen; **to withdraw goods from warehouse for** ~ Waren aus dem Zollager zum freien Verkauf offerieren;
~ **area** Verbrauchsgebiet; ~ **capacity** Konsumkraft, Kaufkraft einer Verbraucherschicht; ~ **credit** Konsumenten-, Konsumtivkredit; ~ **economy** Verbrauchswirtschaft; **free** ~ **entry** freie Einfuhr zum sofortigen persönlichen Verzehr bestimmter Waren; ~ **excess** Mehrverbrauch; ~ **expenditures** Konsumaufwand, Ausgaben für den Lebensunterhalt; ~ **goods** Konsum-, Verbrauchsgüter; ~ **goods industry** Bedarfs-, Verbrauchsgüterindustrie; ~ **market** Verbrauchermarkt; ~ **prospect** Konsumvorschau; ~ **ratio** Konsumquote; ~ **tax** Verbrauchsabgabe, -steuer; ~ **voucher** Bedarfsdeckungsschein.

contact Berührung, Beziehung, Verbindung, Fühlung[nahme];
personal ~ persönliche Kontaktaufnahme;
to establish (make) ~**s** Verbindungen anknüpfen (herstellen), Fühlung (Verbindung) aufnehmen;
~ **man** Kontakt-, Verbindungsmann, Behördenvermittler; ~ **mail panel** postalische Verbraucherbefragung.

container [Versand]behälter, Kanister;
freight ~ Frachtbehälter;
~ **car** Behälterwagen; ~ **premium** mehrfach verwendbarer Warenbehälter; ~ **service** Behälterverkehr.

contango *(Br., stock trade)* Reportprämie, Prolongationsgebühr, Kursaufschlag;
~ *(v.)* Reportgeschäft machen;
~ **business** *(Br.)* Report-, Kost-, Prolongationsgeschäft; ~ **day** *(Br.)* Reporttag; ~ **rate** *(Br.)* Prolongationsgebühr.

contemplation of bankruptcy Konkursvorsatz.

content(s) *(capacity)* Rauminhalt, Fassungsvermögen;
~ **received** bezahlt erhalten;
~ **of a letter** Briefinhalt.

contest *(competition)* [Verbraucher]wettbewerb, Preisausschreiben, *(dispute)* Bestreiten, *(electioneering) (Br.)* Wahlkampf;
~ *(v.)* anfechten, bestreiten, *(compete)* an einem Wettbewerb teilnehmen;
~ **a claim** Anspruch bestreiten; ~ **an election** Wahlergebnis anfechten; ~ **for a prize** sich an einem Wettbewerb beteiligen.

contiguous plots of land zusammenhängende Grundstücke.

continental festländisch, kontinental, *(Br.)* fremd, nicht englisch;
~ **bills** *(Br.)* Wechsel auf Plätze des europäischen Kontinents; ~ **breakfast** *(Br.)* einfaches Frühstück; ~ **call** *(Br.)* Auslandsgespräch; ~ **tour** *(Br.)* Europareise.

contingencies unvorhergesehene Ausgaben, Nebenausgaben, *(balance sheet)* Eventualverbindlichkeiten, Rückstellungen für noch nicht feststehende Risiken;
~ **reserve** Reservefonds, Notrücklage.

contingency ungewisses (zufälliges) Ereignis, Eventualität, Eventualfall;
~ **fund** außerordentlicher Reservefonds; ~ **insurance** Versicherung gegen besondere Risiken; ~ **reserve** Sicherheitsrücklage, Delkredererückstellung; ~ **table** Frequenzverteilungssystem.

contingent *(quota)* [Pflicht]anteil, [Beteiligungs]-quote Kontingent;
~ **account** *(Br.)* außerordentlicher Reservefonds, Delkrederekonto; ~ **annuity** bedingte Rente; ~ **asset** potentieller Aktivposten; ~ **beneficiary** *(insurance)* bedingt Begünstigter; ~ **charge (cost)** Eventualkosten;~ **expenses** unerwartete (unvorhergesehene) Ausgaben; ~ **fee** *(US* Erfolgshonorar; ~ **fund** *(US)* Delkrederereserve; ~ **liability** Eventualverpflichtung; ~ **order** gekoppelter Auftrag; ~ **profit** noch nicht realisierbarer Gewinn; ~ **property** Reservekapital; ~ **reserve** Rückstellung für unvorhergesehene Ausgaben.

contingently, to be ~ **indebted** aus Giroverbindlichkeiten schulden.

continuance | **of a firm** Fortbestand einer Firma; ~ **in office** Verbleiben im Amt; ~ **of a partnership** Fortsetzung eines Gesellschaftsverhältnisses; ~ **of prosperity** anhaltende Konjunktur;
~ **rate** Zugehörigkeitsdauer.

continuation Weiterführung, *(Br., stock exchange)* Prolongation[sgeschäft], Report-, Kostgeschäft;
fortnightly ~ *(Br.)* Medioprolongation;
~ **of a business** Weiterführung eines Geschäfts;
~ **bill** *(Br.)* Prolongationswechsel; ~ **business** *(Br.)* Prolongations-, Report-, Kostgeschäft; ~ **clause** *(marine insurance, Br.)* Prolongationsklausel; ~ **course** Fortbildungslehrgang, -kursus; ~ **day** *(Br.)* Reporttag; ~ **education** berufliche Fortbildung; ~ **policy** Erneuerungs-

police; ~ **rate** *(Br.)* Reportgebühr, -satz, Prolongationsgebühr.

continue *(v.)* fortdauern, *(Br., stock exchange)* prolongieren;
~ **a business** Geschäft fortführen; ~ **in demand** fortlaufend gefragt sein; ~ **high** *(prices)* hohen Stand behaupten; ~ **negotiations** Verhandlungen fortführen; ~ **in office** im Amt [ver]-bleiben.

continued in Fortsetzungen erscheinend;
~ **account** Übertrag; ~ **bonds** *(US)* prolongierte Obligationen; ~ **story** Fortsetzungsgeschichte; ~ **voyage** Weiterreise.

continuing | **account** Kontokorrentkonto; ~ **agreement** *(US)* Kontokorrentvertrag mit gleichbleibend gestellten Sicherheiten; ~ **appropriation** nicht verbrauchte Etatsanteile; ~ **boom** anhaltende Konjunktur; ~ **guarantee** *(US)* Kreditbürgschaft.

continuity Stetigkeit, Kontinuität, *(broadcasting)* verbindender Text, Zwischenansage, *(film)* Drehbuch, *(market)* Stetigkeit;
~ **in advertising** fortlaufender Werbeeinsatz; ~ **of employment** Beschäftigungskontinuität; ~ **of operation** durchgehender Betrieb; ~ **of service** stetige Betriebszugehörigkeit;
~ **panel** Streifenanzeige; ~ **premium** Zugabenwerbung in Sammelform.

continuous | **audit** laufende Revisionsarbeiten; ~ **borrower** *(banking)* Dauerkunde; ~ **industry** Fabrikbetrieb mit durchgehender Arbeitszeit; ~ **inventory** permanente Bestandsaufnahme; ~ **investigation** Reihen-, Indexuntersuchung; ~ **performance** *(cinema)* Nonstop-, Dauervorstellung.

contra Gegenposten;
the pros and ~**s** das Für und Wider;
~ *(a.)* gegen, wider, abweichend;
~ **account** Gegen-, Wertberichtungskonto; ~ **asset** *(balance sheet)* Gegenposten; ~ **entry** *(Br.)* Gegenbuchung, Storno [buchung].

contraband Konter-, Schmuggel-, Bannware;
to be seized as ~ als Konterbande beschlagnahmt werden; **to run** ~ Schmuggel betreiben;
~ **articles (goods)** verbotene Waren, Konterbande, Bann-, Schmuggelwaren; ~ **trade** Schmuggel.

contract Vertrag, Kontrakt, Vereinbarung, *(agreement for performance of work)* Auftrag, Verdingung, Submission, Akkord, *(agreement for supply of goods)* Lieferungsvertrag, *(railway dial.)* Zeitkarte;
bound by ~ vertraglich verpflichtet, **broker's** ~ *(stock exchange)* Schlußnote, -schein; **costplus-a fixed-fee** ~ Vertrag mit Preisfestsetzung nach den Kosten zuzüglich Verrechnung fester Zuschläge; **draft** ~ Vertragsentwurf; **employment** ~ Arbeitsvertrag; **exclusive-dealing** ~ Ausschließlichkeitsvertrag; **fixed-price** ~ Festpreisvertrag; **fixed price-incentive fee** ~ Festpreisvertrag mit Leistungszuschlägen; **fixed-price** ~ **with provision for redetermination of price** *(US)* Festpreisauftrag mit Neufestsetzung des Preises; **straight fixed-price** ~ Festpreisauftrag, Auftrag zu regulärem Festpreis; **hire-purchase** ~ *(Br.)* Abzahlungsvertrag; **instal(l)ment** ~ Abzahlungsvertrag, -geschäft, Lieferungsvertrag; **insurance** ~ Versicherungsvertrag; **large** ~ Großabschluß; **lease** ~ Miet-, Pachtvertrag; **life-insurance** ~ Lebensversicherungsvertrag; **loan** ~ Darlehnsvertrag; **partnership** ~ Gesellschaftsvertrag; **sales** ~ Verkaufsvertrag; **underwriting** ~ Konsortialvertrag;
~ **of agency** Vertretervertrag; ~ **of apprenticeship** Lehr[lings]vertrag; ~ **of carriage** Speditionsvertrag; ~ **for [future] delivery** Liefer-[ungs]vertrag; ~ **of employment** Arbeits-, Dienstvertrag; ~ **for labo(u)r and materials** Werklieferungsvertrag; ~ **for public works** Submissionsvertrag; ~ **in restraint of trade** Kartellvereinbarung; ~ **of sale** Kaufvertrag; ~ **by tender** Submission, Ausschreibung; ~ **of warranty** Garantieversprechen; ~ **for work and labo(u)r (service)** Werkvertrag; ~ **for work and materials** Werklieferungsvertrag; ~ **for public works** Ausschreibung öffentlicher Arbeiten;
(v.) ~ **a bargain** Handel abschließen; **on one's own credit** auf eigene Rechnung kontrahieren; ~ **debts** Schulden machen; ~ **liabilities** Verpflichtungen eingehen; ~ **a loan** Anleihe (Kredit) aufnehmen;
to be awarded a juicy government ~ fetten Regierungsauftrag erhalten; **to be under** ~ **to s. o.** im Dienstverhältnis zu jem. stehen; **to be in the running for a** ~ sich um einen Auftrag bemühen; **to break a** ~ vertragsbrüchig werden; **to buy on** ~ fest kaufen; **to confer the** ~ Zuschlag erteilen; **to put some work out to** ~ Werkvertrag über etw. abschließen; **to tender for a** ~ sich um einen im Submissionsweg zu vergebenden Auftrag bewerben; **to terminate a** ~ Dienstvertrag lösen;
~ **authorization** *(government accounting)* Vollmacht zur Auftragsvergabe auch außerhalb des Etatsjahrs; ~ **award** Auftragserteilung, Vergabe öffentlicher Aufträge; ~ **bidder** Ausschreibungsteilnehmer; ~ **bond** Unternehmerkaution; ~ **book** Schlußscheinbuch; ~ **carrier** Vertragsspediteur; ~ **carrier permit** Speditionslizenz; ~ **department** *(department store)* Engrosabteilung; ~ **hours** vertragliche Arbeitszeit; ~ **journal** Submissionsanzeiger; ~ **note** *(Br.)* Schlußnote, -schein; ~ **package** *(bargaining)* Tarifpaket; ~ **price** vertraglich vereinbarter Preis, Übernahme-, Submissions-, Liefer-, Vertragspreis; ~ **shop** *(US)* Akkordbetrieb; ~ **supplies** Vertragsmenge; ~ **system of wage payment** Akkordsystem; ~ **trade (trading)** *(stock exchange)* Termingeschäft; ~ **wage payment**

Akkordlohnzahlung; ~ **work** Akkordarbeit; ~ **year** *(advertising)* Anzeigen-, Abschlußjahr.

contracting [for work] Gedinge-, Akkordwesen; ~ *(a.)* vertragschließend;
~ **parties (partners)** vertragschließende Parteien, Kontrahenten, Vertragspartner; ~ **policy** Vergabepolitik; ~**price** Lieferungspreis; ~ **state** Vertragsstaat.

contraction | **of debts** Kontrahierung von Schulden, Schuldenaufnahme; ~ **of credit issues** Kreditbeschränkung; ~ **in production** Produktionseinschränkung.

contractive tendencies Abschwächungstendenzen.

contractor *(employer)* Unternehmer, *(supplier)* Auftragnehmer, [Submissions]lieferant;
advertisement ~ Werbeunternehmen, -agentur; **builder and** ~ Bauunternehmer; **carting** ~ Rollfuhrunternehmer; **prime** ~ Hauptlieferant; **road** ~ Straßenbauunternehmer;
~**'s estimate** Baukostenvoranschlag; **to drive on** ~ **performance** höhere Leistungen von den Lieferanten fordern.

contractual vertraglich, vertragsmäßig, auf Vertrag gegründet;
~ **arrangement** vertragliche Vereinbarung; ~ **cartel** Verdingungskartell; ~ **due date** vereinbarter Zahlungstermin; **quasi-**~ **relationship** vertragsähnliches Verhältnis.

contribute *(v.)* zuwenden, beitragen, beisteuern, *(money)* zu-, nach-, einschießen;
~ **capital** Kapital einbringen; ~ **to the Red Cross** dem Roten Kreuz eine Spende zukommen lassen; ~ **equally towards the losses sustained by a firm** Geschäftsverluste zu gleichen Teilen tragen; ~ **to the expenses** Unkostenbeitrag leisten; ~ **to a newspaper (newspaper articles)** Artikel für eine Zeitung schreiben, Zeitungsartikel beisteuern; ~ **to a work of charity** Wohltätigkeitsbeitrag leisten.

contributed capital eingezahltes Grundkapital.

contributing values umlagenpflichtige (beitragspflichtige) Vermögenswerte.

contribution *(article) (bankruptcy)* Masseverteilung, *(capital)* Einlagekapital, *(donation)* Zuwendung, *(fire insurance)* umgelegter Schadensanteil, *(joint liability)* Quote, *(membership due)* Beitrag, *(share)* Prämienanteil, *(subscription)* [Geld]spende;
liable to ~ beitragspflichtig;
additional ~ Zusatz-, Nachschußleistung; **average** ~ Havariebeitrag; **capital** ~ Kapitalaufbringung; **compulsory** ~ Zwangsbeitrag; **employee's** ~ *(social insurance)* Arbeitnehmeranteil; **employer's** ~ *(social insurance)* Arbeitgeberanteil; **initial** ~ Stammeinlage; **lost** ~ verlorener Zuschuß; **national insurance** ~ *(Br.)* Sozialversicherungsbeitrag; **social security** ~ *(US)* Sozialversicherungsbeiträge;
~ **to capital** Kapitalaufbringung, -einbringung, -einzahlung; ~ **in cash** Bareinlage; ~ **in kind** Naturalleistung, Sacheinlage; ~ **to a pension trust** *(balance sheet)* Beiträge zur Altersversorgung; ~ **for the poor** Spende für die Armen; ~ **pro rata** Anteil, Quote;
to be in arrears with the payment of one's ~ mit seiner Beitragsleistung im Rückstand sein; **to be entitled to a** ~ Ausgleichsansprüche haben; **to collect** ~**s** Beiträge einsammeln; **to lay one's friends under** ~ *(Br.)* seine Freunde um finanzielle Unterstützung angehen;
~ **box** Beitragsfonds; ~ **clause** *(fire insurance)* Umlegungsbestimmung; ~ **margin** Deckungsbeitrag; ~ **plan** *(life insurance)* Gewinnbeteiligungssystem; ~ **rate** Beitragssatz.

contributor Spender, Beitragsleistender, Leistungspflichtiger;
~ **of capital** Kapitaleinleger, -aufbringer.

contributory beitragspflichtiges Mitglied, *(shareholder, Br.)* solidarisch haftender Aktionär, Nachschußpflichtiger;
~ *(a.)* beitragspflichtig, *(liable member, Br.)* nachzahlungspflichtig;
~ **basis** Beitragsgrundlage; ~ **mortgage** für mehrere Gläubiger bestellte Hypothek; ~ **negligence** konkurrierendes Verschulden; ~ **pension** beitragspflichtige Pension; ~ **scheme of insurance** Umlageverfahren einer Versicherung; ~ **value** *(average)* beitragspflichtiger Wert.

control Macht, Verfügungsgewalt, *(decisive influence)* ausschlaggebender Einfluß[bereich], *(economic planning)* Bewirtschaftung, *(supervision)* Aufsicht, Kontrolle, Steuerung;
budgetary ~ Haushaltskontrolle; **commodity** ~ Warenbewirtschaftung; **credit** ~ Kreditüberwachung; **economic** ~ Zwangsbewirtschaftung; **foreign exchange** ~ Devisenbewirtschaftung, -kontrolle, -zwangswirtschaft; **governmental** ~ Staatsaufsicht, Wirtschaftslenkung; **industrial** ~ Kontrolle der Wirtschaft; **price** ~ Preiskontrolle, -überwachung; **production** ~ Produktionslenkung; **quality** ~ statistische Güteüberwachung; **rent** ~ Mieterschutz; **traffic** ~ Verkehrskontrolle;
~ **of the air** Luftraumbeherrschung; ~ **of capital** Kapitallenkung; ~ **of the market** Absatzlenkung; ~ **in ownership interests** ausschlaggebender Kapitalanteil; ~ **of profits** Gewinnbeschränkung; ~ **of purchasing power** Kaufkraftlenkung;
~ *(v.)* *(check)* kontrollieren, [über]prüfen, *(economize)* bewirtschaften, *(supervise)* überwachen, beaufsichtigen;
~ **a company by holding a majority of the shares** Unternehmen durch Aktienmehrheit kontrollieren (beherrschen); ~ **the economic life of a region** Wirtschaftsleben einer Gegend entscheidend beeinflussen; ~ **expenditure** Unkosten niedrig halten; ~ **housing** Wohnungsmarkt bewirtschaften; ~ **the rise in the cost of**

living der Steigerung der Lebenshaltungskosten Einhalt gebieten; ~ **an undertaking** Unternehmen leiten;
to abolish the ~ **of imports** Einfuhrkontrollbestimmungen aufheben; **to dismantle wartime** ~**s** kriegsbedingte Wirtschaftsbeschränkungen abbauen; **to have** ~ **of a department** Abteilung leiten; **to have** ~ **of an undertaking** an der Spitze eines Unternehmens stehen;
~ **account** Hauptbuchsammel-, Kontrollkonto; ~ **board** Aufsichtsrat; ~ **budget** beweglicher Etat; ~ **clock** Kontrolluhr; ~ **system** Überwachungs-, Bewirtschaftungssystem; ~ **tower** Flugsicherungs-, Kontrollturm; ~ **zone** *(traffic)* Nahverkehrsbezirk.

controlled kontrolliert, überwacht, *(administered)* gelenkt, bewirtschaftet, *(price)* preisgestoppt;
government- ~ unter Staatsaufsicht;
to be ~ **by foreign interests** vom Ausland kontrolliert werden, ausländischem Einfluß unterliegen;
~ **company** beherrschtes Unternehmen; ~ **crossing** Verkehrsregelung an einer Kreuzung; ~ **distribution** Absatzlenkung; ~ **economy** gelenkte Wirtschaft, Planwirtschaft; ~ **house** der Mieterschutzgesetzgebung unterliegendes Haus; ~ **price** amtlich festgesetzter [Stopp]-preis, gebundener Preis; ~ **recognition formula** Methode der Werbeerfolgskontrolle; ~ **sampling** repräsentative Auswahl.

controller Leiter, Aufseher, Kontrolleur, *(auditor)* Rechnungsprüfer, Revisor;
≗ **and Auditor General** *(Br.)* Präsident des Rechnungshofes; ~ **of the currency** *(US)* Bankenkommissar.

controlling | of traffic Verkehrsregelung;
~ *(a.)* maßgebend;
to be ~ ausschlaggebend sein;
~ **account** Hauptbuchsammelkonto; ~ **body** Aufsichtsbehörde; ~ **company** Holding-, Dachgesellschaft; ~ **interest** Kapitalmehrheit; ~ **[stock] interest** ausschlaggebender Kapitalanteil; ~ **stockholder** Aktienmajoritätsbesitzer.

convene *(v.)* *(assemble)* zusammentreten, -kommen, sich versammeln, *(cite)* amtlich vorladen, *(convoke)* einberufen, zusammenrufen.

convenience Bequemlichkeit, Komfort;
as a matter of ~ aus Zweckmäßigkeitsgründen; **for accounting** ~ zur Erleichterung der Buchhaltung; **built for** ~ bequem zu bewirtschaften;
~ **goods** Bedarfsdeckungs-, Verbrauchsgüter; ~ **store** Bedarfsartikelgeschäft.

convention Übereinkommen, -kunft, Abmachung, *(dipl.)* Kollektiv-, Staatsvertrag, Konvention, *(meeting)* Zusammenkunft, Versammlung, Tagung, *(political party, US)* Parteikonvent, Delegierten-, Wahlmännerversammlung;
annual ~ Jahresversammlung; **commercial** ~ Handelsabkommen; **sales** ~ Vertreterbesprechung;
~ **of navigation** Schiffahrtsabkommen;
~ **application** Verbandsanmeldung; ~ **business** Tagungswesen; ~ **country** Signatarmacht; ~ **facilities** Tagungseinrichtungen; ~ **hall** Versammlungshalle; ~ **money** gemeinsame Währung; ~ **tariff** Vertragstarif.

conventional herkömmlich, üblich, gewohnheitsrechtlich, konventionell, *(stipulated)* vertragsgemäß, vertraglich vereinbart;
~ **community** vertragliche Gütergemeinschaft; ~ **design** gängige Sorte; ~ **fine** Konventional-, Vertragsstrafe; ~ **interest** vereinbarter Zinssatz; ~ **rate of interest** üblicher Zinssatz; ~ **tariff** vereinbarter Zolltarif; ~ **type** *(motorcar)* Standardausführung.

conversation Gespräch, Unterredung, Unterhaltung;
television ~ **with the press** fernsehübertragenes Pressegespräch;
to lead the ~ **round to the political situation** Gespräch auf die politische Lage bringen;
~ **piece** Gesprächsgegenstand, -knochen.

conversion *(commutation)* Umwandlung, *(enterprise)*, Umstellung, *(of debentures)* Umtausch, Konversion, Konvertierung, *(politics)* Meinungswechsel, *(reduction of foreign exchange)* Umrechnung, Umwechslung, *(shares)* Zusammenlegung;
suitable for ~ *(house)* leicht umzubauen, umbaufähig;
compulsory~ Zwangskonversion; **constructive** ~ Eigentumserwerb durch Verarbeitung; **loan** ~ Anleiheumwandlung;
~ **of banknotes** Noteneinlösung; ~ **into a company** Vergesellschaftung; ~ **into flats** Umbau in Appartmentwohnungen; ~ **into nontaxable form** steuerfreie Anlage; ~ **of funds to one's own use** Unterschlagung von Geldern; ~ **of landed property into cash** Realisierung (Versilberung) von Grundbesitz; ~ **of rooms to office use** Zweckentfremdung einer Wohnung;
~ **account** Umstellungskonto; ~ **balance** Konversionsguthaben; ~ **feature** Konversionsklausel ~ **key** Umrechnungsschlüssel; ~ **loan** Konversions-, Umschuldungsanleihe; ~ **office** Konversionskasse; ~ **price** Umrechnungskurs; ~ **rate** Umrechnungssatz; ~ **sheet** Umstellungsrechnung; ~ **table** Umrechnungstabelle.

convert *(v.)* *(building)* strukturell verändern, umbauen, *(cash)* realisieren, versilbern, *(change money)* um-, einwechseln, *(debentures)* umtauschen, umwandeln, konvertieren, zusammenlegen;
~ **into cash (money)** zu Geld machen; ~ **into a company** vergesellschaften; ~ **into nontaxable form** steuerfrei anlegen; ~ **funds to one's own use** fremdes Geld für sich verwenden; ~ **into finished products** zu Fertigwaren verarbeiten; ~ **a room to office use** Zimmer zweckentfremden; ~ **shares** Aktien zusammenlegen.

converted flat in Teilwohnungen umgebaute große Wohnung.

convertibility Umwandelbarkei, Konvertierbarkeit;
free external ~ freie Konvertierbarkeit;
~ **agreement** Konversionsabkommen.

convertible *(US)* Kabriolett;
~ *(a.)* *(car)* mit aufklappbarem Dach, *(debentures)* umwandelbar, konvertierbar, *(realizable)* umsetz-, verwert-, realisierbar, *(reducible)* umrechenbar;
readily ~ **into cash** sofort realisierbar;
~ **assets** konvertierbare Vermögenswerte; ~ **bonds** Wandelschuldverschreibungen; ~ **securities** handelbare Wertpapiere; ~ **stock** umtauschfähige Aktie.

converting permit Verarbeitungsgenehmigung.

convey *(v.)* *(surrender)* [Grundstück] auflassen, *(transfer)* abtreten, übertragen, übereignen, *(transport)* befördern, transportieren;
~ **information** Informationen zukommen lassen; ~ **by water** verschiffen.

conveyance *(instrument of transfer)* Auflassungs-, Übertragungsurkunde, *(surrender)* Auflassung, Umschreibung, Liegenschaftsübertragung, *(transfer)* Übereignung, Abtretung, Zession, *(transporting)* Beförderung, Spedition, Über-, Versendung, Transport, *(vehicle)* Fahrzeug, Fuhrwerk, Wagen;
primary ~ Erstübertragung; **public** ~ öffentliches Beförderungsmittel;
~ **by aircraft** Lufttransport; ~ **of real estate** [Grundstücks]auflassung; ~ **of goods** Gütertransport; ~ **by rail** Eisenbahntransport; ~ **by sea** Beförderung auf dem Wasserweg;
~ **tax** Beförderungssteuer.

conveyancing Eigentumsübertragung.

conveyer, conveyor Frachtführer, *(assigner)* Abtreter, Zedent;
~ **assembly line** Fließbandmontage; ~ **band (belt)** Fließ-, Förderband; ~**-belt production** Fließbandfertigung; ~ **track** Förderband.

convoke *(v.)* **a meeting** Sitzung einberufen.

convoy *(protection)* Schutz, Bedeckung, Eskorte *(ship)* Schiffs-, Schutzgeleit, Konvoi, Geleitschutz, *(vehicles)* Kraftwagen-, Fahrzeugkolonne;
~ **ship** Geleitzugschiff, -fahrzeug.

cook *(v.)* **a balance sheet** Bilanz frisieren (verschleiern).

cooking | of accounts Bücher-, Kontofälschung; ~ **of a balance sheet** Bilanzverschleierung.

coolhouse Kühlhaus.

cooling-off period *(US, strike law)* Abkühlungszeit.

cooperate *(economics)* geschäftlich zusammenarbeiten.

cooperation Zusammenarbeit, *(economic association)* genossenschaftlicher Zusammenschluß;
consumer ~ Verbrauchergenossenschaft; **producers'** ~ landwirtschaftliche Absatzgenossenschaft.

cooperative Genossenschaft, Gemeinschaft;
building ~ Baugenossenschaft, -sparkasse; **marketing** ~ Absatzgenossenschaft; **wholesale** ~ Einkaufsgenossenschaft;
~ *(a.)* genossenschaftlich, *(operating jointly)* mitarbeitend, -wirkend;
~ **advertising** *(Br.)* Gemeinschaftswerbung; ~ **association** *(US)* [Wirtschafts-, Erwerbs]-genossenschaft; ~ **marketing association** Absatzgenossenschaft; ~ **bank** genossenschaftliches Kreditinstitut; ~ **buying** gemeinsamer Warenbezug; ~ **credit association** Kreditgenossenschaft; ~ **enterprise** Genossenschaftsunternehmen; ~ **purchasing** betrieblicher Warenbezug zu verbilligten Preisen; ~ **shop** *(Br.)* Konsum[geschäft], Konsumladen; ~ **[retail] store** Konsum[geschäft].

cooperator Mitarbeiter, *(society)* Konsumvereinsmitglied.

coordinating body Koordinierungsausschuß.

coordination allowance *(US)* [über mehrere Wochen ausgedehnte] Ausgleichszahlungen bei Entlassungen.

copartner Mitinhaber, -besitzer, Partner, Teilhaber;
~ **in a ship** Mitreeder.

copartnership Teilhaberschaft, *(company)* Sozietät;
industrial ~ Offene Handelsgesellschaft;
labo(u)r ~ Gewinnbeteiligung der Arbeitnehmer.

copier *(apparatus)* Kopierapparat.

copper *(coin)* Kupfermünze;
~**s** *(stock exchange)* Kupferaktien, -werte;
not to care a ~ *(US)* keinen roten Heller dafür geben.

copy Durchschlag, Abschrift, Niederschrift, Kopie, *(advertisement)* Werbung, Reklame-, Anzeigentext, *(document)* Ausfertigung, *(manuscript)* Satz-, Druckvorlage, druckfertiges Manuskript;
by way of ~ abschriftlich; **for** ~ **conform** für gleichlautende Abschrift;
advance ~ Vorabdruck; **attested** ~ beglaubigte Abschrift; **first authentic** ~ erste vollstreckbare Ausfertigung; **carbon** ~ Durchschlag; **checking** ~ Belegexemplar; **clean** ~ Reinschrift; **complimentary** ~ Werbenummer; **disparaging** ~ *(advertising)* herabsetzende (aggressive) Werbung; **exemplified** ~ beglaubigte Abschrift; **foul** ~ Entwurf, Konzept; **photostat** ~ Photokopie; **press** ~ Presseexemplar; **presentation** ~ Gratisexemplar; ~ **sent gratis for publicity** Besprechungsexemplar; **reason-why** ~ *(advertising)* Überzeugungsreklame; **third** ~ Drittschrift; **voucher** ~ Belegexemplar;
~ **of bill** Wechselabschrift; ~ **on file** Archivexemplar; ~ **of invoice** Rechnungsdurchschlag;

~ *(v.)* nachbilden, reproduzieren, Kopie anfertigen, kopieren, *(photography)* Abzug machen, abziehen;
to cast up ~ Manuskript berechnen; **to certify a** ~ Abschrift beglaubigen;
~ **appeal** Attraktivität der Anzeigenaussage; ~ **approach** Textaufhänger; ~ **chief** Cheftexter; ~ **date** Einsendetermin, Anzeigenschluß, -termin, *(broadcasting)* Werbefunkschluß; ~ **deadline** *(US)* Redaktionsschluß, Anzeigenschluß, -termin; ~ **desk** *(US)* Redaktionstisch; ~ **-edit** *(v.)* Umbruch machen; ~ **editing** Umbruch; ~ **editor** *(US)* Umbruchredakteur; ~ **fitting** Spiegeln, Einspiegeln; ~ **point** Werbeargument im Text; ~ **slip** Schreibvorlage; ~ **styling** Manuskriptbearbeitung.
copybook *(penmanship)* Briefkopierbuch.
copycat *(Br.)* Vervielfältigungsapparat.
copygraph Hektographiergerät.
copying | apparatus Vervielfältigungsapparat; ~ **cost** Kopierunkosten; ~ **paper** Durchschlagpapier; ~ **pencil** Tintenstift; ~ **press** Kopierpresse.
copyrapid Blitzkopieren.
copyreader Korrekturleser, *(US)* Umbruchsredakteur.
copyright Alleinnutzungs-, Vertriebs-, Urheber-, Verlagsrecht, geistiges (literarisches) Eigentum;
out of ~ urheberrechtlich nicht mehr geschützt;
~ **reserved** Nachdruck verboten;
~ **of designs** *(Br.)* Musterschutz;
to infringe a ~ Urheberrecht verletzen.
copywriter [Reklame]textschreiber, [Werbe]-texter.
copywriting Abfassung eines Reklametextes.
cordon of police Polizeikordon.
core Herz, Kern, Mark, *(cable)* Seele, Leiter;
city ~ Stadtkern; **hard** ~ *(unemployment)* Restbestand [der Arbeitslosigkeit];
hard ~ **of relatively stable earnings** sichere Ertragsgrundlage;
~ **area** Kerngebiet.
corner *(ring)* Aufkäufergruppe, [Spekulations]-ring, *(sl.)* Beuteanteil;
~ **the market** Waren zu Spekulationszwecken aufkaufen:
to be in a ~ in einer Klemme sein;
~ **bullet** *(advertising)* Firmeneindruck; ~ **influence** *(land)* wertsteigernder Faktor.
corporate vereinigt, verbunden, *(company)* inkorporiert, korporativ, körperschaftlich, gesellschaftlich;
~ **action** zustimmungspflichtige Gesellschaftertätigkeit; ~ **aircraft** Firmenflugzeug; ~ **articles** *(US)* Gründungsurkunde; ~ **assets** Gesellschaftsvermögen; ~ **bankruptcy** Firmenkonkurs; ~ **bonding** *(insurance)* Sammeldepot; ~ **books** *(US)* Geschäftsbücher einer Aktiengesellschaft; ~ **borrower** kreditaufnehmende Firma; ~ **bylaws** Gesellschaftsstatuten; ~ **cash** bare Betriebsmittel; **to make** ~ **commitments** betriebliche Verpflichtungen eingehen; ~ **creditor** *(US)* Firmen-, Gesellschaftsgläubiger; ~ **customer** Firmenkunde; ~ **disaster** Betriebsunglück; ~ **election** *(US)* Vorstandswahl; ~ **etiquette** Betriebsknigge; ~ **executive** leitender Angestellter; ~ **family** Betriebsfamilie; ~ **head** Unternehmensleiter; ~ **headquarters** Firmenhauptquartier, Zentrale; ~ **image** Leit-, Vorstellungsbild eines Unternehmens in der Öffentlichkeit; ~ **income** Körperschafteinkommen; ~ **losses** Firmenverluste; ~ **management** Firmenleitung; ~ **meeting** *(US)* Vorstandssitzung; ~ **merger** Gesellschaftsfusion; ~ **minutes** Sitzungsprotokoll; **to map** ~ **move** Betriebsverlagerung vorbereiten; ~ **name** *(US)* Firmen-, Gesellschaftsname; ~ **net worth** Eigenkapital [einer Gesellschaft]; ~ **parlance** Betriebsjargon; ~ **policy** Unternehmenspolitik; ~ **profit** Firmen-, Gesellschaftsgewinn; ~ **proprietorship** Gesellschaftskapital; ~ **purpose** *(US)* Gesellschaftszweck; ~ **report** Gesellschaftsbericht; ~ **seal** *(US)* Firmensiegel; ~ **statement** *(US)* Gesellschaftsbilanz; ~ **tax** *(US)* Körperschaftssteuer; ~ **treasurer** Finanzvorstand.
corporation Korporation, juristische Person, *(area governed by a municipal corporation)* Stadtgebiet, *(city)* Stadtbehörde, -gemeinde, Körperschaft, *(US, joint stock company)* Kapital-, Aktiengesellschaft, *(municipal enterprise, US)* Kommunalbetrieb;
affiliated ~ *(US)* Organ-, Konzern-, Zweiggesellschaft, angegliederte Gesellschaft; **airline** ~ Luftverkehrsgesellschaft; **banking** ~ *(US)* Aktienbank; **broadcasting** ~ Rundfunkanstalt; **competing** ~ Konkurrenzgesellschaft; **consolidated** ~ Schachtelgesellschaft; **diversified** ~ Gesellschaft mit breitgestreutem Produktionsprogramm; **financial** ~**s** *(US)* Banken und Versicherungen; **industrial** ~ *(US)* Industrieunternehmen; **joint-stock** ~ Aktiengesellschaft; **membership** ~ *(US)* eingetragener Verein; **municipal** ~ *(Br.)* Kommunalverband; **parent** ~ Mutter-, Dachgesellschaft; **public** ~ *(Br.)* Wirtschaftsunternehmen der öffentlichen Hand; **public service** ~ *(US)* Dienstleistungsbetrieb; **public utility** ~ öffentlicher Versorgungsbetrieb; **quasi-public** ~ gemeinnütziger Betrieb; **registered** ~ eingetragene Gesellschaft; **sole** ~ *(Br.)* Einmanngesellschaft; **stock** ~ *(US)* Aktiengesellschaft [nach amerikanischem Recht]; **subsidiary** ~ Organgesellschaft;
~ **de jure** *(US)* rechtswirksam errichtete (ordnungsgemäß gegründete) [Aktien]gesellschaft;
~ **with limited liability** Gesellschaft mit beschränkter Haftung;
to organize a ~ Gesellschaft gründen;
~ **books** Gesellschaftsbücher; ~ **capital** *(US)* Gesellschaftskapital; ~ **charter** *(US)* Grün-

dungsurkunde; ~ **debts** Gesellschaftsschulden; ~ **duty** *(Br.)* Körperschaftssteuer; ~ **earnings** Gesellschaftsgewinn; ~ **income return** *(US)* Körperschaftssteuererklärung; ~ **[income] tax** *(US)* Körperschaftssteuer; ~ **loan** *(Br.)* Kommunalanleihe; ~ **president** Vorstandsvorsitzer; ~ **property** *(US)* Gesellschaftsvermögen; ~ **rate** Körperschaftssteuersatz; ~ **report** *(US)* Rechenschaftsbericht auf einer Generalversammlung; ~ **stocks** *(Br.)* Kommunalwerte; ~ **tax** *(US)* Körperschaftssteuer.

corporator Gesellschafts-, Gründungsmitglied.

correct *(v.)* [Eintragungen] berichtigen, verbessern, abändern, *(account)* bereinigen;
~ **an amount** Rechnungsbetrag berichtigen;
~ **calculation** sorgfältige Kalkulation.

correcting entry Berichtigungsbuchung.

correction Berichtigung, Verbesserung, *(account)* Bereinigung, *(print.)* Korrektur;
~ **of an account** Kontoberichtigung; ~ **of a proofsheet** Druckfahnenverbesserungen;
~ **fluid** Korrekturlack; ~ **mark** Korrekturzeichen; ~ **notice** Berichtigungsmitteilung, *(carrier business)* Berichtigung einer Frachtrechnung.

correspond *(v.)* *(business)* in Geschäftsbeziehungen stehen, *(communicate)* korrespondieren, im Briefwechsel stehen, Briefe wechseln;
~ **to sample** dem Muster entsprechen; **not to ~ to modern traffic** Anforderungen des modernen Verkehrs nicht gewachsen sein.

correspondence brieflicher Verkehr, Schriftwechsel, Korrespondenz, *(business relation)* Geschäftsverbindung;
commercial ~ Handelskorrespondenz; **outstanding** ~ Briefschulden;
to attend to the ~ Korrespondenz erledigen; **to go through one's** ~ eingegangene Post durchsehen;
~ **classes** Fernunterricht; ~ **clerk** Korrespondent; ~ **supply** Schreibmaterialien; ~ **ticket** Umsteigefahrschein.

correspondent Briefpartner, *(US, banking)* Korrespondenzbank, *(business friend)* Geschäftsfreund, *(employee)* Korrespondent, Angestellter, *(newspaper)* [Zeitungs]berichterstatter;
from our ~ eigener Bericht;
banking ~ Bankverbindung; **foreign** ~ Auslandskorrespondent; **special** ~ Sonderberichterstatter;
~ **forwarder** Korrespondenzspediteur.

corresponding entry gleichlautende Buchung.

corridor Korridor, Gang, Flur, *(train)* Gang;
air ~ Luftkorridor;
~ **carriage (coach)** Durchgangswagen; ~ **train** Durchgangszug, D-Zug.

corrigenda Druckfehlerverzeichnis.

corrupt bestechlich, unredlich;
~ **administration** korrupte Verwaltung; ~ **practices** Durchstechereien, Bestechungsmanöver.

corruption Bestechung, Bestechlichkeit, Korruption;
bribery and ~ Durchstechereien.

cost [Un]kosten, Geschäftskosten, Spesen, Auslagen, Aufwand, Kostenbetrag, *(loss)* Verlust, Nachteil, Schaden, *(price)* Preis;
all ~s included unter Einschluß sämtlicher Kosten; **at** ~ zum Selbstkostenpreis, *(investment fund)* auf Anschaffungsbasis, *(stock exchange)* zu Ankaufskursen; **at great** ~ mit großen Kosten verbunden; **at less than** ~ unter Einkaufspreis; **free of** ~ kostenlos, umsonst, gratis; **with ~s** kostenpflichtig;
actual ~ effektive Herstellungs-, Selbst-, Gestehungskosten; **adjusted ~s** auf den Tageswert umgerechnete Kosten; **agency** ~ Agenturunkosten; **agreed ~s** vereinbarte Spesen; **assembly ~s** Montagekosten; **assessment ~s** Veranlagungskosten; **basic** ~ Grundkosten; **billed** ~ Rechnungskosten, Kosten vor Abzug des Bardiskonts; **capital** ~ Kapitalaufwand; **debt-service ~s** Schuldentilgungsaufwand; **depreciation ~s** Abnutzungsaufwand; **distribution ~s** Vertriebs-, Absatzkosten; **factory** ~ Fabrikpreis; **factory overhead ~s** allgemeine Beriebsunkosten; **first** ~ Gestehungskosten, Selbstkostenpreis, Anschaffungskosten, *(purchase price)* Einkaufspreis; **hauling ~s** *(railway)* Zustellungsgebühren; **holding ~s** Lagerhaltungskosten; **hospital ~s** Krankenhauskosten; **idle capacity** ~ Kostenaufwand für ungenützte Kapazität; **initial** ~ Anlagekosten; **interest** ~ Passivzinsen; **invoice** ~ Einkaufspreis; **involved ~s** erwachsene Spesen; **landed** ~ Löschungskosten, *(customs)* Preis bei der Anlieferung, Anlieferungspreis; **living ~s** Lebenshaltungskosten; **manufacturing ~s** Herstellungs-, Produktionskosten; **marginal ~s** Grenzkosten, an der Grenze der Wirtschaftlichkeit liegender Aufwand; **net** ~ Nettopreis; **operating** ~ Betriebskosten; **automobile operating ~s** Kraftfahrzeugunterhaltungskosten; **opportunity ~s** alternative Kosten; **organization ~s** Gründungskosten, -aufwand; **overhead ~s** Fertigungsgemeinkosten; **packaging ~s** Verpakkungskosten; **partial** ~ Kostenanteil; **pension-plan benefit ~s** Kosten einer Altersversorgung; **prime** ~ Selbst-, Gestehungskosten, *(purchase price)* Einkaufspreis, Anschaffungswert -kosten; **processing ~s** Verarbeitungs-, Fabrikationskosten; **production** ~ Gestehungskosten, Produktionsaufwand; **purchase-related ~s** mit der Anschaffung verbundene Unkosten; **purchasing ~s** Warenbeschaffungskosten; **regressive ~s** degressive Kosten; **replacement ~s** Wiederbeschaffungskosten; **runaway** ~ schnellen Steigerungen unterworfene Kosten; **running ~s** laufende Unkosten; **salvage** ~ *(insurance)* Bergungskosten; **selling ~s** Vertriebs-, Verkaufskosten; **social** ~ Soziallasten;

standard ~ vorkalkulierte Kosten; **stock-issue** ~**s** Emissionskosten; **sunk** ~**s** einmalige Produktionskosten; **supervisory** ~**s** Betriebsüberwachungskosten; **talent** ~ *(broadcasting)* Produktionskosten; **transit** ~ durchlaufende Kosten; **lowper-unit** ~s niedrige Stückkosten; ~, **insurance and freight (cif)** Kosten, Versicherung und Fracht;
~**s for advertising** Werbungsunkosten; ~ **of carrying real estate** [Grundstücks]unterhaltungskosten; ~ **of collection** Einzugsspesen; ~**s of unbilled contracts** unverrechnete Auftragskosten; ~ **of delivery** Liefer-, Versandkosten; ~ **of depreciation** Abschreibungsaufwand; ~ **of entry** Eintrittspreis; ~ **of erection** Aufstellungs-, Montage-, Installationskosten; ~ **and freight** alle Frachtkosten bis zum Ankunftshafen vom Verkäufer bezahlt; ~**s of goods and services** Preis für Güter und Dienstleistungen; ~ **of installation** Anlagekosten; ~ **of insurance** Versicherungskosten; ~ **of labo(u)r** Lohnaufwand, Löhne und Gehälter.

cost of living Lebenshaltungskosten;
~ **adjustment formula** Lebenshaltungskostenausgleichformel; ~ **allowance** Teuerungszuschlag; ~ **escalator** Lohngleitklausel; ~ **escalator adjustment** Lebenshaltungskostengleitklausel; ~ **increase** Lebenshaltungskostenanstieg; ~ **index** Lebens[haltungs]kostenindex; **high** ~ **region** teures Pflaster.

cost | **of maintenance** Unterhalts-, Instandhaltungskosten; ~ **of material** Materialaufwand; ~ **of money** Geldbeschaffungskosten; ~ **of plant addition** Betriebserweiterungskosten; ~ **of production** Produktionspreis, *(publisher)* Herstellungskosten; ~ **to replace (of replacement, replacing)** Wiederbeschaffungswert, -kosten; ~ **on a higher scale** höhere Gebührensätze; ~ **of breaking the stowage** Entstauungskosten; ~ **of time** *(broadcasting, television)* Werbeaufwand pro Minute;
~**s to be borne by . . .** Kosten gehen zu Lasten von . . .;
~ *(v.)* kosten, zu stehen kommen, *(calculate prime cost)* Selbstkosten einer Ware veranschlagen, Preis kalkulieren;
~ **the earth** kleines Vermögen kosten; ~ **a job** Kostenaufwand berechnen; ~ **a lot** an den Beutel gehen;
to allow ~**s** Kostenrechnung anerkennen; **to calculate the** ~ **of setting** Satzpreis berechnen; **to carry** ~**s** Kostenfolgen haben; **to cut** ~**s throughout a company** ganzen Betrieb kostenmäßig durchforsten; **to keep** ~**s in line** Kosten niedrig halten; **to pick up the entire** ~ **of a pension plan** Gesamtkosten der Pensionsregelung übernehmen; **to pile up the** ~**s** Rechnung hochschrauben; **to run one's** ~**s through the roof** Kosten nicht mehr verkraften können; **to sell at** ~ zum Einkaufspreis verkaufen; **to supply at a small extra** ~ mit einem kleinen Aufschlag liefern.

cost | **absorption** Kostenwertberichtigung; ~ **account** Unkostenkonto; ~ **accountant** [Betriebs]kalkulator, Kostenrechner; ~ **accounting** Kostenrechnung, Kalkulation, betriebliches Rechnungswesen, [Selbst]kostenberechnung, -kalkulation, *(bookkeeping)* Kostenbuchhaltung; ~ **accruing** Kostenanfall; ~ **allocation** Kostenaufteilung, -umlage; ~ **averaging** *(stock exchange)* Kostenausgleich; ~ **basis** Selbstkostenpreis; ~ **benefit** Kostenvorteil; ~ **book** *(mining)* Kuxbuch; ~ **boost** plötzlicher Kostenanstieg; ~ **breakdown** Kostenaufschlüsselung; ~ **budget** Kostenplan; ~ **centre** Kostenstelle; ~ **-conscious** kostenbewußt; ~ **cutter** Sparkommissar; ~ **cutting** Ausgabenbeschränkung; ~**-cutting drive** Sparprogramm; ~ **department** Kalkulationsabteilung; ~ **estimate** Kostenvoranschlag; ~ **inflation** Kosteninflation; ~ **issue** Kostenfrage; ~ **or market whichever is lower method** *(balance sheet)* Niederstwertprinzip; ~ **method of valuation** *(inventory taking)* Zeitwertprinzip; ~ **pass-alongs** Kostenabwälzung; ~ **picture** Kostenbild.

cost-plus *(US)* Lohnaufwand plus Material und Unternehmergewinn;
~ **contract** Werklieferungsvertrag; ~ **pricing** Preiskalkulation durch Gewinnzuschlag auf Herstellungskosten.

cost pressure Kostendruck.

cost price Kosten-, Wareneinstandspreis, Selbstkosten[preis];
to sell below (under) ~ unter dem Herstellungswert verkaufen;
~ **squeeze** Kostenpreisschere.

cost | **principle** Kostenprinzip; ~**-push inflation** kostentreibende Inflation; ~ **rate** Unkostenanteil; ~ **records** Kostenbeleg, Spesenzettel; ~ **recovery for tax purposes** steuerbedingte Kostenverteilung; **to fall victim to a** ~**-reduction program(me)** Opfer eines Sparprogramms werden; ~ **saving** Kostenersparnis; ~ **sheet** Kostenblatt; ~ **structure** Kostengefüge; ~ **system** Rentabilitätsberechnung; ~ **trend** Kostenentwicklung.

costermonger *(Br.)* Straßenhändler, Höker.

costing Preisberechnung, Rentabilitätsberechnung, Kostenkalkulation;
direct (marginal, *Br.)* ~ Grenzplanungs-, Grenzplankostenrechnung; **job-order** ~ Kostenrechnungssystem für auftragsweise Fertigung.

cottage *(country house, US)* Landhaus, Villa, Sommersitz, *(country labo(u)rer, Br.)* Werks-, Arbeiterwohnung;
~ **allotment** *(Br.)* Schrebergarten; ~ **industry** Heimarbeit.

coulisse *(stock exchange, theatre)* Kulisse.

council Rat[sversammlung], beratende Versammlung, *(town)* Behörde;
advisory ~ Beirat; **borough** ~ Gemeinde-, Stadtrat; **cabinet** ~ *(Br.)* Kabinettssitzung; **company** ~ *(US)* paritätischer Betriebsrat; **Economic and Social** ≗ Wirtschafts- und Sozialausschuß; **shop** ~ *(Br.)* Betriebsrat;
~ **of economic advisers** wirtschaftlicher Beirat;
~ **to the stock exchange** *(London)* Börsenzulassungsausschuß;
~ **board** Ratsversammlung, *(table)* Ratstisch; ~ **flat** Sozialwohnung; ~ **hall** Stadthalle; ~ **house** Sozialwohnung; ~ **manager** Stadtdirektor.
councilman *(US)* Stadtverordneter, Gemeinderatsmitglied.
councillor Rats-, Magistratsmitglied, Stadtrat, Ratsherr.
counsel *(advice)* Rat[schlag], *(adviser)* Berater, Ratgeber, *(legal adviser, Br.)* plädierender Anwalt, *(consultation)* Beratung, *(deliberation)* Beratung, Beratschlagung, Verhandlung;
~ *(v.)* **about-to-be-booted executives** kurz vor der Entlassung stehende leitende Angestellte beraten;
to act as ~ **for s. o.** j. anwaltschaftlich vertreten, für j. als Anwalt auftreten, j. juristisch beraten; **to hold one's** ~ sich mit seiner Meinung zurückhalten; **to take** ~ **of one's pillow** etw. überschlafen.
counsel(l)ing work Beratungstätigkeit.
counsel(l)or Berater, Ratgeber, *(US)* Rechtsberater;
~ **of embassy** *(Br.)* Botschaftsrat; ~ **at law** *(US)* Rechtsberater, -beistand; ~ **of legation** Gesandtschaftsrat.
count *(counting)* Zählung, *(sum total)* Gesamtsumme, Endzahl;
~ *(v.)* *(add)* zusammenzählen, *(debit)* in Rechnung stellen *(tell money)* [Geld] zählen;
~ **one's chickens before they're hatched** Rechnung ohne den Wirt machen; ~ **the costs** Kosten kalkulieren; ~ **the daily receipts** Kasse machen.
counter *(bar)* Getränkeausschank, Bar, Theke, *(imitation coin)* [Spiel]marke, Rechenpfennig, Jeton, *(luggage)* Gepäckannahme, -ausgabe, *(shop)* Ladentisch, Zählbrett, Zahltisch, Kasse, *(sl.)* Mammon, *(window)* Schalter;
over the ~ am Schalter, an der Kasse, *(US, securities)* Freiverkehr, freihändig verkauft; **sold over the** ~ Verkauf gegen bar;
to be behind the ~ hinter dem Ladentisch stehen; **to hand across (in at) the** ~ [Post] am Schalter abgeben (aufgeben); **to sell over the** ~ *(US)* [Effekten] freihändig verkaufen;
~ **account** Gegenkonto, Kontrollregister; ~ **advertising** Abwehrwerbung; ~ **assurance** Gegen-, Rückversicherung; **over-the-** ~ **business** Schaltergeschäft; ~ **card** [Theken]aufsteller, Preisschild; ~ **cash** tägliche Kasse; ~ **check** *(US)* Blankobank-, Kassenscheck; ~ **display** Ladentischauslage; ~ **display container** Verkaufsständer; ~ **item** Gegenposten; **over-the-** ~ **market** *(US)* Freiverkehrsmarkt; ~ **requirements** Zahlungsaufforderungen am Kassenschalter; **under-the-** ~ **sales** ungesetzlicher Ladenverkauf; ~ **service** Schalterdienst; **over-the-** ~ **trading** Schalterverkehr, freihändiger Effektenverkauf.
counterbalance Gegensaldo;
(v.) kompensieren.
counterbalanced by saldiert durch.
counterbill Gegenwechsel.
counterbond Rückbürgschaft.
countercyclical | compensatory government policy antizyklische Konjunkturpolitik, Konjunkturtherapie; ~ **measures** konjunkturdämpfende Maßnahmen; **to play its** ~ **role** sich wie üblich antizyklisch verhalten.
counterentry Gegen-, Stornobuchung.
counterfeit Fälschung, Nachahmung, Falsifikat, *(copy)* unberechtigter Nachdruck, *(spurious note)* falsche Banknote;
~**s** Falschgeld;
~ *(a.)* falsch, unecht, gefälscht, nachgemacht, untergeschoben, *(print.)* nachgedruckt;
~ *(v.)* fälschen, nachmachen;
~ **coins** falschmünzen; ~ **a signature** Unterschrift fälschen;
~ **bill of exchange** falscher (gefälschter) Wechsel;
~**ring** Fälscherzentrale, Falschmünzerbande.
counterfeited bill of exchange gefälschter Wechsel.
counterfeiter Falschmünzer;
~ **of banknotes** Banknotenfälscher.
counterfeiting ring Falschmünzerbande.
counterfoil Kontrollabschnitt, -blatt, *(coupon)* Kupon, *(luggage)* Gepäckzettel, *(talon)* Abschnitt, Talon;
~ **waybill** Frachtbriefdoppel.
counterinsurance Rückversicherung.
countermand Absage, Widerruf, Annullierung, Storno;
~ *(v.)* *(order for goods)* abbestellen;
~ **payment** Zahlungsauftrag stornieren; ~ **by wire** abtelegraphieren.
countermandate Gegenauftrag.
countermanding of orders given *(Stornierung)* erteilter Aufträge.
counteroffer Gegengebot, -offerte.
counterorder Gegenorder, -auftrag, Abbestellung, Stornierung.
counterpart Kopie, Duplikat, weitere Ausfertigung, *(money)* Gegenwertmittel;
~ **fund** Gegenwertmittel, -fonds.
counterremittance Gegendeckung, -rimesse.
countersecure *(v.)* zusätzliche Sicherheit gewähren.

countersecurity Gegen-, Rückbürgschaft.
counterstock Talon.
countervailing | **charge** Ausgleichsabgabe; ~ **credit** Gegenakkreditiv; ~ **duty** Ausgleichs-, Kompensationszoll, Umsatzausgleichssteuer; ~ **powers** *(US)* Abwehrkartell.
country Land, Staat, Vaterland, *(people)* Bevölkerung, Volk, Nation;
within the ~ im Inland;
agricultural ~ Agrarstaat; **consuming** ~ Verbraucherland; ~ **importing agricultural products** Agrarimportland; **industrial** ~ Industriestaat; **nonclearing** ~ Land ohne Verrechnungsabkommen; **shipping** ~ Herkunftsland; **short of exchange** ~ devisenschwaches Land; **underdeveloped** ~ unterentwickeltes Land, Entwicklungsland;
~ **of exportation** Ausfuhrland; ~ **of origin** Ursprungsland; ~ **with a high (low) monetary standard** valutastarkes (valutaschwaches) Land;
~ **bank** *(Br.)* Provinzbank; ~ **branch** Provinzfiliale; ~ **clearing** *(Br.)* Provinzclearing; ~ **store** *(US)* Einzelhandelsgeschäft für die landwirtschaftliche Bevölkerung, Dorfladen; ~ **town** *(Br.)* Landstadt; ~ **trade** Binnenhandel.
coupon *(advertising)* Einsendeabschnitt, *(dividend warrant)* Gewinnanteilschein, *(interest warrant)* Zinsschein, Kupon, *(ration ticket, Br.)* [Lebensmittel]kartenabschnitt, Marke, *(ticket)* Gutschein, Kassenzettel, Bon, Berechtigungsschein, Kupon;
clothing ~ Kleiderkartenabschnitt, Textilpunkt; **detached** ~ abgetrennter Kupon; **free-gift** ~ Gutschein; **international reply** ~ Antwortschein [für das Ausland]; **outstanding** ~**s** notleidende Kupons;
to detach ~**s** Kupons abtrennen; **to recover the** ~ Kuponabschlag einbringen; **to spend (surrender)** ~**s** Marken abgeben;
~ **bond** *(US)* Inhaberschuldverschreibung; ~ **book** Kuponkonto; ~ **collection department** Inkassoabteilung für Zinsscheine; ~ **-free** marken-, bezugsscheinfrei; ~ **holder** Kuponinhaber; ~ **payments account** *(US)* Kuponkonto; ~ **redemption** Gutscheineinlösung; ~ **scheme** Werbeaktion mit beigefügten Kupons; ~ **sheet** Kupon-, Zinsscheinbogen.
couponed markenpflichtig.
course *(aircraft)* Flugrichtung *(journey)* Fahrt, Reise, *(ship)* Kurs, Fahrtrichtung, *(stock exchange)* Wechselkurs, [Kurs]notierung, *(tendency)* Marktlage, Tendenz, *(turn)* Turnus;
in ~ **of execution** in der Durchführung begriffen;
forced ~ Zwangskurs; **in-company** ~ innerbetrieblicher Ausbildungskursus; **new** ~ *(pol.)* Neuorientierung;
~ **of affairs** Geschäftsgang; **[ordinary]** ~ **of business** normaler Geschäftsgang, -ablauf; ~ **of exchange** *(Br.)* Wechselkurs[zettel]; **forced** ~ **of exchange** *(Br.)* Zwangskurs; ~ **of trade** [Markt]tendenz, Geschäftsgang;
to act in the ordinary ~ **of one's business** im Rahmen der üblichen Geschäftsbedingungen handeln; **to alter the** ~ Kurs ändern; **to set** ~ **for the open sea** Kurs auf das offene Meer nehmen; **to sign up for a** ~ sich zu einem Kursus anmelden; **to take a** ~ Kurs belegen.
courtesy Höflichkeit, Verbindlichkeit, *(business)* Entgegenkommen, Gefälligkeit, *(present)* kleines Geschenk, Aufmerksamkeit;
~ **of the port** *(US)* Befreiung von der Zollrevision des Gepäcks;
to be in ~ **bound to do s. th.** anstandshalber (moralisch) zu etw. verpflichtet sein;
~ **call** Höflichkeitsbesuch; ~ **card** Gutschein; ~ **light** *(car)* türabhängige Innenbeleuchtung; ~ **patrol** Verkehrsstreife.
cover Umhüllung, Hülle, Emballage, *(advertising)* Anzeigenraum auf dem Umschlag, *(backing of notes)* Geld-, Notendeckung, *(book)* Buchdekke, Umschlagdeckel, *(envelope)* [Brief]umschlag, *(of a firm)* [Firmen]mantel, *(insurance)* Deckung, *(letter)* Briefumschlag, Kuvert, *(meal)* Gedeck, Kouvert, *(security)* Sicherheit, Deckung, Bürgschaft;
in loose ~ broschiert; **under** ~ unter Kreuzband; **under separate** ~ in besonderem Umschlag; **without** ~ ungedeckt;
additional ~ Deckungszuschuß, Nachschußzahlung; **inside** ~ innere Umschlagseite; **provisional** ~ vorläufige Deckungszusage;
~ *(v.)* *(by insurance)* decken, *(letter)* enthalten, *(reimburse)* ausgleichen, *(report)* Bericht erstatten, berichten, *(take care)* betreuen;
~ **o. s.** sich [für eine Zahlung] erholen; ~ **the balance of £ 100 into . . .** Saldo von 100 Pfund übertragen auf . . .; ~ **a bill** Deckung für einen Wechsel anschaffen; **barely** ~ **the cost** kaum die Kosten decken; ~ **a deficit** Defizit abdecken (tilgen); ~ **a letter to s. o.** Brief an j. adressieren; ~ **liabilities** Verpflichtungen nachkommen; ~ **over a loan** Anleihe überzeichnen; ~ **a meeting of shareholders** über eine Hauptversammlung berichten; ~ **money into the treasury** *(US)* Geld aufs Finanzamt überweisen; ~ **the requirements** Bedarf decken; ~ **short sales** Fixgeschäfte abdecken; ~ **a territory** *(salesman)* Gebiet betreuen, Bezirk bearbeiten;
to call for additional ~ Nachschuß einfordern; **to lodge stock as** ~ Aktien als Deckung hinterlegen; **to make provision for** ~ **of a bill of exchange** Deckung für einen Wechsel anschaffen; **to operate without** ~ ungedeckte Transaktionen vornehmen; **to run off one's** ~ Kautionssumme einbüßen;
~ **address** Deckadresse; ~ **afloat (in transit)** Deckung angeschafft; ~ **charge** *(restaurant)* Couvert, Gedeck; ~ **design** Umschlagszeich-

nung, Titelbild, ~ **folder** eingelegter Prospekt; ~ **letter** Begleitbrief; ~ **note** *(Br.)* vorläufige Deckungszusage; ~ **ratio** *(bank notes)* Dekkungsverhältnis; ~ **stock** schweres Faser-, Umschlagpapier; ~ **story** Titelgeschichte.

coverage *(advertising)* Streubreite, -dichte, Streuung, *(agreement)* Geltungsbereich, *(assets to meet liabilities)* zur Deckung vorhandene Mittel, *(insurance)* Versicherungsschutz, -umfang, *(insurance risks)* Deckung, *(market reached)* Reichweite, Verbreitung, *(public relations)* Betreuung, *(radio, television)* Deckungsbereich, Reichweite, *(statistics)* erfaßter Bereich (Personenkreis);
twenty per cent gold ~ zwanzigprozentige Golddeckung; **company** ~ betriebliches Anwendungsgebiet; **extended** ~ *(fire insurance)* zusätzlicher Versicherungsschutz; **spot** ~ unmittelbare Berichterstattung, Direktsendung; **standard warehouse-to-warehouse** ~ *(carrier)* übliche Haus-zu-Haus-Klausel; **term-life** ~ Risikolebensversicherungsschutz;
~ **contract** Versicherungsvertrag; ~ **cost** Streuungskosten.

covered gedeckt, geschützt;
~ **by contract** vertraglich abgesichert; ~ **by shipping documents** durch Verschiffungspapiere gedeckt;
to be ~ with advertisements mit Reklame übersät sein; **to be ~ by the amount insured** voll durch die Versicherung gedeckt sein;
~ **industries** (in Arbeitslosenfürsorge) miteinbezogene Industrien; ~ **job** *(US)* pflichtversicherte Tätigkeit; ~ **sector** Verbreitungsgebiet; ~ **waggon** *(Br.)* geschlossener Güterwagen.

covering Schutz, Deckung, *(stock exchange)* Dekkungskauf;
~ **agreement** Mantelvertrag; ~ **entry** falsche Buchung; ~ **form** Versicherungsformular; ~ **funds** Deckungsmittel; ~ **note** *(fire insurance)* Deckungszusage; ~ **purchase** Deckungskauf.

cowcatcher *(US) (sl.)* Vorspann.

crack *(v.)* **up** marktschreierisch anpreisen.

craft Beruf, Gewerbe, *(aircraft)* Flugzeug, *(handicraft)* Handwerk, *(ship)* Fahrzeug;
customs ~ Zollboot; **inland waterway** ~ Binnenwasserfahrzeug;
to be one of the ~ Mann vom Fach sein;
~ **worker** Facharbeiter.

craftsmanship Handwerkerstand.

craftsmaster Handwerksmeister.

crank *(v.)* **up production** Produktion ankurbeln.

cranking up of production Produktionsankurbelung.

crash Karambolage, Kollision, Zusammenstoß *(airplane)* Bruchlandung, Absturz, *(banking)* Bankkrach, *(stock exchange)* Zusammenbruch;
~ *(v.)* zusammenbrechen, *(airplane)* Bruchlandung machen, abstürzen, *(business)* pleite gehen, *(car)* karambolieren, kollidieren;
~ **the amber** bei gelb über die Kreuzung fahren; ~ **television** Fernsehempfänger ohne Gebühr benutzen;
~ **barrier** Leitplanke; ~ **boat** *(US)* Rettungsboot; ~ **course** Schnellkurs; ~ **job** Sofortauftrag; ~ **landing** Bruchlandung; ~ **program(me)** Sofortprogramm.

cream *(fig.)* Creme, Blüte, Auslese, Elite;
~ *(v.)* **off traffic** Verkehr aufnehmen;
~ **campaign** Werbefeldzug im erfolgversprechendsten Gebiet; ~ **plan** *(advertising)* Ansprache der Zielgruppen.

create *(v.)* schaffen, gründen, ins Leben rufen;
~ **capital goods** Kapitalgüter schaffen; ~ **a demand** Bedarf hervorrufen; ~ **a fashion** Mode einführen; ~ **a favo(u)rable public opinion** günstige Aufnahme in der Öffentlichkeit erzielen; ~ **money** Geld schöpfen; ~ **a trust** Treuhandverhältnis begründen.

creation Schaffung, Gründung, *(Br.)* Erneuerung, *(fashion, theater)* Kreierung, *(thing created)* Werk, Schöpfung;
latest ~s *(fashion)* neueste Modeschöpfungen;
~ **of credit** Kreditschöpfung; ~ **of currency (money)** Geldschöpfung; ~ **of a mortgage** Hypothekenbestellung; ~ **of reserves** Reservenbildung; ~ **of work** Arbeitsbeschaffung;
to cost like all ~ *(coll.)* Heidengeld kosten.

creative schöpferisch, gestaltlich, kreativ;
~ **artist** Gestalter; ~ **copy** außergewöhnlicher Werbetext.

credentials *(certificate)* Zeugnis, *(diplomacy)* Beglaubigungsschreiben, *(reference)* Empfehlungsschreiben;
to bear highest ~ erstklassige (prima) Referenzen haben.

credit Kredit, *(broadcasting, film)* Einzelaufführung [eines Schauspielers], *(credit side of account)* Haben, Entlastung, *(income tax, US)* abzugsfähiger Betrag, Freibetrag, *(letter of credit)* Akkreditiv, Kreditbrief, *(Br. pol.)* Vorgriff auf das Budget, Haushaltsvorgriff, *(reputation for solvency)* [kaufmännischer] Kredit, Kreditwürdigkeit, Bonität, *(sum placed at disposal)* Guthaben, Gutschrift, Habensaldo, *(trustworthiness)* Glaubwürdigkeit, Zuverlässigkeit;
at three months' ~ Ziel gegen drei Monate; **by raising a** ~ auf dem Kreditwege; **to the** ~ **of my account** zugunsten meines Kontos;
acceptance ~ Akzeptkredit; **auxiliary** ~ Unterakkreditiv; **back-to-back** ~ *(US)* Gegenakkreditiv; **blank** ~ Blankokredit; **book** ~ Buchkredit; **clean** ~ nicht dokumentarisch gesicherter Trassierungskredit; **collateral** ~ Lombardkredit; **commercial** ~ Bank-, Warenkredit, Bankrembours; **confirmed** ~ *(Br.)* bestätigter Kredit; **consumer** ~ Abzahlungskredit; **short-term consumer** ~ kurzfristiger Kundenkredit; **countervailing** ~ Gegenakkretiv; **declined** ~ abge-

lehnter Kredit[antrag]; **deferred ~s [to income]** antizipative Guthaben; **documentary** ~ Dokumentenkredit; **earned-income** ~ *(US)* Steuerabzug für Arbeitseinkommen; **export** ~ Ausfuhr-, Exportkredit; **extended** ~ prolongierter Kredit; **first-rate** ~ erstrangiger Kredit; **global** ~ Rahmenkredit; **hire-purchase (instal(l)ment)** ~ Abzahlungskredit; **holdover** ~ Überbrückungskredit; **investment** ~ Anlagekredit; **joint** ~ Konsortialkredit; **low-interest** ~ Kredit zu niedrigem Zinssatz; **medium-term commercial** ~ mittelfristiger Warenkredit; **municipal** ~ Kommunalkredit; **open** ~ offener (ungedeckter) Kredit, Kontokorrentkredit, *(Br.)* nicht dokumentarisch gesicherter Trassierungskredit; **open-book** ~ laufender Buchkredit; **overdrawn** ~ überzogener Kredit; **overnight** ~ *(banking)* Tagesgeld; **packing** ~ Akkreditivvorschuß; **paper** ~ offener Wechselkredit; **permanent** ~ Dauerakkreditiv; **personal** ~ Personal-, Kredit; **reconstruction** ~ Wiederaufbaukredit; **rediscount** ~ Rediskontkredit; **reserve bank** ~ *(US)* [etwa:] Kassenkredit bei der Landeszentralbank; **retail** ~ Konsumptivkredit; **revocable** ~ widerrufliches Akkreditiv; **revolving** ~ revolvierender (sich automatisch erneuernder) Kredit; **roll-over** ~ kurzfristig finanzierter langfristiger Kredit; **short-term** ~ kurzfristiger Kredit; **stand-by** ~ Überbrückungskredit; **straight** ~ normales-Akkreditiv; **tax** ~ *(US)* Steuervergünstigung; **tied** ~ projektgebundener Kredit; **transferable** ~ *(US)* teilbares Akkreditiv; **unconfirmed** ~ *(Br.)* Blankokredit; **untied** ~ lieferungsgebundener Kredit; **working** ~ Betriebsmittel, -kredit;

~ **in current account** Kredit in laufender Rechnung; ~ **on joint account** Metakredit; **~s falling into the budget** haushaltsrechtlich genehmigte Kredite; ~ **and debit** Soll und Haben; ~ **for dependants** *(US)* Steuerfreibeträge für Familienangehörige; ~ **given flat** zinslos gewährter Kredit; ~ **within the limit of...** Kredit bis zur Höhe von...; ~ **on securities** Lombardkredit; ~ **granted by supplies** Lieferantenkredit;

~ *(v.)* im Haben buchen, *(enter sum on credit side of account)* gutschreiben, *(grant credit)* kreditieren, [auf] Kredit geben, [ver]borgen, [ver]leihen;

~ **an account** Konto erkennen; ~ **by balance** per Saldo gutschreiben;

to allow a ~ Kredit bewilligen; **to appear in s. one's** ~ jem. gutgeschrieben werden; **to apply for a** ~ Kreditgesuch einreichen; **to buy on** ~ auf Kredit (Borg, Rechnung) kaufen; **to confirm a** ~ Akkreditiv bestätigen; **to eat up a** ~ Kredit aufbrauchen; **to enter a sum to s. one's** ~ jds. Konto einen Betrag gutschreiben; **to exceed a** ~ Kreditlinie überschreiten; **to give very short** ~ nur sehr kurzfristigen Kredit gewähren; **to have** ~ **with a bank** über Kreditfazilitäten bei einer Bank verfügen; **to pass (place) an article to s. one's** ~ jem. für einen Posten erkennen; **to pass to the** ~ Gutschrift erteilen; **to pledge one's husband's** ~ auf Kredit des Mannes einkaufen; **to vote ~s in instal(l)ments** Kredit sukzessive bewilligen; **to withdraw a** ~ Kreditangebot zurückziehen;

~ **abuse** Kreditmißbrauch; ~ **accommodation** Kreditgewährung, -fazilität.

credit account kreditorisch geführtes Konto;

to open a ~ **in s. one's favo(u)r** Kredit zu jds. Gunsten eröffnen.

credit | advice Gutschriftsanzeige, -aufgabe; ~ **agency** Kreditvermittlungsbüro, *(~ bureau)* Kreditauskunftei; ~ **agency report** Kreditauskunft; ~ **agreement** Kreditabkommen; ~ **allocation** Kreditkontingentierung; ~ **applicant** Kreditantragsteller; ~ **authorization** Kreditgenehmigung.

credit balance Guthaben, Aktivsaldo, *(balance of payments)* aktive Zahlungsbilanz;

~ **with other banks** *(balance sheet)* Nostroguthaben.

credit | brake Kreditbremse; ~ **bureau** *(US)* Kreditauskunftei; **retail** ~ **bureau** Einzelhandelskreditauskunftei; ~ **card** Scheckkarte; ~ **circulation** Papiergeldumlauf; ~ **contraction** Krediteinschränkung; ~ **cooperative** Kreditgenossenschaft; ~ **coupon plan** bargeldloses Verkaufssystem; ~ **crunch** Kreditverknappung; ~ **currency** Buch-, Giralgeld; ~ **demand** Kreditnachfrage; ~ **entry** Gläubigerposten; ~ **expansion** Kreditausweitung; ~ **facilities** Kreditfazilitäten; ~ **field** Kreditgewerbe; ~ **files** Kreditregistratur; ~ **folder** Kreditakte; ~ **form** *(US)* Kreditvordruck; ~ **institution** Kreditinstitut; ~ **instruction** Akkreditivauftrag; ~ **instrument** Finanzierungsmittel; ~ **interest** Habenzinsen; ~ **item** Kreditposten, Gutschrift; ~ **letter** Kreditbrief; ~ **limit** Kreditgrenze; **to run over the** ~ **limit** eingeräumten Kredit überziehen; ~ **line** Kreditrahmen, Kreditlinie; ~ **list** Liste der kreditfähigen Kunden; ~ **man** *(US)* Kreditbearbeiter; ~ **manager** Leiter der Kreditabteilung; ~ **margin** Kreditmarge; ~ **memorandum** Gutschrift[anzeige], -zettel, Einzahlungsbeleg; ~ **money** Buch-, Giralgeld; ~ **note** Gutschrift[anzeige]; **to arrange for a** ~ **package** umfassendes Kreditangebot sicherstellen; ~ **period** Laufzeit eines Kredits; **government's** ~ **policy** Währungspolitik; ~ **position** Kreditwürdigkeit; ~ **rating book** Kreditwürdigkeitsliste; ~ **rationing** Kreditrationierung; ~ **report on file** Dossierinformation; ~ **restraint** Kreditrestriktion; ~**robbery** Kreditbetrug; ~ **service charge** Kreditgebühr; **to be on the** ~ **side** Guthaben haben; ~ **slip** *(Br.)* Einzahlungsbeleg, Bon, Gutschein; ~ **society** *(Br.)* Darlehnsverein; ~ **solvency** Bonität; ~ **standing (status)** Kreditfähigkeit, -würdigkeit, -status, Bonität; ~ **strain**

Kreditanspannung; ~ **stringency** Kreditknappheit; **to open the ~ tap** Kredithahn aufdrehen; **to buy on ~ terms** im Kreditwege erwerben; **to grant ~ terms to s. o.** jem. Waren auf Kredit liefern; ~ **tightness** Kreditverknappung; **open-market ~ transactions** Transaktionen der offenen Marktpolitik; ~ **union** Kreditgenossenschaft; **to pass a ~ vote** Kreditgesuch bewilligen; ~ **voucher** Einzahlungsbeleg.

creditable kreditfähig, solide, zuverlässig.

creditor Gläubiger, Kreditor, Forderungsberechtigter, *(credit side)* Kreditseite;
~**s** *(balance sheet)* Verbindlichkeiten;
attaching ~ Pfändungsgläubiger; **bankruptcy** ~ Konkursgläubiger; **catholic** ~ erstklassig gesicherter Gläubiger; **certificate** ~ *(municipal accounting)* Schuldscheininhaber; **existing** ~ hypothekarisch gesicherter Gläubiger; **general** ~ Massegläubiger; **mercantile** ~ berufsmäßiger Geldverleiher; **nonprivileged** ~ Massegläubiger; **preferential** *(Br.)*, **preferred** *(US)* ~ (bevorrechtigter) [Konkurs]gläubiger; ~ **ranking equally** gleichrangiger Gläubiger; **secondary** ~ nachstehender Gläubiger; **secured** ~ absonderungsberechtigter Gläubiger; **subsequent** ~ nachrangiger Gläubiger; **trade** ~ Gläubiger aus Kontokorrentgeschäften; **unsecured** ~ einfacher Konkursgläubiger;
~ **with a colo(u)rable claim** aussonderungsberechtigter Gläubiger; ~ **of the estate** Nachlaßgläubiger; ~ **at large** einfacher Konkursgläubiger;
to be a ~ on the bank books Bankkonto haben; **to compound (compose) with ~s** mit Gläubigern einen Vergleich schließen; **to feed one's ~s with empty promises** seine Gläubiger mit leeren Versprechungen hinhalten; **to put off ~s** Gläubiger vertrösten;
~ **account** Kreditorenkonto; ~**s' committee** Gläubigerausschuß; ~**-debtor relation** Gläubiger-Schuldner-Verhältnis; ~**s' ledger** Kreditorenbuch.

crisis | in the money market Kapitalmarktkrise;
to go through a ~ Krise durchmachen;
~ **feeling** Krisenstimmung; ~ **fund** Krisenfonds; ~ **money** Fluchtgeld; ~**-proof** krisenfest.

crop [Getreide]ernte, Getreide auf dem Halm *(cultivation)* Bebauung, Kultivierung;
short ~ Mißernte;
~ **damage** Ernteschaden; ~ **forecast** Erntevorschau; ~ **insurance** Ernteversicherung; ~ **shortage** knappe Ernte.

cross *(v.)* *(bill of exchange)* querschreiben, *(sl.)* betrügen;
~ **160** *(stock exchange)* Kurs von 160 überschreiten; ~ **s. one's hand** jem ein Trinkgeld geben, j. schmieren; ~ **a train** Anschluß haben;
~ **acceptance (accommodation,** *Br.)* Wechselreiterei; ~ **account** *(Br.)* Rikambiorechnung; ~ **bill** *(bill of exchange, Br.)* Rück-, Gegenwechsel; ~**-channel service** Schiffsverkehr zwischen England und dem Festland; ~**-channel steamer** Kanaldampfer; ~**-check** *(v.)* genauestens überprüfen; ~ **claim** Gegenansprüche geltend machen; ~**-country** *(car)* geländegängig; ~ **demand** Gegenforderung; ~ **elasticity of demand** Kreuzelastizität der Nachfrage; **to make ~ entries** Gegenbuchungen vornehmen; ~ **entry** Storno-, Umbuchung; ~ **firing** *(stock exchange) (Br.)* Wechselreiterei; ~ **heading** Zwischenüberschrift; ~ **licensing** Lizenzaustausch; ~ **order** *(stock exchange)* Kompensationsorder; ~ **section of the people** Bevölkerungsdurchschnitt; ~**-section paper** Millimeterpapier; ~ **subsidization** *(common carrier)* Gewinnausgleich; ~**-town route** Durchgangsstraße; ~ **trade** *(US)* Börsenkompensationsgeschäft; ~ **traffic** Gegenverkehr.

crossed cheque *(Br.)* Verrechnungsscheck.

crossing Kreuzung, *(cheque, Br.)* Querschreiben, Kreuzvermerk, *(crosswalk)* Fußgängerüberweg, *(passing)* Überquerung;
channel ~ [Kanal]überfahrt; **grade** ~ *(US)* schienengleiche Überführung; **level** ~ Bahnübergang; **signal-controlled** ~ Verkehrsampelkreuzung;
~ **with gates** beschrankter Bahnübergang;
~ **gate** Bahnschranke; ~ **keeper** Schrankenwärter.

crossover Straßenübergang, Kreuzung, *(changeover)* Umsteigeplatz.

crossroads Kreuzung, *(fig.)* Scheideweg;
to come at the ~ am Scheidewege stehen;

crosswalk Fußgängerüberweg, Straßenübergang.

crow *(US)* Neger;
as the ~ flies in der Luftlinie;
~ **flight** Luftlinie; **in a ~ line** in der Luftlinie;
~**'s nest** *(mar.)* Krähennest, Ausguck.

crowd Volksauflauf, Zulauf, Menge;
~ **of books** Büchermenge; ~**s of people** Menschenmassen; **the whole ~ of shareholders** alle Aktionäre; ~ **of eager shoppers** kauflustige Menge;
~ *(v.)* **out an article** Zeitungsartikel wegen Platzmangels nicht bringen; ~ **a debtor** Schuldner bedrängen;
to be one of the ~ zur Clique gehören; **to pull in the ~s** Massenpublikum anziehen;
~ **behavio(u)r** Massenverhalten; ~ **panic** Massenpanik; ~ **pleasers** erfolgreiche Massenartikel.

crowded belebt, dicht gedrängt, *(street)* verkehrsreich;
~ **to capacity** bis auf den letzten Platz gefüllt;
to be ~ for time sehr beschäftigt sein;
~ **audience** überfüllter Zuhörerraum; ~ **hours** Hauptverkehrszeit; ~ **profession** überfüllter Beruf.

crown Krone, Thron, *(Br.)* Staat, Fiskus, *(coin)* Krone;

~ **estate** Krongut, -land; ~ **land** *(Br.)* staatliche Domäne; ~ **property** *(Br.)* fiskalisches Eigentum.
crucial | date Stichtag; ~ **debate** entscheidende Debatte; ~ **vote** Kampfabstimmung.
crude unverarbeitet, roh;
~ **birth rate** nicht aufgegliederte Geburtenziffer; ~ **facts** nackte Tatsachen; ~ **oil** Roh-, Erdöl.
cruise Vergnügungsreise, Kreuzfahrt;
~ *(v.)* Kreuzfahrt machen, *(airplane)* mit Reisegeschwindigkeit fliegen, *(taxi)* nach Kundschaft Ausschau halten;
~ **ship** Vergnügungsdampfer; ~ **speed** *(airplane)* Dauerreisegeschwindigkeit; ~ **train** Rundreisezug.
cruiser *(pleasure trip)* Vergnügungsdampfer, *(police car, US)* Streifenwagen, Verkehrsstreife.
cruising | altitude Normalflughöhe; ~ **range** Aktionsradius; ~ **speed** *(airplane)* Dauer-, Reisegeschwindigkeit.
crumble *(v.)* abbröckeln, Kursrückgang erleiden;
~ **up an estate** Gut parzellieren.
crumbling of prices Abbröckeln der Kurse.
cry *(applause)* Beifallsruf, *(street monger)* Ausrufen;
all the ~ *(US)* der letzte Schrei, die neueste Mode; **the popular** ~ die Stimme des Volkes;
~ *(v.)* **up** Reklame machen.
cryptograph Geheimschrift, Schlüssel, Code.
cryptographic keys Verschlüsselungsunterlagen.
cue Fingerzeig, Wink, *(for film editor)* Hinweis;
to take one's ~ **from s. o.** sich j. zur Richtschnur nehmen;
~ **card** *(broadcasting)* Spickzettel; ~ **sheet** vergleichende Klassifizierung.
cuff, off the ohne Manuskript, frei.
culmination Gipfel, Höhepunkt;
to reach the ~ **of one's career** Höhepunkt seiner Laufbahn erreichen.
cultivate *(v.)* kultivieren, *(soil)* bearbeiten, bestellen;
~ **the market** Marktpflege betreiben.
cultivated area Anbaugebiet.
cultivating the market Marktpflege.
cultivation Kultivierung, *(soil)* Ackerbestellung;
to bring land into ~ Land in Kultur nehmen;
~ **methods** Anbaumethoden.
cum | dividend mit (einschließlich) Dividende; ~ **drawing** inklusive Ziehung; ~ **new** mit Bezugsrecht auf junge Aktien; ~ **rights** mit Bezugsrecht (Optionsrecht).
cumulative zusätzlich, kumulativ, anhäufend;
~ **audience** erfaßte Gesamthörerzahl; ~ **dividend** Dividende auf kumulative Vorzugsaktien; ~ **effect** gesteigerte Wirkung; ~ **fund** *(Br.)* thesaurierender Fonds; ~ **multistage system** *(taxation)* Mehrphasensystem; ~ **preference stocks** *(US)* kumulative Vorzugsaktien; ~ **table** Summentabelle; ~ **voting** *(US)* Stimmenhäufung.
curator Verwalter, *(museum)* Kurator;
~ **in bankruptcy** Konkursverwalter; ~ **of an estate** *(US)* Nachlaßpfleger.
curb *(US)* Nach-, Freibörse, -verkehr;
on the ~ *(US)* nach-, außerbörslich, im Freiverkehr;
~ **on dividend rises** Dividendenstopp; ~ **of exports** Ausfuhrbeschränkung;
~ *(v.)* *(business cycle)* dämpfen, zügeln;
~ **the boom** Konjunktur zügeln; ~ **expenditure** Ausgaben drosseln; ~ **the production** Produktion drosseln;
~ **broker** *(US)* Freiverkehrsmakler; ~ **exchange** *(US)* Freiverkehrsbörse, -kulisse; ~ **market** *(US)* Freiverkehr[smarkt] ~ **[market] price** *(US)* Freiverkehrskurs; ~ **service restaurant** *(US)* Autorestaurant.
curbing of the boom Konjunkturzügelung, -dämpfung.
curbstoner *(stock exchange)* Freiverkehrsmakler.
cure Kur;
~ *(v.)* sich einer Kur unterziehen;
~**-all** Allheilmittel; ~ **guest** Kurgast.
curio Antiquität;
~ **dealer** Antiquitätenhändler, Antiquar; ~ **hunter** Antiquitätensammler; **to go** ~ **hunting** Antiquitätenbummel machen; ~ **shop** Antiquitätengeschäft.
curiosity shop Antiquitätenladen.
currency *(circulation of money)* [Geld]umlauf, [Geld]zirkulation, umlaufendes Geld, *(current estimation)* Gebräuchlichkeit, *(legal tender)* Zahlungsmittel, Kurantgeld, Geltungsbereich, *(standard)* Währung, Valuta *(time of circulation)* [Um]laufzeit, *(validity of money)* Gültigkeit;
in the legal ~ **of the country** in der Landeswährung;
automatic ~ elastische Währung; **auxiliary** ~ Ersatzgeld; **credit** ~ Buch-, Giralgeld; **deposit** ~ *(US)* bargeldloses Zahlungsmittel; **emergency** ~ Notgeld; **foreign** ~ Devisen-, Fremdwährung; **fractional** ~ *(US)* Kleingeld; **lawful** ~ **[of a country]** Landeswährung; **legal [tender]** ~ gesetzliche (gesetzlich anerkannte) Währung; **managed** ~ staatlich regulierte (gesteuerte) Währung, [behördlich] manipulierte Währung; **national** ~ *(US)* Landeswährung; **paper** ~ Papiergeld;
~ **of bank notes** Banknotenumlauf; ~ **of a bill** Laufzeit eines Wechsels;
to give ~ **to a bill** Wechsel in Umlauf setzen; **to restore the** ~ Währung sanieren;
~ **account** Valuta-, Währungskonto; ~ **agreement** Währungsabkommen; ~ **area** Währungsgebiet; ~ **assets** Devisenguthaben; ~ **bill** Devisenwechsel; ~ **bonds** Valutaobligationen; ~ **clause** Effektiv-, Währungsklausel; ~ **control**

Devisenbewirtschaftung; **[free] ~ country** [nicht] devisenbewirtschaftetes Land; **soft -~ country** Land mit unstabiler Währung; **holiday ~ demands** Anforderungen für Ferien- und Reisegelder; **~ dumping** Valutadumping; **~ holdings** Devisenbestände; **~ market** Devisenmarkt; **~ policy** Währungspolitik; **~ principle** Golddeckungsprinzip; **~ profiteer** Devisenschieber; **~ regulations** Devisenbestimmungen; **~ restrictions** Devisenbeschränkungen; **~ supply** Zahlungsmittelversorgung; **~ unit** Zahlungsmitteleinheit.

current *(a.)* *(circulating)* zirkulierend, umlaufend, kursierend, *(frequent)* häufig, *(negotiable)* kurs-, verkehrsfähig, *(present)* gegenwärtig, aktuell, augenblicklich, laufend *(salable)* [markt]-gängig, leicht verkäuflich, *(usual)* gang und gäbe, *(valid)* gültig, gangbar;
to be ~ sich gut verkaufen, *(money)* kursieren.

current account laufendes (offenes, tägliches) Konto, laufende Rechnung, Kontokorrentkonto, *(person)* Girokunde;
~ balance Kontokorrentguthaben; **~ customer** Kontokorrentkunde.

current | affairs Tagesereignisse, -politik; **~ assets** *(Br.)* Umlaufvermögen, *(US)* kurzfristiges Vermögen; **~ business** laufende Geschäfte; **~ capital** Umsatz-, Betriebskapital; **~ catalog(ue)** derzeit gültiger Verkaufskatalog; **~ coin** gängige Münze; **~ cost** Kostenaufwand zu Marktpreisen; **~ deposits** Kontokorrenteinlagen; **~ deposit and other accounts** *(balance sheet)* Einlagen auf gebührenfreie Rechnungen und sonstige Gläubiger; **~ exchange** Tageskurs; **~ funds** Umlaufmittel, Umlaufvermögen einschließlich kurzfristiger Anlagewerte; **~ goods** Verbrauchsgüter; **~ income** im Rechnungsabschnitt anfallendes Einkommen; **~ investment** vorübergehende Anlagen; **~ maintenance** Unterhaltungsaufwand; **~ market value** Zeit-, Tageswert; **~ money** Landeswährung; **~ operating expenses** laufende Betriebsunkosten; **~ outlay cost** augenblicklicher Kostenaufwand; **to sell for ~ payment** gegen bar verkaufen; **~ position** *(banking)* Flüssigkeits-, Liquiditätsstatus; **~ price** Tages-, Marktpreis; **~ quality** gängige Qualität; **~ receivables** *(US)* Umlaufvermögen; **~ taxes** Steuerschulden; **~ value** Tageswert; **~ wages** anfallende Löhne; **~ year** Rechnungsjahr; **~ yield** Gewinnprozentsatz.

curtail *(v.)* einschränken, drosseln;
~ an allowance of money [Geld]zuwendung kürzen; **~ production** Produktion drosseln.

curtailed expectation of life abgekürzte Lebenserwartung.

curtailing of production Produktionsbeschränkung.

curtailment Schmälerung, Beschränkung, Einschränkung, Drosselung;
~ of production Produktionsbeschränkung, -drosselung; **~ of service** Einschränkung des Zugverkehrs.

curtesy [of England] Nießbrauch, Nutznießung [des überlebenden Ehemannes am Grundbesitz].

curve *(statistics)* Schaulinie, Kurve;
~ chart Kurvendiagramm.

cushion Polster, Kissen, *(advertising)* Sicherheitsfaktor, *(broadcasting)* Füller, Puffersendung;
~ of stock Aktienvorrat, -polster;
to fall back on a broad ~ of diversification zu einer wohlgepolsterten Produktionsbreite Zuflucht nehmen.

custodian Hausmeister, *(guardian)* Vormund, *(trustee)* Treuhänder;
Alien Property ≗ *(US)* Treuhänder für Feindvermögen; **legal ~** gesetzliche Hinterlegungsstelle;
≗ of Enemy Property *(Br.)* Treuhänder für Feindvermögen;
to serve as ~ Treuhänderfunktionen wahrnehmen;
~ account Depotkonto; **~ agreement** Depotvertrag; **~ bank** Depotbank; **~ warehouse** *(US)* Konsignationslager.

custodianship *(US)* *(securities)* Effektenverwaltung, Depotgeschäft;
~ account *(US)* Depot[konto]; **~ receipt** *(US)* Depotschein.

custody Obhut, Schutz, Aufsicht;
~ of property Vermögensverwaltung; **~ of securities** *(Br.)* Aufbewahrung von Wertpapieren;
to leave a sum of money in s. one's ~ jem. Geld zur Aufbewahrung geben; **to place securities in safe ~** Wertpapiere ins Depot legen;
safe- ~ receipt *(Br.)* Depotschein.

custom *(customers)* Kundschaft, Kunden[kreis], Klientel, *(duty)* Abgabe, Gebühr, Auflage, Zoll, *(habitual buying)* Kaufgewohnheit;
according to ~ nach der Verkehrssitte, usancemäßig; **with a good ~** mit guter Kundschaft;
~ of the port Hafenusancen, -brauch;
~ *(v.)* mit Kundschaft versorgen, *(duty)* verzollen;
to build up ~ Kundschaft bekommen; **to have a good ~** viel Zuspruch (großen Zulauf) haben;
~ *(a.)* *(US)* auf Bestellung angefertigt, bestellt;
~ body *(car)* Spezialkarosserie; **~ car** Spezial-, Sonderanfertigung; **~ order** Auftragsfertigung.

customs *(duty)* Steuer, Zoll, *(administration)* Zollbehörden, -verwaltung, -wesen, -amt;
~ and excise duties Zölle und Steuern;
to clear through the ~ zollamtlich abfertigen, verzollen, klarieren; **to get one's luggage** *(Br.)* **(baggage,** *US)* **through the ~** sein Gepäck zollamtlich abfertigen lassen; **to pre-clear ~** Zollformalitäten vorweg erledigen;
~ administration Zollverwaltung; **~ area** Zoll-

gebiet; ~ **barrier** Zollschranke; ~ **berth** Zoll-Landeplatz; ~ **bill of entry** Zolleingangsdeklaration; ~ **bond** Zollbegleitschein; ~ **classification** [Zoll]tarifierung; **to effect ~ clearance** Zollabfertigung vornehmen lassen; ~ **clearing house** Zollabfertigungsstelle; ~ **collection district** Zollgrenzbezirk; ~ **craft** Zollboot; ~ **debenture** Zollrückschein; ~ **declaration** Zolldeklarierung, -erklärung, Abfertigungsschein; ~ **documentation (documents)** Zoll[abfertigungs-]papiere; ~ **duty** [Waren]zoll, Zollabgabe; **to evade ~ duty** Zollhinterziehung begehen; ~ **examination** Zollrevision; ~ **expediter** Zollspediteur; ~ **formalities** Zollformalitäten; ~ **inspection** Zollrevision; ~ **inspector** Zollaufseher; ~ **invoice** Zollfaktura; ~ **letter** Zollbenachrichtigung; ~ **office** Zollamt; ~ **official (officer)** Zollbeamter; ~ **permission** zollamtliche Erlaubnis; ~ **permit** Zollerlaubnis, Zollabfertigungsschein; ~ **receipt** Zollschein, -quittung; **across-the-board ~ reduction** lineare Zollsenkung; ~ **regulations** zollamtliche Bestimmungen; ~ **revenue** Zolleinnahmen; ~ **station** Zollstation, -stelle; ~ **tare** Zollgewicht, -tara; ~ **territory** Zollanwendungsgebiet; ~ **treatment** zollrechtliche Behandlung; **to enter into a ~ union** einer Zollunion beitreten; ~ **value** Zollwert; ~ **warehouse** Zollspeicher, -niederlage; ~ **weight** Zollgewicht; ~ **yard** Zollhof, -schuppen.

customary üblich, gebräuchlich, usancemäßig;
paying freight as ~ in gewöhnlicher Fracht;
~ **clause** handelsübliche (ortsübliche) Klausel; ~ **tare** übliche Tara.

customer [Geschäfts]kunde, Debitor, *(client)* Mandant, *(factoring)* Drittschuldner, *(purchaser)* Abnehmer, Käufer, Auftraggeber, *(restaurant)* Besucher, *(strikebreaker)* Streikbrecher;
against the interests of ~s kundenfeindlich;
accidental (casual) ~ Laufkunde; **bad ~** fauler Kunde; **big ~** Großkunde; **charge ~** Kunde, der anschreiben läßt; **lower-income ~s** Kundschaft mit niedrigerem Einkommen; **price-finicky ~** preisempfindlicher Käufer; **regular (standing, steady) ~** regelmäßiger Gast, Stammkunde; **steady ~s** Stammkundschaft;
to alienate ~s Kunden ausspannen; **to serve ~s** Kunden bedienen;
~ **agent** Exportgroßhändler; ~ **allowance** Kundenrabatt, Kaufpreisnachlaß; **~'s card** Kundenkarteikarte; ~ **complaint** Kundenbeschwerde, Reklamation, Mängelrüge; ~ **country** Abnehmerland; **~-directed** kundenbewußt; **~'s ledger** Kontokorrentbuch; **~s' liability on account of acceptances** Wechselobligo aus den Akzeptverbindlichkeiten der Kundschaft; **~s' loan** Kundenkredit; ~ **needs** Kundenbedürfnisse; **for ~ orientation** zur Unterrichtung der Kundschaft; ~ **prejudice** Käufervorurteil; ~ **register** Kundenliste; ~ **returns** Warenrückgabe von Kunden; **~s' room** Kundenberatungsraum; **~s' security department** *(banking)* Depotabteilung.

customhouse Zollamt, -haus, -abfertigungsstelle;
to clear the ~ Zoll entrichten;
~ **agent (broker)** Zollmakler, -agent; ~ **bond** Zoll-, Steuerschein; ~ **clearance (entry)** Zolldeklaration, -erklärung; ~ **officer** *(Br.)* Zollbeamter; ~ **seal** Zollsiegel, -plombe, -verschluß.

cut *(block)* Klischee, Druckstock, *(capital)* [Kapital]herabsetzung, *(film)* Schneiden, Tonschnitt, *(interest)* Zinskupon, *(newspaper)* Zeitungsausschnitt, *(reduction)* [Preis]ermäßigung, -abbau, Kürzung;
of the latest ~ nach der neuesten Mode;
big ~ starke Ermäßigung; **price ~** Preisherabsetzung, -abbau; **salary ~** Gehaltskürzung; **wage ~** Lohnkürzung;
~ **in the budget** Etatskürzung; ~ **in consumption** Verbrauchsrückgang; **~s in overtime** zurückgehende Überstundenzeit; ~ **in rates** Gebührensenkung, Tarifabbau; ~ **in wages** Lohnabbau;
~ *(v.)* kürzen, Abstriche vornehmen, *(bookkeeping)* [Verlust] abbuchen, abschreiben, *(prices)* herabsetzen, abbauen;
~ **business** Geschäft aufgeben; ~ **a claim** Anspruch reduzieren; ~ **and contrive** sparsam wirtschaften; ~ **the discount rate** Diskont[satz] herabsetzen; ~ **it fine** knapp berechnen; ~ **an inventory** Lager abbauen; ~ **one's losses** seine Verluste abschreiben; ~ **a melon** *(US)* außerordentliche Dividende verteilen; ~ **production** Produktion drosseln; ~ **short a career** Laufbahn plötzlich beenden; ~ **taxes** Steuern senken.

cut down *(v.)* *(reduce)* kürzen, *(retrench)* einschränken;
~ **prices** Preise herabsetzen (abbauen); ~ **s. one's allowances** jds. Spesen herabsetzen.

cut in *(v.)* *(traffic)* sich [unvorschriftsmäßig] einfädeln.

cut off *(v.)* Zufuhr abschneiden, *(tel.)* trennen, unterbrechen;
~ **one's correspondence with s. o.** Korrespondenz mit jem. abbrechen; ~ **the negotiations** Verhandlungen abbrechen; ~ **a sample** Muster abschneiden; ~ **s. o. off with a shilling** j. vollständig enterben.

cut out *(v.)* **the small traders** kleine Geschäftsleute vom Markt verdrängen.

cut under *(v.)* **a competitor in trade** Konkurrenten im Handel unterbieten.

cut up *(v.)* | **for sale** ausschlachten; ~ **well** *(sl.)* reich sterben, großes Vermögen hinterlassen.

cut, to be ~ out for a job für eine Aufgabe wie geschaffen sein;
~-and-dried affair Routinesache, -angelegenheit; **~-in advertisement** an mehrere Seiten

Text angeschlossenes Inserat, *(local advertising)* lokale Werbeeinschaltung; ~ **price** Spezial-, Sonderpreis; **~-price shop** Diskontgeschäft; ~ **rate** *(US)* herabgesetzter (äußerster) Preis.

cut-rate *(US)* ermäßigt, herabgesetzt;
~ **price** schärfstens kalkulierter Preis, Kampf-, Schleuder-, Werbepreis.

cutback *(cinema)* Rückblende, Wiederholung, *(laying off of workers)* Arbeitskräfteabbau, *(US)* Reduzierung, Kürzung, Abbau, Abstrich, Einschränkung;
~ **in capital spending** Kürzung von Investitionsvorhaben; ~ **in orders** Auftragskürzung; ~ **in prices** Preisrücknahme, -abbau; ~ **in staff** Verkleinerung der Belegschaft.

cutoff *(accounting)* Einstellung des Buchungsverkehrs für Revisionszwecke;
~ **for foreign aid** Einstellung der Auslandshilfe; ~ **date** Inventurtermin; ~ **statement** Zwischenbilanz.

cutthroat competition existenzgefährdender Wettbewerb;
~ **price** mörderischer (ruinöser) Preis.

cutting *(prices)* Herabsetzung, Preisdrückerei, Konkurrenzunterbietung;
press ~ Zeitungsausschnitt;
~ **down the expenses** Abstrich von Unkosten; ~ **back of production** Produktionskürzung; ~ **of inventory** Lagerabbau; ~ **the melon** *(US)* Ausschüttung einer außerordentlichen Dividende; ~ **of prices** Preisabbau, -herabsetzung, -reduzierung;
~ **trade** Schleudergeschäft.

cycle Zyklus, Folge, Serie;
business ~ Konjunkturzyklus, -rhythmus, -verlauf;
~ **billing** über den Monat verteilte Rechnungsaufstellung; ~ **car** Kleinwagen, Kabinenroller; ~ **rider** *(fig.)* Konjunktursteuerer.

cyclical zyklisch, konjunkturrhythmatisch, konjunkturell;
~ **boom** konjunkturelle Wirtschaftsblüte, Hochkonjunktur, Hausse; ~ **budgeting** antizyklische Wirtschaftspolitik; ~ **depression** Tiefkonjunktur; ~ **downswing (downturn)** Konjunkturabschwung; ~ **fluctuations [in business]** konjunkturelle Schwankungen; ~ **industry** konjunkturabhängige (-empfindliche) Industrie; ~ **maladjustment** konjunkturelle Fehlanpassung; ~ **policy** Konjunkturpolitik; ~ **recovery** Konjunkturanstieg; ~ **situation** konjunkturpolitische Lage; ~ **swing** Konjunkturumschwung; ~ **trend** konjunkturelle Entwicklung; ~ **upsurge** konjunktureller Auftrieb; ~ **upward movement** konjunkturelle Aufwärtsbewegung.

D

dabble *(v.)* on the stock exchange [ein bißchen, mit kleinsten Gewinnen] an der Börse spekulieren.

dabbler Amateur, Dilettant, *(stock exchange)* Börsendilettant;
~ **in politics** politischer Kannegießer, Stammtischpolitiker.

daily Tageszeitung, *(insurance agent)* Tagesbericht;
~ **allowance** Tagesspesen, Tagegeld; ~ **breader** *(Br.)* Pendler, Zeitkarteninhaber; ~ **cash settlement** *(motor carrier agent)* Tagesabrechnung; ~ **consumption** Tagesverbrauch; ~ **earnings** Tagesverdienst; ~ **extra pay** Tageszulage; ~ **interest** Tageszinsen; ~ **newspaper press** Tagespresse; ~ **payroll** tägliche Lohnauszahlung; ~ **quotation** Tagesnotierung; ~ **receipts** Tageseinnahme; ~ **routine** Alltagsbeschäftigung, Dienstbetrieb; ~ **sales** Tagesumsatz; ~ **schedule** Tagesprogramm; ~ **shopping** täglicher Einkauf; ~ **wage rate** Tageslohnsatz.

damage *(compensation)* Schadloshaltung, *(indemnity recoverable)* Schadenersatz[anspruch], Schadensbetrag, *(injury)* Schaden, Beschädigung, Nachteil, Beeinträchtigung, *(loss)* Verlust, Einbuße;
known ~ *(carrier)* festgestellter Schaden; **liquidated** ~**s** vertraglich festgesetzte (vereinbarte) Schadenssumme; **material** ~**s** Schaden wirtschaftlicher Art; **serious** ~ *(mar.)* schwere Havarie; **unliquidated** ~**s** der Höhe nach nicht festgestellter Schadensbetrag;
~ **[caused] by fire** Brand-, Feuerschaden; ~**s at law** gesetzlicher Schadenersatzanspruch; ~**s for nonfulfil(l)ment** Schadenersatz wegen Nichterfüllung; ~**s for pain and suffering** *(Br.)* Schmerzensgeld; ~ **by sea** Seeschaden, Havarie;
~ *(v. t.)* schaden, [be]schädigen, Schaden zufügen, *(infringe)* beeinträchtigen, benachteiligen;
to be answerable for ~**s** schadenersatzpflichtig sein; **to assess the** ~**s** Schadenersatzbetrag [der Höhe nach] feststellen; **to bring an action for** ~**s against s. o.** j. auf Schadenersatz verklagen; **to pay for (respond in)** ~**s** Schadenersatz leisten;
~ **claim** Schadenersatzanspruch; ~ **report** Schadensbericht, -aufstellung; ~ **survey** *average)* Havariegutachten.

damaged beschädigt, schadhaft, defekt, *(spoiled)* verdorben;

~ **goods** Ausschuß[ware], *(cargo)* Havarieware; **at a ~ valuation** zu herabgesetzten [Tax]-preisen.
dampen *(v.)* **inflation** Inflation zügeln.
dampening | **of business spending** Dämpfung (Drosselung) der Investitionstätigkeit; ~ **of output** Produktionsdrosselung.
dandy note *(Br.)* Zollfreigabeschein.
danger Gefahr, Risiko;
~ **of breakage** Bruchgefahr; ~**s of navigation** Schiffahrtsrisiko; ~**s of the river** Flußrisiko; ~**s of the sea** Seegefahr, -risiko;
~ **money** Gefahrenzulage, -geld; ~ **zone** Gefahrenzone, *(mar.)* Warngebiet.
dangerous articles Gefahrgüter; ~ **premises** gefährliche Betriebe.
dangler *(advertisement)* Deckenhänger.
dash Schuß, Anflug, *(telegraphy)* Morsestrich;
to show a ~ of improvement leichte Besserungstendenz erkennen lassen.
dashboard *(car)* Armaturen-, Instrumentenbrett.
data Einzelheiten, Angaben, Unterlagen, Zahlen-, Ziffernmaterial, *(statistics)* Beobachtungsmaterial;
business ~ Betriebsangaben; **personal** ~ Personalien, Angaben zur Person; **personal ~ and testimonial** Bewerbungsunterlagen;
~ **of production** Produktionsziffern; ~ **of sales** Verkaufsziffern, Umsatzzahlen;
~ **case** *(airplane)* Vorschriftenfach; ~ **communication** Datenübermittlung; ~ **handling** Datenverarbeitung; ~ **processing** Materialaufbereitung; ~ **storage** Datenspeicherung.
date [Ausfertigungs]datum, Datum und Ortsangabe, *(of bill of exchange)* Ausstellungstag, *(coin)* Herstellungsjahr, *(fixed day)* Termin, Zeitangabe, -punkt;
after ~ nach dato; **prior to** ~ vordatiert; **three months after** ~ mit Dreimonatsziel; **up to** ~ aktuell, zeitgemäß, modern; **without** ~ undatiert, ohne Zeitangabe;
appointed ~ Stichtag, Termin; **[average] due** ~ [durchschnittlicher] Verfalltag [eines Wechsels], Fälligkeitstermin; **earliest ~ available** frühester Antrittstermin; **final** ~ *(for payment)* Ausschlußfrist; ~ **incomplete** *(bill of exchange)* Datum unvollständig; **interest** ~ Zinstermin; **mailing** ~ Versandtermin; **order** ~ Auftragsdatum; **purchase** ~ Anschaffungstag; **short** ~ kurzes Ziel; ~ **sold** Verkaufsdatum; **value** ~ *(bookkeeping)* Wertstellungstermin, *(cheque)* Eingangsdatum;
~ **of acquisition** Erwerbsdatum, Anschaffungstag; ~ **of appointment** Ernennungsdatum; ~ **of bill of lading** Konnossementdatum; ~ **of delivery** [Ab]liefer[ungs]termin; ~ **of impression** Druckjahr; ~ **of insertion** Anzeigentermin; ~ **of invoice** Rechnungsdatum; ~ **of issue** Ausgabe-, Ausstellungsdatum, Emissionstag, -termin; ~ **of a letter** Briefdatum; ~ **of maturity** Fälligkeits-, Verfalltag; ~ **of payment** Zahlungstermin; ~ **as per post mark** Datum des Poststempels; ~ **of redemption** Einlösungstermin, -frist; ~ **of registration** Eintragungsdatum; ~ **of shipment** Versandtermin;
~ *(v.)* Datum festsetzen (bestimmen), [Urkunde] datieren;
~ **ahead** *(cheque)* vordatieren;
to be out of ~ nicht mehr auf dem laufenden sein, *(fashion)* aus der Mode sein; **to keep the books up to** ~ Bücher à jour halten; **to make out a bill payable thirty days** ~ laufenden Wechsel ausstellen;
~ **available** möglicher Arbeitsbeginn; ~ **block** Abreißkalender; ~ **plan** Terminplan; ~ **stamp** Datum-, Poststempel.
dated earned surplus Geschäftsgewinn ab Sanierung.
dater Tages-, Datumsstempel.
dating Datieren, Datierung, *(extension of credit)* Fristverlängerung;
~ **back** Rückdatierung.
dative decree ~ *(trustee)* Ernennungsurkunde.
day Tag *(~ agreed upon)* Termin, *(journey)* Tagesreise;
business ~ Geschäftstag; **contango** ~ Reporttag; **8 h (eight-hour)** ~ Achtstundentag; **lay** ~**s** Liegetage; **trading** ~ Börsentag;
~ **of account** Abrechnungs-, Zahltag; ~**s of demurrage** Extraliegetage; ~ **of dispatch** Abfertigungstag; ~ **of entry** Einklarungs-, Einschiffungstag; ~**s of grace** Verzugs-, Respekttage; ~ **of issue** *(securities)* Ausgabetag; ~ **of payment** Fälligkeits-, Zahltag; ~ **of settlement** Vergleichstermin; ~**s of paid vacation** bezahlte Urlaubs-, Ferientage;
to call it a ~ *(coll.)* Feierabend machen; **to meander through a listless** ~ *(stock exchange)* lustlosen Tag hinter sich bringen; **to put aside for a rainy** ~ Notgroschen zurücklegen;
~ **bill** Tageswechsel; ~ **boarder** Gast mit Teilpension.
day-to-day | **loan** *(Br.)* täglich fälliges Maklerdarlehen; ~ **money** täglich fälliges Geld.
day | **editor** Tagesredakteur; ~ **labo(u)rer** Tagelöhner; ~ **letter** *(US)* Brieftelegramm; ~ **loan** *(banking)* Tagesgeld; ~ **off** freier Tag, Ruhe-, Ausgehtag; ~**'s output** Tagesleistung [einer Fabrik]; ~**'s rate** *(stock exchange)* Tagessatz; ~**'s receipts** Tageseinnahme; ~ **shift (turn)** Tagesschicht; ~ **ticket** Rückfahrkarte mit eintägiger Gültigkeit.
daybook Journal, Memorial, Tagebuch, Kladde.
daylight-saving time Sommerzeit.
dayroom Aufenthalts-, Tagesraum.
daywork Zeitlohn-, Schichtarbeit.
dayworker Schichtarbeiter.
de-junk *(v.)* **autos** Autos verschrotten.
dead *(dullness)* Geschäftslosigkeit, -stille;
~ *(a.)* *(building)* unbewohnt, *(dull)* flau, still, stockend, umsatz-, geschäftslos;

~ *(v.)* **a letter** Brief als unzustellbar erklären; ~ **account** *(Br.)* totes (unbewegtes, umsatzloses) Konto; ~ **air** *(radio, sl.)* Sendepause, Funkstille; ~ **article** Ladenhüter; ~ **assets** unproduktive [Kapital]anlagen; ~ **bargain** spottbillig; ~ **capital** brachliegendes (totes) Kapital; ~ **commodity** Ladenhüter; ~ **file** abgelegte Akte; ~ **freight** Leer-, Ballast-, Fehl-, Faulfracht; ~ **hand** *(mortmain)* tote Hand; ~ **horse** vorausbezahlte Arbeit; ~ **hours** umsatzschwache Geschäftszeit; ~ **job** *(print.)* Werk im Stehsatz; ~ **letter** unbestellbarer Brief; ~ **load** totes Gewicht, Eigengewicht, Totlast; ~ **loss** reiner Verlust, Totalverlust; ~ **market** flauer Markt; ~ **matter** *(print.)* abgesetztes Manuskript; ~ **sale** flauer Absatz; ~ **season** tote Saison, Sauregurkenzeit; ~ **security** *(Br.)* wertlose (nicht realisierbare) Sicherheit; ~ **stock** *(booktrade)* unverkaufte Exemplare, *(farming)* totes Inventar, *(unsalable goods)* Partieware, unverkäufliche Waren (Bestände); ~ **time** Verlustzeit, *(wages)* Lohnausfall, *(labo(u)r relations)* bezahlte Freizeit; ~ **weight** Leer-, Betriebs-, Eigengewicht; **to be a ~ weight on the business** *(fam.)* Belastung für das Geschäft sein; **~-weight tonnage** Leertonnage.

deadhead *(bus)* Leerbus, *(nonpaying guest)* umsonst wohnender Gast, *(US)* Freikarteninhaber, *(passenger)* blinder Passagier, *(wire)* gebührenfreies Telegramm;
to peddle a ~ Umsonstgeschäft machen.

deadline Fristablauf, letzter [Ablieferungs]termin, *(advertising)* Anzeigenschluß;
~ **for tenders** Ausschreibungsfrist;
~ **date** Stichtag.

deadlock völliger Stillstand;
to reach a ~ in eine Sackgasse geraten.

deadlocked negotiations festgefahrene Verhandlungen.

deadness Geschäftslosigkeit, *(stock exchange)* Flaute.

deadwood *(unsalable stock)* Ladenhüter.

deal *(advertising)* Gratisangebot, *(bargain)* Handel, Geschäft, Abschluß, Transaktion, Abmachung, -kommen, *(clandestine arrangement)* [politischer] Kuhhandel, *(special offer)* besonderes Angebot;
big ~ dickes Geschäft; **forward ~** Zeitgeschäft; **ministerial ~s** ministerielle Absprachen; **New ~** *(US)* sozialpolitisches Reformprogramm, neue Politik;
~ **between parties** Parteiabsprache; ~ **on joint account** Beteiligungs-, Metagegeschäft; ~ **on the stock exchange** Börsencoup; **great ~ of traffic on the road** starker [Straßen]verkehr;
~ *(v.)* handeln, Handel treiben, Geschäfte machen, Geschäftsverkehr haben;
~ **in an article** Artikel führen; ~ **in credits** Kredite vergeben; ~ **at arm's length with s. o.** j. sehr distanziert behandeln, mit jem. nur auf rein geschäftlicher Basis verhandeln; ~ **in a line** in einer Branche tätig sein; ~ **at s. one's shop** bei jem. kaufen.

deal with | s. o. mit jem. in Geschäftsverbindung stehen;
~ **an application** Gesuch erledigen; ~ **a messenger** Boten abfertigen; ~ **an order** Auftrag (Bestellung) ausführen.

deal, to do (negotiate) a *(stock exchange)* Schluß vermitteln; **to make a ~** Abkommen treffen; **to make a little ~ in stocks as a feeler** Markt mit kleinen Börsenumsätzen abtasten, versuchsweise ein bißchen spekulieren.

dealer Händler, Kaufmann, *(distributing agent)* Vertreter, *(go-between)* Vermittler, *(retailer)* Verteiler, [Wieder]verkäufer, Fachgeschäft, *(stock exchange, US)* Makler, *(supplier)* Lieferant;
franchised ~ zugelassener Händler; **independent ~** selbständiger Kaufmann; **itinerant ~** Hausierer; **local ~** Platzvertreter; **money ~** Geldwechseler, Devisenhändler; **odd-lot ~** *(US)* Händler in kleinen Effektenabschnitten; **retail ~** Detail-, Einzelhändler; **secondhand ~** Altwarenhändler; **securities ~** Effektenhändler;
~ **in used cars** Gebrauchtwagenhändler; ~ **in fancy goods** Modewarengeschäft; ~ **in job goods** Partiewarenhändler; ~ **in stocks** *(US)* [Effekten]händler;
~'s abatement Händlerrabatt; ~ **aid** *(advertising)* werbliche Unterstützung des Händlers; ~ **aids** Werbematerial; ~ **allowance** Händlerrabatt; **~'s brand** Händlermarke; ~ **contest** Händlerwettbewerb; **to sell below ~ costs** unter dem normalen Handelspreis verkaufen; ~ **help** Reklamebeigabe; ~ **imprint** eingedruckter Bezugsquellennachweis; ~ **markup** kaufmännische Verdienstspanne; ~ **premium offer** Zugabenangebot für Händler; **~'s price** Wiederverkaufspreis; ~ **rebate** Händlerrabatt; ~ **stock** Handelslager; ~ **survey** Einzelhandelserhebung.

dealing *(bargain)* Geschäft, Handel, Abschluß, *(business intercourse)* Umgang, [Geschäfts]verkehr;
exclusive ~s Ausschließlichkeitsverbindungen; **foreign-exchange ~s** Devisenhandel; **interoffice ~s** *(securities)* Telefonverkehr; **lively ~s** lebhafter Geschäftsverkehr; **no ~s** ohne Umsatz; **underhand ~** Schiebung;
~ **for the account** *(Br.)* Termin-, Zeitgeschäft; ~ **for cash** Kassageschäft; ~ **in stocks** *(Br.)* Effektenhandel, -geschäft;
to be punctual in one's ~s Liefer- und Zahlungsbedingungen einhalten.

dear teuer, hoch im Preis, kostspielig;
~-bought zu überhöhten Preisen eingekauft; ~ **money** teures Geld, Geldknappheit.

dearness, artificial künstliche Teuerung.

death | **benefit** Unterstützungszahlung im Todesfall, Hinterbliebenenrente, Sterbegeld; ~ **certificate** Totenschein, Sterbeurkunde; ~ **duty** *(Br.)* Nachlaß-, Erbschaftssteuer; ~ **grant** *(Br.)* Sterbehilfe: ~ **roll** Unfalliste.

debacle *(stock exchange)* Zusammenbruch.

debarkation Ausschiffung, Landung, Löschung.

debase *(v.)* im Wert verringern, entwerten, verschlechtern, *(coins)* Münzen verfälschen, verschlechtern.

debasement of coin[age] Währungsverschlechterung.

debate Debatte, Diskussion, Verhandlung;
full-dress ~ große Aussprache [im Plenum], Plenarsitzung;
~ **on the budget** Haushaltsdebatte;
~ *(v.)* | **an account** Rechnung anfechten; ~ **the tariff question** über Zollfragen diskutieren.

debenture *(acknowledgement of debt)* Schuldanerkenntnis, -schein, *(bond)* Obligation, [ungesicherte] Schuldverschreibung, Pfandbrief, *(drawback)* Rückzoll-, Zollrückgabeschein, *(promissory note)* Schuldschein;
customs ~ Zollrückgabeschein; **first** ~**s** Prioritäten; **floating** ~ Höchstbetragsschuldverschreibung; **mortgage** ~ *(Br.)* Hypothekenpfandbrief; **naked** ~ *(Br.)* ungesicherte Schuldverschreibung; **short-term** ~**s** kurzfristige Schuldverschreibungen;
to issue ~**s** Schuldverschreibungen in Verkehr bringen;
~ **bond** festverzinsliche Schuldverschreibung;
~ **certificate** Zollrückgabeschein; ~ **holder** Obligationär; ~ **stock** *(US)* Vorzugsaktie, *(Br.)* [meist hypothekarisch gesicherte] Obligation, Anleiheschuld.

debentured durch Schuldschein gesichert, *(drawback)* rückzollberechtigt;
~ **goods** Waren unter Zollverschluß, Rückzollgüter.

debit Debet[posten], Schuldposten, Soll, *(entry on debit side)* Kontobelastung, Lastschrift, *(left-hand side of account)* Soll-, Debetseite;
your ~ Saldo zu Ihren Lasten;
~ *(v.)* in Rechnung stellen, an-, belasten, debitieren;
~ **an account** Konto belasten;
~ **account** Debet-, Debitorenkonto; ~ **advice** Belastungsaufgabe, -anzeige, Lastschrift; ~ **balance** Soll-, Verlust-Debetsaldo, *(balance of payments)* passive Zahlungsbilanz; ~ **column** Soll-, Debetspalte; ~ **entry** Lastschrift; ~ **interest** Sollzinsen; ~ **memorandum** Belastungsanzeige, Lastschrift; ~ **rate** Sollzinssatz.

debit side Debet-, Sollseite;
to carry to the ~ im Soll buchen.

debit ticket Belastungsanweisung.

deblock *(v.)* **frozen accounts** eingefrorene Guthaben freigeben.

debt Schuld, Verschuldung, Forderung, *(debit account)* Schuldposten;
free from ~ schuldenfrei; **deep[ly involved] in** ~ überschuldet, schuldenbelastet;
~**s** *(balance sheet, Br.)* Debitoren;
active ~**s** Außenstände; **bad** ~**s** *(US)* zweifelhafte Forderungen, Dubiosen, *(Br.)* uneinbringliche Außenstände; **barred** ~ verjährte Forderung; **book** ~ Buchschuld; **commercial** ~ Warenschuld; ~ **dead in law** nicht einklagbare Forderung; **doubtful** ~**s** *(Br.)* Dubiosen, zweifelhafte Außenstände (Forderungen); **external** ~**s** Auslandverschuldung; **frozen** ~**s** Stillhalteschulden; **funded** ~ Anleiheschuld; **government** ~ Staatsschuld, öffentliche Schuld; **judgment** ~ vollstreckbare Forderung; **mortgage** ~ Hypothekenforderung; **national** ~ Staatsschuld; **other** ~**s** *(balance sheet)* sonstige Verbindlichkeiten; **petty** ~**s** Bagatellschulden; **preferential (preferred)** ~ *(bankruptcy)* bevorrechtigte Forderung; **provable** ~ *(bankruptcy)* anmeldbare (anmeldungsfähige) Forderung; **not provable** ~ unbegründete Konkursforderung; **proved** ~ anerkannte Konkursforderung; **run-up** ~**s** aufgelaufene Schulden; **specialty** ~ Schuldanerkenntnis; **war** ~**s** Kriegsschulden;
~ **founded on open account** Kontokorrentschuld; ~**s in arrears** Schuldenrückstand; ~ **proved in proceeding of bankruptcy** festgestellte Konkursforderung; ~**s of the firm** Firmenschulden; ~ **having priority** bevorrechtigte Forderung;
to acknowledge a ~ Schuld anerkennen; **to appropriate** ~**s** Zweckbestimmung von Zahlungen festlegen; **to assume** ~**s** Schulden übernehmen; **to be head over ears (up to the eyes) in** ~ *(fam.)* bis an die Ohren in Schulden stecken; **to be in** ~ **to everybody** überall Schulden haben; **to expand the floating** ~ kurzfristige Verschuldung vergrößern; **to incur (make)** ~**s** Schulden machen (eingehen); **to make due allowance for doubtful (bad)** ~**s** Rückstellungen für dubiose Forderungen vornehmen; **to prove** ~**s** *(bankruptcy)* Konkursforderung nachweisen; **to recover outstanding** ~**s** ausstehende Schulden einkassieren; **to run into** ~ sich verschulden; **to settle one's** ~**s** sich mit seinen Gläubigern arrangieren; **to wipe off** ~**s** Schulden annullieren;
~ **administration** Schuldenverwaltung; ~ **balance carried forward** Verlustvortrag; ~ **book** Verfallsbuch; ~**-collecting agency (business)** Inkassobüro; ~ **collector** Inkassobeauftragter; ~ **equity ratio** Verbindlichkeiten zu Eigenkapitalverhältnis; ~ **financing** Finanzierung mittels Forderungsabtretung; ~ **instrument** Schuldtitel; ~ **limit** *(municipal accounting)* Verschuldungsgrenze; ~ **ratio** Verschuldungsgrad; ~ **redemption** Schuldentilgung; ~ **reduction** Schuldenabbau; ~ **refunding** Umschuldung; **National** ≗ **Register** Staatsschuldbuch; ~ **relief** Entschuldung; **taxfree bad** ~ **reserve level allowed to banks** steuerfrei gebildete Reservengrenze

für die Rückstellung ungewisser Bankschulden; **to meet ~ service charges** Belastungen des Schuldentilgungsdienstes erfüllen.

debtless schuldenfrei, ohne Schulden.

debtor Schuldner, Debitor, (debit side) Debet[seite], Soll-, Passivseite, *(of creditor)* Darlehens-, Kreditnehmer;
attached ~ gepfändeter Schuldner; **bill** ~ Wechselschuldner; **common** ~ Gemeinschuldner; **insolvent** ~ zahlungsunfähiger Schuldner; **judgment** ~ Vollstreckungsschuldner; **mortgage** ~ Hypothekenschuldner; **sundry ~s** *(balance sheet)* verschiedene Debitoren;
~ in account current Kontokorrentschuldner; **~'s acknowledgment** Schuldanerkenntnis; **~'s assets** Konkursmasse; **~ balance** Debet-, Sollsaldo; **~ company (corporation)** Schuldnerin; **poor ~'s oath** Offenbarungseid; **~ warrant** Besserungschein.

decartelization [Konzern]entflechtung, Entkartellisierung;
~ agency Kartellentflechtungsbehörde.

decartelize *(v.)* entflechten, entkartellisieren.

decentralization in banking Bankendezentralisation.

deceptive mark irreführendes Warenzeichen.

decimal Dezimalstelle;
~s *(red numbers)* [Zins]nummern;
~ account Dezimalrechnung; **~ currency** Dezimalwährung.

deck Deck, *(airplane)* Tragfläche;
on ~ auf Deck, *(US coll.)* auf dem Posten, bereit; **upper ~** *(bus)* oberes Stockwerk;
~ cabin Touristenkabine; **~ cargo** Decklast, -güter; **~ class** Touristenklasse; **~ passenger** Reisender der Touristenklasse.

declaration offizielle Erklärung, *(bankruptcy)* Anmeldung, *(customs)* Zolldeklaration, -erklärung, *(insurance)* Angabe des Versicherungswertes;
customs ~ Zollerklärung; **income-tax ~** *(Br.)* Einkommensteuererklärung; **~ inwards** Zolleinfuhrerklärung; **~ outwards** Zollausfuhrerklärung;
~ of accession Beitrittserklärung; **~ of bankruptcy** Konkurserklärung; **~ of contents** Zolldeklaration, Inhaltsangabe; **~ of dividends** Dividendenausschüttung; **~ of inability to pay debts** Zahlungseinstellung; **~ of income** Einkommensteuererklärung; **~ of insolvency** Vergleichsanmeldung; **~ of options** Prämienerklärung; **~ of policy** Absichtserklärung; **~ of property** Vermögensangabe, -anmeldung; **~ of solvency** *(Br.)* Liquidationsanmeldung bei Gesellschaftsauflösung; **~ of value** Wertanzeige, -angabe; **~ of export value** Exportvalutaerklärung;
~ form Begleitadresse.

declare *(v.)* erklären, aussagen, Erklärung abgeben, anmelden, *(customs)* [zollamtlich] deklarieren, zur Verzollung anmelden;
~ s. o. to be of age j. für volljährig erklären; **~ o. s. a. bankrupt** sich für zahlungsunfähig erklären, seinen Konkurs anmelden; **~ a bargain off** sich von einem Geschäft zurückziehen; **~ a dividend** Dividende verteilen (ausschütten, festsetzen); **~ a dividend in stock of the corporation** Gratisaktien gewähren; **~ s. o. at the exchange** j. öffentlich für bankrott erklären; **~ one's income** seine Einkommensteuererklärung abgeben; **~ one's insolvency** sich für zahlungsunfähig erklären; **~ an option** Prämie erklären; **~ a paper signed by o. s.** seine Unterschrift anerkennen; **~ property** Vermögen anmelden; **~ for public sale** zum Verkauf anbieten; **~ a strike** Streik proklamieren (ausrufen); **~ a trust** Treuhandverhältnis begründen; **~ the value** Wert [bei der Verzollung] angeben.

declared *(customs)* zollamtlich erklärt, deklariert;
~ capital festgesetztes Kapital; **~ dividend** festgesetzte (ausgeschüttete) Dividende; **~ [valuation] rate** Werttarif.

decline *(business cycle)* Abschwächung, Abschwung, Abnahme, *(deterioration)* Niedergang, Verfall, Verschlechterung, Rückläufigkeit, *(prices)* Fallen, Sinken, Sturz, Rückgang, Rückwärtsbewegung, Absinken, *(stock exchange)* Kursrückgang, -abschlag, Baisse;
brisk ~ starker Kursverfall; **business ~** Rezession; **general ~** allgemeiner Geschäftsrückgang;
~ in economic activity rückläufige Konjunkturbewegung; **~ in demand** Nachfragerückgang; **~ in earnings** Ertragsrückgang, -minderung; **~ in exports** Ausfuhrrückgang; **~ in orders** Auftragsrückgang; **~ in prices** Preissenkung, Preissturz, *(stock exchange)* Nachgeben der Kurse, Kursrückgang; **~ in production** Produktionsrückgang, Absinken der Leistungsfähigkeit; **~ in sales** Umsatzrückgang; **~ in stock prices (of the stock market)** allgemeiner Kursrückgang; **~ in value** Wertminderung;
~ *(v.)* *(decrease)* abnehmen, geringer werden, *(deteriorate)* sich verschlechtern, *(price)* fallen, weichen, sinken, heruntergehen, *(stock exchange)* Rückgang erfahren, nachgeben;
~ acceptance Annahme verweigern; **~ in economic usefulness** sich verschleißen; **~ the responsibility** *(insurance)* Haftpflicht ablehnen; **~ slightly** *(quotations)* geringfügig nachgeben; **to be on the ~** *(prices)* im Absinken (Fallen) begriffen sein; **to sell at a ~** mit einem Abschlag verkaufen;
~ list *(insurance)* Verzeichnis der abzulehnenden Risiken.

declining *(prices, market)* rückgängig, schwindend, zurückgehend, nachgiebig, sinkend, fallend;
~ balance depreciation degressive Abschreibung; **~ market** nachlassende (nachgebende) Kurse.

decode *(v.)* [Funkspruch] entziffern, dechiffrieren.

decoded in Klartext.
decoding Entzifferung, -schlüsselung.
deconcentration [Konzern]entflechtung.
decontrol Freigabe, Aufhebung, Abbau der Zwangswirtschaft (Planwirtschaft);
~ **of imports** Einfuhrliberalisierung;
~ *(v.)* Zwangswirtschaft abbauen, freigeben, liberalisieren, aus der Bewirtschaftung herausnehmen;
~ **a price** Preiskontrolle aufheben; ~ **rents** Mieten freigeben.
decontrolled nicht mehr bewirtschaftet, frei, liberalisiert.
decorator, window Schaufensterdekorateur.
decrease *(decline)* Abnahme, Abnehmen, *(diminution)* [Ver]minderung, Verringerung, Kürzung;
~ **in capital** Kapitalverminderung; ~ **in consumption** Verbrauchsrückgang; ~ **in demand** Nachfragerückgang; ~ **of receipts** Mindererlös; ~ **in risks** *(insurance)* Gefahrenminderung; ~ **in turnover** Umsatzrückgang; ~ **in value** Wertverringerung, -minderung;
~ *(v.) (diminish)* abnehmen, geringer werden, sich vermindern, *(quotations)* zurückgehen, schwächer liegen (werden), fallen.
decreasing costs abnehmende Unkosten.
decree An-, Verordnung, [amtlicher] Erlaß, Vorschrift, Verfügung, Bestimmung, Gesetz, Dekret;
~ **of bankruptcy** Konkurseröffnungsbeschluß; ~ **of distribution** Beschluß über die Nachlaßverteilung; ~ **of insolvency** Eröffnung des Vergleichsverfahrens;
to sign a ~ **of adjudication** Konkurseröffnungsbeschluß erlassen.
decrement, double *(insurance)* Ausscheidetafel mit zwei Ausscheideursachen.
decurrent rent nachschüssige Rente.
decursive *(interest)* nachschüssig.
dedicate a highway Straße dem öffentlichen Verkehr übergeben.
dedication *(book)* Zueignung, Widmung;
~ **of a highway** Straßenfreigabe, Verkehrsübergabe; ~ **of land for public use** Überlassung von Land zum öffentlichen Gebrauch;
~ **ceremonies** Einweihungsfeierlichkeiten.
deduct *(v.)* absetzen, abrechnen, abziehen, in Abzug bringen, kürzen;
~ **cost** Kosten absetzen; ~ **the discount** Skonto abziehen; ~ **an item from an account** Rechnungsposten abziehen; ~ **5% from the wage** 5% vom Lohn einbehalten.
deductible absetzbar, abziehbar, abzugsfähig;
tax-~ steuerabzugsfähig;
~ **from income tax** einkommensteuerabzugsfähig;
~ **clause** *(insurance)* Selbstbehaltsklausel; ~ **provision** Selbstbehaltsklausel.
deduction Abrechnung, Absetzung, Abzug, Abstrich, Kürzung, *(rebate)* Abschlag, Nachlaß, Rabatt, *(reserve)* Rückstellung, *(taxation)* abzugsfähiger Betrag, *(withholding)* Einbehaltung;
admitted as ~ steuerabzugsfähig; **without** ~ unverkürzt, ohne Abzug (Rückstellung);
~**s** *(income tax)* anerkannte Steuerabzugsbeträge; **fixed** ~**s** feststehende Lohnabzüge; **income** ~ Einkommensteuerabzug; **income** ~**s** *(balance sheet)* Erlösschmälerungen; **itemized** ~**s** *(taxation)* aufgegliederte Abzugsbeträge; **marital** ~ *(gift and estate)* Freibetrag für die Ehefrau; **office-at-home** ~ Steuerabzug für das Büro im eigenen Haus; **standard** ~ *(US)* pauschaler Freibetrag, abzugsfähiger Pauch[al]betrag; **statutory** ~ gesetzlich anerkannter Steuerfreibetrag; **travel and entertainment expense** ~**s** steuerlich absetzbare Beträge für die Bewirtung von Geschäftsfreunden;
~ **for exemption** *(US)* zulässiger Steuerabzug; ~ **for expenses** *(Br.)* Abzug für Geschäftsauslagen; ~ **from gross income** Abzug für Betriebsausgaben; ~ **of losses against two following years** zweijähriger Verlustvortrag; ~ **[old] for new** *(marine insurance)* Anrechnung des Altwertes; ~ **from the prices** Preisnachlaß;
~ **limit** Freibetragsgrenze.
deed *(document)* Urkunde, Dokument, Schriftstück, förmlicher Vertrag, Instrument, *(instrument of conveyance, US)* Grundstücksübertragungs-, Zessionsurkunde;
liable under a ~ vertraglich verpflichtet;
composition ~ *(Br.)* Gläubigervergleich; **gift** ~ Schenkungsvertrag; **purchase** ~ Kaufvertrag;
~ **of accession** Zustimmung der Gläubiger zu einem Schuldenregelungsplan; ~ **of amalgamation** Fusionsvertrag; ~ **of apprenticeship** Lehrlingsvertrag; ~ **of arrangement** *(Br.)* Vergleichsurkunde, -vertrag, -verfahren; ~ **of assignation (assignment)** Zessions-, Abtretungsurkunde, ~ **of assumption** Treuhandübernahmevertrag; ~ **of partnership** Gesellschaftsvertrag, -statuten; ~ **of property** Vermögensübertragung; ~ **of separation** *(Br.)* Trennungsvertrag; ~ **of settlement** Abfindungsvertrag; ~ **of trust** Sicherungsübereignung;
~ *(v.)* urkundlich übertragen;
to execute a ~ aus einer Urkunde vollstrecken;
~ **of Arrangement Act** *(Br.)* Vergleichsordnung; ~ **registration** Grundbucheintragung.
deface *(v.)* unleserlich machen, ausstreichen;
~ **a bond** Verpflichtung annullieren; ~ **the coinage** Währung verschlechtern; ~ **a stamp** [Brief]marke entwerten.
defaced stamp entwertete Briefmarke.
defacement Ausstreichung.
defalcation Unterschlagung, Veruntreuung [öffentlicher] Gelder.
default *(contract)* Vertragsverletzung, *(of duty)* [Pflicht]versäumnis, Nichterscheinen [vor Ge-

richt], *(failure to perform)* [Zahlungs]verzug, Nichterfüllen (Nichteinhaltung) einer Verbindlichkeit, *(suspension of payments)* Zahlungsunfähigkeit, -einstellung;
on (upon) ~ of payment mangels Zahlung, bei Nichtzahlung;
~ of the acceptor verweigerte Wechselannahme; **~ in delivery** Lieferverzug; **~ of a term** Fristversäumnis;
~ *(v.) (be in delay)* in Verzug geraten, [Raten]-zahlungen nicht einhalten, *(become insolvent)* zahlungsunfähig;
~ a dividend Dividende ausfallen lassen; **~ in one's mortgage payment** mit der Verzinsung und Amortisation seiner Hypothek in Verzug geraten;
to cure a ~ Verzug wiedergutmachen; **to make ~** seinen Verbindlichkeiten nicht nachkommen; **to make ~ in the payment of interest** mit den Zinszahlungen im Verzug sein;
~ action *(Br.)* Mahnverfahren; **~ fee** Säumnisgebühr; **~ fine** Verspätungszuschlag; **~ interest** Verzugszinsen; **~ summons** *(Br.)* Versäumnisverfahren, *(summons to pay)* Vorladung bei Zahlungsverzug, Zahlungsbefehl.

defaulted | bonds *(US)* notleidende Obligationen;
~ mortgage verfallene Hypothek.

defaulter säumiger Zahler (Schuldner), *(insolvent debtor, Br.)* zahlungsunfähiger Schuldner, Insolvent, Bankrotteur.

defeasance clause Verwirkungsklausel.

defeating of creditors Gläubigerbenachteiligung.

defect Mangel, Manko, Fehler, Defekt, schadhafte Stelle;
free from ~s fehlerfrei, mangelfrei;
latent (hidden) ~ versteckter (verborgener) Mangel [beim Kauf]; **manufacturing ~** fabrikationsfehler; **redhibitory ~** Gewährleistungs-, Wandlungsfehler;
~ of construction fehlerhafte Konstruktion; **~ of form** Formfehler; **~ in machinery** Konstruktionsfehler; **~ due to workmanship** Fertigungsfehler;
to be liable for ~s für Mängel haften, der Mängelhaftung unterliegen.

defective *(a.) (faulty)* beschädigt, defekt, fehler-, mangel-, schadhaft, *(incomplete)* unvollständig, unvollkommen, unzulänglich;
~ article Fehlfabrikat; **~ car** *(railway)* ausrangierter Waggon; **~ material** Materialfehler.

defence *(Br.)* **defense** *(US) (accused party)* beklagte Partei, *(law)* Einrede, Einwendung, *(defendant's answer)* Einlassung, Bestreitung der Klage, Klagebeantwortung;
~ award Rüstungsauftragsvergabe; **~ bill** Rüstungsvorlage; **~ bonds** Rüstungs-, Kriegsanleihe; **~ budget** Verteidigungsetat; **~ contractor** Rüstungsbetrieb; **~ costs** Verteidigungslasten; **~ factory** Rüstungsbetrieb.

defensive strike Abwehrstreik.

defer *(v.)* ver-, auf-, hinausschieben, zurückstellen, verzögern, vertagen, *(balance sheet)* als Rechnungsabgrenzung behandeln;
~ payment Zahlung aufschieben.

deferment Vertagung, Aufschiebung, Aufschub.

deferral Vertagung, Verschiebung, Aufschub, *(accounting method)* Rechnungsabgrenzung, transitorische Abgrenzung;
~ of investment program(me)s zurückgestellte Investitionsvorhaben.

deferred hinausgeschoben, ausgesetzt;
~ accounts receivable noch nicht fällige Forderungen; **~ asset** *(balance sheet)* transitorischer Posten; **~ call on shares** aufgeschobene Aktieneinzahlung; **~ charge [to expense]** *(balance sheet)* transitorische Posten, Posten der Rechnungsabgrenzung; **~ credits to income** *(balance sheet)* passive Rechnungsabgrenzungen; **~ debit** transitorischer Posten; **~ delivery** *(stock exchange)* Lieferungsaufschub; **~ demand** zurückgestellter Bedarf, Konsumverzicht; **~ entry** ausgesetzter Buchungsposten; **~ expense** transitorischer Posten; **~ item** transitorischer Posten, Übergangs-, Rechnungsabgrenzungsposten; **~ liability** *(accounting)* Rechnungsabgrenzung; **~ payment sale** *(US)* Abzahlungsgeschäft; **~ payment system** *(US)* Ratenzahlungssystem; **~ rate** verbilligter Tarif für später zugestellte Telegramme; **~ revenue** antizipatorische Passiva, im voraus eingegangene Erträge; **~ shares** *(Br.)* Nachzugsaktien; **~ stock** *(US)* Nachzugsaktien; **~ taxes** *(balance sheet)* Steuervorauszahlungen; **~ [rate]telegram** Brieftelegramm.

deficiency *(short balance)* Unterbilanz, *(defect)* Fehler, Mangel, *(deficit)* Manko, Fehlbetrag, fehlende Summe, *(production)* Ausfall, *(taxation)* Steuerfreibetrag;
estimated ~ from realization of assets geschätzter Liquidationsverlust; **~ to unsecured creditors** *(balance sheet)* Verlustbeträge ungesicherter Gläubiger; **~ to owners** Kapitalverpflichtungen; **~ of a ship's cargo** Seeschaden; **~ in stock** [Lager]fehlbestand; **~ in weight** Gewichtsmanko;
to make good (up for) a ~ Defizit decken, fehlende Summe ergänzen;
~ advances *(Br.)* Vorschüsse der Bank von England; **~ appropriations** *(US)* Nachtragsbewilligung; **~ bill** *(US)* Nachtragsetat; **~ goods** Mangelware; **~ letter** Steuermahnschreiben; **~ reserves** Rückstellungen für Mindereinnahmen; **~ statement** Verlustbilanz.

deficient, *(a.) (defective)* fehlerhaft, mangelhaft;
~ amount Fehlbetrag; **~ delivery** fehlerhafte Lieferung, Mankolieferung.

deficit Defizit, Ausfall, Verlust, Fehl-, Minusbetrag, Manko, fehlende Summe, *(deficiency in receipts)* Mindereinnahme, *(short balance)* Unterbilanz;

balance-of-payments ~ Zahlungsbilanzdefizit; **budgetary** ~ Haushaltsdefizit; **cash** ~ Kassenmanko, -defizit; **operating** ~ Betriebsverlust; **payments** ~ Zahlungsbilanzdefizit;
~ **in expense fund** Kassendefizit; ~ **in revenues** Einnahmedefizit; ~ **in taxes** Steuerdefizit, -ausfall, Minderaufkommen;
to cover a ~ Ausfall decken; **to make good a** ~ Defizit (Verlust) decken (ausgleichen); **to slip into** ~ ins Defizit (in rote Zahlen) geraten; **to show a** ~ mit einem Defizit abschließen, Verlust ausweisen; **to work out heavy** ~**s** mit schweren Verlusten arbeiten;
~ **account** Verlustkonto; ~ **area** wirtschaftliches Verlustgebiet; ~ **balance of international payments** internationales Zahlungsbilanzdefizit; ~ **margin** Verlustspanne; ~ **spending** öffentliche Verschuldung durch Anleiheaufnahme.

define *(v.)* **property** Eigentum kennzeichnen.

definite | **benefit plan** Pensionssystem mit feststehenden Lohnprozentsätzen; ~ **order** fester Auftrag;.

deflate *(v.)* | **a currency** Zahlungsmittelumlauf einschränken, Deflation durchführen, Deflationspolitik betreiben; ~ **its way out of its balance of payments difficulties** seiner Zahlungsbilanzschwierigkeiten mittels deflationistischer Maßnahmen Herr werden.

deflation Deflation, *(advertising)* Eliminierung irrtümlicher Antworten;
~ **of credit** Kreditrestriktion;
deflationary deflationistisch;
~ **factors** deflationistische Faktoren; ~ **gap** Deflationslücke; ~ **period** Deflationszeit; ~ **policy** Deflationspolitik; ~ **tendency** deflationistische Tendenz.

deflationist Deflationsanhänger.

defraud *(v.)* **a creditor** Gläubiger betrügen (hintergehen); ~ **the customs** Zoll hinterziehen; ~ **the revenue** Steuerhinterziehung begehen.

defraudation Übervorteilung, Betrug, Unterschlagung,Hinterziehung;
~ **of the customs** Zollhinterziehung; ~ **of the revenue** Steuerhinterziehung.

defrauded purchaser betrogener Käufer.

defrauding secured creditors *(US)* Täuschung bevorrechtigter Gläubiger.

defray *(v.)* *(expenses)* bestreiten, tragen;
~ **s. one's expenses** jds. Spesen bestreiten, j. freihalten; ~ **the expenses of a trip** Kosten einer Reise übernehmen.

defrost *(v.)* *(foreign exchange)* Sperrmaßnahmen aufheben.

defunct *(company)* außer Betrieb, geschlossen;
~ **company** aufgelöste (aus dem Handelsregister gestrichene) Gesellschaft; ~ **paper** eingegangene Zeitung.

defy *(v.)* **competition** keine Konkurrenz aufkommen lassen.

degradation *(demotion)* niedrigere Tarifeinstufung.

degrade *(v.)* *(demote)* in eine niedrigere Tarifgruppe einstufen.

degree Grad, Rang, Klasse;
~ **of care** Umfang der Sorgfaltspflicht; ~ **of disablement** Invaliditätsgrad; ~ **of liquidity** Liquiditätsgrad; **high** ~ **of liquidity** starke Liquiditätsposition; ~ **of risk** Gefahrenumfang; ~ **of utility** Grenznutzen;
to have some ~ **of ownership by US capital** amerikanische Kapitalbeteiligung aufweisen.

degression *(taxation)* Degression, progressive Abnahme.

degressive | **tax** degressive Steuer; ~ **taxation** degressive Besteuerung.

de-industrialize *(v.)* entindustrialisieren.

del credere *(Br.)* Delkredere, Bürgschaft;
to stand ~ Bürgschaft leisten;
~ **account** Delkrederekonto; ~ **agent** Garantievertreter; ~ **agreement** Garantievereinbarung; ~**bond** Garantie-, Gewährschein [im Kommissionsgeschäft]; ~ **commission** Delkredereprovision.

delay *(loss of time)* Zeitverlust, *(postponement)* Verzögerung, Verzug, *(respite)* Stundung, Aufschub, Verschiebung, Frist;
without undue ~ ohne schuldhaftes Zögern;
debtor's ~ Schuldnerverzug;
~ **of creditors** Gläubigerbenachteiligung; ~ **in delivery** verspätete Ablieferung, Lieferverzug; ~**s in execution of order** Auftragsverzögerung; ~ **of payment** Stundung, Fristgewährung, Zahlungsverzug; ~ **in settlement of long-term orders** Verzögerung nicht abgerechneter Fertigungsaufträge;
~**s are dangerous** Gefahr im Verzug;
~ *(v.)* **creditors** Gläubiger hinhalten;
to obtain a ~ **of payment** Zahlungsaufschub erreichen;
~ **time** betrieblich bedingte Verlustzeit.

delayed | **delivery** Lieferverzug; ~ **payment** verspätete Zahlung.

delegate *(deputy)* Delegierter, Abgeordneter, Abgesandter, Deputierter, Volksvertreter, *(representative)* Bevollmächtigter;
~ *(v.)* abordnen, delegieren, *(authorize)* bevollmächtigen, *(assign a debtor)* Schuldforderung abtreten.

delegation *(of authorities)* [Vollmachts]übertragung, Bevollmächtigung, *(body of delegates)* Abordnung, Delegation, Deputation, *(of debt)* Schuldübernahme.

delete *(v.)* **an entry** Eintragung löschen.

deliberalization Entliberalisierung.

deliberalize *(v.)* entliberalisieren, von der Liberalisierungsliste streichen.

delinquent *(a.)* säumig, pflichtvergessen, *(unpaid)* rückständig;
to be ~ **in payment** mit der Zahlung im Rückstand sein;

~ **list** Liste der Steuerschuldner; ~ **tax** *(US)* rückständige Steuer, Steuerrückstand.

deliver *(v.) (goods)* [ab]liefern, ausliefern, *(hand over)* einliefern, abgeben, aushändigen, *(make delivery)* zustellen, übergeben, -mitteln;

~ **a counterclaim** Gegenforderung geltend machen; ~ **goods** Waren [aus]liefern; ~ **an instrument** Papier begeben; ~ **luggage** Gepäck zustellen; ~ **the mail** Post bestellen (austragen); ~ **a message** Botschaft (Bestellung) ausrichten, bestellen, Nachrichten überbringen; ~ **a telegram over the telephone** Telegramm telephonisch durchsagen (zusprechen); ~ **within the specified time** Lieferzeit einhalten, fristgerecht liefern; ~ **in trust** in Verwahrung geben, hinterlegen, anvertrauen.

deliverable condition (state) lieferfähiger Zustand.

deliverance Lieferung, Übergabe.

delivered [aus]geliefert;

~ **at . . .** franko ab . . ., Erfüllungsort . . .; ~ **at docks** im Dock abgeliefert; ~ **free** frei Haus; **free of charge** franko; ~ **on site** Lieferung an die Baustelle;

to be ~ at three days notice in drei Tagen lieferfähig sein; **to be ~ free railway station** frei Bahnstation geliefert werden;

~ **price** Lieferpreis; ~ **weight** ausgeliefertes Gewicht.

deliveries accounting wertmäßige Abrechnung.

delivering charges Lieferspesen.

delivery Anfuhr, Ein-, Ab-, Auslieferung, Ausfolgung, Zusendung, *(handing over)* Überbringung, Übergabe, Aus-, Einhändigung, Abgabe, Herausgabe, *(mail)* Austragung, Zustellung;

at the time of ~ im Zeitpunkt der Lieferung; **by special** ~ *(US)* durch Eilboten; **cash** *(Br.)* **(collect,** *US)* **on** ~ *(C. O. D.)* Zahlung gegen Nachnahme; ~ *(stocks)* gegen Kasse; **for short** ~ kurzfristig lieferbar; **payable on** ~ zahlbar bei Lieferung; **ready for** ~ lieferbar; **spot** ~ am Platz verfügbar;

authorized ~ ordnungsgemäße Übergabe; **bad** ~ *(stock exchange)* nicht lieferbar; **door** ~ *(US)* Hauszustellung; **door-to-door pick-up and** ~ *(carrier)* Zustellung von Haus zu Haus; **express** ~ *(Br.)* Eilzustellung, Zustellung durch Eilboten; **freight** ~ Frachtzustellung; **future** ~ *(stock exchange)* Terminlieferung; **general** ~ postlagernd, Abholung am Schalter; **good** ~ *(stock exchange)* bestimmungsgemäße Ablieferung; **less-than-carload** ~ Stückgutlieferung; **mail** ~ Postzustellung; **postal** ~ Briefzustellung, -ausgabe; **prompt** ~ sofortige Lieferung; **railway** ~ Eisenbahnzustellung; **same day** ~ Lieferung am gleichen Tage; **special** ~ *(US)* durch Eilboten, Eilzustellung;

~ **by air** Luftpostzustellung; ~ **in arrears** rückständige Lieferung; ~ **of luggage** *(Br.)* Gepäckausgabe; ~ **of the mail** Postzustellung; ~ **of mortgage** Hypothekenbestellung; ~ **by rail** Bahnversand; ~ **of stocks** Aushändigung (Lieferung) von Wertpapieren; ~ **of a telegram** Telegrammzustellung;

to be bad ~ nicht gut lieferbar sein; **to be late in** ~ im Lieferverzug sein; **to pay on** ~ bei Lieferung bezahlen; **to refuse to accept (take)** ~ **of goods** Warenannahme verweigern; **to sell on** ~ auf Lieferung verkaufen; **to have been put on notice to take** ~ im Annahmeverzug sein; **to take orders for future** ~ Warenbestellungen entgegennehmen;

~ **bonus** Auslieferungsprämie; ~ **book** Lieferbuch; ~ **boy** Laufbursche; ~ **car** Lieferwagen; ~ **charge** Zustellgebühr; ~ **clause** Auslieferungsklausel; ~ **company** Paketzustellungsgesellschaft; **[long-term]** ~ **conditions** [langfristige] Lieferbedingungen; ~ **contract** Lieferungsvertrag; ~ **cost** Versand-, Zustellungskosten; **[scheduled]** ~ **date** [festgesetzter] Liefertermin, Ablieferfrist, -termin; **to be very specific on** ~ **dates** Liefertermine unbedingt einhalten; ~ **day** *(Br.)* Liefertrag; ~ **delay** Lieferverzögerung; ~ **department** Versandabteilung; ~ **expenses** Versand-, Lieferungs-, Zustellungskosten; ~ **failures** Lieferschwierigkeiten; ~ **note** Bordereau, Lieferschein, Auslieferungszettel; ~ **order** Lieferschein, -auftrag; **lengthening** ~ **periods** länger werdende Lieferfristen; ~ **problems** Lieferschwierigkeiten; ~ **quota** Ablieferungskontingent; ~ **receipt** Warenempfangsschein; ~ **route** Zustellungsweg [der Post]; ~ **schedule** Lieferplan; ~ **service** Zustelldienst; **special** ~ **service** Eilbotensendung; ~ **slip** Begleit-, Lieferschein, Auslieferungszettel; ~ **terms** Lieferbedingungen; ~ **ticket** *(stock exchange)* Lieferungsanzeige; ~ **time** Lieferzeit; ~ **weight** ausgehendes Gewicht.

deliveryman Lieferbote.

demand *(call for commodities)* Nachfrage, Bedarf, *(claim)* [Rechts]anspruch, Schuldforderung;

in [great] ~ [sehr] gefragt, beliebt; **not in** ~ ohne Nachfrage; **payable on** ~ zahlbar auf Verlangen; **on** ~ *(bill of exchange)* auf Verlangen (Aufforderung), bei Vorkommen (Vorlage);

additional ~ Mehrbedarf; **backlog** ~ Bedarfsreserve; **brisk** ~ lebhafte (starke) Nachfrage; **deferred** ~ aufgeschobener Bedarf; **holiday currency** ~s Anforderungen für Ferien- und Reisegelder; **home** ~ Inlandsbedarf; **improved** ~ Bedarfserhöhung; **market** ~s Marktbedürfnisse; **pent-up** ~ *(US)* aufgestauter Bedarf, Nachholbedarf; **personal** ~ Zahlungsaufforderung; **reduced** ~ Minderbedarf; **replacement** ~ Nachholbedarf; **schedule** ~ gesamter volkswirtschaftlicher Bedarf; **slack** ~ spärliche (schwache) Nachfrage; **strong** ~ lebhafte Nachfrage; **wage** ~s Lohnforderungen;

supply and ~ Angebot und Nachfrage;

~**s for amendment** Abänderungswünsche; ~ **for [long-term investment] capital** [langfristi-

ger] Kapitalbedarf; ~ **for every description** Nachfrage nach allen Qualitäten; ~ **for funds** Kapitalbedarf; ~ **for money** Geldbedarf; ~ **for payment** Zahlungsaufforderung; ~ **upon s. one's time** Inanspruchnahme (Beanspruchung) von jds. Zeit;
~ *(v.)* **damages** Schadenersatz verlangen;
to be in brisk ~ lebhaft begehrt werden; **to be in little** ~ schlecht gehen; **to make ~s on railway lines** Eisenbahnverkehr belasten; **to meet the increasing** ~ steigenden Bedarf decken; **to pay on** ~ auf Verlangen (bei Vorzeigung) zahlen; **to supply the** ~ Nachfrage befriedigen;
~ **analysis** Nachfrage-, Bedarfsanalyse; ~ **creation** Nachfrage-, Bedarfsschöpfung; ~ **deposit** *(US)* fällige Soforteinlage, laufendes Konto, Kontokorrentkonto, tägliches Geld; ~ **draft** Sichtwechsel; ~ **effect** Nachfragewirkung, -effekt; ~ **instrument** Sichtpapier; ~ **loan (money)** tägliches Geld, Tagesgeld; ~ **management** Nachfragesteuerung; ~ **note** Sichtpapier, *(rates)* Zahlungsaufforderung, Mahnschreiben, *(Br.)* Steuerbescheid; ~ **paper** Sichtpapier; **excessive** ~ **pressure** überhöhter Nachfragedruck; ~ **price** *(stock exchange)* Geldkurs; **~-pull measures** nachfragesteigende Maßnahmen; ~ **quotation** *(stock exchange)* Geldnotiz; ~ **rate** Geldkurs; ~ **savings deposits** sofort fällige Spareinlagen; ~ **trend** Bedarfsentwicklung.

demerge *(v.)* entfusionieren.

demesne Erbgut, Eigenbesitz, Grundeigentum;
~ **lands** Domänenbesitz.

demist *(v.)* **the windscreen** Windschutzscheibe belüften.

demister *(car)* Scheibenbelüfter.

demographer Bevölkerungspolitiker.

demographic[al] bevölkerungsstatistisch;
~ **structure** Bevölkerungsstruktur; ~ **trend** Bevölkerungstrend, -entwicklung.

demolish *(v.)* abbrechen, abreißen.

demolition *(building)* Abbruch[arbeit];
due for ~ abbruchreif;
~ **company** Abbruchbetrieb, -gesellschaft; ~ **contractor** Abbruchunternehmer; ~ **firm** Abbruchbetrieb, -gesellschaft; ~ **order** *(Br.)* Abbruchsanordnung; **to sell at** ~ **value** auf Abbruch verkaufen.

demonetization Außerkurssetzung, Entwertung.

demonetize *(v.)* [Münzen] einziehen, *(withdraw from circulation)* außer Kurs setzen, entwerfen.

demonstration Manifestation, öffentliche Kundgebung, Demonstration, *(stock exchange)* Börsenmanöver;
bearish ~ *(Br.)* Baissebewegung, -angriff, **bullish** ~ *(Br.)* Haussebewegung;
~ **of a new car** Vorführung eines neuen Wagens; ~ **of defect** Mängelanzeige;
~ **car** Vorführwagen; ~ **class** Modellklasse; ~ **farm** Musterfarm; ~ **plot** Vorführungsgelände.

demonstrational film Werbeinstruktionsfilm.

demotion *(US) (employee)* niedrigere Tarifeinstufung.

demotional classification change niedrigere Tarifeinstufung, Einstufung in eine niedrigere Lohngruppe.

demurrage *(banking, Br.)* Spesen für Noteneinlösung, *(railway)* Wagenstandsgeld, *(ship)* Überliegegeld, -zeit, Verzugskosten, *(storage)* Lagergeld, -gebühren;
to be on ~ Liegezeit überschritten haben;
~ **charges** Liegegebühren, [Wagen]standgeld; ~ **rate** Liegegeldsatz.

denationalization Entstaatlichung, Reprivatisierung.

denationalize *(v.)* entstaatlichen, reprivatisieren, in die Privatwirtschaft überführen, *(deprive of nationality)* Nationalität entziehen.

denomination *(class)* Klasse, Kategorie, *(designation)* Benennung, Bezeichnung, *(division)* Nenner, *(money)* Sorte, Nennwert, Wertbezeichnung, *(shares)* Stückelung, *(weight)* Gewichtseinheit;
in ~s of in Stücken von; **of low** ~ kleingestükkelt;
small ~s kleine Stückelungen;
~s of goods Warenbezeichnung.

density | **of circulation** Streudichte von Werbemedien; ~ **of freight** beförderte Gütermenge; ~ **of traffic** Verkehrsdichte.

dent Beule, Delle;
~ **in earnings** Ertragseinbuße;
to make a ~ **in one's fortune** *(fam.)* sein Vermögen angreifen; **to put a big** ~ **in the economy** Konjunkturkurve einbeulen.

deobligate *(v.) (governmental accounting)* Haushaltstitel auflösen.

department *(administrative district)* Verwaltungsgebiet, *(governmental agency, US)* Dienst-, Regierungsstelle, Ministerium, *(branch of business)* Branche, Geschäftszweig, *(field)* Fach-, Arbeitsgebiet, Geschäftskreis, *(office)* Abteilung, Ressort, Dezernat, Referat, *(plant)* Betriebsabteilung, *(section)* Zweig;
accounting ~ Buchhaltung; **appointments** ~ Personalabteilung; **[capital] issue** ~ Emissionsabteilung; **Post Office** ≗ *(US)* Postministerium; **production** ~ Produktionsabteilung; **technical** ~ Betriebsabteilung;
≗ **of Agriculture** *(US)* Landwirtschaftsministerium; ≗ **of Commerce** *(US)* Wirtschaftsministerium; ≗ **of Labor** *(US)* Arbeitsministerium; ≗ **of Revenues** Finanzverwaltung ≗ **of the Treasury** *(US)* Finanzministerium, Schatzamt;
~ **head** Abteilungsvorstand, -leiter, Dezernent; ~ **store** Warenhaus; **~-store chain** Warenhauskette.

departmental abteilungsweise, ministeriell;
~ **accounting** dezentralisiertes Rechnungswesen; ~ **budget** Abteilungshaushaltplan; ~ **chief** Abteilungsvorstand, -chef; ~ **committee** inter-

ministerieller Ausschuß; ~ **officials** Ministerialbeamte; ~ **order** *(US)* Ministerialerlaß; ~ **spending** *(government)* Ministeriumsetat; ~ **store** Warenhaus.

departmentalization Dezentralisation, betriebliche Aufgliederung.

departmentalize *(v.)* dezentralisieren, nach Betriebsabteilungen aufgliedern.

departure Aufbruch, Ab-, Ausreise, *(airplane)* Abflug, *(train)* Abgang, Ausfahrt;
new ~ Neuorientierung;
to accelerate one's ~ seine Abreise beschleunigen;
~ **line** Abfahrtsgleis; ~ **lounge** Abflughalle; ~ **platform** Abgangsbahnsteig; ~ **station** Versand-, Abgangsbahnhof; ~ **time** *(airplane)* Abflugzeit; ~ **track** Ausfahrtsgleis.

depend *(v.)* abhängig (angewiesen) sein, abhängen;
~ **on one's father** von seinem Vater finanziell abhängig sein; ~ **on foreign supplies** auf ausländische Lieferungen angewiesen sein.

dependant [Familien]angehöriger, *(income tax)* Unterhaltsberechtigter;
surviving ~**s** Hinterbliebene;
~**'s benefit** *(Br.)* Invalidenrente; ~ **relative allowance** *(Br.)* Steuerfreibetrag für Familienangehörige.

dependencies Nebengebäude, *(assets likely to accrue)* voraussichtliche Einnahmen.

dependency Anfang, Zubehör, *(annex to hotel)* Dependenz;
~ **of an estate** Grundstückzubehör;
~ **allowance** Kinderbeihilfe; ~ **benefit** *(Br.)* Invalidenrente; ~ **bonus** Kinderzulage; ~ **exemption** *(US)* Steuerfreibetrag für Familienangehörige.

dependent unselbständig, abhängig;
to be ~ **on alms** auf Unterstützung angewiesen sein.

deplane *(v.)* [Flugzeug] entladen.

deplete *(v.)* *(store)* erschöpfen, *(taxation)* abschreiben.

depleted cost Kostenrückstand nach Abzug der Substanzverringerung.

depletion substantielle Abnutzung, Substanzverringerung, -verlust, *(stores)* Erschöpfung, *(US, taxation)* Abschreibung;
accrued ~ entstandene Substanzverringerung;
~ **of capital** Kapitalentblößung;
~ **allowance (charges, expenses)** Abschreibung für Substanzverringerung.

deployment of labo(u)r Arbeitskräfteeinsatz.

deposit *(in bank)* eingezahltes Geld, [Geld]einlage, Einzahlung, Depot, *(forfeit money)* Angeld, Hand-, Draufgeld, *(first instalment)* Anzahlung, *(insurance company)* Hinterlegungssumme, *(giving in trust)* Hinterlegung[svertrag], Deponierung, Aufbewahrung, Verwahrung;
for ~ **only** nur zur Sicherheit; **on** ~ als Depot;
bank ~ Depositenguthaben; **clearing bank** ~**s** Giroeinlagen; **blocked** ~ gesperrtes Depot; **cash** ~ Bardepot; **demand** ~**s** laufende Konten, Sichteinlagen; **adjusted demand** ~**s** abgewickelte (ausgeglichene) Tagesgelder; **fixed** ~ Termin-, Kündigungsgeld; **intercompany** ~**s** *(balance sheet)* Buchforderung gegen andere; **irregular** ~ Sammeldepot; **long-term** ~ langfristige Einlage; **omnibus** ~ Sammeldepot; **packed** ~ verschlossenes Depot; **private** ~ privates Guthaben; **public** ~**s** Guthaben der öffentlichen Hand; **safe** ~ Tresor, Stahlkammer; **savings** ~ Spareinlage; **short-term** ~ kurzfristige Einlage; **sight** ~**s** Sichteinlagen; **stock** ~ Effektendepot; **thrift** ~ *(US)* Sparguthaben; **time** ~ *(US)* Festgeld, langfristige Einlage, Kündigungsgeld, mit Kündigungsfrist angelegtes Geld; **trust** ~ geschlossenes Depot; **unrecorded** ~**s** nicht belegte Einzahlungen;
~ **in a bank** Bank-, Depositenguthaben, Bankdepot; ~**s by customers** *(balance sheet)* fremde Gelder, Fremdgelder; ~**s and drawings** Einzahlungen und Abhebungen; ~ **on lease** Depot zu vermieten; ~ **at seven days' notice** mit siebentägiger Kündigung fällige Einlage; ~**s at short notice** kurzfristige Einlagen; ~ **for a fixed period** Einlage auf feste Kündigung, Depositeneinlage; ~ **at post office** Postscheckguthaben; ~ **in a savings account (bank)** Spareinlage; ~ **of securities** Effektendepot; ~**s with suppliers** geleistete Anzahlungen;
~ *(v.)* *(goods)* deponieren, hinterlegen, in Verwahrung (ins Depot) geben, *(money)* einzahlen, Einzahlung leisten;
~ **documents with a bank** einer Bank Urkunden zur Aufbewahrung übergeben; ~ **the duty [repayable]** Zollgarantie leisten; ~ **in the post office** zur Post geben; ~ **securities** Wertpapiere hinterlegen;
to leave a ~ **on s. th.** Betrag für etw. deponieren (hinterlegen); **to leave DM 100,– as** ~ 100,– DM anzahlen; **to make a** ~ Pfand hinterlegen, *(banking)* Einlage machen, Einzahlung leisten; **to pay a** ~ **on goods** Draufgeld für eine Lieferung bezahlen;
~ **account** *(US)* Guthaben[konto], Depositenkonto, festangelegtes Geld, Festgeld, *(savings account, Br.)* Sparkonto; **to have a** ~ **account with the Federal Reserve Bank** *(US)* Konto bei der Landeszentralbank unterhalten; ~ **administration pension plan** Gruppenrentenversicherungssystem; ~ **bank** Giro-, Depositenbank; ~ **banking** Depositengeschäft; ~ **bill** Depotwechsel; **safe** ~ **box** Schließfach; ~ **business** *(loan bank)* Lombardgeschäft; ~ **capital** Einlagekapital; ~ **certificate** Depotbuch, Hinterlegungsschein, Depotbescheinigung; ~ **company** *(Br.)* Hinterlegungsstelle; ~ **currency** *(US)* Giral-, Buchgeld, bargeldlose Zahlungsmittel; ~ **department (division)** Depositenabteilung; ~

function *(banking)* Passivgeschäft; ~ **insurance** Depotversicherung; ~ **ledger** *(Br.)* Depotbuch; ~ **liabilities** Kontokorrentverpflichtungen; ~ **list** Depotverzeichnis, *(checks)* Fälligkeitsliste für Schecks; ~ **rate** Habenzinssatz; ~ **receipt** Einzahlungsbeleg; ~ **records** Depotunterlagen; ~ **slip** *(US)* Einzahlungsquittung, -beleg, Depotschein; ~ **ticket** *(US)* Einzahlungsbeleg, -schein; ~ **warrant** Hinterlegungsschein.

depositary Hinterlegungsstelle;
~ **bank** *(US)* Depositenbank.

deposited funds Depositen.

depositing, on ~ **of** gegen Hinterlegung von;
~ **of baggage** *(US)* **(luggage,** *Br.)* Gepäckabgabe;
~ **business** Depositengeschäft.

deposition *(bailment)* Hinterlegung[svertrag], Aufbewahrung, *(evidence)* beglaubigte schriftliche Zeugenaussage;
to place a ~ **on the court records** Zeugenaussage zu Protokoll nehmen.

depositor Hinterleger, Einzahler, Einleger, Einlagerer, Konto-, Depositeninhaber;
checking-account ~ Kontokorrentkunde; **savings-bank** ~ Spareinleger;
~**'s book** Einlagebuch; ~**'s ledger** Depositenkonto.

depository Verwahrungsort, Hinterlegungsstelle, *(bank, US)* Hinterlegungsstelle für Staatsgelder, *(furniture)* [Möbel]speicher, *(goods)* Lagerhaus, Stapelplatz, Magazin, *(records)* Registratur;
night ~ Nachttresor;
~ **for goods** Warenniederlage; ~ **of records** Registratur, Archiv;
~ **bond** Depotgarantie; ~ **stores** Warendepot.

depot Aufbewahrungsort, -raum, *(railroad station, US)* Bahnhof, *(stores)* Lager[haus], -platz, Magazin, Depot, Niederlage;
freight ~ *(US)* Güterbahnhof; **fuel** ~ Treibstoff-, Kraftstofflager; **furniture** ~ [Möbel]-speicher, -magazin; **goods** ~ *(US)* Güterbahnhof; **storage** ~ Lagerhaus;
~ **for spares** Ersatzteillager;
~ **grounds** *(US)* Bahnhofsgelände.

depreciable abschreibungsfähig, abschreibbar;
~ **amount** Abschreibungsbetrag; ~ **cost** abschreibbare Kosten, Abschreibungskosten; ~ **property** abschreibungsfähige Vermögenswerte; ~ **value** Abschreibungsgrundwert.

depreciate *(v.)* *(currency)* ab-, entwerten, *(decline)* im Wert (Preis) sinken (fallen), *(reduce in price, value)* im Preis (Wert) herabsetzen, *(write off)* abschreiben;
~ **faster** *(balancing)* schneller abschreiben; ~ **a machine by 15 per cent** 15% des Maschinenwerts abschreiben; ~ **the pound** Pfund abwerten.

depreciated | **cost** Buchwert; ~ **currency** notleidende Währung; ~ **value** Abschreibungsrestwert.

depreciation Wertminderung, -verlust, Entwertung, *(~ procedure)* Abschreibungsverfahren, *(provision for ~ in balance sheet)* Abschreibung[srückstellung], *(reduction in price)* Preisherabsetzung, *(underrating)* Unterbewertung, *(writing off)* Abschreibung;
liable to ~ abschreibungsfähig;
accrued ~ Abschreibungsreserve; **extraordinary** ~ Sonderabschreibung; **faster capital goods** ~ schnellere Abschreibungsmöglichkeit für Anlagegüter; **fixed** ~ feststehender Abschreibungssatz; **rapid** ~ Schnellabschreibung; **straight-line** ~ lineare Abschreibung;
~ **of buildings** [Abschreibung für] Gebäudeabnützung; ~ **of coin** Devalvation; ~ **of equipment** Abschreibung auf Betriebsanlagen; ~ **of machinery** Abschreibungen auf den Maschinenpark; ~ **of premises** Grundstücksabschreibung;
to allow for ~ für Abschreibungen zurückstellen; **to charge** ~ **of equipment onto costs** Abschreibungen auf die Preise abwälzen; **to spread one's** ~ **over several years** seine Abschreibungen steuerlich über mehrere Jahre verteilen;
~ **account** Konto Abschreibungen, Abschreibungskonto; ~ **allowance** Abschreibungsmöglichkeit, -betrag; ~ **base (basis)** Abschreibungsobjekt; ~ **breaks** Abschreibungsvergünstigungen; ~ **charge** Abschreibungsbetrag; ~ **date** Abschreibungsstichtag; ~ **formula** Abschreibungsformel; ~ **fund** Rücklage für Abschreibungen; ~ **method** Abschreibungsmethode; ~ **rate** Abschreibungssatz, -quote; ~ **reserve** Rückstellung für Abschreibungen; ~ **rules** Abschreibungsrichtlinien; ~ **tax policy** steuerliche Abschreibungspolitik; ~ **unit** Bewertungsgruppe;
[in]direct method of ~ [in]direkte Abschreibungsmethode; **output method of calculating** ~ *(US)* Abschreibungsmethode nach Gewinn und Rentabilität; **reducing-fraction method of calculating** ~ *(US)* Abschreibungsmethode vom Anschaffungswert mit fallenden Quoten; **sinking-fund method of calculating** ~ *(US)* Abschreibungsmethode mit steigenden Quoten; **straight-line method of calculating** ~ *(US)* Abschreibungsmethode mit gleichmäßigen Quoten; **time-method of calculating** ~ *(US)* Abschreibungsmethode nach Quoten.

depress *(v.)* *(price)* [herab]drücken, herabsetzen;
~ **the market** Kurse drücken.

depressed *(market)* flau, gedrückt, matt, mißgestimmt, *(price)* herabgesetzt, gesenkt, ermäßigt;
to be ~ *(market)* darniederliegen, gedrückt sein;
~ **area** *(Br.)* Notstandsgebiet; ~ **classes** *(Br.)* Parias, unterdrückte Bevölkerungsschichten.

depression *(prices)* Fallen, Sinken, [Preis]senkung, *(stock exchange)* Baisse, *(trade)* Depression,

Gedrücktsein, tiefe Wirtschaftskrise, Flaute, Tiefstand, Konjunkturtief;
cyclical ~ Konjunkturtief; **economic** ~ Wirtschaftskrise;
~ **of the market** Preisdruck, Baissestimmung; ~ **of prices** Kurs-, Preiseinbruch; ~ **of trade** Darniederliegen des Handels, Wirtschaftsrückgang;
to show a ~ Konjunkturrückgang erfahren;
~ **era** *(US)* Krisenzeit; ~ **level** Konjunkturtief; ~ **low** Konjunkturmulde; ~ **time** Depressionszeit; ~ **year** schlechtes Geschäftsjahr.

depth of column *(advertising)* Spaltenhöhe.

derating of local taxes Befreiung von Gemeindesteuern.

deration *(v.)* Rationierung aufheben.

derationed goods freigegebene Waren.

derationing Aufhebung der Zwangsbewirtschaftung.

deregulation Befreiung von einschränkenden Bestimmungen.

derelict herrenloses Gut, *(ship)* [treibendes] Wrack;
~ *(a.)* *(abandoned)* herrenlos, aufgegeben, *(house)* verlassen, baufällig;
~ **land** trockengelegtes Land; ~ **ship** aufgegebenes Schiff, Wrack.

derequisition Aufhebung der Beschlagnahme, *(housing)* Aufhebung der Wohnungszwangswirtschaft;
~ *(v.)* Beschlagnahme aufheben, *(housing)* Wohnraumbewirtschaftung aufheben.

derestrict *(v.)* **a road** Geschwindigkeitsbeschränkungen für eine Straße aufheben.

derestriced area unbegrenzte Geschwindigkeitszone.

derestriction Lockerung von Einschränkungsmaßnahmen, *(speed limit)* Aufhebung der Geschwindigkeitsbeschränkung.

derisory offer nicht ernst gemeintes Angebot.

derivative nicht originär;
~ **acquisition** abgeleiteter (nicht originärer) Erwerb; ~ **deposit** Lombarddepot.

derive *(v.)* **income from an investment** Rendite erzielen, Kapitaleinkünfte beziehen.

derived income abgeleitetes Einkommen.

description Beschreibung, Schildung, Darstellung, *(of s. o.)* Personenbeschreibung, Signalelement, *(sort)* Qualität, Sorte, Art, Gattung;
of every ~ von jeder Art (Sorte), in jeder Qualität;
~**s** *(Br., stock exchange)* Wertpapiere;
better ~ feinere Waren; **home** ~**s** *(Br., stock exchange)* heimische Werte; **leading** ~ *(Br.)* führende Werte;
~ **of account** Kontobezeichnung; ~ **of securities** Effektengattung.

descriptive | **catalog(ue)** beschreibender Katalog; ~ **labelling** übliche Etikettierung; ~ **financial statement** erläuterte Finanzübersicht.

desequestration Aufhebung der Zwangsverwaltung.

desequestrate *(v.)* Zwangsverwaltung aufheben.

design *(act)* [industrielle] Form[gebung], Design, *(construction)* Ausführung, Konstruktion[szeichnung], *(pattern)* Muster, Modell;
conventional ~ gängiges Muster; **faulty** ~ *(machine)* fehlerhafte Konstruktion; **industrial** ~ gewerbliches Muster;
≗ **Act** *(Br.)* Gebrauchsmustergesetz; ~ **book** Musterbuch; ~ **engineer** Konstrukteur; ~ **patent** *(US)* geschütztes Geschmacksmuster.

designer Entwerfer, Formgestalter;
dress ~ Modeschöpfer, -zeichner; **industrial** ~ Formgestalter, industrieller Formgeber.

designing department Konstruktionsbüro.

desirable property *(house agent)* schönes Anwesen.

desire to buy Kaufinteresse.

desk Pult, Schreibtisch, *(clerical performance)* Büro-, Kanzleiarbeit, *(counter)* Ladentisch, *(governmental section)* Abteilung, Ressort, *(US, journalism)* Umbruchsredaktion;
pay ~ Kassenschalter; **reception** *(hotel)* Empfangsschalter, -chef, Empfang;
~ **appointments** Schreibtischgarnitur; ~ **audit** Buchprüfung auf Grund mitgenommener Belege; ~ **calender** Terminkalender; ~ **clerk** *(US)* Hotelportier; ~ **copy** Gratisexemplar; ~ **editor** Chef vom Dienst; ~ **jobber** Grossist ohne eigenes Lager; ~ **man** *(US)* Redaktionsmitglied; ~ **officer** zuständiger Sachbearbeiter; ~ **research** sekundärstatistische Auswertung; ~**-side interview** Exklusivinterview; ~ **tray** Briefkorb; ~ **work** Schreibtisch-, Büroarbeit.

destination Reiseziel, Bestimmungsort, *(airplane)* Flugziel;
final ~ endgültiger Bestimmungsort;
~ **charges** *(car)* Überführungskosten; ~ **station** Bestimmungsbahnhof.

destitution Mittellosigkeit;
~ **wage** Hungerlohn.

destocking Lagerabbau durch Auftragskürzung.

destructive competition wirtschaftlich unsinniger Wettbewerb.

detach *(v.)* [ab]trennen, -schneiden;
~ **coupons due** verfallene Zinsscheine ablösen.

detached abgetrennt, abgesondert, *(house)* einzelnstehend;
~ **coupons** getrennte Kupons; ~ **parcels of goods** gesonderte Warenpartien.

detail Einzelheit, Detail, *(US, body of persons)* Arbeitsgruppe, *(detailed treatment)* ausführliche Behandlung, *(television)* Bildausschnitt;
~**s of a business contract** Einzelbestimmungen eines Wirtschaftsabkommens; **a few** ~**s of the evening program(me)** einige Hinweise auf das Abendprogramm;
~ **account** Einzelkonto; ~ **paper** Durchzeichenpapier.

detailed ausführlich, eingehend;
~ **account** spezifizierte Rechnung; ~ **negotiations** Einzelbesprechungen; **to make a ~ statement** detaillierte Aufstellung machen.
deteriorate *(v.)* sich verschlechtern (nachteilig verändern), *(become depreciated)* an Wert verlieren, Wertminderung erfahren, *(goods)* verderben, *(trade)* zurückgehen.
deterioration *(depreciation)* Wertminderung *(goods)* Verderb, *(growing worse)* Verschlechterung, *(wear and tear)* Verschleiß;
~ **of professionalism** schwindende Berufsethik; ~ **of purchasing value of money** Verschlechterung der Kaufkraft; ~ **in quality** Qualitätsverschlechterung.
determinable amount bestimmbarer Betrag; ~ **fee** befristete Gebühr.
determination | **of earning power** Prüfung der Ertragsfähigkeit; ~ **of quotas** Kontingentfestsetzung; ~ **of traffic** Verkehrsermittlung.
determine *(v.)* | **s. one's career** jds. Laufbahn entscheidend beeinflussen; ~ **an income** Einkommen ermitteln,
detour Abstecher, *(road)* [Verkehrs]umleitung, Umweg;
~ *(v.)* **the traffic** Verkehr umleiten;
~ **ticket** Umsteigefahrschein.
detraction Verunglimpfung, Rufschädigung.
detrimental to our interests unseren Interessen abträglich.
devalorization Abwertung.
devalorize *(v.)* abwerten.
devaluate *(v.)* abwerten, devaluieren.
devaluation [Währungs]abwertung, Entwertung;
~ **clause** Abwertungsklausel; ~ **policy** Abwertungspolitik.
devalue *(v.)* abwerten.
develop *(v.)* entwickeln, entfalten, *(building area)* erschließen, *(mine)* aufschließen, *(natural resources)* nutzbar machen;
~ **building lots** Bauland erschließen; -~ **statistical information** statistisches Material aufbereiten; ~ **a strong organization** leistungsfähigen Verband aufbauen; ~ **weakness** *(market)* schwach werden.
developable position ausbaufähige Stellung.
developed entwickelt, *(building ground)* baureif;
highly ~ countries hoch industrialisierte Länder; **less ~ countries** Entwicklungsländer; ~ **tract of land** erschlossenes Gelände.
developer Grundstückserschließer.
developing | **area** Entwicklungsgebiet; ~ **countries** Entwicklungsländer.
development Ausbau, Förderung, *(building, Br.)* Bauvorhaben, -ausführung, *(land)* Erschließung, *(mining)* Aufschließung;
ripe for ~ baureif;
commercial ~ Verkaufsförderung; **housing ~** Wohnsiedlung; **industrial ~** industrielle Erschließung; **ribbon ~** *(Br.)* Stadtrandsiedlung;
~ **of building ground** Baulanderschließung; ~ **of foreign trade** Außenhandelsentwicklung; ~ **of traffic** Verkehrszunahme, -entwicklung;
to authorize ~ *(Br.)* Baubewilligung erteilen;
~ **account** Entwicklungsunkostenkonto; ~ **agency** Grundstückserschließungsgesellschaft;
~**-aid man** Entwicklungshelfer; ~ **area** Entwicklungs-, Förderungsgebiet, *(land)* Bau-, Siedlungsgelände; ~ **charges** Entwicklungskosten, -ausgaben; **industrial ~ company** Industrieförderungsgesellschaft; ~/ **concern** *(US)* Terraingesellschaft; ~ **costs** Entwicklungskosten; ~ **expenses** Entwicklungskosten, *(land)* Erschließungskosten; ~ **loan** Entwicklungsanleihe; ~ **project** Entwicklungsvorhaben; ~ **stage** Gründungsstadium [einer Gesellschaft].
developmental marketeer aufgeschlossener Absatzfachmann.
deviate *(v.)* **from a course** vom Kurs abweichen.
deviation *(insurance)* Risikoveränderung, *(pol., ship)* Kursabweichung, *(statistics)* Zufallsabweichung;
~ **of actual cost** Istkosten-Abweichung; ~ **from the course** Kursabweichung;
~ **clause** *(international goods traffic)* Toleranz-, Abweichungsklausel.
device *(contrivance)* Vorrichtung, Erfindung, Gerät, Apparat, *(design)* Muster, Wahlspruch;
collection ~s Inkassoeinrichtungen; **national ~** Hoheitszeichen; **safety ~** Sicherheitsvorrichtung.
devolve *(v.)* übergehen, übertragen werden, *(inheritance)* anheimfallen;
~ **powers upon s. o.** Vollmachten auf j. übertragen; ~ **responsibility on s. o.** Verantwortung auf j. abwälzen.
devote *(v.)* **o. s. anew to business** sich erneut ganz dem Geschäft widmen.
diagram graphische Darstellung, Schaubild, Tabelle, Schema, Berechnungstafel, Diagramm.
dial *(radio set)* Skala, Skalenscheibe, *(tel.)* Wähl-, Nummernscheibe;
~ *(v.)* *(broadcast)* Sender einstellen, *(tel.)* [auf der Nummernscheibe] wählen;
~ **a wrong number** falsch[e Nummer] wählen;
~ **the police station** Überfallkommando anrufen;
direct ~ number Durchwahlnummer; ~ **system** Selbstwählbetrieb; ~ **telephone** Selbstwählfernsprecher; ~ **tone** Summer, Amts-, Freizeichen; **delayed ~ tone** Besetztzeichen.
dialling Anwählen;
direct distance ~ *(US)* Fernwahl; **intercity ~** Selbstwählfernverkehr; **trunk ~** Fernwahl;
direct inward- ~ system Selbstwählverkehr; ~ **tone** Freizeichen.
diary Tagebuch, *(journal)* Journal, *(tickler)* Verfallbuch, Vormerk-, Terminkalender;
~ **method** *(broadcasting)* Hörerbefragungsmethode.

dicker *(US)* Schacher, Tauschhandel.
dictate *(v.)* **a letter** Brief diktieren.
dictating machine, dictaphone *(Br.)* Diktiergerät, Diktaphon.
dictation Diktat[schreiben];
to take ~ Diktat aufnehmen; **to transcribe** ~ Diktat auf die Schreibmaschine übertragen.
dictionary Wörterbuch, Lexikon;
business ~ Wirtschaftswörterbuch; **technical** ~ Spezialwörterbuch;
~ **catalog(ue)** alphabetisches Bücherverzeichnis.
difference *(in amount)* Differenz, Unterschiedsbetrag, *(stock exchange)* Differenz;
~ **in prices** Preisunterschied, -differenz; ~ **in rates** Kursunterschied, *(freight)* Frachtsatzunterschied;
to pay the ~ Differenz herauszahlen; **to split the** ~ strittigen Preisunterschied teilen.
differential Unterschiedsmerkmal, *(advertising)* Tarifunterschied, *(difference in prices)* Kursgefälle, *(difference in rates)* Frachtdifferenz, *(difference in wages)* Lohngefälle, *(fare)* Fahrpreisdifferenz;
inter-industry ~ industrielles Lohngefälle;
~ **calculus** Differentialrechnung; ~ **duty** Vorzugs-, Differentialzoll; ~ **line** *(traffic)* Linie mit Vorzugstarif; ~ **piece-rate system** Stücklohnverfahren; ~ **price** Preisunterschied, -spanne; ~ **rate** Ausnahmefrachtsatz, -tarif; ~ **tariff** Staffeltarif.
differentiation of labo(u)r Arbeitsteilung.
dilapidated baufällig, verfallen;
~ **abode** verkommenes Quartier; ~ **fortune** verschleudertes Vermögen.
dilapidation Verfall, *(building)* Baufälligkeit;
~**s** Baubeschädigungen.
diligence, due ~ sorgsame Erfüllung, im Verkehr erforderliche Sorgfalt; **ordinary** ~ verkehrsübliche Sorgfaltspflicht.
dilute *(v.)* *(stocks)* verwässern;
~ **labo(u)r** ungelernte Arbeiter einstellen.
dilutee ungelernter Arbeiter.
dilution | **of labo(u)r** Einstellung ungelernter Arbeiter; ~ **of stocks** Aktienverwässerung; ~ **of time** Zeitvergeudung, -verschwendung.
dime Zehncentstück;
to be a dozen a ~ *(US)* spottbillig sein, nachgeworfen bekommen;
~ **store** *(US)* Einheitspreisgeschäft; ~**-store product** *(US)* Einheitspreiserzeugnis.
diminish *(v.)* *(become less)* abnehmen, geringer werden, sich verringern (vermindern), *(reduce)* [Ausgaben] einschränken, ermäßigen;
diminished | **proceeds** Mindererlös; ~ **return** Ertragsrückgang.
diminishing | **productivity** Produktivitätsrückgang, Ertragsrückgang; ~ **utility** Grenznutzen; ~ **value** abnehmender Wert.
diminution | **of capital goods** Kapitalgüterverringerung; ~ **of profits** Gewinnschrumpfung; ~ **of taxes** Steuerherabsetzung;
to show a considerable ~ beträchtlichen Ertragsrückgang aufweisen.
diner *(dining car, US)* Speisewagen;
roadside ~ Straßenrestaurant.
dining | **car** Speisewagen; ~ **recess** Eßecke; ~ **room** Speisesaal.
dip *(business cycle)* Geschäftsrückgang, [Wirtschafts]flauten;
~ **in business** Konjunkturmulde;
~ *(v.)* *(business cycle)* zurückgehen, *(stock exchange)* [ab]sinken;
~ **the headlights** Scheinwerfer abblenden; ~ **into one's purse** seine Geldbörse zücken.
diploma Diplom, Abgangs-, Prüfungszeugnis.
dire poverty größte Armut.
direct unmittelbar, direkt, persönlich, *(descent)* direkt, in gerader Linie;
~ *(v.)* richten, lenken, *(address)* [Brief] adressieren, *(film)* Regie führen, *(manage)* [Betrieb] leiten, *(order)* anordnen, anweisen, *(workers)* einsetzen, einschleusen;
~ **a parcel correctly** Paket ordnungsgemäß beschriften;
~**-action advertising** auf spontane Kaufreaktion abgestellte Werbung; ~ **advertising** Konsumenten-, Direktwerbung; ~ **buying** Direkteinkauf; ~ **commercial** unmittelbare Werbesendung; ~ **costs** Selbstkosten; ~ **costing** Grenz[plan]kostenrechnung; ~**-to-customer selling** Direktverkauf an den Kunden; ~ **damages** unmittelbarer Schaden; ~ **endorsement** *(US)* Vollgiro; ~ **exchange** fester Umrechnungskurs; ~ **financing** Direktkredit der Wirtschaft; ~ **goods account** eigenes Materialkonto; ~ **indorsement** *(US)* Vollgiro; ~ **insurer** Erstversicherung; ~ **interest** unmittelbares Interesse; ~ **liability** *(US)* unbestrittene und unbedingte Verbindlichkeit; ~ **loss** versicherter Schaden; ~**-mail advertising (shot)** Direktwerbung durch die Post, Postversandwerbung, -streuung, -wurfsendung; ~**-mail literature** Postwurfprospekt; ~**-mail promotion** Direktwerbung; ~**-mail solicitation** Postversandwerbung; ~ **marketing** individuelle Absatzpolitik; ~**-material costs** unmittelbarer Materialaufwand; ~ **payment** endgültige Zahlung; ~ **port** vorbestimmter Hafen; ~ **premium** Zugabe; ~ **purchase** Beziehungskauf; ~ **route** kürzeste Route; ~ **sale (selling)** Direktverkauf, -absatz, Verkauf ohne Zwischenhändler; ~ **sale to the public** *(stock exchange)* freihändiger Verkauf; ~ **selling costs** unmittelbare Verkaufskosten; ~ **shipment** Direktversand; ~ **tax** direkte (nicht abwälzbare) Steuer; ~ **taxation** direkte Besteuerung; ~ **train** durchgehender Zug; ~ **wages** unmittelbare Lohnkosten; ~**-writing company (carrier)** Rückversicherungsgesellschaft.

directed economy gelenkte Wirtschaft, Planwirtschaft.
direction *(address)* Adresse, Aufschrift, Beschriftung, Anschrift, *(board)* Vorstand, Direktion, Direktorium, *(capital control)* Bewirtschaftung, *(film, theater)* Spielleitung, Regie, *(instruction)* [An]weisung, Belehrung, Unterweisung, *(managing)* Leitung, Geschäftsführung, *(region)* Gegend, Richtung, *(traffic)* Fahrtrichtung;
~ **of approach** Anflugrichtung; ~ **of a company** Leitung einer Gesellschaft; ~ **of consumption** Verbrauchslenkung; ~ **of labo(u)r** Arbeits[einsatz]lenkung; ~**s on a parcel** Paketbeschriftung; ~**s for use** Gebrauchsanweisung, -vorschrift;
to assume the ~ **of an enterprise** Leitung eines Unternehmens übernehmen;
~ **card** *(luggage)* Gepäckzettel; ~ **finding** Funkpeilung; ~ **indicator** *(car)* Richtungsweiser, Blinker; ~ **order** *(labo(u)r exchange)* arbeitsamtliche Zuweisung.
directional | antenna (aerial) Richtantenne, -strahler; ~ **radio** Richtfunk.
director Direktor, Vorsteher, Leiter, Geschäftsführer, *(on the board)* Aufsichtsratsmitglied, *(broadcasting)* Sendeleiter, Programmdirektor, *(manager)* Vorstandsmitglied;
acting ~ *(Br.)* geschäftsführendes Vorstandsmitglied, geschäftsführender Direktor; **corporate** ~ *(US)* Aufsichtsratsmitglied, **executive** ~ geschäftsführender Direktor; ~ **general** Generaldirektor; **ordinary** ~ einfaches Vorstandsmitglied;
~ **of advertising** Werbeleiter; ~ **of the budget** *(US)* Leiter der Haushaltsabteilung; ~ **of labo(u)r affairs (relations)** Arbeitsdirektor; ~ **of sales** Verkaufsleiter, -chef;
~ **fees** Verwaltungsratsvergütung, Direktorenhonorar; ~ **meeting** Aufsichtsratssitzung; ~ **percentage of profit** Vorstandstantieme; ~ **remuneration** Aufsichtsratsvergütungen; ~ **report** Vorstandsbericht.
directorate *(board of directors)* Direktorium, Direktion, Geschäftsleitung, *(office of director)* Aufsichtsrat-, Direktorenposten;
interlocking ~**s** Schachtelaufsichtsrat.
directorship Verwaltungsratsposten, Direktorenstelle.
directory *(list of inhabitants)* Adreßbuch, Einwohnerverzeichnis, *(trade)* Branchen-, Firmenverzeichnis;
classified (mercantile, trade) ~ Branchenadreßbuch;
~ **of enquiries** *(tel.)* Auskunft; ~ **of hotels** Hotelanzeiger; ~ **of suppliers** Bezugsquellennachweis;
~ **canvasser** Adreßbuchakquisiteur.
dirt-cheap zu einem Spottpreis.
dirty | money *(Br.)* Schmutzzulage; ~ **work** niedrige Arbeit, Dreckarbeit.
disability Invalidität, Berufs-, Erwerbs-, Arbeitsunfähigkeit;
general ~ *(law)* Geschäftsunfähigkeit; **total** ~ Vollinvalidität;
~ **for service** Dienst-, Arbeitsunfähigkeit;
~ **benefit** Invalidenunterstützung, -rente; **short-term** ~ **benefits** Lohn- und Gehaltsfortzahlung im Krankheitsfall; ~ **insurance** Invalidenversicherung; ~ **rate** Invaliditätsgrad.
disable *(v.)* *(labo(u)rer)* untauglich machen;
~ **an estate** Gut verwirtschaften; ~ **a ship** Schiff außer Dienst stellen.
disabled Invalide, Erwerbsunfähiger;
~ *(a.)* invalide, berufs-, dienstuntauglich, [dauernd] unfähig, arbeits-, erwerbsunfähig, *(legally incompetent)* geschäftsunfähig, *(out of work)* betriebsunfähig, außer Betrieb, *(ship)* manövrierunfähig, seeuntüchtig;
partially ~ erwerbsbeschränkt;
to be permanently ~ erwerbsunfähig sein;
~ **person** Erwerbsunfähiger, Körperbeschädigter, Invalide.
disablement Arbeits-, Berufs-, Erwerbsunfähigkeit, Invalidität, *(incapacity)* Geschäftsunfähigkeit, *(ship)* Manövrierunfähigkeit, Seeuntüchtigkeit;
partial ~ Teilinvalidität; **permanent** ~ Erwerbsbeschränktheit; **total** ~ Vollinvalidität;
~ **annuity** Invaliditäts-, Invalidenrente; ~ **benefit** *(Br.)* Invalidenunterstützungsleistung; ~ **insurance** Invaliden-, Invaliditätsversicherung;
~ **resettlement officer** Rentensachbearbeiter für Umschulungsfälle.
disagio Abschlag, Disagio.
disallow *(v.)* **an account** Rechnung als unrichtig zurückweisen.
disaster Unglück, Katastrophe;
~ **area** Katastrophengebiet; **common** ~ **clause** *(law)* gleichzeitige Todesvermutung; ~**-prone area** katastrophengefährdetes Gebiet, ~ **relief** Katastrophenhilfe; ~ **unit** Katastropheneinsatzverband.
disburse *(v.)* [Geld] auszahlen, auslegen, ausgeben;
~ **s. one's full and entire part** jem. seinen Anteil voll auszahlen; ~ **revenues** Einnahmen verwenden.
disbursement [Aus]bezahlung, *(money expended)* Ausgabe, Auslage;
capital ~**s** Kapitalaufwendungen; **cash** ~**s** Kassenausgang; **dividend** ~**s** Dividendenausschüttungen; **social** ~**s** soziale Aufwendungen;
to recover one's ~**s** seine Auslagen zurückvergütet erhalten;
~ **account** Auslagenaufstellung; ~ **voucher** Zahlungsanweisung.
disbursing account Auszahlungskonto.
disc | parking Parkscheibe; ~ **jockeying** Schallplattenansage, Rundfunkunterhaltung; ~ **parking** Parkscheibensystem.

discardment *(asset)* Außerbetriebssetzung.

discharge *(crew)* Abmusterung, *(dismissal)* Verabschiedung, Entlassung, *(payment of debt)* Tilgung, Abgeltung, Bezahlung, Begleichung, *(receipt)* Quittung, *(unloading)* Aus-, Entladen Löschung;
in full ~ zum vollen Ausgleich;
final ~ Schlußbescheinigung; **unjust** ~ unberechtigte Entlassung;
~ **of a bankrupt** Konkursaufhebung; ~ **of a bill** Tilgung einer Wechselverbindlichkeit; ~ **of business** Geschäftsbesorgung; ~ **for cause** begründete Entlassung; ~ **of debts** Schuldentilgung; ~ **in full** vollständige Quittung;
~ *(v.)* *(dismiss)* entlassen, abbauen, *(pay)* entrichten, tilgen, abgelten, abtragen, bezahlen, *(seaman)* abmustern, *(unload)* aus-, entladen, löschen;
~ **an account** Konto ausgleichen; ~ **a bankrupt** Gemeinschuldner entlasten; ~ **a bill** Wechsel einlösen; ~ **a bond** Schuldschein einlösen; ~ **a cargo** entladen, Ladung löschen; ~ **the directors from responsibilities** Vorstand entlasten; ~ **one's liabilities** seine Schulden bezahlen, seinen Verpflichtungen (Verbindlichkeiten) nachkommen; ~ **from liabilities** von der Haftpflicht befreien.

discharged *(bill)* eingelöst, *(from employment)* abgebaut, entlassen;
until ~ **in full** bis zur Schuldentilgung;
~ **bankrupt** entlasteter (rehabilitierter) Gemein-, Konkursschuldner; ~ **bill** bezahlter Wechsel.

discharger Entlader.

discharging | **expenses** Löschungskosten; ~ **fees** Löschungsgebühren; ~ **place** Entladestelle.

disclaim *(v.)* Verzicht leisten, verzichten, nicht anerkennen;
~ **an estate** (Erbschaft) ausschlagen; ~ **liability** *(insurance)* Deckung ablehnen.

disclaimer *(law of inheritance)* Erbausschlagung, -verzicht, *(trustee)* Niederlegung eines Treuhänderamtes;
to send a ~ **to the press** der Presse ein Dementi zugehen lassen.

disclose *(v.)* aufzeigen, offenbaren, -legen, *(insurance)* [Versicherungsfall] anzeigen;
~ **information** unerlaubtes Informationsmaterial zugänglich machen; ~ **a material inadequacy in the reserve** Unangemessenheit der Reserven herausstellen; ~ **secret transactions** vertrauliche Geschäftsabschlüsse offenlegen.

disclosure Enthüllung, Aufdeckung, Eröffnung, *(balance sheet)* Offenlegung in Fußnoten im Revisionsbericht;
mandatory ~ obligatorische Offenbarungspflicht; ~ **of information** Offenlegung einer Informationsquelle.

disconnection of service Einstellung der Lieferung.

discontinuance *(newspaper)* Abbestellung;
~ **of business** Geschäftseinstellung; ~ **of payments** Fortfall von Zahlungen; ~ **of subscription** Abbestellung eines Abonnements.

discontinue *(v.)* *(break off)* unterbrechen, einstellen, aufhören, *(subscription)* abbestellen;
~ **the manufacture** Herstellung einstellen; ~ **membership** Mitgliedschaft aufheben.

discount *(bill of exchange)* Diskont, Zinsabzug, *(deduction)* Abzug, Abstrich, *(depreciation in value)* Wertminderung, *(disagio)* Disagio, *(discounting)* Diskontierung, *(insurance)* Prämiennachlaß, -rabatt, Beitragsermäßigung, *(for prompt payment)* Skonto, *(rate of ~)* Diskontsatz, *(rebate)* Rabatt, Preisnachlaß, -abschlag, Rabattrechnung, *(shop, US)* Einzelhandelsladen mit Rabattsystem;
at a ~ mit Rabatt, unter Pari; **less** ~ ab[züglich] Diskont (Skonto);
additional ~ Sonderrabatt; **adjusted** ~ Staffelkonto; **anticipation** ~ *(US)* Nachlaß für vorfristige Zahlung; **bond** ~ Pfandbriefagio; **cash** ~ Kassaskonto; **dealer's** ~ Händlerrabatt; ~ **earned** Diskonterlös, *(retail accounting)* Händlerrabatt; **combined edition** ~ *(advertising)* Vorzugspreis für Belegung mehrerer Regionalausgaben desselben Blattes; **employee** ~ Angestelltenrabatt; **frequency** ~ *(advertising)* Serienrabatt; **mass** ~ Mengenrabatt; **no** ~ feste Preise; **patronage** ~ Treuerabatt; ~**s payable** *(balance sheet)* Diskontverbindlichkeiten; **retail** ~ Einzelhändlerrabatt; **time** ~ Bardiskont; **trade** ~ Rabatt für Wiederverkäufer, Händlerrabatt;
~ **of a bill** Wechseldiskont; ~ **for cash** Kassaskonto, Barzahlungsrabatt; ~ **for customers** Kundenrabatt; ~ **for quantities** Mengenrabatt;
~ *(v.)* Vorwegnehmen, abrechnen, abziehen, Rabatt gewähren, Abzug machen, *(bill of exchange)* diskontieren;
~ **the market** Marktentwicklungen im voraus berücksichtigen; ~ **news** *(stock exchange)* Nachrichten bei der Kursfestsetzung berücksichtigen;
to allow ~ Ermäßigung (Rabatt) gewähren, Skonto einräumen; **to be at a** ~ unter Pari stehen; **to buy at a** ~ mit Disagio kaufen; **to give a bill** ~ Wechsel diskontieren lassen; **to mark down the** ~ Diskont[satz] herabsetzen; **to open at a slight** ~ *(stock exchange)* leicht abgeschwächt eröffnen; **to reduce the** ~ Diskont[satz] herabsetzen; **to sell at a** ~ mit Verlust (Disagio) verkaufen, (v. i.) unter Pari stehen;
~ **account** Disagiokonto; ~ **bills** Diskonten; ~ **bookseller** Sortimentsbuchhändler; ~ **broker** Diskont-, Wechselmakler; ~ **charges** Diskontspesen; ~ **credit** Diskontkredit; ~ **days** Diskonttage; ~ **department** Wechselabteilung; ~ **holdings** Wechselbestand; ~ **house** *(Br.)* Diskont-, Wechselbank, *(retailing)* Diskontladen, -geschäft; ~ **liquidation** Wechselabrechnung; ~

market *(Br.)* Wechsel-, Diskontmarkt; ~ **office** Diskontkasse; ~ **piracy** Skontoschinderei; ~. **practices** Rabattmethoden; ~ **price** Rabattpreis; ~ **quotation** Disagionotierung; ~ **rate** Barrabatt, Diskontsatz, Bankrate, -diskontsatz; **to lower the** ~ **rate** Diskontsatz herabsetzen (senken); ~ **shop** *(US)* Diskontladen, -geschäft; ~ **terms** Rabattbedingungen; **to borrow freely at the** ~ **window** *(US)* unbeschränkte Rediskontfaszilitäten in Anspruch nehmen.

discountable diskontierbar, diskontfähig.

discounted value Diskontwert.

discounting | **of bills (notes)** Wechseldiskontierung; ~ **of earnings** Gewinnerlöse; ~ **for severance** *(pension plan)* Einkalkulierung eventueller Entlassungen.

discover *(v.)* **one's assets** *(bankrupt)* seine Vermögensverhältnisse offenbaren (darlegen).

discovery *(insurance)* Versicherungsanzeige, *(making known)* Offenlegung, Auskunftserteilung;

~ **of one's assets** *(bankrupt)* Darlegung (Offenbarung) seiner Vermögensverhältnisse; ~ **of facts** Tatsachenenthüllung;

~ **period** *(insurance)* Anzeigespielraum für Verluste.

discreditable profession schimpfliches Gewerbe.

discretionary beliebig, willkürlich, dem Gutdünken überlassen, dem Ermessen anheimgeben;

~ **account** *(US)* Guthaben zur freien Verfügung bei einem Effektenmakler; ~ **buying power** frei verfügbare Kaufkraft; ~ **order** *(stock exchange)* Vertrauensorder; **to exceed one's** ~ **powers** seinen Ermessensspielraum mißbrauchen; ~ **spending** Ausgaben zur freien Verfügung; ~ **trust** Investmentgesellschaft mit breitgestreutem Aktienportefeuille; ~ **wants** elastischer Bedarf.

discriminate *(v.)* unterschiedlich (nachteilig) behandeln, diskriminieren;

~ **against other candidates** gegen andere Bewerber zurücksetzen.

discriminating | **duty** Differentialzoll; ~ **purchaser** umsichtiger Käufer; ~ **treatment** diskriminierende (unterschiedliche) Behandlung.

discrimination Unterscheidung, Vorzugsbehandlung, *(unequal treatment)* unterschiedliche Behandlung, Diskriminierung, Benachteiligung;

~ **against** Schlechterstellung; ~ **in customs duties** Zolldiskriminierung; ~ **in prices** Preisdifferenzierung, -spaltung.

discriminative treatment diskriminierende Behandlung.

discriminatory unterscheidend, benachteiligend;

~ **duty** Prohibitivzoll; ~ **rates** Prohibitivsätze; ~ **taxation** steuerliche Vorzugsbehandlung.

discuss *(v.)* besprechen, diskutieren, *(law)* Hauptschuldner ausklagen;

~ **a matter in detail** Angelegenheit in allen Einzelheiten erörtern.

discussion Besprechung, Diskussion, *(law)* Ausklagung eines Hauptschuldners;

face-to-face ~ Gespräch unter vier Augen;

~ **group** Diskussionsgruppe; ~ **program(me)** Diskussionsprogramm; ~ **session** Diskussionskreis.

disease, industrial (vocational) Berufskrankheit.

disembark *(v.)* landen, aussteigen, *(v. i.)* ausschiffen.

disencumber *(v.)* **an estate** Grundstück entschulden.

disengaged *(unoccupied)* unbesetzt, unbeschäftigt, *(tel.)* nicht besetzt, frei.

disengagement *(pol.)* Auseinanderrücken der Machtblöcke.

disequilibrium in the balance of payments unausgeglichene Zahlungsbilanz.

dishonest business unreelles Geschäft.

dishono(u)r Unehre, *(refusal to accept)* Akzeptverweigerung, *(refusal to pay)* Nichthonorierung, -einlösung;

~ *(v.)* **a bill** Annahme eines Wechsels verweigern, Wechsel Not leiden lassen.

dishono(u)red | **bill** notleidender Wechsel; ~ **check** *(US)* **(cheque,** *Br.)* nicht eingelöster Scheck.

disincentive arbeitshemmender Faktor, *(fiscal policy)* Abschreckungsmittel;

~ **to business** negative Konjunktureinwirkung;

~ **effects of taxation** abschreckende steuerliche Auswirkungen.

disinclination to buy Kaufunlust.

disinflation leicht deflationistische Bewegung.

disintermediation Bruttoverlust an Einlagegeldern.

disinvestment Zurückziehung von Anlagekapital, *(diminution of capital goods)* Produktionseinschränkung, *(reductions of inventories)* Lagerabbau.

disk *(US) (gramophone)* Schallplatte, *(tel.)* Wähl-, Nummernscheibe;

~ **jockey** Rundfunkunterhalter; ~ **jockeying** Rundfunkunterhaltung, Schallplattenansage.

dislocate *(v.)* **workers** Arbeitskräfte umsetzen.

dislocation Verlagerung;

~ **of bread supplies** Störung der Brotversorgung; ~ **of the currency** Währungsverfall; ~ **of trade** Nichtfunktionieren des Handels; ~ **of traffic** Verkehrsdurcheinander, Verkehrsverlagerung; ~ **of workers** Umsetzung von Arbeitskräften.

dismantlement Aus-, Abbau, Demontage, Abbruch, *(ship)* Abtakelung, *(wreck)* Abwracken.

~ **of an agency** Behördenauflösung.

dismantling | **list** Demontageliste; ~ **program(me)** Demontageprogramm.

dismemberment Gliederverlust, *(country)* Zerstückelung, *(removal from membership)* Vereinsausschluß;

~ **benefit** Versehrtenunterstützung bei Gliederverlust; ~ **schedule** Gliedertaxe.

dismiss *(v.)* [aus dem Dienst] entlassen, [Beamte] abbauen;
~ **the crew** Schiffsvolk abdanken; ~ **a meeting** Versammlung auflösen; ~ **s. o. at a moment's notice** jem. fristlos kündigen; ~ **without notice** fristlos entlassen.
dismissal [Dienst]entlassung;
instant ~ sofortige Entlassung;
~ **without notice** fristlose Entlassung, *(lease)* nicht fristgemäße Kündigung;
~ **compensation (wage)** Abstandgeld, Entlassungsentschädigung, -ausgleich, -gehalt.
disoccupation Unbeschäftigtsein.
disparage *(v.) (competitive goods)* herabsetzen.
disparagement of goods Verunglimpfung von Konkurrenzerzeugnissen.
disparaging | **competition** herabsetzende Werbung; ~ **copy** herabsetzender Werbetext.
dispatch Spedition, Versandunternehmen, -betrieb, *(sending)* Absendung, Beförderung, Auslieferung, Versand, [Waren]abfertigung, *(wire)* Depesche, Telegramm;
ready for ~ versandfähig;
~ **of business** Geschäftserledigung; ~ **of goods** Güterversand; ~ **of fast goods** Eilgutabfertigung; ~ **of mail** Postabfertigung; ~ **of luggage** *(Br.)* Gepäckabfertigung; ~ **of a matter** Erledigung einer Angelegenheit; ~ **by rail** Bahnversand;
~ **discharging only** Eilgeld nur im Löschhafen; ~ **half demurrage** Eilgeld in Höhe des halben Liegegeldes; ~ **loading only** Eilgeld nur im Ladehafen; ~ **half demurrage all time saved** Eilgeld in Höhe des halben Liegegeldes; ~ **half demurrage working time saved** Eilgeld in Höhe des halben Liegegeldes für die gesperrte Arbeitszeit;
~ *(v.)* abschicken, -senden, expedieren, befördern, aufliefern, fortschicken;
~ **a business** Geschäft erledigen; ~ **goods to their destination** Waren an ihren Bestimmungsort dirigieren; ~ **the mail** Post abfertigen;
~ **agency** Telegrafenbüro; ~ **bag** *(US)* Kuriertasche; ~ **carrier** Kurier; ~ **case** Aktenmappe; ~ **earnings** Entladegewinn [bei sofortiger Löschung]; ~ **goods** Eilfracht, -gut; ~ **instructions** Versand-, Beförderungsvorschriften; ~ **money** *(Br.)* Vergütung für schnelles Entladen, Eilgeld; ~ **note** *(Br.)* Versandanzeige, -schein, Begleitadresse, -zettel, Frachtzettel, Postbegleitschein; ~ **office** Abfertigungsstelle; ~ **order** Versand-, Speditionsauftrag; ~ **point** Aufgabebahnhof, Versandort; ~ **service** Expedition, Versandabteilung; ~ **station** Versandstation, -bahnhof.
dispatcher Expedient, Absender, *(production, US)* Produktionskontrolleur, *(of train, US)* Fahrdienstleiter;
train ~ Fahrdienstleiter;
good ~ **of business** flinker Arbeiter.
dispatching Abfertigung, Expedition, Versand;
~ **clerk** Expedient, Abfertiger; ~ **office** Abfertigungsstelle, Expedition, *(post-office)* Abgangspostamt.
dispersal Streuung, Verteilung;
~ **of assets** Anlagenstreuung; ~ **of industrial facilities** aufgelockerte Ansiedlung industrieller Fertigungsbetriebe; ~ **of stock ownership** Aktienstreuung.
dispersion *(advertising)* Streuung von Werbemitteln;
~ **of goods** Güterverteilung; ~ **of industry** industrielle Auflockerung; **wide** ~ **of ownership** breite Eigentumsstreuung;
~ **area** Streubereich.
displace *(v.)* verlagern;
~ **human labo(u)r by machinery** menschliche Arbeitskraft ersetzen.
displaced verschleppt, vertrieben, deportiert;
~ **shares** nicht notierte Aktien.
displacement *(factory)* Verlagerung, *(ship)* Tonnengehalt, Tonnage, Wasserverdrängung;
light ~ Leertonnage; **load** ~ Ladetonnage;
~ **of funds** anderweitige Kapitalverwendung; ~ **of population** Bevölkerungsverschiebung;
~ **ton** Verdrängungstonne; ~ **tonnage** Verdrängungstonnage.
display *(goods)* [Schaufenster]auslage, Werbeschau, Ausstellung;
counter ~ Ladentischauslage; **point-of-purchase** ~ Herkunftsortschau; **seasonal** ~ Saisonauslage; **window** ~ Schaufensterauslage, Dekorationsfenster;
~ **in the shopwindow** Schaufensterauslage;
~ *(v.) (goods)* zeigen, zur Ansicht vorlegen, auslegen, ausstellen;
~ **a notice** Anschlag machen; ~ **for sale** zum Verkauf ausstellen;
~ **advertising** Schlagzeilenwerbung; ~ **aids** Verkaufshilfen; ~ **box** Schaukarton, Ausstellungsschachtel; ~ **cabinet** Vitrine; ~ **card** Dekorationskarte; ~ **case** Vitrine, Schau-, Auslagekasten; ~ **contractor** Ausstellungsunternehmen; ~ **figure** Schaufensterpuppe; ~ **kiosks** Werbebauten; ~ **man** Schauwerbegestalter; **window-** ~ **material** Dekorationsmaterial; ~ **poster** Aushangsplakat; ~ **room** Ausstellungsraum; ~ **sign** Dekorationsetikett; ~ **stand** Auslagestand, Dekorationsgestell, Vitrine; ~ **window** Dekorations-, Auslagefenster; ~ **work** Dekorationsarbeiten, Auslagengestaltung.
displayer Packungsgestalter.
disposable verfügbar, disponibel, *(thrown away after use)* wegwerfbar;
~ **goods** disponible (sofort verfügbare) Ware; ~ **income** *(Br.) (social accounting)* frei verfügbares Einkommen, Lohntüte; ~ **[budget] surplus** *(budgetary accounting)* frei verfügbarer Überschuß.
disposal *(arrangement)* Anordnung, *(control)* Ver-

fügung[srecht], (sale) Absatz, Verkauf, Veräußerung;
at your ~ zu Ihrer Verfügung; **for** ~ zum Verkauf;
~ **of a piece of business** Erledigung einer geschäftlichen Angelegenheit; ~ **of property** Vermögensverfügung;
to have large capital at one's ~ große Kapitalbeträge zur Verfügung haben; **to put one's purse at s. one's** ~ jem. [finanziell] zur Verfügung stehen;
~ **instruction** Verkaufsanweisung; ~ **price** Verkaufspreis.

dispose *(v.)* anordnen, einrichten, *(make disposal)* Verfügung treffen, verfügen über, disponieren, Bestimmung treffen, *(sell)* verkaufen, abgeben, absetzen, veräußern, unterbringen, losschlagen, abschaffen;
~ **of one's business** sein Geschäft verkaufen; ~ **of a large capital** mit großem Kapital arbeiten; ~ **of goods** Waren absetzen; ~ **of the morning's mail** Frühpost bearbeiten.

disposer Verkäufer, Veräußerer.

disposition *(arrangement)* Einteilung, Verteilung, Anlage, Aufstellung, Anordnung, *(clause)* Bestimmung, Klausel, *(control)* freie Verfügung[smacht], Disposition, *(sale)* Verkauf;
testamentary ~ Verfügung von Todes wegen, letztwillige Verfügung;
~ **of net income (profit)** Verwendung des Reinerlöses (Reingewinns); ~ **of property** Vermögensdisposition, Eigentumsverfügung;
to place at s. one's ~ jem. zur Verfügung stellen.

dispossess *(v.)* Räumungsverfahren durchführen, *(expropriate)* Besitz entziehen, enteignen.

dispossession Besitzentziehung, *(ejection)* zwangsweise Entfernung, Räumung.

disproportion of supply and demand Mißverhältnis zwischen Angebot und Nachfrage.

disputed | **claims office** *(insurance)* Rechtsabteilung; ~ **title** bestrittenes Eigentumsrecht.

disqualification Unfähigkeit, Unvermögen, Disqualifikation, *(for office)* Unfähigkeit [zur Bekleidung eines Amtes];
~ **of licence** Führerscheinentzug.

dissaving Über-die-Verhältnisse-leben.

dissect *(v.)* *(accounts)* aufgliedern.

dissection of accounts Kontenaufgliederung.

dissentient, dissenting abweichend, nicht übereinstimmend;
~ **shareholder** Minderheitsaktionär; **with one** ~ **vote** mit einer Gegenstimme.

dissipation of one's fortune Verschleuderung seines Vermögens.

dissolution *(of firm)* Auflösung, Löschung, Liquidation;
~ **of a partnership** Firmenauflösung;
~ **sale** Liquidationsverkauf.

dissolve *(v.)* auflösen, liquidieren, *(antitrust law, US)* entflechten;
~ **a business partnership** Gesellschaft liquidieren.

distance | **covered** zurückgelegte Strecke, Fahrstrecke;
to live within easy ~ **of one's work** in unmittelbarer Nähe seines Arbeitsplatzes wohnen;
long-~ **call** *(tel.)* Ferngespräch; ~ **freight** Distanzfracht; ~ **rate** Kilometersatz; **long-**~ **traffic** Fernverkehr; **long-**~ **train** Fernzug, D-Zug; **short** ~ **transport** Nahbeförderung, Nahtransport, -verkehr.

distinctive name Markenname.

distortion Wortverdrehung, *(tel.)* Verzerrung;
competitive ~**s** Wettbewerbsverzerrungen.

distrain *(v.)* pfänden, exekutieren, mit Beschlag belegen, beschlagnahmen;
~ **upon a debtor** gegen einen Schuldner zwangsvollstrecken.

distrained goods gepfändete Waren.

distrainee Vollstreckungs-, Pfändungsschuldner.

distrainer Pfändungsgläubiger.

distraint of property Vermögensbeschlagnahme.

distress Beschlagnahme, Pfändung, Zwangsvollstreckung, *(taxation)* Steuerpfändung, *(want)* Notlage, Notstand;
~ **on s. o.** gegen j. zwangsvollstrecken;
to go out to a ship in ~ einem in Seenot geratenen Schiff zu Hilfe eilen; **to levy (put in) a** ~ **on s. th.** etw. mit Beschlag belegen, Pfändung vornehmen, Zwangsvollstreckung betreiben; **to put in in** ~ *(ship)* in Not einlaufen;
~ **call** Hilferuf, *(ship)* Notsignal, SOS; ~ **flag** Notflagge; ~ **merchandise** notleidende Waren; ~ **sale (selling)** Not-, Pfandverkauf, Zwangsversteigerung; ~ **warrant** Vollstreckungsbefehl, Pfändungsbeschluß; ~ **work** Notstandsarbeiten.

distressed gepfändet *(seized)* notleidend;
~ **area** *(Br.)* Gebiet mit hoher Arbeitslosigkeit, Elends-, Notstandsgebiet; ~ **condition** Notlage.

distributable profit zur Ausschüttung kommender Gewinn.

distribute *(v.)* auf-, verteilen, zur Verteilung bringen, *(advertising)* streuen, verbreiten, *(allocate)* zuteilen, *(mail)* zustellen, austragen, *(sell)* vertreiben, absetzen;
~ **the assets** *(partners)* sich auseinandersetzen; ~ **an additional (supplementary) dividend** zusätzliche Dividende ausschütten; ~ **equally** gleichmäßig aufteilen, *(stock)* repartieren; ~ **a film** Film verleihen; ~ **parcels all over the town** Pakete in der ganzen Stadt austragen; ~ **in a fixed ratio** aufschlüsseln.

distributed profits ausgeschüttete Gewinne.

distributing | **agency** Vertriebsgesellschaft; ~ **agent** Großhandelsvertreter; ~ **syndicate** *(US)* Konsortialführerin; ~ **trade** Verteilergewerbe, Absatzwirtschaft.

distribution *(advertising)* Streuung, *(apportionment)* Auf-, Ein-, Zu-, Verteilung, *(arrange-*

ment) Einteilung, systematische Anordnung, *(coverage)* Verbreitung, *(donation)* Gabe, Zuteilung, Spende, (marketing) Absatz und Vertrieb, *(political economy)* Güterverteilung, Verteilung des Volkseinkommens, *(post office)* Postverteilung;
charitable ~ milde Gabe, Spende; **income** ~ Einkommensverteilung;
~ **of assets of a bankrupt's estate** Schluß-, Masseverteilung; ~ **of credit** Kreditlenkung; ~ **of debts** Schuldenaufteilung; ~ **of dividends** Dividendenausschüttung, -verteilung; ~ **of a film** Filmverleih; ~ **of the net gain** Verteilung des Reingewinns; ~ **of income** Einkommensverteilung, *(investment trust)* Ertragsausschüttung; ~ **of losses** Verlustaufteilung; ~ **of a newspaper** Zeitungsvertrieb; ~ **of partnership profit and loss** Aufteilung des Gesellschaftergewinns; ~ **of prices** Preis-, Prämienverteilung; ~ **of production** Produktionsgliederung; ~ **of profits** Gewinnverteilung, -ausschüttung, Reingewinnverwendung; ~ **of risk** Risikoverteilung; ~ **of trading profits** Ausschüttung von Börsengewinnen; ~ **of wealth** Güterverteilung;
~ **agency** Verteilungsstelle; ~ **agreement** Vertriebsvereinbarung; ~ **area** Absatzgebiet; ~ **cartel** Absatz-, Vertriebskartell; ~ **centre** Absatzzentrum; ~ **channel** Absatz-, Handelsweg; ~ **costs** Verkaufs-, Vertriebs-, Absatzkosten; ~ **department** Vertriebsabteilung; ~ **expense** Absatzkosten, Vertriebsunkosten; ~ **form** Ausschüttungsformular; ~ **indices** Vertriebs-, Absatzkennzahlen; ~ **list** Verteilerliste; ~ **outlets** Vertriebsgebiet; ~ **statistics** Verkaufsstatistik; ~ **system** Vertriebs-, Absatz-, Verteiler-, Verteilungssystem.

distributive | **cost accounting** Zuschlagskalkulation; ~ **enterprise** Vertriebsgesellschaft; ~ **salesmen** Vertriebsfachleute; ~ **trades** Verteilergewerbe, Absatzwirtschaft.

distributor Verteiler, Wiederverkäufer, Vertriebsorganisation, *(agent)* Bezirksvertreter, *(film)* Filmverleih[er];
~ **audit** Warenbestandsprüfung; ~ **discount** Händler-, Wiederverkäuferrabatt; ~ **trade** Verteilergewerbe.

district [Verwaltungs]bezirk, Kreis[amt], Distrikt, *(city)* Stadtviertel, *(fig.)* Arbeitsgebiet, *(tract of land)* Landstrich;
by ~**s** bezirksweise;
central shopping (business) ~ Hauptgeschäftsgegend; **local** ~ Gemeinderat; **magisterial** ~ Verwaltungsbezirk; **postal** ~ Zustellbezirk; **high-rent (low-rent) residential** ~ teure (billige) Wohngegend;
~ **free from labo(u)r troubles** völlig ruhige Arbeitergegend; ~ **devoted to industry** rein industrielle Gegend;
to scour the whole ~ ganze Gegend nach etw. abklappern; **to work a** ~ Bezirk bearbeiten (bereisen); ~ **agent** Bezirksvertreter; ~ **agreement** Ortstarif; ~ **auditor** Bezirksrevisor; °~ **Federal Reserve Bank** *(US)* [etwa] Landeszentralbank; ~ **manager** Bezirksleiter; ~ **office** Bezirksagentur einer Bank, *(post)* Bezirkspostamt; ~ **salesman** Bezirksvertreter.

disturbed market *(stock exchange)* lebhafte, bewegte Börse.

dive Kellerlokal, Spelunke, Kaschemme;
~ **bar** Kellerbar.

diversification Verschiedenartigkeit, Diversifizierung, Diversifikation, *(dispersion of investments)* Anlagenstreuung, verteilte Anlagen, *(variation of products)* Auffächerung des Produktionsprogramms;
~ **to financial areas** Ausdehnung der Tätigkeit auf bankfremde Finanzgebiete; ~ **in manufacturing** weitgestreutes Produktionsprogramm; ~ **of product lines** Auffächerung des Warensortiments; ~ **of risk** Risikoverteilung;
to force some outfits into ~ einzelne Betriebe zur Anlagenstreuung zwingen; **to grow rapidly through** ~ rasch ein breitgestreutes Investitionsprogramm anstreben; **to owe one's performance to** ~ seinen Erfolg einem breitgefächerten Produktionsprogramm verdanken;
~ **area** verändertes (aufgefächertes) Produktionsgebiet; **to spur broad** ~ **moves in certain industries** in bestimmten Wirtschaftsgebieten zu einer beschleunigten Ausweitung der Produktionsprogramme beitragen; ~ **program(me)** weitgestreutes Produktionsprogramm; ~ **strategy** Politik der von langer Hand vorbereiteten Anlagenstreuung.

diversified abwechslungsreich, mannigfaltig, *(capital)* verteilt angelegt, verschieden gelagert, risikomäßig gestreut, *(production program(me))* aufgefächert;
~ **concern** Unternehmen mit breitgestreutem Produktionsprogramm.

diversify *(v.)* abwechslungsreich gestalten, variieren, *(capital)* Risikostreuung betreiben, verteilt (risikomäßig gestreut) anlegen, *(corporation)* Produktionsprogramm auffächern, Anlagenstreuung vornehmen;
~ **into air travel** sich dem Lufttransportgeschäft zuwenden; ~ **into outside banking** seine Tätigkeit auf bankfremde Geschäfte ausdehnen; ~ **away from a business** Geschäftssparte aufgeben; ~ **one's capital** sein Vermögen in verschiedenen Sparten (risikomäßig gestreut) anlegen; ~ **into the nonbanking fields** alle Arten des Finanzierungsgeschäfts betreiben; ~ **into foods** in die Nahrungsmittelindustrie eindringen; ~ **into commercial markets** sich dem kommerziellen Sektor intensiver zuwenden; ~ **one's product lines** sein Warensortiment auffächern.

diversion Zerstreuung, Unterhaltung, Ablenkung, Zeitvertreib, *(Br.)* Umleitung;
favo(u)rite ~**s** bevorzugte Freizeitbeschäftigung; **traffic** ~ *(Br.)* Verkehrsumleitung;

~ **of commission** Aufteilung der Provisionsgebühren; ~ **of manpower** Arbeitskräfteverteilung.

divert *(v.)* ablenken, *(Br.)* umleiten;
~ **to one's personal use** für sich persönlich (für eigene Zwecke) verwenden (abzweigen).

divide *(v.)* | **9 per cent** 9% Dividende ausschütten;
~ **a bankrupt's estate** Konkursmasse ausschütten.

dividend Dividende, Gewinnanteil, *(bankruptcy)* [Konkurs]quote, Rate;
cum ~ *(Br.)* mit (einschließlich) Dividende, samt Kupon; **ex** ~ ohne (exklusive) Dividende; ~ **off** *(US)* ohne Dividende; ~ **on** *(US)* einschließlich Dividende;
accumulated (accumulation) ~**s** aufgelaufene Dividenden; **cash** ~ Bardividende; **collected** ~**s** abgehobene Dividenden; **cumulative** ~ Zusatzdividende; **declared** ~ erklärte (ausgeschüttete) Dividende; **final** ~ Schlußdividende, *(bankruptcy)* Schlußquote; **life insurance** ~ Prämie; **liquidation** ~ Schlußdividende, Liquidationsquote, -anteil; **mortuary** ~ *(life insurance)* Todesfallprämie; **optional** ~ Gratisaktie mit Wahlrecht der Barabfindung; **ordinary** ~ Stammdividende; **passed** ~ ausgefallene Dividende; **preferred** ~ Vorzugsdividende; **property** ~ Dividende in Form von Gratisaktien anderer Aktiengesellschaften; **scrip** ~ *(US)* Berechtigungsschein für spätere Dividendenleistung; **special settlement** ~ *(life insurance)* Prämienbeteiligung; **stock** ~ *(US)* Gratisaktie, Dividende in Form von Aktien;
~ **on account** Zwischen-, Interims-, Abschlagsdividende; ~**s in arrear** Dividendenrückstände; ~ **of a bankrupt's estate** Konkursquote; ~ **at interim** Abschlagsdividende; ~ **payable in kind** Dividende in Form von Gratisaktien anderer Gesellschaften;
to cut its ~ Dividende herabsetzen; **to declare a stock** ~ Gratisaktien ausgeben; **to distribute a higher** ~ höhere Dividendenausschüttung vornehmen; **to omit a** ~ Dividende ausfallen lassen; **to rank for the** ~ dividendenberechtigt sein;
~ **account** Dividendenkonto; ~ **accumulation** Dividendenansammlung; ~ **announcement** Dividendenerklärung; ~ **balance** Restdividende; ~ **check** *(US)* **(cheque,** *Br.)* Dividendenscheck; ~ **coupon** Gewinnanteil-, Dividendenschein, Kupon; ~ **cutting** Dividendenkürzung; ~ **declaration** Dividendenerklärung; ~ **equalisation reserve** Dividendenausgleichsreserve; ~ **income** Dividendeneinkommen, -einnahme; ~ **payers** *(US)* Dividendenpapiere; ~ **recommendation** Dividendenvorschlag; ~ **reinvestment** wiederangelegte Dividendenausschüttungen; ~ **repatriation** Dividendentransfer; ~ **reserve fund** Dividendenrücklage; **to rank with** ~ **rights** dividendenberechtigt sein; ~ **statement** Dividendenerklärung; ~ **tax** Kapitalertragssteuer; **pending** ~ **timetable** Dividendenerwartungstabelle; ~ **top** *(Br.)* oberer Abschnitt eines Dividendenscheines; ~ **warrant** Dividenden-, Gewinnanteilschein.

division *(administration, US)* ministerielle Abteilung, *(industry)* Fachgruppe, *(parl., Br.)* namentliche Abstimmung, Hammelsprung, *(railroad, US)* Eisenbahnstrecke;
industrial ~ Industriezweig; **payroll** ~ Lohnabteilung; **production** ~ Produktionsabteilung;
~ **of a bankrupt's estate** Ausschüttung der Konkursmasse; ~ **of a conglomerate** Konzernbetrieb; ~ **of employment** Arbeitsteilung; ~ **of labo(u)r** Arbeitsteilung; ~ **of markets** Abgrenzung der Verkaufsgebiete, Aufteilung von Absatzmärkten, Markt-, Absatzaufteilung; ~ **of profits** Gewinnausschüttung, -verteilung; ~ **of rates** *(carrier)* Gebührenteilung; ~ **into shares** Stückelung;
~ **manager** Abteilungsleiter.

divisional coin Scheidemünze;

divulge *(v.)* **information** Information weitergeben.

do *(v.)* tun, machen, *(buy up, Br.)* Wechsel aufkaufen;
~ **badly** schlechte Geschäfte machen; ~ **bills** *(Br.)* Wechsel aufkaufen; ~ **a commission** Auftrag ausführen; ~ **a deal** zweifelhaftes Geschäft machen; ~ **odd jobs** allerlei Arbeiten (Gelegenheitsarbeiten) verrichten; ~ **up** *(repair)* instandsetzen, *(wrap up)* [Waren] einpacken; ~ **well** vorwärtskommen, Erfolg haben, *(make money)* viel Geld verdienen.

dock Dock, Kai, Schiffswerft, *(artificial basin)* Hafenbecken, *(landing pier)* Landungs-, Anlageplatz, Pier, *(railroad, US)* Laderampe, *(siding, Br.)* Abstellgleis, *(wage cut)* Lohnkürzung, *(warehouse)* Lager-, Packhof;
in ~ *(car)* in Reparatur;
dry (graving) ~ Trockendock; **floating** ~ Schwimmdock; **loading** ~ Landungs-, Verladeplatz;
~ *(v.)* *(go into dock)* ins Dock gehen, docken, *(make less)* entziehen, einbehalten, kürzen;
~ **a train** Zug aufs Abstellgleis bringen; ~ **a workman's wages** Arbeitslohn kürzen;
to put a ship in ~ Schiff ins Dock bringen; ~ **authorities** Hafenbehörde; ~ **charges (dues)** Dockgebühren, Hafengeld; ~ **crew** Entlademannschaft; ~ **facilities** Dockanlagen; ~ **labo(u)rer** Hafenarbeiter, Ablader; ~ **owner** Lagerhausbesitzer; ~ **receipt** *(Br.)* Lagerschein, *(US)* Interimsschein über die erfolgte Anlieferung von Gütern zur Verschiffung, Kaiannahme-, Ablieferungsschein; ~ **rent** Docklagermiete; ~ **siding** Kaianschluß; ~ **strike** Dockarbeiterstreik; ~ **warrant** Docklagerschein; ~ **worker** Hafenarbeiter.

dockage Dockgebühren, *(wages, US)* Lohnabzug.

docker *(Br.)* Schauermann, Hafen-, Dockarbeiter, Ablader.

docket *(agenda, US)* Tagesordnung, *(customhouse warrant, Br.)* Zollquittung, Passierzettel, *(delivery order, Br.)* Lieferschein, -bewilligung, Bestellschein, *(index)* Inhaltsverzeichnis, *(label)* Waren[adreß]zettel, Etikett, *(list)* Liste, Verzeichnis, *(purchasing permit, Br.)* Einkaufsgenehmigung, Kaufbewilligung;
on the ~ *(fam.)* in Bearbeitung;
wages ~ Lohnliste;
~ *(v.) (attach label)* mit Etikett versehen, etikettieren, beschriften, *(certify)* beglaubigen, *(endorse)* in ein Verzeichnis eintragen.
docking | **of pay** *(US)* Lohnabzug;
~ **area** Dockgebiet; ~ **facilities** Dockanlagen.
dockland Hafenviertel.
dockmaster Hafenmeister, -kommissar.
dockyard Werft.
document Beweis-, Beleg-, Schriftstück, Urkunde, Dokument, Akte[nstück];
~**s** Verlade-, Schiffsunterlagen, Verschiffungspapiere;
accompanying ~ Begleitpapier; **commercial** ~**s** Geschäftspapiere; **confirmed** ~ *(US)* beglaubigte Abschrift; **customs** ~**s** Zolldokumente; **shipping** ~**s** Verschiffungs-, Frachtpapiere, Verladedokumente;
~**s against acceptance** Dokumente gegen Akzept; ~**s against payment** Kasse gegen Dokumente; ~**s of shipment** Verladepapiere;
~ *(v.) (furnish with necessary papers)* mit den notwendigen Papieren versehen, *(prove by documents)* urkundlich (dokumentarisch) belegen, *(shipping)* mit den Verladepapieren versehen;
to furnish ~**s** Unterlagen beibringen; **to place** ~**s on deposit with a bank** Urkunden bei einer Bank aufbewahren lassen;
~ **bill** Dokumententratte; ~ **bills** Versandpapiere; ~ **credit** Dokumentenkredit; ~**s tax** Urkundensteuer.
documentary *(book)* Dokumentarbericht, *(film)* Dokumentar-, Kulturfilm, *(radio, television)* Dokumentarsendung;
~ *(a.)* urkundlich, durch Urkunden belegt;
~ **bill (draft)** Dokumententratte, Tratte mit Dokumenten; ~ **credit** Dokumentenkredit; ~ **letter of credit** Dokumentenakkreditiv; ~ **stamp** Stempel-, Steuermarke.
documentation of imports Einfuhrbeglaubigung.
dodge *(v.)* **a tax** Steuer umgehen.
doing business Ausübung eines Geschäftsbetriebes.
dole *(alms)* Almosen, Spende, *(Br.)* Erwerbs-, Arbeitslosenunterstützung;
to be on (draw) the ~ *(Br.)* Arbeitslosenunterstützung beziehen, stempeln gehen;
~ **drawer** *(Br.)* Stempelbruder.
dollar Dollar;
~ **acceptance** Dollarakzept; ~ **area** Dollarraum; ~**-a-year-man** *(US)* Eindollarmann; ~ **country** zum Dollarblock gehöriges Land; ~ **exchange** auf Dollar lautendes Akzept; ~ **flight** Dollarflucht; ~ **holdings** Dollarbestände; ~ **store** *(US)* Einheitspreisgeschäft; ~ **stringency** Dollarknappheit.
domain Bezirk, Feld, Aufgabengebiet, *(sovereignty)* Kron-, Staatsgut;
economic ~ Wirtschaftsraum; **public** ~ *(US)* staatlicher Grundbesitz, Staatseigentum.
domestic Hausangestellte[r];
~**s** Landesprodukte, inländische Erzeugnisse;
~ *(a.) (home)* häuslich, heimisch, *(inland)* inländisch, innerstaatlich, einheimisch;
~ **agency** Stellenvermittlung; ~ **article** Haushaltsartikel; ~ **bill** Inlandswechsel; ~ **consumption** Inlandsverbrauch; ~ **corporation** *(US)* inländische Kapitalgesellschaft; ~ **currency** Landeswährung; ~ **goods** einheimische Wirtschaftsgüter; ~ **industry** Heim-, Hausindustrie, inländische Industrie; ~ **loan** Industrieanleihe; ~ **mail** *(US)* Inlandspost; ~ **market** Binnen-, Inlandsmarkt; ~ **ordering** Inlandsaufträge; ~ **price** Inlandspreis; ~ **staff** Personal; ~ **workshop** Heimarbeitsbetrieb.
domicile *(bill of exchange)* Zahlungsadresse, -ort, Zahlstelle, Domizil[ort], *(dwelling)* Wohnung, *(residence)* [Wohn]sitz, Aufenthalts-, Wohnort;
commercial ~ Wohnsitz der gewerblichen Niederlassung;
~ **of corporation** Wohnsitz der gewerblichen Niederlassung; ~ **of origin** *(contract)* Erfüllungsort;
~ *(v.) (bill of exchange)* domizilieren, zahlbar stellen;
to abandon one's ~ seinen Wohnsitz aufgeben.
domiciled bill Domizilwechsel.
domiciliary permit Aufenthaltserlaubnis.
domiciliated bill Domizilwechsel.
domiciliation Zahlbarstellung, Domizilangabe;
~ **provision** Domizilgebühr.
donate *(v.)* Schenkung machen, schenken, stiften.
donated | **stock** unentgeltlich zur Verfügung gestellte Aktien, *(US)* zurückgegebene Gründeraktien; ~ **surplus** Portefeuille eigener Aktien.
donation Schenkung, [Geld]spende, Stiftung.
donor Geber, Schenker, Stifter, Spender, *(party conferring power)* Treugeber, Vollmachtgeber.
door Tür, *(mar.)* Luke;
packed to the ~**s** voll besetzt;
to close the ~**s** *(banking)* Schalter schließen, Zahlungen einstellen; **to open a** ~ **to agreements of international affairs** Politik der offenen Tür betreiben; **to pay for articles at the** ~ Waren bei [der] Lieferung bezahlen;
~ **money** Eintritts-, Einlaßgeld, Eintrittsgebühr.
door-to-door | **market** Hausverkauf; ~ **salesman (seller)** Hausierer, Vertreter, Direktverkäufer; ~ **selling** Direkt-, Hausverkauf, Verkauf durch

Vertreter, Hausierertum; ~ **service** bahnamtlicher Rollfuhrdienst.

doorkeeper, doorman *(US)* Pförtner, Hausmeister, Portier.

doorstep | salesman Hausierer; ~ **trading** Hausierhandel.

dope *(advertising)* Waschzettel;
inside ~ *(sl.)* vertrauliche [Presse]information.

dormant *(idle)* ungebraucht, unbenutzt, brachliegend, tot, *(inactive)* still;
~ **account** umsatzloses Konto; ~ **capital** totes Kapital; ~ **claim** nicht durchgesetzte Forderung; ~ **judgment** verjährtes Urteil; ~ **partner** stiller Teilhaber; ~ **stock** Ladenhüter; ~ **warrant** Blankovollmacht.

dormitory *(US)* **suburb** Wohnvorort, Schlafstadt.

dos-a-dos accreditif *(US)* Gegenakkreditiv.

doss house *(sl.)* Obdachlosenasyl.

dossier Akten[heft], Unterlagen, *(information)* Dossier.

dot *(v.)* **articles of account** Rechnungsposten abstreichen;
to pay on the ~ auf den Tisch des Hauses zahlen.

dotation *(dowry)* Aussteuer, *(endowment)* Dotierung.

double Doppel, *(copy)* Kopie, Abschrift, *(duplicate)* Duplikat, *(film)* Double;
~ *(v.)* verdoppeln;
~ **one's income** sein Einkommen verdoppeln;
~ **accident benefit** doppelte Leistung bei Unfalltod; ~ **assessment** Doppelveranlagung; ~**-bill** *(v.)* doppelte Spesen in Rechnung stellen; ~**-billing technique** System der doppelten Rechnungsausstellung; ~ **bottom** doppelter Boden, *(coll.)* Preissturz, *(US, stock exchange)* äußerster Tiefstand; ~ **budget** außerordentlicher Haushalt; ~ **card** *(US)* Postkarte mit Rükkantwort; ~ **indemnity clause** Unfallzusatzversicherung; ~**-entry bookkeeping** doppelte Buchführung; ~ **journey** Hin- und Rückfahrt; ~ **letter** Brief mit doppeltem Porto; ~ **liability** Nachschußpflicht [in gleicher Höhe], *(US, bank stock)* doppelte Haftung von Bankaktien; ~**-name paper** *(US)* Wechsel mit zwei Unterschriften; ~ **option** Stellagegeschäft, Doppelprämie; ~**-page spread** doppelseitige (zweiseitige) Anzeige; ~**-tax rule** versteuerte Einnahmen auf schon versteuerte Umsätze; ~**-taxation agreement** Doppelbesteuerungsabkommen.

doubtful zweifelhaft, bedenklich, dubios, unsicher;
~ **claim** zweifelhafte Forderung; ~ **debts, notes and accounts** *(US)* dubiose Forderungen; ~ **debts provision** Rückstellung für Dubiosen.

down Abwärtsbewegung;
~ *(a.)* nach unten, abwärts, *(Br.)* nicht in London, *(into the city, US)* nach dem Geschäftsviertel zu, *(goods)* wenig gefragt, *(journalism)* im Druck, zum Druck gegeben; *(low)* in bescheidenen Verhältnissen, in geringer Stellung, *(prices)* heruntergegangen, gefallen, niedrig, billiger;
cash ~ gegen bar; **nothing** ~ keine Anzahlung; ~ *(v.)* **tools** *(Br.)* Arbeit niederlegen, streiken; **to be** ~ [im Preise] heruntergegangen sein; **to be** ~ **5 degrees** um fünf Punkte gefallen sein; **to bring** ~ **the prices** Preissenkung bewirken; **to go** ~ *(prices)* weichen, heruntergehen, wohlfeiler werden, *(ship)* untergehen, sinken; **to mark [the prices of] goods** ~ Waren billiger notieren; **to pay** ~ sofort bezahlen;
~ **cycle** rückläufiger Konjunkturzyklus; ~ **payment** *(Br.)* Bar-, Sofortzahlung, *(US instalment)* Anzahlung[sbetrag]; ~ **period** *(factory)* Stilliegen; ~ **platform** *(London)* Bahnsteig für abgehende Züge, *(US)* Bahnsteig für ins Stadtzentrum fahrende Züge; ~ **time** *(factory, US)* betrieblich bedingte Verlustzeit; ~**-tools strike** Arbeitsniederlegung; ~ **train** *(Br.)* Provinzzug, *(US)* stadteinwärts fahrender Zug.

downgrade *(fig.)* Niedergang, *(road)* Gefälle;
~ *(v.)* in eine niedrigere Tarifgruppe einstufen;
to be on the ~ *(business)* schlecht gehen, heruntergekommen sein, *(price)* fallen, sinken.

downgrading of property niedrigere Vermögenseinstufung.

downpay *(US)* Anzahlung.

downpoint Herabsetzung der Punktzahl.

downshift in rates Tarifsenkung.

downside potential Abschwächungstendenzen.

downslope, to be on a sich in einer Abwärtsbewegung befinden.

downstairs merger Fusion der Mutter- mit der Tochtergesellschaft.

downswing, cyclical Konjunkturabschwung.

downtown *(US)* Alt-, Innenstadt, Stadtmitte, Geschäftszentrum, -viertel;
~ **district** Geschäftsgegend; ~ **office** Stadtbüro; ~ **property** zentral gelegenes Grundstück.

downtrend Abwärtsbewegung, Konjunkturrückgang;
~ **in new orders** Auftragsrückgang.

downturn *(business activity)* Abwärtsbewegung, Geschäftsrückgang, Flaute, Konjunkturabschwächung;
business (economic) ~ rückläufige Konjunkturbewegung;
~ **in manufacturing** Produktionsrückgang; ~ **in the market** rückläufige Marktbewegung.

downward abwärts, *(fig.)* bergab;
to be ~ rückläufig sein; **to look** ~ im Preis sinken;
~ **movement** Abwärtsbewegung, rückwärtige Bewegung; **to exert cumulative** ~ **pressure on economic activity** sich in kumulierender Weise negativ auf die Konjunkturentwicklung auswirken; ~ **swing** Konjunkturabschwung; ~ **tendency** Baisse, fallende (rückgängige) Tendenz; ~ **[business] trend** Konjunkturabschwä-

chung; ~ **trend in subscription** Abonnentenschwund.

dowry Aussteuer, Ausstattung, Mitgift;
~ **hunter** Mitgiftjäger; ~ **insurance** Aussteuerversicherung.

drab Bagatellbetrag;
~ **earnings** geringfügige Erträgnisse; **to be on the** ~ **side** schlecht verdienen.

draft *(allowance)* Gutgewicht, *(on bank)* [Zahlungs]anweisung, *(bill of exchange)* Tratte, [trassierter] Wechsel, Waren-, Handelswechsel, *(draught)* Tiefgang, *(drawing of bill)* Ziehung, *(drawing of money)* Geldabhebung, *(rough copy)* Ausfertigung, Anlage, Entwurf, Konzept; **alternative** ~ Gegenentwurf; **arrival** ~ Tratte mit beigefügten Verschiffungsdokumenten; **bank[er's]** ~ Bankscheck, -tratte, -wechsel; **demand** ~ Sichtwechsel; **documentary** ~ Dokumententratte; **first** ~ Konzept, erster Entwurf; ~**s receivable** *(balance sheet)* Debitoren aus Wechselforderungen; **reimbursement** ~ Rembourwechsel; **three months'** ~ Dreimonatstratte; **time** ~ Zeit-, Nachsichtswechsel;
rough ~ **of a contract** Vertragsentwurf; ~ **after date** nach dato zahlbar gestellter Wechsel; ~**s and cheques in hand** *(Br., balance sheet)* Wechsel- und Scheckbestand; ~ **of a resolution** Entschließungsentwurf; ~ **[payable] at sight** Sichttratte, -wechsel;
~ *(v.)* [Schriftstück] aufsetzen, entwerfen, verfassen;
~ **in a new management** neue Geschäftsleitung einsetzen; ~ **s. o. as vice-presidential candidate** j. zur Wahl als Vizepräsident vorschlagen;
to advise a ~ Tratte ankündigen (avisieren); **to have a quick** ~ reißend abgehen; **to have a** ~ **protested for nonpayment** Tratte mangels Zahlung protestieren; **to hono(u)r a** ~ Wechsel einlösen; **to make a** ~ **on one's account** von seinem Konto abheben, Kontoabhebung vornehmen; **to negotiate a** ~ Tratte begeben; **to present a** ~ **for acceptance** Wechsel zur Annahme vorlegen;
~ **agenda** Tagesordnungsentwurf; ~ **agreement** Vertrags-, Abkommensentwurf; ~ **allowance** Gutgewicht; ~ **book** *(Br.)* Wechsel[kopier]buch; ~ **collection** Wechselinkasso; ~ **committee** Redaktionsausschuß; ~ **credit** Rembourskredit; ~ **economy** gelenkte Wirtschaft, Planwirtschaft; ~ **paper** mittelfeines Konzeptpapier; ~ **register** Wechselverzeichnis; ~ **statute** Gesetzentwurf.

drafter Verfasser, Aussteller.

drafting Textabfassung;
~ **of a bill** Wechselausfertigung;
~ **office** Konstruktionsbüro; ~ **paper** Zeichenpapier; ~ **rooms** *(US)* Konstruktionsbüro.

draftsman, draughtsman *(Br.)* Ab-, Verfasser, Aussteller, *(building line)* Konstruktions-, Bauzeichner.

drag Hemmschuh, Hindernis, Belastung, *(influence, US)* Einfluß, Protektion, *(tel.)* Telegrammverzögerung;
~ **on recovery** konjunkturelle Bremse;
~ *(v.)* schlecht (flau) gehen;
~ **clause** *(tariff law)* Sammelklausel; ~ **rope** Abschleppseil.

dragging *(business)* schleppend, flau.

drain *(money)* Abzüge, [Geld]abfluß;
down the ~ *(fig.)* zum Fenster hinaus;
foreign ~ Kapitalabwanderung;
~ **of bullion** *(Br.,* **gold)** Goldabfluß; **strong** ~ **on the dollar holdings** starker Sog auf die Dollarbestände; ~ **on liquidity** Liquiditätsanspannung; ~ **of money** Geldabzug, -abfluß; **great** ~ **on the purse** schwere finanzielle Belastung; ~ **of specie** Bargeldabzug;
~ *(v.) (fig.)* aufbrauchen, erschöpfen;
~ **a country** Land völlig ausplündern; ~ **away the specie of a country** Bargeld eines Landes aus dem Verkehr ziehen;
to be a ~ **on s. one's purse** jds. Geldbeutel in Anspruch nehmen; **to go down the** ~ pleite gehen; **to throw money down the** ~ Geld zum Fenster hinauswerfen.

draw *(attraction)* Zug-, Anziehungskraft, Schlager, Zugartikel, *(drawn money)* abgehobener Betrag, *(lottery)* Ver-, Auslosung, Ziehung;
big ~ große Attraktion; **box-office** ~ Kassenschlager; **Christmas** ~ Weihnachtslotterie;
~ **on reserves** Anspannung der Reserven;
~ *(v.) (attract)* anziehen, anlocken, *(interest, profit)* ziehen, *(make out)* ausstellen, trassieren, *(money)* abheben, *(salary)* beziehen, erhalten, *(ship)* Tiefgang haben;
~ **per appoint** per Saldo kassieren (Appoint ziehen); ~ **away customers** Kunden abspenstig machen; ~ **back** Rückvergütung erhalten, *(bill)* zurücktrassieren, *(duty)* als Rückzoll bekommen; ~ **by lot** *(bonds)* ver-, auslosen; ~ **in a bill** Wechsel einlösen; ~ **in one's expenditure** sich in seinen Ausgaben einschränken; ~ **in a loan** Kredit kündigen; ~ **on s. o. for money** j. um Geld angehen; ~ **on one's capital** sein Kapital angreifen; ~ **out money from the bank** Geld von der Bank abheben.

draw up [schriftlich] abfassen, aufsetzen, konzipieren;
~ **a balance sheet** Bilanz aufstellen; ~ **an estimate** Kostenvoranschlag machen; ~ **a policy** Versicherungspolice ausfertigen; ~ **a statement of account** Kontoauszug anfertigen.

draw upon | **one's reserves** auf seine Reserven zurückgreifen; ~ **one's savings** seine Ersparnisse angreifen; ~ **s. o.** sich bei jem. erholen.

draw | **an account (a balance)** Rechnung (Bilanz) aufstellen; ~ **a bill of exchange** Wechsel ziehen (trassieren); ~ **a blank** Niete ziehen; ~ **a bye** Freilos ziehen; ~ **a check** *(US)* **(cheque,** *Br.)* **upon an account** Scheck auf ein Konto ziehen;

~ **a commission on a transaction** Provision aus einem Geschäft beziehen; ~ **the curtain on outlays** Ausgabeposten verschwinden lassen; ~ **customers into the store** Kunden anziehen; ~ **at long (short) date** Wechsel auf lange (kurze) Zeit ziehen; ~ **the dole** *(Br.)* Arbeitslosenunterstützung beziehen; ~ **heavily on the credit market** Kreditmärkte stark in Anspruch nehmen; ~ **a regular income** regelmäßige Einkünfte beziehen; ~ **interest** Zinsen abwerfen; ~ **on s. o. for money** j. um Geld angehen; ~ **at par** Wechsel al pari trassieren; ~ **a good price** guten Preis erzielen; ~ **a prize in a lottery** in der Lotterie gewinnen; ~ **on the reserves** Reserven angreifen; ~ **on s. o. on sight** Sichtwechsel auf j. ziehen; ~ **one's supplies from abroad** sich außerhalb (im Ausland) eindecken;
to be a big ~ starke Anziehungskraft ausüben.

drawback Nachteil, Hindernis, *(money remitted)* Rückvergütung, -erstattung, *(refund of duty)* Export-, Zollrückvergütung, Rückzoll, Prämie, *(refund of taxes)* Steuerrückvergütung;
~ **application** Rückerstattungsantrag; ~ **slip** Verrechnungsbeleg; ~ **system** *(department store)* [bargeldloses] Verrechnungssystem, bargeldloser Verkehr.

drawee *(bill)* [Wechsel]bezogener, bezogene Firma, Trassat, Übernehmer, Akzeptant;
~ **bank** bezogene Bank.

drawer Aussteller, Trassant, Ordergeber;
fellow ~ Mitaussteller;
~**'s domicile** Ausstellungsort.

drawing *(bill of exchange)* Ziehen, Ausstellen, Trassieren, *(of bonds)* Auslosen, *(cashing)* Ab-, Erhebung, *(lottery)* Ver-, Auslosung, Ziehung, *(sketch)* [Bau]entwurf;
personal ~**s** Privatentnahmen;
~ **and redrawing** Wechselreiterei;
~**s on account current** Kontokorrentabhebungen; ~ **of lots** Auslosung; ~ **of salary** Bezug von Gehalt;
~ **account** Girokonto, offenes (laufendes) Konto, *(agent)* Spesen-, Vorschußkonto, *(personal account)* Konto für Privatentnahmen; ~ **certificate** Auslosungsschein; ~ **commission** Trassierungsprovision; ~ **credit** Trassierungskredit; ~ **rate** *(bills)* Verkaufssatz, -kurs, Briefkurs; ~ **right** Auslosungsrecht, *(on fund)* Verfügungsrecht, Abhebungsbefugnis.

drawn, duly ordnungsgemäß ausgestellt;
to be ~ verlost werden; **not to be** ~ *(lottery)* nicht herauskommen;
~ **bonds** ausgeloste Obligationen (Schuldverschreibungen); ~ **number** *(lottery)* [Gewinn]los.

drift Kursversetzung, *(inactivity)* Treibenlassen, Untätigkeit, *(tendency)* Strömung, Richtung, Tendenz;
~ *(v.)* **towards bankruptcy** auf den Konkurs zusteuern;
~ **down** *(prices)* abbröckeln.

drive *(approach)* An-, Auffahrt, *(advertising campaign)* Werbefeldzug, verstärkter Werbeeinsatz, *(hurried dispatch of business)* Hochdruckbetrieb, auf Hochtouren laufender Betrieb, *(fig.)* Antriebskraft, Energie, Schwung, *(money collection, US)* Geldsammlung, Sammelaktion, *(US, sale under price)* Schleuderverkauf, Verkauf unter Preis, *(US stock exchange)* Baisseangriff, *(tendency)* Richtung, Strömung, Neigung;
export ~ Exportförderung; **sales** ~ Absatzsteigerung, -anstrengung;
~ **to raise money for the blind** große Sammelaktion zugunsten der Blinden;
~ *(v.)* [be]fahren, mit dem Auto fahren;
~ **a good bargain** Geschäft zu einem guten Abschluß bringen; ~ **a hard bargain** kompromißlos verhandeln; ~ **the nail home** Angelegenheit endgültig erledigen; ~ **to the public danger** öffentliche Sicherheit beim Autofahren gefährden; ~ **a roaring trade** glänzende Geschäfte machen; ~ **up the prices** Preise in die Höhe treiben; ~ **one's workmen too hard** seine Arbeitskräfte übermäßig ausnützen.

drive-in Autokino, *(banking)* Autoschalter;
~ **restaurant** Autorestaurant, Rasthaus.

driving Fahren;
dangerous ~ Verkehrsgefährdung; **hit-and-run** ~ Fahrerflucht;
~ **under the influence of drink** *(Br.)* **(alcohol** *US)* Autofahren unter Alkoholeinfluß; ~ **without licence** Fahren ohne Führerschein;
to have a conviction for dangerous ~ wegen Verkehrsgefährdung vorbestraft sein;
~ **ban** *(Br.)* Führerscheinentzug; ~ **instruction** Fahrunterricht; ~ **instructor** Fahrlehrer; ~ **licence** *(Br.)* Führerschein, Fahrerlaubnis; ~ **offence** Verkehrsübertretung, -vergehen; **accident-free** ~ **record** unfallfreies Fahren; ~ **school** Fahrschule; ~**-school customer** Fahrschüler; **to pass one's** ~ **test** Führerschein machen, Fahrprüfung bestehen.

droop *(v.)* *(prices)* fallen, abflauen, abbröckeln.

drop *(prices)* Fallen, Sinken, Rückgang, *(stock exchange)* Einbruch, Baisse;
~ **in earnings** Ertragsrückgang; ~ **in investments** Investitionsschwund; ~ **in prices** Kurs-, Preisrückgang; ~ **in production** Produktionsrückgang; ~ **in profits** Gewinnrückgang; ~ **in sales** Rückgang in Verkäufen, Umsatzrückgang; ~ **in turnover** Umsatzrückgang; ~ **in unemployment** Arbeitslosenrückgang;
~ *(v.)* *(correspondence)* einschlafen, *(prices)* fallen, sinken;
~ **in on s. o.** bei jem. kurz vorsprechen, jem. einen kurzen Besuch abstatten; ~ **into a fortune** unerwartet zu einem Vermögen gelangen; ~ **off** *(customers)* wegbleiben; ~ **out of the management arrangement on 60 days' notice** sich mit einer zweimonatigen Kündigung aus

einer Vereinbarung über die Vorstandsbesetzung zurückziehen;

~ **all operational duties** sich völlig aus der Geschäftsführung zurückziehen; ~ **a letter into the postbox (pillar box)** Brief einwerfen, Brief in den Briefkasten stecken; ~ **s. o. a line** jem. ein paar Zeilen schreiben; ~ **a lot of money on a deal** bei einem Geschäft viel Geld einbüßen; ~ **a matter** Sache ruhen lassen; ~ **a meagre** 5/8 nur um knapp 5/8 fallen; ~ **in quality** Qualitätsrückgang erfahren; ~ **one's work** seine Arbeit niederlegen;

~ **box** *(US)* Briefkasten; ~ **letter** *(US)* Ortsbrief; ~ **shipment** Direktverkauf durch Grossisten ohne eigenes Lager; ~ **shipment wholesaler** Großhändler mit Streckengeschäft; ~ **shipper** Grossist ohne eigenes Lager.

dropping of trade barriers Aufhebung von Handelsschranken.

drop off | in profits Gewinnrückgang; ~ **in tourists** Rückgang des Touristenstromes;

~ **charge** *(car renting)* Abstellgebühr.

drove of tourists Touristenstrom.

drug | on the market unverkäufliche (schlecht verkäufliche) Ware, Ladenhüter;

to be a ~ on the market sich schwer verkaufen.

drum *(v.) (US)* [Kunden] werben, Werbetrommel rühren;

~ **up business** Geschäft ankurbeln; ~ **up customers** *(US)* Kunden abwerben;

to beat (thump) the ~ auffällige Werbung betreiben.

drummer *(commercial traveller, US)* Handlungsreisender, Vertreter, *(tout)* Kundenfänger;

~ **floater** Reisegepäckversicherung [für Handlungsreisende].

dry | *(v.)* **up** *(labo(u)r reserves)* versiegen;

~ **capital** unverwässertes Gesellschaftskapital; ~ **dock** Trockendock; ~ **goods** *(US)* Textilwaren, Textilien; ~ **money** Bargeld, bares Geld.

drying up of labo(u)r reserves Versiegen des Arbeitskräftereservoirs.

dual | carriageway zweigeteilte Fahrbahn; ~ **pay system** *(transportation)* Lohnrechnungsverfahren mit zwei Möglichkeiten; ~ **pricing** Doppelpreissystem; ~**-use package** wiederverwendbare [Ver]packung, Mehrwegpackung.

dubious | company in schlechtem Ruf stehende Gesellschaft; ~ **paper** Papier von zweifelhaftem Wert; ~ **undertaking** unsicheres Unternehmen.

duck *(v.)* **a payment** Zahlungsverpflichtung nicht einhalten;

to play ~s and drakes with one's money mit seinem Geld herumschmeißen.

dud *(banknote, sl.)* falsche Banknote. Fälschung, *(drop-out)* Versager, Niete;

~ **check** *(US)* **(cheque,** *Br.)* ungedeckter Scheck; ~ **stock** unverkäufliche Waren.

due *(charge)* Gebühr, *(debt)* Verpflichtung, Schuld, *(membership)* Beitrag, *(right)* Anspruch, *(share)* [zukommender] Anteil, *(wage)* gebührender Lohn;

~ *(a.)* gebührend, geziemend, *(course)* genau, *(mature)* fällig, [sofort] zahlbar, *(owing)* schuldig, zustehend, geschuldet;

until ~ bis zur Verfallzeit;

~ **at call** täglich fällig;

amount ~ Schuldbetrag, fälliger Betrag; **balance** ~ Debetsaldo; **debts ~ and owing** Aktiva und Passiva; **interest** ~ angefallene (fällige) Zinsen; **rent** ~ fällige Miete; **tax** ~ Steuersoll;

~ **from affiliates** Forderungen an Konzernunternehmen; ~ **from banks** *(balance sheet)* Guthaben bei [anderen] Banken, Nostroguthaben; ~ **to banks** *(balance sheet)* Bankschulden, Nostroverpflichtungen; **debts ~ to us** Passivschulden; ~ **from other funds** *(governmental accounting)* Guthaben bei anderen Etatstiteln; ~ **to other funds** *(governmental accounting)* Verpflichtungen bei anderen Etatstiteln;

to be ~ geschuldet werden, zustehen, fällig sein, *(mail)* ausgeblieben sein, *(train)* ankommen; **to be ~ to retire** Altersgrenze erreicht haben; **to become (fall)** ~ zahlbar [fällig] werden, verfallen; **to pay when** ~ pünktlich zahlen;

~ **bill** *(US)* Promesse; **with ~ care** mit gehöriger Sorgfalt; ~ **and reasonable care** im Verkehr erforderliche Sorgfalt; ~**-course holder** gutgläubiger Inhaber; ~ **date (day)** Fälligkeitsdatum, -termin, Verfalltag; ~ **notice** ordnungsgemäße Benachrichtigung, fristgerechte Kündigung; ~ **payment** rechtzeitige Zahlung; ~ **reward** angemessene Belohnung; **in ~ time** termingerecht.

dues *(club)* [Vereins]beitrag, *(duties)* Abgaben, *(fees)* Gebühren, *(toll)* Zoll;

ferry ~ Fährgeld; **market** ~ Stand-, Marktgebühren; **membership** ~ Mitgliedsbeitrag; **public** ~ Abgaben; **union** ~ Gewerkschaftsbeiträge;

to levy ~ Gebühren erheben;

~ **checkoff** automatische Beitragseinbehaltung; ~ **increase** Beitragserhöhung; ~ **shop** gewerkschaftspflichtiger Betrieb; ~ **tax** *(US)* Mitgliedschaftssteuer.

duffer *(sl.)* Ramschware, Schund, Talmi.

dug-in job Bombenstellung.

dull *(season)* still, geschäftslos, *(trade)* flau, lustlos, unlustig, matt;

of ~ sale wenig begehrt; **to turn** ~ flau werden;

~ **performer** *(stock exchange)* schlechtgehendes Papier; ~ **sale** schleppender Absatz.

dullness *(stock exchange)* Börsenflaute, *(trade)* Flaute, Geschäftslosigkeit, -stille, Lustlosigkeit;

~ **in the stock market** flaue Stimmung auf dem Aktienmarkt.

duly *(properly)* ordnungsgemäß, gebührend, vorschriftsmäßig, richtig, gehörig;

~ **authorized** mit gehöriger Vollmacht versehen; ~ **received** richtig erhalten.

dummy *(book)* Blindband, -muster, Probeband,

(counterfeit) Attrappe, *(crash test)* Unfallpuppe, *(man of straw)* Strohmann, *(model)* [Ausstellungs]muster, *(sham package)* Leer-, Schaupackung, Leeraufmachung, *(shop window)* Schaufensterpuppe;
~ *(a.)* nachgemacht, *(sham)* vorgeschoben;
~ **advertisement** fingierte Annonce; ~ **concern** Scheinunternehmen; ~ **package** Schaupakkung; ~ **salesman** stummer Verkäufer; ~ **transaction** Scheingeschäft; ~ **treatment** *(statistics)* fiktive Behandlung; ~ **works** Scheinanlage.

dump Depot, Lagerplatz, Speicher, *(railway car)* Kippwagen;
~ *(v.)* abladen, auskippen, *(stock exchange)* Effektenpakete billig abstoßen; *(trade)* Ware in großer Menge billig auf den Markt bringen, *(export trade)* ins Ausland zu Schleuderpreisen verkaufen, Dumping betreiben;
to be in the ~s *(stocks)* billig zu haben sein.

dumped goods Dumpingwaren.

dumping *(export trade)* Warenausfuhr zu Schleuderpreisen, Unterbietung des Konkurrenzpreises, Schleuderausfuhr, *(price)* Preisunterbietung, Dumping;
foreign exchange ~ Valutadumping.

dun *(creditor)* Forderer, drängender Gläubiger, *(demand for payment)* Zahlungsaufforderung.

dunnage *(personal effects)* persönliches Gepäck, *(railway)* Staumaterial, *(ship)* Schiffsgarnierung;
~ **allowance** *(railway)* tariffreie Beförderung von Staumaterial.

dunner drängender Gläubiger.

dunning letter Mahnbrief.

duplicate *(second copy)* Duplikat, gleichlautende Abschrift, Zweit-, Neu-, zweite Ausfertigung, *(discharge of bankrupt)* Entlastungszeugnis für Gemeinschuldner, *(second of exchange)* Sekunda-, Duplikatwechsel, Wechselduplikat, *(pawnbroker's ticket)* Pfandschein;
in ~ in doppelter Ausfertigung, doppelt ausgefertigt;
~ **of exchange** Wechselduplikat; ~ **of invoice** Rechnungsdoppel; ~ **of waybill** Frachtbriefdoppel;
~ *(v.)* kopieren, vervielfältigen;
~ **with another** *(accounts)* miteinander übereinstimmen;
to draw a bill of exchange in ~ Wechsel doppelt ausfertigen;
~ **bill** Duplikatwechsel; ~ **receipted bills** quittierte Rechnungen in doppelter Ausfertigung; ~ **bookkeeping** doppelte Buchführung; ~ **check** *(US)* **(cheque,** *Br.)* Scheckduplikat; **consignment** ~ Frachtbriefduplikat; ~ **deposit slip** Einzahlungsbelegdurchschlag; ~ **invoice** Rechnungsdoppel; ~ **receipt** Quittungsduplikat; ~ **taxation** Doppelbesteuerung; ~ **waybill** Frachtbriefduplikat.

duplicating | book Kopierbuch; ~ **machine** Vervielfältigungsapparat.

duplication *(double entry)* doppelte Buchung.

duplicator Kopier-, Vervielfältigungsapparat.

durability Lebensdauer.

durable goods, durables langlebige Güter, Gebrauchs-, Kapitalgüter.

duration | of benefits Unterstützungszeitraum; ~ **of a call** *(tel.)* Gesprächsdauer; ~ **of flight** Flugdauer; ~ **of offer** Gültigkeit einer Offerte; ~ **of validity** Gültigkeitsdauer;
to pick up a ~ job Dauerberuf finden.

dust *(sl.)* Moos, Zaster, Pinke-Pinke;
~ **jacket** Schutzumschlag.

dutch *(US sl.)* unten durch, schlecht angeschrieben;
~ **auction** Versteigerung mit laufend erniedrigtem Ausbietungspreis; ~ **treat** getrennte Kasse.

dutiable zoll-, abgabenpflichtig;
~ **goods** zollpflichtige Waren; ~ **value** Zollwert.

duties Aufgabenbereich;
customs ~ Zölle; **fiscal** ~ staatliche Abgaben;
to pay the of a vessel Schiff beim Zollamt deklarieren.

duty *(customs)* Zoll[gebühren], Eingangsabgabe, *(fee)* Gebühr, Taxe, Auflage, *(impost)* [Verbrauchs]abgabe, [Verbrauchs]steuer, *(obligation)* Verbindlichkeit, Verpflichtung, Pflicht, Dienst, Obliegenheit;
exempt from (free of) ~ *(customs)* zollfrei, *(fees)* gebühren-, spesenfrei, *(tax)* steuer-, abgabenfrei; **liable (subject) to** ~ *(customs)* zollpflichtig, verzollbar, *(tax)* steuerpflichtig; **off** ~ dienstfrei, außerdienstlich; ~ **off** unversteuert, unverzollt; ~ **paid** versteuert, *(customs)* verzollt, nach Verzollung; **no ~ paid** unversteuert, *(customs)* unverzollt;
additional ~ *(customs)* Zollaufschlag, Zuschlagzoll, *(tax)* Steuerzuschlag; **basic** ~ Ausgangszollsatz; ~ **chargeable** zu erhebender Zoll; **commercial** *(Br.)* **(compensation, compensative, countervailing,** *US)* ~ Ausgleichszoll; **compound** ~ kombinierter Zoll, Mischzoll; **conventional** ~ Vertragszollsatz; **differential (discriminating)** ~ Staffel-, Differentialzoll; **excise** ~ Warensteuer [für Inlandwaren], Verbrauchssteuer, -abgabe; **export** ~ Ausfuhr-, Ausgangszoll; **extra** ~ Steuerzuschlag; **long** ~ Rück-, Nettozoll; **preferential** ~ Vorzugszoll; **prohibitive** ~ Schutzzoll; **retaliatory** ~ Vergeltungs-, Kampfzoll; **short** ~ Zoll mit Rabatt; **stamp** ~ Stempelsteuer, -gebühr, -abgabe; **tonnage** ~ Tonnenzoll; **transit** ~ Durchgangszoll; **ad valorem** ~ Wertzoll;
~ **to account** Rechnungs[legungs]pflicht; ~ **per article** Stückzoll; ~ **charged by weight** Gewichtszoll; ~ **on checks** *(US)* **(cheques,** *Br.)* Schecksteuer; ~ **on importation** Einfuhrzoll; ~ **on increment value** Wertzuwachssteuer;
to be exempt from ~ zollfrei sein; **to be subject to** ~ dem Zoll unterliegen, zollpflichtig sein;

to be under a legal ~ to account rechnungspflichtig sein; **to collect** ~ Zoll erheben; **to go through free of** ~ zollfrei passieren; **to impose ~ on** besteuern, mit Steuern belegen; **to levy** ~ Zoll erheben; **to pay ~ on** versteuern, *(customs)* verzollen, Zoll bezahlen (entrichten); **to remit** ~ Zoll erlassen; **to take the ~ off goods** Waren von der Zollpflicht ausnehmen;
~ **call** Höflichkeitsbesuch; ~ **change** Tarifänderung; ~ **drawback** Zollrückvergütung; ~**-free** abgabe-, steuer-, zollfrei; ~**-free entry certificate** Bescheinigung über abgabefreies Verbringen in das Zollgebiet; ~**-free raw material** zollfreie Rohstoffe; ~**-free return** zollfreie Wiedereinfuhr; ~**-free shop** zollfreier Laden; ~**-paid entry** Zolleinfuhrerklärung; ~ **pay** Prämiengeld; ~ **stamp** Stempelmarke; ~ **train** Dienstzug.

dweller Bewohner.

dwelling Wohnung, Aufenthalt, Behausung, *(housing unit)* Wohnungseinheit;
furnished ~ möblierte Wohnung; **industrial** ~ Werkwohnung; **multiple-family** ~ Mehrfamilienhaus; **owner-occupied** ~ *(Br.)* Eigenheim; **privately financed** ~ frei finanzierte Wohnung; **uncontrolled (unrestricted)** ~ freier (nicht bewirtschafteter) Wohnraum;
to take up one's ~ sich niederlassen, seinen Wohnsitz aufschlagen;
~ **accommodation** Wohngelegenheit; ~ **unit** Wohnungseinheit; **lower-price (low-rental)** ~ **unit** billiges Mietshaus.

dwindle *(v.) (prices)* sinken, fallen.

dwindling of stocks Lagerschrumpfung;
~ *(a.)* sinkend, fallend;
~ **assets** Kapitalschwund, Vermögensverfall; ~ **production** Produktionsabnahme.

E

E *(Lloyds, Br.)* unterste Klasse, *(US)* hervorragende Leistung.

eager to buy kauflustig, -willig.

earliest, at your ~ convenience umgehend.

early frühzeitig, *(in time)* rechtzeitig;
~ **answer** baldige Antwort; ~**-bird issue** *(US)* vordatierte Zeitung; ~**-bird price** Werbe-, Einführungspreis; ~ **closing** früher Geschäfts-, Ladenschluß; ~**-closing day** früher Arbeitsschluß, *(shop)* nachmittags geschlossen; ~ **retirement** vorzeitige Pensionierung; ~ **returns** schneller Umsatz; ~ **riser** Frühaufsteher.

earmark Eigentumszeichen, Identitäts-, Kennzeichen, Unterscheidungsmerkmal;
~ *(v.) (finance)* bestimmen, vorsehen, zurückstellen, [für Geldlieferungen] zurücklegen;
~ **for o. s.** für sich selbst reservieren;
~ **a check** Scheck sperren; ~ **funds** Beträge für etw. bereitstellen; ~ **for a key position** für eine Schlüsselstellung vormerken (ausersehen); ~ **a sum of money for research** bestimmten Geldbetrag für Forschungszwecke zur Verfügung stellen.

earmarked zurück-, bereitgestellt, *(account)* gesperrt;
to hold gold ~ for foreign account Gold für ausländische Rechnung im Depot halten.
~ **account** zweckgebundenes Konto; ~ **asset** zweckgebundener Vermögensteil; ~ **gold** Goldreserve bei ausländischen Bankinstituten.

earmarking | of funds Bereitstellung von Geldern;
~**transactions** Bereitstellungsmaßnahmen.

earn *(v.)* erwerben, gewinnen, *(wages)* verdienen, als Lohn erhalten;
~ **one's bread and butter** sich seinen Lebensunterhalt selbst verdienen; ~ **enough to live on** auskömmliches Gehalt haben; ~ **interest** Zinsen bringen; ~ **one's living** seinen Lebensunterhalt verdienen; ~ **a packet of money** Bombengehalt kassieren.

earned verdient, *(interest)* angesammelt, angefallen;
~ **freight** angefallene (verdiente) Transportkosten; ~ **income** Arbeits-, Erwerbseinkommen; ~ **income relief** Steuervergünstigung auf das Arbeitseinkommen; ~ **premium** Prämieneinnahme; ~ **rate** *(railroad)* tatsächlich abgerechneter Tarif; ~ **surplus** Geschäfts-, Betriebsgewinn; ~ **unappropriated surplus** *(US)* nicht verteilter Reingewinn, Gewinnvortrag, ~**-surplus account** Betriebsgewinnkonto.

earner Verdiener;
double ~ Doppelverdiener; **profitable** ~ Gewinnfaktor; **salary** ~ Gehaltsempfänger; **wage** ~ Lohnempfänger.

earnest | money Draufgabe, -geld, Auf-, An-, Handgeld; ~ **request** dringendes Gesuch.

earning [Geld] verdienen, Erwerb;
~ **advancement** Einkommensanstieg; ~ **asset** *(Federal Reserve Bank, US)* gewinnbringende [Kapital]anlage; ~ **capacity** Ertragsfähigkeit, Rentabilität; ~ **-capacity value** Ertragswert; ~ **power** Erwerbsfähigkeit, -kraft, Ertragsfähigkeit, -kraft, Rentabilität; **to run into more ~ troubles next year** im nächsten Geschäftsjahr nur mit Mühe gewinnträchtig werden können; ~ **value** Ertragswert.

earnings *(income)* Einkommen, Einkünfte, Bezüge, *(profit)* Gewinn, Ertrag, Erlös, *(salary)* Gehalt, *(wages)* Verdienst, Arbeitslohn;

accumulated ~ *(balance sheet)* Gewinnvortrag; **after-tax** ~ Gewinn nach Steuern; **average** ~ Durchschnittseinkommen, -verdienst; **commission** ~ Provisionseinnahmen, -künfte; **company (corporation)** ~ Gesellschaftsgewinn; **daily** ~ Tagesverdienst; **gross** ~ Bruttoeinnahmen, verdienst; **hourly** ~ Stundenlohn; **individual** ~ Pro-Kopf Einkommen; **industrial** ~ gewerbliche Einkünfte, Einkünfte aus Gewerbebetrieb; **net** ~ Reingewinn, -verdienst; Nettoverdienst, -einkommen, -gewinn; **personal** ~ Einkünfte aus eigener Tätigkeit; **pretax** ~ Gewinn vor Steuern; **professional** ~ Einkünfte aus freier Berufstätigkeit; **retained** ~ Gewinnvortrag; **surplus** ~ *(US)* Gewinnüberschuß;
~ **per share** Aktienrendite;
to generate additional ~ **through investments in special undervalued situations** Ertragschancen durch Investitionen auf bisher vernachlässigten Gebieten verbessern; **to plough back** ~ Gewinn nicht entnehmen; **to send** ~ **into a dive** Erlössituation rapide verschlechtern; **to show** ~ **by mere bookkeeping devices** Erträge lediglich buchungstechnisch erzielen;
~ **base** Gewinnlage, Ertragsposition; ~ **curve** Ertragskurve; ~ **dip** Ertragsrückgang; ~ **estimate** Gewinn-, Ertragsvorschau; ~ **growth** Gewinnzuwachs, -zunahme; ~ **improvement** Ertragsverbesserungen; ~ **increase** Ertragssteigerung; ~ **performance** Ertragsleistung; ~ **picture** Erlösbild; ~ **pinch** Erlösverknappung; ~ **potential (power)** Ertragskraft, -lage, -position; **corporate** ~ **report** *(US)* Gesellschaftsbericht, Gewinn- und Verlustaufstellung; ~ **statement** Gewinn- und Verlustrechnung.

ease Zwanglosigkeit, Leichtigkeit, Unbefangenheit;
a fractional ~ Kursabschwächung um einen Bruchteil;
~ **in credit** Erleichterungen der kreditpolitischen Situation; ~ **of money** Geldflüssigkeit; ~ **in money rates** liquiditätsmäßige Entlastung der Banken;
~ *(v.)* entspannen, auflockern;
~ **s. o. in his work** j. langsam einarbeiten; ~ **s. o. into a job** jem. eine Stellung besorgen; ~ **off** abschwächen, *(prices)* nachlassen, fallen, sinken, abbröckeln, *(situation)* sich entspannen;
~ **a fraction** *(prices)* etw. abbröckeln; ~ **seasonality pressure** für Druckausgleich saisonaler Schwankungen sorgen; ~ **the economic situation** Konjunktur entspannen; ~ **the traffic** Verkehr entlasten.

eased off a fraction *(stock market)* etw. abgeschwächt.

easement *(law)* Grunddienstbarkeit, Realservitut; ~ **of access** Wegerecht.

easier *(stock exchange)* leichter, niedriger;
to be ~ schwächer liegen; **to become** ~ abflauen; **to make credit** ~ Krediterleichterungen gewähren;
to have an ~ **day** *(money market)* leichter sein; ~ **money** leichteres (billigeres) Geld; **to reflect** ~ **money circumstances** sich auf erleichterte Geldmarktbedingungen einstellen.

easiness | **of the capital market** Auflockerung des Kapitalmarktes; ~ **on the money market** Geldmarktflüssigkeit.

easing | **off** *(stock exchange)* Fallen, Sinken, Nachgeben; ~ **of admission requirements** erleichterte Zulassungsbedingungen; ~ **[up] in credit** Krediterleichterungen, kreditpolitische Erleichterungen, Erleichterungen für das Kreditgeschäft; ~ **of cyclical conditions** Konjunkturentspannung; ~ **up on foreign investments** Erleichterungen bei Auslandsinvestitionen; ~ **of monetary policy** geldmarkttechnische Erleichterungen, Liquiditätsverbesserungen für den Bankenapparat; ~ **of tension** Entspannung der Lage; ~ **of trade curbs** Milderung von Handelsbeschränkungen.

easy *(commodity)* wenig gefragt, *(market)* ruhig, weichend, flau, lustlos *(money)* flüssig, billig;
free and ~ ohne Formalitäten;
to be ~ *(market)* ruhig liegen;
~**-care** *(clothes)* pflegeleicht; **in** ~ **circumstances** wohlhabend; **to be an** ~ **finish** *(money market)* am Schluß leicht sein; ~ **market** Markt mit großem Geld (Waren)angebot, *(stock exchange)*, freundliche Börse; ~ **money market** Bankenliquidität, Geldmarktflüssigkeit; **by** ~ **payment** unter Zahlungserleichterung; **within** ~ **reach of the station** vom Bahnhof bequem zu erreichen, bahnhofsnahe; ~ **street** *(coll.)* angenehme Verhältnisse; ~ **terms** günstige Geschäftsbedingungen.

eat | *(v.)* **up one's capital** sein Kapital aufzehren; ~ **up savings** Ersparnisse aufbrauchen.

eatery Gaststätte.

eating place Mittagstisch.

ecological ökologisch.

ecologist Ökologe.

ecology Ökologie.

econometric ökonometrisch.

econometrician Ökonometriker.

econometrics Ökonometrie.

economic *(of economics)* ökonomisch, [volks]wirtschaftlich, wirtschaftswissenschaftlich, nationalökonomisch, *(paying expenses)* wirtschaftlich, *(pertaining to a household)* hauswirtschaftlich;
~ **actions** wirtschaftspolitische Maßnahmen; ~ **activity** konjunkturelle Aktivität; **to pep up (stimulate)** ~ **activity** Konjunktur intensivieren, Wirtschaft ankurbeln; ~ **adjustment** Wirtschaftsausgleich; ~ **adviser** Wirtschaftsberater; ~ **agreement** Handelsabkommen; ~ **aid** Wirtschaftshilfe; ~ **angle** wirtschaftlicher Gesichtspunkt; ~ **area** Wirtschaftsgebiet; ~ **aspects** wirtschaftliche Gesichtspunkte, *(general outlook)* Konjunkturaussichten; ~ **assets** Wirtschaftsgüter; ~ **atmosphere** Konjunkturatmo-

sphäre; ~ **autarchy** Autarkie, wirtschaftliche Unabhängigkeit; **sound ~ basis** gesunde wirtschaftliche Grundlage; ~ **battle** Konjunkturschlacht; ~ **bloc** Wirtschaftsblock; ~ **boom** Konjunkturaufschwung; **to ease the ~ brakes** Konjunkturbremse zurückhaltend anwenden; ~ **buyer** rechnender (sorgfältig kalkulierender) Käufer; ~ **change** Strukturwandlung konjunkturelle Veränderung; ~ **chaos** Wirtschaftschaos; ~ **circulation** Wirtschaftskreislauf; ~ **climate** Konjunkturklima; ~ **club** *(US)* Industrie-, Wirtschaftsklub; ~ **commentary** Wirtschaftskommentar; ~ **commission** Wirtschaftsausschuß; ≗ **Commission for Europe** *(ECE)* Wirtschaftskommission für Europa; ≗ **and Social Committee** *(Common Market)* Wirtschafts- und Sozialausschuß; **international ~ conference** internationale Wirtschaftskonferenz; ~ **cooperation** wirtschaftliche Zusammenarbeit; ≗ **Cooperation Administration** *(ECA)* Verwaltung für europäische wirtschaftliche Zusammenarbeit; ~ **cost** laufende Unkosten; ≗ **and Social Council** Wirtschafts- und Sozialrat; ~ **course** Konjunkturaussichten, -verlauf; ~ **crisis** Wirtschaftskrise; ~ **cycle** Konjunkturzyklus, -verlauf; ~ **debate** Konjunkturdebatte; ~ **decline** Konjunkturrückgang; ~ **development** wirtschaftliche (konjunkturelle) Erschließung; ~ **dip** rückläufige Konjunktur, Konjunkturrückschlag, -einbruch; ~ **disaster** Wirtschaftskatastrophe; ~ **distress** wirtschaftliche Notlage; ~ **district** Industriegegend; ~ **domain** Wirtschaftsraum; ~ **downswing** rückläufige Konjunkturphase; ~ **downturn** wirtschaftlicher Niedergang, Konjunkturrückgang; ~ **editor** Wirtschaftsredakteur; ~ **entity** Wirtschaftseinheit; ~ **espionage** Wirtschaftsspionage; ~ **expansion** Wirtschaftsausbau; ~ **expert** Wirtschaftssachverständiger; ~ **fluctuations** Konjunkturschwankungen; ~ **forecast** Konjunkturvorhersage, -vorschau; ~ **forecaster** Konjunkturbeobachter; ~ **forum** Wirtschaftsforum; ~ **freedom** Gewerbefreiheit; ~ **front** Wirtschaftskreise; ~ **function** Geschäftstätigkeit, Aufgabenbereich in der Wirtschaft; ~ **fusion** wirtschaftlicher Zusammenschluß; ~ **goods** Wirtschaftsgüter; ~ **growth** Steigerung des Sozialprodukts; ~**-growth rate** Wachstumsrate der Volkswirtschaft; ~ **handicap** wirtschaftliche Belastung; ~ **horizon** Konjunkturhorizont; ~ **ills** Konjunkturkrankheiten; ~ **imperialism** Wirtschaftsimperialismus; ~ **impetus** Konjunkturaufschwung; ~ **implications** konjunkturelle Auswirkungen; ~ **indicator** Konjunkturanzeichen, -barometer; ~ **independence** wirtschaftliche Unabhängigkeit, Autarkie; ~ **interest** *(ownership of business)* Kapitalanteil; ~ **interests** wirtschaftliche Belange; ~ **journal** Wirtschaftszeitung; ~ **leader** Wirtschaftsführer; ~ **life** *(asset)* wirtschaftliche Lebens-, Nutzungsdauer; ~ **loss** Schaden wirtschaftlicher Art; ~**-lot size** rationelle Stückzahl; ~ **management** *(economics)* Konjunktursteuerung; ~ **miracle** Wirtschaftswunder; ~ **mobilization** Mobilmachung der [Volks]wirtschaft; ~ **news** Nachrichten aus dem Wirtschaftsleben; ~ **operation** wirtschaftlicher (rentabler) Betrieb, Wirtschaftlichkeit; ~ **order quantity** wirtschaftliche Auftragsgröße; **bright ~ outlook** gute Konjunkturaussichten; ~ **panel** Wirtschaftsausschuß; ~ **penetration** wirtschaftliche Durchdringung; ~ **priod** Konjunkturperiode; ~ **picture** Konjunkturbild, Wirtschaftslage; ~ **planning** volkswirtschaftliche Planung.

economic policy Konjunktur-, Wirtschaftspolitik; ~ **agenda** konjunkturpolitische Tagesordnung; ~ **debate** Konjunkturdebatte; ~ **team** Beratungsgremium für konjunkturpolitische Fragen; ~ **tools** konjunkturpolitisches Instrumentarium.

economic | policymaker Konjunkturpolitiker; ~ **potential** Wirtschaftspotential; ~ **preëminence** wirtschaftliche Vorrangstellung; ~ **profit** Grenzkostenergebnis; ~ **program(me)** Wirtschafts-, Konjunkturprogramm; ~ **prospects** Konjunkturaussichten; ~ **rebound** Wiederaufschwung der Wirtschaft; ~ **recession** Rezession [der Wirtschaft]; ~ **recovery** Wirtschaftsbelebung, konjunkturelle Belebung; ~ **region** Industriegegend; ~ **regulator** Konjunkturregulativ; ~ **rent** *(Ricardo)* Grundrente; ~ **reorganization** Konjunktur-, Wirtschaftsankurbelung; ~ **report** Konjunktur-, Wirtschaftsbericht; ~ **reprisals** wirtschaftliche Repressalien; ~ **research** Konjunktur-, Wirtschaftsforschung; ≗ **Research Institute** Konjunktur-, Wirtschaftsforschungsinstitut; ~ **revival** Konjunkturbelebung; ~ **sanctions** wirtschaftliche Sanktionen; ~ **science** *(US)* Wirtschaftswissenschaft, Volkswirtschaftslehre; ~ **situation** Konjunktur-, Wirtschaftslage; ~ **slack period** konjunkturelle Flautezeit; ~ **slowdown** Konjunkturverlangsamung, -abschwächung; ~ **slump** rückläufige Konjunktur; ~ **stagnation** wirtschaftliche (konjunkturelle) Stagnation; ~ **structure** Wirtschaftsstruktur; ~ **study** Konjunkturstudie; ~ **supremacy** wirtschaftliche Übermacht; ~ **survey** Wirtschaftsbericht; ≗ **Survey** *(Br.)* Nationalbudget; ~ **system** Wirtschaftssystem, -ordnung; ~ **tailspin** Konjunktursturz; ~ **temperature** Konjunkturklima; ~ **terminology** Wirtschaftssprache, -terminologie; ~ **throttle** Konjunkturdrosselung; ~ **trend** Wirtschaftstendenz, konjunktureller Entwicklungsverlauf, Konjunkturverlauf, -entwicklung; ~ **trough** Konjunkturtief, Wellental der Konjunktur; ~ **turn** konjunktureller Wendepunkt; ~ **unit (unity)** Wirtschaftseinheit; ~ **upswing** Konjunkturanstieg; ~ **use** Nutzungsdauer; ~ **war[fare]** Wirtschaftskrieg[führung]; ~ **woes** Wirtschaftskalamität.

economical [volks]wirtschaftlich, *(thrifty)* sparsam [im Gebrauch], ökonomisch;
~ **operation** wirtschaftlicher (rentabler) Betrieb; ~ **setup of a country** *(US)* (Wirtschaftsstruktur) eines Landes; **to be of low ~ strength** nicht krisenfest sein.

economics [Volks]wirtschaft, *(savings)* Ersparnisse, *(science Br.)* Volkswirtschaftslehre, Wirtschaftswissenschaft, Nationalökonomie;
applied ~ angewandte Volkswirtschaft; **business** ~ Betriebswirtschaft; **pure** ~ allgemeine Volkswirtschaftslehre.

economies, major größere Einsparungen;
~ **of scale** Kostenersparnisse durch optimale Betriebsvergrößerung.

economist, [political] [Volks]wirtschaftler, Volkswirt, Wirtschaftswissenschaftler, [National]-ökonom;
~**-lawyer** Wirtschaftsanwalt.

economize *(v.)* *(practise economy)* sparsam wirtschaften, [zusammen]sparen, durch Einsparungen herauswirtschaften, überflüssige Ausgaben (Kosten) vermeiden, sich einschränken, *(use sparingly)* sparsam anwenden, haushalten.

economizer Sparer, haushälterischer Mensch.

economy *(economics)* [Volks]wirtschaft, Wirtschaftslehre, Nationalökonomie, *(economic trend)* Konjunktur, *(thrift)* Sparsamkeit, Ökonomie, Ersparnis, Wirtschaftlichkeit, Ausnutzung, Kosteneinsparung;
agrarian ~ Agrarwirtschaft; **barter** ~ Tausch-, Naturalwirtschaft; **collective** ~ Kollektivwirtschaft; **competitive** ~ Wettbewerbs-, Konkurrenzwirtschaft; **draft** ~ Plan-, gelenkte Wirtschaft; **enterprise** ~ *(US)* Unternehmerwirtschaft; **flat** ~ Konjunkturflaute; **free-enterprise** ~ freie Marktwirtschaft; **home** ~ Binnenwirtschaft; **industrial** ~ gewerbliche Wirtschaft, **labo(u)r-tight** ~ angespannte Arbeitslage; **managed** ~ Planwirtschaft; **national** ~ Volkswirtschaft, Nationalökonomie; **over-exuberant** ~ überschäumende Konjunktur; **planned** ~ [staatliche] Plan-, Zwangswirtschaft, staatlicher Dirigismus; **political** ~ Volkswirtschaftslehre, Wirtschaftswissenschaft, Nationalökonomie; **self-contained** ~ autarke Volkswirtschaft; **slowing** ~ Konjunkturabschwächung; **social** ~ Volkswirtschaftslehre;
~ **of abundance** Überschußwirtschaft; ~ **in fuel consumption** *(car)* geringer Benzinverbrauch; ~ **in operation** Wirtschaftlichkeit in der Betriebsführung; ~ **in raw materials** Rohstoffersparnis;
to cool the ~ Konjunkturabkühlung herbeiführen; **to disturb the ~ of Europe** europäisches Wirtschaftssystem durcheinanderbringen; **to get the ~ back on the tracks** Konjunktur wieder zum Anlauf bringen; **to give the ~ a shot in the arm** *(US)* der Wirtschaft eine Konjunkturspritze geben; **to handle the** ~ Konjunktur steuern (im Griff haben), Konjunktursteuerung beherrschen; **to heat up the** ~ Konjunktur anheizen; **to hold the ~ back** Konjunktur zügeln; **to keep the ~ in high gear** Wirtschaft auf Hochtouren laufen lassen; **to move the ~ toward full employment** Vollbeschäftigungszustand in der Wirtschaft herbeiführen; **to put the ~ on a richer monetary diet** Wirtschaft geldflüssiger machen, für wirtschaftspolitische Liquidität sorgen, **to rush the ~ back to full employment levels** Vollbeschäftigungszustand sofort wiederherstellen, sofort wieder durchstarten; **to slow down the** ~ Konjunktur verlangsamen; **to stabilize the** ~ stabile Konjunkturpolitik betreiben; **to take enough of the pep out of the** ~ ausreichende konjunkturelle Bremsen betätigen;
~ **car** Kraftwagen der Mittelklasse; ~ **class** *(airplane)* Touristenklasse; ~ **drive** Sparfeldzug; ~ **fare** Touristenflugschein; ~ **market** Absatzgebiet für billige Artikel; ~ **model** billiges Modell; ~**-priced** vergleichsweise preisgünstig; ~ **run** *(car)* sparsamer Verbrauch, *(test)* Wirtschaftlichkeitsprüfung; ~ **size** Verbraucherpakkung; ~**-sized car** wirtschaftlicher Wagen; ~ **wave** Sparwelle.

edge | *(v.)* **down** *(prices)* schwächer tendieren, nachgeben; ~ **up** *(prices)* langsam anziehen;
to skirt the ~ of poverty am Rande der Armut leben.

edit *(v.)* *(book, newspaper)* herausgeben, als Herausgeber fungieren, *(revise)* redigieren;
~ **a collection of letters** Briefsammlung veröffentlichen; ~ **a motion picture** Film zur Veröffentlichung fertigmachen.

edition Ausgabe, Veröffentlichung, *(newspaper)* Nummer, *(total)* Auflage;
cheap ~ Volksausgabe; **city** ~ *(newspaper)* Stadtausgabe; **latest** ~ Nachtausgabe; **local** ~ Bezirksausgabe.

editor Herausgeber, Schriftleiter, Redakteur, *(broadcasting)* Programmleiter, *(chief)* Chefredakteur, *(editorial writer)* Leitartikler;
assistant ~ Hilfsredakteur; **city** ~ *(Br.)* Redakteur des Wirtschaftsteils, *(US)* Lokalredakteur; **financial** ~ *(US)* Redakteur des Wirtschaftsteils, Wirtschaftsredakteur;
~ **'s office** Redaktionsbüro.

editorial Leitartikel;
~ **advertisement** redaktionell aufgemachte Anzeige; ~ **advertising** redaktionelle Werbung; ~ **article** Leitartikel; ~ **close (closing)** Redaktionsschluß; ~ **department** Redaktion[sbüro, -abteilung], Schriftleitung; ~ **matter** redaktioneller Text; ~ **policies** redaktionelle Tendenz, Redaktionspolitik; ~ **staff** Redaktionsstab, Schriftleitung; ~ **work** Herausgeber-, Redaktionstätigkeit, -arbeit; ~ **writer** Leitartikler.

editorialize *(v.)* *(US)* im Leitartikel (redaktionell) Stellung nehmen.

editorialized advertisement redaktionell aufgemachte Werbung.
education Ausbildung, Erziehung,.Bildungsgang; **allround** ~ umfassende Erziehung; **business** ~ Handelsschulbildung; **college** ~ Hochschulbildung, Universitätsausbildung; **good general (liberal)** ~ gute Allgemeinbildung.
educational | **advertising** belehrende Werbung, Aufklärungsreklame; ~ **tariff** Schutzzoll.
effect *(law)* Kraft, Gültigkeit, *(machine)* Leistung; **mechanical (useful)** ~ Nutzleistung;
~ *(v.)* bewirken, aus-, herbei-, durchführen;
~ **the collection for a firm** Inkassodienst für eine Firma leisten; ~ **a corresponding entry** gleichlautende Buchung vornehmen; ~ **customs clearance** sich zollamtlich abfertigen lassen; ~ **exchange deals on London** Abschlüsse auf London tätigen; ~ **an insurance** Versicherung abschließen; ~ **an order** Auftrag ausführen; ~ **payment** Zahlung leisten (bewirken); ~ **a policy** Police ausfertigen, Versicherung abschließen; ~ **a sale** Verkauf abschließen (tätigen); ~ **foreign exchange transactions** Abschlüsse in Devisen tätigen; ~ **a transfer in the books** Umbuchung (Übertrag) in den Büchern vornehmen.
effective *(finance)* gemünztes Geld;
~ *(a.)* *(actual)* wirklich, effektiv, vorhanden;
~ **in advertising** werbewirksam;
~ **capital** Betriebskapital; ~ **date** [Zeitpunkt des] Inkrafttreten[s]; ~ **demand** wirklicher (echter) Bedarf; ~ **interest yield** effektive Verzinsung, Effektivverzinsung; ~ **money** umlaufendes Geld, Bargeld; ~ **output** Nutzleistung; ~ **pay rate** tatsächliches Gehalt; ~ **rate** *(finance)* effektiver Zinssatz; ~ **selling** zum Abschluß führende Verkaufstätigkeit; ~ **value** effektiver (tatsächlicher) Wert, Effektivwert.
effects *(cash)* Barbestand, -vorräte, *(movables)* Mobilien, bewegliches Eigentum, *(property)* Vermögenswerte, Habseligkeiten, Sachbesitz, Habe;
~ **not cleared** *(Br.)* noch nicht verrechnete Abschnitte; **no** ~ *(cheque)* kein Guthaben, ohne Deckung; **personal** ~ Gegenstände des persönlichen Gebrauchs, persönliche Gebrauchsgegenstände.
effectual demand durch vorhandenes Bargeld gedeckte Nachfrage.
efficiency *(capacity)* Leistungsfähigkeit, Tüchtigkeit, *(effectiveness)* Leistung[skraft], Wirtschaftlichkeit;
commercial ~ Wirtschaftlichkeit; **marginal** ~ Grenznutzen; **operating** ~ betriebliche Leistungsfähigkeit, Betriebsleistung;
~ **in one's work** berufliche Tüchtigkeit;
~ **apartment** Zimmer mit Dusche und Kochnische; ~ **audit** Wirtschaftlichkeits-, Rationalisierungsprüfung; ~ **bar** *(salary)* leistungsabhängige Gehaltshöchstgrenze; ~ **bonus plan** Leistungslohnsystem; ~ **engineer** *(US)* Rationalisierungsfachmann; ~ **factor** Leistungsanalyse, -bewertung; ~ **ratio** Wirksamkeitsverhältnis; ~ **report** *(US)* Personalbeurteilung, Leistungsbericht; ~ **wages** Leistungslohn.
efflux of funds Mittelabflüsse.
effort Bemühung, Vorkehrung, Bestrebung, Arbeitsaufwand;
development ~**s** Entwicklungsvorhaben.
eight | **-hour [working] day** Achtstunden[arbeits]-tag; ~ **stocks** *(US)* in kleinen Posten gehandelte Aktien.
eighth of page *(advertising)* Achtelseite.
eject *(v.)* **a tenant** Mieter zur Räumung zwingen.
eke *(v.)* **out a scanty living** sich kümmerlich durchschlagen.
elastic | **demand** elastische Nachfrage; ~ **money** elastische Währung.
elasticity | **of demand** Nachfrage-, Bedarfselastizität; ~ **of supply** Angebotselastizität.
election Wahl, Wählen, *(debtor)* Wahlrecht, *(share-holder)* Option;
~ **of directors** Vorstandswahl.
electricity | **bill** Stromrechnung; ~ **board** Elektrizitätsgesellschaft; ~ **consumption** Stromverbrauch; ~ **cut** Stromsperre; ~ **industry** Elektrizitätsindustrie.
electronic data processing elektronische Datenverarbeitung.
elevated | **position** gehobene Stellung; ~ **railway** Hochbahn.
eligibility *(for job)* Befähigung, Eignung, Qualifikation;
~ **for [re]discount** [Re]diskontfähigkeit; ~ **for relief** Fürsorgeberechtigung; ~ **to serve as collateral** *(US)* Deckungsfähigkeit; ~ **for vacation** Urlaubsanspruch;
~ **requirements** Berechtigungserfordernisse.
eligible geeignet, den Vorbedingungen entsprechend, *(banking)* bank-, diskontfähig, diskontierbar, *(job)* befähigt, qualifiziert;
~ **for [re]discount** [re]diskontfähig; ~ **for an occupation** beruflich geeignet; ~ **for pension** pensionsberechtigt; ~ **for a post** anstellungsberechtigt, für einen Posten qualifiziert; ~ **for relief** fürsorge-, unterstützungsberechtigt; ~ **to serve as collateral** *(US)* deckungs-, lombardfähig; ~ **for vacation** urlaubsberechtigt;
to be ~ **for the dividend received exclusion provided by the Internal Revenue Code** das von der Steuergesetzgebung vorgesehene Schachtelprinzip genießen; **to be** ~ **for a Tariff Commission recommendation of mandatory relief** zeitweise zu zollpolitischen Vergünstigungen berechtigt sein; **to become** ~ **for company pension** am Betriebspensionsplan teilnehmen können;
~ **investment** *(US)* mündelsichere Anlage; ~ **paper** *(US)* diskontfähiges Papier.
eliminate *(v.)* | **an account** Konto auflösen; ~

unprofitable operations unrentable Produktionsgebiete aufgeben.
elimination Ausmerzung, *(of account)* Auflösung;
~ **of competition** Ausschaltung der Konkurrenz; ~ **of wholesalers** Umgehung des Großhandels;
~ **ledger** Hilfsbuch für Erstellung der Konzernbilanz.
elude *(v.) (law)* umgehen, *(obligaton)* sich entziehen;
~ **payment** sich einer Zahlung entziehen.
embargo *(blocking of harbo(u)r)* Hafensperre, Blockade, *(suspension of commerce)* Handelsverbot, -sperre, Embargo, *(temporary sequestration)* vorübergehende Beschlagnahme;
civil ~ Embargo auf eigene Schiffe; **outright economic** ~ vollständige Sperre des Wirtschaftsverkehrs; **gold** ~ Goldausfuhrverbot;
~ **on foreign exchange** Devisensperre; ~ **on exports** Ausfuhrsperre, -verbot;
~ *(v.)* Blockade (Embargo) verhängen, Handelsverkehr sperren;
to be under an ~ beschlagnahmt (mit Embargo belegt) sein; **to lift the** ~ Beschlagnahme aufheben; **to raise the** ~ **of a ship** Beschlagnahme eines Schiffes aufheben;
~ **list** Embargoliste.
embark *(v.) (go on board)* sich einschiffen, an Bord gehen, *(invest)* Geld anlegen;
~ **on a business** Geschäft eröffnen; ~ **on a career** sich einem Beruf verschreiben; ~ **capital in trade** sein Geld unternehmerisch arbeiten lassen.
embarkation Verladung, Einschiffung;
~ **card** *(airport)* Abflugkarte; ~ **officer** Verladebeamter.
embarked an Bord.
embarkment Einschiffung.
embarrass *(v.)* in Geldverlegenheit bringen.
embarrassed in Geldverlegenheit, in Zahlungsschwierigkeiten [befindlich];
~ **by debts** verschuldet;
to be ~ **by a bank failure** von einem Bankzusammenbruch betroffen sein;
~ **business** zerrüttete Verhältnisse; ~ **estate** überschuldeter Besitz.
embarrassment finanzielle Bedrängnis, Zahlungsschwierigkeit, Geldverlegenheit;
to be in pecuniary ~ in Geldverlegenheit sein.
embezzle *(v.)* sich an anvertrautem Geld vergreifen, unterschlagen, veruntreuen;
~ **the funds of a ward** sich an Mündelgeldern vergreifen.
embezzlement Unterschlagung, Veruntreuung;
~ **of trust money** Depotunterschlagung.
embossed stamp Präge-, Trockenstempel.
emerge | *(v.)* **with small advances** *(stock exchange)* mit kleinen Kursaufbesserungen schließen; ~ **from poverty** sich hocharbeiten.
emergency Notlage, -fall, -stand, *(service)* Not-, Behelfsdienst;
~ **address** Notadressat; ~ **aid** Soforthilfe; ~ **aid program(me)** Notstands-, Soforthilfeprogramm; ~ **alert** Katastrophenalarm; ~ **amortization** beschleunigte Abschreibung; ~ **budget** Notetat; ~ **call** *(tel.)* dringendes Gespräch, Notruf; ~ **charge** *(transportation)* Zusatztarif in Notstandsfällen; ~ **clause** Dringlichkeits-, Notklausel; ~ **fund** Notstands-, Hilfsfonds; ~ **job** Aushilfsstellung; ~ **landing** Notlandung; ~ **landing field (ground)** Hilfslandeplatz; ~ **loan** Notstandsdarlehn; ~ **loss** Elementarschaden; ~ **money** Notgeld; ~**-operating center** Ausweichbetrieb; ~ **provisions** Notstandsbestimmungen; ~ **rate** Notstandstarif; ~ **sale** Notverkauf; ~ **tax** Notstandsabgabe, Krisensteuer; ~**-traffic signal** Warnblinkanlage; ~ **train** Hilfszug; ~ **[relief] work** Notstandsarbeit.
emigrant Auswanderer, Emigrant;
~ **ship** Auswandererschiff.
eminent domain proceedings *(US)* Enteignungsverfahren.
emission Ausgabe, Emission, Inumlaufsetzung;
above par ~ Überpari-Emission;
~ **of banknotes** Banknotenausgabe; ~ **of a bill of credit** Kreditbriefausstellung.
emit *(v.) (banknotes)* ausgeben, in Umlauf setzen;
~ **a bill of credit** Kreditbrief ausstellen.
emolument Nutzen, Gewinn, *(compensation)* Vergütung;
~s Einkommen, [Amts]einkünfte, Aufwandsentschädigung, Nebeneinkünfte, -einnahmen;
~**s of a member of Parliament** Diäten.
employ Beschäftigung[sverhältnis], Stellung, Dienst;
in ~ beschäftigt; **out of** ~ stellungs-, erwerbs-, arbeitslos;
~ *(v.) (engage)* anstellen, [Angestellte] beschäftigen, arbeiten lassen, [Arbeiter] einstellen, *(use)* an-, verwenden, gebrauchen;
~ **an agent** Vertreter einsetzen; ~ **an expert accountant** Buchsachverständigen zuziehen; ~ **fully** voll beschäftigen;
to be in s. one's ~ bei jem. beschäftigt (angestellt) sein, in jds. Diensten stehen.
employed beschäftigt, angestellt, berufstätig;
gainfully ~ gegen Entgelt beschäftigt, erwerbstätig; **permanently** ~ festangestellt; **self-** ~ selbständig;
~ **on full time** ganztägig beschäftigt, vollbeschäftigt;
to be ~ angestellt (beschäftigt) sein, Arbeit haben, in Arbeit stehen;
~ **capital** produktives Kapital; ~ **inventor** angestellter Erfinder; ~ **person** Beschäftigter, Arbeitnehmer; **self-** ~ **person** selbständiger Erwerbstätiger.
employee *(Br.),* **employe** *(US)* Angestellter, Arbeitnehmer, Dienstverpflichteter, Lohn-, Gehaltsempfänger, Betriebsangehöriger;
the ~**s** Personal, Angestellte, Belegschaft;

blackcoated ~ *(Br.)* höherer Büroangestellter; **covered** ~ versicherter Angestellter; **full-time** ~ ganztägig beschäftigter Angestellter; **nonunion** ~ nicht gewerkschaftlich organisierter Angestellter; **part-time** ~ halbtägig beschäftigter Angestellter; **substandard** ~ untertariflich bezahlter Arbeiter; **superannuated** ~ pensionierter Angestellter; **supervisory** ~ Angestellter mit Aufsichtsfunktionen; **top-caliber** ~ hochqualifizierter Angestellter; **turnover-prone** ~ unsteter (fluktuierender) Arbeitnehmer; **white-collar** ~ *(US)* [Büro]angestellter;

~ **appraisal** Angestelltenbeurteilung; ~**-attitude measurement** Betriebsklimauntersuchung; ~ **benefits** Sozialleistungen; ~ **benefit paid by company** *(social insurance)* Arbeitgeberanteil; ~ **benefit plan (system)** betriebliches Sozialzulagenwesen; ~ **benefit and service division** Sozialabteilung; ~ **compensation** Arbeitnehmervergütung; ~**'s contribution** *(social insurance)* Arbeitnehmeranteil; ~ **discount** Rabatt für Werks-, Ladenangestellte; ~ **election** Betriebswahl; ~ **food service** Betriebskantineneinrichtung; ~ **home** Werkswohnung; ~ **layoff** Personal-, Belegschaftsabbau; ~ **loyalty** Betriebsloyalität; ~ **morale** Betriebs-, Arbeitsmoral; **to be** ~**-owned** in Arbeitnehmerhand sein; ~ **profit sharing** Gewinnbeteiligung der Arbeitnehmer; ~ **publication** Betriebszeitung; ~ **rating chart** betriebliches Beurteilungsblatt eines Angestellten; ~ **relations** innerbetriebliche Beziehungen; ~ **representative** Arbeitnehmervertreter; ~ **roster** Stellenbesetzungsplan; ~ **security** Sicherung des Arbeitsplatzes; ~ **status** Angestelltenverhältnis; ~ **stock** Belegschaftsaktie; ~ **stock ownership** *(Br.)* Beteiligung der Angestellten am Aktienkapital; ~ **suggestion system** betriebliches Vorschlagwesen; ~ **turnover** Angestelltenfluktuation; ~**'s withholding exemption** Lohnsteuerfreibetrag; ~**'s withholding exemption certificate** Lohnsteuerfreibetragsformular.

employer *(commission)* Auftraggeber, *(head of business)* Unternehmer, Arbeitgeber, Prinzipal, Dienst-, Lehrherr;

most recent ~ letzter Arbeitgeber;

~ **and his agent** Auftraggeber und Auftragnehmer;

~**s and employed** Arbeitgeber und Arbeitnehmer;

to be a large ~ viele Leute beschäftigen;

~**s' association (federation)** Unternehmer-, Arbeitgeberverband; ~ **class** Unternehmerklasse; ~ **contribution** *(social insurance)* Arbeitgeberanteil; ~ **health welfare** betriebliche Gesundheitspflege; ~**'s liability** Unfallhaftpflicht des Arbeitgebers; ~**'s liability insurance** Betriebshaftpflichtversicherung.

employment *(occupation)* Beschäftigung, Tätigkeit, Geschäft, Beruf, *(situation)* unselbständige Arbeit, Stelle, [An]stellung, Beschäftigungs-, Angestellten-, Dienst-, Arbeitsverhältnis, *(use)* Gebrauch, An-, Verwendung, *(utilization)* Verwertung;

in public ~ im öffentlichen Dienst; **on** ~ werktätig; **[thrown] out of** ~ stellen-, arbeits-, beschäftigungslos;

additional ~ zusätzliche Beschäftigungsmöglichkeit; **common** ~ gemeinsames Beschäftigungsverhältnis; **fluctuating** ~ stetiger Arbeitsplatzwechsel; **full** ~ Vollbeschäftigung; **full-time** ~ Ganztagsbeschäftigung; **gainful** ~ Erwerbstätigkeit; **guaranteed** ~ garantierter Jahreslohn; **hazardous** ~ gefährlicher Beruf; **irregular** ~ unregelmäßige Beschäftigung; **night** ~ Nachtarbeit; **overfull** ~ Übervollbeschäftigung; **part-time** ~ verkürzte Arbeitszeit, Halbtagsbeschäftigung, stundenweise Beschäftigung, Kurzarbeit; **payroll** ~ unselbständige Tätigkeit; **probationary** ~ Probeanstellung, -beschäftigung; **self-**~ selbständige Tätigkeit; **sideline** ~ Nebenbeschäftigung; **suitable** ~ zusagende Beschäftigung;

~ **of apprentices** Einstellung von Lehrlingen; ~ **of capital** Kapitalanlage~ **of a counsel** Zuziehung eines Anwalts;

to be in ~ in Stellung (beschäftigt, angestellt) sein; **to be out of** ~ arbeitslos (erwerbslos) sein; **to find** ~ unterkommen, Beschäftigung finden; **to find** ~ **for s. o.** j. unterbringen, j. in den Arbeitsprozeß eingliedern; **to grow to a full-time**~ sich zur Ganztagsarbeit, -beschäftigung entwickeln; **to provide** ~ Arbeit beschaffen; **to seek** ~ Arbeit suchen; **to take** ~ Beschäftigungsverhältnis eingehen; **to terminate s. one's** ~ jem. kündigen;

~ **agency** Stellen-, Anstellungs-, Arbeitsvermittlungsbüro; ~ **agent** Stellenvermittler; ~ **agreement** Dienstvertrag; ~ **applicant** Arbeitssuchender; ~ **application** Bewerbungsantrag; ~ **application blank** Bewerbungsformular; ~ **bureau** Arbeits-, Stellennachweis, Stellenvermittlungsbüro; **to terminate an** ~ **contract without notice** Dienstverhältnis fristlos kündigen; ~ **costs** personelle Unkosten; **hourly** ~ **costs** Stundenlohnkosten; ~ **data** Beschäftigungszahlen; ~ **date** Beschäftigungszeit; ~ **exchange** *(Br.)* Arbeits-, Stellennachweis, Arbeitsvermittlung[sbüro]; ~ **history** beruflicher Werdegang; ~ **income** berufliches Einkommen; ~ **interview** persönliche Vorstellung; ~ **manager** Personalchef; ~ **market** Arbeits-, Stellenmarkt; ~ **office** Einstellungsbüro; **public** ~ **office** *(US)* staatlicher Arbeitsnachweis; ~ **office report** Arbeitsamtnachweis; ~ **papers** Arbeitspapiere; ~ **period** Anstellungs-, Beschäftigungszeit; ~ **picture** Beschäftigungsstand; ~ **procedure** Einstellungsverfahren; ~ **record** Beschäftigungsnachweis; ~ **service** Stellenvermittlung; ~ **statistics** Beschäftigungsnachweis; ~ **tax** *(US)*

Lohnsteuer; **selective ~ tax** *(Br.)* Lohnsummensteuer; ~ **termination** Beendigung des Beschäftigungsverhältnisses; ~ **test** [betriebliche] Eignungsprüfung.

mpower *(v.)* **s. o. to operate on an account** jem. Verfügungsberechtigung über ein Konto übertragen.

mpties leere Fässer, Leergut;
~ **returned** Leergut zurück;
~ **are not taken back** Leergut wird nicht zurückgenommen.

mpty Leergut,-material, *(car)* Leerwagen;
~ *(house)* leer[stehend], unbewohnt, *(ship, vehicle)* leer, unbefrachtet, ohne Ladung, unbeladen
~ **taxi** freies Taxi; ~ **wag(g)on** Leerwagen; ~ **weight** *(airplane)* Eigen-, Leergewicht.

ncashment *(Br.)* Einkassierung, Inkasso;
~ **of debts** Schuldeneinziehung;
to effect ~ Inkasso besorgen;
~ **charges** Einzugsspesen; ~ **order** Inkassomandat, -auftrag.

ncipher *(v.)* chiffrieren, verschlüsseln.

nclose *(v.)* *(subjoin)* [Brief] beifügen, beilegen.

nclosed anbei, einliegend, in der Anlage, beigeschlossen.

nclosing a check unter Beifügung eines Schecks.

ncode *(v.)* verschlüsseln, chiffrieren.

ncourage *(v.)* **production** Produktionssteigerung hervorrufen.

ncouragement of industry Industrieförderung.

ncroach *(v.)* eingreifen, übergreifen;
~ **upon one's capital** sein Kapital angreifen; ~ **upon s. one's time** jds. Zeit über Gebühr beanspruchen.

ncumber *(v.)* dringlich belasten;
~ **with a mortgage** mit einer Hypothek belasten.

ncumbered *(real estate)* [mit Schulden] belastet, überschuldet, verschuldet;
~ **estate** [hypothekarisch] belasteter Grundbesitz.

ncumbering goods Sperrgüter.

ncumbrance *(claim on real estate)* [Grundstücks]-belastung;
free from ~**s** schulden-, lastenfrei, entschuldet;
to carry prior ~**s** vorbelastet sein, Vorlasten haben; **to free an estate of** ~**s** Grundstück entschulden.

ncumbrancer Pfandgläubiger, *(mortgager)* Hypothekengläubiger;
junior ~ nachstehender Hypothekengläubiger.

nd, for one's own ~**s** zum eigenen Nutzen;
~ **of the month** Ultimo;
~ *(v.)* **one's days in a workhouse** Lebensabend im Armenhaus verbringen;
to be the ~ **of s. o.** jds. Karriere beenden; **to be at the** ~ **of one's resources** seine Mittel aufgebraucht haben;
~**-cleared zone** *(aerodrome)* hindernisfreie Zone; ~ **corrections** *(statistics)* Korrekturen der Extremwerte; ~**-of-month figures** Monatsendstände; ~**-processing plant** Weiterverarbeitungsbetrieb; ~ **product** Endprodukt, Grenzprodukt, -erzeugnis; ~**-year pressure** Jahresultimobeanspruchung.

endorsable girierbar, indossierbar;
~ **instrument** Orderpapier.

endorse *(v.)* vermerken, *(bill)* indossieren, girieren, begeben, mit Giro versehen, *(confirm)* bestätigen, bekräftigen;
~ **a bill of exchange** Wechsel indossieren (durch Indossament übertragen); ~ **a candidate** Kandidaten unterstützen; ~ **in full** voll girieren; ~ **generally** blanko girieren; ~ **a motorist's licence** Strafe auf dem Führerschein vermerken.

endorsed mit Giro versehen, giriert.

endorsee Girat, Indossat[ar], Wechselübernehmer;
~ **of a check** *(US)* **(cheque,** *Br.)* Scheckinhaber.

endorsement Giro, Indossament, *(confirmation)* Bestätigung, Genehmigung, Billigung, *(insurance)* [Versicherungs]Nachtrag, Zusatz-[klausel];
accommodation ~ Gefälligkeitsindossament; **blank** ~ Blankoindossament, -giro; **forged** ~ Girofälschung; **general** ~ Vollindossament; **irregular** ~ in der Form abweichendes Indossament; **partial** ~ Teilindossament; **restrictive** ~ beschränktes Giro (Indossament), Rektagiro, -indossament;
~ **made out to bearer** Inhaberindossament; ~ **in full** Vollgiro; ~ **on the policy** Policenvermerk; ~ **without recourse** Giro ohne Verbindlichkeit;
to place an ~ indossieren, girieren.

endorser Girant, Indossant, Begebender, *(guarantor of bill)* Aval, Wechselbürger;
accommodation ~ Girant aus Gefälligkeit; **preceding (previous, prior)** ~ Vor[der]mann; **qualified** ~ Girant ohne Verbindlichkeit.

endow *(v.)* dotieren, ausstatten, *(furnish with money)* stiften, gründen, subventionieren.

endowed ausgestattet, dotiert;
to be ~ **with ample financial means** finanziell reichlich ausgestattet sein.

endowment Stiftung, Pfründe, Dotation *(of dower)* Ausstattung;
[pure] ~ **assurance** *(Br.)* Versicherung auf den Erlebensfall, Aussteuer-, Erlebensversicherung; ~ **fund** Stiftungsvermögen; ~ **insurance** *(US)* Versicherung auf den Erlebensfall, Aussteuerversicherung; ~ **period** Erlebenszeit; ~ **policy** Lebensversicherungspolice.

endurance | flight Dauerflug; ~ **test** Zuverlässigkeitsprobe.

enfacement *(bill of exchange)* Wechselvermerk auf der Vorderseite.

enforce | *(v.)* **the blockade** Blockade durchführen; ~ **one's claims by suit** seine Ansprüche gerichtlich geltend machen; ~ **a contract** Vertragsleistung erzwingen; ~ **a monopoly** Monopol ausüben; ~ **payment by legal proceedings** Zahlung gerichtlich beitreiben.

enforceable *(executory)* einklagbar, vollstreckbar.

enforced | **liquidation** Zwangsvergleich; ~ **sale** Zwangsverkauf.

enforcement Geltendmachung, Durchsetzung, Vollstreckung;
~ **of a lien** Pfandverwertung; ~ **of monopoly** Monopolausübung; ~ **by writ** Zwangsvollstrekkung;
~ **agency** Vollstreckungs-, Durchführungsorgan; ~ **officer** Vollstreckungsbeamter; ~ **proceedings** Vollstreckungsverfahren.

engage *(v.)* *(bind by contract)* verpflichten, *(book)* [Platz] bestellen, belegen, *(employ)* einstellen, anstellen, in Dienst nehmen;
~ **o. s. to s. o.** bei jem. in Dienst treten; ~ **in business** Geschäftsmann werden; ~ **the freight** Fracht bedingen; ~ **an interpreter** [als] Dolmetscher engagieren; ~ **a lawyer** Rechtsanwalt beauftragen; ~ **in a line of business** in einer Branche tätig sein; ~ **the line for 20 minutes** Telefon zwanzig Minuten blockieren; ~ **rooms at a hotel** Zimmer in einem Hotel bestellen; ~ **seamen** Seeleute anmustern; ~ **a taxi** sich ein Taxi nehmen; ~ **for three years** [sich] für drei Jahre verpflichten.

engaged *(booked)* belegt, besetzt, *(bound)* verpflichtet, versagt, *(employed)* beschäftigt, *(tel.)* besetzt;
~ **!** Nummer besetzt!
to be ~ **in business** geschäftlich tätig sein; **to be fully** ~ voll (ausgebucht) sein;
~ **signal (tone)** Besetztzeichen.

engagement *(appointment)* Verabredung, *(employment)* Stellung, Stelle, Ein-, Anstellung, Beschäftigung, Engagement, *(obligation)* Verpflichtung, Verbindlichkeit, *(railway)* betriebliche Belastung;
without ~ freibleibend, ohne Gewähr, unverbindlich;
bear ~**s** Engagements der Haussepartei; **blank** ~ Blankoauftrag; **bull** ~**s** Engagements der Baissepartei; **current** ~**s** laufende Verpflichtungen; **foreign** ~**s** Auslandsengagement; **fresh** ~ Neueinstellung;
~ **of seamen** Anmusterung von Seeleuten;
to break off an ~ Geschäft rückgängig machen; **to carry out one's** ~**s** seinen Verbindlichkeiten nachkommen; **to have found a lucrative** ~ gut bezahlten Posten gefunden haben; **to have numerous** ~**s for next week** vollbesetzten Terminkalender haben; **to have a previous** ~ anderweitig versagt sein; **to liquidate an** ~ Position lösen; **to meet one's** ~**s** seinen Verbindlichkeiten nachkommen, seine Schulden bezahlen;
~ **book** Terminkalender, Merkbuch.

engineer Ingenieur, Techniker, *(efficient manager)* geschickter Unternehmer, Organisator;
business ~ *(US)* Betriebsberater; **industrial (operation, preduction, plant)** ~ Betriebsingenieur; **salesman** ~ technischer Verkäufer.

engross *(v.)* *(monopolize)* Markt monopolisieren.

engrossment *(monopoly)* Monopolisierung.

enhance *(v.)* *(improve)* wertvoller werden, *(prices)* steigern, in die Höhe treiben;
~ **in price** im Preis steigen; ~ **the value of land** Grundstückswerte steigen lassen.

enhancement in prices Preissteigerung.

enjoy | *(v.)* **credit** Kredit genießen; ~ **a fortune** vermögend sein; ~ **a good reputation** guten Ruf haben.

enlarge | *(v.)* **bail** Sicherheitsleistung (Kaution) erhöhen; ~ **one's business** sein Geschäft ausdehnen; ~ **the payment of a bill** Wechsel prolongieren; ~ **one's possessions** seine Besitzungen vergrößern; ~ **one's premises** anbauen, ausbauen; ~ **a recognizance** Schuldscheinsumme erhöhen.

enlarged acceptance *(bill)* bedingte Annahme.

enlargement Ausweitung, Vergrößerung, Erweiterung;
~**s** *(building)* Erweiterungsbauten;
~ **to a building** Anbau; ~ **of business** Geschäftsausdehnung; ~ **of capacity** Kapazitätserweiterung.

enlist *(v. i.)* *(engage for service)* anstellen, einstellen, engagieren, *(expert)* heranziehen;
~ **the aid of the court** Hilfe des Gerichts in Anspruch nehmen; ~ **s. o. in an enterprise** j. für ein Geschäft interessieren; ~ **public interest in a matter** Öffentlichkeit für etw. interessieren; ~ **the service of s. o.** sich jds. Dienste versichern.

enlistment *(engagement)* Anwerbung, Einstellung, Engagierung;
~ **allowance** *(US)* Treueprämie.

enliven *(v.)* beleben;
~ **business** Konjunktur ankurbeln.

enlivening of business Geschäftsbelebung, Konjunkturankurbelung.

enrich *(v.)* **o. s. from public office** sich öffentlich bereichern.

enrichment Bereicherung;
unjust ~ ungerechtfertigte Bereicherung.

enrol(l) *(v.)* *(register in a list)* Namen in einer Liste eintragen, [als Mitglied] eintragen, registrieren, verzeichnen;
~ **as subscriber** sich in eine Subskribentenliste eintragen; ~ **workers** Arbeitskräfte einstellen.

enrollee Kursusteilnehmer, *(applicant)* Antragsteller.

enrol(l)ment Einschreibung, Eintragung, *(seaman)* Anmusterung;
~ **fee** Einschreibgebühr; ~ **office** Registratur.

ensure *(v.)* **the smooth settlement of a business** für glatte Erledigung einer Angelegenheit sorgen.

entangle | *(v.)* **o. s. in s. th.** sich in eine Sache verwickeln; ~ **o. s. with moneylenders** sich mit Geldleihern einlassen.

nter *(v.) (become a party)* eingehen, kontrahieren, unterzeichnen, *(book)* eintragen, (Posten) aufführen, [ver]buchen, *(place to account)* in Rechnung stellen, *(register)* eintragen, registrieren, *(ship)* anmelden, einklarieren;
~ **into a binding agreement** bindende Verpflichtung eingehen; ~ **[up] an amount in the expenditure** Betrag als Ausgabe verbuchen; ~ **into a bargain** Geschäft (Handel) abschließen; ~ **a bill short** Wechsel Eingang vorbehalten gutschreiben; ~ **into a bond** Schuldverschreibung ausstellen; ~ **in the books** in die Bücher eintragen; ~ **a book in a catalog(ue)** Buch katalogisieren; ~ **into business** ins Geschäftsleben treten; ~ **into business relations** neue Geschäftsverbindungen anknüpfen; ~ **upon a career** Laufbahn einschlagen; ~ **upon a new career** Berufswechsel vornehmen; ~ **a cargo** Schiffsladung deklarieren; ~ **into the channels of distribution** *(customs)* in den freien Verkehr überführen; ~ **for consumption** Abfertigung zum freien Verkehr beantragen; ~ **into correspondence** Korrespondenz aufnehmen; ~ **on the credit side** im Haben buchen; ~ **at the customhouse** beim Zoll angeben, zollamtlich deklarieren; ~ **to the debit of s. o.** jem. in Rechnung stellen; ~ **a deed** Vertrag registrieren lassen; ~ **into engagements** Verbindlichkeiten eingehen; ~ **goods** Waren zur Verzollung deklarieren; ~ **the habo(u)r** in den Hafen einlaufen; ~ **inwards** Fracht eines Schiffes bei der Einfahrt zollamtlich anmelden; ~ **an item in the ledger** Posten im Hauptbuch eintragen; ~ **a ministry** Ministerium übernehmen; ~ **into negotiations with s. o.** in Verhandlungen mit jem. eintreten; ~ **into pecuniary obligations** finanzielle Verpflichtungen übernehmen; ~ **s. one's order** jds. Auftrag buchen; ~ **into partnership** sich assoziieren; ~ **a profession** Beruf ergreifen; ~ **into one's own recognizance** persönlich die Garantie für etw. übernehmen; ~ **into the record** ins Protokoll aufnehmen; ~ **an estate at the Register of Deeds Office** Grundstück im Grundbuchamt eintragen; ~ **into the rights of a creditor** Gläubigerstellung erhalten; ~ **a room** Zimmer betreten; ~ **satisfaction** Hypothek im Grundbuch löschen lassen; ~ **short a bill** Wechsel vorbehaltlich der Einlösung gutschreiben; ~ **a seaman on the ship's books** Seemann anheuern; ~ **a ship inwards** Einfuhrzoll für ein Schiff deklarieren; ~ **short** zu wenig deklarieren; ~ **a train** in einen Zug einsteigen; ~ **up** *(bookkeeping)* Posten aufnotieren, [Buchungen] vervollständigen; ~ **upon** *(office)* Stellung antreten.

ntering Eintritt, *(registration)*, Einschreibung, Eintragung, [Ver]buchung, Registrierung;
~ **upon a career** Beginn einer Laufbahn; ~ **short** Gutschrift, Eingang vorbehalten; ~ **up** Eintragung, [Ver]buchung; ~ **upon service** Dienstantritt;
~ **clerk** Buchhalter.

enterprise *(business)* Unternehmen, -nehmung, Geschäft, [Gewerbe]betrieb *(venture)* Spekulation, Wagnis, Unternehmen;
agricultural ~ landwirtschaftlicher Betrieb; **business (commercial)** ~ geschäftliches (gewerbliches) Unternehmen, Geschäftsunternehmung, Gewerbebetrieb; **corporate** ~ Unternehmen der gewerblichen Wirtschaft; **family-owned** ~ Familienbetrieb; **free** ~ freies Unternehmertum; **government [-owned]** ~ Betrieb der öffentlichen Hand, Regie-, Staatsbetrieb, Staatsunternehmen; **heavy-industrial** ~ Unternehmen der Schwerindustrie; **high-cost** ~ kapitalintensives Unternehmen; **individual** ~ Einzelfirma; **industrial** ~ Industrieunternehmen, gewerblicher Betrieb, Gewerbebetrieb; **large-[scale]** ~ Großbetrieb; **manufacturing** ~ Herstellungs-, Gewerbe-, Fabrikationsbetrieb; **monopolistic** ~ Monopolunternehmen; **municipal** ~ städtisches Unternehmen, Gemeindebetrieb; **nationalized** ~ verstaatlichtes Unternehmen; **private (privately owned)** ~ Privatwirtschaft, -unternehmen; **nonprofit** ~ gemeinnütziger Betrieb, gemeinnütziges Unternehmen; **profitable** ~ gewinnbringendes Unternehmen; **publicity-owned** ~ gemeinwirtschaftliches Unternehmen, Unternehmen der öffentlichen Hand; **semi-public** ~ gemischtwirtschaftliches Unternehmen; **public-service** ~ *(US)* gemeinnütziger Betrieb; **single** ~ Einzelunternehmen; **subsidiary** ~ Tochtergesellschaft; **trading** ~ Unternehmen der gewerblichen Wirtschaft; **wildcat** ~ Schwindelunternehmen;
to participate financially in an ~ sich an einem Unternehmen finanziell beteiligen;
~ **accounting** Konzernbuchführung; ~ **cost** Selbstkosten; **free-** ~ **economy** freie Unternehmerwirtschaft; **free-** ~ **industry** freies Unternehmertum; **free-** ~ **system** freie Marktwirtschaft (Unternehmerwirtschaft); ~ **value** Firmenwert.

entertain *(v.)* Gäste haben, Gastfreundschaft üben, gastliches Haus führen, bewirten;
~ **business connections** Geschäftsbeziehungen unterhalten.

entertainment Unterhaltung, *(hospitable provision)* Gastfreundschaft, gastliche Aufnahme, Bewirtung, gesellschaftliche Veranstaltung, Repräsentation;
~ **allowance** Aufwandentschädigung; ~ **duty** *(Br.)* Vergnügungssteuer; ~ **film** Unterhaltungsfilm; ~ **show** Unterhaltungsprogramm; ~ **tax** Lustbarkeits-, Vergnügungssteuer.

enthusiasm for work Arbeitslust, -freude.

entice *(v.)* **away customers** Kunden von jem. abziehen.

enticement [Kunden]anlockung, *(servants)* Abwerbung.

entire ganz, vollkommen, -zählig, komplett uneingeschränkt, *(law)* ungeteilt;
~ **balance of my estate** mein Restvermögen; ~ **income** Gesamteinkommen; **to be ~ master of one's property** völlig frei über sein Vermögen verfügen können; ~ **proceeds** Gesamtertrag; ~ **use** alleinige Verfügung.
entirety of contract *(fire insurance)* Vertragseinheit.
entitle *(v.)* **the holder to purchase** Inhaber zum Bezug berechtigen.
entitled berechtigt, ermächtigt;
party ~ Berechtigter;
~ **to alimony** *(wife)* unterhaltsberechtigt; ~ **to damages** zum Schadenersatz berechtigt; ~ **to a dividend** dividendenberechtigt; ~ **to draw** bezugsberechtigt; ~ **to a pension** pensionsberechtigt.
entitlement to commutation Ablösungsberechtigung.
entity, economic wirtschaftliche Einheit;
~ **accounting** Konzernbuchführung.
entrance *(admission fee)* Eintrittsgebühr, *(gateway)* Einfahrt, *(harbo(u)r)* Hafeneinfahrt, *(right of admission)* Zulassung, Eintrittserlaubnis, Zutritt, Zugang;
no ~ Eintritt verboten! Betreten verboten! **no ~ except on business** Unbefugten ist der Eintritt verboten;
~ **upon one's duties** Dienstantritt; ~ **to the harbo(u)r** Hafeneinfahrt; ~ **of a ship into a port** Einlaufen eines Schiffes in den Hafen;
~ **certificate** Aufnahmebescheinigung; ~ **duty** Einfuhr-, Eingangszoll; ~ **money** Eintrittsgeld; ~ **rate** Anfangslohn; ~ **region** Einzugsgebiet; ~ **visa** Einreisevisum; ~ **zone** Einflugzone.
entrant Bewerber.
entrepôt Zoll, Niederlage, Lager-, Stapelplatz, Transitlager, Speicher, *(commercial center)* Handelszentrum.
entrepreneur Unternehmer;
~ **functions** unternehmerische Funktionen.
entrepreneurial unternehmerisch;
~ **activity** Unternehmertätigkeit; ~ **association** Unternehmerverband; ~ **business venture** unternehmerisches Risiko; ~ **class** Unternehmertum, -klasse; ~ **management** Unternehmertum, Betriebsführung durch den Eigentümer; ~ **profit** Unternehmergewinn; ~ **risk** Unternehmerrisiko; ~ **system** Unternehmerwirtschaft.
entrepreneurship *(US)* Unternehmerschaft, -tum.
entrust *(v.)* anvertrauen;
~ **a matter to one's correspondent** Angelegenheit seinem Geschäftsfreund übertragen; ~ **an employee with executive functions** Angestellten mit Führungsaufgaben betrauen; ~ **s. o. with the sale** j. jem. den Verkauf übertragen.
entry *(assuming possession)* Besitzergreifung, -antritt, *(coming into possession)* Besitzergreifung, -antritt, *(customs)* [Zoll]deklaration, Einklarierung, *(entrance)* Eintritt, Einzug, Einfahrt *(item)* Eintrag, Vermerk, *(item in accounts)* [Buchungs]posten, gebuchter Posten, Buchung Rechnungsposten, *(recording)* [Protokoll]eintragung, Vormerkung;
adjusting (adjustment) [journal] ~ Berichtigungsbuchung; **credit** ~ Kreditposten, Gutschrift; **customhouse** ~ Zolldeklaration; **debit** ~ Debetposten, Lastschrift; **double** ~ doppelte Buchführung; **fraudulent** ~ Falschbuchung; **illegal** ~ ungesetzmäßige Einreise; ~ **inwards** Einfuhrdeklaration; **opening** ~ Eröffnungsbuchung; **original** ~ Grundbuchung; ~ **outwards** Zollausgangserklärung, Ausfuhrdeklaration **post** ~ späterer Eintrag; **preëmption** ~ Eintragung eines Vorkaufsrechtes; **prime** ~ *(customs)* vorläufige Zolldeklaration; **reversing** ~ Stornobuchung; **short** ~ Unterdeklaration; **single** ~ einfache Buchführung; **suspense** ~ transitorische Buchung; **transfer** ~ Übertragungsvermerk; **wrong** ~ falsche (unrichtige) Buchung Falschbuchung;
~ **under bond** Einfuhr unter Zollvormerkschein; ~ **into the Common Market** Beitritt zum Gemeinsamen Markt; ~ **in conformity** gleichlautende Buchung; ~ **for consumption** Abfertigungsantrag zum freien Verkehr; ~ **and departure of a vessel** Ein- und Auslaufen eines Schiffes; ~ **at the customhouse** Zolldeklaration -erklärung; ~ **for duty-free goods** Deklaration für zollfreie Waren; ~ **of satisfaction** *(mortgage)* Löschungsvermerk; ~ **into service** Dienstantritt; ~ **closed to traffic** gesperrt für Fahrzeuge aller Art; ~ **for home use** Einfuhrdeklaration für Inlandsverbrauch; ~ **for warehousing** Transiterklärung, Einlagerungsschein [für Zollspeicher];
to adjust an ~ Buchung berichtigen; **to alter an** ~ Buchung abändern; **to cancel an** ~ Posten streichen; **to carry over an** ~ Posten übertragen; **to check an** ~ Posten abstreichen; **to effect an** ~ Buchung vornehmen; **to make an** ~ eintragen, [ver]buchen; **to make a false (wrong)** ~ irrtümlich buchen; **to make a supplementary** ~ nachträgliche Buchung vornehmen; **to make an ~ of a transaction** Vorgang verbuchen; **to pass an ~ in conformity** gleichlautend buchen; **to post each ~ singly** jeden Posten einzeln übertragen; **to reciprocate an ~ on the books** gleichlautend buchen; **to reserve an** ~ rückbuchen, Buchung stornieren; **to tick off an** ~ Posten abstreichen;
~ **age** Eintrittsalter; ~ **book** Eintragungsbuch **(double) single ~ bookkeeping** (doppelte) einfache Buchführung; ~ **card** Eintrittskarte; ~ **clerk** *(mercantile house)* Buchhalter; ~ **form** Anmeldeformular; ~ **inwards** Einfuhrdeklaration; ~ **job** Anfangsstellung; ~ **list** Teilnehmerliste; ~ **money** Eintrittsgeld; ~ **outwards** Ausfuhrdeklaration; ~ **permit** Einreiseerlaubnis, genehmigung; ~ **visa** Einreisevisum.

numeration process Volkszählungsverfahren.

nvelope Briefumschlag, -hülle, -kuvert, Kuvert; **adhesive** ~ gummierter Briefumschlag; **commercial** ~ Geschäftsumschlag; **embossed** ~ Briefumschlag mit aufgedruckter Briefmarke; **penalty** ~ *(US)* Briefumschlag frei durch Ablösung; **self-addressed** ~ addressierter Rückumschlag, Freiumschlag; **stamped** ~ frankierter Briefumschlag, Freiumschlag; **window** ~ Fenster[brief]umschlag;
~s to match passende Kuverts;
~ *(v.) (letter)* kuvertieren, mit einem Umschlag versehen, in einen Briefumschlag legen;
~ **addresser** Adressiermaschine; ~ **corner card** Absenderangabe [beim Geschäftsbriefumschlag]; ~ **opener** Brieföffner; ~ **sealer** Briefverschlußmaschine; ~ **stuffer** Briefbeileger, Postwurfsendung.

nvironment Umgebung, äußere Lebensbedingungen, Beziehungsfeld, [wirtschaftliche] Umwelt, Umwelterscheinungen;
~ **area** Stadtrandgebiet; ~ **damage** Beeinträchtigung der Umwelt; ~ **planning** Umweltplanung.

nvironmental | **agency** Behörde für Umweltschutzfragen; ~ **area** Stadtrandgebiet; ~ **conditions** Umweltbedingungen; ~ **market** Markt für Umweltgestaltung; ~ **pollution** Umweltverschmutzung; ~ **services** *(Br.)* Aufwendungen für Umweltschutzaufgaben.

qual | **to cash** so gut wie bares Geld;
~ **distribution of taxes** Steuergleichheit; ~ **pay** gleiche Entlohnung; ~ **-ranking** gleichrangig, -berechtigt; **to contribute** ~ **shares to the expenses** gleichmäßig zu den Unkosten beitragen; ~ **and uniform taxation** einheitliche Besteuerung; **on** ~ **terms** zu gleichen Bedingungen; ~ **treatment** Gleichbehandlung.

quality Gleichheit, Gleichberechtigung, Parität;
~ **of freight rates** Frachtenausgleich; ~ **of pay** Lohngleichheit, gleiche Entlohnung; ~ **in wages** Lohngleichheit.

qualization | **of assessments** Angleichung der Einheitswerte; ~ **of supplies** Bedarfsausgleich;
~ **fee** Ausgleichsumlage; ~ **fund** Ausgleichsfonds; ~ **office** Ausgleichskasse; ~ **pay** Teuerungszulage; ~ **payments** Ausgleichszahlungen; ~ **price** Ausgleichskurs; ~ **reserve** Ausgleichsrücklage; ~ **tax** Folgesteuer.

qualize | *(v.)* **accounts** Konten ausgleichen; ~ **wages** Löhne angleichen.

qualizing | **dividend** Ausgleichsdividende; ~ **rate** Ausgleichstarif.

quated | **abstract of account** Staffelauszug; ~ **calculation of interest** Staffelzinsrechnung; ~ **interest** Staffelzinsen.

quation | **of currency** Währungsausgleich; ~ **of supply and demand** Gleichgewicht (Gesetz) von Angebot und Nachfrage; ~ **of exchange** Währungsausgleich; ~ **of interest** Zinsstaffel; ~ **of payments** Feststellung des mittleren Zahlungstermins; ~ **of prices** Preisausgleich; ~ **of taxes** Steuerausgleich.

equilibrium | **in the balance of payments** Zahlungsbilanzgleichgewicht; ~ **of supply and demand** Ausgleich von Angebot und Nachfrage;
~ **price** Wettbewerbspreis.

equip *(v.)* ausrüsten, ausstatten, einrichten;
~ **a ship** Schiff ausrüsten; ~ **a shop with tools** Betrieb installieren.

equipment Betriebs-, Geschäftseinrichtung, *(machine)* Apparatur, Gerät, Maschinenanlage, *(rolling stock)* rollendes Material, Wagenpark, *(tools)* Arbeitsgerät, Gerätschaften;
capital ~ Kapitalausrüstung, -ausstattung; **factory** ~ Betriebseinrichtung, -ausstattung; **idle** ~ nicht ausgenutzte Betriebsanlagen; **major** ~ Großgerät; **modern** ~ moderne Anlagen; **office** ~ Büroeinrichtung, -ausstattung; **optional** ~ *(car)* Zusatzausstattung;
~ **of a ship** Schiffsausrüstung; ~ **for a voyage** Reiseausrüstung;
to replace worn-out ~ abgenutzte Anlagen ersetzen;
delivery ~ **account** Fahrzeugkonto; ~ **breakdown** Zusammenbruch einer Produktionsanlage; ~ **builder** Ausstatter; ~ **curtailment** Drosselung der Betriebsausstattung; ~ **lease** Maschinenmiete; ~ **rent** Gerätemiete; ~ **record** Verzeichnis der Einrichtungsgegenstände; ~ **trust** *(US)* Finanzierungsgesellschaft für Eisenbahnbedarf.

equitable billig, gerecht, *(law)* billigkeitsgerichtlich;
~ **assignment** [etwa] stille Abtretung; ~ **garnishment** Forderungspfändung; ~ **interest** Rückübereignungsanspruch des Sicherungsgebers; ~ **lien** Sicherungsgut, Treuhandgut; ~ **title** Sicherungseigentum.

equities Dividendenpapiere, industrielle Wertpapiere, *(Br.)* Stammaktien;
marketable ~ börsengängige Dividendenwerte; **selected** ~ ausgesuchte Anlagenwerte.

equity *(business interest)* Nettoanteil, *(capital)* Wert des Grundkapitals, Eigenkapital, *(claim)* billiger Anspruch, billige Forderung;
~ **of redemption** Hypothekenablösungsrecht, Ablösungs-, Rückkaufsrecht; ~ **of stockholders** Nettoanteil der Aktionäre;
to build ~ *(contract system)* Eigenkapital ansparen; **to have no** ~ **in the debtor** keine Kapitalforderungen gegen den Schuldner durchsetzen können;
to participate on an ~ **basis** sich kapitalmäßig beteiligen; ~ **capital** Beteiligungs-, Eigenkapital; ~ **dilution** *(stock)* Wertverschlechterung durch Grundstücksbelastung; ~ **financing** Kapitalbeschaffung durch Aktienausgabe; ~ **investment** Kapitalinvestition; ~ **issue** Aktienemission; ~ **loan** billiges Darlehn; ~ **market**

Aktienmarkt; ~ **offerings** Kapitalerhöhung; ~ **ownership** Eigenkapital; ~ **participation** Kapitalbeteiligung; ~ **prices** *(share value)* Kurse der Dividendenwerte; ~ **ratio** Eigenkapitalkoeffizient; ~ **receiver** vom Gericht bestellter Vermögensverwalter; ~ **securities** Dividendenpapiere; ~ **shares** Aktien mit normaler Dividendenberechtigung und Anteil am Liquidationswert der Gesellschaft; ~ **trading** Geldaufnahme zu niedrigeren Zinssätzen als der Handelsgewinn.

equivalences of exchange Währungsparitäten.

equivalent *(equal value)* Gegenwert, Äquivalent; ~ *(a.)* vom gleichen Wert, gleichwertig, äquivalent.

equivocal transactions fragwürdige Geschäfte.

eraser Radiergummi.

erasure Rasur, radierte Stelle.

erection Errichtung, Montieren, Anbau;
~ **blue print** Montagezeichnung; ~ **cost** Errichtungs-, Montagekosten.

erector Montageleiter.

erosion from inflation Inflationserosion.

errand Weg, Bestellgang, Besorgung, Auftrag;
to go (run) [on] ~**s** Botengänge machen;
~ **boy** Läufer, Laufbursche; ~ **goer** Botengänger.

erratic *(stock exchange)* uneinheitlich, sprunghaft.

error Irrtum, Fehler, Versehen, Schnitzer, *(law)* Formfehler, Verfahrensmangel;
approximation ~ *(statistics)* Näherungsfehler; **ascertainment** ~ *(statistics)* Beobachtungsfehler; **nonsampling** ~ *(statistics)* stichprobenfremder Fehler;
~ **in account** Rechenfehler; ~ **in addition** Additionsfehler; ~ **in equations** *(statistics)* Ansatzfehler; ~ **as to the subject matter** Irrtum über den Vertragsgegenstand;
~ **band** *(statistics)* Fehlerbereich; ~ **margin** Fehlerspielraum, -spanne, Toleranz.

escalation price gleitender Preis.

escalator Rolltreppe, *(clause)* automatischer Ausgleich;
~ **clause** Gleit-, Indexklausel, *(prices)* gleitende Preisskala, Preisgleitklausel, *(wages)* Lohngleitklausel, gleitende Lohnklausel, -skala; **cost- of- living** ~ **contract** mit Preisgleitklausel ausgestatteter Vertrag; ~ **formula** Lohn-, Preisgleitklausel.

escapable cost vermeidbare Kosten.

escape *(relaxation)* Unterhaltung, Entspannung, Zerstreuung;
~ **clause** *(law of contract)* Rücktrittsklausel, *(US, tariff commission)* Konzessionsrücknahmeklausel, *(trade union)* Austrittsklausel; ~ **literature** *(reading)* Entspannungslektüre, Unterhaltungsliteratur; ~ **period** Rücktrittsfrist; ~ **slide** Notaussteigerutsche.

escort *(mar.)* Geleitfahrzeug, -schiff, *(plant)* Arbeitseinweisung;
air ~ Begleitflugzeug; **convoy** ~ Geleitzug; **police** ~ Polizeibedeckung.

escrow Übertragungsurkunde, Treuhandvertrag;
to hold in ~ treuhänderisch halten (verwahren); **to place a fund in** ~ Treuhänderfonds errichten;
~ **account** Treuhandkonto; ~ **agreement** Treuhand-, Hinterlegungsvertrag; ~ **department** Hinterlegungsabteilung einer Bank; ~ **holder** *(US)* Hinterlegungsstelle.

essential *(a.)* wesentlich, *(vital)* unbedingt notwendig, lebensnotwendig, -wichtig;
~ **goods** lebenswichtige Güter; ~ **industry** kriegswichtiger Betrieb; ~ **trade routes** *(US)* Liniendienst von besonderer volkswirtschaftlicher Bedeutung.

essentials wesentliche Umstände, *(goods)* lebenswichtige Güter;
production ~ wichtige Produktionsmittel;
~ **to registration** Eintragungsvoraussetzungen.

establish *(v.)* gründen, errichten, stiften, anlegen, etablieren, ansiedeln, *(fix)* feststellen, -setzen;
~ **o. s.** Geschäft errichten (gründen), sich etablieren (niederlassen), sich selbständig (ansässig) machen; ~ **s. o.** jem. zu einer Dauerstellung verhelfen;
~ **an agency** Vertretung einrichten; ~ **a business** Geschäft (Handelsfirma) errichten; ~ **standard cost at a high level** Kosten hoch vorkalkulieren; ~ **a credit** Kredit einrichten (eröffnen); ~ **a domicile** Wohnsitz begründen; ~ **o. s. in a job** sich beruflich durchsetzen; ~ **high records** Höchstkurse aufstellen; ~ **a tax on tobacco** Tabaksteuer einführen.

estabilished gegründet, feststehend, *(employed)* fest angestellt;
to be ~ *(claim)* feststehen, *(domicile)* ansässig sein;
~ **bookseller** zugelassener Buchhändler; **well-** ~ **business** gut eingeführtes Geschäft; ~ **civil servant** *(Br.)* Planstelleninhaber; **well-**~**fortune** wohlfundiertes Vermögen; ~ **merchant** selbständiger Kaufmann; ~ **place** *(Br.)* Geschäftssitz [einer Gesellschaft]; **well-** ~ **position** angesehene Stellung; ~ **post** feste Anstellung, Planstelle; ~ **prices** auf ein bestimmtes Niveau eingependelte Preise; ~ **products** im Markt gut eingeführte Produkte; ~ **reputation** guter Ruf, Ansehen.

establishment *(abode)* Niederlassung, fester Wohnsitz, *(fixing)* Festsetzung *(foundation)* Stiftung, *(group of plants)* Betriebszusammenfassung, *(house of business)* [Geschäfts]unternehmen, Firma, Geschäft, Betrieb, Anlage, Etablissement, *(leadership)* Führungsschicht, tonangebende Gesellschaftsschicht, *(mar.)* Sollstärke, Personal-, *(personnel)* Personalbestand, Planstelle, *(place of business)* Geschäftsgrundstück, *(place in life)* Lebensstellung, Versorgung, Einkommen, Gehalt, *(plant)* Werk, Be

trieb *(setting up)* Gründung, Errichtung, Etablierung, Niederlassung [einer Firma];
on the ~ fest angestellt, in einer Planstelle;
banking ~ Bankinstitut, -geschäft; **branch** ~ Zweigbetrieb, -geschäft; **business** ~ Geschäftsbetrieb, geschäftliches Unternehmen; **commercial** ~ gewerbliche Niederlassung; **consulting (fact-finding, guiding)** ~ Richtbetrieb; **dependent** ~s nichtselbständige Betriebseinheiten; **vitally important** ~ lebenswichtiger Betrieb; **industrial** Industrieunternehmen; **large** ~ Großbetrieb; **manufacturing** ~ gewerblicher Betrieb, Gewerbe-, Fabrikanlage, Fabrikantionsbetrieb; **mercantile** ~ Handelsunternehmen; **new** ~ Geschäftsneugründung; **one-man** ~ Einmannbetrieb; **private** ~ Privatunternehmen, -betrieb; **retail** ~ Einzelhandelsbetrieb -firma; **wholesale** ~ Großhandelsbetrieb;
~ **of an agency** *(US)* Errichtung einer Behörde; ~ **in a budget** Stellenplan; ~ **of a company** Gesellschaftsgründung; ~ **of a common customs tariff** Aufstellung eines gemeinsamen Zolltarifs; ~ **of a partnership** Begründung eines Gesellschaftsverhältnisses; ~ **of residence** Wohnsitzbegründung; ~ **of a tax** Steuererhebung;
to be on the ~ auf der Gehaltsliste stehen, zu den Angestellten gehören, Planstelle innehaben;
~ **charges** Generalunkosten; ~ **fund** Sozialversicherungsfonds.

estate *(assets)* Eigentum, [Gesamt]besitz, *(of bankrupt)* Konkursmasse, *(interest in land)* Besitzrecht, *(landed property)* Grundstück, Grund-, Landbesitz, Grundeigentum, Besitzung, Anwesen, Gut, *(property)* Vermögen[smasse];
bankrupt's ~ Konkursmasse; ~ **brought in** eingebrachtes Gut; **housing** ~ Stadtrandsiedlung; **industrial** ~ Kompaktsiedlung; **mortgaged** ~ belastetes Grundstück; **personal** ~ bewegliches Vermögen, Mobilien, Mobiliarvermögen; **real** ~ unbewegliches Vermögen, Immobilien, Immobiliarvermögen, Grund[stücks]eigentum, Grund und Boden, Liegenschaften; **developed real** ~ bebautes (erschlossenes) Grundstück; **separate** ~ Vorbehaltsgut der Ehefrau, *(partner)* Sonder-, Privatvermögen; **suburban** ~ Stadtrandsiedlung; **taxable** ~ steuerpflichtiger Nachlaß; **unencumbered** ~ lastenfreies Grundstück;
~ **in usufruct** Grundstücksnießbrauch; ~ **from year to year** von Jahr zu Jahr verlängerte Pacht; **to administer an** ~ Nachlaß verwalten; **to break up an** ~ Grundbesitz parzellieren;
~ **accounting** Nachlaßrechnungslegung; ~ **adviser** Vermögensberater; ~ **agency** Immobilienbüro, ~ **agent** *(go-between)* Grundstücksmakler, Gütermakler, -agent, *(house steward)* Gutsverwalter; ~ **car** *(Br.)* Kombiwagen; ~ **duty** *(Br.)* Erbschafts-, Nachlaßsteuer; ~ **duty exemption limit** Erbschaftssteuerfreigrenze; ~ **office** Maklerbüro; ~ **planning** Nachlaßregelung, -vorsorge; ~ **tax** *(US)* Erbschafts-, Nachlaßsteuer; ~ **tax savings** *(US)* Nachlaßsteuerersparnis; ~ **wagon** *(Br.)* Kombiwagen.

estimable loss Verlustschätzung.

estimate *(costs)* Vor-, Kosten[vor]anschlag, *(estimation)* Veranschlagung, Bewertung, [Ab]schätzung, Taxe, *(worth estimated)* Schätzwert;
in accordance with the ~s etatsmäßig; **on (at) a rough** ~ grob überschlagen;
building ~ Baukostenanschlag; **official** ~ amtliche Schätzung; **plant** ~s Betriebsbudget; **preliminary** ~ Kostenvoranschlag; **rough** ~ Überschlag[srechnung], rohe Schätzung; **savings** ~ Vorschau der Sparbewegungen; **supplementary** ~s Nachtragsetat, Haushaltsnachtrag;
~ **of costs** Kostenvoranschlag; ~ **of damage** Schadensberechnung; ~ **of income** Einkommensschätzung; ~ **of productiveness** Rentabilitätsberechnung; ~ **of profits** Gewinn-, Ertragsschätzung;
~ *(v.) (calculate)* berechnen, *(value)* [ab]schätzen, einschätzen, veranschlagen, beziffern, taxieren, bewerten;
~ **the productive capacity of land** Grundstück bonitieren; ~ **roughly** überschlagen; ~ **the value of land** Grundstückswert schätzen;
to bring in the ~s Budget (Haushalt, Etat) vorlegen (einbringen); **to draw up the** ~s Haushaltsplan aufstellen; **to employ a more conservative** ~ vorsichtige Schätzung (Kalkulation) zugrunde legen; **to make an** ~ **of the costs** Kostenvoranschlag vornehmen; **to vote the** ~s Haushaltsplan genehmigen.

estimated | **amount** Schätzungsbetrag; ~ **charges** Kostenvoranschlag; ~ **cost** geschätzte Kosten, Sollkosten; ~ **time of arrival** *(airplane)* voraussichtliche Ankunftszeit.

estimating | **clerk** Kalkulator; ~ **cost system** Kostenrechnungssystem mit vorausgeschätzten Kosten, Standardkostenrechnung.

estimation Veranschlagung, Vor-, Überschlag, Abschätzung, Bewertung.

estimator Schätzer, Taxator.

estovers Holzgerechtigkeit, *(allowance)* Unterhaltszahlung für die geschiedene Ehefrau, Alimente.

ethic advertising lautere Werbung.

ethics of a profession Standespflichten.

European | **Atomic Energy Community** (EURATOM) Europäische Atomgemeinschaft; ~ **Commission** Europäische Kommission; ~ **Coal and Steel Community** Europäische Gemeinschaft für Kohle und Stahl, Montanunion; ~ **Communities** Europäische Gemeinschaften; ~ **Free Trade Association** *(EFTA)* kleine Freihandelszone; ~ **Investment Bank** Europäische Investitionsbank; ~ **Market Regulations** Europäische Marktordnung; ~ **Monetary Agreement** *(EMA)* Europäisches Währungsabkommen; ~ **Payments Union** Europäische Zahlungsunion; ~ **plan** *(US)* Zimmervermietung ohne Frühstück; ~ **Productivity Agency** *(EPA)* Europäische Produktivitätszentrale; ~ **Recovery Program(me)** *(ERP)* Europäisches Wiederaufbauprogramm; ~ **Social Fund** Europäischer Sozialfonds.

evacuate *(v.)* evakuieren, aus-, umsiedeln, [Betrieb] aus-, verlagern, *(dwelling)* räumen, frei machen.

evacuation Evakuierung, Abtransport, [Betriebs]-verlagerung, Auslagerung, *(dwelling)* Räumung;
~ **of a contract** Vertragsaufhebung; ~ **of inhabitants** Aussiedlung der Einwohner;
~ **area** Umsiedlungs-, Evakuierungsgebiet.

evade | *(v.)* **one's creditors** sich seinen Gläubigern entziehen; ~ **customs duty** Zollhinterziehung begehen; ~ **paying one's debts** sich um die Bezahlung seiner Schulden herumdrücken; ~ **paying taxes** sich von der Steuerzahlung drücken.

evaded income tax hinterzogene Einkommensteuer.

evaluate *(v.)* *(appraise)* bewerten, abschätzen, begutachten, *(ascertain amount)* zahlenmäßig bestimmten, berechnen, auswerten;
~ **on a hurry-up basis** Bewertung im Blitzverfahren vornehmen.

evaluation Abschätzung, Taxierung, Bewertung, Wertbestimmung' -ermittlung, -berechnung;
~ **of a job** Arbeitsbewertung; ~ **of products** Warenbewertung;
~ **system** Bewertungssystem.

evasion Ausflucht, Ausrede, *(avoiding)* Umgehen; **fiscal (tax)** ~ Steuerverkürzung, -umgehung;
~ **of currency laws** Umgehung von Devisenvorschriften; ~ **of income tax** Einkommensteuerhinterziehung.

even *(account)* schuldenfrei, ausgeglichen, *(stock exchange, Br.)* glatt;
at ~ ohne Berechnung von Report- und Deportspesen;
~ *(v.)* **out** *(prices)* sich einpendeln; ~ **out the market** Marktausgleich herbeiführen; ~ **out fluctuations in earning power** Ertragsschwankungen ausgleichen; ~ **up** *(account)* ausgleichen, *(stock exchange)* glattstellen;
to break ~ ohne Verlust arbeiten, Gewinnschwelle erreichen;
~ **lot** *(US)* Aktienpaket mit durch hundert teilbarem Nennwert; ~ **running** *(quality)* gleichmäßig; ~ **sum** runde Summe.

evening *(entertainment)* Abendunterhaltung;
~ **classes** Fortbildungskursus; ~ **entertainment** Abendprogramm; ~ **school** *(Br.)* Fortbildungsschule; ~ **shift** Abendschicht.

evening | **out of the market** Herbeiführung eines Marktausgleichs; ~ **up** *(odd lots)* Spitzenausgleich, *(US, stock exchange)* Glattstellung; **forced** ~ **up** *(US)* Zwangsglattstellung.

evict *(v.)* *(tenant)* Zwangsräumung betreiben.

evicted tenant hinausgesetzter Mieter.

eviction Besitzentsetzung, Exmittierung, [Zwangs]räumung;
~ **notice (order)** Räumungsbefehl; ~ **proceedings** Räumungsverfahren.

evidence Beweis[material], -mittel, -urkunde, *(testimony)* Zeugnis, Zeugenaussage;
~ **of debt** Schuldurkunde; ~ **of insurability satisfactory to company** Nachweis der Versicherungsfähigkeit; ~ **of prosperity** Wohlstandsmerkmale.

ex exklusive, ohne, ausschließlich, *(securities)* exklusive, abzüglich, *(shipping point)* ab;
~ **all** ausschließlich aller [Dividenden]rechte; ~ **coupon** ohne Kupon; ~ **dividend** ausschließlich Dividende; ~ **factory** ab Fabrik (Werk); ~ **interest** ohne Zinsen; ~ **London** ab London; ~ **new** ohne Bezugsrecht auf neue Aktien; ~ **quay** ab Kai; ~ **rights** ohne Bezugsrecht; ~ **ship** frei ab Schiff; ~ **stock dividend** *(US)* ohne Dividende mit Gratisschein.

exact genau, sorgfältig, exakt;
~ *(v.)* *(fees)* erheben, *(payments)* eintreiben;
to be ~ **in business** in Geschäften zuverlässig sein; **to be** ~ **in one's payments** pünktlich zahlen, pünktlicher Zahler sein;
~ **amount** genauer Betrag; **to tender the** ~ **amount** Nachschußsumme aufbringen; ~ **interest** Zinsen auf Basis von 365 Tagen.

exaction [Forderungs]beitreibung, *(exorbitant demand)* übertriebene Forderung;
~ **of taxes** Steuereintreibung.

exactor Steuereintreiber.

exaggerate *(v.)* **one's claims** übertriebene Forderungen (Ansprüche) stellen.

exaggerated hochgeschraubt;
~ **demand** Übernachfrage; ~ **price** übersetzter Preis;
~ **value** zu hoch angesetzter Wert.

exaggeration of value Überbewertung.

examination *(of accounts)* Revision, Prüfung, Kontrolle, Nachrechnung, Durchsicht, *(bankruptcy proceedings)* Vernehmung [des Gemeinschuldners], *(investigation)* Untersuchung, [Über]prüfung, Einsichtnahme, *(real-estate purchase)* Grundbucheinsicht, *(test)* Prüfung, Examen;
on closer ~ bei näherer Besichtigung;
competitive ~ Wettbewerb; **qualifying** ~ Fach-, Eignungsprüfung;
~ **of business accounts** Rechnungsprüfung; ~ **of the books** Bücherrevision; ~ **of financial conditions** Prüfung der wirtschaftlichen Verhältnisse; ~ **of the goods** Besichtigung der Waren; ~ **of luggage** *(Br.)* Gepäckrevision; ~ **of proxies** Vollmachtsüberprüfung;

authorities Prüfungsgremium; ~ **report** Prüfungsbericht.
examine *(v.)* prüfen, untersuchen, revidieren, *(account)* durchsehen, überprüfen, *(records)* [Grundbuch] einsehen;
~ **the books** Bücher prüfen (revidieren); ~ **item by item** Punkt für Punkt durchgehen.
examinee Prüfling, Examenskandidat.
examiner Untersucher, *(accountant)* Revisor, Prüfer, Kontroll-, Prüfungsbeamter.
exceed *(v.)* übersteigen, -schießen, -schreiten;
~ **a prescribed amount** Limit überschreiten; ~ **the speed limit** zulässige Geschwindigkeit überschreiten; ~ **in value** an Wert übertreffen, im Wert übersteigen, wertmäßig übertreffen.
exceeding | of budget Haushaltsüberschreitung;
~ **amount** überschießender Betrag.
exception Ausnahme, *(document)* Vorbehalt, Vorbehaltsklausel, *(insurance contract)* Risikoausschluß, *(zoning)* Bauausnahmegenehmigung;
~ **to classification** Tarifänderung;
to take ~ to an audit report Revisionsbericht beanstanden.
exceptional | hardship außergewöhnlicher Härtefall; ~ **offer** Ausnahmeangebot; ~ **position** Vorzugsstellung; ~ **price** Sonder-, Ausnahmepreis; ~ **tariff** Ausnahmetarif.
exceptionally cheap außergewöhnlich billig.
exceptive clause Ausnahmebestimmung.
excess *(superabundance)* Übermaß, *(surplus amount)* Mehrbetrag, Überschuß;
~ **of authority** Vollmachtsüberschreitung; ~ **of expenditure over revenues** Ausgaben-, Unkostenüberhang; ~ **of exports** Ausfuhrüberschuß; ~ **of purchasing power** Kaufkraftüberhang; ~ **of receipts over expenditure** Einnahmeüberschuß; ~ **of tare** Übertara; ~ **of weight** Mehrgewicht; ~ **of work** Mehrarbeit, zusätzliche Arbeit;
~ *(v.)* *(Br., railway)* Zuschlagsfahrpreis erheben;
to be in ~ of the demand Bedarf übersteigen, **to be in ~ of the sum required** benötigten Betrag überschreiten; **to mop ~ spending power** überschüssige Kaufkraft abschöpfen; **to pay the ~ [on one's tickets]** Fahrpreiszuschlag zahlen;
~ **amount** überzahlter Betrag, Mehrbetrag; ~ **application** Überzeichnung; ~ **baggage** *(US)* Übergewicht, Mehrgepäck; ~ **capacity** Überkapazität; ~ **charge** Kosten-, Gebührenzuschlag, *(life insurance)* Sicherheitszuschlag; ~ **check** Zusatzgepäckschein; ~ **consumption** Mehrverbrauch; ~ **deductions** Sonderfreibetrag; ~ **expenditure** Mehrausgaben; ~ **fare** Fahrpreiszuschlag; ~ **fee** Gebührenzuschlag, Zuschlagsgebühr; ~ **freight** Frachtzuschlag, Überfracht; ~ **hour** Überstunde; ~ **insurance** Selbstbehalt; ~ **loan** *(US)* über den gesetzlichen Höchstbetrag hinausgehender Bankkredit; ~ **loss insurance** Exzedentenrückversicherung; ~ **luggage** *(Br.)* Mehr-, Übergewicht; ~ **luggage charge** *(Br.)* Gewichtszuschlag; ~ **money** Geldüberhang; ~ **mortality** Sterblichkeitsüberhang; ~ **offer** Überangebot; ~ **payment of income tax** Einkommensteuerüberzahlung; ~ **postage** Nachgebühr, Strafporto; **to trim ~ production** Produktionsüberschüsse beseitigen; ~ **profit** Wucher-, Über-, Kriegs-, Mehrgewinn; ~ **profits duty** *(Br.)* **(tax,** *US)* Kriegs-, Mehrgewinnsteuer; ~ **profiteer** Wucherer, Kriegsgewinnler; ~ **reinsurance** Rückversicherung oberhalb des eigenen Risikos; ~ **loss reinsurance** Exzedentenrückversicherung; ~ **reserve** *(US)* außerordentliche Reserve; ~ **spending power** überschüssige Kaufkraft; ~ **supply** Überangebot; ~ **ticket** Zusatzfahrschein; ~ **valuation** Mehrwertung; ~ **value** Mehrwert; ~ **vote** Nachbewilligung; ~ **weight** Mehr-, Übergewicht; Gewichtsüberschuß.
excessive übermäßig, übertrieben;
~ **in amount** zu hoch angesetzt;
~ **bail** überhöhte Kaution; ~ **boom** überhitzte Konjunktur; ~ **charge** wucherische Forderung; ~ **damages** übertrieben hohe Schadenersatzzuerkennung; ~ **demand** Überbedarf, -nachfrage, Nachfrageüberhang; ~ **encumbrance** Überschuldung; ~ **fine** Existenzgrundlage gefährdende Geldstrafe; ~ **indebtedness** Überschuldung; ~ **interest** Wucherzins[en]; ~ **labo(u)r** übermäßige Arbeit; ~ **price** Überpreis; ~ **supply** Überangebot; ~ **tax** überhöhte Steuer.
exchange *(barter transaction)* Tauschgeschäft, -handel *(capital assets)* Anlagensustausch, *(circulation of bills)* Wechselverkehr, *(currency)* Währung, Valuta, *(of goods)* [Aus]tausch, Eintausch, Umtausch, *(market)* Börse, *(money ~)* Wechselstube, -stelle, *(of money)* Ein-, Umwechslung, *(object of exchange)* Tauschgegenstand, *(rate of exchange)* [Wechsel]kurs, *(tel.)* Fernsprechamt, -vermittlung, *(securities)* Umtausch [von Wertpapieren];
at the ~ of zum Kurs von; **at the current ~ of** zum Tageskurs von; **at the quoted ~** zum angeführten Kurs; **in ~** als Ersatz (Gegenleistung); **[quoted] on the ~** an der Börse, börsenfähig; **with ~** *(US)* zuzüglich Einzugsspesen;
bank (banker's) ~ Bankwechsel; **blocked ~** blockierte Devisenbestände; **commercial ~** Warenbörse; **current ~** Tageskurs; **direct ~** fester Umrechnungskurs; **dislocated ~** zerrüttete Währung; **dollar ~** Dollarwährung, **domestic ~** Inlandwechsel; **dull ~** flaue Börse; **foreign ~** Devisen; **labour ~** *(Br.)* Arbeitsamt; **local ~** *(tel.)* Ortsamt; **nominal ~** nomineller Kurs; **nontaxable ~** steuerfreier Majoritätskauf; **part ~** Teilzahlung; **pegged ~** gestützter Wechselkurs; **private business ~** eigene Telefonzentrale; **produce ~** Produkten-, Warenbörse; **shipping ~** Frachtenbörse; **short[-dated] ~** kurzfri-

stiger Wechsel; **stock** ~ Wertpapierbörse; **telephone** ~ [Telefon]zentrale, Fernsprechamt; ~ **of commodities (goods)** Waren-, Güteraustausch; ~ **of currency** Geldumtausch; ~ **of the day** Tageskurs; ~ **for forward (future) delivery** Devisentermingeschäft; ~ **of goods and services** Waren- und Dienstleistungsverkehr; ~ **of letters** Brief-, Schriftwechsel; ~ **of the market** Platzkurs; ~ **of shares (stocks)** Aktien[aus]-tausch; ~ **without variation** keine Kursveränderungen;

~ *(v.)* [um]tauschen, ver-, austauschen, auswechseln, *(money)* [um]wechseln;

~ **letters** korrespondieren;

to be hammered on the ~ *(Br.)* [an der Börse] für zahlungsunfähig erklärt werden; **to give in** ~ einwechseln, in Tausch geben;

~ **account** *(US)* Wechsel-, Valutakonto; ~ **accruals** Devisenzugänge; ~ **advice** Börsenbericht; ~ **advertising** Austauschinserat; ~ **advice** Kursbericht, -notierung; ~ **agent** Börsenvertreter, Umtauschstellen [für Aktien]; ~ **agreement** Abkommen über den Zahlungsverkehr; ~ **allotment** *(Br.)* Devisenzuteilung; ~ **allowance** Devisenzuteilung; ~ **arbitration** Wechselarbitrage; ~ **assets** Devisenwerte; ~ **authorities** Devisenbehörde; ~ **authorization** Devisengenehmigung; ~ **bank** Wechsel-, Devisenbank; ~ **bill of lading** Ersatzkonnossement; ~ **board** Kursanzeigetafel; ~ **broker** Wechsel-, Börsen-, Kurs-, Devisenmakler; ~ **business** Börsen-, Wechselgeschäft; **mere** ~ **business** Wechselreiterei; **to carry on** ~ **business** Wechselgeschäfte machen; ~ **calculation** Kursberechnung; ~ **centre** Börsenplatz; ~ **charges** Wechselkosten; ~ **check** Austauschscheck; ~ **clause** Währungs-, Kursklausel; ~ **clearing** Devisenclearing; ~ **commission** Wechselprovision; ~ **commission (committee)** Börsenkommission, -vorstand; ~ **commitments** Devisenengagements; ~ **compensation duty** Währungsausgleichszollzuschlag; ~ **control** offizielle Paritäts-, Devisenkontrolle; **to dismantle (lift)** ~ **controls** Devisenbewirtschaftung abbauen; ~ **deal** Tauschgeschäft; ~ **dealer** *(Br.)* Devisenhändler; ~ **dealings** *(Br.)* Devisenhandel, -geschäft; ~ **department** Devisenabteilung; ~ **depreciation** Währungsabwertung; ~ **difference** Kursdifferenz, -spanne; ~ **embargo** Devisensperre; ≗ **Equalization Account** *(Br.)* Währungsausgleichskonto; ≗ **Equalization Fund** *(Br.)* Währungsausgleichsfonds; ≗ **Equalization Grant** *(Br.)* staatliche Ausgleichszuweisung; ~ **equilibrium** Zahlungsausgleich; ~ **facilities** Devisenerleichterungen; ~ **fee** Devisengebühr; ~ **fluctuations** Kursschwankungen; ~ **form** Umtauschformular; ~ **group** Austauschgruppe; ~ **guaranty** Kurssicherung; ~ **hall** Börsensaal; ~ **holdings** Devisenbestände; ~ **lecturer** Austauschdozent; ~ **line** *(tel.)* Amtsleitung; ~ **list** Kurszettel, -bericht, -notierung; ~ **loss** Devisenverlust; ~ **market** Devisenmarkt; ~ **member** Börsenmitglied; ~ **money** Wechselzahlung; ~ **number** *(teletype writer)* Kennzahl; ~ **offer** Umtauschangebot; ~ **office** Wechselstube; ~ **operation** Devisentransaktion, -geschäft; ~ **outlet selling** Absatzbeschränkung auf ein Geschäft; ~ **parity** Kursparität; ~ **premium** Agio; ~ **price** Börsenkurs; ~ **proceeds** Devisenerlös; ~ **profit** Kursgewinn; ~ **rate** Wechsel-, Umrechnungs-, Devisenkurs; **floating** ~ **rates** bewegliche Wechselkurse; **multiple** ~ **rates** multiple Wechselkurse; ~- **rate guarantee** Kursgarantie; ~ **rationing** Devisenkontingentierung; ~ **regulations** *(stock exchange)* Börsenordnung, *(control)* Devisenbestimmungen; ~ **report** Börsenbericht; ~ **requirements** Devisenanforderungen; ~ **reserve** Devisenpolster; ~ **restrictions** Devisen-, Zahlungsbeschränkungen; ~ **restrictions on payments and transfers** Zahlungs- und Transverbeschränkungen, devisenrechtliche Beschränkungen ; ~ **risk** Kurs-, Währungsrisiko; **to drop one's** ~ **seat** seine Mitgliedschaft bei der Börse (seinen Börsensitz aufgeben; ~ **stabilization fund** *(US)* Währungsausgleichsfonds; ~ **standard** Wechselvaluta; ~ **statement** Devisenabrechnung; ~ **stringency** Devisenknappheit; **foreign** ~ **surplus** Devisenüberschuß; ~ **telegram** Kursdepesche; ~ **transaction** Tauschgeschäft, *(bill of exchange)* Devisengeschäft; **forward** ~ **transaction** Devisentermingeschäft; ~**value** Tausch-, Börsen-, Marktwert.

exchangeable aus-, vertauschbar, umtauschfähig;
~ **goods** Tauschprodukte; ~ **value** Tauschwert.

exchequer *(of a firm)* Finanzen, Kasse, Geldmittel; ≗ *(Br.)* Staatskasse, Fiskus, *(Ministry of Finance)* Schatzamt, Finanzministerium;
common ~ Gemeinschaftskasse;
~ **aid** *(Br.)* staatliche Mittel; ≗ **and Audit Department** *(Br.)* Oberrechnungskammer, -hof; ~ **bill** *(Br.)* [kurzfristiger, verzinslicher] Schatzwechsel; ~ **bonds** *(Br.)* langfristige Schatzanweisungen; ~ **grants** *(Br.)* Zuwendungen aus der Staatskasse.

excisable [verbrauchs]steuerpflichtig, steuerbar.

excise *(finance department, Br.)* Finanzverwaltung für indirekte Steuern, *(indirect tax)* indirekte Steuer, *(monopoly duty)* Monopolsteuer-, -gebühr, *(tax on consumption)* Waren-, Verbrauchssteuer, Akzise;
~ *(v.)* Verbrauchssteuer erheben, mit Verbrauchssteuer belegen, besteuern;
~ **bond** Zollvermerk-, Zolldurchlaßschein; ~ **duty** *(Br.)* Warensteuer [für Inlandswaren], Verbrauchssteuer; ~ **licence** *(US)* Schankkonzession, *(Br.)* Kraftfahrzeugbenutzungsgebühr; **office** Akzisenamt, Regieverwaltung; ~ **tax** *(US)* Verbrauchsabgabe, Umsatz-, Konsumsteuer; ~ **warehouse** Steuerdepot, -lager.

exciseman *(Br.)* [Verbrauchs]steuereinnehmer.
excite *(v.)* **customer's interest** Verbraucherinteresse hervorrufen.
exclude | *(v.)* **unfounded claims** unbegründete Ansprüche nicht zulassen; ~ **from a port** Hafenzugang verwehren.
exclusion Ausschließung, Ausschluß, *(insurance)* Versicherungsbegrenzung;
~ **of benefits** *(social insurance)* Leistungsausschluß; ~**s from gross income** steuerfreie Einkünfte.
exclusive *(article)* Exklusivbericht;
~ *(a.)* nicht eingerechnet, ausschließlich, *(journalism)* exklusiv;
~ **of costs** ausschließlich der Kosten; ~ **of interest** mit Ausnahme der Zinsen; ~ **of packaging** Verpackung ausgenommen;
~ **agency** Alleinvertretung; ~ **agency contract** Alleinvertretungsvertrag; ~ **agent** Alleinvertreter; ~ **agreement** Exklusivvertrag; ~ **angle** *(advertising)* Ausschließlichkeitsaufhänger; ~ **dealer** Alleinvertreter; ~ **distribution** ausschließlicher Absatzweg; ~ **employment** einzige Beschäftigung; ~ **hotel** Hotel der Spitzenklasse, Luxushotel; ~ **interview** Sonderinterview; ~ **licence** Alleinlizenz; ~ **listing** *(real-estate broker)* Alleinverkaufsrecht; ~ **model** Exklusivmodell; ~ **patterns** moderne Muster; **profession** exklusiver Berufszweig; ~ **right** Ausschluß-, Exklusivrecht; **to have the** ~ **rights in a production** alleiniges Herstellungsrecht haben; **to have the** ~ **rights for the sale of a car** alleiniges Verkaufsrecht (Generalvertretung) für ein Auto haben; ~ **sale** Alleinverkaufs-[recht]; ~ **sales agreement** Alleinverkaufsvereinbarung.
exclusivity stipulation *(Br.)* Konkurrenzverbot.
excursion Ausflug, Vergnügungsreise, *(party of persons)* Reisegesellschaft;
to make an ~ Tour machen;
~ **ticket** Touristenkarte, Ferienbillet; ~ **train** Ausflügler-, Sonder-, Vergnügungs-, Ferienzug.
excursionist Ausflügler, Vergnügungsreisender.
execute *(v.)* *(contract)* durchführen, Bedingungen erfüllen, *(judgment)* vollstrecken, vollziehen;
~ **an affidavit** eidesstaatliche Erklärung abgeben; ~ **an order at best** Auftrag bestens ausführen; ~ **orders in listed securities on a commission basis** Effektengeschäfte auf Provisionsbasis durchführen; ~ **under the rules** *(stock exchange)* zwangsweise abwickeln.
executed | **consideration** vorher empfangene (erbrachte) Gegenleistung; ~ **sale** Kauf mit Eigentumsübergang; ~ **use** gesetzlich berechtigter Gebrauch.
executing creditor Vollstreckungsgläubiger.
execution *(accomplishment)* Durch-, Ausführung, Vollziehung, Handhabung, *(of contract)* Durchführung, *(seizure)* Pfändung, [Zwangs]-vollstreckung, *(will)* Vollstreckung;
unsatisfied ~ erfolglose Zwangsvollstreckung;
~ **of a bill** Rechnungsausstellung; ~ **of a contract** Vertragserfüllung; ~ **of a judgment** Vollstreckung aus einem Urteil; ~ **of an order** Auftragserledigung, Effektuierung eines Auftrags; ~ **of policy** Ausstellung eines Versicherungsscheines; ~ **by sale of debtor's chattels** Zwangsversteigerung; ~ **on wages** Lohnpfändung; ~ **of work** Arbeitsausführung;
to be exempt from ~ nicht der Zwangsvollstreckung unterliegen; **to be sold under** ~ im Wege der Zwangsvollstreckung verkauft werden; **to carry into** ~ ausführen, vollstrecken; **to enforce a judgment by** ~ aus einem Urteil vollstrecken, Vollstreckung aus einem Urteil betreiben; **to grant a stay of** ~ Einstellung der Zwangsvollstreckung anordnen;
~ **creditor** Vollstreckungsgläubiger; ~ **debtor** Vollstreckungsschuldner; ~ **sale** Zwangsversteigerung.
executive *(branch of government)* vollziehende Gewalt, Exekutive, *(employee, US)* leitender Angestellter, Führungskraft, Geschäftsführer;
big-company ~ Konzernangestellter; **desk-bound** ~ Schreibtischstratege; **fringe** ~ tantiemenberechtigte Führungskraft; **highly-paid** ~ *(US)* hochbezahlter Beamter; **junior** ~ Nachwuchskraft; **lower-echelon** ~**s** mittlere Führungskräfte; **supervisory** ~ Angestellter mit Überwachungsfunktionen; **up-and-coming** ~ erfolgreiche Nachwuchskraft;
~ *(a.)* ausübend, vollziehend, exekutiv, *(managing)* verwaltend, leitend;
~ **administration** *(Br.)* Ministerialbürokratie; ~ **agent** vollziehendes Organ; **top** ~ **appointment** Spitzenposition; ~ **board committee** geschäftsführender Präsidialausschuß; ~**-class car** Auto für gehobenere Ansprüche; ~ **committee** *(corporation)* geschäftsführender Vorstand; ~ **compensation** Vergütung für leitende Angestellte; ~ **compensation package** massierte Sondervergünstigungen für leitende Angestellte; **to shed one's upright** ~ **control** seine beruflich anerzogene Zurückhaltung als leitender Angestellter aufgeben; ~ **department** Vorstandsressort; ~ **dining room** Direktionskasino; ~ **employee** leitender Angestellter, Führungskraft; ~ **fringes** zusätzliche Aufwendungen (Sondervergünstigungen) für leitende Angestellte; ~ **incentive plan** Leistungszulagensystem für leitende Angestellte; **top** ~ **management** Unternehmensleitung, *(US)* Vorstand einer AG; ~ **meeting** Vorstandssitzung; ~ **officer** leitender Angestellter, Führungskraft; ~ **personnel** leitende Angestellte, Führungskräfte; **to upgrade one's** ~ **personnel standards** Niveau seiner Führungskräfte heraufschrauben; ~ **position (post)** Führungsposten, leitende Stellung; ~ **potential** unternehmerische Fähigkeiten; ~ **recruiter** Unternehmensberater; ~ **recruiting**

Anwerben von Führungskräften, Unternehmensberatung; ~ **recruiting firm** Unternehmensberatungsfirma; ~ **responsibility** unternehmerische Verantwortlichkeit; ~ **rotation** turnusmäßige Versetzung leitender Angestellter; ~ **secretary** Vorstandssekretär[in]; ~ **shuffle** Umbesetzungen im Vorstand; ~ **staff** Führungsstab; ~ **suite** Vorstandsetage; **to make [it to] the** ~ **suite** Vorstandsposition erreichen, in den Vorstand gelangen, ~ **team** Führungsstab; ~ **trainee** Nachwuchskraft; ~ **training** Nachwuchsausbildung; ~ **work** leitende Tätigkeit.

exemplary musterhaft, vorbildlich, *(monitory)* abschreckend, *(typical)* typisch;
~ **damages** über den verursachten Schaden hinausgehende Entschädigung, Buße, Bußgeld.

exemplify *(v.)* erläutern, an Beispielen illustrieren;
~ **a deed** *(US)* beglaubigte Abschrift einer Urkunde anfertigen.

exempt *(a.)* befreit, frei (ausgenommen) von;
customs- ~ zollfrei; **tax-** ~ *(US)* steuerfrei;
~ **from charges** spesenfrei; ~ **from execution** pfändungsfrei, unpfändbar; ~ **from postage** portofrei;
~ *(v.)* [von einer Steuer, Verpflichtung] befreien;
~ **s. o. from a liability** j. von der Haftung ausnehmen; ~ **o. s. from liability** sich freizeichnen; ~ **s. o. from a tax** jem. eine Steuer erlassen;
to be ~ **from taxes** keine Steuern zahlen;
~ **commodities** nicht unter den Tarif fallende Waren; ~ **property** *(execution)* pfändungsfreies Vermögen.

exempted | **from execution** pfändungsfrei, unpfändbar;
~ **amount** pfändungsfreier Betrag, Pfändungsfreibetrag.

exemption Befreiung, Ausnahme[stellung], Ausnahmeregelung, *(execution)* pfändungsfreier Betrag, Pfändungsfreibetrag *(income tax, US)* [Steuer-]freibetrag, Steuerfreier Betrag, *(mil.)* Freistellung, UK-Stellung, *(tariff)* Tarifausnahmen;
dependency ~ *(US)* Steuerfreibetrag für Kinder; **flat** ~ *(US)* Pauschalfreibetrag; **lifetime** ~ *(US)* Erbschaftssteuerfreibetrag; **old-age** ~ *(US)* Altersfreibetrag; **outright** ~ *(US)* allgemein gewährter Steuerfreibetrag; **personal** ~ *(US)* persönlicher Steuerfreibetrag; **tax** ~ *(US)* Steuerfreibetrag; **withholding** ~ *(employee) (US)* Lohnsteuerfreibetrag;
~ **from charges** Abgabenfreiheit; ~ **from [customs] duty** Abgaben-, Zollfreiheit; ~ **from execution** Unpfändbarkeit; ~ **from income tax** *(US)* Einkommensteuerfreiheit; ~ **from liability** Haftungsausschluß; ~ **from postage** Portofreiheit; **from taxation** *(US)* Steuerbefreiung, -freiheit, Aufgabefreiheit;
~ **clause** Ausnahme-, Freistellungsklausel; ~ **credit** *(US)* Steuerfreibetrag; **personal** ~ **increase** *(US)* Sonderausgabenerhöhung; **[personal]** ~ **level** *(US)* Steuerfreibetragsgrenze; ~ **minimum** *(taxation, US)* Mindestfreibetrag; ~ **provisions** Ausnahmebestimmungen.

exercise Gebrauch, Anwendung, Ausübung, Geltendmachung
in ~ **of one's calling** in der Ausübung seines Berufs; **in** ~ **of one's duties** in Erfüllung seiner Dienstobliegenheiten;
~ **of options** Ausübung des Prämienrechts, Optionsausübung; ~ **of a trade** Ausübung eines Gewerbes;
~ *(v.)* **the required degree of skill and diligence** die im Verkehr erforderliche Sorgfalt anwenden; ~ **an option** Prämienrecht (Optionsrecht) ausüben; ~ **the right to subscribe to new stock** Bezugsrecht ausüben; ~ **a trade** Gewerbe ausüben.

exhaust *(v.)* erschöpfen, aufbrauchen, *(consume entirely)* [vollständig] verbrauchen;
~ **the land** Raubbau treiben; ~ **the means** Mittel erschöpfen; ~ **a quota** Kontingent erschöpfen;
~ **price** *(US)* Verkaufskurs ohne Deckungserhöhung.

exhausted *(policy)* abgelaufen, *(reserves)* erschöpft.

exhaustion of reserves Erschöpfung der Reserven.

exhibit *(auditing)* Status, Vermögensverhältnisse, *(declaration)* eidliche Erklärung, *(document)* Beweisstück, Beweismittel, Beleg, *(enclosure)* Anlage, Beilage, *(exhibited article)* Ausstellungsgegenstand, -stück, Schaustück, *(exhibition)* Ausstellung;
~**s** Ausstellungsgüter, *(cinema)* Reklamefotos;
~ *(v.) (goods)* [Waren zum Verkauf] ausstellen, zur Ansicht vorlegen, auslegen;
~ **goods at a fair** Waren auf einer Messe ausstellen; ~ **one's passport** seinen Paß vorzeigen;
~ **large profits** große Gewinne ausweisen;
~ **hall** Ausstellungs-, Messehalle.

exhibited articles Ausstellungsgut, Messegüter.

exhibiting *(display)* Ausstellen, Ausstellung;
~ **firm** Aussteller, ausstellende Firma.

exhibition Ausstellung, Schau, Messe, *(exhibit)* Ausstellungsobjekt, ausgestellter Gegenstand, *(production)* Vorlage, Vorzeigung;
continuous ~ Dauerausstellung; **export** ~ Exportausstellung, -messe; **flying** ~ Wanderausstellung; **industrial** ~ Industrie-, Gewerbeausstellung; **international** ~ Weltausstellung; **special** ~ Fachmesse, Sonderausstellung;
~ **of documents** Einreichung von Urkunden, Urkundenvorlage; ~ **of fashion** Modemesse; ~ **of household appliances** Haushaltsmesse;
to be on ~ öffentlich ausgestellt sein; **to stage an** ~ Ausstellung veranstalten;
~ **board** Messe-, Ausstellungsleitung; ~ **buildings** Ausstellungsgebäude; ~ **corporation** Mes-

segesellschaft; ~ **grounds** Messe-, Ausstellungsgelände; ~ **hall** Messe-, Ausstellungshalle; ~ **room** Ausstellungsraum; ~ **site** Messe-, Ausstellungsgelände; ~ **stand** Messe-, Ausstellungsstand; ~ **value** *(moving-picture industry)* erwartete Mindesteinnahmen.

exhibitor Aussteller, Messeteilnehmer;
foreign ~**s** ausländische Aussteller, Auslandsbeteiligung an einer Messe.

exigency, exigence Notlage, schwierige Lage, *(pressing need)* dringendes Bedürfnis, Erfordernis, *(urgency)* dringender Fall, Dringlichkeit;

exit *(cinema)* Ausgang, *(journey out)* Ausreise;
~ **permit** Ausreiseerlaubnis; ~ **point** [Autobahn]ausfahrt.

exodus Aus-, Abwanderung;
~ **of capital** Kapitalflucht.

exonerate *(v.)* **s. o. from an obligation** j. von einer Verpflichtung entbinden.

exoneration Entlastung, Befreiung, Entbindung.

exorbitant übertrieben, übermäßig, unerschwinglich, *(law)* ungesetzlich;
~ **demand** unmäßige (übertriebene) Forderung; ~ **price** Wucherpreis; ~ **rates** übersetzter Tarif, *(interest)* wucherische Zinssätze.

expand *(v.)* **one's business** sein Geschäft erweitern (ausdehnen).

expansion Ausdehnung, Ausbreitung, Erweiterung, *(accession)* Zuwachs;
currency ~ Vermehrung des Zahlungsmittelumlaufs; **economic** ~ wirtschaftliche Expansion; **industrial** ~ Industrieausweitung;
~ **of assortment** Sortimentsausweitung; ~ **of a buildung** Anbau, Ausbau; ~ **of business** Geschäftserweiterung; ~ **of capacity** Kapazitätsausweitung; **[undue]** ~ **of credit** [übermäßige] Kreditausweitung; ~ **of equipment** Vervollkommnung der Betriebsausstattung; ~ **of exports** Ausfuhrsteigerung; ~ **of machinery** Vervollkommnung des Maschinenparks; ~ **in the money supply** Geldausweitung; ~ **of sales** Umsatzausweitung; ~ **of trade** Handelsausdehnung;
~ **curb** Expansionsbremse; ~ **forecast** Expansionsprognose; ~ **plan (program(me))** Erweiterungs-, Expansionsprogramm, Erweiterungsplan; ~ **site** Expansionsgelände.

expansionary Expansionsbedingt;
to switch policy to a strongly ~ **line** Politik auf einen kräftigen Expansionskurs umstellen.

expansive trend konjunkturelle Ausweitung.

expectancy Erwartung, Anwartschaft;
~ **of life** *(insurance)* Lebenserwartung, mutmaßliche Lebensdauer.

expectant Anwärter.

expectation | of inflation Inflationserwartung; ~ **of life** Lebenserwartung, mutmaßliche Lebensdauer; ~ **of loss** Verlustkalkulation;
to fall short of ~**s** den Erwartungen nicht entsprechen;
~ **of life tables** Sterblichkeitstabelle;
~ **value** Vertragswert.

expected to rank voraussichtliche Gläubiger; ~ **to sail** voraussichtlicher Abgang;
~ **deaths** *(insurance)* angenommene Todesfälle; ~ **life** *(asset)* Nutzungsdauer; ~ **time of arrival** voraussichtliche Ankunftszeit; ~ **value** durchschnittlicher Nutzungswert.

expedience Zweckmäßigkeit, Zweckdienlichkeit.

expedient Hilfsmittel, Notbehelf.

expedite *(v.)* befördern, absenden, expedieren, *(speed up)* beschleunigen.

expedited | freight Expreßgut; ~ **service** Expreßdienst.

expediter Spediteur.

expedition Expedition, Forschungs-, Entdeckungsreise.

expeditious geschäftig;
to be ~ **in business** prompt liefen.

expend *(v.)* aufwenden, verwenden, *(money)* verwenden, auslegen, ausgeben, *(consume)* verbrauchen;
~ **all one's capital for equipment** sein gesamtes Kapital in die Ausstattung investieren.

expendable verbrauchbar, kurzlebig;
~ **fund** Unkostenfonds; ~ **item** *(mil., US)* Verbrauchsartikel, *(Br.)* Verbrauchsmaterial; ~ **package** verlorene Packung, Einwegpackung; ~ **stores** *(Br.)* Verbrauchsmaterial.

expenditure *(amount expended)* Ausgaben, [Kosten]aufwand, [Un]kosten, Spesen, *(consumption)* Aufwand, Verbrauch, *(laying out of money)* Ausgabe, Verausgabung, Aufwendungen;
at great ~ mit großem Geldaufwand;
actual ~ Istausgabe; **additional** ~ Mehraufwand; **advertising** ~ Werbeausgaben; ~ **not budgeted for** außerplanmäßige Ausgaben; **capital** ~ Kapitalaufwand, -verbrauch; **cash** ~ Barauslagen, -ausgaben; **estimated** ~ Sollausgaben; **extraordinary and outside** ~ außerordentliche und betriebsfremde Aufwendungen; **increased** ~ Mehrausgaben; **initial** ~ Anlage-, Installationskosten; **net** ~ Nettoaufwand, Reinausgabe; **nonrecurring** ~ einmalige Ausgaben; ~ **occasioned** entstandene Aufwendungen; **operating** ~ Betriebsausgaben; **professional** ~ Werbungskosten, -aufwand; **routine** ~ tägliche Ausgaben; **social** ~ soziale Aufwendungen; **tourist** ~ Ausgaben durch Ferienreisende;
~ **of a business** Geschäftsausgaben, -unkosten; ~ **to be charged to income** aus dem Erfolg zu deckende Aufwendungen; ~ **for relief** Aufwendungen für Unterstützungen; ~ **for repair** Instandsetzungs-, Reparaturkosten; ~ **for wages** Lohnaufwand;
to cut ~ Ausgaben senken; **to keep one's** ~ **within reasonable limits** Ausgaben auf ein vernünftiges Maß beschränken; **to plan one's** ~ sein Geld einteilen; **to suit one's** ~ **to one's income** mit seinem Einkommen auskommen, sich nach der Decke strecken;

~ **ceiling** Ausgabenhöhe; ~ **curve** Ausgabenkurve; ~ **cut** Ausgabeneinschränkung, -kürzung; ~ **rate** [höchstzulässiger] Unkostensatz.

expense Ausgabe, Auslage, Aufwendungen, Spesen, *(cost)* [Un]kosten, Aufwand;
after (deducting) ~s nach Abrechnung der Spesen; **at the ~ of** zu Lasten; **at great ~** sehr teuer; **at public ~** auf Staatskosten; **free of ~** kostenfrei; **including the ~s** unter Einschluß (Einrechnung) der Spesen; **involving ~** mit Kosten verknüpft (verbunden); **no ~s** *(bill of exchange)* ohne Kosten; **with out-of-pocket ~** gegen Erstattung der baren Unkosten;
accrued ~s entstandene Unkosten; **actual ~s** Barauslagen; **advanced ~** Spesen-, Kostenvorschuß; **advertising ~** Werbekosten; **business ~** Geschäftsunkosten; **cash ~s** Barauslagen; **collection ~** Inkassokosten; **credit ~** Kreditkosten; **delivery ~s** Zustellungs-, Versandkosten; **direct ~** unmittelbarer Kostenaufwand; **discharging ~s** Entladungs-, Löschungskosten; **extra ~s** Sonderaufwendungen; **extraordinary and outside ~** außerordentliche und betriebsfremde Aufwendungen; **factory overhead ~** Fertigungsgemeinkosten; **financial ~s** Finanzierungskosten, Finanzaufwand; **~s charged forward** gegen Nachname der Kosten; **forwarding ~s** Versand[un]kosten, -spesen; **freight ~s** Versand-, Transportkosten; **~s incurred** entstandene Kosten; **indirect ~** mittelbarer Kostenaufwand, Gemeinkosten, allgemeine Unkosten; **local ~s** Platzspesen; **maintaining ~s** Unterhalt[ung]skosten; **nonoperating ~s** sonstige Ausgaben, betriebsfremde Aufwendungen; **nonrecurring ~s** einmalige Ausgaben; **operating ~s** Betriebsunkosten; **ordinary ~s** laufende Ausgaben; **organization ~** *(US)* Gründungskosten, -aufwand; **out-of-pocket ~s** *(Br.)* Barauslagen für Unkosten; **overhead ~s** Geschäfts-, Handlungsunkosten; **personnel ~s** Personalaufwendungen; **preliminary ~s** *(Br.)* Gründungskosten, -aufwand; **prepaid ~s** *(balance sheet)* vorausgezahlte Aufwendungen; **real ~** Istausgabe; **rent ~s** Mietaufwand; **running ~s** *(car)* Unterhaltungskosten; **shipping ~s** Versandkosten, -spesen; **sundry ~s** sonstige Auslagen, verschiedene Ausgaben; **total ~s incurred** tatsächlciche Gesamtausgaben; **transshipment ~s** Umladungskosten; **travelling ~[s]** Reisespesen, -[un]kosten;
~s of building Baukosten; ~ **in carrying on business** laufende Geschäftsunkosten; ~ **of liquidation** Liquidierungsaufwand; **~s of maintenance** Unterhaltungskosten; ~ **for management and administration** Betriebs- und Verwaltungskosten; ~ **of marketing** Vertriebs-, Absatzkosten; ~ **on office requirements** Aufwendungen für Bürobedarf; ~ **for postage** Portokosten, -spesen; **~s of receivership** Massekosten; ~ **of [accruing from] representation** Repräsentationsaufwand; ~ **for sale (of selling)** Verkaufsspesen, Vertriebsaufwand;
to allocate general ~s Gemeinkosten umlegen; **to allow s. o. his ~s** jem. seine Spesen ersetzen; **to apportion the ~s** Kosten aufteilen; **to be a great ~ to s. o.** jem. große Kosten verursachen; **to be maintained at public ~** aus öffentlichen Mitteln unterhalten werden; **to break down ~s** [Un]kosten (Spesen) aufschlüsseln; **to clear ~s** Ausgaben abdecken; **to cut down ~s** Unkostenetat (Spesenetat) kürzen; **to deduct ~s** Spesen absetzen, seine Unkosten abrechnen; **to defray the ~** Unkosten bestreiten, Kosten tragen; **to eagle-eye ~s** Spesen mit argwöhnischen Augen betrachten; **to get back one's ~s** seine Kosten decken; **to go to great ~** sich in große Unkosten stürzen; **to hold down ~s** Unkosten (Spesen) niedrig halten; **to increase one's ~s** seinen Spesenetat vergrößern; **to involve ~s** Kosten verursachen; **to keep down the ~s** (Spesenetat) niedrig halten; **to meet ~s** für die Kosten aufkommen; **to offer s. o. $ 100 and ~s** jem. 100 Dollar in der Woche und den Ersatz der Spesen anbieten; **to pay ~s** Kosten übernehmen; **to recover ~s** sich für den Betrag seiner Spesen erholen; **to reimburse the ~** Spesen (Auslagen) vergüten; **to run on ~s** *(car)* auf Geschäftskosten laufen; **to save ~s** Kosten sparen.

expense account Spesen-, Aufwand-, Unkostenkonto;
to go on ~ auf Spesenkonto gehen;
~ **item** Spesenposten; ~ **rules** Spesenrichtlinien; ~ **spendings** Spesenaufwand, -ausgaben.

expense | allowance Aufwandsentschädigung; ~ **bill** Frachtbrief; ~ **book** Unkostenbuch; ~ **budget** Spesen-, Unkostenetat; ~ **classification** Spesen-, [Un]kostenaufgliederung; ~ **constants** gleichbleibende Ausgaben; ~ **control** Spesenkontrolle; ~ **factor** Spesen-, Kostenfaktor; ~ **fund** Spesenfonds; ~ **loading** Spesen-, Unkostenbelastung; ~ **prepayment** Spesenvorschuß; ~ **report** Spesenabrechnung; **~-[report]reimbursement** Spesenrückerstattung; ~ **sheet** Spesenabrechnung; ~ **voucher** Ausgabenbeleg; ~ **[is] no object** *(advertisement)* die Kostenfrage spielt keine Rolle.

expensive teuer, kostspielig, aufwendig;
~ **car** Luxuswagen.

experience Erfahrung, Praxis, Kenntnisse, Bewandertheit;
bad-debt ~ Erfahrung mit faulen Schuldnern; **business ~** Geschäftserfahrung, Routine; **practical ~** Lebenserfahrung; **professional ~** Berufserfahrung;
~ **in office work** Büroerfahrung;
~ *(v.)* **an advance** Kurssteigerung erfahren; ~ **a decline in prices** Kursrückgang erleiden; ~ **losses** Verluste erleiden;
to have enough ~ for a position über ausreichende Kenntnisse für eine Stellung verfügen;

~ **rate** *(insurance)* auf Grund von Erfahrungen errechneter Entschädigungssatz; ~ **rating** Leistungsbeurteilung, -einstufung, *(pension scheme)* Gewinnverband; ~ **-rating plan** Leistungsbeurteilungsschema, *(insurance)* auf Grund von Erfahrungen aufgestelltes Prämienschema; ~ **tables** Sterblichkeits-, Mortalitätstafeln.

experienced in business geschäftskundig, -erfahren.

experimental | department Forschungs-, Versuchsabteilung; ~ **stage** Versuchsstadium.

expert Fachmann, -gelehrter, Könner, Kenner, Spezialist, Autorität, Sachverständiger, Gutachter, Experte, *(sworn appraiser)* beeidigter Sachverständiger;

among ~**s** in Fachkreisen, in der Fachwelt; **auditing** ~ Buchführungsexperte;

~ **on anti-trust law** Kartellspezialist; ~ **in contracting** Vergabeexperte; ~ **appointed by the court** gerichtlich bestellter Sachverständiger; ~ **in handwriting** Schriftsachverständiger;

to be an ~ **in a matter** Sachverständiger in (Spezialist für) etw. (kompetent) sein; **to call in (consult) an** ~ Sachverständigen zu Rate ziehen;

~ *(a.)* fachkundig, erfahren, sachverständig; **according to** ~ **advice** nach dem Urteil des Sachverständigen; ~**'s fee** Sachverständigengebühren; ~**'s report** fachmännisches Gutachten, Sachverständigenurteil; ~ **workman** Facharbeiter.

expertise Sachverständigengutachten, Expertise.

expiration *(becoming void)* Erlöschen, Verfall, Fälligwerden, *(termination)* Ablauf, Ende;

~ **of credit** Fälligwerden eines Kredits; ~ **of the period of notice** Ablauf der Kündigungsfrist; ~ **of policy** Versicherungsablauf; ~ **of free time** befristete Entladezeit;

~ **date** Ablauf-, Verfalltermin; ~ **list** *(insurance)* Fälligkeitsliste.

expire *(v.)* *(become void)* Gültigkeit verlieren, außer Kraft treten, verfallen, erlöschen, *(contract)* erlöschen;

~ **by limitation** verjähren.

expired *(ticket)* abgeknipst, ungültig;

~ **bill** fälliger Wechsel; ~ **cost** unnützer Kostenaufwand; ~ **licence** erloschene Konzession; ~ **policy** abgelaufene Police.

expiring date Verfallstag.

expiry Erlöschen, Verfall, Ablauf;

on ~ **of the lease** bei Ablauf (Auslaufen) des Mietvertrages;

~ **date** Verfalldatum, -tag.

exploit *(v.)* ausbeuten, ausnutzen, auswerten;

~ **a mine** Bergwerk betreiben (in Betrieb nehmen); ~ **a patent** Patent verwerten; ~ **public opinion** sich die öffentliche Meinung dienstbar machen; ~ **the national resources of a country** Bodenschätze eines Landes ausbeuten.

exploitation Ausbeutung, -nutzung, -wertung;

industrial ~ industrielle Verwertung; **wasteful** ~ Raubbau;

~ **of a country** Erschließung eines Landes; ~ **of a coal mine** Betrieb eines Bergwerks; ~ **of workers** Ausbeutung von Arbeitern;

~ **management** Abbauwirtschaft; ~ **rights** Ausbeutungsrechte.

exploiting a market situation Ausnutzung einer Marktsituation.

export Export, [Waren]ausfuhr, *(article)* Exportgut, Ausfuhrartikel;

~**s** Ausfuhrartikel, -waren, -güter, Versand-, Exportartikel, *(total export)* Gesamtausfuhr; **capital** ~ Kapitalausfuhr, -export; **chief** ~**s** Hauptausfuhrgüter; **gold** ~ Goldausfuhr; **invisible** ~ unsichtbare Ausfuhr; **large-scale** ~ Großexporte; **manufactured** ~**s** industrielle Ausfuhrartikel; **pre-war** ~ Vorkriegsausfuhr; ~**s in excess of imports** Ausfuhrüberschuß;

to be engaged in ~ im Außenhandel (Exportgeschäft) tätig sein; **to produce for** ~ für das Exportgeschäft herstellen; **to step up** ~**s** Ausfuhr erhöhen; **to subsidize** ~ Ausfuhr fördern;

~ **advertising** Exportwerbung; ~ **agent** Exportvertreter; ~ **allocation** Export-, Ausfuhrzuteilung; ~ **article** Ausfuhr-, Exportartikel; ~ **association** *(US)* Exportverband; ~ **authorization** Ausfuhr-, Exportgenehmigung; ~ **bank** Außenhandelsbank; ~ **battle** Ausfuhr-, Exportschlacht; ~ **bill of lading** Ausfuhrkonnossement; ~ **bonanza** unerwartet hoher Ausfuhrerfolg; ~ **bounty** Export-, Ausfuhrprämie; ~ **business** Export-, Ausfuhrgeschäft; ~ **catalog(ue)** Exportkatalog; ~ **clearance** Ausfuhrabfertigung; ~ **clerk** Exportsachbearbeiter; ~ **commission merchant (house)** Ausfuhrkommissionär; ~ **commodities** Export-, Ausfuhrgüter; ~ **company** Exportgesellschaft; ~ **control** Ausfuhrkontrolle ~ **country** Ausfuhrland; ~ **credit** Export-, Ausfuhrkredit; ~ **credit guarantee** *(Br.)* [etwa] Hermesbürgschaft; ~ **credit guaranty department** *(Br.)* [etwa] Hermesgesellschaft, -versicherungsgesellschaft; ~ **declaration** *(US)* Ausfuhrdeklaration; ~ **dealer** Exporthändler; **[built-in]** ~ **department** [eingegliederte] Exportabteilung; ~ **drive** Exportfeldzug, Ausfuhrförderung; ~ **duty** Ausfuhrabgabe, -zoll, Ausgangs-, Exportzoll; **free of** ~ **duty** ausfuhrzollfrei; ~ **earner** Ausfuhrüberschußfaktor; ~ **earnings** Export-, Ausfuhrerlöse; ~ **fall** Ausfuhrrückgang; ~ **figures** Ausfuhr-, Exportziffern; ~ **finance concern** Exportfinanzierungsgesellschaft; ~ **financing** Export-, Ausfuhrfinanzierung; ~ **firm** Exporthaus, -firma; ~ **gold point** Goldausfuhrpunkt; ~ **goods** Ausfuhr-, Exportgüter; ~ **guarantee** Ausfuhr-, Exportgarantie; ≗ **Import Bank of Washington** Einfuhr-Ausfuhr-Bank; ~ **industry** Exportindustrie; ~ **item** Ausfuhr-, Exportartikel; ~ **letter of credit** Exportakkreditiv; ~ **licence** Ausfuhrgenehmigung, -bewilligung, Exportbewilligung; ~ **loan** Ausfuhr-, Exportkredit; ~ **manager** Leiter der Exportabteilung; ~ **market** Auslandsmarkt; ~ **merchant** Exportkaufmann, -firma; ~ **-minded** ausfuhr-, exportbewußt, -interessiert; ~ **model** Exportmodell; ~ **monopoly** Export-, Ausfuhrmonopol; ~ **order** Ausfuhr-, Exportauftrag; ~ **order form** Exportauftragsformular; ~ **point** oberer Goldpunkt; ~ **premium** Ausfuhrprämie; ~ **price** Ausfuhr-, Exportpreis; ~ **prohibition** Ausfuhrverbot, -sperre; ~ **promotion** Ausfuhr-, Exportförderung; ~ **quota** Export-, Ausfuhrkontingent; ~ **rebate** Ausfuhrrückvergütung; ~ **regulations** Ausfuhrbestimmungen ~ **restrictions** Export-, Ausfuhrbeschränkungen; ~ **revenue** Exporteinnahmen; ~ **sample store** Ausfuhr-, Exportmusterlager; ~ **shipments** Exportlieferungen; ~ **specie point** Goldausfuhrpunkt; ~ **specification** Ausfuhrerklärung; ~ **statistics** Export-, Ausfuhrstatistik; ~ **subsidy** Export-, Ausfuhrförderung; ~ **subsidiary** selbständige Exportfirma; ~ **subsidy system** Ausfuhrförderungsverfahren; ~ **surplus** Export-, Ausfuhrüberschuß; ~ **tax** Ausfuhr-, Exportsteuer; ~ **terms** Exportbedingungen; ~ **trade** Export-, Außen-, Aktivhandel; ≗ **Trade Act** *(US)* Außenhandelsgesetz ~ **volume** Exportvolumen.

exportable manpower im Ausland einsatzfähige Arbeitskräfte.

exported | article Exportartikel; ~ **goods** Ausfuhrgüter.

exporter Exporteur, Exportfirma, -händler; **direct** ~ Exportfabrikant; **prospective** ~ exportinteressierter Unternehmer.

exporting | country Ausfuhr-, Exportland; ~ **firm** Exportfirma.

expose *(v.) (exhibit)* ausstellen;
~ **for inspection** zur Ansicht auslegen.

exposition *(US)* [Verkaufs]ausstellung, *(marketing)* Darbietung;
~ **corporation** Ausstellungsgesellschaft; ~ **officials** Ausstellungsleitung.

exposure *(fig.)* Enthüllung, Bloßstellung, *(of goods)* Darbietung, Ausstellung;
~**s** *(fire insurance)* Nachbargefahr;
~ **of goods for sale** Freihalten von Waren;
~ **hazard** *(fire insurance)* Nachbarschaftsrisiko.

express *(delivery)* Eilbeförderung, -bestellung, *(letter)* Eilbrief, *(Br., messenger)* Eilbote, *(train)* Schnell-, Expreßzug, *(transported goods)* Expreßgut, *(US)* private Beförderung; **limited** ~ *(US)* FD-(Fernschnell-)Zug; **long-distance** ~ FD-Zug; **local** ~ Nahverkehrsschnellzug;
~ *(v.) (to send by express)* per Eilboten schicken, als Eilgut senden, *(US)* mit einem Privattransportunternehmen befördern;
~ **a letter** Brief als Eilbrief (per Eilboten) schicken; **to send a parcel** ~ Paket als Eilgut befördern lassen, Eilpaket aufgeben; **to travel** ~ D-Zug benutzen;
~ *(a.)* bestimmt, deutlich, ausdrücklich, *(Br.)* durch Eilboten, per Expreß, als Eilgut, *(US)* mit einem Privattransportunternehmen befördert;
railway ~ **agency** bahnamtlicher Rollfuhrdienst; ~ **agent** *(US)* Spediteur, Transporteur; ~ **bill of lading** *(Br.)* Eilgutladeschein; ~ **business** *(US)* Speditionsgewerbe, -geschäft; ~ **car** *(US)* Paketwagen; ~ **classification** Tarifierung; ~ **company** *(US)* Eilgut-, Expreßgut-, Paketzustellungs-, Paketbeförderungsgesellschaft; ~ **delivery** *(Br.)* Eil-, Expreßzustellung, *(US)* Beförderung durch ein privates Transportunternehmen; **to send by** ~ **delivery** *(Br.)* per Expreß zustellen; ~**-delivery fee** *(Br.)* Eilzustellgebühr; ~**-delivery service** *(Br.)* Eilzustelldienst; ~ **forwarding** Eilbeförderung; ~ **freight** *(US)* Eilfracht, Eilgut; ~ **goods** *(Br.)* Eilfracht, Eilgut, *(US)* durch Paketpostgesellschaft beförderte Fracht; ~**-goods tariff** *(Br.)* Eilguttarif; **by** ~ **goods train** *(Br.)* als Eilgut; ~ **highway** *(US)* Schnellverkehrsstraße, Autobahn; ~ **lane** schneller Verkehrsweg; **reversible** ~ **lane** Einbahnschnellweg mit wechselnder Verkehrsrichtung; ~ **journey** Blitzreise; ~ **letter** Eilbrief; ~ **line** Schnellverkehrslinie; ~ **liner** *(US)* Schnelldampfer; ~ **messenger** Eilkurier, Eilbote; **by** ~ **messenger** durch Eilboten, expreß; ~ **money order** *(US)* telegrafische Geldüberweisung; ~ **office** *(US)* Paketannahmestelle; ~ **package** Expreßpaket; ~ **paid** Eilgebühr (Eilbote) bezahlt; ~ **parcel** Eilpaket; ~ **road (route)** *(US)* Schnellverkehrsstraße; ~ **service** Expreßgutverkehr; ~ **train** D-(Expreß-)Zug.

expressage *(US)* Sendung durch Paketbeförderungsgesellschaft, Eilgutfracht, *(charge)* Eilgutgebühr.

expression of par values Paritätenfestsetzung.

expressway *(US)* Schnell[verkehrs]straße, Autobahn, *(urban motorway)* Stadtautobahn.

expropriation for public purpose Enteignung für öffentliche Zweckverwendung.

extend *(v.)* ausdehnen, *(airplane)* Fahrgestell ausfahren, *(enlarge)* [Geschäft] ausbauen, erweitern, *(prolong)* prolongieren, verlängern, *(seize)* verschuldeten Besitz gerichtlich abschätzen, pfänden, *(shorthand)* [Kurzschrift] in Kurrentschrift übertragen, *(value)* [Land] bewerten;
~ **a balance** Saldo vortragen (übertragen); ~ **a bill of exchange** Wechsel prolongieren; ~ **into another column** in eine andere Buchhaltungskolonne übertragen; ~ **a credit** Kreditverlängerung gewähren; ~ **an invoice** Rechnung spezifizieren; ~ **a passport** Paß verlängern; ~ **one's premises** anbauen, ausbauen; ~ **the protest** *(ship)* Verklarung ablegen; ~ **a railway** Eisen-

bahnlinie ausbauen; ~ **the statute of limitations** Verjährungsfrist verlängern; ~ **the term (time) of payment** Zahlungsaufschub gewähren; ~ **the works** Erweiterungen auf dem Fabrikgelände vornehmen.

extended prolongiert, verlängert, *(print.)* breit;
~ **benefit** *(Br.)* zusätzliche Arbeitslosenunterstützung; ~ **coverage** *(fire insurance)* zusätzlicher Versicherungsschutz, höhere Deckung; ~ **list of repairs** umfangreiche Reparaturliste; ~ **protest** *(ship)* Verklarung; ~- **term policy** prolongierte Kurzversicherungspolice; ~ **trip to Europe** längere Europareise.

extension Erweiterung, Vergrößerung, Ausdehnung, *(bankruptcy)* Fristverlängerung, *(to building)* An-, Erweiterungsbau, *(enlargement)* Ausweitung, *(prolongation)* Verlängerung, Prolongation, *(station)* Nebenanschluß, -stelle, *(tel.)* Nebenanschluß;
factory ~ Betriebserweiterung; **university** ~ Volkshochschule, Einrichtung von Abendkursen;
~ **of an accord** Verlängerung eines Abkommens; ~ **of business** Geschäftsausweitung; ~ **of capacity** Kapazitätsausweitung; ~ **of credit** Kreditverlängerung; ~ **of one's holiday** Urlaubsverlängerung; ~ **of working hours** Arbeitszeitverlängerung; ~ **of passport** Paßverlängerung; ~ **of payment** Zahlungsaufschub, Verlängerung der Zahlungsfrist; ~ **of time** Fristverlängerung, Nachfrist; ~ **of validity** Verlängerung der Gültigkeitsdauer; ~ **of visa** Visaverlängerung;
to arrange with one's creditors for an ~ **of time** sich mit seinen Gläubigern wegen eines Zahlungsaufschubs verständigen; **to request an** ~ um Zahlungsaufschub nachsuchen;
~ **agreement** Prolongationsabkommen, Stundungsvereinbarung; ~ **course** Fortbildungs-, Volkshochschulkursus; ~ **line** *(tel.)* Nebenanschluß; ~ **night** verlängerte Polizeistunde; ~ **plan** Ausbauvorhaben; ~ **room** angebautes Zimmer.

extensive | **repairs** umfangreiche Reparaturen; ~ **trade** ausgedehnter Handel.

extent *(of a loan)* Höhe, *(valuation, Br.)* Abschätzung [von Land], Bewertung, *(writ of extent)* Beschlagnahme-, einstweilige Verfügung;
to the full ~ in vollem Umfang; **to a large** ~ weitgehend;
~ **in aid** Forderungspfändung; ~ **of credit** Kredithöhe; ~ **of the damage** Schadensumfang, -ausmaß; ~ **of liability** Umfang der Haftung, Haftungsumfang; ~ **of loss** Schadenshöhe; ~ **of taxation relief** Umfang der Steuervergünstigung; ~ **of warranty** Garantieumfang;
to be liable to the ~ **of one's property** mit seinem ganzen Vermögen haften; **to work to the full** ~ **of one's powers** seine volle Arbeitskraft einsetzen.

external auswärtig, ausländisch, außenwirtschaftlich;
~ **account** Auslandskonto; ~ **aid** Auslandshilfe; ~ **assets** Auslandsvermögen, -werte; ~ **audit** außerbetriebliche Revision; ~ **bonds** Auslandsschuldverschreibungen; ~ **commerce** Außenhandel; ~ **credit** Auslandskredit; ~ **data** außerbetriebliche Unterlagen; ~ **national debt** äußere Staatsschuld; ~ **economy** Außenwirtschaft; ~ **loan** Auslandsanleihe, äußere Anleihe; ~ **make-up** Aufmachung eines Produkts; ~ **sales** *(balance sheet)* Fremdumsatz; ~ **tariff** Außenzoll; ~ **tax** Einfuhrzoll; ~ **trade** Außenhandel; ~ **turnover** Außenumsatz.

extinction *(of debt)* Tilgung;
~ **of an action** Klageverjährung; ~ **of a firm** Eingehen einer Firma.

extinguish *(v.)* **a mortgage** Hypothek tilgen (amortisieren).

extinguishment Erlöschen einer Schuld;
~ **of debts** Schuldentilgung; ~ **of a mortgage** Hypothekentilgung.

extort | *(v.)* **fees** unstatthafte Gebühren erheben; ~ **money from s. o.** Geld von jem. erpressen.

extortion Erpressung, *(extortionate charge)* Geldschneiderei, Wucher, *(by public officer)* passive Bestechung;
~ **of fees** unstatthafte (überhöhte) Gebührenforderung; ~ **in office** Amtsunterschlagung.

extra *(s. th. in addition)* Zugabe, *(charge added)* Zuschlag, *(labo(u)rer)* fallweise eingestellte Arbeitskraft, Aushilfe, *(newspaper, Br.)* Extrablatt, -ausgabe, *(special permit)* Sonderberechtigung;
~**s** Nebengebühren, Neben-, Sonderausgaben, außerordentliche Ausgaben, Nebenkosten, *(US, extra equipment)* Sonderausrüstung, -ausstattung;
~ *(a.)* extra, *(extraordinary)* außergewöhnlich, -ordentlich;
~ **allowance** *(technical)* Zuschlag; ~**-budgetary** außeretatmäßig; ~ **charge** [Sonder]zuschlag, [Preis]aufschlag; ~ **charges** Neben-, Extrakosten, Nebenspesen, außerordentliche Unkosten, Nebengebühren, Nachforderung, [Preis]-aufschlag; ~ **costs** Extrakosten; ~ **discount** Sonder-, Extrarabatt; ~ **dividend** Zusatzdividende, Bonus; ~ **draft** Extragutgewicht; ~ **duty** Nachsteuer; ~ **equipment** *(US)* Sonderausrüstung; ~ **expenses** Sonderaufwendungen; ~ **expense insurance** Betriebsstillstandsversicherung; ~ **fare** Zuschlag[skarte]; ~**-fare train** Fernzug, D-Zug; ~ **fee** Zusatzgebühr, Sonderhonorar; ~ **flight** Sonderflug; ~ **freight** Mehrfracht; ~ **funds** Sondermittel; ~ **-hazardous employment** *(insurance)* besonders gefährliche Beschäftigung; ~ **hour** Überstunde; ~ **income** Nebeneinkommen; ~ **laydays** [Über-]liegetage; ~ **luggage** *(Br.)* zuschlagspflichtiges Gepäck; ~ **pay** Gehaltszulage; ~ **pay for entertainment**

Repräsentationszulage; ~ **payment** außerordentliche Zahlung, Nachzahlung; ~ **performance** Sonderleistung; ~ **postage** Nachporto, Portozuschlag; ~ **premium** Zusatzprämie, Prämienzuschlag; ~ **profits** außerordentliche Erträge, zusätzlicher Gewinn; ~ **shift** *(mining)* Freischicht; ~ **special** *(Br.)* Sonderausgabe, Extrablatt, Nachtausgabe; ~ **weight** Übergewicht; ~ **work** Überstunden-, Mehrarbeit, *(school)* Strafarbeit.

extract Auszug, Extrakt, Abriß;
~ **of account** Konto-, Rechnungsauszug; ~ **from a registered statement** Handelsregisterauszug;
~ *(v.) (from book)* Auszüge machen, [aus einem Buch] ausziehen.

extradotal property Vorbehaltsgut.

extraneous fremd;
~ **care** höchste Sorgfaltspflicht; ~ **dividends** Substanz gefährdende Dividenden; ~ **expenses** Fremdaufwendungen; ~ **income** Fremderträge; ~ **perils** *(insurance)* Sondergefahr.

extraordinary außerordentlich, besonders, ungewöhnlich;
~ **expenses** außerordentliche Aufwendungen; ~ **general meeting** *(Br.)* außerordentliche Hauptversammlung; ~ **help** fremde Hilfe; ~ **income** außerordentliche Erträge, Fremderträge; ~ **reserve** außerordentliche Rücklage; ~ **resolution** *(Company Act)* qualifizierter Mehrheitsbeschluß.

extrapolate *(v.) (statistics)* fortschreiben.

extrapolation *(statistics)* Fortschreibung.

extravagant expenses übermäßiger Aufwand.

exurban shopping center *(US)* **(centre,** *Br.)* außerhalb der Stadt gelegenes Einkaufszentrum.

exurbia Fabrikerrichtung auf der grünen Wiese.

eye *(fig.)* Gesichtskreis, Blickfeld;
with an expert's ~ mit den Augen eines Fachmanns; **with an** ~ **to profit** in gewinnsüchtiger Absicht;
to be in the public ~ im Brennpunkt des öffentlichen Interesses stehen;
~ **appeal (catcher)** *(advertisement)* Blickfang; ~ **stopper** *(advertising)* Blickfang.

F

fabric *(building)* Gebäude, Bau;
social ~ soziales Gefüge.

fabricant Hersteller, Fabrikant.

fabricate *(v.) (build)* bauen, errichten, *(forge)* fälschen, *(manufacture)* verfertigen, fabrizieren, erzeugen, herstellen, anfertigen;
~ **a document** Urkunde fälschen.

fabricated account gefälschte Rechnung.

fabricating | **materials** Zulieferungsmaterial; ~ **parts** Zulieferungsteile.

fabrication *(building)* Bau, Errichtung, *(forging)* Fälschung, Erfindung, Lüge, *(manufacture)* Fabrikation, Anfertigung, Herstellung, Weiterverarbeitung;
~ **tax** Fabrikations-, Produktionssteuer.

fabricator Hersteller, Fabrikant, *(forger)* Fälscher.

fabulous | **price** unerhörter Preis; ~ **wealth** unwahrscheinlicher (sagenhafter) Reichtum.

face *(coin)* Bild-, Vorderseite, *(document)* Wortlaut, *(exact amount)* genauer Betrag, *(nominal amount)* Nennwert, -betrag, Nominalwert, *(reputation)* Ansehen, Ruf, Prestige;
~ **of affairs** Sachlage; ~ **of debt** Nennbetrag einer Schuld; ~ **of invoice** Rechnungsbetrag; ~ **of policy** Versicherungswert; ~ **of record** Sitzungsprotokoll;
~ *(v.) (goods)* [durch Verpackung] ein besseres Äußeres geben;
to be regular on its ~ *(check)* äußerlich in Ordnung sein; **to lose one's** ~ seinen guten Ruf verlieren, sein Ansehen einbüßen;
~ **amount** Nominal-, Nennbetrag; ~ **amount insured by the policy** Versicherungssumme; ~**-to** ~ **interview** Befragung in Form eines persönlichen Gesprächs; ~**-lift** *(v.)* **the service stations** Tankstellen renovieren; ~ **rate** *(loan)* Nettosatz; ~ **value** Nominal-, Nennwert.

facilitate *(v.)* **payment** Zahlung erleichtern.

facilitation of payments Zahlungserleichterungen.

facilities *(advantages)* Erleichterungen, Möglichkeiten, Vorteile, Fazilitäten, *(appliances)* Anlagen, [Betriebs]ein-, Vorrichtungen;
credit ~ Kreditfazilitäten; **emergency** ~ Notstandsvorhaben; **owned** ~ betriebseigene Fertigungsstätten; **port** – Hafenanlagen; **postal** ~ postalische Einrichtungen; **productive** ~ Produktionseinrichtungen, -anlagen; **recreational** ~ Erholungseinrichtungen; **shipping** ~ [günstige] Versandmöglichkeiten;
~ **of payment** Zahlungserleichterungen; ~ **for traffic** Verkehrserleichterungen; ~ **for travel** Reiseerleichterungen.

facility [günstige] Gelegenheit, Möglichkeit;
~ **of payment clause** Zahlungserleichterungsklausel.

facing | **matter** *(advertising)* textanschließend; ~ **slip** *(US)* Aufklebezettel, Paketadresse; ~ **text** gegenüber dem Text placierte Anzeige.

facsimile Faksimile, genaue (getreue) Nachbildung, *(telegraphy)* Bildtelegrafie, -übertragung;
~ **document** Faksimileabschrift; ~ **equipment** Bildübertragungsgerät; ~ **print** Faksimiledruck; ~ **signature** faksimilierte Unterschrift; ~ **transmitter** Bild[funk]sender.

fact Tatsache, Umstand, *(law)* Tatbestand, Tatumstände;
~s about turnover Umsatzangaben;
financial ~ -finding mission finanzielle Untersuchungskommission; **~ -finding tour** Inspektionsreise; **~ sheet** Tatsachenzusammenstellung.

factor Faktor, Moment, Umstand, *(agent)* Verkaufs]kommissionär, [Abschluß]agent, Makler, Handelsvertreter, *(factoring)* Warenbevorschusser, *(US, garnishee)* Drittschuldner, *(manager)* Geschäftsführer, Disponent;
cost ~ Kostenfaktor; **domestic ~** Inlandsvertreter; **expense ~s** Kostenfaktoren; **foreign ~** Auslandsvertreter; **rate-making ~** preisbildender Faktor;
~ of merit Gütefaktor; **~ of safety** *(loan)* Sicherheitsfaktor; **~ of value** Wertfaktor;
~ *(v.)* als Verwalter tätig sein, *(consignment)* auf Kommissionsbasis verkaufen;
~ one's accounts sich Betriebsmittelkredit durch Debitorenabtretung beschaffen;
to make o. s. a great ~ in the economy in der Wirtschaft eine große Rolle spielen; **to take a ~ into consideration** Faktor in Rechnung stellen;
~ credit Punktbewertung; **~'s lien** [etwa] Sicherungsübereignung.

factorage Kommissions-, Provisionsgebühr.

factored fabrikmäßig hergestellt, *(sold on commission)* auf Kommissionsbasis verkauft.

factoring *(US)* Warenbevorschussung, Ankauf offener Buchforderungen (von Warenforderungen), Debitorenverkauf;
nonnotification ~ Forderungsankauf ohne Offenlegung der Abtretung; **notification (old-line) ~** Forderungsankauf mit Anzeige an den Drittschuldner;
~ company Faktorei; **~ system** *(US)* Absatzfinanzierungssystem.

factorize *(v.)* faktorisieren, *(US)* Drittschuldner pfänden.

factorizing process *(US)* Pfändung eines Drittschuldners.

factory Fabrikationsstätte, Fabrik[anlage], Betriebs[anlage], Werk-, Fertigungsanlage, *(trading station)* Faktorei, Handelsniederlassung;
[direct] from ~ *(US)* ab Fabrik (Werk); **ex (loco) ~** ab Werk; **in the ~** in der Fabrik;
nonoperating ~ stillgelegter Betrieb; **subassembly ~** Montagewerk;
~ at work betriebsfertige Anlage;
to commission a new ~ neue Fabrik in Betrieb nehmen; **to run a ~** Fabrik betreiben; **to work in a ~** Fabrikarbeit leisten;
~ account Fabrikationskonto; **~ overhead account** Fertigungs-, Fabrikationsgemeinkostenkonto; **~ accounting** Fabrik-, Betriebsbuchhaltung; **≗ Act** *(Br.)* Gewerbeordnung; **~ area** Fabrikgebiet; **~ building** Fabrikgebäude; **~ canteen** [Betriebs]kantine; **~ construction** Fabrikerrichtung; **~ cost** Herstellungs-, Fertigungsgemeinkosten; **~ council** *(Br.)* Betriebsrat; **~ earnings** *(plant)* gesamte Lohnkosten; **~ employment** industrielle Beschäftigung; **~ equipment** Betriebseinrichtung; **~ expenses** Fertigungsgemeinkosten, Fabrikationsunkosten; **~ extension** Betriebserweiterung, Fabrikausbau; **~ -fabricated** fabrikmäßig hergestellt; **~ farm** industriell betriebene Landwirtschaft; **~ fleet** Betriebsfahrzeuge, Fahrabteilung; **~ guaranty policies** betriebliche Garantiezusagen; **~ hand** Fabrikarbeiter; **~ hooter** Fabriksirene; **~ inspection** Gewerbepolizei; **~ inspector** Gewerbeinspektor; **~ insurance** Betriebsversicherung; **~ inventory** Betriebsinventar; **~ labo(u)rer** Fabrikarbeiter; **~ law** Gewerbeordnung; **~ ledger** Betriebshauptbuch; **~ -made** fabrikmäßig hergestellt; **~ -made goods** Fabrikware; **~ management** Betriebsführung, -leitung; **~ manager** Betriebs-, Fabrikleiter; **~ meeting** Betriebsversammlung; **to knuckle down to ~ muscle in the crunch** sich im Ernstfall den Betriebserfordernissen fügen; **~number** Fabriknummer; **~ output** Fabrikationsausstoß; **~ overheads** Fertigungsgemeinkosten; **~ owner** Fabrikbesitzer, Betriebseigentümer; **~ payroll** Betriebslohnliste; **~ plot** Fabrikgrundstück; **~ price** Fabrik[abgabe]preis, Preis ab Werk; **~ product** gewerbliches Erzeugnis, Fabrikware; **~ production** gewerbliche Produktion, Industrieerzeugung, -produktion; **~ profit** Fabrikationsgewinn; **~ property** Betriebsgrundstück; **~ railway** Werkbahn; **~ records** Betriebsunterlagen; **~ regulations** gewerbepolizeiliche Anordnungen; **~ rejects** Ausschußware; **~ removal** Abbau von Betriebsanlagen; **~ shipment** Versand ab Fabrik; **~ site** Industrie-, Werkgrundstück, Fabrikgelände; **~ snackshop** *(US)* Werks-, Betriebskantine; **~ system** Fabrikwesen, Faktoreisystem; **~ town** Fabrikstadt; **~ worker** Fabrikarbeiter.

faculty *(divorce proceedings)* finanzielle Lage des Ehemanns, *(property)* Eigentum, Vermögen.

fade *(v.)* *(stocks)* schwächer werden.

fail *(v.)* *(go bankrupt)* Zahlungen einstellen, Bankrott (Konkurs) machen, bankrott werden, in Konkurs geraten (gehen), zusammenbrechen, *(engine)* aussetzen, absterben, *(examination)* durchfallen, -fliegen, nicht bestehen, *(harvest)* mißraten, *(want)* mangeln, fehlen;
~ in business zahlungsunfähig werden; **~ to get a connection** *(tel.)* keine Verbindung bekommen; **~ for a million** Millionenkonkurs machen; **~ in one's undertakings** mit seinen Unternehmungen Schiffbruch erleiden.

failed firm *(US)* zahlungsunfähige Firma.

failing in Ermangelung, mangels;
~ circumstances *(bank)* insolvent, zahlungsunfähig; **~ payment** mangels Zahlung; **~ a satisfactory reply** sofern nicht eine ausreichende Antwort eingeht.

failure Fehlen, Mangel, *(bankruptcy)* Konkurs, Bankrott, Fallieren, Zusammenbruch, *(ill success)* Mißerfolg, -lingen, Fehlschlag, -leistung, *(insolvency)* Zahlungseinstellung, -unfähigkeit, *(machine)* Panne, Ausfall, *(nonfulfilment)* Nichterfüllung;

bank ~ Bankzusammenbruch; **crop** ~ Mißernte;

~ **to comply with the time limit** Fristüberschreitung, -versäumnis; ~ **to meet the deadline** Fristüberschreitung; ~ **to deliver (make delivery)** Nichterfüllung, -lieferung; ~ **to meet one's engagements** schuldhafte Nichterfüllung; ~ **to file a return** Nichteinreichen der Einkommensteuererklärung; ~ **to pay** Nichtzahlung; ~ **to pay a bill** Nichthonorierung eines Wechsels; ~ **of performance (to perform)** Erfüllungsmangel, mangelnde Vertragserfüllung; **~s in revenue** Einkommensteuerausfall;

~ **rate** Ausfallrate.

fair Messe, Ausstellung, Jahrmarkt;

electric goods ~ Elektromesse; **fancy** ~ Wohltätigkeitsbasar; **industries** ~ Industrieausstellung, -messe; **international trade** ~ internationale Messe; **outdoor** ~ Messe im Freigelände; **world** ~ Weltausstellung;

to attend a ~ Ausstellung (Messe) besuchen; **to exhibit goods at a** ~ Waren auf einer Messe ausstellen; **to hold a** ~ Messe abhalten; **to participate in a** ~ sich an einer Messe beteiligen; **to register to a** ~ sich zu einer Messe anmelden;

~ **attendance** Messebesuch; **~s' attraction** Messeattraktion; ~ **authorities** Messebehörde; ~ **bill** Messewechsel; ~ **building** Ausstellungs-, Messegelände; ~ **catalog(ue)** Messekatalog; ~ **day** Großmarkttag; ~ **dealer** Messebesucher; ~ **directory** Ausstellerverzeichnis; ~ **pass** Messeausweis; ~ **period** Messezeit; ~ **site** Ausstellungs-, Messegelände; ~ **test** Messetest; ~ **town** Messestadt; ~ **visitor** Messebesucher;

~ *(a.)* *(equitable)* reel, billig, gerecht, kulant, angemessen, *(favo(u)rable)* günstig, aussichtsreich, vielversprechend, *(moderate)* mittelmäßig, *(note)* ausreichend;

~ **to middling** ziemlich gut bis mittelmäßig;

~ **and proper legal assessment** ordnungsgemäße [Steuer]veranlagung; ~ **average quality** Durchschnittsqualität, Handelsgut mittlerer Art und Güte; ~ **business** leidlich gute Geschäfte; ~ **comment on a matter of public interest** Bemerkung in Wahrnehmung berechtigter Interessen; ~ **and reasonable compensation** angemessene Entschädigung; ~ **competition** freier Wettbewerb; ~ **and valuable consideration** vollwertige Gegenleistung; ~ **damages** angemessene Entschädigung; **≗ Deal** *(US)* Sozialprogramm; ~ **demand** billige Forderung; ~ **estimate** angemessene Schätzung; **~market value** üblicher Marktpreis; ~ **price** angemessener (marktgerechter, üblicher) Preis; **to make ~ profits** anständige Gewinne erzielen; ~ **quality** durchschnittliche Qualität; **good ~ qualities** gute Qualitäten; ~ **trade** *(US)* Lauterkeit des Wettbewerbs, beschränkter Schutzhandel; **~-trade** preisbindungsmäßig; **≗ Trade Act** *(US)* Gesetz über die Preisbindung von Markenartikeln; **~-trade agreement** *(US)* Preisbindungsabkommen; **~-trade rules** *(US)* Wettbewerbsregeln; ~ **valuation** Verkehrswert; ~ **and reasonable value** angemessener Wert, Verkehrswert; ~ **cash market value** gemeiner Wert, üblicher Marktpreis; ~ **wages** angemessene Löhne; ~ **wear and tear** allgemeine (übliche) Abnutzung.

fairgoer Messebesucher.

fairgoing Beziehen einer Messe.

fairground *(US)* Ausstellungs-, Messegelände.

fairness Kulanz, *(price)* Angemessenheit.

fairstead Messestand.

fairtime Messezeit.

fake Nachahmung, Falsifikat, Fälschung, *(product)* Imitation;

~ *(v.)* nachahmen, imitieren, fälschen, *(produce)* aus schlechtem Material herstellen;

~ **a balance sheet** Bilanz fälschen (verschleiern, frisieren); ~ **a business report** Geschäftsbericht fälschen;

~ *(a.)* nachgemacht, gefälscht;

~ **check customer** *(US)* Scheckfälscher.

faked | balance sheet gefälschte Bilanz; ~ **up for sale** für den Verkauf zurechtgemacht (frisiert).

faker Fälscher, *(peddler)* Trödler.

fall *(building)* Einsturz, Zusammenbruch, -fallen, *(downward trend)* Niedergang, *(of prices)* Fallen, Sinken, Sturz, Rückgang, *(stock exchange)* Kurssturz, -einbruch, Baisse;

heavy ~ *(prices)* scharfer Rückgang; **sharp** ~ starkes Gefälle; **sheer** ~ *(prices)* plötzlicher tiefer Preissturz; **sudden** ~ *(stock exchange)* Kurseinbruch, Kurssturz;

~ **in the bank rate** Heruntergehen des Diskontsatzes, Diskontsenkung; ~ **of the currency** Geldentwertung; ~ **in prices** Preis-, Kursrückgang, Kurssturz, rückläufige Preistendenz; ~ **in profits** Gewinnrückgang, -abnahme; ~ **in stocks** Weichen der Kurse, Kursrückgang; ~ **in the value of money** Geldwertverlust; ~ **in wages** Lohnabschwächung;

~ *(v.)* sich vermindern, abnehmen, fallen, sinken, *(building)* einstürzen, zusammenbrechen, einfallen, *(prices)* stürzen, Rückgang (Kurseinbruch) erfahren, zurückgehen;

~ **within an agreement** unter einen Vertrag fallen; ~ **behind with one's correspondence** Briefschulden haben; ~ **behind with one's payments** mit seinen Zahlungen in Rückstand geraten; ~ **behind with one's rent** Miete schuldig bleiben; ~ **within the budget** haushaltsrechtlich genehmigt sein; ~ **foul of** *(ship)* Kollision ha-

ben; ~ **into poverty** in Armut geraten; ~ **off in quality** sich verschlechtern, in der Qualität nachlassen; ~ **on s. o.** *(expenses)* zu jds. Lasten gehen; ~ **from one's position** seine Stellung verlieren; ~ **in price** Preis-, Kursrückgang erleiden; ~ **short** knapp werden; ~ **under the statute of limitations** der Verjährung unterliegen;
~ **in value** im Wert fallen, entwertet werden;
to be on the ~ *(prices)* fallen, sinken, weichen; **to be likely to** ~ *(prices)* zur Schwäche neigen; **to buy on a** ~ fixen, während der Baisse kaufen; **to cause a** ~ **in prices** auf die Kurse drükken; **to go to (operate, speculate for) a** ~ auf Baisse spekulieren;
~**-back pay** *(pieceworker)* garantierter Mindestlohn; ~ **merchandize** *(US)* Herbstartikel; ~ **-off in the economy** Konjunkturabfall; ~ **-off in imports** Einfuhrrückgang; ~ **off in new orders** Auftragsrückgang.

falling | in sales Absatz-, Umsatzrückgang;
~ *(a.)* rückgängig, -läufig;
to be ~ *(prices)* fallen;
~ **market** Baissemarkt; ~ **prices** weichende Kurse.

falling-off *(prices)* Nieder-, Rückgang;
~ **of business** Geschäftsrückgang; ~ **of orders** Auftragsrückgang; ~ **in sales** Umsatzrückgang.

false falsch, unrichtig, *(document)* gefälscht, *(faulty)* fehlerhaft, *(sham)* nachgemacht, unecht;
~ **balance sheet** gefälschte (frisierte) Bilanz; ~ **billing** *(transportation business)* falsche Gewichtsangabe; ~ **check** *(US)* **(cheque,** *Br.)* gefälschter Scheck; ~ **claim** unbegründete Forderung, unberechtigter Anspruch; ~ **coin** Falschgeld; ~ **coiner** Falschmünzer; ~ **coining** Falschmünzerei, Münzfälschung; ~ **colo(u)r** *(fig.)* betrügerische Aufmachung; ~ **financial statement** falsche Bilanzerklärung; ~ **papers** falsche Schiffspapiere; ~ **return** unrichtige Einkommensteuererklärung; ~ **statement** falsche Angabe, *(balancing)* gefälschte Finanzaufstellung; ~ **take-off** *(airplane)* Fehlstart; ~ **trade description** falsche Warenbezeichnung; ~ **weight** unrichtiges Gewicht, Fehlgewicht.

falsification Fälschung, *(proving of errors)* Nachweis eines falschen Rechnungspostens, *(record)* Urkundenfälschung;
~ **of accounts** Bücherfälschung; ~ **of the balance sheet** Bilanzfälschung; ~ **of competition** Wettbewerbsverzerrung; ~ **of documents** Urkundenfälschung.

falsificator Fälscher.

falsified signature gefälschte Unterschrift.

falsify *(v.)* nachahmen, -machen, fälschen, widerlegen, als falsch nachweisen;
~ **the accounts** Bücher fälschen; ~ **an item in an account** Rechnungsposten fälschen.

family Familie, Haushalt, *(lineage)* Herkommen, Abkunft;
~ **dependent upon s. o. for support** unterhaltsberechtigte Familie; **public-aid** ~ Fürsorgeunterstützung beziehende Familie;
~ **on relief** Fürsorge- und Unterstützung empfangende Familie;
to maintain one's ~ für seine Familie arbeiten, seine Familie unterhalten;
~ **allowance** *(Br.)* Familienzuschlag, -beihilfe, -zulage, -unterstützung, Kindergeld, *(US)* aus dem Nachlaß zu zahlender Unterhalt; ~ **appeal** *(advertising)* Ansprechen des Familiengefühls; ~ **assistance** Familienhilfe, -unterstützung; ~ **bill** *(Br.)* Kindergeldgesetz; ~ **brand** Dachmarke; ~ **business** Familienbetrieb, -unternehmen; ~ **-buying power** Einkaufskraft einer Familie; **to be** ~ **-employed** als mithelfendes Familienmitglied tätig sein; ~**-owned enterprise** Familienunternehmen, -betrieb; ~ **group** *(motor-car insurance)* Haushaltsangehörige; ~ **income** Familieneinkommen; ~ **industry** Hauswirtschaft; ~ **insurance** Familienversicherung; ~ **partnership** Familienunternehmen, -gesellschaft; ~ **property** Familienvermögen; ~**-run concern** Familienunternehmen; ~ **settlement** *(Br.)* Erbauseinandersetzung, Abfindungs-, Erbeinsetzungsvertrag, Familienstiftung; ~ **size** Groß-, Haushaltspackung.

fancy | article Modeware, Mode-, Luxusartikel, modisches Produkt; ~ **business** Modegeschäft; ~ **goods** Galanterie-, Luxuswaren, Modeartikel; ~ **packaging** Luxuspackung; ~**-packed (in** ~ **packing)** in feiner Ausstattung; ~ **paper** Luxuspapier; ~ **price** Liebhaberpreis; ~ **stocks** *(US)* unsichere Spekulationspapiere.

fanfold form Leporellofalzung.

fanout Kontenausgleich.

fare Fahrgeld, -preis, Passagier-, Überfahrtsgeld, *(passenger carrier)* Fahrgast, Passagier, *(plane)* Flugpreis;
at a reduced ~ zu ermäßigtem Fahrpreis; **for no extra** ~ ohne zusätzliche Kosten, ohne Zuschlag;
~**s** Verkehrsausgaben, *(taxi driver)* Fuhren, Fahrten;
airline ~ Flugpreis; **excess** ~ Zusatzfahrschein, Fahrpreiszuschlag; **full** ~ Fahrkarte zum vollen Fahrpreis; **half** ~ halber Fahrpreis; **low seasonal** ~ ermäßigter Fahrpreis außerhalb der Saison; **plane** ~ Flugpreis; **return** ~ Rückfahrschein, -fahrkarte; **round-trip excursion** ~**s** Rundreise-, Ausflugstarif; **single** ~ Einzelfahrkarte, -preis, einfacher Fahrpreis;
to pay one's ~ seine Fahrkarte bezahlen; **to pay full** ~ vollen Fahrpreis bezahlen;
~ **hike** Fahrpreiserhöhung; ~ **reduction** Fahrpreisermäßigung; ~ **schedule** Fahrpreisanzeiger; ~ **stage** Fahrpreiszone, Tarifgrenze, Teilstrecke; **full-** ~ **ticket** Fahrkarte zum vollen Preis.

farm landwirtschaftlicher Betrieb, Bauerngut,

-hof, Pachthof, Farm, [Land]wirtschaft, Farm, *(building)* Guts-, Bauernhaus, *(taxation)* verpachteter Steuerbezirk;
family-sized ~ landwirtschaftlicher Familienbetrieb; **home** ~ landwirtschaftlicher Eigenbetrieb; **leased** ~ Pachtgut; **model** ~ Mustergut, -betrieb; **owner-operated** ~ *(US)* landwirtschaftlicher Eigenbetrieb; **submarginal** ~ landwirtschaftlicher Verlustbetrieb;
~ *(v.) (carry on farming)* Landwirtschaft betreiben; bebauen, wirtschaften, *(take on lease)* pachten;
~ **native labo(u)r** einheimische Arbeitskräfte dingen; ~ **land** Gut bewirtschaften; ~ **a lottery** Lotterieunternehmen pachten; ~ **out s. o.** jds. Unterhalt gegen Bezahlung einer Pauschale übernehmen; ~ **out to a consulting organization** an eine Beratungsfirma gegen Sonderhonorar vergeben; ~ **out a right to space in an exhibition** Ausstellungsraum vergeben;
~ **bloc** Gruppe landwirtschaftlicher Interessenvertreter im Parlament, Grüne Front; ~ **building** Ökonomie-, Wirtschaftsgebäude; ~ **credit** Agrarkredit; ~ **debtor** verschuldeter Landwirt; ~ **equipment** landwirtschaftliche Maschinen; ~ **income** Einkünfte aus Landwirtschaftsbetrieb; ~ **labo(u)r** Landarbeit; ~ **labo(u)rer** Landarbeiter; ~ **loan** Landwirtschaftskredit; ~ **loan bank** landwirtschaftliche Genossenschaftsbank; ~ **manager** Gutsverwalter; ~ **market** Markt für landwirtschaftliche Erzeugnisse; ~ **output** landwirtschaftliche Produktion; ~ **prices** Preise landwirtschaftlicher Erzeugnisse; ~ **produce** landwirtschaftliches Erzeugnis; ~ **program(me)** [etwa] Grüner Plan; ~ **real estate** landwirtschaftlich genutztes Grundstück; ~ **surpluses** landwirtschaftliche Überschußprodukte; ~ **wages** Landarbeiterlöhne; ~ **worker** Landarbeiter, landwirtschaftlicher Arbeiter.

farmer Bauer, Landwirt, Farmer, *(tenant)* Pächter;
dirt ~ Kleinbauer; **house** ~ *(Br.)* Häusermakler; **tenant** ~ Pächter.

farmhand Knecht, Landarbeiter.

farmhold Bauerngut.

farmholder Gutsbesitzer.

farming Acker-, Landwirtschaft, Ackerbau, *(leasing out)* [Ver]pachtung, Pachtbetrieb;
cottage ~ Kleinbauernbetrieb; **extensive (intensive)** ~ extensive (intensive) Bewirtschaftung; **large** ~ landwirtschaftlicher Großbetrieb; **small** ~ landwirtschaftlicher Nebenbetrieb; **stock** ~ Viehzucht, -wirtschaft;
to be engaged in ~ Landwirtschaft betreiben;
~ **association** landwirtschaftliche Genossenschaft; ~ **business** Landwirtschaftsbetrieb; ~ **products** landwirtschaftliche Erzeugnisse; ~ **section of the population** selbstversorgender Bevölkerungteil.

farmstead Bauernhof, Gehöft.

farmyard Wirtschaftshof;
~ **buildings** Wirtschaftsgebäude.

fashion *(form)* Form, Art, *(style)* Mode, Zuschnitt;
in the latest ~ nach dem neuesten Schnitt; **out of** ~ unmodern, veraltet;
~**s in financing** modebedingte Finanzierungsmethoden; ~ **of the period** gegenwärtige Mode;
to be all the ~ neueste Mode sein;
to bring up (introduce) a ~ Mode aufbringen; **to come into** ~ modern sein, günstige Aufnahme finden; **to come into** ~ **again** wiederaufkommen; **to come out of** ~ aus der Mode kommen; **to depend upon the** ~ der Mode unterworfen sein; **to get (go) out of** ~ unmodern werden; **to lead (set) the** ~ [Mode] kreieren;
~ **adviser** Modeberater, -sachverständiger; ~ **article** Modeware; ~ **book** Modejournal; ~ **design** Modezeichnung, -schöpfung; ~ **designer** Modeschöpfer; ~ **display** Modenschau; ~ **goods (item, merchandise)** Modeartikel; ~ **industry** Modeindustrie; ~ **journal** Modezeitschrift, -journal; ~ **magazine** Modejournal; ~ **model** Modell; ~ **paper** Modezeitung, -journal; ~ **parade** Modeschau; ~ **show** Modenschau; **the** ~**s trade** Konfektionsindustrie; **wholesale** ~ **trade** Großkonfektion.

fashionable | **hotel** schickes Hotel;
~ **quarters** gute Wohngegend.

fashioning Formgebung, Gestaltung.

fashionwear Modeartikel.

fast schnell, *(colo(u)r)* echt, *(fixed)* fest, befestigt, sicher;
~ **buck** *(US sl.)* schnell verdientes Geld; ~**-food franchisee** Schnellrestaurantpächter; ~**-food restaurant** Schnellgaststätte, -restaurant; ~ **freight** Eilgut, -fracht; ~ **goods traffic** *(Br.)* Eilgutverkehr; ~ **lane** Schnellweg; ~ **route** Schnellzugverbindung; ~**-selling item** schnellverkäuflicher Artikel, schnell umschlagende Ware; ~ **station** Schnellzugstation; ~ **train** D-, Eil-, Schnellzug; **to send goods by** ~ **train** Waren per Expreß schicken; ~ **work** rasch erledigte Arbeit.

fasten *(v.) (ship)* verankern;
~ **an apprentice** Lehrlingsvertrag abschließen; ~ **an obligation on s. o.** jem. eine Verpflichtung auferlegen.

fat einträgliche Arbeit;
to cut up ~ großes Vermögen hinterlassen;
~ **cat** *(sl.)* einflußreicher Hintermann; ~ **job** bequeme Stellung; ~ **lot of influence** weitreichender Einfluß; ~ **profit** fetter Gewinn; ~ **salary** *(fam.)* dickes Gehalt.

fatality tödlicher Ausgang, Todesfall;
industrial ~ tödlicher Fabrikunfall.

fatigue [Arbeits]ermüdung, Erschöpfung, Überanstrengung, *(techn.)* Ermüdung;
~ **allowance** Erholungszuschlag.

fault *(commercial law)* Mangel, Fehler;
with all ~**s** ohne Mängelgewähr;

to be at ~ in an accident an einem Unfall Schuld haben.
faulty mangelhaft, fehlerhaft, nicht einwandfrei;
~ **article** schlechte Ware; ~ **goods** nicht einwandfreie Ware; ~ **spacing** *(advertising)* falsche Raumaufteilung; ~ **statement** fehlerhafter Rechnungsauszug; ~ **workmanship** schlechte Ausführung.
favo(u)r *(aid)* Hilfe, Gefallen, Gefälligkeit, *(preference)* Vorzug, bevorzugte Behandlung, Privileg, Vergünstigung;
awaiting the ~ of your reply Ihrer gefälligen Antwort entgegensehend; **in ~** beliebt, gefragt, begehrt;
~ *(v.)* begünstigen, bevorzugen, unterstützen, [mit Aufträgen] beehren;
~ **a creditor** Gläubiger begünstigen; ~ **a scheme** Projekt befürworten;
to balance in ~ of jem. gutschreiben; **to be in great ~** *(goods)* begehrt (beliebt, sehr gefragt) sein; **to be out of ~** aus der Mode gekommen sein; **to write out a check** *(US)* **(cheque,** *Br.)* **in s. one's ~** zu jds. Gunsten einen Scheck ausstellen.
favo(u)rable günstig, vorteilhaft;
~ **answer** positive Antwort, günstiger Bescheid; ~ **balance of trade** aktive Handelsbilanz; ~ **conditions** günstige Bedingungen; ~ **exchange rate** günstiger Umrechnungskurs; ~ **price** günstiger Preis; **specially ~ rate** Sondertarif; ~ **terms** günstige Preise.
favo(u)red begünstigt, bevorzugt;
to be ~ with an order Auftrag erhalten;
most ~ nation clause Meistbegünstigungsklausel.
favo(u)rite|s *(market)* Spitzenwerte;
~ *(a.)* begünstigt, bevorzugt;
~ **brand** bevorzugte Marke.
favo(u)ritism Günstlingswesen, -wirtschaft, Vetternwirtschaft.
fear of recession Rezessionsbefürchtungen.
feasibility Ausführbar-, Gangbar-, Durchführbarkeit;
~ **study** Projekt-, Vorstudie.
feasible method of liquidation vernünftiger Vergleichsvorschlag.
featherbed *(v.)* *(US)* unnötige Arbeitskräfte einstellen;
~ **job** *(US)* reine Sinekure; ~ **treatment** bevorzugte Behandlung.
featherbedding *(US)* Bezahlung für eine nicht wirklich geleistete Arbeit, *(US, unionism)* Anstellung nicht benötigter Arbeitskräfte;
~ **practices** *(US)* gewerkschaftliche Praktiken bei der Arbeitseinstellung.
feature Wesensmerkmal, *(advertising)* Aufhänger, werbewirksames Element, *(broadcasting)* Hörfolge, Tatsachenbericht, *(newspaper)* besonders aufgemachter (spezieller) Artikel, Sonderartikel, besondere Spalte;
~**s of business** Geschäftsmerkmale; ~**s of a contract** Grundzüge eines Vertrages;
~ *(v.)* kennzeichnen, *(give prominence)* Vorrang einräumen, besonders herausstellen;
~ **an article** Zeitungsartikel groß aufmachen; ~ **high-priced items** sich auf teure Qualitätserzeugnisse spezialisieren;
~ **article** großaufgemachter Artikel, Sonderartikel.
featured articles Sonderangebot.
federal *(a.)* bundesstaatlich, föderalistisch;
~ **allowance** *(US)* Bundeszuschuß; ~ **bank account** *(US)* [etwa] Girokonto bei der Landeszentralbank; ≗ **Budget** *(US)* Bundeshaushalt, -etat; ~ **fund rate** *(US)* Tagesgeldsatz; ≗ **Credit Union Act** *(US)* Gesetz über das Bundesaufsichtsamt für das Versicherungswesen; ~ **currency** *(US)* Landeswährung; ~ **debt** *(US)* Staatsschuld; ≗ **Insurance Contribution Act** *(US)* Sozialversicherungsgesetz; ~ **rediscount rate** *(US)* [etwa] Diskontsatz der Landeszentralbank; ≗ **Reserve Act** *(US)* [etwa] Landeszentralbankgesetz; ≗ **Reserve Bank** *(US)* [etwa] Landeszentralbank; ≗ **Reserve board** *(US)* [etwa] Landeszentralbankrat; ≗ **Reserve credit** [etwa] Landeszentralbankkredit; ≗ **Savings and Loan Insurance Corporation** *(US)* Bundesaufsichtsamt für Bausparkassen; ≗ **Security Agency** *(US)* Bundesversicherungsanstalt; ≗ **Trade Commission** *(US)* Kartellamt; ~ **transfer tax** *(US)* Effektenumsatzsteuer; ~ **treasury** Staatskasse; ~ **unemployment tax** *(US)* Arbeitnehmerbeitrag zur Arbeitslosenversicherung; ≗ **Works Agency** *(US)* Bundesamt für Arbeitsbeschaffung.
federation Zusammenschluß, *(association)* Verband, Vereinigung;
economic ~ Wirtschaftsverband;
~ **of British Industries** [etwa] Arbeitgeberverband;
American ≗ of Labor (AFL) Amerikanischer Gewerkschaftsverband.
fee *(advertising)* Agenturvergütung, *(entrance money)* Eintrittsgeld, -gebühr, *(honorarium)* Honorar, Vergütung, Entgelt, *(remuneration)* Bezahlung, *(royalty)* Tantieme, *(sum payable to public officer)* [amtliche] Gebühr, Taxe, Sportel, (wages) Lohn, Bezahlung;
for a small ~ gegen geringe Gebühr; **liable to a ~** gebührenpflichtig;
admission ~ Eintrittsgeld, -gebühr; **application ~** Antragsgebühr; **attendance ~s** Präsenzgeld; **author's ~** Tantieme, Autorenanteil; **basic ~** Grundgebühr; **booking ~** Vormerkgebühr; **brokerage ~** Maklergebühr; **clerk's ~s** Schreibgebühr; **cloakroom ~** Gepäckaufbewahrungsgebühr; **collection ~** Inkassogebühr; **comprehensive ~** Pauschalgebühr; **customhouse ~s** Zollgebühren; **director's ~** Aufsichtsratstantieme; **discharging ~s** Entlade-, Löschungskosten;

~s due fällige Gebühren; **entrance** ~ Eintrittsgeld; **excess** ~ Gebührenzuschlag; **expert's** ~ Sachverständigengebühren; **extra** ~ Sonderhonorar; **filing** ~**s** [Konkurs]anmeldegebühr; **flat** ~ Pauschalgebühr; **garage** ~**[s]** Standgeld; **handling** ~ Bearbeitungsgebühr; **insurance** ~ Versicherungskosten; **late** ~ Zuschlag[steuer]; **late-letter** ~ Nachtzustellungsgebühr; **licence** ~**s** Lizenzgebühren; **parking** ~ Parkgebühr; **registration** ~ Anmelde-, Eintragungs-, Einschreibe-, Registergebühr; **remittance** ~ Überweisungskosten; **safe-custody** ~ Aufbewahrungsgebühr; **safe-deposit** ~ Depotgebühr; **stiff** ~ stramme Gebühr; **subscription** ~ Abonnements-, Subskriptionsgebühr; **underwriting** ~ Übernahmespesen;

~s paid in advance Gebührenvorschuß; ~ **for custodianship** *(US)* Depotgebühr;

~ *(v.)* Gebühr bezahlen (entrichten), honorieren;

to be subject to a ~ gebührenpflichtig sein; **to charge a** ~ Gebühr berechnen; **to draw one's** ~**s** seine Tantiemen kassieren; **to level** ~**s** Gebühren erheben; **to remit** ~**s** Gebühren erlassen; **to pay the** ~**s** Gebühren entrichten; **to pocket large** ~**s** große Honorare einstreichen;

~ **arrangement** Gebührenabkommen; **to operate on a** ~ **basis** Honorarvereinbarung treffen; ~ **cut** Gebührenherabsetzung; ~ **increase** Gebührenanhebung; ~ **note** Gebührenberechnung; ~ **scale** Gebührenstaffel; ~ **sheet** *(Br.)* Gebührenrechnung; ~ **system** *(agency business)* festes Gebührensystem.

feeder *(railway)* Zubringerzug, *(road)* Zubringer;

~ **airport** Hilfsflugplatz; ~ **line** *(airplane)* Zubringerlinie, *(railway)* Zubringerlinie, Anschlußstrecke; ~ **liner** Zubringerflugzeug; ~ **plant** Zulieferungsbetrieb; ~ **road** Zubringer[straße]; ~ **service** Zubringerdienst.

feeler *(fig.)* Fühler, Versuchsballon.

feet, to get on its ~ **again** *(business)* wieder flottwerden; **to put an enterprise on its** ~ **again** Unternehmen wieder in die Höhe bringen.

feigned | **contract** Scheinvertrag; ~ **purchase** Scheinkauf.

fellow Genosse, Gefährte, Kollege, *(associate)* Teilhaber, *(of society)* Mitglied;

~ **board member** Vorstandskollege; ~ **debtor** Mitschuldner; ~ **drawer** Mitaussteller eines Wechsels; ~ **employee (labo(u)rer)** Kollege, Mitarbeiter; ~ **passenger** Mitreisender; ~ **servant** *(US)* Mitangestellter, Arbeitskollege; ~ **worker** Mitarbeiter, Berufs-, Arbeitskamerad, Kollege.

ferry Fähre, Fährschiff, *(airplane)* Überführungsdienst;

aerial ~ Fährbrücke;

~ *(v.)* Fährdienst versehen, *(plane)* von der Fabrik zum Flugplatz fliegen, *(vehicles)* überführen, abliefern;

~ **boat** Fährboot, Fähre; ~ **bridge** Trajekt; ~ **command** *(airplane)* Überführungs-, Abhol-, Lieferkommando; ~ **fare** Fährgeld; ~ **service** Fährbetrieb.

ferryhouse Fährhaus.

ferryman Fährmann.

fetch *(v.)* [ab]holen, *(sell for)* einbringen, erzielen;

~ **and carry** niedrige Dienste verrichten, lediglich Handlanger sein; ~ **a good price** sich gut verwerten (verkaufen) lassen.

fetter *(v.)* [durch Schutzzölle] knebeln.

fiat | **in bankruptcy** Konkursverwaltereinsetzung;

~ **money** *(US)* Papiergeld ohne Deckung, Buch-, Giralgeld.

fictitious fingiert, fiktiv, frei erfunden, *(assumed)* angenommen, *(counterfeit)* nachgemacht, unecht;

~ **account** Deckkonto; ~ **action** Scheinprozeß; ~ **assets** fiktive Vermögenswerte; ~ **bargain** Scheingeschäft; ~ **bill** *(Br.)* Kellerwechsel; ~ **payee** fingierter Remittent; ~ **payment** fingierte Zahlung; ~ **purchase** Scheinkauf; ~ **sale** Schein-, Proformaverkauf; ~ **value** fiktiver Wert.

fidelity *(accuracy)* Genauigkeit, Pflichttreue;

~ **of a translation** Genauigkeit einer Übersetzung;

~ **bond** Kaution gegen Veruntreuung, Unterschlagungsversicherung; ~ **guarantee insurance** *(Br.)* Kautionsversicherung; ~ **insurance** *(US)* Kautions-, Garantieversicherung.

fiduciary *(a.)* treuhänderisch, anvertraut, *(notes)* fiduziär, ungedeckt;

~ **account** Treuhandkonto; ~ **accounting** treuhänderische Buchführung; ~ **activity** treuhänderische Tätigkeit; ~ **agent** Treuhänder; ~ **bond** Kautionsverpflichtung; ~ **capacity** Treuhändereigenschaft; ~ **coëmption** Kauf für einen Dritten; ~ **circulation** *(Br.)* ungedeckter Notenumlauf; ~ **contract** Treuhand-, Sicherungs-, Übereignungsvertrag; ~ **debtor** Treunehmer; ~ **interest** treuhänderischer Anteil; ~ **issue** *(Br.)* ungedeckte Notenausgabe; ~ **loan** ungedeckter Personalkredit; ~ **money** Buch-, Giralgeld; ~ **standard** Papiergeldwährung.

field *(airport, mil.)* Feldflughafen, *(range)* [Fach]gebiet, Bereich, Arbeitsgebiet, Fach, *(market)* Absatzgebiet, Markt; *(salesman)* Außendienst;

in the ~ im Außendienst; **in the economic** ~ auf wirtschaftlichem Gebiet;

coal ~ Kohlenrevier; **oil** ~ Ölvorkommen; **medium-priced** ~ mittleres Preisgebiet;

~ **of action (activity)** Tätigkeitsgebiet, Arbeitsbereich, -feld; ~ **of application** Anwendungsbereich; ~ **of business activity** geschäftlicher Tätigkeitsbereich; ~**s and branches** Außendienst und Filialen; ~ **of major professional interest** Hauptinteressengebiet; ~ **of operation** Tätigkeitsgebiet, Arbeitsbereich;

to work in the ~ im Außendienst tätig sein;

~ **airport** Feldflughafen; ~ **auditor** Außenbeamter der Revision; ~ **control** Kontrolle des Verkaufspersonals; ~ **costs** Plazierungskosten eines Produkts; ~ **force** im Außendienst eingesetzte Kräfte; **to back up the** ~ **forces** im Außeneinsatz tätige Kräfte verstärken; ~ **interviewer** Befrager; ~ **investigation** Umfrage, Marktforschung; ~ **investigator** Marktforscher, -befrager; Interviewer; ~ **manager** Außendienstbevollmächtigter, Gebietsverkaufsleiter; ~ **office** Außenstelle; ~ **organization** Außenorganisation; ~ **records** Fachunterlagen; ~ **research** *(statistics)* Primärerhebung; ~ **sales force** Verkaufsorganisation; ~ **sales manager** Außenstellenleiter; ~ **service** Außendienst[tätigkeit]; ~ **survey** sorgfältige Untersuchung, *(marketing)* Marktforschung; ~ **staff** Mitarbeiter im Außendienst.

field warehouse Lagerbetrieb;
~ **receipt** Sicherungsübereignungs-, Lagerschein.

field warehousing *(US)* Lagerung sicherungsübereigneter Waren;
~ **organization** Lagerhausgesellschaft.

field work Außenarbeit, -dienst, -einsatz, auswärtige Tätigkeit, *(interview)* individuelle Befragung.

fieldworker Marktbefrager, *(sales force)* Außendienstmitarbeiter.

fight for the market Kampf um den Absatzmarkt.

fighting | brand Kampfmarke; ~ **change** Gewinnchance; ~ **fund** *(union)* Streik-, Kampffonds.

figure *(amount)* Betrag, Wert, *(diagram)* Figur, Diagramm, *(law of competition)* Bildzeichen, *(number)* Zahl, Ziffer, *(pattern)* Muster, *(price)* Preis;
at the best ~ bestens; **at a high** ~ teuer; **at a low** ~ billig; **by** ~**s** ziffernmäßig; **in** ~**s and words** in Ziffern und Worten;
average ~ Durchschnittszahl; **hard** ~**s** zuverlässiges Zahlenmaterial; **price** ~**s** Preisziffern; **released Board of Trade** ~**s** vom Handelsministerium veröffentlichte Ziffern; **revised** ~**s** bereinigte Zahlen;
standard ~**s of distribution** Absatzkennzahlen; ~**s on sales volume** Umsatzangaben, -ziffern;
~ *(v.) (calculate)* berechnen, ausrechnen;
~ **to one's credit** in jds. Guthaben stehen; ~ **out [at]** sich berechnen [auf], veranschlagt werden [auf], *(v. t.)* aus-, berechnen; ~ **up** zusammenrechnen; ~ **up the costs** Kosten veranschlagen (berechnen);
not to allow credit beyond a certain ~ Kredit nur in einem bestimmten Rahmen gewähren; **to assess on** ~**s** auf Zahlen basieren; **to buy at a low** ~ billig erwerben; **to drag down the overall profit** ~**s** Gesamtentwicklung der Gewinne negativ beeinflussen; **to fetch a high** ~ hohen Preis erzielen; **to run into three** ~**s** *(costs)* in die Hunderte gehen; **to run into five** ~**s** *(income)* fünfstellig sein; **to work out the** ~**s** Kalkulation vornehmen;
~ **code** Zahlenkode, Telegraphenschlüssel.

figurehead Gal(l)ions-, Repräsentationsfigur.

figuring [out] Berechnung.

file Aktenstück, -bündel, -ordner, Sammelmappe, Ordner, *(column)* Zug, *(register)* Liste, Verzeichnis;
for our ~**s** zu den Akten, für unser Archiv;
accordion (bellows) ~ Harmonikaakte; **bill** ~ Wechselarchiv; **card-index** ~ Kartothek, Kartei; **central** ~ Zentralablage; **closed** ~ geschlossene Akte; **credit** ~ Kreditregistratur; **dead** ~**s** abgelegte Akten; **in** ~ Eingangskörbchen; **letter** ~ Briefablage, -ordner, Schnellhefter; **map and plan** ~ Kartenschrank; **personal** ~**s** Personalakten; **ready-reference** ~ griffbereite Akte; **tickler** ~ Terminkalender;
~ *(v.)* geltend machen, *(documents)* [Akten, Briefe] ablegen, einordnen, zu den Akten nehmen, *(hand in)* einreichen, vorlegen;
~ **with** *(petition)* einreichen bei, einbringen, vorlegen; ~ **an application** Antrag einreichen; ~ **a bankruptcy petition** Konkursantrag stellen; ~ **index cards** Karteikarten einreihen; ~ **a letter away** Brief abheften; ~ **letters in alphabetical order** Briefe alphabetisch ablegen; ~ **in order of date** chronologisch ablegen; ~ **out** aus den Akten heraussuchen; ~ **a petition for an arrangement** Gläubigervergleich beantragen, Vergleichsantrag stellen; ~ **one's petition (a petition in bankruptcy)** Konkurs anmelden, Konkurseröffnungsantrag stellen; ~ **a plan** Vorschlag einreichen, *(bankruptcy)* Vergleichsvorschlag machen; ~ **a proof of claim** Anspruchsberechtigung nachweisen; ~ **an income-tax return** Einkommensteuererklärung abgeben; ~ **by subject matter** nach Sachgebieten ablegen;
to be on ~ bei den Akten sein; **to be retained in the** ~**s** bei den Akten bleiben; **to compile** ~**s** Akten anlegen; **to locate** ~**s** Akten nachweisen; **to place a report on one's** ~ Bericht zu seinen Akten nehmen (in seinen Ordner einheften); **to review one's files** seine Akten durchgehen; **to take on** ~ zu den Akten nehmen;
~ **cabinet** Aktenschrank; ~ **card** Kartei-, Kartothekkarte, Ablage; ~ **clerk** *(US)* Registrator, Registraturangestellter; ~ **copy** Ablage, Archivexemplar; ~ **cover** Aktendeckel; ~ **folder** Aktenhefter, -ordner; ~ **heading** Aktenrubrik; ~ **index** Aktenverzeichnis; ~ **mark** Eingangsvermerk; ~ **number** Akten-, Geschäftszeichen; **our** ~ **No. ...** unser Zeichen; ~ **reference** Akten-, Geschäftszeichen; ~ **signal** Kartenreiter.

filed | for record abgelegt;
to be ~ zu den Akten (zdA);
~ **material** abgelegte Akten, Ablage.

filing *(registration)* Anmeldung, Einreichen, Einreichung, Registrierung, [Akten]ablage;

central ~ zentrale Ablage; **chronological** ~ chronologische Ablage; **geographical** ~ Ablage nach Orten; **subject** ~ Ablage nach Sachgebieten;

~ **of an action** Klageeinreichung, -erhebung; ~ **of an application** Antragstellung; ~ **of bankruptcy petition** Einreichung des Konkursantrages; ~ **of claim** Forderungsanmeldung; ~ **of a complaint** Abfassung einer Beschwerde; ~ **of letters** Briefablage; ~ **of records** Aktenablage; ~ **of schedule** Erstellung einer Konkursbilanz; ~ **box** Karteikasten; ~ **cabinet** Kartothek, Kartei, Aktenschrank, Zettelkasten; ~ **card** Ablagekartei; ~ **clerk** *(Br.)* Registrator, Registraturleiter, Archivar; ~ **costs (fees)** Eintragungsgebühren, *(bankruptcy)* Konkursantragskosten; ~ **equipment** Ablagevorrichtungen; ~ **fee** Eintragungsgebühr; ~ **jacket** Aktenhefter; ~ **system** Ablagesystem; **central** ~ **system** Zentrales Ablagewesen, Zentralregistratur; ~ **term** Abgabefrist.

fill *(newspaper)* Füller;

~ *(v.) (discharge duties of post)* ausfüllen, *(hold position)* bekleiden;

~ **the bill** *(Br. sl.)* hervorragende Stelle einnehmen; ~ **the [speaker's] chair** Vorsitz führen; ~ **an order** *(US)* Auftrag ausführen (erledigen); ~ **a truck** Waggon beladen; ~ **a vacancy** Stelle besetzen.

fill in *(Br.)* [Formular] ausfüllen;

~ **a form carelessly** Formular flüchtig ausfüllen; ~ **a job** Stellung besetzen; ~ **until s. o. returns** j. bis zu seiner Rückkehr vertreten.

fill out | **a bill** *(US)* Wechselformular ausfüllen; ~ **a blank** *(US)* Formular ausfüllen.

fill up *(complete)* vervollständigen, *(form)* ausfüllen;

~**s. one's place** jds. Stelle einnehmen.

fill-in Einfügsel;

~ **recorder** Bestellung zur Lagerauffüllung, Lagerbestellung.

filled, not in Blanko;

~ **up** *(car)* aufgetankt;

~ **orders** ausgeführte (erledigte) Aufträge.

filler paper Ersatzeinlagen für Ringbuch.

filling | **of a contract** Auftragsabwicklung; ~ **in of orders** Auftragserledigung; ~ **in of a questionnaire** Ausfüllung eines Fragebogens; ~ **of vacancies** Neubesetzung erledigter Stellen;

~ **station** *(US)* Tankstelle.

film Film, *(cinema)* Film, Kino;

to produce a ~ Film herstellen; **to release a** ~ Film zulassen (durch die Filmselbstkontrolle bringen);

~ **advertisement** Filmwerbung, Kinoreklame, -werbung; ~ **distributing business** Filmverleih[geschäft]; ~ **distribution** Filmverleih; ~ **industry** Filmindustrie; ~ **trade** Filmverleih.

final Schluß, *(newspaper)* Spätausgabe, letzte Ausgabe;

to become ~ *(judgment)* rechtskräftig werden; ~ **accord** Schlußvereinbarung; ~ **account** Abschlußrechnung; ~ **assembly** Endmontage; ~ **balance** Schlußbilanz; ~ **commission** Abschlußprovision; ~ **consumer** Endverbraucher; ~ **date for payment** äußerster Zahlungstermin; ~ **distribution** Schlußverteilung; ~ **dividend** Schlußdividende, *(liquidation)* Schlußquote; ~ **instal(l)ment** Schlußzahlung, letzte Rate; ~ **payment** Abschlußzahlung; ~ **port** Bestimmungshafen; ~ **product** Endprodukt; ~**-quarter figures** Vierteljahresendziffern; ~ **quotation** Schlußkurs; ~ **stock-taking** Schlußinventur; ~ **utility theory** Grenznutzenlehre.

finalize *(v.) (production)* Produktionsentscheidung treffen.

finance Finanzwirtschaft, Finanzen, Geldwesen, -wirtschaft, Finanzgebarung, *(science)* Finanzwissenschaft;

~**s** Staatseinkünfte, -finanzen, Finanzlage;

additional ~ zusätzliche Geldbeträge; **disordered** ~**s** zerrüttete Finanzen; **governmental** ~ Staatsfinanzwirtschaft; **high** ~ *(US)* Großkapital, Hochfinanz; **home** ~ *(Br.)* öffentliche Finanzen; **local** ~ Gemeindefinanzen; **public** ~**s** öffentliches Finanzwesen, Staatsfinanzen; **shattered** ~**s** zerrüttete Finanzen; **sound** ~ gesunde Finanzgebarung; **strong** ~**s** günstige Finanzverhältnisse;

~ *(v.) (devise ways)* finanziell ausarbeiten, *(engage in financial operations)* Geldgeschäfte machen, *(procure capital)* finanzieren, Kapital beschaffen, Geld bereitstellen, kapitalisieren;

~ **away** *(US)* [Geld] verschieben; ~ **a business** Geschäft finanzieren; ~ **the costs of an undertaking** Geldmittel für ein Unternehmen zur Verfügung stellen; ~ **an enterprise** Finanzierung eines Unternehmens übernehmen; ~ **one's money away** *(US)* sein Geld verspekulieren; ~ **a railroad** Eisenbahnlinie finanzieren; ~ **with short-term money** mit kurzfristigen Geldmitteln finanzieren;

to be versed in questions of ~ Finanzfachmann sein; **to furnish with** ~ finanzieren; **to jeopardize one's** ~**s** seine Finanzlage gefährden; **to put s. one's** ~**s on a healthy basis** j. finanziell sanieren; **to put the** ~**s of a country on a healthy footing** staatliches Sanierungsprogramm durchführen;

~ **administration** Finanzverwaltung; ≗ **Bill** *(Br.)* Steuervorlage; ~ **bill** *(US, banking)* Finanzierungs-, Mobilisierungswechsel; ~ **charge** Finanzierungskosten; **sales** ~ **company** Absatzfinanzierungsgesellschaft; ≗ **Corporation for Industry** *(Br.)* [etwa] Industriekreditbank; ~ **demand** Finanzbedarf; ~ **department** Finanzabteilung, Kasse; ~ **division** Finanzabteilung, Kasse; ~ **house** Finanzierungsinstitut, -gesellschaft; ≗ **Ministry** Finanzministerium; ~ **office** *(company)* Finanzresort; ~ **officer** Finanz-, Steuerbeamter, *(company)* Finanzvorstand; ~ **stamp** Effektenstempel.

financial finanziell, finanztechnisch, fiskalisch, geldlich, pekuniär, *(coll.)* flüssig, bei Kasse (Gelde);

~ **accounting** Geschäfts-, Finanzbuchhaltung; ~ **adviser** Finanzberater; ~ **affairs** Finanzangelegenheiten, Geldgeschäfte; ~ **agency** Finanzierungsgesellschaft; ~ **agent** Finanz-, Darlehensmakler; ~ **aid** finanzielle Hilfe; **to extend** ~ **aid** finanzielle Unterstützung gewähren; ~ **arrangement** Finanzierungsplan; ~ **backer** finanzieller Hintermann; ~ **basis** Kapitalbasis; ~ **beating** finanzielle Belastung; ~ **benefit** Vermögensvorteil; ~ **bond** Kaution; ~ **burden** finanzielle Belastung; ~ **centre** Finanz-, Bankenzentrum; ~ **circles** Finanzkreise, -welt; ~ **circumstances** Vermögensverhältnisse; ~ **claims** vermögensrechtliche Ansprüche; ~ **collapse** finanzieller Zusammenbruch; ~ **column** Handels-, Wirtschaftsteil [einer Zeitung]; ~ **commission (committee)** Finanzausschuß; ~ **community** Finanzwelt; ~ **compensation** finanzielle Entschädigung; ~ **condition** Finanz-, Vermögenslage, finanzielle Lage; ~ **conduct** Finanzgebarung; ~ **consultant** Finanzberater; ~ **contribution** finanzieller Zuschuß; ~ **controller** Leiter der Finanzabteilung; ~ **corporations** *(US)* Banken und Versicherungen; ~ **counseling** Beratung in Finanzfragen; ~ **data** finanzielle Angaben; ~ **debts** Geldforderungen des Kapitalverkehrs; ~ **details** Einzelheiten über finanzielle Abmachungen; **to get (fall, run) into** ~ **difficulties** in Zahlungsschwierigkeiten geraten; ~ **director** Finanzdirektor; ~ **district** Bankenviertel; ~ **drag** finanzielle Belastung; ~ **editor** *(US)* Wirtschaftsredakteur; ~ **embarrassment** Geldverlegenheit; ~ **enterprise** Finanzierungsinstitut; ~ **establishment** Kreditinstitut; ~ **expense** Kapitalaufwand; ~ **expert** Finanzsachverständiger; ~ **failure** finanzieller Zusammenbruch; ~ **field** Finanzgebiet, -sektor; ~ **forecasting** Beurteilung der finanziellen Entwicklung; ~ **gap** Finanzierungslücke; ~ **hardship** finanzielle Misere; ~ **health** gesunde Finanzgebarung; ~ **instrument** Kreditinstrument; ~ **interests** Kapitalinteressen; ~ **investment** Geldmarktanlage; ~ **lease** Maschinenpachtvertrag [ohne Wartung]; ~ **management** Finanzverwaltung, ~ **market** Markt für Investitionspapiere; ~ **means** finanzielle (kapitalmarktreife) Mittel; ~ **men** Geschäftswelt; ~ **middleman** Finanz-, Kreditmakler; ~ **news** Börsenbericht, -nachrichten; **to repudiate** ~ **obligations** sich finanziellen Verpflichtungen entziehen; ~ **operation** Finanztransaktion; ~ **organization** Finanzierungsinstitut; ~ **page** *(newspaper)* Wirtschaftsteil; ~ **paper** Börsenblatt, *(US)* Gefälligkeitswechsel; ~ **part** *(newspaper)* Handelsteil; ~ **performance** Finanzgebarung; ~ **plan** Finanzierungsplan; ~ **policy** Finanzgebarung, -wirtschaft, -politik, Finanzen; ~ **position** Finanzverhältnisse, Finanz-, Vermögenslage, finanzielle Lage; **sound** ~ **position** Kapitalkraft, -stärke; ~ **power** finanzielle Leistungskraft, Finanzkraft; ~ **press** Wirtschaftszeitungen; ~ **privilege** Finanzhoheit; ~ **program(me)** Finanzierungsprogramm; ~ **quarters** Finanzkreise; ~ **question** Geld-, Finanzfrage; ~ **records** finanzielle Unterlagen; ~ **reform** Finanzreform; ~ **relationship** kapitalmäßige Bindung; ~ **report** Jahresbericht, Bericht über die Vermögenslage; ~ **requirements** Geld-, Kapitalbedarf; ~ **resources** Finanzierungsquelle, Geldmittel, Finanzkraft; ~ **risk** finanzielles Risiko; ≗ **Secretary to the Treasury** *(Br.)* Staatssekretär für Finanzen; ~ **section** Finanzabteilung; ~ **service** finanzielle Hilfeleistung; ~ **situation** Finanz-, Vermögenslage; **to be in a poor (weak)** ~ **situation** finanziell schlecht gestellt sein; ~ **solvency** Zahlungsfähigkeit; ~ **soundness** Kreditfähigkeit, Solidität; ~ **specialist** Finanzfachmann, -spezialist; ~ **standing** finanzielle Lage, Kreditfähigkeit, Kapitalkraft, Bonität; **in good** ~ **standing** kapitalkräftig; ~ **statement (status)** Status, Vermögensaufstellung, Bericht über die Vermögenslage, Finanzstatus, -ausweis, *(US)* Rechnungsaufstellung; ~ **staying power** finanzielle Durchhaltekraft; ~ **straits** Geldnot, -klemme; ~ **strength** Finanz-, Kapitalkraft, Kapitalstärke, -macht, finanzielle Stärke; ~ **structure** Kapitalstruktur; ~ **success** Kassenerfolg; ~ **system** Finanzwirtschaft, Steuersystem; ~ **term** Finanzausdruck; ~ **transaction** Geldgeschäft, Finanztransaktion; **to slide into deep** ~ **troubles** in ernsthafte finanzielle Schwierigkeiten geraten; ~ **world** Finanzwelt; ~ **worth** Reinvermögen; ~ **wrongdoing** unkorrektes Finanzgebaren; ~ **year** *(Br., private)* Geschäfts-, Bilanz-, Betriebs-, Wirtschaftsjahr, *(state, Br.)* Finanz-, Rechnungs-, Etatsjahr.

financially in finanzieller (geldlicher) Hinsicht;

~ **able** finanziell leistungsfähig; ~ **responsible** finanziell haftbar; ~ **sound (strong)** finanziell gesund, finanz-, kapitalkräftig; ~ **weak** finanz-, kapitalschwach;

to help s. o. ~ j. finanziell unterstützen, jem. unter die Arme greifen.

financier Finanzmann, Financier, Geldgeber, *(banker)* Bankier, *(capitalist)* Kapitalist, *(controller of finances)* Finanzbeamter, *(specialist)* Finanzexperte, -fachmann;

shady ~ Finanzierungsschwindler;

~ *(v.)* finanzieren, Finanzgeschäfte durchführen.

financing Finanzierung, Kapitalbeschaffenheit;

accounts receivable ~ Finanzierung von Warenforderungen; **bill-of-lading** ~ Remboursgeschäft; **domestic** ~ Inlandsfinanzierung; **foreign-trade** ~ Außenhandelsfinanzie-

rung; **home** ~ Wohnungsbaufinanzierung; **interim** ~ Zwischenfinanzierung; **long-term** ~ langfristige Finanzierung; **medium-range** ~ mittelfristige Finanzierung; **outside** ~ Fremdfinanzierung; **permanent** ~ Durch-, Endfinanzierung; **preliminary** ~ Vorfinanzierung; **self-**~ Eigen-, Selbstfinanzierung; **temporary** ~ Überbrückungsfinanzierung;
to find favo(u)rable ~ günstige Finanzierungsmöglichkeiten beschaffen; **to handle one's own** ~ seine finanziellen Angelegenheiten selbst erledigen; **to switch** ~ sich anderweitig Finanzierungsrückhalt verschaffen; **to wrap up** ~ Finanzierung sicherstellen;
~ **agency** Finanzierungsgesellschaft; ~ **assistance** Finanzierungshilfe; ~ **charges (costs)** Finanzierungskosten; ~ **expenses** Finanzierungskosten; **long-term** ~ **funds** langfristige Finanzierungsmittel; ~ **institution** Finanzierungsinstitut; ~ **methods** Finanzierungsmethoden; ~ **package** gebündeltes Finanzierungsangebot, komplettes Finanzierungsinstrument; ~ **plan** Finanzierungsplan.

find Fund, Entdeckung;
~ *(v.)* *(furnish)* ver-, beschaffen, auftreiben, *(procure)* versorgen, ausstatten, *(sl.)* klauen, organisieren;
~ **for o. s.** sich selbst versorgen; ~ **bail** Bürgen stellen; ~ **favo(u)r** Eingang finden, abgenommen werden; ~ **the money** Geld beschaffen; ~ **a post for s. o. (s. o. a job)** Stellung für j. besorgen; ~ **a situation abroad** Stellung im Ausland finden; ~ **a transaction profitable** Nutzen aus einer Sache ziehen;
~ **place (spot)** Fundort.

finder Finder, *(customs)* Zolldurchsucher, *(securities field)* Finanzmakler;
to reward a ~ Finder belohnen;
~**'s fee** *(banking)* Maklerprovision; ~**'s reward** Finderlohn.

finding Erkenntnis, Ergebnis, *(investigation)* Untersuchungsergebnis, *(of lost property)* Fund;
~ **of capital** Kapitalbeschaffung; ~ **the means** Geldbeschaffung, -aufbringung, Kapitalbeschaffung.

fine Geld-, Ordnungsstrafe, *(sum paid by way of composition)* Geldbuße, Reugeld, Strafsumme; **administrative** ~ Zwangsgeld;
~ *(v.)* zu einer Geldstrafe verurteilen (verdonnern), mit einer Geldstrafe belegen;
to assess a ~ Geldstrafe festsetzen; **to pass a** ~ **for illegal parking** Protokoll wegen falschen Parkens verpassen; **to pay a** ~ Geldstrafe zahlen; **to remit a** ~ Geldstrafe erlassen;
~ *(a.)* *(gold, silver)* fein, rein;
to be cut very ~ *(price)* scharf kalkuliert sein; **to cut one's profit too** ~ zu niedrige Gewinnspanne haben;
~ **bank bill** erstklassiger Bankwechsel; ~ **gold** Feingold; ~ **papers** *(Br.)* erstklassige Wechsel, prima Diskonten; ~ **pencil** harter Bleistift; ~ **print** *(warranty)* Kleingedrucktes, Garantieeinschränkungen; ~ **trade paper** erstklassiger Handelswechsel; ~ **work** Qualitätsarbeit; ~ **workman** guter Arbeiter.

fineness *(of precious metals)* Feingehalt.

finish Fertigstellung, Nach-, Fertigbearbeitung, *(layout)* detailliertes Layout, *(paper)* Ausrüstung;
~ *(v.)* fertigstellen, beenden, *(el., gas, water)* installieren, *(meeting)* beschließen, *(perfect)* fertig bearbeiten, letzten Schliff geben, veredeln, *(stock exchange)* schließen;
~ **one's apprenticeship** auslernen.

finished goods Fertigwaren, -erzeugnisse.

finishing Ausarbeitung, *(manufacture)* Veredelung, Über-, Neu-, Verarbeitung, Fertigstellung, *(el., gas, water)* Installation, Installierung;
~ **industry** Veredelungsindustrie, verarbeitende Industrie; ~ **mill** Fertigstraße; ~ **operation** Fertigbearbeitung; ~ **process** Veredelungsverfahren.

fire [Groß]feuer, Feuersbrunst;
friendly ~ *(insurance)* Nutzfeuer; **unfriendly** ~ *(insurance)* Schadenfeuer;
~ *(v.)* *(from service)* *(US sl.)* [feuern], herauswerfen, -schmeißen;
to hire and ~ anstellen und entlassen;
~ **casualty insurance** Feuerversicherungsgesellschaft; ~ **company** *(Br.)* Feuerversicherungsanstalt, *(US)* Feuerwehr; ~ **damage** Feuerschaden; ~ **department** *(insurance)* Feuerschadensabteilung.

fire insurance Feuerversicherung, -assekuranz;
~ **company** Feuer-, Brandversicherungsgesellschaft; ~ **fund** Brandkasse; ~ **policy** Feuerpolice; ~ **risk** Feuerversicherungsrisiko.

fire | loss Feuer-, Brandschaden; ~ **office** *(Br.)* Feuerversicherungsanstalt, Brandkasse; ~ **policy** *(Br.)* Feuerversicherungspolice; ~**-resisting steel cabinet** feuerfester Stahlschrank; ~ **risk** Feuers-, Brandgefahr; ~ **sale** *(US)* Verkauf feuerbeschädigter Waren; ~ **underwriter** Feuerversicherungsgesellschaft.

fireworks *(US, stock exchange)* plötzliche Hausse.

firm Firma, Betrieb, Geschäft, Unternehmen, [Handels]haus, *(firm name)* Firmenname;
affiliated ~ Zweigniederlassung; **ailing** ~ notleidende Firma; **commercial** ~ Handelsfirma; **dissolved (defunct)** ~ erloschene Firma; **fair-dealing** ~ reelles Geschäft; **first-rate (first-class)** ~ erstklassige Firma; **foreign** ~ Auslandsfirma; **import** ~ Importhaus; **law** ~ Anwaltsfirma, -büro; **leading** ~ führendes Haus; **long** ~ Schwindelfirma, -unternehmen; **old-established** ~ alteingesessene Firma; **private** ~ Offene Handelsgesellschaft (OHG); **registered** ~ eingetragene Firma; **respectable** ~ achtbares (angesehenes) Haus; **shaky** ~ unzuverlässige Firma; **single** ~ Einzelfirma; **solid** ~ solides

Geschäft; **sound** ~ gut fundiertes Geschäft; **spot** ~ Barzahlungsgeschäft; **supplying** ~ Lieferfirma; **well-established** ~ gut eingeführte Firma; **world-renowned (universally known)** ~ Weltfirma, Firma mit Weltruf, weltbekannte Firma;

~ **of builders and contractors** Bauunternehmen; ~ **of investigators** Detektei, Detektivbüro; ~ **of lawyers** Anwaltsbüro, -firma; ~ **in liquidation** in Liquidation befindliche (abwikkelnde) Firma; ~ **of good repute** renommierte Firma; ~ **of solicitors** Anwaltsfirma, -büro; ~ **of speculators** unsolides Geschäft; ~ **of stockbrokers** Maklerfirma, Börsenkommissionsgeschäft;

to enter a ~ in eine Firma eintreten; **to have a** ~ **entered in the register of companies** Firma handelsgerichtlich eintragen lassen;

to retire from a ~ aus einer Firma ausscheiden; ~ **to sign for the** ~ für die Firma zeichnen; **to transfer a** ~ **on paper** eine Gesellschaft nur auf dem Papier übertragen;

~**'s assets** Geschäftsaktiva, Firmenvermögen; ~**'s capital** Geschäfts-, Firmenkapital; ~**'s creditors** Geschäftsgläubiger; ~**'s debts** Gesellschaftsverbindlichkeiten; ~**'s interest** Firmenanteil; ~**'s name** Firmenname, -bezeichnung; ~**'s participation** Firmenbeteiligung; ~**'s property** Firmen-, Geschäftsvermögen; ~**'s stamp** Firmenstempel;

~ *(v.)* sich festigen, fest werden;

~ **up** *(stock exchange)* festliegen, anziehen;

~ *(a.)* stationär, haltbar, sicher, *(fig.)* fest, beständig, *(rate of exchange)* fest;

to buy ~ fest (auf feste Rechnung) kaufen; **to remain** ~ *(prices)* sich halten; **to sell** ~ fest verkaufen; **to turn** ~ fest werden;

~ **bargain** fester Anschluß; ~ **bid** festes Angebot, *(dealer in securities)* festes Kaufgebot, Abnahmeverpflichtung; ~ **commitment** *(US)* feste (verbindliche) Hypothekenzusage; ~ **deal** fester Abschluß; ~ **limit** feste Preisgrenze; ~ **market** feste Börse; ~ **offer** *(dealer in securities)* festes (bindendes, verbindliches) [Verkaufs]angebot, Abgabeverpflichtung; ~ **order** Fixauftrag; ~ **price** Festpreis, vertraglich vereinbarter Preis; ~ **quotation** *(stock exchange)* verbindliche Kursnotierung; ~ **rate** *(exchange)* Umtauschsatz; ~ **sale** fester Verkauf; ~ **stock** *(US, stock exchange)* gehaltene Werte.

firmness Festigkeit [des Marktes];

~ **in calls** Festigkeit der Sätze für tägliches Geld; ~ **of prices** Preisstabilität.

first [Monats]erster, *(railway)* Abteil erster Klasse; ~**s** erste Qualität;

~ **of exchange** Primawechsel;

~ *(a.)* vorzüglich;

to buy [at] ~ **hand** aus erster Hand kaufen, direkt beziehen; **to go (travel)** ~ erster Klasse reisen.

first | bid Erstgebot; ~ **board** *(stock exchange)* erste Kursnotierung, *(US)* erste Umsätze zwischen 10 und 12 Uhr [an der New Yorker Börse]; ~**-chop** *(Br.)* prima, erstklassig; ~ **claim** Vorhand, erster Anspruch; ~ **class** *(railway)* erste KLasse; **to travel** ~ **class** erster Klasse reisen.

first-class erstklassig, ausgesucht, vorzüglich, prima, hervorragend, auserlesen, ausgezeichnet;

~ **cabin** Kabine in der ersten Klasse; ~ **carriage** Waggon erster Klasse; ~ **fare** Fahrkarte erster Klasse; ~ **hotel** erst[klassig]es Hotel; ~ **mail** *(US)* Briefpost; ~ **paper** erstklassiger Wechsel; ~ **quality** Produkt erster Wahl; ~ **references** prima Referenzen; ~ **ticket** Fahrkarte erster Klasse.

first | clerk erster Prokurist, *(US)* Angestellter mit niedrigstem Gehalt; ~ **cost** An-, Einkaufs-, Selbstkostenpreis, Gestehungskosten; ~ **floor** *(Br.)* erstes Stockwerk, erster Stock, *(US)* Erdgeschoß, Hochparterre; ~ **hand** bester Arbeiter; ~**-hand** direktbezogen; ~**-hand information** Nachricht aus erster Hand; ~**-in,** ~**-out** zuerst eingekauft, *(inventory taking)* Realisationsprinzip; ≗ **Lord of the Treasury** *(Br.)* Erster Lord des Schatzamtes; ~ **mortgage** erststellige Hypothek; ~**-mortgage** erstrangig, -stellig; ~ **open water** Verschiffung erst bei eisfreiem Wasser; ~ **order goods** *(US)* Konsumgüter; ~**-page** *(US)* auf der ersten Seite [einer Zeitung]; ~ **policy year** *(suicide clause)* erstes Versicherungsjahr; ~ **preference bonds** *(Br.)* erste Prioritätsobligationen; ~ **preferred stock** *(US)* erste Vorzugsaktien; ~ **premium** *(insurance)* Erstprämie; ~ **purchaser** Ersterwerber; ~ **quality** prima Qualität.

first-rate ausgezeichnet, vorzüglich, erstklassig;

~ **firm** erstklassiges Unternehmen.

first | refusal erstes Anrecht; ~ **return** *(depletion)* erstmalige Aufführung [bei der Abschreibung]; ~ **right of purchase** Vorkaufsrecht; ~ **shift** Tagesschicht; ~ **storey** *(Br.)* erstes Stockwerk, *(US)* Hochparterre; ~ **teller** Kassierer für Auszahlungen; ~ **unpaid** *(bill of exchange)* Prima nicht.

fiscal Finanzbeamter, *(revenue stamp)* Steuermarke;

~ *(a.)* steuerlich, fiskalisch;

~ **administration** Finanzverwaltung; ~ **agent** Vertreter des Fiskus, *(banking)* Zahlstelle; ~ **authorities** Finanz-, Steuerbehörden; **to close its** ~ **books** Steuerabschluß machen; ~ **burden** Lasten, Abgaben; ~ **charges** Fiskallasten; ~ **concern** steuerliches Interesse; **to ride out a** ~ **crisis** mit einer Finanzkrise fertig werden; ~ **deficiencies** steuerpolitische Nachteile; ~ **cooperation** Beistand in Steuersachen; ~ **court** Steuer-, Finanzgericht; ~ **deficit** Fehlbetrag im Staatshaushalt, Haushaltsfehlbetrag; ~ **device** Finanzplan; ~ **division** Finanzabteilung; ~ **dues**

(fees) Fiskusgebühren, fiskalische Gebühren; ~ **earnings** zu versteuernde Einnahmen; ~ **evasion** *(Br.)* Steuerverkürzung, -umgehung; ~ **immunity** Steuerfreiheit; ~ **instrument** Steuermittel; ~ **interest** Steuerinteresse; ~ **jurisdiction** Finanzgerichtsbarkeit; ~ **manipulations** Steuermanipulationen; ~ **matters** Steuerfragen, -wesen; ~ **monopoly** Steuermonopol; ~ **office** Finanzamt; ~ **officer** Finanzbeamter; ~ **orgy** Steuerorgie; ~ **period** Geschäfts-, Rechnungsperiode, Steuerabschnitt; ~ **plan** Finanz-, Steuerplan; ~ **policy** steuerpolitische Maßnahmen, Steuer- und Geldpolitik; ~ **program(me)** Steuerprogramm; ~ **provisions** steuerrechtliche Vorschriften; ~ **reform** Steuerreform; ~ **report** Finanz-, Geschäftsbericht; ~ **stimulus** steuerlicher Anreiz; ~ **system** Finanz-, Steuersystem; ~ **taxes** Finanzzölle; ~ **treatment** steuerliche Behandlung; ~ **year** *(US)* Geschäfts-, Rechnungs-, Finanz-, Steuer-, Etatsjahr.

fiscality Steuerpolitik.

fiscalize *(v.)* der Steuer unterwerfen, besteuern.

fit *(a.)* befähigt, tauglich, qualifiziert, geeignet, passend, *(healthy)* gesund;
~ **for acceptance** lieferfähig; ~ **to drive** fahrtüchtig; ~ **for transport** transportfähig; ~ **for work** arbeitsfähig;
~ *(v.)* anpassen, ausrüsten, -statten, montieren; ~ **a coal field** Kohlenfeld ausbeuten; ~ **into a job** in Arbeit bringen; ~ **out** *(apartment)* einrichten, *(equip)* ausrüsten; ~ **with new plumbing** neu installieren; ~ **o. s. for a post** sich die für eine Stellung notwendigen Kenntnisse verschaffen;
to be ~ **for** qualifiziert (tauglich) sein (für).

fitness *(for job)* Befähigung, Eignung, Qualifikation, *(ship)* Ladungstüchtigkeit;
~ **to drive** Fahrtüchtigkeit; ~ **for employment** Arbeitsfähigkeit.

fitter Schlosser, Installateur, Monteur, *(supplier, Br.)* Kohlenlieferant;
~ **out** *(ship)* Reeder.

fitting Installation, Montage, *(apparatus)* Gerät, Apparat;
office ~**s** Büroeinrichtung;
~ **out** Ausstattung; ~ **out of a vessel** Schiffsausrüstung;
~ **shop** Montagewerkstatt.

five|r *(Br.)* Fünfpfundnote, *(US)* Fünfdollarnote; ~**s** *(US)* fünfprozentige Papiere;
~**-day week** Fünftagewoche; ~**-and-dime store** *(US)* Einheitspreisgeschäft; ~**-figure income** fünfstelliges Einkommen; ~**-star hotel** Fünfsternehotel, Hotel erster Klasse; ~**-year plan** Fünfjahresplan.

fix *(bribe, US)* Bestechung, *(dilemma), Patsche, Klemme, (ship)* Besteckaufnahme, Standort, *(US sl.)* abgekartetes Spiel;
out of ~ kaputt, reparaturbedürftig;
~ *(a.)* kaputt, reparaturbedürftig;
~ *(v.)* *(agree upon)* verabreden, vereinbaren, abmachen, *(appoint)* festsetzen, festlegen, bestimmen, *(date of meeting)* anberaumen, reparieren;
~ **s. o.** *(US sl.)* j. bestechen; ~ **the budget** Etat aufstellen; ~ **damages** Entschädigung festsetzen; ~ **a date** Termin festsetzen (vereinbaren); ~ **a deposit for two months** Guthaben auf zwei Monate festlegen; ~ **the income tax** Einkommensteuerrichtlinien erlassen; ~ **s. o. up for a job** Posten (Stellung) für j. finden; ~ **a price** Preis bestimmen (fixieren); ~ **quotas for import** Einfuhrkontingente verteilen; ~ **a rent** Miete festsetzen; ~ **one's residence in a place** seinen Wohnsitz gründen; ~ **the tariff** Tarif festsetzen; ~ **up** reparieren; ~ **the value of an entry (item)** Buchungsposten valutieren.

fixed bestimmt, ständig, unveränderlich, fest, festgelegt, *(bill of exchange, Br.)* ohne Respekttage, *(sl.)* bestochen;
to be well ~ *(US)* finanziell gut dran sein;
without ~ **abode** ohne festen Aufenthalt; ~ **allowance** Fixum; ~**-amount policy** Selbstbehalt ausschließende Versicherungspolice; ~ **assets** feste (fixe) Anlagen, Anlagevermögen, immaterielle Anlagenwerte; ~ **bill** *(Br.)* Präziswechsel; ~ **budgets** für mehrere Jahre festgesetzte Etats; ~ **capital** Anlagekapital, feste (fixe) Kapitalsanlagen; ~ **charge** *(Br.)* feststehende Belastung; ~ **charges** Generalkosten, Festkosten; ~ **contract price** vertraglich festgesetzter Preis; ~ **costs** Gemeinkosten; ~**-date advertisement** Terminanzeige; ~ **deductions** gleichbleibende (feststehende) Abzüge; ~ **deposit** feste Einlage, festes Geld, Einlage auf Depositenkonto; ~ **draft** Tratte ohne Respekttage; ~ **dues** feststehende Gebühren; ~ **expenses** Generalunkosten, laufende Ausgaben; ~ **exchange** Mengennotierung; ~ **fee** feste Gebühr; ~ **fund** *(US)* Investmentfonds mit feststehendem Portefeuille; ~ **income** festes Einkommen; ~ **indebtedness** langfristige Verschuldung; ~**-interest bearing** festverzinslich; ~ **liabilities** feste (langfristige) Verbindlichkeiten; ~ **mortgage** Festgeldhypothek; ~ **plant** Betriebsanlage; ~ **price** gebundener Preis, Festpreis; ~ **property** Grundvermögen, Liegenschaften; ~ **rates** *(Br.)* in Pence notierte Devisenkurse; ~**-resale price** in der zweiten Hand gebundener Preis; ~ **salary** festes Gehalt, Fixum; ~ **selling prices** Preisbindung der zweiten Hand; ~ **shift** *(enterprise)* gleichbleibende Arbeitsschicht; ~ **trust** *(US)* Kapitalanlagegesellschaft mit festem Effektenbestand.

fixture feste Anlagen, Inventarstück, *(person in established place)* Festangestellter, Planstelleninhaber, *(time loan)* kurzfristiger Kredit;
agricultural ~**s** landwirtschaftliches Zubehör; **movable** ~ unwesentlicher Bestandteil; **trade** ~**s** *(stock exchange)* Wochengeld, wöchentliches Geld.

flag Flagge, Fahne, *(newspaper)* Name, Titel;
house ~ Reedereiflagge; **merchant** ~ Handelsflagge;
~ *(v.)* beflaggen, *(signal)* signalisieren;
~ **a train** Zug anhalten;
~ **discrimination** unterschiedliche Anwendung des Zolltarifs; ~ **station (stop,** *US)* *(aerodrome)* Bedarfsanflughafen, *(railway)* Bedarfshaltestelle.

flaring advertisement marktschreierische Werbung, sensationell aufgemachte Anzeige.

flash *(newspaper, radio)* Kurznachricht;
news ~ Nachrichtensendung;
~ *(v.)* ausstrahlen, *(news)* durchsagen lassen;
~ **check** *(US)* **(cheque,** *Br.)* ungedeckter Scheck; ~ **message** Blitztelegramm; ~ **report** vorläufiger Rechenschaftsbericht.

flashing | indicator *(car)* Blinker; ~ **light** Blinkfeuer; ~ **sign** Blinklichtwerbung.

flat Fläche, Ebene, *(Br.)* Etagen-, Mietwohnung, Appartement, *(floor)* Stockwerk, Etage, *(house)* Mietshaus, *(railroad, US)* Plattformwagen, *(tyre, sl.)* Platter, Plattfuß, Reifenpanne;
comfortable ~ bequeme Wohnung; **residential** ~ Privatwohnung; **self-contained** ~ abgeschlossene Mietwohnung, Etagenwohnung;
~ **in the attic** Mansardenwohnung; ~ **in a quiet neighbo(u)rhood** ruhig gelegene Wohnung;
~ *(a.)* *(level)* flach, *(selling badly)* schwer zu verkaufen, *(standard)* einheitlich, gleichmäßig, pauschal, *(stock exchange)* lustlos, flau, *(tyre)* platt, *(US, without interest)* ohne Berechnung aufgelaufener Zinsen, franko;
to be ~ on its back völlig darniederliegen; **to go ~ with losing operations** Verlustgeschäft; **to loan stocks** ~ Wertpapiere zinslos lombardieren; **to rent a** ~ Wohnung vermieten; **to sell stocks** ~ Wertpapiere ohne Zinsvergütung veräußern;
~ **bonus** einheitliche Prämie; ~ **broke** *(US sl.)* völlig pleite, gänzlich bankrott; ~ **catcher** Zug-, Lockartikel; ~ **charge** Pauschale; ~ **cost** Selbstkosten-, Gestehungspreis; **to give a ~ credit** zinslosen Kredit gewähren; ~ **dwelling** Apartementwohnung; ~ **exemption** *(US)* steuerlicher Pauschalfreibetrag, Pauschbetrag; ~ **fare** Pauschalpreis, Einheitstarif; ~ **hunting** Wohnungssuche; **~-letting business** Vermietungsgeschäft, Wohnungsgewerbe; ~ **house** Mietshaus; ~ **market** lustlose Börse; ~ **price** Pauschal-, Einheitspreis; ~ **quotations** *(US)* Kursnotierung ohne Zinsberücksichtigung; ~ **rate** Einheits-, Pauschalsatz, -tarif, Grundgebühr, *(advertising)* Pauschal-, Anzeigenfestpreis; ~ **rate of pay** Tarifgehalt; **~-rate car-licence fee** Kraftfahrzeugpauschalsteuer; **~-rate reduction** genereller Lohnsteuerfreibetrag; ~ **rent** Pauschalmiete; ~ **sum** Pauschbetrag; ~ **tariff** Einheitstarif; ~ **tire (tyre,** *Br.)* Reifenpanne; ~ **yield of an investment** *(Br.)* laufende [Anlagen]verzinsung.

flatcar *(US)* offener Güterwagen, Rungenwalzen.

flatlet *(Br.)* kleine Wohnung, Kleinstwohnung.

flatness *(market)* Flaute, Flauheit, Lustlosigkeit;
~ **in advertising business** Anzeigenflaute.

flatsharer Mitbewohner, -mieter.

flatsharing Wohngemeinschaft.

flatted in Appartements eingeteilt.

flatten *(cycle)* sich abflachen.

flattening of economic growth Abflachung der Wachstumskurve.

flatwork Mangelware.

flaw *(law)* Formfehler, *(manufacturing)* Fabrikationsfehler.

flea market Flohmarkt.

fleece *(v.)* **s. o. of all his money** j. um sein ganzes Geld betrügen.

fleet, mercantile Handelsflotte;
~ **of cabs** Wagenpark; ~ **of motorcars** Autokolonne; ~ **of trucks** [Last]kraftwagenpark;
~ **car** Geschäfts-, Betriebs, Firmenwagen; ~ **discount** Prämiennachlaß bei Gruppenversicherung; ~ **insurance** *(automobiles)* Gruppenversicherung; ~ **manager** Fuhrparkleiter; ~ **plan** Gruppenversicherungssystem; ~ **policy** Flotten-, Kraftfahrzeuganmeldeversicherung; ~ **sale** Gruppenverkauf.

flesh *(v.)* **out a marketing organization** Absatzorganisation für zukünftige Aufgaben anreichern.

flexibility in production Produktionsflexibilität.

flexible *(price)* flexibel;
~ **budget** elastischer Etat; ~ **currency** elastische Währung; ~ **exchange rate system** System flexibler Wechselkurse; ~ **fund** *(US)* Investmentfonds mit auswechselbarem Portefeuille; ~ **provisions** elastische Bestimmungen; ~ **rate** schwankender Kurs; ~ **schedule** bewegliches Arbeitszeitprogramm; ~ **tariff** dehnbarer Zolltarif, flexibler Tarif; ~ **trust** *(US)* Kapitalanlagegesellschaft mit wechselndem Portefeuille.

flier *(leaflet, US)* Flugblatt, *(train)* Expresszug, *(US sl.)* Spekulationskauf eines Außenseiters, gewagte Spekulation.

flight *(distance covered)* Flugentfernung, -strecke, Fliegen, [Flug]reise, Einflug, *(take-off)* Abflug, Flug;
in the highest ~ an führender Stelle;
commercial ~ Linienflug; **connecting** ~ Flugverbindung; **gratuitous** ~ Freiflug; **nonstop** ~ Flug ohne Zwischenlandung; **one-line** ~ Linienflug; **scheduled** ~ fahrplanmäßiger Flug;
~ **of capital** Kapitalflucht; ~ **of the dollar** Dollarabwanderung; ~ **from taxation** Steuerflucht; **to handle a** ~ Flugzeug abfertigen;
~ **additions** zusätzliche Leistungen bei einem Flug; ~ **cancellation** Flugstornierung; ~ **coupon** Flugabschnitt, -schein; ~ **line** Flugroute; ~ **number** Flugnummer; ~ **recorder** Flugschreiber; ~ **refuelling** Auftanken in der Luft; ~ **reservation** Flugplatzreservierung; ~ **route** Flugstrecke; ~ **seat number** reservierte Flugplatznummer; ~ **time** Flugzeit.

flimsy Durchschlagpapier, *(Br.)* Durchschlag, Kopie.

flip-flop Umlegemappe.

float *(life preserver)* Rettungsgürtel, *(outstanding checks, coll.)* im Einzug befindliche Schecks;
~ *(v.)* *(circulate)* umlaufen, im Umlauf sein, *(give currency to)* in Umlauf bringen (setzen), *(put on the market)* auf den Markt bringen, *(politics)* nicht gebunden sein, sich nicht festlegen;
not to ~ *(stock)* sich nicht verkaufen;
~ **a bond issue** Schuldverschreibungen ausgeben; ~ **a new business company** neue Gesellschaft gründen; ~ **a loan** Anleihe lancieren (auflegen).
~ **ledger** *(US)* Inkassowechselkonto.

floater *(casual, US)* Gelegenheitsarbeiter, *(of company)* Gründer, *(exhibition)* Ausstellungswagen, *(insurance)* Pauschalversicherung, *(stock exchange, Br.)* nicht notiertes (erstklassiges) Inhaberpapier;
commercial ~ *(US)* Reisegepäckversicherung; **office** ~ Versicherung der Büroeinrichtung;
~ **policy** Pauschalversicherung.

floating Finanzierung, Finanzieren, *(exchange rate)* Wechselkursfreigabe, Freigabe der Wechselkurse, Floaten, Politik der schwankenden Wechselkurse;
bloc ~ Blockfloaten;
~ **of bonds** Emission (Ausgabe) von Obligationen;
~ **of a company** Gesellschaftsgründung;
~ *(a.)* *(circulating)* umlaufend, zirkulierend, im Umlauf befindlich, flottant, *(debt)* schwebend, unfundiert;
~ **assets** flüssige Anlagen (Aktiva); ~ **capital** Umlauf-, Betriebskapital, -vermögen, -mittel; ~ **cargo** unterwegs befindliche (schwimmende) Fracht; ~ **charge** *(Br.)* schwebende Schuld, [etwa] besitzloses Pfandrecht mit wechselndem Objekt; ~ **debt** schwebende (unfundierte) Schuld, kurzfristige Staatsschuld; ~ **exchange rates** flexible Wechselkurse; ~ **hotel** schwimmendes Hotel; ~ **lien** Höchstbetragshypothek; ~ **policy** *(Br.)* Pauschalversicherung, Generalpolice, *(fire insurance)* gleitende Neuwertversicherung; ~ **rates** Seefrachtsätze; ~ **security** unsichere Bürgschaft; ~ **supply** tägliches (laufendes) Angebot; ~ **trade** Seefrachthandel.

flog *(v.)* **a competitor** Konkurrenten ausstechen; ~ **on the market** auf dem Markt verkloppen.

flood | **of callers** Fülle von Besuchern; ~ **of demands** Konsumwelle; ~ **of dollars** Dollarstrom, -schwemme;
~ *(v.)* **the market** Markt überfluten (überschwemmen).

floor *(minimum of prices, US)* Mindestpreishöhe, Minimum, *(stock exchange)* Börsensaal, Parkett, *(storey)* Stockwerk, Geschoß;
on the ~ in der Fabrikhalle, am Arbeitsplatz; **first** ~ *(Br.)* erstes Stockwerk, *(US)* Hochparterre; **wage** ~ *(US)* Lohnminimum;
~ **broker** *(US)* auf eigene Rechnung arbeitende Makler; ~ **partner** *(US)* Teilhaber einer Maklerfirma; ~ **plan service** Autoabzahlungsgeschäft; ~ **planning** Autofinanzierung für Händler; ~ **price** Mindestpreis; ~ **trader** *(US)* auf eigene Rechnung spekulierendes Börsenmitglied.

floorwalker *(warehouse, US)* Ladenaufsicht, Empfangschef.

flop wirtschaftlicher Mißerfolg, Fiasko.

flotation *(of bills)* Inumlaufsetzen, Inumlaufbringen, Begebung, *(of company)* Gründung, *(of a loan)* Auflegung, Lancieren;
new capital ~**s** Neuemissionen.

flotsam Treib-, treibendes Wrackgut, seetriftiges Gut;
~ **and jetsam** Strandgut.

flourish *(v.)* florieren, blühen, gedeihen;
~ **goods** Ware im Schaufenster auslegen.

flourishing trade schwunghafter Handel.

flow *(output)* Produktionsmenge, Leistung, *(production)* Arbeitsablauf, *(travel of material)* Produktionsmenge;
~ **of capital** Kapitalwanderung; ~ **of capital interest** Kapitalgüterstrom; ~ **of commerce** Handelsverkehr; ~ **of commodities** Warenverkehr; ~ **of credit** Kreditstrom; ~ **of dollars** Dollarfluß, -strom; ~ **of funds** Mittelzufluß; ~ **of foreign funds** Devisenabfluß; **free** ~ **of goods** freier Güterverkehr; ~ **of investment** Investitionsstrom; ~ **of incoming orders** Auftragszugang; **even** ~ **of production** gleichmäßiger Produktionsablauf; ~ **of savings** Spargelderstrom; ~ **of tourists** Touristenstrom; ~ **of work** Arbeitsablauf;
~ *(v.)* [zu]fließen, *(fig.)* herrühren;
~ **in** *(orders)* eingehen, hereinströmen;
~ **chart** Schaubild; ~ **diagram** Arbeitsdurchlaufdiagramm; ~ **process** Fließarbeit; ~ **process chart** Arbeitsablaufbogen; ~ **[-line] production** Fließbandproduktion; ~ **sheet** Verarbeitungsdiagramm; ~ **system** Fließbandfertigung, Bandmontage.

fluctuate *(v.)* *(prices)* sich bewegen, schwanken, fluktuieren, steigen und fallen.

fluctuating unbeständig, schwankend, variabel;
~ **market** Marktschwankungen; ~ **market value** veränderlicher Markt-, Kurswert; ~ **premium** veränderliches Agio; ~ **prices** schwankende Preise; ~ **quotations** schwankende Kurse; ~ **rates** schwankende Kurse.

fluctuation Schwanken, fluktuieren, Fluktuation;
seasonal ~**s** Saisonschwankungen;
~ **on bank accounts** Bewegung auf Bankkonten, Kontenumsätze; **cyclical** ~**s in business** Konjunkturschwankungen der Wirtschaft; ~ **of costs** Kostenbewegung; ~**s of currency** Währungsschwankungen; ~**s in demand** Nachfrage-

schwankungen; ~s **of the discount rate** Diskontbewegungen; ~ **in exchange** Valuta-, Kursschwankung; ~ **of the market** Konjunkturschwankungen; ~s **in the money market** Geldmarktschwankungen; ~s **of prices** Kurs-, Preisbewegungen;
to be subject to price ~s Kursschwankungen unterworfen sein.
fluid flüssig;
~ **assets** *(US)* Umlaufvermögen; ~ **capital** *(US)* Umlaufkapital; ~ **coupling** hydraulische Kupplung; ~ **savings** noch nicht wieder angelegte Ersparnisse; ~ **state** *(industry)* Umwandlungsprozeß.
flunkey *(stock exchange)* unerfahrener Börsenspekulant.
flurry *(stock exchange)* kurzer Börsenauftrieb.
flush | **of money** mit Geld wohl versehen;
to be very ~ **with one's money** sorglos mit seinem Geld umgehen.
flutter *(sl.)* Spekulationsobjekt.
flux of money Geldumlauf.
fly Flieger, Flug;
~ *(v.)* | **an airplane** Flugzeug steuern, fliegen; ~ **before you buy** Produktionsaufträge erst nach positiv verlaufenen Modellversuchen erteilen; ~ **a kite** auf Gefälligkeitswechsel borgen, *(fig.)* Versuchsballon steigen lassen;
~**-by-night corporation** *(US)* Unternehmen von zweifelhaftem Wert; ~ **posting** wilder Anschlag; ~ **sheet** Flugblatt, *(directions for use)* Gebrauchsanweisung.
flyer Flieger, *(US)* Spezialversandkatalog.
flying Fliegen, Flug, *(aviation)* Fliegerei, Flugwesen;
~ **allowance** Fliegerzulage; ~ **conditions** Flugbegingungen; ~ **exhibition** Wanderausstellung; ~ **fornicator** letzter Zug, Lumpensammler; ~ **ground** Fluggelände; ~ **lane** Einflugschneise; ~ **range** Aktionsradius, -bereich; ~ **safe-deposit box** Flugzeugbehälter; ~ **squadron** fliegende Arbeitskolonne; ~ **time** Flugzeit; **to take a** ~ **trip** Flugreise machen.
foist | *(v.)* **a bad coin on s. o.** jem. ein falsches Geldstück andrehen; ~ **one's wares upon the public** seine schlechte Ware unter die Leute bringen.
fold *(v.)* *(Br.)* fallieren, bankrott werden, *(production)* einstellen;
~ **up** *(US)* Geschäft aufgeben, aus einem Geschäft aussteigen;
~**-in** *(advertising)* Anzeige mit eingefalteten Blättern.
folder *(cover for files, US)* Aktendeckel, *(folded cicular)* Broschüre, Faltprospekt, -blatt, ausführlicher Prospekt.
folding | **money** *(US)* Papiergeld; ~ **postal card** Briefkarte.
folio Folioblatt, *(case for loose papers)* Umschlag, Mappe, *(ledger)* Kontobuchseite;
large square ~ Atlasformat.
follow *(v.)* *(profession)* ausüben, Geschäft betreiben;
~ **the sea** Seemann werden; ~ **a trade** Gewerbe ausüben.
follow up nachfassen, weiterverfolgen;
~ **a letter with a summons** seinem Brief einen Zahlungsbefehl folgen lassen.
follow-on | **contract** Anschlußauftrag.
follow-up weitere Verfolgung (Untersuchung) einer Sache, *(advertising)* nachfassende Befragung, *(salesman)* nachfassende Tätigkeit;
~ **of orders** Terminüberwachung;
~ **advertising** Nachfaß-, Erinnerungswerbung; ~ **file** Wiedervorlagenmappe; ~ **letter** nachfassender Werbebrief, Nachfaßbrief, Erinnerungsschreiben; ~ **mailings** Erinnerungspostwurfsendung; ~ **man** weiterer Vertreter; ~ **order** Anschlußauftrag; ~ **visit** nachfassender Besuch; ~ **system** Wiedervorlageverfahren.
following-on advertisement Anzeige im Rahmen einer Serie.
food Nahrung, Nahrungs-, Lebensmittel;
frozen ~ tiefgekühlte Lebensmittel, Tiefkühlkost;
to ration ~ Lebensmittel rationieren;
~ **allowance** Verpflegungszulage; ~ **card** Lebensmittelkarte; ~ **cut** Lebensmittelkürzung; ~ **deficit area** Nahrungsmittelzuschußgebiet; ~ **freezer** Tiefkühltruhe; ~ **imports** Nahrungsmitteleinfuhr; ~ **industry** Nahrungsmittelindustrie; ~ **manufacturer** Lebensmittelfabrikant; ≗ **and Agriculture Organization (FAO)** Ernährungs- und Landwirtschaftsorganisation; ~ **prices** Lebens-, Nahrungsmittelpreise; ~ **price labelling** Lebensmittelauszeichnung; ~**-processing company** Lebensmittelverarbeitungsbetrieb, ~**-processing industry** Ernährungsindustrie; ~ **products** Nahrungsmittelprodukte; ~ **rationing** Lebensmittelrationierung, Bewirtschaftung von Lebensmitteln; ~ **shipment** Lebensmitteltransport; ~ **shortage** Nahrungs-, Lebensmittelknappheit; ~ **stamp** kostenloser Lebensmittelabschnitt; ~ **supplies** Lebensmittelvorräte; ~ **surplus** Nahrungsmittelüberschuß; ~ **ticket** Lebensmittelkartenabschnitt.
foolscap Propatria-, Kanzleipapier.
foot | *(v.)* **a bill** *(US)* Rechnung bezahlen, Unkosten tragen; ~ **up** Zusammenzählen, addieren; ~ **up to DM 10 000** *(debts)* sich auf 10 000 DM belaufen;
to get a bigger ~ **in the market** größeren Marktanteil erobern; **to have found its** ~ **again** *(market)* sich stabilisiert haben; **to set a business on** ~ Geschäft auf die Beine bringen; **to set negotiations on** ~ Verhandlungen in Gang bringen; **to set an undertaking on** ~ Sache lancieren (in Gang bringen).
foothold *(fig.)* sichere Stellung;
to gain a ~ **in another industry** in einem anderen Industriebereich Fuß fassen.

footing *(adding of columns)* Kolonnadenaddition, *(entry money)* Einstandsgeld, *(status)* Lage, Status, *(sum total)* Gesamtsumme;
to pay one's ~ seinen Einstand geben.

forbearance Stundung, Nachsicht, Zahlungsaufschub;
~ **money** Verzugszinsen.

force Zwang, Gewalt[maßnahme], Druck, *(employees)* Belegschaft;
productive ~ Produktionskraft;
~ **of an agreement** Gültigkeit eines Vertrages; **main** ~ **of demand** Schwergewicht der Nachfrageentwicklung; ~ **of men employed** Gesamtbelegschaft;
~ *(v.)* **down prices** Preise drücken; ~ **down the standard of work** Leistungsniveau drücken; ~ **up** *(prices)* steigern, hinauftreiben in die Höhe treiben;
~ **account** städtisches Unternehmen auf eigene Rechnung.

forced | **agreement** Zwangsvergleich; ~ **call** Anlaufen eines Nothafens; ~ **currency** Zwangswährung; ~ **labo(u)r** Zwangsarbeit; ~ **landing** Notlandung; ~ **liquidation** Zwangsliquidation; ~ **loan** Zwangsanleihe; ~ **quotations** fiktive Kurse; ~ **rate of exchange** Zwangs[umrechnungs]kurs; ~ **sale** Zwangsverkauf, *(auction)* Zwangsversteigerung; ~ **savings** Zwangssparen; ~ **selling** Zwangs-, Notverkäufe; **statutory** ~ **share** *(US)* feste Nachlaßquote.

forecast Vorhersage, Prognose;
~ *(v.)* vorhersagen, im voraus schätzen, prognostizieren;
~ **the course of a business** Konjunkturprognose vornehmen;
to muffle one's ~ **on prices** abgeschwächte Preisentwicklungsprognose abgeben.

forecaster *(economics)* Konjunkturberater, -politiker.

forecasting *(business future)* Konjunkturprognose; **business (economic)** ~ Konjunkturprognose, -vorschau, Wirtschaftsvorschau, Vorhersage wirtschaftspolitischer Entwicklungen; **long-range** ~ Langfristprognose;
~ **business** Prognosebranche; ~ **method** Vorhersagemethode; ~ **sales** Absatzvorschau.

foreclosable der Zwangsvollstreckung unterliegend, vollstreckungsfähig.

foreclose *(v.)* **a mortgage** aus einer Hypothek die Zwangsvollstreckung betreiben, Hypothek (Pfand) für verfallen erklären.

foreclosure *(mortgage)* Zwangsvollstreckung in das unbewegliche Vermögen;
~ **action** Zwangsvollstreckungsklage; ~ **decree** Zwangsvollstreckungsbeschluß; ~ **proceedings** Zwangsvollstreckungsverfahren; ~ **sale** Zwangsversteigerung.

foredate *(v.)* voraus-, vordatieren.

forehand rent *(Br.)* im voraus zahlbare Miete, Mietvorschuß.

foreign ausländisch, auswärtig, fremd;
~ **acceptance** Außengeltung; **for** ~ **account** für fremde Rechnung; ~ **advertising** Auslandswerbung; ~ **affiliation** ausländische Tochtergesellschaft, Auslandstochter; ~ **agency** *(US)* ausländische Bankagentur; ~ **agent** Auslandsvertreter; ~ **aid** Auslandshilfe; ~**-aid fund** Auslandshilfsfonds; ~**-aid program(me)** *(US)* Auslandshilfs-, Unterstützungsprogramm; ~ **assets** Devisen-, Fremdwerte; ~ **balances** Auslandsguthaben; ~ **bill [of exchange]** Fremdwährungswechsel; ~ **branch** Auslandsfiliale; ~ **business** Auslandsgeschäft; ~ **business trip** Geschäftsreise ins Ausland; ~ **call** *(US)* Auslandsgespräch; ~ **capital** Auslandskapital, ausländisches Kapital; ~ **cash** Bardevisen; ~ **coin and notes** [ausländische] Sorten; ~ **collections** ausländische Inkassi; ~ **commerce** *(US)* Außenhandel; ~ **company** Auslandsgesellschaft; ~ **control** Auslandskontrolle, Überfremdung; ~**-controlled** überfremdet; ~ **corporation** ausländische Gesellschaft; ~**-correspondence clerk** Auslandskorrespondent; ~ **correspondent** Auslandskorrespondent; -berichterstatter; ~ **credit** Auslandskredit; ~ **credit balance** aktive Zahlungsbilanz; ≗ **Credit Insurance Association** *(US)* [etwa] Hermesversicherungs AG; ~ **creditor** Auslandsgläubiger.

foreign currency Devisen;
~ **account** Devisen-, Währungskonto; ~ **claim** Devisenforderung; ~ **loan** Währungskredit.

foreign | **debit balance** passive Zahlungsbilanz; ~ **debt** Auslandsverschuldung. -schuld, -forderung, äußere Schuld; ~ **deposits** Auslandsguthaben; ~ **dollar bonds** *(US)* Dollaranleihe fremder Staaten; ~ **earnings** Auslandsgewinne, -erträge.

foreign exchange ausländischer Wechselkurs, Devisenkurs, *(money, US)* Devisen;
short of ~ devisenknapp;
to apply for ~ Devisen beantragen;
~ **adviser** Devisenberater; ~ **allotments** Devisenzuteilung; ~ **allowance** Devisenfreibetrag; ~ **assets** Devisenwerte; ~ **authorities** Devisenbehörde; ~ **bank** Devisenbank; ~ **bill** Fremdwährungswechsel; ~ **broker** Devisenmakler; ~ **burden** Devisenbelastung; ~ **certificate** Devisenbescheinigung; ~ **clearing office** Devisenabrechnungsstelle; ~ **control** Devisenbewirtschaftung; ~ **costs** Devisenkosten, -aufwand; ~ **dealer** Devisenhändler; ~ **equalization fund** Devisenausgleichsfonds; ~ **guaranty** Devisengarantie, Kurssicherung; ~ **holdings** Devisenbestand; ~ **list** *(Br.)* Devisenkurszettel; ~ **market** Devisenmarkt, -börse; ~ **permit** Devisengenehmigung, -bescheinigung; ~ **position** Devisenbestand; ~ **rates** *(US)* Devisenkurse, -sätze; ~ **regulations** Devisenkontrollbestimmungen, -bewirtschaftungsvorschriften, devisenrechtliche Bestimmungen; ~ **restrictions** Devi-

senverkehrsbeschränkungen; ~ **risk** Kursrisiko ~ **shortage** Devisenknappheit; **to deposit into the ~ stabilization fund** dem Währungsstabilisierungsfonds überweisen; ~ **transaction** Devisengeschäft.

foreign | general average große ausländische Havarie; **~-going ship (vessel)** Schiff auf großer Fahrt; ~ **income** Einkünfte im Ausland; ~ **interests** ausländische Beteiligungen; ~ **investments** Auslandsinvestitionen; ~ **items** *(US)* Devisenpositionen; ~ **labo(u)r** Fremdarbeiter, ausländische Arbeitskräfte; ~ **language advertising** fremdsprachige Werbung; ~ **liabilities** Auslandsverbindlichkeiten; ~ **living costs** Lebenshaltungskosten im Ausland; ~ **loan** Auslandsanleihe; **~-made product** ausländisches Erzeugnis; ~ **mail service** Auslandsbriefverkehr; ~ **make** Auslandsfabrikat; ~ **market** Auslandsmarkt, *(stock exchange)* Markt der Auslandswerte; ~ **money** ausländische Zahlungsmittel; ~ **money department** Sortenabteilung; ~ **money order** internationale Postanweisung; ~ **notes** Sorten; **~-owned** in ausländischem Besitz (Eigentum); ~ **payment** Auslandszahlung; ~ **postage** Auslandsporto; ~ **postal money order** Auslandspostanweisung; ~ **product** ausländisches Fabrikat; ~ **property** Auslandsvermögen; ~ **quota** Devisenkontingent; ~ **sales contract** Außenhandelsvertrag; ~ **securities** Auslandswerte; ~ **shipment** Auslandssendung; ~ **shipper** Auslandsspediteur; ~ **stock** Valutapapier; ~ **tax relief** Steuervergünstigung für im Ausland erzielte Einkünfte.

foreign trade auswärtiger Handel, Außen-, Auslandshandel;
to be in the ~ *(ship)* auf Auslandsreise sein;
~ **agency** Außenhandelsstelle; ~ **certificate** Steuermannspatent für große Fahrt; ~ **financing** Export-, Außenhandelsfinanzierung; ~ **zone** *(US)* Zollausschlußgebiet, Freihandelszone.

foreign | trading station Faktorei; ~ **transaction** Auslandsgeschäft, ~ **travel** Auslandsreise; ~ **valuation** *(customs)* Auslandswert; ~ **voyage** Auslands-, Überseereise.

foreigners *(stock exchange)* Auslandswerte, ausländische Werte.

foreman Vorarbeiter, Werkmeister, -führer .

foremanship Werksführerposten.

forestall *(v.) (buy up)* vor-, aufkaufen;
~ **a competitor** der Konkurrenz zuvorkommen;
~ **the market** durch Aufkauf den Markt beherrschen.

forestaller Aufkäufer.

forestalling the market Aufkaufen.

forfeit *(breach of contract)* Reugeld, Vertragsstrafe, *(for breach of rules)* Geldstrafe, Buße, *(forfeiture)* Verwirkung;
~ *(v.) (confiscate)* einziehen, konfiszieren, beschlagnahmen, *(fail to keep an obligation)* vertragsbrüchig werden;
~ **a bond** Kaution verfallen lassen; ~ **one's credit** seinen Kredit (guten Ruf) verlieren; ~ **one's driving licence** *(Br.)* Führerschein entzogen bekommen; ~ **the right to a pension** Ruhegehaltsanspruch verlieren; ~ **a security** Sicherheitsleistung für verfallen erklären, Kaution einbüßen; ~ **shares** Aktienanteile für verwirkt erklären;
to pay as a ~ Reugeld bezahlen; **to sell s. th. with a ~** etw. mit Verlust verkaufen;
~ **clause** Verwirkungsklausel; ~ **money** Reugeld, Abstandssumme.

forfeiture *(confiscation)* Konfiskation, Vermögenseinziehung, Verwirkung, Verlust, Verfall, *(fine)* Buße, Einbüßung, Geldstrafe, *(loss of corporate franchise)* Konzessionsverlust;
~ **of bond** Pfandverwirkung; ~ **of one's driving licence** Entzug des Führerscheins; ~ **of a pension** Verwirkung eines Pensionsanspruchs; ~ **of property** Vermögenseinziehung, -konfiskation; ~ **of shares for the failure of paying a call** Kaduzierung von Aktien; ~ **of tenancy** Aufhebung des Mietverhältnisses.

forge *(v.)* [ver]fälschen, nachmachen, *(commit forgery)* falschmünzen, Fälschung begehen;
~ **ahead** *(mil.)* verstoßen, *(stock exchange)* Führung übernehmen; ~ **ahead 13 points to 567** um 13 Punkte auf 567 steigen; ~ **a banknote** Banknote fälschen; ~ **a check** *(US)* **(cheque,** *Br.)* Scheck fälschen; ~ **coin** falschmünzen;
~ **test** Echtheitsprobe.

forged gefälscht, falsch, *(document)* untergeschoben;
~ **check** *(US)* **(cheque,** *Br.)* gefälschter Scheck;
~ **money** Falschgeld; **to put ~ notes into circulation** Falschgeld in Umlauf setzen.

forger Fälscher, Falschmünzer;
~ **of bank notes** Banknotenfälscher.

forgery [Urkunden]fälschung;
~ **of bank notes** Banknotenfälschung; ~ **of bills** Wechselfälschung;
~ **insurance** Versicherung gegen Scheckfälschung.

form Form, Gestalt, *(behavio(u)r)* Höflichkeitsform, *(bidding)* Angebotsblankett, -formular, *(document with blanks)* Formular, Formblatt, Vordruck;
in due ~ vorschriftsmäßig;
application ~ Antrags-, Bewerbungsformular; **blank ~** Formvordruck; **check** *(US)* **(cheque,** *Br.)* ~ Scheckformular, -vordruck; **entry ~** Antragsformular; **income-tax ~** Einkommensteuerformular; **listing ~** *(banking)* Sammelaufgabeformular, *(stock exchange)* Zulassungsformular, **order ~** Auftragsformular, Bestellschein; **receipt ~** Quittungsvordruck, -formu-

lar; **reporting** ~ *(insurance)* Risikoformular; **telegraph** ~ Telegrammformular;
~ **of acknowledgement** [Schuld]anerkenntnisformular; ~**s of address** Anredeformen, Höflichkeitsfloskeln; ~ **of application** Antragsformular; ~**s of business organization** Gesellschaftsformen; ~ **of collateral** Besicherungsform; ~ **of an enterprise** Unternehmensform; ~ **of payment** Zahlungsmodus; **standard** ~ **for presentation of loss and damage claim** Einheitsformular für die Anmeldung von Entschädigungsansprüchen; ~ **of return** Einkommensteuerformular; ~ **of statement** Bewertungsformular; ~ **of tender** Submissionsbogen;
~ *(v.)* bilden, gründen, konstituieren;
~ **a company** *(Br.)* Gesellschaft gründen;
to cure a defect of ~ Formmangel heilen; **to fill in (up, out,** *US)* **a** ~ Formular ausfüllen;
~**s close** *(Br.' advertising)* Anzeigenschluß; ~ **letter** Muster-, Standard-, Formularbrief; ~ **requirements** Formerfordernisse.

formal offizielle Angelegenheit;
~ *(a.)* formal, formell, in gehöriger Form, offiziell;
~ **call** offizieller (formeller) Besuch, Höflichkeits-, Antrittsbesuch; ~ **close** formeller Briefabschluß; ~ **prize distribution** offizielle Preisverteilung; ~ **receipt** formelle Quittung; ~ **requirements** Formvorschriften.

formalities, customs Zollformalitäten; **passport** ~ Paßförmlichkeiten;
~ **at the frontier** Kontrolle an der Grenze.

formation Gründung, Errichtung;
~ **of cartels** Kartellbildung; ~ **of a combine** Konzernbildung, -entstehung; ~ **of a company (corporation)** Gesellschaftsgründung; ~ **of prices** Preisbildung, -gestaltung.

formula Formel, Schema, Vorschrift;
price ~ Preisformel; **specified** ~ fester Verteilungschlüssel;
~ **for compound present value** Zinsformel.

formulary Vordrucksammlung, Formularbuch.

forthcoming negotiations bevorstehende Verhandlungen.

fortnightly *(Br.)* halbmonatlich, zweiwöchentlich;
~ **bill** Mediowechsel; ~ **commitments** Mediofälligkeiten; ~ **continuation** Medioprolongation; ~ **loans** Mediogeld; ~ **payment** Halbmonatszahlung; ~ **settlement** Medioarrangement, -abrechnung, -liquidation.

fortune *(property)* Vermögen, Mittel, Besitz, Hab und Gut, *(wealth)* Reichtum, Wohlstand;
handsome ~ beträchtliches Vermögen;
to come into (inherit) a ~ reiche Erbschaft machen, Vermögen erben; **to make a** ~ **out of a business** Vermögen bei einem Geschäft verdienen; **to spend a** ~ **over one's business** enorm viel Geld in sein Geschäft stecken;
~ **sheet** Aufstiegsmöglichkeitstabelle.

forty | eight sheet poster Mammutplakat; ~**-hour week** Vierzigstundenwoche.

forward *(advanced)* fortgeschritten, *(stock exchange)* auf Ziel (Zeit);
balance carried ~ Saldovortrag; **charges** ~ unter Nachnahme der Spesen; **sum brought** ~ Übertrag; **please** ~ bitte nachsenden;
~ *(v.) (dispatch)* absenden, befördern, versenden, übersenden, zusenden, expedieren, *(send on)* weiterbefördern, nachsenden;
~ **by express train** als Eilgut befördern; ~ **goods to a customer** Kunden beliefern; ~ **goods to the market** Markt beschicken; ~ **goods by post** Waren mit der Post befördern; ~ **letters to a new address** Brief nachsenden; ~ **the mail** Post expedieren; ~ **by rail** mit der Bahn versenden;
to buy ~ auf Lieferung (Zeit) kaufen; **to carry** ~ [Saldo] vortragen; **to come** ~ *(creditors)* sich melden; **to date a check** *(US)* **(cheque,** *Br.)* ~ Scheck vordatieren; **to sell** ~ für zukünftige Lieferung (auf Zeit) verkaufen;
~ **business** Termingeschäft; ~ **buyer** Terminkäufer; ~ **buying** Terminkauf; ~ **contract** Terminabschluß; ~ **deal** *(Br.)* Zeit-, Termingeschäft; ~ **delivery** Terminlieferung; ~ **dollar** Termindollar; ~ **exchange** Devisenterminhandel; ~ **exchange market** Devisenterminmarkt; ~ **exchange rate** Devisenterminkurs; ~ **market** Terminmarkt; ~ **money** Festgeld; ~ **order** Terminauftrag; ~ **price** Preis für künftige Lieferung; ~ **purchase** Kauf auf Zeit, Terminkauf; ~ **quotation** Terminnotierung; ~ **rates** Terminsätze; ~ **sale** Terminverkauf, Verkauf auf Lieferung; ~ **secrurities** Terminwerte, -papiere; ~ **seller** Terminverkäufer; ~ **stock** Lagervorrat in der Verkaufsabteilung; ~ **transaction** Zeit-, Termingeschäft.

forwarded | by *(letter)* Absender;
to be ~ bitte nachsenden;
~ **exchange deals** *(Br.)* Devisenterminhandel, -geschäft; ~ **telegram** nachgesandtes Telegramm.

forwarder [Ab]sender, *(merchant, US)* Beförderer, Spediteur;
freight ~ Güterexpedition;
~**'s note of charges** Spediteurrechnung; ~**'s receipt** Übernahmebescheinigung des Spediteurs.

forwarding *(book)* technische Vorbereitung, *(dispatch)* Versendung, Verschickung, Absendung, Übersendung, Versand, Expedition, Spedition, Beförderung, Abfertigung, *(sending on)* [Weiter]beförderung, Nachsendung;
~ **of goods** Güterbeförderung, -transport;
~ **advice** Versandanzeige; ~ **agency** *(US)* Speditions-, Versandgeschäft; ~ **agent** Spediteur; ~ **agent's certificate of receipt (FCR)** Übernahmebescheinigung des Spediteurs; ~ **business** Speditionsgeschäft, -gewerbe; ~ **carrier** Absendespediteur, Absender; ~ **charges** Versandspesen, Speditionsgebühren; ~ **clerk** Expedient; ~

commission Speditionsgebühr; ~ **company** Versandhaus, Transportgesellschaft; ~ **department** Versand-, Expeditionsabteilung; ~ **expenses** Versandspesen, Speditionsgebühren; ~ **firm** Speditionsgeschäft; ~ **house** Spediteur, Speditionsfirma; ~ **instructions** Versandvorschriften, -anweisungen, Beförderungsanweisungen, -vorschriften, Leitwegangaben; ~ **merchant** *(US)* Spediteur; ~ **note** Frachtbrief, Speditionsauftrag; ~ **office** Speditionsbüro, Abfertigungsstelle, Güterabfertigung, Expeditionsabteilung, *(railway)* Weiterleitungsstelle; ~ **point** Versandort, Abgangsbahnhof; ~ **station** Versandbahnhof.

foster *(v.)* **the growth of heavy industries** Entstehung der Schwerindustrie begünstigen.

foul *(a.) (ship)* in Kollision, *(unfair)* unehrlich;
~ **bill of lading** einschränkendes Konnossement; ~ **copy** unsaubere Abschrift; ~ **means** unredliche Mittel; ~ **practices** Betrügereien.

found *(US)* incl. Unterkunft und Verpflegung;
all *(Br.)* ~ freie Station; **not** ~ *(post office)* unauffindbar.
~ *(v.) (establish with endowment)* stiften, *(set up)* gründen, bauen, errichten;
~ **a fortune** Grundlage für ein Vermögen legen.

foundation Gründung, [Firmen]errichtung, Bildung, *(building)* Grundlegung, *(endowed institution)* Anstalt, Stiftung;
charitable ~ milde Stiftung, Stift; **richly endowed** ~ reich dotierte Stiftung;
to be on a ~ von einer Stiftung leben, Stipendium haben, Stipendiat sein; **to exhibit a** ~ Stipendium ausschreiben; **to lay the ~s of a business** Geschäftsvoraussetzungen schaffen; **to lay the ~s of one's career** Grundstein für seine spätere Entwicklung legen;
~ **building** Stiftung, Stiftungsgebäude.

foundationer *(Br.)* Stipendiat, Freiplatzinhaber.

founder Stifter, Gründer;
~ **member** Gründungsmitglied.

founder's | family Gründerfamilie; ~ **meeting** konstituierende General-, Gründungsversammlung; ~ **profit** Gründergewinn; ~ **shares (stocks)** Gründeraktien, -anteile.

founding | of subsidiaries Filialgründung;
~ **body** Gründungsgremium.

fourth | [bill] of exchange Quartalswechsel;
~-class matter *(US)* Warensendungen, Paketpost.

fraction of the market Marktanteil.

fractional geringfügig, unbedeutend;
~ **amount** Bruchteil; ~ **bond** Teilschuldverschreibung; ~ **certificate** *(Br.)* Bruchteilsaktie; ~ **changes** *(stock exchange)* Veränderungen um Bruchteile eines Punktes, geringfügige Veränderungen; ~ **coin** Scheidemünze; ~ **currency** *(US)* Scheidemünze; ~ **interest** Bruchteilswert; ~ **interests** Bruchteilsansprüche; ~ **lot** *(US fam.)* nicht offiziell an der Börse gehandelte Abschnitte, *(New York stock exchange)* Paket mit weniger als 100 Aktien (Obligationen unter £ 1000 Nennwert); ~ **money** *(US)* Geldstücke unter Dollarwerte; ~ **reserves** *(banking)* vorgeschriebene Mindestreserven; ~ **share** Bruchteilsaktie, kleingestückelte Aktie.

fragment of a fortune Vermögensrest.

franchise *(sole agency, US)* Alleinverkaufsrecht, *(Br., insurance)* Mindestgrenze, Selbstbehalt, *(licensing, US)* Lizenz[vergabe], -betrieb, *(privilege)* Vorrecht, Sonderstellung, Privileg, Gerechtsame, Konzession, Abgabefreiheit;
~ **for a bus service** Konzession für eine Omnibuslinie;
~ **agent** Lizenzvertreter; ~ **agreement** Lizenz-, Konzessionsvertrag; ~ **broker** Lizenzmakler; ~ **business** Konzessions-, Lizenzwesen; ~ **company** Lizenzabgabegesellschaft, Lizenzgeber; ~ **consultant** Lizenzberater; ~ **dealer** Lizenznehmer; ~ **field** Konzessions-, Lizenzwesen; **to run a** ~ **operation** Lizenzvertretung besitzen; ~ **operator** Werbeflächenpächter; ~ **registration** Lizenzregistrierung; ~ **satellite** lizensierte Tochtergesellschaft; ~ **seminar** Generalvertreterseminar; **to supply** ~ **service** Dienste einer Generalvertretung zur Verfügung stellen; ~ **show** Lizenzmesse; ~ **sites** Konzessionsgelände; ~ **tax** *(US)* Konzessionssteuer.

franchisee Konzessionsinhaber, -nehmer, Lizenznehmer, -inhaber.

franchiser Lizenz-, Konzessionsvergeber, *(privileged person)* Privilegierter, *(voting)* stimmberechtigter Bürger.

franchising Lizenz-, Konzessionserteilung, Konzessionierung, Lizenzvertretung;
~ **industry** Konzessionswesen.

frank Portofreiheit, *(indication of ~)* Freivermerk, *(letter sent free)* protofreier Brief;
~ *(v.)* freimachen, portofrei machen, freistempeln, frankieren.

franking Freimachung;
~ **machine** Freimachungs-, Frankiermaschine, Freistempler mit werblichem Aufdruck; ~ **privilege** *(US)* Portofreiheit, frei durch Ablösung; ~ **stamp** Briefmarkenstempel.

fraternal insurance *(US)* Versicherungsverein auf Gegenseitigkeit, Sterbekasse.

fraudulent betrügerisch, *(dolose)* arglistig, dolos;
~ **alienation** Vollstreckungsvereitelung; ~ **alienee** bevorzugter Konkursgläubiger; ~ **balance sheet** gefälschte Bilanz; ~ **bankruptcy** betrügerischer Bankrott, Konkursverbrechen; ~ **concealment** arglistiges Verschweigen; ~ **conversion** Veruntreuung, Unterschlagung; ~ **conveyance** Gläubigerbenachteiligung; **to make a** ~ **conveyance** [Konkurs]gläubigerbenachteiligen; ~ **entry** Falschbuchung; ~ **preference** Gläubigerbegünstigung; ~ **representation** Vorspiegelung falscher Tatsachen; ~ **trading** Kun-

denbenachteiligung; ~ **transaction** Schwindelgeschäft.

free frei, befreit, *(independent)* frei, selbständig, unabhängig, *(without cost)* frei, kostenlos; **accident-** ~ unfallfrei; **carriage** ~ Fracht bezahlt; **duty-** ~ zollfrei; **post-** ~ portofrei; **tax-** ~ steuerfrei;
~ **alongside ship (vessel)** frei Schiff; ~ **board amidships** frei Bord mittschiffs; ~ **delivered** frei geliefert; ~ **from breakage** bruchfrei; ~ **from business** unbeschäftigt; ~ **of debt** schuldenfrei; ~ **of all average** nicht gegen große und besondere Havarie versichert; ~ **of capture and seizure** Beschlagnahmerisiko ausgeschlossen; ~ **of all charge** kostenlos, spesenfrei, gebührenfrei, unentgeltlich; ~ **of charge and postage paid** gratis und franko; ~ **and clear** *(estate)* frei und unbelastet; ~ **of commission** provisionsfrei, franko Provision; ~ **of cost** kostenfrei; ~ **of damages** Schaden nicht zu unseren Lasten; ~ **from defects** mangel-, fehlerfrei; ~ **delivered** franko Bestimmungsort; ~ **to the door** frei Haus; ~ **of duty** abgaben-, steuer-, zollfrei; ~ **from encumbrances** lastenfrei; ~ **of expenses** kosten-, spesenfrei; ~ **in and out and stowed** frei ein und aus und gestaut; ~ **of income tax** einkommensteuerfrei; ~ **of interest** zinsfrei, -los, unverzinslich; ~ **of postage** *(US)* portofrei; ~ **on board (fob)** fob, franko Bord, frei Schiff, *(US)* frei Eisenbahn; ~ **on board and trimmed** frei an Bord und gestaut; ~ **on quay** frei Kai (Ufer); ~ **on rail** frei Bahnwagen (Waggon); ~ **on sale** frei verkäuflich; ~ **station** bahnfrei, franko Bahnhof; ~ **on steamer** frei Schiff; ~ **of taxes** steuerfrei; ~ **on the truck** *(Br.)* frei Lkw ab Lager, frei Waggon; ~ **and unencumbered** unbelastet, hypothekenfrei; ~ **on the wag(g)on** frei auf den Wagen;
~ *(v.)* **o. s. from debt** schuldenfrei werden; ~ **rationed goods** bewirtschaftete Ware freigeben; ~ **a property from a mortgage** Grundstück entschulden;
to be ~ **in business** Geschäfte großzügig abwickeln; **to be** ~ **with one's money** nicht so genau rechnen, großzügig wirtschaften; **to import s. th.** ~ **of duty** etw. zollfrei einführen; **to set money** ~ Geld flüssig machen;
~ **accommodation** freie Wohnung; **admission** ~ freier Eintritt; ~ **allowance** Freigepäck; ~ **assets** frei verfügbare Guthaben; ~ **balance** zinsloses (unverzinstes) Guthaben; ~**-banking system** *(US)* Bankenfreiheit; ~ **bonds** frei verfügbare (nicht als Sicherheit dienende) Obligationen; ~ **capital** zinsfreies Kapital; ~ **capital goods** Investitionsgüter für mehrere Zwecke; ~ **choice** freie Wahl; ~ **circulation of money** freier Geldumlauf; ~**-of-capture-and-seizure clause** Aufbringungs- und Beschlagnahmeklausel; ~ **-on-board clause** Fob-Klausel; ~ **competition** freier Wettbewerb; ~ **copy** Freiexemplar, -stück; ~ **currency** frei konvertierbare Währung; ~**-currency country** nicht devisenbewirtschaftetes Land; ~ **deal** Gratisangebot; ~ **dealer** Kaufmannsfrau; ~ **delivery** kostenlose (portofreie) Zustellung, Lieferung frei Haus; ~ **demonstration in the home** kostenlose Hausvorführung; ~ **dispatch** frei von Vergütung für gesparte Ladezeit; ~ **enterprise** freies Unternehmertum; ~**-enterprise system** marktwirtschaftliche Ordnung, freie Marktwirtschaft; ~ **entry** freier Zutritt; ~ **field of operations** selbständiges Tätigkeitsgebiet; ~ **food** zollfreie Nahrungsmittel; ~**-for-all** offener Wettbewerb; ~ **gift** Werbegeschenk, Zugabe; **as a** ~ **gift** unentgeltlich, gratis; ~**-gift advertising** Werbung durch Musterverteilung, Zugabewerbung, Warenprobenverteilung; ~ **gold** reines Gold, *(US)* gesetzlich vorgeschriebene Reserven übersteigender Goldbestand, freies Gold; ~ **goods** zollfreie Waren; ~ **import** [zoll]freie Einfuhr; ~ **insertion** kostenlose Insertion; ~ **items** *(US)* spesenfreie Inkassi; ~ **journey** Freifahrt; ~ **labo(u)r** nicht gewerkschaftlich organisierte Arbeitskräfte; ~**-lance** Freischaffender; ~**-lance** *(a.)* freiberuflich; ~**-lance writer** freier Mitarbeiter; ~ **list** Freiliste [zollfreier Gegenstände], Zollfrei-, Liberalisierungsliste; ~ **luggage** *(Br.)* Freigepäck; ~ **lunch** *(US)* kostenlose Mahlzeit; ~ **market** freie Marktwirtschaft, *(stock exchange)* offener Markt, Freiverkehrsmarkt, ~**-market economy** freie Marktwirtschaft, ~**-market price** Freiverkehrskurs; ~ **offer** Gratisangebot; ~ **pass** Durchlaßschein; ~ **port** Freihafen; ~**-port area** Freihafengebiet; ~**-port shop** zollfreier Laden; ~**-port store** Freihafenlager; ~ **posting** Gratisplakat, Freiaushang; ~ **price** unabhängiger Preis; ~ **publication** Gratiszeitung, -zeitschrift; ~ **puff** *(Br.)* kostenlose redaktionelle Werbung; ~ **quarter** freie Unterkunft; ~ **ride** *(airplane)* Freiflug; ~ **rider** Nichtgewerkschaftler, der an Tarifvergünstigungen teilnimmt; ~ **sample** Freiexemplar, Gratismuster, -probe; ~ **share** Gratisaktie; ~ **shareholder** Bausparer ohne Inanspruchnahme einer Bauhypothek; ~ **surplus** frei verfügbarer Überschuß; ~ **ticket** Freifahr-, Freikarte, *(lottery)* Freilos; ~ **time** Freizeit, *(loading)* gebührenfreie Ladezeit, *(railroad)* freie Liegezeit, *(unloading)* Abladefrist; ~ **trade** Freihandel, zollfreier Verkehr, Handelsfreiheit; ~**-trade area** Freihandelszone, Zollanschlußgebiet; ~**-trade area community** Freihandelsgemeinschaft; ~**-trade association** Freihandelsgemeinschaft; ~**-trade policy** Freihandelspolitik; ~**-trade zone** Freihandelszone; ~ **trader** Freihändler, Anhänger des Freihandelssystems; ~ **trial** Gratisprobe, kostenlose Warenprobe; ~ **zone** Freihafen[gebiet].

freedom Freiheit, Unabhängigkeit, *(market)* Lebhaftigkeit;

~ **of action** Handlungsfreiheit; ~ **of competition** Wettbewerbsfreiheit; ~ **of exchange operations** freier Devisenverkehr; ~ **of navigation on rivers** Schiffahrtsgerechtigkeit auf Flüssen; ~ **of price formation** freie Preisbildung; ~ **to strike** Streikrecht; ~ **of trade** Gewerbefreiheit.

freehold | flat Eigentumswohnung; ~**-land society** *(Br.)* Parzellierungsgesellschaft; ~ **property** freier Grundbesitz.

freeway *(US)* plankreuzungsfreie Fernverkehrsstraße, Autobahn;
~ **ramp** Autobahnauffahrt; ~ **system** Autobahnnetz.

freeze gefrorener Zustand;
voluntary ~ **on exports** freiwillige Exportbeschränkung; ~ **on pay and prices** Lohn- und Preisstopp; ~ **on wages** Lohnstopp;
~ *(v.) (accounts)* einfrieren, blockieren, sperren, *(curtail civilian use)* rationieren, *(prices)* auf bestimmter Höhe halten, *(wages)* gesetzlich festlegen;
~ **action on a merger** Fusionsbeschluß inhibieren; ~ **out** *(sl.)* ausschließen, -schalten, *(stock exchange)* zusammenbrechen; ~ **prices** Preisstopp durchführen, Preise amtlich auf einer bestimmten Höhe halten; ~ **wages** Lohnstopp durchführen;
to put a ~ **on hirings** Einstellungsstopp verfügen;
~ **conditions** Lohnstoppbestimmungen.

freezing | of debts Einfrierung von Schulden; ~ **of payments** Stornierung von Zahlungen; ~ **of prices** *(US)* Preisstopp; ~ **of foreign property** Einfrierung ausländischer Guthaben; ~ **of wages** Lohnstopp;
~**-out** durch geschickte Manöver erreichter Ausschluß eines Teilhabers.

freight *(cargo)* Schiffsladung, *(hire of ship)* Schiffsmiete, *(~ line)* Frachtlinie, *(load)* Fracht, Ladung, *(tonnage)* Frachtraum, Laderaum, *(train)* Güterzug, *(transport charges)* Frachtkosten, -gebühr, -geld, Fuhrlohn, *(transportation of goods)* Frachttransport, -beförderung;
by ~ *(US)* per Frachtgut (Eisenbahn); **free of** ~ **and duty** frachtfrei verzollt; ~ **free (paid)** *(US)* frachtfrei, franko; **free of** ~ franko, frachtfrei; **additional** ~ Mehrfracht, Frachtaufschlag; **advance[d]** ~ vorausbezahlte Fracht, Frachtvorschuß; **air** ~ *(US)* Luftfracht; **carload** ~ *(US)* Sammelfracht; **clear** ~ Nettofracht; **dead** ~ Ballastladung, -fracht, Fehl-, Rein-, Fautfracht; **discriminating** ~ Differentialfracht; **distance** ~ Mehrfracht; **extra** ~ Frachtzuschlag; **fast** ~ *(US)* Eilfracht, -gut; ~ **forward** Fracht gegen Nachnahme; **gross** ~ Bruttofracht; **home** ~ Rückfracht; **less-than-carload** ~ *(US)* Stückgut[sendungen]; **low-return** ~ langsame Rückfracht; **lump-sum** ~ Total-, Pauschalfracht; **minimum** ~ Mindestfracht; **net** ~ Nettofracht; **ocean** ~ Transatlantikfrachtsatz; **original** ~ Vorfracht; ~ **out** Hinfracht; ~ **outward and home** Hin- und Herfracht; ~ **payable** Fracht vorauszahlbar; **perishable** ~ leicht bederbliches Frachtgut; **phantom** ~ überhöhte Transportkosten; **railroad** ~ Eisenbahngütertarif; **return** ~ Rückfracht; **revenue** ~ *(US)* zahlende Fracht; **time** ~ Zeitfracht; **ton** ~ Tonnenfracht; **unremunerative** ~ nicht lohnende Fracht;
~ **and carriage** *(Br.)* See- und Landfracht; ~ **and charges prepaid** fracht- und spesenfrei; ~ **as in charter party** Fracht laut Charterpartie; ~ **and demurrage** Fracht- und Liegegeld; ~ **to be prepaid** Fracht im voraus zu bezahlen; ~ **pro rata** Distanzfracht; ~ **by the ton** Tonnenfracht;
~ *(v.) (hire a ship)* Schiff heuern, *(load)* befrachten, in Fracht nehmen, beladen, *(transport, US)* verfrachten, als Frachtgut befördern;
~ **by parcels** Stückgüter laden; ~ **out a ship** Schiff verchartern; ~ **through** durchfrachten;
to absorb the excess ~ erhöhte Frachtkosten tragen; **to book** ~ Frachtraum belegen; **to charge** ~ Fracht berechnen; **to engage the** ~ Fracht bedingen; **to sail on** ~ auf Fracht fahren; **to take in** ~ Ladung einnehmen, [Güter] verladen; **to take a ship to** ~ Schiff befrachten;
~ **absorption** Frachtnachlaß; ~ **account** Frachtkonto, -rechnung; ~ **agency** *(US)* Güterabfertigungsstelle; ~ **agent** *(US)* Frachtspediteur, Leiter einer Güterabfertigungsstelle; ~ **airport** Frachtflughafen; ~ **authorization** Frachtgenehmigung, -freigabe; ~ **bill** Frachtbrief; ~ **boat** Frachtdampfer; ~ **booking** *(Br.)* Belegung von Frachtraum; ~ **broker** Transport-, Schiffs-, Frachtmakler; ~ **brokerage** Frachtmaklergebühr; ~ **broking** Frachtmaklergeschäft; ~ **business** Spedition[sgeschäft]; ~ **capacity** Frachtraum; ~ **car** *(US)* [geschlossener] Güterwagen; ~**-car shortage** Waggonknappheit; ~**-carrying aircraft** Frachtflugzeug; ~ **charges** Frachtkosten, -gebühren; ~ **claim** Frachtforderung [der Speditionsgesellschaft]; ~ **classification** Frachttarif; ~ **clerk** Speditionsangestellter; ~ **conductor** Warenaufseher; ~ **container** Transportbehälter; ~ **contract** Frachtvertrag; ~ **delivery** Fracht-, Güterzustellung; ~ **density** Verkehrsdichte im Güterfernverkehr; ~ **depot** *(US)* Güterbahnhof; ~ **elevator**~ *(US)* Waren-, Güteraufzug; ~ **engine** *(US)* Güterzuglokomotive; ~ **equalization** Frachtausgleich; ~ **expenses** Frachtspesen, -kosten; ~ **forwarder** Güterspediteur; ~ **hauler** Frachtführer; ~ **house** *(US)* Warenlagerhaus, Güterschuppen; ~ **insurance** Fracht-, Gütertransportversicherung; ~ **line** Fracht-strecke; ~ **list** *(US)* Kontenzettel, Ladungsverzeichnis, Frachtbrief; ~ **locomotive** *(US)* Güterzuglokomotive; ~ **mile** Frachtkilometer; ~ **milage** nach Kilometern berechneter Frachttarif; ~ **note** *(Br.)* Frachtrechnung, -brief; ~ **office** *(US)* Güterausgabe, -abfertigung; ~ **overcharge** zuviel erhobene Fracht[ge-

bühr]; ~ **parity** Frachtparität; ~ **plane** Fracht-, Transportflugzeug; ~ **policy** Frachtpolice; ~ **[minimum] rate** [Mindest]frachtsatz; ~ **rate** Fracht-, Gütertarif; **ocean ~ rate** Transatlantikfrachtsatz; **~-rate increase** Frachttariferhöhung; ~ **receipt** Frachtquittung; **~reduction** Frachtermäßigung; ~ **release** Güterfreigabe; ~ **revenue** Frachterträgnisse, -einkünfte; ~ **room** Frachtraum; ~ **salesman** Frachtenmakler; ~ **service** Güterabfertigung, -beförderung, Frachtverkehr; ~ **shed** *(US)* Güterschuppen, -halle; ~ **shipper** Frachtspediteur; ~ **space** Lade-, Fracht-, Schiffsraum; ~ **steamer** *(US)* Frachtschiff, -dampfer; ~ **storage** Güterlagerung; ~ **tariff** *(US)* Güter-, Frachttarif; ~ **terminal** Güterkopfstation; ~ **ton** Gewichtstonne; ~ **tonnage** Nutztrag-, Frachtraumfähigkeit, Gütertonnage; **[long-distance] ~ traffic** *(US)* Güter-[fern]verkehr; **short-distance ~ traffic** Güternahverkehr; ~ **train** *(US)* Güterzug; **by fast ~ train** *(US)* als Eilgut; **by ~ train** *(US)* als Frachtgut; **expedited ~ train** *(US)* Schnellgüterzug; **local ~ train** *(US)* Nahgüterzug; ~ **transportation** Gütertransport; ~ **truck** Fernverkehrslastwagen; ~ **vessel** Frachtschiff; ~ **wagon** *(US)* Güterwagen, Waggon; ~ **warrant** *(US)* Frachtbrief; ~ **yard** *(US)* Güterbahnhof.

freighter Verlader, Verfrachter, *(aeroplane)* Frachtflugzeug, *(cargo steamer)* Frachtschiff, Frachter, *(ship ~)* Schiffsbefrachter, Reeder.

freighting (chartering and loading of ship) Reederei, *(loading)* Befrachtung;
~ **by the case** Stückgutbefrachtung; ~ **on measurement** Maßfracht.

freightliner mit Transportbehältern beladener Zug.

frequency *(trains)* Verkehrshäufigkeit, Dichte;
~ **of loss** Schadenshäufigkeit;
~ **chart** Häufigkeitstabelle; ~ **discount** Mengenrabatt; ~ **distribution** Streuung; ~ **table** Häufigkeitstabelle.

frequent häufig [vorkommend], regelmäßig, beständig;
~ *(v.)* häufig aufsuchen, frequentieren;
~ **fairs** Messen besuchen, Märkte beziehen;
~ **customer** Dauerkunde.

frequented way befahrener Weg.

fresh frisch, *(unspoilt)* unverdorben;
~ **apprentice** unerfahrener Lehrling; ~ **demand** erneute Kauflust; ~ **supplies** zusätzliche Lieferungen.

frictional unemployment temporäre -, Fluktuationsarbeitslosigkeit.

friendly society *(Br.)* Versicherungsverein auf Gegenseitigkeit, Hilfskasse, Arbeiterhilfsverein.

frills *(US, insurance)* neuartige Versicherungsleistungen.

fringe *(fig.)* Randgebiet, *(outskirt)* äußerer Bezirk, Randbezirk;
~**s** *(employees)* zusätzliche Sozialaufwendungen, Nebenleistungen;
~ **area parking** Parkrandgebiet; ~ **benefits** *(US, director)* Aufwandsentschädigungen, Gewinnbeteiligung, *(pension provision)* Pensionsleistung, *(wage earner, US)* Lohnneben-, Sozialleistungen; ~ **cost** freiwilliger Sozialunkostenaufwand; ~ **issues** *(labo(u)r agreement)* Bestimmungen über die Gewährung zusätzlicher Leistungen; ~ **parking** Parken außerhalb der Ladenstadt.

front *(fig.)* Front, Organisation, *(individual representing company)* Aushängeschild, Strohmann, nomineller Vertreter;
labo(u)r ~ Arbeitsfront;
to show a bold ~ *(stock exchange)* feste Haltung zeigen;
~ **bench** *(Br.)* Minister-, Regierungsbank; ~ **desk** *(US, department store)* kaufmännischer Leiter; **~-end load** hohe Anfangsbelastung, *(mutual fund)* hohe Provisionsbelastung beim Ersterwerb von Zertifikaten; **~-page news** Schlagzeilennachrichten.

frozen *(account)* eingefroren, blockiert, gesperrt, *(drug on the market)* schlecht verkäuflich, *(not liquid)* nicht flüssig, *(price)* preisgebunden;
~ **assets** eingefrorene Guthaben; ~ **capital** festliegendes Kapital; ~ **cargo** Gefrierladung; ~ **credit** eingefrorener Kredit; ~ **debts** Stillhalteschulden, eingefrorene Forderungen; ~ **goods** tiefgekühlte Waren; ~ **inventory** unabsetzbares Lager; ~ **price** eingefrorener Preis, Stoppreis.

frustration of contract unmöglich gewordene Vertragserfüllung.

fudge *(newspaper)* letzte Meldungen.

fuel Brennstoff, Heizmaterial, *(for engines)* Betriebs-, Kraft-, Treibstoff;
driving ~ Betriebsstoff;
~ *(v.)* tanken, *(ship)* bunkern;
~ **the fires of the inflationary boom in business investments** Investitionskonjunktur inflationär anheizen;
~ **allocation** Brennstoffzuteilung; ~ **consumption** Brennstoffverbrauch; **to be high on ~ economy** wenig Kraftstoff verbrauchen; ~ **shortage** Treibstoffknappheit; ~ **supply** Treibstoff-, Brennstoffversorgung.

fulfil, fulfill *(US)* *(v.)* **a contract** Vertrag erfüllen.

fulfilment, fulfillment *(US)* Erfüllung, Vollziehung;
~ **of a contract** Vertragserfüllung; ~ **of the notice period** Ablauf der Kündigungsfrist.

full voll, ganz, völlig, vollständig, *(hotel)* besetzt;
payment in ~ zum Ausgleich aller Forderungen;
to pay in ~ voll bezahlen; **to receipt in ~** per Saldo quittieren;
~ **address** volle Adresse; ~ **age** Mündigkeit, Volljährigkeit; ~ **allowance** *(ship)* volle Ration; ~ **amount** ganzer Betrag; ~ **board** *(Br.)*

Vollpension; ~ **cargo** volle Ladung; ~ **cost** Vollkosten; ~**-cost principle** Vollkostenprinzip; ~ **economic price** nicht subventionierter (echter) Preis; ~ **employment** Vollbeschäftigung; ~**-employment economy** Vollbeschäftigungspolitik; **to pay** ~ **fare** vollen Preis zahlen; ~ **indorsement** Vollgiro; ~ **interest admitted** volle Beteiligung zugesagt; ~ **liability** volle Haftung; ~**-line department** reichlich sortimentiertes Warenhaus; ~ **load** volle Ladung, *(airplane)* Gesamtgewicht; ~ **lot** *(US)* [Börsen]abschlußeinheit; ~ **net** *(broadcasting)* Gemeinschaftssendung *(price)* ohne jeden Nachlaß; ~ **operating capacity** volle Betriebsleistung; ~**-page advertisement** ganzseitige Anzeige; ~**-page rate** *(advertising)* Seitenpreis; ~**-paid stock** *(US)* voll eingezahlte Aktie; ~ **pay** voller Arbeitslohn, volles Gehalt; **to be retired on** ~ **pay** mit vollen Bezügen pensioniert werden; ~ **position** *(advertising)* bevorzugte Placierung, Vorzugsplatz; ~ **price** voller (nicht herabgesetzter) Preis; ~ **rates of custom duties** allgemeiner Zolltarif; ~ **repayment** Rückzahlung in voller Höhe; ~**-run edition ads** Anzeigen in der Gesamtausgabe; ~ **service** *(advertising)* Beratung auf allen Gebieten; ~ **set** *(bill of lading)* vollständiger Formularsatz, *(documents)* alle Ausfertigungen; ~ **set of samples** komplette Kollektion; ~ **showing** *(advertising)* Vollbelegung.

full-time hauptamtlich, -beruflich, ganztätig;
to run ~ im Schichtbetrieb laufen; **to work** ~ ganztägig arbeiten;
to employ on a ~ **basis** ganztägig beschäftigen; ~ **employment** ganztägige Beschäftigung; ~ **job** ganztägige Beschäftigung.

full | timer ganztägig Beschäftigter; ~ **value** Ersatz-, Versicherungswert; ~ **weight** volles Gewicht.

fully paid shares voll eingezahlte Aktien.

function *(machine)* Arbeitsweise, Funktion, *(social life)* Empfang, gesellschaftliche Veranstaltung, *(vocation)* Beruf;
honorary ~ Ehrenamt;
~**s of a consul** konsularischer Aufgabenbereich; ~ **of money** Geldfunktion;
~ *(v.)* arbeiten, tätig sein, amtieren, *(mechanism)* funktionieren;
~ **in all financial fields** erfolgreiche Finanzierungsgeschäften auf allen Gebieten abwickeln.

functional funktionell, fachlich *(official)* amtlich, dienstlich, *(statistics)* repräsentativ;
~ **building** Zweckbau; ~ **capacity** Leistungsfähigkeit; ~ **classification** Gliederung nach Sachgebieten, Berufsaufgliederung; ~ **depreciation** Abschreibung auf Rationalisierungsinvestitionen; ~ **discount** Funktions-, Händlerrabatt; ~ **finance** steuerpolitische Maßnahmen; ~ **middleman** Aufgabenverteiler, *(advertising)* Absatzmittler; ~ **organization** Berufsverband; ~ **wholesaler** Engrosvertreter.

fund *(available assets)* [flüssiges] Kapital, Geldsumme, *(capital stock)* Grund-, Stamm-, Betriebskapital einer Bank, *(investment company)* Anlagefonds, *(money set apart)* Fonds, zweckgebundene Vermögensmasse, [Sonder]vermögen, Werte, *(stock)* Vorrat;
accident ~ Betriebsunfallfonds; **aid** ~**s** Hilfsgelder; **available** ~ Bereitstellungsfonds, verfügbarer Fonds; **bond** ~ Obligationsfonds; **bribery** ~ Bestechungsfonds; **cash-heavy** ~ liquider Fonds; **closed-end** ~ Investmentfonds mit begrenzter Emissionshöhe; **common** ~ gemeinsame Kasse; **consolidated** ~ konsolidierte Staatsschuld; **contingent** ~ Not-, Sonderfonds; **cumulative** ~ thesaurierender Fonds; **depreciation** ~ Abschreibungsreserve, -fonds; **disability** ~ Invaliditätsfonds; **emergency** ~ Reservefonds; **employees' pension** ~ Pensionsfonds für Angestellte; **endowment** ~ Stiftungsvermögen; **exchange equalization** ~ Devisenausgleichsfonds; **expendable** ~ verfügbares Kapital; **fighting** ~ Kampffonds; **fixed** ~ Investmentfonds mit feststehendem Portefeuille; **semifixed** ~ Investmentsfonds mit begrenzt auswechselbarem Portefeuille; **flexible** ~ Investmentfonds mit wechselbarem Portefeuille; **general** ~ allgemeine Reserve, *(governmental accounting)* Staatskasse, Steuermittel, öffentliches Vermögen; **general revenue** ~ Kommunalvermögen, Vermögen einer Kommune; **guaranty** ~ Reservefonds; **imprest** *(Br.)* **(petty-cash)** ~ Barvorschuß für kleine Ausgaben; **insurance** ~ Versicherungsfonds; **investment** ~ Anlagekapital, Investmentfonds; **joint union-industry** ~ gemeinsam von Industrie und Gewerkschaften errichteter Fonds; **leverage** ~ Investmentfonds mit Leihkapital; **loan** ~ Anleihekapital; **managed** ~ Investmentfonds mit veränderlichem Portefeuille; **mission** ~ Missionsfonds; **mutual** ~ *(US)* Investmentfonds mit unbeschränkter Emissionshöhe; **old-age pension** ~ Pensionsfonds, -kasse; **open-end** ~ Investmentfonds mit beliebiger Investitionshöhe; **operating** ~ Betriebsmittel; **original** ~ Grundstock; **outside** ~ Fremdkapital; **payroll** ~ Gehälterfonds; **pension** ~ Pensionskasse, -fonds; **permanent** ~ eiserner Bestand; **provident** ~ Unterstützungs-, Fürsorgefonds; **redemption** ~ Tilgungsfonds; **relief** ~ Hilfs-, Unterstützungsfonds; **renewal** ~ Erneuerungsfonds; **reserve** ~ Rücklagen-, Reservefonds; **retiring** ~ Pensionsfonds, -kasse; **revolving** ~ sich automatisch auffüllender Fonds; **secret** ~ Geheimfonds; **security reserve** ~ Sicherheitsrücklage; **sick-benefit** ~ Betriebs krankenkasse; **sinking** ~ Amortisations-, T gungsfonds; **slush** ~ Bestechungsfonds; **spe** ~ Sonderfonds; **special assessment** ~ aus derveranlagungen gebildeter Fonds, Son

lagefonds; **special revenue** ~ Sondervermögen; **state-operated** ~ vom Staat (staatlich) verwaltetes Sondervermögen; **strike** ~ Streikkasse, -fonds; **surplus** ~ Überschußreserve; **sustentation** ~ Streikkasse; **testimonial** ~ privater Spesenfonds, Reptilienfonds; **trust** ~ Investmentfonds auf Basis eines Trusts; **trust-and-agency** ~ von einer Treuhandgesellschaft verwaltetes Sondervermögen; **unemployment** ~ [etwa] Sondervermögen der Bundesanstalt für Arbeitslosenversicherung; **utility** ~ Sondervermögen der Versorgungsbetriebe; **wage** ~ Lohnkasse; **welfare** ~ Unterstützungsfonds; **working-capital** ~ Betriebsmittel, -fonds;
~ **of a company** Gesellschaftskapital; ~ **of information** Auskunftsquelle;
~ *(v.) (convert floating debt, Br.)* [schwebende Schuld] fundieren, konsolidieren, kapitalisieren, *(finance)* finanzieren, *(invest in funds, Br.)* Geld in Staatspapieren anlegen;
~ **the floating debt** Staatsschuld konsolidieren; ~ **government notes** Schatzwechsel einlösen; ~ **interest arrears** Zinsrückstände kapitalisieren; ~ **a loan** Anleihe konsolidieren;
to be placed in a special ~ einem Sonderfonds zufließen; **to create a** ~ Fonds bilden (errichten); **to make a** ~ **available** Fonds zur Disposition stellen; **to run a hot** ~ Topf heißen Geldes verwalten; **to start a** ~ Subskriptionsliste auflegen, Sammlung veranstalten; **to vote a** ~ Fonds bewilligen;
~ **account** Fondskonto; ~ **administration** *(investment fund)* Vermögensverwaltung; ~ **administrator** *(investment fund)* Vermögensverwalter; ~ **assets** Fondsvermögen; ~ **balance sheet** Vermögensbilanz; ~ **contribution** *(trade union)* Kampffondszuschuß; ~ **decision** *(investment trust)* Anlageentscheidung; ~ **group** Vermögenszusammenfassung; ~ **investment** Fondsanlagen; ~ **liability** Fondsverpflichtung; ~ **manager** Vermögens-, Fondsverwalter; ~ **money** *(investment fund)* Anlagekapital; ~ **obligation** Fondsverpflichtung; ~ **pool** Sammelfonds; ~ **raiser** Mittelaufbringer, Geldeinsammler, -beschaffer; ~ **raising** Mittelaufbringung; **~-raising activity** Sammeltätigkeit; **~-raising circuit** Reisetätigkeit für eine Sammelaktion; **to launch a ~-raising drive** große Sammelaktion starten; **sinking-~ reserves** Amortisationsreserven; ~ **surplus** Fondsüberschuß; **sinking-~ tax** Anleihesteuer.

funds *(Br., government bonds)* Staatspapiere, *(pecuniary resources)* [Geld]mittel, Gelder, Finanzmittel, Kapital[ien], *(US)* Effekten;
for lack of ~ mangels Barmittel; **in** ~ im Besitz verfügbarer Mittel; **out of (without)** ~ mitellos; **returned for want of** ~ mangels Deckung zurück; **without** ~ **in hand** ohne Deckung (Guthaben);
the ~ *(Br.)* Staatsschulden, -papiere; **available** ~ verfügbare (greifbare, flüssige bereitstehende) Mittel; **bank** ~ Bankguthaben; **consolidated** ~ *(Br.)* konsolidierte Anleihe, fundierte Staatsschuld, Konsols, Annuitäten; **corporate** ~ Gesellschaftsmittel; **current** ~ flüssige Mittel; **disposable** ~ verfügbares Geld, flüssige Gelder (Geldmittel); **earmarked** ~ zweckbestimmte Mittel; **employed** ~ Betriebsvermögen, -mittel; **government[al]** ~ *(Br.)* Staatspapiere, -anleihen, fundierte Staatspapiere; **insufficient** ~ *(banking)* ungenügende Dekkung; **necessary** ~ erforderliche Mittel; **New York** ~ Barzahlung New York; **no** ~ *(banking)* keine Deckung, kein Guthaben; **original** ~ Stammkapital; **private** ~ privates Geld; **public** ~ *(Br., government annuities)* [fundierte] Staatspapiere, *(money on hand)* öffentliche Gelder; **sufficient** ~ genügende Deckung, ausreichendes Guthaben; **tied-up** ~ festgelegte Gelder; **transferable** ~ übertragbare Ausgabemittel; **trust** ~ Treuhandvermögen; **unapplied (unappropriated)** ~ nicht verwendete (verteilte) Mittel;
~ **in cash** Bar-, Kassenbestand; ~ **at disposal** verfügbare Mittel; ~ **on hand** flüssige Mittel, Geldmittel; ~ **for housing** Mittel für den Wohnungsbau, Wohnungsbaumittel; ~ **for reconstruction** Wiederaufbaumittel; ~ **for reimbursement** Deckungsmittel;
to be in ~ flüssig (bei Kasse) sein, *(bank)* zahlungsfähig sein, *(firm)* kapitalkräftig sein; **to be out of** ~ nicht bei Geld (knapp bei Kasse) sein, *(bank)* zahlungsunfähig sein; **to buy** ~ Staatsanleihen (Renten[werte]) kaufen; **to deposit** ~ **with a trustee** Beträge für die Pensionskasse zurückstellen; **to funnel** ~ **to one's own use** Vermögen für seine privaten Zwecke mißbrauchen; **to furnish with** ~ mit Geldmitteln versehen, Deckung anschaffen; **to have ample** ~ reichliche Mittel zur Verfügung haben; **to have** ~ **with a banker** Geld auf der Bank haben; **to have DM 10000 in** ~ 10000,- DM in Staatspapieren angelegt haben; **to have no** ~ **available** keine Geldmittel zur Verfügung haben; **to invest** ~ Kapital anlegen; **to invest money in** ~ *(Br.)* Geld in Staatsanleihen anlegen; **to ladle out** ~ Geldmittel zur Verfügung stellen; **to make a call for** ~ Kapitalerhöhung vornehmen; **to make the necessary** ~ **available** notwendige Mittel bereitstellen; **to misappropriate public** ~ öffentliche Gelder unterschlagen; **to pool** ~ zusammenschießen; **to provide with** ~ Geld beschaffen, für Deckung sorgen; **to put in** ~ mit Geldmitteln versehen; **to raise** ~ Kapital beschaffen (aufnehmen), Mittel aufbringen; **to replenish its** ~ *(party)* Kasse wieder auffüllen; **to vote the** ~ Haushaltsmittel (Etat) bewilligen;
sufficient-~ clause *(banking)* Guthabenklausel;

~ **statement** Verwendungsnachweis eines Fonds, Vermögensnachweis.

fundamentals of bookkeeping Grundbegriffe der Buchführung.

funded verzinslich angelegt, *(capitalized)* kapitalisiert, *(converted into permanent debt)* fundiert, *(invested in public funds)* in [fundierten] Staatspapieren angelegt;
long-term ~ capital langfristig angelegte Gelder; ~ **debt (indebtedness)** fundierte Schuld, *(Br.)* langfristige Anleiheschuld; ~ **liability** konsolidierte Verbindlichkeit; ~ **property** Kapitalvermögen, *(Br.)* Besitz an Staatsanleihe; ~ **reserve** in verzinslichen Wertpapieren angelegter Reservefonds.

fundholder Fondsbesitzer, *(Br.)* Inhaber von Staatspapieren, Rentier, *(stockholder)* Aktionär.

funding *(conversion into permanent debt)* Konsolidierung, Umwandlung [einer schwebenden in eine fundierte Schuld], Fundierung, *(employee pension scheme)* Aussonderung von Betriebsmitteln für Versorgungszwecke der Angestellten, *(investing)* Anlage in Staatspapieren;
~ **loan** Konsolidierungsanleihe; ~ **operation** Fundierungstransaktion; ~ **system** Konsolidierungswesen.

fundless mittellos, ohne Kapitalien.

fundmonger Spekulant in Staatspapieren.

funeral | allowance Sterbegeld; ~ **benefit** Begräbniszuschuß; ~ **cost (expenses)** Bestattungs-, Beerdigungs-, Begräbniskosten, Bestattungsgebühren.

furnish *(v.)* *(fit up)* einrichten, versehen mit, *(provide)* versorgen, [be]liefern, ver-, beschaffen, *(supply with furniture)* einrichten, möblieren, ausstatten, ausrüsten;
~ **o. s. with s. th.** sich etw. anschaffen (besorgen); ~ **s. o. with cover** *(funds)* jem. Deckung zur Verfügung stellen; ~ **a factory with current** elektrischen Strom in eine Fabrik legen; ~ **security** Sicherheit leisten; ~ **a bill with stamps** Wechsel verstempeln.

furnished | apartment möbliertes Zimmer; **to live in ~ apartments** möbliert wohnen; **well-~ purse** gut gespickte Börse; **well-~ shop** gut eingerichteter Laden.

furnisher Lieferant, Lieferer.

furnishing Lieferung, Versorgung;
~**s and fixtures** Inventar, Mobiliar und Zubehör;
house-~ firm Möbel- und Ausstattungsgeschäft.

furniture Mobiliar, Möbel, Hausrat, Wohnungseinrichtung;
office ~ Büromöbel, -mobiliar;
~ **and office equipment** Büroeinrichtung; ~ **industry** Möbelindustrie; ~ **warehouse** Möbelspeicher, -lager.

further | to our letter of yesterday im Nachgang zu unserem gestrigen Schreiben; **until ~ notice** bis auf weiteres; **with ~ reference to my letter of ...** unter weiterer Bezugnahme auf meinen Brief vom ...; ~ **signature required** *(bill, check)* zweite Unterschrift fehlt;
~ *(v.)* **s. one's interests** jds. Interessen fördern; ~ **margin** Nachschuß; ~ **orders** weitere Aufträge.

future Zukunft, *(stock exchange)* Termingeschäft;
~**s** Termingeschäfte, -handel, Lieferungskäufe;
commodity ~s Warentermingeschäfte;
to take on ~ account auf zukünftige Rechnung kaufen; ~ **cable rate** *(US)* Kabelsatz für Devisentermingeschäfte; ~ **commission man** Terminkommissionär; ~**s contract** Termingeschäft, -vertrag, Lieferungsvertrag; ~ **deal** Fixkauf, -geschäft, festes Börsentermingeschäft; ~ **dealing** Termingeschäft; ~ **debt** noch nicht fällige Schuld; ~ **delivery** Terminlieferung, spätere Lieferung; **to sell for ~ delivery** auf Termin (Zeit) verkaufen; ~ **earnings** zukünftige Erträge; ~**s exchange** *(US)* Devisenterminhandel, -geschäft; ~ **interests** zukünftige Ansprüche; ~ **market** Terminmarkt; ~ **month** Terminmonat; ~ **price** Preis für Termingeschäft; ~ **purchase** *(US)* Terminkauf; ~ **rate** *(US)* Kurs für Devisentermingeschäfte, Terminsatz; ~ **trading operation** Termingeschäft; ~ **trend** Entwicklungstendenz.

G

gain *(amount of increase)* Zu-, Anwachs, *(profit)* Gewinn, Ertrag, Überschuß, Vorteil, Nutzen;
for purpose of ~ zu Gewinnzwecken; **with a ~ of seven points** mit einem Gewinn von 7 Punkten; **with the object of ~** in gewinnsüchtiger Absicht;
~**s** *(emoluments)* Einkommen, Verdienst, Erwerb, Einkünfte, *(stock exchange)* [Kurs]gewinn;
ceasing ~ entgangener Gewinn; **clear ~** Netto-, Reingewinn; **extra ~** Nebengewinn; **ill-gotten ~s** unrechtmäßig erworbenes Gut; **material ~s** wesentliche Gewinne; **net ~** Netto-, Reingewinn; **striking ~** auffallender Gewinn; **substan-**

tial ~s *(stock exchange)* wesentliche Kursgewinne; **taxable** ~ besteuerungsfähiger Gewinn, Steuergewinn; **top** ~ *(stock exchange)* Spitzengewinn;
~ **in assets** Anlagenzugang; ~ **per cent** Prozentgewinn; ~ **derived from capital** Kapitalertrag; ~ **of exchange** Kursgewinn; ~ **to knowledge** Bereicherung des Wissens; ~ **in pages** Seitenzunahme; ~ **in the stock market prices** Kursgewinnzuwachs; ~ **in weight** Gewichtzunahme;
~ *(v.)* *(earn)* verdienen, erwerben, *(improve)* an Wert gewinnen, im Ansehen steigen, *(prices)* sich bessern, *(profit)* gewinnen, profitieren, *(yield)* einbringen;
~ **s. o. admittance** jem. Zutritt verschaffen; ~ **an advantage over one's competitors** seine Konkurrenten überflügeln; ~ **by one's business** bei seinem Geschäft verdienen; ~ **one's cause** seinen Prozeß gewinnen; ~ **experience** Erfahrungen sammeln; ~ **a fortune** Vermögen erwerben; ~ **ground** Fortschritte machen; ~ **the upper hand** Oberhand gewinnen; ~ **a hearing** Audienz erlangen; ~ **one's living** seinen Lebensunterhalt verdienen; ~ **s. o. over** j. für seine Interessen gewinnen; ~ **three points** *(stock exchange)* sich um drei Punkte verbessern; ~ **in popularity** Popularität erlangen, volkstümlich werden; ~ **a reputation** in den Ruf kommen; ~ **land from the sea** Land gewinnen; ~ **speed** schneller werden; ~ **strength slowly** langsam wieder zu Kräften kommen; ~ **a suit at law** *(US)* Prozeß gewinnen; ~ **time** Zeitgewinn erzielen; ~ **the top** an die Spitze kommen;
to make ~s Gewinne verzeichnen; **to make** ~s **of s. th.** bei etw. gewinnen; **to make large** ~s **in the last election** bei der letzten Wahl große Gewinne erzielen; **to register small** ~s kleine Gewinne verzeichnen; **to share** ~s Gewinn teilen;
~ **control** Lautstärkeregelung; ~ **sharing** *(bonus system)* Gewinnbeteiligung.

gainful einträglich, gewinnbringend, vorteilhaft;
to be ~**ly employed** erwerbstätig sein;
~ **occupation** Erwerbstätigkeit, einträgliche Beschäftigung; ~ **worker** Erwerbstätiger.

gainings Verdienst, Ertrag, Gewinn, Einkommen.

Gallup | man Meinungsforscher; ~ **poll** Meinungsbefragung.

gamble Glücksspiel, *(speculation)* Spekulation;
~ *(v.)* *(speculate)* [wild] spekulieren;
~ **on a fall** auf Baisse spekulieren; ~ **away one's fortune** sein Vermögen verspielen; ~ **on the stock exchange** an der Börse spekulieren.

gambler [Glücks]spieler, *(stock exchange)* [Börsen]spekulant.

gambling Hasardspiel, *(stock exchange)* waghalsiges Spekulieren;
~ **in futures** Differenzgeschäft; ~ **on the stock exchange** Börsenspekulation;
~ **policy** *(life insurance)* Police für einen am Leben des Versicherten finanziell uninteressierten Begünstigten.

game Spiel, *(scheme)* Plan, Unternehmen;
~ *(v.)* **away one's money (fortune)** sein Vermögen verspielen;
to be in the advertising ~ in der Werbebranche sein.

gang *(company of workmen)* Arbeiterkolonne, *(shift)* Schicht, Abteilung;
breakdown ~ *(Br.)* Unfallhilfstrupp, -mannschaft.

Gantt progress chart *(statistics)* Arbeitsfortschrittsbild.

gap Lücke, Loch, Öffnung, *(fig.)* Kluft, *(insurance)* Wartezeit;
~ **in interest rates** Zinsgefälle; ~ **in supplies** Angebots-, Versorgungslücke;
to fill a ~ Loch stopfen, Lücken ausfüllen; **to find** ~s **in the market** Marktlücken ausfindig machen;
~ **loan** Kredit für einen Spitzenbetrag.

garage Garage, Autohalle, *(aerodrome)* Hangar, *(repair shop)* Reparaturwerkstatt, *(stock exchange, US)* kleiner Börsensaal;
lockup ~ Einzelgarage; **multi-storey** ~ Parkhochhaus; **open** ~ Sammelgarage; **parking** ~ Stockwerksgarage;
~ *(v.)* **a car** Auto einstellen (in die Garage fahren);
~ **fee** Standgeld; ~ **keeper (proprietor)** Garagenbesitzer; ~ **keeper's (liability) insurance** Garagenhaftpflichtversicherung; ~ **proprietor** Garagenbesitzer; ~ **sale** *(US)* Werbeauftrag für eine ganze Verkehrslinie.

garnish *(v.)* mit Beschlag belegen, pfänden, *(notify)* Pfändungsbescheid zukommen lassen, Zahlungsverbot erlassen;
~ **a bank account** Bankkonto pfänden; ~ **the wages** Lohnpfändung vornehmen.

garnishee Vorgeladener, Drittschuldner;
~ **account** Sperrkonto [des Drittschuldners]; ~ **order** *(Br.)* Pfändungs- und Überweisungsbeschluß; ~ **proceedings** *(Br.)* Forderungspfändungsverfahren.

garnisher Forderungs-, Pfändungspfandgläubiger.

garnishment Zahlungs[leistungs]verbot an den Drittschuldner;
~ **of wages** Lohnpfändung.

gas Gas, *(gaslight)* Gaslicht, -flamme, *(petrol, US)* Benzin;
to lay on the ~ Gasleitung legen;
~ **bill** Gasrechnung; ~ **company** Gasgesellschaft; ~ **industry** Gasindustrie; ~ **station** *(US)* Tankstelle; ~ **supply industry** Gaswirtschaft.

gasateria *(US)* Selbstbedienungstankstelle.

gashouse *(US)* Gaswerk.

gasoline *(US)* Benzin, Brenn-, Betriebsstoff;
~ **allowance** Kraftstoffzuteilung, Benzinzuschuß; ~ **attendant** Tankwart; ~ **container**

Benzinkanister; ~price Benzinpreis; ~ **rail car** Gliedertriebwagen; ~ **station** Tankstelle; ~ **tax** Benzin-, Treibstoffsteuer.
gasworks Gasanstalt.
gate Eingang, *(aerodrome)* Flugsteig, *(entrance money)* Eintrittsgeld, *(firing, US)* Entlassung, Hinauswurf, *(passage)* [schmale] Durchfahrt, *(sport)* Besucherzahl, Zahl der verkauften Eintrittskarten;
~ **money** Eintritts-, Einlaßgeld; ~ **receipts** Kasseneinnahmen.
gatehouse Pförtnerhaus, *(railroad, US)* Bahnwärterhäuschen.
gateway Eingang, Einfahrt.
gather *(v.)* sammeln, anhäufen;
~ **in debts** Schulden einkassieren; ~ **rents** Mieten einziehen; ~ **taxes** Steuern kassieren.
gatherer Sammler;
tax ~ Steuereinnehmer.
gathering *(collection)* Erhebung [von Geldern], Geldsammlung, *(meeting)* Treffen, Tagung;
industrial ~ Wirtschaftstagung.
gazette *(Br.)* Staatsanzeiger, Gesetz-, Amtsblatt;
~ *(v.)* **a case of bankruptcy** Konkursfall bekanntgeben;
to have one's name (appear) in the ~ auf der Liste der Konkurse (Konkursliste) stehen, bankrott sein.
gazetted, to be ~ **bankrupt** für bankrott (zahlungsunfähig) erklärt werden.
gear *(v.)* *(adapt)* abstellen auf;
~ **a factory to s. th.** Fabrik auf etw. abstellen; ~ **for the future** Zukunftsweichen stellen; ~ **to consumer needs** sich dem Verbraucherbedürfnis anpassen; ~ **production to the capacity of a plant** betriebliche Produktionskapazität voll ausfahren; ~ **production to demand** Produktion der Nachfrage anpassen.
geared to export exportorientiert.
gearing Getriebe, Triebwerk;
high ~ Kapitalintensität; **low** ~ knappe Kapitaldecke, -ausstattung.
general *(a)* allgemein, gemeinsam, gemeinschaftlich, *(customary)* allgemein verbreitet, üblich;
~ **acceptance** unbedingte Wechselannahme, reines Akzept; ~ **account** allgemeines Konto, *(bill)* Hauptrechnung; ~ **accountant** Revisionsbeamter; ~ **advertising** überregionale Werbung; ~ **advertising rate** allgemeiner Anzeigentarif; ~ **agency** Generalvertretung; ~ **agent** Generalvertreter, -bevollmächtigter; ≗ **Agreement on Tariffs and Trade (GATT)** Allgemeines Zoll- und Handelsabkommen; ~ **assignment** *(banking)* Mantelzession; ~ **assignment for benefit of creditors** Übertragung des Gesamtvermögens auf die Gläubiger; ~ **audit** Jahresabschlußprüfung; ~ **average statement** große Havarie; ~ **balance sheet** Hauptbilanz; ~ **bill of lading** Sammelkonossement; ~ **bookkeeper** Hauptbuchhalter; ~ **bookkeeping department** Hauptbuchhaltung; ~ **building scheme** Generalbebauungsplan; ~ **burden** Handlungsunkosten; ~ **cargo** gemischte Ladung, Stückgut, Sammelladung; ~ **cash** Betriebsmittel; ~ **charge** General-, Handlungsunkosten; ~ **commodities** Sammelgüter; ~ **commodities trucking** Sammelguttransport; ~ **consumption** Massenkonsum; ~ **contingency reserve** allgemeine Delkredererückstellung; ~ **contractor** Generalunternehmer; ~ **cost** Gemeinkosten; ~ **creditor** nicht bevorrechtigter Gläubiger; ~ **crossing** *(cheque, Br.)* allgemeiner Verrechnungsvermerk; ~ **dealer** *(Br.)* Gemischtwarenhändler, Krämer; ~ **delivery** *(US)* Ausgabestelle für postlagernde Sendungen; ~ **deposit** Sammeldepot; ~ **endorsement** Blankogiro; ~ **estate** Gesamtvermögen; ~ **execution** Zwangsvollstreckung in das bewegliche Vermögen; ~ **executives** Vorstandsmitglieder [einer AG]; ~ **expenses** General-, Handlungsunkosten; ~ **exporter** Exporteur mehrerer oder sämtlicher Warengattungen; ~ **freight** Stückgutfracht; ~ **freight carrier** Stückgutspediteur; ~ **fund** *(government accounting)* allgemeine Etatsmittel; ~ **hiring** von Jahr zu Jahr laufender Dienstvertrag; ~ **increase** *(tariff)* durchgehende Frachttariferhöhung; ~ **indorsement** Blankoindossament; ~ **journal** Hauptbuch; ~ **ledger** Hauptbuch; ~ **ledger account** Hauptbuchkonto; ~ **line jobber** Großhändler mit breitem Sortiment; ~ **listing** *(real-estate law)* gleichzeitige Vergabe an mehrere Makler; ~ **management trust** Kapitalanlagegesellschaft mit veränderlichem Anlagefonds; ~ **manager** Generaldirektor; ~ **meeting** Generalversammlung; ~ **merchandize** *(US)* Gemischtwaren; ~ **mortgage** Gesamthypothek; ~ **obligation bonds** *(municipal accounting)* Kommunalobligationen; ~ **office** Zentrale, Zentralbüro; ~ **operating expense** allgemeine Betriebsausgaben; ~ **overheads** Handlungs-, Generalunkosten; ~ **pact** Rahmenvertrag; ~ **partner** Komplementär; ~ **partnership** Offene Handelsgesellschaft; ~ **policy** Generalpolice; ~ **post** ortsübliche Postzustellung; ~ **post office** Hauptpostamt; ~ **records** Buchungsunterlagen; ~ **restraint of trade** überall gültiges Konkurrenzverbot; ~ **sales manager** Absatz-, Verkaufs-, Vertriebsleiter; ~ **sales representative** Vertreter mehrerer Firmen; ~ **ship** Frachtschiff; ~ **shop** Gemischtwarenhandlung; ~ **store** Gemischtwarenhandlung; ~ **strike** Generalstreik; ~ **tariff** *(customs)* Einheitstarif; ~ **taxes** allgemeine Steuern.
gentleman Gentleman, *(law)* Privatmann;
independent ~ Rentier.
genuine echt, rein, unverfälscht, authentisch, *(business)* solid, reell;
~ **article** Markenartikel; ~ **coin** echte Münze; ~ **purchaser** ernsthafter Reflektant.
geographic immobility *(workers)* wohnungsbedingte Unbeweglichkeit.

geography, economic Wirtschaftsgeographie.
get *(Br. mining)* Ertrag, Fördermenge, Förderung, Ausbeute;
~**-off** *(airplane)* Abflug, Start; ~**-together** *(US)* zwanglose Zusammenkunft;
~ *(v.)* *(earn)* verdienen, *(obtain)* bekommen, erhalten, erreichen; sich verschaffen, erlangen, *(purchase goods)* besorgen, auftreiben, [Waren] beziehen;
~ **aboard** an Bord bringen, *(v. i.)* sich einschiffen; ~ **aground** kein Geld haben.
get along schaffen, vorankommen;
~ **on little money** mit wenig Geld auskommen.
get away | for the holidays in den Ferien verreisen; ~ **from the office for a day** einen Tag nicht im Geschäft sein.
get | one's bread seinen Lebensunterhalt verdienen; ~ **to business** zur Sache kommen; ~ **commodities from abroad** seine Ware außerhalb beziehen.
get down | a telephone conversation Telefongespräch schriftlich festhalten; ~ **to one's work after the holidays** sich nach den Ferien an seine Arbeit machen.
get | forward in the world zu Vermögen kommen; ~ **one's hand in** mit der Arbeit vertraut werden.
get in *(bus, train)* einsteigen, *(train)* einlaufen, ankommen;
~ **debts** Schulden hereinbekommen; ~ **five minutes early** *(train)* fünf Minuten zu früh einlaufen; ~ **with a firm** Geschäftsbeziehungen zu einer Firma aufnehmen; ~ **taxes** Steuern hereinholen.
get into | debt in Schulden geraten; ~ **a line of business** in eine Branche einsteigen.
get | one's living sein Auskommen haben, seinen Lebensunterhalt erwerben (verdienen); ~ **low** *(price)* fallen; ~ **one's money back** sein Geld zurückerhalten.
get off | false coin falsches Geld unterbringen (loswerden); ~ **one's merchandise** seine Ware losschlagen; ~ **a letter off in good time** Brief noch rechtzeitig postieren.
get on in life im Leben vorankommen.
get out *(publish)* herausbringen, veröffentlichen; ~ **a balance sheet** Bilanz aufstellen; ~ **without a loss** seine Unkosten gerade decken.
get over one's financial losses über seine finanziellen Verluste hinwegkommen.
get | the price reduced Preis herunterhandeln; ~ **only a small profit** nur geringen Nutzen erzielen; ~ **the sack** *(sl.)* gefeuert werden.
get through *(examination)* Examen (Prüfung) bestehen, *(tel.)* Verbindung bekommen (erhalten);
~ **one's fortune** sein Vermögen aufzehren (durchbringen); ~ **a lot of correspondence** großen Teil seiner Korrespondenz erledigen.
get | s. o. a ticket jem. eine Fahrkarte besorgen.
get up veranstalten, organisieren, *(price)* [im Preis] steigen;
~ **an article for sale** Ware zum Verkauf ausstellen; ~ **a performance for charity** Wohltätigkeitsveranstaltung zustande bringen.
getaway *(airplane)* Abheben, *(bank robber)* Entkommen, *(car)* Anzugsvermögen.
getting *(profit)* Gewinn, Erwerb;
~ **in of payment** Hereinbekommen einer Schuld; ~ **on in one's career** berufliches Fortkommen; ~ **the right job** richtige Berufswahl; ~ **an order** Auftragseinholung, Akquisition eines Auftrages.
giant [size] package Haushaltspackung.
gift *(donation)* Zuwendung, Schenkung, Geschenk, *(in shop)* Zugabe;
taxable ~ steuerpflichtige Schenkung; **tax-free** ~ steuerfreie Schenkung;
~ **of money** Geldgeschenk;
~ **advertising** Zugabewerbung; ~ **certificate** Gutschein zu Geschenkzwecken; ~ **coupon** Wertgutschein; ~ **department** Geschenkartikelabteilung; ~ **enterprise** Prämienunternehmen; ~ **giving** Zugabewesen; ~**-loan** *(v.)* als zinsloses Darlehen geben; ~ **package (parcel)** Geschenkpackung, Liebesgabensendung, Geschenkpaket; ~**-parcel program(me)** Spendenaktion; ~ **selection catalog(ue)** Geschenkartikelkatalog; ~ **selling** Geschenkartikelverkauf; ~ **shop** Geschenkartikelgeschäft, Andenkenladen; ~ **subscription** Geschenkabonnement; ~ **tax** Schenkungssteuer; ~**-tax exemption** Schenkungssteuerfreibetrag; ~**-tax rate** Schenkungssteuersatz; ~ **tokens** *(postal savings association, Br.)* Guthabenanerkenntnis; ~ **voucher** Gutschein; ~**wrapping** Geschenkpackung.
gilt-edged erstklassig, prima;
~ **investment** mündelsichere Kapitalanlage; ~ **market** Markt für mündelsichere Wertpapiere.
gimmick *(US)* Sensationswerbung.
ginger *(v.)* **up the production** *(Br.)* Produktion hochtreiben.
gingerbread *(sl.)* Moneten, Kies.
giro *(Br.)* Giro;
~ **account** Girokonto; ~ **department** Giroabteilung; ~ **system** Girosystem.
give-up Provisionsaufteilung.
give *(v.)* geben, hin-, übergeben, *(present)* schenken;
~ **account of** ausweisen, Abrechnung erteilen; ~ **away all one's money** sein ganzes Geld verschenken; ~ **away the prizes** Preisverteilung vornehmen; ~ **bail** Bürgschaft leisten, Kaution stellen; ~ **a bill of exchange** Wechsel ausstellen; ~ **bonds** Sicherheiten bestellen; ~ **a buying order** Kaufauftrag erteilen; ~ **credit** kreditieren; ~ **damages** Schadenersatz zuerkennen; ~ **a day off** Tag freigeben; ~ **8 per cent** *(investment)* achtprozentige Verzinsung abwerfen.
give for | the call *(stock exchange)* Vorprämie kaufen; ~ **the put** *(stock exchange)* Rückprämie verkaufen.

give in *(give in addition)* zugeben, *(hand in)* einreichen, *(money)* Geld einschießen;
~ **continuation** in Report geben.

give | **s. o. a job** jem. Arbeit geben; ~ **on** *(Br., stock)* in Prolongation geben, hineingeben.

give out *(announce)* ankündigen, bekanntmachen, *(distribute)* ausgeben, verteilen, *(supplies)* zu Ende gehen;
~ **by contract** [in Submission] vergeben; ~ **handbills** Prospekte verteilen.

give | **a good price** guten Preis zahlen; ~ **a receipt** Quittung ausstellen; ~ **security** Sicherheit bestellen, Kaution stellen; ~ **and take** Gewinn und Verlust durchschnittlich ausgleichen.

give up übergeben, *(resign)* aufgeben, -stecken, *(stock exchange)* Auftraggeber benennen;
~ **business** sich vom Geschäft zurückziehen, Geschäft aufgeben; ~ **one's (all) claims** auf seine (alle) Ansprüche verzichten; ~ **effects to one's creditors** sich für zahlungsunfähig erklären.

give | **the value date** [Schecks] einbuchen; ~ **value for** Gegenleistung gewähren; ~ **way to traffic coming from the right** dem Rechtsverkehr Vorrang lassen.

giveaway *(leaflet)* Handzettel, *(seller)* Prämie, Zugabe, Gutschein;
~ **price** Unterbietungs-, Schleuderpreis; ~ **show** Fernsehsendung mit Zuschauerbeteiligung.

giver Geber, Schenker, Spender, *(of option money)* Prämienkäufer, Herein-, Reportnehmer, *(seller)* Verkäufer, Abgeber;
~ **of a bill** Wechselaussteller; ~ **of a guaranty** Wechselbürge; ~ **of an option** *(Br.)* Prämienkäufer, Optionsgeber, Nachsteller; ~ **of stock** Aktienverkäufer.

giver-out Materialausgeber.

giving | **of accounts** Rechnungslegung; ~ **out the awards** Preisverteilung; ~ **up [of a business]** Geschäftsaufgabe.

global weltumspannend, -umfassend, global, pauschal;
~ **capacity** Welt-, Gesamtkapazität; ~ **charges** Pauschalspesen; ~ **economics** Weltwirtschaft; ~ **insurance** Pauschalversicherung; ~ **quota** Globalkontingent; ~ **settlement** pauschale Abgeltung; ~ **turnover** Gesamtumsatz; ~ **value adjustment** Sammelwertberichtigung.

glut *(market)* Überangebot, -fluß, -sättigung, -schwemmung, -häufung;
~ **of the market** Marktfülle, Überfüllung des Marktes; ~ **of money** Geldüberfluß, -fülle, -überhang, -flüssigkeit, -anhäufung, -schwemme;
~ *(v.)* **the market** Markt übersättigen (überschwemmen).

go *(course)* Gang, Verlauf, *(fashion)*, Mode, *(hit)* erfolgreiches Unternehmen, Treffer;
all the ~ der letzte Schrei;
~ *(v.)* *(be accepted)* angenommen (akzeptiert) werden, *(to be sold)* abgehen, verkaufen (abgesetzt) werden, *(journey)* fahren, reisen.

go about one's business sich um seine eigenen Angelegenheiten kümmern.

go ahead sturdily *(prices)* scharf anziehen.

go any day *(bank)* fallieren, bankrott gehen.

go back to the drawer Regreß nehmen.

go bail for s. o. für j. bürgen.

go beyond the limit Limit überschreiten.

go | **big** Riesenerfolg sein; ~ **bust** Pleite machen.

go by | **airplane** mit dem Flugzeug reisen, fliegen;
~ **train** mit der Bahn fahren, Zug benützen.

go down *(founder)* sinken, *(orders)* zurückgehen, *(price)* fallen, sinken, *(sales)* zurückgehen.

go | **equal shares** gleichen Anteil haben; ~ **an errand** Botschaft ausrichten; ~ **flat** *(prices)* fallen.

go | **for o. s.** auf eigene Rechnung arbeiten; ~ **forward well** gut vorankommen; ~ **heavily into the red** *(US)* schwere finanzielle Verluste erleiden.

go in *(money)* ausgegeben werden [für];
~ **for a competition** sich an einem Wettbewerb beteiligen; ~ **for money** viel Geld zu verdienen suchen.

go into *(frequent)* frequentieren, häufig besuchen, *(participate)* teilnehmen an, hineingehen in [ein Unternehmen], *(profession)* Beruf ergreifen;
~ **business** Kaufmann werden; ~ **debit** debitorisch werden; ~ **partnership with s. o.** sich mit jem. assoziieren.

go off *(goods)* weggehen, Absatz finden, *(train)* abgehen;
~ **quickly** reißenden Absatz finden.

go on | **the dole** *(Br.)* Arbeitslosenunterstützung beziehen; ~ **to the next item on the agenda** sich dem nächsten Verhandlungspunkt zuwenden; ~ **a journey** auf eine Reise gehen; ~ **a relief fund** von einem Unterstützungsfonds leben.

go out *(extinct)* ausgehen, erlöschen, *(strike)* streiken;
~ **of business** Geschäft aufgeben; ~ **of fashion** aus der Mode kommen, unmodern werden; ~ **shopping** einkaufen gehen; ~ **to work** auf Arbeit gehen.

go over *(inquire)* untersuchen, überprüfen, besichtigen;
~ **an account** Rechnung durchsehen (nachprüfen); ~ **to the other side** zur Konkurrenz gehen.

go | **security** Bürgschaft leisten; ~ **shares** zu gleichen Teilen gehen; ~ **slow** *(workers)* Bummelstreik durchführen.

go through sorgfältig durchgehen, *(bill)* angenommen werden, durchgehen, *(luggage)* durchsuchen;
~ **one's apprenticeship** seine Lehrzeit durchmachen; ~ **one's bills** seine Rechnungen durchgehen; ~ **one's correspondence** eingegangene Post durchgehen; ~ **all one's money** sein ganzes Geld ausgeben.

go under *(firm)* bankrott werden, *(founder)* sinken, untergehen.
go up *(be candidate, Br.)* sich bewerben, *(prices)* steigen, anziehen, sich bessern, sich erhöhen, hinaufgehen, hochgehen, Aufschwung nehmen; ~ **sharply** *(prices)* scharf anziehen.
go | upon tick *(fam.)* auf Pump kaufen; ~ **a long way** *(money)* lange reichen.
go, to be all the großen Zulauf haben, *(fashion)* höchst modern (der letzte Schrei, die große Mode) sein.
go-ahead Unternehmungsgeist, Schwung, Schmiß; **to receive the ~ on a project** freie Bahn (grünes Licht) für ein Vorhaben erhalten;
~ *(a.)* modern, fortschrittlich, unternehmend, progressiv.
go-slow *(Br.)* planmäßiges Langsamarbeiten, Arbeiten nach Vorschrift, Bummelstreik.
going Abreise, Abfahrt, *(road condition)* Straßenzustand, -beschaffenheit;
~ *(a.)* arbeitend, gut gehend, im Betrieb (Gang);
~, ~ **gone!** *(auction)* zum ersten, zum zweiten, zum dritten!;
to keep industry ~ Produktion in Gang halten;
~ **concern** bestehendes Handelsgeschäft, im Betrieb befindliches Unternehmen; ~ **price** Tagespreis; **~-to-press prices** letzte Kurse; ~ **rate** üblicher Lohntarif; **~-out-of-business sale** Totalausverkauf; ~ **short** *(US)* Baissespekulation, Verkauf auf Baisse; ~ **[-concern]value** Betriebswert; ~ **wage** üblicher Lohn.
gold Gold, *(coin)* Goldmünze, *(riches)* Reichtum, Geld;
on ~ auf Goldbasis;
alloyed ~ Karat-, legiertes Gold; **bar** ~ Barrengold; **base** ~ schlechtes Gold; **twenty-four carat** ~ 24karätiges Gold; **coined** ~ gemünztes Gold; **common** ~ 18karätiges Gold; **fine** ~ Feingold; **ingot** ~ Barrengold; **native** ~ gediegenes Gold; **parting** ~ Scheidegold; **pure** ~ reines (feines) Gold; **standard** ~ Münzgold, Gold von gesetzlichem Feinkorn; **surplus** ~ Goldüberschuß;
~ **in ingots** Stangengold;
~ **alloy** Goldlegierung; ~ **bar** Goldbarren; ~ **backing** Golddeckung; ~ **basis** Goldbasis; ~ **bloc** Goldblock; **~-bloc countries** Goldblockländer; ~ **bonds** *(US)* Goldobligationen; ~ **brick** *(US sl.)* zweifelhafte Spekulation, ~ **bullion** Goldbarren; **~-bullion standard** Goldkern-, Goldbarrenwährung; ~ **buying** Goldankauf; ~ **circulation** Goldumlauf; ~ **clearance fund** *(US)* Goldausgleichsfonds; ~ **coast** *(US sl.)* Goldküste, *(city)* vornehmes Viertel; ~ **coin** Goldmünze, -stück; **~-coin standard** Goldmünzwährung; ~ **cover** Golddeckung; ~ **currency** Goldwährung; ~ **embargo** Goldembargo; **~-exchange standard** Golddevisenwährung; ~ **export** Goldexport, -ausfuhr; ~ **export point** oberer Goldpunkt; ~ **import** Goldimport, -einfuhr; ~ **import point** unterer Goldpunkt; ~ **inflow** Goldzufluß; ~ **ingot** Goldbarren; ~ **loan** Goldanleihe; ~ **loss** Goldverluste; ~ **mine** Goldmine, -grube, ~ **outflow** Goldabfluß; ~ **parity** Goldparität; ~ **payment** Goldzahlung; ~ **piece** Goldstück; ~ **premium** Goldagio; ~ **price** Goldpreis; ~ **production** Goldgewinnung, -produktion; ~ **rate** Goldkurs; ~ **reserve** Goldbestand, -reserve; ~ **shipment point** Goldpunkt; ~ **specie** Münzgold; ~ **specie standard** reine Gold[umlauf]währung; ~ **standard** Goldstandard, -währung; ~ **stock** Goldbestand; ~ **strike** Goldfund; ~ **supply** Goldangebot, -vorrat; ~ **trade** Goldhandel; ~ **withdrawal** Goldabzüge.
gone *(auction)* zugeschlagen, *(trade)* ruiniert;
~ **away, no address** unbekannt verzogen.
good [öffentliches] Wohl, *(advantage)* Nutzen, Wert, Vorteil, *(balance sheet)* Habenseite, *(net profit)* Nettogewinn;
to the ~ *(bank balance)* im Guthaben, auf der Kreditseite;
~ *(a.)* *(authentic)* gültig, unverfälscht, authentisch, *(check)* in Ordnung, *(financially sound)* zahlungs-, kreditfähig, gut, solid, solvent, sicher *(sound)* reell, *(valid)* rechtskräftig, -gültig;
~ **for** *(draft)* gut über den Betrag von;
as ~ as ready money so gut wie Bargeld;
to be £ 10 to the ~ Guthaben von 10 Pfund haben; **to be ~ for three months** noch drei Monate gültig sein; **to make** ~ gutmachen, *(compensate)* ersetzen, vergüten, *(effect)* bewerkstelligen, *(expenses)* bezahlen; **to make ~ a loss** Verlust ausgleichen; **to make ~ on a note** Wechsel einlösen;
~ **address** gute Wohngegend; ~ **article** reelle Ware; ~ **bank note** echte Banknote; ~ **bargain** günstiger Kauf, Gelegenheitskauf; ~ **business man** tüchtiger Geschäftsmann; ~ **cause** *(discharge)* Entlassungsgrund; ~ **cheap** wohlfeiler Kauf; **~-class article** erstklassige Ware; ~ **deal of money** ziemlicher Haufen Geld; ~ **debts** sichere Schulden; **to constitute [a] ~ delivery** *(stock exchange)* lieferbar sein; **~-faith taker** gutgläubiger Erwerber; ~ **merchantable quality and condition** handelsübliche Güte und Beschaffenheit; ~ **middling quality** gute Mittelqualität; ~ **money** echtes Geld; **in ~ money** in klingender Münze; **to be earning ~ money** hoch bezahlt werden; **in ~ order and condition** in ordnungsgemäßem Zustand; **of ~ position** in angesehener Stellung; ~ **receipt** gültige Quittung; ~ **share** beträchtlicher Anteil; ~ **trade paper** diskontfähiger kurzfristiger Warenwechsel.
goods *(merchandize)* Waren, Handelsware, -güter, -artikel, *(movable property)* Habe, bewegliches Vermögen, bewegliche Gegenstände, *(railway)* Güter[ladung], Fracht[gut], Ladung, *(train, Br.)* Güterzug;

by ~ *(Br.)* mit dem Güterzug, als Fracht; **actual** ~ **ready for immediate delivery** effektive Waren; **bale** ~ Ballengüter, **barrelled** ~ Faßwaren; **bonded** ~ Waren unter Zollverschluß; **branded** ~ Markenartikel, -ware, -erzeugnisse, **bulk[y]** ~ sperriges Gut, Sperrgut, Massengüter, **business** ~ Wirtschaftsgüter; **capital** ~ Investitions-, Kapitalgüter; ~ **carried** Güterverkehr; **carted** ~ Rollgut; **choice** ~ auserlesene (ausgesuchte) Ware; **complementary** ~ Komplementärgüter; **consumer (consumption)** ~ Konsum-, Verbrauchsgüter; **convenience** ~ *(US)* persönliche Gebrauchsgüter; **damaged** ~ beschädigte (zurückgesetzte) Ware; ~ **destroyed** untergegangene Sachen; **dry** ~ Textilwaren nach dem Meter, Schnittwaren; **durable** ~ haltbare (langlebige) Güter, Gebrauchsgüter; **dutiable** ~ zollpflichtige Waren; **duty-free** ~ zollfreie Waren; **economie** ~ Wirtschaftsgüter; **fancy** ~ Luxusartikel, Neuheiten; **fast-moving (-selling)** ~ leichtverkäufliche Ware, Ware mit hoher Umsatzgeschwindigkeit; **finished** ~ Fertigerzeugnisse, -fabrikate; **first-rate** ~ Primawaren; **floating** ~ schwimmende Ware; **forwarded** ~ Versandartikel; **fragile** ~ zerbrechliche Ware; **fungible** ~ vertretbare Güter, Gattungssachen; **heavy** ~ Schwergut; ~ **held up at the customs** vom Zoll beschlagnahmte Ware; **high-quality** ~ hochqualifizierte Waren; **high-volume and highly acceptable branded consumer** ~ hochwertige Massenkonsumgüter; **home-produced (homemade)** ~ Inlandserzeugnisse, heimische Fabrikate; **hot** ~ heiße Ware; **imported** ~ Einfuhren, Importwaren; **impulse** ~ plötzlich gekaufte Waren; **incoming** ~ Wareneingänge, eingehende Waren; **industrial** ~ Industrieprodukte, gewerbliche Erzeugnisse, Produktionsgüter; **intermediate** ~ Zwischenprodukte; **invoiced** ~ fakturierte Ware; **job** ~ Ausschußware; **lawful** ~ *(international law)* unbeanstandete Ladung; ~ **left on our hands** unbezahlte Ware; **light** ~ Leichtgut, **loose** ~ Sturzgüter, **low-class (-quality)** ~ minderwertige Ware; **machine-made** ~ Fabrikware; **manufactured** ~ Industrieprodukte, -erzeugnisse, industriell hergestellte Waren, Fertigerzeugnisse, -fabrikate; **marketable** ~ gängige (gut verkäufliche) Ware; **measurement** ~ Maßgüter; **medium-priced** ~ Waren mittlerer Preislage; **miscellaneous** ~ Sammelgut; **mortgaged** ~ verpfändete Waren; **nondurable consumptive** ~ kurzlebige Verbrauchsgüter; **ordered** ~ bestellte Waren; **packaged** ~ abgepackte Ware; **pledged** ~ sicherungsübereignete Sachen, Sicherungsgut; **price-fixed** ~ preisgebundene Waren; **quota (rationed)** ~ bewirtschaftete Waren, kontingentierte Artikel; **required** ~ Warenbedarf; ~ **returned** Rück-, Retourwaren, zurückgesandte Waren, Remittenden; **rough** ~ Rohware, unfertige Ware; **salable** ~ gängige Ware; **scarce** ~ Mangelware; **seasonal** ~ Saisonartikel; **selected** ~ auserlesene Ware; ~ **selling like hot dogs (wildfire)** schnell vergriffene Waren; **semi-manufactured production** ~ Halbfertigwaren der Produktionsgüterindustrie; **shipped** ~ Frachtgut; **shipwrecked** ~ Schiffbruchgüter; **slow** ~ Frachtgut; **slow-moving** ~ Waren mit geringer Umschlagshäufigkeit; **slow-selling** ~ schlecht verkäufliche Waren; ~ **sold and delivered** gelieferte Waren; **specialty** ~ Spezialartikel; **staple** ~ Haupthandelsartikel; **sterling** ~ gediegene Waren; **stocked** ~ Warenvorrat; ~ **stopped at the customhouse** vom Zoll angehaltene Waren; **stored** ~ [ein]gelagerte Waren, Lagergut; **stranded** ~ Strandgut; **substandard** ~ unter-durchschnittliche Waren; ~ **supplied** *(balance sheet)* Aufwendungen für bezogene Waren; **tared** ~ tarierte Waren; **trade** ~ Handelsgüter; **trademarked** ~ Markenartikel; **transit** ~ Durchfuhrgut; **trashy** ~ Schundware; **unascertained** ~ *(law)* Gattungssachen; **uncleared** ~ zollhängige Waren; **undeclared** ~ Schmuggelware; **unfinished** ~ halbfertige Erzeugnisse, Halbfabrikate, -erzeugnisse; **utility** ~ einfache Gebrauchsgüter, Einheitsware; **valuable** ~ Wertgegenstände; ~, **wares, and merchandise** Erzeugnisse aller Art;

~ **fit for acceptance** lieferfähige Ware; ~ **billed to customer** dem Kunden in Rechnung gestellte Ware; ~ **in bond** unter Zollverschluß liegende Waren; ~ **and chattels** Hab und Gut; ~ **in the process of clearing** zollhängige Waren; ~ **in consignment (on commission)** Kommissionsware; ~ **damaged in transit** auf dem Transport beschädigte Waren; ~ **dangerous in themselves** von Natur aus gefährliche Sachen; ~ **to declare** anmeldepflichtige Waren; ~ **free of duty** Freigut; ~ **exhibited for sale** Ausstellungsartikel; ~ **free from fault** fehlerfreie Waren; ~ **to be forwarded** Speditionsgüter; **heavy** ~ **laden in bulk** Sturzgüter; ~ **of the first order** Konsum-, Verbrauchsgüter; ~ **of the second order** Investitions-, Produktionsgüter; ~ **in parcels** Stückgut; ~ **lying in pledge** verpfändete Waren; ~ **taken out of pledge** freigegebene Waren; ~ **in process** halbfertige Erzeugnisse, in der Herstellung befindliche Waren, Halbfabrikate, -erzeugnisse; ~ **for further processing** Vorerzeugnisse; ~ **en route** unterwegs befindliche Güter; ~ **shipped on account** auf Rechnung versandte Waren; ~ **to be shipped** Frachtgüter; ~ **shipped in bulk** lose verladene (sperrige) Güter, Sperrgut; ~ **in stock** Warenbestand; ~ **in short supply** Mangelware; ~ **in transit** unterwegs befindliche Güter; ~ **in trust** Kommissionsware; ~ **of inferior workmanship** minderwertige Waren;

to buy ~ **wholesale** engros einkaufen; **to carry** ~ Fracht führen; **to demand** ~ **in replacement** Nachlieferung verlangen; **to dispatch** ~ Güter verladen; **to lay in** ~ Waren auf Lager nehmen; **to let** ~ **cheaply** Waren billig ablassen; **to place the** ~ **on the dock** Waren am Kai niederlegen; **to retake** ~ Sachen zurücknehmen; **to stop** ~ **in transit** kaufmännisches Zurückbehaltungsrecht ausüben; **to take** ~ **on consignment** Waren in Konsignation nehmen; **to unload** ~ Güter löschen;

~ **account** Warenkonto, -rechnung; ~ **agent** Bahnspediteur; ~ **agreement** Warenabkommen; ~ **delivery** Warenlieferung; *(Br.)* ~ **delivery and collection** Rollfuhrdienst; ~ **department** *(Br.)* Warenabteilung; ~ **depository** Warendepot, ~ **depot** *(Br.)* Güterschuppen; ~ **engine** *(Br.)* Güterzuglokomotive; ~ **exchange** Produktenbörse; ~ **invoice** *(Br.)* Bahn[begleit]-papiere; ~ **lift** *(Br.)* Lastenaufzug; ~ **line** *(Br.)* Güter-[haupt]gleis; ~ **loft** *(Br.)* Güterspeicher, -schuppen; ~ **and capital movement** Waren- und Kapitalverkehr; ~ **office** *(Br.)* Güterabfertigung, -ausgabe, Frachtannahmestelle; ~ **quota** Warenkontingent; ~ **rate** *(Br.)* Gütertarif; ~ **service** *(Br.)* Güter-, Frachtverkehr; **to send by slow** ~**s service** *(Br.)* als Frachtgut schicken; ~ **shed** *(Br.)* Güterspreicher, -schuppen; ~ **station** *(Br.)* Güterbahnhof; ~ **tariff** *(Br.)* Gütertarif; ~ **trade** Warenhandel; ~ **traffic** *(Br.)* Güterverkehr, -transport; **long-distance** ~ **traffic** *(Br.)* Güterfernverkehr, Frachtverkehr; ~ **train** *(Br.)* Güterzug; **to send by** ~ **train** *(Br.)* als Frachtgut senden; **by fast** ~ **train** *(Br.)* express; ~ **and services transaction** Waren- und Dienstleistungsverkehr; ~ **transport** *(Br.)* Güterverkehr; ~ **truck** *(Br.)* offener Güterwagen; ~ **van (waggon)** *(Br.)* gedeckter Güterwagen; ~ **value** Warenwert; ~ **vehicle** Transportfahrzeug; ~ **warehouse** Lagerhaus, Warenspeicher; ~ **yard** *(Br.)* Güterbahnhof.

goodwill Firmenwert, Goodwill, geschäftliches Ansehen, *(customers)* [Stamm]kundschaft, Kundenkreis, Klientele;
~ **of a business** immaterieller Firmenwert;
to acquire the ~ Kundschaft übernehmen;
~ **advertising** institutionelle Werbung, Image-, Prestigewerbung; ~ **gift** Werbegeschenk.

governing | committee *(New York Stock Exchange)* Börsenvorstand; ~ **director** Einzel-, Alleinvorstand; ~ **market trends** marktbestimmende Entwicklungen.

government [Staats]regierung, Verwaltung, Obrigkeit, Staat, Staatsverwaltung, *(agency)* Verwaltungsbehörde;
~ **annuities** Staatsrenten, -anleihen; ~ **assistance** Staatsbeihilfe; ~ **backing** staatliche Unterstützung; ~ **bank** Staatsbank; ~ **bidding process** staatliches Ausschreibungsverfahren; ~ **borrowing** staatliche Schuldenaufnahme; ~ **business** Staatsaufträge, *(~ corporation)* Wirtschaftsunternehmung der öffentlichen Hand, Staatsunternehmen; ~ **contract** öffentlicher Auftrag, Staatsauftrag; **to hold** ~ **contracts** mit Staatsaufträgen beschäftigt sein; ~ **contracting** Vergabe von Staatsaufträgen; ~ **contractor** Betrieb mit Staatsaufträgen; ~ **depository** *(US)* staatliche Kapitalsammelstelle; ~ **deposits** *(US)* Bankguthaben des Staates; ~ **economic manipulation (management)** staatliche Wirtschaftslenkung; ~ **enterprise** Wirtschaftsbetrieb der öffentlichen Hand, staatliches Unternehmen, staatseigener Industrie-, Staats-, Regierungsbetrieb; ~ **export credit insurance** staatliche Ausfuhrversicherung; ~ **financial credit** staatliche Kredithilfe; ~ **funds** fundierte Staatspapiere, ~ **grant** Regierungszuschuß; ~**-operated plant** Staatsbetrieb; ~ **order** Staatsauftrag; ~**-owned enterprise** staatliche Unternehmung, Regie-, Staatsbetrieb; ~ **ownership** Staatseigentum, Besitz der öffentlichen Hand; **to stay free of** ~ **ownership** der Verstaatlichung entgehen; ~ **securities** *(Br.)* Staatsanleihe, -papiere; ~ **spending** *(Br.)* Staatsausgaben, -finanzierung, Ausgaben der öffentlichen Hand.

governmental behördlich, staatlich;
~ **accounting** Staatsrechnungswesen; ~ **enterprise** Staats-, Regiebetrieb, Wirtschaftsunternehmen der öffentlichen Hand; ~ **expenditure** Ausgaben der öffentlichen Hand; ~ **unit** Gebietskörperschaft.

grace [Zahlungs]frist;
a three days' ~ *(for payment of a bill)* dreitägiger Zahlungsaufschub;
to give a creditor a week's ~ seinem Gläubiger eine Frist von einer Woche gewähren;
~ **period** Zahlungsfrist.

grade Rang[stufe], Grad, Klasse, *(job evaluation)* Lohnklasse, *(metal)* Gehalt, *(of quality)* Güteklasse, -grad, Qualität, *(statistics)* Rangordnungsgrad;
of finest ~ erster Qualität;
high-~ erstklassig, prima; **low-**~ von minderer Qualität, minderwertig;
similar ~ **of bond** gleichartige Obligation; ~ **of fertility** Bonität; **like** ~ **and quality** gleiche Beschaffenheit und Güte; ~ *(v.)* sortieren, ordnen, *(classify)* einstufen, einteilen, *(quality)* in Güteklassen einteilen;
~ *(v.)* **goods** Waren nach Güteklassen einstufen; ~ **by sizes** der Größe nach sortieren;
~ **description** *(job evaluation)* Tarifklassenbeschreibung; ~ **label(l)ing** Güteeinteilung durch Aufklebezettel, Güteklassebezeichnung; **top-**~ **quality** erstklassige Qualität.

graded | advertising rates degressive Werbesätze; ~ **tax** gestaffelte progressive (degressive) Steuer.

grading Klassifizierung, Einstufung, Staffelung, Güte[klassen]einteilung;
~ **of commodities** Wareneinteilung nach Güteklassen; ~ **of premiums** Beitragsstaffelung.

gradual increase in the cost of living allmähliche Lebenskostenerhöhung.
graduated abgestuft, gestaffelt;
~ **interest** gestaffelte Zinsen; ~ **price** gestaffelter Preis; ~ **tariff** Staffeltarif; ~ **tax** gestaffelte Steuer, Klassensteuer; ~ **taxation** gestaffelte (degressive) Besteuerung.
graduation Gradeinteilung, Staffelung, Abstufung;
~ **of prices** Preiseinstufung; ~ **of wages** Lohnstaffelung.
graft *(US)* Korruption, durch Amtsmißbrauch erworbene Vorteile, Schmiergeld.
grafter *(US, official)* korrupter (bestochener) Beamter.
grafting *(US)* Schmiergeldunwesen, Bestechung.
grain Getreide, Korn, *(pearl)* Gran, Grän;
~ **bills** gegen Getreidelieferungen gezogene Wechsel; ~ **exchange** Getreidebörse; ~ **exports** Getreideausfuhren; ~ **futures** Getreidetermingeschäfte; ~ **imports** Getreideeinfuhren.
grant *(donation)* [schriftliche] Schenkung, *(of request)* Bewilligung, Gewährung, Erteilung, *(of right)* Verleihung, Konzession, *(sum granted)* Unterstützungssumme, [Kapital]zuschuß, finanzielle Hilfe, Subvention;
additional ~ Nachbewilligung; **annual** ~ Jahreszuschuß; **capital** ~ Kapitalzuschuß; **exceptional** ~**s** außerordentliche Zuwendung; **governmental** ~ Staatszuschuß; **maintenance** ~ Unterhaltszuschuß; **public** ~ Konzessions-, Lizenzerteilung; **supplementary** ~ Nachbewilligung;
~ **of an advance** Vorschußbewilligung; ~**s-in-aid** *(US)* Staats-, öffentliche Zuschüsse, Beihilfe, Subvention; ~ **of a charter** Konzessionserteilung; ~ **of credit** Kreditbewilligung; ~ **of supply** *(parl.)* Steuerbewilligung;
~ *(v.) (concede)* gewähren, bewilligen, einräumen, zugeben, zugestehen, *(transfer)* übertragen, verleihen, formell überlassen;
~ **additionally** nachbewilligen; ~ **an advance** Vorschuß bewilligen; ~ **an allowance** Zuschuß bewilligen; ~ **a credit** Kredit bewilligen; ~ **an exemption** Steuerfreibetrag gewähren; ~ **a licence** Konzession (Lizenz) erteilen; ~ **a loan** Darlehn geben; ~ **a loan against securities** Wertpapiere lombardieren; ~ **a reduction** Nachlaß gewähren; ~ **renewal of a draft** Wechsel prolongieren; ~ **a request** einem Gesuch entsprechen; ~ **a respite** stunden, Stundung gewähren, Frist einräumen;
to put in a claim for a ~ um die Bewilligung eines Zuschusses einkommen; **to receive a** ~ **of DM 200,–** Beihilfe von 200,– DM erhalten;
~**-aided** subventioniert; ~**-making procedure** Zuschußverfahren.
granting Zuteilung, Bewilligung, *(of charter)* Konzessions-, Lizenzerteilung;
~ **of a loan** Darlehnsgewährung; ~ **of time** Fristbewilligung.
grantor of a licence Konzessionär.
graphic grafisch, zeichnerisch;
~ **design** Werbestil; ~ **paper** Millimeterpapier.
gratification *(fee)* Honorar, *(remuneration)* Zuwendung, *(reward)* Lohn, Belohnung, *(tip)* Trinkgeld.
gratify *(v.) (bribe)* bestechen, *(remunerate)* belohnen, vergüten.
gratis gratis, ohne Entgelt, unentgeltlich, frei;
to be admitted ~ freien Eintritt haben;
~ **copy** Freiexemplar.
gratuitous unentgeltlich, umsonst, gratis, *(without consideration)* ohne Gegenleistung;
~ **advice** kostenloser Rat; ~ **allowance** Pension, Ruhegeld; ~ **article** Zugabe; ~ **bailee** unentgeltlicher Verwahrer; ~ **information** kostenlose Information; ~ **service** kostenloser Kundendienst.
graveyard shift *(US)* zweite Nachtschicht.
graving dock Trockendock.
gravy *(bribe, sl.)* Bestechung, Schiebung;
~ **train** *(US sl.)* Futterkrippe, Druckposten.
gray | market grauer Markt; ~ **market operator** Spekulant auf dem grauen Markt; ~ **prospects** trübe Aussichten.
grease Schmiergelder,
~ *(v.)* **s. one's palm** j. bestechen (schmieren).
greed of gain (for profits) Gewinnstreben, -sucht.
green unerfahren, unreif;
to be still ~ **in one's job** noch keine Berufserfahrungen haben;
~ **light** *(traffic regulations)* grünes Licht, *(fig.)* Zustimmung;~ **stamp** *(US)* Rabattmarke; **in the** ~ **tree** in guten Verhältnissen.
greenback *(US)* Banknote, Papiergeld [in den USA;
~ **goods dealer** *(US sl.)* Banknotenfälscher.
grind *(v.)* **down with taxes** übermäßig besteuern; ~ **the wind** *(Br.)* in der Tretmühle sein;
~ **house** *(theater)* durchgehend geöffnetes Theater; ~ **show** *(sl.)* Dauervorstellung.
grip | on the market Marktbeherrschung;
~ *(v.)* **on the economy** Konjunktur fest in den Griff bekommen.
grocer Lebensmittel-, Gemischt-, Kolonialwarenhändler;
~**'s wares** Kolonialwaren.
grocery *(US)* Kolonialwarengeschäft, Gemischwarengeschäft, -handlung;
~ **business (trade)** Kolonialwarenhandel; ~ **outlet** *(US,* **store)** Lebensmittelgeschäft.
groceteria *(US)* Selbstbedienungsladen.
gross Hauptteil, Gesamtheit, Ganzes, Gros, *(advertising)* Bruttotarifpreis, *(twelve dozen)* Gros;
by the ~ massenweise, in Bausch und Bogen, *(at wholesale)* im Großhandel;
~ *(v.)* brutto erbringen, Bruttoertrag abwerfen;
to buy by [the] ~ in Bausch und Bogen kaufen;
to sell in the ~ engros verkaufen;

~ *(a.)* brutto, gesamt, total, *(coarse)* unfein, ungebildet, vulgär;
~ **adventure** Bodmereidarlehen; ~ **amount** Roh-, Bruttobetrag; ~ **assets** Bruttovermögen; ~ **average** Großhavarie; ~ **average hourly earnings** Bruttodurchschnittsverdienst; ~ **book value** Buchwert vor Abschreibungen; ~ **commission** Bruttoprovision; ~ **compensation** Bruttoentschädigung; ~ **debt** Gesamtschulden; ~ **deposits** gesamte Einlagen, Einlagenbestand; ~ **dividend** Bruttodividende; ~ **earnings** Bruttoverdienst, -gewinn, -einnahmen; ~ **freight** Bruttofracht; ~ **income** Roh-, Gesamteinkommen; ~ **interest** Bruttozinsen; ~ **investment in fixed assets** Bruttoanlageninvestition; ~ **liability** *(US)* Bruttoverbindlichkeit; ~ **load** Rohlast; ~ **loss** Bruttoverlust, -schaden; ~ **margin** Bruttomarge; ~ **merchandising margin** Bruttospanne ohne Skontoabzug; ~ **national debt** National-, Staatsschuld; ~ **national income** Bruttovolkseinkommen; ~ **national product** Bruttosozialprodukt; ~ **pay** Bruttolohn; ~ **premium** Bruttoprämie; ~ **price** Brutto-, Rohpreis; ~ **proceeds** Brutto-, Rohertrag; ~ **produce** Rohertrag.

gross profit Roh-, Bruttogewinn;
~ **on sales** Warenrohgewinn;
~ **extra** Rohgewinnaufschlag; ~ **rate** Rohgewinnsatz.

gross | receipts Bruttoertrag, Brutto-, Roheinnahmen; ~ **rental** Bruttomiete; ~ **revenue** Roheinkünfte; ~ **salary** Bruttogehalt; ~ **sales** Bruttoumsatz; ~ **surplus** Rohüberschuß; ~ **terms** Laden und Löschen zu Lasten des Schiffes; ~ **ton** Bruttoregistertonne; ~ **tonnage** Bruttotonnage, -tonnengehalt; ~ **turnover** Bruttoumsatz; ~ **value** Bruttowert; ~ **wage** Bruttolohn; ~ **weight** Roh-, Bruttogewicht; ~ **working capital** Umlaufvermögen; ~ **yield** Bruttoertrag. *(stocks)* Bruttorendite.

ground Grund und Boden, *(building site)* Bauplatz, -stelle, *(land)* Gelände, [Erd]boden, *(opinion)* Meinung, Ansicht, Haltung, Standpunkt, *(person's property in land)* Grundbesitz, -stück, *(region)* Gebiet, Gegend;
~**s** Ländereien, (Grundbesitz), *(city)* städtische Anlagen, Garten-, Parkanlagen;
fishing ~**s** Fischereigebiet;
~**s for giving notice** Kündigungsgrund; ~**s for removal** Entlassungsgrund;
~ *(v.)* gründen, bauen, errichten, *(airplane)* Startverbot erteilen, *(ship)* auf Grund laufen;
to break the ~ Absatzmarkt öffnen; **to dismiss for want of sufficient** ~**s** als unbegründet zurückweisen; **to find common** ~ **for negotiations** gemeinsamen Boden für Verhandlungen (gemeinsame Verhandlungsgrundlage) finden; **to have extensive** ~**s** von großen Ländereien umgeben sein; **to hold one's (keep their)** ~ **(prices)** sich behaupten (halten); **to move into new high** ~ neue Höchstkurse erreichen; **to push the market into new high** ~ Kurse zu neuem Höchststand bringen;
~ **annual** Jahrespacht.

ground floor Erd-, Untergeschoß, Parterre, *(US, price of shares)* Aktienvorzugspreise eines neugegründeten Unternehmens;
to get (be let) in on the ~ sich zu den Gründerbedingungen beteiligen, Gründeranteil erhalten, *(negotiations)* begünstige Ausgangsposition haben.

ground | handling time Abfertigungszeit; ~ **lease** Grundstückspacht[vertrag]; ~ **plan** Lage-, Gebäude-, Bau-, Grundplan, Grundriß; ~ **rent** Grundzins, -rente, Bodenzins.

groundplot Bauplatz, -land, -grundstück.

group Gruppe, Klasse, *(board of directors)* Ressort, *(business concern)* Konzern;
advisory ~ Beratergruppe; **buying** ~ Einkaufsverband, **multiproduct** ~ Konzern mit breitgestreutem Produktionsprogramm; **occupational** ~ Berufsgruppe; **selling** ~ Verkaufsverband;
~ **of banks** Bankenkonsortium, -gruppe; ~ **for the common cause of . . .** Förderkreis für . . .; ~ **of solicitors** *(advertising)* Werbekontrolle; ~ **of workmen** Arbeitergruppe;
~ *(v.)* [sich] gruppieren, anordnen, in Gruppen einteilen, klassifizieren;
~ **account** Konzernabschluß, ~ **advertising** Gemeinschaftswerbung; ~ **annuity** *(US)* Gemeinschaftsrente; ~ **annuity insurance** kollektive Rentenversicherung; ~ **banking** *(US)* Filialbankwesen; ~ **bonus plan** kollektives Gruppenprämiensystem; ~ **buyers** Gemeinschaftskäufer; ~ **buying** Sammeleinkauf; ~ **chairman** Konzernchef; ~ **charter rate** Reisegesellschaftstarif; ~ **compensation** Gruppenlohn; ~ **contribution** Gruppen-, Ressortbeitrag; ~ **creditor insurance** *(banking)* Kollektivlebensversicherung für Darlehensnehmer ungedeckter Kleinkredite; ~ **depreciation** Gruppenabschreibung; ~ **discount** *(advertising)* Mengenrabatt bei Belegen mehrerer Zeitungen; ~ **financial statement** Konzernbilanz; ~ **financing** Gemeinschaftsfinanzierung; ~ **incentive** Gruppenakkord; ~ **insurance** Kollektiv-, Gruppen-, Betriebs-, Gemeinschaftsversicherung; ~ **-term life insurance** Gruppenlebensversicherung; ~ **payment** Akkordbezahlung; ~ **piece rate** Gruppenakkord[lohn]; ~ **policy** Sammel-, Gemeinschaftspolice; ~ **production** Gruppenproduktion, -leistung; ~ **rate** Pauschalsatz, *(railway)* Sammeltarif; ~ **-rate travel** verbilligte Gruppen-, Sammelferienreise; ~**'s sales** Konzernumsatz; ~ **turnover** Konzernumsatz.

grouping Gruppierung, Gruppenbildung;
~ **of products** Zusammenführung zu einer Produktengruppe.

grow *(v.)* wachsen, zunehmen, *(produce)* ziehen, Getreide [an]bauen, *(make progress)* beruflich

vorankommen, vorwärtskommen;
~ **flat** *(business)* stocken; ~ **out of commercial considerations** aus handelspolitischen Erwägungen entstehen; ~ **out of fashion** aus der Mode kommen.

growing | **demand** wachsende Nachfrage; ~ **insurance** Ernteversicherung.

growth Wachsen, Wachstum, *(development)* Entwicklung, (extension) Ausdehnung, *(increase)* Anwachsen, Zunahme, -wachs, Vergrößerung, *(stock)* Wachstum;
of foreign ~ fremden Ursprungs, ausländisch;
long-term ~ langfristige Wachstumsperiode;
slow economic ~ geringe Wachstumsperiode;
~ **of business** Geschäftszunahme; ~ **of capital** Kapitalzuwachs; ~ **in consumption** Konsumsteigerung; ~ **of demand** Nachfrageanstieg; ~ **of exports** Ausfuhrzunahme; ~ **of income** Einkommenszunahme, -zuwachs; ~ **of inventories** Lageranstieg, -zunahme; ~ **of reserves** Anwachsen der Reserven; ~ **of savings deposits** Spareinlagenzuwachs; ~ **of trade** Ausdehnung des Handels;
to underwrite ~ Wachstum finanzieren;
~ **area** Wachstumsgebiet; **to raise** ~ **capital** neues Kapital zur Finanzierung von Entwicklungsaufträgen aufbringen; **accelerated** ~ **center** beschleunigtes Wachstumszentrum; ~ **curve** Wachstumskurve; ~ **factor** *(securities)* Wachstumsfaktor; ~ **financing** Wachstumsfinanzierung; ~ **industry** Wachstumsindustrie; **to come to the end of the** ~ **line** Wachstumsgrenze erreicht haben; ~ **opportunities** Wachstumschancen; ~ **phase** Wachstumsphase; ~ **potential** Zuwachspotential; ~ **potentialities** *(stocks)* Wachstumsmöglichkeiten; ~ **process** Wachstumsprozeß; ~ **program(me)** Wachstumsprogramm; ~ **prospects** Wachstumsaussichten; ~ **rate** Zuwachs-, Wachstumsrate; **zero** ~ **rate** zum Stillstand führende Wachstumsrate; ~ **rate of 17%** 17%ige Zuwachsrate; **year-to-year** ~ **ratio** jährliche Wachstumsrate; ~ **recession** Wachstumsrezession, -rückgang; ~ **situation** Wachstumssituation; ~ **stocks** Wachstumswerte; ~ **target** Wachstumsziel; **no-~ year** kein Wachstumsjahr; **slow-~ year** langsames Wachstumsjahr.

grub *(fig.)* Arbeitstier, *(penny-a-liner)* Lohnschreiber, literarischer Tagelöhner.

guarantee Bürgschaft, Garantie, Gewähr[leistung], Zusicherung, *(del credere)* Delkredere, *(guarantor)* Garant, Gewährsmann, Bürge, *(receiver of guarantee)* Bürgschaftsgläubiger, Kautions-, Sicherheitsnehmer, *(security)* Sicherheit, Kaution;
under our ~ auf unsere Verantwortung;
without ~ ohne Gewähr[leistung];
bank ~ Bankgarantie; **collective** ~ *(law of nations)* kollektive Garantie; **company's** ~ Firmengarantie; **conditional** ~ Ausfallbürgschaft; **deficit** ~ Ausfallbürgschaft; **new-product** ~ Garantie für gerade auf den Markt gebrachte Erzeugnisse; **a year's** ~ Garantie für ein Jahr, einjährige Garantie;
~ **of delivery** Liefergarantie; ~ **of bill of exchange** Wechselbürgschaft, Aval, Wechselbürge; ~ **of a loan** Anleihegarantie;
~ *(v.)* *(secure)* sicherstellen, gewährleisten, Gewähr übernehmen, sichern, *(stand bail)* bürgen, Bürgschaft leisten, sich verbürgern, *(warrant)* garantieren, Garantie leisten;
~ **[due payment of] a bill** Wechselbürgschaft leisten; ~ **a debt** sich für eine Schuld verbürgen; ~ **that the debts will be paid** Schuldenbezahlung garantieren; ~ **an endorsement** Indossament verbürgen; ~ **s. th. as genuine** für die Echtheit eines Artikels garantieren; ~ **s. o. from (against) a loss** jem. das Verlustrisiko abnehmen; ~ **a dividend to minority stockholders** Minderheitsaktionären eine Dividende garantieren; ~ **for the moiety** für die Hälfte Delkredere stehen; ~ **to pay (the payment of) a man's debt** für die Schulden eines Dritten Bürgschaft leisten; ~ **the finest workmanship** für erstklassige Arbeit (Qualitätsarbeit) garantieren;
to call upon a ~ Sicherheit in Anspruch nehmen; **to cancel a** ~ Garantie annullieren; **to go** ~ **for s. o.** für j. Bürgschaft übernehmen (leisten); **to implement a** ~ Garantie ausfüllen; **to leave s. th. as a** ~ etw. als Sicherheit hinterlegen; **to make a** ~ **stick** Garantieansprüche durchsetzen; **to offer one's house as a** ~ sein Haus als Sicherheit anbieten; **to raise claims under a** ~ Garantie in Anspruch nehmen;
~ **association** *(US)* Kautionsversicherungsgesellschaft; ~ **commission** Dekredereprovision; ~ **contract** Bürgschafts-, Garantievertrag; ~ **deposit** Sicherheitshinterlegung, *(insurance)* Kautionsdepot; ~ **fund** Garantie-, Reservefonds; ~ **indebtedness** Bürgschaftsschuld; ~ **insurance** Kautionsversicherung; ~ **offer** Garantieangebot; ~ **pay** garantierte Mindestzahlung; ~ **period** Garantiezeit, -frist; ~ **registration card** Garantieschein; ~ **signature** Garantieunterschrift; ~ **society** *(Br.)* Kautionsversicherungsgesellschaft; ~ **stock** Deckungsstock; ~ **stocks** *(US)* Aktien mit Dividendengarantie.

guaranteed garantiert, mit Garantie, avaliert;
~ **by local authorities** kommunalverbürgt;
to be ~ **for one year** ein Jahr Garantie haben;
~ **bill of exchange** avalierter Wechsel; ~ **bond** schriftliche Garantieerklärung, Garantieschein; ~ **bonds** Obligationen mit Kapital- und Dividendengarantie; ~ **circulation** anerkannte Auflagenhöhe; ~ **day rate** garantierter Tageslohnsatz; ~ **dividend** garantierte Dividende; ~ **earnings** garantierter Verdienst; ~ **employment** garantierter Jahreslohn; ~ **hourly rate** garantierter Stundenlohntarif; ~ **mail transfer** *(Br.)*

garantierte briefliche Überweisung; ~ **minimum circulation** garantierte Mindestauflage; ~ **minimum wage for all trades** garantierter absoluter Mindestlohn; ~ **position** *(advertising)* garantierte Placierung; ~ **price** Garantiepreis; ~ **rate** garantiertes Grundgehalt; ~ **stocks** *(US)* Aktien mit Dividendengarantie; ~ **annual wage** garantierter Jahreslohn; ~ **wage plan** Lohnabkommen mit garantierter Mindestbeschäftigungszeit; ~ **week** garantierter Wochenlohn.

guarantor Bürge, Gewährsmann, Garant, Avalist; **conditional** ~ Ausfallbürge, **joint** ~**s** Gesamtbürgen;
~ **of a bill (note)** Wechselbürge; ~ **of a credit** Kreditbürge; ~ **of payment** Zahlungsbürge;
to stand as ~ **for s. o.** für j. Bürgschaft leisten.

guaranty *(US)* Garantie, Bürgschaft[sversprechen, -vertrag], Kaution, Gewähr[leistung], Zusicherung, *(guarantee of bill of exchange)* Wechselbürgschaft, *(guarantor)* Bürge, Gewährsmann, Garant, *(security)* Pfand, Sicherheit, Sicherheitssumme;
absolute ~ Bürgschaft ohne Einrede der Vorausklage, selbstschuldnerische Bürgschaft; **collateral** ~ solidarische Haftung, Solidar-, Gesamtbürgschaft; **conditional** ~ Ausfallbürgschaft; **continuing** ~ Dauergarantie, Kreditbürgschaft; **fidelity** ~ Schadloshaltungsbürgschaft, Amts-, Dienstbürgschaft; **special** ~ persönliche Bürgschaft;
~ **of collection** *(US)* Ausfallbürgschaft; ~ **of payment** *(US)* selbstschuldnerische Bürgschaft; ~ **of title insurance** *(US)* Versicherung von Rechtsansprüchen auf Grundbesitz;
to act as a ~ **for s. o.** für j. bürgen (garantieren); **to ask for a** ~ Garantie (Kaution) verlangen; **to give** ~ Delkredere stehen (übernehmen); **to hono(u)r a** ~ Garantiezusage erfüllen; **to pay under a** ~ seinen Bürgschaftsverpflichtungen nachkommen; **to stand back of a** ~ Garantieversprechen einlösen, Gewährleistungsansprüche erfüllen; **to stipulate for** ~ Garantie fordern;
~ **account** Sicherstellungskonto; ~ **agreement (contract)** Bürgschaftsvertrag; ~ **commission** Garantieprovision; ~ **company** Kautionsversicherungs-, Garantiegesellschaft; ~ **fund** Reserve-, Garantiefonds; ~ **savings bank** *(New Hampshire)* Sparkasse mit zwei verschiedenen Einlagekassen; ~ **title policy** Versicherung von Rechtsansprüchen auf Grundbesitz.

guard Wache, Bewachung, *(Br. railway train)* Zugführer, Schaffner, *(railroad, US)* Bahnwärter;
coast ~ Küstenzollwache;
~ *(v.)* **by clauses** durch vertragliche Bestimmungen absichern.

guardian Vormund, Pfleger, Erziehungsberechtigter, *(curator)* Kurator, Verwahrer;
~ **of the poor** *(Br.)* Armen-, Wohlfahrtspfleger, Fürsorgebeamter; ~ **of property** Vermögensverwalter; ~ **of the public interest** Hüter des öffentlichen Interesses.

guest *(hotel)* [Hotel]gast, Fremder, *(motorcar)* Mitfahrer;
paying ~ zahlender Gast, Pensionär;
to be a ~ **of the management** umsonst wohnen, Gast des Hauses sein;
~ **chamber** Gäste, Fremdenzimmer; ~ **regulations** Hotelordnung; ~ **room** *(hotel)* Fremdenzimmer, *(private)* Besuchs-, Gastzimmer.

guidance Führung, Leitung, Anleitung, Richtlinie, Weisung;
vocational ~ Berufsberatung;
~ **of production** Produktionslenkung; ~ **of trade** Wirtschaftslenkung;
~ **clinic** Berufsberatungsinstitut.

guide *(adviser)* Ratgeber, Berater, *(guidebook)* Reiseführer, -handbuch, *(manual)* Leitfaden, *(person)* Fremdenführer, *(on roads)* Wegezeichen;
railway ~ Kursbuch, Fahrplan;
~ **of cost** Kostenübersicht;
~ **card** Leitkarte; ~ **sheet** *(advertising)* Sendeplan, *(interviewer)* Leitfaden.

guideboard Wegweisertafel.

guidebook Reisehandbuch, -führer.

guiding price Richtpeis.

guinea *(Br.)* Guinee *(21 Shilling)*;
~ **-pig** *(nominal director)* nominelles Aufsichtsratsmitglied.

gummed | **envelope** gummierter Umschlag; ~ **label** Aufkleber; ~ **paper** gummiertes Papier; ~ **tape** Klebestreifen; ~ **tape sealer** Klebeapparat.

gutter Gosse, Rinnstein, Straßengraben, *(advertising)* Innenspalte;
~ **bleed** *(advertising)* Innenausschnitt; ~ **journalism** Skandaljournalismus; ~ **press** Schmutz-, Skandalpresse; ~ **stick** Bundsteg.

H

haberdasher Kurzwarenhändler, Herrenartikelgeschäft, -ausstatter.

haberdashery Herrenbekleidungsartikel, *(shop, US)* Herrenartikelgeschäft.

habit *(professional dress)* Berufskleidung;
~ **survey** Untersuchung von Verbrauchergewohnheiten.

habitation tax Gebäudesteuer.

hack Tagelöhner, Gelegenheitsarbeiter, *(penny-a-liner)* Lohnschreiber, Schreiberling, Zeilenschinder, *(taxi, US)* Droschke, Taxi.

hackney Droschke, Fiaker, *(hack)* Tagelöhner;
~ **coach (cab)** Mietskutsche, Droschke.

hackie *(US)* Taxichauffeur.

haggle Gefeilsche, Schacherei;
~ *(v.)* **(over about) the price** um den Preis feilschen.

hail insurance Hagelversicherung.

half Hälfte, halber Anteil;
outward ~ *(railway)* Fahrkartenabschnitt für die Hinfahrt; **return** ~ *(railway)* Rückfahrschein, -karte;
~ *(a.)* halb, *(fig.)* unvollkommen, oberflächlich; ~ **commission** *(stock exchange)* halbe Provision; ~ **compartment** *(railway)* Halbabteil; ~**-day job** Halbtagsbeschäftigung; ~ **dime** *(US)* Fünfcentstück; ~**-fare ticket** Fahrkarte zum halben Preis; ~**-finished** halbfertig; ~ **holiday** halber Arbeitstag, freier Nachmittag; ~**-hourly bus service** halbstündlicher Omnibusverkehr; **to have a** ~ **interest in a firm** an einer Firma hälftig beteiligt sein; ~ **pay** Ruhegehalt, -geld; **to sell out and go on** ~ **pay** sich pensionieren lassen; ~**-price** halber Preis; **to sell s. th.** ~**-price** etw. zum halben Preis verkaufen; ~ **the profit** Quartalsmedio; ~ **share** halber Anteil, Hälfte; **to be on** ~**-time** nur halbtags arbeiten; ~**-time job** Halbtagsbeschäftigung; ~**-time worker** Halbtagsarbeiter; ~**-timer** Halbtagsarbeiter, *(student, Br.)* Werkschüler, -student; ~**-yearly dividend** Halbjahresdividende; ~**-yearly payment** Halbjahreszahlung.

halfpenny, not to have a ~ **on o. s.** keinen Groschen Geld bei sich haben.

hall Vestibül, Flur, Diele;
booking ~ Schalterhalle; **central** ~ *(post office)* Schalterhalle; **conference** ~ Konferenz-, Sitzungssaal.

hallmark Feingehaltsstempel.

halves, to go ~ **with s. o.** Hälfte der Kosten übernehmen, sich mit jem. in die Kosten teilen.

hammer | *(v.)* *(Br.)* für zahlungsunfähig erklären;
~ **the market** *(US)* Preise durch Leerverkäufe drücken, Baisseangriff machen;
to bring to the ~ versteigern, verauktionieren;
to be ~ **ed** *(Br., stock exchange)* für zahlungsunfähig erklärt werden.

hand *(handwriting)* Handschrift, *(help) (ship)* Besatzungsmitglied, Matrose, *(worker)* [Hand]arbeiter;
for one's own ~ im eigenen Interesse, auf eigene Rechnung; **in** ~ zur Verfügung, vorrätig, *(in advance)* im voraus, pränumerando, *(cash) bar*, in klingender Münze, *(stocked)* vorrätig, auf Lager; **in private** ~**s** in Privathand; **on** ~ vorrätig, vorhanden, auf Lager, greifbar; **out of** ~ bar bezahltes Geld.
commercial ~ kaufmännische Handschrift; **factory** ~ Fabrikarbeiter; **farm** ~ Landarbeiter; **small** ~ gewöhnliche Korrespondenzschrift;
~ *(v.)* aushändigen, übergeben, überreichen;
~ **in** einreichen, eingeben, übergeben, abliefern; ~ **in one's resignation** um seine Entlassung bitten, seinen Rücktritt erklären; ~ **in a telegram** Telegramm aufgeben; ~ **s. o. a. letter** jem. einen Brief aushändigen; ~ **out** austeilen; ~ **out the wages** Löhne auszahlen; ~ **over papers on payment of fees** Papiere nach Zahlung der Gebühren aushändigen;
to be in the ~**s of moneylenders** von Wucherern ausgebeutet werden; **to be short of** ~**s** Leute brauchen; **to change** ~**s** Besitzer wechseln; **to have so much money in** ~ so viel Geld zur Verfügung haben, **to have an empty house on one's** ~**s** leerstehendes Haus zu verkaufen (vermieten) haben; **to have still some money on** ~ Reserven haben; **to live by one's** ~**s** von seiner Hände Arbeit leben; **to live from** ~ **to mouth** von der Hand in den Mund leben, jeden Pfennig brauchen; **to sign in one's own** ~ eigenhändig unterschreiben; **to strike** ~**s upon a bargain** über einen Handel einig werden;
~ **baggage** *(US)* Handgepäck; ~ **list** kurze Liste; ~ **luggage** *(Br.)* Handgepäck; ~**-me-down** *(fam., US)* Konfektions-, Fertiganzug, Anzug von der Stange, *(a.)* von der Stange (fertig) gekauft; ~ **paper** Büttenpapier; ~ **sale** Kaufabschluß durch Handschlag; ~ **stamp** Briefstempel; ~**-to-mouth buying** unmittelbare Bedarfsdeckung, reiner Bedarfskauf, Einkäufe zur sofortigen Verwendung; ~**-to-mouth existence** unsichere Existenz; **to lead a** ~**-to-mouth existence** nahe am Existenzminimum leben; **to switch to a** ~**-to-mouth ordering pace** Auftragserteilung nur im Bedarfsfall vornehmen.

handbill Flugblatt, -zettel, Reklame-, Werbeprospekt, Hand-, Reklamezettel;
to give out ~**s** Flugblätter verteilen;
~ **distribution** Flugblattverteilung.

handbook Hilfs-, Handbuch, Nachschlagewerk, *(bookmaker)* Wettbuch, *(guidebook)* Reiseführer.

handicraft handwerklicher Beruf, Handwerk, Gewerbe[betrieb], *(manual skill)* Handfertigkeit;

local ~ ortsansässiges Gewerbe; **one-man** ~ [handwerklicher] Einmannbetrieb;
~ **pursuits (trade)** Handwerksberuf.

handicraftsman Handwerker.

handle *(v.) (item)* manipulieren, *(manage)* behandeln, handhaben, sich befassen, bewältigen, erledigen, *(trade)* handeln [in, mit], Handel treiben, *(transport)* befördern, weiterleiten;
~ **with care in carriage** Transport vorsichtig behandeln; ~ **foreign goods** ausländische Waren führen; ~ **a lot of money** größere Geldsumme verwalten; ~ **large orders** große Aufträge bearbeiten; ~ **a ship** Schiff manövrieren; ~ **any sort of business** Geschäfte aller Art erledigen; ~ **stocks and bonds** Wertpapiere handeln; ~ **large sums of money** große Geldbeträge verwalten.

handling Abwicklung, Handhabung, Manipulation, Bearbeitung, Aus-, Durchführung, *(operating methods)* Betriebsabwicklung, *(transportation)* Beförderung, Weiterleitung;
~ **on board** Umstauen an Bord; ~ **of calls** Gesprächsabwicklung; ~ **of cargo** Umstauen der Ladung; ~ **of the economy** Konjunktursteuerung; ~ **of flights** Flugabfertigung; ~ **of public funds** Verwaltung öffentlicher Gelder; ~ **of traffic** Verkehrsbewältigung;
~ **capacity** Umschlagkapazität; ~ **charge** *(stock exchange)* Manipulationsgebühr; ~ **charges** Umschlagspesen, Bearbeitungsgebühren; ~ **costs** Verwaltungskosten; ~ **equipment** Verladeanlage, -einrichtung; ~ **fee** Bearbeitungsgebühr; ~ **place** Abfertigungsstelle; **special** ~ **parcel** *(US)* Schnellpaket; ~ **time** Bearbeitungszeit, *(factory)* Materialtransportzeit.

handmade handgearbeitet, -gemacht;
~ **paper** Büttenpapier.

handout *(beggar, US sl.)* Almosen, Gabe, *(leaflet)* [Werbe]prospekt, Broschüre, Waschzettel, *(press release)* Pressenotiz, freigegebenes Pressematerial;
~ **material** Informationsmaterial.

handsel *(gift)* Begrüßungs-, Einstandsgeschenk, *(earnest money)* An-, Handgeld;
~ *(v.)* **a dealer** Händler erstmalig einschalten; ~ **a shop** zum erstenmal in einem Laden kaufen.

handseller Straßenhändler.

handsorting method Ablegeverfahren.

handwork Handarbeit.

handwriting Handschrift;
developed ~ ausgeschriebene Handschrift;
~ **expert** Schriftsachverständiger.

handy | **-man** Gelegenheitsarbeiter, Aushilfsarbeiter, -kraft; ~ **size** handliches Format.

hangar *(aircraft)* Hangar, Flugzeughalle, *(coaches)* Schuppen.

haphazard sampling unkontrollierte Stichproben.

harbo(u)r [See]hafen, *(refuge)* Herberge, Zufluchtsort;
artificial ~ künstlicher Hafen; **commercial** ~ Handelshafen; **icebound** ~ vereister Hafen; **ice-free** ~ eisfreier Hafen; **inner** ~ Binnenhafen; **landlocked** ~ Binnenhafen; **man-of-war** ~ Kriegshafen; **natural** ~ natürlicher Hafen; **open** ~ offener Hafen; **outer** ~ Außenhafen; **tidal** ~ Gezeitenhafen;
short-term ~ **for one's cash** kurzfristige Barmittelanlage; ~ **of refuge** Nothafen; ~ **of transshipment** Umschlaghafen;
~ *(v.)* anlegen, im Hafen ankern, *(fig.)* Zuflucht gewähren, beherbergen;
to call at a ~ Hafen anlaufen; **to enter** ~ [in den Hafen] einlaufen; **to clean out a** ~ Hafen ausbaggern; **to remain off the** ~ auf der Reede ankern;
~ **authority** Hafenamt, -behörde; ~ **barrage** Hafensperre; ~ **board** Hafenbehörde; ~ **charges** Hafengebühren; ~ **craft** Hafenfahrzeug; ~ **docks** Hafenanlagen; ~ **dues** Hafengebühren; ~ **duties** Hafendienst; ~ **entrance** Hafeneinfahrt; ~ **installations** Hafenanlagen, -einrichtungen; ~ **master** Hafenmeister, -inspektor; ~ **police** Hafenpolizei; ~ **railway** Hafenbahn; ~ **regulations** Hafenordnung; ~ **risk** Hafengefahr; ~ **station** Hafenbahnhof; ~ **service** Hafenleistungen; ~ **tug** Hafenschlepper.

hard *(prices)* hoch, starr;
~ **and fast** *(agreement)* unbedingt bindend; ~ **up** in schlechten Verhältnissen, ohne Geld, auf dem Trockenen;
to be ~ **hit** große Verluste erlitten haben; **to be** ~ **up for money** sich in Geldverlegenheit befinden, kaum Geld haben; **to be** ~ **to sell** sich schwer verkaufen lassen; **to work** ~ **for one's living** sich sein Brot schwer verdienen;
~ **cash** *(cash on hand)* Barbestand, *(coin)* Hartgeld; ~ **core** *(unemployment)* Arbeitslosengrundsatz; ~**-core hiring program(me)** Einstellungsprogramm für Dauerarbeitslose; ~**-core unemployed** Bodensatz der Arbeitslosen; ~**-core worker** Dauerarbeitsloser; ~ **currency** harte Währung; ~**-currency country** Hartwährungsland, währungsstarkes Land; ~ **dollar** harter Dollar; ~**-earned wages** schwer (sauer) verdientes Geld; ~ **goods** *(US)* Gebrauchsgüter; ~**-got fortune** mühsam erworbenes Vermögen; ~ **hat** Arbeitgeberhut; ~ **job** schwerer Beruf; ~ **labo(u)r** Zwangsarbeit, Zuchthaus; ~**-living money** *(Br., mil.)* konvertierbares Geld; ~ **sell** aggressive Verkaufspolitik; ~**-sell** *(US)* reaktionär, orthodox; ~ **selling** Verkaufen um jeden Preis; **to be** ~**-set to find money** in großer Geldverlegenheit sein; **to be a** ~ **spot** *(stock exchange, US)* festigen; ~ **top** *(car)* Limousine ohne feste Mittelstreben; ~ **work** schwere Arbeit; ~ **worker** Schwerarbeiter.

hardening *(prices)* Anziehen, Festigung;
~ **of the market** Versteifung am [Geld]markt.

hardgoods devisenstarke Waren.
hardship allowance Härtezulage.
hardstand Flugzeugabstellplatz.
hardware Eisenwaren;
~ *(v.)* **s. one's interests** jds. Interessen schädigen;
~ **department** Haushaltungsabteilung.
hardwareman Eisenwarenhändler.
harmonization *(tariff)* Abstimmung, Harmonisierung.
harness Ausrüstung;
in ~ in der täglichen Arbeit;
to die in ~ in den Sielen (in der Ausübung seines Berufs) sterben; **to run (work) in double** ~ eng zusammenarbeiten.
harvest [Getreide]ernte, *(fig.)* Ertrag, Gewinn, Erfolg;
bad ~ Mißernte; **standing** ~ Ernte auf dem Halm;
to get in (win) the ~ Ernte einbringen; **to reap the** ~ **of one's hard work** Früchte harter Arbeit ernten; ~ **prospects** Ernteaussichten; ~ **worker** Erntearbeiter.
hat, bad *(Br. sl.)* übler Kunde;
to pass the ~ **round for s. o.** Sammelaktion für j. starten.
haul *(distance covered)* Transportweg, -strecke, *(fig.)* Fischzug, Beute, Fund, *(transport)* Schlepptransport;
long ~**s** Fernverkehr; **short** ~**s** Nahverkehr; **long** ~**s on the railway** Güterfernverkehr; ~ *(v.)* **freight** Frachtgut befördern;
to get a fine (make a good) ~ schönen Gewinn (fette Beute) machen.
haulage Ziehen, Schleppen, Transport, Beförderung, *(cartage)* Rollfuhr, *(charges)* Beförderungs-, Transportkosten, *(mining)* Förderung;
road ~ Güterkraftverkehr;
~**-contracting business** Fuhr-, Rollfuhrunternehmen; ~ **contractor** Transport-, Rollfuhrunternehmen, Fernspediteur; ~ **firm** Transport-, Speditionsfirma; **road** ~ **industry** Speditionsgewerbe.
hauler, haulier *(Br.)* Schlepper, Fuhrunternehmer, -mann, Spediteur, Frachtführer;
~**s** Fuhrunternehmen.
hauling Abschleppen, *(transportation)* Beförderung, Transport;
local ~ örtlicher Zubringerdienst (Zustelldienst);
~ **costs** Zubringer-, Zustellungskosten; ~ **rates** Transporttarif.
have Besitzender, Reicher, *(Br. sl.)* Betrug, Schwindel;
~**-not** Habenichts.
haven Hafen, *(asylum)* Asyl, Freistätte;
tax ~ Steuerparadies.
hawk *(v.)* hausieren[gehen].
hawker Hausierer, fliegender Händler, Wandergewerbetreibender, Straßenhändler.
hawking Hausieren, Hausierergewerbe, Handel im Umherziehen, nichtpermanente Verkaufstätigkeit.
hazard Gefahr, Wagnis, Risiko *(chance)* Zufall, *(insurance law)* versicherbares Risiko, Versicherungsrisiko;
~**s not covered** ausgeschlossene Risiken; **fire** ~**s** Feuergefahr; **industrial** ~ Betriebsrisiko; **moral** ~ subjektives [Versicherungs]risiko; **occupational** ~ Berufsgefahr;
~**s of the sea** Seegefahr;
~ *(v.)* *(expose to risk)* aufs Spiel setzen, riskieren, *(venture)* wagen;
~ **accident** Unfallrisiko; ~ **bonus** Gefahrenzulage, Risikoprämie; ~ **classification** *(insurance)* Risikoklassifizierung.
hazardous *(business)* riskant, gefährlich;
~ **contract** von einem unbestimmten Ereignis abhängiger Vertrag; ~ **goods** gefährliche Güter; ~ **insurance** Risikoversicherung; ~ **occupation** gefährlicher Beruf; ~ **situation** gefährliche Lage, *(job)* gefährlicher Arbeitsplatz; ~ **speculation** gewagte Spekulation; ~ **work bonus** Risikoprämie.
head *(category)* Kategorie, Abschnitt, Rubrik, Kapitel, *(chief)* Chef, Leiter, Vorsteher, Prinzipal, Vorstand, *(coin)* Kopf, *(item)* [Rechnungs]posten, *(leading position)* Spitze, höchste Stelle, führende Stellung, *(newspaper)* Kopfleiste, Schlagzeile, Überschrift, Titelkopf;
at the ~ **of affairs** an der Spitze;
ten dollars a ~ 10 Dollar pro Stück (Person);
department ~ Abteilungsleiter; **spread** ~ ganzseitige Überschrift; **two-line** ~ zweizeilige Überschrift;
~ **of an agency** *(US)* Behördenleiter; **real** ~ **of the business** eigentlicher Kopf des Unternehmens; ~ **of the firm** Firmen-, Geschäftsinhaber; ~ **of a letter** Briefkopf; ~**s of negotiations** Hauptverhandlungspunkte; ~ **and front of an undertaking** Seele eines Unternehmens;
~ *(v.)* rubrizieren, *(direct)* richten, steuern, lenken, *(lead)* anführen, leiten, *(take the lead)* Spitze bilden;
~ **for** ansteuern, auf Kurs liegen, Kurs haben; ~ **a list** Liste eröffnen (anführen); ~ **a ship for the harbo(u)r** Schiff zum Hafen steuern;
to be ~ **over ears in debt** total verschuldet sein; **to be at the** ~ **of the business** Geschäft leiten; **to be at the** ~ **of a list** Liste anführen; **to be put over s. one's** ~ andere bei Beförderungen überspringen; **to have a good** ~ **for business** guter Geschäftsmann (kaufmännisch gewandt) sein; **to keep its** ~ *(stocks)* sich behaupten; **to sell a house over s. one's** ~ Haus gegen jds. Willen verkaufen;
~ **agency** Generalagentur, -vertretung; ~ **agent** Generalvertreter; ~ **bookkeeper** Ober-, Hauptbuchhalter; ~ **cashier** Hauptkassierer; ~ **clerk** Geschäftsführer, Bürovorsteher; ~ **count**

Kopfzählung; ~ **firm** Stammhaus; ~**-hunt** *(fig.)* Jagd auf Nachwuchskräfte; ~**-hunter** *(US)* Nachwuchsjäger; ~ **manager** Generaldirektor, Betriebsleiter; ~ **money** Kopfsteuer; ~ **office** Hauptbüro, -geschäftsstelle, -sitz, Zentrale; ~**-office account** Konto beim Stammhaus; ~**-office accounting** Rechnungslegung der Hauptgeschäftsstelle; ~**-office expense** Unkosten der Zentrale; ~**-office management** Hauptverwaltung; ~**-on collision** frontaler Zusammenstoß; ~**-on location** bevorzugte Placierung von Außenwerbung; ~**-on position** *(advertising)* Werbung an einem Verkehrsknotenpunkt; ~ **organization** Spitzenverband, -organisation, Gesamtverband; ~ **saleswoman** Direktrice; ~ **tax** *(US)* Einwanderungssteuer.

heading Thema, Gesprächspunkt, *(printing)* [Kapitel]überschrift, Kopf, Titel, Rubrik;
~ **on the customs tariff** Position des Zolltarifs, Zollposition;
to fall under the ~ unter die Rubrik fallen.

headlight Scheinwerfer;
dipped ~**s** abgeblendetes Fernlicht;
to dim the ~**s** Scheinwerfer abblenden.

headline Überschrift, Blickfang-, Schlagzeile, *(book)* Kopfzeile, *(broadcasting)* schlagzeilenartige Meldung;
to make ~**s** Schlagzeilen liefern.

headman *(Br.)* Vorarbeiter.

headquarters *(office)* Hauptgeschäftsstelle, -sitz, -führung, Zentrale, *(place of residence)* [Haupt]aufenthaltsort.

headway *(mar.)* Geschwindigkeit, Fahrt voraus.

health | **of earnings** gesunde Ertragslage;
~ **benefit** Kassenleistung; ~ **hazards** *(employment)* gesundheitliche Risiken, Gesundheitsrisiko; ~ **insurance** Krankenversicherung; **compulsory** ~ **insurance** Kassenzwang; **National** ≗ **Insurance** *(Br.)* Staatliche Krankenversicherung; **to subscribe to a** ~ **insurance** [Kranken]kassenmitglied sein; ~ **welfare benefit** Krankenzulage.

heart *(center)* Mittelpunkt, innerer Teil;
~ **of a city** Kern einer Stadt, Stadtkern;
to have one's ~ **in one's work** ganz in seiner Arbeit aufgehen, mit dem Herzen bei der Arbeit sein.

heavies *(stock exchange, Br.)* Eisenbahnaktien.

heavily | **loaded** schwer beladen; ~ **travelled line** stark befahrene Strecke;
to be ~ **fined** mit einer hohen Geldstrafe belegt werden; **to be** ~ **taxed** hoch besteuert werden; **to go off** ~ sich schwer verkaufen, nur langsam weggehen; **to lose** ~ große (schwere) Verluste haben.

heavy *(a.)* schwer, *(order)* umfangreich, groß, bedeutend, *(stock exchange)* flau, schlecht;
~ **of sale** schwer zu verkaufen;
~ **baggage** großes Gepäck *(US)*; ~ **buyer** Großeinkäufer, -abnehmer; ~ **buying** Großabnahme; ~ **charge on the budget** beträchtliche Etatsbelastung; ~ **consumer** Großverbraucher; ~ **dealer** Händler mit großen Umsätzen; ~**-duty** hochbesteuert; ~ **expenditure** große (beträchtliche) Ausgaben; ~ **fall in stocks** heftiger Kursrückgang; ~ **fine** hohe Geldstrafe; ~ **firm (house)** bedeutende Firma; ~ **indebtedness** starke Verschuldung; ~ **industries** Schwerindustrie; ~ **lift** *(mar.)* Schwergut; ~**-lift charge** Schwergutaufschlag; ~ **losses** schwere (hohe) Verluste; ~ **market** infolge nachlassender Nachfrage gedrückter Markt; ~ **money** ungemünztes Geld; ~ **orders** umfangreiche Aufträge; ~ **sale** schlechter Absatz; ~ **traffic** starker Verkehr; ~**-traffic line** Hauptverkehrslinie.

hedge *(stock exchange)* Deckungs-, Sicherungsgeschäft;
~ **against inflation** Inflationssicherung;
~ *(v.) (stock exchange)* Sicherungsgeschäft abschließen.
to place a ~ Deckungsgeschäft unterbringen; **to put** ~**s in a contract** Vertrag verklausulieren;
~ *(a.)* minderwertig, schlecht, *(nearly illegal)* zweifelhaft, nicht ganz koscher;
~ **buying** Vorratseinkäufe; ~ **clause** *(US)* Vorbehalt[sklausel]; ~ **selling** Deckungs-, Sicherungsverkauf.

hedged in clauses verklausuliert.

hedging *(stock exchange)* Abschluß von Deckungsgeschäften, Gegendeckung;
~ **sale** Deckungsverkauf; ~ **transaction** Deckungsgeschäft.

held | **for postage matter** *(US)* wegen ungenügender Frankierung zurückbehalten;
to be ~ **over** *(Br.)* im Portefeuille behalten werden; **to be** ~ **up** festsitzen, *(train)* liegenbleiben; **to be** ~ **up for lack of money** wegen fehlender Mittel nicht gestartet werden.

helibus Hubschrauberbus.

helicopter Hubschrauber;
~ **terminal** Hubschrauberlandeplatz.

heliographic printing Lichtpausverfahren.

helipilot Hubschrauberpilot.

help Hilfsdienst, Hilfe[leistung], Unterstützung, Beihilfe, *(helpers)* Dienstbote, Hilfspersonal;
~ **scheme** Hilfs-, Notdienst; ~ **wanted** *(newspaper)* Stellenangebot; ~**-wanted ads** Stellenanzeigen.

helper Helfer, Gehilfe, Hilfsperson;
~**s** Hilfspersonal.

hesitant *(market)* zurückhaltend.

hesitation *(of buyers)* Zurückhaltung.

hew *(v.)* **out a career for o. s.** sich mühsam hocharbeiten.

hiatus Öffnung, Lücke, *(advertising)* Sommerpause;
~ **in demand** Nachfragelücke.

hidden verborgen, geheim;
~ **asset (reserve)** stille Reserven; ~ **defect** versteckter (verborgener) Mangel; ~ **offer** *(adver-*

tisement) versteckte Offerte; ~ **tax** indirekte Steuer.

high Höchststand, *(business)* Aufschwungjahr;
all-time ~ *(stock exchange)* einmaliger Höchststand; **closing** ~ Kulminationshöchststand;
to be at an all-time ~ *(prices)* höher denn je stehen; **to move to another (reach a) new** ~ erneuten (neuen) Höchststand erreichen;
~ *(a.)* hoch, *(price)* hochstehend, teuer;
as ~ **as** bis zum Preis von;
to be ~ hoch im Kurse stehen;
to be ~ **in office** hohe Stellung bekleiden; **to continue** ~ Höchstkurs beibehalten; **to pay** ~ teuer bezahlen; ~**-bracket people** Einkommensteuerzahler in den oberen Steuerstufen; ~ **change** Hauptbörse; ~**-class** erstklassig; ~**-class goods** hochqualifizierte Erzeugnisse, Produkte erstklassiger Qualität; ~**-class hotel** erstklassiges (Ia) Hotel; ~**-cost** hochwertig; **at a** ~ **cost** zu teuren Preisen; ~**-cost enterprise** kapitalintensives Unternehmen; ~**-density area** verkehrsdichte Gegend; ~ **expenses** bedeutende Ausgaben; ~ **farming** intensive Bodenbewirtschaftung, Intensivkultur; **to buy at a** ~ **figure** teuer einkaufen; ~ **finance** Hochfinanz; ~**-geared** *(capital)* überkapitalisiert; ~**-geared capital** hohes Eigenkapital; ~ **gearing** Kapitalintensität; ~**-grade** erstklassig, hochwertig, -gradig, prima; ~**-grade fuel** Qualitätsbenzin; ~**-grade goods** Qualitätserzeugnisse; ~**-grade investments** erstklassige Kapitalanlagen; ~**-income people** Leute mit hohem Einkommen; ~ **money** *(US)* teures Geld; ~**-mortality parts** Teile mit hoher Verschleißquote; ~**-octanc gasoline** klopffestes Benzin; **to** ~**-pressure customers** Kunden bearbeiten; ~**-pressure advertising** in rascher Folge wiederholte Werbung; ~**-pressure salesmanship** rasante Verkaufstechnik; ~**-price period** Preiskonjunktur; ~**-price rate system** System des progressiven Leistungslohns; ~**-price work** überproportionale Akkordarbeit; ~**-priced** *(securities)* hochstehend, *(goods)* kostspielig, teuer; ~**-quality products** Qualitätserzeugnisse; ~ **rate** hoher Kurs[stand]; ~ **rate of interest** hoher Zinssatz; ~ **sea[s]** hohe (offene) See, offenes Meer; ~ **society** obere Zehntausend; ~**-ticket instalment sales** hochwertige Abzahlungsverkäufe; ~**-volume branded goods** Massengüter der Markenindustrie.

highest | **amount** Höchstbetrag; ~ **bidder** Meistbietender; ~ **in, first out** am teuersten eingekauft, zuerst verbraucht.

highjacker Luftpirat, Flugzeugentführer.

highjacking Flugzeugentführung, Luftpiraterie.

highway öffentlicher Verkehrsweg, Haupt-, Fernverkehrs-, Kraftfahr-, Landstraße, *(US)* Autobahn;
express ~ Schnellverkehrsstraße;
~ **of commerce** Handelsstraße;
≗ **Act** *(US)* Straßenverkehrsordnung; ~ **carrier** *(US)* Fernspediteur; ~ **route** Fernverkehrsstraße; ~ **transportation** *(US)* Güterfernverkehr; ~ **user fee** Straßenbenutzungsgebühr.

hijack *(v.)* **an airplane** Flugzeug kapern (entführen).

hijacker Straßenräuber, *(of airplane)* Luftpirat, Flugzeugentführer.

hijacking insurance Versicherung gegen Flugzeugentführungen.

hire Miete, *(payment for ~)* Mietpreis, Miete, *(act of hiring)* An-, Einstellung, *(wage)* [Arbeits]-lohn;
for ~ zu vermieten, *(taxi)* frei;
~ **of a safe** Safemiete; ~ **for use** Sachmiete; ~ **for work and labo(u)r** Werklieferungsvertrag;
~ *(v.)* mieten, pachten, *(hire out)* vermieten, *(mar.)* heuern;
~ **a car** Auto mieten; ~ **a crew** Mannschaft anmustern; ~ **by the day** in Tagelohn nehmen; ~ **labo(u)r** Arbeitskräfte einstellen;
to borrow through ~ Abzahlungskredit aufnehmen; **to take a car on** ~ Auto mieten; **to work for** ~ gegen Entgelt arbeiten.

hire-purchase *(Br.)* Raten-, Abzahlungskauf, -geschäft, Kauf auf Abzahlung, Abstottern, Verkauf unter Eigentumsvorbehalt;
~ *(v.)* **s. th. to a customer** einem Kunden etw. auf Abzahlung verkaufen;
~ **agreement** Teil-, Ab-, Ratenzahlungsvertrag; ~ **commitments** Teil-, Abzahlungsverpflichtungen; ~ **company** Abzahlungsfinanzierungsgesellschaft; ~ **finance** Finanzierung von Abzahlungsgeschäften; ~ **form** Abzahlungsformular; ~ **price** Preis bei Ratenzahlung; ~ **system** Ratenzahlungssystem, Abzahlungswesen; **to sell on the** ~ **system** auf Abzahlung verkaufen.

hired ver-, gemietet, *(taxi)* besetzt;
~ **aircraft** Charterflugzeug; ~ **help** Aushilfsarbeiter.

hirer of a safe Safemieter.

hiring Mieten, *(worker)* An-, Einstellung;
centralized ~ zentralisiertes Einstellungssystem; **preferential** ~ bevorzugte Einstellung; **maximum** ~ **age** höchstzulässiges Einstellungsalter;
~ **agreement** Mietvertrag, *(servant)* Dienstvertrag; ~ **quota** Einstellungsquote; ~ **regulations** Anstellungsbestimmungen; ~ **scheme** Anwerbungsplan.

historical cost Herstellungs-, ursprüngliche Anschaffungskosten, *(public-utility accounting)* angefallene Ist-, nachträglich errechnete Selbstkosten.

history sheet Personalbogen.

hit-and-run | **driver** flüchtiger Fahrer, Unfallflüchtiger;
to be a ~ **driver** Fahrerflucht begehen; ~ **driving** Fahrerflucht; ~ **strike** wilder Streik.

hitchhike *(v.) (coll.)* Auto zum Mitfahren anhalten, per Anhalter fahren, trampen.
hitchhiker Anhalter, Tramp.
hitchhiking Autostop.
hive *(v.)* sammeln, aufbewahren;
~ **off profitable activities to the private sector** ertragreiche Teilgebiete wieder reprivatisieren;
~ **off parts** teilreprivatisieren;
~**-off of state industries** Reprivatisierung verstaatlichter Industriebetriebe.
hiving off Reprivatisierung.
hoard | *(v.)* horten, anhäufen, hamstern;
~ **up treasure** Vermögen ansammeln.
hoarder Hamsterer.
hoarding Hortung, Aufstapelung, Hamstern, Hamsterei, *(billboard, Br.)* Reklamefläche, Anschlagbrett, Litfaßsäule;
inventory ~ Lagerhortung;
~ **of supplies (provisions)** [Lebensmittel]hamsterei.
hock *(US sl.)* Pfand;
in ~ verschuldet, *(pawned)* verpfändet.
hold *(controlling influence)* Einfluß, *(ship)* Schiffs-, Stau-, Laderaum;
~ **on the resources** Rückgriff auf die Hilfsquellen;
~ *(v.) (anchor)* halten, *(possess)* im Besitz (in Verwahrung) haben, besitzen, *(prices)* sich halten, *(retain)* rückbehalten;
~ **back** *(buyers)* sich zurückhalten; ~ **back on bringing in planned new capacity** Zurückhaltung bei der Verwirklichung bereits geplanter Kapazitätsausweitungen üben; ~ **a job down** *(coll.)* Beruf weiter ausüben; ~ **forth a profit** mit einem Gewinn winken; ~ **the line** *(tel.)* am Apparat bleiben; ~ **onto the market** Marktanteil halten; ~ **onto one's oil shares** seine Ölaktien durchhalten; ~ **out** *(make offer)* Angebot machen, *(supplies)* reichen; ~ **out for a higher price** besseres Angebot abwarten; ~ **over a bill** Wechsel prolongieren; ~ **up traffic** Verkehr anhalten (hindern); ~ **up well** *(securities)* sich gut behaupten;
~ **s. o. for the whole debt** j. für die ganze Schuld haftbar machen; ~ **land** Grundstückseigentümer sein; ~ **level** Kursstand halten; ~ **s. o. liable** j. haftpflichtig machen; ~ **the line** *(tel.)* am Apparat bleiben; ~ **the market** Stützungsaktion unternehmen, Markt beherrschen; ~ **office** amtieren, *(political party)* an der Macht sein, regieren; ~ **the purse** Kassenwart sein; ~ **s. o. responsible for the damage(s)** j. für den Schaden haftbar machen; ~ **in safe custody** verwahren; ~ **shares in a business** Geschäftsanteile besitzen; ~ **sound stocks** auf guten Werten sitzen bleiben; ~ **stocks for a rise** Aktien in Erwartung von Kurssteigerungen zurückhalten; ~ **stocks as security** Aktien als Sicherheit halten;
~ **-harmless agreement** Haftungsübernahmevertrag.
holdback pay *(US)* einbehaltene Lohngelder.
holder *(land)* Pächter, *(mar.)* Schauermann, *(property, stocks)* Inhaber, Besitzer;
bona-fide ~ gutgläubiger Besitzer (Inhaber); **legal (lawful)** ~ rechtmäßiger Inhaber; **loan** ~ Hypothekengläubiger; **season-ticket** ~ Dauerkarteninhaber; **small-fund** ~ Kleinrentner; **ticket** ~ Fahrkarteninhaber;
~ **of an annuity** Rentenempfänger; ~ **of a bill** Wechselinhaber; ~ **in due course** Indossant, rechtmäßiger Wechsel-, Scheckinhaber; ~ **of a letter of credit** Kreditbriefinhaber; ~ **of a large estate** Großgrundbesitzer; ~ **of a licence** Konzessionsinhaber; ~ **of a lien** Pfandgläubiger; ~ **of a mortgage** Hypothekengläubiger; ~ **of s. one's securities** Gläubiger von Sicherheiten; ~ **of shares (stock,** *US*) Aktionär;
to be made out in the name of the ~ auf den Inhaber lauten.
holding *(interest)* Beteiligung, Anteil, *(land held, Br.)* Pachtung, Pacht-, Zinsgut, *(possession)* Besitz, Bestand, *(stocks held)* Aktienbesitz, *(store)* Vorrat, Lager;
agricultural ~ *(Br.)* Pachtgut; **bill** ~**s** Wechselstand; **collateral** ~**s** Lombardbestand; **diversified** ~**s** weitgestreute Anlagebeteiligungen; **foreign** ~**s** Auslandsbesitz; **gold and foreign-exchange** ~**s** Gold- und Devisenbestände; **long-term** ~**s** langfristige Anlagen; **net** ~**s** Nettobestände; **paper** ~**s** Effektenbesitz; **pre-war** ~**s** Vorkriegsbeteiligungen;
~**s in a business enterprise** Geschäftsanteile; ~ **the market** *(US)* Marktstützung; ~**s of securities** Wertpapierportefeuille;
to add to one's ~**s monthly** monatlich zu seinen Beständen zukaufen; **to divide (parcel out) land into small** ~**s** Land parzellieren;
~ **altitude** *(airplane)* Warteflughöhe; ~ **area** *(airplane)* Warteraum; ~ **capacity** *(vehicle)* Fassungsvermögen; ~ **company** Holding-, Dachgesellschaft; ~ **cost** Lagerhaltungskosten; ~ **operation** Dauerbeschäftigung; ~ **period** *(income tax)* Besitzdauer; ~ **times** *(shop)* Bedienungszeit.
holdover *(advertising)* nicht gebrachte Anzeige, *(carryover)* Übertrag, *(official)* über die Pensionszeit hinaus bleibender Beamter.
holdup *(railway)* Betriebsstockung, *(robbery, US)* Straßen-, bewaffneter Überfall, *(traffic)* Verkehrsstockung, -stauung;
personal ~ **insurance** *(US)* Überfallversicherung.
hole *(underground habitation)* Elendsquartier, Loch;
in the ~ pleite, bankrott;
godforsaken ~ Kleinkleckersdorf;
~ **in the wall** *(sl.)* Kleinstbetrieb;

to make a large ~ in one's savings Loch in seine Ersparnisse reißen;
~ -and-corner business anrüchiges Geschäft.

holiday *(US)* [arbeits]freier Tag, Ruhetag, *(Br.)* gewöhnlicher Feiertag, *(vacation, Br.)* Ferien, Urlaub, Erholungsaufenthalt;
on ~ auf Urlaub, in den Ferien;
bank ~ Bankfeiertag; **paid ~** *(Br.)* bezahlter Urlaub;
to go on ~ through a travel agency Ferienreise über ein Reisebüro buchen; **to have a ~** freien Tag (Ferien) haben, freihaben; **to take a ~** sich einen Tag frei nehmen;
~ address Ferienanschrift; **~ booking** Ferien-, Urlaubsreservierung; **~ camp** Ferienlager, Erholungsheim; **~ chalet** Ferienhaus, -bungalow; **~ ground** Vergnügungspark; **~ home** Ferienhaus; **~ layoffs** Entlassungen während der Urlaubszeit; **~ pay** Urlaubsgeld, Feiertagszuschlag, doppelte Entlohnung für Arbeit an gesetzlichen Feiertagen; **~ remuneration** Urlaubsgeld, Ferienvergütung, -geld; **crowded ~ resort** stark besuchter (überlaufener) Ferienort; **~ rush** Ferienandrang; **~ season (time)** Urlaubs-, Ferienzeit; **~ shutdown** Stillegung in der Ferienzeit, ferienbedingte Schließung; **~ tour** Ferienreise; **~ trade** Feriengewerbe; **~ travel** Urlaubs-, Ferienreise.

home Wohnung, Haus, Heim, *(abode)* Aufenthalt, *(asylum)* Asyl, Heim, Institut, *(residence)* ständiger Wohnort;
without permanent ~ ohne festen Wohnsitz;
council ~ Sozialwohnung; **single-family ~** Einfamilienhaus; **~ close to work** betriebsnahe Wohnung;
~ *(v.) (aircraft)* zum Heimatflughafen zurückkehren;
to be perfectly at ~ with a subject in einem Teilgebiet wohlbewandert sein; **to feel at ~ in a foreign language** Fremdsprache wie seine Muttersprache sprechen; **to have a ~ of one's own** eigene Wohnung (Eigenheim) haben; **to set up a ~** seinen eigenen Hausstand begründen;
~ *(a.)* heimisch, *(mar.)* landwärts, *(native)* inländisch, einheimisch;
~ address Privatanschrift, Wohnsitzadresse; **~ building and loan association** *(US)* Bausparkasse; **~ building industry** (US) Wohnungsbauwirtschaft; **~ buyer** Eigenheimerwerber; **~ commodities** Landesprodukte; **low-cost ~ construction** billiger Wohnungsbau; **~ consumption** Inlandsverbrauch; **~ correspondent** Inlandskorrespondent; **~ currency** Binnenwährung; **~ debit** *(US)* eigener Scheck; **~ delivery** Hauszustellung, Lieferung frei Haus; **~ demand** inländischer Bedarf; **~ descriptions** *(Br.)* heimische Wertpapiere; **~ dweller** Eigenheimbesitzer; **~ economy** Binnenwirtschaft; **~ financing** Eigenheimfinanzierung; **~ freight** Her-, Rückfracht; **~-improvement loan** zur Instandsetzung der Wohnung gewährtes Darlehen; **~ industry** einheimische Industrie, *(carried on at home)* Haus-, Heimindustrie; **~-foreign insurance** *(Br.)* Korrespondenzversicherung; **paid ~ leave** bezahlter Heimaturlaub; **~ loan** Inlandsanleihe; **~ mail** *(Br.)* Inlandpost; **~ manufacture[s]** Inlandsproduktion; **~ market** Inlands-, Binnenmarkt; **~ -office tour of duty** Pflichtaufenthaltszeit in der Zentrale; **~ order** Inlandsauftrag; **~ organization** Inlandsorganisation; **~-owning member** Eigenheimbesitzer; **~ port** Heimathafen; **~-produced goods** Inlandserzeugnisse; **~ purchase** Eigenheimerwerb; **~ requirements** Inlands-, Eigenbedarf; **~ safe** *(Br.)* Heimsparbüchse; **~ securities** *(Br.)* inländische Wertpapiere; **~-service salesman** Hausierer; **~ site** Wohngrundstück; **~-television cartridge** Fernsehkassette für das Heimkino; **~-town customer** Kunde im Stadtgebiet; **~ trade** *(Br.)* Binnen-, Inlandshandel; **~ -trade navigation** Küstenverkehr; **~ traffic** Binnenverkehr; **~-use entry** *(Br.)* Einfuhrdeklaration für Inlandsverbrauch; **~ value** Inlandswert; **~-value declaration** Zolleingangserklärung.

homecroft *(Br.)* Heimstätte, *(labo(u)rer)* Arbeitersiedlung, landwirtschaftliche Nebenerwerbssiedlung.

homeowner *(US)* Haus-, Eigenheimbesitzer;
~s' loan corporation *(US)* Bausparkasse.

homestead Gehöft, Heimstätte, *(US)* Eigenheim;
business ~ *(US)* gewerblich genutztes Eigenheim;
~ -aid benefit association *(US)* Bausparkasse; **~ corporation** Terrainparzellierungsgesellschaft; **~ exemption** *(US)* Zwangsvollstrekkungsfreigrenze.

homeward | bound auf der Heimreise begriffen;
~ cargo Rücklandung.

homework Hausindustrie, Heimarbeit.

homeworker Heimarbeiter.

honest rechtschaffen, redlich, ehrlich, *(fair)* reell;
~ goods unvermischte Ware; **to turn an ~ penny** ehrlich sein Brot verdienen; **~ weight** volles Gewicht.

hono(u)r *(v.)* [be]ehren, *(accept bill)* akzeptieren, annehmen, *(pay bill)* einlösen, bezahlen, honorieren;
~ a bill at maturity Wechsel bei Verfall einlösen; **~ on presentation** bei Vorlage honorieren.

hono(u)rable understanding formlose Wettbewerbsabrede.

hono(u)red bill eingelöster Wechsel.

hookup *(broadcasting)* Gemeinschaftsschaltung.

hooper rating Hörerstatistik.

hoops, to go through the Konkurs anmelden, sich bankrott erklären.

hop *(airplane)* kurzer Überlandflug, Kurzflug;
~ *(v.)* **the freight** als blinder Passagier mitfahren.

horizontal | **combine** horizontales Kartell; ~ **files** Flachregistratur; ~ **union** Fachgewerkschaft.

hospital Krankenhaus, -anstalt, Klinik, Hospital; ~ **benefits** Krankenhauszuschuß; ~ **charge** Krankenhauskosten; ~**-ward costs** Krankenhauspflegekosten.

hospitalization insurance *(US)* Zusatzversicherung für Krankenhausaufenthalt.

host [Quartier]wirt, Gastgeber, Veranstalter, Hausherr, *(innkeeper)* Herbergsvater, Gastwirt;
~ **country** Gastland.

hot *(note)* neu ausgegeben, *(sensational)* aufregend, höchst interessant, sensationell, *(stolen goods)* heiß, leicht identifizierbar, illegal, geschmuggelt;
to sell like ~ **cakes** wie warme Würstchen (Semmeln) weggehen; ~ **goods** frisch gestohlene Ware; ~ **money** heißes Geld; ~ **news** sensationelle Nachrichten; ~ **seller** hervorragender Verkaufsschlager.

hotel Hotel, Gasthof, -haus;
high-class ~ erstklassiges Hotel; **de-luxe** ~ Luxushotel; **private** ~ *(Br.)* Pension; **residential** ~ Familienpension; **upper-bracket** ~ Hotel der gehobenen Mittelklasse;
to book a ~ *(Br.)* Hotelzimmer bestellen; **to register with a** ~ Anmeldezettel im Hotel ausfüllen;
~ **accommodation** Hotelunterbringung, -quartier; ~ **bed** Hotelbett; ~ **bedroom** Hotelzimmer; ~ **bedroom surplus** überschüssige Hotelbetten; ~ **bill** Hotelrechnung; ~ **bookings** Hotelreservierungen; ~ **building** Hotelgebäude; ~ **bus** Hotelbus; ~ **business** Hotelgewerbe, -industrie; ~ **car** *(US)* Schlafwagen mit Speisewageneinrichtung; ~ **chain** Hotelkette; ~ **clerk** Hotelangestellter; ~ **employee** Hotelangestellter; ~ **expenses** Hotelkosten, -spesen; ~ **field** Hotelwesen; ~ **guide** Hotelverzeichnis; ~ **industry** Hotelgewerbe; ~ **manager** Hoteldirektor; ~ **operation** Hotelbetrieb; ~ **register** Fremdenbuch; ~ **regulations** Haus-, Gästeordnung; ~ **reservation** Zimmerreservierung; ~ **room** Hotelzimmer; **to update a** ~ **room** Hotelzimmer modernisieren; ~ **site** Hotelgelände, -grundstück; ~ **size** Hotelgröße; ~ **subsidiary** Hotelfiliale; ~ **suite** Zimmerflucht, Suite; ~ **trade** Hotelgewerbe, -industrie; ~ **unit** Hoteleinheit.

hotelize *(v.)* in ein Hotel verwandeln.

hotelkeeper Gastwirt, Wirt, Hotelbesitzer, Hotelier.

hour Stunde, *(television)* feststehende Sendung;
after ~**s** nach der Geschäftszeit, nach Dienstschluß (Feierabend, Ladenschluß); **out of** ~**s** außerhalb der Dienstzeit;
actual ~**s** *(employment)* tatsächlich geleisteter Stundendurchschnitt, effektive Arbeitszeit, **business** ~**s** Geschäftsstunden, -zeit; **official** ~**s** *(stock exchange)* Börsenzeit; **rush** ~**s** Hauptgeschäftszeit; **slack** ~**s** schwache Verkehrszeit; ~**s worked** tatsächlich geleistete Arbeit; **working** ~ Arbeitszeit;
~ **of employment** Arbeits-, Beschäftigungszeit; ~**s of opening** Eröffnungszeit; **final** ~ **of trading** Börsenschluß; **actual** ~**s of work** effektive Arbeitszeit; **scheduled** ~**s of work** festgesetzte Arbeitszeit;
to be dealt with after ~**s** *(stock market)* im Telefonverkehr gehandelt werden; **to keep regular** ~**s** regelmäßige Dienststunden einhalten; **to pay s. o. by the** ~ j. stundenweise bezahlen; **to work staggered** ~**s** Schicht arbeiten;
~**s convention** Arbeitszeitabkommen; **eight-** ~ **day** Achtstundentag.

hourly | **compensation** Stundenlohnvergütung; ~ **employee** auf Stundenlohnbasis Beschäftigter; ~ **output** [maschinelle] Stundenleistung; ~ **payroll** Lohnabrechnung; ~ **rate** Stundentarif; ~ **wages** Stundenlohn.

house Haus, Heim, Wohnung, *(firm)* Handelsfirma, -haus, *(household)* Haushaltung, *(Br., stock exchange)* Börse, *(townhall)* Ratsversammlung;
on the ~ auf Kosten des Gastwirts (des Hauses);
~ **advertised for sale** zum Verkauf angebotenes Haus; **apartment** ~ Mietshaus; **boarding** ~ Fremdenpension; **business** ~ Handels-, Geschäftshaus; **clearing** ~ Abrechnungsstelle; **commercial** ~ Handelsfirma, Geschäfts-, Handelshaus; **commission** ~ Maklerfirma; **company** ~ Werkswohnung; **discount** ~ Diskontbank; **executive-level** ~ Haus für gehobenere Ansprüche; **first** ~ *(cinema)* Frühvorstellung; **low-rent** ~ billiges Mietshaus; **one-family** ~ Einfamilienhaus; **originating** ~ *(issue of securities)* Konsortialführerin; **prefabricated** ~ im Montagebau hergestelltes Fertighaus; **solvent** ~ zahlungsfähige Firma; **old trading** ~ alte Firma;
~ **of accommodation (call)** Herberge, Absteigequartier; ~ **for sale with immediate possession** sofort bezugsfertiges Haus; ~ **of good (high) standing** angesehene Firma;
~ *(v.) (provide with)* Wohnraum zur Verfügung stellen, unterbringen;
to address the ~ das Wort ergreifen; **to look over a** ~ Haus besichtigen; **to put (set) one's** ~ **in order** seine Angelegenheiten in Ordnung bringen;
~ **advertising** *(agency)* Eigenwerbung; ~ **agency** Häusermakler, *(advertising)* Hausagentur; ~ **agent** *(Br.)* Häuser-, Grundstücks-, Immobilienmakler; ~ **bill** Filialwechsel; ~ **brand** Haus-, Eigenmarke; ~ **builder** Bauunternehmer; ~ **charge** *(restaurant)* Couvert, Gedeck; ~ **deal** Haustarif; ~ **delivery** Lieferung frei Haus; ~ **duty** Gebäude-, Haussteuer; **inhabited** ~ **duty** Hauszinssteuer; ~ **flag** Reede-

reiflagge; ~ **guest** Logiergast, *(inn)* Gast des Hauses; ~**-hunt** *(v.)* auf Wohnungssuche gehen; ~ **hunter** Wohnungssuchender; ~ **hunting** Wohnungssuche; ~ **item** *(Br.)* eigener Scheck; ~ **jobber** *(Br.)* Häusermakler; ~ **journal** Werkszeitung; ~ **knacker** *(Br.)* Aufkäufer von Häusern zwecks Untervermietung; ~ **organ** Betriebszeitung; **external** ~ **organ** Aktionärszeitschrift; ~ **owner** Hausbesitzer; ≗ **price** *(Br.)* Börsenpreis; ~ **property** Haus-, Grundbesitz; ~**-purchase insurance** *(life insurance)* Hypothekentilgungsversicherung; ~ **wag(g)on** Wohnwagen; ≗ **Ways and Means Committee** *(US)* Haushaltsausschuß.

house-to-house | **advertising** Haushaltswerbung; ~ **canvassing** Akquirieren; ~ **collection** Haussammlung; ~ **selling** Direktverkauf an der Haustür.

household Haushalt, Wirtschaft;
~ **budget survey participant** Berichtsfamilie einer Haushaltsausgabenbefragung; ~ **consumption** Haushaltsverbrauch; ~ **delivery** Direktlieferung an die Haushaltungen; ~ **income** Haushaltungseinkommen; ~**-moving industry** Umzugsgewerbe.

householder Haushaltungsvorstand, Hausherr.

housekeeper allowance (relief, *Br.*) Steuerfreibetrag für Hausangestellte.

housekeeping Haushalt[sführung], *(US)* Hausverwaltung;
~ **allowance** Haushaltungsgeld.

housewarming [party] Einstands-, Einzugsfest, Einweihungsfeier.

housing *(carrying charges)* Transportkosten zum Packhof, *(charges)* Lagergeld, *(house building)* Wohnungsbau, *(lodging)* Wohnung, Herberge, Obdach, *(providing shelter)* Unterbringung, Beherbergung, Wohnungsbeschaffung, -wesen, *(storage)* Lagerung;
additional ~ zusätzlicher Wohnraum; **factory-built** ~ vorfabrizierte Wohnungseinheit; **free** ~ kostenlose Wohnungsgestellung; **federally financed low-cost** ~ sozialer Wohnungsbau; **low-cost** ~ billige Wohnung; **low-income** ~ sozialer Wohnungsbau; **moderate-income** ~ sozialer Wohnungsbau; **modular** ~ Modellwohnung; **prefab** ~ vorfabrizierte Wohnung; **subsidized** ~ Unterstützung bei der Wohnungsbeschaffung; **temporary** ~ Behelfsunterkünfte; **upper-level** ~ Wohnung für gehobenere Ansprüche;
~ **of immigrants** Unterbringung von Flüchtlingen;
~ **aid** Wohnungsbeihilfe; ~ **allowance** Wohnungsentschädigung, -zuschuß; ~ **area** Wohngebiet; ~ **authority** Wohnungsbehörde; ~ **boom** Wohnungsbaukonjunktur; ~ **code** baupolizeiliche Verordnung; ~ **conditions** Wohnungsverhältnisse; ~ **construction** Wohnungsbau; ~ **control** Wohnungszwangswirtschaft; ~ **credit** Wohnungsbeschaffungskredit; ~ **estate** aufgeschlossenes Gelände; **suburban** ~ **estate** Stadtrandsiedlung; ~ **finance** Wohnungsfinanzierung; ~ **gap** fehlender Wohnungsraum; ≗ **and Home Financing Agency** Wohnungsfinanzierungsgesellschaft; ~ **industry** Wohnungswirtschaft; ~ **loan** Wohnungs-, -baudarlehen; ~ **market** Wohnungsmarkt; ~ **mortgage** Eigenheimhypothek; **low-cost** ~ **program(me)** Programm für die Beschaffung billiger Mietwohnungen; ~ **rehabilitation** Wohnungsinstandsetzung; ~ **scene** Wohnungsmarktlage; ~ **shortage** Unterdeckung von Wohnungen; ~ **standard** Wohnstandard; ~ **subsidy** Wohnungszuschuß; **privately financed** ~ **unit** freifinanzierte Wohnung; ~ **upturn** Wohnungsbaukonjunktur.

hovercraft Schwebeschiff, Luftkissenfahrzeug, -boot.

huckster *(advertising, US)* Reklamefachmann, *(street trader)* Hausierer, Straßenverkäufer.

hull insurance [Schiffs]kaskoversicherung;
~ **underwriter** Kaskoversicherer.

hung up *(US, speculator)* festgefahren, festgelegt.

husband Ehemann;
ship's ~ Schiffsagent, Korrespondentreeder;
~ *(v.)* bewirtschaften, *(economize)* sparsam (haushälterisch) umgehen.

husbanding of capital vorsichtige Kapitalverwendung.

hush money Schweigegeld.

hypothecary hypothekarisch, pfandrechtlich;
~ **action** Zwangsvollstreckungsklage; ~ **claim** Hypothekenforderung; ~ **debts** Hypothekenschulden; ~ **value** Beleihungs-, Lombardwert.

hypothecate *(v.)* verpfänden, *(mortgage)* hypothekisieren, *(ship)* verbodmen.

hypothecated asset sicherungsübereigneter Vermögensgegenstand.

hypothecation Verpfändung, Beleihung, Hypothekisierung, *(securities)* Lombardierung, *(ship)* Verbodmung;
~ **bond** Bodmereischein; ~ **certificate** *(US)* Lombardschein; ~ **value** Beleihungs-, Lombardwert.

I

ice Eisdecke, -schicht;
on thin ~ in einer gefährlichen Situation;
drifting (floating, loose, moving) ~ Treibeis;
to keep on ~ *(US)* auf Lager haben, in Reserve (petto) halten;
~**-free harbo(u)r** eisfreier Hafen.

ideas man *(advertising, Br.)* Ideenspezialist, -anreger.

ideal | **candidate** Bewerberideal; ~ **capacity** Betriebsoptimum; ~ **standard** Standardkosten.

identical copy gleichlautende Abschrift.

identifiable property feststellbare Vermögenswerte.

identification Feststellung der Persönlichkeit, Kennzeichnung, Identifikation, *(establishing identity)* Legitimation;
~ **of source** Offenlegung der Informationsquelle;
~ **card** Personalausweis, Kennmarke; ~ **papers** Ausweis-, Personal-, Legitimationspapiere; ~ **words** *(tel.)* Buchstabierwörter.

identify | *(v.)* **goods by marks** Waren kennzeichnen;
~ **o. s. with the majority** sich der Mehrheit anschließen.

identity Identität, *(personality)* Persönlichkeit, Individualität;
to prove one's ~ sich legitimieren (ausweisen);
~ **card** [Personal]ausweis, Kennkarte; ~ **certificate** Identitätsnachweis.

idle *(capital)* unproduktiv, tot, brachliegend, *(lazy)* faul, arbeitsscheu, *(not operating)* außer Betrieb, stillstehend, *(unoccupied)* unbeschäftigt, erwerbslos, untätig;
to be ~ feiern, *(machine)* brachliegen, stillstehen, unausgenützt sein; **to let one's money lie** ~ sein Geld nicht arbeiten lassen; **to lie** ~ *(capital)* nicht arbeiten; **to run** ~ *(factory)* stilliegen;
~ **capital** totes Kapital; ~ **hours** Mußestunden; ~**-plant expenses** Stillstandskosten; ~ **tenement** leerstehende Wohnung; ~ **time** *(production process)* verlorene Zeit, Brache, Leerlaufzeit; ~**-time report** Stillstandsbericht; ~ **workman** unbeschäftigter Arbeiter.

idleness Untätigkeit, *(worker)* Arbeitsscheu.

idler Müßiggänger, *(railway)* leerer Waggon.

illegal | **consideration** gesetzwidrige Vertragsleistung; ~ **contract** sittenwidriger Vertrag; ~ **interest** Wucherzinsen; ~ **profit** ungesetzlicher Gewinn; ~ **strike** wilder Streik; ~ **trade** Schmuggel, Schleichhandel; ~ **transactions** illegale Geschäfte.

illicit unerlaubt, verboten, gesetzwidrig, ungesetzlich;
~ **dealer** Schwarzhändler; ~ **profits** unerlaubte Gewinne; ~ **sales** Schwarzverkauf; ~ **trade** Schleich-, Schwarzhandel; ~ **work** Schwarzarbeit.

illiquid nicht flüssig, *(bank)* illiquide, zahlungsunfähig, *(claim)* unbewiesen;
~ **position** angeschlagene Liquiditätsposition.

illiquidity fehlende Liquidität, Illiquidität.

image *(advertising)* Vorstellungs-, Leitbild;
brand ~ Werbe-, Markenstil; **corporate** ~ Leitbild eines Unternehmens;
~ **building** Leitbilderstellung; ~**-rating system** System zur Erforschung der Kundenmeinung.

imbalance in world payments unausgeglichene Weltzahlungsbilanz.

imitation Nachahmung, Imitation, *(counterfeit)* Falsifikat, *(free translation)* freie Übersetzung;
~ **of trademarks** Warenzeichenverfälschung.

immediate unverzüglich, sofort, *(first hand)* unmittelbar, aus erster Hand, *(urgent)* dringend;
~ **annuity** sofort fällige Rente; ~ **benefit** sofortiger Versicherungsschutz; ~ **delivery** umgehende Lieferung; **for** ~ **delivery** sofort lieferfähig; ~ **demand** Nachfragestoß; ~ **notice** *(insurance)* sofortige Benachrichtigung [vom Eintritt des Versicherungsfalls]; ~ **payment** sofortige Zahlung; **with** ~ **possession** *(house)* sofort bezugsfähig.

immersed | **in debt** völlig verschuldet.

immigration Zu-, Einwanderung;
~ **country** Einwanderungsland; ~ **office** Einwanderungsbehörde; ~ **papers** Einwanderungspapiere.

immobilization *(coins)* Einziehung;
~ **of capital** Kapitalfestlegung; ~ **of liquid funds** Liquiditätsbindung.

immobilize *(v.)* *(coins)* aus dem Verkehr ziehen;
~ **capital** Kapital festlegen.

immobilized money festgelegte Gelder.

immovable unbeweglich;
~**s** Liegenschaften, Immobilien;
~ **estate** Liegenschaften; ~ **fixture** wesentlicher Bestandteil.

impact *(advertisement)* Stoßkraft, Intensität, Wirkungswert, -möglichkeit;
~ **of a tax** *(Br.)* Steuerbelastung;
~ **test** Anzeigentest.

impair *(v.)* | **investment** Investitionsveränderungen vornehmen;
~ **the obligations of a contract** Vertragsverpflichtungen abschwächen; ~ **s. one's reputation** Rufmord an jem. begehen.

impaired | **capital** [durch Verlust] vermindertes Kapital; ~ **credit** geschwächter Kredit.

impairment of capital Kapitalverminderung.

impecuniosity Geldmangel, Mittellosigkeit.

impecunious unbegütert, mittellos.

impede *(v.)* **the traffic** Verkehr behindern.

impeding the liberty to work Behinderung der Betätigungsfreiheit.

impediment to trade Handelsschranken.

imperfect | **competition** *(US)* ungleiche Wettbewerbsbedingungen; ~ **obligation** nicht einklagbare Verpflichtung.
Imperial preference *(Br.)* Reichsvorzugszoll, Zollbegünstigung.
impersonal | **account** totes Konto, Sachkonto; ~ **entity** Sachgesamtheit; ~ **ledger** Sachkontobuch.
impetus to trade Anreiz für die Ausdehnung des Handels.
implement Werkzeug, Arbeitsgerät, *(fulfil(l)ment of contract)* Vertragserfüllung;
~**s** Utensilien, Zubehör, Handwerkszeug;
writing ~**s** Schreibutensilien;
~**s and machinery** *(factory)* Inventar; ~**s of trade** Betriebsinventar;
~ *(v.)* **an agreement** Abkommen durchführen.
implementation | **of a contract** Vertragserfüllung, -ausfüllung;
~ **clauses** Durchführungsbestimmungen.
implicit mit inbegriffen, stillschweigend einbegriffen, mitverstanden;
~ **agreement** stillschweigendes Übereinkommen.
implied | **condition** stillschweigende Bedingung;
~ **guarantee** stillschweigend miteingeschlossene Garantie.
import Einfuhr, Import, Auslandszufuhr, *(meaning)* Inhalt, Sinn;
~**s** Einfuhr[waren], Importartikel;
capital ~ Kapitalimport, -einfuhr; **cut-price** ~**s** billige Importe; **food** ~ Nahrungs-, Lebensmitteleinfuhr; **invisible** ~**s** unsichtbare Einfuhr; **low-priced** ~**s** billige Importe; **nonquota** ~**s** nicht kontingentierte Einfuhrartikel; **principal** ~**s** Haupteinfuhrwaren; **total** ~**s** Gesamteinfuhr;
~**s from abroad** ausländische Einfuhren; ~ **of foreign capital** ausländische Kapitaleinfuhr; ~**s in excess of exports** Einfuhrüberschuß; **free** ~ **of goods** freie Wareneinfuhr; **clandestine** ~ **of goods** unerlaubte Wareneinfuhr;
~ *(v.)* importieren, [Waren] einführen;
~ **duty-free** zollfrei einführen; ~ **freely** ungehindert einführen; ~ **goods into a country** Waren in ein Land einführen; ~ **labo(u)r from another district** Arbeitskräfte aus anderen Bezirken herbeiholen;
to choke back ~**s** Einfuhr drosseln; **to increase** ~**s** Einfuhr erhöhen;
~ **agent** Import-, Einfuhragent; ~ **allocation** Einfuhrzuteilung; **auto** ~ **man** Autoimporteur; ~ **ban** Einfuhrverbot; ~ **application** Einfuhrantrag; ~ **arrangement** Einfuhrregelung; ~ **authorization** Einfuhrbewilligung; ~ **bar** Einfuhrhindernis; ~ **business** Importgeschäft; ~ **certificate** Einfuhrschein; ~ **commerce** Passivhandel; ~ **commission merchant** Einfuhrkommissionär; ~ **credit** Import-, Einfuhrkredit; ~ **cuts** Einfuhrkürzungen; ~ **damages** Einfuhrschädigung; ~ **dealer** Einfuhrhändler; ~ **department** Importabteilung; ~ **deposit** *(Br.)* Einfuhrhinterlegungssumme; ~ **duty** Einfuhrzoll, -abgabe; ~ **entry** Einfuhrdeklaration; ~ **excise tax** *(US)* Einfuhrsteuer, -verbrauchsabgabe; ~ **figure** Einfuhrziffer; ~ **firm** Importhaus; ~ **gain** Importgewinn; ~ **gold point** Einfuhrgoldpunkt; ~ **goods** Einfuhrwaren; ~ **handicap** Einfuhrhemmnis; ~ **house** Einfuhrfirma; ~ **industry** Importindustrie; ~ **letter of credit** Importkreditbrief, -akkreditiv; ~ **levy** Einfuhrabgabe; ~ **licence** Einfuhrbewilligung, Importgenehmigung, -lizenz; ~ **limitation** Einfuhrbegrenzung; ~**-limitation agreement** Einfuhrbegrenzungsabkommen; ~ **list** Einfuhrliste; ~ **markup** Einfuhraufschlag; ~ **merchandise** Einfuhrwaren; ~ **merchant** Einfuhrhändler; ~ **monopoly** Einfuhrmonopol; ~ **permit** Einfuhrbewilligung; ~ **prohibition** Importverbot; ~ **quota** Einfuhrkontingent; ~ **reduction** Einfuhrrückgang; ~ **regulations** Import-, Einfuhrbestimmungen; **to tighten** ~ **regulations** verschärfte Einfuhrbestimmungen erlassen; ~ **requirements** Einfuhrbedarf, -bedürfnisse; ~ **restraints** Einfuhrbeschränkungen; ~ **restrictions** Import-, Einfuhrbeschränkungen; **to put on** ~ **restrictions** Einfuhrbeschränkungen einführen; ~ **specie point** unterer Goldpunkt; ~ **surcharge** Importabgabe; ~ **surplus** Einfuhrüberschuß; ~ **tariff** Einfuhrzoll; ~ **tide** Einfuhrwelle; ~ **trade** Einfuhr-, Passiv-, Importhandel, -geschäft; ~ **transaction** Einfuhr-, Importgeschäft; ~ **value** Einfuhrwert.
importable einführbar.
importation Import, Einfuhr, Zufuhr;
~ **in bond** Einfuhr unter Zollverschluß; ~ **of goods in minimum commercial quantities** Wareneinfuhr in handelsüblichen Mindestmengen.
temporary ~ **papers** Zollpapiere für vorübergehende Einfuhr.
imported commodities (goods) Einfuhrwaren.
importer Importeur, Importkaufmann, Warenbezieher.
impose *(v.)* *(obligation)* auferlegen, aufbürden, *(taxes)* auferlegen, ausschreiben;
~ **new duties** neue Zollbestimmungen erlassen; ~ **an embargo** Embargo verhängen; ~ **inferior goods upon s. o.** jem. minderwertige Ware aufdrängen; ~ **restrictions** Beschränkungen festsetzen.
imposition of taxes Besteuerung, Steuerausschreibung.
impossibility of performance of contract Unmöglichkeit der Vertragserfüllung.
impossible consideration unmögliche Vertragsleistung.
impost Abgabe, Steuer, *(import duty)* Einfuhrzoll;
~**s** Gefälle;
~ *(v.)* *(imports, US)* Importware zwecks Zollfestsetzung klassifizieren.

impoundage of contraband goods Beschlagnahme von Kontrabande.

impressed | **seal** Prägestempel; ~ **stamp** eingedrucktes Postwertzeichen.

imprest *(Br.)* Vorschuß [aus öffentlichen Mitteln], Spesenvorschuß;
~ *(v.) (Br.)* Vorschuß gewähren;
~ **account** Spesen-, Vorschußonto; ~ **accountant** Vorschußempfänger; ~ **fund** [Spesen]vorschuß, *(petty cash)* Portokasse; ~ **money** Handgeld; ~ **system** bargeldloser Zahlungsverkehr.

improvable verbesserungsfähig, *(land)* kultivierbar, anbaufähig.

improve *(v.) (become better)* sich bessern, *(make better)* verbessern, *(land)* kultivieren, meliorieren, *(market)* erholen, sich kräftigen, Aufschwung nehmen, *(refine)* veredeln, verfeinern, *(relations)* anbauen, verbessern, *(rise)* steigen;
~ **away one's profits** seine Gewinne aufzehren; ~ **the conditions of the poor** bessere Lebensbedingungen für die Armen herbeiführen; ~ **a lot by building on it** Wertsteigerung eines Geländes durch Bebauung erzielen; ~ **o. s. of an offer** sich ein Angebot zunutze machen; ~ **a property** Werterhöhungen an einem Grundstück vornehmen; ~ **the value** Wert erhöhen.

improved | **goods** veredeltes Erzeugnis; ~ **land** melioriertes Land; ~ **site** erschlossenes Gelände.

improvement *(advance)* Steigen, Anziehen, Steigerung, Erholung, *(agriculture)* Bodenverbesserung, Melioration, *(betterment of building)* Verbesserung, Werterhöhung, *(increase)* Erhöhung, Vermehrung, *(law of patents)* Zusatzpatent, Patentverbesserung, *(progress)* Fortschritt, *(refining)* Veredelung, *(stock market)* Kursanstieg;
beneficial ~**s** wertsteigernde Meliorationen; **local** ~**s** örtlich begrenzte Aufschließungsmaßnahmen; **necessary** ~**s** werterhaltende Gebäudeverbesserungen; **price** ~**s** Preissteigerungen, *(stock exchange)* Kursaufbesserungen; **the so-called** ~**s** die sogenannten Errungenschaften; **social** ~ soziale Aufbauarbeit; **soil** ~ Meliorationen; **widely spread** ~ *(stock exchange)* Kursanstieg auf breiter Front; **voluntary** ~ Verschönerungsarbeiten;
~ **in the balance of payments** Verbesserung der Zahlungsbilanz; ~**s of buildings** Gebäudewerterhöhungen; ~**s of business premises** Werterhöhungen von Geschäftsgebäuden; ~ **in one's social conditions** finanzielle Besserstellung; ~ **in pay** Gehaltsaufbesserung; ~ **in prices** Preiserhöhung, *(stock exchange)* Kursanstieg, -aufbesserung; ~ **in profit** verbesserte Gewinnsituation; ~ **in rates** Tarifverbesserung; ~**s of real estate** Grundstückssteigerungen; ~ **in sterling exchange** Verbesserung im Pfundkurs; ~ **in stocks** Erholung der Aktienkurse; ~ **in trade** zunehmendes Geschäft; ~ **in value** Werterhöhung;
~ **bonds** *(US)* der Verbesserung öffentlicher Anlagen dienende Kommunalanleihe; ~ **company** Meliorationsunternehmen; ~ **course** Fortbildungskursus; ~ **factor** auf den Produktivitätszuwachs abgestellter jährlicher Lohnsteigerungsbetrag; ~ **grants** Wohngebäude-, Meliorationszuschüsse; ~ **industry** Veredelungswirtschaft; ~ **lease** mit Meliorationsauflagen vergebene Pacht; ~ **mortgage bonds** *(US)* an zweiter und dritter Stelle gesicherte Schuldverschreibungen für öffentliche Anlagen; ~ **patent** Verbesserungs-, Zusatzpatent; ~ **trade** Veredelungsverkehr.

impulse | **to trade** Aufschwung des Handels;
~ **buying** auf Grund plötzlicher Überlegung zustande gekommene Einkäufe, Impuls-, Spontan-, Stimmungskäufe; ~ **items** *(US)* Impulskaufgegenstände.

imputed | **cost** kalkulatorische Kosten; ~ **notice** zurechenbare Kenntnis; ~ **value** veranschlagter (abgeleiteter) Wert.

in *(additional)* als Zugabe, obendrein, *(Br.)* nach London, *(fashion)* in Mode, modern, *(mar.)* im Hafen, festgemacht, *(politics)* an der Macht, am Ruder, *(train)* angekommen, da;
~**s** *(politics)* Regierungspartei;
to be ~ *(politics)* an der Macht sein, regieren; **to be** ~ **and out of the market** *(US)* kurzfristige Börsenspekulationen durchführen; **to throw** ~ als Zugabe gewähren;
~**-between** Zwischenhändler; ~**-grade salary decrease** tarifliche Niedereinstufung; ~**-hospital benefits** Krankenhausbeihilfen; ~**-house consultant unit** betriebliche Beratergruppe; ~**-house fund** versicherungseigener Investmentsfonds; ~ **party** Regierungspartei; ~**-plant** *(US)* innerbetrieblich; ~**-plant shop** Werksladen; ~**-plant training** *(US)* Werkstattausbildung ~**-service training** *(US)* innerbetriebliche Berufsförderung; ~**-store promotion** im Laden betriebene Verkaufsförderung.

inability | **to pay** Zahlungsunfähigkeit; ~ **to perform** Unmöglichkeit der Leistung; ~ **to supply goods** Lieferunfähigkeit; ~ **to support o. s.** Erwerbsunfähigkeit.

inaccurate account unrichtige Rechnung.

inactive untätig, träge, *(business)* still, *(stock exchange)* flau, reserviert, lust-, umsatz-, geschäftslos;
~ **account** umsatzloses (totes) Konto; ~ **capital** brachliegendes Kapital; ~ **market** lustloser Markt; ~ **securities** Effekten mit geringen Umsätzen; ~ **status** Wartestand.

inactivity Untätigkeit, *(business)* Stille, Flaute, *(stock exchange)* Flaute, Lustlosigkeit;
market ~ Lustlosigkeit des Marktes.

inadequate resources nicht ausreichende (unzulängliche) Mittel.

inadmissible asset *(excess profit tax, US)* steuerfreie Wertpapiere.

inadmitted asset *(insurance accounting)* im Liquidationsfall geringwertige Anlagegüter.

inanimate matt, unbelebt, *(market)* flau, unbelebt, lustlos.

inanimateness Flaute, Lustlosigkeit.

inapproachable konkurrenzlos.

inattention to one's business Vernachlässigung seines Geschäfts.

inaugurate *(v.)* einweihen, inaugurieren, eröffnen; ~ **an air service** Fluglinienverkehr aufnehmen; ~ **a new era in travel** neue Reisemöglichkeiten erschließen; ~ **a life insurance** Lebensversicherung abschließen; ~ **a ship canal** Schiffahrtskanal einweihen.

inauguration *(building)* Einweihung, Eröffnung, *(office)* Amtseinsetzung.

inboard im Schiffsraum befindlich;
~ **cargo** Innenladung.

incapable, legally ~ of acting in law geschäftsunfähig; ~ **of managing one's own affairs in some jurisdictions** beschränkt geschäftsfähig;
~ **of working** arbeitsunfähig;
to be ~ of managing one's own affairs seine eigenen Angelegenheiten nicht mehr besorgen können.

incapacitated arbeitsunfähig, *(legally incapable)* entmündigt, geschäftsunfähig;
~ **person** Geschäftsunfähiger, Entmündigter; ~ **worker** Invalide, Erwerbsunfähiger.

incapacitation for work Arbeitsunfähigkeit.

incapacity Untüchtigkeit, Unfähigkeit;
legal ~ mangelnde Geschäftsfähigkeit, Geschäftsunfähigkeit;
~ **to act in law** Geschäftsunfähigkeit; ~ **for employment** Erwerbsunfähigkeit.

incentive [Leistungs]anreiz, Antrieb, Ansporn, *(salesman)* Leistungsprämie;
buying ~ Kaufanreiz; **profit-sharing** ~ Gewinnbonus;
to lack ~ *(market)* lustlos sein;
to carry ~ arrangements besondere Leistungsprämien einschließen; ~ **bonus** Leistungszulage; **to extend ~ coverage** Leistungsentlohnung ausdehnen; ~ **operation** Akkordarbeit; ~ **pay** Leistungslohn; ~ **pay agreement** Leistungslohnabkommen; ~ **pay figuration** Leistungslohnerrechnungen; ~ **plan** spezielles Leistungsprämiensystem, Prämienwesen; ~ **premium** Gratiskupon; ~ **program(me)** Prämienprogramm; ~ **rate** Leistungslohnsatz; ~ **taxation** zyklisches Steuersystem; ~ **wage plan (system)** Leistungslohnsystem, -entlohnung.

inception | **of an enterprise** Gründung eines Unternehmens; ~ **of a product** Herstellungsbeginn eines Erzeugnisses.

inchoate | **cheque** *(Br.)* nicht fertig ausgefüllter Scheck; ~ **instrument** *(Br.)* Blankoakzept; ~ **interest** Anwartschaftsrecht.

incidence *(distribution)* Ausdehnung, Verbreitung, Verteilung, *(ore oil)* Vorkommen, Häufigkeit, *(range of influence)* Wirkungs-, Einflußbereich, -gebiet;
~ **of loss** Schadenshäufigkeit; ~ **of a tax** Auswirkung einer Steuer, Steuerbelastung, -anfall.

incidental | **to employment** *(risk)* berufsgebunden;
~ **earnings** Nebenverdienst; ~ **expenses** Nebenausgaben, -kosten.

incite *(v.)* **workmen against their masters** *(Br.)* Arbeiter gegen ihre Arbeitgeber aufhetzen.

inclination | **to buy** Kaufneigung, -lust, -interesse;
~ **to merge** Fusionsneigung.

incline *(v.)* **to rise** *(market)* zur Festigkeit neigen.

inclined to buy aufnahmefähig, kaufwillig.

include *(v.)* **in the agenda** auf die Tagesordnung setzen.

included mit inbegriffen, einschließlich;
not ~ in the price im Preis nicht eingeschlossen;
postage ~ einschließlich Porto.

inclusion in the agenda Aufnahme in die Tagesordnung.

inclusive einschließlich, eingerechnet, inklusiv;
~ **of interest** Zinsen einschließlich;
~ **charge** Gesamtgebühr; ~ **sum** Globalbetrag;
~ **terms** *(at a hotel)* alles inbegriffen.

income Einkommen, Einnahmen, Einkünfte;
additional ~ Nebeneinkünfte, -einnahmen, -einkommen; **adjusted gross** ~ steuerpflichtiges Nettoeinkommen; **aggregate** ~ Gesamteinkommen; **guaranteed annual** ~ garantiertes Jahreseinkommen; **assessable** ~ steuerpflichtiges Einkommen; **consumer** ~ Verbrauchereinkommen; **corporate** ~ Firmeneinnahmen; **deferred** ~ *(accounting)* antizipatorische Passiva; **accrued expense and deferred** ~ *(balance sheet)* Rechnungsabgrenzung; ~ **derived from land[ed property]** Einkünfte aus Land- und Forstwirtschaft; **dividend** ~ Dividendenerträgnisse; **earned** ~ Arbeitseinkommen, Einkünfte aus nichtselbständiger Arbeit; **extraneous** ~ Fremderträge; **extraordinary and outside** ~ außerordentliche und betriebsfremde Erträge; **family** ~ Familieneinkommen; **financial** ~ Finanzerträge; **foreign** ~ ausländische Einkünfte; **gross** ~ Roh-, Reineinnahme, Bruttoeinkommen; **individual** ~ Privateinnahmen; **interest** ~ Zinserträgnisse; **investment** ~ Einkommen aus Kapital; ~ **wholly liable to income tax** voll steuerpflichtiges Einkommen; **national** ~ Volkseinkommen; **nonrecurring** ~ einmalige Erträgnisse; **nontaxable** ~ steuerfreies Einkommen; **occupational** ~ Einkünfte aus selbständiger Arbeit (freiberuflicher Tätigkeit); **operating** ~ Betriebserträgnisse; **other** ~ *(balance sheet)* sonstige Einkünfte; **pre-tax** ~ Einkommen vor [Abzug der] Steuern, unversteuertes Einkommen; **professional** ~ Einkünfte aus freiberuflicher Tätigkeit; **realized** ~ realisierter Gewinn; **regular** ~ festes Einkommen; **rent[al]**

~ Mieteinnahmen; **retained** ~ unverteilter Reingewinn, stehengelassener (thesaurierter) Gewinn; **retirement** ~ Versorgungs-, Pensionsbezüge, Ruhegehalt; **spendable** ~ für Ausgaben (frei) zur Verfügung stehendes Einkommen; **statutory** ~ [dreijähriges] Durchschnittseinkommen; **surplus** ~ überschüssiger Gewinn; **tax-exempt** ~ steuerfreie Einkünfte; **taxable** ~ steuerpflichtiges Einkommen; **trading** ~ Einkünfte aus Gewerbebetrieb; **unearned** ~ *(accounting)* antizipatorische Passiva, im voraus eingegangene Erträge, *(investment)* Kapital-, arbeitsloses (fundiertes) Einkommen, Kapitalertrag; **wage** ~ Erwerbseinkommen, Einkünfte aus nicht selbständiger Arbeit;

~ **in arrears** rückständige Einkünfte; ~ **in the $ 15 000—20 000 bracket** Einkommen zwischen 15 000 und 20 000 Dollar; ~ **from buildings and landed property (real estate)** Einkünfte aus Landwirtschaft; ~ **from capital** Einkünfte aus Kapitalvermögen; ~ **not charged under any other heading** *(income-tax form, Br.)* sonstige Einkünfte; ~ **received from social insurance** Bezüge aus der Sozialversicherung; ~ **from interest** Kapitaleinkünfte; ~ **on (from) investments** Erträge aus Beteiligungen; ~ **from occupation of lands** *(Br.)* Einkünfte aus Land- und Forstwirtschaft; ~ **arising from any office or employment of profit** Einkommen aus nichtselbständiger Arbeit; ~ **from ownership of land** *(US)* Einkünfte aus Eigentum an Grund und Boden; ~ **arising from participation in the capital and profits of a company** Einkünfte aus Kapital- und Gewinnanteilen einer Gesellschaft; ~ **received from pensions** Versorgungs-, Pensionsbezüge, Ruhegehalt; ~ **from profession or vocation** *(Br.)* Einkommen aus selbständiger Arbeit (freiberuflicher Tätigkeit); ~ **from sales** Umsatzerlöse, Veräußerungsgewinne; ~ **from securities** *(income-tax form, Br.)* Einkünfte aus Kapitalvermögen (Wertpapieren); ~ **exempt from taxation (taxes)** steuerfreies Einkommen; ~ **from wages** Einkünfte aus nicht selbständiger Tätigkeit; ~ **for the year** Jahresgewinn;

to average one's ~ seine Einkünfte über mehrere Jahre verteilen; **to be paid out of** ~ aus dem laufenden Einkommen bezahlt werden; **to exceed one's** ~ über seine Verhältnisse leben; **to have a fat** ~ dicke Gelder verdienen; **to have an independent** ~ **(~ of one's own)** Privatvermögen haben; **to have a steady** ~ sein gesichertes Brot haben; **to make a good** ~ schönes Einkommen haben; **to outrun one's** ~ über seine Verhältnisse leben; **to report as taxable** ~ [als Einkommen] versteuern; **to report one's pro-rata share of a limited partnership as one's own** ~ Erträge aus seiner Kommanditbeteiligung als persönliches Einkommen versteuern; **to understate one's** ~ sein Einkommen zu niedrig angeben;

~ **account** Einnahmekonto, *(balance sheet)* Einnahmeseite der Gewinn- und Verlustrechnung; **national** ~ **accounting** Volksvermögensrechnung; ~ **and expenditure account** *(corporation)* Bericht über die Einnahmen- und Ausgabenentwicklung; **wife's earned** ~ **allowance** zusätzlicher Steuerfreibetrag für das Arbeitseinkommen der Ehefrau; ~ **analysis** Ertragswertanalyse; ~ **averaging** Einkommensverteilung auf mehrere Jahre; ~ **basis** Rendite [eines Wertpapiers]; ~ **bonds** *(US)* von den Gewinnen in ihrer Verzinsung abhängige Schuldverschreibungen; ~ **and adjustment bond** Besserungsschein; ~ **bondholder** Inhaber eines Besserungsscheins; ~ **bracket** Einkommensteuergruppe, -klasse; **[high]** ~ **brackets** [hohe] Einkommensstufen; **to be in the low** ~ **brackets** einer niedrigen Einkommenstufe angehören; ~ **control** Einkommenskontrolle; ~ **cost** Einkaufspreis; ~ **debentures** *(Br.)* gewinnabhängige verzinsliche Schuldverschreibungen; ~ **deductions** Erlösschmälerungen, betriebsfremder Aufwand; ~ **distribution** Einkommensverteilung; ~ **division** Einkommensschichtung; ~ **earner** *(US)* Einkommensbezieher; ~ **elasticity** Einkommenselastizität der Nachfrage; ~ **elements** Einkommensteile; ~ **engineering** *(US)* Budget-, Haushaltsaufstellung; **upper** ~ **family** gut verdienende Familie; ~ **figures** Einkommensziffern; ~ **floor** Einkommenshöhe; ~ **gain** Einkommenszuwachs, -anstieg; ~ **gap** Einkommensabstand; ~ **group** Einkommensklasse, -gruppe, -schicht; ~ **growth** Einkommenszuwachs; ~ **growth rate** Einkommenszuwachsrate; ~ **guarantee** Einkommensgarantie; ~ **increment** Einkommenssteigerung; ~ **item** Einnahmeposten; ~ **level** Einkommensstand, -höhe; ~ **limit** [Einkommensteuer]freigrenze; ~ **maintenance** Einkommensicherung; ~**-maintenance payments** [Einkommens]unterstützungszahlungen; ~ **policy** Rentenversicherung zugunsten eines überlebenden Dritten, *(politics, Br.)* Einkommenspolitik; **[safe]** ~ **producer** [sicherer] Einkommensfaktor; ~ **-yielding property** Einkünfte aus Kapitalvermögen; ~ **property appraisal** Ertragswertabschätzung; ~ **protection insurance** Garantieversicherung für gleichbleibendes Einkommen; ~ **qualification** *(Br.)* Mindesteinkommen; ~ **realization** Gewinnrealisierung; ~ **receiver** Einkommensempfänger; ~ **redistribution** Einkommensumverteilung; ~ **relief** Einkommensteuererleichterung; ~ **return** *(US)* Rendite, Kapitalerträgnis, -ertrag; ~ **sheet** Einkommensteuererklärung; ~ **splitting** Einkommensaufteilung, Splitting; ~ **statement** *(US)* Gewinn- und Verlustrechnung, Einkommensaufstellung, *(~ sheet)* Einkommenserklärung; **comparative** ~ **statement** vergleichende Gewinn- und Verlustrechnung; **minimum** ~ **statement content** Mindestumfang einer Ein kommensteuererklärung; ~ **surtax** Mehreinkommensteuer, Einkommensteuerzuschlag.

·come tax Einkommensteuer;
free of ~ [einkommen]steuerfrei; **in levying** ~ bei Veranlagung (Festsetzung) der Einkommensteuer;
assessed ~ veranlagte Einkommensteuer; **federal** ~ *(US)* Einkommensteuer; **normal** ~ *(US)* Einkommensteuer; **withholding** ~ Lohnsteuerabzug;
~ **on corporations** *(US)* Körperschaftssteuer; ~ **on individuals** *(US)* Einkommenssteuer für natürliche Personen; ~ **upon return of investments** *(US)* Kapitalertragssteuer;
~ **age exemption** altersbedingte Einkommensteuerfreigrenze; ≗ **Appeal Tribunal** [etwa] Bundesfinanzhof; ~ **assessment** Einkommensteuerbescheid; ~ **bill** Einkommensteuerbescheid; ~ **computation** Einkommensteuerberechnung; ~ **credit** Einkommensteuervergünstigung; ~ **deductions** Abzüge vom steuerpflichtigen Einkommen; ~ **evasion** Einkommensteuerhinterziehung; ~ **form** Einkommensteuerformular; ~ **payer** Einkommensteuerzahler; ~ **progression** Einkommensteuerprogression; ~ **receipts** Aufkommen an Einkommensteuer; ~ **relief** Einkommensteuervergünstigung; ~ **return (statement,** *US)* Einkommensteuererklärung; **to file one's** ~ **return** Einkommensteuererklärung abgeben; ~ **return blank** Einkommensteuerformular; ~ **surcharge** Einkommensteuerzuschlag; ~ **treatment** steuerliche Behandlung bei der Einkommensteuerveranlagung.

·comer neu Zugezogener, *(successor)* Nachfolger [im Miet-, Pachtverhältnis].

·coming ankommend, eingehend, -laufend, *(accruing)* erwachsend, entstehend, anfallend, *(order)* einlaufend;
~**s and outgoings** Eingänge und Ausgänge;
~ **long-distance call** *(tel.)* ankommendes Ferngespräch; ~ **orders** Auftragseingänge; ~ **partner** neu eintretender Gesellschafter; ~ **stocks** Warenzugänge.

·competency *(legal incapacity)* mangelnde Geschäftsfähigkeit.

·competent Geschäftsunfähiger, *(incapacitated by law, US)* nicht geschäftsfähig, unzurechnungsfähig, geschäftsunfähig.

·convertibility *(banknotes)* Nichteinlösbarkeit, *(debentures)* Nichtumwandel-, Nichtkonvertierbarkeit, *(goods)* Nichtumsetzbarkeit.

·convertible *(banknotes)* nicht einlösbar, *(debentures)* nicht konvertierbar, unkonvertierbar, *(goods)* nicht umsetzbar.

·corporate *(v.)* vereinigen, verbinden, zusammenschließen, *(constitute as corporation, US)* [amtlich] als Aktiengesellschaft eintragen, registrieren, inkorporieren;
~ **one's business** seine Firma in eine Kapitalgesellschaft umwandeln; ~ **one bank with another** Banken fusionieren; ~ **a field in an estate** Grundstücksparzellen zusammenschreiben;
~ *(a.)* einverleibt, inkorporiert, *(registered)* amtlich eingetragen;
~ **body** Körperschaft.

incorporated inkorporiert, registriert, als juristische Person eingetragen, *(US)* [amtlich als AG] eingetragen;
~ **in the United Kingdom** mit Sitz in England; **to be** ~ Rechtspersönlichkeit erlangen; **to be** ~ **in A** seinen Sitz in A haben; ~ **in another firm** in einer anderen Firma aufgehen;
~ **accountant** *(Br.)* staatlich geprüfter Bücherrevisor; ~ **bank** *(US)* Aktienbank ~ **business** Gesellschaftsunternehmen; ~ **company** handelsgerichtlich eingetragene Gesellschaft.

incorporation *(incorporated body)* Korporation, Körperschaft, *(forming of corporation)* Inkorporierung, Körperschaftsbildung, *(registration)* [amtliche] Eintragung, Registrierung, *(town)* Eingemeindung, *(uniting with)* Einverleibung, Einbeziehung, Eingliederung, Aufnahme;
~ **of a field into an estate** Zusammenschreibung von Grundstücksparzellen;
~ **fee** Eintragungsgebühr; ~ **tax** Körperschaftssteuer.

incorporeal | **property** Forderungsrecht; ~ **right** immaterielles Güterrecht.

incorrect ~ **indorsement** Unvollständiges Indossament; ~ **text** fehlerhafter Text.

increase *(accumulation)* Auflaufen, *(advance)* Ansteigen, Erhöhung, Steigerung [der Preise], *(agriculture)* Bodenertrag *(augmentation)* Vermehrung, Vergrößerung, Wachstum, Erweiterung, Zunahme, Zulage, *(increment)* Zuwachs, *(pay)* Zulage, Gehaltserhöhung, *(produce)* Bodenertrag, *(profit)* Nutzen, Ertrag, Gewinn, *(wages)* Lohnzulage;
17% ~ 17%ige Zuwachsrate; **hoped-for** ~ erhoffte Gehaltserhöhung; **interest** ~ Zinserhöhung; **price** ~ Preis-, Kurserhöhung;
~ **in the bank rate** Diskonterhöhung; ~ **of business** Geschäftszunahme; ~ **in (of) capital** Kapitalerhöhung; ~ **in capital investments** Erweiterungsinvestitionen; ~ **of capital stock** *(US)* Kapitalaufsteckung; ~ **in charges** Gebührenanhebung; ~ **in consumption** Verbrauchssteigerung; ~ **in cost** Kostensteigerung; ~ **of the currency** Geldvermehrung; ~ **in demand** wachsende Nachfrage; ~ **of deposits** Einlagenzuwachs; ~ **of [their] special deposits with the Bank of England** [etwa] Mindestreservenerhöhung bei der Bundesnotenbank; ~ **in the discount rate** Diskonterhöhung, Erhöhung des Diskontsatzes; ~ **of duties** Zollerhöhung; ~ **in efficiency** Leistungssteigerung; ~ **of exports** Exportsteigerung; ~ **in the gold backing for the currency** Erhöhung der Golddeckung der Währung; ~ **of hazard** Risiko-, Gefahrerhöhung; ~

of imports Einfuhranstieg; ~ **of liquidity** Liquiditätsverbesserung; ~ **in output** Produktionssteigerung; ~ **in pay** Gehaltserhöhung; ~ **of premium** Prämienerhöhung; ~ **in prices** Verteuerung, Preisanstieg; **allround** ~ **in prices** allgemeine Preissteigerung; ~ **in productivity** Produktivitätssteigerung; ~ **of profit** Gewinnzulage; ~ **in range of goods** Sortimentserweiterung; ~ **in rates** Tariferhöhung; ~ **in receipts** Mehreinkommen; ~ **in the rediscount rate** *(US)* Diskontsatzerhöhung; ~ **of rent** Mietererhöhung; ~ **in revenue** Einnahmenanstieg; ~ **in sales** Kaufbelebung; ~ **of share capital** Kapitalerhöhung; ~ **of salary** Gehaltszulage; ~ **in taxation [of 10%]** [zehnprozentige] Steuererhöhung; ~ **of trade** Aufschwung des Handels; ~ **in turnover** Umsatzsteigerung; ~ **in unemployment** Zunahme der Arbeitslosigkeit, Arbeitslosenanstieg; ~ **in value** Wertsteigerung; ~ **in wages** Lohnanstieg;

~ *(v.) (advance)* erhöhen, steigern, vermehren, *(v. i.)* sich erhöhen (vermehren), anwachsen, [an]steigen, zunehmen;

~ **the borrowings at the bank** Bankkredit in erhöhtem Maße in Anspruch nehmen; ~ **the capital stock** Kapital verstärken (erhöhen); ~ **the original capital by ...** Grundkapital um ... erhöhen; ~ **the cost of goods** Warenpreise heraufsetzen; ~ **a credit** Kredit erhöhen; ~ **their special deposits with the Bank of England** [etwa] Mindestreserven bei der Bundesnotenbank erhöhen; ~ **the expenditure** Ausgaben erhöhen; ~ **export** Export steigern; ~ **in numbers** zahlenmäßig zunehmen; ~ **paper circulation** Notenumlauf steigern; ~ **in price** teurer werden; ~ **s. one's salary** jem. eine Gehaltserhöhung gewähren; ~ **the taxes** Steuern erhöhen; ~ **in value** im Wert steigen;

to approve an ~ **in capital** Kapitalerhöhung genehmigen.

increased | consumption Konsumerhöhung; ~ **cost of living** gestiegene Lebenshaltungskosten; ~ **demand** Bedarfszunahme, Mehrbedarf; ~ **exports** Exportsteigerung; ~ **interest** erhöhte Zinsen; ~ **pay** Lohnzulage; ~ **wealth** Vermögenszunahme.

increasing | costs Kostenzunahme; ~ **return** zunehmende Erträge.

increment Zunahme, [Wert]zuwachs, *(profit)* Gewinn, Mehrertrag;

annual ~ *(salary)* jährliche Gehaltssteigerung; **current annual** ~ *(forestry)* regelmäßiger Jahreszuwachs; **marginal** ~ Mindestwerterhöhung; **pension** ~ Pensionsaufstockung, -erhöhung; **quality** ~ *(forestry)* Wertzuwachs durch erhöhte Preise; **salary** ~ Gehaltserhöhung, -aufbesserung; **unearned** ~ Wertzuwachs; **yearly** ~ *(salary)* jährliche Gehaltssteigerung;

~ **income tax** Gewinnzuwachs-, Mehreinkommensteuer; ~ **value** Wertzuwachs; ~ **value duty** Wertzuwachssteuer.

incremental cost Grenzkosten.

incumbered verschuldet, belastet.

incumbrance [Grundstücks]last, *(mortgage)* Hypothekenbelastung.

incur *(v.)* eingehen, übernehmen, auf sich nehmen;

~ **debts** Schulden machen; ~ **heavy expenses** sich in große Unkosten stürzen; ~ **liabilities** sich Verpflichtungen aufladen; ~ **a loss** Verlust erleiden.

incurrence of debt Schuldenaufnahme.

incurred expenses gehabte Ausgaben.

indebted verschuldet, schuldenbelastet;

to be contingently ~ aus Giroverbindlichkeiten Schulden.

indebtedness Verschuldung, Verschuldetsein, Schulden[last], Verbindlichkeiten, Verpflichtungen, *(sum owed)* Schuldsumme, -betrag;

bank ~ Bankverschuldung; **excessive** ~ Überschuldung; **long-term** ~ langfristige Verschuldung; **net** ~ Nettoverschuldung; **voluntary** ~ *(country)* Kommunalverpflichtungen bei ausgeglichenem Haushalt;

~ **of local authorities** Kommunalverschuldung.

indecent advertising anstößige Werbung.

indefeasible interest unantastbarer Anspruch.

indefinite payment allgemeine Schuldenrückzahlung.

indelible | ink Kopiertinte; ~ **pencil** Tintenstift.

indemnification Entschädigung, Vergütung, Schadloshaltung, Ersatzleistung, Schadenersatz, Abfindung, Abstandsgeld, *(reimbursement of penalty)* Sicherstellung;

governmental ~ staatliche Entschädigung; **special** ~ Sondervergütung;

to pay s. o. a sum by way of ~ jem. etw. im Entschädigungswege zahlen.

indemnify *(v.) (compensate)* entschädigen, Schadloshaltung zusagen, schadlos halten, vergüten, Schadenersatz leisten;

~ **s. o. for expenses incurred** jem. seine Spesen ersetzen; ~ **s. o. for a loss** j. für einen Verlust entschädigen; ~ **the owner of property taken for public use** enteigneten Eigentümer entschädigen.

indemnitee *(US)* Entschädigungsberechtigter.

indemnity *(amount of damages)* Entschädigungsbetrag, -summe, Schadensersatz, *(compensation)* Entschädigung, Abfindung, Schadloshaltung, -erklärung, *(stock exchange, US)* Prämiengeschäft;

accident ~ Unfallentschädigung; **cash** ~ Mankogeld; **implied** ~ stillschweigend übernommene Entschädigungsverpflichtung; **lump-sum** ~ Pauschalabfindung; **third-party** ~ Haftpflicht gegenüber Dritten;

~ **for expropriation** Enteignungsentschädigung; ~ **against liability** Haftungsausschluß;

to pay full ~ **to s. o.** jem. den Schaden in voller Höhe ersetzen; **to waive (renounce) a claim to** ~ auf Schadenersatzansprüche verzichten;

~ **account** Abfindungskonto; ~ **bond** *(US)* Schadlos-, Ausfallbürgschaft, Garantieverpflichtung; ~ **contract** Garantie-, Schuldübernahmevertrag; ~ **letter** *(Br.)* Garantieverpflichtung, Ausfallbürgschaft; ~ **limit** Entschädigungshöchstsumme; ~ **period** *(insurance)* Leistungsdauer.

indent Vertragsurkunde, *(order)* Auslandsauftrag, Warenbestellung, Kaufauftrag, Einkaufsorder, *(export order)* Auslandsauftrag;
ration ~ *(Br.)* Bezugsschein;
~ *(v.)* *(document)* Vertragsurkunde im Duplikat (in mehrfacher Ausfertigung) aufsetzen, *(order)* Waren bestellen, [Auslands]auftrag erteilen;
~ **s. o.** j. in die Lehre geben.

indented im Lehrlingsverhältnis, *(bound by contract)* vertraglich verpflichtet;
~ **line** eingerückte Zeile.

indenture *(apprentice)* Lehr-, Dienstverpflichtungsvertrag, *(instrument of contract under seal)* [gesiegelte] Vertragsurkunde, *(instrument in duplicate)* in mehreren Ausfertigungen vorliegende Vertragsurkunde;
trust ~ *(US)* Treuhandvertrag;
~ **of assumption** Übernahmevertrag; ~ **of mortgage** Hypothekenbewilligungsurkunde;
~ *(v.)* in die Lehre geben, als Gesellen einstellen;
to be bound by an ~ vertraglich gebunden sein;
to be out of one's ~**s** ausgelernt (Lehre beendet) haben;
~ **trustee** urkundlich bestellter Treuhänder.

identured vertraglich verpflichtet, *(apprentice)* im Lehrlingsverhältnis.

independence hinreichendes Auskommen.

independent *(broadcasting)* freier Sender, *(in politics)* unabhängiger Politiker, Parteiloser;
~ *(a.)* selbständig, [finanziell] unabhängig, ungebunden, selbständig, frei, im Besitz hinreichender Mittel;
to be ~ **of trains, trams and buses** von den öffentlichen Verkehrsmitteln unabhängig sein;
~ **accountant** *(US)* Wirtschaftsprüfer; **in an** ~ **capacity** selbständig; ~ **contractor** selbständiger Unternehmer; **to have an** ~ **income** privatisieren; ~ **means** eigenes Vermögen; ~ **retailer** selbständiger Einzelhändler; ~ **store** selbständiges Einzelhandelsgeschäft; ~ **union** unabhängige Fachgewerkschaft.

indeterminate obligation Gattungsschuld.

index Inhalts-, Namenverzeichnis, Index, [Sach]register, Tabelle, Kennziffer, *(fig.)* Wegweiser, Fingerzeig, *(index file)* Kartei, Karthotek, *(pointer)* Anzeiger, Nachweiser, *(print.)* Hand[zeichen];
tied to the ~ indexgebunden;
business ~ Handelsregister; **card** ~ Kartei, Kartothek; **cost-of-living** ~ Lebenskosten-, Lebenshaltungsindex; **national-production** ~ Index der industriellen Nettoproduktion; **price** ~ Preisindex; **adjusted production** ~ bereinigter Produktionsindex; **quantum** ~ Mengenindex; **share-price** ~ *(Br.)* Aktienindex; **stock-exchange** ~ Börsenindex; **wholesale-price** ~ Großhandelsindex;
~ **of general business activity** Konjunkturindex; ~ **based on 1914 averages as 100** auf den Durchschnitt von 1914 mit 100 bezogener Index; ~ **of employment** Beschäftigungsindex; ~ **of industrial production** Produktionsindex; ~ **of securities** Effektenindex; ~ **of stocks** *(US)* Aktienindex; ~ **of wholesale prices** Großhandelsindex;
~ *(v.)* mit einem Inhaltsverzeichnis versehen, registrieren;
to be an ~ **of a country's prosperity** Gradmesser für den Wohlstand eines Landes sein (darstellen);
~ **card** Karteikarte; ~ **clause** Indexklausel; ~ **clip** Karteireiter; ~ **file** Kartei, Kartothek.

index number *(statistics)* Index[zahl], Indexziffer, Meßziffer, Katalognummer;
cross-weighted ~ gekreuzter Index;
~ **of cost of living** Lebenskosten-, Lebenshaltungsindex; ~ **of securities** Effektenindex; ~ **of wholesale prices** Großhandelsindex;
~ **valuation** Bewertung anhand des Wirtschaftsindex; ~ **wage provisions** auf den Lebenshaltungsindex abgestimmte Lohnregelung.

indication | **of origin** Ursprungsbezeichnung, -vermerk; ~ **of price** Preisangabe; ~ **of route** *(letters)* Leitvermerk.

indicator, sensitive leading business bedeutsamer konjunkturempfindlicher Indikator;
~ **of business** Konjunkturbarometer; **composite** ~ **of production** Produktionsbarometer;
~ **card** Leistungsdiagramm.

indirect mittelbar, nicht unmittelbar;
~ **action** *(advertising)* Prestigewerbung; ~ **bill** Domizilwechsel; ~ **cost** Fertigungsgemeinkosten; ~ **damages** mittelbarer Schaden; ~ **department** Hilfskostenstelle; ~ **exchange** indirekte Devisenarbitrage; ~ **expenses** allgemeine Geschäftsunkosten, Fertigungsgemeinkosten; ~ **exporting** unsichtbare Ausfuhr; ~ **labo(u)r** Gemeinkostenlöhne; ~ **liability** Eventualverbindlichkeit; ~ **materials** Gemeinkostenmaterial; ~ **rates** *(Br.)* per Pfund notierte Devisenkurse; ~ **relief** *(double taxation)* Anrechnungsverfahren; ~ **selling** *(US)* Verkauf durch Mittelsleute; ~ **tax** indirekte Steuer.

individual | **apartment** eigene Wohnung; ~ **assets** Privatvermögen [eines Gesellschafters]; ~ **banker** *(US)* Privatbankier; ~ **bargaining** Einzeltarifverhandlung; ~ **bond** persönlicher Schuldschein; ~ **cost** Einzelkosten; ~ **credit** Personalkredit; ~ **debts** Privatschulden [eines Gesellschafters]; ~ **earnings** pro-Kopf-Einkommen; ~ **estate** persönliches Vermögen [eines Gesellschafters]; ~ **income** Privateinkünfte; ~ **income tax** *(US)* Einkommensteuer; ~ **insurance** Individual-, Einzelversicherung; ~ **licence** Einzelgenehmigung; ~ **location** *(advertising)* Sonderplacierung; ~ **order** Einzelauftrag; ~ **output (production)** Einzelproduktion; ~ **piece rate** Einzelakkordsatz; ~ **property** Privatvermögen; ~ **proprietor** alleiniger Geschäftsinhaber; ~ **proprietorship** *(US)* Einzelfirma; ~ **resident of the United States** natürliche Person mit Wohnsitz in den USA; ~ **valuation** Einzelbewertung.

indoor | meeting geschlossene Versammlung; ~ **relief** Anstalts-, Armenhauspflege; ~ **work** Haus-, Heimarbeit.

indorsable girierbar, indossabel, indossierbar.

indorse *(v.)* indossieren, girieren, begeben, durch Indossament übertragen;

~ **back** durch Giro zurückbegeben; ~ **in full** voll girieren.

indorsed in blank in Blanko giriert.

indorsee Girat, Indossat, Indossatar.

indorsement Giro, Indossament, Indossierung, *(sanction)* Bestätigung;

without ~ ungiriert;

absolute ~ *(US)* beschränktes Giro; **accommodation** ~ Gefälligkeitsindossament; **blank** ~ Blankoindossament, -giro; **conditional** ~ bedingtes Giro; ~ **confirmed** Giro bestätigt; **direct** ~ *(US)* Vollgiro; **fiduciary** ~ fiduziarisches Indossament; **forged** ~ gefälschtes Indossament, Girofälschung;; **full** ~ Vollgiro; **general** ~ Blankoindossament; **irregular** ~ ungenaues Giro; **partial** ~ Teilindossament; **post** ~ Nachindossament; **proper** ~ ordnungsgemäßes Giro; **qualified** ~ Giro ohne Verbindlichkeit (Obligo); **regular** ~ gewöhnliches Giro; ~ **required** Giro fehlt; **restrictive** ~ beschränktes Giro (Indossament), Rektaindossament; **special** ~ Vollgiro;

~ **in blank** Blankoindossament; ~ **in full** Vollgiro; ~ **in representative capacity** Prokuraindossament; ~ **without recourse** Giro ohne Verbindlichkeit;

to transfer by ~ durch Giro übertragen;

indorser Girant, Indossant, Begebender;

accommodation ~ Gefälligkeitsgirant; **preceding (previous, prior)** ~ Vordermann; **qualified** ~ Girant ohne Verbindlichkeit; **subsequent** ~ Hinter-, Nachmann; **unqualified** ~ Blankogirant.

induced consumption Verbrauchssteigerung.

inducement|s of a business career Berufsaussichten; ~ **to buy** Kaufanreiz; ~**s of a large town** Großstadtverlockungen.

indulgence *(favo(u)r)* Entgegenkommen, Vergünstigung, *(priority)* Vorrecht, Privileg, *(respite)* Zahlungs-, [Wechsel]stundung.

industrial Gewerbetreibender, Industrieller, *(worker)* Industriearbeiter;

~**s** *(stock exchange)* Industriepapiere, -werte, *(stock exchange report)* Industriemarkt;

~ *(a.)* industriell, gewerblich, *(industrialized)* mit starker Industrie, industrialisiert;

~ **accession** Bearbeitungszuschlag; ~ **accident** Fabrik-, Betriebsunfall; ~ **accounting** Betriebsbuchhaltung; ~ **administration** Betriebswirtschaft; ~ **advertising** Werbung für Industrieerzeugnisse, Produktions-, Investitutionsgüterwerbung; ~ **adviser** *(US)* Betriebsberater; ~ **agreement** Tarif-, Lohnabkommen; ~ **arbitration** gewerbliche Schiedsgerichtsbarkeit; ~ **area** Industriegebiet; ~ **art** Gewerbegraphik; ~ **artist** Werbegraphiker; ~ **association** *(US)* Fach-, Industrieverband; ~ **assurance** *(US)* Kleinlebensversicherung; ~ **average** Industriedurchschnitt; ~ **award** Schiedsspruch; ~ **bank** Industrie-, Gewerbebank; ~ **bill** Industrieakzept; ~ **bonds** Industrieanleihen; ~ **borrower** Kreditnehmer aus der Industrie; ~ **broker** Grundstücksmakler für gewerbliche Grundstücke; ~ **building** gewerblich genutztes Gebäude; ~ **buyer** Einkäufer für die Industrie; ~ **canteen** Betriebskantine; ~ **capacity** industrielle Kapazität; ~ **capital** Gewerbe-, Industriekapital; ~ **census** Betriebszählung; ~ **center** *(US)* **(centre,** *Br.)* Industriezentrum; ~ **charges** gewerbliche Abgaben; ~ **circles** Industriekreise; ~ **city** Industrie-, Fabrikstadt; ~ **class** Fabrikarbeiterschaft; ~ **code** Gewerbeordnung; ~ **combination** Industriekonzern; ~ **company** Industriebetrieb; ~ **complex** Industriekomplex; ~ **concentration** Betriebskonzentration; ~ **concern** Industrieunternehmen, -betrieb, -konzern; ~ **conflict** Arbeitskonflikt; ~ **conscription** *(US)* Arbeitsdienstpflicht; ~ **conglomerate** Industriekonzern; ~ **consumer** gewerblicher Verbraucher, Großabnehmer; ~ **consumption** gewerblicher Verbrauch, Großabnahme; ~ **control** Wirtschaftskontrolle, Gewerbeaufsicht; ~ **corporation** Industrieunternehmen; ~ **cost accounting** betriebliches Rechnungswesen; ~ **counsellor** Wirtschafts-, Industrieberater; ~ **court** *(Br.)* Schlichtungsausschuß; ~ **credit** Industriekredit; ~ **cross-section** wirtschaftlicher Querschnitt; ~ **customer** Industrieabnehmer; ~ **death benefit for widows and other dependants** *(Br.)* Invalidenrente für Familienangehörige; ~ **democracy** Betriebssozialismus; ~ **design** industrielle Formgebung, Gebrauchsmuster; ~ **designer** Gebrauchsgraphiker; ~ **development company** Erschließungsgesellschaft; ~ **discipline** Betriebsdisziplin; ~ **disease** Berufskrankheit; ~ **dismantling** [Industrie]demontage; ~ **display** Schau industrieller Erzeugnisse; ~ **dispute** Arbeitsstreitigkeit; ~ **district** Industriebezirk, -gegend; ~ **division** Fachgruppe; ~ **domain** Wirtschaftsbereich; ~ **economy** gewerbliche Wirtschaft; ~ **education** Betriebsausbildung; ~ **empire** Wirtschaftsimperium; ~ **em-**

ployee Fabrikangestellter; ~ **employment** Gewerbetätigkeit; ~ **enterprise** gewerblicher Betrieb; ~ **equipment** Betriebsausrüstung; ~ **equities** Industrieaktien, -werte; ~ **estate** Industriegelände, -erwartungsland; ~ **executive** Gewerbeaufsichtsbeamter; ~ **exhibition** Industrie-, Gewerbeausstellung; ~ **expansion** Betriebsausweitung; ~ **fatality** tödlicher Betriebsunfall; ~ **features** *(stock exchange)* Industriewerte; ~ **finance company** gewerbliche Kreditgenossenschaft; ~ **giant** Industriegigant; ~ **goods** Industrieprodukte, Investitions-, Produktionsgüter; ~ **growth** Wachstum der Industrie; ~ **hazard** Betriebsrisiko; ~ **illness** Berufskrankheit; ~ **income** Einkünfte aus Gewerbebetrieb; ~ **injury** Betriebs-, Berufsschaden; ~ **installations** industrielle Anlagen; ~ **[life] insurance** *(US)* Kleinlebens-, Volksversicherung; ~ **inventory** Fabriklager; ~ **investment** Vermögensanlage in Industriewerten; ~ **labo(u)rer** Fabrikarbeiter; ~ **land** Betriebs-, Industriegrundstück; ~ **leader** Wirtschaftsführer; ~ **library** Werksbibliothek; ~ **life** Wirtschaftsleben; ~ **life insurance** Kleinlebensversicherung; ~ **line** Betriebseisenbahn; ~ **list** *(stock exchange)* Kurszettel der Industriewerte; ~ **loan** Industriekredit; ~ **loan company** gewerbliche Kreditgenossenschaft; ~ **loan society** gewerblicher Kreditverein; ~ **location policy** Ansiedlungspolitik; ~ **magnate** Großindustrieller; ~ **management** Betriebsführung; ~ **market** Absatzmarkt für industrielle Erzeugnisse; ~ **marketing** Absatzwirtschaft; ~ **mobility** Freizügigkeit der Arbeitskräfte; ~ **nation** Industrieland; ~ **news** Wirtschaftsnachrichten; ~ **occupation** gewerblicher Beruf; ~ **output** Industrieerzeugung; ~ **participation** industrielle Beteiligung; ~ **partnership** *(US)* Arbeitergewinnbeteiligung; ~ **paymaster** industrielle Finanzierungsquelle; ~ **payroll** Betriebslohnliste; ~ **peace** Arbeitsfrieden; ~ **pension plan** betriebliche Altersversorgung; ~ **plant** Wirtschaftsbetrieb, Fabrikanlage; ~ **plant reserve** industrielle Reservekapazität; ~ **potential** Industriepotential; ~ **price** Fabrik[abgabe]preis; ~ **proceeds** Betriebsertrag; ~ **process** Produktions-, Herstellungsprozeß; ~ **producer** Industrieller, Fabrikant; ~ **product** Produktionsmittel, Zwischenprodukt; ~ **production** Industrieproduktion; ~ **profit** Betriebsgewinn; ~ **project** Fabrikprojekt; ~ **property** gewerbliches Eigentum; ~ **and provident society** *(Br.)* Erwerbsgenossenschaft, Konsumgenossenschaft, -verein; ~ **psychologist** Betriebspsychologe; ~ **psychology** Betriebspsychologie; ~ **purposes** gewerbliche Zwecke; ~ **railroad** Betriebseisenbahn; ~ **region** Fabrikgegend; ~ **regulations** gewerbepolizeiliche Bestimmungen; ~ **relations** Beziehungen zwischen Sozialpartnern; ~ **relations policy** Arbeitnehmerpolitik; ~ **research** betriebswissenschaftliche Untersuchung; ~ **retail store** werkseigener Verkaufsladen, [Werks]kantine; **[diminishing]**~ **return** [abnehmender] Wirtschafts-, Gewerbeertrag; ~ **rights** gewerbliche Schutzrechte; ~ **safety** Betriebssicherheit; ~ **savings** Betriebs-, Werksparen; ~ **school** Berufssschule, *(Br.)* Gewerbeschule für straffällige Jugendliche; ~ **self-government** Selbstverwaltung der Wirtschaft; ~ **selling** Direktverkauf, Beziehungskauf; ~ **shares** Industriewerte; ~ **sickness insurance fund** Betriebskrankenkasse; ~ **site** Fabrikgrundstück; ~ **state** Industriestaat; ~ **stocks** Industrieaktien, -werte; ~ **strife** Arbeitskampf; ~ **supplies** Industrielieferungen; ~ **tax** Gewerbesteuer; ~ **town** Industrie-, Fabrikstadt; ~ **track** Fabrik-, Betriebsgleis; ~ **training** Betriebsausbildung; ~ **undertaking** Industrieunternehmen; ~ **union** Betriebs-, Fachgewerkschaft; ~ **unit** Industrieanlage, Fabrikbetrieb; ~ **use** Gewerbezweck; ~ **user** gewerblicher Verbraucher; ~ **value** wirtschaftlicher Wert; ~ **wages** Industriearbeiterlöhne; ~ **warfare** Wirtschaftskrieg; ~ **wealth** Industrievermögen; ~ **welfare** Betriebsfürsorge; ~ **widow's pension** *(Br.)* Hinterbliebenenrente; ~ **work** Gewerbetätigkeit; ~ **worker** Industrie-, Fabrikarbeiter.

industrialism Gewerbetätigkeit, Industrialismus.

industrialist Industrieller, Gewerbetreibender.

industrialization Industrialisierung.

industrialize *(v.)* industrialisieren.

industrialized country Industrieland, -staat.

industries, hard-goods devisenstarke Industriezweige; **high-type** ~ hochwertige Industrieanlagen; **secondary** ~ weiterverarbeitende Industrie; **service-oriented** ~ dienstleistungsorientierte Industriezweige; **soft-goods** ~ devisenschwache Industriezweige;

to shut down whole ~ ganze Industriezweige stillegen.

industry Industrie *(branch of ~)* Branche, Gewerbe-, Wirtschafts-, Industriezweig, *(entrepreneurs)* Unternehmerschaft;

armament ~ Rüstungsindustrie; **automobile (automotive,** *US)* ~ Kraftfahrzeugindustrie; **basic** ~ Grund[stoff]industrie; **building** ~ Bauindustrie; **capital-goods** ~ Investitionsgüter-, Kapitalgüterindustrie; **coal, iron and steel** ~ Montanindustrie; **competing** ~ Konkurrenzbetriebe; **consumer (consumption [goods])** ~ Konsum-, Verbrauchsgüterindustrie; **continuous** ~ Industriebetrieb mit durchgehender Arbeitszeit; **covered** ~ in die Arbeitslosenfürsorge miteinbezogene Industrie; **essential** ~ produktionswichtige Industrie; **finishing** ~ Veredlungswirtschaft; **food-processing** ~ Lebensmittelindustrie; **home** ~ einheimische Industrie; **infant** ~ schutzzollbedürftige Industrie; **ironworking** ~ eisenverarbeitende Industrie; **largescale** ~ Großindustrie; **manufacturing** ~

verarbeitende Industrie; **medium-sized** ~ Mittelbetrieb; **mining** ~ Montanindustrie; **motor-car** ~ *(Br.)* Kraftfahrzeugindustrie; **new** ~ neuer Wirtschaftszweig; **octopied** ~ dezentralisierter Großbetrieb; **oil** ~ Ölindustrie; **paper** ~ Papierindustrie; **power** ~ Energiewirtschaft; **plastics** ~ Kunststoffindustrie; **plastics-processing** ~ kunststoffverarbeitende Industrie; **primary** ~ Grundstoffindustrie; **private** ~ Privatbetrieb; **processing** ~ Verarbeitungs-, Vered(e)lungsindustrie; **producer-goods** ~ Produktionsgüterindustrie; **production** ~ Produktionsmittelindustrie; **retail** ~ Einzelhandelsgewerbe; **shipping** ~ Schiffahrtsindustrie; **small [-scale]** ~ Kleinbetriebe; **sophisticated** ~ Industrie für Güter des gehobenen Bedarfs; **state-owned** ~ Staatsbetrieb; **subsidized** ~ staatlich subventionierte Industrie; **sweated** ~ unterentlohntes Gewerbe; **textile** ~ Textilindustrie; **tourist** ~ Fremdenverkehrsgewerbe; **[un]sheltered** ~ *(Br.)* [nicht] durch Staatsaufträge oder hohe Zollmauern unterstützte Industriezweige; **war** ~ Rüstungsindustrie;

~ **producing at its maximum output** mit voller Ausnutzung der Kapazität arbeitende (voll ausgelastete) Industrie;

to create ~ **from the ground up** Industriebetrieb auf der grünen Wiese beginnen; **to cross over into a new** ~ in eine andere Branche überwechseln;

~ **association** Industrieverband; ~ **competition** industrieller Wettbewerb; ~ **complex** Industriekomplex; ~ **executives** industrielle Führungskräfte; ~ **label** gewerbliche Schutzmarke; ~ **leader** industrieller Vorreiter; ~ **management** führende Wirtschaftskreise; ~ **outlet** Geschäft mit Industriekundschaft; ~ **recruiter** Arbeitskräfteanwerber; ~ **sales** Industrieabsatz; ~ **slump** industrielle Rezession; ~ **spending** Kapitalaufwand der Wirtschaft; ~ **statistics** Gewerbestatistik; ~ **-wide bargaining** Tarifverhandlungen für einen gesamten Industriebereich.

inelastic | demand unelastische Nachfrage.

ineligible | location ungünstige Belegenheit; ~ **paper** *(US)* nicht diskontfähiges Papier.

inexecution of a contract Nichterfüllung eines Vertrages.

inexperienced | in business geschäftlich unerfahren;

~ **worker** ungelernter Arbeiter.

infancy Unmündigkeit, Minderjährigkeit;

to be still in its ~ noch im Aufbaustadium sein.

infant Minderjähriger [unter 21 Jahren].

inferior *(a.)* minderwertig, mittelmäßig, ziemlich schlecht, zweitklassig, [im Wert] geringer, *(freight train)* nicht vorfahrtsberechtigt;

~ **goods** minderwertige Ware; ~ **position** unbedeutende (untergeordnete) Stellung; ~ **quality** schlechte Qualität; ~ **workmanship** minderwertige Arbeit.

inflate *(v.)* **the currency** Geldumlauf künstlich steigern, Inflation herbeiführen.

inflated | currency Inflationswährung; ~ **prices** künstlich überhöhte Preise; ~ **stocks** zu hoher Lagerbestand, überhöhte Lagerhaltung; ~ **values** [künstlich] erhöhte Werte.

inflater Preistreiber, *(stock exchange)* Haussier, Haussespekulant.

inflation Geldaufblähung, Inflation, [Geld]entwertung;

cost-push ~ kostentreibende Inflation; **creeping** ~ schleichende Inflation; **hidden** ~ versteckte Inflation; **putup** ~ gesteuerte Inflation; **runaway** ~ galoppierende Inflation; **wage-push** ~ durch Lohnsteigerung bedingte Inflation; **war-caused** ~ kriegsbedingte Inflation;

~ **in cost** Kosteninflation; ~ **of the currency** Geldinflation; **runaway** ~ **of prices** sich überstürzende Preisinflation;

to battle ~ Inflation bekämpfen; **to bring** ~ **under control** Inflation in den Griff bekommen; **to halt** ~ der Inflation Einhalt gebieten; **to hold the line on** ~ Inflation zurückdrängen; **to make** ~ **worse** inflationelle Entwicklung vorantreiben; **to prime** ~ Inflation anheizen; **to rekindle the** ~ Inflation neu beleben; **to resort to** ~ Inflation als letztes Hilfsmittel anwenden; **to slow down** ~ Inflationsrate verlangsamen; **to take a strong stand against** ~ Inflation stärker bekämpfen; **to tend to** ~ inflationsorientiert sein;

~ **alert** Inflationswarnung; ~ **antidote** Gegenmittel gegen die Inflation; ~ **boom** inflationistische Konjunktur; ~ **danger** Inflationsgefahr; ~ **factor** Inflationsmoment; ~ **fighting** Inflationsbekämpfung; ~ **gain** Inflationsgewinn; ~ **-hedged** inflationsgeschützt; ~ **-induced** inflationsbereinigt; ~ **pace** Inflationstempo; ~ **phobia** Inflationsangst, -hysterie; ~ **potential** Inflationszunahme; ~ **-prone goods** inflationsempfindliche Waren; ~ **-proof** inflationssicher; ~ **rate** Inflationsrate; ~ **revival** Wiederaufleben der Inflation.

inflationary inflationistisch, inflationär, inflatorisch;

~ **adjustment** Inflationsausgleich; ~ **danger** Inflationsgefahr; ~ **expectations** Inflationserwartungen; ~ **experiences** Inflationserfahrungen; ~ **factor** Inflationsfaktor; ~ **fever** Inflationsfieber; ~ **forces** Inflationskräfte; **to grapple with** ~ **forces** inflationäre Kräfte in den Griff bekommen; ~ **gain** Inflationsgewinn; ~ **gap** inflatorische Lücke, Inflationslücke; ~ **hike** inflationärer Preisanstieg; ~ **impact** Inflationsdruck; ~ **period** Inflationszeit; ~ **policy** Inflationspolitik; ~ **pressure** Inflationsdruck; ~ **profit** Inflationsgewinn; ~ **psychology** Inflationspsychologie; ~ **signposts** Inflationshinweise; ~ **spiral** Inflationsschraube, Inflations-, Preisspirale; ~ **squeeze** Inflationsdruck; ~

tendencies inflationistische Tendenzen; ~ **threat** Inflationsdrohung; ~ **trend** inflationistische Tendenz; ~ **upsurge** rasante Inflationszunahme.

inflationist Inflationist, Inflationsanhänger;
~ *(a.)* inflationistisch, inflationär;
~ **period** Inflationszeit.

inflow | of capital Kapitalzufluß; ~ **of cash** Kassenzugänge; ~ **of foreign currency** Devisenzufluß.

influence, cyclical Konjunktureinfluß;
~ **of rationalization** Rationalisierungseffekt;
to have far-reaching ~ über weitreichende Beziehungen verfügen;
~ **peddler** Regierungskontakter.

influx Zufluß, [Waren]zufuhr;
~ **of capital** Kapitalzufluß, -strom; ~ **of foreign exchange** Devisenzuflüsse; ~ **of funds** Mittelzuflüsse; ~ **of wealth** Wohlstandszunahme.

inform *(v.)* unterrichten, Nachricht geben, mitteilen, informieren, bescheiden, benachrichtigen, orientieren.

informal formlos, formfrei, zwangslos, unzeremoniell, *(irregular)* regel-, formwidrig;
~ **contract** formloser Vertrag; ~ **interview** Stegreifinterview; ~ **meeting** zwanglose Zusammenkunft; ~ **record** *(bookkeeping)* inoffizielle Buchungsunterlage.

information Benachrichtigung, Verständigung, Unterrichtung, Information, Kenntnis, Aufschluß, Orientierung;
according to the latest ~ nach den neuesten Informationen;
inside ~ vertrauliche Mitteilung; ~ **abtained** eingezogene Erkundigungen;
to ask for detailed ~ Einzelheiten erfragen; **to be required to give** ~ auskunftspflichtig sein; **to ferret out** ~ Informationsmaterial ausgraben;
~ **activity** Informationstätigkeit; ~ **agency** Informationsbüro, -stelle; ~ **bureau** Auskunftei; ~ **desk** Auskunftsstelle, -schalter; ~ **kit** Informationsprospekt; ~ **manager** Leiter der Marktforschung; ~ **service** Informationsdienst; ~ **sharing** Informationsaustausch; ~ **stand** *(fair)* Auskunftsstand; ~ **window** Auskunftsschalter.

informational | activity Informationstätigkeit; ~ **record** Informationsbericht.

informative labeling *(US)* **(labelling,** *Br.)* Ursprungsauszeichnung, Herkunftsbezeichnung.

infraction of a treaty Vertragsbruch, -verletzung.

infractor Übertreter.

infringe *(v.)* verstoßen, verletzen, *(contract, patent)* verletzen, brechen;
~ **an obligation** einer Verpflichtung nicht nachkommen; ~ **the provisions** den Bestimmungen zuwiderhandeln; ~ **a trust** Treueverpflichtung verletzen.

infringement *(contract)* Verstoß, Verletzung, *(of trademark)* Warenzeichenverletzung;
~ **of contract** Vertragsbruch; ~ **of a trademark** Warenzeichenverletzung, Markenfälschung.

ingoing tenant neuer Mieter.

ingot of gold Goldbarren.

inhabitant Be-, Einwohner, Ansässiger;
capital ~ *(Br.)* Gemeinderatsmitglied;
~ **tax** Einwohnersteuer.

inhabitation Wohnort, Wohnsitz.

inhabited-house duty Hauszinssteuer.

inherent defect (vice) *(law of contract)* innewohnender Mangel; ~ **delay** unvermeidbare Arbeitsunterbrechung; ~ **vice or nature of the subject matter insured** innerer Verderb oder natürliche Beschaffenheit des versicherten Gegenstandes.

inheritance Nachlaß, Hinterlassenschaft, Erbschaft;
~ **claim** Nachlaßforderung; ~ **tax** *(US)* Nachlaß-, Erbschaftssteuer; ~ **tax payment** *(US)* Erbschaftssteuerzahlung.

inhibition against a wife Beschränkung der Schlüsselgewalt.

inimical to health gesundheitsschädlich.

initial Anfangsbuchstabe, Initiale, Paraphe, Handzeichen;
~ *(v.)* *(sign with initials)* [mit Namensinitialen] abzeichnen, paraphieren;
~ **the accounts** Rechnungen abzeichnen;
~ **allocation** Erstausstattung; ~ **allowance** *(Br.)* Sonderabschreibung für Neuanschaffungen; ~ **assignment** Anfangsstellung; ~ **campaign** *(advertising)* Einführungsfeldzug; ~ **capital** Anfangs-, Gründungs-, Einlegekapital; ~ **capital allowance** Erst-, Anfangsausstattung; ~ **capital expenditure** Einrichtungs-, Anlagekosten; ~ **capitalization** Erstausstattung; ~ **carrier** Aufgabespediteur; ~ **cost** Anschaffungspreis; ~ **dividend** *(Br.)* Abschlagsdividende; ~ **equipment** Erstausrüstung, -ausstattung; ~ **expenses** *(insurance)* Abschlußkosten; ~ **export quota** Ausgangsquote; ~ **inventory** Anfangsinventar; ~ **issue** Erstausstattung; ~ **order** Erstauftrag; ~ **payment** Anzahlung; ~ **period** Anlaufzeit; ~ **point** *(shipment)* Abgangsort; ~ **placing of securities** Erstabsatz von Wertpapieren; ~ **position** Ausgangsstellung; ~ **production** Anfangsproduktion; ~ **purchase** Ersterwerb, -kauf; ~ **salary** Anfangsgehalt; ~ **sales** Erstverkäufe; ~ **stages of an undertaking** Anfangsstadium eines Unternehmens; ~ **subscription** Erstzeichnung; ~ **terminus** Abgangsstation.

initial(l)ed | check *(US)* **(cheque,** *Br.)* Scheck mit geprüfter Unterschrift; ~ **paper** Monogrammpapier.

initiate *(v.)* **negotiations** Verhandlungen einleiten;
~ **a reform** Reform einleiten.

initiation Aufnahmefeierlichkeiten, Einführungszeremonie;
~ **fee** Aufnahme-, Eintrittsgebühr.

injection of capital Kapitalspritze.

injunction Vorschrift, [dringender] Hinweis, Auflage, *(judicial order)* richterliche Verfügung;

blanket ~ *(labo(u)r dispute)* globale einstweilige Verfügung; **labor** ~ *(US)* einstweilige Verfügung in arbeitsrechtlichen Streitigkeiten; **restrictive** ~ einstweilige Verfügung zur Durchsetzung einer Konkurrenzklausel;
~ **to restrain** Unterlassungsverfügung.

injure *(v.)* *(damage)* beschädigen, Schaden zufügen, *(impair)* schädigen, beeinträchtigen;
~ **an article of merchandise** Verkaufsgegenstand beschädigen; ~ **s. one's interests** jds. Interessen (Rechte) beeinträchtigen; ~ **s. one's reputation** jds. gutem Ruf Abbruch tun.

injured verletzt, *(damaged)* beschädigt.

injury [Be]schädigung, Schaden, *(impairment)* Beeinträchtigung, *(infringement)* [Rechts]verletzung;
accidental ~ Unfallverletzung; **disabling** ~ Dienstbeschädigung; **irreparable** ~ nicht ersetzbarer Schaden; **occupational** ~ Betriebs-, Arbeitsunfall;
~ **to a building** Gebäudeschaden; ~ **suffered by goods** Warenbeschädigung; ~ **to the neighbo(u)rhood** Belästigung der Nachbarschaft; ~ **to property** Sachbeschädigung, -schaden; ~ **to one's reputation** Kreditgefährdung, -schädigung;
~ **benefit** *(Br.)* Unfallrente.

ink Tinte, *(stamp pad)* Stempelfarbe;
indelible ~ Urkundentinte;
~ **eraser** Tintenradiergummi; ~ **pad** Stempelkissen; ~ **pencil** Kopierstift.

inkstand Schreibgarnitur.

inland In-, Binnenland, Landesinnere;
~ *(a.)* inländisch, binnenländisch, *(native)* einheimisch, im eigenen Land erzeugt;
~ **account** im Inland geführtes Konto; ~ **air traffic** Inlandluftverkehr; ~ **bill of exchange** Inlandswechsel; ~ **carrier** Binnenfrachtführer; ~ **commodities** Landesprodukte; ~ **duty** Inlandsabgabe, Binnenzoll; ~ **letter** Inlandbrief; ~ **mail** *(Br.)* Inlandpost; ~ **marine insurance** Binnentransportversicherung; ~ **market** Binnenmarkt; ~ **money order** Inlandspostanweisung; ~ **navigation** Binnenschiffahrt; ~ **parcel** Inlandspaket; ~ **payments** Inlandszahlungen; ~ **postage** Inlandsporto; ~ **rate of postage** Inlandsporto; ~ **product** einheimisches Fabrikat; ~ **revenue** *(Br.)* Steuereinnahmen, Staatsabgaben; ≗ **Revenue Office** *(Br.)* Steueramt; ≗ **Revenue officer** *(Br.)* Steuerbeamter; ≗ **Revenue stamp** *(Br.)* Stempel-, Steuermarke; ~ **selling price** Inlandspreis; ~ **trade** Binnenhandel; ~ **transport[ation]** Binnentransport; ~ **transportation insurance** Binnentransportversicherung; ~ **water transportation** Binnenschiffahrtsverkehr; ~ **waterway** Binnenschiffahrtsweg.

inner | **margin** weißer Innenrand; ~ **harbo(u)r** Binnenhafen; ~ **reserves** *(finance)* stille Reserven.

innkeeper Gastwirt, Gasthausbesitzer;
~**'s liability** Gastwirtshaftung.

innocent *(goods)* unverdächtig, *(legal)* gesetzlich erlaubt;
~ **goods** nicht geschmuggelte Waren; ~ **holder for value** gutgläubiger Besitzer; ~ **purchase** gutgläubiger Erwerb; ~ **purchaser** gutgläubiger Erwerber.

innovation Einführung von Neuerungen.

inoccupation Beschäftigungs-, Erwerbslosigkeit.

inoccupied beschäftigungs-, erwerbslos.

inofficial inoffiziell, nicht amtlich, offiziös;
~ **dealings** *(stock exchange)* Freiverkehr; ~ **market** Freiverkehrsmarkt.

inoperative *(ineffectual)* unwirksam, *(not in operation)* nicht im Betrieb befindlich, untätig;
~ **account** *(Br.)* umsatzloses Konto.

input *(statistics)* kalkulierbare Vorleistungen im Produktionsprozeß;
~ **price** Kostengüterpreis.

inquire *(v.)* nachfragen, Rückfrage halten;
~ **into s. one's position** sich eingehend nach jds. Verhältnissen erkundigen; ~ **the price** nach dem Preis fragen, Preis erfragen; ~ **about trains** sich nach den Zügen erkundigen; ~ **in writing** schriftlich anfragen.

inquirendo Nachfrageermächtigung.

inquiry Nachforschung, -frage, Anfrage, Erkundigung, *(census)* Erhebung;
without ~ *(stock exchange)* nicht gesucht;
further ~ nähere Auskunft;
~ **agency** Auskunftei; ~ **board** Untersuchungsausschuß; ~ **form** Fragebogen, Anfrageformular; ~ **office** Auskunftsbüro, -stelle, Auskunftei, *(railway)* Auskunftsschalter.

inroad Überfall, *(fig.)* Ein-, Übergriff;
to make ~s upon one's capital sein Kapital angreifen; **to make ~s on s. one's savings** Loch in jds. Ersparnisse reißen.

inrush of tourists Touristenstrom.

inscribe *(v.)* [in eine Liste] eintragen, einzeichnen, registrieren, *(finance)* Namensaktionäre registrieren;
~ **across the face of a bill** auf der Rückseite eines Wechsels girieren.

inscribed eingetragen, registriert;
~ **stock** *(Br.)* Anleihestücke ohne effektive Zertifikate, Namensaktien.

inscription Einschreibung, -tragung, -zeichnung, *(securities)* Registrierung von Namenspapieren;
~**s** *(Br.)* Namensaktien;
~ **book** Anmeldebuch; ~ **form** Anmeldeformular.

insecure | **building** baufälliges Gebäude; ~ **credit** ungedeckter Kredit; ~ **investment** unsichere Kapitalanlage; ~ **load** unbefestigte Ladung.

insert *(advertising)* Inserat, Anzeige, *(extra leaf, US)* Beilage, Beilagenprospekt, Beihefter, Beileger, *(postal service)* Drucksache;

~**s** *(advertising)* Inneneinlage, Zeitungsbeilage; **furnished** ~**s** angelieferte Beilagen;
~ *(v.)* *(in newspaper)* [Anzeige] einrücken lassen, inserieren, *(place)* einfügen, einsetzen;
~ **an advertisement in a newspaper** Anzeige in eine Zeitung einrücken; ~ **in brackets** in Klammern setzen; ~ **in a catalog(ue)** in einen Katalog aufnehmen; ~ **a clause** Paragraph (Klausel) einfügen (aufnehmen); ~ **a coin in a slot machine** Münze in einen Automaten einwerfen; ~ **a leaf into a file** Blatt in ein Ringbuch einlegen; ~ **a new paragraph in an essay** neuen Absatz in einen Artikel einarbeiten.
insertion Einschaltung, Zusatz, *(advertisement)* Anzeige, Annonce, Inserat;
~ **of an advertisement** Anzeigenaufgabe; ~ **and size** Auftragsumfang;
~ **order** schriftlicher Anzeigenauftrag mit genauer Placierungsangabe; ~ **schedule** Erscheinungsplan.
inset Einlage, Beilage, *(advertising)* Einschaltseite, Zeitungsbeilage.
inshore fisheries Küstenfischerei.
inside Innenteil, -seite, *(car)* Innenplatz, *(information, US sl.)* Information aus erster Hand;
~ **and contents unknown** innere Beschaffenheit und Inhalt unbekannt;
to know a subject ~ **out** Sache gründlich beherrschen;
~ **address** Innenadresse; ~ **board** *(US)* Führungsgremium; ~ **back cover** dritte Umschlagseite; ~ **broker** *(Br.)* amtlich zugelassener Makler; ~ **director** *(US)* Vorstandsmitglied; ~ **front cover** vierte Umschlagseite; ~ **information** vertrauliche Unterrichtung.
insider|s eingeweihte Kreise, *(Br.)* Börsenmakler;
~ **information** vertrauliche Unterrichtung.
insolvable | banknotes nicht einlösbare Banknoten; ~ **debts** unbezahlbare Schulden.
insolvency Insolvenz, Unvermögen, Zahlungsunfähigkeit, -einstellung, Fallisement, Konkurs;
in case of ~ im Unvermögensfall, bei Zahlungsunfähigkeit;
commercial ~ Geschäftsinsolvenz; **involuntary** ~ von den Gläubigern beantragtes Vergleichsverfahren; **national** ~ Staatsbankrott; **open** ~ Konkurs unter Inanspruchnahme des Bürgen; **voluntary** ~ vom Gemeinschuldner beantragtes Vergleichsverfahren;
~ **of an estate** Nachlaßüberschuldung;
to be in a state of ~ zahlungsunfähig sein; **to be verging on** ~ kurz vor der Zahlungsunfähigkeit stehen; **to declare one's** ~ sich für zahlungsunfähig erklären, seine Zahlungen einstellen;
~ **fund** Insolvenzenfonds; ~ **laws** *(Br.)* Vergleichsordnung; ~ **proceedings** Vergleichsverfahren; ~ **statute** *(US)* Vergleichsordnung.
insolvent Zahlungsunfähiger, Gemeinschuldner;
~ *(a.)* überschuldet, zahlungsunfähig, illiquide, insolvent, bankrott;
to be adjudged ~ für bankrott erklärt werden; **to become** ~ zahlungsunfähig werden; **to declare o. s.** ~ sich für zahlungsunfähig erklären, seine Zahlungen einstellen;
~ **debtor** Gemein-, Konkursschuldner; ~ **estate** Konkursmasse, *(inheritance)* überschuldeter Nachlaß; ~ **law (statute,** *US)* Vergleichsordnung.
inspect *(v.)* | **the books** Bücher revidieren (einsehen); ~ **a car** [Auto]inspektion durchführen; ~ **the extent of the damage** Schaden besichtigen.
inspecting | officer Prüfungsbeamter; ~ **order** Prüfungsauftrag, *(goods lying at dock)* Besichtigungsschein.
inspection Prüfung, Kontrolle, Revision, *(car)* Inspektion;
for [your kind] ~ zur [gefälligen] Ansicht; **subject to** ~ prüfungspflichtig; **under sanitary** ~**s** unter gesundheitspolizeilicher Aufsicht;
factory ~ gewerbepolizeiliche Überprüfung; **obligatory** ~ Prüfungspflicht; **passport** ~ Paßkontrolle; **shipping-point** ~ Prüfung am Versandort;
~ **of books** Einsichtnahme in die Geschäftsbücher; ~ **of documents** Akteneinsicht; ~ **of goods** Besichtigung der Ware; ~ **of property** Augenschein, *(land)* Grundstücksbesichtigung;
to be available for ~ zur Einsicht, zur Verfügung stehen; **to be open to public** ~ öffentlich ausliegen;
~ **bureau** *(carrier business)* Prüfungsstelle; ~ **certificate** Prüfungsbescheinigung; ~ **cost** Prüfungs-, Abnahmekosten; ~ **department** *(insurance)* Prüfungsabteilung; ~ **fee** *(acceptance test)* Prüfungsgebühr; ~ **personnel** Prüfungspersonal, Abnahmebeamte; ~ **procedure** Abnahmeverfahren; ~ **stamp** Kontrollmarke; ~ **tour** Besichtigungsreise.
inspector Aufseher, Aufsichtsbeamter, Prüfer, Inspektor, *(customs)* Zollaufseher, -beamter, *(mil.)*;
customs ~ Zollinspektor, -aufseher, -beamter; **factory** ~ Gewerbeaufseher; **ticket** ~ Fahrkartenkontrolleur;
~ **of Taxes** *(Br.)* Finanzbeamter; ~ **of weights and measures** Eichmeister; ~ **of works** Bauaufseher;
~**'s district** Aufsichtsbezirk.
inspectoral staff Aufsichtspersonal, Inspektionsstab.
instable unsicher, unbeständig, nicht stabil.
installation *(factory* Betriebseinrichtung, Werk, installierte Anlage, Fabrikanlage, *(into office)* Einführung, Einsetzung, *(setting up)* Installierung, Einbau, Montage;
heating ~ Heizungsanlage;
~**s under construction** *(balance sheet)* Anlagen im Bau;
on-site ~ **cost** bauseitig anfallende Installationskosten.

instal[l]ment Anschlags-, Abzahlung, *(of book)* Lieferung, *(installation)* Aufstellung, Installierung, Einbau, Montage, *(into office, Br.)* Amtseinsetzung, Bestallung, Einführung, *(part delivery)* Teillieferung, *(part payment)* Raten-, Teilzahlung, Rate, *(publication)* Fortsetzung;
as an ~ against balance due als Teilzahlung auf den geschuldeten Betrag; **by ~s** in Teillieferungen, ratenweise, in Raten, auf Teilzahlung; **in monthly ~s** in monatlichen Raten (Teilbeträgen); **in seven ~s** *(newspaper)* in sieben Fortsetzungen; **payable in 4 ~s** in 4 Raten zahlbar; **aid ~s** in Raten gewährte Hilfszahlungen; **annual** ~ jährliche Ratenzahlung; **first** ~ Anzahlung; **semi-annual** ~ Halbjahresrate; **past-due** ~ überfällige Rate; **final** ~ letzte Rate, Schlußrate, Abschlußzahlung; **first** ~ Anzahlung, erste Rate; **sinking-fund** ~ Ablösungsrate; **monthly** ~ Monatsrate; **petty ~s** geringfügige Teilzahlungen; **yearly** ~ Jahresrate;
~ **of purchase price** Kaufpreisrate;
to appear in ~s in Fortsetzungen erscheinen; **to be an ~ behindhand** mit einer Rate im Rückstand sein; **to be published in ~s** in Fortsetzungen veröffentlicht werden; **to buy by ~s** auf Abzahlung kaufen; **to buy a motorcar and pay for it by monthly ~s** Auto im Abzahlungswege erwerben; **to issue a loan in ~s** Anleihe in Stücken ausgeben; **to pay an ~** Rate bezahlen; **to pay by (in) ~s** in Raten zahlen; **to pay in small ~s** in kleinen Raten abzahlen; **to pay a subscription in ~s** Subskription in Raten bezahlen; **to vote credits in ~s** Kredit nur ratenweise bewilligen;
~ **account** Abzahlungskonto; ~ **allotment** *(Br.)* Anleihezuteilung im Teilzahlungswege; ~ **basis** Abzahlungsgrundlage; ~ **bonds** *(US)* in Teilzahlungen rückzahlbare Obligationen; ~ **business** Raten-, Abzahlungsgeschäft; ~ **buying** Abzahlungskauf, Teilzahlungsgeschäft; ~ **charges** Abzahlungskosten; ~ **collections** Inkassi von Ratenzahlungen; ~ **contract** Abzahlungs-, Teilzahlungsvertrag; ~ **credit** Teil-, Abzahlungskredit; ~ **credit business** Abzahlungsgeschäft; ~ **credits outstanding** Gesamtsumme der Abzahlungskredite, Abzahlungsvolumen; **productive ~ credit** Abzahlungskredit für Produktivgüter; **retail ~ credit** Abzahlungskredit für Einzelhändler; ~ **credit extension** Ausweitung des Abzahlungsgeschäfts; ~ **debt** Abzahlungsverpflichtungen; ~ **house** *(US)* Abzahlungsunternehmen, Kundenkreditbank; ~ **interest** Teil-Abzahlungsgebühr, ~ **land sales** Grundstücksverkäufe auf Abzahlungsbasis; ~ **loan** Abzahlungskredit; ~ **method of accounting** Buchungsmethode mit Realisierung der Rohgewinne bei Rateneingang; ~ **mortgage** Amortisationshypothek; ~ **note** *(US)* Schuldschein mit Unterwerfungsklausel; ~ **obligations** Teilzahlungsverpflichtungen; **to select an ~ option** Rentenzahlung wählen; ~ **order** Anordnung von Ratenzahlungen; ~ **payment** Teil-, Abschlags-, Ratenzahlung; ~ **plan** Ab-, Teilzahlungssystem; **on the ~ plan** auf Abzahlung[sbasis]; **sinking-fund ~ plan** Tilgungsplan; **to buy on the ~ plan** im Abzahlungswege erwerben, auf Abzahlung (Raten) kaufen; **~-plan financing** Abzahlungsfinanzierung; ~ **receivables** *(balance sheet)* Abzahlungsverträge; ~ **restrictions** Einschränkungen der Abzahlungsgeschäfte; ~ **sales (selling)** Abzahlungsverkauf, Teilzahlungsverkauf; ~ **shares** in Raten zahlbare Aktien; ~ **system** Abzahlungs-, Raten-, Teilzahlungssystem; **to buy (pay) on the ~ system** in Raten zahlen, auf Abzahlung kaufen; ~ **transaction** [einzelnes] Abzahlungsgeschäft.

instantaneous dismissal (sofortige) fristlose Entlassung.

institute Institut, Akademie, Anstalt, Gesellschaft, *(statute)* Statut, Grundgesetz;
mechanics' ~ Handwerksordnung; **research** ~ Forschungsinstitut;
≗ **of Bankers** *(Br.)* Bankiervereinigung; ~ **for business-cycle research** Konjunkturinstitut; ≗ **for Population Research** Demoskopisches Institut;
~ *(v.)* *(establish)* einführen, einrichten, gründen, *(set in operation)* einleiten;
~ **[bankruptcy] proceedings against** [Konkurs]-verfahren eröffnen;
~-cargo clause zusätzliche Frachtdeckungsklausel, Klausel für Seewarenversicherung; **~-war clauses** Kriegsklauseln.

institution *(building)* Anstalts-, Institutsgebäude, *(corporate establishment)* Anstalt, Institut, *(established order)* Einrichtung, *(EG)* Organ, *(society)* Stiftung, Gesellschaft, *(sociology)* Institution, Einrichtung, *(statute)* Verordnung, Satzung, Statut;
banking ~ Bankinstitut; **charitable** ~ wohltätige (milde) Stiftung, Versorgungsanstalt; **mercantile** ~ Wirtschaftsinstitut; **nonprofit-making** ~ gemeinnützige Einrichtung; **public credit** ~ öffentlich-rechtliches Kreditinstitut;
~ **of bankruptcy proceedings** Eröffnung des Konkursverfahrens; **≗s of the European Community** Organe der Europäischen Gemeinschaft.

institutional angeordnet, verordnet, eingesetzt, *(economy)* auf weite Sicht abgestimmt;
~ **advertising** *(US)* Eigen-, Vertrauens-, Goodwill-, Repräsentations-, Firmenwerbung, firmeneigene Werbung; **to prosper on ~ business** im Kapitalanlagegeschäft erfolgreich sein; ~ **buyer** Kapitalsammelstelle; ~ **campaign** Goodwillwerbung; ~ **care (welfare)** geschlossene Fürsorge, Anstaltsfürsorge; ~ **clients** Anlagepublikum; ~ **investor (lender)** Kapitalsammelstelle; ~ **selling** Effektenverkauf an Kapital-

sammelstellen; ~ **trading** außerbörslicher Effektenverkehr mit Kapitalsammelstellen; ~ **user** Behördenkundschaft.

institutionalization Institutionalisierung.

institutionalize *(v.)* institutionalisieren.

instruct *(v.) (direct)* anweisen, Anweisung geben, beauftragen, *(inform)* unterrichten, informieren;

~ **an agent** Vertreter orientieren; ~ **a clerk in bookkeeping** Angestellten in die Buchführung einweisen; ~ **a committee** Ausschuß mit Weisungen versehen.

instruction *(direction)* Anordnung, [An]weisung, Instruktion, Auftrag, Vorschrift, Verhaltungsmaßregel;

according to (in accordance with, as per) ~**s** vorschrifts-, weisungs-, instruktions-, auftragsmäßig;

driving ~ Fahrunterricht; **shipping** ~**s** *(US)* Versandanweisung;

~ **for dispatch** Versandanweisung; ~**s for use** Gebrauchsanweisung;

to ask for ~**s** Weisungen einholen; **to carry out (comply with, follow) an** ~ Weisung ausführen (befolgen);

~ **booklet** Gebrauchsanweisung; ~ **card** Arbeitsanweisung; ~ **manual** Handbuch für Ausbildungsfragen; ~ **sheet** Bedienungsanleitung, *(interviewer)* Befragungsvorschrift.

instructional | film Kultur-, Lehrfilm; ~ **method** Ausbildungsmethode; ~ **trip** Informationsreise.

instructive book Lehrbuch.

instructor Kursleiter, Ausbilder.

instrument *(document)* Dokument, Urkunde, Papier;

assignable ~ übertragbares Papier; **bearer** ~ Inhaberpapier; **endorsable** ~ indossables Papier; **negotiable** ~ begebbares Papier; **nonnegotiable** ~ Rektapapier; **order** ~ Orderpapier; **supplemental** ~ Zusatzdokument;

~ **of assignment** Zessionsurkunde; ~ **to bearer** Inhaberpapier; ~ **of payment** Zahlungsmittel; ~ **of credit** *(commerce)* verkehrsfähiges (begebbares) Papier; ~ **payable to bearer** Inhaberpapier; ~ **payable to order** Orderpapier; ~ **in writing** beurkundeter Vertrag;

to alter an ~ Urkunde abändern;

~ **board** Armaturenbrett; ~ **flying** Blindfliegen, -flug; ~ **landing** Nebel-, Blindfluglandung; ~ **name plate** Gerätschild.

instrumental goods Produktionsgüter.

insufficiency of assets mangelnde Deckung.

insufficient *(law)* rechtsungültig, nichtig, *(person)* untauglich;

~ **assets** unzureichende Aktiva; ~ **funds** *(bill of exchange)* ungenügende Deckung; ~ **packing** mangelhafte Verpackung.

insurable versicherbar, versicherungsfähig;

~ **interest** Versicherungsinteresse; **to have an** ~ **interest** finanziell interessiert sein; ~**risk** Versicherungsrisiko; ~ **value** Versicherungswert.

insurance Versicherung, *(premium paid)* Versicherungsprämie, *(sum insured)* Versicherungssumme; **covered by** ~ durch Versicherung gedeckt; **exempt from** ~ versicherungsfrei; **in the field of** ~ auf dem Versicherungsgebiet;

accident ~ Unfallversicherung; **travel(l)ers' accident** ~ Reiseunfallversicherung; **accident benefit** ~ Unfallversicherung; **accounts receivable** ~ Debitorenversicherung; **additional** ~ Extra-, Zusatzversicherung; **air passengers'** ~ Fluggastversicherung; **aircraft** ~ Luftfahrtversicherung; **airport liability** ~ Flugplatzversicherung; **all-in** ~ Gesamt-, General-, Universalversicherung; **all-risks** ~ Einheitsversicherung, Generalpolice; **annoity** ~ Rentenversicherung; **art property and jewel(le)ry** ~ Wertgegenständeversicherung; **assessment** ~ Lebensversicherung auf Gegenseitigkeit; **[compulsory] automobile** ~ *(US)* Kraftfahrzeug[haftpflicht]versicherung; **automobile collision** ~ Auto[zusammenstoß]versicherung; **automobile personal liability and property damage** ~ *(US)* Kaskoversicherung; **aviation** ~ Luftfahrtversicherung; **bad-debts** ~ Kreditversicherung; **baggage** ~ *(US)* Reisegepäckversicherung; **bank-burglary and robbery** ~ Versicherung gegen Bankeinbruch und Bankraub; **blanket** ~ Kollektivversicherung; **bodily injury** ~ öffentlichrechtliche Haftpflichtversicherung; **boiler** ~ Dampfkesselversicherung; **builder's risk** ~ Baurisikoversicherung; **burglary** ~ Einbruchsversicherung; **business** ~ Betriebsverlustversicherung, Versicherung leitender Angestellter; **business interruption** ~ Betriebstillstandversicherung, Versicherung gegen Betriebsunterbrechung; **business partnership** ~ Teilhaberversicherung; **capital redemption** ~ Sparversicherung; **cargo** ~ Frachtversicherung; ~ **carried** unterhaltene (aufrechterhaltene) Versicherung; **casualty** ~ Unfallversicherung; **cattle** ~ Viehversicherung; **check (cheque,** *Br.)* **alteration and forgery** ~ Versicherung gegen Scheckfälschungen; **co-**~ Selbstversicherung; **collateral** ~ Nebenversicherung; **collective** ~ Kollektivversicherung; **collision** ~ Zusammenstoßversicherung; **commercial** ~ Garantieversicherung; **commercial accident** ~ Betriebsunfallversicherung; **commission** ~ Versicherung gegen entgangene Provisionsgebühr; **common carrier's** ~ Güterverlustversicherung; **common carriers' legal liability** ~ Spediteurhaftpflichtversicherung; **compensation** ~ Schadensverlustversicherung; **complementary** ~ Ergänzungs-, Zusatzversicherung; **comprehensive** ~ Universalversicherung; **comprehensive motorcar** ~ *(Br.)* Vollkaskoversicherung; **comprehensive automobile and property damage** ~ *(US)* Vollkaskoversicherung; **compulsory** ~ Pflicht-, Zwangsversicherung; **concurrent** ~ Parallelversicherung; **consequential damage** ~ Versicherung gegen mittelbaren Schaden; **voluntarily continued** ~ freiwillige Weiterversicherung; **contract** ~ Vertragsversicherung; **contractors' public liability and property damage liability** ~ Unternehmerhaftpflicht- und Sachschadenversicherung; **contributory** ~ Versicherung mit Selbstbehalt; **contributory group** ~ Gruppenversicherung mit Beitragsleistung der Beteiligten; **convertible term** ~ Risikoumtauschversicherung; **corporative** ~ Gemeinschaftsversicherung; **credit** ~ Kreditversicherung; **crop** ~ Ernteversicherung; **deferred** ~ im voraus gezahlte Versicherungsbeiträge; **deferred annuity** ~ abgekürzte Lebensversicherung; **direct** ~ Direktversicherung; **disability (disablement)** ~ Invalidenversicherung; **double** ~ Doppelversicherung; **earthquake** ~ Erdbebenversicherung; **elevator** ~ Fahrstuhlversicherung; **employee's** ~ Angestelltenversicherung; **employer's liability** ~ Betriebshaftpflichtversicherung; **endowment** ~ Versicherung auf den Erlebensfall, abgekürzte Lebensversicherung; **excess** ~ Überversicherung; **expired** ~ abgelaufene Versicherung; **explosion** ~ Explosionsversicherung; **extended** ~ prolongierte Versicherung; **extra** ~ Zusatzversicherung; **factory** ~ Betriebsversicherung; **fidelity** ~ *(US)* Kautions-, Garantieversicherung; **fidelity guarantee** ~ *(Br.)* Garantie-, Kautionsversicherung; **fire** ~ Feuer-, Brandversicherung; **fleet** ~ Kraftfahrzeugsammelversicherung; **flood** ~ Überschwemmungsversicherung; **fraternal** ~ Bruderschaftsversicherung; **free** ~ kostenloser Versicherungsschutz; **freight** ~ Frachtversicherung; **frost** ~ Frostversicherung; **full-coverage collision** ~ voll gedeckte Kollisionsversicherung; **full-coverage theft** ~ vollgedeckte Diebstahlsversicherung; **funeral-cost** ~ Sterbefallversicherung; **furniture-in-transit** ~ Umzugsversicherung; **garage keeper's liability** ~ Garagenbesitzerhaftpflichtversicherung; **garage liability** ~ Garagenhaftpflichtversicherung; **general** ~ normale Seeschadenversicherung; **governmental life** ~ Lebensversicherung für Staatsangestellte; **ground-rent** ~ Bodenzinsversicherung; **group** ~ Kollektiv-, Gruppen-, Gemeinschaftsversicherung; **group life** ~ Gruppenrisikoversicherung für vorzeitige Todesfälle; **guaranty** ~ Kautionsversicherung; **hail** ~ Hagelversicherung; **hazardous** ~ Risikoversicherung; **health** ~ Krankenversicherung; **home** ~ Hausversicherung; **hospital benefit** ~ Krankenhaus-Zuschußversicherung; **hull** ~ *(airplane, ship)* Kaskoversicherung; **indemnity** ~ Schadenverlustversicherung; **individual** ~ Einzelversicherung; **industrial [life]** ~ *(US)* Volks-, Kleinlebensversicherung; **inland transportation** ~ Binnentransportversicherung; **jewel(le)ry** ~ Juwelenversicherung; **joint life** ~ Überlebensversicherung; **leasehold** ~ *(US)* Versicherung für [entgangenen Gewinn] infolge der Unmöglichkeit der Pachtausübung für im Werte gestiegene Grundstücke; **liability** ~ Haftpflichtversicherung; **public liability** ~ Haftpflichtzwangsversicherung; **ordinary life** ~ *(US)* Großlebensversicherung; **straight (whole) life** ~ Lebensversicherung auf den Todesfall; **lightning** ~ Blitzschlagversicherung; **limited pay (payment)** ~ Lebensversicherung mit abgekürzter Prämienlaufzeit, abgekürzte Lebensversicherung; **livestock** ~ Viehversicherung; **loss-of-profit** ~ Gewinnverlustversicherung; **low-rate** ~ Kleinlebensversicherung; **luggage** ~ *(Br.)* Reisegepäckversicherung; **machinery** ~ Maschinenversicherung; **malpractice** ~ Versicherung gegen Kunstfehler; **manufacturers' public liability and property damage liability** ~ Unternehmerhaftpflicht- und Schadenversicherung; **marine (maritime)** ~ Seeschadenversicherung; **maternity** ~ Mutterschaftsversicherung; **matured** ~ fällige Versicherung; **mercantile open-stock** ~ Diebstahlversicherung offener Warenlager; **mortgage guaranty** ~ Hypothekengarantieversicherung; **motorcar** ~ *(Br.)* Auto-, Kraftfahrzeugversicherung; **mutual** ~ Gegenseitigkeitsversicherung; **national** ~ *(Br.)* Sozialversicherung; **occupancy** ~ Besitzversicherung; **old-age** ~ Altersversicherung; **old-line life** ~ normale Lebensversicherung; **optional** ~ fakultative Versicherung; **own** ~ Selbstversicherung; **owner's liability** ~ Eigentümerhaftpflichtversicherung; **paid-up** ~ beitragsfreie Versicherung; **parcel-post** ~ *(US)* Paketpostversicherung; **participating** ~ Versicherung mit Gewinnbeteiligung; **partnership** ~ Teilhaberversicherung; **paymaster robbery** ~ Kassenraubversicherung; **permanent [partial] disability** ~ Versicherung im Fall von Dauer-, Teilinvalidität; **personal** ~ Individualversicherung; **personal holdup** ~ Versicherung gegen Raubüberfall; **plate-glass** ~ Spiegel-, Fensterglasversicherung; **prepaid** ~ vorausbezahlte Versicherung; **previous** ~ Vorversicherung; **private** ~ Privatversicherung; **professional** ~ Berufsversicherung; **profit** ~ Gewinnversicherung; **property** ~ Güter-, Vermögensversicherung; **property damage liability** ~ Sachschadenversicherung; **protection and indemnity** ~ *(Br.)* seerechtliche Reederhaftpflichtversicherung; **public liability** ~ öffentlich[-rechtlich]e Haftpflichtversicherung; **pure endowment** ~ Kapitalversicherung auf den Erlebensfall; **rail transportation** ~ Bahntransportversicherung; **rain** ~ Regenversicherung; **reciprocal** ~ Reziprozitätsversicherung; **registered-mail** ~ Versicherung für eingeschriebene Postsendungen; **renewable term** ~ Versicherung mit ermäßigter Anfangsprämie; **rent** ~ Mietverlustversicherung; **rental value** ~ Mietwertversicherung; **residence** ~ Wohnungsversicherung; **residence burglary** ~ Einbruchsversicherung; **riot and civil commotion** ~ Aufruhrversicherung; **robbery** ~ Raubüberfallversicherung; **safe-deposit box** ~ Depotversicherung; **securities** ~ Wertpapierversicherung; **shipping** ~ Transportversicherung; **sickness** ~ *(US)* Krankenversicherung; **single-premium** ~ Lebensversicherung gegen Zahlung einer einmaligen Prämie; **smoke** ~ Rauchversicherung; **social** ~ *(US)* Sozialversicherung; **special** ~ Versicherung für zusätzliches Transportrisiko; **sprinkler** ~ Versicherung gegen Wasserschaden bei Sprenganlagen; **state** ~ staatliche Versicherung, Sozialversicherung; **strike** ~ Streikversicherung; **subscribed (subscribers')** ~ Abonnentenversicherung; **subsequent** ~ Nachversicherung; **supplementary** ~ Zusatzversicherung; **surety** ~ Treuhänderversicherung; **surety bonds** ~ Bürgschaftsversicherung; **survivors' (survivorship)** ~ Hinterbliebenen-, Überlebensversicherung; **tenant's liability** ~ Vermieterhaftpflichtversicherung; **term** ~ abgekürzte Versicherung, Kurzversicherung; **third-party** ~ Fremd-, Haftpflichtversicherung; **title** ~ *(US)* Versicherung gegen Rechtsmängel von Grundstücksrechten; **tornado** ~ *(US)* Sturmversicherung; **tourists' baggage floater** ~ *(Br.)* globale Reisegepäckversicherung; **tourist weather** ~ Reisewetterversicherung; **transport** ~ *(US)* Transportversicherung; **travel(l)ers'accident** ~ Reiseunfallversicherung; **unemployment** ~ Arbeitslosenversicherung; **unoccupied buildings** ~ Versicherung gegen Schäden an unbewohnten Gebäuden; **use and occupancy** ~ Betriebsunterbrechungsversicherung; **voluntary** ~ freiwillige Versicherung; **warehouseman's liability** ~ Warenhausversicherung; **water-damage** ~ Wasserschadenversicherung; **weather** ~ Wetterversicherung; **whole-life** ~ Lebensversicherung auf den Todesfall, Todesfallversicherung; **windstorm** ~ Windbruchversicherung; **workmen's compensation** ~ *(US)* Arbeiterunfallversicherung; **worldwide** ~ *(US)* Wertsachenversicherung [unabhängig vom Aufbewahrungsort der Gegenstände];

~ **on the body** Kaskoversicherung; ~ **against breakage** Bruchschädenversicherung; ~ **on cargo** Frachtversicherung; ~ **of crop** Ernteversicherung; ~ **against damage by hail** Hagelversicherung; ~ **against damage to property** Sachschadenversicherung; ~ **in force** laufende Versicherung; ~ **of goods in transit** Gütertransportversicherung; ~ **on hull and appurtenances** *(ship)* Kaskoversicherung; ~ **against loss by redemption (redemption at par)** Kursverlustversicherung; ~ **of merchandise** Frachtversicherung; ~ **with limited premium** Versicherung mit abgekürzter Prämienzahlung; ~ **on a premium basis** Versicherung gegen Prämie; ~ **against all risks** Versicherung gegen alle Gefahren; ~ **by single payment** Versicherung gegen einmalige Prämienzahlung; ~ **of delivery in time** Versicherung des Interesses an rechtzeitiger Lieferung; ~ **in transit** Transit-, Valorenversicherung; ~ **of value** Valoren-, Wertversicherung;

to arrange an ~ Versicherung abschließen; **to buy** ~ sich versichern lassen; **to cancel an** ~ Versicherung aufheben; **to carry an** ~ Versicherung eingehen; **to carry** ~ **against legal liability** gesetzliche Haftpflichtversicherung unterhalten; **to cut back on** ~**s** weniger Geld für Versicherungen vorsehen; **to effect an** ~ Versicherung abschließen; **to introduce an** ~ Versicherung vermitteln; **to place an** ~ Versicherung abschließen; **to pledge an** ~ Versicherungsanspruch verpfänden; **to provide an** ~ Versicherung decken; **to receive £ 10 000** ~ Versicherungsssumme in Höhe von 10 000 £ ausgezahlt bekommen; **to reinstate an** ~ Versicherung wiederaufnehmen; **to sell** ~ als Versicherer tätig sein; **to surrender an** ~ Versicherungspolice zurückkaufen; **to take out an** ~ sich versichern lassen, Versicherungspolice erwerben; **to write** ~ als Versicherer tätig sein;

National ≗ **Act** *(Br.)* Arbeitslosengesetz; ~ **adjuster** Versicherungs-, Schadensregulierer; ~ **advice** Versicherungsberatung; ~ **agency** Versicherungsagentur-, -vertretung; ~ **agent** Versicherungsagent, -vertreter, Akquisiteur; ~ **aspects** Versicherungslage; **auditor** Versicherungsrevisor; ~ **bank** Versicherungsanstalt; ~ **basis** Versicherungsgrundlage; ~ **benefit** Versicherungsleistung; **social** ~ **benefits** Sozialversicherungsleistungen; ~ **branch** Versicherungszweig; ~ **broker** Versicherungsmakler; ~ **business** Versicherungsbetrieb; **to be engaged in the** ~ **business** im Versicherungsgewerbe tätig sein; ~**-buying public** Versicherungspublikum, -kundschaft; ~ **canvasser** [Versicherungs]akquisiteur; ~ **carrier** Versicherungsträger, -unternehmer; ~ **case** Versicherungsfall; ~ **certificate** Versicherungszertifikat, -bescheinigung; ~ **charges** Versicherungslasten; ~ **claim** Versicherungsanspruch; **to settle** ~ **claims** Versicherungsansprüche regulieren; ~ **claim adjuster** Schadensregulierer, -festsetzer, Versicherungssachverständiger, -inspektor; ~ **classification** Einteilung in Gefahrenklassen; ~ **clause** Versicherungsklausel; ~ **clerk** Versicherungsangestellter; ~ **collector** Versicherungseinnehmer; ~ **commissioner** *(US)* Landesaufsichtsamt für das Versicherungswesen; ~ **company** Versicherungsgesellschaft, -anstalt; **mutual life** ~ **company** Lebensversicherungsverein auf Gegenseitigkeit; **to make a claim on one's** ~ **company** seine Versicherungsgesellschaft in Anspruch nehmen; ~ **conditions** Versicherungsbedingungen; ~ **consumer** Versicherungsnehmer; ~ **contract** Versicherungsvertrag; **to conclude (enter into) an** ~ **contract** Versicherungsvertrag abschließen; **to discharge an ~ contract** Versicherungsvertrag erfüllen; **national ~ contributions** *(Br.)* Sozialversicherungsbeiträge; **social ~ contributions** *(US)* Sozialversicherungsbeiträge; **~ corporation** *(US)* Versicherungsgesellschaft; **mutual ~ corporation** Versicherungsgesellschaft auf Gegenseitigkeit; **~ costs** Versicherungskosten; **~ councillor** Versicherungsberater; **~ cover** Versicherungsschutz; **~ coverage** Versicherungsumfang; **business ~ coverage** Deckungsumfang für den Betrieb abgeschlossener Versicherungen; **~ department** Versicherungsabteilung; **~ disputes** Versicherungsstreitigkeiten; **~ dividend** Versicherungsdividende; **~ draft** *(US)* Versicherungswechsel; **~ engineer** Spezialist für Feuerversicherungen; **~ enterprise** Versicherungsunternehmen; **~ examiner** Versicherungsprüfer; **~ expense** Versicherungskosten; **~ fee** *(post)* Versicherungsgebühr; **~ fraud** Versicherungsbetrug; **~ fund** Versicherungsstock; **National ≗ Fund** *(Br.)* Sozialversicherungsstock; **~ holder** Versicherungsnehmer; **to build an ~ holding company** Versicherungsholding gründen; **~ industry** Versicherungsindustrie, -gewerbe, -wirtschaft; **~ instal(l)ment** Versicherungsrate; **~ investment salesman** Vertreter der Versicherungsbranche; **~ law** *(US)* Versicherungsaufsichtsgesetz; **~ lawyer** Versicherungsanwalt; **~ line** Versicherungsfach, -zweig; **~ market** Versicherungsmarkt; **~ matters** Versicherungswesen; **~ money** Versicherungsprämie, -summe; **~ need** Versicherungsbedürfnis; **~ note** vorläufiger Deckungs-, Versicherungsschein; **~ office** Versicherungsanstalt, -büro, -gesellschaft; **~ officer (official)** Versicherungsbeamter; **~ operations** Versicherungstätigkeit; **~ option** wahlfreie Kapital- oder Rentenzahlung; **extended-term ~ option** Wahlrecht der beitragsfreien Lebensversicherung; **~ parlance** Versicherungssprache; **~ payment** Versicherungsleistung; **~ period** Versicherungszeit; **~ plan** Versicherungssystem.

insurance policy Versicherungspolice, -schein;
life ~ Lebensversicherungspolice; **open ~** Generalversicherungspolice; **standard fire ~** Einheitsfeuerversicherungspolice;
to take out an ~ Versicherung abschließen, sich versichern lassen.

insurance | portfolio Versicherungsbestand; **~ premium** Versicherungsprämie; **~ principal** [Versicherungs]kapitalsumme; **~ rate** Versicherungssatz, -prämie; **~ reform** Versicherungsreform; **~ register** Versicherungsunterlagenverzeichnis; **~ regulation** Regulierung eines Versicherungsfalles; **~ reserve** Rückstellung für Eigenversicherung; **~ risk** Versicherungsrisiko; **~ salesman** Versicherungsvertreter; **~ scheme** Krankenkassensystem; **~ share** Versicherungsaktie; **~ slip** *(marine insurance)* Beteiligungsnote; **~ solicitor** Versicherungsanwalt; **~ stamp** Invalidenmarke; **~ stock** Versicherungskapital; **~ system** Versicherungssystem; **unemployment ~ tax** Arbeitslosenversicherungsbeitrag [des Arbeitgebers]; **~ taxation** Versicherungsbesteuerung; **~ technician** Versicherungsmathematiker; **~ tester** Versicherungsprüfer; **~ trade** Versicherungsgewerbe; **~ transaction** Versicherungsgeschäft; **~ travel(l)er** Versicherungsreisender, -vertreter; **automatic ~ treaty** Generalrückversicherungsvertrag; **~ trust** *(US)* Treuhandvereinbarung zur Direktauszahlung im Versicherungsfall; **~ umbrella** Versicherungsschutz; **~ underwriter** Versicherer, Assekurateur; **~ valuation** festgesetzter Versicherungswert; **~ value** Versicherungswert; **~ wrinkles** Versicherungskniffe; **~ writer** Versicherungsagent, -vertreter.

insurant *(US)* Versicherter, Versicherungsnehmer.

insure *(v.)* versichern, sich versichern lassen, Versicherung abschließen, *(guarantee)* garantieren, verbürgen, sicherstellen;
~ o. s. for £ 20 000 sich für 20 000 £ lebensversichern; **~ for a larger amount** nachversichern; **~ a debt** Bürgschaft leisten, Delkredere stehen; **~ one's house against fire** sein Haus feuerversichern; **~ against illness** sich für den Krankheitsfall versichern, Krankenversicherung abschließen; **~ one's life** sein Leben versichern; **~ against loss** gegen Schaden versichern; **~ a number in a lottery** auf eine besondere Lotterienummer setzen; **~ in an isurance office** bei einer Versicherungsgesellschaft versichern; **~ at a low premium** zu einer niedrigen Prämie versichern; **~ s. th. against all risks** für etw. eine Generalpolice nehmen; **~ against third-party risks** gegen Haftpflicht versichern; **~ a ship out and home** Schiff für die Hin- und Rückreise versichern.

insured Versicherter, Versicherungsnehmer;
~ *(a.)* versichert;
fully ~ vollversichert;
amount ~ Versicherungssumme, Deckungsbetrag; **object ~** versicherter Gegenstand; **original ~** *(reinsurance)* Hauptversicherter; **period ~** Versicherungszeit; **subject-matter ~** versicherter Gegenstand; **sum ~** Versicherungssumme;
~ letter *(Br.)* Wertbrief; **~ parcel** *(Br.)* Wertpaket; **~ party** Versicherungsnehmer; **~ pension plan** bei Versicherungen abgedecktes Betriebspensionssystem; **~ person** Versicherter, Versicherungsnehmer; **~ value** Versicherungswert.

insuree Versicherter.

insurer Versicherer, Versicherungsgeber, -träger;
~s Versicherungsgesellschaft;
maritime ~ Seeassekurant, -versicherer;
to act as ~ als Versicherer tätig sein.

intact unverletzt, intakt;

to live on the interest and keep one's capital ~ von den Zinsen leben und sein Kapital nicht angreifen.

intangible unkörperlich, immateriell;
~ **assets** immaterielle Werte [eines Unternehmens]; ~ **value** *(mortgage)* Geldwert.

integral part wesentlicher Bestandteil.

integrate *(v.)* integrieren, eingliedern, konzentrieren.

integrated, to be economically in Verbundwirtschaft arbeiten;
~ **commercial** eingeblendete Werbesendung; ~ **economy** Verbundwirtschaft; ~ **store** *(US)* Filialbetrieb, Kettenladen; ~ **trust** vertikaler Konzern.

integration Zusammenschluß, Integration, Eingliederung, Konzentration;
economic ~ wirtschaftliche Integration;
~ **of markets** Marktverflechtung;
~ **movement** Konzentrationsbewegung; ~ **process** Integrationsprozeß.

intelligence *(information)* Nachricht[en], Auskunft, Mitteilung;
latest ~ neueste Nachrichten; **shipping** ~ Schiffahrtsnachrichten;
~ **bureau (department)** Auskunftsabteilung.

intend *(v.)* **to purchase** reflektieren, kaufinteressiert sein.

intending | **buyer (purchaser)** Kaufinteressent, -reflektant; ~ **subscriber** interessierter Abonnent.

intensive intensiv, Ertrag (Produktivität) steigernd, ertragssteigernd;
~ **advertising** Intensivwerbung; ~ **cultivation of land** intensive Bodenbewirtschaftung; ~ **margin** Intensitätsgrenze.

intent | **of agreement** Vertragwille;
~ *(a.)* **on business** geschäftlich interessiert;
to be ~ **on one's business** sich nur für sein Geschäft interessieren;
~ **application** ernstliche Bewerbung.

intentious to buy kaufinteressiert.

Inter-American Development Bank Entwicklungsbank für die lateinamerikanischen Länder.

interagency | **agreement** zwischen internationalen Sonderorganisationen abgeschlossener Vertrag; ~ **committee** interministerieller Ausschuß.

interagent Vermittler, Mittelsmann.

interbank | **balances** gegenseitige Bankverpflichtungen; ~ **clearings** Lokalumschreibungen, Ortsclearing; ~ **dealings** Wertpapiertransaktionen im internen Bankverkehr.

interbourse securities internationale (international gehandelte) Wertpapiere.

intercept | *(v.)* **a letter** Brief abfangen; ~ **telephone calls** Telefongespräche abhören; ~ **the trade** Handel behindern; ~ **the traffic** Verkehr stoppen.

interception Unterbrechung, *(letters)* Auf-, Abfangen, *(tel.)* Abhören;
~ **by the censor** Anhalten von Post durch die Zensur.

intercity | **check [cheque,** *Br.)* **-clearing service** Scheckaustausch innerhalb einer Stadt; ~ **differential** Ortsklassen[lohn]ausgleich; ~ **train** Nahverkehrszug.

intercom *(coll.)* Wechselsprechanlage, *(airplane)* Bordsprechanlage, Bordtelefon.

intercompany inner-, zwischenbetrieblich;
~ **claims** Konzernforderungen; ~ **debt** Konzernschulden; ~ **elimination** *(consolidated balance sheet)* Konzernausgleich; ~ **liabilities** Konzernverbindlichkeiten; ~ **loan** Konzernkredit, -darlehn; ~ **loss** Konzernbuchverlust; ~ **operations** Geschäftsverkehr zwischen Konzerngesellschaften; ~ **price** Verrechnungspreis; ~ **profit** Konzernbuchgewinn; ~ **rate** Verrechnungskurs; ~ **relations** Konzernbeziehungen; ~ **sales** Absatz innerhalb des Konzerns, Konzernabsatz, Verkäufe zwischen Konzerngesellschaften; ~ **squaring** Konzernausgleich.

interconnecting flight Anschlußflug.

intercorporate | **privilege** *(US)* Schachtelprivileg; ~ **relations** Konzernbeziehungen, -verhältnisse; ~ **stockholding** *(US)* wechselseitige Aktienbeteiligungen, Schachtel[besitz].

intercourse [Geschäfts]verkehr, Handelsverbindung.

interdepartmental ressortmäßig;
~ **agreement** Ressortabkommen; ~ **business** gemeinsam (mehrere Abteilungen) interessierende Fragen; ~ **committee** interministerieller Ausschuß.

interdiction of commerce (commercial intercourse) Handelsverbot.

interest *(advantage)* Vorteil, Interesse, Belange, Nutzen, *(importance)* Bedeutung, Interesse, Wichtigkeit, *(on loan)* Zinsen, Zinsfuß, Verzinsung, *(right)* [An]recht, Anspruch, *(risk)* Versicherungsinteresse, *(share)* Beteiligung, Anteil;
and ~ zuzüglich Stückzinsen; **as** ~ zinsweise; **at** ~ auf Zinsen; **at legal** ~ zum gesetzlichen Zinsfuß; **bearing** ~ verzinslich, zinstragend; **bearing no** ~ unverzinslich; **no** ~ **charged** franko Zinsen; **cum** ~ einschließlich Stückzinsen; **detrimental to our** ~**s** unseren Interessen abträglich; **ex** ~ ohne Zinsen; **free of** ~ zinslos, unverzinslich; **in the public** ~ im öffentlichen Interesse; **of considerable** ~ von ziemlicher Bedeutung; **of general** ~ von allgemeinem Interesse; **paying [no]** ~ [un]verzinslich; **with** ~ mit [Berechtigung auf] Zinsen; **without** ~ unverzinslich, franko Zinsen;
~**s** Interessengruppe, Interessenten, Interessengemeinschaft, *(business)* Geschäfte, Belange, *(possessions)* Besitz;
absolute ~ absolutes Recht; **accrued** ~ aufgelaufene [aber noch nicht fällige] Zinsen, *(bonds)* Stückzinsen; **accruing** ~ auflaufende Zinsen; **accumulated** ~ aufgelaufene [und fälli-

ge] Zinsen; **annual** ~ Jahreszinsen, jährliche Zinsen; **anticipatory** ~ Zinsvorauszahlungen; **average** ~ Durchschnittszinsen; **back** ~ rückständige Zinsen; **the banking** ~ Bankkreise; **business** ~ Geschäftsanteil; **the business** ~**s** Geschäftswelt; **chief** ~ Hauptinteresse; **clashing** ~**s** widerstreitende Interessen; ~ **collected in advance** Zinsvorauszahlungen; **commercial** ~**s** kaufmännische Interessen, Handelsinteresse; **common** ~ Anknüpfungspunkt; **the common** ~ das allgemeine Beste; **compensatory** ~ Unkosten gerade deckende Zinsen; **compound** ~ Zinseszinsen; **conditional** ~ bedingtes Recht; **conflicting** ~**s** widerstreitende Interessen; **the Conservative** ~ *(Br.)* Konservative Partei; **contract** ~ vereinbarter Zinsfuß; **controlling** ~ Mehrheitsbeteiligung, ausschlaggebender Kapitalanteil; **conventional** ~ üblicher Zinsfuß; **credit** ~ Habenzinsen; **credited** ~ gutgeschriebene Zinsen; **current** ~ laufende Zinsen; **daily** ~ Tageszinsen; **debit** ~ Sollzinsen; **divergent** ~**s** divergierende Interessen, Interessenkollision; ~ **due** Schuld-, Passivzinsen, fällige Zinsen; ~ **earned** Sollzinsen; **economic** ~**s** wirtschaftliche Belange; **equated** ~ gestaffelte Zinsen, Staffelzinsen; **exact** ~ *(US)* auf der Basis von 365 Tagen berechnete Zinsen; **excessive** ~ Wucherzinsen; **financial** ~ Kapitalbeteiligung; **foreign** ~**s** Auslandsbeteiligungen; **government** ~**s** staatliche Beteiligungen; **graduated** ~ Staffelzinsen; **gross** ~ Bruttozinsen; **industrial** ~**s** Industriebeteiligungen; **insurable** ~ versicherbares Interesse, Versicherungsinteresse; **interim** ~ Zwischenzinsen; **intermediate** ~ Zwischenzinsen; **the iron** ~ die Eisenindustrie; **joint** ~ Gesamthandseigentum; **landed** ~ Großgrundbesitz[er]; **legal** ~ gesetzliche Zinsen; **legitimate** ~ berechtigtes Interesse; **life** ~ lebenslänglicher Nießbrauch, lebenslängliche Nutznießung; **local** ~ Lokalinteresse; **the long** ~ Hausseengagement; **lucrative** ~ zu erwartender Gewinn; **majority** ~ Mehrheitsbeteiligung; **majority controlling** ~ ausschlaggebende Mehrheitsbeteiligung; **marine (maritime)** ~ Bodmereizins; **mercantile** ~**s** kaufmännische Interessen; **mining** ~ Bergwerksinteressen; **minority** ~ Minderheitsanteil, Minoritätsbeteiligung; **moneyed** ~ Kapitalinteressen, Finanzwelt; **mortgage** ~ Hypothekenzinsen; **mutual** ~ gegenseitiges (gemeinsames) Interesse; **national** ~ nationale Belange, nationales Interesse; **net** ~ Nettozinsen; **one-third** ~ Drittelbeteiligung; **one's own** ~ sein eigenes Ich; **ordinary** ~ *(US)* auf Basis von 360 Tagen berechnete Zinsen; **outstanding** ~ fällige Zinsen, Zinsaußenstände; ~ **paid** Zinsaufwand, -einnahmen; **partnership** ~ Gesellschaftsanteil; **past due** ~ überfällige Zinsen; ~ **payable** fällige Zinsen; **pecuniary** ~ finanzielles Interesse; **penal** ~ Verzugszinsen; **principal and** ~ Kapital und Zinsen; **private** ~ Privatangelegenheiten; **producing** ~**s** Produktionsinteresse; **property** ~ Vermögensanteil; **public** ~ öffentliche Belange, öffentliches Wohl; **pure** ~ Nettozinsen; ~ **receivable** ausstehende Zinsen; ~ **received** Zinseingang; **redeemable** ~ ablösliche Zinsen; ~ **returned** Rückzinsen; **reversionary** ~ Anwartschafts-, Rückfallsrecht; **running** ~ laufende Zinsen; **semi-annual** ~ halbjährliche Zinsen; **shipping** ~ Reedereibetrieb, -geschäft; **the shipping** ~ Schiffahrtsinteressen, die Handelsschiffahrt; **short** ~ *(marine insurance)* Überversicherung, *(stock exchange)* Baisseengagement; **simple** ~ einfache Zinsen; **statutory** ~ gesetzlicher Zinssatz; **storage** ~ Lagergebühren; **true** ~ Nettozinsen; **undivided** ~ Nutznießung zur gesamten Hand; **usurious** ~ Wucherzinsen; **vested** ~**s** wohlerworbene Rechte; **vital** ~**s** lebenswichtige Interessen;

~ **with the administration** Beziehungen zu Behörden; ~ **on advances credited** *(balance sheet)* Zinsen auf gewährte Vorschüsse; ~ **per annum** jährliche Zinsen; ~ **in arrears** Verzugszinsen; ~ **on bank loans** Bankzinsen; ~ **upon bonds** Obligationenzinsen; ~ **in business** Geschäftsinteresse, -beteiligung, -anteil; ~ **on capital** Kapitalzinsen, -verzinsung; ~ **on capital accounts (outlay)** Verzinsung der Anschaffungskosten, Kapitalverzinsung; ~ **on loan capital** Darlehnszinsen; ~ **on credit balances** Habenzinsen; ~ **on debit balances** Debit-, Sollzinsen; ~ **for default (delay, detention)** Verzugszinsen; ~ **on deposits** Depositen-, Bank-, Habenzinsen; ~ **of expectancy** Anwartschaftsrecht; ~ **in a firm** Kapital-, Geschäftsanteil; **American** ~**s in Germany** amerikanische Kapitalbeteiligungen in Deutschland; ~ **on indebtedness** Schuldzinsen; ~**s as individual** Privatinteressen; ~ **on investments** Anlagenverzinsung, Zinsen aus Kapitalanlagen; **the** ~ **at issue** beteiligte Interessen; ~ **in the job** berufliches Interesse; ~ **in land** Grundbesitz-, stücksrecht; **beneficial** ~ **in land** Nießbrauch an einem Grundstück; ~ **of legatee** Vermächtnisanspruch; ~ **in the nature of investments** *(balance sheet)* beteiligungsähnliche Ansprüche; ~ **or no** *(insurance)* Verzicht auf Nachweis eines versicherbaren Interesses; ~ **of a partner in the profits** Gewinnanteil eines Teilhabers; ~ **on principal** Kapitalverzinsung; ~ **pro and contra** Soll- und Habenzinsen, Kredit- und Debetzins; ~ **in the profits** Gewinnbeteiligung; ~ **in property** vermögensrechtlicher Anspruch, Eigentumsanspruch; ~ **at the rate of ...** Zinsen zum Satze von ..; ~**s in real estate** Grundbesitz, Grundstücksinteressen; ~ **on shares** Stückzinsen; ~ **in a vessel** Schiffsanteil, -beteiligung;

~ *(v.)* Teilnahme (Interesse) erwecken, *(make partner)* beteiligen, zum Teilhaber machen, als Partner aufnehmen;

~ o. s. in s. th. sich für etw. interessieren; **~ s. o. in s. th.** j. zur Beteiligung an etw. veranlassen; **~ s. o. in a plan** jds. Interesse für ein Vorhaben wecken;
to act in s. one's ~ für fremde Rechnung tätig werden; **to act in one's own ~** im eigenen Interesse handeln; **to add the ~ to the capital** Zinsen zum Kapital schlagen; **to affect the ~s** Interessen berühren; **to allow ~** Zinsen vergüten; **to allow the back ~ to accumulate** Zinsrückstände entstehen lassen; **to create ~** großes Interesse hervorrufen; **to ascertain ~** Zinsen berechnen, Zinsberechnung durchführen; **to attend to one's ~s** seine Interessen vertreten (wahrnehmen); **to be in s. one's ~** in jds. Interesse liegen; **to be of little ~** von geringer Bedeutung sein; **to bear ~** Zinsen tragen, sich verzinsen, verzinslich sein; **to bear ~ at [at the rate of] 6%** sich mit 6% verzinsen, 6% Zinsen bringen; **to borrow at ~** Geld zu Zinsen ausleihen; **to bring s. o. into one's ~** j. für sich gewinnen; **to buy an ~ in a firm** Geschäftsanteil (Firmenanteil) übernehmen; **to carry ~** Zinsen abwerfen (einbringen); **to carry a low rate of ~** niedrig verzinslich sein; **to charge ~ [on both sides]** Zinsen [gegenseitig] in Rechnung stellen (berechnen); **to compute ~** Zinsen berechnen; **to compute 5 per cent ~** 5% Zinsen berechnen; **to dispose of one's ~ in a firm** seinen Geschäftsanteil veräußern; **to earn good ~** sich gut verzinsen; **to feel no great ~ in politics** sich für Politik wenig interessieren; **to focus one's ~** sein Interesse auf einen Punkt vereinigen; **to found on mutual ~** auf Gegenseitigkeit gründen; **to give s. o. financial ~ in a business** j. an einem Geschäft beteiligen; **to grant an ~ of 6 per cent** auf etw. 6% Zinsen geben, etw. mit 6% verzinsen; **to have ~ with s. o.** bei jem. Kredit haben; **to have an ~ in a business** an einem Geschäft beteiligt sein, Geschäftsanteil besitzen; **to have ~s in common** gemeinsame Interessen haben; **to have an ~ in a company of $ 100 000** mit 100 000 Dollar an einer Gesellschaft beteiligt sein; **to have ~ at court** Einfluß am Hofe haben; **to have an ~ in an estate** erbberechtigt sein; **to have an ~ in the profits** am Gewinn beteiligt sein; **to have a direct ~ in s. th.** an etw. unmittelbar interessiert sein; **to have no money ~ in a concern** an einem Unternehmen finanziell nicht beteiligt sein; **to hold a 10% ~** zehnprozentige Beteiligung besitzen; **to hold controlling ~** Aktienmehrheit besitzen; **to impair s. one's ~s** jds. Interessen beeinträchtigen; **to invest money at ~** Geld verzinslich anlegen; **to invest a sum at 6 per cent ~** Betrag zu 6% anlegen; **to lend at short ~** kurzfristiges Darlehen gewähren; **to lend out money at ~** Geld auf Zinsen ausleihen; **to live on the ~ received from one's capital** von den Zinsen seines Vermögens leben; **to look after s. one's ~s** jds. Interessen vertreten (wahrnehmen); **to look after one's own ~** seinen Vorteil zu wahren wissen; **to lose ~** das Interesse verlieren; **to make ~ on s. o.** seinen Kredit bei jem. in Anspruch nehmen; **to obtain s. one's ~** j. für sich gewinnen; **to obtain a government position through ~ with a cabinet minister** Staatstellung durch die Beeinflussung eines Kabinettsmitgliedes erhalten; **to offer s. o. an ~ in one's business** jem. eine Beteiligung an seinem Geschäft anbieten; **to pay ~** verzinsen, Zinsen zahlen; **to pay 8 per cent ~ on a loan** Kredit mit 8% verzinsen, 8% Zinsen für einen Kredit bezahlen; **to prejudice seriously s. one's ~s** jds. Interessen ernstlich schädigen; **to promote s. one's ~s** jds. Interessen wahrnehmen; **to purchase an ~** Kapitalanteil kaufen; **to put out at ~** verzinslich (zinstragend) anlegen; **to put out money at ~** Geld auf Zinsen ausleihen, sein Geld arbeiten lassen; **to raise the ~** Zinsfuß (Zinssatz) erhöhen; **to redeem the ~** Zinssatz senken; **to represent s. one's ~s** jds. Belange vertreten; **to run counter to s. one ~s** jds. Interessen verletzen; **to safeguard one's ~s** seine Interessen wahren; **to secure ~s** Beteiligung erwerben; **to sell one's ~** seinen Geschäftsanteil (seine Beteiligung) verkaufen; **to show ~ in one's work** seiner Arbeit Interesse entgegenbringen; **to study the ~s of s. o.** jds. Vorteil im Auge haben; **to take an ~ in s. th.** sich etw. angelegen sein lassen, sich für etw. interessieren, Interesse an etw. nehmen; **to take no great ~ in politics** sich für Politik kaum interessieren, politisch nicht interessiert sein; **to travel abroad in the ~s of a business firm** Geschäftsinteressen einer Firma im Ausland wahrnehmen; **to uphold ~s** Interessen wahrnehmen; **to use one's ~ on s. one's behalf** seine Beziehungen für j. einsetzen; **to work in the ~ of humanity** aus humanitären Gründen für eine Sache tätig werden; **to work out the ~** Zinsen ausrechnen; **to yield ~** sich verzinsen, Zinsen tragen; **to yield high ~** hohe Rendite erzielen.

interest account Zinsenkonto, Zinsberechnung; **collectible ~** Zinsensammelkonto; **equated ~** Staffelrechnung.

interest | balance *(US)* täglicher Zinsberechnung zugrunde liegender Kontosaldo; **compound ~ basis** Zinseszinsbasis; **~-bearing** verzinslich; **~-bearing investment** verzinsliche Kapitalanlage; **~-bearing securities** verzinsliche Wertpapiere; **~ bonds** an Stelle von Zinsen ausgegebene Obligationen; **~ ceilings** Höchstzinsen; **~ certificate** Zinsvergütungsschein; **~ charge** Zinsbelastung, -satz, Zinsenlast; **~ charges** *(balances sheet)* Zinsen[dienst]; **excessive ~ charge** wucherische Zinsforderung; **~ clause** Zinsklausel; **~ computation** Zinsberechnung; **~ cost** Habenzinsen, Zinsenaufwand; **~ coupon** Zinsschein, -abschnitt, -kupon; **~ coupons**

payable to bearer Inhaberzinsschein; ~ **date** Zinstermin; ~ **due date** Zinsfälligkeitstermin; ~ **earnings** Zinsertrag, -einnahmen; ~ **expenditures** Zinsaufwendungen, -aufwand, Zinsendienst; ~ **expense** Zinslast, -aufwendungen; ~ **factor** zugkräftiges Werbeelement, Aufmerksamkeitsfaktor; ~ **forward** Spesen nachnehmen; ~**-free** zinsfrei, zinslos, unverzinslich; ~**-free loans** unverzinsliche Darlehen; ~ **income** Zinserträgnisse; ~ **instal(l)ment** Zinsrate; ~ **loss** Zinsverlust; ~ **lottery** Prämienlotterie; ~ **numbers** Zinszahlen, -nummern; ~**-paying period** Zinsperiode; ~ **payments** Zinszahlungen; ~ **payment date** Zinstermin; ~ **premium** Zinsbonus; ~ **profit** Zinsgewinn; ~ **rate** Zinssatz für langfristige Kredite; **minimum** ~ **rate** Mindestzinssatz; ~ **rates** Zinskonditionen; **long-term** ~**rates** Sätze für langfristige Gelder; ~ **rate adjustment** Zinsanpassung; ~ **rate structure** Zinsgefüge; ~ **rate ceiling** Zinshöchstsätze; ~ **rebate (reduction)** Zinsnachlaß; ~ **receipts** Zinseingänge; ~ **receivable** Zinsforderungen; ~ **savings** Zinsersparnisse; **determinable** ~ **securities** nicht festverzinsliche Papiere, Aktienwerte; **fixed-** ~ **securities** festverzinsliche Papiere; ~ **share** Beteiligungsquote; ~ **sheet** Zinsbogen; ~ **stabilization** Zinsstabilisierung; ~ **statement** Zinsenaufstellung; ~ **suit** *(probate court)* Klage auf Ausstellung eines Testamentsvollstreckungszeugnisses; ~ **table** Zinstabelle; ~ **ticket** Zinsschein; ~ **warrant** Zinsabschnitt, -kupon; ~ **yield** Rendite; ~**-yielding** Rendite gebend, verzinslich.

interested [mit]beteiligt, *(bias(s)ed)* parteiisch;
to be ~ reflektieren; **to be** ~ **in British funds** sein Geld in englischer Staatsanleihe angelegt haben; **to be financially** ~ **in a business** an einem Unternehmen finanzielle (kapitalmäßig) beteiligt sein;
~ **motives** eigennützige Beweggründe; ~ **partner** Teilhaber.

interfere *(v.)* sich einmischen, sich ins Mittel legen, intervenieren, *(impair)* störend beeinflussen, beeinträchtigen;
~ **with private business** in die Privatwirtschaft eingreifen; ~ **with s. one's interests** jds. Interessen beeinträchtigen (verletzen); ~ **with s. one's possessions** j. im Besitz stören.

interference Störung, Beeinträchtigung, Einmischung, Eingriff, *(clashing of interests)* Interessenkonflikt;
state ~ staatliche Einmischung; **unwarrantable** ~ verbotene Eigenmacht;
~ **with competitors** Konkurrenzkampf.

interfering claims widerstreitende (kollidierende) Ansprüche.

interfirm comparative studies Betriebsvergleich.

intergovernmental zwischenstaatlich;
~ **agreement (arrangement)** formloses Regierungsabkommen; ~ **bodies** zwischenstaatliche Organisationen.

interim *(a.)* einstweilig, in der Zwischenzeit, zwischenzeitlich, vorläufig, interimistisch;
to take over the duties of a post in the ~ Ferienvertretung übernehmen;
~ **account** Zwischen-, Interims-, Durchlaufkonto; ~ **agreement** vorläufige Vereinbarung; ~ **aid** Überbrückungshilfe; ~ **audit** in der Berichtszeit vorgenommene Revision; ~ **balance [sheet]** Zwischenbilanz, -abschluß; ~ **bill** Interimswechsel; ~ **bond** vorläufiger Schuldschein; ~ **cabinet** Zwischenregierung; ~ **certificate** Interimsschein; ~ **closing** *(bookkeeping)* Bücherabschluß vor dem Jahresende; ~ **commission** Interimskommission; ~ **committee** Interimsausschuß; ~ **copyright** vorläufiges Urheberschutzrecht; ~ **credit** Zwischenkredit; ~ **decision** Zwischenentscheidung, -bescheid; ~ **decree** Zwischenurteil; ~ **development** zwischenzeitliche Entwicklung; ~ **dividend** Zwischen-, Abschlags-, Interimsdividende; ~ **duties** Stellvertretung; ~ **earnings statement** Zwischenbilanz; ~ **factor** vorläufiger Konkursverwalter; ~ **financing** Zwischenfinanzierung; ~ **increase** vorläufige Tariferhöhung; ~ **injunction** einstweilige Verfügung; ~ **interest** Zwischenzinsen; ~ **loan** Zwischenkredit; **as an** ~ **measure** als Zwischenlösung; ~ **order** vorläufige Anordnung; ~ **period** Zwischenzeit; ~ **receipt** Interims-, Zwischenquittung; ~ **receiver** einstweiliger Treuhänder; ~ **report** Zwischenbericht; ~ **rule** Zwischenregierung; ~ **share** Interimsaktie; ~ **solution** einstweilige Regelung, Zwischenlösung; ~ **state** vorübergehendesStaatsgebilde; ~ **statement** Zwischenbilanz, -abschluß; ~ **stock certificate** *(US)* Interimsaktie; ~ **treaty** Zwischenabkommen.

interinsurance exchange *(US)* Gegenseitigkeitsverein.

interior *(a.)* *(domestic)* in-, binnenländisch;
~ **bank** *(US)* Provinzbank; ~ **customs post** *(US)* Binnenzollstelle; ~ **display** Innenauslage, [Waren]auslage innerhalb des Ladens; ~ **economy** *(administration)* Materialverwaltung; ~ **market** Binnenmarkt; ~ **trade** Binnenhandel.

interline | **fare** Teilstreckenfahrpreis; ~ **freight** von mehreren Spediteuren beförderte Fracht; ~ **revenues** Teilstreckeneinnahmen.

interlock *(v.)* ineinandergreifen, -schachteln, verflechten.

interlocked enterprises verflochtene Unternehmen.

interlocking | **of several undertakings** Verschachtelung verschiedener Unternehmungen;
~ **arrangements of production** produktionsmäßige Verflechtung; ~ **combine** Konzernverflechtung; ~ **directorate** *(US)* Personalunion bei Verwaltungen verschiedener Gesellschaften, Schachtelaufsichtsrat; ~ **holdings of firms**

Konzernzusammenhänge; ~ **liquidity in world markets** weltbedingte Liquiditätsverhältnisse; ~ **question** korrespondierende Frage; ~ **relationship** Unternehmensverbindungen, Organschaft; ~ **right** Schachtelprivileg; ~ **stock ownership** Verschachtelung des Aktienkapitals.

interlocutory | **costs** im Laufe des Verfahrens anfallende Gerichtskosten; ~ **relief** vorläufiger Rechtsschutz.

interlope *(v.) (intrude into business)* sich [in die Geschäfte anderer] eindrängen, sich unbefugt einmischen, *(traffic without licence)* wilden Handel (unkonzessioniertes Gewerbe) betreiben.

interloper *(intruder)* Eindringling, *(trader without licence)* wilder (unkonzessionierter) Händler, Schleich-, Schwarzhändler.

intermediary Mittelsmann, -person, *(mediator)* Vermittler, *(product)* Zwischenprodukt, *(trader)* Zwischenhändler;

~ **bank** eingeschaltete Bank; ~ **trade** Zwischenhandel.

intermediate Vermittler, Verbindungsmann;

~ *(a.)* dazwischenliegend, zwischenzeitlich, *(direct)* mittelbar, indirekt;

~ **account** Zwischenabrechnung; ~ **agent** Vermittler; ~ **buyer** Zwischenkäufer; ~ **credit** Zwischenkredit; ⩪ **Credit Bank** *(US)* Staatliche Landwirtschaftsbank; ~ **day** *(Br., stock exchange)* Unterbrechungstag; ~ **goods** Zwischenprodukt, Halbfabrikat; ~ **port** Zwischenhafen; ~ **product** Halbfabrikat; ~ **reply** Zwischenbescheid; ~ **seller** Zwischenverkäufer; ~ **-term** mittelfristig; ~ **trade** Zwischenhandel.

intermittent | **ad campaign** periodisch unterbrochene Werbemaßnahmen; ~ **unemployment** vorübergehende Arbeitslosigkeit.

intermix *(v.) (goods)* sich vermischen.

intermixture of goods *(law)* [Waren]vermischung.

intern *(v.)* **goods** *(US)* Waren ins Landesinnere versenden.

internal innerstaatlich, binnen-, inländisch, heimisch;

~ **account** Inlandskonto; ~ **air traffic** Inlandsluftverkehr; ~ **audit** innerbetriebliche (betriebseigene) Revision; ~ **auditor** betriebseigener Revisor, Innenrevisor; ~ **bonds** Inlandsschuldverschreibungen, -anleihe; ~ **charges** inländische Abgaben; ~ **check** Betriebsprüfung; ~ **commerce** *(US)* Binnenhandel; ~ **consumption** Inlandsverbrauch; ~ **control** innerbetriebliche Kontrolle; ~ **currency** Binnengewährung; ~ **economy** *(administration)* Materialverwaltung; ~ **improvements** *(US)* Kanal-, Landstraßen- und Eisenbahnbauten; ~ **loan** Inlandsanleihe; ~ **monopoly** Binnenmonopol; ~ **national debt** innere Staatsschuld; ~ **navigation** Binnenschiffahrt; ~ **organ** Betriebszeitung; ~ **revenue** *(US)* Staatseinkünfte aus inländischen Steuern und Abgaben, Steuerabkommen; ⩪ **-Revenue Code** *(US)* Einkommensteuergesetz; ⩪ **-Revenue Service** *(US)* Einkommensteuerbehörde; ⩪ **-revenue taxes** inländische Steuern und Abgaben; ~ **service** *(airline)* Inlandsflugverkehr; ~ **tariff** Binnenzoll; ~ **trade** Binnenhandel; ~ **transaction** Buchhaltungsvorgang.

international *(a.)* international, weltpolitisch, zwischenstaatlich;

~ **agreement** internationaler Vertrag; ⩪ **Agreement on Railway Freight Traffic** Internationale Übereinkunft über den Eisenbahnfrachtverkehr; ~ **air law** internationales Luftrecht; ⩪ **Air Transport Association (IATA)** Internationaler Luftverkehrsverband; ~ **arbitration** internationale Schiedsgerichtsbarkeit; ⩪ **Bank for Reconstruction and Development** Internationale Wiederaufbaubank, Weltbank; ~ **banking** internationales Bankwesen; ~ **business** Weltwirtschaft; ⩪ **Chamber of Commerce** Internationale Handelskammer; ~ **check** *(US)* Reisescheck; ⩪ **Civil Aviation Organization (ICAO)** Internationale Zivilluftfahrtorganisation; ~ **claim** völkerrechtlicher Anspruch; ~ **commerce** Welthandel; ~ **community** Völkergemeinschaft; ~ **confederation** internationale Vereinigung; ~ **conference** internationale Konferenz; ⩪ **Convention for Prevention of Pollution of the Sea** Ölverschmutzungsabkommen; ⩪ **Cooperation Administration** Institution zur Verwaltung der Mittel der amerikanischen Auslandshilfe; ~ **copyright** internationales Verlagsrecht; ⩪ **Court of Justice** Internationaler Gerichtshof; ⩪ **Development Agency** Internationale Entwicklungsstelle; ~ **double taxation** internationale Doppelbesteuerung; ~ **economics** Weltwirtschaftslehre; ~ **exchange** Devisen; ~ **exhibition** Weltausstellung; ⩪ **Federation of Trade Unions** Internationale Gewerkschaftsvereinigung; ~ **labo(u)r code** Weltarbeitsrecht; ⩪ **Labo(u)r Conference** Weltarbeitskonferenz; ⩪ **Labo(u)r Office** Internationales Arbeitsamt, Weltarbeitsamt; ⩪ **Labo(u)r Organization** Internationale Arbeiterorganisation; ~ **law** internationales Recht, Völkerrecht; ~ **private law** internationales Privatrecht; ~ **lending** internationaler Kreditverkehr; ~ **mail** Weltpost; ~ **market** *(stock exchange)* Markt für international gehandelte Wertpapiere; ⩪ **Monetary Fund** Weltwährungsfonds; ~ **money order** Auslandspostanweisung; ~ **nautical mile** internationale Seemeile; ~ **obligations** internationale Verpflichtungen; ~ **payments** zwischenstaatlicher Zahlungsverkehr; ⩪ **Development Association (IDA)** Internationale Entwicklungsorganisation; ~ **price** Weltmarktpreis; ⩪ **Refugee Organization (IRO)** Weltflüchtlingsorganisation; ~ **relations** zwischenstaatliche Beziehungen; ~ **reply coupon** internationaler [Rück]antwortschein; ~ **road traffic** internationaler Straßenverkehr; ~ **securities** international gehandelte Effekten (Wertpapiere); ~ **settlement** internationale Niederlassung; ~ **situation** Weltlage; ≗ **Standardization Organization** Internationaler Normenausschuß; ~ **stocks** *(US)* international gehandelte Wertpapiere; ~ **territory** Völkergemeinschaftsgebiet; ~ **trade** Welthandel; **Standard** ≗ **Trade Classification** Internationales Warenverzeichnis für den Außenhandel; ≗ **Trade Conference** internationale Wirtschaftskonferenz; ≗ **Trade Organization** internationale Handelsorganisation; ~ **transit** internationaler Durchfuhr-, Transitverkehr; ~ **union** Weltverband; ~ **unit** *(statistics)* international gebräuchliche Maßeinheit; ≗ **Working Men's Association** Internationale [Arbeitervereinigung].

internationalization Internationalisierung.

internationalize *(v.)* Internationalisieren.

interoffice | **communication** direkt geschaltetes Telefonnetz; ~ **memo** innerbetrieblicher Aktenvermerk; ~ **slip** Laufzettel.

interplant transfer innerbetriebliche Versetzung.

interpretation Auslegung, Interpretation, Deutung;

authentic ~ maßgebliche Auslegung; **liberal (unrestricted)** ~ freie (weite) Auslegung; **limited (restricted, rigid)** ~ enge (strenge) Auslegung;

~ **of a contract** Vertragsauslegung; ~ **of statistics** Auswertung von Statistiken;

~ **clause** Auslegungsbestimmung, -vorschrift.

interpreter Übersetzer, Dolmetscher;

sworn ~ vereidigter Dolmetscher;

to act as an ~ **to a meeting** als Dolmetscher in einer Sitzung fungieren; **to supply an** ~ Dolmetscher stellen.

interrelation wechselseitige (gegenseitige) Beziehung;

capital ~ Kapitalverflechtung.

interrupt *(v.)* **the flow of commerce between two countries** Handlungsbeziehungen zwischen zwei Ländern zum Stillstand bringen.

interruption Unterbrechung, Störung, *(machine)* Betriebsstörung;

~ **of business** Unterbrechung des Geschäftsbetriebs; ~ **of prescription** Unterbrechung der Verjährung; ~ **of traffic** Verkehrsstörung.

interstate | **commerce** *(US)* zwischenstaatlicher Handel; ~ **shipment** zwischenstaatlicher Versand; ~ **trade barriers** zwischenstaatliche Handelsschranken.

interurban | **bus** Überlandomnibus; ~ **traffic** Überlandverkehr.

interval Zwischenraum, *(broadcasting)* Pausenzeichen;

~ **of publication** Erscheinungsintervall;

to leave at short ~**s** *(buses)* in kurzen Abständen verkehren; **to meet at regular** ~**s** in regelmäßigen Zeitabständen zusammenkommen.

intervene *(v.)* **in case of need** als Notadressat intervenieren.

intervening | **agency** *(cause)* Unterbrechung des Kausalzusammenhangs; ~ **party** Nebenintervenient; ~ **period** Zwischen-, Übergangszeit, -periode.

intervention Einmischung, Einschaltung, Dazwischentreten, Vermittlung, Einschreiten, *(policy)* Intervention, Einspruchserhebung, *(third party)* Nebenintervention, Beitritt zum Rechtsstreit, Prozeßbeitritt;

direct ~ **in the economy** staatliche Intervention in die Wirtschaft; ~ **on protest** Ehrenintervention;

~ **buying** Interventionskäufe; ~ **price** Interventionskurs.

interview Unterredung, Besprechung, [Befragungs]gespräch, Zusammenkunft, Interview;

checklist ~ im einzelnen festgelegtes Interview; **depth** ~ Tiefeninterview; **informal** ~ Stegreifinterview; **televised** ~ Fernsehinterview;

~ **bias** einseitig verfälschte Befragung; ~ **guide** Interviewanweisung.

interviewer *(marketing)* Gesprächspartner, [Markt]befrager.

interviewing units Befragungseinheiten.

intra-enterprise conspiracy Absprache zwischen Konzernunternehmen.

intrastate | **rate** *(US)* zwischenstaatlicher Tarif; ~ **shipment** binnenstaatlicher Versand.

intrinsic | **defect** innerer Mangel; ~ **value** innere (wahrer) Wert.

introduce | *(v.)* **custom duties** Zölle einführen; ~ **s. o. in his duties** j. in sein Amt einweisen; ~ **a new fashion** neue Mode aufbringen; ~ **goods into a country** Waren in ein Land einführen; ~ **new ideas into a business** neue Ideen in einer Firma zum Tragen bringen, Neuerungen in einem Geschäft einführen; ~ **an insurance** Versicherung vermitteln; ~ **into the market** auf den Markt bringen.

introduction Einführung, Empfehlung, *(listing)* Einführung [von Effekten an der Börse];

~ **of a business** Anbahnung eines Geschäfts, Geschäftsanbahnung; ~ **of convertibility** Übergang zur Konvertierbarkeit; **progressive** ~ **of a common customs tariff** schrittweise Einführung eines gemeinsamen Zolltarifs; ~ **of goods into a country** Wareneinfuhr in ein Land.

introductory | **campaign** *(advertising)* Einführungswerbung; ~ **course** Anfängerkurs; ~ **gift** Werbe-, Einführungsgeschenk; ~ **material** *(advertising)* bei der Einführung verwendetes Werbematerial; ~ **offer** Sonderangebot; ~ **rate** *(magazine)* Einführungspreis.

intrust *(v.)* Treuhandvertrag abschließen.

inundated with applications for a post mit Bewerbungsschreiben überschüttet.

inundation of tourists Touristenstrom.

invade *(v.)* **a city** *(tourists)* Stadt überschwemmen;

~ **s. one's privacy** jds. Intimsphäre verletzen; ~ **the principal** Kapital angreifen.

invalid Kranker, Gebrechlicher, *(worker)* Dienst-, Arbeitsunfähiger;

~ *(a.) (disabled)* invalide, dauernd dienst-, arbeitsunfähig, *(not valid)* ungültig, unwirksam, kraftlos, nichtig;

~ **assignment** nichtige Abtretung; ~ **check** *(US)* **(cheque,** Br.) unvollständiger Scheck; ~ **claim** unwirksamer Rechtsanspruch; ~ **letter of credit** ungültiger Kreditbrief.

invalidate *(v.)* | **an agreement (a contract)** Vertrag annullieren.

invalidation Aufhebung, Ungültigkeitserklärung, Annullierung;

~ **of securities** Kraftloserklärung von Wertpapieren.

invalidity Invalidität, *(US)* Arbeits-, Dienstunfähigkeit.

invariable *(market)* gleichbleibend, unveränderlich.

invasion | **of a city by tourists** Überschwemmung einer Stadt durch Touristen, Fremdeninvasion einer Stadt; ~ **of privacy** Verletzung der Intimsphäre.

inveigle *(v.)* **s. o. into investing his money unwisely** j. zu Fehlinvestitionen verleiten.

invention | **made by employees** Angestelltenerfindung;

to put an ~ to commercial use Erfindung gewerblich verwerten; **to reduce an ~ to practice** Erfindung praktisch verwerten;

~s exhibition Erfinderausstellung.

inventories Lager-, Warenbestände, *(balance sheet)* Vorräte;

~ **at the lower of cost or market** Warenbestände zum Anschaffungs- oder niedrigeren Marktpreis angesetzt.

inventory *(list of goods)* Inventar[verzeichnis], -liste, Bestandsnachweis, -liste, -verzeichnis, Lagerbestandsverzeichnis, *(inventory taking, US)* Bestandsaufnahme, Inventur, *(list of securities)* Stückeverzeichnis, *(schedule made by executor)* Nachlaßinventar, -verzeichnis, *(stock on hand, US)* Inventar, Lager-, Warenbestand; **basic** ~ Normalbestand [an Waren]; **beginning** ~ Anfangsinventar; **book** ~ *(US)* Buchinventar; **business** ~ Geschäftsinventar; **closing** ~ Schlußinventar; **continuous** ~ buchmäßiges (laufend geführtes) Inventar; **employee skills** ~ Fähigkeitenverzeichnis; **ending** ~ Schlußinventar; **estate** ~ Nachlaßverzeichnis, -inventar; **finished-goods** ~ Fertigwarenlager, -bestand; **going** ~ laufendes Inventar; **goods in process-opening** ~ Halbfabrikate-Anfangsbestand; **low** ~ geringe Lagervorräte; **merchandise** ~ Warenbestand, -lager; **opening (original)** ~ Anfangs-, Eröffnungsinventar; **parts** ~ Bestand an Fabrikationsteilen; **perpetual** ~ *(US)* buchmäßig (laufend) geführtes Inventar, permanente Inventur; **physical** ~ körperliche Aufnahme, tatsächlich aufgenommenes Inventar, Inventur; **plant** ~ Betriebsinventar; **previous** ~ Vorinventar; **raw-material[s]** ~ Rohstoffbestände, -lager; **running** ~ laufendes Inventar; **test** ~ Teilinventur; **top-heavy** ~ übervolles Lager; **unsold** ~ Lagerbestand; **work-in-process** ~ Halbfabrikate-Anfangsbestand;

~ **at cost** Inventar zum Anschaffungspreis; ~ **of fixtures** Zubehörliste; ~ **of goods** Wareninventar; ~ **of household furniture** Mobiliarverzeichnis; ~ **of property** Vermögensverzeichnis, -aufstellung, *(bankruptcy proceedings)* Masseverzeichnis;

~ *(v.)* Verzeichnis anlegen, Inventar aufnehmen, inventarisieren, Inventur machen;

~ **at $ 5 000** Inventarwert von 5 000 Dollar haben;

to draw up (take) an ~ Inventar aufnehmen, Verzeichnis anlegen; **to keep down an** ~ Lager knapp halten, Lagervorräte knapp bemessen, vorsichtige Lagerpolitik betreiben; **to liquidate an** ~ *(US)* Lager (Vorräte) abbauen; **to observe an** ~ Inventur überwachen; **to reduce an** ~ Lager abbauen; **to take** ~ **in January** im Januar Inventur machen;

~ **account** Inventar-, Sachkonto; ~ **accumulation** Lagerauffüllung, Inventaranreicherung; ~ **adjustment** Lagerangleichung; ~ **audit** Bestandsprüfung; ~ **book** Inventarbuch, ~ **buildup** Vorratsanstieg, Lagerauffüllung; ~ **buying** Lagereinkäufe; **perpetual** ~ **card** Lagerkarte; ~ **certificate** Inventarprüfungsbescheinigung; ~ **changes** Änderungen in der Lagerhaltung; ~ **classification** Bestandseingruppierung; **~-conscious** lagerbewußt; ~ **control** Vorratsbewirtschaftung, Bestands-, Lagerkontrolle; ~ **control system** Lagerkontrollsystem; ~ **cut-off date** Inventurtag; ~ **cutting** Lagerabbau; ~ **decrease** Lagerabgang; ~ **figures** Bestandszahlen; ~ **fluctuations** Inventarwertschwankungen; ~ **growth** Lagerzunahme; ~ **holdings** Lagerbestände; ~ **increase** Lagerauffüllung, Auffüllung der Lagerbestände; ~ **item** Inventarposten; ~ **liquidation** *(US)* Lagerabbau; ~ **list** Bestandsverzeichnis; ~ **loan** Warenkredit; ~ **loss** Bestandsverlust; ~ **markup** Rohgewinnaufschlag auf den Inventarwert; ~ **number** Inventarnummer; ~ **observation** Inventurüberwachung; ~ **period** Inventarfrist; ~ **picture** Lagerbild; **to knock the** ~ **picture out of focus** Lagerpolitik völlig durcheinanderbringen; ~ **price** Inventarpreis; ~ **price decline** *(balance sheet, US)* Wertminderung der Vorräte; ~ **pricing** Bestands-, Inventarbewertung; ~ **proceedings** Warenbestandsaufnahme, Inventurarbeiten; ~ **profit** Lager-, Buchgewinn; ~ **quantity** Inventurmenge; ~ **record** Inventarverzeichnis; ~ **reduction** Bestandsverminderung, Lagerabbau; ~ **register** Bestandsbuch, -verzeichnis, Inventurbuch; ~ **reserve** Wertberichtigung des Vorratsvermögens; ~ **sale** Inventarausverkauf; ~**-sales ratio** Lagerumsatzverhältnis; ~ **schedule** Inventarverzeichnis, -aufstellung, Bestandsverzeichnis; ~ **sheet** Inventarverzeichnis, -aufstellung; ~ **shortage** Bestandsfehlbetrag; ~ **shrinkage** Bestandsverlust, Schwund; ~ **size** Lagerumfang, -ausdehnung; **perpetual-~ system** laufende Lagerkontrolle; ~ **taking** Aufnahme der Bestände, Inventur, Bestandsaufnahme; ~ **target** lagerpolitisches Ziel; ~ **turnover** Lagerumsatz; ~ **valuation** Bestandsbewertung; ~ **valuation adjustment** *(national income accounting)* Lagerbewertungsausgleich; ~ **value** Inventarwert; ~ **verification** Bestandsprüfung; ~ **woes** Lagerschwierigkeiten; ~ **writedown** Inventarabschreibung.

inverter *(tel.)* Sprachverzerrer, Invertergerät.

invest *(v.)* investieren, [Geld] anlegen, unterbringen, [Kapital] einschießen, placieren, *(law)* einsetzen [in], *(mil.)* belagern, einschließen, zernieren;

~ **in s. th. of one's own** sich selbst etw. anschaffen;

~ **advantageously** zinstragend anlegen, günstig investieren; ~ **one's fortune in life annuities** sich in eine lebenslängliche Rente einkaufen; ~ **s. o. with authority** j. mit Vollmacht versehen; ~ **capital** Kapital anlegen, investieren; ~ **funds in a scheme** sich mit Vermögenswerten an einem Unternehmen beteiligen; ~ **in public funds** in Staatspapieren anlegen; ~ **in house property** Hausbesitzer werden, Wohngrundstücke erwerben; ~ **the management of a bank in s. o.** jem. die Leitung einer Bank übertragen; ~ **one's money to good account (advantage)** sein Geld gut (vorteilhaft, gewinnbringend) anlegen; ~ **money in a business** Geld in ein Geschäft stecken; ~ **one's money in a business enterprise** sich an einem geschäftlichen Unternehmen beteiligen; ~ **one's money in real estate** sein Geld in Grundstücken anlegen; ~ **one's money in stocks and shares** sein [ganzes] Geld in Aktien anlegen; ~ **at short notice** kurzfristig anlegen; ~ **s. o. with an office** j. mit einem Amt bekleiden; ~ **with full powers (authority)** mit allen Vollmachten versehen (ausstatten); ~ **safely** sicher anlegen; ~ **primarily in securities** seine Anlagen hauptsächlich in Wertpapieren tätigen; ~ **£ 1 000 in government stock** 1 000 Pfund in Staatspapieren anlegen (investieren); ~ **in a new suit(e) of furniture** *(Br.)* sich neue Möbel zulegen.

invested | capital Anlagekapital; ~ **money** angelegtes Geld.

investigate *(v.)* untersuchen, überprüfen, revidieren, Revision vornehmen, *(inquire)* einer Sache nachgehen, ermitteln;

~ **s. th. statistically** statistische Erhebungen über etw. anstellen.

investigating committee Untersuchungsausschuß.

investigation Untersuchung, [Über]prüfung, Revision, *(inquiry)* Nachforschung;

~ **of accidents** Unfalluntersuchung; ~ **of behavio(u)r** Verhaltensforschung; ~ **of a company's affairs** Revision der Geschäfte einer Gesellschaft;

to make ~s on the spot Untersuchungen (Erhebungen) an Ort und Stelle durchführen;

~ **service** Zollfahndungsdienst.

investigative | agency Fahndungsbehörde; ~ **costs** Untersuchungskosten; ~ **unit** Zollfahndungsstelle; ~ **work** Untersuchungstätigkeit.

investigatory committee Untersuchungsausschuß.

investing, formula Wertpapieranlage nach dem System der Durchschnittskostenminderung;

~ **institution** Kapitalsammelstelle; ~ **member** *(loan society Br.)* Bausparer; ~ **public** Anlagepublikum, Anlage-, Kapitalmarktpublikum.

investiture Amtseinsetzung, Bestallung.

investment *(capital invested)* [Kapital]anlage, Vermögensanlage, *(investing)* Investierung, Investition, Anlegung, Placierung, *(investiture)* Bestallung, *(mil.)* Belagerung, Blockade, Zernierung, *(money put in)* [Kapital]einlage, Einschuß, Beteiligung, Anlage[kapital];

~**s** *(balance sheet)* Beteiligungen, Wertpapiere, Effektenportefeuille;

~**s abroad** Auslandsanlagen, Investitionen im Ausland, auswärtige Investitionsvorhaben; **beginning** ~ Gründungseinlage; **capital** ~ Kapitalanlage; **choice** ~ erstklassige Kapitalanlage; **direct ~s** Direktinvestitionen; **domestic ~s** Inlandsinvestitionen; **~s effected** Investitionsleistungen; **estate** ~ Grundstücksanlage; **false ~s** Fehlinvestitionen; **financial** ~ Geldmarktanlage; **fixed** ~ feste Kapitalanlage; **fixed-income** ~ festverzinsliche Werte; **fixed-property** ~ Anlagevermögen; **foreign** ~ Auslandsanlage; **gilt-edged (high-grade)** ~ mündelsichere (erstklassige) Kapitalanlage; **good** ~ vorteilhafte Anlage; **gross private domestic ~s** Bruttoinlandsinvestitionen; **impaired ~s** Anlagenveränderung; **improper** ~ *(trust fund)* gesetzwidrige Kapitalanlage; **induced** ~ Investitionssteigerung; **initial ~s** Anfangsinvestitionen; **intangible ~[s]** immaterielle Anlagewerte, Kapitalanlage in immateriellen Werten; **interest-bearing** ~ zinsbringende Kapitalanlage; **legal** ~ *(US)* mündelsichere [Kapital]anlage; **long-term (long-time)** ~ langfristige Anlage; **long-term ~s** *(balance sheet, US)* Wertpapiere des Anlagevermögens; **minimum** ~ Mindesteinlage; **mistaken ~s** Fehlinvestitionen; **negative** ~ Lagerabbau; **new** ~ Neuinvestition, -anlage; **non-operating fixed** ~ außerbetriebliche Anlagen; **obligatory** ~ Pflichteinlage; **original** ~ Gründungseinlage, Anfangskapital; **other ~s** *(balance sheet)* diverse Anlagewerte; **paying** ~ vorteilhafte (gewinnbringende) [Kapital]anlage;

permanent ~ langfristige Kapitalanlage, Daueranlage; **poor** ~ schlechte Kapitalanlage; **private** ~ private Kapitalanlage; **profitable (remunerative)** ~ lohnende Kapitalanlage, vorteilhafte Investitionen; **public** ~**[s]** [Kapital]investitionen der öffentlichen Hand; **real** ~ echte Investition; **safe** ~ sichere [Kapital]anlage; **sleeping** ~ stille Beteiligung; **social** ~**s** soziale Investitionen; **stock** ~ Aktienbesitz; **temporary** ~ kurzfristige Anlage, Zwischenanlage; **total** ~ Gesamtinvestitionen, *(balance sheet of investment fund)* Wertpapiervermögen insgesamt; **trust[ee]** ~ *(Br.)* mündelsichere Kapitalanlage; **unproductive** ~ unproduktive Kapitalanlage; **unprofitable** ~ unvorteilhafte Kapitalanlage; ~ **of capital (funds)** Kapitalinvestierung, Anlage von Kapitalien; ~ **of one's capital** Vermögensanlage; **employee** ~**s in the capital of a business** Belegschaftsaktien; ~ **in capital goods** Kapitalanlagegüterinvestition; ~**s in companies** Beteiligungen an Gesellschaften, *(balance sheet)* Beteiligungsbestand; ~ **in default** notleidendes Wertpapier; ~ **in men** Ausbildungskosten, für Arbeitskräfte aufgewandte Personalinvestitionen; ~ **in plant and equipment** Betriebsausstattung; ~ **of net profit** Verwendung des Reingewinns; ~**s undertaken for rationalization purposes** Rationalisierungsinvestitionen; ~ **in research** Aufwendungen für Forschungsarbeiten; ~ **in securities** Wertpapieranlage, *(balance sheet)* Wertpapierbestand; ~ **in foreign securities** Auslandsinvestitionen; ~**s in war loans** Anlage in Kriegsanleihe;

to court ~**s** Investitionstätigkeit hofieren; **to cut back on** ~ Investitionstätigkeit verringern; **to dole out in overseas** ~ für Investitionen im Ausland auswerfen; **to earmark for** ~ für Investitionszwecke bestimmen; **to effect** ~**s** Investitionen vornehmen; **to hold down** ~ **in new facilities** Neuanlagegeschäft drosseln; **to make an** ~ Geld anlegen; **to make long-term** ~**s** langfristig anlegen; **to make** ~**s in real estate** Geld in Grundstücken anlegen, Investitionen im Grundbesitz vornehmen; **to make a good** ~ vorteilhaft anlegen; **to make greater** ~ mehr investieren; **to place in** ~**s** in Anlagewerten investieren; **to plow** *(US)* **(plough,** *Br.)* **in foreign** ~**s** im Ausland anlegen, Auslandsinvestitionen vornehmen; **to receive £ 500 from** ~**s** 500 Pfund an Kapitaleinkünften haben; **to single out for** ~ zur Anlage empfehlen; **to slow down** ~ Investitionstempo drosseln;

~ **account** Einlage-, Beteiligungskonto, Konto Beteiligungen, *(building society)* Bausparvertrag; ~ **accounting** Anlagebuchführung; ~ **activities** Investitionstätigkeit; ~ **activity** Investitionstempo; ~ **advice** Anlagenberatung; ~ **adviser** Anlage-, Effektenberater; **professional** ~ **adviser** hauptberuflicher Anlageberater; ≗ **Advisers Act** Kapitalanlagenberatergesetz; ~ **advisory agreement (contract)** Anlageberatungsvertrag; ~ **advisory service** Anlageberatung; ~ **affiliate** abhängige Kapitalanlagegesellschaft; ~ **aid** Investitionshilfe; ~ **allowance** Abschreibungen für Investitionen; ~ **angles** Anlagegesichtspunkte; ~ **approach** bewegliche (flexible) Anlagepolitik; **speculative** ~ **attraction** Anreiz zu spekulativer Anlage; ~ **backlogs** Investitionsüberhang; ~ **ban** Investitionsverbot; ~ **bank[er] (banking house,** *US)* Anlage-, Effekten-, Gründungsbank, Emissionshaus, -bank; ~ **banking** Anlage-, Investitions-, Emissionsgeschäft, Bankgeschäft in Anlagewerten; ~ **banking firm** Emissionsfirma; ~ **banking functions** Funktionen des Anlagegeschäfts; ~ **banking house** *(US)* Emissionshaus, -bank; ~ **banking job** Investitionsberatung; ~ **barometer** *(US)* Kursbarometer für Anlagewerte; ~ **bills** Anlagepapiere; ~ **bonds** festverzinsliche Anlagepapiere, -werte; ~ **boom** Investitionskonjunktur; ~ **broker** Makler für hochwertige Anlagepapiere; ~ **business** Anlagegeschäft; ~ **buying** Anlagekäufe; ~ **capital** Anlage-, Investitionskapital; ~ **charges** Anlagekosten; ~ **climate** Investitionsklima; ~ **commitments** Anlageverpflichtungen; ~ **committee** *(investment fund)* Anlagenausschuß; ~ **community** Anlagepublikum; ~ **company** Kapitalanlage-, Investmentgesellschaft, Effektenemissionsgeschäfte betreibende Bank; **open-end** ~ **company** Investmentgesellschaft mit beliebiger Emissionshöhe; **registered** ~ **company** zugelassene Kapitalgesellschaft; ≗ **Company Act** Kapitalanlagegesetz; ~ **company portfolio** Wertpapierfonds einer Investmentgesellschaft; ~ **consultant** Anlageberater; ~ **costs** Investitionsaufwand; ~ **counsel[or]** *(US)* Anlageberater; ~ **counselling firm** Anlageberatungsfirma; ~ **counselling position** Beratungsposition für Investitionsfragen; ~ **credit** Investitions-, langfristiger Anlagekredit; ~ **dealer** *(US)* Effektenhändler; ~ **decision** Anlagenentscheidung; ~ **demand** Anlagebedürfnis; ~ **department** Effektenabteilung; ~ **disposition** Anlageverfügung; ~ **earnings** Anlage-, Beteiligungserträge; ~ **enthusiasm** Anlagebegeisterung; ~ **environment** Umwelteinflüsse des Anlagegeschäfts; ~ **estate** Anlage-, Kapitalvermögen; ~ **expenditures** Investitionsaufwand; ~ **expense** Investitionskosten; ~ **experience** Anlagenerfahrung, Erfahrungen im Investitionsgeschäft; ~ **failure** Fehlinvestition; ~ **financing** Finanzierung von Investitionen, Anlagenfinanzierung; ~ **firm** Beteiligungsfirma; ~ **fund** Anlagekapital, *(investment trust)* Investmentfonds, Fonds einer Kapitalanlagegesellschaft; **open-end** ~ **fund** Investmentfonds mit unbeschränkter Anteilezahl; ~ **gain** Anlagegewinn; ~ **goal** Anlageziel; ~ **grant** Investitionszuschuß; ~ **guaranty treaty** Investitionsschutzabkommen; ~ **holdings** Anlagenbesitz; ~ **house** Anlageberatungsfirma; ~ **incentive** Investitionsanreiz; ~ **income** *(US)* Einkommen aus Kapitalgewinn, Kapitaleinkünfte, -einkommen, -erträge; **net** ~ **income** Nettoanlageeinkommen; ~ **industry** Investitionsgüterindustrie; ~ **inflow** *(building society)* Zugänge an Bausparverträgen; ~ **ledger** Konto Investierungen (Anlagen); ~ **letter** *(US)* Garantiezusage für den Nichtverkauf von Aktien; ~ **-like feature** anlageähnlicher Charakter; ~ **loan** Investitionsanleihe; -kredit; ~ **loss** Anlageverlust; ~ **management** Verwaltung von Kapitalanlagen, Effektenverwaltung *(investment trust)* Anlagenberatung; ~ **manager** *(investment fund)* Anlageberater; ~ **market** Markt für Anlagewerte, Anlagemarkt; ~ **matters** Anlagefragen; ~ **media** *(US)* Anlagemöglichkeiten; ~ **merit** Anlagevorteil; ~ **newsletter** Anlageinformationsbrief; ~ **object** Anlageobjekt; ~ **objective** Anlageziel; ~ **opportunities** Anlagemöglichkeiten; ~ **outlays** Investitionsaufwand; ~ **outlet** Investitionsmöglichkeit; ~ **owner** Anlagenbesitzer; ~ **paper** Anlagepapier; ~ **payment sales** Abzahlungsgeschäft; ~ **performance** Anlagetätigkeit; ~ **plan** Investitionsprogramm, -vorhaben; **monthly** ~ **plan** Sparvertrag mit monatlichen Raten; ~ **policy** Investitions-, Anlagepolitik, *(investment fund)* Anlagebestimmungen; ~ **portfolio** Effektenportefeuille; ~ **problem** Anlageproblem; ~ **process** Investitionsprozeß; ~ **productivity** Kapitalproduktivität; ~ **profit** Kapitalgewinn, Gewinn aus Beteiligungen; ~ **program(me)** Investitionsprogramm; ~ **project** Investitionsprojekt ~ **purpose** Anlagezweck; **for** ~ **purpose** als Kapitalanlage; ~ **quota** Investitionsquote; ~ **rating** *(US)* Anlagenbewertung, -schätzung; ~ **ratio** Investitionsquote; ~ **reserve** Kapitalreserve; ~ **reserve fund** Kapitalverlustreserve; ~ **restrictions** Anlage-, Investitionsbeschränkungen; ~ **return** *(revenue)* Kapitalverzinsung, -ertrag, *(shares)* Kapital-, Anlagerendite; ~ **risk** Investitions-, Anlagerisiko; ~ **route** Investitionsweg; ~ **rules** Anlagerichtlinien; ~ **securities (stocks)** erstklassige Anlagepapiere; **mutual** ~ **share** Investmentzertifikat; ~ **spending** Kapitalinvestition; ~ **spurt** Investitionsanstrengung; ~ **standards** Anlagegrundsätze; ~ **sum** Investitionsbetrag; ~ **supervision** Anlagenüberwachung; ~ **target** Investitionsziel; ~ **tax credit** steuerliche Erleichterungen (Steuervergünstigungen) für Investitionen; ~ **tax incentive** steuerlicher Anreiz für Investitionen; ~ **trend** Investitionstendenz.

investment trust *(US)* Investmenttrust, -gesellschaft, Effektenfinanzierungs-, Kapitalanlagegesellschaft;
closed-end ~ Investmentgesellschaft mit konstantem Anlagekapital; **fixed** ~ Kapitalanlagegesellschaft mit festgelegtem Effektenbestand; **management** ~ nach eigenem Ermessen anlegende Kapitalgesellschaft;
~ **buying** Anlagekäufe der Investmentgesellschaften; ~ **certificate** Investmentzertifikat, Anteilschein; ~ **securities** Fondswerte einer Kapitalgesellschaft.

investment | underwriter *(US)* Investitionshaus; ~ **value** Anlagewert; ~ **yield** Anlagenverzinsung.

investor Kapitalanleger, -geber, Geldanleger;
~**s** Anlagepublikum;
big ~ Großanleger; **foreign** ~ ausländischer Kapitalanleger; **high-bracket** ~ Kapitalgeber mit hoher Einkommenssteuerprogression; **individual** ~ einzelner Kapitalanleger; **institutional** ~ Kapitalsammelstelle; **private** ~ privater Anleger; **seasoned** ~ erfahrener Kapitalanleger; **small** ~ Kleinanleger;
~ **confidence** Vertrauen des Anlagepublikums; ~**'s pessimism** Anlagepessimismus; ~ **relations** Anlegerpflege, Pflege des Anlagepublikums.

invigorate *(v.)* **business** Wirtschaft ankurbeln.

invigoration of business Ankurbelung der Wirtschaft.

invisible | exports unsichtbare Ausfuhr; ~ **imports** unsichtbare Einfuhren, passive Dienstleistungen; ~ **items of trade** unsichtbare Posten der Zahlungsbilanz.

invitation Einladung, Aufforderung, *(solicitation)* Ausschreibung;
~ **to bid** *(US)* Stellenausschreibung, -anzeige; ~ **to contract** Aufforderung, ein Vertragsangebot abzugeben; ~ **to the public to subscribe to a loan** Subskriptionsaufforderung, -einladung; ~ **to tender (for tenders)** Konkurrenzausschreibung; **closed (restricted)** ~ **for tenders** beschränkte Ausschreibung; ~**s for tenders with discretionary award of contracts** freihändige Ausschreibung;
~ **performance** Privatvorstellung.

invite | *(v.)* **applications for a position** Stelle ausschreiben; ~ **public competition** öffentlichen Wettbewerb ausschreiben; ~ **shareholders to subscribe capital** Aktionäre zur Zeichnung auffordern; ~ **subscriptions for a loan** Anleihe [zur Zeichnung] auflegen; ~ **tenders for a building** Gebäude im Submissionswege ausschreiben.

invitee geschäftlicher Besucher.

invoice [Waren]rechnung, -verzeichnis, Begleitrechnung, Faktura, Nota, *(delivery)* Sendung, Lieferung;
as indicated in enclosed ~ laut beiliegender Rechnung; **as per** ~ laut Faktura; **as per** ~ **on the other side** laut umstehender Rechnung; **on examining (checking) your** ~ beim Durchgehen Ihrer Faktura; **on transmitting the** ~ bei Übersendung der Faktura;
consular ~ Konsulatsfaktura; ~ **continued** Rechnungsübertrag; **corrected** ~ berichtigte Rechnung; **customs** ~ Zollfaktura; **legalized** ~ beglaubigte Faktura; **original** ~ Originalfaktu-

ra; **price** ~ mit Preisen versehene Faktura; **pro-forma** ~ Proforma-, fingierte Rechnung, Konsignationsfaktura; **provisional** ~ vorläufige Rechnung; **purchase** ~ Einkaufsrechnung; **sales** ~ Verkaufsrechnung; **shipping** ~ Versandrechnung; **standardized** ~ Normalrechnung;

~ *(v.)* Faktura erteilen, fakturieren, *(enter in invoice)* in Rechnung stellen;

~ **from a country** einklarieren;

to check an ~ Probe auf eine Rechnung machen, Rechnung überprüfen; **to enter in the** ~ auf die Rechnung setzen; **to follow up** ~**s** [den Eingang von] Rechnungen überwachen; **to get the consular** ~**s legalized** Konsulatsfakturen beglaubigen lassen; **to handle** ~**s** Rechnungen bearbeiten; **to make out an** ~ Rechnung ausstellen (schreiben); **to order against** ~ auf Rechnung bestellen; **to pass an** ~ Rechnung bewilligen; **to question an** ~ Rechnung beanstanden; **to receipt an** ~ Rechnung quittieren; **to sell at a loss on the** ~ unter dem fakturierten Wert verkaufen; **to verify by** ~**s** mit Rechnungen belegen;

~ **amount** Rechnungsbetrag; ~ **book** Einkaufs-, [Eingangs]fakturen-, Rechnungsbuch; ~ **bureau** Fakturenbüro; ~ **cost** Bruttoeinkaufspreis; ~ **clerk** Fakturist; ~ **department** Fakturenabteilung; **combination sales-order-shipper** ~ **form** kombiniertes Auftrags- und Versandrechnungsformular; ~ **cost** Einkaufspreis; ~ **number** Rechnungsnummer; ~ **price** Rechnungs-, Fakturapreis; ~ **register** Faktura-, Einkaufsbuch; ~ **stamp** Fakturastempel; ~ **supervision** Überwachung eingehender Rechnungen; ~ **total** Rechnungsbetrag; ~ **value** Faktura-, Rechnungswert; ~ **weight** Rechnungsgewicht.

invoiced, as laut Faktura;

~ **goods** fakturierte Waren; ~ **price** fakturierter Preis, Fakturapreis, Rechnungsbetrag; ~ **sale** fakturierter Umsatz.

invoicing Rechnungserteilung, -ausstellung;

~ **of goods** Fakturieren, Fakturierung.

involuntary | **assignment for the benefit of creditors** zur Befriedigung der Gläubiger zwangsweise vorgenommene Vermögensübertragung auf einen Treuhänder; ~ **bankrupt** Zwangsgemeinschuldner; ~ **bankruptcy** durch Gläubigerantrag herbeigeführter Konkurs; ~ **conversion** Zwangskurs; ~ **deposit** zufälliges Verwahrungsverhältnis; ~ **payment** unfreiwillige Zahlung; ~ **transfer** Eigentumsübergang kraft Gesetzes.

involve | *(v.)* **additional charges** mit weiteren Kosten verbunden sein; ~ **o. s. in debt** sich verschulden; ~ **much expense** große Unkosten verursachen; ~ **the forfeiture of property** Einziehung des Vermögens zur Folge haben.

involvement verwickelte Angelegenheit, Schwierigkeit, [Geld]verlegenheit;

~ **in business** wirtschaftliche Verquickung.

inward binnen-, inländisch;

~ **bill of lading** Importkonnossement; ~ **duty** *(Br.)* Eingangs-, Binnenzoll; ~ **manifest** Zolleinfuhrerklärung; ~ **passage** Rückfahrt; ~ **trade** *(Br.)* Einfuhrhandel.

iron | **law of wages** eisernes Lohngesetz; ~ **note** *(fam.)* erstklassig abgesicherter Schuldschein; ~**-safe clause** Geldschrankklausel.

irredeemable *(annuities, bonds)* unkündbar, untilgbar, unablösbar, *(paper currency)* nicht einlösbar;

~ **annuity** unablösbare Rente; ~ **debenture** *(Br.)* nicht tilgbare Obligation; ~ **foreign exchange standard** Golddevisenwährung; ~ **loss** uneinbringlicher Verlust.

irreducible minimum for repairs Mindestbetrag für Reparaturen.

irregular *(worker)* irregulär Beschäftigter;

~ *(a.)* *(law)* regel-, vorschriftswidrig, *(stock exchange)* uneinheitlich, schwankend, nicht einheitlich;

~ **customer** Laufkunde; ~ **document** unvollständige Urkunde; ~ **payments** unregelmäßige Zahlungen.

irregularity Unregelmäßigkeit, *(law)* Formfehler, *(stock exchange)* Uneinheitlichkeit;

on account of an ~ **in the indorsement** wegen eines Formfehlers im Giro.

irrespective of franchise ohne Freiteil.

irresponsible unverantwortlich, verantwortungslos, *(insolvent)* zahlungsunfähig, *(not answerable)* nicht verantwortlich, unzurechnungsfähig;

~ **debtor** unzuverlässiger Schuldner; ~ **servant** nicht haftbarer Erfüllungsgehilfe.

irretrievable loss unersetzlicher Verlust.

irreversible lease unkündbarer Pachtvertrag.

irrevocable [letter of] credit *(US)* unwiderruflich bestätigtes Akkreditiv, unwiderruflicher Kreditbrief; ~ **trust** unwiderrufliche Stiftung.

island *(a.)* *(advertising)* alleinstehend;

~ **position** *(advertising)* Inselplacierung.

isolated transaction *(US)* zulässiges Einzelgeschäft.

isolation hospital Quarantänekrankenhaus, Seuchenlazarett.

isometric standard Preisindexwährung.

issuance Ausgabe, Aus-, Verteilung;

~ **of checks** *(US)* **(cheques,** *Br.)* Scheckausstellung; ~ **of licence** Lizenzerteilung; ~ **of material** Materialausgabe; ~ **of notes** Wechselausstellung; ~ **of passports** Paßausstellung; ~ **of policy** Ausfertigung einer Police; ~ **of shares (stocks)** Aktienausgabe, -emission; ~ **of a visa** Visumausstellung.

issue *(bill of exchange)* Ausstellung, *(common law)* klägerische Zusammenstellung des Prozeßmaterials, *(distribution)* Verabfolgung, Ausgabe, Lieferung, *(income from land)* Einkünfte aus Land- und Forstwirtschaft, *(law court)* Streitfrage, -punkt, Fall, *(loan)* Begebung, Auflegung, *(mil.)* Ausgabe, Verteilung, *(newspaper)* Nummer, Ausgabe, *(of order)* Erlaß, Ausgabe, *(point in question)* Streit-, Kern-, Angelpunkt, *(presentation)* Vorzeigung, *(progeny)* Kind[er], Abkommen-, Nachkommen[schaft], Leibeserben, *(publishing)* Herausgabe, Ausgabe, Veröffentlichung, *(result)* Ergebnis, Ausgang, Resultat, *(securities)* Emission, Reihe, Ausgabe;

at ~ strittig, streitig, im Streit befangen; **per** ~ je Ausgabe; **without** ~ ohne Nachkommenschaft; **first (second)** ~ erste (zweite) Serie; **free ~ and entry** freies Kommen und Gehen; **general** ~ *(law)* allgemeine Bestreitung; **high-risk** ~**s** risikoreiche Werte; **home-currency** ~**s** im Inland ausgegebene Banknoten; **immaterial** ~ unwesentlicher Einwand; **industrial** ~**s** Industrieemissionen, -werte, -papiere, -anleihen; **inferior** ~ Unterpariausgabe; **internal** ~ Inlandsemission; **junior** ~**s** *(shares)* junge Aktien; **legitimate** ~ eheliche Nachkommen; **male** ~ männliche Nachkommenschaft; **master** ~ Hauptproblem, -streitpunkt; **material** ~ wesentlicher Einwand; **national bond** ~ Staatsanleihe; **original** ~ Originalausgabe; **real** ~ eigentliches Problem; **recent** ~ Neuemission; **reduced** ~ Minderausgabe; **security** ~ Wertpapieremmission; **small** ~ Kleinverkauf; **special** ~ Sondereinwand; **superior** ~ Überpariausgabe; **unfavo(u)rable** ~ ungünstiger Ausgang;

[new] ~ of bank notes Banknotenausgabe; ~ **of a bill of exchange** Wechselausstellung; ~ **of bonds** Ausgabe von Obligationen; ~ **of a check** *(US)* **(cheque,** *Br.)* Scheckausstellung; ~**s of the day** Tagesfragen; ~ **of an estate** Einkünfte aus Grundbesitz; ~ **in fact** Tatfrage, -sache; **special ~ on Germany** *(newspaper)* Deutschlandausgabe; ~ **in law** Rechtsfrage; ~ **of a letter of credit** Ausstellung eines Kreditbriefes; ~ **of monopoly** Monopolfrage; ~ **of a newspaper** Herausgabe einer Zeitung; **most recent ~ of a newspaper** neueste Nummer einer Zeitung; ~ **of an order** Erlaß einer Verfügung; ~ **above par** Überpariemission; ~ **below par** Unterpariemission; ~ **of a passport** Ausstellung eines Reisepasses, Paßausstellung; ~ **of a patent** Patenterteilung; ~ **of a periodical** Zeitschriftenexemplar; ~ **of a prospectus** *(Br.)* Auflegung zur Zeichnung durch Prospekte, Prospektherausgabe; ~ **of securities** Effekten-, Wertpapieremission; ~ **of shares** *(Br.)* Aktienausgabe; ~ **of stamps** Briefmarkenausgabe; ~ **of stocks** *(US)* Aktienausgabe; **main ~ of a suit** Prozeßinhalt; ~ **in tail** erbberechtigte Nachkommenschaft; ~ **of tickets** Fahrkartenausgabe;

~ *(v.) (bill of exchange)* ausstellen, *(book)* herausgeben, veröffentlichen, *(certificate)* [Zeugnis] ausstellen, *(income)* zufließen, *(loan)* begeben *(newspaper)* herausgeben, *(notes)* in Umlauf setzen, ausgeben, emittieren, *(order)* [ergehen] erlassen, *(policy)* ausfertigen, *(shares)* ausgeben;

~ **bank notes** Banknoten in Umlauf setzen; ~ **to the bearer** auf den Inhaber ausstellen; ~ **a bill of exchange** Wechsel ziehen; ~ **bonds** Obligationen ausgeben; ~ **a certificate** Bescheinigung ausstellen; ~ **a check against an account** Guthabenscheck ausschreiben; ~ **bad checks** *(US)* ungedeckte Schecks ausstellen, Scheckbetrug begehen; ~ **a [formal] decree** Beschluß (Verordnung) ergehen lassen; ~ **a draft on s. o.** Wechsel auf j. ziehen; ~ **from a good family** aus einer guten Familie stammen; ~ **a letter of credit** Kreditbrief ausstellen; ~ **a newspaper** Zeitung herausgeben; ~ **in numbers** in Heften liefern; ~ **an order** Verfügung (Verordnung, Bestimmung) erlassen; ~ **a prospectus** Prospekt lancieren; ~ **provisions** Lebensmittel ausgeben; ~ **additional rations** Zusatzverpflegung ausgeben; ~ **stamps** Briefmarken ausgeben; ~ **a statute in bankruptcy** Konkurs anmelden; ~ **a summons** Ladung verfügen; ~ **a warrant for the arrest of s. o.** Haftbefehl gegen j. erlassen; ~ **a writ** Klageschriftsatz mit Ladung zustellen;

to argue political ~**s** über politische Fragen diskutieren; **to be at ~ with s. o.** sich mit jem. über etw. streiten; **to be at ~ on a question** Frage diskutieren; **to be continued in our next** ~ Fortsetzung in unserem nächsten Heft; **to be in** ~ bestritten werden, strittig sein; **to bring to a successful** ~ zum erfolgreichen Abschluß bringen; **to bring a campaign to a successful** ~ Werbefeldzug erfolgreich abschließen; **to buy new stamps on the day of** ~ Briefmarken am Tag der Ausgabe kaufen; **to define the** ~ Streitgegenstand festsetzen; **to die without** ~ ohne Nachkommenschaft sterben; **to dispose of an** ~ Emission begeben; **to evade the** ~ Ausflüchte gebrauchen; **to force an** ~ Entscheidung erzwingen; **to join** ~ sich zur Hauptsache einlassen; **to leave** ~ Nachkommenschaft hinterlassen; **to leave an ~ up in the air** Frage völlig offen lassen; **to lie at** ~ in der Schwebe sein; **to make** ~**s to the army** Lieferungen für die Armee durchführen; **to make a new ~ of capital** Kapitalerhöhung vornehmen; **to obscure the** ~ Gründe verschleiern; **to place a question on a new** ~ Frage einer neuen Entscheidung zuführen; **to plead the general** ~ gesamtes Klagevorbringen bestreiten; **to pool** ~**s** *(US)* sich zu gegenteiligem Vorteil vereinigen; **to put a claim in** ~ Forderung bestreiten; **to raise an** ~ Rechtsfrage aufwerfen; **to raise the whole** ~ ganzen Sachverhalt anschneiden;

~ **audience** von einer Sendung erfaßte Zuhörerzahl; ~ **bank** Noten-, Emissionsbank; ~

date Erscheinungstermin; ~ **department** *(Br.)* Emissionsabteilung, Notenausgabestelle; **property ~ form** Materialausgabeschein; ~ **house** Emissionshaus; ~ **par** *(Br.)* Parikurs; ~ **premium** Emissionsagio; ~ **price** Ausgabe-, Emissionskurs, Erstausgabe-, Abgabepreis; ~ **production** Herstellung einer Ausgabe; **capital ~ restrictions** Emissionssperre; ~ **stamp** Stempelsteuer; ~ **value** Ausgabewert; ~ **waiting list** *(advertising)* Warteliste.

issued | to lautend auf;
~ **capital** *(Br.)* **(capital stock,** *US)* effektiv ausgegebenes Kapital.

issuer Emittent, Aussteller, Ausgeber;
of a passport Paßaussteller.

issuing | bad checks *(US)* Scheckbetrug; ~ **of a warehouse warrant** Lagerscheinausstellung;
~ **activity** Emissionstätigkeit; ~ **agency** Emissionsstelle; ~ **authority** ausstellende Behörde; ~ **bank[er]** Emissionsbank; ~ **company** emittierende Gesellschaft, Emissionshaus; ~ **date** Ausgabedatum, -tag; ~ **house** *(Br.)* Emmissionshaus, Finanzierungsbank; ~ **office** Ausgabe-, Emissionsstelle; ~ **syndicate** Begebungskonsortium; ~ **transaction** Emissionsgeschäft.

itch for money Geldgier.

item Punkt, Gegenstand, *(article of sale)* Verkaufsgegenstand, *(bill)* Geld-, Rechnungsposten, Abschnitt, *(bookkeeping)* Position, Posten, Buchung, Abschnitt, *(GATT)* Tarifnummer, *(newspaper)* Nachricht, Zeitungsnotiz, Abschnitt, Artikel, *(paragraph)* Ziffer [in einem Abkommen], *(post)* Postsendung;
by ~s postenweise;
availability ~s (US) langfristige Einlagen; **balance-sheet ~s** Bilanzposten; **bookkeeping ~** Buchungsposten; **budget ~** Haushaltstitel; **cash ~** Kassenposten, Bareingang; **collection ~** Inkassowechsel; **combined ~s** Sammelsendungen; **credit ~** Kreditposten; **debit ~** Debet-, Lastschriftposten; **deferred ~** Rechnungsabgrenzungsposten; **expense ~** Ausgabeposten; **hard-to-sell ~s** schwer verkäufliche Waren; **house ~** *(Br.)* eigener Scheck; **important ~** wesentlicher Punkt; **interesting ~** interessanter Artikel; **large ~** großer Posten; **ledger ~** Hauptbuchposten; **local ~** Lokalartikel; **monitory ~** *(balance sheet)* Merkposten, **news ~** Zeitungsnotiz, -artikel, **nonrecurring ~** einmaliger Rechnungsposten; **open ~** offene Position; **pro-memoria ~** *(balance sheet)* Merkposten; **rationed ~** bewirtschafteter (rationierter) Artikel; **receivable ~s** debitorische Posten; **registered ~s** eingeschriebene Sendungen; **separate ~** Sonderposten; **surplus ~** Überschußposten; **suspense (transitory) ~** durchlaufender (transitorischer) Posten, Durchgangsposten; **in-transit ~** durchlaufender Posten; **unpaid ~** offener Posten; **valuation ~** Wertberichtigungsposten;
~ **of account** Rechnungsposten; **~s on the agenda** Punkte auf der Tagesordnung, Tagesordnungspunkte; ~ **of a bill** Rechnungsposten; ~ **included in the budget** Etatsposten, Titel des Haushaltsplans; ~ **for collection** Inkassoposten; **fourth ~ of the contract** vierter Vertragsparagraph; ~ **in dispute** strittiger Punkt; **~s of expense (expenditure)** Ausgangsposten; **incidental ~ of expense** Nebenausgabe; **first ~ on a program(me)** erste Nummer auf dem Programm; ~ **of property** Vermögensgegenstand; ~ **in the revenue** Einnahmeposten; ~ **not squared** unbeglichener Posten; ~ **not in stock** nicht auf Lager befindliche Ware; **~s liable to surcharge** zuschlagspflichtige (nachgebührenpflichtige) Sendungen; ~ **in transit** durchlaufender Posten, Durchgangsposten; ~ **of value** Wertgegenstand;
~ *(v.)* eintragen, notieren, vermerken, verzeichnen;
to cancel an ~ Posten stornieren; **to credit an ~** Posten kreditieren; **to give the ~s** Details mitteilen; **to number the ~s in a catalog(ue)** Katalogposten numerieren;
~ **man** *(US)* Berichterstatter.

itemize *(v.) (US)* einzeln aufführen, spezifizieren, detaillieren, nach Posten aufgliedern;
~ **accounts** einzelne Rechnungsposten angeben; ~ **a bill** Rechnung spezifizieren; ~ **costs** Kosten aufgliedern.

itemized | account spezifizierte Rechnung; ~ **appropriation** detaillierte Mittelzuweisung; **to demand an ~ bill** spezifizierte Rechnung verlangen.

itinera[n]cy Teilnehmer einer Dienstreise, Reisegesellschaft.

itinerant umherziehend, ambulant;
~ **exhibition** Wanderausstellung; ~ **merchant** Wandergewerbetreibender; ~ **peddling** Hausierhandel, Wander-, Hausierergewerbe; ~ **showman** Schaubudenbesitzer; ~ **trade** Hausierhandel, Wandergewerbe; ~ **trader** Hausierer, ambulanter Händler; ~ **vendor** *(US)* herumziehender Händler, Hausierer.

itineration Geschäftsreise.

J

jack *(day labor)* Gelegenheitsarbeiter, Tagelöhner, Handlanger;
pilot's ~ Lotsenflagge;
~**-of-all-trades** Allerweltskerl, Alleskönner, Faktotum, Universalgenie;
~ *(v.)* **up prices** Preise erhöhen (anheben);
~**-pot winner** Kassenschlager.
jacket *(paper wrapper)* Schutzumschlag.
jam Gedränge, Volksgewühl, *(predicament)* mißliche Lage, Klemme, *(radio, television)* Störung, *(traffic)* Verstopfung, Stockung, Stauung;
~ *(v.)* blockieren, versperren;
~ **the enemy's stations during the war** Empfang feindlicher Rundfunkstationen in Kriegszeiten stören.
janitor Pförtner, *(US)* Hausmeister, -verwalter, Gebäudeverwalter.
jargon Fach-, Standes-, Berufssprache.
Jason clause *(ship)* Versicherungsklausel gegen verborgene Mängel.
jaunt kleine Vergnügungsreise, Spritztour.
jaywalk *(v.)* Verkehrszeichen nicht beachten, verkehrswidrig über die Straße gehen.
jaywalker unachtsamer Fußgänger, Verkehrssünder.
jaywalking verkehrswidrige Straßenüberquerung.
jeopardize | *(v.)* **one's business** geschäftliche Verluste riskieren; ~ **one's finances** sich in finanzielle Ungelegenheiten bringen.
jeopardizing a creditor's interests Gläubigergefährdung.
jeopardy Gefahr, Risiko;
~ **assessment** *(income tax)* sofortige Steuerveranlagung wegen befürchteten Steuerausfalls.
jerkwater *(coll., US)* Zubringerzug.
jerque *(v.)* *(Br.)* zollamtlich untersuchen;
~ **note** *(Br.)* Eingangszollschein, Klarierungsbrief.
jerquer *(Br.)* Zollbeamter.
jerry *(Br. sl.)* Spelunke, Kneipe.
jerry | **-builder** Bauspekulant; ~**-built** unsolide gebaut; ~ **shop** *(Br. sl.)* Spelunke.
jerrycan *(Br.)* Spritkanister.
jet | **aircraft** Düsenflugzeug; **all-cargo** ~ **clipper** Universalfrachtdüsenflugzeug; ~ **freight** Düsenfrachtgut; ~ **freighter** Düsenfrachter, Düsenfrachtflugzeug; ~ **transport** Düsentransportflugzeug, -maschine.
jetsam Seewurfgut;
flotsam and ~ treibendes Wrack- und Strandgut, Schiffbruchsgüter.
jettison See-, Notwurf;
~ **of cargo** Ladungswurf;
~ *(v.)* [Waren] über Bord werfen;
~ **a bill** *(fam.)* Gesetzentwurf fallenlassen.
jetty Mole, Landungsplatz, Anlegestelle.

jib *(v.)* **at working overtime** *(Br.)* Überstunden ablehnen.
jitney *(US sl.)* billiger Autobus, billiges Verkehrsmittel.
job *(criminal act)* krumme Sache, Schiebung, *(employment)* [An]stellung, Stelle, Position, Posten, Arbeitsplatz, -stelle, -verhältnis, Beruf, Berufsarbeit, -tätigkeit, Beschäftigung, *(piece of business)* Geschäft, Auftrag,
by the ~ in (auf) Akkord, im Stücklohn, *(for a lump sum)* zu einem Pauschalpreis; **out of a** ~ arbeitslos;
beginning ~ Anfangsberuf; **blind-alley** ~ Beruf ohne Fortkommensmöglichkeit; **cushy** ~ Druckposten; **entry-level** ~ neu angefangener Beruf; **full-time** ~ ganztägige Beschäftigung; **higher-level** ~ *(US)* gehobenere Stellung; **key** ~ Schlüsselstellung; **odd** ~ Gelegenheitsarbeit; **permanent** ~ Dauerstellung;**professional** ~ Berufsposition; **routine** ~ mechanische Arbeit; **skilled factory** ~ Facharbeiterberuf; **soft** ~ ruhiger Posten, Druckposten; **top-paying** ~ hochbezahlter Beruf; **white-collar** ~ [gehobene] Büroarbeit, Stehkragenberuf;
~ **with good prospects** zukunftsträchtige Stellung, chancenreiche Position;
~ *(v.)* *(deal corruptly)* Schiebungen begehen, in die eigene Tasche wirtschaften, veruntreuen, *(deal in stocks, Br.)* mit Aktien handeln, Maklergeschäfte betreiben, *(do odd jobs)* Gelegenheitsarbeiten machen, *(purchase and resell)* Zwischenhandel treiben, treiben, *(sublet)* Arbeit auf feste Rechnung geben, im Akkord vergeben, *(undertake work at agreed price)* Arbeit auf feste Rechnung übernehmen, *(wholesale business, US)* Großhandel betreiben, *(work for own advantage)* öffentliches Amt in gewinnsüchtiger Weise mißbrauchen, *(work by the job)* in Akkord (gegen Stücklohn) arbeiten;
~ **in bills** Wechselmakler sein; ~ **a contract** Auftrag an seine Lieferanten weitervergeben; ~ **out** *(Br.)* weitervergeben; ~ **s. o. into a well-paid post** jem. durch unsaubere Machenschaften eine gute Stellung verschaffen; ~ **shares** Kursmakler sein;
to apply for a ~ sich um eine Stelle bewerben; **to be at a dead end in one's** ~ beruflich in einer Sackgasse sein; **do one's** ~ in seinem Beruf erfolgreich sein; **to fill a** ~ **through selection consultants** Position durch Einschaltung einer Beratungsfirma besetzen; **to find a** ~ Arbeit finden; **to find s. o. a** ~ jem. eine Beschäftigung verschaffen; **to have a** ~ Arbeit haben, im Berufsleben stehen; **to have a part-time** ~ Halbtagsbeschäftigung haben; **to have a regular** ~ einer regelmäßigen Beschäftigung nachgehen; **to kick s. o. out of his** ~ j. abschießen; **to**

know one's ~ **[inside out]** sein Fach (Handwerk) gründlich verstehen; **to land a** ~ Arbeitsplatz ergattern; **to learn on the** ~ seine Berufsausbildung am Arbeitsplatz bekommen; **to lose one's** ~ seine Stellung verlieren; **to put out a** ~ **on commission** Arbeit in Regie vergeben; **to reeducate on the** ~ am Arbeitsplatz umschulen; **to stay off one's** ~ Arbeit niederlegen; **to stay on the** ~ Stellung beibehalten; **to switch a** ~ Berufswechsel vornehmen; **to throw up one's** ~ seinen Arbeitsplatz verlassen, seine Stellung aufgeben; **to trade** ~**s** Arbeitsplätze tauschen; **to work by the** ~ im Akkord arbeiten;
~ *(a.)* im Akkord;
~ **analysis** *(US)* Berufsanalyse, Arbeitsstudie; ~**-analysis formula** *(US)* für Berufsanalysen verwendete Formel; ~ **analyst** Berufsstatistiker; ~ **applicant** Stellenbewerber; ~ **assignment** berufliche Aufgabe, Arbeitsaufgabe; ~ **attendance** Einhaltung der Arbeitsstunden; ~ **availability** Bereitstellen von Arbeitsplätzen; **computerized** ~ **bank** Berufsspeicherungsanlage; ~ **boredom** Arbeitsunlust; ~ **breakdown** berufliche Aufschlüsselung; ~ **candidate** Stellungsuchender, Bewerber; ~ **card** Auftragsabrechnungskarte; **executive** ~ **category** Klasse der gehobenen Angestellten; ~ **changes** Berufswechsel; ~ **characteristics** Berufskennzeichen, -merkmale, Arbeitscharakteristika; ~ **classes** Berufsklassen; ~ **classification** *(US)* Berufszugehörigkeit; ~ **classification index** *(US)* Berufsgruppenindex; ~ **comparison scale** Arbeitsvergleichsskala; ~ **competition** Berufswettbewerb; ~ **competitor** *(US)* Mitbewerber; ~ **compositor** Akzidenzsetzer; ~ **conditions** Arbeits-, Berufsbedingungen, Umwelteinflüsse; ~ **content** *(US)* Arbeitsinhalt; ~ **cost ledger** Auftragskostenbuch; ~ **cost sheet** Auftragskostensammelblatt; ~ **costing** Kostenrechnungssystem; ~ **counselling** *(US)* Berufsberatung; ~ **counsellor** *(US)* Berufsberater; ~**-creating measures** Arbeitsbeschaffungsmaßnahmen; ~**-creating power** Arbeitsbeschaffungsmöglichkeit; ~ **creation** Arbeitsbeschaffung; ~ **cutback** Arbeitskräfteabbau; ~ **discrimination** *(US)* berufliche Diskriminierung, Benachteiligung im Arbeitsleben; ~ **description** *(US)* Berufsbezeichnung, Arbeits-, Stellen-, Tätigkeitsbeschreibung; ~ **dictionary** *(US)* Berufsverzeichnis; ~ **difficulty allowance** Zuschlag für schwierige Arbeiten; ~ **dilution** Arbeitseinteilung nach Befähigungen; ~ **disaster** berufliche Katastrophe; ~ **duties** Berufsaufgaben; ~ **economics training** Berufsförderung leitender Angestellter; ~ **efficiency** berufliche Leistungsfähigkeit; ~ **enthusiasm** Berufsbegeisterung; ~ **environment** berufliche Umgebung (Umwelt); ~ **etiquette** berufliche Umgangsformen; ~ **evaluation** Arbeitsplatzbewertung; ~ **evaluation scale** *(US)* Vergleichstabelle für das Berufsbewertungsverfahren; ~ **evaluation system** Arbeitsbewertungsmethode; ~ **factor** Arbeits-, Bewertungsmerkmal; ~ **families** berufsgleiche Gruppen; ~ **family** Berufseinheit; ~**getting** Stellenvermittlung; ~ **goods** Ramsch-, Partie-, Schleuderware; ~**-goods shop (trade)** Partiewarengeschäft; ~ **grading** berufliche Einstufung; ~ **hazard** Berufsgefahr, -risiko; ~**-hop** *(v.)* Arbeitsplatz (Beruf) häufig wechseln; ~**-hopping** häufiger Berufswechsel (Arbeitsplatzwechsel); ~ **hunter** Stellenjäger; ~ **hunting** Arbeitssuche, Stellenjagd; ~ **identification** Arbeits-, Berufsbezeichnung; ~ **insecurity** Unsicherheit im Berufsleben, berufliche Unsicherheit; ~ **instability** berufliche Unbeständigkeit; ~ **instruction training** Anleitungsverfahren für die Berufsausbildung; ~ **interview** Berufsgespräch; ~ **jockey** Postenjäger; ~ **joy** Arbeitslust; ~ **knowledge** Berufskenntnis; ~ **layout** Arbeitsplatzgestaltung; ~ **leasing** Zeitarbeit; ~ **line** Ramsch-, Partie-, Schleuderware, Kleinserie; ~ **loss** Stellungs-, Arbeitsplatzverlust; ~ **lot** Ramschwaren, -partie, Partieware; **to buy as a** ~ **lot** partieweise kaufen; **to buy books as a** ~ **lot** Bücher in Bausch und Bogen kaufen; **to sell a** ~ **lot** im Ramsch verkaufen; ~**-lot buying** Ramsch[waren]kauf; ~**-lot production** Kleinserienfertigung; **odd-**~ **man** Gelegenheitsarbeiter; ~ **market** Stellen-, Arbeitsmarkt; ~ **master** *(Br.)* Wagenverleiher; ~ **mobility** berufliche Beweglichkeit; **executive** ~ **mobility** freie Berufsmöglichkeit für leitende Angestellte; °~**'s news** Hiobsbotschaft; ~ **number** Kostennummer für einzelne Arbeiter, Arbeitsauftragsnummer; ~ **office** Akzidenzdruckerei; ~ **opening** Arbeitsplatz; ~ **openings** offene Stellen; ~ **operation** Fertigungsvorgang; ~ **opportunity** Arbeitsmöglichkeit; ~ **order** *(US)* Fabrikationsauftrag; ~**-order cost accounting** *(US)* Arbeitsauftragskosten-, Stückerfolgsrechnung, Zuschlags-, Serienkalkulation; ~ ~**-order cost card** *(US)* Kostenrechnungskarte; ~**-order cost sheet** *(US)* Kostenrechnungsblatt; ~**-order costing** Kostenrechnungssystem für auftragsweise Fertigung; ~**-order number** *(US)* Fabrikationsauftragsnummer; ~ **pattern** Stellenbesetzungsplan; ~ **peace** Arbeitsfriede; ~ **performance** Arbeits-, Berufsleistung; ~ **pinch** Beschäftigungsnotlage; ~ **pricing** Lohnkostenkalkulation; ~ **printer** Akzidenzdrucker; ~ **printing** kleinere Druckarbeiten, Akzidenzdruck; ~ **processing** Lohnveredelung ~ **production** *(US)* Einzelfertigung; ~ **prospects** Berufsaussichten; ~ **quandaries** berufliche Schwierigkeiten; ~ **questionnaire** beruflicher Fragebogen; ~ **ranking** berufliche Rangordnung; ~ **rate** Akkordrichtsatz; ~ **rating** *(US)* berufliche Bewertung nach dem Punktverfahren; ~**-rating system** *(US)* Berufsbewertungsverfahren nach dem Punktsystem; ~ **record**

Arbeitsbericht, berufliche Vergangenheit; ~ **relations training** Ausbildungsprogramm zur Verbesserung des Betriebsklimas; ~ **relationship** Berufsverhältnis; ~ **requirements** Berufserfordernisse; ~ **responsibility** berufliche Verantwortung; ~ **retention** Beibehaltung des angestammten Berufs; ~ **rotation** *(US)* Arbeitsplatzwechsel [innerhalb eines Betriebes]; ~ **satisfaction** *(US)* berufliche Befriedigung, Arbeitsfreude; ~**-satisfactory items** zur beruflichen Befriedigung beitragende Merkmale; ~ **scene** Berufssituation; ~ **security** Sicherheit des Arbeitsplatzes, berufliche Sicherheit; ~ **seeker** *(US)* Stellungssuchender; ~ **seniority** *(US)* Dienstalter; ~ **shop** Spezialteilebetrieb; ~ **simplification** Arbeitsvereinfachung; ~ **slash** Stellenkürzung; ~ **slot** *(US sl.)* Berufsposition; ~ **specialization** *(US)* berufliche Spezialisierung; ~ **specification** *(US)* schriftliche Zusammenfassung der für einen bestimmten Beruf erforderlichen Eigenschaften, Arbeitsbeschreibung; ~ **standardization** Berufsnormung; ~ **status** Berufsstatus, berufliche Position; ~ **success** Berufserfolg; ~ **ticket** *(US)* Akkord-, Arbeitslaufzettel; ~ **time** Arbeits-, Stückzeit; ~ **title** Berufsbezeichnung; [**on-the-**] ~ **training** *(US)* Berufsausbildung; ~**-training process** *(US)* berufliches Ausbildungsverfahren; ~ **vacancy** unbesetzter Arbeitsplatz; ~ **wages** Akkordlohn, Stücklohn; ~ **work** Akkordarbeit, *(job printing)* Akzidenzdruck; **to do** ~ **work** im Akkord arbeiten; ~ **worker** Akkordarbeiter.

jobber *(casual labo(u)rer)* Gelegenheitsarbeiter, *(day labo(u)rer)* Tagelöhner, Dienstmann, Handlanger, *(middleman)* Zwischen-, Großhändler, Grossist für Partiewaren, *(piece worker)* Akkordarbeiter, Stücklohnarbeiter, *(speculator)* Schieber, Börsenspekulant, *(stock exchange, Br.)* Effekten-, Fondshändler, Wertpapierhändler;
desk ~ Grossist ohne eigenes Lager (mit Streckengeschäft); **general-line** ~ Großhändler für alle Warengattungen; **local** ~ Platzmakler; **wagon** ~ *(US)* Grossist mit eigenem Lager;
~ **in bills** *(Br.)* Wechselreiter.

jobbing *(buying and reselling)* Zwischen-, Großhandel, *(job work)* Akkord-, Stücklohnarbeit, *(speculation)* Spekulation[sgeschäft], *(stock-exchange dealings, Br.)* Börsen-, Effektenhandel, *(wholesale business, US)* Großhandel, *(casual work)* Gelegenheitsarbeit;
~ **in bills** Wechselarbitrage, -spekulation; ~ **in contangos** *(Br.)* Reportgeschäfte;
~ *(a.)* auf Stück (im Akkord) arbeitend;
~ **business** Maklergeschäft; ~ **house** *(US)* Großhandelshaus, *(brokerage)* Maklerfirma; ~ **workman** Stücklohnarbeiter.

jobholder Festangestellter, Stelleninhaber, *(US)* Staatsangestellter, Beamter.

jobless *(US)* erwerbs-, arbeitslos;
~ **army** Arbeitslosenarmee; ~ **percentage** Arbeitslosenprozentsatz; ~ **rate** Arbeitslosenziffer.

jobman Akkordarbeiter.

jockey *(v.)* deichseln, zuwegebringen;
~ **for a position** sich mit allen Mitteln um eine Position bemühen; ~ **s. o. in a transaction** j. bei einem Geschäft übervorteilen.

jogtrot Trott, Tretmühle;
~ *(v.)* **along** sich durchwursteln.

join *(v.)* sich zusammentun (vereinigen, verbinden), *(associate)* bei-, eintreten;
~ **a cartel** sich zu einem Kartell zusammenschließen; ~ **a class** an einem Kursus teilnehmen; ~ **documents to a report** einem Bericht Unterlagen beifügen; ~ **evening classes** Abendschule besuchen; ~ **one's father's firm** in das väterliche Geschäft eintreten; ~ **interests with s. o.** mit jem. gemeinsame Sache machen; ~ **a ship** sich einschiffen; ~ **stock with s. o.** sein Kapital zusammenschießen.

joint *(a.)* gemeinsam, gemeinschaftlich, solidarisch, *(obligated in common)* gemeinschuldnerisch;
~ **account** gemeinsame Rechnung, Konsortial-, Meta-, Konto; ~ **adventure** Gelegenheitsgesellschaft; ~ **advertising** Gemeinschaftswerbung; ~ **and survivor annuity** Überlebensrente; ~ **bargain** gemeinsames Geschäft; ~ **business [venture]** Kompanie-, Meta-, Geschäft; ~ **capital** Gesellschaftskapital; ~ **cargo** Sammelladung; **to settle a trade dispute by** ~ **consultations** Arbeitskampf im Wege gemeinsamer Besprechungen beilegen; ~ **contractor** Mitkontrahent; ~ **costs** Schlüssel-, Umlagekosten; ~ **credit** Konsortialkredit; ~ **creditor** Gesamtgläubiger; ~ **debtor** Gesamt-, Mit-, Solidarschuldner; ~ **demand goods** *(US)* Komplementärgüter; ~ **deposit** Gemeinschaftsdepot; ~ **directorship** Mitleitung; ~ **employer** gemeinsamer Arbeitgeber; ~ **establishment** Gemeinschaftsgründung; ~ **estate** Miteigentum zur gesamten Hand; ~ **guaranty** solidarische Haftung; ~ **hiring hall** gemeinsames Stellenvermittlungsbüro von Arbeitgeber- und Arbeitnehmerseite; ~ **labo(u)rer** Mitarbeiter; ~ **liability** gesamtschuldnerische Verpflichtung; ~ **life insurance** Gegenseitigkeitsversicherung; ~ **lives** *(life insurance)* verbundene Leben; ~ **mortgage** Gesamthypothek; ~ **nominee** Gemeinschaftskandidat; ~ **option** gemeinsam ausgeübte Option; ~ **owner** Miteigentümer, *(ship)* Mit-, Partenreeder; ~ **partner** Teilhaber, Mitinhaber; ~ **policy** verbundene Lebensversicherungspolice; ~ **principal** Gesamtkapital; ~ **producer** Gesamthersteller; ~ **product** Kuppelprodukt; **on** ~ **profit and loss** auf gemeinschaftlichen Gewinn und Verlust; ~ **promissory note** solidarischer trockener Wechsel; ~ **property**

Gesamtgut; ~ **proprietor** Teilhaber, Miteigentümer; ~ **purchaser** Miterwerber; ~ **purse** gemeinsame Kasse; ~ **rate** *(railway)* Sammeltarif; ~ **return** *(income tax, US)* gemeinsame Veranlagung von Ehegatten; ~ **sales agency** Verkaufsgemeinschaft; ~ **signature** Kollektivzeichnung; ~ **statement** gemeinsame Erklärung.

joint stock Gesellschafts-, Aktienkapital;
~ **bank** Aktienbank; ~ **company** *(Br.)* Aktiengesellschaft, AG, *(US)* Offene Handelsgesellschaft auf Aktien; ~ **insurance company** Versicherungsgesellschaft.

joint | tenancy Mitpacht; ~ **title** Eigentum zur gesamten Hand; ~ **undersigner** Mitunterzeichner; ~ **undertaking** Gemeinschaftsunternehmen, Partizipationsgeschäft; ~ **use** gemeinschaftliche Nutznießung, Mitbenutzung; ~ **venture** Gemeinschaftsunternehmen, *(contracting)* Arbeitsgemeinschaft, *(banking)* Metageschäft, *(ownership)* Beteiligungsverhältnis; ~ **working** Gemeinschaftsbetrieb.

joint and several gesamtschuldnerisch, jeder für sich;
~ **bond** gesamtschuldnerisches Zahlungsversprechen; ~ **contract** Gesamtschuldverhältnis; ~ **credit** Gemeinschaftskredit; ~ **creditor** Gesamtgläubiger; ~ **debt** Solidarschuld; ~ **debtor** Gesamtschuldner; ~ **liability** gesamtschuldnerische Haftung; ~ **note** *(US)* gesamtschuldnerisches Zahlungsversprechen; ~ **responsibility** gesamtschuldnerische Haftung.

jointly acquired property gemeinsame Anschaffungen, *(US)* Errungenschaftsgemeinschaft.

jointly and severally liable insgesamt und einzeln (gesamtschuldnerisch) haftbar;

jointure Wittum, Leibgedinge.

journal *(bookkeeping)* Journal, Memorial, Primanote, *(periodical)* Zeitschrift, *(press)* [Tages]-zeitung, *(railway)* Fahrtbericht, *(ship)* Logbuch;
bills-payable ~ Wechselverfallbuch; **bills-receivable** ~ Wechseldebitorenbuch, **cash disbursements** ~ Kassenausgangsjournal; **cash receipts** ~ Kasseneingangsjournal; **general** ~ Hauptbuch; **multi-column** ~ Mehrspaltenjournal; **professional** ~ Fachzeitschrift; **requisition** ~ Warenbeschaffungsjournal; **sales** ~ Verkaufsjournal; **trade** ~ Handelsblatt;
to bring the cash through the ~ Kasse journalisieren; **to maintain a** ~ Journal führen; **to post into the** ~ ins Journal übertragen;
~ **book** Journal, Tagebuch; ~ **entry** Journaleintragung; ~ **form** Journalblatt; ~ **number** Geschäftszeichen; ~ **voucher** Buchungsbeleg.

journalist Journalist, Publizist, Schriftsteller, *(editor)* Schriftleiter, *(keeper of diary)* Tagebuchführer;
broadcast ~ Rundfunkreporter; **financial** ~ Börsenberichterstatter.

journalize *(v.)* ins Journal eintragen, *(write a diary)* Tagebuch führen, *(write for newspapers)* für [Tages]zeitungen schreiben.

journey Reise, Weg, Route;
~ **abroad** Auslandsreise; **a four hours' train** ~ vierstündige Eisenbahnfahrt; **official** ~ Dienstreise; ~ **there and back** Hin- und Rückfahrt; ~ **on business** Geschäftsreise;
to break one's ~ **at X.** seine Reise in X unterbrechen; **to start on the return** ~ Rückreise antreten.

journeyman Wanderbursche, *(worker)* Lohnarbeiter, Geselle, Gehilfe, Handlanger;
~ **clock** Kontrolluhr; **approved ~'s rate** Gesellenlohn.

journeywork Routinearbeit, *(badly paid work)* schlecht bezahlte (niedrige) Arbeit.

joy ride Spazierenfahren, Spazier-, Schwarz-, Vergnügungsfahrt, Spritztour.

joy-ride *(v.)* Vergnügungsfahrt (Spritztour) machen.

jubilee stamp Jubiläumsmarke.

judgment *(court of law)* richterliche Entscheidung, Gerichtsurteil, Urteilsspruch;
enforceable ~ vollstreckbares Urteil;
~ **for costs** Kostenurteil, -entscheidung; ~ **by default** Versäumnisurteil;
to enforce (execute) a ~ Urteil vollstrecken; **to obtain** ~ **against a debtor** Urteil gegen einen Schuldner erwirken;
~ **creditor** Vollstreckungsgläubiger; ~ **debt** gerichtlich anerkannte Schuld, vollstreckbare Forderung; ~ **debtor** Vollstreckungsschuldner; ~ **[debtor] summons** Vollstreckungsverfahren; ~ **lien** Zwangshypothek; ~ **limit** gerichtlich festgesetzte Schadensersatzgrenze; ~ **note** Schuldschein mit Unterwerfungsklausel, Schuldanerkenntnisschein; ~ **rate** *(fire insurance)* Selbsteinschätzung; ~ **sampling** bewußte Auswahl, *(marketing)* stichprobenartig durchgeführte Meinungsforschung.

jump *(advantage, US coll.)* Vorsprung, -gabe, *(journey)* Reisestrecke, *(prices)* sprunghaftes Emporschnellen;
~ **in exports** plötzlicher Ausfuhranstieg; ~ **in orders** Auftragsanstieg; ~ **in production** rasanter Produktionsanstieg;
~ *(v.) (prices)* emporschnellen, sprunghaft ansteigen, *(in promotion)* überspringen;
~ **one's bail** *(US)* Bürgschaft schießen (Kaution verfallen) lassen; ~ **channels** *(US)* Instanzenweg nicht einhalten; ~ **into new high ground** *(prices)* sprunghaft steigen und einen neuen Höchstkurs erzielen; ~ **at an opportunity** mit beiden Händen zugreifen; ~ **prices** Preise sprunghaft erhöhen; ~ **into new purchase** sich auf Neuerwerbungen stürzen; ~ **a train** Zug ohne Fahrkarte benutzen, schwarzfahren;
to be one ~ **ahead of one's competitors** der Konkurrenz immer um eine Nasenlänge voraus sein; **to get the** ~ **on one's competitors** seine

Konkurrenz überflügeln; **to go up with a** ~ *(stock exchange)* plötzlich in die Höhe gehen.

junction Treffpunkt, *(railway)* [Eisenbahn]knotenpunkt, Zweigstation, *(road)* [Straßen]kreuzung, *(siding)* Gleisanschluß, Anschlußgleis;
police-controlled ~ Kreuzung mit polizeilicher Verkehrsregelung.

jungle market *(stock exchange, Br.)* Markt für westafrikanische Bergwerksaktien.

junior *(a.) junior,* jünger [als], *(lower in rank)* untergeordnet;
~ **accountant** Hilfsprüfer; ~ **bondholder** Neubesitzer; ~ **execution** Anschlußpfändung; ~ **high school** *(US)* [etwa] Real-, Mittelschule; ~ **lien** jüngeres (nachstehendes) Pfandrecht; ~ **mortgage** nachstellige Hypothek, ~ **partner** Juniorpartner; ~ **salesman** Nachwuchskraft im Verkauf; ~ **security** zweitrangige Sicherheit; ~ **stocks** junge Aktien.

junk Trödel, Kram, Altmaterial;
~ **auto** ausrangiertes Auto, Schrottwagen; ~ **car tax** Autoverschrottungsgebühr; ~ **dealer** Abfallhändler, Trödler; ~ **goods** Ramsch[waren]; ~ **pile** Ausschußlager; ~ **shop** Trödel-, Ramschladen.

junked auto Schrottauto, -wagen.

junket Vergnügungsfahrt, Landpartie;
~ *(v.) (US)* sogenannte Dienstreise auf öffentliche Kosten unternehmen.

just gerecht, angemessen, billig;
without ~ **cause** ohne ausreichenden Grund; ~ **debt** rechtsgültige Schuld.

justification *(governmental accounting)* Begründung für angeforderte Etatsmittel.

justify | *(v.)* **a lunch as business expense** Mittagessen über Spesen abrechnen; ~ **a trip with good business reasons** Geschäftsreise mit zwingenden Gründen belegen.

justifying bail Nachweis der Zahlungsfähigkeit.

K

keel Kiel;
to remain on an even ~ ausgeglichene Konjunkturpolitik betreiben.

keen *(competition)* scharf;
to be ~ **on money-making** aufs Geldverdienen aus sein;
to be a ~ **businessman** hinter seinen Geschäften her sein; ~ **competition** scharfer Wettbewerb; ~ **demand** hektische Nachfrage; **to have a** ~ **eye for a bargain** Nase für gute Geschäfte haben.

keep *(food)* Verpflegung, *(livelihood)* Unterhalt, Kost;
~ *(v.) (have charge of)* verwahren, aufbewahren, *(have on sale* [Ware] führen, auf Lager halten, *(newspaper, US)* halten, abonnieren, *(provide for)* unterhalten, *(shop)* betreiben, führen;
~ **an account** Konto unterhalten; ~ **an account of expenses** über Ausgaben Buch führen; ~ **accounts** Rechnungsbücher führen; ~ **boarders** Pensionäre haben; ~ **the cash** Kassierer sein, Kassenwart abgeben; ~ **a copy of a letter** Briefdurchschlag behalten; ~ **one's engagements** seinen Verpflichtungen nachkommen; ~ **house** *(Br.)* sich vor seinen Gläubigern verstecken; ~ **an inn** Hotelier sein, Hotel führen; ~ **within a limit** Limit einhalten; ~ **the minutes** Protokoll führen; ~ **money at a bank** Geld bei einer Bank stehen haben; ~ **[back] one's payments** seine Zahlungen einhalten; ~ **in repair** anfallende Reparaturen erledigen; ~ **in safe custody** sicher aufbewahren; ~ **for sale** feilhalten; ~ **s. o. short of money** j. knapp [bei Kasse] halten; ~ **steady** *(prices)* sich behaupten; ~ **in stock** auf Lager halten, [Artikel] führen; ~ **a wife and seven children** Ehefrau und sieben Kinder unterhalten;
~ **at s. o. with appeals for money** j. fortlaufend um Geld angehen; ~ **back s. th. from s. one's wages** etw. von jds. Lohn einbehalten; ~ **down** (Preise niedrig halten; ~ **down expenses** Unkosten (Spesen) niedrig halten; ~ **down interest** Zinsniveau niedrig halten; ~ **prices down** Preissteigerungen verhindern; ~ **in with a customer** Kunden pflegen; ~ **in money** mit Geld versehen; ~ **out of debt** sich schuldenfrei halten; ~ **s. o. out of his money** jem. sein Geld vorenthalten; ~ **up a correspondence** Schriftwechsel unterhalten; ~ **up one's credit** sich seinen Kredit erhalten; ~ **up with the Jones's** *(Br.)* hoher Lebensstandard halten; **to** ~ **up one's payments** seinen Zahlungsverpflichtungen nachkommen ~ **up the price of goods** Preise aufrechterhalten;
not to earn one's ~ seinen Unterhalt nicht verdienen; **to work for one's** ~ gegen freie Station arbeiten.

keeper *(bookkeeper)* Buchhalter, *(holder)* Verwahrer, *(lender)* Vermieter, Verleiher, *(owner)* Inhaber, Besitzer;
~ **of a railway bookstall** Bahnhofsbuchhändler ~ **of the records** *(US)* Urkundsbeamter.

keeping *(care)* Pflege, Obhut, *(charge)* Gewahrsam, Verwahrung, Aufsicht, Haft, *(livelihood)* Unterhalt, Kost;
~ **for sale** Feilhaltung.

kerb Bordschwelle, *(stock exchange, Br.)* Freiverkehrsbörse;
~**[-stone] broker** *(Br.)* Freiverkehrsmakler; ~ **exchange** *(Br.)* Freiverkehrsbörse; ~ **market** *(Br.)* Freiverkehrsbörse; ~ **prices** *(Br.)* Freiverkehrskurse; ~ **stone** Bordstein.

key *(advertising)* Kennziffer, -wort, Chiffre, Kontrollziffer, *(leading position)* Schlüsselposition, *(map)* Zeichenerklärung, -schlüssel, *(typewriter)* Taste;
golden (silver) ~ Bestechungsgeld;
~ **to a cipher** Codeschlüssel; ~ **of distribution** Verteilungsschlüssel; ~ **to signs** Zeichenerklärung;
~ *(v.) (newspaper advertisement)* mit Kennziffer (Schlüsselwort) versehen;
~ **appointments** [Besetzung von] Schlüsselpositionen; ~ **area** ausschlaggebendes Gebiet; ~ **businessmen** führende Geschäftsleute; ~ **community leader** führende Persönlichkeit; ~ **costs** Hauptunkosten; ~ **currency** Leitwährung; ~ **customer** wichtigster Kunde; ~ **demand** Schlüsselforderung; ~ **employees (executives)** Schlüsselkräfte; ~ **financial nation** finanzstarkes Land; ~ **industrial emporium** wirtschaftliche Schlüsselstellung; ~ **industry** lebenswichtiger Betrieb, Schlüsselindustrie; **[turn]-~ job** Schlüsselstellung; ~ **man** Schlüsselkraft, Hauptperson, *(organization)* Verbindungsmann, *(indispensable worker)* unentbehrliche Arbeitskraft; ~ **market** Verbrauchergruppe in einer Schlüsselposition; ~ **money** Handgeld, Anzahlung, *(tenant)* Mietvorauszahlung, Abstandsgeld, verlorener Baukostenzuschuß; ~ **money rates** Geldleitsätze; ~ **number** Kennziffer, Chiffre; ~ **performance area** Haupttätigkeitsgebiet; ~ **position (post)** Schlüssel-, leitende Stellung; ~ **price** marktentscheidender Preis; ~ **product lines** Fertigungsprogramme von entscheidender Bedeutung; ~ **rate** *(banking)* Leitzinssatz, *(insurance)* Grundprämie; **to play a ~ role** Schlüsselfigur abgeben.

keyboard *(typewriter)* Tastatur, Tastenfeld.

keyed | address Kennzifferanschrift; ~ **advertising** Kennziffer-, Chiffrewerbung, Kennzifferanzeige; ~ **coupon** Kennzifferkupon.

keying of advertisements Kennziffer-, Chiffrewerbung, Zeitungswerbung unter Kennziffer-, Chiffrewerbung, Zeitungswerbung unter Kennziffer, Anzeigenkennzeichnung.

keynote Grundton, *(fig.)* Grund-, Hauptgedanke, *(party politics, US)* Parteilinie;
~ **address (speech)** *(US)* richtungsweisende Rede; ~ **idea** *(advertising)* Hauptgedanke, Grundidee; ~ **speaker** tonangebender Sprecher.

kick *(fashion)* neuester Modefimmel, letzter Schrei;
all the ~ modisch;
~ *(v.)* **in** *(US sl.)* Geld 'reinbuttern;
~ **up earnings** Gewinne hochschrauben;
to get the ~ *(sl.)* rausfliegen, gefeuert werden.

kickback *(coll.)* Blitzreaktion, *(US)* Schmiergeld [eines Arbeiters an den Vorarbeiter], *(commission)* erzwungene Provisionszahlung.

kill *(v.) (broadcasting)* ausfallen lassen;
~ **an engine** Motor abwürgen; ~ **a story** Zeitungsartikel streichen; ~ **a wire** Telegramm widerrufen.

kind *(quality)* Qualität, *(sort)* Art, Klasse, Gattung, Sorte;
in cash or in ~ in bar oder in Sachleistungen;
~**s of income** Einkommensarten; ~ **of securities** Effektengattung;
to pay in ~ in Naturalien zahlen.

kite *(Br.) (bill)* Keller-, Reit-, Gefälligkeitswechsel;
~ *(v.) (bill)* Reitwechsel ausstellen, sich durch Wechselreiterei Kredit beschaffen, *(check, US)* Scheckbetrag fälschen;
to fly a ~ Gefälligkeitswechsel ziehen;
~ **advertising** Reklamedrachen; ~ **mark** *(Br.)* Qualitätszeichen.

kiteflying Wechselreiterei.

kiting | checks *(US)* Ziehung von Schecks auf durch noch nicht eingegangene Inkassi vorgetäuschte Guthaben; ~ **stocks** *(US)* Hinauftreiben von Aktienkursen.

knock | *(v.)* **down** *(auction)* zuschlagen, *(lower in price)* stark drücken, *(machinery)* [für Transportzwecke] in Bestandteile zerlegen; ~ **off** *(from price)* vom Preis abziehen (herunterhandeln), Preisabstrich vornehmen, *(work, sl.)* Arbeit einstellen, Feierabend machen; ~ **the bottom out of a financial speculation** finanziellen Spekulationen den Boden entziehen;
~ **-for ~ agreement** Schadensabkommen, bei dem jede Versicherungsgesellschaft ihren Schaden trägt.

knockdown price Werbe-, Spottpreis, *(auction)* äußerster Preis, Mindestpreis.

knocked down | for a song für einen Spottpreis zugeschlagen; **at a ~ price** *(Br.)* spottbillig.

knocking down [Versteigerungs]zuschlag;
~ **copy** *(Br.)* herabsetzende (aggressive) Werbung, herabsetzender Werbetext.

knockout *(Br.)* Scheinauktion.

knot of vehicles Fahrzeuganhäufung;

know *(v.)* **one's business** sein Geschäft verstehen.

know-how praktisches Wissen, Fachkenntnisse;
industrial ~ industrielle Produktionserfahrungen, praktische Betriebserfahrung; **manufacturing** ~ spezielle Produktionskenntnisse.

knowledge | of banking Bankkenntnisse; ~ **of business** Geschäftskenntnisse,-erfahrung; ~ **of a line of business** Branchenkenntnisse; **fluent ~ of English** fließende englische Sprachkenntnisse;
to know or to be chargeable with ~ kennen oder kennen müssen;
special ~ not required besondere Kenntnisse nicht erforderlich.

known loss *(freight)* erkannter Verlust.

kraft paper *(US)* braunes Packpapier.

L

label *(branded goods)* Schutzmarke, *(short name)* Bezeichnung, Benennung, *(parcel)* Paketzettel, -adresse, Aufkleber, *(parchment)* Pergamentstreifen, Bändchen, *(adhesive stamp)* Aufklebemarke, *(ticket)* Etikett, Anhänge-, Bezeichnungsschild, Aufklebe-, Warenadreßzettel;
gummed ~ Aufklebeadresse; **baggage** *(US)* **(luggage,** *Br.)* ~ Gepäckadresse, -anhänger, -zettel; **price** ~ Preiszettel; **tie-on** ~ Anhänger, Anhängezettel;
~ *(v.)* mit Etikett versehen, etikettieren, [Waren] [aus]zeichnen, beschildern, kennzeichnen, bezetteln, *(assign to category)* kategorisieren, einstufen, klassifizieren, eingruppieren, *(number)* numerieren, *(write address on)* mit Aufschrift versehen;
~ **an article for sale** Gegenstand mit Preiszettel versehen;
to put ~s on one's luggage *(Br.)* sein Gepäck mit Adressenanhängern versehen; **to sell under a secondary** ~ als zweitklassige Ware verkaufen.

labelling Etikettierung, Be-, Kenn-, Auszeichnung, *(prices)* Preisauszeichnung;
informative ~ Herkunftsbezeichnung;
~ **machine** Etikettiermaschine; ~ **provisions** Kennzeichnungs-, Auszeichnungsbestimmungen; ~ **requirements** Kennzeichnungsvoraussetzungen.

labo(u)r Arbeit[skraft], *(operatives)* Arbeiterklasse, -schaft, Arbeitskräfte *(ship)* Schlingern, Stampfen;
casual ~ Gelegenheitsarbeit; **colo(u)red** ~ schwarze Arbeitskräfte; **compulsory** ~ Zwangsarbeit; **direct** ~ Fertigungs-, Fabrikationslohn; **drafted** ~ dienstverpflichtete Arbeitskräfte, Fremdarbeiter; **hard** ~ Zwangsarbeit, Zuchthaus; **indirect** ~ Gemeinkostenlöhne; **manufacturing** ~ [gesamte] Fabrikationslöhne; **nonunion** ~ nicht organisierte Arbeiter[schaft] **organized** ~ *(US)* gewerkschaftlich organisierte Arbeit; **paid** ~ bezahlte Arbeitskräfte, Lohnarbeit; **semi-skilled** ~ angelernte Arbeitskräfte; **unskilled** ~ ungelernte Arbeitskräfte; **untrained** ~ ungelernte Arbeitskräfte, Hilfsarbeiter; **work-in-process** ~ Halbfabrikatelöhne;
material and ~ Material und Arbeitslöhne; ~ **and capital** Arbeitnehmer und Arbeitgeber;
to direct ~ Arbeitskräfte einsetzen; **to import** ~ ausländische Arbeitskräfte heranziehen;
~ **agreement** *(trade union, US)* Kollektivvertrag; ~ **allocation** Arbeitseinsatz; ~ **bank** *(US)* Arbeiter-, Gewerkschaftsbank; ~ **budget** Lohn- und Gehaltsetat; ~ **camp** Arbeitslager, Strafkolonie; ~ **charge** Lohnkostenanteil; ~ **colony** Arbeitersiedlung; ~ **committee** Gewerkschaftsausschuß; ~ **conditions** [betriebliche] Arbeitsverhältnisse; ~ **conscription** Arbeitsdienstpflicht; ~ **costs** Lohnkosten, *(balance sheet)* Arbeitslöhne; **direct** ~ **costs** Fertigungslöhne; **indirect** ~ **costs** Gemeinkostenlöhne; ~ **court** *(US)* Arbeitsgericht; ~ **demand** Nachfrage nach Arbeitskräften; ≗ **Department** *(US)* Arbeitsministerium; ~ **disputes** arbeitsrechtliche Streitfragen; ~ **efficiency variance** Leistungsgradabweichung; ~ **exchange** *(Br.)* Arbeitsnachweis[stelle]; ~ **flux** Arbeitsplatzwechsel; ~ **force** Belegschaft; **total possible** ~ **force** Arbeitskräftereserven; **~-force dropouts** Belegschaftsabgänge; ~ **hoarding** Horden von Arbeitskräften; ~ **-intensive** arbeitsintensiv; ~ **item** Gehalts-, Lohnposten; ~ **laws** gewerbepolizeiliche Verordnungen; ~ **leader** *(US)* Gewerkschaftsführer; ~ **management** betriebliche Personalpolitik; ~ **management contract** betriebliche Lohnvereinbarung; ~ **market area** Einzugsgebiet; ~ **needs** Arbeitskräftebedarf; ~ **outlook** Arbeitskräftevorschau; ~ **pass** Arbeitserlaubnisschein, -genehmigung; ~ **permit** *(Br.)* Beschäftigungs-, Arbeitsgenehmigung; ~ **piracy** Abwerbung von Arbeitskräften; ~ **policy** Arbeitsmarktspolitik; ~ **pool** Arbeitsreserve; ~ **press** *(US)* Gewerkschaftspresse; ~ **picture** Beschäftigungsbild; **common** ~ **rate** Durchschnittslohn; ~ **recruitment** Anwerbung von Arbeitskräften; ~ **representation** Arbeitnehmervertretung; ~ **representative** Arbeitnehmervertreter; ~ **research association** *(US)* Gewerkschaftsinstitut; ~ **-saving devices** arbeitsparende Einrichtungen; ~ **separation** Entlassung von Arbeitskräften; ~ **settlement** Arbeitersiedlung; ~ **shortage** Verknappung an Arbeitskräften; ~ **situation** Arbeitsmarktlage; **fair** ~ **standards** gerechte Arbeitsnormen; ~ **strike** Arbeiterausstand; ~ **supply** verfügbare Arbeitskräfte; ~ **turnover** Arbeitsplatzwechsel; ~ **union due** *(US)* Gewerkschaftsbeitrag; ~ **union official** *(US)* Gewerkschaftsfunktionär, ~ **welfare** Arbeiterfürsorge.

labo(u)rer [ungelernter] Arbeiter;
casual ~ Gelegenheitsarbeiter; **day** ~ Tagelöhner; **factory** ~ Fabrikarbeiter; **farm** ~ Landarbeiter, landwirtschaftlicher Arbeiter; **forced** ~ Zwangsarbeiter; **industrial** ~ Fabrikarbeiter, **permanent** ~ Stammarbeiter.

labo(u)ring classes Arbeiterbevölkerung.

lack | **of capital** Kapitalmangel, -knappheit; ~ **of delivery** Mangel des Erfüllungsgeschäftes, ~ **of demand** mangelnde Nachfrage; ~ **of means** Mittellosigkeit; ~ **of sales** ungenügender Umsatz;
~ *(v.)* **capital** zu knappe Kapitaldecke haben.

lackluster, lacklustre *(Br.)* lustlos, matt.

lade *(v.)* [be]laden, ein-, verladen.

laden | **in bulk** mit Massengut beladen; ~ **with parcels** mit Stückgütern befrachtet.

lading | **charges** Ladegebühren, Ladungskosten; ~ **port** Verlade-, Versandhafen.

lady | **secretary** Sekretärin; ~ **typist** Stenotypistin.

lag | **in collection** Inkassorückstand; ~ **in investments** stagnierende Investitionstätigkeit; ~ **in orders** Auftragslücke;

land *(balance sheet)* Grundstücke, *(country)* Land, Volk, Einwohner, *(district)* Gegend, Bezirk, Landschaft, *(landed property)* Grundbesitz, Grundstück, Grund und Boden, Ländereien;

accommodation ~**s** zu Spekulationszwecken aufgekaufte Grundstücke; **cleared** ~ urbar gemachtes Land; **developed** ~ Bauland, baureifes Land, erschlossenes Gelände; **public** ~ Almende, Gemeindeland; **third-party** ~ *(balance sheet)* fremde Liegenschaften; **undeveloped** ~ unerschlossenes Gelände;

~ **and buildings** *(balance sheet)* Grundstücke und Gebäude, unbebaute und bebaute Grundstücke; ~, **buildings, plant and machinery** *(balance sheet, Br.)* Sachanlagen; ~**s, tenements and hereditaments** Liegenschaftsrechte aller Art.

~ *(v.)* *(discharge)* [Waren] ausladen, löschen, *(go ashore)* landen, anlegen, an Land gehen, *(of ship)* anlegen;

~ **in a strange city without money** in einer fremden Stadt ohne Geld festsitzen; ~ **an airliner safely** sichere Flugzeuglandung durchführen; ~ **goods** Güter löschen; ~ **a job** Stellung finden;

to acquire ~ **in advance of development** Vorratsgelände erwerben; **to buy** ~ **on a large scale** Grundstücksareale aufkaufen; to charge one's ~ sein Grundstück belasten; **to make** ~ *(ship)* Land anlaufen (sichten); **to own acres of** ~ Grundbesitzer sein; **to reclaim** ~ Neuland gewinnen; **to work on the** ~ Landarbeiter sein;

~ **acquisition** Grunstückserwerb; ~ **agency** Immobilien-, Maklerbüro, Grundstücksmakler; ~ **agent** Grundstücks-, Gütermakler, *(steward, Br.)* Gutsverwalter; ~ **assembly** Parzellenvereinigung; ~ **bank** Hypotheken-, Grundkreditbank; ~ **boom** Baulandkonjunktur; ~**-borne trade** Binnenhandel; ~ **broker** *(Br.)* Grundstücks-, Immobilienmakler; ~ **carrier** Transportunternehmer, Fernspediteur; ~ **certificate** *(Br.)* Grundbuchauszug; ~ **charge** *(Br.)* Grundstücksbelastung; **registered** ~ **charge** *(Br.)* Buchgrundschuld; **unregistered** ~ **charge** *(Br.)* Briefgrundschuld; ~ **company** Terrain-, Grundstücksgesellschaft; ~ **consolidation** Flurbereinigung; ~ **credit company** Bodenkreditanstalt; ~ **deal** Grundstücksgeschäft; ~ **developer** Grundstückserschließungsgesellschaft; ~ **development** Erschließung von Baugelände; **undeveloped** ~ **duty** *(Br.)* Bauland-, Bauplatzsteuer; ~ **improvements** Grundstücksmeliorationen; ~ **jobber** Güter-, Immobilien-, Grundstücksmakler, -spekulant; ~ **nationalization** Verstaatlichung von Grund und Boden; ~ **office** *(US)* Grundbuchamt; ~**-office business** *(fam., US)* flottgehendes Geschäft, Bombengeschäft; ~ **price** Grundstückspreis; ~ **purchase** Grundstückskauf; **compulsory** ~ **purchase** Zwangsenteignung; ~ **reclamation** Landgewinnung, Urbarmachung; ~ **reform** Bodenreform; ~ **register** *(Br.)* Grundbuch; ~ **registration** Grundbucheintragung; ~ **revenue** Grundstückseinkünfte; ~ **speculation** Grundstücksspekulation; ~ **surveyor** Vermessungsbeamter, Landmesser; ~ **tax** Grundsteuer; ~ **tribunal** Enteignungsausschuß; ~ **use** Grundstücksnutzung, Erbbaurecht; ~ **valuation** Grundstücksbewertung; ~ **value** Grundstücks-, Bodenwert; ~ **value tax** Wertzuwachssteuer für Grundstükke; ~ **waiter** Zollinspektor [im Küstenverkehr].

landed begütert, *(discharged)* gelöscht;

~ **aristocracy** Großgrundbesitzer, Junker; ~ **estate** Landbesitz, Ländereien; ~ **price** Preis frei Bestimmungshafen; ~ **property** Grundbesitz; ~ **terms** Verkaufspreis einschließlich Fracht- und Entladungskosten, franko Löschung.

landholding Land-, Grundbesitz.

landing Landung, Landen, *(discharge)* Löschung [einer Ladung], Ausschiffung, *(platform)* Perron, Bahnsteig;

balked ~ *(US)* Fehllandung; **emergency (forced)** ~ Notlandung; **faulty** ~ Fehllandung; **instrument** ~ Blindlandung; **safe** ~ glatte Landung;

~ **account** Landungsschein; ~ **bill** *(ship)* Landungsrolle; ~ **certificate** Löschungsschein; ~ **charges** Löschungskosten; ~ **clearance** *(aircraft)* Landegenehmigung; ~ **conditions** Landebedingungen; ~ **fee** Landegebühr; ~ **field** Landeplatz, Rollfeld; ~ **notice** Frachteingangsbenachrichtigung; ~ **order** *(Br.)* Zollpassierschein; ~ **permit** Löscherlaubnis; ~ **place (platform)** Anlegestelle, Landeplatz; ~ **rates** Löschungskosten; ~ **restrictions** Landeverbot; ~ **stage** Güterlandeplatz, schwimmende Landungsbrücke; ~ **surveyor** Oberzollaufseher; ~ **waiter** Zollbeamter.

landlord *(innkeeper)* Gastwirt, *(landowner)* Gutsherr, *(lessor)* Mietherr, Vermieter, Hauswirt;

to be heavily balanced in the ~**'s favo(u)r** *(law court)* sehr vermieterfreundlich sein;

~**'s warrant** Vermieterpfandrecht.

landowner Grund-, Land-, Gutsbesitzer, Grundeigentümer.

lane Fahrbahn, *(airplane)* Flugschneise, *(ship)* Fahrtroute, festgelegter Kurs;

deceleration ~ Fahrbahn für Langsamfahrzeuge; **filter** ~ Spur für Linksabbieger;

~ **marking** Fahrbahnmarkierung; ~ **route** Schiffahrtsroute; ~ **straddling** vorschriftswidriger Fahrbahnwechsel.

language Rede, Redeweise, Sprache, Terminologie;
commercial ~ Handelssprache;
~ **department** *(foreign office)* Sprachendienst; ~ **laboratory** Sprachlabor; ~ **training** Fremdsprachenausbildung.

languid interesselos, *(market)* flau, matt, schleppend, lustlos.

languish *(v.) (business)* darniederliegen, stocken.

languishing trade darniederliegender Handel.

lapse *(decay)* Verfall, *(law)* Heim-, Verfall, Erlöschen;
~ *(v.) (become void)* verfallen, erlöschen, außer Kraft treten, unwirksam werden.

lapsed | **policy** ungültige (verfallene) Versicherungspolice; ~**-policy book** Versicherungsablaufregister.

lapsing schedule Kostenverteilungsschema.

large | **-area economy** Großraumwirtschaft; ~ **bond** *(Br.)* Schuldverschreibung mit Nennwert über 1 000 $; ~ **customer** Großabnehmer; ~ **establishment** Großbetrieb; ~ **farmer** Großbauer; ~ **fortune** großes Vermögen; ~ **income** hohes Einkommen; **to incur** ~ **losses** große Verluste erleiden; ~**-lot production** Massenerzeugung; ~**-lot trader** *(stock exchange)* Pakethändler; ~ **merchant** Großhändler; ~ **producer** Serienfabrikant;
to buy and sell on a ~ **scale** Großunternehmen haben; **to open a business on a** ~ **scale** Geschäft großzügig aufziehen.

large-scale großangelegt, umfangreich, ausgedehnt;
~ **advertiser** Unternehmen mit umfangreichem Werbeprogramm; ~ **business (enterprise)** Großbetrieb, -unternehmen; ~ **industrial concern** großindustrielles Unternehmen, Großkonzern; ~ **consumer** Großverbraucher; ~ **consumer advertising** breitgestreute Verbraucherwerbung; ~ **industry** Großindustrie, -betrieb; ~ **manufacture** Massenherstellung; ~ **map** Karte in großem Maßstab; ~ **operations** Großeinsatz; ~ **production** Serienproduktion; ~ **retailing** Massenfilialbetrieb; ~ **test** Großversuch; **to trade in a** ~ **way** Großbetrieb haben; **to take a** ~ **share in the management** an der Geschäftsführung entscheidend beteiligt sein; ~ **size** Großformat; ~ **-sized** im Großformat, großformatig; ~**-space ads** großflächige Anzeichen; ~ **user** Großverbraucher, -abnehmer; **to be in a** ~ **way of business** bedeutendes Geschäft haben; ~ **views** weitherzige Ansichten.

last | **bid** letztes Gebot; ~ **column** Schlußspalte; ~ **consumer** Endverbraucher; ~**-day business** Ultimogeschäft; ~**-day money** Ultimogeld; ~**-in, first-out** *(inventory taking)* Zuerstentnahme der neueren Vorräte und Bilanzierung zum jeweiligen Buchwert; ~**-in, firstout basis** Entlassungsverfahren nach der Anziennität; ~ **quotation** Schlußnotierung.

late | **bag** *(Br.)* Briefkasten mit Spätleerung; ~ **delivery** Spätzustellung; ~ **fee** *(Br.)* Extraporto für spät aufgelieferte Briefe, Späteinlieferungsgebühr; ~ **night final** Nachtausgabe.

latent | **defects** verborgene Mängel; ~ **disagreement** versteckter Dissens; ~ **reserve** stille Reserve.

lateral | **combination** vertikaler Konzern; ~ **line** *(railway)* Nebenlinie.

latest | **creation** Modeschöpfung; ~ **date** Schlußtermin; **the very** ~ **improvements** allerletzte Verbesserungen.

launch *(airplane)* Abschuß, Katapultstart, *(launching)* Stapellauf;
~ *(v.) (airplane)* katapultieren; ~ **s. o.** j. lancieren;
~ **an advertising campaign** Werbefeldzug starten; ~ **an appeal** Sammelaktion starten; ~ **a corporation on an acquisition drive** mit einem Unternehmen in großzügiger Weise Beteiligungen erwerben; ~ **a young man into business** jungen Mann [geschäftlich] unterbringen; ~ **a new enterprise** neues Geschäft (Unternehmen) gründen; ~ **a loan** Anleihe auflegen; ~ **s. th. on the market** etw. auf den Markt bringen, *(advertising)* großangelegte Einführungsreklame aufziehen; ~ **out into expenses** sich in Unkosten stürzen; ~ **a new product** neues Erzeugnis herausbringen;
~ **advertising** *(US)* Einführungsanzeige, -werbung.

launching cost Anlaufkosten.

lavish | **with one's money** sehr freigebig mit seinem Geld;
~ **expenditure** zügellose Ausgabenwirtschaft.

law Recht, *(enactment)* Gesetz, Statut, Edikt, *(jurisprudence)* Rechtswissenschaft, -gelehrsamkeit, *(legal procedure)* [gerichtliches] Verfahren, Prozeß;
when the ~ **comes into effect** bei Inkrafttreten des Gesetzes;
antitrust ~ Kartellgesetz; **banking** ~ Bankrecht; **bankrupt (bankruptcy)** ~ Konkursrecht; **business** ~ Handelsrecht; **commercial** ~ Handelsrecht; **contract** ~ Schuldrecht; **established** ~ geltendes Recht; **industrial** ~ *(Br.)* Arbeitsrecht; **insurance** ~ Versicherungsrecht; **maritime** ~ See[handels]recht; **mercantile (merchant)** ~ Handelsrecht; **revenue** ~ Steuerrecht; **shipping** ~ Schiffahrtsrecht; **trademark** ~ Warenzeichenrecht;
~ **on bills of exchange** Wechselrecht; ~ **of business association** Gesellschaftsrecht; ~ **of contracts** Schuldrecht, Recht der Schuldverhältnisse; ~ **of diminishing return** Gesetz vom abnehmenden Bodenertrag; ~ **of exchange**

Wechselrecht; ~ **of insurance** Versicherungsrecht; ~ **of property** Sachenrecht; ~ **of supply and demand** Gesetz von Angebot und Nachfrage; ~ **of torts** Recht der unerlaubten Handlungen;
to be good in ~ rechtlich zulässig sein; **to become** ~ in Kraft treten; **to come under the (within the provisions of a)** ~ in den Anwendungsbereich eines Gesetzes (unter ein Gesetz) fallen;
~ **blank** Urkundenformular; ~ **business** Rechtsangelegenheit; ~ **costs** Gerichts-, Verfahrenskosten, Kosten der Rechtsverfolgung.

lawful rechtmäßig, rechtsgültig, gesetzlich, zulässig, *(document)* gültig;
~ **damages** gesetzlich anerkannter Schadensanspruch; ~ **day** Werktag; ~ **discharge** Entlastung des Gemeinschuldners; ~ **goods** *(US)* zum Export freigegebene Waren; ~ **owner** rechtmäßiger Eigentümer; ~ **trade** erlaubter Handel.

lawsuit [Zivil]prozeß, Klage, Rechtsstreit;
to carry on a ~ prozessieren, Prozeß führen.

lawyer, businessman's Wirtschaftsanwalt; **conveyancing** ~ Fachanwalt für Grundstückssachen; **insurance** ~ Versicherungsanwalt;
to retain (engage the services of) a ~ sich einen Anwalt nehmen.

lay *(sl., job)* Betätigungsfeld, Beschäftigung, Branche, Job, *(terms of sale, US)* Verkaufsbedingungen, *(wages)* Anstellung mit Gewinnbeteiligung, Beteiligungslohn;
at a good ~ *(US)* zu günstigen Bedingungen;
~ *(v.)* **damages** Entschädigung festsetzen; ~ **heavy taxes on tobacco** Tabak hoch besteuern; ~ **a wager** Wetteinsatz vornehmen.

lay aside money for one's old age für sein Alter sparen.

lay down *(office)* niederlegen, *(save up)* zurücklegen, *(ship)* auf Stapel legen;
~ **plans for the holiday** Ferienpläne machen; ~ **prices** Preise festsetzen; ~ **a railway** Eisenbahnlinie bauen; ~ **a ship** Schiff auf Kiel legen; ~ **a time limit** Frist setzen; ~ **tools** streiken, in den Streik treten.

lay in sich eindecken mit, anschaffen, Vorräte anlegen;
~ **goods** Waren einlagern (auf Lager nehmen); ~ **provisions** Vorräte anlegen; ~ **a good stock of books** sich gut mit Büchern eindecken; ~ **stocks pretty heavily** sich kräftig eindecken, erhebliche Lagerankäufe tätigen.

lay off beiseite legen;
~ **at short notice** kurzfristig entlassen; ~ **a risk** Rückversicherung abschließen; ~ **workmen during a business depression** in der Depression Arbeiter vorübergehend entlassen.

lay on *(tax)* auferlegen;
~ **duties on import** Einfuhrzoll erheben; ~ **the shelf** zu den Akten legen.

lay out *(display)* auslegen, zur Schau stellen, *(spend)* ausgeben, -legen;
~ **one's money carefully** sein Geld sorgfältig anlegen.

lay over *(break journey, US)* Reise unterbrechen.

lay up *(ship)* aus der Fahrt ziehen, *(store)* [Vorräte] zurücklegen, ansammeln, sparen;
~ **money** Geld zurücklegen; ~ **a ship for repairs** Schiff in Reparatur nehmen.

lay a tax upon land Grundsteuern erheben.

lay | -away *(US)* zurückgelegte Ware; ~ **-by** *(road)* Ausweichstelle; ~ **days** Liegezeit, Liegetage, Löschzeit.

laying | down of a ship Kiellegung eines Schiffes; ~ **-in of provisions** Vorratsanlage, -sammlung; ~**-off of personnel** [vorübergehender] Personalabbau; ~ **out** Auslage; ~ **out of money** Geldausgabe, Ausleihen von Geld; ~ **up** Überliegezeit;
~ **days** Lösch-, Ladezeit, Liegetage.

layoff [vorübergehender] Personalabbau, *(strike)* Arbeitseinstellung;
massive~**s** Massenentlassungen;
~ **benefit** Entlassungsentschädigung.

layout Plan, Anordung, Anlage, *(advertisement)* Aufriß, Layout, Ideen-, *(display of goods)* Ausgestaltung des Verkaufsraums, Aufmachung, *(division of sales areas)* Aufschlüsselung von Verkaufsgebieten, *(working regulation)* Arbeitsschema, -anweisungen;
workplace ~ Arbeitsplatzgestaltung;
~ **of the equipment** Lageplan; ~ **of a letter** Briefanordnung; **practical** ~ **of a workshop** zweckmäßige Einrichtung einer Werkstatt;
~ **man** Entwurfsgraphiker.

layouter Entwurfsgraphiker.

layover Fahrtunterbrechung.

lead führende Rolle, Führung, Leitung, *(insurance company)* Einführung, *(for pencil)* Mine, *(seal)* Plombe;
~**s and lags in trade** Schwankungen im Handelsverkehr;
~ *(v.)* leiten, leitende Stellung einnehmen, führen, an der Spitze stehen; ~ **all competitors** gesamte Konkurrenz übertreffen; ~ **a miserable existence** kümmerliches Dasein führen; ~ **the fashion** Mode machen;
to seal with ~ plombieren, versiegeln; **to swing the** ~ *(sl.)* krankfeiern;
~ **-in** *(advertising)* Anfang (suggestiver Beginn) einer Anzeige, *(broadcasting)* Ansage; ~ **seal** Zollplombe, -siegel.

leader Leiter, Führer, *(advertisement)* Blickführungslinie, *(article of trade)* Zug-, Anreiz-, Lockartikel; ~**s** führende Persönlichkeiten;
industrial ~ Wirtschaftsführer; **loss** ~ Lockartikel;
~ **of a cartel** Kartellvorreiter; **traditional** ~**s on prices** seit je führende Werte;
to become the ~ **in establishing pricing policies** Preisführerschaft übernehmen.

leading führend, leitend, maßgebend, entscheidend, tonangebend;
~ **agent of a firm** Hauptrepräsentant einer Firma; ~ **article** Zugartikel; ~ **bank** Konsortialführerin; ~ **business** Hauptbeschäftigung; ~ **executive** leitender Angestellter; ~ **fashion** herrschende Mode; ~ **fashion house** führender (erster) Modesalon; ~ **figures in finance, industry and trade** führende Persönlichkeiten des Finanz- und Wirtschaftslebens; ~ **firm** führendes Haus; ~ **hand** Geschäftsführer; ~ **price** Richtpreis; ~ **share** Spitzenwert; ~ **shareholder** Hauptaktionär; ~ **story** *(advertisement)* Spitze, *(broadcasting)* wichtigste Nachricht, Hauptnachricht; ~ **underwriter** Erstversicherer.

leaflet Zettel, Flug-, Werbeblatt, Flugschrift, -zettel, kleiner Prospekt, Broschüre.

leakage Leckage, Leckwerden, Verlust, Schwund, Abnahme, *(allowance for ~)* Schwundvergütung, *(of capital)* Kapitalverlust.

lean *(soil)* unfruchtbar;
~ *(v.)* **on others for support** auf fremde Hilfe bauen;
~ **years** magere Jahre.

leap, by ~s sprungweise, sprunghaft;
~ *(v.)* **at an offer** sich auf ein Angebot stürzen;
to rise by ~ s and bounds *(prices)* sprunghaft ansteigen.

leapfrogging bargaining Tarifverhandlungsmethode mit überschlagendem Einsatz.

lease Verpachtung, Pacht, Miete, *(contract)* Pacht-, Mietvertrag, -verhältnis, *(period)* Pacht-, Mietzins, Pachtdauer;
on ~ mietweise, zur Miete; **on expiration of the ~** nach Ablauf des Miet-, Pachtvertrages;
building ~ Erbpacht, -baurecht; **commercial ~** Mietvertrag für gewerblich genutzte Räume; **equipment ~** Maschinenpachtmiete; **financial ~** Maschinenpachtvertrag ohne Wartung; **homestead ~** *(US)* auf 28 Jahre vergebene Pacht, Erbpacht; **master ~** Hauptmietvertrag; **ninety-nine years' building ~** 99jähriges Erbbaurecht; **service ~** *(US)* Maschinenpacht- und -wartungsvertrag;
~ **of assets** Anlagenpachtung; ~ **of land** Grundstückspacht;
~ *(v.)* **[out]** [ver]pachten, [ver]mieten;
~ **the advertisement business** Anzeigenteil pachten; ~ **business property** Geschäftsgrundstück vermieten;
to cancel the ~ Pacht aufheben; **to draw up a ~** Pachtvertrag aufsetzen; **to enter into a ~** Pacht-, (Miet)verhältnis abschließen; **to let on (put out to) ~** verpachten, vermieten, in Pacht geben; **to renew the ~ of a house** Mietvertrag eines Hauses erneuern; **to sign a ~** Mietvertrag abschließen;
~ **arrangement** Pachtvereinbarung; ~ **back** Rückkaufgarantie; ~ **expiration** Pachtablauf; **~-lend** *(US)* Pacht- und Leihvertrag; ~ **period** Miet-, Pachtzeit, -dauer; ~ **printed form** Pachtvertragsformular; ~ **renewal** Miet-, Pachtverlängerung; ~ **store** Mietspeicher; ~ **value** Pachtwert.

leased vermietet, verpachtet;
to be ~ for long terms in Erbpacht vergeben sein;
~ **car** *(US)* Mietauto, -wagen, Leihwagen;
~ **property** Mietgegenstand.

leasehold Pacht[besitz], Pachtgrundstück, Pachtung, Zeitpacht;
life ~ Pachtung auf Lebenszeit; **long-term ~** Erbpacht;
~ **area** Pachtgebiet; ~ **building** Erbpachtgebäude, Mietshaus, Zinshaus; ~ **deed** Pachtvertrag; ~ **improvements** Werterhöhungen während der Pachtzeit; ~ **land and building** *(balance sheet, Br.)* Pachtbesitz; ~ **property** gepachteter Grundbesitz.

leaseholder Pächter.

leasemonger Pachtmakler, Mietbüro.

leasing [Ver]pachten, Pacht[ung], Mieten, *(letting out)* Vermieten, Vermietung;
equipment ~ Vermietung der Ausrüstung; **fleet ~** Vermietung ganzer Fahrzeugparks; **maintenance ~** Wartungsmiete; **plant ~** Vermietung ganzer Betriebsanlagen;
~ **company** Leasinggesellschaft.

leave *(of absence, US)* Urlaub, Ferien;
on temporary ~ zeitweilig beurlaubt;
additional ~ Nachurlaub; **full-pay ~** vollbezahlter Urlaub; **sick ~** Krankheits-, Genesungsurlaub; **study ~** Bildungsurlaub;
~ **of absence** genehmigter Urlaub; ~ **to land** Landeerlaubnis;
~ *(v.)* lassen, *(bequeath)* hinterlassen, vermachen, vererben, *(job)* Stellung aufgeben, gehen, *(ship)* auslaufen, *(train)* gehen, abfahren;
~ **one's address** Adresse hinterlassen; ~ **the army for the law** vom Heer zum Anwaltsberuf überwechseln; ~ **a balance of $ 1 000 to your debit** Saldo von $ 1 000 zu Ihren Lasten aufweisen; ~ **one's bag in the cloakroom** seinen Koffer zur Gepäckaufbewahrung geben; ~ **blank** unausgefüllt lassen; ~ **in bond** unter Zollverschluß lassen; ~ **the chair** Sitzung aufheben; ~ **harbo(u)r** auslaufen; ~ **one's money to s. o.** jem. sein Geld vermachen; ~ **all one's money to charity** sein Vermögen für wohltätige Zwecke bestimmen; ~ **nothing but debts** nichts als Schulden hinterlassen; ~ **off work** Arbeit einstellen; ~ **a profit** Gewinn abwerfen; ~ **one's situation** seine Stellung aufgeben; ~ **unpaid** unbezahlt lassen; ~ **at one's own volition** von sich aus kündigen.

leave off | flat *(stock exchange)* flau schließen; ~ **s. o. well off** j. in guten Verhältnissen zurücklassen.

leaving Abgang, Ausgang, *(ship)* Ausreise;
~ **certificate** *(Br.)* Abgangszeugnis; ~ **examination** Abgangsprüfung; ~ **shop** *(sl.)* Trödler.

ledger Hauptbuch, *(register)* Register;
accounts-payable ~ Kontokorrentbuch für Kreditoren; **accounts-receivable** ~ Kontokorrentbuch für Debitoren; **branch** ~ Hauptbuch einer Filiale, Filialbuchführung; **building** ~ Gebäudekonto; **creditors'** ~ Gläubigerbuch, Kreditorenbuch; **customers'** ~ Kundenkonto, Debitorenbuch; **daily mail** ~ Brieftagebuch; **expense** ~ Unkostenkonto; **factory** ~ Betriebshauptbuch; **general** ~ Hauptbuch [mit sämtlichen Hauptbuchkonten]; **goods-bought** ~ Wareneinkaufsbuch; **goods-sold**~Warenverkaufsbuch; **loose-leaf** ~ [Hauptbuch in] Loseblattbuchführung; **payroll** ~ Lohn-, Gehaltsliste; **plant** ~ Betriebshauptbuch; **plant and equipment** ~ Betriebs- und Ausstattungshauptbuch; **private** ~ Privatkonto-, Geheimbuch; **purchase** ~ Kreditorenbuch; **securities** ~ Effektenbuch; **shareholders'** ~ Aktienbuch; **stockholders'** ~ *(US)* Aktienbuch; **stores** ~ Lagerhauptbuch; **subscribers'** ~ Zeichnungsliste; **subsidiary** ~ Hilfskontobuch, Nebenbuch;
to balance the ~ Hauptbuch saldieren; **to enter into the** ~ in das Hauptbuch eintragen; **to keep the** ~ das Hauptbuch führen; **to post an item in the** ~ Posten ins Hauptbuch eintragen; **to post up the** ~ Hauptbuch vollständig nachtragen;
~ **abstract** Hauptbuchauszug; ~ **account** Hauptbuchkonto; ~ **asset** *(insurance accounting)* im Hauptbuch eingetragener Anlageposten; ~ **book** Hauptbuch; ~ **clerk** Buchhalter; ~ **control** Hauptbuchkontrolle; ~ **experience** Erfahrung in der Führung des Hauptbuchs; ~ **folio** Buchfolio; ~ **item** Hauptbuchposten; ~ **journal** Hauptbuch kombiniert mit dem Journal; ~ **keeper** Hauptbuchführer; ~ **-keeping staff** Personal der Hauptbuchhaltung; ~ **paper** gutes Schreibpapier; ~ **postings** Hauptbucheintragungen; ~ **report** Hauptbuchauszug; ~ **sheet** Kontoblatt; ~ **transfer** Umbuchung im Hauptbuch; ~**-type journal** amerikanisches Journal; ~ **work** Hauptbuchführung.

left | luggage *(Br.)* zur Aufbewahrung gegebenes Gepäck; ~ **-luggage office** *(Br.)* Handgepäckaufbewahrung; ~ **-luggage ticket** *(Br.)* Gepäckaufbewahrungsschein;

leg *(airplane)* Teilstrecke, *(journey)* Abschnitt, Teil, Etappe, *(railway)* Linie;
on one's ~**s** gut situiert;
to get s. o. on his ~**s** j. wieder flottmachen; **to set a business on its** ~**s** Sache auf die Beine bringen.

legacy Vermächtnis, Legat, testamentarische Zuwendung;
cumulative ~ Zusatzvermächtnis; **pecuniary** ~ Geldvermächtnis, -legat; **preferential** ~ Vorausvermächtnis;
to abate the amount of a ~ Vermächtnis kürzen;
~ **duty** *(Br.)* Vermächtnissteuer.

legal *(based on law)* gesetzlich, gesetzmäßig, *(lawful)* rechtmäßig, legal, *(valid)* [rechts]gültig, rechtskräftig;
to take ~ **advice** sich juristisch beraten lassen;
~ **capacity** Geschäftsfähigkeit; ~ **charges** gesetzliche Gebühren; ~ **coin** gesetzliches Zahlungsmittel; **to hire** ~ **counsel** *(US)* sich juristisch beraten lassen; ~ **custodian** gesetzliche Hinterlegungsstelle; ~ **debt margin** *(municipal accounting)* zugelassene Überverschuldung; ~ **disability** Geschäfts-, Rechtsunfähigkeit; ~ **fare** gesetzlich festgelegter Fahrpreis; ~ **investments** *(US)* mündelsichere Anlagepapiere; ~ **liability** Rechtsverpflichtung, *(public accountant)* gesetzliche Haftung des Betriebsprüfers; ~ **obligation to support** Unterhaltspflicht; ~ **quay** *(Br.)* Zollkai; ~ **rate of interest** gesetzlicher Zinsfuß; ~ **rescission** von den Parteien vereinbarte Vertragsaufhebung; ~ **reserve** *(banking)* gesetzliche Rücklage; ~ **residence** gesetzlicher Wohnsitz; ~ **security** *(US)* mündelsichere Anlage.

leisure Muße, frei verfügbare (freie) Zeit, Freizeit;
at ~ unbeschäftigt, [dienst]frei; **at one's** ~ in seiner Freizeit;
~ **business** Freizeitindustrie; ~ **hours** dienstfreie Zeit, Mußezeit, Muße-, Ruhestunden; ~ **industry** Freizeitindustrie; ~ **items** Freizeitartikel; ~ **products** Freizeiterzeugnisse; ~ **pursuit** Freizeitbeschäftigung; ~ **time** freie Zeit, Freizeit; **to organize one's** ~ **time** seine Freizeit gestalten; **to throw away one's** ~ **time** seine Freizeit vergeuden; ~ **-time activities** Freizeitgestaltung; ~**-time market** Freizeitmarkt; ~ **-time service** Freizeitdienstleistungen; ~ **wear** Freizeitkleidung.

leisured classes begüterte Klassen, wohlhabender Bevölkerungsteil.

leisurely gemächlich, ohne Hast;
~ **journey** Reise in Etappen.

lemon *(sl.)* Niete, Versager.

lend *(fam.)* Anleihe;
~ *(v.)* [ver]leihen, ausleihen, Darlehen geben;
~ **o. s. to s. th.** sich zu etw. hergeben;
~ **one's aid to s. th.** einer Sache Unterstützung gewähren; ~ **on bottomry** auf Bodmerei geben; ~ **on collateral** Lombardkredit gewähren; ~ **$ 2 500 on the documents** Dokumente mit 2 500 Dollar beleihen; ~ **an employee to s. o.** Angestellten zu jem. abstellen; ~ **s. o. a helping hand** jem. behilflich sein; ~ **o. s. to illusions** sich Illusionen hingeben; ~ **money on collateral** Effekten lombardieren; ~ **money on contango** Reportgeschäfte machen; ~ **money on goods** Waren lombardieren; ~ **money at interest** Geld auf Zinsen ausleihen; ~ **money free of interest** Kapital zinsfrei ausleihen; ~ **money on mortgage** Hypothekendarlehn geben; ~ **one's name to s. th.** seinen Namen zu etw. hergeben; ~ **out** ausleihen; ~ **against security** gegen Pfand (Si-

cherheit) leihen; ~ **one's soul to one's work** mit ganzer Seele bei der Arbeit sein; ~ **stock** Aktien ausleihen; ~ **money on stock** Aktien lombardieren; ~ **o. s. to a transaction** sich zu einer Sache hergeben.

lender Ausleiher, Verleiher, Anleihe-, Kredit-, Darlehnsgeber;
~ **on bottomry** Bodmereigeber; ~ **of capital** Geld-, Kapitalgeber.

lending Ver-, Ausleihen, Darlehnsgewährung;
international ~ internationaler Kreditverkehr;
~ **on collateral** Gewährung eines Lombardkredits;
~ **of money** Geldausleihung; ~ **out** Ausleihung;
~ **fee** Leihgebühr; ~ **institute** Geldinstitut; ~ **library** Leihbibliothek; ~ **operation** Darlehnsgeschäft; ~ **policy** Darlehns-, Kreditpolitik; ~ **power** Kreditpotential; ~ **rate** *(US)* Lombard-, Leihsatz; ~ **society** Vorschußverein.

lengthening of working hours Arbeitszeitverlängerung.

less-than-carload *(railroad, US)* Stückgut[sendung];
~ **delivery** Stückgutzustellung; ~ **freight charges** Stückguttarif; ~ **shipment** Stückgutsendung; ~ **traffic** Stückgutverkehr.

less-than-truckload *(US)* Stückgut[sendung];
~ **rate** Stückguttarif.

lessee Pächter, Mieter.

lessor Verpächter, Vermieter;
~ **company** verpachtende Gesellschaft; ~**'s lien** Vermieterpfandrecht.

let *(Br.)* Vermieten, Vermietung, Verpachtung;
~ *(v.) (lease)* vermieten, verpachten;
~ **for $ 4 000 a year** 4 000 Dollar im Jahr an Miete bringen; ~ **a farm to a tenant** Hof verpachten; ~ **a flat** *(Br.)* Wohnung vermieten; ~ **a firm down** Firma herunterwirtschaften; ~ **a house furnished** Haus möbliert vermieten; ~ **on an annual agricultural tenancy** jahrweise zur landwirtschaftlichen Nutzung verpachten.

let s. o. in on a good thing *(stock exchange)* j. an einem guten Geschäft beteiligen.

let off | **a flat** möblierte Wohnung vermieten; ~ **a property as a whole** Grundstück pauschal vermieten.

let out *(give out on contract)* vergeben, *(let on lease)* verpachten;
~ **s. th. on a contract** Auftrag vergeben; ~ **works and supplies** Arbeiten und Lieferungen vergeben.

let *(a.)* vermietet, verpachtet;
~**-alone principle** Grundsatz des freien Wettbewerbs (der freien Wirtschaft).

letdown in sales Absatz-, Umsatzrückgang.

letter *(character)* Buchstabe, *(one who lets)* Vermieter, Verpächter;
when looking through my ~s bei Durchsicht meiner Korrespondenz;
accompanying ~ Begleitschreiben; **business** ~ Geschäftsbrief; **cable** ~ Brieftelegramm; **caller's** ~ postlagernder Brief; **collection** ~ Inkassoschreiben; **commercial** ~ Geschäftsbrief; **day** ~ [Tages]brieftelegramm; **dead** ~ unbestellbarer Brief; ~ **exempt from postage** portofreier Brief; ~ *(Br.)* Eilbrief; **follow-up** ~ *(advertising)* nachfassender Werbebrief; **form** ~ Briefmuster; **misplaced** ~ Irrläufer; **night** ~ Brieftelegramm; **[post]-paid** ~ frankierter Brief; **recommendatory** ~ Empfehlungs-, Befürwortungs-, Einführungsschreiben; **registered** ~ eingeschriebener Brief, Einschreiben; **returned** ~ unbestellbarer Brief; **sea** ~ Schiffspaß; **short-paid** ~ ungenügend frankierter Brief; **unpaid** ~ unfrankierter Brief;
~ **of acceptance** Akzept, Annahmeerklärung; ~ **of acknowledgment** Bestätigungsbrief; ~ **of allotment** *(Br.)* Bezugsrechtsmitteilung, Zuteilungsanzeige; ~ **of application** Bewerbungsschreiben, *(for shares, Br.)* Zuteilungsantrag; ~ **of appointment** Bestallungsurkunde; ~ **of authority** Akkreditivermächtigung; ~ **s of business** *(Br.)* Gewerbelizenz; ~ **to be called for** postlagernder Brief; ~ **of charge** *(banking, Br.)* Zweckbestätigung; ~ **of consignment** Frachtbrief.

letter of credit Akkreditiv, Kreditbrief;
circular ~ Reisekreditbrief; **commercial** ~ *(US)* Warenkreditbrief, Rembourskredit; **confirmed** ~ bestätigtes Akkreditiv, bestätigter Kreditbrief; **direct** ~ an eine bestimmte Bank gerichteter Kreditbrief; **documentary** ~ Dokumentarakkreditiv; **export** ~ Exportkreditbrief; **import** ~ Importkreditbrief; **irrevocable** ~ unwiderrufliches Akkreditiv; **mutual** ~ Gegenakkreditiv; **open** ~ Inhaberkreditbrief; **revocable** ~ widerruflicher Kreditbrief; **revolving** ~ sich automatisch erneuerndes Akkreditiv; **sight** ~ Kreditbrief, bei dem die dagegen gezogenen Wechsel bei Sicht fällig sind; **straight** ~ Kreditbrief, dessen Gültigkeit sofort nach Finanzierung der darin spezifierten Waren erlischt; **traveller's** ~ Reisekreditbrief; **unconfirmed** ~ unbestätigtes Akkreditiv; ~ **not yet utilized** noch nicht ausgenutzter Kreditbrief.

letter | **of delegation** Ermächtigungsschreiben, Inkassovollmacht; ~ **of engagement** Anstellungsschreiben; ~ **of exchange** Wechsel, Tratte; ~ **of hypothecation** *(Br.)* Verpfändungsurkunde beim Warenrembours; ~ **of indemnity** *(Br.)* Ausfallbürgschaft, *(US)* Konnossementsgarantie; ~ **of indication** *(Br.)* **(identification)** beigefügte Unterschriftsprobe, Korrespondentenliste; ~ **of intent** Bereitschafts-, Absichtserklärung; ~ **of introduction** Einführungs-, Empfehlungsbrief; ~ **of licence** Fristverlängerung, *(bankruptcy proceedings)* Zustimmung der Gläubiger zur Geschäftsfortführung durch einen der ihren; ~ **of protection** Moratorium; ~

of recommendation Befürwortungsschreiben; ~ **of regret** Absage-, *(stock exchange, Br.)* Mitteilung über die Ablehnung einer Aktienzuteilung; ~ **of renunciation** *(Br.)* Verzichtschreiben [auf Aktienzuteilung]; ~ **of representation** *(balance sheet)* Vollständigkeitserklärung; ~ **of respite** Moratorium; ~**of trust** Kaufvertrag unter Eigentumsvorbehalt, Treuhandvereinbarung; ~ **of withdrawal** Kündigungsschreiben;
to collect (fetch) one's ~s from the post office seine Briefe von der Post abholen; **to date a ~ ahead** Brief vordatieren; **to draw up a ~** Brief aufsetzen; **to issue a ~ of credit** Kreditbrief ausstellen; **to let a ~ circulate** Brief umgehen (zirkulieren) lassen; **to open one's ~s** Post öffnen (aufmachen); **to send a ~ by hand** Brief durch Boten zustellen;
~ **bag** Briefbeutel, Postsack; ~ **book** Kopierbuch, Briefordner; ~**s-despatched book** *(Br.)* Briefausgangsbuch; **to drop into the ~ box** Brief einwerfen; ~ **card** *(Br.)* Briefkarte; ~**s column** Leserbriefspalte; ~ **cover** Briefumschlag; ~ **file** Briefordner, Schnellhefter; ~ **paper** Briefpapier; ~**-directing place** Briefleitstelle; ~ **punch** Locher; ~ **rate** Briefporto; ~**s-received book** *(Br.)* Briefeingangsbuch; ~ **telegram** Brieftelegramm.

letterhead Briefkopf, Schreibpapier mit eingedrucktem Briefkopf, *(business use)* Geschäftsbogen.

letting Verpachtung, Vermietung;
~ **of contracts** *(US)* Auftragsvergebung; ~ **of works and supplies** Auftragsvergabe.

letup in inflation nachlassende Inflation.

level Höhe, Niveau, *(rank)* Rang, Stand, Stellung, Ansehen;
at cabinet ~ auf Regierungsebene; **on middle-management ~** auf dem Gebiet der mittleren Führungskräfte;
bargain ~ niedrigster Preis (Kurs); **pre-war ~** Vorkriegsstand; **price ~** Preisniveau; **year-ago ~** Vorjahrsniveau;
general ~ of business allgemeine Wirtschaftslage; ~ **of earnings** Ertragsniveau; ~ **of employment** Beschäftigungsstand; ~ **of income** Einkommensniveau; ~ **of market demand** Marktsituation; ~ **of output** Produktionsgrad; ~ **of performance** Leistungsniveau; ~ **of prices** Preisstand, -niveau; ~ **of commodity prices at wholesale** Großhandelsindex; ~ **of productivity** Produktivitätsniveau, -stand; ~ **of relief** Unterstützungshöhe;
~ *(v.)* **down** *(wages)* Löhne herabsetzen; ~ **up prices** Preise hinaufschrauben;
to carry to higher price ~s zu Kurssteigerungen führen; **to maintain the same ~ of prices** Preise auf dem gleichen Niveau halten; **to remain below year-before ~s** hinter dem Vorjahresergebnis zurückbleiben;
~ **annuity** gleichbleibende Rente; ~**-premium system** Kapitaldeckungsverfahren.

levelling | down *(wages)* Herabsetzung; ~ **out of business fluctuations** Konjunkturausgleich; ~ **of premiums** *(insurance)* Bildung von Durchschnittsprämien.

leverage Disproportionalität, *(fig.)* Einfluß, Macht, Druckmittel, *(profit)* zum Umsatz disproportionale Tendenz;
~ **company** *(US)* auf mehreren Wegen finanzierter Investmentfonds; ~ **fund** Investmentfonds mit Leihkapital.

leveraged position disproportionale Gewinnsituation.

levy Eintreibung, *(collecting of tax)* [Steuer]erhebung, -abgabe, *(distraint)* Pfändung, Beschlagnahme, Zwangsvollstreckung, *(mil.)* Truppen-, Zwangsaushebung, Aufgebot, *(tax)* Umlage, Abgabe, Steuer;
capital ~ Vermögensabgabe; **yearly pension ~** Jahresbeitrag zum Pensionsfonds; **excess-profits ~** *(Br.)* Übergewinnsteuer;
~ **of costs** Kostenerhebung; ~ **in kind** Naturalabgabe; ~ **on real estate** Abgabe auf das Grundvermögen;
~ *(v.)* beschlagnahmen, pfänden, zwangsvollstrecken, *(tax, contribution)* erheben, eintreiben;
~ **a distress on** Pfändung vornehmen; ~ **customs duties** Zölle erheben; ~ **on s. one's estate (goods, property, an execution)** Zwangsvollstreckung gegen j. betreiben; ~ **a tax on dividend distribution** Kapitalertragssteuer erheben;
to make a ~ on capital Vermögenssteuer erheben.

lexicon of business Wirtschaftswörterbuch.

liabilities *(balance sheet)* Passiva, Passivmasse, *(in bankruptcy)* Schulden, Konkursmasse, *(obligations)* Verbindlichkeiten, Verpflichtungen, Schulden;
assets and ~ Aktiva und Passiva;
accrued ~ aufgelaufene [aber noch nicht fällige] Verpflichtungen; **business ~** Geschäftsschulden; **capital ~** Kapitalverschuldung; **contingent ~** *(balance sheet, Br.)* Rückstellung für zweifelhafte Schulden, Eventualverpflichtungen; **contingent ~ in respect of acceptances** Verpflichtungen aus geleisteten Akzepten; **current ~** *(balance sheet)* kurzfristige Verbindlichkeiten; **deferred ~** im voraus eingegangene [zunächst als Verbindlichkeiten behandelte] Einnahmen; **deposit ~** Verbindlichkeiten aus Depositenkonten; **direct ~** unbedingte und unbestrittene Verbindlichkeiten; **external ~** Auslandsverbindlichkeiten; **fictitious ~** fiktive Kreditoren; **fixed ~** gleichbleibende Verbindlichkeiten, *(long-term)* langfristige (feste) Verbindlichkeiten; **foreign ~** Auslandsverpflichtungen; ~ **incurred** eingegangene Verpflichtungen; **intercompany ~** Konzernverbindlichkeiten; **internal ~** Inlandsverbindlichkeiten; **legal ~** ge-

setzliche Verpflichtungen; **long-term** ~ langfristige Verbindlichkeiten; **maturing** ~ fällig werdende Verbindlichkeiten; **minimum** ~ Mindestverpflichtungen; **net** ~ Nettoverbindlichkeiten nach Abzug der liquiden Aktiven; **other** ~ *(balance sheet)* sonstige Verbindlichkeiten; **outstanding** ~ ausstehende Verbindlichkeiten; **quick** ~ kurzfristige Verbindlichkeiten; **reserve-carrying foreign** ~ mindestreservepflichtige Auslandsverbindlichkeiten; **secured** ~ gesicherte Verbindlichkeiten; **shareholders'** ~ Aktionärsverpflichtungen; **sight** ~ sofort fällige Verbindlichkeiten; **suspense** ~ transitorische Passiva; **total** ~ Gesamtverbindlichkeiten; **unrecorded** ~ nicht belegte Verbindlichkeiten; **unsecured** ~ ungesicherte Verbindlichkeiten;
~ **on account of acceptances** Akzeptverbindlichkeiten; ~ **on account of endorsements** Giroverbindlichkeiten; ~ **other than above** *(balance sheet)* sonstige Verbindlichkeiten; ~ **upon bills** Wechselverpflichtungen; ~ **of contract** vertragliche Verpflichtungen, Vertragsverpflichtungen; ~ **and shareholder's equity** Verbindlichkeiten und Eigenkapital; ~ **in foreign exchange** Devisenverpflichtungen; ~ **to an outsider** *(consolidated balance sheet)* Verpflichtungen gegenüber Dritten; ~ **due on presentation** Sichtverbindlichkeiten; ~ **of equal priority** gleichrangige Verbindlichkeiten; ~ **subject to reserve requirements** reservepflichtige Verbindlichkeiten;
to acknowledge ~ Schulden anerkennen; **to carry as** ~ *(balance sheet)* Passiva behandeln, passivieren; **to discharge one's** ~ seinen Verbindlichkeiten nachkommen; **to escape one's** ~ sich seinen Schulden entziehen; **to incur** ~ Verpflichtungen eingehen; **to involve** ~ Verpflichtungen nach sich ziehen; **to meet one's** ~ seinen Verbindlichkeiten nachkommen; **to wind up** ~ Verbindlichkeiten ordnen;
~ **adjustment** *(Br.)* Schuldnervergleich; ~ **adjustment order** *(Br.)* gerichtliche Vergleichsregelung.

liability *(bankrupt)* Schuldenmasse, *(debt)* Schuld, Obligo, *(obligation)* Verpflichtung, Verbindlichkeit, *(responsibility)* Haftung, Haftpflicht, -barkeit, Verantwortlichkeit, *(title of credit side)* Passivseite, -schuldposten;
free from (without) ~ ohne Obligo (Verbindlichkeit); **with denial of** ~ ohne Anerkennung einer Rechtspflicht;
absolute ~ unbeschränkte Haftpflicht, Gefährdungshaftung; **acceptance** ~ Akzeptverpflichtung; **capital** ~ Kapitalverpflichtung; **civil** ~ zivilrechtliche Schadenersatzverpflichtung; **collective** ~ Kollektivhaftung; **contingent** ~ bedingte Verpflichtung; **contractual** ~ vertragliche Haftung; **corporate** ~ Gesamthaftung; ~ **created by statute** gesetzliche Haftpflicht; **direct** ~ unmittelbare Haftpflicht; **employers'** ~ Unfallhaftpflicht der Arbeitgeber; **endorser's** ~ Giroverbindlichkeit, Wechselhaftung; existing ~ bestehende Verbindlichkeit; **fixed** ~ langfristige Verbindlichkeit; **floating** ~ laufende (kurzfristige) Verbindlichkeit; **funded** ~ langfristige Verbindlichkeit; **government** ~ Staatshaftung; **gross** ~ *(US)* Gesamtverbindlichkeit, -verpflichtung; **income-tax** ~ Einkommensteuerschuld; **individual** ~ persönliche Haftung; **joint** ~ gemeinsame (solidarische) Verbindlichkeit (Haftung), Gesamt-, Solidarhaftung; **joint and several** ~ gesamtschuldnerische Haftung; **legal** ~ gesetzliche Haftung (Haftpflicht), Rechtsverpflichtung; **limited** ~ beschränkte Haftung, Haftungsbeschränkung; **maximum** ~ Haftpflichthöchstgrenze; **minimum** ~ Haftpflichtmindestgrenze; **noncontractual** ~ außervertragliche Haftung; **occupier's** ~ Haftung des Grundstückseigentümers; **original** ~ ursprüngliches Schuldverhältnis; ~ **over** *(US)* Regreßpflicht; **personal** ~ persönliche Haftung; **preexisting** ~ bereits bestehende Verpflichtung; **primary** ~ unmittelbare Verpflichtung; **prorata** ~ anteilmäßige Haftung; **reserve** ~ *(life insurance)* Nachschußpflicht; **secondary** ~ Ausfallhaftung; **several** ~ persönliche Haftung; **single** ~ Einzelhaftpflicht; **state** ~ Staatshaftung; **statutory** ~ gesetzliche Haftpflicht; **strict** ~ unbedingte Haftung, Gefährdungshaftung; **tort** ~ Haftung aus unerlaubter Handlung; **unlimited** ~ unbeschränkte Haftung (Haftpflicht); **vicarious** ~ Haftung für den Erfüllungsgehilfen (fremdes Verschulden);
~ **to render account** Rechnungslegungspflicht; ~ **for animals** Tierhalterhaftung; ~ **on a bill** Wechselverpflichtung; ~ **to further call** Nachschußpflicht; ~ **of common carrier** Spediteurhaftung; ~ **of principal contract** Hauptverbindlichkeit; ~ **for damages** Schadensersatzpflicht; ~ **for contracted debts** Schuldenhaftung; ~ **to contribute** Beitragspflicht; ~ **for defects** Mängelhaftung; ~ **to diseases** Anfälligkeit für Krankheiten; ~ **to discover** Auskunftspflicht; ~ **for endorsement** Wechselhaftung; ~ **to explode** *(product)* Explosionsgefahr; ~ **attaching to the inheritance** Nachlaßverbindlichkeit; **legal** ~ **for injury** gesetzliche Schadensersatzpflicht; ~ **of innkeeper** Gastwirtshaftung; ~ **for maintenance** Unterhaltspflicht; ~ **of members** Mitgliederhaftung; ~ **for negligence of servants** Haftung für Fahrlässigkeit von Erfüllungsgehilfen; ~ **to pay** Zahlungsverpflichtung, -pflicht; ~ **to pay taxes** Steuerverpflichtung, -schuld; ~ **to penalty** Strafbarkeit; ~ **to recourse** Regreßpflicht, -haftung; ~ **to give additional security** Zuschußpflicht; ~ **of shipowners** Reederhaftung; ~ **to be sued** Passivlegitimation, Prozeßfähigkeit;
to absolve from ~ von der Haftung befreien; **to accept** ~ **for** Verantwortung übernehmen für;

to be exonerated from ~ von der Haftung befreit werden; **to carry limited** ~ **in a partnership** kommanditistisch beteiligt sein; **to contract a** ~ Haftung eingehen; **to decline a** ~ Verpflichtung ablehnen; **to discharge a** ~ Verpflichtung erfüllen, einer Verbindlichkeit nachkommen; **to free from a** ~ von der Haftpflicht befreien; **to negative** ~ Haftpflicht (Haftung) ausschließen; **to release s. o. from a** ~ j. von einer Verbindlichkeit (Haftpflicht) befreien; **to incur a** ~ Verpflichtung eingehen (übernehmen); **to meet one's** ~ seiner Verpflichtung (Verbindlichkeit) nachkommen;

Employers' ≗ **Act** Unfallhaftpflichtgesetz; ~ **certificate** Erklärung des Vorstands über dem Prüfer zur Verfügung gestellte Unterlagen, Vollständigkeitserklärung; ~ **claim** Schadensersatzforderung, -klage; **limited** ~ **company** Gesellschaft mit beschränkter Haftung (GmbH); ~ **coverage** Haftungsumfang; ~ **dividend** durch Ausgabe von Schuldverschreibungen gezahlte Dividende; ~ **insurance** Haftpflichtversicherung; **employers'** ~ **insurance** Unternehmerhaftpflichtversicherung; ~ **item** *(balance sheet)* Passiv-, Schuldposten; ~ **ledger** Wechselobligo, -konto; ~ **loss** Haftungsschaden; ~ **policy** Haftpflichtversicherungspolice, -vertrag; ~ **reserve** aufgelaufene [aber noch nicht fällige] Verbindlichkeiten; ~ **side** Passivseite; ~ **verification** Bewertung von Verbindlichkeiten.

liable *(answerable)* haftbar, haftpflichtig, *(obliged)* verpflichtet, verbunden, verantwortlich;

primarily ~ unmittelbar haftbar; **secondarily** ~ mittelbar haftpflichtig;

~ **to account** rechenschafts-, rechnungspflichtig; ~ **to contribution** beitragspflichtig; ~ **for (to pay) damages** entschädigungs-, schadenersatzpflichtig; ~ **to duty** abgabe-, zollpflichtig; ~ **to execution** der Zwangsvollstreckung unterliegend; ~ **to income tax** einkommensteuerpflichtig; ~ **to make good a loss** schadenersatzpflichtig; ~ **to pay taxes** steuer-, abgabenpflichtig; ~ **to recourse** regreßpflichtig; ~ **to make restitution** rückerstattungspflichtig; ~ **to stamp duty** stempelsteuerpflichtig; ~ **to taxation** steuerpflichtig;

to be ~ **jointly and severally** als Gesamtschuldner (gesamtschuldnerisch) haften; **to be** ~ **for a damage** schadenersatzpflichtig sein; **to be** ~ **for one's wife's debts** für die Schulden der Ehefrau aufkommen müssen; **to be** ~ **for the debt of the principal** für den Hauptschuldner haften; **to be** ~ **for expenses** für Unkosten aufzukommen haben; **to be** ~ **to the extent of one's property** mit seinem ganzen Vermögen haften; **to be** ~ **to income tax** der Einkommensteuer unterliegen; **to be** ~ **in law for the results of one's own negligence** für die Folgen seiner Fahrlässigkeit rechtlich haftbar sein; **to be** ~ **for the torts of one's agent** für unerlaubte Handlungen seines Vertreters haften; **to be vicariously** ~ für den Erfüllungsgehilfen haftbar sein.

liaison Zusammenarbeit, Kontakt, Verbindung;

~ **committee** Verbindungsausschuß; ~ **consultant** Kontakt, Verbindungsmann; ~ **mission** Verbindungsbüro.

libel, trade Anschwärzung der Konkurrenz.

liberal *(a.)* liberal, *(generous)* freigebig, *(gift)* großzügig, *(translation)* frei;

to be ~ **of money** in Geldangelegenheiten großzügig sein;

~ **giver to charity** großzügiger Spender; ~ **professions** freie Berufe; ~ **settlement** kulante Bedingungen; ~ **trade policy** liberale Handelspolitik.

liberalization of depreciation allowances liberalisierte Abschreibungspolitik.

liberalized capital account liberalisiertes Kapitalkonto.

liberation of capital Flüssigmachen von Kapital.

liberty, personal Freizügigkeit, Niederlassungsfreiheit;

~ **to come and go** Freizügigkeit, Niederlassungsfreiheit; ~ **of contract** Vertragsfreiheit; ~ **of the globe** *(marine insurance)* geographisch unbeschränkter Versicherungsschutz; ~ **of trade** Gewerbefreiheit;

~ **bonds** *(US)* Kriegsanleihe; ~ **loans** *(US)* Kriegsanleihen der USA.

library Bücherei, Bibliothek, *(film record)* Archiv;

free ~ Volksbibliothek, -bücherei; **lending** ~ Leihbibliothek, öffentliche Bibliothek; **public** ~ öffentliche Bibliothek, Stadtbücherei;

~ **ticket** Benutzerkarte.

licence, license *(US)* *(book)* Druckbewilligung, *(patent law)* Patentausnützung, *(motorcar)* Führerschein, *(permit)* Erlaubnis[schein], Genehmigung, Berechtigungsnachweis, *(sale)* Verkaufsrecht, *(trade)* Lizenz, Konzession, Gewerbeschein, -berechtigung, Zulassung;

subject to a ~ lizenzpflichtig;

building ~ Baugenehmigung; **business** ~ Geschäftserlaubnis, Gewerbekonzession; **driving** *(Br.)* **(driver's,** *US)* ~ Führerschein, Fahrerlaubnis; **excise** ~ *(Br.)* Schankkonzession; **export** ~ Exportlizenz; **hawker's** ~ Wandergewerbeschein; **justice's** ~ *(Br.)* Schankkonzession; **local taxation** ~ gebührenpflichtige Genehmigung; **off-**~ *(Br.)* Schankrecht über die Straße; **on-**~ *(Br.)* Schankrecht im eigenen Betrieb; ~ **outwards** Warenausfuhrgenehmigung; **pedlar's** ~ Hausiererlaubnis, Wandergewerbeschein; **professional** ~ Genehmigung zur Ausübung eines Berufes; **motor-vehicle** ~ Kraftfahrzeugzulassung; **trade** ~ Handelserlaubnis; **wireless** ~ Rundfunkgenehmigung;

~ **to manufacture** Herstellerlizenz; ~ **to sell** Verkaufserlaubnis, -genehmigung; ~ **to use** Benutzungsschein;

to apply for a ~ Konzession beantragen; **to build under** ~ lizenzmäßig herstellen; **to disqualify a** ~ Führerschein einziehen; **to exploit a** ~ Lizenz verwerten; **to grant a** ~ konzessionieren; **to revoke a** ~ Konzession (Lizenz) entziehen; **to show a** ~ Berechtigungsnachweis erbringen;
~ **arrangement** Lizenzabkommen; ~ **fee[s]** Genehmigungs-, Lizenzgebühr[en]; ~ **form** Bezugsschein; ~ **number** *(US)* polizeiliches Kennzeichen, Autonummer; **dealer's** ~ **number** rote Nummer [des Autoverkäufers]; ~ **tax** Lizenzgebühr.

licenced, licensed amtlich zugelassen, befugt, konzessioniert, privilegiert;
~ **construction** Lizenzbau; ~ **dealer** konzessionierter Verkaufsvertreter (Händler); ~ **firm** Lizenznehmer; ~ **pilot** zugelassener Pilot; ~ **premises** *(Br.)* konzessionierter Ausschank.

licencee, licensee *(US)* Lizenz-, Konzessionsinhaber, Lizenznehmer, -träger, *(patent law)* Patentberechtigter, *(publican)* Schankkonzessionär, *(servant)* vorübergehend Wohnberechtigter, *(US)* Führerscheininhaber.

licencing, licensing *(US)* [amtliche] Zulassung, Lizenz-, Konzessionserteilung;
cross ~ Lizenzaustausch;
~ **of motor vehicles** Kraftfahrzeugzulassung; ~ **of process** Lizenzierung von Herstellungsverfahren;
~ **agreement** Lizenzabkommen; ~ **income** Lizenzeinkünfte; ~ **procedure** Zulassungsverfahren; ~ **requirements** gewerbepolizeiliche Voraussetzungen; ~ **ties** Lizenzverpflichtungen.

license *(Br. and US) (v.) (business)* konzessionieren, Konzession (Lizenz) erteilen, lizensieren, [amtlich] genehmigen, behördliche Genehmigung erteilen, zulassen;
~ **s. o. to keep an inn** Gastwirtskonzession erteilen; ~ **a lawyer** Anwalt zulassen; ~ **a pilot** Pilotenprüfung abnehmen.

licenser, licensor *(US)* Lizenzgeber, Konzessionserteiler.

lid *(restraint, US)* Zügelung, Einschränkung;
to keep a ~ **on prices** gegen Preiserhöhungen scharf vorgehen.

lie *(v.)* **at the bank** *(money)* in der Bank sein, auf der Bank liegen; ~ **over** *(remain unpaid)* nicht zur Verfallszeit bezahlt werden; ~ **under an obligation** Verpflichtung haben; ~ **on the table** *(letter)* nicht offiziell zur Kenntnis genommen sein; ~ **up** von der Arbeit ausruhen, *(ship)* außer Dienst (Fahrt) sein, aufliegen.

lien Zurückhaltungs-, Pfandrecht;
artisan's ~ *(US)* gewerbliches Zurückbehaltungsrecht; **carrier's** ~ Frachtführerpfandrecht; **common-law** ~ gesetzliches Zurückbehaltungsrecht; **floating** ~ *(US)* Sicherungsrecht in wechselnder Höhe; **lessor's** ~ Vermieterpfandrecht; **maritime** ~ Seerückbehaltungsrecht; **material man's** ~ Zurückbehaltungsrecht aus Werklieferungsvertrag; **mechanic's** ~ *(US)* gewerbliches Zurückbehaltungsrecht; **warehouseman's** ~ Lagerhalterpfandrecht;
~ **of factor at common law** Zurückbehaltungsrecht des Kommissionärs;
to be secured by a ~ pfandrechtlich gesichert sein; **to enforce a** ~ Pfandrecht verwerten; **to waive a** ~ auf die Ausübung eines Pfandrechts verzichten;
~ **claimant** Pfändungsberechtigter; ~ **creditor** Pfandgläubiger, *(bankruptcy)* abgesicherter Gläubiger; ~ **letter** *(Br.)* Verpfändungs-, Pfandurkunde.

lienor Inhaber eines Zurückbehaltungsrechts.

life Leben, *(agreement)* Gültigkeits-, Geltungsdauer, Laufzeit, *(~ insurance)* Lebensversicherungspolice;
during the ~ **of the contract** während der Vertragsdauer; **for** ~ lebenslänglich, auf Lebenszeit (Lebensdauer);
good ~ *(life insurance business)* gesunder Versicherungsnehmer, Versicherter mit überdurchschnittlicher Lebenserwartung; **limited** ~ begrenzte Lebensdauer; **professional** ~ Berufsleben; **[sub]standard** ~ [unter] durchschnittliche Lebensdauer; **useful** ~ Nutzungsdauer; **working** ~ Arbeitsjahre; ~ **of a bond** Gültigkeitsdauer eines Wertpapiers; ~ **of a letter of credit** Laufzeit eines Akkreditivs; ~ **and soul of a company** Seele eines Unternehmens;
to hold an office (a post for) ~ auf Lebenszeit (lebenslänglich) angestellt sein; **to insure one's** ~ Lebensversicherung abschließen; **to retire from active** ~ in den Ruhestand treten;
~ **annuitant** Leibrentenempfänger; ~ **annuity** Lebens-, Leibrente.

life assurance *(Br.)* Lebensversicherung;
industrial ~ Volks-, Kleinlebensversicherung; **ordinary** ~ Großlebensversicherung; **straight** ~ Versicherung auf den Todesfall, Todesfallversicherung; **whole** ~ reine Todesfallversicherung;
~ **company** Lebensversicherungsgesellschaft; ~ **contract** Lebensversicherungsvertrag; ~ **policy** Lebensversicherungspolice; ~ **premium** Lebensversicherungsprämie.

life | beneficiary lebenslänglicher Nutznießer; ~ **company** Lebensversicherungsgesellschaft; ~ **contingency** *(insurance)* von der Lebensdauer abhängiges Risiko; **to create a** ~ **estate** Nießbrauch bestellen; ~ **expectancy** Lebenserwartung.

life insurance Lebensversicherung;
assessment ~ Lebensversicherung auf Gegenseitigkeit; **business** ~ Partner-, Teilhaberversicherung; **group** ~ Kollektivlebensversicherung; **industrial** ~ *(US)* Volks-, Kleinlebensversicherung; **limited-pay** ~ *(US)* Lebensversicherung mit abgekürzter Prämienzahlung; **ordinary** ~ *(US)* Lebensversicherung auf den Todesfall,

Großlebensversicherung; **salary reduction (savings)** ~ Lebensversicherung, bei der die Prämien vom Gehalt abgebucht werden; **straight** ~ Versicherung auf den Todesfall, Todesfallversicherung; **term** ~ Risikolebensversicherung; ~ **war risk included** Lebensversicherung mit Einschluß der Kriegsgefahr; **whole** ~ Versicherung auf den Todesfall; **wholesale** ~ globale Lebensversicherung;
~ **in force** Lebensversicherung mit laufender Beitragszahlung; ~ **with (without) profits** *(Br.)* Lebensversicherung mit (ohne) Gewinnbeteiligung;
to buy a ~ Lebensversicherung abschließen;
~ **agent** Lebensversicherungsvertreter; ~ **company** Lebensversicherungsgesellschaft; ~ **contract** Lebensversicherungsvertrag; ~ **coverage** Lebensversicherungsschutz; ~ **elements** Lebensversicherungscharakter; ~ **fund** Prämienreserve; ~ **holdings** Vermögensfonds einer Lebensversicherungsgesellschaft; ~ **office** Lebensversicherungsbüro; ~ **policy** Lebensversicherungspolice; **20-payment** ~ **policy** Lebensversicherungspolice mit auf 20 Jahre abgekürzte Laufzeit; ~ **premium** Lebensversicherungsprämie; ~ **protection** Lebensversicherungsschutz; **business** ~ **trust** Treuhandgesellschaft zur Verwaltung einer Teilhaberversicherung.

life | **interest** Leibrente, lebenslängliche Nutznießung; ~ **line** *(traffic)* Lebensader; ~ **office** Lebensversicherungsbüro; ~ **pensioner** Leibrentner; ~ **policy** Lebensversicherungspolice; ~ **subscription** einmaliger Beitrag auf Lebenszeit; ~ **table** Sterblichkeitstabelle, Sterbetafel; ~ **tenancy** lebenslänglicher Nießbrauch [an einem Grundstück]; ~ **underwriter** Lebensversicherer.

lifehold Nießbrauch.

lifeless *(stock exchange)* lustlos, matt, flau.

lift *(Br.)* Aufzug, *(advancement)* Beförderung, *(airlift)* Luftbrücke, *(contribution)* Beistand, Hilfe, Unterstützung, *(prices)* Steigen, Aufschwung, *(in car)* Mitfahrgelegenheit;
~ *(v.) (collect rents)* Mieten kassieren;
~ **control** *(trade)* Bewirtschaftungsmaßnahmen aufheben; ~ **restrictions on instal(l)ment buying** Beschränkungen auf dem Abzahlungsgebiet aufheben; ~ **the top** *(stock exchange, US)* Höchstkurs heraufsetzen;
to get a ~ mitgenommen werden; **to give s. o. a** ~ jem. im Auto mitnehmen;
~ **van** Möbeltransportbehälter.

light *(mar.)* Leuchtfeuer, -turm;
position (running, *US)* ~ *(airplane)* Positionslichter; **traffic** ~**s** Verkehrsampel;
~ *(a.)* leicht, von geringem [spezifischen] Gewicht, *(ship)* unbeladen, leer;
~ **beacon** Leuchtbake, -feuer; ~ **cargo** Leichtgut; ~ **coin** *(US)* untergewichtige Münze; ~ **displacement** Leertonnage; ~ **freight** Leichtgüter; ~ **-handed** [fast] ohne Gepäck, *(ship)* nicht voll bemannt; ~ **profits** mäßiger Gewinn; ~ **taxation** geringe Besteuerung; ~ **trading** schwacher [Börsen]umsatz.

lightening of taxation Steuererleichterungen.

lighterage *(price for unloading by lighters)* Löschungsgebühren, *(price for use of lighters)* Leichtergebühren, *(removal of cargo)* Löschung durch Leichter, Schutentransport.

lighthouse Leuchtturm.

lighting Beleuchtung[sanlage];
street ~ Straßenbeleuchtung;
~ **-up time** Einschaltzeit für Straßenbeleuchtung (Autoscheinwerfer).

lightning | **insurance** Versicherung gegen Blitzschlag; ~ **strike** Blitzstreik.

lightship Feuerschiff.

lightweight stationery dünnes Briefpapier.

liking | **for business** geschäftliches Interesse.

limit *(bounding line)* Grenze, *(duration of validity)* Gültigkeitsdauer, *(maximum amount)* Höchst-, Maximalbetrag, *(price)* Preisgrenze, Limit, *(rate)* festgesetzte Menge, Satz, *(restriction)* Begrenzung, Schranke;
within local ~**s** im lokalen Maßstab;
age ~ Altersgrenze; **cartage** ~ Zustell-, Lieferbezirk; **credit** ~ Kreditlinie; **fiduciary** ~ Höchstgrenze für ungedeckte Notenausgabe; **firm** ~ Festorder; **increased** ~ *(liability insurance)* erhöhte Versicherungssumme; **legal** ~ *(note issue)* Deckungsgrenze; **office** ~ *(insurance)* Deckungsgrenze, Höchstbetrag; **standard** ~ *(liability insurance)* normale Versicherungssumme; **three-mile** ~ Dreimeilengrenze, -zone;
~ **of authority** Vollmachtsbeschränkung; ~ **of credit** Beleihungsgrenze; ~ **of indemnity** Haftungsgrenze; ~**s of port** Hafenbereich; **basic** ~ **for property damage** versicherter Sachschadensgrundbetrag;
~ *(v.) (price)* limitieren, Limit vorschreiben, *(restrict)* beschränken;
to be bound to a ~ an ein Limit gebunden sein; **to exceed the** ~ *(broker)* Limit ([Preis]grenze) überschreiten; **to fix an extreme** ~ **for a budget** Etathöchstgrenze festsetzen; **to reach the** ~**s of one's resources** an der Grenze seiner Mittel ankommen;
~ **order** *(broker)* limitierter [Börsen]auftrag, limitierte Order, Limitauftrag.

limitation Be-, Einschränkung, Begrenzung, *(prescription)* Verjährung[sfrist], *(restrictive condition)* Begrenzung eines Besitzrechts, *(time assigned)* vorgeschriebene Frist;
statutory ~ gesetzliche Verjährungsfrist;
~ **of authority** Vollmachtsbeschränkung; ~ **of a claim** Anspruchsverjährung; ~ **of credit** Kreditrestriktion; ~ **of (on) dividends** Dividendenbeschränkung; ~ **of exports** Ausfuhrbeschränkung; ~ **of hours** Arbeitszeitbeschränkung; ~ **of the fiduciary issue** Kontingentierung

der Banknotenausgabe; ~ **of liability** Haftungsbeschränkung; ~**s upon production** Produktionsbeschränkungen;
~ **provisions** Verjährungsbestimmungen.

limited *(US)* Bus (Zug) mit beschränkter Platzzahl;
~ *(a.)* beschränkt, begrenzt, limitiert, *(company)* mit beschränkter Haftung, *(politics)* konstitutionell, *(railway)* mit beschränkter Platzzahl;
~ **by guaranty** mit beschränkter Nachschußpflicht; ~ **by shares** auf die Einlage beschränkt;
~ **audit** abgekürzte Prüfung; ~ **capacity** beschränktes Fassungsvermögen, *(legal capacity)* beschränkte Geschäftsfähigkeit; ~ **cheque** *(Br.)* limitierter Scheck; ~ **[liability] company (corporation,** *US)* Gesellschaft mit beschränkter Haftung (GmbH); ~ **condition** Marktenge; ~ **express** D-Zug mit Platzkartenzwang; ~ **function wholesaler** *(US)* beschränkt zugelassener Großhändler; ~ **guaranty** befristete Garantie; ~ **legal tender** beschränkt gültiges Zahlungsmittel; ~ **liability** beschränkte Haftung; ~ **life assets** Kapitalanlagegüter mit beschränkter Lebensdauer; ~ **mail** Bahnpost; ~ **market** nur beschränkt aufnahmefähiger Markt, beschränkte Absatzmöglichkeiten; ~ **means** begrenzte Mittel; ~ **order** Limit, limitierte [Börsen]order; ~ **partnership** Kommanditgesellschaft; ~ **payment insurance** Lebensversicherung mit abgekürzter Prämienzahlung; ~ **price** Kurslimit; ~**-price store** *(US)* Kleinpreisgeschäft; ~ **taxability** beschränkte Steuerpflicht; ~ **ticket** verbilligte Fahrkarte; ~ **train** Platzkartenzug.

linage *(advertising)* Anzeigenraum, Zeilenzahl.

linear increase of taxation lineare Steuererhöhung.

line *(agate line)* Anzeigenmaß, *(for an agent)* gegebener Auftrag, *(branch of business)* Branche, Geschäfts-, Gewerbezweig, Kategorie, *(class of goods)* Warengattung, -sortiment, Artikel, Sorte, Posten, Partie, *(insurance)* Versicherungshöchstgrenze, *(order for goods)* [Waren]auftrag, Bestellung, *(production)* Fertigungsserie, *(railway truck)* Fahr-, Eisenbahngleis, Schienenstrang, Geleise, *(sphere of business)* Fach, Arbeits-, Fachgebiet, Tätigkeitsfeld, Wirkungskreis, [Aufgaben]gebiet, *(stock of goods)* Partie, Posten, *(organized system of transport)* Verkehrsunternehmen, *(telecommunication)* Fernverbindung, *(tel.)* Leitung, Anschluß, *(traffic)* Verkehrs-, Omnibus-, Eisenbahnlinie, *(transportation company)* Eisenbahn-, Autobus-, Luftverkehrsgesellschaft;
above the ~ *(Br.)* zum ordentlichen Etat gehörig; **along commercial** ~**s** nach kommerziellen Gesichtspunkten; **below the** ~ *(balance sheet)* unter dem Strich; **in the food** ~ in der Lebensmittelbranche; **in** ~ **of his duty** *(US)* in Ausübung seines Dienstes;
agate ~ *(advertising)* Anzeigenmaß; **air** ~ Luftverkehrsgesellschaft; **assembly** ~ Fließband; **banking** ~ Bankfach; **base** ~ *(advertising)* Schlußaussage; **blank** ~ vorgedruckte Linie; **building** ~ Baugewerbe, -fach, *(law)* Fluchtlinie; **bus** ~ Omnibuslinie; **busy** ~ *(US)* besetzte [Telefon]leitung; **cheap** ~ preiswerte Ware; **competitive** ~ Konkurrenzerzeugnis; **continuous white** ~ *(traffic)* durchgezogene Trennungslinie; **direct exchange** ~ *(tel.)* Hauptanschluß; **your esteemed** ~**s** Ihr geschätztes Schreiben; **extension** ~ *(tel.)* Nebenanschluß; **feeder** ~ Zubringer; **gross** ~ *(insurance)* Höchstgrenze; **high-priced** ~ teures Erzeugnis; **industrial** ~ Betriebs-, Fabrikgleis; **leading** ~ Spezialität, Reklameartikel; **local** ~ Vorortzug; **net** ~ *(insurance)* Höchstgrenze des Selbstbehalts; **party** ~ *(tel., US)* gemeinsamer [Telefon]anschluß; **quality** ~ Qualitätserzeugnis; **run-of-the-mile** ~ einfaches Durchschnittserzeugnis; **shared** ~ *(tel.)* gemeinsamer Telefonanschluß; **shipping** ~ Schiffahrtslinie; **side** ~ Nebenartikel; **splitting-up** ~ Abstellgleis; **trunk** ~ *(railway, tel.)* Hauptlinie, Fernverbindung;
~ **of action** Handlungsweise, Vorgehen; ~ **of business** Geschäftszweig, Branche; ~ **of credit** Kreditgrenze, -linie, Höchstkredit; ~ **of industry** Industriezweig; ~ **of manufacture** Fabrikationszweig; ~ **of moving traffic** Fahrzeugkolonne; ~ **of product** [Waren]sortiment; ~ **of travel** Reiseroute;
to be in the banking ~ im Bankfach tätig sein; **to buy a** ~ **completely** sich einem Verfahrensmodus vollinhaltlich anschließen; **to change one's** ~ **of business** Geschäftszweck ändern; **to come off the** ~**s** Fließband verlassen; **to deal in a** ~ Artikel führen; **to establish a regular** ~ [Dampfer]verbindung einrichten; **to get into the** ~ **of traffic** sich in den Verkehr einordnen; **to go down the** ~ *(US)* gefeuert (hinausgeworfen) werden; **to hold the** ~ **on costs** Kostenniveau halten; **to hold the** ~ **on prices** Preise stabil halten; **to leave a** ~ **blank** Zeile leer lassen (aussparen); **to pursue a** ~ **of business** einem Geschäftszweig nachgehen; **to roll off the** ~ Fließband verlassen; **to sell its losing** ~ mit Verlust arbeitenden Fertigungsbetrieb verkaufen; **to take a hard** ~ feste Position beziehen; **to trace a flat** ~ *(stocks)* keinen Kursanstieg aufweisen; **to write a** ~ *(underwriter)* Teilrisiko übernehmen;
~ **advertising** Produktionswerbung; **one-**~ **business** Spezial-, Fachgeschäft; ~ **charge** *(tel.)* Grundgebühr; ~ **cost** Fernschreibmietgebühr; ~ **cut** *(US)* Strichklischee; ~ **executive** Produktionsleiter; **full** ~ **forcing** *(US)* Abnahmezwang für alle Produkte; ~**-haul rate** Streckensatz; ~ **manager** Fachgebietsleiter; ~ **organization** Geschäftsgliederung in Abteilungen; ~ **production** Produktion am laufenden Band; ~ **sale** *(advertising)* Werbeabschluß für eine bestimmte öffentliche Verkehrslinie; ~ **shutup** Fertigungsaufgabe.

liner Linienschiff, Übersee-, Passagierdampfer, *(airliner)* Linienflugzeug;
cargo ~ Linienfrachtschiff;
~ **freighting** Stückgutbefrachtung; ~ **service** Linienverkehr.

link *(v.)* **up** | **one's land** Grundstücksparzellen vereinigen; ~ **records** Akten zusammenheften.

link-up Konzerngruppe.

liquid flüssig, liquid, sofort realisierbar;
~ **assets** flüssige (verfügbare) Mittel, *(balance sheet, US)* Umlaufsvermögen; ~ **capital** liquide Mittel, Umlaufskapital; ~ **current assets** kurzfristige Forderungen; ~ **debt** sofort fällige Schuld; **to hold savings in ~ form** Ersparnisse liquide angelegt haben; ~ **investments** leicht realisierbare Kapitalanlagen, liquide Reserven der Wirtschaft; ~ **loan** Liquiditätskredit; ~ **position** Liquiditätsposition, -bilanz, Flüssigkeit [der Bilanz], *(banking)* Liquiditätsstatus; **to maintain a ~ position** ausreichende Liquidität unterhalten; ~ **ratio** *(bank)* Liquidität ersten Grades; ~ **reserve** *(banking business)* sofort realisierbare (liquide) Reserven, Mindest-, Liquiditätsreserven; ~ **securities** leicht absetzbare (sofort realisierbare) Papiere; ~ **strength** kurzfristig realisierbare Vermögenswerte, hoher Liquiditätsgrad.

liquidate *(v.)* *(account)* abrechnen, abwickeln, glattstellen, saldieren, *(customs, US)* Importabgaben endgültig festsetzen, *(debt)* bezahlen, begleichen, abtragen, tilgen, *(firm)* liquidieren, auflösen, *(v. i.)* in Liquidation gehen, *(get rid of)* liquidieren, töten;
~ **the assets of a bankrupt** Konkursmasse liquidieren; ~ **a company** Gesellschaft auflösen (liquidieren); ~ **a bankrupt's affairs** Konkurssache abwickeln; ~ **an inventory** *(US)* Lager abbauen; ~ **a loan** Kredit abwickeln; ~ **one's securities** seine Papiere realisieren; ~ **shares** Aktien flüssig machen; ~ **one's stock of goods** sein Lager abstoßen.

liquidated | **account** der Höhe nach feststehendes Konto; ~ **claim** festgestellter Anspruch; ~ **damages** festgesetzte Schadenssumme, Konventionalstrafe; ~ **debt** bezahlte Schuld; ~ **demand** festgestellte Forderung.

liquidating | **balance sheet** Liquidationsbilanz; ~ **distribution** Masseverteilung; ~ **dividend** Liquidationsrate, -anteil; ~ **market** *(US)* auf umfangreiche Glattstellungen hin schwacher Markt; ~ **office** Abwicklungsamt; ~ **partner** abwickelnder Geschäftsteilhaber; ~ **trust** Liquidationsmasse; ~ **value** Liquidationswert.

liquidation *(account)* Abrechnung, Abwicklung, *(company)* Liquidation, Liquidierung, Auflösung, *(debt)* Abtragung, Bezahlung, Tilgung, *(evening up)* Glattstellung, *(killing)* Liquidierung, Beseitigung, *(realization)* Flüssigmachen, Verkauf gegen bar;
in ~ in Liquidation;
adjudicated ~ Zwangsauflösung, -liquidation; **formal** ~ offizielle Liquidation; **inventory** ~ *(US)* Lagerabbau; **involuntary** ~ Zwangsliquidierung; **taxable** ~ Verteilung auf die Aktionäre; **voluntary** ~ freiwillige Liquidation;
~ **of an annuity** Rentenablösung; ~ **by arrangement** Liquidationsvergleich; ~ **of assets** Anlagenverkauf, -verwertung; ~ **of debts** Schuldentilgung; ~ **of a fund** Fondsauflösung; ~ **of inventories** Lagerabstoßung; ~ **of long positions** *(stock exchange)* Glattstellung von Hausse-Engagements; ~ **of property** Vermögensliquidation;
to come in for heavy ~s *(stock market)* umfangreichen Gewinnrealisationen (Glattstellungen) unterworfen sein; **to go into** ~ in Liquidation treten; **to sign in** ~ in Liquidation zeichnen;
~ **account** Liquidationskonto; ~ **damages** Liquidationsverlust; ~ **dividend** Schlußdividende; ~ **expense** Liquidationskosten; ~ **fund** Tilgungsfonds; ~ **office** Liquidationskasse; ~ **plan** Liquidationsvorschlag, -plan; **to ease ~ problems** Liquidation erleichtern; ~ **proceedings** Abwicklungs-, Liquidationsverfahren; ~ **sale** Liquidationsverkauf; ~ **value** Liquidationswert.

liquidator Liquidator, Abwickler, Masseverwalter, *(customs, US)* Taxator, Schätzer;
official ~ *(Br.)* gerichtlich bestellter Liquidator;
~ **of an estate** Konkursverwalter.

liquidatorship Abwickleramt, Amt des Liquidators.

liquidity [Geld]flüssigkeit, Liquidität;
bank ~ Bankenliquidität; **corporate** ~ Firmenliquidität, Liquidität einer Aktiengesellschaft; **newly created** ~ Liquiditätsausweitung; **excess** ~ Liquiditätsüberhang; **financial** ~ Barliquidität; **reduced** ~ eingeengte Liquidität; **surplus** ~ Liquiditätsüberhang, Überliquidität; **world** ~ internationale Liquidität;
~ **in assets** Vermögens-, Primärliquidität; ~ **of balance sheet** Bilanzliquidität; ~ **of a bank** Bankenliquidität; ~ **of the Federal Reserve System** Notenbankliquidität;
to be based on ~ liquiditätsmäßig sichtbar werden; **to build** ~ Liquidität aufbauen, liquiditätspolitische Maßnahme treffen; **to establish enough** ~ für eine ausreichende Liquiditätsdecke sorgen; **to have no effect on** ~ liquiditätspolitisch neutral sein; **to rebuild** ~ Liquiditätsverbesserung erzielen, Liquidität verbessern; **to strain** ~ angespannte Liquiditätspolitik betreiben;
~ **arrangement** Liquiditätsabsprache; ~ **balance** Liquiditätsbilanz; ~ **basis** Liquiditätsgrundlage; ~ **battle** Liquiditätsschlacht; ~ **bind** Liquiditätsbeengung; **~-creating effect** Liquiditätsauswirkung; ~ **crisis** Liquiditätskrise;

~ **deficit** Liquiditätsdefizit; **to establish itself firmly on the international** ~ **map** sich auf internationalen Märkten eines ausgezeichneten Liquiditätsrufes erfreuen; ~ **margin** Liquiditätsspielraum; ~ **measures** Liquiditätsmaßnahmen; ~ **pinch** Liquiditätsbeengung; ~ **position** Liquiditätsstatus; ~ **preference** Liquiditätsvorliebe, -neigung, -streben; ~ **preference theory** *(Keynes)* Liquiditätstheorie; ~ **pressure** Liquiditätsdruck; ~ **problem** Liquiditätsproblem; ~ **ratio** Liquiditätsverhältnis, -grad; ~ **-reducing** liquiditätsvermindernd; ~ **-reducing factors** liquiditätsbelastende Faktoren; ~ **requirements** Liquiditätserfordernisse, -vorschriften; ~ **reserve** Liquiditätsreserve; ~ **shortage** Liquiditätsknappheit, -verknappung; ~ **squeeze** Liquiditätsdruck; ~ **test** Liquiditätsprüfung; ~ **worries** Liquiditätssorgen.

list Liste, Register, Adressenverzeichnis, Aufstellung, *(docket)* Terminliste, *(legal voters)* Verzeichnis der Wahlberechtigten, *(stock exchange, US)* an der Börse eingeführte Effekten; **alphabetical** ~ alphabetisches Verzeichnis; **black** ~ Boykottliste; **cargo** ~ Ladeverzeichnis; **check** ~ Kontrolliste; **credit** ~ Liste der kreditfähigen Kunden; **free** ~ Freiliste [zollfreier Gegenstände]; **freight** ~ Ladungsverzeichnis, Versandliste; **general** ~ Einheitstarif; **official** ~ *(stock exchange, Br.)* amtliche Börsennotierung, amtlicher Kurszettel, *(US)* Verzeichnis börsengängiger Wertpapiere; **passenger** ~ Passagierliste; **price** ~ Preisverzeichnis, -liste; **share** ~ Aktionärsverzeichnis; **shipping** ~ Liste der Abgangsdaten; **shopping** ~ Einkaufszettel; **single** ~ Einheitsliste; **specie** ~ Geldsortenzettel; **stock-exchange** ~ *(Br.)* Kursblatt; **subscription** ~ Subskriptionsliste; **tax** ~ Steuerrolle; **the** ~ *(stock exchange)* Liste der börsenfähigen Wertpapiere; **trade** ~ Preisliste, Geschäftskatalog;
~ **of assets** Vermögensverzeichnis, *(bankruptcy)* Masseverzeichnis, *(estate)* Nachlaßverzeichnis; ~ **of assets and liabilities** Inventurverzeichnis; ~ **of bills for collection** Wechselinkassoliste; ~ **of charges** Gebührenordnung; ~ **of commitments** Obligoliste; ~ **of creditors of a bankrupt** Konkurstabelle; ~ **of customers** Kundenkartei; ~ **of fares** Eisenbahntarif; ~ **of exchange** Liste der Wechselkurse; ~ **of foreign exchanges** *(Br.)* Devisenkurszettel; ~ **of exhibitors** Ausstellerverzeichnis; ~ **of goods liable to pay customs** Negativliste; ~ **of offers** Angebotsverzeichnis; ~ **of parities** Paritätenliste; ~ **of participants** Teilnehmerliste; ~ **of passengers** Passagierliste; ~ **of taxable persons** Steuerliste; ~ **of prices** Preisliste, *(Br.)* Kursblatt; ~ **of taxable property** Vermögensteuerliste; ~ **of [market] quotations** *(Br.)* Börsen-, Kurszettel; **stockbroker's** ~ **of recommendation** Liste empfohlener Börsenwerte; ~ **of shareholders** *(Br.)* Aktionärsverzeichnis; ~ **of authorized signatures** Unterschriftenverzeichnis; ~ **of stockholders** *(US)* Aktionärsverzeichnis; ~ **of subscribers** Subskriptions-, Abonnentenliste; ~ **of suppliers** Lieferantenliste; ~ **of trains** Fahrplan;
~ *(v.)* in einer Liste eintragen, [listenmäßig] erfassen, registrieren, aufzeichnen, verzeichnen, *(catalog(ue))* katalogisieren, *(inventory)* inventarisieren, in ein Inventar aufnehmen, *(stock exchange, US)* [Effekten] an der Börse einführen, notieren;
~ **in a catalog(ue)** in einen Katalog aufnehmen; ~ **items** Posten aufführen; ~ **officially** amtlich notieren; ~ **property with a broker** *(US)* einem Makler Grundstückseigentum an die Hand geben; ~ **property for taxation** Vermögen steuerlich erfassen;
to be struck from the ~ *(insolvency)* für zahlungsunfähig erklärt werden; **to check off a name on a** ~ jds. Namen auf der Liste abhaken; **to enter in an official** ~ amtlich registrieren; **to enter the** ~**s** an einem Wettbewerb teilnehmen; **to rent** ~**s** *(list broker)* Adressenverzeichnisse leihweise zur Verfügung stellen; **to sell** ~**s** *(list broker)* Adressenverzeichnisse verkaufen;
~ **broker** Adressenbüro, -verlag; **commercial** ~ **house** gewerbliches Adressenbüro; ~ **price** Listen-, Katalogpreis; **to sell closer to** ~ **prices** sich beim Verkauf strenger an Listenpreise halten.

listed in eine Liste (ein Verzeichnis) aufgenommen, registriert, *(of stocks, US)* börsenfähig, an der Börse zugelassen (eingeführt), amtlich notiert, *(taxation)* [steuerlich] erfaßt;
~ **above the market price** oberhalb des Kurswertes notiert;
~ **securities** *(US)* an der Börse eingeführte (zugelassene) Werte.

listener Rundfunkhörer;
~ **research** Hörerumfrage, -analyse.

listening | **area** Sendebereich; ~ **audience** Hörerpublikum.

listing Katalogisierung, Inventarisierung, *(real estate)* Maklerbeauftragung, -auftrag, *(of stocks, US)* amtliche Notierung, Börseneinführung, Zulassung;
exclusive ~ ausschließlicher Maklerauftrag; **open** ~ Verkaufsauftrag an mehrere Grundstücksmakler;
~ **of property** *(US)* Vermögensaufstellung; ~ **of property for taxation** *(US)* Vermögensteuererklärung;
official ~ **note** *(stock exchange US)* Zulassungsbescheid; ~ **requirements** *(stock exchange, US)* Voraussetzungen für die Börseneinführung.

listless trading *(US)* Freiverkehr.

litigate *(v.)* **a commercial dispute** wirtschaftliche Auseinandersetzung gerichtlich austragen.

litigation Rechtsstreit, Prozeß, Prozessieren;
~ **costs** Prozeßkosten.

live *(wireless)* Live-, Direktsendung, -übertragung;
~ *(v.)* leben, existieren, sich ernähren, *(reside)* wohnen;
~ **on one's capital** von seinem Kapital leben, sein Vermögen aufzehren; ~ **in straitened circumstances** in äußerster Armut leben; ~ **economically** sparsam wirtschaften; ~ **at s. one's expense** jem. auf der Tasche liegen; ~ **high on the hog** *(sl.)* großen Aufwand treiben; ~ **in** am Arbeitsplatz leben; ~ **on one's wife's income** sich von seiner Frau ernähren lassen; ~ **off government checks** *(US)* **(cheques,** *Br.)* von staatlicher Unterstützung leben; ~ **upon the parish** von der öffentlichen Hand (Wohlfahrt) unterstützt werden; ~ **up to the letter of a contract** Vertrag bis zum letzten I-Tüpfelchen erfüllen;
~ *(a.)* lebend, lebendig, *(broadcasting)* unmittelbar übertragen, direkt;
~ **announcement** *(advertising)* Direktwerbedurchsage; ~ **assets** wohlfundierte Anlagewerte; ~ **broadcast** Direktübertragung; ~ **campaign** *(advertising)* direkte Werbedurchspruchserie; ~ **letter book** Tageskopiebuch; ~ **load** Nutz-, Verkehrslast; ~ **storage** Garagendienst bei Tag und Nacht.

livelihood Nahrung, [Lebens]unterhalt, Auskommen, Existenz[grundlage];
to deprive s. o. of his ~ j. um seine Existenzgrundlage (Lohn und Brot) bringen; **to earn one's** ~ seinen Lebensunterhalt verdienen; **to pick up a scanty** ~ sein knappes Auskommen haben.

liveliness *(market)* Lebhaftigkeit.

lively *(stock exchange)* flott, lebhaft.

livery *(allowance of food)* Deputat.

living Wohnen, Aufenthalt, *(livelihood)* Nahrung, [Lebens]unterhalt, Auskommen, Existenz;
high-style ~ aufwendige Lebensführung; **substandard** ~ asoziale Wohnweise;
to earn one's ~ seinen Lebensunterhalt verdienen, **to scrape one's** ~ sein Leben fristen; **to work hard for one's** ~ hart arbeiten müssen;
~ **alone** alleinstehend; ~ **separate and apart** *(income-tax statement)* getrennt lebend; ~ **together** zusammenlebend;
~ **accommodation** Wohnmöglichkeit; ~ **allowance** Unterhaltszuschuß; ~ **conditions** Lebensbedingungen, -verhältnisse; ~ **cost** Lebenshaltungskosten; ~ **quarter** Wohnviertel; ~ **standard** Lebensstandard; ~ **trust** *(US)* lebenslängliche Treuhandverwaltung; ~ **wage** über dem Existenzminimum liegender Lohn, Existenzminimum.

load Fuhre, Last, Ladung, Fracht, *(fig.)* Last, Bürde, *(insurance)* Verwaltungskostenzuschlag, *(loading capacity)* Tragfähigkeit, *(machine)* Belastung, Arbeitsleistung, *(work)* Arbeitspensum;
additional ~ Beiladung; **gross** ~ Bruttobelastung; **no** ~ Nullast; **paying** ~ *(railway)* Nutzlast; **peak** ~ Spitzenbelastung; **total** ~ Bruttobelastung; **useful** ~ Nutzlast;
~ **of debts** Berge von Schulden, Schuldenberg; ~**s of money** große Menge Geld; ~ **on a section** *(railway)* Streckenbelastung; ~**s of tourists** Touristenstrom;
~ *(v.)* beladen, etw. [auf]laden, *(add to the selling price)* Aufschlag vornehmen, *(adulterate)* verfälschen, *(encumber)* belasten, *(insurance)* Prämienzuschlag für Verwaltungskosten erheben, *(narcotics)* Narkotika einnehmen, *(put aboard)* befrachten, verladen, *(stock exchange)* stark kaufen, *(take aboard)* Ladung übernehmen (einnehmen);
~ **in bulk** *(ship)* Sturzgüter laden; ~ **s. o. with hono(u)rs** j. mit Ehrungen überhäufen; ~ **in parcels** Stückgüter laden; ~ **up** *(v. i.)* ein-, aufladen, Ladung einnehmen, *(buy)* große Mengen einkaufen;
to have ~s. of money im Geld schwimmen;
~ **capacity** Trag-, Ladefähigkeit; ~ **displacement** Wasserverdrängung, Ladetonnage; ~ **draught** Ladetiefgang; ~ **limit** Beladungsgrenze; ~ **line** Ladelinie; **subdivision ~line** Schottenladelinie; ~ **test** Belastungsprobe; ~ **waterline** Ladelinie.

loaded with securities mit Effekten stark eingedeckt.

loading [Be]laden, Auf-, Einladen, *(airplane)* Belastung, (freight) Ladung, Fracht, *(instalment system, Br.)* Aufschlag, *(insurance)* Prämienaufschlag zu den Verwaltungskosten, Verwaltungskostenzuschlag, -anteil, Prämienzuschlag, *(investment trust)* Ausgabekostenzuschlag zuzüglich Erwerbskosten der Wertpapiere, *(production)* zu den Gestehungskosten hinzutretende Generalunkosten, *(putting aboard)* Verladung, Befrachten, *(ship)* Schiffsladung, *(statistics)* Zuschlag zur Erzielung eines gewogenen Indexes;
daily ~s Tagesversand;
~ **of goods** Verladung der Ware;
to be ~ Ladung nehmen;
~ **area** Ladefläche; ~ **berth** Ladestelle, -platz; ~ **capacity** *(vehicle)* Fassungsvermögen; ~ **carrier** Verladespediteur; ~ **charges** Verlade-, Aufladegebühr; ~ **dock** Ladedock; ~ **hands** Lademannschaft; ~ **pamphlet** Verladevorschrift; ~ **platform** Ladebühne, -rampe; ~ **point** Verladeort; ~ **port** Verladehafen; ~ **profit** *(insurance)* Aufschlagsgewinn; ~ **risk** Verladerisiko; ~ **station** Verladestation; ~ **wharf** Verladekai.

loan Anleihe, Darlehn, Kredit, *(advance)* Vorschuß, *(lending)* Leihen;

by way of *(US)* ~ leih-, vorschußweise; **thrown out of ~s** *(stocks)* nicht lombardfähig;
~s Leihgeld, Ausleihungen, Kredite, Anleihemittel;
accommodation ~ Überbrückungskredit; **agricultural** ~ *(US)* Erntefinanzierungskredit; **allotted ~s not yet collected** noch nicht abgehobene ausgeloste Anleihestücke; **amortized (amortizing)** ~ Amortisationsdarlehn, -anleihe, Tilgungsdarlehn; **bank** ~ Bankkredit; ~ **bearing (at) interest** verzinsliches Darlehn; **bottomry** ~ Bodmereigeld; **broker's** ~ *(US)* Maklerdarlehen; **business** ~ Betriebsmittelkredit; **call** ~ sofort rückzahlbares Darlehn (fälliger Kredit); **cash** ~ Bardarlehn; **clearance** ~ Tagesgeld; **collateral** ~ *(US)* Lombardkredit, -darlehn; **commercial** ~ Warenkredit; **commercial bank** ~ Bankkredit mit 30–90 Tagen Laufzeit; **commodity** ~ Warenkredit; **consolidated** ~ konsolidierte Anleihe; **construction** ~ Baudarlehn; **consumption** ~ Klein-, Konsumentenkredit; **conversion** ~ Konversionsanleihe; **customer's** ~ Kundenkredit; **crop** ~ Ernte[finanzierungs]kredit; **day** ~ Tagesgeld; **day-to-day** ~ Tagesgeld, *(Br.)* täglich fälliges Darlehn an Börsenmakler; **defense** *(US)* **(defence,** *Br.)* Verteidigungsanleihe; **demand** ~ tägliches Geld, Tagesgeld, sofort fälliger Kredit; **deposit** ~ Bankkredit für bargeldlose Überweisungen; **domestic** ~ Inlandsanleihe; **farm** ~ Landwirtschaftskredit; **fiduciary** ~ ungesicherter Personalkredit; **first-mortgage** ~ durch erststellige Hypothek gesicherter Kredit; **fixed-value** ~ wertbeständige Anleihe; **forced** ~ Krediterhöhung infolge Kontoüberziehung; **foreign** ~ Auslandsanleihe, äußere Anleihe; **foreign-currency** ~ Währungskredit; **free** ~ zinsfreies Darlehn; **frozen** ~ eingefrorener Kredit; **funding** ~ Kapitalisierungsanleihe; **gap** ~ Überbrückungskredit, Kredit für einen Spitzenbetrag; **gilt-edged** ~ mündelsichere Anleihe; **government[-al]** ~ Staatsanleihe, öffentliche Anleihe; **gratuitous** ~ unentgeltliche Leihe; **industrial** ~ Industrieanleihe; **inland** ~ innere Anleihe; **interest-bearing** ~ verzinsliches Darlehn; **interim** ~ Überbrückungskredit; **internal** ~ Inlandsanleihe; **irredeemable** ~ unkündbare (untilgbare) Anleihe; **land** ~ Bodenkredit; **line-of-credit** ~ Kredit in festgesetzter Höhe; **liquid** ~ Liquiditätskredit; **livestock** ~ *(US)* Darlehn zur Finanzierung der Viehwirtschaft; **local-authority** ~ *(Br.)* Kommunalanleihe; **longsighted** ~ langfristiges Darlehn; **long-term (-time)** ~ langfristiger Kredit; **lottery** ~ Auslosungsanleihe; **maritime** ~ Bodmereidarlehn; **medium-term** ~ längerfristiger Kredit; **mixed** ~ durch verschiedenartige Sicherheiten gedeckter Kredit; **monthly** ~ Ultimo-, Monatsgelder; **morning** ~ Tagesgeld; **mortgage** ~ Hypothekendarlehn; **municipal** ~ Stadt-, Kommunalanleihe; **national** ~ Staatsanleihe; **nonliquid** ~ eingefrorener Kredit; **outside** ~ auswärtige Anleihe; **overnight** ~ innerhalb 24 Stunden rückzahlbarer Kredit; **oversubscribed** ~ überzeichnete Anleihe; **perpetual** ~ Rentenanleihe; **personal** ~ Personalkredit; **policy** ~ Policenbeleihung; **preference (preferential)** ~ Prioritätsanleihe; **pre-war** ~ Vorkriegsanleihe; **primary** ~ Hauptkredit; **prior lien** ~ erststelliges Darlehn; **private** ~ privater Kredit; **productive** ~ Produktionskredit; **public** ~ öffentliche Anleihe, öffentlicher Kredit, Staatsanleihe; **purchase-money** ~ Warenbeschaffungskredit; **real-estate** ~ Grundstückskredit; **reconstruction** ~ Wiederaufbauanleihe; **redeemable** ~ ablösbare Anleihe, Tilgungsdarlehen; ~ **redeemable by allotment** auslosbare Anleihe; **redemption** ~ Tilgungs-, Amortisationsanleihe; **relief** ~ Notstandskredit; **repaid** ~ rückfließende Darlehnssumme; **revalorized** ~ aufgewertete Anleihe; **revolving-fund** ~ sich automatisch erneuernder Kredit; **seasonal** ~ Saisonkredit; **secured** ~ gesicherter (gedeckter) Kredit; **security** ~ Kredit gegen Wertpapierlombard, Lombardkredit; **self-liquidating** ~ sich selbst abwickelnder Kredit; **short [-sighted (-time)]** ~ kurzfristiger Kredit; **sight** ~ gegen Sichtwechsel gewährtes Darlehn; **small** ~ Kleinkredit; **state** ~ Staatsanleihe; **stock-exchange** ~ kurzfristiges Börsendarlehn; **stopgap** ~ Überbrückungskredit; **straight** ~ auf einmal in voller Höhe fälliges Darlehn; **street** ~ *(US)* kurzfristiges Darlehn an Börsenmakler; **term** ~ *(US)* zeitlich befristetes Darlehn; **three-per-cent** ~ dreiprozentige Anleihe; **tied** ~ zweckgebundene Anleihe; **time** ~ festes Geld, Zeitgeld; **trade** ~ *(US)* Warenkredit; **uncovered (unsecured)** ~ ungesichertes Darlehn, Personalkredit, offener Kredit, Blankokredit; **undated** ~ unbefristeter Kredit; **unfrozen** ~ freigegebene Anleihe; **unsafe** ~ unsicherer Kredit; **victory** ~ *(Br.)* Kriegsanleihe;
~s en bloc Globaldarlehn; ~ **against borrower's note** Schuldscheindarlehn; ~ **on bottomry** Bodmereigeld; ~ **at call** täglich kündbares Darlehn; ~ **on collateral** Lombardkredit; ~ **for consumption** Klein-, Konsumentenkredit; ~ **repayable on demand** auf Anforderung rückzahlbares Darlehn; ~ **at (on) interest** verzinsliches Darlehn; ~ **without interest** zinsloses Darlehn; ~ **on merchandise** Warenlombard; ~ **on mortgage** Hypothekendarlehn; ~ **at notice** kündbares Darlehn; ~ **on overdraft** Kontokorrentkredit; ~ **with payment of weekly interest** Darlehn mit wöchentlicher Zinszahlung; ~ **for the purpose of improvement** Meliorationsdarlehn; ~ **on security (upon collateral security,** *US)* Lombarddarlehn, -kredit; ~ **without security** ungesicherter Kredit; ~ **on trust** Personalkredit; ~ **for use** Gebrauchsüberlassung, Leihe;

~ **by the week** Darlehn mit wöchentlicher Zinszahlung;

~ *(v.)* **[out]** [aus]leihen, gegen Zinsen ausleihen, Darlehn gewähren;

~ **on collateral** gegen Sicherheit Kredit gewähren; ~ **on interest** auf Zinsen ausleihen; ~ **on short periods** auf kurze Frist ausleihen;

to amortize a ~ Darlehn tilgen; **to award a** ~ Anleihe gewähren; **to be thrown out of** ~**s** *(securities)* als Lombardunterlage nicht gewertet werden; **to contract a** ~ Anleihe abschließen (kontrahieren); **to draw a** ~ **in tranches** Anleihe in Abschnitten in Anspruch nehmen; **to float a** ~ Anleihe lancieren (auflegen); **to grant a** ~ Kredit gewähren, Darlehn geben; **to grant a** ~ **on s. th.** etw. beleihen; **to have s. th. on** ~ etw. zur Leihe haben; **to issue a** ~ Anleihe begeben; **to issue a** ~ **in instalments** Anleihe in Tranchen auflegen; **to launch a** ~ Anleihe auflegen; **to make payments on a** ~ Rückzahlungen auf einen Kredit leisten; **to meet a** ~ **when due** fälligen Kredit zurückzahlen; **to negotiate a** ~ Anleihe vermitteln; **to offer s. o. a** ~ **of s. th.** jem. etw. auf Kreditbasis anbieten; **to offer a** ~ **for subscription** Anleihe zur Zeichnung auflegen; **to oversubscribe a** ~ Anleihe überzeichnen; **to place a** ~ Anleihe unterbringen; **to put money out to** ~ Gelder ausleihen; **to raise a** ~ Anleihe (Kredit) aufnehmen; **to raise a** ~ **on an estate** Hypothekarkredit aufnehmen; **to recall a** ~ Darlehn kündigen; **to redeem a** ~ Darlehn tilgen; **to refinance a** ~ Kredit refinanzieren; **to repay a** ~ Kredit abdecken, Darlehn zurückzahlen; **to replenish a** ~ zusätzliche Sicherheiten stellen; **to service a** ~ Zinsendienst einer Anleihe durchführen; **to subscribe [to] a** ~ Anleihe zeichnen; **to supplement a** ~ Ergänzungskredit gewähren; **to sweeten a** ~ *(sl.)* erstklassige Sicherheiten stellen; **to take up a** ~ Darlehn aufnehmen; **to take a portion of a** ~ Anleihe teilweise (Anleihentranche) übernehmen; **to turn thumbs down on a** ~ Kreditanfrage ablehnen;

~ **account** Anleihe-, Darlehns-, Kreditkonto; ~ **agent** Darlehnsvermittler; ~ **agreement** Darlehns-, Kreditvertrag; ~ **application** Kreditantrag, -ersuchen; ~ **assistance** Darlehnshilfe; ~ **balance** Kreditsaldo; ~ **bank** *(Br.)* Kreditbank, -anstalt, Darlehnsbank, -kasse; **agricultural** ~ **bank** Landwirtschaftsbank; ~ **broker** Darlehnsvermittler; ~ **business** Darlehns-, Anleihegeschäft, *(securities)* Lombardgeschäft; **personal** ~ **business** Personalkreditgeschäft; ~ **capital** *(Br.)* Leih-, Anleihekapital; ~**-capital duty** *(Br.)* Anleihekapitalsteuer; ~ **certificate** Darlehnskassenschein; ~ **clause** Anleiheklausel; ~ **collection** ausgeliehene Sammlung, Leihgabe; ~ **commitments** Anleiheverpflichtungen; **unused** ~ **commitment** nicht in Anspruch genommene Kreditfazilität; ~ **committee** Anleihe-, Kreditausschuß; **small** ~ **company** *(US)* Darlehnskassenverein; ~ **contract** Darlehns-, Anleihevertrag; ~ **conversion** Anleihekonversion; ~ **crowd** *(US)* Maklergruppe, die Aktien borgen oder ausleihen will; ~ **demand** Kreditantrag, -nachfrage; ~ **department** Kreditabteilung; **personal** ~ **department** Personalkreditabteilung; ~ **embargo** Kreditsperre; ~ **envelope** Sicherheitenmappe; ~ **function** *(banking)* Anleihegeschäft; ~ **fund** Darlehnskasse, Anleihefonds; ~ **funds** Darlehnsmittel; ~ **guaranty** Anleihegarantie; ~ **holder** Anleihebesitzer, (mortgage) Hypothekengläubiger; ~ **insurance** Kreditversicherung; ~ **interest** Darlehns-, Anleihezinsen; ~ **interest claim** Darlehnszinsforderung; ~ **ledger** *(US)* Darlehnskonto; **small** ~ **lending** Kleinkreditgeschäft; ~ **loss** Kreditverlust; ~ **market** *(US)* Anleihemarkt; ~ **money** Leihkapital; ~ **office** Darlehnskasse, Vorschußkasse, *(pawnbroker)* Pfandleihanstalt; ~ **officer** Kreditsachbearbeiter; ~ **package** gebündelte Kredite, Anleihebündel; ~ **pact** Kreditabkommen; ~ **participation** Anleihebeteiligung; ~ **policy** Kreditpolitik; ~ **portfolio** Kreditplafonds; ~ **premium** Anleiheagio; ~ **project** Anleiheprojekt; ~ **rate** Darlehns[zins]satz; **average business** ~ **rate** durchschnittlicher Handelskreditsatz; ~ **receipt** Darlehnsquittung, Schuldschein; ~ **redemption** Anleiheablösung; ~ **register** *(Br.)* Journal zur chronologischen Verbuchung gewährter Darlehn; ~ **regulations** Anleihbestimmungen; ~ **request** Darlehnsgesuch; ~ **section** Darlehnsabteilung; ~ **service** Anleihverzinsung; ~ **shark** *(US)* wucherischer Geldverleiher; ~ **society** *(Br.)* Kredit-, Darlehnsverein, -gesellschaft; **mutual** ~ **society** *(Br.)* Darlehnskassenverein auf Gegenseitigkeit; **to issue** ~ **stock** *(Br.)* Anleihe ausgeben; ~ **subscriber** Anleihezeichner; ~ **talks** Kreditverhandlungen; ~ **terms** Anleihebedingungen; ~ **value** Beleihungs-, Lombardwert; **to be waiting at the** ~ **window** am Darlehnsschalter Schlange stehen.

loanable capital Leihkapital.

loaned | display geliehenes Ausstellungsmaterial; ~ **employee** abgestellter Angestellter.

loaning rate *(US)* Zinssatz im Fixgeschäft.

loanmonger Darlehns-, Finanzmakler.

lobby *(hall)* Halle, Vestibül, breiter Korridor, Vorraum, *(parliament)* Wandelgang, *(pressure group)* Interessen-, Machtgruppe, Lobby;

~ *(v.)* Lobbytätigkeit ausüben, Abgeordnete beeinflussen;

~ **a bill** Gesetz [als Interessent] beeinflussen.

lobbying | activities Lobbytätigkeit; ~ **group** Interessengruppe, Lobby; ~ **office** Kontaktbüro.

lobbyism *(US)* Lobbyismus, -tätigkeit, Einflußnahme, Beeinflussung von Abgeordneten.

lobbyist Interessenvertreter.

lobster shift Mitternachtsschicht.

local *(inhabitant)* Ortsbewohner, *(newspaper)* Lokales, *(post office, Br.)* Ortsdienst!, *(pub, Br.)* Kneipe, *(trade union, US)* Ortsverein, *(train)* Nah-, Vorortszug;
~ *(a.)* örtlich, ortsansässig, heimisch, *(address)* hier;
~ **acceptance** Platzakzept; ~ **advertising** Anzeigenwerbung ortsansässiger Firmen, Lokalwerbung, Ortsanzeigen; ~ **agent** Platz-, Bezirksvertreter; ~ **agreement** Ortstarif; ~ **assessment** Gemeindeveranlagung; ~ **authorities** Kommunal-, Ortsbehörde; ~ **bank** Bank am Platze; ~ **bill** Platzwechsel; ~ **bond** *(Br.)* Kommunalschuldverschreibung; ~ **bonus** Ortszuschlag, -zulage; ~ **branch** Zweigstelle, Filiale; ~ **budget** Kommunal-, Gemeindehaushalt; ~ **business** Platz-, Lokogeschäft; ~ **call** *(tel.)* Ortsgespräch; ~ **campaign** örtlich begrenzte Werbeaktion; ~ **charge** *(tel.)* Ortsgebühr; ~ **charges** *(banking)* Platzspesen; ~ **cheque** *(Br.)* Platzscheck; ~ **currency** Landeswährung; ~ **custom** Ortsgebrauch, Platzusance; ~ **customer** täglicher Kunde, Stammkunde; ~ **debts** Gemeindeschulden; ~ **express** Vorortszug; ~ **freight** Fracht im Nahverkehr; ~ **freight train** Nahgüterzug; ~ **government** *(Br.)* [kommunale] Selbstverwaltung, Kommunalverwaltung; ~ **improvement fund** Meliorationsfonds; ~ **industrial union** örtliche Fachgewerkschaft; ~ **letter** Ortsbrief; ~ **manager** Bezirksdirektor; ~ **needs** örtliche Bedürfnisse; ~ **prepays** *(railway)* Vorausfrachten im Ortsverkehr; ~ **price** Lokalpreis; ~ **purchase** Platzkäufe; ~ **rate** Ortstarif, *(advertising)* Anzeigentarif für ortsansässige Firmen; ~ **rates** *(Br.)* Kommunalabgaben; ~ **resident** Ortsansässiger; ~ **revenue** Gemeindeeinnahmen; ~ **road** Kreisstraße; ~ **services** Kommunalleistungen; ~ **service line** Zubringerlinie; ~ **shipper** Spediteur am Platze; ~ **tariff** Binnenschiffahrtstarif; ~ **tax** Gemeindesteuer, Kommunalsteuer für aus Verbesserung öffentlicher Einrichtungen entstandene Werterhöhung; ~ **trade council** *(Br.)* Gewerkschaftsortsverband; ~ **traffic** Vorortverkehr; ~ **train** Nah-, Vorortszug; ~ **transaction** Platzgeschäft.

localization of labo(u)r Zusammenballung von Arbeitskräften.

locate *(v.)* *(assign place)* Platz anweisen, örtlich festlegen, lokalisieren, *(establish o. s., US)* sich niederlassen, *(let on hire)* in Pacht geben;
~ **a factory** Fabrik, Fabrikgelände (Standort für eine Fabrik) auswählen; ~ **the lines of a property** *(US)* Grundstücksgrenzen festlegen; ~ **one's office** sein Büro unterbringen.

located gelegen, *(bank)* zugelassen;
~ **in A** mit dem Sitz in A.

location *(advertising)* Raum für Außenwerbung, *(airplane)* Abstellplatz, *(corporation)* juristischer Sitz, *(film)* Ort für Aufnahmen, Filmgelände, *(leasing)* Verpachtung, Vermietung, *(place of settlement)* Niederlassung, *(plot)* [abgestecktes] Stück Land, *(position)* Lage, Standort, Belegenheit, Stellung, Platz, Stelle, *(service of person)* Dienstort, vorübergehende Abstellung, *(settlement)* Niederlassung;
in a desirable ~ verkehrsgünstig gelegen, in schöner Lage;
high-rent ~ Geschäftsgegend mit hohen Mieten; **individual** ~ *(advertising)* Sonderstelle, -placierung; **present** ~ **unkown** jetziger Aufenthaltsort unbekannt;
suitable ~ **for new factories** gute Standortlage für neue Fabriken; ~ **of page** *(advertising)* Seitenlayout;
~ **factor** *(US)* Immobilienmakler; ~ **sheet** *(railroad)* Einsatzliste.

lock *(v.)* | **out** *(labo(u)rers)* aussperren; ~ **up capital** Kapital blockieren; ~ **up all one's capital in land** sein ganzes Vermögen in Grundstükken anlegen.

locked | **out** ausgesperrt;
to be ~ **up** *(capital)* festliegen;
~ **warehouse** Zollager.

locker *(customs officer, Br.)* Zollaufseher, -inspektor.

lockup *(car)* Autobox, Einzelgarage, *(invested capital)* feste Kapitalanlage, festgelegtes Kapital, *(frozen capital)* eingefrorenes Kapital;
~ **shop** *(Br.)* nur von der Straße zugänglicher Laden.

lodge *(porter)* Pförtnerloge, *(temporary dwelling place)* Bleibe, vorübergehende Wohnung;
~ *(v.)* *(deposit)* hinterlegen, in Verwahrung geben, deponieren, *(establish as resident)* unterbringen, (file) einreichen, *(quarter)* aufnehmen, unterbringen, einquartieren, *(reside as a lodger)* auf Miete (als Mieter) wohnen, logieren;
~ **a completed certificate** ausgefülltes Zertifikat abgeben; ~ **a claim** Forderung anmelden; ~ **a credit in favo(u)r of s. o.** Kredit zu jds. Gunsten eröffnen; ~ **documents** Urkunden hinterlegen; ~ **a proof of debt with the official receiver** Forderung beim Konkursverwalter anmelden; ~ **as security** als Sicherheit hinterlegen; ~ **one's valuables in the bank** seine Wertsachen ins Bankdepot geben; ~ **in the warehouse** aufs Lager bringen;
~ **porter** Hotelportier.

lodger [Unter]mieter, *(boarder)* Pensionär, Kostgänger;
to live as a ~ zur Miete wohnen; **to make a living by taking in** ~**s** vom Vermieten leben.

lodging Logis, [Miet]wohnung, Unterkunft, Behausung, möbliertes Zimmer, *(boarding)* Unterbringung, Beherbergung, *(residence)* Aufenthalt, Wohnsitz, *(warehousing)* Lagern;
board and ~ Unterkunft und Verpflegung; **free board and** ~ freie Station; **furnished** ~**s** mö-

blierte[s] Zimmer; **unfurnished** ~**s** Leerzimmer;
~ **of money** Deponierung (Hinterlegung) von Geld; ~ **of security** Sicherheitsleistung;
to find ~ **for a night** Unterkunft für eine Nacht finden; **to let** ~**s** *(Br.)* Zimmer vermieten;
~ **allowance** Wohnungsgeldzuschuß; ~ **bill** Wohnungszuweisungsschein; ~ **conditions** Wohnungsverhältnisse; ~ **house** [billige] Pension, Hotel garni; **common** ~ **house** *(Br.)* Obdachlosenasyl; ~ **letter** Zimmervermieter; ~ **money** Miete für ein Zimmer, *(allowance)* Wohngeldzuschuß; ~ **place** Nachtquartier; ~ **room** gemietetes Zimmer.

lodgment *(deposit of customer)* Bankdepot, *(depositing)* Hinterlegung, Deponierung, *(lodging of documents)* Urkundenhinterlegung, gerichtliche Hinterlegung, *(lodging)* Mietwohnung.

loft *(attic room)* Dachgeschoß, -boden, Speicher;
~ **building** *(US)* Speichergebäude; ~ **rental** Speichermiete.

log *(airplane)* Betriebsbuch, *(broadcasting)* Sendeprogramm, *(logbook)* Tagebuch, Schiffsjournal.

logbook *(car, US)* Fahrtnachweis, *(ship)* Schiffsjournal, Logbuch.

logotype Namens-, Firmenschriftzug, Markenname.

lombard loan Lombardkredit.

London | **Debt Agreement** Londoner Schuldenabkommen; ~ **equivalent** Londoner Parität; ~ **rates** Londoner Wechselkurs.

long *(stock exchange, US)* Haussier;
~**s and shorts** Hausse- und Baissegeschäft;
~ *(a.) (above the norm)* übergroß, *(stock exchange)* auf Kurssteigerungen wartend, eingedeckt;
to be ~ **on cash** flüssig sein; **to be** ~ **of the market** *(US)* mit Effekten hinreichend versehen sein, Wertpapiere in Erwartung einer Preissteigerung zurückhalten;
~ **account** *(US)* Engagements der Haussepartei; ~, **heavy or bulky articles** Sperrgut; ~ **bill** langfristiger Wechsel, *(account)* große (hohe) Rechnung; ~ **date** Wechsel auf lange Sicht; ~ **-dated** langfristig; ~ **-dated paper** *(Br.)* langfristiges Papier; ~ **day** Arbeitszeit mit Überstunden; ~ **-distance** Fernamt, Fernvermittlung.

long-distance *(v.)* Ferngespräch führen;
~ **blockade** Seesperre; ~ **cable** Fernkabel; ~ **call** Ferngespräch, *(Europe)* Auslandsgespräch; ~ **flight** Langstreckenflug; ~ **freight traffic** Güterfernverkehr; ~ **goods traffic** *(Br.)* Güterfernverkehr; ~ **mover** Fernspediteur; ~ **operator** Fernamt; ~ **road train** Fernlastzug; ~ **road traffic** Fernlastverkehr; ~ **route** Fernverkehrslinie, -verbindung, -strecke.

long | **draft** langfristiger Wechsel; ~ **exchange** *(Br.)* langfristiger Devisenwechsel; ~ **firm** *(Br.)* Schwindelfirma; ~ **-form report** *(auditing)* detaillierter Revisionsbericht; ~ **hauls [on the railway]** Güterfernverkehr; ~ **-haul driver** Fernlastfahrer; ~ **-haul traffic freight** Güterfernverkehr; ~ **-haul transport** Ferntransport; ~ **hours** lange Arbeitszeit; ~ **interest** *(US)* Engagements der Haussepartei; ~ **-lived assets** langlebige Wirtschaftsgüter; ~ **market** *(US)* nicht mehr aufnahmefähiger Markt; ~ **-period loan** langfristiges Darlehn; ~ **premium** hohe Prämie; ~ **price** *(gross price)* hoher Preis, *(retail price)* Bruttokleinhandelspreis; ~ **pull** *(US)* Effektenspekulation auf lange Sicht.

long-range weittragend, -reichend, langfristig;
~ **civil aircraft** Fernverkehrsflugzeug.

long | **-rate** *(bill of exchange)* Devisenkurs für langfristige Wechsel, *(insurance)* Prämiensatz für über ein Jahr ausgestellte Versicherungsprämie; ~ **sale** Hausseverkauf; ~ **side** *(stock exchange, US)* Haussepartei; **to be on the** ~ **side of the market** Wertpapiere in Erwartung einer Kurssteigerung zurückhalten; ~ **-standing account** lang ausstehende Rechnung; ~ **stock** *(US)* effektiv im Besitz befindliche Aktien.

long-term langfristig;
~ **appointment** Dauerstellung; ~ **benefit** *(insurance)* langfristige Leistung; ~ **business** *(Br.)* Personenversicherung; ~ **compensation** *(income tax)* Einkünfte für in mehreren Jahren geleistete Arbeit; ~ **investment** langfristige Kapitalanlage.

long ton *(Br.)* Bruttotonne.

longboat Barkasse, Beiboot.

longevity pay *(US)* Prämie für langjährige Betriebszugehörigkeit.

longshoreman *(US)* Schauermann, Kai-, Hafenarbeiter.

look, new *(fashion)* neue Mode;
~**-in with a strong competition** geringe Chance bei starker Konkurrenz.

look about for a job sich nach einer Stellung umsehen.

look | **down a list** Liste durchsehen; ~ **downwards** *(prices)* sinken; ~ **for a job** sich nach einer Stellung umsehen; ~ **over an account** Rechnung durchsehen (prüfen); ~ **over a correspondence** Briefwechsel sichten; ~ **to a better distribution of wealth** bessere Vermögensverteilung herbeiführen wollen.

look up *(in a book)* nachschlagen, *(business)* sich erholen, *(prices)* aufschlagen, in die Höhe gehen.

looking | **over the books** bei Durchsicht der Bücher;
to be ~ **for a job** auf Stellungssuche sein; **to be** ~ **up** *(shares)* steigen, im Kurs anziehen.

lookout *(prospect)* Aussichten, *(ship)* Ausguck, Krähennest;
to be on the ~ **for bargains** auf Gelegenheitskäufe aus sein.

loop *(railway)* Nebenlinie;
~ **station** Kopfbahnhof.

loose *(unpacked)* unverpackt, lose;
~ **capital** brachliegendes Kapital; ~ **combination** *(US)* Kartell; ~ **funds** frei verfügbare Mittel; ~ **-knit combinations** vertragliche Wettbewerbsbeschränkungen.

loose-leaf | binder Loseblatt-, Ringbuch, Sammelmappe, Schnellhefter; ~ **ledger** Loseblattbuchführung; ~ **system** Loseblattsystem.

loose | sale Verkauf in Bausch und Bogen, Engrosverkauf; ~ **warehouse** Engrosgeschäft.

loosen | (v.) the lid on tight money Geldmarktverknappung beseitigen; ~ **up** *(money)* billiger werden.

lorry *(Br.)* Lastkraftwagen, -auto, *(railway)* Lore, offener Güterwagen, Rungenwagen;
~ **driver** *(Br.)* Fernlastfahrer.

lose *(v.)* verlieren, einbüßen, zusetzen, *(forfeit)* [einer Sache] verlustig gehen, *(prices)* zurückgehen;
~ **a business** Kundschaft verlieren; ~ **a case** in einem Prozeß unterliegen; ~ **one's debts** unbezahlt bleiben; ~ **ground** *(prices)* zurückgehen; ~ **heavily** schwere Verluste erleiden; ~ **one's job** seine Stelle verlieren; ~ **money by a bad investment** sich verspekulieren, Fehlinvestition vornehmen; ~ **on a transaction** bei einem Geschäft Verluste erleiden; ~ **in value** an Wert verlieren, Wertminderung erleiden.

losing | bargain schlechtes Geschäft; ~ **business** Verlustgeschäft; ~ **price** Verlustpreis, nicht die Selbstkosten deckender Preis.

loss Verlust, *(damage)* Schaden, Einbuße, Einbüßung, *(disadvantage)* Nachteil, Ausfall, *(fidelity bond)* Unterschlagung, *(insurance)* Versicherungsschaden, Schadensfall, Wertminderung;
after ~ nach Eintritt des Schadensfalles, **after charging off all** ~**es** nach Abschreibung aller Verluste; **at a** ~ mit Verlust; **causing a** ~ verlustbringend; **in case (the event) of** ~ im Schadensfall, im Verlustfall; **involving heavy** ~**es** verlustreich; **upon the occurrence of a** ~ beim Eintritt des Schadensfalles, beim Schadenseintritt; **showing a** ~ verlustaufweisend; **without any** ~ **of time** ohne Zeitverlust;
~**es** *(balance sheet)* Abgänge, *(mil.)* Verluste, Ausfälle;
actual ~ *(insurance)* Verlust in Höhe des Zeitwerts [des versicherten Gegenstandes]; **annual** ~ Jahresverlust, **average** ~ Havarieschaden; **book** ~ buchmäßiger Verlust; **business** ~ Betriebs-, Geschäftsverlust; **capital** ~ Kapitalverlust; ~ **carried forward** *(balance sheet, Br.)* Verlustvortrag; **clear** ~ Nettoverlust; **considerable** ~ empfindlicher Verlust; **constructive** ~ in Geld abzulösender Schaden; **constructive total** ~ *(insurance)* durch Aufgabe des Schiffes entstandener (konstruktiver) Totalverlust, fingierter Totalschaden; **corporate** ~**es** *(US)* Firmenverluste; **dead** ~ *(sl.)* reiner (unwiederbringlicher, endgültiger, totaler) Verlust, Totalverlust; ~ **deductible** *(income tax)* steuerlich abzugsfähiger Verlust, Verlustabzug; **direct** ~ *(fire insurance)* unmittelbarer Dauerschaden, Brutto-, Rohverlust; **emergency** ~ Elementarschaden; **fire** ~ Brandschaden; **gross** ~ Bruttoschaden; **heavy** ~ großer (schwerer) Verlust, Großschaden; **incendiary** ~ durch Brandstiftung verursachter Schaden; ~ **incurred** eingetretener Verlust; **insignificant** ~ geringfügiger Verlust; **irrecoverable** ~ unersetzlicher Verlust; **marine** ~ Verlust auf See; **markdown** ~ durch Preisherabsetzung entstandener Verlust; **net** ~ Rein-, per-Saldo-, Nettoverlust; **normal** ~ natürlicher Schwund; **operating** ~ laufender Betriebsverlust; **partial** ~ Teilverlust, Partialschaden; **pecuniary** ~ Geldverlust; **property** ~ Vermögensschaden; **rental** ~ Mietverlust; **salvage** ~ *(marine insurance)* Versicherungsschaden nach Abzug der geretteten Waren, Bergungsschaden; **serious** ~ empfindlicher Schaden; **severe** ~ schwerer Verlust, Großschaden; **shock** ~ *(insurance)* Katastrophenschaden; **sustained** ~ erlittener Schaden; **taxable** ~ Steuerverlust; **total** ~ Totalverlust; **total** ~ **only** nur gegen Totalverlust; **trading** ~ Betriebs-, Geschäftsverlust; **trivial** ~ unerheblicher Schaden; **uninsured excess** ~ nichtversicherter Überverlust; **use and occupancy** ~ Betriebsunterbrechungsschaden; **vacancy** ~ durch Nichtvermietung von Räumen entstehender Verlust; **wage** ~ Lohnausfall;
~ **in assets** Anlagenabgang; ~**es chargeable against the year** aus dem Jahresertrag zu tilgende Verluste; ~ **of consortium** *(married couple, Br.)* Beeinträchtigung der Lebensgemeinschaft; ~ **of contract** nicht zustande gekommener Vertragsabschluß; ~ **of custom** Kundenverlust, Einbuße an Kundschaft; ~ **from bad debts** Verlust aus zweifelhaften Forderungen; ~**es caused by operational deficiencies** Verlustquellenrechnung; ~ **of earnings** Ertragsverlust; ~ **of efficiency** Leistungsverlust; ~ **of equipment** Geräteverlust; ~ **on exchange** Kursverlust; ~ **on export income** Exporterlösverlust; ~ **of face** Prestigeverlust; ~ **by fire** Brand-, Feuerschaden; ~**es on foreign exchanges** Devisenverluste; ~ **of franchise** Konzessionsverlust; ~ **of ground** Gebietsverlust, *(mil.)* Geländeverlust; ~ **of heat** Wärmeverlust; ~ **of income** Einkommensverlust; ~ **incurred by breach of contract** Vertrauensschaden; ~ **fully covered by insurance** durch die Versicherung voll gedeckter Schaden; ~ **not compensated by insurance** von der Versicherung nicht gedeckter Schaden; ~ **of interest** Zinsverlust, -ausfall; ~ **on investments** Verlust aus Kapitalanlagen, Anlagenverlust; ~ **by leakage** Verlust durch Auslaufen; ~ **of life** Verlust an Menschenleben; ~ **of over-**

seas markets Verlust überseeischer Absatzgebiete; ~ **of money** Geldverlust; ~ **of nationality** Verlust der Staatsbürgerschaft, Ausbürgerung; ~ **occasioned by breach of contract** durch Vertragsbruch entstandener Schaden, Vertrauensschaden; ~ **of office** Stellungsverlust; ~ **of output** Produktionsverlust; **national** ~ **in potential output** nicht genutzte volkswirtschaftliche Wachstumsmöglichkeit; ~ **of production** Produktionsausfall, -verlust; ~ **of profits** Geschäftsverlust, Gewinnrückgang; ~ **of prospective profits** entgangener Gewinn; ~ **of property** Vermögensverlust; ~ **of rent** Mietverlust, -ausfall; **recession-induced** ~ **of revenue** rezessionsbedingter Steuerausfall; ~ **of a right** Rechtsverlust, Verlust eines Rechtes; ~ **of service** Kündigung eines Angestelltenverhältnisses; ~ **of services of the spouse** *(Br.)* Verlust der Arbeitskraft des Ehepartners; ~ **of a ship with all hands** Schiffsuntergang mit der gesamten Besatzung; ~ **of a ship at sea** Schiffsverlust, -untergang; ~ **on the spot** Platzverlust; ~ **of substance** Substanzverlust; ~ **of time** Zeitverlust; ~ **of tonnage** Tonnageverlust; ~ **of trade** Handelsrückgang; ~ **in transit** Transportschaden, -verlust; ~ **in value** Wertverlust, -minderung; ~ **of useful value** *(depreciation, Br.)* unvorhergesehene Entwertung; ~ **in value owing to damage** *(waste)* Wertminderung; ~ **of votes** Stimmenverlust; ~ **of wages** Lohnausfall; ~**es in war** Kriegsverluste, Ausfälle; ~ **of wealth** Vermögensverlust; ~ **in weight** Gewichtsschwund, -abgang, -verlust;

to assess a ~ Schaden abschätzen; **to be at a** ~ **for money** in Geldverlegenheit sein; **to be at a** ~ **for words** keine Worte finden, in Wortverlegenheit sein; **to be liable for a** ~ für einen Schaden aufkommen müssen; **to be responsible for a** ~ für einen Schaden haften; **to bear a** ~ Verlust tragen; **to claim damages for** ~ **of expectation of life** Schadensersatz für geringer gewordene Lebenserwartung verlangen; **to close with a** ~ mit Verlust abschließen; **to charge off (deduct)** ~**es** Verluste abschreiben; **to cut a** ~ Verlust verhüten; **to cut one's** ~**es** rechtzeitig zu spekulieren aufhören; **to cover all** ~**es** alle Schäden decken; **to cut one's** ~**es** seine Verluste abschreiben; **to discover the** ~ **of a document** Verschwinden einer Urkunde entdecken; **to estimate the** ~ Schaden feststellen (ermitteln); **to get off without a** ~ sich salvieren, ohne Verlust davonkommen; **to have a heavy** ~ schwere Verluste haben; **to hold s. o. harmless from a** ~ j. von einer Schadenersatzverpflichtung freistellen; **to incur heavy** ~**es** große Verluste erleiden; **to inflict a serious** ~ schweren Verlust zufügen; **to make good (up for) a** ~ Schaden ersetzen (vergüten), Verlust decken; **to make up for one's** ~**es** Verluste ausgleichen; **to meet with a** ~ Verlust erleiden (erfahren); **to operate at a** ~ mit Verlust arbeiten; **to put the** ~ **at DM 1 000** Verlust auf 1 000 DM beziffern; **to reckon up one's** ~ **es** seinen Verlust berechnen; **to recover one's** ~**es** sich von einem Schaden erholen; **to retrieve a** ~ Verlust wieder einbringen; **to run at a** ~ mit Verlust arbeiten; **to save from a** ~ vor Verlust bewahren; **to secure against a** ~ sich gegen einen Verlust schützen; **to sell at a** ~ mit Verlust verkaufen; **to settle a** ~ Schadensfall regeln; **to stand a** ~ Verlust (Ausfall) tragen; **to sustain (suffer) a** ~ Verlust erleiden; **to suffer** ~ **of prestige** Prestigeverlust erleiden; **to work at a** ~ mit Unterbilanz arbeiten;

~ **account** Verlustkonto; **profit and** ~ **account** Gewinn- und Verlustkonto; ~ **and gain account** *(US)* Gewinn- und Verlustkonto; ~ **adjustment** Schadensregulierung; ~ **advice** Schadensanzeige; ~ **assessment** Schadensfeststellung, -abschätzung; ~ **assessor** *(Br.)* Schadensabschätzer; ~ **balance** Verlustsaldo; ~ **claim** Schadenersatzklage; ~ **and damage claim** *(transportation)* Transportschadensforderung; ~**-payable clause** Schadenersatzklausel; **to plunge into the** ~ **column** in die Verlustzone (rote Ziffern) geraten; ~ **deduction** Verlustabzug; ~ **experience** Schadensverlauf; ~ figures Verlustzahlen, -ziffern; ~ **frequency** Schadenshäufigkeit; **all-**~ **insurance** *(US)* Gesamtversicherung; ~ **leader** Verlustträger, *(shop)* Reklamepreis, Anzeig-, Lockartikel, Lockvogelangebot, Köder; ~**-leader item** Lockartikelposten; **to be** ~**-leading** Verlustpreis hinnehmen; ~ **limitation** Verlustbegrenzung; ~ **payee** Schadenersatzberechtigter; ~ **payment** Auszahlung der Schadenssumme; ~ **prevention** Schadenverhütung; ~**-producing factor** Verlustfaktor; ~ **ration** *(insurance)* Schadensquote; ~ **relief** *(income - tax statement)* Verlustanrechnung; ~ **repartition** Verlustaufteilung; ~ **reserve** *(insurance)* Schadensreserve, Rücklage für laufende Risiken, Rückstellung für Verluste; ~ **selling** Verlustverkauf von Anreizwaren; ~ **settlement** Schadensregulierung; ~ **side** Verlustseite; ~ **statistics** Verluststatistik.

lost verloren, abhanden gekommen, in Verlust geraten, *(broken down)* ruiniert;

~ **or not** ~ *(marine insurance)* rückwirkende Versicherungsschutzklausel;

to be ~ verlorengehen, *(motion)* durchfallen, *(ship)* verunglücken, untergehen;

~ **bill of exchange** verlorengegangener Wechsel; ~ **property** verlorene Gegenstände, Fundsachen; ~**-property office** Fundbüro; ~ **time** Verlustzeit; ~**-time accident** Unfall mit Arbeitsausfall; ~ **usefulness** Entwertung, Abschreibung.

lot Teil, Anteil, *(duty, Br.)* Abgabe, Steuer, *(film)* Aufnahme-, Freigelände, Drehort, Studio, *(goods)* Waren-, Lieferposten, Partie, Sendung,

(item) Posten, Artikel, *(lottery)* Los, *(plot of land)* Bauplatz, [Grundstücks]parzelle, Gelände, *(production)* Herstellungsposten, Erzeugnis, *(taxation)* Steueranteil;
in ~s in Partien, posten-, partienweise;
auction ~ Auktionsposten; **broken ~** Partieware, Restposten, *(stock exchange)* Bruchschluß; **even (full) ~** voller Börsenschluß; **job ~** Ramschwaren; **less-than-carload ~** Stückgütersendung; **odd ~** Restpartie, *(stock exchange)* Bruchschluß; **parking ~** *(US)* Parkplatz;
a ~ of money eine Menge (Masse) Geld;
~ *(v.)* verlosen, durch Los zuteilen;
~ out in Partien aufteilen, *(land)* parzellieren;
to be redeemed by ~ zur Rückzahlung ausgelost werden; **to buy in one ~** in Bausch und Bogen (im Ramsch) kaufen; **to dispose of a ~ at reduced prices** Partie zu zurückgesetzten Preisen abgeben; **to draw securities by ~** Papiere auslosen; **to have ~s of money** Geld wie Heu haben; **to pay scot and ~** *(Br.)* Steuern nach Vermögen bezahlen; **to spend ~s of money** eine Menge Geld ausgeben;
~ book Kataster; **~ money** *(auction sale)* Auktionsgebühr; **economic ~ size** wirtschaftliche Losgröße.

lottery Verlosung, Ausspielung, Lotterie, *(affair of chance)* Glückssache, Lotteriespiel;
charity ~ Tombola; **class (Dutch) ~** Klassenlotterie; **interest ~** Prämienanleihe; **number ~** [Zahlen]lotto; **serial ~** Serienlotterie;
to draw a ~ Ausspielung vornehmen; **to draw securities by ~** Papiere auslosen;
~ agent Lotterieeinnehmer; **~ bond** Prämien-, Auslosungsanleihe; **~ gambling** Lotteriespiel; **~ list** Ziehungsliste; **~ loan** Prämienanleihe; **~ tax** Lotteriesteuer; **~ ticket** [Lotterie]los.

lotto Zahlenlotto;
to play at ~ Lotto spielen.

loud | pattern aufdringliches Muster.

low *(stock market, US)* Tiefstand;
~ *(a.)* niedrig, gering, *(country)* tief, *(prices)* billig, gedrückt;
~ in cash knapp bei Kasse; **in ~ water** pleite; **to be ~** *(prices)* niedrig stehen; **to sell ~** wohlfeil verkaufen;
~ -class von geringer Qualität; **~ -cost production facilities** günstige Produktionsverhältnisse; **~ -cost transportation** niedrige Versandkosten; **~ -duty goods** niedrig verzollte Waren; **to be in ~ funds** nicht gut bei Kasse sein; **~ -geared** *(capital)* unterkapitalisiert; **~ -geared capital** zu niedrig bemessenes Kapital; **~ gearing** Unterkapitalisierung; **~ -grade** von minderer Qualität; **~ level** Tiefstand [der Kurse]; **~ -price competition** Konkurrenz mit niedrigen Preisen; **~ -price countries** Billigpreisländer; **~ price group** niedrige Preisgruppe; **~ -priced** billig, niedrig im Preis, *(stock exchange)* niedrignotierend; **~ -rate articles** niedrig verzollte Waren; **~ standard of living** niedriger Lebensstandard; **~ station in life** bescheidene Berufsposition; **≗ Sunday** Weißer Sonntag; **~ -traffic short hops** Kurzstreckenverbindung; **to be in ~ water** schlecht bei Kasse sein.

lower *(v.)* herab-, heruntersetzen, herunterdrücken;
~ the bank rate Diskontsenkung vornehmen; **~ the currency** Währung verschlechtern; **~ the price of goods** Warenpreise heruntersetzen; **~ in value** an Wert verlieren;
~-bracket zur unteren Steuergruppe gehörend; **~ class** *(income tax)* Gruppe mit niedrigem Einkommen; **~ of cost or market** *(balancing)* Niederstwertprinzip; **valued at the ~-of-cost-or-market price** *(balance sheet)* bewertet zum Einstands- oder Marktwert; **~ -priced** verbilligt.

lowering | of the bank rate Diskontsenkung; **~ of prices** Preisherabsetzung, *(stock exchange)* Kursabschwächung; **~ of the time loan rate** Abschwächung der Sätze für festes Geld.

lowest | bid Mindestgebot; **~ bidder** Mindestbietender; **~ contractor** Mindestfordernder; **~ freight** Mindestfracht; **~ quotation** niedrigster Kurs.

lucrative | business einbringliches Geschäft; **to be a ~ business** gute Rendite abwerfen.

luggage *(Br.)* [Reise]gepäck, Passagiergut;
free ~ Freigepäck; **left ~** Aufbewahrungsgepäck; **personal ~** Handgepäck; **registered ~** aufgegebenes Gepäck;
to collect one's ~ sein Gepäck (bei der Gepäckaufbewahrung) abholen; **to examine the ~** Gepäck zollamtlich revidieren; **to send one's ~ in advance** sein Gepäck aufgeben;
~ chit Gepäckschein; **~ counter** Gepäckschalter; **~ examination** zollamtliche Gepäckrevision; **~ insurance** Reisegepäckversicherung; **left- ~ office** Gepäckannahme, -aufgabe, -schalter, -aufbewahrungsstelle; **~ -office clerk** Abfertigungsbeamter; **~ platform** Güterbahnsteig; **~ receipt** Gepäckschein; **~ registration window** Gepäckschalter; **[left] ~ ticket** Gepäck[hinterlegungs]schein.

lull Ruhepause, vorübergehendes Abklingen, *(stock exchange)* Geschäftsstille, Flaute.

lump Masse, große Menge;
in the ~ im ganzen (Durchschnitt), in Bausch und Bogen, pauschal;
~ *(v.)* zusammenwerfen;
~ the expenses Unkosten aufteilen; **~ items together** *(balance sheet)* Posten zusammenwerfen;
to buy in the ~ im Ramsch (in Bausch und Bogen) kaufen;
~ fee Pauschalgebühr; **~ indemnity** Pauschalentschädigung; **~ price** Pauschalpreis.

lump sum einmalige Summe, Pauschalbetrag.

lump-sum | **allotment** Pauschalzuteilung; ~ **allowance** Pauschalvergütung; ~ **payout** Abfindungszahlung; ~ **price** Pauschalpreis; ~ **purchase** Großeinkauf; ~ **rate** Pauschsatz; ~ **settlement** Pauschalregulierung, Kapitalabfindung.

lumped-order terms of sale monatliche Abrechnungsbedingungen.

luncheon | **commitment** Mittagsverabredung; ~ **meeting session** Arbeitsessen; ~ **voucher** Essenmarke; **to buy** ~ **vouchers** im Abonnement essen.

luncheonette Imbißstube, Schnellgaststätte.

lure Lockartikel, Köder;
~ *(v.)* **labo(u)r into other jobs** Arbeitskräfte zum Berufswechsel verführen (abwerben).

luxuries tax Luxussteuer.

luxury | **apartment** Luxuswohnung; ~ **article** Luxusartikel; ~ **flat** Komfortwohnung; ~ **hotel** Luxushotel, Hotel der Spitzenklasse; ~ **imports** Luxuswareneinfuhr; ~ **industry** Luxuswarenindustrie; ~ **tax** Luxussteuer.

M

mace-proof pfändungsfrei, nicht der Zwangsvollstreckung unterliegend.

machine Maschine, Apparat, Vorrichtung, Mechanismus, *(politics, US)* Organisation, Apparat;
adding ~ Addiermaschine, **addressing** ~ Adressiermaschine; **copying** ~ Kopierpresse; **franking** ~ Frankiermaschine;
~ **accountant** Maschinenbuchhalter; ~ **accounting** Maschinenbuchführung; ~ **burden unit** Maschinen-, Platzkostensatz; ~ **downtime** *(US)* Maschinenbrachezeit; ~ **posting** maschinelle Buchung; ~ **production** Serien-, Massenherstellung; ~ **shop** Reparaturwerkstätte; ~ **wear** maschinelle Abnutzung; ~ **work** Maschinenarbeit.

machinery Maschinen[anlage], Maschinenpark, maschinelle Anlagen, Apparate;
administrative ~ Verwaltungsapparate;
~ **and equipment** Maschinen und Betriebsausrüstung; ~ **and plant** Maschinen und maschinelle Anlagen;
~ **account** Maschinenanlagekonto; ~ **production** maschinelle Herstellung, Maschinenproduktion; ~ **replacement** Erneuerung des Maschinenparks.

machining | **allowance** Zuschlag für maschinelle Bearbeitung; ~ **operation** Bearbeitungsvorgang.

made gemacht, hergestellt, angefertigt;
ready-~ konfektionell hergestellt;
~ **of money** *(fam.)* steinreich; ~ **to order** auf Bestellung gemacht (angefertigt); ~ **out to order** an Order ausgestellt;
~ **bill** *(Br.)* indossierter Wechsel; ~ **-up clothes** Konfektionsware, -kleidung.

magazine Warenlager, [Waren]niederlage, Magazin, Speicher, Vorratsraum, *(film)* Filmmagazin, *(newspaper)* Magazin, [illustrierte] Zeitschrift, Illustrierte;
principal ~ Hauptniederlage;
~ **advertisement (advertising)** Zeitschriftenreklame, -werbung; ~ **salesman** Zeitschriftenhändler.

mail Post[sendung], Postsachen, Brief-, Paketpost, *(bag)* Postbeutel, -sack, *(delivery of postal matters)* Postversand, *(vehicle)* Postauto, -zug, -flugzeug;
by return of ~ postwendend, umgehend;
~**s** Brief-, Paketpost, Postsachen;
air ~ Luftpost, **arriving** ~ eingehende Post; **bulk** ~ Postwurfsendung; **closed** ~ versiegelte Postsäcke im zwischenstaatlichen Durchgangsverkehr; **daily** ~ Tagespost; **damaged** ~ beschädigte Post; **departing** ~ ausgehende (abgehende) Post; **domestic** ~ *(US)* Inlandspost; **early** ~ Morgenpost; **first-class** ~ *(US)* Briefpost; **foreign** ~ Auslandspost; **fourth-class** ~ *(US)* Paketpost; **incoming** ~ eingehende Post; **interoffice** ~ betriebsinterne Post; **letter** ~ *(US)* Briefpost; **limited** ~ *(railway)* Bahnpost; **local** ~ Ortspost; **morning** ~ Morgenpost; **outgoing** ~ ausgehende (abgehende) Post; **outward** ~ Auslandspost; **second-class** ~ *(US)* Zeitungen; **special** ~ Extrapost; **special-delivery** ~ Eilbotensendung; **third-class** ~ *(US)* Drucksachen; **undelivered** ~ noch nicht zugestellte Post;
~ *(v.)* *(US)* mit der Post senden, zum Versand bringen, zur Post geben, auf der Post aufliefern;
~ **in one's order** postalisch Auftrag erteilen; ~ **out** versenden; ~ **parcels** *(US)* Pakete aufgeben;
to dispatch the ~ Post abfertigen; **to do (go through) one's** ~ seine Post (seine schriftlichen Verpflichtungen) erledigen, seine Post durchsehen; **to open the** ~ Post[sachen] öffnen; **to receive** ~ Post bekommen; **to sell by** ~ im Postversandwege verkaufen;
direct ~ **advertising** Drucksachen-, Einzelwerbung durch die Post; ~ **advertising reply** *(US)* Werbeantwort; ~ **advice** briefliche Benachrichtigung; ~ **-back form** mit der Post zurückgeschickter Fragebogen; ~ **boat** Postschiff, -dampfer, Paketboot; ~ **ballot** Wahlschein; ~ **car[riage]** *(railway)* Postwagen; ~ **carrier** *(US)* Postbote; ~ **cart** *(Br.)* Handwagen des Postboten; ~ **classification** Postversandarten; ~ **clerk**

(US) Angesteller einer Speditionsabteilung; ~ **coach** *(Br.)* Postwagen; ~ **collection** Postabholung; ~ **credit** Postlaufkredit; ~ **day** Posttag; ~ **delivery** *(US)* Postzustellung; ~ **department** Expedition[sabteilung]; ~ **dispatch** Postabfertigung; ~ **distribution centre** Briefsammelstelle; ~ **drop** Briefannahmestelle; ~ **-in premium** Zugabe gegen eingesandten Kupon; ~ **matter** Postsendungen, -sachen, Briefpost.

mail order Auftrag durch die Post, Postauftrag, -versand,

mail-order *(a.)* durch Versandgeschäft;

~ **advertising** Versandvertriebs-, Versandhauswerbung; ~ **business** Versandgeschäft, -handel; ~ **business boom** Hausse im Versandhausgeschäft; ~ **catalog(ue)** Versandhauskatalog; ~ **contract** Versandgeschäftsauftrag; ~ **department** Postversandabteilung; **to practise** ~ **distribution** durch das Versandhaussystem absetzen; ~ **field** Versandhauswesen; ~' **firm (house)** Versandhaus, -geschäft, -unternehmen; ~ **retailer** über ein Versandhaus anlieferndes Einzelhandelsgeschäft; ~ **sales** Versandhausumsätze; ~ **selling** Verkauf durch Versandgeschäft, Versandverkauf; ~ **store** Auslieferungsstelle einer Versandfirma; ~ **wholesaler** Versandgroßhändler.

mail | payer *(Scotch law)* Mieter; ~ **payment (remittance)** briefliche Überweisung; **in-the-~ price** Preis frei Haus; ~ **privilege** *(US)* Portovergünstigung für bestimmte Postsendungen; ~ **questionnaire (questionary)** brieflich versandter Fragebogen; ~ **research (survey)** postalische Befragung; ~ **robbery** Postdiebstahl.

mail service Postdienst, -verkehr;

external ~ Auslandspostverkehr; **internal** ~ Inlandspostverkehr; **transit** ~ Durchgangspostverkehr;

~, **passenger and parcel service** Post-, Passagier- und Paketschiffahrt.

mail | station *(US)* Postamt; ~ **steamer** Postdampfer, Paketboot; ~ **strike** Postarbeiterstreik; ~ **survey** brieflich angestellte Untersuchung; **two-tiered** ~ **system** zweistufiges Posttarifsystem; ~ **teller** Kassierer für postalisch eingehende Überweisungen; ~ **train** Postzug; **by** ~ **train** als Frachtgut; ~ **transfer** Überweisung durch die Post, Postüberweisung, briefliche Auszahlung; ~ **van** Paketpostwagen.

mailable postalisch zu befördern, postversandfähig.

mailbag Postbeutel, -sack.

mailbox *(US)* Briefeinwurf, -kasten im Hause.

mailed postalisch aufgegeben;

~ **application** schriftlicher Antrag.

mailer Postabfertiger, *(mailing machine)* Adressiermaschine, Frankierautomat.

mailing *(US)* Auflieferung (Aufgabe) bei der Post; ~**s** Postversandmaterial;

~ **address** *(US)* Postanschrift; ~ **bag** Musterbeutel; ~ **cartoon** Versandkarton; ~ **clasp** *(US)* Musterklammer; ~ **clerk** Postabfertiger; ~ **charges** *(US)* Postgebühren; ~ **costs** Versandkosten; ~ **date** Versandtermin, Postabgangsdatum; ~ **department** Expedition[sabteilung]; ~ **expenses** Post-, Versandgebühren; ~ **fees** *(US)* Postgebühren; ~ **list** Postversandliste, Adressenkartei; **to add s. one's name to the** ~ **list** j. in die Adressen-, Postversandliste aufnehmen; ~**-list control** Adressenkontrolle; ~**-list revision** Adressenüberprüfung; ~**-list source** Adressenquelle; ~ **machine** Adressiermaschine; ~ **piece** Postwurfsendung; ~ **room** Postabfertigungsraum; ~ **schedule** Adressenplan; ~ **scheme** *(Br.)* Plan für Postversandwerbung; ~ **shot** Postwerbeexemplar; ~ **table** Briefsortiertisch; ~ **tube** Papp-, Versandrolle.

mailroom Postabfertigungsraum.

main *(principal part)* Hauptsache, -punkt, *(principal railroad, US)* Hauptlinie;

~ *(a.)* vorwiegend, hauptsächlich;

~ **artery** Hauptverkehrsweg; ~ **business** Hauptgeschäft; ~ **catalog(ue)** Hauptkatalog; ~ **customer** wichtigster Kunde, Hauptkunde; ~ **establishment** Hauptniederlassung; ~ **highway** Landstraße erster Ordnung; ~ **interview** *(employment)* Einstellungsbefragung; ~ **junction** Hauptknotenpunkt; ~ **market** Hauptabsatzgebiet; ~ **office** *(US)* Zentrale, Hauptverwaltung, -stelle, -niederlassung; ~ **seat of activity** Hauptniederlassung; ~ **source** Hauptbezugsquelle; ~ **station** Hauptbahnhof; ~ **street** *(US)* Hauptstraße, Ausfallstraße; ~ **supplier** Hauptlieferant.

maintain *(v.)* aufrechterhalten, weiterführen, beibehalten, *(keep in repair)* instand halten, *(prices)* stützen, halten, *(support)* unterhalten, betreuen, versorgen;

~ **themselves** *(prices)* sich halten (behaupten);

~ **an action in one's own name** im eigenen Namen klagen; ~ **an airport** für die Instandhaltung eines Flugplatzes Sorge tragen; ~ **books** Bücher führen; ~ **a correspondence** Briefwechsel führen; ~ **the deliveries** Lieferungen aufrechterhalten; ~ **a family** Familie ernähren; ~ **an office** Geschäftsstelle unterhalten; ~ **fixed resale prices** Preisbindung der zweiten Hand beibehalten; ~ **reserves** Reserven halten; ~ **its value** seinen Wert behalten.

maintained *(stock exchange)* behauptet;

~ **price** gebundener Preis.

maintenance *(keeping in repair)* [laufende] Unter-, Instandhaltung, Wartung, *(keeping up)* Aufrechterhaltung, *(obligation to pay)* Unterhaltspflicht, *(subsistence)* [Lebens]unterhalt, -stützung, Unterhaltsmittel;

entitled to ~ unterhaltsberechtigt;

current ~ laufende Instandhaltung; **deferred** ~ aufgeschobene Reparaturen; **resale price** ~ Preisbildung der zweiten Hand; **secured** ~ *(Br.)*

gesicherte Unterhaltszahlung; **separate** ~ *(US)* Trennungszulage;

~ **of an automobile** Fahrzeugunterhaltung; ~ **of a family** Unterhalt einer Familie; ~ **of membership** *(trade union)* aufrechterhaltene Gewerkschaftsmitgliedschaft als Beschäftigungsvoraussetzung; ~ **of the poor** Fürsorge [für die Armen]; ~ **of prices** Preisstützung, -bindung, Aufrechterhaltung des Preisgefüges; ~ **of resale prices by local dealers** Preisbindung der zweiten Hand durch die örtlichen Händler; ~ **suitable to s. one's station in life** standesgemäßer Unterhalt;

to be responsible for ~ unterhaltspflichtig sein; **to sue for** ~ Unterhaltsklage erheben;

~ **advertising** Erhaltungswerbung; ~ **arrears** rückständige Unterhaltszahlungen; ~ **allowance** Unterhaltszuschuß, -beitrag; ~ **budget** Wartungsetat; ~ **charges** Instand-, Unterhaltskosten; ~ **claim** Unterhaltsanspruch; ~ **contract** Wartungsabkommen; ~ **cost** Instandhaltungs-, Betriebs-, Wartungs-, Unterhaltungskosten, Erhaltungsaufwand; ~ **employees** Wartungspersonal; ~ **expense** Instandhaltungs-, Unterhaltungskosten; ~ **fee** *(US)* Vertragsstrafe; ~ **grant** Unterhaltszuschuß; **to evade one's** ~ **obligations** sich seiner Unterhaltspflicht entziehen; ~ **order** *(Br.)* Unterhaltsurteil; ~ **service** Wartung; ~ **wages** das Existenzminimum deckender Lohn.

major | *(v.)* *(US)* **in business administration** sich auf Betriebswirtschaft spezialisieren;

~ **consumer goods** hochwertige Gebrauchsgüter; ~ **part of the revenue** Haupteinnahmequelle; ~ **road** Vorfahrtsstraße; ~ **selling day** Hauptverkaufstag; ~ **swing** *(US)* Marktentwicklung über einen größeren Zeitraum.

majority Mehrheit, Majorität, *(full age)* Mündigkeit, Volljährigkeit;

~ **in amount** *(company)* kapitalmäßige Mehrheit; ~ **in amount of claim** *(bankruptcy proceedings)* Mehrheit nach der Höhe der angemeldeten Forderungen; ~ **of creditors** Gläubigermehrheit; ~ **of shares (stockholders,** *US***)** Aktienmehrheit; ~ **of the workers** Gros der Arbeiter;

to control a ~ **of votes** über die Stimmenmehrheit (Majorität) verfügen; **to have a** ~ **on the board** über eine Vorstandsmehrheit verfügen;

~ **control** Majoritätsstellung; ~ **decision** Mehrheitsbeschluß; ~ **interest** Mehrheitsbeteiligung; **~-owned** im Mehrheitsbesitz, majorisiert; ~ **resolution** Mehrheitsbeschluß; ~ **shareholder** Mehrheitsaktionär; ~ **stock** *(US)* Aktienmehrheit; ~ **stock participation** *(US)* Mehrheitsbeteiligung; ~ **stockholder** *(US)* Mehrheitsaktionär, Besitzer der Aktienmehrheit.

make Erzeugnis, Fabrikat, Marke, Warenzeichen, *(brand)* [Marken]produkt, *(condition)* Beschaffenheit, Verfassung, Zustand, *(form)* Ausführung, Ausfertigung, Machart, *(machine)* Bauart, Typ, *(maker's wage)* Macherlohn, *(output)* Ausstoß, Produktion[smenge];

of first-class ~ in hervorragender Verarbeitung; **on the** ~ *(sl.)* profitgierig, hinter dem Gelde her;

best ~ bestes Fabrikat; **our own** ~ unser eigenes Fabrikat; **popular** ~ gut eingeführte Marke (Ware); **standard** ~ Normalausführung;

~ *(v.)* machen, *(gain)* verdienen, *(manufacture)* fabrizieren, [ver]fertigen, erzeugen, herstellen, anfertigen, produzieren;

~ **an allowance** [Preis] nachlassen, Rabatt geben; ~ **s. o. an allowance of $ 500 a year** jem. einen jährlichen Unterhaltsbetrag von 500 Dollar gewähren; ~ **an assignment** sein Eigentum auf den Konkursverwalter übertragen; ~ **a bargain** Geschäft abschließen; ~ **it one's business** sich eine Sache angelegen sein lassen; ~ **a successful business man** erfolgreichen Geschäftsmann abgeben; ~ **a copy** Abschrift anfertigen; ~ **default** nicht bezahlen, seinen Verpflichtungen nicht nachkommen, *(fail to appear)* Gerichtstermin versäumen; ~ **demands on s. one's time** jds. Zeit beanspruchen; ~ **an exhibition** Ausstellung veranstalten; ~ **a fortune** Vermögen machen; ~ **good arrears** Rückstände begleichen; ~ **good a deficiency (loss)** Schaden decken; ~ **s. o. liable for s. th.** j. haftbar machen; ~ **a living** seinen Lebensunterhalt verdienen; ~ **a loan** Kredit gewähren; ~ **one's mark** sein Handzeichen setzen, unterschreiben; ~ **one's market** sein Warenlager absetzen; ~ **money by economies** einsparen; ~ **money of an execution** Zwangsvollstreckung realisieren; ~ **a note** Wechsel ausstellen; ~ **an offer** Angebot (Offerte) abgeben; ~ **to order** auf Bestellung anfertigen; ~ **payable** zahlbar stellen; ~ **payment** Zahlung leisten; ~ **an additional (supplementary) payment** Nachzahlung leisten; ~ **a price** Preis festsetzen; ~ **provision for** Vorkehrungen treffen, *(balance sheet)* Rücklage bilden; ~ **a purchase** Einkauf tätigen; ~ **remittance** remittieren; ~ **a return** Steuererklärung abgeben; ~ **valid** validieren, gültig machen; ~ **wages** durch Mehrarbeit eine Lohnerhöhung erzielen.

make | **away with one's fortune** sein Vermögen durchbringen; ~ **off with the money (cash)** mit dem Geld (der Kasse) durchbrennen.

make out *(draw up)* ausstellen, ausfertigen, *(fill out)* ausfüllen, *(find out)* feststellen, herausbekommen, *(list)* aufstellen, *(have success, US)* Erfolg haben, gut abschneiden;

~ **an account** Rechnung ausstellen; ~ **to bearer** auf den Inhaber ausstellen; ~ **in blank** blanko ausstellen; ~ **a document in duplicate** Urkunde in doppelter Ausfertigung ausstellen.

make over *(transfer)* abtreten, übertragen, übereignen;
~ **the business to one's son** Geschäft auf seinen Sohn übertragen; ~ **one's estate** sein Vermögen hinterlassen (vermachen); ~ **the whole of one's property to a trust** sein gesamtes Vermögen einer Stiftung vermachen.

make up *(accounts)* ausgleichen, *(alternate)* umarbeiten, ändern, *(compensate)* wiedergutmachen, ersetzen, entschädigen;
~ **one's accounts** seine Bücher abschließen; ~ **an amount** Defizit ersetzen; ~ **the average** Dispache machen; ~ **a balance sheet** Bilanz aufstellen; ~ **an inventory** Lagerbestand (Inventur) aufnehmen, Inventur machen; ~ **the requisite sum** fehlende Summe ergänzen; ~ **a train of cars** Zugfolge zusammenstellen.

make | -good *(advertising)* kostenlose Ersatzanzeige, *(broadcasting)* Ersatzwerbedurchspruch; ~**-ready time** *(production)* Vorbereitungszeit.

make-up Verfassung, Struktur, Zusammensetzung, -stellung, *(laying out)* Aufmachung, *(print.)* Umbruch, Klebespiegel;
~ **pay** *(US)* Akkordzuschlag; ~ **work** nachgeholte Arbeitszeit.

maker *(of bill)* Wechselgeber, -aussteller, *(drawer)* Aussteller, *(manufacturer)* Hersteller, Produzent, Erzeuger, Fabrikant;
accommodation ~ Gefälligkeitsaussteller;
~**'s trademark** Herstellungszeichen.

makeshift Notbehelf, Aushilfe, Lückenbüßer, Surrogat.

making out | of an account Rechnungsausstellung; ~ **a check** *(US)* **(cheque,** *Br.)* Scheckausstellung.

making up | the account (books) Abschluß der Bücher, Kontenabschluß; ~ **a balance sheet** Bilanzaufstellung; ~ **the budget** Haushalts-, Etataufstellung; ~ **an inventory** Inventuraufstellung; ~ **for losses** Verlustausgleich.

making-up | day *(Br.)* Prämienerklärungs-, Reporttag, zweiter Liquidationstag; ~ **price** *(Br.)* Lieferungs-, Abrechnungskurs, Liquidationspreis, -kurs.

maladjustment | in the balance of payments Störungen der Zahlungsbilanz; ~ **of prices** Preisschere.

maldistribution of wealth ungleiche Vermögensverteilung.

malproduction Überproduktion.

malversation of public money Amtsunterschlagung.

man Mensch, Mann, Person, *(servant)* Diener, Angesteller, *(mar.)* Matrose;
credit ~ Kreditfachmann;
~ **of business** Geschäfts-, Kaufmann; ~ **of established position** angesehener Mann; ~ **of means (property)** begüterter Mann; ~ **on the spot** örtlicher Vertreter; ~ **of straw** vorgeschobene Person, Strohmann; ~ **in the street** Durchschnittsmensch;
~**-days lost** verlorene Arbeitstage; ~**-hour** Arbeitsstunde; ~ **rating** Leistungseinstufung.

manage *(v.)* *(administer)* verwalten, führen, *(conduct)* [Betrieb] leiten, Geschäfte führen, *(contrive)* fertigbringen, möglich machen, bewerkstelligen, zurechtkommen, zustande bringen, einrichten, *(control)* beaufsichtigen, dirigieren, *(get on)* sich durchbringen, lavieren, *(get up)* veranstalten, organisieren, *(handle)* behandeln, *(household)* vorstehen, leiten, *(landed property)* bewirtschaften, *(makeshift)* sich behelfen, auskommen;
~ **with $ 100** mit 100 Dollar auskommen können; ~ **one's own affairs** seine eigenen Angelegenheiten erledigen; ~ **a business** Geschäft führen; ~ **with little money** mit wenig Geld durchkommen.

managed | currency manipulierte Währung; ~ **economy** Planwirtschaft; ~ **money** Papiergeld ohne Deckung.

management *(administration)* Verwaltung, Betrieb, *(company)* Geschäftsleitung, Verwaltungsspitze, Direktion, [Geschäfts]vorstand, *(conducting of business)* Leitung, Geschäfts-, Betriebsführung, *(entrepreneurship)* Unternehmertum, *(executives)* leitende Angestellte, Führungskräfte, *(handling)* Handhabung, *(of landed property)* Bewirtschaftung, *(organizational talent)* Organisationstalent, *(railway)* Betriebsplan;
under new ~ unter neuer Leitung;
advanced ~ mittlere Führungsschicht; **bad** ~ schlechte Betriebsführung; **brand** ~ Markenbetreuung; **debt** ~ *(US)* Bundesschuldenverwaltung; **executive** ~ Geschäftsleitung; **factory** ~ Betriebs-, Fabrikleitung, Betriebsverwaltung; **industrial** ~ Betriebswirtschaft; **middle** ~ *(US)* mittlere Führungsschicht (Führungskräfte); **multiple** ~ Unterstützung der obersten Führungskräfte durch Arbeitnehmervertreter; **personnel** ~ Personalverwaltung; **plant** ~ Betriebsleitung; **poor** ~ schlechte (mangelhafte) Geschäftsführung; **top** ~ oberste Führungskräfte;
~ **by alternatives** Betriebsführung durch das Angebot von Variationsmöglichkeiten; ~ **of a case** Prozeßführung; **central** ~ **of a combine** Konzernleitung; ~ **by communication and participation** Betriebsführung nach Informierung und Anhörung; ~ **of a corporation** Verwaltungsspitze einer Gesellschaft; ~ **of the national debt** Bundesschuldenverwaltung; ~ **by decision rules** Betriebsführung anhand eines Verhaltenskatalogs; ~ **by direction and control** Betriebsführung im autoritären Stil; ~ **of an estate** Gutsverwaltung; ~ **by exception** Betriebsführung nur in Ausnahmefällen; **poor** ~ **of expenditure** schlechte Ausgabenwirtschaft; ~ **of a**

house Haushaltsführung; ~ **by innovation** Betriebsführung durch ständiges Streben nach Systemerneuerung; ~ **and labo(u)r** Tarifpartner; ~ **of men** Menschenführung; ~ **by motivation** Betriebsführung durch Darlegung überzeugender Beweggründe; ~ **by objectives** Betriebsführung durch Zielvorgabe; ~ **of property** Grundstücks-, Vermögensverwaltung; ~ **by teaching** Betriebsführung mittels weitgehender Weiterbildung;
to dismantle central ~ zentralgesteuerte Verwaltungsspitze auflösen; **to have a voice in the** ~ in der Verwaltung (Leitung) mitzureden haben; **to represent** ~ **in labo(u)r disputes** Unternehmertum in arbeitsrechtlichen Auseinandersetzungen vertreten; **to structure one's** ~ **from scratch** Führungsgremium vom Grund auf umstrukturieren; **to supply the** ~ **with advice** dem Vorstand beratend zur Verfügung stehen;
~ **ability** Führungsqualitäten; ~ **accounting** Rechnungswesen für bestimmte Betriebsführungsbedürfnisse; ~ **agreement** Geschäftsführungsvereinbarung; ~ **appraisal** Vorstandsbewertung; ~ **audience** Managerlesekreis; ~ **board** Vorstandsgremium; ~ **cabinet** *(US)* aus Nachwuchskräften zusammengesetzte Betriebsführung; ~ **cadre** Verwaltungskader; ~ **cash-incentive scheme** Tantiemenregelung für leitende Angestellte; ~ **changes** Vorstandswechsel, Wechsel (Veränderung) im Vorstand; ~ **committee** Geschäftsführungsausschuß; ~ **Committee** (EG) Direktorium; ~ **concept** Vorstandskonzeption; ~ **consultant** Unternehmens-, Betriebs-, Vorstands-, Industrieberater; ~ **consulting** Betriebs-, Unternehmensberatung; ~ **consulting firm** Unternehmensberatung[sgesellschaft], Beratungsfirma; ~ **consulting organization** Unternehmensberatungsgesellschaft; ~ **contract** Vorstandsvertrag; ~ **control** Vorstandsbereich, -ressort; ~ **counsellor** Unternehmens-, Betriebs-, Industrie-, Vorstandsberater; **top-level** ~ **decision** Entscheidung auf höchster Ebene; ~ **department** Verwaltungsabteilung; ~ **development scheme** Nachwuchsförderungswesen; ~ **efficiency** Leistungsfähigkeit des Vorstandes; ~ **engineer** hervorragender Betriebsführer; ~ **engineering** *(US)* Betriebstechnik; ~ **expense** Verwaltungskosten; **[general]** ~ **experience** unternehmerische Erfahrung, Unternehmererfahrung; ~ **expertise** Führungskunst; ~ **fee** Vorstandsvergütung, Geschäftsführungshonorar, *(investment trust)* Verwaltungskosten, -gebühr; ~ **fee bonus** *(investment trust)* Verwaltungsgebührprämie; ~ **flexibility** bewegliche Führungsmethoden; ~ **functions** Führungstätigkeit, -aufgaben, Betriebsführungsfunktionen; ~ **fund** Investmentfonds mit veränderlichem Portefeuille; ~ **game** Betriebsplanspiel; ~ **goal** bestmögliche Belegschaftsverwendung; ~ **group** Führungsgruppe; ~ **guide** Handbuch für die Geschäftsführung; ~ **hierarchy** Betriebshierarchie; ~ **incentive** Verwaltungsprämie; ~ **investment company** Kapitalanlagegesellschaft mit Freizügigkeit in der Anlagepolitik; **to retool their** ~ **knowledge** ihr Führungsinstrumentarium umrüsten; ~ **office** Verwaltungsbüro, -gebäude; ~ **organization** Verwaltungsorganisation, Betriebsorganisation; ~ **partition** betriebliche Mitbestimmung; ~ **perfection** Führungswirksamkeit; ~ **planning** Betriebs-, Unternehmensplanung; ~ **policy** Betriebs[führungs]-, Unternehmerpolitik; ~ **position** leitende Position, Führungsposition; **top-level** ~ **position** Spitzenposition; ~ **practice** Betriebsführungspraxis; ~**principles** Grundsätze der Betriebsführung; ~ **problems** Probleme der Geschäftsführung; ~ **profession** führende Berufsschicht; ~ **report** Vorstandsbericht; ~ **representative** Unternehmensvertreter; ~ **reserve group** *(US)* Führungsnachwuchsgruppe; ~ **science** Wissenschaft von der Betriebsführung; ~ **science research** Forschungstätigkeit im Bereich der Betriebsführung; ~ **secretary** Direktionssekretär[in]; **to come into the** ~ **scene** in den Vorstand gelangen, seinen Vorstandsaufstieg erreichen; ~ **seminar** Nachwuchsseminar; ~ **shares** Vorstandsaktien, *(US)* Genußscheine für den Vorstand; ~ **sharing** *(US)* Beteiligung an der Geschäftsführung; ~ **skills** Führungsqualitäten; ~ **stock** *(US)* Vorstandsaktien; ~ **strike** Streik der Führungskräfte; ~ **structure** Führungsstruktur; ~ **style** Führungsstil; ~ **survey** Untersuchung über die Führungskräfte; ~ **switch** Austausch von Vorstandsmitgliedern; ~ **talent** Führungsqualitäten, -begabung; ~ **team** Führungsgruppe, Verwaltungskörper, -rat; **top** ~ **team** Spitzengremium; **to hold one's** ~ **team** seine leitenden Angestellten an sich binden; ~ **technique** Betriebsführungsverfahren; Führungsmethoden; **to update its** ~ **techniques** Führungsapparat modernisieren; ~ **trainee** Nachwuchskraft, Führungsnachwuchs; ~ **trainee course** Ausbildungskurs für Nachwuchskräfte; ~ **training adviser** Berater in der Nachwuchsschulung; ~ **trust** Kapitalanlagegesellschaft mit freizügiger Anlagenverwaltung; **general** ~ **trust** Investmentgesellschaft mit breitgestreutem Aktienportefeuille.

manager (administration) Verwalter, Leiter, Vorsteher, *(broadcasting, film theater)* Regisseur, Intendant, Impresario, *(conductor of business)* Betriebsleiter, -führer, Geschäftsführer, Unternehmensleiter, Direktor, Vorsteher, *(estate)* Bewirtschafter, Verwalter, Gutsinspektor, *(film actress)* Manager, persönlicher Berater, *(law, Br.)* vom Gericht eingesetzter Treuhänder, *(managing clerk)* Disponent, Faktor, *(organizer)* Veranstalter, Organisator;
~**s** Direktion, Vorstand;

acting ~ Betriebsleiter, geschäftsführender Direktor; **advertising** ~ Leiter der Werbeabteilung, Reklamechef, Propagandaleiter; **assistant** ~ stellvertretender Direktor; **bank** ~ Bankdirektor; **branch** ~ Filialleiter, -vorsteher; **business** ~ Geschäftsführer; **chief** ~ Betriebsleiter, Hauptgeschäftsführer; **city** ~ *(US)* Amtsbürgermeister, Oberstadtdirektor; **commercial** ~ kaufmännischer Leiter; **departmental** ~ Abteilungsleiter; **deputy** ~ stellvertretender Geschäftsführer; **district** ~ Gebietsleiter; **estate** ~ Guts-, Grundstücksverwalter, Gutsinspektor; **factory** ~ Werksleiter, Fabrikdirektor; **farm** ~ Gutsverwalter, -inspektor; **functional** ~ fachliche Führungskraft; **general** ~ geschäftsführendes Vorstandsmitglied, Betriebsführer; *(US)* Generaldirektor; **head** ~ Betriebsleiter, Generaldirektor; **hotel** ~ [Hotel]geschäftsführer, -direktor; **immediate** ~ unmittelbarer Vorgesetzter; **marketing** ~ Vertriebsleiter; **office** ~ Büroleiter; **operations (plant)** ~ *(US)* Betriebsleiter, -direktor; **owner-**~ Alleinunternehmer, selbständiger Betriebsführer; **personnel** ~ Leiter der Personalabteilung, Personaldirektor, -chef; **produktion** ~ Produktionsleiter; **prospective** ~**s** Führungsnachwuchs; **publicity** ~ Leiter der Public-Relations-Abteilung; **sales** ~ Verkaufsleiter, Leiter der Verkaufsabteilung; **staff** ~ Personalchef; **stage** ~ Intendant; **store** ~ Geschäftsführer; **technical** ~ technischer Direktor; **traffic** ~ Betriebsaufseher; **works** ~ *(Br.)* Betriebs-, Werks-, Fabrikleiter;
receiver and ~ *(Br.)* Konkurs-, Masseverwalter;
~ **of a bank** Bankdirektor; ~ **of a branch office** Filialleiter; ~ **of credit** Kreditfachmann; ~ **of men** Menschenführer;
to appoint a ~ Geschäftsführer bestellen; **to be a bad** ~ nicht einteilen können; **to be an excellent** ~ sehr gut wirtschaften können;
~ **education** Managerausbildung; ~ **thinking** Managerdenkweise; ~ **underwriter** Konsortialführer.

manageress Geschäftsführerin, Betriebsleiterin.

managerial führend, unternehmerisch, direktorial;
high ~ **agent** *(US)* Abteilungsleiter; ~ **assistance** Führungshilfe; ~ **authority** Führungsbefugnisse; **in a** ~ **capacity** in leitender Stellung; ~ **class** Unternehmerschicht; ~ **decisions** Maßnahmen der Betriebsleitung; ~ **duties** Direktionsaufgaben; ~ **economics** *(US)* allgemeine Betriebswirtschaftslehre; ~ **functions** Unternehmerfunktion; ~ **group** Betriebsgruppe; ~ **hierarchy** Hierarchie der leitenden Angestellten; **at** ~ **level** auf Führungs-, Vorstandsebene; ~ **market** Managerleserkreis; ~ **occupation** leitende Berufsfunktion, führende Stellung; **high-income** ~ **people** hochverdienendes Management, Führungskräfte mit hohem Einkommensniveau; ~ **policy** Verwaltungspolitik; ~ **position (post)** führender Posten, Führungsposten, leitende Stellung; ~ **prerogative** Unternehmervorrecht; ~ **problems** Probleme der Betriebsführung, Führungsprobleme; ~ **qualities** Unternehmereigenschaften; ~ **ranks** betriebliche Rangordnung; ~ **representation** Unternehmervertretung; ~ **secretary** Vorstandssekretär[in]; ~ **staff** Verwaltungskörper, Geschäfts-, Betriebsleitung; ~ **state** Betriebsimperium; ~ **system** Unternehmertum; ~ **success** Erfolg als Unternehmer; ~ **talent** unternehmerische Fähigkeiten, Unternehmerbegabung; ~ **techniques** Führungsmethoden; **new** ~ **techniques** neue Methoden in der Unternehmensführung; ~ **work** Arbeit von Führungskräften.

managership Geschäftsführertätigkeit, Managertum.

managing Geschäftsführung, Betriebsleitung, Verwaltung;
~ *(a.) (conducting)* leitend, geschäftsführend, verwaltend, *(economizing)* wirtschaftlich, sparsam;
~ **agent** Geschäftsführer; ~ **board** Verwaltung, Verwaltungsrat, Direktorium; ~ **clerk** Geschäftsleiter, -führer, Bevollmächtigter, Prokurist, Bürovorsteher, leitender Angestellter; ~ **committee** Vorstand, geschäftsführender Ausschuß, Verwaltungsausschuß; ~ **company** *(Br.)* Verwaltungsgesellschaft; ~ **director** *(Br.)* geschäftsführendes Vorstandsmitglied, Generaldirektor, Betriebs-, Geschäftsführer; ~ **directors** geschäftsführender Verwaltungsrat einer AG; ~ **directorship** Vorstandsvorsitz; ~ **editor** Chef vom Dienst; ~ **man** Vertreter der Geschäftsführung, *(estate)* Gutsverwalter, -inspektor; ~ **owner of ship** Korrespondenzreeder; ~ **partner** geschäftsführender Gesellschafter (Teilhaber); ~ **position** leitende Position, Führungsposten, -position; ~ **president** geschäftsführender Präsident; **to fulfil(l) a** ~ **role** Verwaltungsaufgabe wahrnehmen.

mandate *(contract of bailment)* Mandat, [Mandats]auftrag, Vollmacht, Geschäftsbesorgungsvertrag *(court order)* Vollstreckungsbefehl;
dividend ~ Inkassoauftrag für Dividendenerträgnisse;
~ **form** Vollmachtsformular.

mandatory | *(a.) (US)* obligatorisch, zwingend, zwangsläufig, pflichtgemäß, verbindlich;
~ **instructions** *(US)* verbindliche Anweisungen; ~ **removal** zwangsweise Entlassung; ~ **retirement age** festgelegtes (vorgeschriebenes) Pensionsalter.

manifest öffentliche Erklärung, Manifest, *(customs)* Zolldeklaration, *(invoice)* Lade-, Warenverzeichnis, Frachtliste, -brief;
bonded ~ Freigut; **cargo** ~ Ladeverzeichnis; **inward** ~ Zolleinfuhrerklärung; **outward** ~ Zollausfuhrerklärung;

~ *(v.)* | **a cargo** Ladung[sverzeichnis] anmelden;
to split ~s on transatlantic flights wechselweise Benutzung von Charter- und Linienflugzeugen im Transatlantikverkehr ermöglichen;
~ *(a.)* offenkundig, augenscheinlich, offenbar, handgreiflich, manifest;
~ **freight** beim Zoll vorzulegende Exportsendung.

manifold hektografierter Abzug, Durchschlag, Kopie;
~ **book** Durchschreibebuch; ~ **form of entry** Mehrfachformular für Eintragungen; ~ **paper** Vervielfältigungspapier, Saugpost.

manifolder Vervielfältigungsapparat.

manipulate *(v.)* *(handle)* handhaben, behandeln, *(influence)* manipulieren, künstlich beeinflussen;
~ **accounts** Bücher frisieren; ~ **the currency** Währung manipulieren; ~ **the market** *(stock exchange)* Markt beeinflussen; ~ **stocks** Aktien manipulieren.

manipulation Handhabung, Behandlung, Manipulation, *(stock exchange)* Kursbeeinflussung, -manipulierung;
business ~ betrügerisches Geschäftsgebaren;
~ **of accounts** Kontenfälschung; ~ **of the currency** Manipulation der Währung, Währungsmanipulation; ~ **of the market** Kursmanipulation; ~ **on the stock exchange** Börsenmanöver;
to make a lot of money by clever ~s of the stock market viel Geld durch geschickte Börsenmanöver verdienen.

mannequin parade Modenschau.

manner Verfahren, Modus, Methode, Art und Weise;
~ **of calculation** Berechnungsart; ~ **of conveyance** Beförderungsart; ~ **of delivery** Versandform; ~ **of packing** Verpackungsart; ~ **of payment** Zahlungsweise, -modus.

manning table *(US)* Stellenbesetzungsplan.

manœuvre Manöver, Schachzug, Kunstgriff, Finte, schlaues Vorgehen;
~ *(v.)* **a friend into a good job** einem Freund eine gute Stellung besorgen.

manpower menschliche Arbeitskraft, Leistungsfähigkeit eines Mannes, *(labo(u)r force)* verfügbare Arbeitskräfte, Personalbestand;
skilled ~ ausgebildete Fachkräfte; **surplus** ~ Überschuß an Arbeitskräften;
to recruit ~ Arbeitskräfte einstellen;
~ **budget** Personaletat; ~ **control** Arbeitslenkung; ~ **inventory** Personalkartei; ~ **management** Arbeitseinsatz; ~ **policy** personalpolitische Grundsätze eines Unternehmens; ~ **program(me)** Arbeitsbeschaffungsprogramm; ~ **requirements** Arbeitskräftebedarf; **to buy ~ resources** Nachwuchskräftebedarf decken; ~ **shortage** Mangel an Arbeitskräften, Arbeitermangel; ~ **situation** Arbeitsmarktlage.

manual *(handbook)* Vorschriften-, Instruktions-, Handbuch, Leitfaden, Manual, Führer, *(interviewer)* Gebrauchsanweisung, Leitfaden;
~ **delivery** tatsächliche Übergabe, *(donation)* Erfüllung eines Schenkungsversprechens; ~ **exchange** Fernsprechvermittlung mit Handbetrieb; ~ **labo(u)r** körperliche Arbeit; **sign** ~ eigenhändige Unterschrift; ~ **worker** ungelernter Arbeiter, Handarbeiter.

manufacture Herstellung, Verarbeitung, Fabrikation, fabrikmäßige Herstellung, Verfertigung, Anfertigung, Produktion, Ausstoß, *(line of industry)* Industrie-, Fabrikationszweig, *(manufactured article)* Industrieprodukt, hergestellter Artikel, Erzeugnis, Fertigware;
~s Industrieprodukte, -erzeugnisse;
apparel ~ Konfektionsindustrie; **direct-marketing** ~ Fabrikhandel; **domestic** ~ einheimisches Fabrikat; **durable ~s** Dauergüter; **non-durable ~s** Verbrauchsgüter; **home** ~ einheimisches Fabrikat; **large-scale** ~ Massenherstellung, Großserienfertigung; **semi-~s** Halbfabrikate; **serial** ~ Reihen-, fabrikmäßige Herstellung, Serienfabrikation; **wholesale** ~ Massenherstellung, -fabrikation;
~ **to customer's specification** Einzelanfertigung;
~ *(v.)* fabrikmäßig (maschinell) herstellen, fabrizieren, Produktionsstätten unterhalten, produzieren, erzeugen, anfertigen, ausstoßen *(work up)* verarbeiten;
~ **news** *(fam.)* Neuigkeiten fabrizieren; ~ **public opinion** öffentliche Meinung künstlich beeinflussen (manipulieren).
to discontinue the ~ Herstellung einstellen.

manufactured fabrikmäßig hergestellt;
properly ~ ordnungsgemäß hergestellt;
~ **article** Fabrikware, -erzeugnis; ~ **goods** Fabrikware, Industriewaren, -artikel; ~ **products** industriell hergestellte Produkte.

manufacturer Fabrikant, Hersteller[firma], Industrieller, Erzeuger, Produzent, *(owner)* Fabrikbesitzer;
direct-marketing (-selling) ~ direkt absetzender Hersteller, Fabrikhändler; **lower-cost** ~ billigerer Herstellungsbetrieb;
~ **and retailer** Selbstverkäufer.

manufacturer's | **agent** *(US)* Werks-, Fabrikvertreter, Vertreter von Herstellungsfirmen; ~ **brand** Fabrikmarke; ~ **catalog(ue)** Preisliste, -verzeichnis; ~ **cost** Herstellungskosten, Selbstkostenpreis des Herstellers; ~ **excise** *(US)* Fabrikatsteuer; ~ **export agent** *(US)* Exportvermittler; ~ **mark** Warenzeichen, Fabrikmarke; ~ **number** Fabrikationsnummer; ~ **price** Herstellungspreis; ~ **public liability insurance** Betriebshaftpflichtversicherung; ~ **representative** Werksvertreter; ~ **sales price** Verkaufspreis ab Fabrik; ~ **own shop** betriebseigene Verkaufsfiliale; ~ **sign** Fabrikzeichen.

manufacturing [fabrikmäßige] Herstellung, Verarbeitung, Fabrikation;
quantity ~ Massenherstellung, -erzeugung, Serienproduktion;
~ *(a.)* gewerbetreibend, fabrikatorisch, herstellend, fabrizierend;
~ **account** Fabrikationskonto; ~ **summary account** Fabrikationssammelkonto; ~ **acquisition** betriebliche Neuerwerbung; ~ **activity** Produktions-, Fabrikationstätigkeit; ~ **agreement** Herstellungsvertrag; ~ **branch** Fabrikations-, Industriezweig; ~ **business** Gewerbebetrieb; ~ **center** *(US)* Industrie-, Produktionszentrum; ~ **clause** *(US)* Urheberschutzklausel; ~ **company** *(Br.)* Produktionsgesellschaft, Fabrikationsbetrieb, Herstellungsbetrieb, -firma; ~ **complex** Fabrikkomplex; ~ **concern** Produktions-, Fabrikationsunternehmen; ~ **consumer** gewerblicher Verbraucher; ~ **corporation** Produktionsgesellschaft; ~ **cost** Anfertigungs-, Fabrikations-, Herstellungs-, Produktionskosten; ~ **cost control** Produktionskostenkontrolle; ~ **cost sheet** Fabrikationskostenaufstellung; ~ **country** Herstellerland; ~ **defect** Fabrikationsfehler; ~ **district** Fabrikbezirk, -gegend, Industriegebiet; ~ **division** Herstellungs-, Fabrikations-, Produktionsabteilung; ~ **economics** Produktionskostensenkung; ~ **efficiency** Produktionsleistung; ~ **engineer** Betriebsingenieur; ~ **enterprise (establishment)** gewerblicher Betrieb, Fertigungs-, Produktions-, Fabrikations-, Herstellungsbetrieb, Fabrikanlage; ~ **expenses** Fertigungsgemeinkosten; ~ **facilities** Produktions-, Herstellungsanlagen; ~ **firm** Herstellerfirma; ~ **group** Herstellergruppe; ~ **income** Einkommen aus Gewerbebetrieb, Betriebseinkommen; ~ **industry** Fertigungsindustrie; ~ **investment** Investitionen auf dem Fertigungssektor; ~ **knowhow** industrielle Produktionserfahrungen; ~ **knowledge** Fabrikationskenntnisse; ~ **labo(u)r** Fabrikationslöhne; ~ **licence** Herstellungslizenz; ~ **loss** Betriebsverlust; ~ **man** Hersteller; ~ **method** Bearbeitungs-, Herstellungs-, Produktionsverfahren; ~ **nation** Industriestaat; ~ **operation** Produktionsvorgang; ~ **output** Fabrikausstoß; ~ **plant** Produktionsstätte, Herstellungswerk, Fabrikationsbetrieb, Fabrikanlage; ~ **population** Arbeiterbevölkerung; ~ **price** Fabrik-, Herstellungspreis, Macherlohn; ~ **process** Herstellungs-, Fabrikationsmethode, Produktionsvorgang, -prozeß, Fertigungsverfahren, Fabrikations-, Herstellungsprozeß; **efficient** ~ **process** rationelles Fertigungsverfahren; ~ **profit** Produktions-, Fabrikationsgewinn; ~ **program(me)** Produktionsplan; ~ **project** Herstellungsprojekt; **for** ~ **purposes** für Fabrikationszwecke; ~ **requirements** betriebstechnische Anforderungen; ~ **rights** Fabrikations-, Herstellungsrechte; ~ **schedule** Fertigungs-, Produktionsplan; ~ **secret** Fabrikationsgeheimnis; ~ **sector** Produktionssektor; ~ **society** Produktivgenossenschaft; ~ **statement** Produktionsbilanz; ~ **study** Fabrikationsstudie; ~ **subsidiary** Zulieferungsbetrieb; ~ **tag** Laufzettel; ~ **technique** Herstellungsverfahren; ~ **time** Fertigungszeit; ~ **town** Industrie-, Fabrikstadt; ~ **trade** Fabrikationsgewerbe, gewerbliche Wirtschaft; ~ **volume** Fabrikationsvolumen; ~ **wages** Produktions-, Fertigungslöhne; ~ **zone** Fabrikationszentrum.

margin *(cover)* Deckung, Anschaffung, *(difference)* Marge, Differenz, Spielraum, [Verdienst-, Gewinn-, Handels]spanne, Unterschied zwischen Einkaufs- und Verkaufspreis, Bruttogewinn, *(insurance)* Verwaltungskostenzuschlag, *(limit)* Grenze [der Leistungsfähigkeit], Rentabilitätsgrenze, *(net earnings)* Überschuß, Reingewinn, *(stock exchange)* Deckungsbetrag, Hinterlegungs-, Sicherheitssumme, Einschuß, *(typewriter)* [Seiten]rand;
additional ~ *(broker)* zusätzliche Deckung, Nachschußzahlung [beim Lombardgeschäft]; **bled** ~ bis in die Schrift hinein beschnittener Rand; **credit** ~ Kreditgrenze; **cropped** ~ zu stark beschnittener Rand; **dealer's** ~ Großhandels-, Gewinnspanne; **extensive** ~ Extensitätsgrenze; **gross** ~ Brutto-, Rohgewinnspanne; **intensive** ~ Intensitätsgrenze; **liquid** ~ Liquiditätsspielraum; **maximum** ~ Höchstspanne; **narrow** ~ geringe Verdienstspanne; **opened** ~ aufgeschnittener Rand; **post-tax** ~ Gewinnspanne nach Begleichung (Abzug) der Steuern; **profit** ~ Verdienst-, Gewinn-, Handelsspanne, Bruttogewinn; **safety** ~ Sicherheitsmarge; **trade** ~ Handelsspanne; **variable gross** ~ Bruttogewinn, Deckungsbeitrag; **wholesale** ~ Großhandelsspanne; **wide** ~ breiter Rand; **working** ~ Reservebetrag für unvorhergesehene Fälle;
~ **of consumption** Sättigungsgrad; ~ **of credit** Kreditspielraum; ~ **of dumping** Dumpingspanne; ~ **for unforeseen expenses** Reserve für unvorhergesehene Ausgaben; ~ **of income** Einkommensgrenze; ~ **between the rates of interest** Spanne verschiedener Zinssätze; ~ **of preference** Präferenzspanne; ~ **of production (productiveness)** Rentabilitätsgrenze, Grenznutzen; ~ **of profit** Verdienst-, Gewinn-, Handelsspanne, Marge, *(banking)* Zinsspanne, *(limit)* Ertragsgrenze; ~ **of quality** Güte-, Qualitätszeichen; ~ **of subsistence** Existenzgrenzbereich;
~ *(v.)* mit einem Rand versehen, *(specify with a note)* mit Randbemerkungen versehen, *(stock exchange)* Einschuß leisten, Deckung anschaffen, Einschußzahlung machen, durch Hinterlegung einer Sicherheitssumme decken;
~ **up** zusätzliche Sicherheit leisten, *(broker)* Deckung für Kursverluste stellen;

to buy on ~ *(US)* gegen Sicherheitsleistung kaufen; **to cut ~s** Verdienstspannen herabsetzen; **to deposit a ~ in cash** *(US)* Bareinschuß leisten, Bardeckung anschaffen; **to leave a good** ~ guten Überschuß abwerfen; **to put up a** ~ Einschußzahlung leisten; **to put up more** ~ Nachschußzahlung leisten; **to sell on** ~ *(US)* gegen Sicherheitsleistung verkaufen;
~ **account** *(US)* Einschußkonto; ~ **business (buying)** *(US)* Effektendifferenzgeschäft; ~ **call** *(US)* Aufforderung zur Leistung einer Einschußzahlung im Effektendifferenzgeschäft; **narrow** ~ **line** enge Gewinnspanne; ~ **rate** *(securities)* Lombardsatz; ~ **release** *(typewriter)* Randauslösung; ~ **requirements** *(stock exchange, US)* Einschußbedarf im Effektendifferenzgeschäft, Mindesteinzahlungsbetrag; ~ **system** *(US)* Effektenkauf mit Sicherheitsleistung; ~ **tradiàg** *ỸUS)* Effektendifferenzgeschäft; ~ **transaction** *(US)* Effektendifferenzgeschäft.

marginal knapp (gerade noch) rentabel, zum Selbstkostenpreis, *(printed on the margin)* auf den Rand gedruckt, *(sociology)* als Außenseiter geltend, gesellschaftlich nicht voll akzeptierbar; ~ **account** *(US)* [Gewinnspanne lassendes] Einschußkonto; ~ **analysis** Grenzplankostenrechnung; ~ **balance** Bruttogewinn; ~ **borrower** Grenzkreditnehmer; ~ **buyer** letztinteressierter Käufer; ~ **case** Grenzfall; ~ **category** *(statistics)* Randklasse; ~ **classification** Randeinteilung; ~ **company** Gesellschaft an der Grenze der Rentabilität, Grenzbetrieb; ~ **constituency** *(Br.)* Wahlbezirk mit knapper Stimmenmehrheit; ~ **costing** Grenzplankostenrechnung; ~ **costs** Mindest-, Grenzkosten, nahe der Rentabilitätsgrenze stehende Kosten; ~ **credit** *(Br.)* Wechselkreditbrief; ~ **deposit account** *(Br.)* Teilgutschriftskonto für ausländische Wechsel; ~ **desirability** Grenznutzen; ~ **district** Grenzbezirk; ~ **disutility** *(US)* Grenze der Arbeitswilligkeit, Arbeitsunlųstigkeit; ~ **earnings** Grenzertrag; ~ **efficiency of capital** Grenzleistungsfähigkeit des Kapitals; ~ **exceptions** geringe Ausnahmen; ~ **income** Deckungsbeitrag, Bruttogewinn; ~ **income statement** Ergebnisrechnung auf der Basis variabler Kosten; ~ **increment** Aufnahmegrenze des Marktes; ~ **inscriptions** *(coin)* Umschrift; ~ **labo(u)r** unrentable Arbeitskräfte; ~ **land** an der Grenze der Rentabilität liegendes Land; ~ **lender** letztbereiter Kreditgeber; ~ **man** *(sociology)* Randpersönlichkeit; ~ **net product** Nettogrenzprodukt; ~ **note** Randbemerkung, Marginalie, *(banking business, Br.)* Teilquittung; **to make ~ notes in a book** Buch mit Randbemerkungen versehen; ~ **payment** Differenzzahlung; ~ **principle** Grenzprinzip; ~ **producer** Betrieb an der Grenze der Rentabilität, Grenzbetrieb; ~ **product** Grenzprodukt; ~ **production** Produktion an der Kostengrenze (innerhalb der Rentabilität liegende Produktion); ~ **productivity** an der Grenze der Rentabilität liegende Ertragsfähigkeit; ~ **productivity of labo(u)r** Grenzproduktivität der Arbeit; ~ **productivity theory of wages** Grenzproduktivitätstheorie; ~ **profit** Grenzertrag, -nutzen, Gewinnminimum, Rentabilitätsschwelle; ~ **propensity to consume** an der Grenze liegende Konsumbereitschaft; ~ **propensity to save** an der Grenze liegende Sparfreudigkeit; ~ **purchaser** unschlüssiger Käufer; ~ **rate** Grenzsteuersatz; ~ **rate of substitution** Grenzrate der Substitution; ~ **receipt** *(banking, Br.)* Teilquittung; ~ **relief** *(Br.)* geringe Steuerermäßigung; ~ **revenue** Grenzertrag; ~ **sales** gerade noch rentabler (an der Rentabilitätsschwelle liegender) Absatz, Verkäufe zum Selbstkostenpreis; ~ **sea** *(law of nations)* Randmeer; ~ **seat** *(parl.)* unsicherer Parlamentssitz; ~ **seller** letztinteressierter Verkäufer; ~ **space** *(print.)* Randbreite; ~ **supply** Spitzenangebot; ~ **trading** Effektendifferenzgeschäft; ~ **translation** mäßige Übersetzung; ~ **tribe** Grenzstamm; ~ **undertaking** Grenzbetrieb; ~ **unit** letzte Produkteinheit; ~ **unit cost** Grenzkosten für die letzte Produkteinheit; ~ **utility** Grenznutzen; ~ **utility school** Grenznutzenschule.

marginally, to be only ~ dependent on purchases abroad nur für die Spitzenbedarfsdeckung auf ausländische Einfuhren angewiesen sein.

marine, mercantile (merchant) Handelsmarine; ~ **adventure** Seeunternehmen; ~ **carrier** Seefrachtführer.

marine insurance See[schadenstransport]-versicherung;
inland ~ Binnentransportversicherung;
~ **broker** Seeversicherungsmakler; ~ **certificate** *(US)* Seeversicherungspolice; ~ **company** Transport-, Seeversicherungsgesellschaft; ~ **premium** Seeversicherungsprämie; ~ **underwriter** Seetransportversicherer.

marine | interest Bodmereizinsen; ~ **law** Seerecht; ~ **loan** Bodmereidarlehn; ~ **perils (risk)** See[transport]gefahr, Seerisiko; ~ **policy** Transportversicherungspolice; ~ **registry** *(Br.)* Eintragung ins Schiffsregister; ~ **store** *(Br.)* Trödelgeschäft, Trödelladen; ~ **stores** Schiffsbedarf; ~ **trade** Seehandel; ~ **transport** Beförderung auf dem Seeweg, Seetransport; ~ **underwriter** Seeschadensversicherer.

marital | control *(Br.)* Verwaltungs- und Nutznießungsrecht des Ehemanns am eingebrachten Gut der Ehefrau; ~ **deduction** *(estate tax, US)* Freibetrag der Ehefrau; ~ **domicile** ehelicher Wohnsitz; ~ **portion** *(Louisiana)* Pflichtteilsanspruch der Ehefrau.

maritime | adventure Seeunternehmen; ~ **affairs** Schiffahrtsangelegenheit; ~ **blockade** Seeblokkade; ~ **contract of affreightment** Befrachtungsvertrag, Seefrachtvertrag; ~ **insurance** Seeversicherung; ~ **interest** Bodmereizinsen; ~ **lien** Seerückbehaltungs-, Schiffspfandrecht; ~ **loan** Bodmereidarlehn; ~ **policy** Seeversicherungspolice; ~ **port** Seehafen.

mark *(analphabetic)* Handzeichen, Kreuz, *(beacon)* Bake, Leitzeichen, *(German currency)* Mark, *(quality)* Marke, Nummer, Qualität, Sorte, *(sign)* [Kenn]zeichen, Eigentumszeichen, Marke, Markenzeichen, Markierung, Bezeichnung, [Merk]mal, *(stock exchange, Br.)* Kursfestsetzung, Notierung, *(ticketing label)* Preiszettel, -angabe, Warenzettel, [Waren]auszeichnung, *(trademark)* Handels-, Fabrik-, Schutzmarke;

below the ~ unterdurchschnittlich;

blocked ~ *(Germany)* Sperrmark; **check** ~ Kontrollzeichen; **certification** ~ *(Br.)* Güte-, Verbandszeichen; **collective** ~ *(US)* Verbandszeichen; **file** ~ Eingangsvermerk; **hall-** ~ Feingehaltsstempel; **paper** ~ Wasserzeichen, **price** ~ Preiszettel, -auszeichnung;

~ **of origin** Ursprungsbezeichnung; ~ **of quality** Güte-, Qualitätszeichen;

~ *(v.)* markieren, bezeichnen, *(articles of gold)* stempeln, *(designate by ~)* be-, kennzeichnen, *(price tag)* auszeichnen;

~ **a cheque** *(Br.)* Scheck bestätigen; ~ **clearly consigned goods** Konsignationsware genau kennzeichnen; ~ **down** *(goods)* billiger (niedriger) auszeichnen, [im] Preis herabsetzen, *(stock exchange)* niedriger notieren; ~ **a book down half the price** Buchpreis auf die Hälfte reduzieren; ~ **down the discount rate** Diskontsenkung vornehmen; ~ **down the price of an article** Warenpreis herabsetzen; ~ **to the market** *(US)* gesicherten Kredit dem Wert der gestellten Sicherheit anpassen; ~ **off** abtrennen, abgrenzen; ~ **out** *(price tag)* mit Preisangaben versehen; ~ **out a claim** Grundstück abstecken; ~ **retail merchandise** Einzelhandelsartikel auszeichnen; ~ **stock** *(stock exchange, Br.)* Kurswerte notieren; ~ **up** *(give credit)* anschreiben, *(prices)* mit einem höheren Preis auszeichnen; ~ **up the discount rate** Diskontsatz heraufsetzen;

to be below the ~ unter dem Durchschnitt sein; **to lodge an objection to the** ~ *(stock exchange, Br.)* gegen eine Kursfestsetzung protestieren;

~ **signature** Unterschrift eines Analphabeten.

markdown *(US)* niedrigere Auszeichnung, Preisherabsetzung, -nachlaß, *(reduced article, US)* im Preis herabgesetzte Ware, *(writedown)* Abschreibung;

~ **of securities** Neubewertung von Effekten;

~ **cancellation** Aufhebung der Preisherabsetzung; ~ **loss** durch Preisherabsetzung entstandener Verlust; ~ **price** herabgesetzter Kleinhandelspreis; ~ **revision** Überprüfung der Preisherabsetzungen.

marked *(price)* mit Preisen versehen, ausgezeichnet;

to be ~ *(stock exchange, Br.)* notiert werden; **to be strongly** ~ *(tendency)* deutlich zu spüren sein; **to be** ~ **down** *(stock exchange)* niedriger notiert werden;

~ **check** *(US)* gekennzeichneter Scheck; ~ **cheque** *(Br.)* bestätigter Scheck; ~ **goods** markierte Waren; ~ **improvement** *(stock exchange)* deutliche Besserung; ~ **list** Belegungsliste; ~ **shares** *(Br.)* abgestempelte Aktien; ~ **transfer** *(Br.)* Übertragungsurkunde [über Effektenverkäufe].

market Markt, *(business situation)* Handelsverkehr, Wirtschaftslage, *(market day)* Markttag, *(demand)* Nachfrage, *(fair)* Messe, Jahrmarkt, *(franchise)* Marktgerechtigkeit, -recht, *(marketing)* Absatz, Abnehmer, *(money market)* Geldmarkt, *(market price)* Marktpreis, Kurs, *(profit)* Umsatz, Gewinn, Vorteil, *(seat of trade)* Markt, Handelsplatz, *(source of supply)* Bezugsquelle, *(state of the market)* Marktlage, *(stock exchange)* Börse, Verkehr, *(store)* Laden, Geschäft, *(trade)* Handel, *(trading area)* Absatzmarkt, -gebiet, -bereich, -möglichkeit, *(traffic)* Marktbesuch, -verkehr, *(value)* Marktwert;

at the ~ *(US)* zum Börsenkurs, bestens; **at today's** ~ auf der heutigen Börse; **in the** ~ auf dem Markt, am Platze; **in the free** ~ außerbörslich; **in a rising** ~ bei steigenden Kursen; ~ **off** *(US)* Kurse abgeschwächt; **on the** ~ zum Verkauf; **when the** ~ **opens** bei Börsenbeginn; **with a brisk** ~ bei guten Umsätzen;

active ~ lebhafter Markt; **advancing** ~ steigende Marktpreise; **agricultural** ~ Markt für landwirtschaftliche Erzeugnisse; **assured** ~ sicherer Absatzmarkt; **bear** ~ Baissemarkt; **black** ~ Schwarzmarkt, schwarzer Markt; **bond** ~ Markt für festverzinsliche [Wert]papiere, Pfandbriefmarkt; **boom** ~ Haussemarkt; **brisk** ~ lebhafter Markt; **broad** ~ aufnahmefähiger Markt; **bull** ~ Hausse [-markt], -börse; **buoyant** ~ steigende Tendenz aufweisender Markt; **buyers'** ~ Käufermarkt; **capital** ~ Kapitalmarkt; **cash** ~ *(stock exchange)* Kassamarkt; **cattle** ~ Viehmarkt; **central** ~ Haupt-, Erzeugergroß-, Zentralmarkt; **cheerful** ~ lebhafte Börse; **chief** ~ Hauptmarkt; **commodity** ~ Waren-, Rohstoffmarkt, Produkten-, Warenbörse; **Common** ≗ Gemeinsamer Markt; **consumer** ~ Verbrauchsgütermarkt; **over-the-counter** ~ *(US)* Freiverkehr[sbörse]; **covered** ~ Markthalle; **curb** ~ *(US)* Freiverkehr[sbörse], Freiverkehrsmarkt; **declining** ~ fallende Kurse; **discount** ~ Diskontmarkt; **depressed** ~ gedrückt liegender Markt; **domestic** ~ Inlandsmarkt, inländischer Absatzmarkt; **down** ~ rückläufige Kurse, abgeschwächte Börse; **dull** ~ lustloser Markt, Flaute; **employment** ~ Arbeits-, Stellenmarkt; **equity** ~ Aktienmarkt; **export** ~ Auslands-, Ausfuhr-, Exportmarkt;

featureless ~ lustlose Börse; **firm** ~ feste Börse (Kurse); **flat** ~ lustlose Börse; **fluctuating** ~ schwankende Nachfrage; **foreign** ~ ausländischer Markt, Auslandsmarkt, -absatz; **foreign-exchange** ~ Devisenmarkt; **forward** ~ Terminmarkt; **free** ~ freier Markt; **freight** ~ Frachtenbörse; **fresh** ~ Markt für Frischprodukte; **futures** ~ Terminmarkt; **gilt-edged** ~ Markt für mündelsichere Wertpapiere; **glutted** ~ mit Waren überschwemmter (übersättigter) Markt; **gray** ~ *(US)* grauer Markt; **greatly agitated** ~ stürmisch bewegte Börse; **heavy** ~ gedrückter Markt, schleppender Absatz; **high-priced** ~ teurer Markt; **home** ~ Inlands-, heimischer Markt; **inactive** ~ lustloser Markt, Flaute; **inland** ~ Binnen-, Inlandsmarkt; **inofficial** ~ Freiverkehrsmarkt; **international** ~ Weltmarkt; **investment** ~ Anlagemarkt; **labo(u)r** ~ Arbeitsmarkt; **lifeless** ~ matte Börse; **limited** ~ beschränkt aufnahmefähiger Markt; **lively** ~ lebhafter Börsenverkehr; **major** ~ Hauptabsatzgebiet; **mining** ~ Montanmarkt; **mixed** ~ uneinheitliche Kurse; **money** ~ Geldmarkt; **narrow** ~ lustloser Markt, geringe Umsätze; **next** ~ nächster Markttag; **off-board** ~ *(US)* Markt für nicht notierte Wertpapiere; **open** ~ *(market free to all)* offener Markt[verkehr], *(outside market)* Freiverkehr; **open-air** ~ im Freien abgehaltener Markt; **outside** ~ Freiverkehr[skurs], außerbörslicher Kurs; **out-of-town** ~ *(US)* Provinzbörse; **overseas** ~ Markt für Überseewerte, überseeischer Markt, überseeisches Absatzgebiet; **overt** ~ *(Br.)* Verkauf am offenen Markt; **poor** ~ schlechter Absatz, schlecht bestückter Markt; **primary** ~ *(US)* Vormarkt, Aufkaufmarkt; **principal** ~ Hauptabsatzgebiet; **produce** ~ Waren-, Produktenmarkt; **promising** ~ günstiger Absatzmarkt; **property** ~ Immobilien-, Grundstücksmarkt; **quality** ~ Qualitätsmarkt; **quiet** ~ geringe Umsätze; **railway (railroad,** *US)* ~ *(stock exchange)* Markt für Eisenbahnwerte; **real-estate** ~ *(US)* Grundstücks-, Immobilienmarkt; **receptive** ~ aufnahmebereiter Markt; **resistant** ~ widerstandsfähiger Markt; **rigged** ~ Markt mit spekulativ beeinflußten Kursen; **rising** ~ Hausse[markt], Marktsteigerung; **scanty** ~ schlecht befahrener Markt; **seaboard** ~ Küstenhandelsplatz; **securities** ~ Wertpapier-, Effektenbörse; **sellers'** ~ Verkäufermarkt; **settled** ~ Stapelplatz; **share** ~ *(Br.)* Aktienmarkt; **slack** ~ Flaute, flauer Marktverkehr; **sluggish** ~ Geschäftsunlust; **spot** ~ Kassamarkt, Barverkehr; **stagnant** ~ stagnierender Markt, Absatzstockung; **standard** ~ tonangebende Börse; **steady** ~ feste Börse; **stock** ~ *(US)* Wertpapierbörse, Aktienmarkt; **street** ~ *(Br.)* Nachbörse, Freiverkehr; **strong** ~ feste Börse; **terminal** ~ Schlußbörse; **the** ~ *(stock exchange)* Standort des Marktes; **thin** ~ geringe Umsätze; **under-supplied** ~ nicht genügend belieferter Markt; **unofficial** ~ Freiverkehr; **unprecedented** ~ absolut einmalige Nachfrage; **untapped** ~ unerschlossene Absatzgebiete; **virgin** ~ jungfräulicher Markt; **wage** ~ Lohnmarkt; **weak** ~ schwache Börse; **weekly** ~ Wochenmarkt; **wholesale** ~ Großhandelsmarkt; **wholesale produce** ~ Produktengroßhandelsbörse; **world** ~ Weltmarkt;

~ **for bonds** Pfandbriefmarkt; ~ **for cattle** Viehmarkt; ~ **for chemicals** Chemieaktien, -markt; ~ **for chemical shares** *(Br.)* Chemiemarkt; ~ **for construction** Baumarkt; ~ **of consumption** Verbrauchermarkt; ~ **for future [delivery]** Terminmarkt, -börse, Markt für Termingeschäfte; ~ **for long-term funds** Markt für langfristige Gelder; ~ **for mortgages** Hypothekenmarkt; ~ **for stocks** *(Br.)* Effektenmarkt; ~ **well stocked with goods** gut beschickter Markt;

~ *(v.) (deal)* handeln, Handel treiben, Märkte besuchen, markten, *(put on the ~)* auf den Markt bringen, *(sell)* auf dem Markt verkaufen, absetzen;

~ **one's block of shares** sein Aktienpaket auf dem Markt unterbringen; ~ **equity securities** Dividendenwerte auf dem Markt unterbringen; ~ **securities to the public** Papiere auf dem Kapitalmarkt unterbringen;

to apportion the ~ Markt aufspalten; **to be at the** ~ auf dem Markt sein; **to be in the** ~ Abnehmer sein, Interesse haben, sich interessieren für, als Käufer auftreten, Bedarf haben, *(house)* zum Verkauf [auf dem Grundstücksmarkt] angeboten sein; **to be on the** ~ *(stock exchange)* angeboten werden, zu haben sein; **to be absorbed by the internal** ~ im Inland aufgenommen werden; **to be found on the** ~ auf dem Markt vertreten sein; **to bear the** ~ Kurse drücken; **to boom the** ~ Kurse in die Höhe treiben; **to bring on the** ~ auf den Markt bringen; **to bring one's eggs (hogs) to the wrong (bad)** ~ schlechtes Geschäft machen, seine Pläne ins Wasser fallen sehen; **to bull the** ~ auf Hausse kaufen; **to calm the** ~ Markt beruhigen; **to carve out wider** ~**s** weitere Märkte (Absatzgebiete) erschließen; **to come into the** ~ [zum Verkauf] angeboten werden, auf den Markt kommen, *(stock exchange)* angeboten werden, zu haben sein; **to come to a good (bad)** ~ gut (schlecht) verkaufen; **to come out of the** ~ *(stock exchange)* aus dem Markt herauskommen, angeboten werden; **to command the** ~ Markt beherrschen; **to conquer a** ~ Markt erobern; **to control the** ~ Markt beherrschen; **to corner the** ~ Markt aufkaufen; **to create a** ~ Absatzmarkt schaffen; **to depress the** ~ Kurse drücken; **to dominate the** ~ Markt beherrschen; **to find a** ~ verlangt werden, Absatzfeld haben; **to find a ready** ~ guten Absatz haben (finden), sich rasch verkaufen; **to find new** ~**s for one's manufactures** neue Märkte (Absatzgebiete) für seine Erzeugnisse erschließen; **to flood the** ~ Markt überschwemmen; **to force the** ~ Markt forcieren; **to force out of the** ~ vom Markt vertreiben; **to give a fillip to the** ~ der Börse Auftrieb geben; **to glut the** ~ Markt überschwemmen; **to go long of the** ~ Papiere halten, um die Kurse hochzutreiben; **to have an effect on the** ~ Markt beeinflussen; **to hold a** ~ Markt abhalten; **to hold the** ~ Stützungsaktion unternehmen; **to jump into the** ~ plötzlich Kaufaufträge erteilen; **to lose a** ~ günstige Verkaufsgelegenheit vorübergehen lassen; **to make a** ~ *(stock exchange)* künstliche Nachfrage nach Aktien hervorrufen, Gegenmine legen, Kurse hochtreiben; **to make a** ~ **of s. th.** etw. losschlagen; **to make up a** ~ Absatzgebiet erschließen; **to meet with a ready (speedy)** ~ aufnahmefähigen Markt (guten Absatz) finden; **to open up new** ~**s** neue Märkte erobern (Absatzgebiete erschließen); **to overstock the** ~ Markt überschwemmen; **to place on the** ~ Markt beschicken; **to play the stock** ~ an der Börse (in Aktien) spekulieren; **to put on the** ~ auf den Markt bringen; **to put an article on the** ~ Artikel einführen; **to recover a** ~ Absatzgebiet zurückerobern; **to regain the** ~ Markt wiedergewinnen; **to rescue the** ~ Stützungsaktion unternehmen; **to rig the** ~ *(Br.)* Kurse unzulässig beeinflussen (in die Höhe treiben); **to stimulate the** ~ Markt beleben; **to supply a** ~ Markt beliefern; **to swamp the** ~ Markt überschwemmen; **to take out of the** ~ aus dem Markt nehmen; **to throw on the** ~ auf den Markt werfen; **to understand the** ~ Absatzverhältnisse (Markt) kennen; **to win back** ~**s** Märkte (Absatzgebiete) zurückgewinnen; **to win a new** ~ neuen Markt erobern;

~ **acceptance** Aufnahme durch den Markt; ~ **agency** Vertretung; ~ **analysis** Marktuntersuchung, -forschung, -analyse, Konjunkturdiagnose; ~ **analyst** Marktbeobachter, Konjunkturdiagnostiker; ~ **appraisal** Verkehrswertschätzung; ~ **appreciation** *(investment fund)* Bewertungsmethode; ~ **area** Absatzgebiet, -markt; ~ **assumption** Markteroberung; ~ **audit** Marktuntersuchung; ~ **average** durchschnittliche Kursentwicklung, Durchschnittskurs; ~ **behavio(u)r** Marktverhalten; ~ **boom** [Börsen]hausse; ~ **break** Börsensturz; ~ **capacity** Aufnahmefähigkeit des Marktes; ~ **capitalization value** Kapitalisierungsmarktwert; ~ **changes** Marktveränderungen; ~ **changes in interest rates** Änderung der Zinskonditionen; ~ **comment** Börsenbericht; **Open** ≗ **Committee** *(US)* Offenmarktausschuß; ~ **competition** *(carrier)* Tarifwettbewerb; ~ **condition[s]** Marktlage, Konjunktur[lage], Absatzverhältnisse, -bedingungen, Marktbedingungen; ~ **conduct** Verhalten auf dem Markt; ~ **contact** Marktberührung; ~ **control** Marktbeherrschung; ~ **coverage** Absatzverfassung; ~ **dabbler** Börsendilettant; ~ **data** Absatzzahlen, -ziffern; ~ **day** Markttag; ~ **decline** Kursrückgang; ~ **demand** Marktbedürfnis, Bedarf; ~ **discount** *(Br.)* Privatdiskont; ~**-distorting** marktverzerrend; ~ **distortion** Marktverzerrung; ~ **-dominating** marktbeherrschend; ~ **domination** Marktbeherrschung; ~ **dues** Marktgebühren, -abgaben; ~ **exploration** Markterkundung, Erkundung von Absatzmärkten; ~ **factor** Marktfaktor; ~ **facts** Marktdaten; **to run against the** ~**'s favo(u)r** sich nicht marktkonform entwickeln; ~ **finance** Absatzfinanzierung; ~ **flexibility** Nachfrageflexibilität; ~ **fluctuations** konjunkturelle Schwankungen, Konjunkturschwankungen, *(stock exchange)* Kursschwankungen; ~ **forecast** Konjunkturprognose; ~ **garden** Handelsgärtnerei; ~ **gardening** Handelsgärtnerei; ~ **groupings** Käufergruppen; ~ **growth** Wachstumsmarkt; ~ **guide** Marktführer; ~ **hall** Markthalle; ~ **hole** Marktlücke; ~ **house** *(Br.)* Markthalle; ~ **inactivity** Lustlosigkeit des Effektenmarktes; ~ **information** Marktuntersuchung; ~ **inquiry** Marktanalyse, -untersuchung; ~ **intelligence** umfassende Marktinformationen; ~ **investigation** Marktbeobachtung, -forschung; ~ **knowledge** Marktkenntnis; ~ **leaders** führende Börsenwerte, Spitzenreiter; ~ **letter** *(US)* Börsenbrief, täglicher Marktbericht; ~ **level** Preisniveau; ~ **maker** Gegenspekulant, Kurstreiber; ~ **making** Kurstreiberei, -spekulation, Gegenspekulation; ~ **manipulator (operator)** Kursspekulant; ~ **model** Modellfall; ~ **monopoly** Absatzmonopol; ~ **news** Börsenbericht; ~ **nexus** Marktkomplex; ~ **observation** Marktbeobachtung, -forschung; ~ **operation** Börsentransaktion; **open** ~ **operation** Offenmarktgeschäft; ~ **opportunity** Absatzmöglichkeit; ~ **order** *(US)* Marktanweisung, *(stock exchange, US)* unlimitierter Börsenauftrag, Billigstens-, Bestauftrag, Bestensorder; **[national]** ~ **organizations** [einzelstaatliche] Marktordnungen; ~ **orientation** Marktorientierung; ~ **outlook** Konjunkturaussichten; ~ **participation** Marktbeteiligung; ~ **partnership** *(Br.)* Vereinigung zweier Börsenmitglieder der Londoner Börse; ~ **pattern** Probemuster; ~ **penetration** Marktdurchdringung; ~ **performance** Absatzleistung; ~ **performers** Börsenwerte; ~ **place** Marktplatz; **to come into the** ~ **place** zum Verkauf kommen; **to turn the world into a global** ~ **place** seine Erzeugnisse auf dem ganzen Erdball verkaufen; ~ **planning** Marktplanung; **open-**~ **policy** Offenmarktpolitik; ~ **position** Marktlage, -position, Absatzposition; ~ **potential** Absatzmöglichkeit; ~ **price** Marktpreis, *(US)* Wiederbeschaffungswert, *(cost of market, whichever is lower)* Wert nach dem Niederstwertprinzip, *(stock exchange)* Effekten-, [Börsen]kurs, Kurswert; **at current** ~ **price** zum Marktpreis; **usual** ~ **prices** marktgängige Preise; ~ **price list** Marktbericht; ~ **process** Marktbildungsprozeß; ~ **profit** Kursgewinn; ~ **prospects** Konjunkturaussichten; ~ **purchasing** günstiger Materialeinkauf; ~ **quota** Absatzkontingent, Marktanteil; ~ **quotation** [Börsen]notierung, -kurs, Kursnotierung; ~ **rally** Markterholung; ~ **rate** Marktpreis, *(discount rate, Br.)* Diskontsatz [der Londoner Banken und Wechselmakler], *(stock exchange, US)* Tages-, [Börsen]kurs, Kurswert; **fluctuating** ~ **rate** *(US)* veränderlicher Kurs; **short-term** ~ **rate** kurzfristiger Geldsatz; ~ **rate of discount** *(Br.)* Privatdiskontsatz; ~ **rates of interest** *(US)* Geldsätze; ~ **ratio** *(US)* Marktverhältnis; ~ **reaction** Börsenreaktion; ~ **recession** Konjunkturrückgang; ~ **regulations** Marktordnung; ~ **report** Markt-, Handels-, Preisbericht, *(stock exchange)* Kurs-, Börsenbericht; **money-** ~ **report** Geldmarktbericht; ~ **representative** Einkaufs-, Verkaufsagent, Einkäufer; ~ **research** Marktuntersuchung, Absatz-, Marktforschung, Konjunkturtest; ~**-research agency (organization)** Marktforschungsinstitut; ~**-research specialist (worker)** Konjunkturforscher; ~ **researcher** Konjunkturforscher; ~ **resistance** Marktwiderstand, Widerstandsfähigkeit des Marktes; ~ **rigger** Kurstreiber; ~ **rigging** Kurstreiberei, Börsenmanöver; ~ **rumo(u)r** Börsengerücht; ~ **saturation** Marktsättigung; ~ **segment** Teilmarkt; ~ **segmentation** Marktaufteilung, Aufteilung des Absatzmarktes; ~ **sentiment** Stimmung am Markt, Börsenstimmung; ~ **share** Marktanteil; ~ **share trend** Marktanteilsentwicklung; ~ **sharing** Marktaufteilung; ~ **situation** Marktlage, Absatzverhältnisse, -lage; **poor** ~ **situation** schlechte Absatzlage; ~ **size** Marktgröße; ~ **spots** *(US)* Effekten mit Sonderbewegungen; ~ **square** Markt[platz]; ~ **statistics** Absatzstatistik; ~ **structure** Marktgefüge, -struktur; ~ **study** Marktuntersuchung, Markt-, Absatzstudie; ~ **supervision** Marktkontrolle; ~ **supply** Marktangebot; ~ **survey** Marktuntersuchung, -analyse; ~ **survey method** *(advertising budget)* Geschäftsentwicklung und Absatzmethode; ~ **swing** *(US)* Konjunkturperiode; ~ **syndicate** Börsensyndikat; ~ **system** Marktwirtschaft; ~ **testing** Markterkundung; ~ **tip** Börsentip; ~ **town** *(Br.)* Stadt mit Marktrecht, Marktflecken; ~ **transactions** Börsentransaktionen, -geschäfte; ~ **trends** Konjunktur-, Marktentwicklung, Trend; ~ **trend analysis** Konjunkturdiagnose; ~ **upsurge** Emporschnellen der Kurse; ~ **value** Gemein-, Kauf-, Marktwert, *(stock exchange)* Kurswert, Tageskurs, notierter Kurs, Notierung, *(trading value)* Verkehrswert; **fair and reasonable** ~ **value** angemessener Wert, Verkehrswert; **fair-cash** ~ **value** gemeiner Wert, üblicher Marktpreis; **fluctuating** ~ **value** veränderlicher Kurs; **lower** ~ **value** niedrigerer Zeitwert; **open** ~ **value** *(inheritance tax, Br.)* Verkehrswert; **total** ~ **value** Gesamtkurswert; ~ **volume** Marktgröße, -volumen, -umfang; ~ **ware(s)** Marktware; ~ **weakness** Marktschwäche.

marketability Marktfähigkeit, -gängigkeit, Gangbarkeit, *(stock exchange)* Börsenfähigkeit.

marketable *(salable)* marktfähig, marktbar, von marktfähiger Güte, marktgängig, absatzfähig, gang-, umsetz-, lieferbar, verkäuflich, *(stock exchange)* börsenfähig, -gängig, notiert;
to render goods ~ beschädigte Waren wieder zurechtmachen;
~ **equities** börsengängige Dividendenwerte; ~ **prices** herrschende Marktpreise; ~ **products** verkaufsfähige (gängige) Ware; ~ **securities (stocks)** börsengängige (börsen-, marktfähige) Wertpapiere (Effekten), *(balance sheet, US)* Wertpapiere des Umlaufvermögens; **readily** ~ **staples** leicht realisierbare Waren; ~ **title** vollgültiger Rechtstitel; ~ **title [to land]** gerichtlich festgestellter Eigentumsanspruch; ~ **value** Marktwert, Kaufpreis.

marketeer *(US)* Verkäufer, Händler, *(stock exchange)* Abgeber, Verkäufer.

marketer *(US)* Marktbezieher, -besucher, *(marketing specialist)* Absatzfachmann.

marketing Lehre vom Warenabsatz, Absatzwirtschaft, -planung, Absatz[wesen], -bemühungen, -politik, Marktschaffung, -versorgung, Vertrieb[slehre], *(goods)* Marktvorräte, -waren;
~**s** *(purchase)* Markteinkäufe, *(sales)* Marktverkäufe;
agricultural ~ Absatz landwirtschaftlicher Erzeugnisse; **associative (cooperative)** ~ genossenschaftliches Absatzwesen; **commodity** ~ Warenabsatz, -vertrieb; **direct** ~ Direktabsatz, -vertrieb; **industrial** ~ Absatz von Industrieerzeugnissen; **innovatory** ~ schöpferische Absatzpolitik, **orderly** ~ *(US)* Vertriebs-, Absatzkontrolle, Selbstbeschränkungsabkommen; **organized** ~ organisiertes Absatzwesen; **total** ~ Gesamtabsatz;
~ **of an article** Gesamtheit der absatzfördernden Maßnahmen für einen Artikel; ~ **of securities** Effektenabsatz, -einführung;
to do one's ~ seine Einkäufe machen; **to go** ~ auf den Markt gehen, *(commission agent)* Provisionsgeschäfte machen;
~ **activity** Absatztätigkeit; ~ **adviser** Absatzberater; ~ **agency** Vertriebsagentur, Verkaufsbüro, Absatzvertretung; ~ **agreement** Vertriebs-, Absatzvereinbarung; ~ **analysis** Markt- und Absatzanalyse; ~ **area** Absatzbereich, -gebiet; ~ **arrangement** Marktabrede, -vereinbarung; ~ **association** Absatzvereinigung; ~ **background** Marktlage; ~ **behavio(u)r** marktorientiertes Verhalten; ~ **board** Absatzausschuß, Verteiler-, Absatzkontrollstelle; ~ **campaign** Absatzfeldzug, Werbekampagne, projektorientierte

Aktion; ~ **channels** Absatzwege; ~ **company** Vertriebsgesellschaft; ~ **concept** Absatzdenken; ~ **conception** Absatzkonzeption; ~ **conditions** Vertriebs-, Absatzverhältnisse, -bedingungen; ~ **consultant** Fachmann (Berater) in den Fragen der Absatzförderung, freiberuflicher Vertriebsberater; ~ **contract** Vertriebs-, Absatzvereinbarung; ~ **control** Absatzkontrolle; ~ **cooperative** Vertriebs-, Verwertungs-, Absatzgenossenschaft; ~ **corporation** *(US)* Vertriebsgesellschaft; ~ **costs** Absatz-, Vertriebskosten; ~ **data** Absatzzahlen; ~ **department** Marketingabteilung; ~ **difficulties** Absatzschwierigkeiten; ~ **director** Leiter der Vertriebsabteilung; ~ **division** *(department of commerce, US)* Absatzforschungsabteilung; ~ **drive** Absatzfeldzug; ~ **efficiency** Leistungsfähigkeit des Vertriebs-, Absatzapparates; ~ **efforts** Absatz-, Vertriebsanstrengungen; ~ **executive** Vorstandsmitglied für Absatz und Vertrieb, Vertriebs-, Marketingfachmann; ~ **expense(s)** Vertriebsunkosten; ~ **experience** Absatzerfahrung; ~ **expert** Marktsachverständiger, Fachmann für Fragen der Absatzförderung; ~ **facilities** Vertriebseinrichtungen; ~ **field** Vertriebs-, Absatzwesen; ~ **financing** Absatzfinanzierung; ~ **functions** absatzwirtschaftliche Funktionen, Vertriebsfunktionen; ~ **goal** Absatz-, Vertriebsziel; **to run into** ~ **headaches** Kopfzerbrechen bei der Absatzplanung bekommen; ~ **information** Vertriebs-, Absatzkunde; ~ **institution** Vertriebs-, Absatzeinrichtung; ~ **know-how** Absatz-, Vertriebserfahrungen; ~ **knowledge** Absatzkunde; ~ **leadership** hervorragende absatztechnische Fähigkeiten; ~ **legislation** Vertriebsgesetzgebung; ~ **machinery** Vertriebsapparat; ~ **man** Vertriebsfachmann, Absatzwirtschaftler, -fachmann, Verkaufsförderer; ~ **manager** Vertriebsleiter, Leiter der Abteilung Absatzförderung (Vertriebsabteilung); ~ **methods** Vertriebs-, Absatzmethoden; ~ **-minded** absatz-, vertriebsbewußt; ~ **mindedness** Absatzbewußtsein; **to grow in** ~ **mindedness** sich immer mehr dem Absatzdenken zuwenden; ~ **mix** *(US)* Absatzplanung; ~ **operations** marktwirtschaftliche Maßnahmen; ~ **opportunity** Absatzchance, -möglichkeit; ~ **-oriented** absatzbewußt; ~ **orientedness** Absatzbewußtsein; ~ **organization** Vertriebs-, Absatzorganisation; ~ **outlet** Einzelhandelsgeschäft; ~ **outlook** Absatzaussichten, -konjunktur; ~ **people** Absatzfachleute; ~ **personnel** Vertriebspersonal; ~ **picture** Absatzbild; ~ **plan** Absatz- und Vertriebsprogramm; ~ **planning** Absatzplanung; ~ **policy** Vertriebs-, Absatzpolitik; ~ **problem** Absatzfrage; ~ **procedure (process)** Vertriebs-, Absatzverfahren; ~ **product** Vertriebs-, Absatzprodukt; ~ **program(me)** Absatz-, Vertriebsprogramm; ~ **proposal** Vertriebs-, Absatzvorschlag; ~ **quota** Sollvorgabe für den Absatz; ~ **regulation** Absatzregulierung; ~ **research** Markt-, Absatzforschung; ~**-research study** Vertriebs-, Absatzstudie; ~ **resource** Absatzbereitschaft; ~ **season** Verkaufssaison; ~ **specialist** Vertriebs-, Absatzfachmann, Absatzspezialist; ~ **statistics** Absatzstatistik; ~ **structure** Absatzstruktur; ~ **study** Absatz-, Vertriebsstudie; ~ **subsidiary** Vertriebsgesellschaft; ~ **system** Absatzwesen, Vertriebssystem; ~ **terminology** Verkaufsterminologie; ~ **terms** Begriffe des Absatzwesens (Vertriebswesens); ~ **territory** Absatzbezirk; ~ **transaction** Absatzgeschäft; ~ **venture** Auftreten auf dem Markt, Marktuntersuchung.

marking Kennzeichnung, Markierung, *(cheque, Br.)* Bestätigungsvermerk, *(prices)* Preisauszeichnung, *(stock exchange, Br.)* Kursnotierung;

~ **clerk** *(stock exchange, Br.)* Kursmakler; ~ **department** Preisermittlungsabteilung; ~ **machine** Preisauszeichnungsmaschine; ~ **requirements** Kennzeichnungsvorschriften.

markon *(US)* Kalkulationsaufschlag.

markup Handelsspanne, Kalkulationsaufschlag, *(customs)* Aufschlag, *(difference between cost and retail price of merchandise)* Rohgewinnaufschlag [auf den Einkaufspreis], *(pricing)* höhere Auszeichnung, Preiserhöhung;

individual ~ Einzelkalkulationsaufschlag; **inventory** ~ Rohgewinnaufschlag auf das Warenlager;

~ **on cost** Kalkulationsaufschlag auf den Einstandspreis; ~ **on selling prices** Handelsspanne; **to put a flat** ~ **on all items** bei allen Artikeln einheitlich dieselbe Handelsspanne berechnen;

~ **cancellation** Aufhebung der Preiserhöhungen; ~ **percentage** Bruttogewinnsatz.

marline rate *(advertising, US)* Anzeigenzeilenkosten pro Umsatz von 1 Milliarde Dollar.

marriage Ehe[stand], *(advertising)* Verschmelzung zweier Entwürfe;

~ **settlement** Ehevertrag.

marry *(v.)* **into a business** in ein Geschäft einheiraten.

marshal *(court of law, Br.)* Urkundsbeamter, Gerichtsschreiber, *(executioner, US)* Vollstreckungsbeamter;

~ *(v.)* ordnen, aufstellen, arrangieren, *(railway)* rangieren;

~ **the assets** Aktiva [im Konkurs] (Verteilungsplan) feststellen; ~ **creditors** Rangordnung der Gläubiger festlegen, Gläubigerrangordnung feststellen; ~ **securities** Sicherheiten aufteilen.

marshal(l)ing ~ **of assets** *(bankruptcy)* Feststellung der Aktiva, Rangordnung der Sicherheiten, Aufstellung eines Verteilungsplanes; ~ **of liens** Erfassung von Pfandobjekten; ~ **of remedies** Gläubigerbeschränkung; ~ **of securities** Aufteilung der Sicherheiten.

mart Handelszentrum, Jahrmarkt, *(auction room)* Auktionsraum.

masked advertising Schleichwerbung.

mass | advertising Massenwerbung; ~ **appeal** Massenanreiz; ~ **circulation** Massenauflage; ~ **-circulation media** Massenmedia; ~ **discount** Mengenrabatt; ~ **dismissals** Massenentlassungen; ~ **display** Massenauslage; ~ **marketing** Massenabsatz; ~ **picketing** massiertes Streikpostenaufgebot; ~ **-produce** *(v.)* fabrikmäßig herstellen, in Massen produzieren; ~ **-produced article** Serien-, Massenartikel; ~ **producer** Massenhersteller.

mass production Massenerzeugung, -herstellung, -produktion, -fabrikation, fabrikmäßige Herstellung, Serienproduktion;
standardized ~ Fließbandarbeit, Herstellung am laufenden Band;
~ **car** Serienwagen; ~ **enterprise (firm)** Groß-, Massenhersteller; ~ **industry** Massengüterindustrie; ~ **society** Massenproduktionsgesellschaft.

mass | purchasing power Massenkaufkraft; ~ **selling** Massenverkauf, -absatz, -vertrieb; ~ **strike** Generalstreik; ~ **unemployment** Massenarbeitslosigkeit.

master *(captain)* Kapitän, Schiffer, *(corporation)* Leiter, Vorsteher, *(craft)* Handwerksmeister, Chef, *(employer)* Prinzipal, Arbeitgeber, Geschäfts-, Dienst-, Lehrherr, Vorgesetzter, *(person skilled in trade)* [Werk]meister;
little ~ *(journeyman, Br.)* Geselle, *(undercontractor)* Unterlieferant; **taxing** ~ Kostenfestsetzungsbeamter;
~**[s] and men** Arbeitgeber und Arbeitnehmer; ~ **agreement** Manteltarifabkommen; ~ **attendant** Hafenmeister; ~ **budget** Gesamtetat, -haushaltsplan; **to obtain one's** ~**'s certificate** sein Kapitänspatent bekommen; ~ **clock** Kontrolluhr; ~ **freight agreement** Rahmenfrachtabkommen; ~ **group contract** Sammelversicherungsvertrag; ~ **hand** Fachmann, Spezialist, Meister; ~ **mariner** Handelskapitän, Kapitän auf großer Fahrt; ~ **pay record** Lohnkonto; ~ **policy** *(life insurance)* Rahmenpolice; ~ **and servant relation** Dienst[vertrags]verhältnis; ~ **summary sheet** Betriebsberechnungsbogen; ~ **workman** Werkmeister, Vorarbeiter.

match Gegenstück, *(item)* Ware, Artikel gleicher Qualität;
~ *(v.)* zusammenpassen, dazu passen, *(tax statement)* anpassen;
~ **new cars on the market** neue Autotypen auf dem Markt einführen; ~ **s. one's grade** dieselbe Qualität liefern wie; ~ **the sample** mit dem Muster übereinstimmen.

matched orders *(US)* Börsenaufträge auf gleichzeitigen Kauf und Verkauf des gleichen Wertpapiers.

matching *(balance sheet)* Anpassung, periodische Abgrenzung von Aufwand und Ertrag.

mate Arbeitskamerad, *(helper)* Handlanger, Gehilfe, *(ship)* Steuermann, Maat;
~**'s receipt** Steuermannsquittung.

material Werkstoff, Substanz, Material, *(accessories)* Zubehör, Bestandteil;
auxiliary ~**s** Hilfsstoffe; **building** ~ Baumaterial; ~**s consumed** *(balance sheet)* Materialverbrauch; **direct** ~**s** Fertigungsmaterial; **office** ~**s** Büroeinrichtung[sgegenstände]; ~**s requisitioned** Materialanforderungen; **writing** ~**s** Schreibutensilien;
labo(u)r and ~ Arbeitslohn und Materialkosten;
~ **in the process of production** in Verarbeitung befindliches Material; **indirect** ~**s and supplies** Materialgemeinkosten;
to buy a house for its ~ Haus auf Abbruch kaufen;
~ *(a.)* materiell, körperlich, *(essential)* wesentlich;
~ **accounting** Materialabrechnung; ~ **budget** Materialkostenplan; ~ **change of user** *(building, Br.)* wesentliche Gebrauchsänderung; ~ **consumption** Materialverbrauch; ~ **control** Materialkontrolle, -prüfung; ~ **costs** sachliche Ausgaben; ~ **cost burden rate** Materialgemeinkostenzuschlag; ~ **damage** Schaden wirtschaftlicher Art, Sachschaden; ~ **expenses** Sachaufwendungen; ~ **flow** Werkstoffdurchlauf; ~ **goods** Sachgüter; ~ **handling** Werkstofftransport; ~**s prices** Materialpreise; ~ **purchases** Rohstoffkäufe; ~ **-received report** Materialempfangsbescheinigung; ~ **requirements** Materialbedarf; ~ **requisition slip** Materialentnahmeschein; ~ **supplies** Materialvorrat.

matter Stoff, Material, *(affair)* Angelegenheit, Sache, *(business)* Geschäft, *(case)* vorliegende Sache, schwebender Fall, Streit-, Verhandlungsgegenstand;
business ~**s** geschäftliche Angelegenheiten; **first-class** ~ *(US)* Brief- und Paketsendungen; **second-class** ~ *(US)* Zeitungen und Zeitschriften; **third-class** ~ *(US)* Drucksachen; **fourth-class** ~ *(US)* Paketpost, Mustersendungen; **immediate** ~ Sofortsache; **inquired** ~ *(stock exchange)* Geld gesucht; ~ **insured** versicherter Gegenstand; **money** ~ Geldfrage; **postal** ~ *(Br.)* Postsache;
~ **of business** Geschäftssache; ~ **of public concern[ment]** gemeinsame Belange, öffentliche Angelegenheit; ~ **of official concern** Dienstsache;
to handle a ~ Angelegenheit erledigen (besorgen); **to cost a** ~ **of $ 100** etwa 100 Dollar kosten.

matured | capital fälliges Kapital; ~ **claim** fällige Forderung; ~ **coupon** noch nicht zur Zahlung eingereichter Kupon; ~ **liability** fällige Verbindlichkeit.

maturing portion fällige Tranche.

maturity Fälligkeit, Verfall[zeit];
at (on) ~ bei Fälligkeit (Verfall), zur Verfalls-

zeit; **before (prior to)** ~ vor Verfall; **till** ~ bis zum Verfall; **average (term of)** ~ Durchschnittsverfallzeit;
to defer (delay) ~ Verfall (Fälligkeit) aufschieben; **to have a** ~ **of twenty years** zwanzigjährige Laufzeit haben; **to pay at** ~ Zahlungsfrist einhalten; **to pay before** ~ vorausbezahlen, vor Fälligkeit bezahlen;
~ **age** *(insurance)* Endalter; ~ **basis** Rendite einer Obligation unter Zugrundelegung der Gesamtzeit; ~ **claim** Fälligkeitsanspruch; ~ **date** Fälligkeitstag, -termin, -datum, Verfalldatum; ~ **index (tickler,** *US)* Terminkalender, Verfallbuch; ~ **value** Fälligkeitswert.

maximum Höchstbetrag, *(bid)* Höchstgebot, *(price)* Höchstsatz, -preis, *(upper limit)* Höchstgrenze;
(a.) höchstzulässig, maximal;
~ **age** Höchstalter; ~ **amount** Höchstbetrag; ~ **capacity** *(carrying power)* Tragfähigkeit, *(production)* Produktionsoptimum, Höchstkapazität; ~ **deficiency** *(coins)* Fehlergrenze; ~ **dividend** Höchstdividende; ~ **hiring age** Höchsteinstellungsalter; ~ **linage** *(ad)* Höchstgrenze; ~ **load** äußerste Belastung, Höchstbelastung; ~ **mortgage interest rate** Hypothekenhöchstsatz; ~ **output** Produktionsoptimum; ~ **price** Höchstpreis, *(stock exchange)* Höchstkurs; ~ **productive efficiency** produktive Höchstleistung [eines Menschen]; ~ **quota** Höchstkontingent; ~ **rate** Höchstsatz, -kurs, -preis, *(carrier)* Höchsttarif, *(insurance)* Höchstprämie; ~ **and minimum tariff** Doppeltarif; ~ **tax rate** Steuerhöchstsatz; ~ **value** oberste Wertgrenze, Höchstwert; ~ **wage[s]** Höchst-, Spitzen-, Maximallohn; ~ **weight** Höchstgewicht; ~ **wholesale price** Großhandelshöchstpreis.

meal | ticket Beköstigungs-, Essensbon;
to buy ~ **tickets** im Abonnement essen.

mean *(value)* Durchschnitts-, Mittelwert;
~ *(a.) (average)* mittel, durchschnittlich, *(base)* kleinlich, schäbig, filzig;
to be rather ~ **over money matters** in finanziellen Dingen kleinlich sein;
~ **average** gewogener Mittelwert; ~ **capacity** Durchschnittskapazität; ~ **competition** unlauterer Wettbewerb; ~ **due date** mittlerer Verfalltag; ~ **life** mittlere Lebensdauer; ~ **output** Durchschnittsleistung; ~ **rate of exchange** Durchschnittskurs;
~ *(v.)* **business** ernsthaft reflektieren, ernstlich interessiert sein.

means [Geld]mittel, Einkommen, Geld, Kapital, *(method)* Weg, Methode, *(property)* Vermögen;
of small ~ minderbemittelt; **with inadequate** ~ behelfsmäßig; **without** ~ unbemittelt, unversorgt, mittellos;
ample ~ reichliche Mittel, hinlängliches Kapital; **current** ~ Umlaufvermögen; **private** ~ Privatvermögen;
ways and ~ *(pol.)* Geldbeschaffung, -bereitstellung;
~ **of access** *(Factory Act)* sicherer Zugang; ~ **of communication** Kommunikations-, Verkehrsmittel; ~ **of conveyance** Beförderungsmittel; **major** ~ **of income** Haupteinnahmequelle; ~ **of living** Erwerbsquelle; ~ **of payment** Zahlungsmittel; ~ **of production** Produktionsmittel; ~ **of subsistence** Unterhaltsmittel; ~ **of transportation** *(US)* Beförderungs-, Verkehrsmittel;
to be of independent ~ finanziell unabhängig sein; **to have ample** ~ **at one's disposal** reichliche Mittel zur Verfügung haben; **to live beyond (above) one's** ~ über seine Verhältnisse leben; **to prove one's lack of** ~ seine Bedürftigkeit nachweisen;
~ **test** *(Br.)* Bedürftigkeitsnachweis, Überprüfung des finanziellen Status, *(credit rating)* Kreditprüfung.

measure Maß, Ausmaß, Umfang, Grad, Höhe, *(action)* Maßnahme;
made to ~ nach Maß angefertigt;
weights and ~**s** Maße und Gewichte;
~ **of assistance** Hilfsmaßnahme; ~ **of damages** Umfang der Schadenersatzberechnung; ~**s of economy** Sparmaßnahmen;
~ *(v.)* **the tonnage of a ship** Schiffstonnage feststellen;
to take appropriate ~**s** das Erforderliche veranlassen;
~ **cargo (goods)** Sperrgut.

measured | goods sperrige Güter; ~ **ton** Raumtonne.

measurement | cargo sperrige Ladung; ~ **goods** Maßgüter; ~ **ton** Raumtonne.

mechanic Mechaniker, Monteur, *(artisan)* Handwerker, *(car)* Autoschlosser;
average ~ **skilled in art** *(patent law)* Durchschnittsfachmann;
~**'s lien** bevorrechtigte Handwerkerforderung.

mechanical mechanisch, handwerksmäßig, maschinell, *(automated)* automatisch, selbsttätig, *(fig.)* gewohnheitsmäßig, mechanisch, unwillkürlich;
~ **bookkeeping** Durchschreibebuchhaltung; ~ **drawing** Konstruktionszeichnung.

media Media, Medien, Werbeträger;
advertising ~ Werbemittel, -träger; **commissionable** ~ provisionspflichtige Medien; **mass** ~ Massenmedien, *(Br.)* Rundfunk und Fernsehen;
~ **allocation** Aufteilung auf die verschiedenen Werbeträger, Streuung; ~ **analysis** Werbeträgeranalyse; ~ **audience combinations** Zielgruppenkombination von Werbeträgern; ~ **campaign** Werbe-, Mediafeldzug; ~ **clerk** Mediasachbearbeiter; ~ **concept** Werbekonzeption; ~ **cost** Werbekosten; ~ **department** Werbeabteilung; ~ **details** alle Einzelheiten eines Werbemittels; ~ **director** Leiter der Abteilung

Streuung; ~ **evaluation** Bewertung als Werbeträger; ~ **man** Streuplaner; ~ **manager** Medialeiter; ~ **planning** Mediaplanung; ~ **research** Überprüfung von Werbeträgern, Media-, Werbeträgerforschung; ~ **schedule** Streuplan; ~ **selection** Mediaauswahl; ~ **strategy** Festlegung der Media; ~ **survey** Werbeträgerforschung; ~ **vehicle** Werbeträger.

medium Mittler, Mittel, Medium Organ, *(advertisement)* Werbeträger, -mittel, *(middling quality)* Mittelware, *(surroundings)* Umgebung, Milieu, *(tool)* Arbeitsgerät;
through the ~ of durch Vermittlung von; **through the ~ of a goods agent** mit Hilfe (unter Inanspruchnahme) eines Spediteurs;
advertising ~ Werbeträger, -mittel; **circulating** ~ Umlaufs-, Tauschmittel; **consumer advertising** ~ Werbeträger für die Verbraucherwerbung; **currency** ~ Zahlungsmedium; **good** ~ *(quality)* mittelfein; **just** ~ goldener Mittelweg; **news** ~ Nachrichtenmittel;
~ **of currency (circulation)** Zahlungsmittel; ~ **of exchange** *(currency)* Valuta, *(exchangeable article)* Tauschmittel, *(rate)* Mittelkurs; ~ **of payment** Zahlungsmittel;
~ *(a.)* mittelmäßig, gewöhnlich;
~ **and small-scale enterprises** Mittel- und Kleinbetriebe; ~ **goods** Mittelware, mittlere Qualität; ~**-powered car** mittelstarker Wagen; ~ **price** Mittelpreis; ~ **price range** mittlere Preislage; ~ **quality** zweite Wahl; ~**-quality goods** Produkte mittlerer Qualität; ~**-sized business** Mittelbetrieb, mittleres Unternehmen; ~ **sorts** mittlere Qualitäten.

meet | *(v.) (company, parl.)* tagen, zusammentreten, *(pay)* begleichen, tragen, *(satisfy)* befriedigen;
~ **a bill** Rechnung begleichen, *(bill of exchange)* Wechsel einlösen (honorieren); ~ **the claims of one's creditors** seine Gläubiger befriedigen; ~ **the deadline** Frist einhalten; ~ **the demand** Nachfrage befriedigen, Bedarf decken; ~ **the demands for payment** Zahlungsansprüche befriedigen; ~ **one's draft** sein Akzept einlösen; ~ **the expenses** Kosten bestreiten; ~ **one's liabilities (commitments, engagements)** seine Verpflichtungen (Verbindlichkeiten) erfüllen; ~ **with a loss** Verlust erleiden; ~ **with losses on the stock exchange** Kursverluste hinnehmen müssen; ~ **payments** Teil-, Ratenzahlungen einhalten; ~ **with due protection** *(bill)* honoriert werden; ~ **a long-felt want** langjähriges Bedürfnis befriedigen; ~ **the workers** über Löhne diskutieren.

meeting Besprechung, Beratung, Sitzung, Versammlung, Konferenz, Tagung, Zusammenkunft, -sein, Begegnung;
annual general ~ *(Br.)* ordentliche Jahreshaupt-, Generalversammlung; **board [of directors]** ~ Vorstandssitzung; **called** ~ besonders einberufene [Aktionärs]versammlung; **committee** ~ Ausschußsitzung; **company** ~ *(Br.)* Gesellschafterversammlung; **company-wide** ~ Konzerntagung; **corporate (directors')** ~ Direktionssitzung; **corporation** ~ *(US)* Haupt-, Gesellschafterversammlung; **extraordinary** ~ *(Br.)* außerordentliche Hauptversammlung; **on-the-spot** ~ sofort einberufene Tagung; **ordinary** ~ *(Br.)* Hauptversammlung; **overflow** ~ Parallelversammlung; **regular** ~ *(US)* ordentliche Hauptversammlung; **sales** ~ Vertretertagung; **small-group** ~ Treffen im kleinen Kreis; **statutory** ~ *(Br.)* konstituierende Hauptversammlung;
~ **of the [executive]board** Vorstandssitzung [einer Gesellschaft]; ~ **of creditors** Gläubigerversammlung; ~ **of directors** Direktionssitzung; ~ **of experts** Sachverständigenkonferenz; ~ **of incorporators (to organize)** Gründungsversammlung; ~ **of the minds** *(law of contract)* Willenseinigung, Übereinstimmung der Willenserklärungen; ~ **of shareholders** *(Br.)* **(stockholders,** *US)* Aktionärs-, Generalversammlung;
to address a ~ on an off-the-record basis vertrauliches Thema in einem Kreis behandeln; **to adjourn a** ~ Versammlung vertagen; **to attack the regularity of a** ~ Ordnungsmäßigkeit einer Versammlung bestreiten; **to attend (be present at) a** ~ einer Versammlung beiwohnen; **to call a ~ of the shareholders** *(Br.)* Hauptversammlung einberufen; **to overstaff a** ~ zu einer Sitzung zu viel Teilnehmer einladen; **to summon a general** ~ *(Br.)* Generalversammlung einberufen;
~ **day** Sitzungstag; ~ **place** Versammlungsort, Treffpunkt.

melon *(US)* außerordentliche Dividende, Gratisaktie, größerer Bonus;
to cut a ~ außerordentliche Dividende [in Form von Gratisaktien] ausschütten;
~ **cutting** Riesengewinnauszahlungen.

member Mitglied, Angehöriger, *(building)* Bauteil; **advanced** ~ *(building society, Br.)* zugeteilter Bausparer; **duly appointed** ~ ordnungsgemäß gewähltes Mitglied; **enrolled** ~ eingetragenes Mitglied; **founder** ~ Gründungsmitglied; **paying** ~ förderndes Mitglied; **unadvanced** ~ *(building society, Br.)* noch nicht zugeteilter Bausparer;
~ **of the executive board** *(US)* **(managing committee, management)** Vorstandsmitglied; ~ **of the board of directors** Aufsichtsratsmitglied; ~ **of a company** Gesellschafter; ~ **of a firm** Teil-, Mitinhaber einer Firma; ~ **of the stock exchange** Börsenmitglied; ~ **of a trip** Reiseteilnehmer;
~ **banks** *(US)* Mitgliederbanken [des Federal-Reserve-Systems]; ~**-bank borrowings** *(US)* Inanspruchnahme von Krediten durch dem Federal-Reserve-System angeschlossene Banken; ~ **corporation** Mitgliedsfirma.

memorandum *(articles of agreement)* Vereinbarung, Vertragsurkunde, *(~bill)* Kommissionsschein, *(marine insurance)* Haftungsausschuß (Haftungsbeschränkung) für leicht verderbliche Ware, *(record of events)* kurze Aufzeichnung der vereinbarten Punkte, Exposé, Memorandum, *(short note)* Notiz, Vermerk, Gedächtnisstütze, *(summary of terms of agreement)* Auszug aus den Vertragsbestimmungen, *(statement of goods sent)* Bordereau, Lieferschein [im Kommissionsverkauf];
common ~ *(Lloyd's, Br.)* Deckungsausschluß für Bruchschäden; **urgent** ~ Dringlichkeitsvermerk;
~ **of association** *(Br.)* Gründungsurkunde, Gesellschaftsvertrag, -statuten; ~ **of insurance** vorläufiger Deckungsschein; ~ **of partnership** Gesellschaftsvertrag; ~ **of satisfaction** *(mortgage, Br.)* Löschungsbewilligung;
to be shipped on ~ kommissionsweise versandt werden; **to make a** ~ Exposé anfertigen;
~ **articles** *(insurance (mortgage,* vom Versicherungsschutz ausgeschlossene Gegenstände; ~ **bill** Kommissions-, Lieferschein; ~ **book** *(bookkeeping)* Memorial, Manual, Kladde, *(notebook)* Notizbuch; ~ **buying** Kauf mit Rückgaberecht; ~ **check** *(US)* befristeter Scheck; ~ **clause** *(insurance)* Ausschluß-, Freizeichnungsklausel; ~ **collection** *(railway)* Frachtnachnahme; ~ **column** Vermerkspalte; ~ **copy of bill of lading** ungezeichnete Konnossementskopie; ~ **dating** *(US)* besonders vereinbarte Zahlungsbedingungen; ~ **goods (package;** *(package, US)* Kommissionswaren; ~ **pad** Notizblock; ~ **sale** Verkauf auf Kommissionsbasis, Kommissionsverkauf; ~ **sheet** Tagesordnung.

mend *(v.)* **one's market** seine Handelsbedingungen verbessern.

mercantile handeltreibend, kaufmännisch, geschäftlich;
~ **academy** Handelshochschule; ~ **advice** Handelsbericht; ~ **affairs** Geschäftsleben, Handelssachen; ~ **agency** *(US)* Kreditauskunftei; ~ **agent** *(Br.)* Kommissionär, Handelsvertreter; ~ **bank** Handelsbank; ~ **bill** Warenwechsel; ~ **broker** Handelsmakler; ~ **business** Warenhandel; ~ **career** kaufmännische Laufbahn; ~ **class** Kaufmanns-, Handelsstand; ~ **community** Kaufmannschaft; ~ **concern** Handelsfirma, Wirtschaftskonzern; ~ **connections** Handelsbeziehungen; ~ **credit** Warenkredit; ~ **creditor** Warengläubiger; ~ **custom** Handelsgebrauch; ~ **directory** Branchenverzeichnis; ~ **doctrine** Merkantilismus; ~ **enterprise (establishment)** Handelsniederlassung, -firma; ~ **house** Handelshaus, -firma, Geschäftshaus; ~ **open stock insurance** Einbruchsversicherung für Warenlager; ~ **safe insurance** Einbruchsversicherung von Waren und Wertpapieren in Safes von Geschäftsunternehmen; ~ **interests** kaufmännische Interessen; ~ **law** Handelsrecht; ~ **line** Kaufmannsfach; ~ **marine** Handelsmarine, Kauffahrtei; ~ **men** Kaufleute; ~ **nation** Handelsvolk, handeltreibende Nation; ~ **operations** Handelsverkehr, geschäftlicher Verkehr; ~ **paper** Warenpapier, -wechsel, Orderpapier; ~ **partnership** *(US)* Handelsgesellschaft; ~ **practice** Handelsbrauch; ~ **pursuits** kaufmännische Tätigkeit, Handelsbetrieb; ~ **report** Bericht einer Kreditauskunftei; ~ **risk** Geschäftsrisiko; ~ **school** Anhänger des Merkantilsystems; ~ **spirit** Handelsgeist; ~ **store** *(US)* Ladengeschäft; ~ **system** Merkantilsystem; ~ **term** Handelsausdruck; ~ **theory** Merkantilismus; ~ **town** Handelsstadt; ~ **transaction** Handelsgeschäft, geschäftliche Transaktion; ~ **usage** Handelsbrauch; ~ **vessel** Handelsschiff.

mercantilism Merkantilismus, Freihandelspolitik, *(commercialism)* Krämergeist.

mercantilist Merkantilist, Freihändler.

mercenary *(a.)* geldsüchtig, feil, käuflich, *(hired)* gedungen.

merchandise, merchandize *(US)* Ware[n], [Handels]güter, Artikel, Erzeugnis, *(inventory)* Warenlager, *(technique)* Vertriebs- und Verkaufssteuerung;
as-in ~ zurückgesetzte (reduzierte) Ware; **branded** ~ Markenartikel; **convict-made** ~ von Strafgefangenen hergestellte Waren; ~ **displayed** zur Schau gestellte (ausgestellte) Waren; **fashion** ~ Modeartikel; **high-cost** ~ Waren in hoher Preislage; **higher-margin** ~ Waren mit hoher Gewinnspanne; **falsely marked** ~ falsch bezeichnete Waren; **marked-down** ~ im Preis herabgesetzte Ware; **nonperishable** ~ unverderbliche Waren; **price-fixed** ~ preisgebundene Waren; **price-bound** ~ preisgebundene Erzeugnisse; **quality** ~ Qualitätsware; **shop-worn** ~ vom langen Liegen im Laden wertgeminderte Waren; **slow-moving** ~ langsam verkäufliche Ware; **spring** ~ Frühjahrsartikel; **staple** ~ Haupterzeugnisse; **trademarked** ~ Markenartikel; **up-to-date** ~ neueste Artikel;
~ **on account** Waren auf Kredit; ~ **shipped by air** auf dem Luftwege beförderte Güter; ~ **at the beginning of the month** Bestand am Monatsanfang; ~ **on consignment** Kommissionsware; ~ **intended for export** Ausfuhr-, Exportgüter; ~ **on hand** Warenbestand; ~ **on memorandum** Kommissionswaren; ~ **on order** in Auftrag gegebene (bestellte) Waren; ~ **in storage** eingelagerte Waren; ~ **in transit** unterwegs befindliche Ware, Transitware;
~ *(v.) (US)* Handel treiben, handeln, Geschäfte machen, *(sales promotion)* dem Publikum empfehlen, Absatz steigern;
~ **account** Warenkonto; ~ **allowance** Warenrabatt; ~ **appeal** Kaufanreiz; ~ **arrangement** Warenanordnung; ~ **assortment** Warensortiment;

~ **broker** Produktenmakler; ~ **budget** Mittel für die Warenbeschaffung; ~ **car** Güterwagen; ~ **checker** Warenprüfer; ~ **classification** Wareneinstufung; ~ **committee** Einkaufsausschuß; ~ **control** Warenkontrolle; ~ **cost** Einkaufskosten abzüglich Warenskonto; ~ **creditor** Warengläubiger; ~ **debtor** Warenschuldner; ~ **department** Warenabteilung; ~ **enterprise** Handelsunternehmen; ~ **inventory** Warenverzeichnis, -inventar, *(balance sheet)* Warenbestand, *(stock)* Warenlager; ~ **investment** Warenvorrat; ~ **item** Warenposten; ~ **knowledge** Warenkunde; ~ **lines** Warensortiment; ~ **manager** *(department)* kaufmännischer Leiter eines Warenhauses, Leiter der Ein- und Verkaufsabteilung; ~ **manual** Warenhandbuch; **gross** ~ **margin** Bruttoverdienstspanne; ~ **mark** *(Br.)* Warenzeichen; ≗ **Marks Act** *(Br.)* Warenzeichengesetz; ~ **mix** Zusammensetzung des Sortiments; ~ **movement** Warenbewegung; ~ **offerings** Warenangebot; ~ **plan[ning]** Wareneinkaufssystem; ~ **procurement** Warenbeschaffung; ~ **procurement cost** Warenbeschaffungskosten; ~ **purchases** Wareneinkäufe; ~ **receivables** *(balance sheet)* Warenforderungen; ~ **return** Warenrückgabe; ~ **scheme** Verkaufsplan; ~ **selection** Warenauswahl; ~ **shipment** Warenversand; ~ **shortage** Warenknappheit; ~ **storage space** Warenlagerraum; ~ **stock** Warenlager; ~ **testing bureau** Warenprüfstelle; ~ **trade** Warenhandel; ~ **trade balance** Warenhandelsbilanz; ~ **trade surplus** Warenhandelsüberschuß; ~ **traffic** Waren-, Güterverkehr; ~ **transaction** Warentransaktion; ~ **transfer** Warenübereignung; ~ **turnover** Lagerumschlag, Warenumsatz; ~ **valuation** Lagerbewertung; ~ **warehouse** Warenspeicher.

merchandiser, merchandizer *(US)* beratender Verkäufer.

merchandising, merchandizing *(US)* Absatzvorbereitung durch Vertriebsplanung, Absatzförderung, *(retail business)* Präsentation der Waren im Einzelhandelsgeschäft, *(US)* Verkaufspolitik, -förderung;
retail ~ Einzelhandelsvertrieb;
~ **concern** Handelsfirma, -unternehmen; ~ **department** Vertriebsabteilung; ~ **director** Leiter der Verkaufsförderungsabteilung; ~ **establishment** Handelsfirma; ~ **experience** Verkauferfahrung; ~ **function** Warenlagerfunktion; ~ **manager** Vertriebsdirektor; **gross** ~ **margin** Bruttogewinnsatz; ~ **operation** Warentransaktion; ~ **organization** Vertriebsorganisation; ~ **plan** Verkaufsförderungsplan; ~ **policy** Verkaufspolitik; **to formulate** ~ **policy** Verkaufspolitik festlegen; ~ **risk** Absatzrisiko; ~ **scheme** Absatz-, Verkaufsplan; ~ **show** Warenmesse; ~ **statistics** Warenstatistik; ~ **support** Verkaufsunterstützung bei Einzelhändlern; ~ **technique** Warenkunde.

merchandizable *(US)* verkaufs-, absatzfähig.

merchant [Groß]kaufmann, *(agent)* Vertreter, Handlungsreisender, *(purchaser)* Einkäufer, *(shopkeeper, US)* Ladenbesitzer, Einzelhändler, Krämer, *(trader)* Händler, *(wholesaler)* Großhändler;
~**s** Kaufmannschaft, Kaufleute, Handelskreise;
city ~ Kaufherr; **coal** ~ Kohlenhändler; **commission** ~ Kommissionär; **established** ~ selbständiger Kaufmann; **export** ~ Exportkaufmann; **forwarding** ~ *(US)* Spediteur; **feme-sole** ~ *(Br.)* selbständige Geschäftsfrau; **import** ~ Importkaufmann, Importeur; ~ **law** Handelsrecht; **speed** ~ Schnellfahrer, rücksichtsloser Autofahrer; **wholesale** ~ Großhändler;
~ *(v.)* Warenhandel betreiben;
~ **s' account** kaufmännische Buchführung; ~ **adventurer** Spekulant; ~ **appraiser** *(revenue office)* Schätzer im Zollbescheidverfahren; ~ **bank[er]** *(Br.)* Handelsbank, kaufmännisches Akzepthaus, Akzept-, Remboursbank; ~**'s basket** *(statistics)* Warenkorb; ~ **captain** Kapitän bei der Handelsmarine; ~**'s clerk** kaufmännischer Angestellter, Handlungsgehilfe; ~ **flag** Handels-, Reedereiflagge; ~ **fleet** Kauffahrtei-, Handelsflotte; **war-riddled** ~**fleet** durch den Krieg stark mitgenommene Handelsflotte; ~**'s goods** Handelsware; ~ **guild** Kaufmannsinnung; ~**'s house** Kaufhaus; ~ **marine** Handelsmarine; ~ **middleman** Kommissionär; ~**'s office** Kontor; ~**'s prices** Engrospreise; ~ **prince** Handelsfürst, Magnat, Kaufherr, Wirtschaftsführer; ~**'s rules** Handelsusancen; ~ **service** Handelsschiffahrt, -marine, Seehandel; **[war-built]** ~ **ship** [im Krieg gebautes] Handelsschiff; ~ **shipper** [Import]zwischenhändler, *(Br.)* Exporthändler; ~ **shipping** Handelsschiffahrt; ~ **'s shop** Kaufladen; ~ **trading** Großhandel; ~ **venturer** Spekulant; ~ **vessel** Handelsschiff; ~**'s wife** Kaufmannsfrau.

merchantable lieferbar, *(salable)* verkäuflich, gangbar, gängig, marktgängig;
not ~ unverkäuflich;
in a ~ **condition** in handelsfähigem Zustand; ~ **quality** Ware mittlerer Art und Güte, marktgängige Ware; ~ **title** Warenverkaufsschein.

merchantableness Lieferbarkeit, Verkäuflichkeit, Gangbarkeit, Gängigkeit.

merchanthood kaufmännisches Gewerbe.

merchanting trade *(Br.)* Transithandel.

merchantlike kaufmännisch, geschäftsmäßig.

merchantman Handelsschiff, Kauffahrer.

merge *(v.)* zusammenschließen, -legen, *(business enterprise)* verschmelzen, fusionieren, *(v. i.)* aufgehen in.

merger *(absorption by larger estate)* Aufgehen [eines Besitzes in einem größeren], *(amalgamation)* Verschmelzung, Fusion[ierung], [Firmen]zusammenschluß, *(rights)* Vereinigung

von Rechten in einer Person, Konfusion, *(shares)* Zusammenlegung;
bank ~ Bankenfusion; **conglomerate** ~ *(US)* Fusion branchenfremder Unternehmen; **corporate** ~ *(US)* Zusammenschluß von Gesellschaften, Gesellschaftsfusion; **full-fledged** ~ komplette Fusion; **industrial** ~ industrieller Zusammenschluß, Konzentrationsvorgang; **proposed** ~ Fusionsvorschlag;
~ **of banks** Bankenfusion; ~ **of funds** Kapitalzusammenlegung;
to block a ~ einer Fusion im Wege stehen; **to rule on** ~**s** für Fusionsgenehmigungen zuständig sein; **to undo a** ~ Fusion rückgängig machen;
~ **accord** Fusionsvereinbarung; ~ **activity** Fusionsgeschäftigkeit; ~ **agreement** Fusionsvereinbarung; ~ **application** Fusionsantrag; ~ **arrangement** Fusionsabkommen; ~ **bid** Fusionsangebot; ~ **candidate** Fusionskandidat; ~ **clearance** *(US)* Fusions-, Konzentrationsgenehmigung; ~ **company** fusionierende Gesellschaft; ~ **control** Fusionskontrolle; ~ **decision** Fusionsentscheidung; ~ **fever** Fusionsfieber; ~ **front** Fusionsfront; **to play the** ~ **game** sich an dem Fusionsspiel beteiligen; ~ **movement** Fusionsbewegung; ~ **offer** Fusionsangebot; ~ **partner** Fusionspartner; ~ **plan** Fusionsplan; ~ **possibilities** Fusionsmöglichkeiten; ~ **pressure** Fusionsdruck; **to dominate in the** ~ **scene** im Fusionsgeschäft den Ton angeben; ~ **statement** Fusionserklärung; ~ **talks** Fusionsgespräche, -verhandlungen; ~ **trend** Fusionstendenz.

merit Verdienst, Vorzug, Wert;
on its own ~**s** an und für sich betrachtet; **on the** ~**s or in terms of amount** dem Grunde oder der Höhe nach;
~**s of a case** materielle Umstände;
to admit a claim on the ~**s** Anspruch dem Grunde nach anerkennen;
~ **bonus** Leistungsprämie; ~ **increase** (US) Lohnerhöhung aufgrund besonderer Leistung, Leistungszulage; ~ **-pricing system** *(motorcar insurance)* Kraftfahrzeugversicherungssystem mit Prämien für unfallfreies Fahren; ~ **rating** *(US)* Leistungseinstufung, -beurteilung, Personalbeurteilung; ~**-rating sheet** *(US)* Leistungsbeurteilungsblatt; ~**-rating system** *(US)* Leistungsbeurteilungssystem; ~ **salary increase** *(US)* Leistungszulage; ~ **system** *(US)* allein auf Fähigkeiten beruhendes Beförderungswesen.

mesne | **incumbrance** kurzfristige Zwischenbelastung; ~ **profits** *(Br.)* unrechtmäßig erworbene Grundstücksfrüchte.

message Nachricht, Bestellung, Mitteilung, Benachrichtigung, Bericht, Bescheid, Botschaft, *(advertising)* Werbeaussage, -argumentation, *(broadcasting)* Durchsage;
telephone[d] ~ telefonische Mitteilung (Benachrichtigung), fernmündliche Nachricht; **telegraphed** ~ Drahtnachricht;
~ **in code** verschlüsselte Nachricht;
to go on a ~ etw. für jem. erledigen; **to leave a** ~ Mitteilung hinterlassen; **to run** ~**s** Botendienste tun, Botengänge erledigen;
~ **form** Depeschen-, Telegrammformular.

messenger Bote, Läufer, *(bank)* Kassenbote, *(court)* Gerichtsdiener, *(court of bankruptcy)* Masseverwalter;
bank ~ Bank-, Kassenbote; **express** ~ Kurier, Eilbote; **hotel** ~ [Hotel]page; **special** ~ Eilbote; **telegraph** ~ Telegrammbote;
to dispatch a ~ Boten entsenden;
~ **boy** Laufbursche, Botenjunge; ~ **service** Botendienst; ≗ **Service** Kurierabteilung.

metal | **exchange** Metallbörse; ~ **industry** Metallindustrie; ~ **-processing industry** metallverarbeitende Industrie.

method Weg, Verfahren, Verfahrensweise, Art und Weise, Methode, System;
cost-or-market whichever is lower ~ *(balance sheet)* Niederstwertprinzip; **industrial** ~ industrielles Verfahren; **working** ~ Fabrikationsverfahren;
~ **of application** Anwendungsverfahren; ~ **of calculation** Berechnungsart; **unfair** ~**s of competition** unlauterer Wettbewerb; ~ **of computation** Berechnungsmethode; ~ **of depreciation** Abschreibungsart, -methode; **declining balance** ~ **of depreciation** degressive Abschreibungsmethode; ~ **of dispatch (shipment)** Versandweise; ~ **of financing** Finanzierungsmethode, -weise, -art; ~ **of payment** Zahlungsmethode, -modus; ~ **of production** Produktionsverfahren; ~ **of taxation** Besteuerungssystem; ~ **[s] of trading** Handelsusance.

metropolitan | **area** Großstadtgebiet; ~ **cheque** *(Br.)* Scheck auf Groß-London; ~ **clearing** *(Br.)* Stadtclearing in Groß-London; ~ **consumer** Großstadtverbraucher; ~ **office** *(US)* Stadtbüro; ~ **plan** *(advertising)* Ortsverbreitungsplan.

mid mitten in, in der Mitte befindlich;
to be in ~ **-career** seine Laufbahn noch nicht abgeschlossen haben; ~ **-month account** Medioabrechnung; **to quit in** ~ **-term** mitten in der Ausbildung aufhören.

middle | *(a.)* mittel . . ., *(quality)* mittelmäßig;
~ **-bracket income** mittleres Einkommen, Einkommen in der mittleren Steuerklasse; ~ **-class** zum Mittelstand gehörig, bürgerlich; **the upper** ~ **classes** gehobener Mittelstand; ~ **-class residential area** bürgerliche Wohngegend; ~ **-income classes** mittlere Einkommensschichten; ~ **[market,** *Br.*] **price** Mittelkurs; ~ **quality** Mittelqualität.

middleman *(broker)* Zwischenhändler, Makler, *(gobetween)* Mittelsmann, -person, Vermittler, *(retailer)* Wiederverkäufer;
functional ~ Zwischenmakler; **merchant** ~ Kommissionär; **produce** ~ Produktenmakler;

~'s **business** Zwischenhandel; ~'s **profit** Zwischengewinn.
middling mittelfein, von mittlerer Art und Güte; **good ~ quality** gute Mittelsorte.
midtown area im Stadtzentrum gelegenes Gebiet; **to operate in or near ~s** *(airplane)* im Nahverkehr eingesetzt sein.
midyear | demands Anforderungen zum Halbjahresultimo; ~ **dividend** Halbjahresdividende; ~ **settlement** Halbjahresabschluß, -rechnung.
migrant worker Wanderarbeiter.
migration, internal Binnenwanderung; **seasonal ~** saisonbedingte Wanderung;
~ **of capital** Kapitalabwanderung; ~ **of rural workers** Abwanderung landwirtschaftlicher Arbeitskräfte.
migratory worker Wanderarbeiter.
mil(e)age *(allowance for travel(l)ing expense)* Fahrtentschädigung, Kilometergeld, *(car)* Kilometerstand, *(rate per mile)* Fahrpreis pro Meile, Kilometerpreis;
~ **per gallon** Kraftstoffverbrauch auf 100 km;
~**allowance** Kilometergeld; ~ **basis** *(railway)* Kilometerberechnungsgrundlage; **low-~ car** wenig gefahrenes Auto; ~ **rate** Kilometertarif, -satz.
militancy of consumers Konsumentenaggressivität.
mill *(factory)* Fabrik, Werk;
~ **out of work** stillgelegter Betrieb;
to have gone through the ~ harte Ausbildung hinter sich haben; **to work in a ~** in einer Fabrik arbeiten, Fabrikarbeiter sein;
~ **hand** Fabrikarbeiter; ~ **shutdown** Fabrikschließung; ~ **supply house (firm)** Zuliefe-r[ungs]firma.
milline rate *(US) (advertising)* Preiskoeffizient per 1 000 000 Leser.
mine Zeche, Bergwerk, Grube;
~**s** *(shares)* Montanwarte, -papiere, Bergwerksaktien, Kuxe;
abandoned ~ verlassener Bau;
~ **of information** Fundgrube an Informationen;
to shut down a ~ Grube auflassen;
~ **shutdown** Grubenschließung, -stillegung.
mineral | deposit Mineralvorkommen; ~ **-oil tax** Mineralölsteuer; ~ **right** Bergregal, -baufreiheit, Abbaurecht; ~ **rights duty** *(Br.)* Bergwerkssteuer; ~ **royalty** Bergregal.
minibus Kleinbus.
minicab Kleintaxi.
minimal amount Mindestbetrag; ~ **value** Mindestwert.
minimum Minimum, Mindestmaß, -betrag;
~ **of a capital** Mindestkapital; ~ **of existence** Existenzminimum;
to stand at a ~ *(stock exchange)* sehr niedrig stehen; ~ *(a.)* minimal, mindest;
~ **amount [of subscription]** Mindest[zeichnungs]betrag; ~ **balance charges** Mindestsaldogebühren; ~ **benefit** Mindestuntersützungssatz; ~ **bill of lading charge** Mindest-, Minimalfracht; ~ **carload weight** Mindeststückgutgewicht; ~ **cash reserve** Mindestkassenreserve; ~ **charge** *(carrier)* Mindestsatz; ~ **demand** Mindestbedarf; ~ **deposit** Mindesteinlage; ~ **income** Mindesteinkommen; ~ **initial subscription** *(investment fund)* Mindestbeteiligung beim Ersterwerb; ~ **inventory** Mindestbestand; ~ **investment** Mindesteinlage; ~ **job rate** Mindestakkordsatz; ~ **lending rate** Mindestzinssatz; ~ **liability** Haftpflichtmindestgrenze; ~ **maintenance** notwendiger Lebensunterhalt; ~ **paid-in capital** *(US)* Mindestkapital; ~ **pay** Mindestverdienst; ~ **period of employment** Mindestbeschäftigungszeit; ~ **price** Mindest-, niedrigster (minimalster) Preis; ~ **quantity** Mindestmenge; ~ **rate** Mindestsatz, -kurs, -preis, Minimalsatz, *(wages)* Mindestlohnsatz; ~ **resale price** gebundener Preis auf der Stufe des Endverbrauchs; ~ **subscription** Minimalzeichnungsbetrag; ~ **terms and period of an insurance** Mindestversicherungsleistung; ~ **guaranteed wage** garantierter Mindestlohn; ~ **work week** wöchentliche Mindestarbeitszeit.
mining Grubenbetrieb, Bergbau;
open-cast ~ Tagebau; **coal ~** Kohlenbergbau; **subsurface ~** Untertagebau;
~ **bond** Bergwerksobligation; ~ **claim** Mutung; ~ **company** Zechen-, Bergwerksgesellschaft; ~ **concession** Mutungsrecht; ~ **franchise** Abbaukonzession; ~ **industrialist** Bergbauindustrieller; **to insulate the ~ industry against the interplay of market forces** Bergbau den Gesetzen der Marktwirtschaft entziehen; ~ **securities** Montanwerte; ~ **share (stock,** *US***)** Bergwerks-, Montanaktie, Kux, Bergwerksanteil; ~ **ticket day** *(Br.)* Abrechnungstag für Montanwerte.
Minister | of Foreign Affairs Minister für auswärtige Angelegenheiten; ~ **of Agriculture, Fisheries and Food** *(Br.)* Ernährungs-, Landwirtschaftsminister; ~ **for Air** Luftfahrtminister; ~ **of Aviation Supply** *(Br.)* Luftfahrtminister; ~ **of Economics (Economic Affairs)** *(Br.)* Wirtschaftsminister; ~ **of Housing and Local Government** *(Br.)* Wohnungsbauminister, Minister für Wohnungsbau und Kommunalverwaltung; ~ **of Labour** *(Br.)* Arbeitsminister; ~ **of Pensions** *(Br.)* Minister für Pensionen und Renten; ~ **without Portfolio** Minister ohne Geschäftsbereich; ~ **of Power** *(Br.)* Minister für Energiewirtschaft; ~ **of Production** *(US)* Produktionsminister; ~ **of Social Security** *(Br.)* Sozialminister; ~ **of State** Staatsminister; ~ **of Supply** *(Br.)* Versorgungsminister; ~ **of Transport** *(Br.)* Verkehrsminister.
ministerial *(Br.)* ministeriell, verwaltungsmäßig, amtlich;
~ **bill** Regierungsvorlage; ≗ **Council** Ministerrat; ~ **trust** Treuhandverwaltung.
ministry *(Br.)* Ministerium, Regierung, *(diploma-*

cy) Amt eines Gesandten, *(governmental department)* Regierungsabteilung, *(ministerial term)* Amtsdauer eines Ministers, *(office)* Ministerposten, -amt, Ressort eines Ministers.

Ministry, Air Luftfahrtministerium;
~ **of Aviation** Luftfahrtministerium; ~ **of Commerce** *(Br.)* Handelsministerium; ~ **of Finance** Finanzministerium; ~ **of Food** Ernährungsministerium; ~ **of Foreign Affairs** Ministerium für auswärtige Angelegenheiten; ~ **of Housing and Local Government** *(Br.)* Wohnungsbauministerium; ~ **of Labour** *(Br.)* Arbeitsministerium; ~ **of Power** Energieministerium; ~ **of Supply** *(Br.)* Versorgungsministerium; ~ **of Town and Country Planning** *(Br.)* Wiederaufbauministerium; ~ **of Transport** *(Br.)* Verkehrsministerium; ~ **of Public Building and Works** *(Br.)* Ministerium für öffentliche Bauten;
~ **official** Ministeriumsvertreter, Ministerialbeamter.

minor minderjähriges Kind, Minderjähriger [über 7 Jahre], *(school, US)* Nebenfach;
~ **coin** *(US)* Scheidemünze (5-Cent-, 1-Cent-Stück); ~ **expenses** kleine Ausgaben; ~ **loss** *(insurance)* Bagatell-, Kleinschaden.

minority Minorität, Minderheit, -zahl, *(state of being a minor)* Minderjährigkeit, Unmündigkeit;
blocking ~ Sperrminorität;
~ **holder** Minoritätsaktionär; ~ **holdings** Minderheitsbeteiligung; ~ **holder** *(Br.)* Minoritätsaktionär; ~ **stock participation** Minoritäts-, Minderheitsaktienbeteiligung; ~ **stockholder** *(US)* Minoritätsaktionär.

mint Münze, Münzplatz, -amt, -anstalt;
to be worth a ~ steinreich sein;
in ~ **condition** *(of coins)* funkelnagelneu; ~ **par of exchange** festes Wechselpari; ~
~ **remedy** *(US)* Toleranz.

minute *(Br., notes)* Notiz, Memorandum, Exposé, Bericht;
up to the ~ hypermodern, mit der neuesten Mode schritthaltend;
board ~**s** Vorstandsprotokoll;
~ *(v.)* entwerfen, aufsetzen, *(enter in the minutes)* protokollieren;
~ **account** spezifizierte Rechnung; ~ **movie** *(US)* einminütiger Werbefilm, Kurzfilm.

minutes Niederschrift, Sitzungsbericht;
corporate ~ Generalversammlungsprotokoll einer Aktiengesellschaft;
~ **of a meeting** Sitzungsbericht, Sitzungsprotokoll;
to read and confirm the ~ **of the preceding meeting** Protokoll der vorhergehenden Sitzung verlesen und genehmigen; **to sign** ~ Protokoll abzeichnen.

misaddress *(v.)* falsch adressieren.

misapplication of funds Veruntreuung von Geldern.

misapply *(v.)* **public money** öffentliche Gelder veruntreuen.

misappropriate *(v.) (appropriate improperly)* unrechtmäßig (widerrechtlich) verwenden, veruntreuen, *(devote to wrong purpose)* [Kapital] fehlleiten;
~ **the society's funds** Vereinsgelder 'unterschlagen.

misappropriated capital fehlgeleitetes Kapital, [Kapital]fehlinvestition.

misappropriation *(appropriation for improper purpose)* unrechtmäßige Verwendung, Entwendung, Veruntreuung, *(wrong appropriation)* [Kapital]fehlleitung, Mißwirtschaft;
~ **of public funds** Unterschlagung öffentlicher Gelder.

misbill *(v.)* falschen Lieferschein ausstellen.

misbranding of commodities (Falschbezeichnung) von Waren als Markenartikel.

miscalculate *(v.)* falsch berechnen (kalkulieren), sich verrechnen.

miscalculation Kalkulationsfehler.

miscarriage *(of a letter)* Fehlleitung, Irrläufer, *(shipment)* Versandfehler;
~ **of goods** Verlustsendung.

miscarry *(v.) (letter)* verlorengehen, fehlgeleitet werden.

miscellaneous | **assets** *(balance sheet)* verschiedene Anlagegüter; ~ **collections of goods** gemischte Warensendungen; ~ **expense** *(income statement)* Nebenausgaben; ~ **investments** *(balance sheet)* verschiedene Beteiligungen; ~ **items** *(catalog(ue))* Verschiedenes; ~ **revenues** *(balance sheet)* sonstige Einkünfte.

miscomputation Fehlkalkulation.

miscompute *(v.)* falsch berechnen.

misconduct *(official)* Verletzung der Amtspflicht;
professional ~ standeswidriges Verhalten;
~ **in office by a public officer or employee** *(US)* Amtsdelikt, -pflichtverletzung; ~ **of the tenant** unzumutbares Verhalten des Mieters;
~ *(v.)* **one's business affairs** seine geschäftlichen Angelegenheiten schlecht führen.

misdate *(v.)* falsch datieren.

misdirect *(v.) (letters)* unrichtig (falsch) adressieren, fehlleiten;
~ **capital** Kapitalfehlleitung vornehmen.

misdirection *(letters)* falsche Adresse (Adressierung);
~ **of capital** Kapitalfehlleitung.

misdoing ~**s of advertising** Reklameauswüchse.

mise Auslagen, Kosten;
~ **money** Konventionalstrafe.

misemploy *(v.)* **one's money** sein Geld falsch anlegen (investieren).

misemployment *(money)* Fehlinvestition.

misenter *(v.)* falsch eintragen (buchen).

misentry falscher Eintrag, falsche Buchung, Falschbuchung.

misinvestment Fehlinvestition.

misleading/advertisement irreführende Werbung; ~ **statement** *(financial statement)* irreführende Angaben.
mismanage *(v.)* schlecht verwalten (wirtschaften).
mismanagement Mißwirtschaft, schlechte Verwaltung (Geschäfts-, Betriebsführung).
misplaced advertising falsch angesetzte Werbung.
misreckon *(v.)* falsch rechnen.
misrepresent | *(v.)* **fraudulently** falsche Tatsachen vorspiegeln; **fraudulently** ~ **one's financial conditions** betrügerische Darstellung seiner finanziellen Verhältnisse abgeben.
misrepresentation falsche Darstellung (Angaben bei Vertragsschluß);
fraudulent ~ Vorspiegelung falscher Tatsachen; **material** ~ *(insurance)* absichtliches Verschweigen von für die Versicherungsgesellschaft bedeutsamen Tatsachen.
misrouted freight fehlgeleitete Sendung.
miss *(v.)* [ver]fehlen, versäumen, *(train)* verpassen;
~ **the market** sich eine Verkaufsmöglichkeit entgehen lassen.
missed | **profit** entgangener Gewinn; ~ **discount** entgangener Rabatt.
missing | **goods** fehlende Ware; ~ **items** verlorene Postsendungen.
mission [Sonder]delegation, *(commission)* Auftrag;
trade ~ Handelsdelegation, -mission.
missionary salesman Werbeschulungsleiter.
misspend *(v.)* **money** Geld falsch ausgeben.
misstatement in prospectus falsche Angabe im Subskriptionsanzeiger.
mistake Fehler, Mißgriff, *(law)* Geschäftsirrtum;
~ **in calculation** Rechen-, Kalkulationsfehler; ~ **as to the existence of the subject matter** Irrtum über die Geschäftsgrundlage; ~ **in expression of true agreement** Irrtum über die rechtliche Bedeutung einer abgegebenen Willenserklärung; ~ **in labelling** Auszeichnungsfehler; ~ **as to the nature of the subject matter** Irrtum im Beweggrund, Motivirrtum; ~ **as to the quality of the subject matter** Irrtum über wesentliche Eigenschaften.
mistaken | **identity** Irrtum über die Person, Identitätsverwechslung; ~ **investment** Fehlinvestition.
misuse of public funds Unterschlagung öffentlicher Gelder.
mixed | **account** gemischtes Konto, *(brokerage accounting)* Kundenkonto für kurz- und langfristige Dispositionen; ~ **assortment** gemischtes Sortiment; ~ **cargo** Stückgutladung; ~ **cargo rate** Stückgütertarif; ~ **carload** Stückgutsendung; ~ **carload rate** *(US)* Stückgütertarif; ~ **economy** gemischte Wirtschaftsform; ~ **enterprise** gemischtwirtschaftliches Unternehmen; ~ **income** Einkünfte aus selbständiger und nichtselbständiger Arbeit; ~ **loan** durch Lombardierung verschiedenartiger Wertpapiere gesicherter Kredit; ~ **policy** gemischte Schiffsversicherung; ~ **price** Mischpreis; ~ **space units** *(advertising)* verschiedene Anzeigengrößen; ~ **tariff** kombinierter Zolltarif; ~ **train** Zug mit angehängten Güterwagen.
mobile | **selling unit** ambulante Verkaufseinrichtung; ~ **shop** fahrbare Verkaufsstelle, Verkaufswagen; ~ **unit** Übertragungswagen.
mobilization of funds Flüssigmachen von Kapital.
mobilize *(v.)* *(funds)* flüssigmachen.
mock | **auction** Scheinauktion; ~ **bidder** Scheinbieter.
mockup Verkaufs-, Lehr-, Anschauungsmodell.
modalities of payment Zahlungsmodalitäten.
mode Art, Weise, Verfahren, Methode *(statistics)* häufigster (dichtester) Wert, *(style of fashion)* Mode;
~ **of conveyance** Beförderungsart; ~ **of employment** Beschäftigungsart; ~ **of payment** Zahlungsweise; ~ **of process** Herstellungsprozeß.
model *(car)* Bauart, *(design)* Entwurf, Schablone, *(exemplary piece)* Muster[stück], *(exhibition)* Ausstellungsstück, Verkaufsmodell, *(pattern)* Vorlage, Muster, *(representation)* Modell;
previous year's ~ Vorjahrsmodell; **top-of-the-line** ~ Spitzenmodell; **working** ~ Arbeitsmodell, -muster;
~ **agreement** Manteltarifabkommen; ~ **dwelling** Muster-, Modellhaus; ~ **enterprise** Musterbetrieb; ~ **letter** Briefmuster; ~ **plant** Musterbetrieb; ~ **stock** Spezialsortiment; ~ **T Ford** *(coll. US)* vorsintflutliche Einrichtung, veraltete Sache; ~ **workshop** Musterbetrieb.
moderate *(claim, income)* bescheiden, *(prices)* billig, niedrig, mäßig;
to be ~ **in one's demands** mäßige Forderungen stellen;
~ **income** bescheidenes Einkommen; **~-priced** billig, preiswert.
modern modern, neuzeitlich;
with all ~ **conveniences** mit allem Komfort.
modernization | **loan** Modernisierungskredit; ~ **program(me)** Modernisierungsprogramm.
modernize *(v.)* **a building** Gebäude mit technischen Neuerungen versehen.
modest fortune bescheidenes Vermögen.
modify *(v.)* **one's demands** seine Forderungen mäßigen.
modular housing vorfabrizierte Wohnungseinheiten.
molding *(US)* **of the corporate image** Gestaltung des Firmengesichts.
momentum of sales *(US)* Warenumsatz.
monetary geldlich, finanziell, monetär;
≗ **Agreement** Währungsabkommen; ~ **area** Währungsgebiet; ~ **authorities** Währungsbehörden, -instanzen; ~ **claim** Geldforderung; ≗ **Commission** Währungsausschuß, -kommission;

≗ **Committee** Währungsausschuß; ~ **contribution** Geldbeitrag; ~ **convention** Währungsabkommen; ~ **cooperation** Zusammenarbeit auf dem Währungsgebiet; ~ **correction** Geldwertkorrektur; ~ **council** Währungsbeirat; ~ **crisis** Währungs-, Geldkrise; ~ **curbs** Drosselung des Geldangebots; ~ **difficulties** Finanz-, Währungsschwierigkeiten; ~ **ease** Geldmarkterleichterungen; ~ **economics** Geldwirtschaft; ~ **equation** Geldausgleich; ~ **expansion** Geldausweitung; **International** ≗ **Fund** Welt-, Internationaler Währungsfonds; ~ **grant** Geldbeihilfe; **indemnity** Geldabfindung; ~ **inflation** Geldinflation; ~ **influences** Währungseinflüsse; ~ **market turmoil** große Unruhe am Geldmarkt, ~ **matters** Geldangelegenheiten, -wesen; ~ **nature** Geldnatur; **to provide fully to the increasing** ~ **needs** zunehmenden Geldbedarf hundertprozentig decken; ~ **order** Währungsordnung; **to hold to restrictive** ~ **policies** harte Geldmarktpolitik treiben; ~ **powers** *(US)* Währungskompetenz; ~ **proceeds of assets of the estate** *(US)* Summenvermächtnis; ~ **policy** Währungsfragen, -politik, Geldpolitik; **to relax** ~ **policy** geldmarktpolitische Erleichterungen zulassen; ~ **policy devices** geldpolitische Maßnahmen; ~ **reform** Neuordnung des Geldwesens, Geld-, Währungsreform, Geldneuordnung; ~ **relationship** Valutaverhältnis; ~ **reserve** Währungsreserve; ~ **restictiveness** Geldrestriktion; ~ **reward** Geldvergütung, -belohnung; **to tighten the** ~ **screws** Geldschraube fester anziehen; **to handle the** ~ **side** sich um die geldpolitische Aufgabe kümmern; ~ **situation** Währungslage; ~ **sovereignty** Währungshoheit; **in the** ~ **sphere** in geldwirtschaftlicher Hinsicht; ~ **standard** Münzfuß, [Münz]standard, Währungsstandard, -einheit; ~ **stock** *(US)* gesamter Geldbestand [eines Landes]; ~ **strain** Anspannung des Geldmarktes; ~ **structure** Geldverfassung; ~ **system** Geld-, Währungssystem; **international** ~ **system** internationales Währungssystem; ~ **techniques** währungstechnische Maßnahmen; ~ **and fiscal techniques** Geldmarktinstrumentarium; ~ **techniques at the government's disposal** geldmarkttechnische Möglichkeiten der Regierung; ~ **theory** Geldtheorie; ~ **union** Währungsunion; ~ **unit** Geld-, Währungseinheit.

monetization of the debt *(US)* Erhöhung des Zahlungsmittelumlaufs.

monetize *(v.)* *(coin)* [zu Geld] ausprägen, *(give standard value to)* Münzfuß festsetzen, *(legalize as money)* zum gesetzlichen Zahlungsmittel machen.

money Geld[sorte], Münze, *(amount of money)* Geldbetrag, -summe, *(legal tender)* Zahlungsmittel, *(wealth)* Geld, Reichtum, Vermögen;

at a heavy cost of ~ unter schweren Geldopfern; **for** ~ *(stock exchange)* netto Kasse; **for ready** ~, **for** ~ **out of hand** gegen bar; ~ **down** gegen bar; **in place of** ~ an Zahlungs Statt; **ready** ~ **only** nur gegen Barzahlung; **short of** ~ schlecht (knapp) bei Kasse; **worth the** ~ preiswert, -würdig;

active ~ lebhafter Geldmarkt; ~ **advanced** Vorschuß; ~ **back** Garantie für Rückvergütung bei Nichtgefallen; **bad** ~ Falschgeld; **bank** ~ *(US)* Buch, Giralgeld; **barren** ~ totes Kapital; **base (bogus)** ~ falsches Geld, Falschgeld; **boot** ~ Draufgabe; **borrowed** ~ Fremd-, Leihgeld, Fremdmittel; **call** ~ tägliches Geld, Geld auf Abruf, Tagesgeld; **caution** ~ Kaution; **cheap** ~ billiges Geld; **close** ~ knappes Geld; **coined** ~ Hartgeld; ~ **coming in** eingehende Gelder; **condemnation** ~ Entschädigungsbeitrag; **conduct** ~ *(witness)* Reisekosten; **conscience** ~ *(income tax)* nachbezahlte Einkommensteuer; **consigned** ~ Depositengelder; **corporation** ~ Firmenvermögen; **counterfeit** ~ Falschgeld, falsches Geld; **covered** ~ *(US)* gedecktes Papiergeld; **credit** ~ Giralgeld; **current** ~ umlaufendes (im Verkehr befindliches) Geld; **day-to-day** ~ *(Br.)* tägliches Geld, Geld auf tägliche Kündigung, Tagesgeld; **dear** ~ knappes (teures) Geld; **demand** ~ tägliches Geld, Tagesgeld; **deposit** ~ ~ *(US)* Buch-, Giralgeld; ~ **deposited** Hinterlegungssumme, -gelder; **dispatch** ~ Vergütung für schnelle Entladung; **door** ~ Eintrittsgeld; ~ **down** *(sl.)* bares Geld; ~ **due** ausstehendes Geld, Geldforderung; **earnest** ~ An-, Handgeld; ~ **easily earned** leicht verdientes Geld; **easy** ~ billiges Geld, *(condition of money market)* flüssiger Geldmarkt; **easy-terms** ~ billiges Geld; **entrance** ~ Eintrittsgeld; **even** ~ *(betting)* keine Annahme; **excess** ~ Geldüberhang; **fiat** ~ *(US)*, **fiduciary** ~ verfügbare Gelder; **foreign** ~ ausländische Zahlungsmittel; **fractional** ~ Wechsel-, Kleingeld; **fugitive** ~ Fluchtgeld; **good** ~ richtiges Geld; ~ **had and received** [etwa] ungerechtfertigte Bereicherung; **happy** ~ für Vergnügungszwecke vorgesehener Geldbetrag; **hard** ~ *(US)* Münze, Hart-, Metallgeld; **hard-earned** ~ mühsam verdientes Geld; **hot** ~ heißes Geld, Fluchtgeld; **hush** ~ Schweigegeld; **immobilized** ~ festgelegtes Geld; **key** ~ *(Br.)* Mietvorauszahlung, Abstandsgeld, -zahlung; **lawful** ~ *(US)* gesetzliches Zahlungsmittel; ~ **left over** überzähliges Geld; ~ **lent** ausgeliehenes Geld; **locked-up** ~ fest angelegtes Geld; **lodging** ~ Quartiergeld; **long-term** ~ langfristiges Geld; **near** ~ *(US)* geldähnliche Forderungen leicht liquidierbare Einlagen; **night** ~ *(Br.)* kurzfristige Bankdarlehen an Wechselmakler; **non-secured** ~ Geldbetrag ohne Sicherheiten; **occupation** ~ Besatzungsgeld; ~ **owing** geschuldeter Betrag, Schuld; ~ **owing to us** *(balance sheet)* Guthaben; ~ **paid in** Geldeinlage, -eingang; ~ **paid out** Auszahlungen; **paper** ~ Pa-

piergeld; ~ **paying no interest** brachliegendes Kapital; **pin** ~ Nadelgeld; **pocket** ~ Taschengeld; **pouringin** ~ eingehende Gelder; **premium** ~ Prämiengeld; **present** ~ bares Geld; **prize** ~ Prisengeld; **public** ~ öffentliche Gelder, Staatsgelder; **purchase** ~ Kaufpreis, -geld; ~ **put by for a rainy day** Sparpfennig; **quasi** ~ *(US)* geldähnliche Forderungen; **ready** ~ Bargeld, flüssige[s] Geld[er]; **real** ~ Gold-, Silbermünzen; ~ **received** Geldeingänge; ~ **received and expended** vereinnahmtes und verausgabtes Geld; ~ **refunded in full** restlos zurückgezahltes Geld; **regular** ~ *(US)* ziemlich festes Tagesgeld; **rent** ~ Pachtzins, -geld; **representative** ~ Papiergeld; **requisite** ~ Geldbedarf, notwendige Summe; ~ **safely invested** sicher angelegtes Geld; **scrip** ~ *(US)* Schwundgeld; **short[-term]** ~ kurzfristiges Darlehn; **small** ~ Kleingeld; **smart** ~ *(exemplary damages)* über den verursachten Schaden hinausgehende Entschädigungssumme, Schmerzensgeld, *(for release from engagement)* Reu-, Abstandsgeld; **soft** ~ *(US sl.)* Papiergeld; **spent** ~ aufgebrauchtes Geld; **stable** ~ Geld mit gleichbleibendem Wert; **standard** ~ vollwichtige Münze, Währungsgeld; **string-free** ~ ohne Auflagen zur Verfügung gestellte Geldbeträge; **substitute** ~ Zahlungssurrogat; **surplus** ~ *(foreclosure proceedings)* im Zwangsversteigerungsverfahren erzielter Überschuß; **table** ~ [Dienst]aufwandsentschädigung; ~ **thrown away** weggeworfenes Geld; **tied-up** ~ fest angelegtes Geld; **till** ~ *(banking)* Kassenbestand; **time** ~ treuhänderisch verwaltete Gelder; **unemployed** ~ nicht angelegtes Kapital; **white** ~ Silbergeld, *(counterfeit)* Falschgeld;
~ **in account** *(Br.)* Buch-, Giralgeld; ~ **of account** Rechnungsmünze, Landeswährung; ~ **on account** Guthaben; ~ **paid on account of costs** Gerichtskostenvorschuß; ~ **at (on) call** Gelder auf Abruf, täglich fälliges Geld, Tagesgeld; ~ **in circulation** Geld-, Zahlungsmittelumlauf; ~ **withdrawn from circulation** aus dem Verkehr gezogenes Geld; ~ **for the monthly clearance** Ultimogeld; **the** ~ **at my command** die mir zur Verfügung stehenden Mittel; ~ **that is no longer current** ungültiges Geld; ~ **of exchange** Wechselgeld; ~ **on hand** verfügbare Gelder; ~ **lying idle** brachliegendes Geld; ~ **for jam** *(Br. sl.)* guter Profit für wenig Mühe, leicht verdientes Geld; ~ **of necessity** Notgeld; ~ **on short notice** kurzfristige Gelder; ~ **no object** Geld spielt keine Rolle; ~**s provided by Parliament** *(Br.)* parlamentarisch bewilligte Mittel; ~ **in the post (mail,** *US)* unterwegs befindliche Gelder; ~ **held on trust** anvertrautes Geld; ~ **put up** angelegtes Geld;
bills and ~ *(stock exchange)* Brief und Geld;
to advance ~ Geld vorschießen (vorstrecken); **to advance** ~ **on securities** Wertpapiere lombardieren; **to ask for** ~ um Geld bitten; **to ask for more** ~ **for defence** Erhöhung des Verteidigungsetats beantragen; **to back s. o. with** ~ j. finanziell unterstützen; **to be after** ~ auf Geld aus sein; **to be coining** ~ im Geld schwimmen; **to be flush of** ~ reichlich mit Mitteln versehen (gut bei Kasse, bei Gelde) sein; **to be in the** ~ *(competitor)* Gewinner sein; **to be lawful** ~ *(US)* Gültigkeit haben; **to be made of** ~ aus lauter Geld bestehen; **to be open-handed with** ~ mit Geld freigebig sein; **to be pushed for** ~ in Geldverlegenheit sein; **to be rolling in** ~ im Geld schwimmen (ersticken); **to be short of** ~ knapp bei Kasse (Gelde) sein, geringe Geldmittel zur Verfügung haben; **to be about to relax** ~ geldmarktpolitische Erleichterungen in Erwägung ziehen; **to borrow** ~ Geld aufnehmen; **to call in** ~ Kapital kündigen; **to change** ~ Geld wechseln; **to coin** ~ Geld scheffeln; **to collect the** ~ **for the newspaper once a month** Zeitungsgeld monatlich kassieren; **to come into** ~ Erbschaft machen; **to come into the big** ~ plötzlich zu viel Geld kommen; **to come into one's own** ~ Verfügungsgewalt über sein Geld bekommen; **to convert into** ~ zu Geld machen, realisieren, versilbern; **to cost a great deal of** ~ schweres Geld kosten; **to create** ~ Geld schöpfen, Geldschöpfung vornehmen; **to deposit** ~ **with a bank** Geld bei einer Bank einzahlen; **to disburse** ~ Geld verauslagen; **to draw** ~ Geld abheben; **to earn big (heavy)** ~ viel (schweres) Geld verdienen; **to embark** ~ Geld hineinstekken, Kapital anlegen; **to favo(u)r easier** ~ sich für Erleichterungen des Geldmarktverkehrs einsetzen; **to find the** ~ Geld beschaffen, Kosten aufbringen; **to fling one's** ~ **about** mit dem Geld nur so um sich werfen (schmeißen); **to fritter away one's** ~ sein Geld verpulvern (verplempern); **to furnish** ~ Geld beschaffen; **to get along with little** ~ mit wenig Geld auskommen; **to get fat off s. one's** ~ sich an jem. fett machen; **to get one's** ~ **back** sein Geld zurückbekommen; **to get one's** ~**'s worth** für sein Geld etw. [Gleichwertiges] bekommen; **to grant** ~ Geld (Mittel) bewilligen; **to handle large sums of** ~ große Geldbeträge verwalten; **to have** ~ **lodged with s. o.** Geld bei jem. stehen haben; **to have** ~ **on one** Geld bei sich haben; **to have** ~ **in the bank** Geld auf der Bank [liegen] haben; **to have** ~ **to burn** Geld wie Heu haben; **to have** ~ **in a business** an einem Unternehmen beteiligt sein; **to have the** ~ **required** über die erforderlichen Mittel verfügen; **to have a pot of** ~ Unmenge Geld haben, steinreich sein; **not to have** ~ **about one** kein Geld bei sich haben; **to hold** ~ **to the order of s. o.** Geld zu jds. Verfügung halten; **to husband one's** ~ sparsam mit seinem Geld umgehen (wirtschaften); **to keep s. o. in** ~ j. mit Geld versehen; **to keep s. o. out of** ~ j. mit der Bezahlung hinhalten; **to keep s. o.**

short of ~ j. knapphalten; **to leave all one's ~ to charity** sein gesamtes Vermögen für wohltätige Zwecke hinterlassen; **to lend ~ on mortgage** Hypothekardarlehn gewähren; **to live with little** ~ mit wenig Geld auskommen; **to lodge ~ in the bank** Geld bei der Bank deponieren; **to look after one's** ~ seine paar Groschen zusammenhalten; **to lose ~ on s. th.** bei etw. draufzahlen; **to make** ~ Geld verdienen; **to make (play) ducks and drakes of (with) one's** ~ *(sl.)* sein ganzes Geld verschleudern; **to make ~ out of s. th.** Geld aus etw. herausschlagen; **to make ~ hand over fist** Geld wie Mist verdienen; **to marry** ~ Geldheirat machen, nach Geld heiraten; **to mobilize** ~ Geld flüssigmachen; **to obtain ~ by fraud** sich Geld durch Betrug verschaffen; **to owe** ~ Geld schulden; **to part with one's** ~ sich verausgaben; **to part with all one's** ~ sein ganzes Geld hergeben; **to pay in German** ~ in deutschem Geld zahlen; **to pay ~ down (in ready ~)** bar [auf den Tisch] bezahlen; **to place ~ on interest** Geld auf Zinsen ausleihen; **to procure** ~ Kosten aufbringen; **to pump** ~ Geld hineinpumpen; **to put ~ by** Geld auf die hohe Kante legen; **to put ~ into circulation** Geld unter die Leute bringen; **to put out** ~ Geld unterbringen; **to put out ~ at interest** Geld verzinslich anlegen (auf Zinsen ausleihen); **to put up the ~ for an undertaking** Geld für ein Unternehmen aufbringen; **to raise** ~ Geld aufnehmen; **to rake together a little** ~ ein bißchen Geld zusammenkratzen; **to refund** ~ Geld zurückerstatten; **to remit** ~ Geld überweisen; **to relieve s. o. of his** ~ j. um sein ganzes Geld bringen; **to run into** ~ ins Geld gehen; **to scatter ~ broadcast** mit dem Geld nur so um sich werfen (schmeißen); **to spend one's ~ on books** sein Geld zum Ankauf von Büchern verwenden; **to spill** ~ Geld verplempern; **to stint s. o. for** ~ jem. Geld abknöpfen; **to stretch one's** ~ mit Mark und Pfennig rechnen; **to take ~ from the till** Geld aus der Ladenkasse nehmen; **to take ~ out of a fund** Geldbetrag aus einem Fonds entnehmen; **to take up ~ at the bank** Bankkredit aufnehmen; **to talk s. o. out of his** ~ jem. sein Geld abschwatzen; **to tell one's** ~ *(US)* sein Geld zählen; **to throw one's ~ away** unnützen Aufwand treiben; **to throw away one's ~ for nothing** sein Geld für nichts und wieder nichts ausgeben; **to throw good ~ after bad** *(fam.)* gutes Geld schlechtem Geld nachwerfen, **to transfer** ~ Geld überweisen; **to turn into** ~ in Geld umsetzen, zu Geld machen; **to want [to get] one's ~ back** sein Geld zurückverlangen;

there is ~ in it damit kann man viel Geld verdienen;

~ **act** Finanzgesetz; ~ **affairs** Geldangelegenheiten; ~ **agency** Geldinstitut; ~ **agent** Geldwechsler, *(banker)* Bankier; ~ **allowance** Barvergütung, Geldzuschuß; ~ **amount** Geldbetrag; **~-article** Nachrichten über den Geldmarkt; **ready ~ article** Barartikel; **~-back guarantee** Geldrückgabezusicherung; ~ **bargain (business)** Effektivgeschäft; ~ **bill** *(parl.)* Geldbewilligungsvorlage, Steuergesetzantrag; ~ **box** Sparbüchse; ~ **broker** Geldvermittler, -makler; ~ **bug** *(US sl.)* Geldprotz; **ready-~ business** Kassageschäft; ~ **capital** Geldkapital; ~ **center** *(US)* **(centre,** *Br.)* Geld-, Finanzzentrum; **~-changer** Geldwechsler; **~-changer's business** Wechselstube; ~ **changing** Geldwechseln; ~ **chest** Geldkassette, -schrank; ~ **circulation** Geldumlauf; ~ **claims** Geldforderungen; ~ **clause** *(Br., parl.)* Geldbewilligungsklausel; ~ **compensation** Geldentschädigung; ~ **concerns** Geldangelegenheiten; ~ **condemnation** gerichtlich festgesetzte Geldentschädigung; ~ **costs** Geld[beschaffungskosten]; ~ **crisis** Geldkrise; ~ **dealer** Geldwechsler; ~ **demand** Geldbedarf; ~ **desk** *(New York stock exchange)* Maklerstand für Tagesgeld; ~ **difficulties** Geldnot, -schwierigkeiten; ~ **drawer** Geldschublade, Ladenkasse; **~-earning** Geld verdienend; ~ **economy** Geldwirtschaft; ~ **equivalent** Gegenwert in Geld; ~ **expert** Währungsspezialist, -fachmann; ~ **gap** Finanzierungslücke; ~ **getter** Geldjäger; ~ **gift** Geldspende, -geschenk; ~ **grant** Geldbewilligung; ~ **growth** Geldzuwachs, -zunahme; ~ **hoarder** Geldhorter; ~ **indemnity** Geldentschädigung; ~ **interests** Finanzwelt; **to have no ~ interest in a concern** finanziell an einem Unternehmen nicht beteiligt sein; ~ **jobber** *(Br.)* Geldhändler, -makler; ~ **land** testamentarisch zum Verkauf vorgesehenes Grundvermögen; ~ **lent and lodged book** *(Br.)* Kontokorrentbuch; ~ **letter** *(US)* Geld-, Wertbrief; ~ **loan** Kassendarlehn; ~ **loser** Verlustträger, -betrieb; **~-losing operation** Verlustgeschäft, -betrieb; **~-mad** geldsüchtig; **~-maker** Geldverdiener; **~-making** Geldverdienen, -erwerb, *(a.)* gewinnbringend, einträglich.

money market Geldmarkt;

parallel ~ grauer Wertpapiermarkt, Parallelmarkt;

~ **conditions** Geldmarktbedingungen; ~ **indebtedness** Geldmarktverschuldung; ~ **instrument** Geldmarktpapier; ~ **rates** Geldmarktsätze; ~ **report** Börsenbericht.

money | matters Geldsachen, -angelegenheiten; ~ **means** Geldmittel; ~ **motive** Geldmotiv.

money order *(M.O.)* Zahlungs-, Geld-, Postanweisung;

bank ~ Bankanweisung; **cable** ~ Kabelanweisung; **domestic postal** ~ Inlandspostanweisung; **express** ~ *(US)* Geldanweisung einer Expreßgutgesellschaft; **foreign (international) postal** ~ Auslandspostanweisung; **postal** ~ *(US)* Postanweisung; **service** ~ gebührenfreie Postanweisung; **telegraph[ic]** ~ telegrafische Postanwei-

sung; **trade charge** ~ Nachnahmepostanweisung;
~ **office** Postscheckamt; ~ **service** Postscheckverkehr; ~ **telegram** telegrafische Geldüberweisung.

money | **panic** Währungspanik; ~ **parcel** Geldpaket, -rolle; ~ **payment** Barzahlung; ~ **penalty** Geldstrafe; ~ **pinch** [zeitweilige] Geldknappheit; ~ **pool** *(US)* in Krisenzeiten für Börsenmakler gebildetes Bankenkonsortium; ~ **post** *(US)* Maklerstand [für tägliches Geld an der New Yorker Börse]; ~ **-proof** unbestechlich; ~ **rate** Geldsatz; **easy** ~ **rates** leichte Geldmarktsätze; ~ **relief** Geldentschädigung, -unterstützung; ~ **request** Geldanforderung; ~ **reserve** Bar-, Geldreserve; ~ **sale** Barverkauf; ~ **saver** wirtschaftlicher Artikel; ~ **scarcity** Geldknappheit; -verknappung; ~ **spinner** erfolgreicher Spekulant; ~ **squeeze** [zeitweilige] Geldklemme; ~ **standard** Währung[sstandard]; ~ **starvation** Geldaushungerung; ~ **stock** *(US)* gesamter Geldbestand [eines Landes]; ~ **stringency** Geldknappheit, -mangel; ~ **substitute** Geld-, Zahlungssurrogat; ~ **supply** Geldbedarf, -versorgung, -vorrat; **effective** ~ **supply** tatsächlich verfügbares Geld; **to keep an iron grip on the** ~ **supply** Geldversorgung im eisernen Griff halten; ~**-supply economist** Geldtheoretiker; ~**-supply growth** verbesserte Geldversorgung; ~**-supply trend** Geldbedarfsentwicklung; **independent** ~ **system** Freigeldsystem; **to turn on the** ~ **tap** Geldhahn aufdrehen; ~ **teller** Geldzähler, Kassierer; ~ **theorist** Geldtheoretiker; ~ **tightness** Geldknappheit; ~ **transaction** Geld-, Effektivgeschäft; ~ **transactions** Geldverkehr; ~ **transfer** Geldüberweisung; ~ **transfers** Zahlungsverkehr; **to shake the** ~ **tree** finanzielle Zuwendungen hereinholen; ~ **troubles** Geldschwierigkeiten, -sorgen; ~ **turnover** Geldumsatz; ~ **value** Gestehungs-, Kurswert; ~ **vault** *(US)* Kassenschrank; ~**wage** Geld-, Barlohn; ~ **winner** geschäftlicher Erfolg; ~**'s worth** Geldeswert; **to get one's** ~**'s worth** etw. für sein Geld bekommen;
~ **[is] no object** *(advertisement)* auf Geld wird nicht gesehen.

moneybag Geldbeutel, *(rich person)* Geldprotz, -sack.

moneyed pekunär, finanziell, *(wealthy)* mit Geld versehen, reich, vermögend;
~ **aristocracy** Geldaristokratie, -adel; ~ **assistance** finanzielle Hilfe; ~ **capital** flüssiges Anlage-, Geldkapital; ~ **classes** besitzende Klassen; ~ **corporation** *(US)* Geldgeschäfte betreibende [Versicherungs]gesellschaft, Bank; ~ **influence** finanzieller Einfluß; ~ **interests** finanzielles Interesse, finanzielle Belange, *(capitalists)* Kapital[isten], Finanzwelt, Hochfinanz; ~ **man** wohlhabender Mann, Kapitalist; ~ **people** reiche Leute, Geldleute, Kapitalisten, ~ **resources** Geldquellen.

moneygrubber Geizkragen.

moneygrubbing geldgierig.

moneylender Geldgeber, -verleiher.

moneylending Geldverleih.

moneyless mittellos, ohne Geld.

moneymonger Gelverleiher, *(usurer)* Wucherer.

moneymongering Geldverleih.

moneysaving wirtschaftlich.

monger Händler, Krämer;
~ *(v.)* handeln in, Geschäfte machen mit.

monitory | **item** *(balance sheet)* Merkposten; ~ **letter** Mahnschreiben.

monkey business Schwindelgeschäft, Affentheater.

monometallism Monometallismus, Einzelwährung.

monopolies commission *(Br.)* Kartellausschuß.

monopolism Monopolwirtschaft.

monopolist Monopolist, Monopolbesitzer, Alleinhändler.

monopolistic monopolistisch;
~ **agreement** Monopolabkommen; **of** ~ **character** monopolartig, -ähnlich; ~ **competition** monopolistischer Wettbewerb; ~ **control** monopolistische Beherrschung, Monopolkontrolle; ~ **exploitation** monopolistische Ausbeutung; ~ **industry** Monopolindustrie; ~ **position (situation)** Monopolstellung; ~ **power** Monopolmacht; **to split a** ~ **structure** Monopolstellung beseitigen; ~ **tendencies** monopolistische Tendenzen; ~ **wages** Monopollöhne.

monopolization Monopolisierung.

monopolize *(v.)* monopolisieren, Monopol besitzen, allein beherrschen, *(engross)* an sich reißen;
~ **a business** Monopolstellung haben; ~ **the conversation** das große Wort führen; ~ **a meeting** Gesprächsführung in einer Sitzung an sich reißen.

monopoly ausschließliche Gewerbeberechtigung, Monopol[stellung], Alleinherstellungsrecht, *(company having ~)* marktbeherrschendes Unternehmen, *(sale)* Alleinverkauf, -vertriebsrecht;
artificial ~ gesetzliches Monopol; **buyer's** ~ Nachfragemonopol; **commercial** ~ Handelsmonopol; **complete** ~ hundertprozentiges Monopol; **fiscal** ~ Finanzmonopol; **global** ~ Weltmonopol; **government** ~ Staatsmonopol; **internal** ~ Binnenmonopol; **manufacturing** ~ Produktions-, Fabrikationsmonopol; **market** ~ Marktbeherrschung; **natural** ~ natürliches Monopol; **outright** ~ vollständiges Monopol; **partial** ~ Teilmonopol; **production** ~ Fabrikations-, Produktionsmonopol; **public consumption** ~ staatliches Verbrauchermonopol; **special-privilege** ~ gesetzliches Monopol; **state** ~ Staatsmonopol; **state-buying** ~ staatliches Einkaufsmonopol; **trade** ~ Handelsmonopol; **foreign-trade** ~ Außenhandelsmonopol;
~ **in the issue of bank notes** Banknotenmono-

pol; ~ **of learning** Bildungsmonopol; ~ **of opinion** Meinungsmonopol; ~ **of production** Produktionsmonopol; ~ **of foreign trade** Außenhandelsmonopol;
to break up a ~ Monopol auflösen; **to foster a** ~ Monopol errichten; **to hold a** ~ Monopolstellung innehaben;
≗ **Act** *(Br.)* Monopolgesetz; ~ **capitalism** Monopolkapitalismus; ~ **charge** Kartellklage, -verfahren; ~ **committee** Monopolausschuß; ≗ **Commission** *(Br.)* Monopolausschuß; ~ **enterprise** marktbeherrschendes Unternehmen; ~ **income** Monopolrente; ~ **position** Monopolstellung; ~ **power** Monopolmacht; ~ **price** Monopolpreis; ~ **privilege (right)** Monopolrecht; ~ **problem** Monopol-, Kartellproblem; ~ **profits** Monopolgewinne; ~ **revenue** Monopolrente; ~ **role** Monopolrolle; ~ **status** Monopolstellung; ~ **system of foreign trade** Außenhandelsmonopol; ~ **value** Monopolverkaufswert.

monopsony Nachfragemonopol.

month, subject to a ~**'s notice** mit monatlicher Kündigung;
~ **under report** Berichtsmonat;
a ~**'s credit** monatlich eingeräumter Kredit; **three** ~**s' draft** Dreimonatspapier; **three** ~**s' money** Vierteljahresgeld; **to give a** ~**'s notice** zum nächsten Ersten kündigen.

monthly | account monatliche Rechnung; ~ **accruals** Ultimofälligkeiten; ~ **allowance** Monatswechsel; ~ **instal(l)ment** Monatsrente; ~ **labo(u)r summary** monatliche Lohnübersicht; ~ **preceding** *(advertising)* Anzeigenschluß einen Monat vor Erscheinen; ~ **production** Monatsproduktion; ~ **profit** Monatsverdienst; ~ **rental** Monatsmiete; ~ **report of the labo(u)r force** monatliche Meldung über den Beschäftigungsstand; ~ **requirements** Monats-, Ultimobedarf; ~ **return** *(Br.)* Monatsausweis; ~ **return ticket** Monatskarte; ~ **season ticket** Monatskarte; ~ **settlement** Monatsabschluß, Ultimoabrechnung; ~ **statement [of account]** Monatsausweis, -aufstellung.

moonlight flit[ting] *(renter, sl.)* Ausziehen bei Nacht und Nebel.

moonlighter *(US)* Doppelverdiener.

moonlighting *(US)* Ausübung einer Nebenbeschäftigung.

moral hazard *(insurance)* Risiko falscher Angaben des Versicherten, subjektives Risiko.

moratorium, moratory Moratorium, Zahlungsaufschub, Stillhalteabkommen;
~ **on prices (in price increases)** Preismoratorium;
to grant a ~ Moratorium gewähren.

morning | loan *(US)* Tagesgeld für Makler; ~ **shift** Frühschicht.

mortality Sterblichkeit[sziffer], Sterbehäufigkeit, *(asset)* Lebensdauer;
actual ~ *(insurance)* eingetretene Sterblichkeit; ~ **table** Sterbetafel, Sterblichkeitstabelle.

mortgage *(act of conveying as security)* hypothekarische Belastung, *(estate in land)* Hypothek, hypothekarische Sicherheit, *(deed)* Hypothekenbrief, *(security for payment)* Pfandurkunde, -recht;
aggregate ~ Gesamthypothek; **bulk** ~ *(US)* Fahrnishypothek; **cautionary** ~ *(US)* Sicherungshypothek; **chattel** ~ [etwa] Sicherungsübereignung; **consolidated** ~ *(US)* Gesamthypothek; **construction** ~ Bauhypothek; **development** ~ Hypothek zur Erschließung von Baugelände; **distress-sale** ~ Zwangshypothek; **distressed** ~ gepfändete Hypothekenforderung; **first** ~ erste (erststellige) Hypothek, Ersthypothek; **general** ~ Gesamthypothek; **instal(l)ment** ~ Tilgungs-, Amortisationshypothek; **insured** ~ mit Lebensversicherung gekoppelte Hypothek; **legal** ~ *(Br.)* kraft Gesetzes entstandene Hypothek; **option** ~ Landesdarlehn mit Grundbuchsicherung; **ordinary** ~ Verkehrshypothek; **overlying** ~ nachstellige (nachrangige) Hypothek; **owner's** ~ Eigentümergrundschuld; ~**s payable** *(general ledger)* hypothekarische Verpflichtungen, Hypothekenschulden; **purchase-money** ~ Kaufgeldhypothek; ~ **receivables** *(balance sheet)* Hypothekenforderungen; **recorded** ~ Buchhypothek; **running-account** ~ *(Br.)* Höchstbetragshypothek; **underlying** ~ Vorranghypothek;
~ **of land** Grundstücksbelastung;
~ *(v.)* *(personal property)* verpfänden, *(real estate)* hypothekarisch belasten;
~ **one's house** sein Haus hypothekarisch belasten;
to assume a ~ Hypothek [unter Anrechnung auf den Kaufpreis] übernehmen; **to cover by a** ~ hypothekarisch sicherstellen; **to execute a** ~ aus einer Hypothek zwangsvollstrecken; **to foreclose a** ~ aus einer Hypothek die Zwangsvollstreckung betreiben; **to have a** ~ **recorded in the office of the registrar of deeds** *(US)* Hypothek in das Grundbuch eintragen lassen; **to raise a** ~ **on a house** Hypothek auf ein Haus aufnehmen, Haus beleihen; **to record a** ~ Hypothek eintragen;
~ **amortization** Hypothekentilgung, Amortisation einer Hypothek; ~ **assignment** Hypothekenabtretung; ~ **assistance** Hypothekenbeschaffung; ~ **bank** Hypothekenbank; ~ **bond** Hypothekenpfandbrief; **first** ~ **bonds** durch erststellige Hypothek gesicherte Pfandbriefe; ~ **broker** Hypothekenmakler; ~ **business** Hypothekengeschäft; ~ **buying** Hypothekenanlagenkäufe; ~ **certificate** *(US)* Hypothekenpfandbrief; ~ **charge** Hypothekenbelastung; **[junior]** ~ **claim** [nachstehende] Hypothekenforderung; ~ **company** Hypothekenbank; ~ **contract** Hypothekenbestellung, Bestellung einer Hypothek; ~ **creditor** Hypothekengläubiger; ~ **debenture** *(Br.)* hypothekarisch gesicherte

Schuldverschreibung, Hypothekenpfandbrief; ~ **debenture stockholder** Hypothekenpfandbriefinhaber; ~ **debt** Hypothekenschuld; ~ **deed** Verpfändungsurkunde, *(real estate)* Hypothekenbrief, -schein, -urkunde; ~ **department** Hypothekenabteilung; ~ **facility** Hypothekenangebot; ~ **finance (financing)** Hypothekenfinanzierung; ~ **foreclosure** Zwangsvollstreckung aus einer Hypothek; ~ **foreclosure suit** Zwangsvollstreckungsverfahren; ~ **indebtedness** Hypothekenverschuldung; ~ **guaranty insurance** Hypothekenkreditversicherung; ~ **insurance company** Hypothekenversicherungsanstalt; ~ **interest** Hypothekenzinsen, *(fire insurance)* Versicherungsinteresse des Hypothekengläubigers; ~ **interest rate** Hypothekenzinssatz; ~ **investments** Hypothekengeschäft; **first** ~ **investments** Anlagen in Ersthypotheken; ~ **lender** Hypothekengeldgeber; ~ **lending** Hypothekenausleihungen; ~ **lending institution** Hypothekenbankinstitut; ~ **liability** Hypothekenschuld; ~ **lien** Grundpfandrecht; ~ **loan** Hypothekendarlehn, Hypothekarkredit, hypothekarisch gesichertes Darlehn; **first** ~ **loan** erststelliger Hypothekarkredit; ~ **loan and investment company** *(US)* Hypothekenbank, Bodenkreditinstitut; ~ **loan application** Antrag auf Gewährung eines Hypothekendarlehns; ~ **market** Hypothekenmarkt; **to force-feed** ~ **markets with big budget surpluses** Hypothekenmärkte verstärkt mit Etatsüberschüssen anreichern; ~ **money** Hypothekenvaluta; ~ **moratorium** Hypothekenmoratorium; ~ **note** hypothekarisch gesicherte Schuldurkunde, Hypothekenbrief; ~ **obligation** hypothekarische Verpflichtung; ~ **paper** Hypothekenwert; ~ **participation certificate** Hypothekenpfandbrief; ~ **payment** Hypothekenrückzahlung; ~ **payment delinquency** nicht eingehaltene Hypothekenrate; ~ **pool** Hypothekenfonds; ~ **register** Hypothekenregister; ~ **sales** Hypothekenabschlüsse; ~ **term** *(Br.)* Laufzeit einer Hypothek; ~ **underwriting agency** *(US)* Hypothekengarantiekasse.

mortgageable hypothekisierbar.

mortgaged property belastetes Grundeigentum.

mortgagee Pfandgläubiger, -inhaber *(real estate)* Hypothekengläubiger;
~ **clause** *(fire insurance)* Hypothekenklausel.

mortgager, mortgagor Hypothekenschuldner.

mortmain tote Hand, unveräußerliches Gut;
in ~ unveräußerlich.

mortuary | dividend *(insurance, US)* Todesfalldividende; ~ **table** *(insurance, US)* Sterblichkeitstabelle.

most-favo(u)red nation | clause Meistbegünstigungsklausel; ~ **policy** Präferenzpolitik; ~ **principle** Meistbegünstigungsprinzip; ~ **rate** Meistbegünstigungssatz; ~ **status** Meistbegünstigungsstellung; ~ **tariff** Meistbegünstigungstarif; ~ **treatment** Meistbegünstigung.

motion Antrag;
adjournment ~ Vertagungsantrag; **privileged** ~ *(parl.)* Dringlichkeitsantrag;
~ **in arrest of judgment** Zwangsvollstreckungsgegenklage; ~ **of urgency** Dringlichkeitsantrag; **to adopt a** ~ **by a large majority** Antrag mit großer Mehrheit annehmen; **to bring forward a** ~ Antrag einbringen (stellen); **to dismiss a** ~ Antrag ablehnen; **to lay a** ~ **on the table** Antrag auf unbestimmte Zeit zurückstellen; **to speak against the** ~ Gegenantrag unterstützen.

motion picture *(US)* Film[werk];
~ **business** Filmgeschäft, -branche; ~ **industry** Filmindustrie, -wesen.

motor [Verbrennungs]motor, *(motorcar)* Kraftwagen, Motorfahrzeug, Automobil;
~**s** *(stock exchange)* Automobilwerte;
~ **[vehicle] accident** Kraftfahrzeugunfall; ~ **carrier** Lastwagentransportunternehmen, Spediteur; ~ **cavalcade** Autokolonne; ~ **company** Autofirma; ~ **concern** Automobilkonzern; ~ **group** *(stock exchange)* Markt für Automobilwerte; ~ **industry** Fahrzeug-, Automobilindustrie; **to carry a public liability** ~ **insurance** Autohaftpflichtversicherung unterhalten; ~ **lorry** *(Br.)* Lastkraftwagen; ~ **manufacturer** Autofabrikant; ~ **shares (stocks,** *US)* Automobilwerte; ~ **traffic** Kraftfahrzeug-, Autoverkehr; ~ **transport** Lastwagentransport; ~ **transport agency** Krafttransportunternehmen; ~ **transportation insurance** Kraftfahrzeugversicherung; ~ **truck** *(US)* Lastkraftwagen; ~ **van** *(Br.)* Liefer-, Lastwagen.

motor vehicle Kraftfahrzeug;
to operate a ~ Kraftfahrzeug führen; **to own a** ~ Kraftfahrzeughalter sein;
~ **driver** Kraftfahrzeugführer; ~ **duty** Zoll auf eingeführte Kraftfahrzeuge; ~ **insurance** Kraftfahrzeugversicherung; ~ **insurance business** Kraftfahrzeugversicherungswesen; ~ **licence** Kraftfahrzeugzulassung; ~ **passenger insurance** *(Br.)* Insassenversicherung; ~ **owner** Kraftfahrzeughalter; ~ **production** Automobilproduktion; ~ **registration** Kraftfahrzeuganmeldung; ~ **registration certificate** Kraftfahrzeugbrief; ~ **speed limit** Höchstgeschwindigkeit für Kraftfahrzeuge; ~ **tax** *(US)* Kraftfahrzeugsteuer.

motorcade *(US)* Autokolonne.

motorcar *(Br.)* Auto, Automobil, Kraftfahrzeug;
private ~ Personenkraftwagen;
~ **credit** Autokredit; ~ **industry** Kraftfahrzeug-, Automobilindustrie; ~ **sales** Autoverkauf.

motoring | offence *(Br.)* Verkehrsübertretung, ~ **report on road conditions** Straßenzustandsbericht.

motorist Kraft-, Autofahrer, Automobilist.

motorization Motorisierung.

motorize *(v.)* motorisieren.

motorway *(Br.)* Autobahn;

near~standard autobahnähnliche Qualität; ~ **system** Autobahnnetz; ~ **traffic** Autobahnverkehr.

mount *(v.) (assemble parts)* montieren, zusammenbauen, *(bill)* betragen;
~ **to** *(prices)* ansteigen bis.

mountain of debts Schuldenberg.

movable | goods (property) bewegliches Vermögen, Mobilien, Fahrnis, Mobiliarvermögen;
~ **property of a bankrupt** Konkursmasse.

movables Mobiliar[vermögen], Mobilien, bewegliches Vermögen;
~ **and immovables** bewegliches und unbewegliches Vermögen.

move *(moving)* Umzug;
~ *(v.) (change residence)* weg-, ver-, umziehen, seinen Wohnsitz verändern, *(propose)* in Vorschlag bringen, beantragen, Antrag stellen;
~ **an affidavit** *(US)* Antrag mit eidesstattlicher Erklärung untermauern; ~ **an amendment** Abänderungsantrag einbringen; ~ **briskly ahead** *(prices)* rasch steigen (anziehen); ~ **backward** *(economy)* zurückgehen, nachlassen; ~ **the closure** *(parl.)* Antrag auf Schließung der Debatte stellen; ~ **down** *(prices)* zurückgehen; ~ **into a flat** Wohnung beziehen; ~ **into a new high** *(prices)* neuen Höchststand erreichen; ~ **one's lodgings** seine Wohnung wechseln; ~ **up** *(prices)* sich aufwärts bewegen, steigen, anziehen; ~ **up sharply** scharf anziehen; ~ **up three points** um drei Punkte steigen; ~ **up a trifle** etw. anziehen; ~ **violently** *(stock exchange)* heftig reagieren;
to be on the ~ im Einziehen (Ausziehen) begriffen (beim Umzug) sein.

movement *(market activity)* Umsatz, *(stock exchange sl.)* Kursbewegung, *(tendency)* Bestrebung, Tendenz, Richtung;
downward ~ Abwärtsbewegung, rückläufige Bewegung, Fallen, Rückgang; **free** ~ Freizügigkeit; **no** ~ *(stock exchange)* ohne Umsatz; **upward** ~ Steigen, Anziehen, Aufwärtsbewegung;
~ **in demand** Nachfrageverlagerung; ~ **of freight (goods)** Waren-, Güterverkehr; ~ **of prices** Preisbewegung, -entwicklung; **not much** ~ **in oil shares** geringe Umsätze in Ölaktien; ~ **of a wag(g)on** Waggonverschiebung.

mover *(of household goods, US)* Fuhrunternehmer, Möbelspediteur;
to be the prime ~ **of an enterprise** Haupttriebfeder (Seele) eines Unternehmens sein.

movie *(US)* Filmstreifen;
~ **admission price** Kinoeintrittspreis; ~ **advertisement** Kinoreklame, Filmwerbung; ~ **financing** Filmfinanzierung.

moving Umzug, *(transfer of official)* Versetzung;
~ **into a new flat** Einzug in eine neue Wohnung;
~ *(a.) (article)* gut verkäuflich;
to be ~ **up** *(prices)* aufwärts gehen, anziehen;
~ **allowance** *(US)* Umzugsgeld, -beihilfe; ~ **company** *(US)* Möbelspediteur; ~ **expenses** Umzugskosten; ~ **insurance** Umzugsversicherung; ~ **man** *(US)* Umzugsspediteur, Packer; ~**-picture advertising** Filmwerbung; ~ **van** *(US)* Möbelwagen.

muddle *(v.)* | **account books** Buchführung durcheinanderbringen; ~ **away a fortune** Vermögen durchbringen; ~ **through** sich durchwursteln.

mulct Geldstrafe.

multicorporate | advertising Mehrfarbendruck; ~ **enterprise** *(US)* Konzern.

multiemployed bargaining Tarifverhandlungen mit verschiedenen Arbeitgebergruppen.

multifamily dwelling Mehrfamilienhaus.

multilateral | agreement multilaterales Abkommen; ~ **clearing system** multilateraler Verrechnungsverkehr; ~ **system of payments** multilaterales Zahlungssystem.

multiline telephone number *(US)* Sammelnummer.

multipart freight bill Frachtrechnung in mehrfacher Ausfertigung.

multiple, price-earnings Kurs-Ertragsmultiplikator;
~ **chain** Filialunternehmen im Einzelhandel; ~ **basing point system** *(US)* kollektive Frachtsatzberechnung, Preissortsystem; ~ **certificate** Globalaktie; ~**-currency system** Devisenverrechnungssystem; ~**-delivery contract** Sukzessivlieferungsvertrag; ~ **exchange rates** multiple Wechselkurse; ~ **firm** *(Br.)* Kettenladen; ~ **expansion of credit** Mehrfachausnutzung eines Kredits; ~**-line system of insurance** System der Zulassung aller Versicherungsarten bei einer Gesellschaft; ~ **listing** Anhandgeben von Grundstücken an mehrere Makler; ~ **loading** Verladung mehrerer Stückgutladungen; ~ **management** *(US)* System der mehrfachen Führungsgremien; ~ **piecework system** Stücklohnverfahren; ~ **prices** Mengenrabattpreis; ~ **production** Serienherstellung; ~ **rate system** System multipler Wechselkurse; ~ **share** Mehrstimmrechtsaktie; ~**-shift operation** Schichtbetrieb; ~ **shop** *(Br.)* Kettenladen; ~ **taxation** Mehrfachbesteuerung; ~ **telegram** vervielfältigtes Telegramm; ~**-unit item** Mehrstückpackung.

multistor(e)y car park (garage) Parkhochhaus.

municipal | accounting kommunales Rechnungswesen; ~ **aid** kommunale Unterstützung; ~ **bond** *(US)* Kommunalschuldschein; ~ **budget** Gemeindehaushalt; ~ **compensation** *(US)* Konzessionsabgabe; ~ **credit** Kommunalkredit; ~ **debts** Kommunalschulden; ~ **enterprise** städtisches Unternehmen, Kommunalbetrieb; ~ **market** Markt für Kommunalpapiere; ~ **rates** *(Br.)* Gemeindesteuer, Kommunal-, Stadtabgaben; ~ **saving bank** Kommunalkreditinstitut; ~ **securities** Kommunalschuldverschreibungen; ~ **stock** *(Br.)* Kommunalobligation; ~ **taxes** *(US)* Kommunal-, Gemeindeabgaben, -steuern; ~ **trading** gemeindliche Gewerbetätigkeit; ~ **utility** kommunaler Versorgungsbetrieb; ~ **warrant** kommunale Zahlungsanweisung.

municipally owned im Kommunaleigentum.

munition|s industry Rüstungsindustrie; ~ **work** Rüstungsbetrieb.

mushroom | *(v.)* **into a production order** lawinenartigen Produktionsauftrag auslösen;
~ **enterprise** Spekulationsbetrieb.

muster *(samples)* Musterkollektion.

mutual | **aid plan** Hilfsabkommen auf Gegenseitigkeit; ~ **assurance company** Versicherungsverein auf Gegenseitigkeit; ~ **building association** Baugenossenschaft; ~ **enterprise** Bausparkasse; ~ **fund** *(US)* Investmentfonds; **top-performing** ~ **funds** Spitzenreiter unter den Investmentfonds; ~ **fund contractual plan** Investmentvertragssystem; ~ **fund industry** Investmentwesen; ~ **fund insurance package** mit einer Lebensversicherung gekoppeltes Investmentzertifikat; ~ **life insurance [company]** Versicherung[sverein] auf Gegenseitigkeit; ~ **loan association and building society** *(US)* Bausparkasse auf Gegenseitigkeit; ~ **loan society** Kreditgenossenschaft; ~ **office** *(Br.)* Versicherungsgesellschaft auf Gegenseitigkeit; ~ **savings bank** *(US)* genossenschaftsähnliche Sparkasse; ~ **trust** *(US)* Gemeinschaftsfonds.

mystery train Zug ins Blaue.

N

nail, on the auf der Stelle, sofort, *(problem)* brennend, von unmittelbarem Interesse;
to pay on the ~ bar (sofort, pünktlich) bezahlen.

naked | **contract** einseitiger (unentgeltlicher, unverbindlicher) Vertrag; ~ **debenture** *(Br.)* ungesicherte Schuldverschreibung; ~ **deposit** unentgeltliche Verwahrung.

name Name, Bezeichnung, Benennung, *(family)* Familie, Sippe, *(reputation)* Ruf, Renommee;
in the ~ **and behalf of** im Namen und im Auftrag von; **in one's own** ~ **and on one's own account** in eigenem Namen und für eigene Rechnung;
business ~ [Handels]firma, Firmenname; **brand** ~ Markenname; **corporate** ~ *(US)* handelsgerichtlich eingetragener Name, Firmenname; **distinctive** ~ *(US)* Markenerzeugnis; **first-class** ~ *(bill of exchange)* erstklassige Adresse; **trade[mark]** ~ Markenname;
~ **of maker** Name des Ausstellers;
~ *(v.)* **a price** Preis benennen (festsetzen);
to act in one's own ~ im eigenen Namen handeln; **to be in s. one's** ~ *(share)* auf jds. Namen eingetragen sein; **to be made out in the** ~ **of the holder** auf den Inhaber lauten; **to carry on the business under one's** ~ Geschäft unter seinem Namen führen; **to have one's** ~ **in the Gazette** für bankrott erklärt werden; **to have a** ~ **for good workmanship** für gute Arbeit (Ausführung) bekannt sein; **to supply** ~**s of prospects** Anschriften potentieller Kunden liefern;
~ **block** *(advertising)* Markenwortbild; ~ **brand** Markenartikel; ~ **day** Namenstag, *(stock exchange, Br.)* Abrechnungs-, Skontrierungstag; ~ **supplier** Adressenlieferant.

nap hand *(fig.)* gute Gewinnaussichten.

narrow eng, *(straitened)* knapp, beschränkt;
~ **circumstances** beschränkte Verhältnisse; **to live in** ~ **circumstances** *(fam.)* sich sehr einschränken müssen, in bescheidenen Verhältnissen leben; ~ **fortune** kleines Vermögen; ~ **goods** Kurz-, Bandwaren; ~ **market** geringer Umsatz, enger Markt, *(stock exchange)* flauer Markt, beschränkte Verkaufsmöglichkeiten; **to have a** ~ **market** *(stock exchange)* wenig gehandelt werden; ~ **profit margin** schmale Verdienstspanne; ~ **sales area** stark eingegrenztes Verkaufsgebiet; **in** ~ **straits** in Geldverlegenheit.

nation, commercial Handelsvolk; **member** ~ Mitgliedstaat;
most-favo[u]red ~ **clause** Meistbegünstigungsklausel; ~**-wide advertisement** überregionale Werbung.

national | **accounts budget** National-, Staatsbudget; ~ **assistance** *(Br.)* staatliche Fürsorge, Sozialhilfe, Fürsorgeunterstützung; ~ **bank** *(US)* National-, Staats-, Landesbank; ~ **bank tax** *(US)* Notenbanksteuer; ~ **banking system** *(US)* Nationalbankwesen; ~ **bankruptcy** Staatsbankrott; ~ **Bankruptcy Act** *(US)* Konkursordnung; ≗ **Board for Prices and Income** *(US)* Preisüberwachungsstelle; ~ **budget** Staatshaushalt; ≗ **Bureau of Economic Research** *(US)* Statistisches Bundesamt; ~ **Bureau Economist** Konjunkturpolitiker; ~ **currency** *(US)* Landeswährung; ~ **debt** Staatsschuld, öffentliche Schuld; ~ **Debt Commissioner** *(Br.)* Bundesschuldenverwaltung; ~ **dividend** Volks-, Nationaleinkommen; ~ **economic accounting** volkswirtschaftliche Gesamtrechnung; ~ **economic development council** Bundeswirtschaftsrat; ~ **economic planning** Planwirtschaft; ~ **economy** Staats-, Volkswirtschaft, Nationalökonomie; ~ **enterprise** Staatsbetrieb; ~ **expenditure** Staatsausgaben; ~ **family allowance** staatliche Familienbeihilfe; ~ **finances** Staatsfinanzen; ~ **Giro Service** *(Br.)* Postscheckdienst; ≗ **Health Insurance** *(Br.)* Krankenversicherung; ~ **income** National-, Volkseinkommen; ≗ **Industrial Conference Board** *(US)* Spitzenverband amerikanischer Arbeitgeber; ~ **insolvency** Staatsbankrott; ≗ **Institute of Economic and Social Research** *(Br.)* Konjunkturinstitut; ≗ **Insurance Act** *(Br.)* Sozialversicherungsgesetz; ~ **insurance benefits** *(Br.)* Sozialversicherungsleistungen; ~ **insurance card** *(Br.)* Sozialversicherungskarte; ~ **insurance contribution** *(Br.)* Sozialversicherungsbeitrag; ~ **insurance fund** *(Br.)* Sozialversicherungsstock; ~ **insurance stamp** *(Br.)* Sozialversicherungsmarke; ~ **media** überregionale Werbeträger; ~ **monetary commission** Währungsausschuß; ~ **product** Sozialprodukt; **gross** ~ **product** Bruttosozialprodukt; ~ **productivity increase** Sozialproduktzuwachs; ~ **property** Volksvermögen, Staatseigentum; ~ **savings certificate** *(Br.)* Sparkassengutschein; ≗ **Tax Association** *(US)* Verband der Steuerzahler; ≗ **Wages Board** *(Br.)* Staatliches Lohnschlichtungsamt; ~ **wealth** Volksvermögen.

nationalization indemnity Sozialisierungsentschädigung.

native | **labo(u)r** einheimische Arbeitskräfte; ~ **port** Heimathafen; ~ **product** Landeserzeugnis.

natural | **business year** normales Geschäftsjahr; ~ **disaster coverage** Versicherungsschutz gegen Naturkatastrophen; ~ **loss** natürlicher Schwund; ~ **marketing area** natürliches Absatzgebiet; ~ **premium** *(life insurance)* von Jahr zu Jahr ansteigende Lebensversicherungsprämie; ~ **price** durchschnittlicher Marktpreis; ~ **product** Rohprodukt.

naval | **blockade** See-, Hafenblockade; ~ **estimates** Marineetat; ~ **officer** *(US)* höherer Zollbeamter.

navigable schiffbar, *(airship)* lenkbar;
~ **by sea-going vessels** für Hochseeschiffe befahrbar;
~ **road** Wasserstraße; ~ **waters** schiffbare Gewässer.

near *(narrow)* sparsam, in beschränkten Verhältnissen;
to be very ~ **with one's money** mit seinem Geld sehr sparsam umgehen (geizen);
to reach ~ **collapse** *(traffic)* beinahe zusammenbrechen; ~ **delivery** kurzfristige Lieferung; ~ **money** flüssige Mittel.

nearest price genauester Preis.

nearness *(parsimony)* Knauserigkeit, Knickerei;
~ **to market** Marktnähe.

necessaries Bedarfsartikel, -gegenstände, *(livelihood)* notwendiger Lebensbedarf, Lebensunterhalt;
strict ~ dringendster Lebensbedarf; **travel** ~ Reisebedürfnisse;
to pledge the husband's credit for ~ *(Br.)* [etwa] Schlüsselgewalt ausüben; **to procure the bare** ~ Existenzminimum sicherstellen.

necessary | **article** Bedarfsartikel; ~ **repairs** *(ship)* unentbehrliche Reparaturen.

necessitous circumstances dürftige Verhältnisse.

need *(destitution)* Not[stand], -lage, Bedrängnis, Bedürftigkeit, (necessity) dringende Notwendigkeit, Bedürfnis, *(requirement)* Bedarf, Nachfrage, *(want)* Mangel;
in ~ **of assistance** hilfsbedürftig, *(Br.)* fürsorgebedürftig;
anticipated ~ voraussichtlicher Bedarf; **consumer** ~**s** Verbraucherbedürfnisse; **monetary** ~**s** Geldbedarf;
~ **to cover** Deckungserfordernis; ~ **for foreign exchange** Devisenbedarf; ~ **for liquidity** Liquiditätsbedürfnis; ~ **of money** Geldbedarf;
to aim at the ~**s of a customer** auf die Wünsche eines Kunden abstellen; **to be in great** ~ in sehr bedrängten Verhältnissen leben; **to examine the** ~ **for granting a licence** Bedarfsfrage bei einer Erteilung einer Konzession prüfen.

needful nötiges Kleingeld, nötige Moneten.

needy family unterstützungsbedürftige Familie.

negative | **goodwill** Fusionsüberschuß; ~ **investment** Fehlinvestition; ~ **prescription** Ersitzung; ~ **response** *(marketing)* ablehnende Antwort.

neglect | **of business** Geschäftsvernachlässigung; ~ **to provide maintenance** Verletzung der Unterhaltspflicht;
~ *(v.)* **one's business** sich nicht um sein Geschäft kümmern; ~ **to pay one's debts** seine Schulden nicht bezahlen; **utterly** ~ **one's family** seine Familie der Gefahr des Notstands aussetzen.

neglected *(in little demand)* wenig gefragt, vernachlässigt.

negligence Nachlässigkeit, *(law)* Fahrlässigkeit;
collateral ~ positive Vertragsverletzung; **comparative** ~ *(US)* Mitverschulden; **concurring (contributory)** ~ mitwirkendes (konkurrierendes) Verschulden; **ordinary** ~ *(US)* Mangel der im Verkehr erforderlichen Sorgfalt; **statutory** ~ *(US)* Verletzung der gesetzlich vorgeschriebenen Sorgfalt;
~ **in law** zum Schadenersatz verpflichtende Fahrlässigkeit;
to attribute the servant's ~ **to the master** Dienstherrn für das Verschulden des Erfüllungsgehilfen haftbar machen.

negotiability Verhandlungs-, Verkehrsfähigkeit, Aushandelbarkeit, *(bankability)* Bank-, Börsenfähigkeit, *(endorsability)* Begeb-, Indossierbarkeit, Begebungsfähigkeit, *(realizability)* Verwertbarkeit, *(salability)* Übertragbar-, Verkäuflich-, Umsetzbarkeit, *(transferability)* Übertragbarkeit.

negotiable verhandlungsfähig, aushandelbar, *(bankable)* börsen-, bankfähig, *(endorsable)* in-

dossierfähig, begebbar, begebungs-, umlauffähig, durch Indossament übertragbar, *(marketable)* verkehrsfähig, *(realizable)* verwertbar, *(salable)* umsetzbar, veräußerlich;
not ~ nicht übertragbar, nur zur Verrechnung; **quasi-**~ quasi-übertragbar;
~ **without endorsement** einfach übertragbar; ~ **on the stock exchange** börsenfähig;
~ **bill** durch Indossament übertragbarer Wechsel; ~ **bill of lading** Orderfrachtbrief; ~ **character** Begebungsfähigkeit; ~ **document** begebbares Wert-, Order-, Inhaberpapier jeder Art; ~ **instrument** begebbares Wertpapier, auf Zahlung von Geld gerichtetes Order- und Inhaberpapier; **quasi-**~ **instrument** unechtes Orderpapier; ~ **instruments** Effekten; **Uniform** ~ **Instruments Law** *(US)* Wertpapiergesetz; ~ **kind of property** übertragbare Vermögenswerte; ~ **note** begebbarer, eigener Wechsel; ~ **quality** Eigenschaft der Begebbarkeit; ~ **securities** durch Indossament übertragbare Wertpapiere; ~ **warehouse receipt** Orderlagerschein.

negotiate *(v.)* *(bill)* begeben, unterbringen, *(conclude a contract)* zustande bringen, abschließen, *(confer with)* ver-, unterhandeln, in Unterhandlung stehen mit, *(sell)* umsetzen, verkaufen, verhandeln;
difficult to ~ *(bill of exchange)* schwer unterzubringen;
~ **back** zurückbegeben; ~ **a bill of exchange** Wechsel begeben; ~ **a contract in exhausting detail** Vertrag bis zu den kleinsten Kleinigkeiten aushandeln; ~ **a corner** *(car)* gut um eine Ecke herumkommen; ~ **by delivery only** formlos übertragen; ~ **a draft** Tratte ankaufen; ~ **with the employers about wages** Lohnverhandlungen mit den Arbeitgebern führen; ~ **further** weiterbegeben; ~ **a loan** Anleihe unterbringen (begeben); ~ **for peace** in Friedensverhandlungen eintreten; ~ **for new premises** in Mietverhandlungen stehen; ~ **for the purchase of a house** über den Ankauf eines Hauses verhandeln; ~ **a sale** Verkauf abschließen (tätigen); ~ **on better terms** günstigere Verhandlungsposition haben; ~ **for some time** schon geraume Zeit in Verhandlungen stehen; ~ **a transaction** Geschäft vermitteln; ~ **a treaty** Vertrag aushandeln.

negotiating | **group** Verhandlungsgruppe; **to run out of** ~ **room** keinerlei Verhandlungsspielraum mehr haben; ~ **table** Verhandlungstisch.

negotiation *(conclusion of contract)* Vertragsabschluß, *(conference)* Unter-, Verhandlung, *(issue)* Begebung, Übertragung, Unterbringung;
by ~**s** im Verhandlungswege; **open to** ~ zu Verhandlungen bereit; **pending** ~**s** während der Verhandlungen; **under** ~ in Verhandlung;
complicated ~**s** schwierige Verhandlungen; **contract** ~**s** Vertragsverhandlungen; **commercial** ~**s** Handelsbesprechungen; **cut-and-dried** ~**s** intensiv vorbereitete Verhandlungen; **detailed** ~**s** Einzelbesprechungen; **forthcoming** ~**s** bevorstehende Verhandlungen; **further** ~ Weiterbegebung; **pending** ~**s** schwebende Verhandlungen; **preliminary** ~**s** Vorverhandlungen; **tariff** ~**s** Zollverhandlungen; **trade** ~**s** Wirtschaftsverhandlungen;
~ **of a bill** Begebung eines Wechsels; ~ **of a commercial paper** Diskontierung einer Dokumententratte; ~ **of a draft** Trattenankauf; ~ **of a loan** Übernahme einer Anleihe;
to break off ~**s** Unterhandlungen abbrechen; **to enter into** ~ **with s. o.** in Unterhandlungen mit jem. eintreten;
~ **basis** Verhandlungsbasis; ~ **credit** Trattenankaufskredit; ~ **group** Verhandlungsdelegation; ~ **package** Verhandlungspaket; ~ **price** Übernahmekurs, -preis.

negotiator Verhandlungsführer, Unterhändler, *(broker)* Makler, *(mediator)* Vermittler.

neighbo(u)rhood, fashionable vornehme Wohngegend; **low-income** ~ niedrige Einkommensgegend; **wealthy** ~ reiches Stadtviertel;
~ **bank branch** *(US)* Depositenkasse; ~ **improvements** Anliegerbeiträge; ~ **lot (premises)** Nachbargrundstück; ~ **shop** Geschäft mit Produkten des täglichen Bedarfs.

nest egg Sparpfennig, -groschen.

net Netz, *(advertising)* Agenturnetto, *(net income)* Reingewinn, -ertrag, Nettoeinkommen;
~ **in advance** Nettokasse im Voraus;
~ *(v.)* *(to gain as ~ profit)* Reingewinn erzielen, netto verdienen, *(to yield as ~ profit)* Reingewinn abwerfen, netto erbringen;
~ *(a.)* netto, nach allen Abzügen, frei von Bezügen;
~ **amount** Rein-, Nettobetrag; ~ **assets** Reinvermögen; ~ **avails** *(discounted note)* Diskonterlös, *(US)* Nettoerlös, Gegenwert; ~ **spendable weekly average** für den wöchentlichen Lebensunterhalt zur Verfügung stehender Lohnanteil; ~ **balance** Reinüberschuß, Nettosaldo; ~ **bonded debt** *(municipal accounting, US)* Schuldscheinverpflichtungen; ~ **book value** Buchwert nach Vornahme von Abschreibungen; ~ **cash** netto Kasse, bar ohne Abzug; ~ **cash in advance** Nettokasse im voraus; ~ **change** reiner Kursunterschied; ~ **change in business inventories** *(national income accounting)* Nettobestandsveränderung; ~ **cost** Grund-, Nettopreis, Selbstkostenpreis; ~ **current assets** Betriebskapital; ~ **debt** Nettoverbindlichkeiten, *(municipal accounting, US)* fundierte und schwebende Schulden abzüglich des Tilgungsfonds; ~ **dividend** Nettodividende; ~ **earnings** Nettoverdienst, Effektivlohn; ~ **estate** reiner Nachlaß nach Auszahlung aller Legate; ~ **freight** Nettofracht; ~ **gain** Rein-, Nettogewinn; ~ **holdings** Nettobestände; ~ **income**

Nettoeinkommen, Reinertrag; ~ **income for the year** Jahreseinkommen; ~ **interest** Nettozins; ~ **level annual premium** Nettobetrag der auf die Versicherung entfallenden Prämie; ~ **liabilities** reine Schulden nach Abzug der flüssigen Aktiven; ~ **load** Nutzlast; ~ **loss** Netto-, Reinverlust; ~ **national product** Nettosozialprodukt; ~ **off** *(market report)* Reinertrag geringer als im Vorjahr; ~ **operating profit** Betriebseinkommen; ~ **paid circulation** tatsächlich abgesetzte [Zeitungs]auflage; ~ **premium** Nettoprämie; ~ **price** Nettopreis; ~ **proceeds** Reinertrag, -gewinn, Nettoertrag, -erlös, barer Ertrag; ~ **product** Nettoprodukt; ~ **profit[s]** Reinerlös, -gewinn, Nettogewinn; ~ **profit including balance** Reingewinn einschließlich Vortrag; ~ **profit from operation (operating profit)** Betriebsreingewinn; ~ **profit on sales** Nettoverkaufserlös; ~ **profits to ~ worth ratio** *(US)* Verhältnis des Reingewinns zum Eigenkapital; **full ~ program(me)** Sendergruppenprogramm; ~ **purchases** Nettoeinkaufspreis; ~ **rate of interest** Nettozinsfuß; ~ **real estate** Grundstückswert nach Abschreibung; ~ **receipts** Nettoeingänge, -einnahmen; ~ **receipts surplus** Betriebsüberschuß; ~ **rental** *(Br.)* Nettomiete; ~ **reserve** Nettoreserve; ~ **rest** reiner Überschuß;, ~ **result** Nettoergebnis; ~ **retention** *(reinsurance)* Selbstbehalt; ~ **return** Nettoumsatz, *(banking)* Nettoausweis, *(of a bond)* Nettoertrag, Rendite, Verzinsung; ~ **revenues** Reineinnahme; ~ **sales** *(US)* Netto-, Reinumsatz; ~ **salvage** Reinerlös des Abbruchwertes; ~ **savings** Nettoersparnisse; ~ **surplus** *(US)* zwecks Rückstellung auf Reservekonto verfügbarer Gewinn, Reingewinn [nach Ausschüttung der Dividende]; ~ **ton** Nettoregistertonne; ~ **tonnage** Nettoregistertonne; ~ **unduplicated audience** *(advertising)* Nettoreichweite; ~ **valuation** *(insurance)* Bewertung nach dem Nettowert der Prämien; ~ **value** Nettowert; ~ **realizable value** *(Br.)* realisierbarer Verkaufserlös; ~ **value added** Wertschöpfung; ~ **weight** Netto-, Rein-, Eigen-, Trockengewicht; ~ **working capital** *(US)* Differenz zwischen Umlaufvermögen und kurzfristigen Verbindlichkeiten; ~ **worth** reiner Wert, Nettowert, *(stockholder)* Nettoanteil, *(US)* Eigenkapital; **corporate ~ worth** *(US)* Eigenkapital einer Gesellschaft; ~ **yield** Nettoertrag, effektive Rendite (Verzinsung); ~ **yield effective** *(securities)* effektive Verzinsung, Rendite.

network *(advertising)* Stellennetz, *(broadcasting)* Sendernetz, -gruppe, Rundfunksendernetz, *(technique)* Netzplan, *(television)* Fernsehprogramm;
basic ~ Sendergruppe; **highway ~** Straßennetz; ~ **of air routes** Flugverkehrsnetz; ~ **of branches** Filialnetz; ~ **of canals** Kanalsystem;
to broadcast on state ~s über alle öffentlichen Sender verbreiten; **to sell through a ~ of 550 dealers** über ein Netz von 550 Vertragshändlern verkaufen;
~ **clearance bureau** *(US)* Selbstkontrollinstitut der Funkwerbung; ~ **technique** Netzplantechnik.

never-never *(sl., Br.)* Stottern, Abzahlen;
on the ~ auf Stottern.

new neu, *(book)* soeben erschienen;
~ **for old** *(insurance)* neu für alt; ~ **and useful** *(patent law)* Neuheit;
to be ~ to business ohne Geschäftserfahrung sein; ~ **acquisition** Neuerwerbung; ~ **assets** *(executor)* nach Ablauf der Verjährungsfristen dem Nachlaß zufallende Vermögenswerte; ~ **book department** Sortimentsabteilung; ~ **business** Neugeschäft; ~**-business commission** Abschlußprovision; ~**-business department** *(US)* Akquisitionsabteilung [einer Bank]; ~**-car sales** Neuwagengeschäft; ~**-car warranty** Neuwagengarantie; ~ **departure** *(politics)* Neuorientierung; ~ **establishment** Geschäftsneugründung; ~ **financing** Neu-, Erstfinanzierung; ~ **hiring** Neueinstellungen; ~ **home starts** Neubauten; ~**-product introduction** Einführung neuer Artikel; ~**[ly] rich** Neureicher; ~ **shares (stocks,** *US)* junge Aktien.

New York | Curb Exchange New Yorker Freiverkehrsbörse; ~ **equivalent** New Yorker Parität; ~ **exchange** *(funds)* Auszahlung New York.

news, broadcast Rundfunknachrichten; **city ~** Wirtschaftsnachrichten; **commercial ~** Handelsteil, Börsenteil; **financial ~** Börsennachrichten, Nachrichten aus dem Finanzleben; **local ~** Lokalteil;
~ **in brief** Kurznachrichten; ~ **hot from the press** allerneueste Nachrichten;
~ **advertisement** Zeitungsannonce; ~ **agency** Pressedienst; ~ **blackout** Nachrichtensperre; ~ **bulletin** Nachrichtensendung; ~ **conference** Pressekonferenz; ~ **dealer** *(US)* Zeitungshändler, -verkäufer; **to buy at the ~ dealer** am Zeitungskiosk kaufen; ~ **flash** *(US)* Kurznachricht; ~ **hawk** *(US)* Zeitungsverkäufer; ~ **release** Pressenotiz; ~ **service** Nachrichtendienst; ~ **summary** Nachrichten in Kurzfassung; ~ **value** Neuigkeitswert; ~ **vendor** Zeitungsverkäufer, -händler.

newsboy Zeitungsverkäufer, -träger.

newscast Nachrichtensendung.

newspaper Zeitung, Journal, Blatt;
commercial ~ Börsenblatt, Wirtschaftszeitung; **home-town ~** Stadtanzeiger;
to be on a ~ bei einer Zeitung beschäftigt sein, einer Redaktion angehören; **to subscribe to a ~** *(US),* **to take in a ~** *(Br.)* Zeitung halten (beziehen, abonnieren);
~ **advertisement** Zeitungsannonce, -inserat; ~ **circulation** Zeitungsauflage; ~ **clipper** Ausschnittbüro; ~ **clipping** *(US)* Zeitungsaus-

schnitt; ~ **insurance** Abonnentenversicherung; ~ **real-estate pages** Immobilienteil einer Zeitung, Grundstücksnachrichten; ~ **representative** *(advertising)* Anzeigenvertreter; ~ **size** Zeitungsformat; ~ **space** *(advertising)* Anzeigenraum; **large** ~ **space user** bedeutender Anzeigenkunde; ~ **subscription** [Zeitungs]abonnement; ~ **wrapper** Kreuz-, Streifband.

newsreel Wochenschau.

newsroom Lesezimmer, *(agency, broadcasting, television station)* Nachrichtenzentrale, *(library)* Zeitschriftenzimmer, *(kiosk, US)* Zeitungskiosk, -laden, -verkaufsstelle.

newsstand *(US)* Zeitungsstand, Kiosk;
~ **distribution** Kioskabsatz.

next | to reading matter *(advertising)* textanschließende Anzeige;
with the ~ **mail** postwendend.

nexus of interests Verflechtung von Interessen.

night | employment Nachtarbeit; ~ **letter[gram]** *(US)* Brieftelegramm; ~ **mail** Nachtpost; ~ **porter** *(hotel)* Nachtportier; ~ **safe** Nachttresor; ~ **school** Fortbildungsschule, Abendkursus, [etwa] Volkshochschule; ~ **shelter** Obdachlosen-, Nachtasyl; ~ **shift** Nachtschicht, -arbeit; ~**-shift bonus** Nachtschichtvergütung.

nightwork premium Nachtarbeitszuschlag.

no | a/c *(account)* kein Konto;
~ **agents** *(house sale, Br.)* Makler verbeten; ~ **change given** Geld abgezählt bereithalten; ~ **expense to be incurred** ohne Kosten; ~ **funds** keine Deckung; ~**-claims bonus** *(Br.)* Bonus (Prämiennachlaß) bei Schadensfreiheit, Schadensfreiheitsrabatt; ~**-fault insurance plan** verschuldenfreies Versicherungssystem; ~ **goods exchange** Umtausch nicht gestattet; ~ **orders** *(Br.)* kein Auftrag; ~ **par** ohne Nennwert; ~**-par value stock** *(share)* nennwertlose Aktie, Aktie ohne Nennwert; ~**-profits employer** Grenzarbeitgeber; ~ **protest** *(bill of exchange)* ohne Protest; ~**-purpose loan** nicht zweckgebundener Kredit; ~ **reduction** feste Preise; ~**-show** *(US sl.)* beim Abflug nicht erschienener Fluggast, nicht ausgenutzte Platzbuchung; ~**-strike clause** Streikverbotsklausel; ~ **thoroughfare** Durchfahrt verboten; ~ **through road** Sackgasse.

noisy | advertising Werberummel.

nominal nur dem Namen nach, nominal, nominell; ~ **account** Erfolgskonto, *(Br.)* Sachkonto, totes Konto; ~ **amount** Nominal-, Nennbetrag; ~ **assets** *(US)* Buchwerte; ~ **balance** Sollbestand; ~ **capital** Nominal-, Grund-, Gründungs-, Stammkapital, *(corporation)* autorisiertes Aktienkapital, Grundkapital; ~ **consideration** *(Br.)* formale Gegenleistung; ~ **damages** der Form halber festgesetzte geringe Schadenersatzzahlung; ~ **exchange** nomineller Umrechnungskurs; ~ **fine** nominelle (unbedeutende) Geldstrafe; ~ **hours** nach dem Tarif vorgesehene Arbeitszeit; ~ **income** Nominaleinkommen; ~ **interest** Nominalzinsfuß, Normalverzinsung; ~ **list of shareholders** Namensverzeichnis der Aktionäre, Aktionärsverzeichnis; ~ **market** *(stock exchange)* fast umsatzlose Börse; ~ **par** Nenn-, Nominalwert; ~ **parity** Nennwertparität; ~ **partner** *(Br.)* Scheingesellschafter; ~ **price** Nominalpreis, *(stock exchange)* nomineller Kurs; ~ **quotation** genannte Notierung; ~ **rank** Titularrang; ~ **rate** Nominalzinssatz; ~ **register** Namenverzeichnis; ~ **rent** sehr geringe Miete; ~ **roll** Namenverzeichnis; ~ **stock** Gründungs-, Stammkapital; ~ **sum** pro forma angesetzter [sehr niedriger] Betrag; ~ **value** Nominal-, Nennwert; ~ **wage** Nominallohn, -einkommen; ~ **yield** Nominalverzinsung.

nomination of beneficiary *(life insurance)* Einsetzung eines Begünstigten.

nominee *(candidate)* Kandidat, vorgeschlagener Bewerber, *(man of straw)* vorgeschobene Person, Strohmann, *(recipient of annuity, grant)* Leibrenten-, Zuschußempfänger, *(proxy)* Bevollmächtigter;
~**s of a bank** *(Br.)* Treuhandagentur für den Effektentransfer;
~ **shareholdings** auf den Namen von Strohmännern lautende Aktienbeteiligungen.

nonability Geschäftsunfähigkeit.

nonacceptance *(of a bill)* Akzeptverweigerung, Nichtakzeptierung, -annahme, *(of goods)* Annahmeverweigerung, Nichtannahme;
for ~ mangels Annahme zurück.

nonadmitted assets *(insurance accounting)* ungeeignete Deckungsmittel.

nonagreement country Nichtvertragsstaat.

nonagricultural establishment nichtlandwirtschaftlicher Betrieb.

nonapprentice Praktikant.

nonassented bonds (securities, stocks) Obligationen (Wertpapiere, Aktien), deren Eigentümer dem Sanierungsverfahren nicht zustimmen.

nonassessable nicht steuerpflichtig, abgaben-, steuerfrei;
~ **stock** *(US)* nicht nachschußpflichtige (nachzahlungsfreie, voll eingezahlte) Aktie.

nonassignable nicht übertragbar.

nonattendance Abwesenheit, Nichterscheinen, Aus-, Fernbleiben.

nonbanker Nichtbankier.

nonbanking | business bankfremdes Geschäft; ~ **interests** bankfremde Interessen; ~ **venture** bankfremdes Risiko.

nonbusiness day *(Br.)* Bankfeiertag.

noncallable bond nicht vorzeitig kündbare Schuldverschreibung.

nonclearing | countries Länder ohne Verrechnungsabkommen; ~ **house stocks** nicht durch die Clearingvereinigung lieferbare Aktien.

noncommercial | enterprise nicht gewerbliches (gemeinnütziges) Unternehmen; ~ **quantities** nicht zum Handel geeignete Mengen.

noncommutable investment nicht ablösbare Kapitalanlagen.
noncompeting groups nicht konkurrierende Gruppen.
noncompetitive bid nicht wettbewerbskonformes Angebot.
nonconsolidated *(balance sheet)* nicht konsolidiert.
noncontingent preference stock *(Br.)* kumulative Vorzugsaktie.
noncontractual liability außervertragliche Haftung.
noncontribution clause *(fire insurance)* Vergünstigungsklausel allein für die Ersthypothek.
noncontributory pension plan beitragsfreies Pensionssystem.
noncumulative nicht kumulativ, *(dividend)* ohne Nachzahlungsverpflichtung.
nondeductible *(income tax)* nicht abzugsfähig.
nondelivery Nicht[aus]lieferung, -ausfolgung, -erfüllung, *(mail)* Nichtbestellung.
nondescript *(labo(u)r market)* arbeitsunfähig, Invalide.
nondetachable *(coupon)* untrennbar.
nondisclosure *(insurance law)* Verletzung der vorvertraglichen Anzeigepflicht.
nondiscretionary trust *(Br.)* Investmentfonds mit festgelegten Anlagewerten.
nondiscriminatory treatment *(customs)* Nichtdiskriminierung.
nondistributed profit unverteilter Gewinn.
nondurable consumer goods kurzlebige Verbrauchsgüter.
nondutiable abgaben-, zollfrei.
nonenforceable nicht einklagbar.
nonexclusive licence einfache Lizenz.
nonexportation *(US)* Exportverweigerung.
nonforfeiture | provisions *(insurance)* Rückkaufsbestimmungen; ~ **value** *(insurance)* Rückkaufswert.
nonfulfilment Nichterfüllung.
nongraded products unsortierte Ware.
nonindustrial activities nichtindustrielle Wirtschaftszweige.
noninterest-bearing securities unverzinsliche Werte.
nonledger assets in der Bilanz nicht aufgeführte Anlagegüter, nicht buchungsfähige Wirtschaftsgüter.
nonliability Haftungsausschluß.
nonliable mit Ausschluß der Haftung.
nonliquid illiquide.
nonmanufactured nicht in Serie hergestellt.
nonmember | bank *(US)* nicht dem Federal-Reserve-System angeschlossene Bank; ~ **state** Nichtmitgliedsstaat.
nonnegotiability Unübertragbarkeit;
~ **notice** Sperrvermerk.
nonnegotiable nicht begebbar, unübertragbar;
~ **bill (check, cheque,** *Br.)* Rektawechsel, -scheck, nicht übertragbarer Verrechnungsscheck.
nonnotification Nichtbenachrichtigung;
to operate on a ~ basis Forderungsabtretung in stiller Form vornehmen; ~ **plan** Forderungsabtretung in stiller Form.
nonoccupational berufsfremd.
nonofficial report offiziöser Bericht.
nonoperating nicht in Betrieb, betriebsfremd;
~ **company** verpachtete Gesellschaft; ~ **expense** betriebsfremder Aufwand, Erlösschmälerungen; ~ **factory** stillgelegte Fabrik; ~ **income** betriebsfremde Erträgnisse; ~ **property** stillgelegter Betrieb; ~ **revenue** *(balance sheet)* betriebsfremder Ertrag, sonstige Erträgnisse.
nonownership liability insurance Autohaftpflichtversicherung für Unfälle von Erfüllungsgehilfen.
nonparticipating | countries *(OEEC)* Nichtmitgliedsstaaten; ~ **insurance** nicht gewinnbeteiligte Versicherung; ~ **preferred stock** *(US)* nicht zu einer zusätzlichen Dividende berechtigende Vorzugsaktie.
nonparticipation policy nicht gewinnberechtigte Police.
nonpayment Zahlungsverweigerung, Nichtzahlung, Nichteinlösung, -erfüllung, Verlust, Ausfall;
returned for ~ mangels Zahlung zurück.
nonpiecework bonus plan Gruppenprämiensystem.
nonprepayment Nichtfrankierung.
nonprice competition außerpreislicher Wettbewerb.
nonproduction Nichtvorzeigung;
~ **bonus** produktionsunabhängige Zulage.
nonproductive unproduktiv;
~ **department** Hilfskostenstelle; ~ **expense** Generalunkosten; ~ **labo(u)r** Gemeinkostenlohn; ~ **material** Gemeinkosten-, Hilfsmaterial.
nonproductiveness Unproduktivität.
nonprofessional nicht berufsmäßig (fachmännisch).
nonprofit nicht auf Gewinn gerichtet, gemeinnützig;
~ **agreement** Gezinnausschließungsvereinbarung; ~**-making** nicht auf Gewinn gerichtet; ~**-making corporation (enterprise)** gemeinnütziges Unternehmen.
nonprospectus company *(Br.)* durch Simultangründung entstandene Gesellschaft.
nonprovable claim nicht nachweisbare Forderung.
nonquota | goods nicht kontingentierte Waren; ~ **imports** kontingentfreie Einfuhren.
nonquotation *(of stocks)* Nichtzulassung zur amtlichen Notierung, Kursstreichung.
nonratification Nichtgenehmigung.
nonrecurring | charges (expense) einmalige Ausgaben; ~ **income** *(Br.)* außergewöhnliche Erträge.
nonredeemable unkündbar.

nonresidence *(foreign exchange)* Ausländereigenschaft.
nonresident *(foreign exchange)* nicht in England (USA) ansässige Person, Devisenausländer, Nichtansässiger.
nonresidential | **building outlay** Aufwand der gewerblichen Wirtschaft für Bauleistungen; ~ **investment (construction)** Bürobauvorhaben.
nonreturnable nicht zurückzahlbar, *(package)* verloren;
~ **package (packing)** verlorene Verpackung, Einwegpackung.
nonrevenue receipts *(governmental accounting)* Einnahmen im außerdordentlichen Etat.
nonscheduled nicht fahrplanmäßig;
to fly on a ~ trip Chartermaschine benutzen.
nonsked business *(US)* Charterfluggeschäft.
nonsigner *(price maintenance)* Nichtunterzeichner der Preisbindung.
nonsolvent zahlungsunfähig, insolvent.
nonspecie nicht in Hartgeld einlösbar.
nonstock | **corporation** *(US)* nicht auf Gewinn gerichtete Gesellschaft mit beschränkter Haftung; ~ **banking corporation** *(US)* nicht in der Form der AG betriebene Bankgesellschaft; ~ **moneyed corporation** *(US)* Genossenschaftskasse.
nonstop cinema Aktualitätenkino mit durchlaufendem Programm.
nonstrategic goods nicht kriegswichtige Waren.
nonstriker Nichtstreiker, Streikbrecher.
nontariff fehlender Tarif;
~ **barrier** Zollfreigrenze.
nontax revenue nicht aus Steuern herrührende Staatseinnahmen.
nontaxability Steuerfreiheit.
nontaxable steuerfrei.
nontrader Nichtkaufmann.
nontrading nicht kaufmännisch tätig.
nonunion gewerkschaftlich nicht organisiert;
~ **shop** *(US)* gewerkschaftsfreier Betrieb; ~ **worker** Nichtgewerkschaftler.
nonwage demands lohnfremde Forderungen.
nonwaiver agreement *(fire insurance)* Vereinbarung über den Vorbehalt aller Rechte.
nonwarranty Haftungsausschluß;
~ **clause** Freizeichnungs-, Haftungsausschlußklausel, Ausschluß der Sachmängelhaftung.
noon | **edition** Mittagsausgabe; ~ **rest** Mittagsruhe.
norm Norm, Regel, *(pattern)* Muster;
to set the workers a ~ Arbeitern eine Norm auferlegen.
normal | **loss** natürlicher Schwund; ~ **operator** *(US)* Durchschnitts-, Normalarbeiter; ~ **output** Normalerzeugung; ~ **price** Normalpreis; ~ **return** Normalverzinsung; ~ **tax** *(US)* Basissteuer; ~ **working day** Normalarbeitstag.
nostro | **accounts** Nostrokonten; ~ **balance** Nostroguthaben; ~ **liabilities** Nostroverpflichtungen.
not, to be ~ on delivery *(stock exchange)* nicht lieferbar sein; ~ **to be had** *(market report)* fehlt; ~ **to be noted** *(Br.)* **(protested)** ohne Protest; ~ **paying** unrentabel; ~ **provided for** keine Deckung; ~ **subject to call** nicht vorzeitig kündbar; ~ **sufficient** *(funds)* **(n. s.)** keine Deckung.
notarial | **act (attestation)** notarielle Beglaubigung; ~ **charges (fees)** Notariatsgebühren, -kosten; ~ **charges not to be incurred** *(bill of exchange)* ohne Kosten; ~ **protest certificate** *(US)* Protesturkunde.
notarized copy notariell beglaubigte Abschrift.
notation on a bill of exchange Protestvermerk.
note Notiz, Vermerk, Aufzeichnung, *(account)* Nota, Rechnung, *(bank note)* Banknote, Kassenschein, *(bond)* Schuldschein, *(brief comment)* Anmerkung, *(brief writing)* Billet, Briefchen, Zettelchen, schriftliche Mitteilung, kurzes Schreiben, *(concise statement)* Aktenauszug, *(promissory note)* Schuldschein, Solawechsel;
~**s** *(debenture stocks, US)* mittelfristige ungesicherte Schuldverschreibungen;
accommodation ~ Gefälligkeitswechsel; **advice** ~ Benachrichtigung, [Versand]anzeige; **bought and sold (broker's)** ~ Schlußschein; **circular** ~ Zirkular-, Reisekreditbrief; **commission** ~ Provisionsgutschrift; **confirmation** ~ Auftrags-, Vertragsbestätigung, Bestätigungsschreiben; **consignment** ~ Versandanzeige; **counterfeit** ~ Falschgeldnote; **country** ~ Provinzwechsel; **covering** ~ *(insurance)* vorläufige Deckungszusage; **credit** ~ Gutschriftsanzeige; **currency** ~ Kassenschein; **customs** ~ Zollvormerkschein; **debit** ~ Belastungs-, Lastschriftanzeige; **delivery** ~ Lieferschein; **demand** ~ Steuerbescheid; **discount** ~ Diskontgutschrift; **dispatch** ~ Versandanzeige, *(bordereau)* Stückeverzeichnis; **domiciliated promissory** ~ domizilierter trokkener Wechsel; **doubtful ~s and accounts** *(balance sheet, US)* dubiose Forderungen; **past due** ~ überfälliger Schuldschein; **foot** ~ Fußnote; **fascinating ~s** spannende Streiflichter; **foreign coin and ~s** Sorten; **freight** ~ Frachtnota, -rechnung; **head ~s** *(decision)* Leitsätze; **identical** ~ *(dipl.)* Mantelnote; **inland** ~ inländischer eigener Wechsel; **jerque** ~ Zolleinfuhrbescheinigung; **joint and several** ~ *(US)* gesamtschuldnerisches Zahlungsversprechen; **joint promissory** ~ solidarischer trockener Wechsel; **judgment** ~ Schuldschein mit Erklärung über die Unterwerfung unter die sofortige Zwangsvollstreckung (mit Zwangsvollstreckungsklausel); **low-value ~s** kleine Geldscheine; **marginal** ~ Randglosse; **negotiable** ~ begebbares Papier; **parallel ~s** *(dipl.)* gleichlautende Noten; **~s payable** *(balance sheet, US)* fällige Wechsel, Wechselschulden, -verbindlichkeiten, Kreditoren aus Wechseln; **promissory** ~ Promesse, Schuldschein, Solawechsel, eigener (trockener)

Wechsel; **prompt** ~ Warennote; ~**s receivable** *(balance sheet, US)* Wechselforderungen, Bestand an (Debitoren aus) Wechseln, Schuldscheinen und Akzepten; **receivable discounted** ~ vorzeitig diskontierter Wechsel; **renewed** ~ verlängerter Schuldschein; **title-retaining** ~ schriftlicher Eigentumsvorbehalt; **sales** ~ *(broker)* Schuldschein; **secured** ~ durch Sicherheiten gedeckter Schuldschein; **shipping** ~ Warenbegleitschein; **stock** ~ *(US)* durch Lombardierung von Wertpapieren gesicherter Schuldschein; **straight** ~ *(US)* auf den Namen ausgestelltes Papier; **treasury** ~ *(US)* Schatzschein, -anweisung, Kassenschein; **urgent** ~ Dringlichkeitsvermerk; **unsecured** ~ ungesicherter Schuldschein; ~ **verbale** *(dipl.)* Verbalnote;

~ **on an agreement** Vertragskommentierung; ~ **of blocking** Sperrvermerk; ~ **of box-office receipts** Einnahmeaufstellung einer Vorverkaufskasse; ~**s and small change** Banknoten und Kleingeld; ~ **of charges** *(Br.)* Gebühren-, Kostenrechnung; ~**s in circulation** [Bank]notenumlauf; ~ **in conformity with** gleichlautende Vormerkung; ~ **of disbursements** Auslagenrechnung, -nota; ~ **of entry** Eintragungsvermerk; ~ **of exchange** Kursblatt, -zettel; ~ **of exclamation** Ausrufungszeichen; ~ **of expenses** *(Br.)* Spesen-, Auslagenrechnung; ~ **of fees** Gebührenrechnung; ~ **of hand** *(Br.)* eigener (trockener) Wechsel, *(promissory note)* Hand-, Schuldschein, abstraktes Schuldanerkenntnis; ~ **of interrogation** Fragezeichen; ~ **of issue** *(law court, US)* Mitteilung der Terminfestsetzung; ~**s written in (on) the margin** Marginalien; ~ **of prepayment** Frankovermerk; ~ **of protest** Protestnote; ~ **of purchase** Kassenzettel; ~ **in reply** Antwortnote; ~ **of sale** Verkaufsvertrag; ~ **of self-satisfaction** Anzeichen von Genugtuung; ~ **of specie** Sortenverzeichnis; ~**s of tension** Spannungsanzeichen; ~ **of thanks** kurzer Dankbrief;

~ *(v.)* **a bill (draft)** Wechselprotest erheben, Wechsel protestieren; ~ **an order** Auftrag vormerken; ~ **prices** Preise angeben; ~ **a protest** *(notary)* Wechsel mit Protestvermerk versehen; **to collect on a** ~ Wechsel zur Zahlung vorlegen; **to go over one's** ~**s** seine Notizen durchgehen; **to issue [bank]** ~**s** Banknoten ausgeben; **to make good on a** ~ Wechsel einlösen; **to refuse to accept a** ~ Annahme einer Note verweigern; **to speak without a** ~ völlig frei sprechen;

~ **bank** Zettelbank; ~ **broker** *(US)* Diskont-, Wechselmakler, -händler; ~ **collection** Wechselinkasso; ~ **cover** Notendeckung; ~ **forger** Banknotenfälscher; ~ **issue** *(Br.)* Notenkontingent, Banknotenausgabe; ~ **-issuing privilege** Banknotenprivileg; ~ **journal** Wechselbuch; ~ **maker** *(US)* Wechselaussteller; ~ **paper** Briefpapier, -bogen, Schreibpapier; ~ **paper and envelopes to match** Briefpapier und dazupassende Umschläge; ~ **-paying system** Wechselverrechnungssystem; ~ **return** *(Br.* Banknotenausweis; ~ **shaver** *(US)* wucherischer Diskontmakler; ~ **taking** Anfertigen von Notizen; ~ **tickler** *(US)* Wechselverfallbuch.

notebook Heft, Merk-, Notizbuch, Kladde, Stenoblock, *(bookkeeping)* Wechselbuch.

notecase Brief-, Geldscheintasche.

noted [amtlich] notiert;

~ **before the official hours** vorbörslich; ~ **below** unten erwähnt;

to cause a bill to be ~ Wechsel zu Protest gehen lassen; **to have a bill** ~ Wechsel protestieren lassen, Protest erheben.

noteholder Schuldscheininhaber.

notice *(attention)* Aufmerksamkeit, Beachtung, *(instruction)* Anordnung, Unterweisung, Vorschrift, *(in newspaper)* Notiz, Anzeige, Bericht, *(note)* Vermerk, *(public advertisement)* [öffentliche] Bekanntmachung, Verlautbarung, *(warning)* Warnung, Kündigung;

at a moment's ~ jederzeit kündbar; **at short** ~ kurzfristig; **subject to change without** ~ freibleibend; **without** ~ **[given]** ohne Kündigungsfrist, fristlos;

actual ~ *(Br.)* zurechenbare Kenntnis; **calling-forward** ~ Warenabruf; **constructive** ~ schuldhafte Nichtkenntnis; **due** ~ rechtzeitige (ordnungsgemäße) Kündigung; **immediate** ~ *(insurance policy)* unverzügliche Anzeige [eines Versicherungsfalles], Schadensanzeige; **lawful** ~ ordnungsgemäße Kündigung; **legal** ~ gesetzlich vorgeschriebene Kündigungsfrist; **previous** ~ Voranzeige; **reading** ~ redaktionelle Anzeige; **reasonable** ~ angemessene Kündigungsfrist; **short** ~ abgekürzte Ladungsfrist; **written** ~ schriftliche Kündigung (Anzeige);

~ **of abandonment** Abandonerklärung; ~ **of acceptance** Annahmeerklärung; ~ **of action** Klageandrohung; ~ **in advance** Voranzeige, -anmeldung; ~ **by advertisement in the press** öffentliche Zustellung; ~ **of allowance** Benutzungsermächtigung; ~ **of appeal** Berufungsschrift[satz]; ~ **of appearance** gerichtliche Vorladung; ~ **of arrival** Eingangsbestätigung; ~ **of assessment** Feststellungs-, Steuerbescheid; ~ **of assignment** Abtretungsbenachrichtigung; ~ **of birth** Geburtsanzeige; ~ **of cancellation** Kündigung[sbenachrichtigung]; ~ **of confirmation** Bestätigungsvermerk; ~ **of death** Todesanzeige; ~ **of default** Anzeige der Nichterfüllung; ~ **of defect** Mängelrüge, -anzeige; ~ **of deficiency** *(income tax, US)* Mitteilung über festgestellte Unrichtigkeiten; ~ **of delivery** Empfangsbestätigung, Zustellungsurkunde; ~ **of denial** Ablehnungsbescheid; ~ **of denunciation of a convention** Kündigung eines Abkommens; ~ **of departure** polizeiliche Abmeldung; ~ **of deposit** Hinterlegungsbescheid; ~ **of discharge** Kündigungsmitteilung; ~ **of dishono(u)r** Anzeige der Akzept-, Annahmeverweigerung [eines Wechsels], Notifikation, Notanzeige; ~ **of dismissal** Entlassungsbescheid; ~ **of drawing for redemption** Bekanntmachung über die Auslosung zur Rückzahlung [von Wertpapieren]; ~ **of engagement** Verlobungsanzeige; ~ **of error** Berichtigungsanzeige; ~ **of exemption** *(taxation)* Freistellungsbescheid; ~ **of intention** *(US)* Antrag auf Erteilung einer Bankkonzession; ~ **of judgment** Urteilszustellung; ~ **in the land register** *(Br.)* Grundbuchvermerk; ~ **to leave** Kündigung; ~ **of lien** Benachrichtigung von der Geltendmachung des Zurückbehaltungsrechts; ~ **in lieu of service** Ersatzzustellung; ~ **of a loss** Verlustanzeige, Schadensmeldung; ~ **of marriage** Heiratsanzeige; ~ **of meeting** Einberufung der Hauptversammlung; ~ **of motion** *(law)* Klageandrohung, Schriftsatzzustellung, *(parl.)* Initiativantrag; ~ **of opposition** *(patent law)* Einspruchseinlegung; ~ **to pay** Zahlungsaufforderung; ~ **to perform a contract** Aufforderung zur Vertragserfüllung; ~ **to plead** Einlassungfrist; ~ **to proceed** Zustellung eines Schriftsatzes zur Fortsetzung des Verfahrens; ~ **to produce** Aufforderung zur Vorlage von beweiserheblichen Urkunden; ~ **of intended prosecution** Unterrichtung über ein beabsichtigtes Strafverfahren; ~ **of protest** *(US)* Protestbenachrichtigung; ~ **by publication** öffentliche Bekanntmachung; ~ **of new publications** Verlagsankündigung; ~ **to quit** Mietkündigung, Kündigung des Mietverhältnisses; ~ **of receipt** Empfangsbescheinigung, Rückschein; ~ **of redemption** Einlösungsfrist, Bekanntmachung über die Einlösung und Tilgung von Wertpapieren; ~ **of reference** *(Restrictive Practice Court, Br.)* Klagebenachrichtigung; ~ **of rejection** Ablehnungsbescheid; ~ **of removal** Anzeige über die erfolgte Geschäftsverlegung; ~ **of rescission** Anzeige des Vertragsrücktritts; ~ **of sale by auction** Auktionsankündigung; ~ **of suspension of payments** Benachrichtigung über die Zahlungseinstellung; ~ **of termination of employment** Kündigung des Dienstverhältnisses; ~ **of termination of treaty** Vertragsaufkündigung, Kündigung eines Vertrages; ~ **to third party** Streitverkündung, Nebenintervention; ~ **to treat** Aufforderung, über einen Zwangsverkauf zu verhandeln; ~ **of trial** *(US)* Ladung zur mündlichen Verhandlung; ~ **to vacate** Kündigung des Mietverhältnisses; ~ **of withdrawal** Kündigungsbenachrichtigung, *(securities)* Kündigung von Wertpapieren, Kündigungsnachricht, *(society)* Austrittsanzeige; ~ **of withdrawal of credit** Kreditkündigung; ~ **of withdrawal of funds** Kündigung von Einlagen, Einlagenkündigung; ~ **of writ of summons** Klageschriftzustellung; ~ **in writing** schriftliche Mitteilung (Kündigung);

~ *(v.) (law)* benachrichtigen;

~ **s. one's services** *(in a speech)* jds. Verdienste würdigen;

to acquire for value without ~ gutgläubig gegen Entgelt erwerben; **to be under six months'** ~ halbjährlich kündbar sein; **to be under** ~ **to leave (quit)** gekündigt sein; **to dismiss s. o. at a moment's** ~ j. sofort (fristlos) entlassen; **to give due** ~ formgerecht mitteilen, ordnungsgemäß kündigen; **to give** ~ **of claim** [Versicherungs]-schaden anmelden; **to give** ~ **of dishono(u)r** Notanzeige erstatten; **to give** ~ **to an employee** einem Angestellten kündigen; **to give** ~ **to one's employer** seinem Arbeitgeber kündigen; **to give** ~ **of cancellation of the insurance policy** Versicherung kündigen; **to give prompt** ~ umgehend benachrichtigen; **to give a tenant** ~ **to quit** einem Mieter die Kündigung zustellen (kündigen); **to give six weeks'** ~ sechswöchige Kündigungsfrist einhalten; **to give** ~ **of withdrawal of bonds** Obligationen zur Rückzahlung anmelden; **to put a** ~ **in the papers** Annonce in die Zeitung setzen (einrücken); **to serve an appropriate counter** ~ zu einer Mietkündigung ordnungsgemäß Stellung nehmen; **to serve out one's** ~ **with s. o.** bis zum Ende des Kündigungstermins bleiben; **to stick up a** ~ Bekanntmachung anschlagen; **to waive** ~ auf Einhaltung der Kündigungsfrist verzichten;

~ **board** Schwarzes Brett, Aushang, Anschlagtafel; ~ **paper** Sitzungsprogramm; ~ **period** Kündigungsfrist; ~ **plate** *(letter box)* Stundenplatte.

notification *(advertisement)* [Werbe]anzeige, *(citation)* Ladungs[schreiben], Vorladung, *(giving public notice)* Bekanntmachung, Mitteilung, *(information)* Benachrichtigung, Anzeige, Mitteilung, *(law of nations)* Notifizierung, Notifikation, *(railway)* Eingangsmitteilung;

official ~ amtliche Bekanntgabe;

~ **of an accident** Unfallanzeige; ~ **of protest** Protestanzeige;

on a ~ **basis** im Notifizierungswege; **to operate on a** ~ **basis** Forderungsabtretung offenlegen;

~ **orders** Meldevorschriften; ~ **type of a loan** Kreditgewährung mit offengelegter Forderungsabtretung.

notify *(v.) (give public notice)* bekanntgeben, -machen, *(give official notice)* amtlich mitteilen (bekanntgeben), *(inform)* benachrichtigen, anzeigen, Nachricht geben;

~ **a claim** Anspruch anmelden; ~ **the police of a loss** Verlustanzeige bei der Polizei abgeben;

~ **protest** Protest aufnehmen lassen.

notifying | **bank** avisierende Bank; ~ **clause** Notadresse.

noting *(advertising)* Leserprozentsatz, der eine Anzeige gesehen hat;

~ **of a bill** Protestaufnahme;

~ **advertising** Leseranzahl vermerkende Anzeige; ~ **slip (ticket,** *Br.)* [Wechsel]protesturkunde.

notorious insolvency stadtbekannte Zahlungsunfähigkeit.

novel feature Neuheitsmerkmal.

novelties Neuheiten, neueingeführte Artikel, Modeartikel.

novelty *(patent law)* Neuheit, *(trade)* Werbegeschenk[artikel];
to constitute a bar as to ~ neuheitsschädlich sein;
~ **advertising** Werbung durch Verteilung von Geschenkartikeln, Warenprobenverteilung; ~ **item** Neuheit, Schlager.

nude contract einseitiger, nicht bindender Vertrag.

nuisance Ärgernis, Mißstand, Belästigung, Beeinträchtigung, *(damage to neighbo(u)ring property)* schädliche Einwirkung auf Nachbargrundstücke, Immissionen;
~ **abatement assessment** *(US)* Sonderabgabe für Schutt- und Müllbeseitigung; ~ **industries** Emissionsbetriebe; ~ **tax** unwirtschaftliche Steuer; ~ **value** Ablösungswert.

null and void null und nichtig.

nulla bona Unpfändbarkeitsbescheinigung.

nullify *(v.)* **all rate and position protections** *(advertising)* alle Rabattvorteile und Vorzugsplacierungen aufheben.

number [An]zahl, Ziffer, Haus-, Zimmer-, Telefonnummer, *(copy)* Exemplar, *(issue)* Ausgabe, Heft, Nummer, *(part delivery of a book)* [Teil]lieferung; **by** ~**s** nummernweise; **in great** ~**s** in großer Anzahl; ~**s** Menge, Schar, Anzahl, viele;
average ~ Durchschnittszahl; **back** ~ Ladenhüter, *(newspaper)* altes [Zeitungs]exemplar; **broken** ~ Bruch[zahl]; **call** ~ *(tel.)* Rufnummer; **cardinal** ~ Grundzahl; **chassis** ~ Fahrgestellnummer; **check** ~ Kontrollnummer; **Christmas** ~ Weihnachtsnummer; -ausgabe; **collective** ~ *(tel.)* Sammelnummer; **composite** ~ zusammengesetzte Zahl; **cubic** ~ Kubikzahl; **consecutive** ~**s** fortlaufende Zahlen; **current** ~ *(newspaper)* heutige Ausgabe; **even** ~ gerade Zahl; **ex-directory** ~ *(tel., US)* Geheimnummer; **file** ~ Aktenzeichen, **fractional** ~ Bruchzahl; **house** ~ Hausnummer; **index** ~ Indexzahl; **invoice** ~ Rechnungsnummer; **mean** ~ Durchschnittszahl; **maximum** ~ Höchstzahl; **odd** ~ ungerade Zahl; ~ **one** das eigene Ich; **ordinal** ~ Ordnungszahl; **outside** ~ *(tel.)* Außenanschluß; **page** ~ Seitenzahl; **plural** ~ Mehrzahl; **red** ~**s** *(interest)* Zinszahlen; **reference** ~ Aktenzeichen; **registered (registration)** ~ Eintragungs-, Registriernummer, *(car)* polizeiliches Kennzeichen; **road** ~ Bundesstraßennummer; **serial** ~ Fabrik-, laufende Nummer; **singular** ~ Einzahl; **supply** ~ Bestellnummer; **telephone** ~ Telefonnummer; **ticket** ~ Losnummer; **toll-free** ~ gebührenfreier Telefonanruf; **total** ~ Gesamtzahl; **unlisted** ~ *(US)* Geheimnummer;
~ **of a car** polizeiliches Kennzeichen; ~ **of employees** Personalstand; ~ **of entry** Buchungsnummer; ~ **of persons employed** Beschäftigtenzahl; ~ **of units** Stückzahl;
~ *(v.)* *(add)* zusammenzählen, aufrechnen, *(amount to)* sich beziffern auf, *(assign a number)* numerieren, *(count)* zählen;
to appear in ~**s** lieferungsweise (in Teillieferungen) erscheinen; **to dial a** ~ [Telefon]nummer wählen; **to look after** ~ **one** auf seinen eigenen Vorteil bedacht sein; **to swell the** ~ **of subscribers** Subskriptionsliste erweitern; **to take a car's** ~ Auto polizeilich anmelden;
box ~ **ad** *(US)* Schließfachnummerinserat; ~**-one guideline** Leitgrundsatz; ~ **plate** *(car)* Nummernschild; ~**s pool** Zahlenlotto.

numbering, consecutive fortlaufende Numerierung.

nurse | *(v.)* **an account** *(Br.)* faules Konto versuchsweise sanieren; ~ **a connexion (connection)** Verbindung (Beziehung) pflegen; ~ **an infant industry** neugegründeten Industriezweig fördern;
to have a lot of unsalable stocks to ~ unverkäufliches Lager auf dem Halse haben.

nursing | **of an account** *(Br.)* versuchsweise Sanierung eines Kontos.

nutrition expert Ernährungsfachmann.

O

obituary notice Todesanzeige, Nachruf.

object Gegenstand, Sache, Ding, *(aim)* Ziel, Zweck, *(tax)* [Steuer]objekt;
money no ~ Geld spielt keine Rolle; **salary no** ~ *(advertisement)* Gehalt Nebensache;
with the ~ **of gain** in gewinnsüchtiger Absicht;
~ **of a company** Gesellschaftszweck; ~ **belonging to the inheritance** Nachlaßgegenstand; ~ **of value** Wertgegenstand;
~ **classification** Ausgabengruppierung nach Art der Gegenleistung; ~**s clause** Gewerbezweckklausel.

objection Einspruch, Beanstandung, Einwendung, Abneigung, Reklamation, Hindernisgrund;
to offer no reason for ~**s** zu Beanstandungen keinen Anlaß geben.

obligated balance *(government accounting)* ausgegebene, jedoch noch nicht angewiesene Haushaltsmittel.

obligation *(bond)* Verpflichtungsschein, Schuldschein, -verschreibung, Obligation, *(liability)* Verbindlichkeit, Leistung, [Schuld]verpflichtung, Bindung, Obliegenheit;
of ~ unumgänglich, obligatorisch; **no** ~ unverbindlich; **without** ~ unverbindlich, freibleibend;
absolute ~ unabdingbare Verpflichtung; **business** ~ Geschäftsverbindlichkeit; **contract[ual]** ~ Vertragspflicht; **financial** ~ Zahlungsverpflichtung; **~s incurred** *(governmental accounting)* Gesamtheit der Haushaltsbewilligungen; **indeterminate** ~ Speziesschuld; **interest-bearing** **~s** *(US)* verzinsliche Schuldverschreibungen; **long-term** ~ langfristige Verbindlichkeit; **outstanding** **~s** *(government accounting)* bewilligt, jedoch noch nicht ausgegebene Haushaltsmittel; **personal** ~ einklagbare Verpflichtung; **primary** ~ hauptsächlichste Vertragsleistung; **secondary** ~ Nebenleistung; **short-time (term)** **~s** kurzfristige Verbindlichkeiten; **single** ~ Leistungsversprechen; **solidary** ~ Solidarverpflichtung; **specific** ~ Speziesschuld; **tax-free** **~s** steuerfreie Obligationen;
~ **to accept the goods** Abnahmeverpflichtung; ~ **to buy** Kaufzwang, -verpflichtung; **legal** ~ **of convertibility** gesetzliche Einlösungspflicht; ~ **to disclose** Anzeigenpflicht bei Versicherungsabschluß; ~ **of guaranty** Bürgschaftsverpflichtung; **~s of a landlord** Vermieterpflichten; ~ **in respect of maintenance** Unterhaltspflicht; ~ **to pay** Obligo, Zahlungsverpflichtung; ~ **to provide packing** Verpackungsauflage; ~ **to repay** Rückerstattungspflicht; ~ **to repurchase** Rücknahmeverpflichtung; ~ **of debt service** Schuldentilgungsverpflichtung;
to assume **~s** Verbindlichkeiten übernehmen; **to fulfil(l) one's** **~s** **under a contract of sale** seinen Verpflichtungen vertragsgemäß nachkommen; **to meet one's** **~s** seinen Verbindlichkeiten (Zahlungsverpflichtungen) nachkommen; **to put** **~s** **on the market in large blocks** Obligationen in großen Paketen auf den Markt bringen; **to repudiate financial** **~s** sich finanziellen Verpflichtungen entziehen.

obligatory | **agreement** bindende Abmachung; ~ **disposition** Mußvorschrift; ~ **insurance** Pflichtversicherung; ~ **investment** Pflichteinlage; ~ **writing** Schuldschein.

oblige | *(v.)* **s. o. with a check** *(US)* **(cheque,** *Br.*) jem. einen Scheck ausstellen;
full particulars will ~ nähere Auskunft erwünscht.

obliged verpflichtet, *(gratified)* verbunden, dankbar;
to be statutorily ~ gesetzlich verpflichtet sein.

obligee Gläubiger, Forderungsberechtigter, *(bonds)* Obligationsgläubiger.

obliging entgegenkommend, gefällig, kulant.

obligor Schuldner, Verpflichteter, *(bonds)* Obligationsschuldner;
~ **company** Schuldnergesellschaft, Schuldnerin.

obliterate *(v.)* ausstreichen, -löschen, *(stamp)* entwerten, abstempeln;

obliterating stamp Entwertungsstempel.

obscurity, to retire into sich vom öffentlichen Leben zurückziehen.

observation | **form** *(time study)* Beobachtungsposten; ~ **period** Beobachtungszeitraum; ~ **tower** Wachturm; ~ **train** *(US)* gläserner Zug, Aussichtszug.

observe | *(v.)* **an anniversary** Jubiläum begehen; ~ **the time limit** Frist einhalten;

obsolescence Unbrauchbarkeit, Überalterung [von Einrichtungen], *(wear and tear)* Abschreibungsursache;
~ **of seasonal goods** Überfälligkeit von Saisonwaren; ~ **of stock** Lagerverwaltung.

obsolete securities *(US)* aufgerufene und ungültig gemachte Wertpapiere.

obstruct *(v.)* blockieren, hemmen, verhindern, versperren;
~ **navigation** Schiffahrt behindern; ~ **process** Zwangsvollstreckung vereiteln; ~ **the traffic** Verkehr behindern.

obstructing | **highways** Verkehrsbehinderung auf öffentlichen Straßen; ~ **process** Vereitelung der Zwangsvollstreckung.

obstruction | **of bankruptcy** Konkursverschleppung; ~ **on the line (road)** Verkehrshindernis; ~ **to navigation** Behinderung der Schiffahrt; ~ **of traffic** Verkehrsbehinderung.

obtain *(v.)* erhalten, erlangen, bekommen, *(procure)* sich beschaffen (verschaffen), beziehen, auftreiben, *(stock exchange)* erzielen, erreichen;
~ **an adjournment** Aufschub erlangen; ~ **an advance of money** Vorschuß erhalten; ~ **the contract** Zuschlag erhalten; ~ **goods** Waren beziehen; ~ **goods straight from the factory** Waren direkt von der Fabrik (mit Beziehungen) kaufen; ~ **a loan of money by application** beantragtes Darlehn erhalten; ~ **nothing** *(creditor)* leer ausgehen; ~ **property by false pretences** Vermögensvorteil durch Betrug erlangen;
to be easy (difficult) to ~ leicht (schwer) erhältlich sein.

obtainable erhältlich, beziehbar;
freely ~ frei erhältlich;
~ **on the market** an der Börse gehandelt; ~ **at par** zum Nennwert erhältlich; ~ **from all stockists** in allen einschlägigen Geschäften zu haben;
to be ~ *(stock exchange)* gehandelt werden.

obvious risk *(accident insurance)* klar erkennbares Risiko.

occasional | **labo(u)r** Gelegenheits-, Aushilfsarbeit; ~ **licence** *(Br.)* beschränkte Schankkonzession; ~ **purchase** Gelegenheitskauf.

occupancy | **expenses** Hausinstandhaltungskosten; ~ **tax** Besitzsteuer.

occupant | **s of a house** Hausbewohner; ~ **of a post** Stelleninhaber; ~ **of a vehicle** Fahrzeuginsasse.

occupation *(business)* Geschäft, Gewerbe, *(calling)* Beruf, *(employment)* Beschäftigung, Berufsarbeit, -tätigkeit, -leben, Tätigkeit, *(law of nations)* Okkupation, *(mil,)* Besatzung, Besetzung, *(taking possession)* Besitzergreifung, *(tenure)* Besitz;
as a regular (permanent) ~ hauptberuflich; **as a secondary** ~ im Nebenamt, nebenberuflich; **by** ~ von Beruf; **fit for** ~ bewohnbar; **without** ~ berufs-, beschäftigungslos; **without a permanent** ~ ohne feste Beschäftigung;
actual ~ tatsächliche Besitzergreifung; **agricultural** ~ Beschäftigung in der Landwirtschaft, landwirtschaftlicher Beruf; **belligerent** ~ kriegerische Besetzung; **business** ~ berufliche Beschäftigung, Berufstätigkeit; **casual** ~ Gelegenheitsbeschäftigung; **chief** ~ Hauptberuf, -beschäftigung; **clerical** ~ Bürotätigkeit; **dangerous** ~ gefährlicher Beruf; **disease-breeding** ~ Berufskrankheiten auslösende Beschäftigung; **entry** ~ Anfangsberuf; **female** ~ Frauenarbeit; **godforsaken** ~ ausgefallener Beruf; **hazardous** ~ gefährlicher Beruf; **industrial** ~ Beschäftigung in der Industrie; **light** ~ leichte Beschäftigung; **minor** ~ Nebenberuf; -beschäftigung; **no** ~ ohne Beruf; **pacific** ~ friedliche Besetzung; **paramount** ~ *(taxation)* überwiegende Beschäftigung; **peaceful** ~ friedliche Besetzung; **principal** ~ Haupttätigkeit, -beruf; **regular** ~ normale (regelmäßige) Beschäftigung; **remunerative** ~ gewinnbringende (einträgliche) Beschäftigung; **soulless** ~ geisttötender Beruf; **usual** ~ gewöhnliche Beschäftigung;
~ **for o. s.** Eigenbenutzung; ~ **on completion** Besitzergreifung bei Vertragsbeendigung; ~ **of enemy territory** Besetzung feindlichen Gebiets; ~ **of a house** Inbesitznahme eines Hauses; ~ **outside of office work** nebenberufliche Tätigkeit; ~ **of a professional nature** freiberufliche Tätigkeit, selbständige Arbeit; ~ **of realty** Besitzerlangung;
to be in a reserved ~ kriegswichtigen Beruf ausüben; **to be in** ~ **of a house** Haus bewohnen, Hausbewohner sein; **to choose an** ~ Berufswahl treffen; **to give s. o.** ~ j. beschäftigen; **to have no heart in one's** ~ an seinem Beruf keine Freude haben; **to look for an** ~ **suited to one's abilities** sich nach einer geeigneten Beschäftigung umsehen;
~ **authorities** Besatzungsbehörden; ~ **bridge** Privatbrücke; ~ **census** Berufszählung; ~ **costs** Besatzungskosten; ~ **damages** Besatzungsschaden; ~ **forces** Besatzungstruppen, -mächte; ~ **franchise** Stimmrecht der Grundstücksbesitzer; ~ **group** Berufsgruppe; ~ **money** Besatzungsgeld; ~ **power** Besatzungsmacht; ~ **records** Besatzungsunterlagen; ~ **road** *(Br.)* Zufahrts-, Privatstraße, -weg; ~ **stamps** von einer Besatzungsarmee herausgegebene Briefmarken; ~ **tax** Gewerbesteuer; ~ **troops** Besatzungstruppen; **to keep** ~ **troops in a country** einem Land Besatzung auferlegen; ~ **zone** Besatzungsgebiet, -zone.

occupational zum Beruf gehörig, beruflich;
~ **accident** Berufsunfall; ~ **census** Berufszählung; ~ **center** *(US)* **(centre,** *Br.)* Beschäftigungszentrum; ~ **category** Berufsgruppe; ~ **characteristic checklist** Berufskatalog; ~ **class** Berufsgruppe, -klasse; ~ **classification** Berufsgliederung, Berufszugehörigkeit, *(magazine)* Berufsanalyse der Bezieher; ~ **competence** berufliche Eignung; ~ **decision** Berufswahl; ~ **deferment** berufliche Unabkömmlichkeit; ~ **description** Berufsbezeichnung; ~ **disease** Gewerbe-, Berufskrankheit; ~ **duties** *(insured person)* Berufsaufgaben, berufliche Tätigkeit; ~ **families** verwandte Berufe; ~ **fatigue** Überarbeitung; ~ **forces** Besatzungstruppen; ~ **goal** Berufsziel; ~ **group** Berufsgruppe, -verband; ~ **grouping** Berufskategorie; ~ **hazard** betriebliche Unfallgefährdung, Berufsrisiko, -gefahr; ~ **illness** beruflich bedingte Krankheit, Berufskrankheit; ~ **immobility** *(labo(u)rer)* nicht vorhandene Umsetzfähigkeit; ~ **index** Berufsgruppenindex; ~ **injury** Berufsunfall; ~ **interest** Berufsinteresse; ~ **level** Berufsniveau; ~ **mobility** *(labo(u)rer)* Umsetzfähigkeit; ~ **name** Berufsbezeichnung; ~ **neurosis** Berufsneurose; ~ **opportunities** Berufsmöglichkeiten; ~ **pyramid** Berufspyramide; ~ **representation** Berufsvertretung; ~ **risk** Berufsrisiko; ~ **shift** Berufswechsel; ~ **statistics** Berufsstatistik; ~ **tax** Gewerbesteuer; ~ **therapy** Beschäftigungstherapie; ~ **training** berufliche Ausbildung, Berufs-, Fachausbildung; **to have had** ~ **training** in einem Beruf ausgebildet sein; ~ **union** Berufsverband; ~ **wage** Branchentariflohn.

occupied beschäftigt, ausgelastet, *(hospital)* belegt, *(seat)* besetzt, belegt;
fully ~ *(enterprise)* vollbeschäftigt;
~ **population** werktätige Bevölkerung.

occupier Besitzer, Inhaber, Grundstückseigentümer;
~ **of a shop** Ladeninhaber;
~ **'s liability** Grundstückshaftung.

occupy *(v.) (o. s.)* sich beschäftigen, *(s. o.)* j. beschäftigen, *(be in)* innehaben, *(invest)* Kapital investieren, *(lodge)* bewohnen, *(mil.)* besetzen, *(possess)* besitzen, *(take possession)* Besitz ergreifen;
~ **a dual capacity** mit sich selbst kontrahieren; ~ **the chair** Vorsitz führen (innehaben), präsidieren.

occurrence | **of the event insured against** Versicherungsfall; ~ **of gold** Goldvorkommen; ~ **of loss** Versicherungsfall.

ocean | s of money *(fam.)* Säcke voll Geld;
~ **bill of lading** Seekonnossement, Seefrachtbrief; ~ **carrier** Seehafenspediteur; ~ **-carrying trade** Hochseeschiffahrt; ~ **freight rate** Transatlantikfrachtsatz; ~ **lane** Schiffahrtsroute; ~ **manifest** *(US)* Ladungsverzeichnis; ~ **marine insurance** *(US)* Überseeversicherung; **packed for ~ shipment** seeverpackt; ~ **shipping** Atlantikfrachtverkehr; ~ **transport** *(US)* Überseetransport.

odd *(left over)* überzählig, *(numbers)* ungerade, *(single)* einzeln;
~ **-come shorts** Überreste, Abfälle; ~ **jobs** Gelegenheitsaufträge.

odd lot ungerade Menge, Restpartie, *(auction sale)* Auktionsposten, *(stock exchange)* gebrochener Börsenschluß (weniger als 100 Aktien oder weniger als 1 000 Obligationen), *(US)* nicht offiziell an der Börse gehandelte Abschnitte;
to buy shares in ~s Aktien in ungewöhnlich geringen Mengen erwerben;
~ **broker (dealer,** *US)* Makler in kleinen Effektenabschnitten; ~ **business** *(US)* Geschäfte (Handel) in kleinen Effektenabschnitten; ~ **trading** *(US)* Handel in kleinen Effektenabschnitten.

odd | man Gelegenheitsarbeiter; ~ **money** restliches Geld; **to make up the ~ money** Summe vollmachen; ~ **set** unvollständiger Satz; ~ **size** nicht gängige Größe.

oddments Reste, Abfälle, Einzelstücke, Ramschwaren, übriggebliebene Waren, *(print.)* Titelei; **remnants and ~** Reste und Gelegenheitskäufe.

off *(market)* in einer Flaute, flau, lustlos, *(quality)* minderwertig, von schlechter Qualität, *(sold out)* ausgegangen;
better ~ bessergestellt; **dividend ~** ausschließlich Dividende; **well ~** in guten Verhältnissen, gut situiert; **to allow 2 per cent ~ for ready money** 2% Diskont bei Barzahlung gewähren; **to be ~** *(commodities)* ausgegangen sein; **to be ~ three points** *(stock exchange)* drei Punkte tiefer liegen; **to be badly (poorly) ~** in ärmlichen Verhältnissen leben; **to get one's stock ~** seinen Vorrat loswerden; **to give the staff a day ~** dem Personal (der Belegschaft) einen Tag frei geben; **to offer goods at 10% ~ the regular price** Waren mit einem 10%igen Abschlag vom Normalpreis anbieten; **to pay ~ one's debts** seine Schulden bezahlen; **to sell ~** ausverkaufen;
~ **-beat advertising** ausgefallene Reklame; ~ **-board market** *(US)* Markt für nicht notierte Werte; ~ **-brand** nicht markengebunden; ~ **charges** abzurechnende Kosten; **for ~ -consumption** *(alcoholics, Br.)* zum Mitnehmen; ~**-the-job accident** Unfall außerhalb der Arbeitszeit; ~**-the-job activities** Freizeitbeschäftigung; ~ **-licence** *(Br.)* Schankrecht (Schankausschank) über die Straße; ~ **limits** *(US)* Zutritt verboten, beschlagnahmefrei; ~**-peak hours** Zeiten geringer Belastung, verkehrsschwache Stunden; ~ **-peak tariff** Nachtstromtarif; ~ **the record** nicht zur Veröffentlichung bestimmt, inoffiziell; ~ **-season** stille (tote) Saison (Zeit), Vor- und Nachsaison;~**-schedule** außer [fahr]planmäßig; ~ **side** *(bookkeeping)* Rückseite; ~ **-street unloading** Abladen am Hintereingang; ~ **-time** Freizeit.

offer Offerte, Gebot, Angebot, Vorschlag, Anerbieten, Vertrags-, Verkaufsangebot, *(bid)* gebotener Preis, *(stock exchange)* Angebot, Brief;
according to (as per) ~ offertegemäß; **at the best possible ~** bestens; **on ~** verkäuflich, zu verkaufen, zum Kauf angeboten, *(stock exchange)* Brief, angeboten;
abundant ~s reichhaltiges Angebot; **best ~** Meist-, Höchstgebot; **binding ~** festes Angebot, verbindliche Offerte; **not binding ~** freibleibendes Angebot; **buried ~** in einer Anzeige verstecktes Angebot; **cash ~** Bargebot; **contractor's ~** Lieferangebot; **counter- ~** Gegenofferte; **exceptional ~** Vorzugsangebot; **firm ~** festes Angebot, verbindliche Offerte; **free ~** freibleibendes Angebot; **general ~** Auslosung, öffentliches Angebot; **higher ~** höheres Angebot; **highest ~** Höchstgebot; **implied ~** stillschweigendes Angebot; **industrial ~** kaufmännisches Angebot; **original ~** ursprüngliches Angebot; **special ~** Sonder-, Vorzugsangebot; **subscription ~** Zeichnungsaufforderung, Einladung zur Zeichnung, Subskriptionsangebot; **take-over ~** Übernahmeangebot; **telegraphic ~** telegrafisches Angebot, Drahtofferte; **tempting ~** bestechendes (verlockendes) Angebot; **valid ~** gültige Offerte; **verbal ~** mündliches Angebot;
~ **and acceptance** Angebot und Annahme; ~ **of amends** *(Br.)* Angebot zur Genugtuung; ~ **of assistance** Unterstützungsangebot; ~ **in blank** Blankoofferte; ~ **to buy** Kaufgesuch, -angebot; ~ **of compromise** Vergleichsvorschlag, -angebot; ~ **for delivery** Lieferangebot; ~ **of employment** Stellenangebot; ~ **without engagement** freibleibende (unverbindliche) Offerte; ~ **to help** Hilfsangebot; ~ **of marriage** Heiratsantrag; ~ **of mediation** Vermittlungsvorschlag, -angebot; ~ **by preference** Vorzugsangebot; ~ **to the public** öffentliches Angebot; ~ **to repair goods** Reparaturangebot; ~ **to resign** Demissionsangebot; ~ **of security [for an individual]** Bürgschaftsangebot; ~ **to sell (for sale)** Verkaufsangebot; ~ **to sell property** Grundstücksverkaufsangebot; ~ **of service** Geschäftsempfehlung; ~ **subject to prior sale (subject unsold)** freibleibendes Angebot, Zwischenverkauf vorbehalten;
~ *(v.)* *(propose)* anbieten, Angebot machen, offerieren, *(express readiness)* sich erbieten;

~ **assistance** Hilfsangebot machen- ~ **bills for discount** Wechsel zum Diskont einreichen; ~ **o. s. as candidate** kandidieren, sich als Kandidat in Vorschlag bringen; ~ **as a compromise** Vergleichsangebot machen; ~ **without engagement** unverbindlich offerieren; ~ **English as one of one's foreign languages** Englisch als fremdsprachliches Prüfungsfach wählen; ~ **an excuse** Entschuldigung vorbringen; ~ **firm** fest anbieten (offerieren); ~ **goods at 15 per cent off the regular price** Waren 15% unter Preis anbieten; ~ **guarantee** *(Br.)* Bürgschaft leisten, Delkredere stehen; ~ **s. o. a house for $ 40 000** jem. ein Haus zum Preis von 40 000 Dollar anbieten; ~ **a job** Stellung anbieten; ~ **a loan** Kreditofferte machen; ~ **s. o. money** jem. Geld anbieten; ~ **an opinion** Meinung äußern, Stellungnahme vorbringen; ~ **a plea** Einrede erheben; ~ **o. s. for a post** sich für eine Stellung in Vorschlag bringen; ~ **a price** Preis bieten, Preisangebot machen; ~ **no prospects** *(job)* aussichtslos sein; ~ **[no] resistance** [keinen] Widerstand leisten; ~ **a resolution** Resolutionsentwurf vorlegen; ~ **a reward** Belohnung aussetzen; ~ **a salary** Gehaltsangebot machen; ~ **for sale** zum Verkauf anbieten, offerieren, feilbieten; ~ **one's services to s. o.** jem. seine Dienste anbieten; ~ **new shares to the holders of old ones** den Inhabern alter Aktien neue Aktien anbieten; ~ **a suggestion** Vorschlag machen;

to accept an ~ Angebot annehmen; **to avail o. s. of an** ~ von einem Angebot Gebrauch machen; **to be open to an** ~ Angebote entgegennehmen, auf Preisangebote warten; **to close with an** ~ Angebot annehmen; **to decline an** ~ Angebot ablehnen; **to embrace s. one's** ~ jds. Angebot annehmen; **to entertain an** ~ einem Angebot nähertreten; **to hold an** ~ **open** Angebot aufrechterhalten; **to invite an** ~ zur Abgabe eines Angebots auffordern; **to make an** ~ Offerte abgeben, offerieren; **to make a firm** ~ fest an die Hand geben; **to make an** ~ **orally** mündliches Angebot machen; **to make an** ~ **in writing** schriftliches Angebot machen; **to reject an** ~ Angebot ablehnen (ausschlagen); **to revoke an** ~ Angebot zurückziehen; **to stick on an** ~ auf einem Angebot sitzenbleiben; **to submit** ~**s** Offerten vorlegen; **to take an** ~ Bestellung annehmen; **to vary the terms of an** ~ Angebotsbedingungen abändern; **to withdraw an** ~ Angebot zurückziehen;

~ **price** *(stock exchange)* Briefkurs.

offered, freely stark angeboten; **nothing** ~ *(market report)* fehlt;

~ **down** *(US)* unter der letzten Notierung angeboten; ~ **firm** fest angeboten; ~ **subject to prior sale** Zwischenverkauf vorbehalten.

offerer Anbieter;

highest ~ Höchst-, Meistbietender; **no** ~**s** *(auction)* ohne Angebote.

offering Angebot, Anerbieten, *(church)* Kollekte; ~**s** *(stock exchange, US)* Material, Angebot;

ample ~**s** reichhaltiges Angebot; **few** ~**s** spärliches Angebot; **peace** ~ Friedensangebot;

~ **of bribes** Bestechungsversuch;

~ **book (list)** *(stockbroker)* Angebotsbuch; ~ **date** Verkaufstermin; ~ **price** *(investment trust)* Ausgabe-, Verkaufspreis; ~ **sheet** *(US)* Angebotsliste einer Bank für den Verkauf von Effektenemissionen.

office *(branch)* Zweigniederlassung, *(bureau)* Büro, Geschäftszimmer, Kanzlei, Geschäftsstelle, Amtszimmer, -raum, Kontor, *(duty)* Aufgabe, Funktion, Dienst, *(governmental office)* Amt, Dienststelle, Behörde, *(governmental office)* Amtszimmer, -gebäude, *(life insurance company, Br.)* Versicherungsgesellschaft, *(official position)* Amt, amtliche Stellung, Amtstätigkeit, Posten, *(profession)* Geschäft, Beruf, *(religion)* Gottesdienst[ordnung], *(seat)* Sitz, *(service)* Dienst, *(sl.)* Wink, Tip, *(staff)* Büropersonal, *(Ministry)* Ministerium;

in virtue of his ~ kraft seines Amtes; **through the good** ~**s of a friend** durch die gütige Vermittlung eines Freundes;

~**s** Büro-, Geschäftsräume, *(outbuildings, Br.)* Nebengebäude, Wirtschaftsräume;

audit ~ Rechnungshof; **booking** ~ Fahrkartenschalter, Vorverkauf[skasse, -stelle]; **box** ~ Schalter, [Theater]kasse; **branch** ~ Filialbüro, Filiale, Neben-, Zweigstelle, Niederlassung; **burdensome** ~ schweres Amt; **cash** ~ Kasse; **central** ~ Hauptbüro, -geschäftsstelle, Zentrale; **civil** ~ Zivildienststelle; **clearing** ~ Abrechnungsstelle; **competent** ~ zuständige Stelle; **complaints** ~ Büro für Reklamationen, Beschwerdestelle; **court's** Geschäftsstelle [des Gerichts]; **director's** ~ Direktion; **dispatching** ~ Abfertigungsstelle; **distributing** ~ *(post office)* Verteiler-, Postverteilungsstelle; **district** ~ *(US)* Bezirksbüro, -agentur [einer Bank]; **drawing** ~ Konstruktionsbüro; **emigration** ~ Auswandererbüro; **Excise** ≗ Regieverwaltung; **fire [insurance]** ~ *(Br.)* Feuerversicherungsgesellschaft; **fiscal** ~ Finanzamt; **Foreign** ≗ Auswärtiges Amt; **forwarding** ~ Versand-, Expeditionsabteilung; **freight** ~ Frachtbüro; **general** ~ Zentralbüro, Zentrale; **government** ~ Regierungsstelle; **head** ~ Hauptgeschäft; **Home** ≗ *(Br.)* Ministerium des Inneren, Innenministerium; **honorary** ~ Ehrenamt; **insurance** ~ Versicherungsbüro; **judicial** ~ richterliches Amt; **labo(u)r** ~ Arbeitsamt; **lawyer's** ~ Anwaltsbüro, -kanzlei; **life** ~ *(Br.)* Lebensversicherungsanstalt; **little domestic** ~**s** kleine häusliche Verrichtungen; **lost-property** ~ Fundbüro; **lucrative** ~ einträgliche Pfründe; **luggage** ~ *(Br.)* Gepäckannahme, -aufbewahrung; **manager's** ~ Direktion; **metropolitan** ~ Stadtbüro; **ministerial** ~ Ministeramt, -stelle; **notary's** ~ Notariatsbüro; **our London** ~ unser Büro in London; **parcel** ~ Paketpostamt; **patent** ~ Patentamt; **pay** ~ Zahlmeisterei; **paying** ~ Zahlstelle; **permanent** ~ ständiges Büro; **police** ~ Polizeipräsidium; **porter's** ~ Portiersloge; **post** ~ Postamt; **principal** ~ Hauptsitz einer Firma, Hauptgeschäftsstelle, Zentrale; **private** ~ Privatbüro; **public** ~ öffentliches Amt; **rating** ~ Prämienberechnungsstelle; **real-estate** ~ Immobilienbüro; **receiving** ~ [Paket]annahmestelle; **reception** ~ Empfangsbüro; **[Public] Record** ≗ *(Br.)* Staatsarchiv; **recruiting** ~ Rekrutierungsbüro; **main regional** ~ Kopffiliale; **registered** ~ *(of a company)* eingetragener Geschäftssitz; **registry** ~ Stellenvermittlungsbüro; **secretary's** ~ Sekretariat; **shipping** *(US)* Versand-, Speditionsbüro; **sub-**~ Zweigstelle, -büro; **subsidiary** ~ nachgeordnete Dienststelle; **superintendent's** ~ Betriebsbüro; **telegraph** ~ Telegrafenamt; **ticket** ~ Fahrkartenschalter; **vacant** ~ freie Stelle; **war** ~ Kriegsministerium;

≗ **of Business Economics** *(US)* Statistisches Bundesamt; ≗ **of Censorship** Zensurbehörde; ~ **of a chairman** Amt des Vorsitzenden, Präsidentenamt; ~ **of destination** *(Br.)* Bestimmungspostamt; ~ **of dispatch** Abfertigungsstelle, *(post office)* Abgangs-, Aufgabeamt; ~ **of Emergency Preparedness** *(US)* Technische Nothilfe; ~ **of issue** *(post office, Br.)* Ausgabestelle; ~ **of origin** Aufgabeamt; ~ **of posting** *(Br.)* Aufgabepostamt; ~ **of payment** *(Br.)* Zahl-, Auszahlungsstelle; ≗ **of Price Administration** *(US)* Preisprüfungsamt; ≗ **of Price Stabilization** Preisausgleichsamt; ~ **of the registrar of deeds** *(US)* Grundbuch[amt]; ~ **for reservation of seats** Platzkartenschalter;

to accede to an ~ Amt antreten; **to accept** ~ Amt annehmen; **to act in virtue of one's** ~ in amtlicher Eigenschaft handeln (tätig werden); **to assign s. o. to an** ~ j. einer Dienststelle zuteilen; **to be called to** ~ ins Ministerium berufen werden; **to be in** ~ im Amte sein, amtieren, [öffentliches] Amt bekleiden, *(political party)* an der Macht (am Ruder) sein, in der Regierung sitzen; **to be in** ~ **on good behavio(u)r** Amt auf Bewährung innehaben; **to be out of** ~ *(political party)* in der Opposition sein; **to be in charge of an** ~ **pro tempore** Amt zeitweilig innehaben; **to be working in an** ~ Büroarbeit verrichten; **to come into** ~ *(Br.)* Amt antreten (übernehmen), *(minister)* Ministerium übernehmen, *(party)* zur Macht kommen; **to continue in one's** ~ in seinem Amt verbleiben; **to do s. o. a good** ~ jem. einen guten Dienst leisten; **to enter upon** ~ Amt (Stellung) antreten; **to execute an** ~ Amt verwalten (ausüben); **to give s. o. the** ~ *(sl.)* jem. einen Tip geben; **to go to the** ~ ins Geschäft gehen; **to hold an** ~ Amt innehaben; **to extend the term of** ~ Amtszeit verlängern; **to hold an** ~ Amt bekleiden; **to hold all the** ~**s of a club** alle Klubämter auf sich vereinigen; **to leave** ~ demissionieren; **to maintain an** ~ Büro unterhalten; **to operate own** ~**s throughout the world** eigene Büros in der ganzen Welt unterhalten; **to oust a rival from** ~ Konkurrenten aus einer Stellung verdrängen; **to perform the** ~ **of secretary** im Sekretariat tätig (Sekretär[in]) sein; **to perform the last** ~**s for s. o.** jem. die letzten Ehren erweisen; **to relinquish** ~ Amt abgeben; **to remain in** ~ im Amt bleiben; **to resign one's** ~ von seinem Amt zurücktreten, sein Amt niederlegen; **to retain s. o. in his** ~ j. in seinem Amt belassen; **to run for an** ~ *(US)* sich um eine Stellung bewerben, sich als Kandidat aufstellen lassen; **to stand for an** ~ kandidieren; **to succeed to s. one's** ~ jem. im Amt nachfolgen; **to take an** ~ Amt antreten (übernehmen), *(minister)* Ministerium übernehmen; **to take the** ~ *(sl.)* Tip befolgen; **to vacate one's** ~ aus dem Amt ausscheiden; **to work in an** ~ im Büro arbeiten, Büroangestellter sein;

~ **accommodation** Büroräume, -unterbringung; ~ **appliances** Bürobedarfsartikel, -ausstattung; **pleasant** ~ **atmosphere** angenehmes Betriebsklima; ~ **automation** Automatisierung der Büroarbeit; ~ **bearer** Stellen-, Amtsinhaber, -träger, Funktionär; ~ **block** Bürohausblock; ~ **books** Geschäftsbücher; ~ **boy** Laufbursche, -junge, Bürogehilfe; ~ **boy** *(v.)* Laufjunge sein; ~ **building** Bürohaus, -gebäude, Geschäftsgebäude, Bürobauten; ~ **building boom** Bürobautenkonjunktur; ~ **building tenant** Mieter eines Bürogebäudes; ~ **call** *(doctor)* Praxisaufsuche; ~ **clerk** Büroangestellter, Kontorist, Handlungsgehilfe; ~ **construction** Büroneubauten; ~ **copy** *(Br.)* beglaubigte Abschrift einer Urkunde, amtlich erteilte Abschrift; ~ **copy of the land register** *(Br.)* Grundbuchauszug; ~ **day** Arbeitstag; ~ **equipment** Büroausstattung, -einrichtung; ~ **expense** Geschäfts-, Bürounkosten; ~ **files** Geschäftsunterlagen; ~ **fixtures** Büroinventar; ~ **floater** *(US)* Versicherung der Büroeinrichtung; ~ **force** Bürokräfte, -personal; ~ **furniture** Büromöbel, -einrichtung; ~ **girl** Büro-, Laufmädchen; ~ **glut** Überangebot an Büroräumen; ~ **gossip** Büroklatsch; ~ **hands** *(US)* Büropersonal; ~ **host** Gastgeber im Büro; ~ **hours** Dienst-, Geschäfts-, Bürostunden, Geschäftszeit; ~ **hunter** *(US)* Stellenjäger; ~ **hunting** *(US)* Stellenjägerei; ~ **jobbing** Ämterhandel; ~ **keeper** Bürovorsteher; ~ **lawyer** *(US)* beratender Anwalt; ~ **layout** Büroausstattung; ~ **machine** Büromaschine; ~ **management** Büroleitung, -organisation; ~ **manager** Büroleiter, -vorsteher; ~ **-operating costs** Geschäfts-, Bürounkosten; ~ **operation** Bürobetrieb; ~ **organization** Büroorganisation; ~ **paper** *(US)* Finanzierungswechsel; ~ **personnel**

[Büro]personal; ~ **planner** Büroraumgestalter; ~ **planning** Bürogestaltung; ~ **politics** Machenschaften im Betrieb; ~ **practice** *(US)* Bürotätigkeit, *(chamber practice)* beratende Anwaltstätigkeit, Beratungspraxis; ~ **premises** Geschäftsgrundstück; ~ **premium** *(insurance, Br.)* Bruttoprämie einschließlich Verwaltungskostenzuschlag; ~ **procedure** Bürobetrieb; **general ~ procedure** allgemeiner Geschäftsgang; ~ **rent** Büromiete; ~ **requisites** Bürobedürfnisse; **to furnish ~ room** Büroraum zur Verfügung stellen; ~ **routine** Geschäftsbetrieb, -praxis; ~ **salaries** Angestellten-, Bürogehälter; ~ **seeker** *(US)* Postenjäger; ~ **-seeking politician** ämtersüchtiger Politiker; ~ **services** Bürotätigkeit; ~ **space** Büroraum; ~ **staff** Büropersonal; ~ **stamp book** Portokasse; ~ **stationery (supplies)** Bürobedarf, -material; ~ **telephone** Büroanschluß; ~ **tower** Bürohochhaus; ~ **typewriter** Büroschreibmaschine; ~ **use** Benutzung als Geschäftsraum; **for ~ use** für Bürozwecke; ~ **wall** Bürowand; ~ **work** Bürotätigkeit, -arbeit; ~ **worker** Büroangestellter.

officeholder *(US)* Amts-, Stelleninhaber, Amtsperson, Funktionär, Beamter.

officeholding *(US)* Staatsdienst.

officer Beamter, Angestellter, *(club)* Vorstandsmitglied, *(company)* leitender Angestellter, Direktor, *(mil.)* Offizier, *(police)* Polizist, Polizeibeamter, *(of society)* Funktionär;

while an ~ in dienstlicher Eigenschaft; **~s** Vorstand;

bank ~ Bankbeamter; **corporate ~** leitender Angestellter; **customhouse (customs) ~** Zollbeamter; **established ~** planmäßiger Beamter; **executive ~** *(US)* Vollzugsorgan; **chief executive ~** *(US)* Präsident eines Unternehmens; **field ~** Außenbeamter; **fiscal ~** Finanzbeamter; **governmental ~** Staatsbeamter; **local government ~** *(Br.)* Kommunalbeamter; **preventive ~** Zollfahndungsbeamter; **public ~** Staatsbeamter; **relieving ~** *(Br.)* Armenpfleger, Fürsorgebeamter, Sozialfürsorger; **revenue ~** Steuerbeamter;

~ **of the board** Vorstandsmitglied; ~ **in charge** Sachbearbeiter; **[single-managing] ~ of a corporation** [geschäftsführendes] Vorstandsmitglied; ~ **of an insurance company** Versicherungsangestellter; **~s of a society** Vereinsvorstand; **~s and staff** leitende Angestellte und sonstiges Personal; ~ **authorized to take acknowledg(e)ment of deeds** Urkundsbeamter der Geschäftsstelle.

official Beamter;

high administrative ~ höherer Ministerialbeamter; **higher-echelon ~** Beamter des gehobenen Dienstes; **post-office ~** Postbeamter; **top[-ranking] ~** Spitzenkraft;

~ *(a.)* behördlich, amtlich, offiziell, dienstlich, *(authorized)* bevollmächtigt;

~ **assignee [in bankruptcy]** behördlich bestellter Konkursverwalter; ~ **authorization** amtliche Genehmigung; ~ **business** dienstliche Angelegenheit, Dienstsache; **≗ Business** *(mail, US)* Dienstpost; ~ **business day** Börsentag; ~ **call** *(tel.)* Dienstgespräch; ~ **channels** Instanzen-, Dienstweg; ~ **description** Amtsbezeichnung; ~ **emoluments** Dienstbezüge; ~ **exchange rate** amtlicher Wechsel-, Umrechnungskurs; ~ **fees** amtliche Gebühren; ~ **guide** amtlicher [Reise]führer; ~ **hours** Geschäfts-, Dienst-, Bürozeit, Amts-, Dienststunden; **after ~ hours** nach Börsenschluß; ~ **instructions** Dienstvorschrift; ~ **letter** amtliches Schreiben; ~ **list** *(stock exchange)* Liste der zum Börsenhandel zugelassenen Werte; ~ **listing** *(US)* offizielle Zulassung zum Börsenhandel; ~ **matter** Dienstsache; ~ **paid** *(Br.)* portofrei; ~ **publication** amtliche Bekanntmachung; ~ **publicity bureau** Werbestelle; ~ **quotation** offizielle [Kurs]notierung; ~ **rate of discount** Bankdiskont, Diskontsatz; ~ **receiver** *(Br.)* behördlich bestellter Konkurs-, Zwangsverwalter; ~ **register** *(US)* Amtsblatt; ~ **regulations** Dienstvorschriften; ~ **statement** amtliche Erklärung; ~ **tour** Dienstreise; ~ **use only** nur für den Dienstgebrauch; ~ **year** Geschäftsjahr.

officialism Beamtentum, *(red tapism)* Bürokratismus, Amtsschimmel, Paragraphenreiterei.

offset *(set-off)* Gegenposten, -rechnung, -forderung[en], Ausgleich, Ver-, Aufrechnung, Kompensation;

~s of savings Ersparnisverwendung;

~ *(v.)* *(compensate, US)* kompensieren, ver-, aufrechnen, in Gegenrechnung bringen, ausgleichen, (print.) im Offsetverfahren drucken;

~ **against a claim** mit einem Anspruch aufrechnen; ~ **earlier losses** frühere Verluste ausgleichen, Verlustausgleich herbeiführen;

~ **account** Verrechnungs-, Gegenkonto; ~ **agreement** Verrechnungsabkommen; ~ **allowance** Ausgleichsabzug; ~ **country** dem Verrechnungsabkommen angeschlossenes Land; ~ **dollar** Verrechnungsdollar; ~ **lithography** Offsetdruck; ~ **press** Offsetpresse; ~ **paper** Umdruckpapier; ~ **payments** Devisenausgleich; ~ **printing** Offsetdruck; ~ **printing inks** Offsetdruckfarben; ~ **process** *(print.)* Offsetverfahren; ~ **sheet** Durchschußbogen; ~ **transparency** Offsetfilm.

offsetting entry Gegenbuchung.

offshore *(a.)* vor der Küste gelegen, *(US)* im Ausland getätigt;

~ **mutual fund** im Ausland vertriebener Investmentfonds; ~ **order** *(US)* Auslands-, Rüstungs-[hilfs]auftrag.

oil Öl, Erdöl;

heating ~ Heizöl; **mineral ~** Erdöl;

~ *(v.)* **s. one's palm** *(fam.)* j. schmieren (bestechen);

to be heavy on ~ *(engine)* viel Öl verbrauchen; **to burn the midnight** ~ bis spät in die Nacht arbeiten;

~ **company** Erdölgesellschaft; ~ **concession** Erdölkonzession; ~ **import quota** Öleinfuhrquote; ~ **industry** Erdölindustrie; ~ **occurrence** Erdölvorkommen; ~ **shares (stocks,** *US)* Ölaktien; ~ **supply** Öllieferung, -zufuhr.

okay *(v.)* **a purchase** *(US)* Ankauf genehmigen.

old-age | **annuity** Alters-, Invalidenrente; ~ **assets** Altguthaben; ~ **assistance** *(US)* Altershilfe, -unterstützung; ~ **benefit** *(US)* Altersversorgung; ~ **benefit taxes** *(US)* Sozialabgaben; ~ **exemption** *(US)* Altersfreibetrag; ~ **insurance** Altersversicherung; ~ **pension** *(Br.)* Alters-, Invalidenrente; ~ **pension insurance** *(Br.)* Pensionsversicherung; ~ **pension scheme** *(Br.)* Altersversorgung; ~ **pensioner** Rentner; ~ **provisions** Bestimmungen über die Altersversicherung; ~ **security** Altersversicherung; ~ **and survivor's insurance** *(US)* Sozial-, Alters- und Hinterbliebenenversorgung.

old | **debt** Schuld älteren Datums; ~**-established firm** alteingesessene Firma; ≗ **Lady of Threadneedle Street** Bank von England; ~ **-standing** altrenommiert; ~ **stock** Ladenhüter.

oligopoly Oligopol, Preiskontrolle.

omnibus | **account** *(Br.)* Sammelkonto; ~ **act** Mantel-, Rahmengesetz; ~ **bill of lading** Sammelkonnossement; ~ **claim** *(Br.)* zusammenfassender Anspruch; ~ **clause** Sammelklausel, *(automobile insurance, US)* Vertreter des Fahrzeughalters deckende Versicherungsklausel; ~ **credit** *(Br.)* Warenkredit; ~ **deposit** Girosammeldepot; ~ **order** Sammelbestellung; ~ **train** *(Br.)* Personen-, Bummelzug.

on | **-carrier** übernehmender Spediteur, Weiterbeförderer; ~**-the-job accident** Betriebs-, Arbeitsunfall; ~**-licence** *(Br.)* Schankkonzession im eigenen Betrieb; ~**-sale date** Verkaufstermin.

oncoming | **shift** antretende Arbeitsschicht; ~ **traffic** Gegenverkehr.

oncost *(Br.)* Gemein-, Regiekosten, allgemeine Handlungsunkosten, Kostenzuschlag.

one | **-armed bandit** *(US)* Spielautomat; ~**-day loan** *(US)* Vierundzwanzigstundenkredit; ~**-family house** Einfamilienhaus; ~ **-line business** Spezial-, Fachgeschäft; ~ **man or collegiate** *(US) (committee)* direktorial oder kollegial; ~**-man business** *(firm., US)* Einmannbetrieb; ~**-man job** Einzelbeschäftigung; ~**-man outfit** Einmannbetrieb; ~**-name paper** *(US)* Papier mit nur einer Unterschrift; ~**-point rise** Erhöhung um einen Punkt; ~**-price** Festpreis; ~**-price article** Einheitspreisware, -artikel; ~**-price policy** Festpreisverkaufspolitik; ~**-price store** Einheitspreisgeschäft; ~**-shot promotion** Stoßaktion; ~**-man show** Einmannbetrieb; ~**-sided contract** einseitiger Vertrag; ~**-sided notice** einseitige Kündigung; ~**-stop shopping** Einkauf unter einem Dach; ~**-storey house** einstöckiges Haus. ~**-third down** $^1/_3$ Anzahlung; ~**-third page** Drittelseite; ~**-time purchaser** Laufkunde; ~**-time rate** Anzeigentarif für Einzelinsertion ohne Rabatt, Einmaltarif; ~**-trip container** *(US)* Einwegbehälter, verlorene Verpackung; ~**-way only** *(Br.)* Einbahnstraße; ~**-way package** Einweg-, Wegwerfpakkung; ~**-way street** Einbahnstraße; ~**-way ticket** *(US)* einfache Fahrkarte; ~**-way traffic** einspuriger Verkehr, Einbahnverkehr.

onerous | **cause** angemessene Gegenleistung; ~ **clause** lästige Bedingung; ~ **contract** entgeltlicher Vertrag; ~ **goods** unwirtschaftliche Artikel.

onionskin Luftpostpapier, *(typewriter)* Durchschlagpapier.

open offen, offenstehend, öffentlich, *(drugstore)* dienstbereit, *(exhibition)* geöffnet, *(patent)* ersichtlich;

~ **all night** ganze Nacht geöffnet; ~ **to buy** Einkaufsbudget für bestimmten Zeitraum; ~ **to the public** für den öffentlichen Verkehr freigegeben; ~ **to residents only** frei für Anlieger; ~ **for subscription** zur Zeichnung aufgelegt;

~ *(v.) (shop)* Betrieb aufnehmen, *(to traffic)* [dem Verkehr] übergeben;

~ **an account with a bank to the (in) favo(u)r of s. o.** Konto bei einer Bank zu jds. Gunsten eröffnen; ~ **active** *(stocks)* von Anfang an gefragt sein; ~ **a new branch** neue Filiale eröffnen; ~ **the budget** Haushaltsvoranschlag vorlegen; ~ **a business** Geschäft eröffnen; ~ **a correspondence** Briefwechsel einleiten; ~ **up a country to trade** Land für den Handel erschließen; ~ **a credit** Kredit eröffnen; ~ **at a slight discount** *(stock exchange)* leicht abgeschwächt eröffnen; ~ **a factory** Fabrik in Betrieb nehmen; ~ **firm** *(stock exchange)* fest eröffnen; ~ **flat** *(stock exchange)* anfangs flau sein; ~ **a highway** Verkehrsweg zur öffentlichen Benutzung freigeben; ~ **irregularly** *(stock exchange)* uneinheitlich eröffnen; ~ **a letter of credit** Akkreditiv eröffnen; ~ **a line for traffic** Bahnlinie dem Verkehr übergeben; ~ **a loan** Kreditkonto einrichten, Kredit eröffnen; ~ **the mail** *(US)* Post öffnen; ~ **new markets** neue Märkte erschließen; ~ **negotiations** Verhandlungen einleiten; ~ **quietly** *(stock exchange)* ruhig eröffnen; ~ **one's shop** seinen Laden öffnen; ~ **steady** *(stock exchange)* fest eröffnen; ~ **a trade** Gewerbe beginnen; ~ **up on one's own account** auf eigene Rechnung arbeiten; ~ **up business relations** in Geschäftsverbindung treten; ~ **up undeveloped land** Baugelände erschließen; ~ **up to the tourist trade** für den Fremdenverkehr erschließen;

to be ~ **to an offer** Angebot in Betracht ziehen; **to keep one's account** ~ **at a bank** Bankkonto unterhalten;

~ **account** *(US)* laufendes Konto, laufende Rechnung, Kontokorrentkonto, *(not yet settled)* offenstehende Rechnung; **to have an ~ account** in laufender Rechnung stehen; ~ **book account** *(US)* laufendes Konto; ~ **book credit** laufender Buchkredit; ~ **-to-buy allowance** *(US)* freie Einkaufsgrenze [im Einzelhandel]; ~ **cheque** *(Br.)* Barscheck; ~ **claim** *(insurance)* noch nicht entschiedener Versicherungsanspruch; ~ **competition** freier Wettbewerb; ~ **credit** offener (laufender) Kredit, Blanko-, Kontokorrentkredit, *(Br.)* nicht dokumentierter Trassierungskredit; ~ **display** offen ausgelegte Ware; ~ **door** *(economic policy)* freier Zugang für den Handel; ~ **end** Briefhülle mit Schmalrandklappe.

open-end | account *(depreciation method)* offener Bestand; ~ **agreement** *(employee's compensation)* Entschädigungsvereinbarung; ~ **bonds** *(US)* hypothekarische Schuldverschreibungen; ~ **commercial** Werbefilm mit eingeblendeten Händleradressen; ~ **contract** unbefristeter Lieferungsvertrag; ~ **fund** *(US)* Investmentfonds mit beliebiger Emissionshöhe; ~ **investment company** *(US)* Kapitalanlagegesellschaft mit der Höhe nach unbegrenztem Investmentfonds; ~ **mortgage** offene Hypothek; ~ **transcription** Standardwerbeprogramm; ~ **wage contract** Tarifvertrag mit Lohngleitklausel.

open | items offenstehende Beträge; ~ **licence** Rahmenlizenz.

open market offener (freier) Markt, Freiverkehr, Offenmarkt;

~ **credit** Schuldscheindarlehn; ~ **operation** Offenmarktgeschäft; ~ **operations** Transaktionen am offenen Markt; ~ **paper** Schuldscheindarlehnsurkunde; ~ **papers** im Freiverkehr gehandelte Werte; ~ **policy** offene Marktpolitik der Notenbank; ~ **price** Marktpreis; ~ **purchases** Käufe am offenen Markt; ~ **rates** Geldsätze am offenen Markt; ~ **sales** Verkäufe am offenen Markt.

open | -mortgage clause Höchstbetragsklausel; ~ **order** *(US)* bis zum Widerruf gültiger Auftrag; ~ **-plan office** Großraumbüro; ~ **policy** offene Marktpolitik, *(insurance)* Pauschalversicherung, -police; ~ **port** Freihafen; ~ **price** vor Verkaufsbeginn der Konkurrenz bekanntgegebener Preis; ~**-price association** *(US)* Preismeldestelle; ~**-price system** *(US)* Preismelde-, Preisinformationssystem; ~ **purchases** Käufe am offenen Markt; ~ **rate** *(advertising)* Anzeigengrundpreis; ~ **rates** *(US)* Geldsätze am offenen Markt; ~ **sale** öffentliche Versteigerung; ~ **sales** Verkäufe am offenen Markt; ~ **sea** freies Meer, Hochsee, hohe See; ~ **shop** *(US)* nicht gewerkschaftspflichtiger Betrieb; ~ **side** Briefhülle mit Breitbandklappe; ~ **time rate** *(US)* Anzeigengrundpreis; ~ **trade** noch nicht abgeschlossenes Geschäft; ~ **-use area** ungenutztes Freigelände.

opencast production Übertageförderung.

opening Durchlaß, *(of account)* Errichtung, Eröffnung, *(letter)* Briefanfang, *(opportunity)* Gelegenheit, günstige Aussicht, Chance, *(plant)* Inbetriebsetzung, -nahme, *(position)* freie Stelle, *(sales)* Absatzmöglichkeit, *(stock exchange)* Eröffnung;

at the ~ *(stock exchange)* bei Börsenbeginn; **active** ~ *(stock exchange)* lebhafte Eröffnung; **unfilled jobs** ~ Angebot offener Stellen;

~ **of an account** Kontoeröffnung; ~ **in a bank** freie Stelle bei einer Bank; ~ **for business** gute Geschäftsmöglichkeiten; ~ **of a business** Geschäftseröffnung; ~ **of credit** Krediteröffnung; ~ **of a hotel** Hoteleröffnung; **attractive** ~**s on managerial levels** Aufstiegschancen in der Betriebshierarchie; ~ **of negotations** Eröffnung (Beginn) von Verhandlungen, Verhandlungsbeginn; ~ **for subscription** Auflegung zur Zeichnung;

~ **announcement** *(television)* Kopfansage; ~ **balance** Anfangsbestand, Eröffnungsbilanz; ~ **bid** Eröffnungsangebot; ~ **capital** Grund-, Stamm-, Anfangskapital; ~ **date** Submissionstermin; ~ **entry** erste Buchung; ~ **hours** Eröffnungszeit; ~ **inventory** Eröffnungsinventur; ~ **premium** Anfangsprämie; ~ **price (quotation, rate)** Eröffnungs-, Anfangskurs, erster Kurs, Eröffnungspreis; ~ **stock** Anfangsinventar.

openjaw *(air travel)* Rundflugkarte mit variablem Endflugplatz.

operate *(v.)* *(be in action)* funktionieren, arbeiten, laufen, in Betrieb (Tätigkeit) sein, *(bring out)* bewirken, *(handle)* handhaben, betätigen, *(have desired effect)* wirken, sich auswirken, *(machine)* bedienen, betreiben, in Betrieb nehmen, *(manage)* verwalten, führen, leiten, betreiben, tätig sein, *(speculate)* spekulieren, handeln, *(stock exchange)* operieren;

~ **an account** Konto unterhalten; ~ **for one's own account** in eigener Regie (auf eigene Rechnung) betreiben; ~ **an airline** Luftverkehrsunternehmen betreiben; ~ **a business** Geschäft betreiben; ~ **above capacity** überlasten; ~ **at below two thirds of capacity** nur zwei Drittel der Betriebskapazität ausnützen; ~ **at close to capacity** Kapazität fast ausfahren; ~ **against one's client** gegen die Interessen seines Kunden handeln; ~ **day and night** *(machinery)* Tag und Nacht (durchgehend) laufen; ~ **at a deficit** mit Verlust arbeiten; ~ **economically** sparsam wirtschaften; ~ **on the exchange** an der Börse spekulieren; ~ **a factory** Fabrik betreiben (besitzen); ~ **for a fall** auf Baisse spekulieren, fixen; ~ **offices** Zweigstellen unterhalten; ~ **7% below its potentiality** 7% unterhalb der Kapazitätsgrenze laufen; ~ **at a profit (profitably)** Gewinn erzielen, mit Gewinn betreiben; ~ **for a rise** auf Hausse spekulieren; ~ **on a drastically reduced scale** Betrieb in stark verkleinertem

Umfang weiterführen; ~ **within the settling period** kulissieren; ~ **in global spread** weltweite Unternehmungen betreiben; ~ **in stocks** agiotieren; ~ **a state-wide system of branches** Filialen im ganzen Land unterhalten;
safe to ~ betriebssicher.

operating *(machine)* Betreiben, Betrieb;
~ **of sleeping cars** Schlafwagenbetrieb; ~ **of a motor vehicle** *(US)* Führen eines Kraftfahrzeugs;
to be ~ im Betrieb sein, arbeiten; **to be** ~ **at a high level** voll beschäftigt sein; **to be** ~ **at a loss** mit Verlust arbeiten;
~ *(a.)* in Betrieb [befindlich], betrieblich;
~ **ability** Betriebsfähigkeit; ~ **account** Betriebskonto; ~ **accounts** Betriebsbuchführung; ~ **assets** Betriebsvermögen; ~ **budget** Betriebsvoranschlag; ~ **cash reserve** Betriebsmittelrücklage; ~ **company** *(US)* Betriebs[kapital]gesellschaft, *(transport)* Transportunternehmen; ~ **competence** Betriebskapazität; ~ **concern** laufendes Unternehmen; ~ **concession** Betriebskonzession; ~ **condition** Betriebsfähigkeit, ~ **cost** Betriebsunkosten; **general** ~ **costs** Betriebsgemeinkosten, *(airplane)* Flugunterhaltungskosten; ~ **dummy** Scheinunternehmen; ~ **earnings** Betriebsergebnisse; ~ **efficiency** Betriebsleistung; ~ **equipment** Betriebseinrichtung; ~ **experience** Betriebserfahrung; ~ **fleet** Betriebsflotte; ~ **income** Betriebseinkommen; ~ **instructions** Bedienungs-, Betriebsanweisung; ~ **loss** Betriebsverlust; ~ **manager** Betriebsleiter; ~ **method** Arbeitsmethode; ~ **performance income statement** Betriebsergebnisrechnung; ~ **permission** Betriebserlaubnis; **to assign** ~ **personnel** Betriebspersonal einsetzen (abstellen); ~ **principles** Geschäftsgrundlagen; ~ **procedure** Fertigungsmethode; **net** ~ **profit** Betriebsreingewinn; ~ **rate** Beschäftigungsgrad; ~ **ratio** *(US)* Betriebskoeffizient; ~ **report** Betriebs-, Geschäftsbericht; ~ **revenues** Betriebseinnahmen; ~ **staff** *(US)* Belegschaft, Betriebspersonal; ~ **statement** *(US)* Erfolgs-, Betriebsbilanz, Gewinn- und Verlust-, Betriebsabrechnung, -aufstellung; ~ **subsidiary** Betriebsgesellschaft; ~ **surplus** Betriebsüberschuß; ~ **tax** Betriebssteuer; ~ **unit** Betriebseinheit.

operation *(efficacy)* Wirksamkeit, Wirkung, Geltung, *(enterprise)* Unternehmen, Betrieb, *(management)* Leitung, Betrieb, *(machine)* Betrieb, Inbetriebsetzung, Bedienung, Handhabung, Betreiben, Bewegung, Gang, *(plant)* Betrieb, *(process)* Verfahren, Arbeits[vor]gang, -prozeß, Arbeitsausführung, *(transaction)* [finanzielle] Transaktion;
~**s** Geschäftstätigkeit, *(plant)* Arbeitsvorgänge; **by** ~ **of** kraft; **in** ~ in Betrieb; **in full** ~ vollbeschäftigt, *(machine)* in vollem Betrieb (Einsatz); **ready for** ~ betriebsfertig, -bereit; **reliable in** ~ betriebssicher;
airborne (air-landed, *US)* ~ Luftlandeunternehmen; **associated** ~**s** verwandte Arbeitsphasen; **authorized** ~ Betriebsgenehmigung; **automatic** ~ *(tel.)* Selbstwählverkehr; **banking** ~**s** Bankgeschäfte, -transaktionen; **bearish** ~ Blankoabgabe; **building** ~**s** Bauarbeiten, -vorhaben; **cash** ~ Kassageschäft; **combined** ~**s** *(mil.)* Zusammenarbeit; **commercial** ~ geschäftliche Unternehmung; **continuous** ~ Tag- und Nachtbetrieb, durchgehender Betrieb, *(business concern)* Geschäftstätigkeit; **current** ~ laufender Betrieb; **economic[al]** ~ wirtschaftliche Betriebsführung, Wirtschaftlichkeit, rentabler (sparsamer) Betrieb; **credit** ~**s** Kreditgeschäfte; **financial** ~ Finanztransaktion; **forward** ~ Zeit-, Termingeschäft, Terminhandel; **high-speed** ~ *(railway)* Schnellverkehr; **insurance** ~**s** Versicherungsgeschäfte; **inter-company** ~**s** Verrechnungs-, Konzerngeschäfte; **landing** ~ Landungsunternehmen; **limited** ~ beschränkte Wirkung; **machining** ~ Arbeitsvorgang; **manufacturing** ~ Fabrikationsbetrieb; **marketing** ~**s** absatzwirtschaftliche Maßnahmen; **profitable** ~ Gewinnbetrieb; **progressive** ~ Fließarbeit; **scheduled** ~ fahrplanmäßiger Betrieb; **single-shift** ~ *(US)* Einzelschichtbetrieb; **stock** ~**s** *(stock exchange)* Börsengeschäfte, -transaktionen; **thriving** ~ florierendes Unternehmen; **trading** ~ Tauschgeschäft; **wholly-owned** ~ im Alleineigentum stehender Betrieb;
~ **for own account** Nostrotransaktion; **governmental** ~ **of business** Regiebetrieb; ~ **in futures** *(stock exchanges)* Termingeschäft; ~ **of postal service** Unterhaltung des Postverkehrs;
to be in ~ *(factory)* in Betrieb sein, funktionieren, *(law)* gelten; **to be in active** ~ in Betrieb sein; **to be no longer in** ~ *(law)* keine Geltung mehr haben; **to be out of** ~ außer Betrieb sein; **to begin** ~**s** in Betrieb gehen, Geschäftstätigkeit aufnehmen; **to bring a decree into** ~ Verordnung zur Anwendung bringen; **to cease** ~ Betrieb einstellen; **to come into** ~ in Gang kommen, *(law)* in Kraft treten, wirksam werden; **to commence** ~**s** in Betrieb nehmen; **to go into** ~ in Betrieb genommen werden; **to put in** ~ in Betrieb setzen, [Betrieb] anlaufen lassen; **to slim down** ~**s** Geschäftsvolumen verringern; **to suspend** ~**s** Geschäftstätigkeit einstellen;
~ **analysis** Betriebsanalyse, Arbeitsstudie; -analyse; ~ **analysis chart** Bewertungsformblatt; ~ **card** Arbeitskarte; ~ **costs** Betriebskosten; ~**s crisis** Betriebskrise; ~ **cycle** Arbeitszyklus; ~ **manager** Betriebsleiter; ~ **plan** [maschineller] Arbeitsplan; ~**s research** Entscheidungs-, Verfahrens-, Unternehmensforschung; ~ **sheets** Betriebsabrechnungsbogen; ~ **supervision** Betriebsüberwachung.

operational betrieblich, betriebsbedingt, innenorganisatorisch, *(airliner)* einsatz-, betriebsbereit; **~ly fit** serienreif;
~ accounting Betriebsabrechnung; **~ auditing** Prüfung der Arbeitsabläufe, Überprüfung der Betriebstätigkeit; **~ blindness** Betriebsblindheit; **~ credit** Betriebskredit; **~ deficit** Betriebsdefizit; **~ expenditure** Betriebsaufwand; **~ management** Spitze der Betriebsführung; **~ loss** Betriebsverlust; **to be heavy on ~ management experience** erhebliche Erfahrungen in der zentralen Leitung von Unternehmungen haben; **~ method** Arbeitsmethode; **~ planning** Betriebsplanung; **~ profit** Betriebsgewinn; **~ risk** Betriebsrisiko; **~ setup** Betriebsschema.

operative *(artisan)* Handwerker, *(co-operator) (machinist)* Mechaniker, Maschinist, *(mill hand)* [Fabrik]arbeiter, *(US)* Angestellter;
building ~ Bauarbeiter; **skilled ~** Facharbeiter;
~ *(a.) (having effect)* wirksam, gültig, *(mil.)* operativ, *(in operation)* tätig, in Betrieb, betrieblich, betriebsfähig, *(practical)* praktisch, *(working)* arbeitend, beschäftigt, tätig;
~ class Arbeiterklasse; **~ side of an industry** industrielle Fabrikationsstätten.

operator *(machine)* Bedienungsperson, *(manager, US)* Unternehmer, Betriebsführer, -leiter, Produzent, *(stock exchange)* Börsenmakler, *(tel.)* Telefonist[in], Telefonfräulein, Vermittlung, Zentrale, *(worker)* Arbeiter;
black-market ~ Schwarzhändler; **franchise ~** Pächter von Werbeflächen; **gasoline-station ~** Tankstellenbesitzer; **low-cost ~** mit geringen Selbstkosten arbeitender Hersteller (Produzent); **market ~** [berufsmäßiger] Spekulant;
~s for the fall Baissepartei, -clique; **~s for a rise** Haussepartei, -spekulanten; **~ of a motor vehicle** *(US)* Kraftfahrzeugführer.

opinion Meinung, Ansicht, Stellungnahme, *(auditor)* Testat, *(discretion)* Ermessen, *(legal expert, Br.)* Rechtsgutachten, *(statement by expert)* Gutachten;
in the ~ of experts nach Ansicht der Sachverständigen;
current ~ weit verbreitete Meinung; **expert ~** Sachverständigengutachten;
to ask for an ~ Stellungnahme einholen; **to express one's ~ in favo(u)r of a proposition** sich für einen Vorschlag aussprechen; **to render an ~** Gutachten erstatten; **to seek the ~ of an expert** Experten (Sachverständigen) konsultieren;
~ book *(Br.)* Auskunftsbuch [zur Eintragung von Auskünften über Kunden]; **~ leader** meinungsbildende Persönlichkeit, Meinungsbildner; **~ list** *(Br.)* Kundenauskunftsbuch; **~ poll (survey, test)** Meinungsbefragung; **~ rating** Meinungsbewertung; **public ~ research** Meinungsforschung.

opportunity [günstige] Gelegenheit, Chance, günstiger Zeitpunkt, Möglichkeit;
employment ~ Beschäftigungsmöglichkeit;
~ for advancement (to advance) Aufstiegsmöglichkeit; **~ to buy** Kaufgelegenheit, Einkaufsmöglichkeit; **~ for depreciation** Abschreibungsmöglichkeit; **~ for savings** [Steuer]sparmöglichkeit; **~ for work** Arbeitsgelegenheit;
~ advertising gelegentliche Werbung; **~ chart** Beförderungstabelle; **~ costs** alternative Kosten, Wartekosten.

opposition *(bankruptcy proceedings)* verweigerte Entlastung, *(parl.)* Opposition, *(patent law)* Patenteinspruch, Widerspruch, *(trademark)* Widerspruch;
to start in ~ to s. o. Konkurrenzgeschäft eröffnen;
~ proceedings *(patent law, US)* Einspruchsverfahren.

optimal size optimale Betriebsgröße.

optimum Bestfall, -wert, Optimum;
~ capacity Höchstleistungsfähigkeit, -kapazität; **~ rating** Höchstbewertung.

option *(choice)* Wahl, Wahlmöglichkeit, Entscheidungsfreiheit, Alternative, *(contract law, Br.)* Prämie, *(insurance)* Wahlrecht hinsichtlich der Auszahlungsmodalitäten, *(put and call)* Börsentermingeschäft, Terminhandel, *(real estate)* Vorverkaufsrecht, *(stock exchange)* Option[srecht], Wahlrecht;
at one's ~ nach Wahl; **on the exercise of an ~** aufgrund der Ausübung eines Bezugsrechtes;
buyer's ~ Kaufoption, Vorprämie; **buyer's ~ to double** *(stock exchange)* Nochgeschäft in Käufers Wahl; **call ~** Kauf-, Bezugsoption, Vorprämie[ngeschäft]; **compound ~** Doppelprämie[ngeschäft]; **double ~** Termineinkauf und -verkauf; **first ~** Vorhand [beim Kauf]; **~ forward** *(Br.)* Optionsgeschäft in Termindevisen; **local ~** *(Br.)* Ortsabstimmung (Ortsentscheid) über eine Schankkonzession; **put ~** Rückprämie[ngeschäft]; **seller's ~** Verkaufsoption, Rückprämie; **seller's ~ to double** Nochgeschäft in Verkäufers Wahl; **single ~** einfaches Prämiengeschäft; **unexercised ~** nicht ausgeübtes Optionsrecht;
~ for the call Vorprämiengeschäft; **~ of exchange** Austauschrecht; **~ of (to) purchase** Vorkaufsrecht; **~ to purchase land** Optionsrecht beim Erwerb von Grundbesitz; **~ to put** Käufers Wahl, Option; **~ of redemption** Rückkaufsrecht; **~ to sell** Verkaufsoption; **~ to subscribe to new shares (on new stock,** *US***)** Bezugsrecht auf junge Aktien;
~ *(v.)* Optionsrecht (Vorkaufsrecht) einräumen;
to abandon an ~ Optionsrecht nicht ausüben; **to ask for an ~ on the film rights of a book** an den Filmrechten eines Buches interessiert sein; **to buy an ~ on stock** Bezugsrecht kaufen; **to**

buy a call ~ Vorprämie kaufen; **to call an** ~ *(Br.)* Prämiengeschäft eingehen; **to deal in** ~**s** *(Br.)* Prämiengeschäfte machen; **to declare** ~**s** *(Br.)* Prämien erklären; **to exercise one's** ~ sein Optionsrecht ausüben; **to give an** ~ an die Hand geben; **to give s. o. the** ~ **of participating** jem. die Teilnahme (Beteiligung) freistellen; **to grant an** ~ Optionsrecht einräumen; **to have an** ~ **on a piece of land** Grundstücksvorkaufsrecht haben (besitzen); **to have no** ~ keine Wahl haben; **to leave to s. one's** ~ jem. freistellen, in jds. Belieben stellen; **to let one's** ~ **slide** seine Option verfallen lassen; **to make one's** ~ seine Wahl treffen; **to renounce an** ~ Option aufgeben; **to rent a building with the** ~ **of purchase** Haus mit Vorkaufsrecht mieten; **to reserve an** ~ **to acquire** sich ein Vorkaufsrecht vorbehalten; **to take an** ~ **on all the future works of an author** Ausschließlichkeitsvertrag mit einem Autor abschließen; **to take up an** ~ Kaufoption ausüben;

~ **agreement** Bezugsrechtsvereinbarung; ~ **bond** Optionsanleihe, Bezugsrechtsobligation; ~ **business** Terminhandel, Distanz-, Prämiengeschäft, -handel; ~ **buyer** Prämienkäufer; ~ **certificate to bearer** Inhaberzertifikat; ~ **contract** *(Br.)* Vertrag über den Abschluß eines Prämiengeschäftes; ~ **day** *(Br.)* [Prämien]erklärungstag; ~ **deal** *(Br.)* Prämiengeschäft; ~ **deal for the call** Vorprämiengeschäft; ~ **deal for the put** Rückprämiengeschäft; ~ **dealer** Prämienhändler; ~ **dealings** Prämien-, Termingeschäfte; ~ **department** Terminabteilung; ~ **exercise** Optionsausübung; ~ **market** *(Br.)* Termin-, Prämienmarkt; ~ **money** *(Br.)* Prämiengeld, Prämie; ~ **operator** Prämienspekulant; ~ **order** Auftrag auf Abruf; ~ **period** Optionsfrist; ~ **price** Prämienkurs; ~ **rates** *(Br.)* Prämiensätze; **to stipulate an** ~ **right** Optionsrecht vereinbaren; ~ **stock** *(Br.)* Prämienwerte; ~ **trading** Termingeschäfte; ~ **writer** Terminhändler.

optional *(a.)* freigestellt, fakultativ, beliebig, wahlfrei, -weise, nicht pflichtgemäß;

~ **at extra cost** auf Wunsch gegen besondere Berechnung; ~ **with the buyer** nach Käufers Wahl;

~ **bargain** Prämiengeschäft; ~ **bonds** *(US)* jederzeit einlösbare Obligationen; ~ **clause** Fakultativ-, Optionsklausel; ~ **dividend** Dividende in bar oder in Form einer Gratisaktie; ~ **equipment** *(car)* Extra-, Sonderausstattung; ~ **insurance** fakultative Versicherung; ~ **modes of settlement** *(insurance)* Wahlrecht beim Empfang der Versicherungsleistung; ~ **money** Prämie; ~ **order** Auftrag auf Abruf; ~ **price** Prämienkurs; ~ **provisions** durch Parteivereinbarung abgeänderte Vorschriften; ~ **retirement** Pensionierung auf eigenen Wunsch; ~ **right** Wahl-, Optionsrecht; ~ **studies** fakultative Studienfächer; ~ **subject** Wahl-, fakultatives Fach; ~ **writ** Aufforderung zur Klageeinlassung.

optionee Optionsberechtigter.

orbit *(v.) (airplane)* auf der Wartebahn fliegen.

order *(commission)* Auftrag, Bestellung, Order, Kommission, *(direction)* Ver-, Anordnung, [An]weisung, Vorschrift, Befehl, Bestimmung, *(decree, Br.)* Verfügung, Erlaß, *(entry permit, Br.)* Freikarte, Einlaßschein, *(order to pay)* Zahlungsanweisung, Order, *(rank)* Art, Sorte, Klasse, Grad, Rang, *(social status)* Stand, Rang, Gesellschaftsschicht, *(written document directing payment on delivery)* [Zahlungs]anweisung;

as per ~ laut Bestellung; **awaiting your** ~**s** Ihrer Aufträge gewärtig; **by** ~ **and for account of** im Auftrag und auf Rechnung von; **in bad** ~ in schlechtem Zustand; **in good** ~ **and well conditioned** gut und wohlerhalten; **in running** ~ betriebsfertig; **in** ~ **to balance our account** zum Ausgleich unseres Kontos; **made to** ~ auf Bestellung angefertigt; **made out to** ~ an Order ausgestellt; **on** ~ auf Bestellung, bestellt; **on placing the** ~ bei Bestellung; **out of** ~ *(defective)* nicht betriebsfähig, defekt, kaputt; **overwhelmed with** ~**s** mit Aufträgen überhäuft; **owing to lack of** ~**s** mangels von Auftragseingängen; **payable to** ~ zahlbar an Order, an Order lautend; **per** ~ laut Bestellung, nach Maß; **to** ~ *(check)* an Order;

~**s** Auftragseingang;

additional ~ Nachbestellung; **back** ~ rückständiger Auftrag, Auftragsrückstand, noch ausstehende Restlieferung; **big-ticket** ~ *(stock exchange)* Großauftrag; **blank** ~ Blankoauftrag; **blanket** ~ Blankoauftrag; ~**s booked** Auftragsbestand; **buying** ~ Kaufauftrag; **cable** ~ Kabelauftrag, -order; **good until cancelled** ~ auf Widerruf gültiger Auftrag; **capitalistic** ~ kapitalistische Wirtschaftsordnung; **carte-blanche** ~ Blankoauftrag; **conditional** ~ freibleibender Auftrag; **covering** ~ Deckungsauftrag, -order; **day** ~ nur einen Tag gültiger Börsenauftrag; **delivery** ~ Lieferanweisung, Lieferungsschein; **disbursing** ~ Auszahlungsverfügung; **dispatch** ~ Versand-, Speditionsauftrag; **dividend** ~ Dividendenauszahlungsanweisung [des Aktionärs] **filled** ~**s** erledigte (ausgeführte) Aufträge; **foreign (international) money** ~ Auslandspostanweisung; **forward** ~ Kaufauftrag [im Termingeschäft]; **garnishee** ~ Pfändungs- und Überweisungsbeschluß; **home-market** ~ Inlandsauftrag; **incoming** ~**s** Bestell-, Auftragseingang; **landing** ~ *(Br.)* Zollpassierschein; **large** ~ Großauftrag; **limited** ~ limitierte Order, limitierter Börsenauftrag; **market** ~ *(US)* Bestens-Order; **matched** ~**s** *(US)* gekoppelte Börsenaufträge; **money** ~ Zahlungs-, Postanweisung [bis zu £ 40]; **money-losing** ~ Verlustauftrag, -geschäft; **new ~s** Neuaufträge; **pickup ~** Auslieferungsanweisung; **postal money ~** *(US)* Postanweisung [für kleinere Beträge]; **post-office ~** *(Br.)* Postanweisung [bis zu £ 40]; **production ~** Produktionsauftrag; **purchasing (purchase) ~** Kaufauftrag, Bestellung; **receiving ~** Konkurs-, Eröffnungsbeschluß; **repeat ~** Nachbestellung; **selling ~** Verkaufsauftrag; **standing ~** Dauerauftrag; **stocking-up ~** Lagerauftrag; **stop ~** *(broker)* Auftragsstopp; **stopp-[loss] ~** bei Erreichung eines bestimmten Kurses wirksam werdende Bestens-Order; **stop payment ~** Auszahlungssperre; **supplementary ~** Nachbestellung; **telephone ~** telefonisch aufgegebene Bestellung; **working ~** betriebsfähiger Zustand;

~ from abroad Auslandsauftrag; **~ for the account** *(stock exchange)* Terminauftrag; **~ appointing receiver [in bankruptcy]** *(US)* Konkurseröffnungsbeschluß; **~ of attachment** Pfändungsbeschluß; **~ on a bank** Überweisungsauftrag; **~ at best** Bestensauftrag; **~s on the book** gebuchte Aufträge; **~ of business** *(parl.)* Tagesordnung; **~ for collection** Inkassoauftrag; **~ to cover** Deckungsorder, -auftrag; **~ for delivery** Auslieferungsanweisung; **~ of discharge** *(Br.)* **(for discharge,** *US)* **[of bankrupt]** Aufhebung des Konkursverfahrens, Konkursaufhebungsbeschluß; **~ of distribution** *(debtors)* Prioritätsordnung; **~ for futures** Terminlieferungsauftrag; **~ for goods** Warenauftrag; **~s in hand** vorliegende Aufträge, Auftragsbestand; **~ of liquidity** Liquiditätspriorität; **~ of merit** *(advertising)* Anzeigeneinstufung nach dem Werbetext; **~ to pay (for payment)** Zahlungsanweisung, -befehl; **~ to stop payment** Auftrag zur Zahlungseinstellung; **~ of presentation** Reihenfolge der Aufführung von Bilanzposten; **~ to quit** *(Br.)* Räumungsbefehl; **~ for remittance** Überweisungsauftrag; **~ for the settlement** *(stock exchange, Br.)* Terminauftrag;

~ *(v.)* *(commission)* bestellen, Auftrag aufgeben, in Auftrag geben, *(direct)* befehlen, anordnen, verfügen, *(put in order)* regeln, ordnen, gliedern;

~ an account to be blocked Konto sperren lassen; **~ in advance (beforehand)** vor[aus]bestellen; **~ by telephone** telefonisch bestellen; **~ the car** Auto vorfahren lassen; **~ goods from London** Warenbestellung für London aufgeben; **~ goods through a representative** Waren über einen Vertreter bestellen; **~ goods from the sample** laut Muster bestellen; **~ one's supplies for the season** seinen Bedarf für die kommende Saison decken;

to be in good working ~ voll betriebsfähig (in betriebsfähigem Zustand) sein, gut funktionieren; **to be made out to ~** an Order lauten; **to call for ~s** Bestellungen einholen; **to cancel an ~** abbestellen, Bestellung rückgängig machen, Auftrag annullieren; **to canvass ~s** Aufträge hereinholen; **to countermand an ~** Bestellung widerrufen; **to execute all ~s in strict rotation** Aufträge in der Reihenfolge des Eingangs erledigen; **to fill an ~** *(US)* Auftrag ausführen; **to give ~s for the work to be started** Fabrik in Betrieb setzen lassen; **to give a buying (selling) ~** zum Kauf (Verkauf) aufgeben; **to give a tradesman an ~ for goods** Warenauftrag bei einem Händler erteilen; **to handle ~s** Aufträge bearbeiten; **to handle an ~ personally** sich persönlich um eine Auftragserledigung kümmern; **to lag behind incoming ~s** hinter dem Auftragseingang herhinken; **to make a bill payable to ~** Wechsel an Order ausstellen; **to make a subsequent ~** nachbestellen; **to make up an ~** Auftrag zusammenstellen; **to place an ~** in Auftrag geben, Auftrag erteilen; **to put goods on ~** Warenbestellungen aufgeben; **to revoke an ~** Auftrag rückgängig machen (stornieren);

~ bill Orderpapier; **~ bill of lading** Orderfrachtbrief, -konnossement; **~ blank** Bestellschein, -zettel, Auftragsformular; **~ bonds** Orderschuldverschreibungen; **~ book** Bestell-, Auftragsbuch, *(mar.)* Parolebuch, *(parliament, Br.)* Liste angemeldeter Anträge; **lengthening ~ books** wachsender Auftragsbestand; **~ card** Auftragskarte; **~ checker** Auftragsprüfer; **~ cheque** *(Br.)* Orderscheck; **~ clerk** Auftragsbuchhalter; **~ department** Auftragsabteilung; **~ filling** Auftragserledigung; **~ flow** Auftragszugang; **~ form** Auftragsformular, Bestellschein, -zettel, -formular; **~ handling** Auftragsbearbeitung; **~ index** Auftragsindex; **~ instrument** Orderpapier; **~ number** Kommissions-, Bestellnummer; **~ paper** *(US)* Orderpapier, *(parl.)* Tages-, Sitzungsprogramm, schriftliche Tagesordnung; **~ picture** Auftragsbild; **~ placing** Auftragsvergabe; **~ processing** Auftragsbearbeitung; **~ processing system** Auftragsbearbeitungssystem; **~ sheet (slip)** Auftrags-, Bestellformular, -zettel; **~ statistic** Anordnungsmaßzahl; **~ taker** Auftragskassierer.

ordering, when bei Auftragserteilung;

timed ~ terminierte Bestellungen;

~ in advance Vorausbestellung.

ordinaries *(Br.)* Stammaktien.

ordinary *(employment)* ständiges Dienst- und Anstellungsverhältnis, *(tavern)* fester Mittagstisch;

~ *(a.)* *(customary)* gebräuchlich, herkömmlich, gewöhnlich, normal, *(ex officio)* von Amts wegen, *(salaried)* fest angestellt, *(usual)* gewöhnlich, üblich;

~ annuity nachschüssige Rente; **~ bill** normale (übliche) Rechnung; **~ bill of exchange** Handelswechsel; **~ budget** ordentlicher Haushalt; **~ calling** übliches Geschäftsvorkommnis; **~ capital** Stammkapital; **~ care (diligence)** im Verkehr übliche Sorgfalt; **~ course of business** normaler Geschäftsgang; **~ creditor** Massegläubiger; ~ **danger incident to employment** übliche Berufsgefahr; ~ **dealings** gewöhnliche Zahlungsbedingungen; ~ **debts** Masseschulden; ~ **depreciation** normale Abschreibung; ~ **dividend** Stammdividende; ~ **handling** *(railroad)* übliche Transportbehandlung; ~ **hazards of occupation** übliche Berufsgefahr; ~ **income** Normaleinkommen; ~ **endowment insurance** abgekürzte Lebensversicherung; ~ **life insurance** *(US)* **(assurance,** *Br.)* Lebensversicherung auf den Todesfall, große Lebensversicherung; ~ **interest** Zinsen auf Basis von 360 Tagen; ~ **income** Normaleinkommen; ~ **neglect** Mangel der im Verkehr erforderlichen Sorgfalt; ~ **negligence** *(US)* leichte Fahrlässigkeit; ~ **policy** *(life insurance)* Normalpolice; ~ **position** *(advertising)* Placierung ohne Berücksichtigung von Sonderwünschen; ~ **prudent person** normaler Durchschnittsmensch; ~ **quality** durchschnittliche Qualität; ~ **receipts** *(US)* ordentliche Einnahmen; ~ **repairs** normal anfallende Reparaturen; ~ **seaman** Leichtmatrose; ~ **share** Stammaktie; ~ **skill in an art** handelsübliche Geschicklichkeit; ~ **stockholder** *(US)* Stammaktionär; ~ **telegram** gewöhnliches Telegramm; ~ **train** fahrplanmäßiger Zug; ~ **travel** verkehrsübliche Straßenbenutzung.

organ *(instrument)* Werkzeug, Instrument, Hilfsmittel, Organ, *(intermediary)* Vermittler, *(newspaper)* Sprachrohr, Organ;
~ **of public opinion** Organ der öffentlichen Meinung;
~ **company** *(US)* Organgesellschaft.

organization *(arrangement)* Gestaltung, *(framing)* Gliederung, Einrichtung, *(organized body)* organisierter Zusammenschluß, Organisation, Vereinigung, Verband, Körperschaft, *(organizing)* Gestaltung, Einrichtung, Bildung, Organisierung, *(politics)* Parteiorganisation, *(of undertaking)* Gründung, Bildung;
administrative ~ Verwaltungsapparat; **affiliated** ~ angeschlossene Organisation; **business** ~ Geschäftsgründung; **business** ~**s** Unternehmensformen des Handelsrechts; **head** ~ Spitzenverband; **industrial** ~ Industrieverband; **labo(u)r** ~ Gewerkschaftsorganisation; **marketing** ~ Absatzorganisation; **nonprofit** ~ gemeinnützige Einrichtung; **professional** ~ berufsständische Vertretung, Berufsverband; **retail sales** ~ Einzelhandelsverkaufsorganisation; **top-heavy** ~ kopflastige Verwaltung;
~ **of business** Firmen-, Geschäftsgründung; ≗ **for European Economic Cooperation (OEEC)** Europäischer Wirtschaftsrat; ≗ **for Economic Cooperation and Development (OECD)** Organisation für wirtschaftliche Zusammenarbeit und Entwicklung; ≗ **for the Maintenance of Supplies** *(Br.)* Technische Nothilfe; ~ **for standardization** Normenausschuß;
~ **arrangement** Organisationsplan; ~ **certificate** Gründungsurkunde, *(US)* Konzessionsurkunde [einer Bank]; ~ **chart** Organisationsplan, -schema; **top-heavy** ~ **chart** kopflastiger Stellenbesetzungsplan; ~ **cost** *(US)* Gründungskosten; ~ **diagram** Organisationsschaubild; ~ **expenses** *(US)* Gründungsaufwand; ~ **files** Gründungsakten; ~ **library** Verbandsarchiv; ~ **meeting** *(US)* Gründungsversammlung; ~ **positioning** Organisationsplanung; ~ **status** Status der Gesellschaft; ~ **tax** *(US)* Gründungssteuer.

organizational | **chart** Organisationsschema; ~ **ineffectiveness** Organisationsmängel, -fehler; ~ **picketing** organisierte Streikposten; ~ **realignment** organisatorische Sanierungsmaßnahmen; ~ **setup** Organisationsschema, -aufbau.

organize *(v.)* organisieren, gründen, veranstalten, *(arrange)* arrangieren, einrichten, gestalten, *(systemize)* in ein System bringen, systematisieren, *(unionize)* gewerkschaftlich organisieren;
~ **a corporation** *(US)* Aktiengesellschaft gründen; ~ **a fair** Messe aufziehen; ~ **a partnership** Teilhaberschaft begründen; ~ **into a trade union** gewerkschaftlich erfassen.

organized | **labo(u)r** organisierte Arbeiterschaft, Gewerkschaft; ~ **market** Interessenzusammenschluß zwecks einheitlicher Verkaufspolitik.

original Urschrift, Urtext, Original, Erstanfertigung, Vorlage;
in the ~ im Urtext, urschriftlich;
~ *(a.)* ursprünglich, original;
~ **advertisement** (advertising) Einführungsreklame; ~ **application** *(patent law)* Erstanmeldung; ~ **assets** Anfangskapital, -vermögen; ~ **bill** erstmalig vorgetragener Rechtsfall, *(US)* Original-, Primawechsel; ~ **capital** *(US)* Gründungs-, Stamm-, Grundkapital; ~ **check** *(US)* Originalscheck; ~ **contractor** Hauptlieferant; ~ **cost** *(outlay for asset)* Anschaffungs-, Erwerbskosten, *(public utility accounting)* Herstellungs-, Gründungsaufwand; ~**-cost standard** Selbstkostenpreis; ~ **equipment** *(car)* Erstausstattung; ~ **investment** Gründungskapital, *(partner)* Ersteinlage; ~ **invoice** Originalrechnung; ~ **issue stock** Gründeraktien; ~ **offer** ursprüngliches Angebot; ~ **package** Originalverpackung; ~ **period** *(statistics)* Wertungszeit; ~ **price** Anschaffungs-, Einkaufspreis; ~ **receipt** Originalquittung; ~ **share** *(Br.)* Stammaktie; ~ **stock** Stammkapital, *(share, US)* Stammaktie; ~ **issue stock** Gründeraktien; ~ **subscriber** Ersterwerber; ~ **syndicate** *(US)* Übernahmekonsortium; ~ **user** Erstbenutzer; ~ **value** Anschaffungswert; ~ **way of advertising** neuartige Werbemethode; ~ **wrapping** Originalverpackung.

ostensible angeblich, scheinbar, vorgeschoben, anscheinend;
~ **agency** Vertretung ohne Vertretungsmacht; ~ **agent** Vertreter ohne Vertretungsmacht; ~ **authority** scheinbar erteilte Vollmacht; ~ **part-**

ner vorgeschobener Gesellschafter, Strohmann; ~ **purpose** angeblicher Zweck.

other | **assets** *(balance sheet)* sonstige Aktiva; ~ **business** *(agenda)* Verschiedenes; ~ **charges** *(balance sheet)* sonstiger Aufwand; ~ **income** *(balance sheet)* sonstige Erträge; ~ **investment** *(balance sheet)* diverse Anlagewerte; ~ **liabilities** *(balance sheet)* sonstige Verpflichtungen; ~ **party** Gegenkontrahent; ~ **payments** sonstige Ausgaben; ~ **receipts** *(balance sheet)* sonstige Einkünfte; ~ **revenue** *(balance sheet)* sonstige Erträge.

oust *(v.)* **from the market** vom Markt verdrängen.

out *(a.)* nicht zu Hause, ausgezogen, *(book)* ausgeliehen, *(let)* vermietet, verpachtet, *(of office)* nicht mehr im Amt, außer Dienst, *(used up)* verbraucht, alle *(of work)* erwerbs-, arbeitslos; ~ **of bond** außerhalb des Zollverschlusses, vom unverzollten Lager; ~ **of cash** nicht bei Kasse; ~**-of-date** unmodern, veraltet *(Br., cheque)* Einlösungsfrist abgelaufen; ~**-of-date plant** veraltete Betriebseinrichtungen; ~ **of employment** arbeitslos; ~**-of-fashion** aus der Mode gekommen, veraltet, unmodern; ~**-of-line rate** übertariflicher Lohn; ~ **of order** außer Betrieb; ~**-of-pocket** in bar bezahlt; ~**-of-pocket expenses** tatsächliche Auslagen, Barauslagen; ~ **of one's own purse** aus der eigenen Tasche, auf eigene Kosten; ~ **of a situation** ohne Stellung, arbeitslos; ~**-of-stock** nicht am Lager (vorrätig); ~**-of-stock items** ausgegangene Artikel; ~ **of time** *(ship)* überfällig; ~**-of-town bill** *(US)* Distanzwechsel; ~**-of-town collections** *(US)* auswärtige Inkassi; ~**-of-town items** *(US)* Abschnitte auf auswärtige Plätze; ~**-of-town point** *(banking)* Nebenplatz; ~ **of trim** *(cargo)* schlecht gestaut; ~ **of work** erwerbs-, arbeitslos;

to arrive ~ **from sea** seewärts einlaufen; **to be** ~ weggegangen (nicht im Büro) sein, *(copyright, lease)* abgelaufen sein, *(not in office)* nicht [mehr] im Amt sein, *(on strike)* streiken, *(traveller)* auf Tour sein; **to be** ~ **on account of illness** wegen Krankheit der Arbeit fernbleiben; **to be** ~ **in one's account** sich verrechnet haben; **to be** ~ **of all** keinen Pfennig mehr besitzen, mittellos sein; **to be** ~ **of an article** Artikel nicht mehr führen (auf Lager haben); **to be** ~ **on business** geschäftlich unterwegs sein; **to be** ~ **of the whole business** sich im Geschäft nicht mehr auskennen; **to be $ 100** ~ hundert Dollar Verluste haben; **to be** ~ **at interest** verzinslich angelegt sein; **to be** ~ **to capture a market** Absatzgebiet erobern wollen; **to be** ~ **of money by s. th.** bei einer Sache Geld verlieren; **to get money** ~ **of s. o.** Geld aus jem. herausholen; **to go** ~ in den Streik treten, streiken; **to keep s. o.** ~ **of money** j. mit der Bezahlung hinhalten;

~ **benefit (pay)** Arbeitslosenunterstützung; ~ **and home voyage** Hin- und Rückreise.

outbid *(v.)* überbieten, mehr bieten, übersteigern.

outbidder *(US)* Über-, Mehrbietender.

outbidding höheres Gebot, Mehrgebot.

outbound *(ship)* nach dem Ausland bestimmt; ~ **transportation** Ausgangsfracht.

outdoor | **advertising** Außenwerbung, Plakat-, Straßenreklame, Werbung am Verkehrsstrom; ~ **display** Außenwerbung; ~ **job** Außenarbeit; ~ **labo(u)r** Außenarbeit; ~ **relief** *(Br.)* Fürsorgeunterstützung; ~ **work** Außenarbeit.

outfit Ausrüstung, -stattung, Einrichtung, Apparat, *(costs)* Ausstattungskosten, *(plant)* Betrieb, Unternehmen, *(shop)* Laden, *(tourism)* Gruppe, Reisegesellschaft.

outfitter Ausstatter, Einrichtungshändler.

outfitting department Ausstattungsabteilung.

outflow | **of capital** Kapitalabfluß; ~ **of cash** Kassenabgänge; ~ **of funds** Guthabenabgang; ~ **of gold** Goldabfluß.

outgoes, outgo[ings] *(Br.)* Ausgaben.

outgoing abgehend, abtretend, ausscheidend; ~ **long-distance call** abgehendes Ferngespräch; ~ **mail** Postauslauf; ~ **train** abfahrender Zug.

outing, factory Betriebsausflug.

outlaw strike von der Gewerkschaft nicht anerkannter (wilder) Streik.

outlawed | **claim** *(US)* verjährter Anspruch.

outlay Ausgaben, -lagen, [Kosten]aufwand;

with no considerable ~ ohne großen Kostenaufwand;

cash ~ Barauslagen; **first (initial)** ~ Anschaffungskosten; **professional** ~ Werbungskosten;

large ~**s on scientific research** großer Kapitalaufwand für Forschungsarbeiten;

to make ~**s of money** *(US)* Geld auslegen; ~ **cost** Kostenauslagen.

outlet *(bulk buyer)* Großabnehmer, *(fig.)* Betätigungsfeld, Ventil, *(market)* Absatzfeld, -gebiet, -möglichkeit, *(retail)* Verkaufs-, Vertriebsstelle, Markt, *(stand)* Kiosk;

cash ~ Kassamarkt;

~ **for export trade** Auslandsmarkt; ~ **to the sea** Zugang zum Meer;

~ **store** Resteladen.

outline Skizze, Entwurf *(arrangement)* Anlage, Gliederung;

~ **of economic history** Grundriß (Leitfaden) der Wirtschaftsgeschichte.

outlook Aussichten, Vorschau, *(view)* Ansicht, Auffassung, Standpunkt;

business ~ Konjunktur-, Geschäftsaussichten;

~ **for stocks** Aktienaussichten.

outlying building Nebengebäude.

output *(machine)* Leistung[sfähigkeit], *(mine)* Ausbeute, Förderung, *(program(m)ing)* Ausgangswert, *(quantity produced)* Produktion, Produktionsleistung, -menge, -ziffer, Ausstoß, Ertrag, *(working capacity)* Arbeitsleistung, -ertrag;

annual ~ Jahreserzeugung, -produktion; **aver-**

age ~ Durchschnittsproduktion; **daily (day's)** ~ Tagesleistung; -produktion; **the country's** ~ volkswirtschaftliche Gesamtleistung; **domestic** ~ Inlandserzeugung; **effective** ~ Nutzleistung; **hourly** ~ Stundenleistung; **increased** ~ Mehrproduktion; **industrial** ~ Industrieerzeugung, -produktion, Produktionsstand; **individual** ~ Einzelleistung; **literary** ~ literarische Produktion; **maximum** ~ Höchst-, Maximalleistung, Produktionsoptimum; **minimum** ~ Mindestproduktion; **normal** ~ Normalleistung; **automobile** ~ Autoproduktion; **peak** ~ Höchstleistung; **reduced** ~ Minderleistung; **total** ~ Gesamtertrag, -produktion; **world** ~ Weltproduktion; **last year's** ~ Vorjahresproduktion;
~ **of cars** Autoproduktion; ~ **of coal** Kohlenförderung; ~ **of opencut coal** Tagebauförderung; ~ **of a colliery** Förderung eines Kohlenbergwerks; ~ **of high export potential** Produktion mit großen Exportmöglichkeiten; ~ **per hour** Stundenleistung; ~ **per man-shift** *(mining)* Schichtleistung; **coal** ~ **per man per day** tägliche Kohlenförderung pro Kopf; ~ **of a mine** Grubenförderung; ~ **of the staff** Leistung des Personals; ~ **of crude steel** Rohstahlproduktion; ~ **of open-hearth steel** Produktion von Siemens-Martin-Stahl; ~ **in volume** mengenmäßige Erzeugung, Produktionsmenge; **literary** ~ **of the year** literarisches Jahresergebnis; **to cut back** ~ Ausstoß verringern; **to increase the** ~ Förderung steigern; **to match** ~ **to the absorption capacities** Förderung den Absatzmöglichkeiten anpassen; **to up its** ~ seinen Ausstoß steigern;
~ **bonus** Produktionsprämie; ~ **capacity** Produktionskapazität, *(machine)* Stückleistung; ~ **cost** Produktionskosten; ~ **cut** Produktionseinschränkung; ~ **evaluation** Leistungsermittlung; ~ **figures** Produktions-, Ausstoß-, Leistungszahlen; ~ **method of calculating depreciation** auf dem Umfang der Anlagenausnutzung beruhende Abschreibungsmethode; ~ **potential** Produktionspotential; ~ **quota** Förderungskontingent; ~ **rate** Ausstoßziffer; ~ **restriction** Produktions-, Erzeugungsbeschränkung; ~ **target** Produktionsziel.

outrageous price unverschämter Preis.

outright völlig, gänzlich, total, *(on the spot)* sofort; **to buy** ~ *(US)* gegen sofortige Lieferung (per Kasse) kaufen; **to buy rights** ~ Gesamtrechte erwerben; **to pay s. o.** ~ j. voll auszahlen; **to sell** ~ fest verkaufen;
~ **acceptance** vorbehaltlose Annahme; ~ **forward** *(Br.)* Devisentermingeschäft mit vereinbartem Erfüllungstag; ~ **owner** Volleigentümer; ~ **payment** vollständige Auszahlung; ~ **purchase** fester Kaufabschluß; ~ **sale** Abschluß zu einem festen Verkaufspreis.

outrun *(v.)* **one's credit** seinen Kredit überschreiten; ~ **increases in productivity** Produktivitätszunahme wettmachen; ~ **one's income** über seine Verhältnisse leben; ~ **the market average** Börsendurchschnittswerte übertreffen.

outsell *(v.) (obtain higher price, US)* teurer verkaufen, *(exceed in amount of sales)* mehr verkaufen.

outside *(a.)* außerhalb, *(extreme)* äußerst, *(sideline)* außerberuflich;
~ **one's official functions** außerdienstlich;
~ **activities** außerberufliche Beschäftigung; ~ **agent** Außenvertreter; ~ **artist** *(advertising)* freier Mitarbeiter; ~ **bank** keinem Clearingsystem angeschlossene Bank; ~ **board** *(US)* [etwa:] Verwaltungsrat; ~ **broking** freie Maklertätigkeit; ~ **broker** Winkelmakler; ~ **capital** Fremdkapital; ~ **director** freier Berater des Vorstandes; ~ **economist** wirtschaftlicher Berater; ~ **financing** Fremdfinanzierung; ~ **funds** fremde Mittel, Fremdmittel; -kapital; ~ **labo(u)r** Außenarbeit; ~ **loan** amtlich nicht notierte Anleihe; ~ **market** Freiverkehr[smarkt]; ~ **position** *(ad)* Außenspalte; ~ **prices** Höchstpreise; **to quote the** ~ **prices** äußerste Preise angeben; ~ **securities** *(US)* Freiverkehrswerte; ~ **service** Fremdleistung; ~ **transactions** *(stock exchange)* Freiverkehrsumsätze; ~ **user** *(industrial library)* außerbetrieblicher Benutzer; ~ **worker** Heimarbeiter.

outsider Außenseiter, Nichtfachmann, *(nonmember)* Nichtmitglied, *(price maintenance)* an Preisabsprachen nicht gebundener Betrieb, *(stock exchange)* Freiverkehrsmakler, Coulissier.

outsize Übergröße.

outstanding *(unsettled)* aus-, offenstehend, rückständig, fällig, *(work)* noch nicht erledigt, unerledigt;
~ **accounts** offenstehende Rechnungen; ~ **capital stock** *(US)* ausgegebenes Aktienkapital; ~ **check** *(US)* **(cheque,** *Br.)* zur Einlösung noch nicht vorgelegter Scheck; ~ **coupons** notleidende Zinsscheine; ~ **debts** ausstehende Forderungen, Rückstände, [Aktiv]außenstände; ~ **interest** unbezahlte Aktivzinsen, Zinsrückstände; ~ **liabilities** ausstehende Verbindlichkeiten; ~ **money** ausstehendes Geld; ~ **notes** Wechselumlauf; ~ **payment** ausstehende Zahlung; ~ **securities** ausgegebene Obligationen und Aktien; ~ **shares** ausgegebenes Aktienkapital.

outstandings unbeglichene Rechnungen, Außenstände, ausstehende Gelder.

outtrade *(v.)* bessere Geschäfte machen.

outturn sample Ausfallmuster.

outward | **appearance** *(goods)* äußere Aufmachung; ~ **bill of lading** Exportkonnossement; ~ **-bound** auf der Ausreise (Ausfahrt) ins Ausland begriffen; ~ **journey** *(Br.)* Aus-, Hinreise; ~ **mail department** Postversandabteilung, Expedition; ~ **trade** Ausfuhrhandel; ~ **voyage** Ausreise.

outwork Heimarbeit.
over Überschuß, Mehrbetrag, *(special copy)* Extraexemplar;
cash shorts and ~s *(US)* Kassenüberschüsse und Fehlbeträge;
~ **and next matter** *(advertising)* unmittelbar über und neben dem Rand placierte Anzeige;
~ **and short account** *(US)* Ausgleichs-, Differenzkonto; **~s and shorts** *(US)* Konto zur vorläufigen Verbuchung unklarer Posten;
~ *(a.)* überzählig, -schüssig;
to go ~ *(article)* ankommen; **to recover** ~ *(US)* Regreß nehmen;
~ **the counter** freihändig, im Freihandel verkauft; ~ **-the-counter business (trade)** Schalterverkehr, außerbörslicher Effektenhandel; ~ **-the-counter receipts** Tageslosung; ~ **-the-counter sale** *(unlisted securities)* Verkauf im Freiverkehr, Freihandverkauf; **~-the-window requirements** Anforderungen im Schalterverkehr.
overage *(US)* [Waren]überschuß;
~ **of cash** *(US)* Kassenüberschuß.
overagio *(Br.)* Extraprämie, Aufgeld.
overall *(a.)* total, global, gesamt, einschließlich, umfassend;
~ **balance of payment** Gesamtzahlungsbilanz; ~ **budget** Gesamtetat; ~ **conditions** Gesamtbedingungen; ~ **consumption** Gesamtverbrauch eines Produkts; ~ **costs** Gesamtkosten; ~ **demand** gesamtwirtschaftliche Nachfrage; ~ **economic potential** gesamtwirtschaftliche Leistungsfähigkeit; ~ **economics** Gesamtwirtschaft; ~ **effect** Gesamtwirkung; ~ **efficiency** Gesamtleistung; ~ **elasticity of supply** volkswirtschaftliche Angebotselastizität; ~ **estimate** Gesamtschätzung; ~ **examination** Gesamtrevision; ~ **goal** Gesamtziel; ~ **increase** Anstieg auf der ganzen Linie; ~ **increase of prices** generelle Preiserhöhung; ~ **index** Gesamtnachweis, -index; ~ **limitation** *(income tax, US)* Anrechnung im Ausland insgesamt gezahlter Steuern; ~ **loss** Gesamtverlust; ~ **picture** Bild der Gesamtlage, Gesamtbild; ~ **plan** Gesamtplan; ~ **profit** Gesamtgewinn; ~ **quota** Globalkontingent; ~ **rate** Pauschalsatz; ~ **report** Gesamtbericht; ~ **risk** Gesamtrisiko; ~ **settlement** Gesamtregelung, vollständige Regelung; ~ **survey** Gesamtübersicht; ~ **trade balance** gesamte Handelsbilanz.
overassess *(v.)* zu hoch veranlagen.
overassessment zu hohe [Steuer]einschätzung, -veranlagung.
overbalance of export Exportüberschuß.
overbid Mehrgebot.
overbought market *(US)* wegen spekulativer Ankäufe nicht mehr aufnahmefähiger Markt.
overbusy überbeschäftigt.
overbuy *(v.)* zu teuer kaufen, *(buy too much)* zuviel kaufen.
overcapacity Überkapazität.
overcapitalization Überkapitalisierung.
overcapitalize *(v.)* überkapitalisieren, *(corporation)* zu hohen Nennwert für das Stammkapital angeben.
overcapitalized überkapitalisiert.
overcertification Ausstellung eines Überziehungsschecks, *(US)* Bestätigung eines ungedeckten Schecks.
overcertify *(v.)* *(US)* ungedeckten Scheck bestätigen.
overcharge Mehrbelastung, Überforderung, -teuerung, -preis, zuviel berechneter Betrag, *(overloading)* Überladen, zu große Belastung, *(public utility)* überhöhter Tarif;
fraudulent ~ betrügerische Übervorteilung;
~ **of freight** zuviel berechnete Fracht;
~ *(v.)* zuviel fordern (anrechnen, belasten), überfordern, Überpreis verlangen, *(overload)* überladen, -lasten;
~ **on an account** zu hoch in Rechnung stellen;
~ **an electric circuit** Stromkreis überlasten; ~ **goods** zu hohen Preis für eine Lieferung verlangen;
to make an ~ **on s. th.** etw. zu teuer verkaufen.
overcharged prices übersetzte Preise.
overcheck *(US)* Überziehungsscheck;
~ *(v.)* [Konto] überziehen.
overcheque *(Br.)* Überziehungsscheck.
overcrowded | labo(u)r market Überangebot an Arbeitskräften; ~ **profession** übersetzter (überfüllter) Berufszweig; ~ **region** Ballungsgebiet.
overdiscount *(v.)* **the market** *(US)* erwartete Hausse am Markte überschätzen.
overdraft Kontoüberziehung, Kreditüberschreitung;
bank ~ Banküberziehung;
~ **of credit** Kreditüberziehung;
to have an ~ sein Konto überzogen haben; **to run up ~s** Konto laufend überziehen;
~ **commission** Überziehungsprovision; **to grant a firm** ~ **facilities** einer Firma Kreditfazilitäten zur Verfügung stellen; ~ **facility** Überziehungsmöglichkeit; ~ **rate** Zinssatz für überzogene Konten.
overdraw *(v.)* **one's account (the badger,** *Br.)* sein Konto (seinen Kredit) überziehen, -schreiten.
overdrawer Kontoüberzieher.
overdrawing Kontoüberziehung;
~ **of a credit** Kreditüberziehung, -überschreitung.
overdrawn | account überzogenes Konto, Kontoüberzug; **to be** ~ **at the bank** bei der Bank im Debet sein; **to be** ~ **to the extent of £ 100** bis zu einer Höhe von 100 Pfund überzogen haben, Debetsaldo in Höhe von 100 Pfund aufweisen.
overdrive *(car)* Fern-, Autobahn-, Schnellgang.
overdue überfällig, *(in arrears)* rückständig, *(bill)* notleidend, *(train)* überfällig;
when ~ *(bill)* nach Verfall;

to be ~ *(debt)* ausstehen, *(train)* Verspätung haben, sich verspäten;
~ **amount** rückständiger Betrag; ~ **bills** *(Br.)* Konto überfälliger Wechsel; ~ **interest** Verzugszinsen, rückständige Zinsen; ~ **payments** fällige (rückständige) Zahlungen; ~ **reform** längst fällige Reform.
overemployment Überbeschäftigung.
overenter *(v.)* zu hoch deklarieren.
overentry zu hohe Zollangabe.
overestimate *(balance sheet)* Überbewertung;
~ *(v.)* *(balance sheet)* überbewerten, zu hoch einschätzen (ansetzen).
overexpansion of credit Kreditüberspannung.
overextended account *(US)* ungenügend gedecktes Konto.
overextension *(condition of business)* angespannte Lage (Überschuldung) eines Betriebes;
~ **of banking credits** Ausweitung von Bankkrediten.
overfreight Überfracht, *(railroad)* Gütersendung ohne Frachtbegleitschein, Verladung ohne Frachtbrief.
overhang *(inventory)* Überhang.
overhaul Überprüfung, gründliche Untersuchung, *(car)* Generalüberholung;
~ *(v.)* überholen, reparieren, *(accounts)* erneut prüfen, genau überprüfen, *(stock)* abschreiben;
~ **the engine of a car** Motor generalüberholen.
overhauling of stock Lagerabschreibung.
overhead(s) fortlaufende (fixe) Kosten, Betriebs-, Gemeinkosten, Generalunkosten;
factory ~ fixe (feste) Kosten, Fertigungsgemeinkosten; **idle** ~ potentielle Produktivität; **large** ~ *(US)* hohe Unkosten; **overabsorbed** ~ Gemeinkostenüberdeckung;
~ *(a.)* im Stockwerk darüber, *(average)* durchschnittlich, gesamt, allgemein;
~ **in debt** bis über die Ohren verschuldet;
factory ~ **account** Betriebs-, Fertigungsgemeinkostenkonto; ~ **allocation** Aufteilung der Generalunkosten; ~ **antenna** Hochantenne; ~ **cable** Freileitungs-, Luftkabel; ~ **charges (costs, expenses)** Handlungs-, General-, allgemeine Unkosten, Regiekosten; ~ **charges account** Fertigungsgemein-, Handlungsunkostenkonto; ~ **company** Dachgesellschaft; ~ **control** zentrale Kontrolle; **[factory]** ~ **costs (expenses)** Fertigungsgemeinkosten; ~ **distribution** Gemeinkostenumlage; ~ **items** Generalunkostenposten; ~ **lights** Deckenbeleuchtung; ~ **line** oberirdische Leitung, Frei-, Oberleitung; ~ **organization** Dachorganisation; ~ **price** Pauschal-, Gesamtpreis; ~ **railway** *(Br.)* Hochbahn; ~ **rate** Gemeinkosten-, Unkostenanteil; ~ **statement** Gesamtübersicht; ~ **variance** Gemeinkostenabweichung; ~ **way** Überführung.
overimportation übermäßige Einfuhr.
overindebtedness Überschuldung.
overinsurance Überversicherung.
overinsure *(v.)* überversichern.
overinvest *(v.)* zu hohe Investitionen vornehmen.
overinvestment Überinvestition;
~ **in inventories** übermäßige Kapitalinvestitionen in Warenbeständen; ~**s in receivables** übermäßige Kapitalinvestierungen in Debitoren.
overissue Mehrausgabe, Überemission, unzulässig hohe Ausgabe, Papiergeldinflation;
~ **of currency notes** Anspannung des Notenumlaufs.
overland transport Überlandverkehr.
overlap | **of taxing authority** Besteuerungsrechtsüberschneidung.
overlapping circulation *(advertising)* überlappende Streuung.
overload *(v.)* überladen, -lasten.
overlying | **bond** durch nachstellige Hypothek gesicherte Schuldverschreibung; ~ **mortgage** *(US)* nachstellige Hypothek.
overman Vorarbeiter, *(mining)* Steiger.
overnight | **charge** Nachtzuschlag; ~ **loan** *(US)* innerhalb 24 Stunden rückzahlbarer Kredit, Tagesgeld; ~ **money** *(Br.)* kurzfristiges Maklerdarlehn; ~ **stay** Übernachtung.
overpaid workman überbezahlter (zu hoch bezahlter) Arbeiter.
overpay *(v.)* überzahlen, zu teuer bezahlen.
overpayment Überzahlung, *(account)* Überziehung.
overplus of a great fortune Rest eines großen Vermögens.
overprice Überpreis, übertrieben hoher Preis.
overproduce *(v.)* zuviel produzieren.
overproduction Überproduktion.
overpurchase zu teuerer Einkauf.
overrate zu hohe Veranlagung;
~ *(v.)* zu hoch schätzen (werten), überschätzen, *(for rating purposes)* zu hoch veranlagen.
override *(managerial personnel)* Tantieme;
~ *(v.)* für ungültig erklären;
~ **one's advisers** sich über seine Berater hinwegsetzen.
overrider *(Br.)* Emissionshaus.
overriding | **charges** nicht erstattungsfähige Anwaltskosten; ~ **clause** Aufhebungsklausel; ~ **commission** *(insurance business, Br.)* dem Generalvertreter verbleibender Provisionsanteil; ~ **importance** überragende Bedeutung; ~ **interests** *(Br.)* im Range vorgehende Rechte; ~ **principle** beherrschender Grundsatz; ~ **responsibility** Gesamtverantwortlichkeit; ~ **royalty** *(petroleum industry)* Tantiemenanteil.
overrule *(v.)* **a claim** Anspruch nicht anerkennen.
overrun Überschuß, -hang;
~ *(v.)* **the constable** *(fam.)* über seine Verhältnisse leben; ~ **the allotted time** *(broadcast)* Sendezeit überziehen;
to be ~ **with tourists** von Touristen überlaufen sein.

oversaturation with advertising Werbemüdigkeit.

oversea(s) überseeisch, im Ausland;
~ **advertising** Auslandswerbung; ~ **aid** Auslands-, Überseehilfe; ~ **assignment** Auslandsposten, -verwendung; ~ **bank** Überseebank; ~ **branch** überseeische Filiale; ~ **broadcast program(me)** überseeisches Rundfunkprogramm; ~ **business** Überseehandel, -geschäft, überseeisches Geschäft; ~ **buyer** Auslandskunde, Kunde aus Übersee; ~ **call** *(Br.)* Auslandsgespräch; ~ **commerce** Überseehandel; ~ **company** Überseegesellschaft; ~ **contract** Auslandsvertrag; ~ **countries** Überseeländer, Ausland; ~ **demands** Überseebedarf; ~ **edition** Überseeausgabe; ~ **exhibition** Überseeausstellung; ~ **goods** Auslandssendungen; ~ **interests** überseeische Interessen; ~ **investment** Auslandsinvestitionen; ~ **journey** Überseereise; ~ **loan** Überseedarlehn; ~ **market** Überseemarkt; ~ **order** Überseeauftrag; ~ **operations** Überseeverkehr; ~ **post** Auslandsposten; ~ **postage rates** *(Br.)* Auslandsporto; ~ **possessions** überseeische Gebiete; ~ **prices** Überseepreise; ≗ **Private Investment Corporation** *(US)* Entwicklungsgesellschaft; ~ **producer** Überseeproduzent; ~ **report** Überseebericht; ~ **sales** Auslandsumsätze, Umsätze im Überseegeschäft; ~ **spending** Auslandsausgaben; ~ **territories** überseeische Gebiete; ~ **trade** Überseehandel, -geschäft; ~ **trade service** Außenhandelsorganisation; ~ **transport** Überseeverkehr; ~ **vessel** Überseeschiff.

overseer Vorarbeiter, Werkmeister, Aufseher, *(building trade)* Polier;
~ **of the customs** Zollinspektor; ~ **of the poor** *(Br.)* Armenpfleger; ~ **of a port** Hafenmeister.

oversell *(v.)* in zu großen Mengen (mehr als man liefern kann) verkaufen, *(stock exchange)* über den Bestand verkaufen.

overselling übertriebene Verkaufspolitik.

overside delivery Überbordauslieferung.

oversize Übergröße.

oversold market *(US)* infolge von Baisseverkäufen überlasteter (bei fallenden Kursen nicht mehr aufnahmefähiger) Markt.

overspend *(v.)* zuviel ausgeben.

overstay *(v.)* **one's market** *(US)* richtigen Zeitpunkt zum Verkauf verpassen.

overstock Überfluß, -vorrat, zu großes Lager, *(shares)* über das genehmigte Aktienkapital hinaus ausgegebene Aktien;
~ *(v.)* **with goods** übermäßig (über den Bedarf) mit Waren eindecken; ~ **the market** Markt überschwemmen; ~ **a shop** zuviel Waren einlagern.

overstocking Überbevorratung.

oversubscribe *(v.)* [Anleihe] überzeichnen.

oversubscription Überzeichnung.

oversupply Überangebot.

overtake | **arrears of work** Rückstände aufarbeiten; ~ **the boom** Konjunktur überhitzen.

overtaking of the boom Konjunkturüberhitzung.

overtax *(v.)* übersteuern, zu hoch besteuern.

overtaxation Überbesteuerung.

overtime Überstunden, -schicht, *(overtime pay)* Überstundenzuschlag;
to be paid extra for ~ Überstundengelder erhalten; **to be on (do, make, work)** ~ Überstunden machen; **to employ** ~ Überstunden machen lassen; **to pay for** ~ Überstunden abgelten;
~ **allowance** Überstundenvergütung; ~ **authorization** Überstundengenehmigung; ~ **ban** Überstundenverbot; ~ **bonus (compensation, premium)** Mehrarbeitszuschlag, Überstundengelder; ~ **pay** Überstundenbezahlung, -lohn, Mehrarbeitszuschlag; ~ **payments** Überstundengelder; ~ **rate** Überstundenlohn, -satz; ~ **rate of time and a half** anderthalbfacher Tarifsatz für Überstunden; ~ **request** *(customs officers)* Überstundengesuch; ~ **session** verlängerte Sitzung; ~ **wage** Überstundenlohn.

overtrade *(v.)* *(stock exchange)* ohne kapitalmäßige Deckung spekulieren.

overvaluation Überbewertung, -schätzung.

overvalue *(v.)* überbewerten, -schätzen.

overweight zu hohes Gewicht, Mehr-, Übergewicht.

overwork *(overtime)* Überstunden, *(excessive work)* Überarbeitung, -anstrengung.

overwrite *(general agent)* Superprovision;
~ *(v.)* *(pay to general agent)* Superprovision zahlen.

owe *(v.)* schulden, schuldig sein;
~ **s. o. £ 10** jem. 10 Pfund schulden; ~ **a great deal to s. o.** jem. sehr viel verdanken; ~ **for one's house** noch Schulden auf seinem Haus haben; ~ **one's life** sein Leben verdanken; ~ **for three months' rent** seit drei Monaten die Miete schuldig bleiben; ~ **it to one's reputation** es seinem Namen schuldig sein.

owing geschuldet, schuldig;
amount ~ ausstehender Betrag; **rent** ~ Mietrückstand; **large sums still** ~ noch ausstehende große Beträge;
~ **to circumstances** umständehalber;
to be ~ noch offenstehen; **to have money** ~ Geld ausstehen haben; **to pay all that is** ~ alle Schulden bezahlen.

own *(v.)* besitzen, zu eigen haben, Eigentümer sein;
~ **beneficially** nießbrauchberechtigt sein; ~ **a claim against s. o.** *(US)* obligatorischen Anspruch gegen j. haben; ~ **that a claim is justified** Forderung als berechtigt anerkennen; ~ **land** Grundeigentümer sein; ~ **a life estate** lebenslänglichen Nießbrauch haben; ~ **subsidiaries outright** Tochtergesellschaften hundertprozentig besitzen;
to be [working] on one's ~ selbständig sein; **to have money of one's** ~ eigenes Geld haben

(Vermögen besitzen); **to have no resources of one's** ~ über kein Vermögen verfügen; **to hold one's ~ in competitive markets** sich wettbewerbsmäßig (auf dem Markt) durchsetzen; **to work on one's** ~ auf eigene Rechnung arbeiten; ~ **acceptance** eigenes Akzept; **of one's ~ accord** aus eigenem Entschluß; **for one's ~ account** auf eigene Rechnung; **to be in business on one's ~ account** sein eigenes Geschäft haben, selbständig sein; ~ **brand** Eigen-, Hausmarke; ~ **consumption** Eigenverbrauch; ~ **costs** Selbstkosten; **at one's ~ expense** auf eigene Rechnung; ~ **financing** Eigenfinanzierung; ~ **house** eigenes Haus; ~ **insurer** Selbstversicherer; ~ **make** eigenes Fabrikat, Eigenfabrikat; **to be one's ~ man (master)** sein eigener Herr sein; ~ **money** eigenes Geld; ~ **production** Eigenproduktion; ~ **retail store** betriebseigener [Verkaufs]laden; **to have s. th. in one's ~ right** selbst Vermögen besitzen; ~ **risk** *(insurance)* Selbstbehalt; **at one's ~ risk** auf eigene Gefahr.

owned im Eigentum, gehörig;
employer- ~ im Eigentum des Arbeitgebers; **foreign-** ~ in ausländischem Besitz; **state-** ~ im Staatseigentum (Staatsbesitz);
to be partially ~ by foreign capital teilweise in ausländischem Eigentum stehen.

owner Besitzer, Eigentümer, Eigner, Inhaber, *(entrepreneur)* Unternehmer, *(shipowner)* Reeder;
at ~'s risk auf eigene Gefahr, auf Gefahr des Absenders;
absolute ~ unumschränkter Eigentümer; **abutting (adjoining)** ~ Besitzer des Nachbargrundstückes; **beneficial** ~ Nießbrauchberechtigter, Nutznießer; **builder** ~ Bauherr; **equitable** ~ Treugeber; **factory** ~ Fabrikbesitzer; **former** ~ früherer Inhaber; **house** ~ Hausbesitzer, -eigentümer; **apartmenthouse** ~ Mietshausbesitzer; **joint** ~ Miteigentümer, -besitzer; **land** ~ Grundbesitzer; **lawful (legal, legitimate)** ~ rechtmäßiger Inhaber; **life** ~ lebenslänglicher Eigentümer; **managing** ~ Korrespondenzreeder; **part** ~ Teileigentümer; **person not the** ~ Nichteigentümer; **policy** ~ Versicherungsnehmer; **previous** ~ Vorbesitzer; **property** ~ Grundeigentümer; **real-estate** ~ Grundstückseigentümer; **record** ~ eingetragener Eigentümer; **registered** ~ eingetragener Eigentümer; **reputed** ~ Scheineigentümer; **rightful** ~ rechtmäßiger Eigentümer; **riparian** ~ Uferanlieger; **sole** ~ Alleineigentümer; **sole and unconditional** ~ *(fire insurance)* alleinverfügungsberechtigter Eigentümer; **store** ~ Ladenbesitzer, -inhaber; **subsequent** ~ Besitznachfolger; **trademark** ~ Warenzeicheninhaber; **true** ~ rechtmäßiger Eigentümer;
~ **and charterer** Reeder und Verfrachter;
~ **of a banking account** Bankkontoinhaber; ~ **of an automobile** Kraftfahrzeughalter; ~ **of a business** Geschäftsinhaber; ~ **of a car** Kraftfahrzeughalter; ~ **and charterer** Ver- und Befrachter; ~ **of an estate** Gutsbesitzer; ~ **of large estates** Großgrundbesitzer; ~ **of a factory** Fabrikbesitzer; ~ **in fee simple** unbeschränkter Grundstückseigentümer; ~ **of a firm** Firmeninhaber; ~ **of a house** Hauseigentümer, -besitzer; ~ **of land** Grund[stücks]eigentümer, -besitzer; ~ **of a motor vehicle** Kraftfahrzeughalter; ~ **of a patent** Patentinhaber; ~ **of premises** Grundstückseigentümer; ~ **of real estate (property)** Grund[stücks]eigentümer; ~ **of a registered trademark** Schutzmarken-, Warenzeicheninhaber; ~ **of securities** Depotinhaber; ~ **of a ship** Schiffsreeder; **joint ~ of a ship** Mitreeder;
~ **-driver** Selbst-, Herrenfahrer; ~ **-occupied** vom Eigentümer bewohnt; ~ **-occupied dwelling** Eigentumswohnung; ~ **-occupied house** Eigenheim; ~ **-occupier** Eigenheimbesitzer; ~ **-operator** *(agriculture)* Eigenbetrieb; ~**-user** Eigentumsbenutzer.

ownership Eigentum, Eigentumsrecht, -verhältnis, Besitz;
under new ~ unter neuer Leitung;
equitable ~ wirtschaftliches Eigentum; **industrial** ~ Besitz der Produktionsmittel; **limited** ~ beschränktes Eigentum; **social** ~ soziales Eigentum; **stock** ~ Aktienbesitz des Unternehmens;
~ **of land** Grundeigentum, Grundbesitz; ~ **of stock** Aktienbesitz;
to acquire ~ Eigentum erwerben; **to be under foreign** ~ von ausländischem Kapital kontrolliert werden; **to pass into** ~ in das Eigentum übergeben; **to retain ~ in one's policy** Begünstigter bleiben;
~ **distribution** Eigentumsverteilung; ~ **interest** ausschlaggebender Kapitalanteil; **to exercise ~ powers** Eigentumsrechte ausüben; ~ **purchase** Eigentumserwerb; ~ **representation** Vertretung der Anteilseignerseite; ~ **representative** Vertreter der Anteilseigner; ~ **securities** Dividendenpapiere.

ozalide Blaupause.

P

pac *(stock exchange, Br.)* Stellagegeschäft.
pace | *(v.)* **the general increase of living cost** der allgemeinen Preiserhöhung vorangehen, preistreibend für die Lebenshaltungskosten sein; ~ **the market** Schrittmacher abgeben;
to step up the ~ of stockbuilding lagerzyklisch aktiver werden, Lagerzyklus positiv beeinflussen.
pacemakers in public opinion meinungsbildende Persönlichkeiten.
pacing the general increase of prices Vorlauf vor der allgemeinen Preiserhöhung.
pack *(bale)* Ballen, *(bundle)* Bündel, *(parcel)* Paket, Pack[en], Verpackungseinheit;
loose or in ~s lose oder verpackt;
~ *(v.)* [ver]packen, einpacken;
~ **out** auspacken, *(ship)* abladen.
pack up ver-, aufladen, *(aircraft's engine)* aussetzen, stottern, *(go away)* ein Bündel schnüren, seine Sachen packen, die Bude zumachen;
~ **one's wares** seine Waren in Ballen verpacken.
pack goods Ballengüter.
package *(advertising issue)* Werbematerial für Händler, *(advertising in transit vehicle)* Linienabschluß, *(bale)* Ballen, Kollo, Gebinde, *(bargaining)* Tarifabschluß, *(broadcasting)* Originalprogramm, *(building trade)* zur Aufstellung fertige Baueinheit, *(bundle)* Bündel, *(charge for packing)* Packerlohn, *(manner of packing)* Verpackungsart, *(negotiations)* Verhandlungspaket, *(number of program(me), US)* Programmnummer, *(packing)* Verpacken, Verpackung, *(packing material)* Verpackung, Emballage, *(parcel, US)* Paket, Packung, Pack[en], Versandstück, *(radio, television)* pauschal verkaufte fertige Sendung;
Christmas ~ Weihnachtspaket; **collect-on-delivery** ~ *(US)* Nachnahmepaket; **export** ~ Ausfuhrkolli; **express** ~ *(US)* Eilpaket; **negotiating** ~ Verhandlungsgegenstand; **settlement** ~ neuer Tarifabschluß; **special** ~ Sonderverpackung;
~ **of goods** Warensendung; ~ **of monetary relief** ganzes Bündel geldmarkterleichternder Maßnahmen;
~ **is not allowed for** Verpackung nicht berechnet;
~ *(v.)* verpacken, in Pakete packen;
~ **transportation services for its customers** seinen Kunden den ganzen Fächer einer Speditionsfirma anbieten;
to send a ~ collect *(US)* Paket als Nachnahme schicken;
~ **advertising** Versandwerbung; ~ **band premium** Gutschein in Form eines um die Ware gewickelten Streifens; ~ **car** Waggon für Stückgutladungen; **total ~ contracting** Beschaffungsvergabe mit von Anfang an festgelegten Pauschalpreisen; ~ **conveyor** [Versand]behälter; ~ **deal** Kopplungsgeschäft; ~ **design** Verpackungsmuster; ~ **freight** *(US)* Stückgutsendungen, -fracht; ~ **goods** gepackte Ware, Versandgeschäftsartikel; ~ **insert** *(US)* Packungsbeilage, -beileger; ~ **offer** Kopplungsangebot, -geschäft; ~ **policy** Paketpolice; **easy-to-pay ~ price** bequem zu begleichender Kombinationspreis; **total ~ procurement** *(defense industry)* Beschaffungsauftrag mit von vornherein festgelegten Preisen; ~ **settlement** gebündeltes Übereinkommen; ~ **size** Paketgröße; ~ **tour** Pauschalreise; ~ **tourism** Pauschalreisesystem.
packaged | **goods** abgepackte Produkte; ~ **tour** *(US)* Pauschalreise.
packaging [Ver]packen, Verpackung;
fancy ~ Luxuspackung;
~ **classifications** Verpackungsrichtlinien; ~ **costs** Verpackungskosten; ~ **material** *(US)* Verpackungsmaterial; ~ **slip** Packzettel.
packed | **for exportation by sea** seemäßig verpackt;
~ **as usual in trade** handelsüblich verpackt;
~ **parcels** Stückgutsendung; ~ **train** überfüllter Zug.
packer [Ver]packer, Lader, *(machine)* Packmaschine.
packery Versandabteilung, Verpackungsraum.
packet Pack[en], *(Br.)* kleines Paket, Päckchen, *(Br. sl.)* ziemlicher Haufen Geld, *(fig.)* kleine Menge, *(shipping)* Post-, Paketboot;
postal ~ *(Br.)* Postpaket; **registered** ~ *(Br.)* Einschreibepaket;
to earn a ~ Haufen Geld verdienen; **to make a** ~ *(fam.)* sich gesundstoßen;
~ **boat** Postdampfer, Paketboot.
packhouse Packhaus, -hof, Lagerhaus.
packing [Ver]packen, Einpacken, Verpackung, *(material)* Pack-, Verpackungsmaterial;
~ **extra** Verpackung wird extra berechnet; **not including** ~ Verpackung nicht inbegriffen; **without** ~ netto;
customary ~ handelsübliche Verpackung; **defective** ~ mangelhafte Verpackung; **external** ~ äußere Verpackung; **faulty** ~ fehlerhafte Verpackung; **improper** ~ unsachgemäße Verpackung; **insufficient** ~ mangelhafte Verpackung; **internal** ~ innere Verpackung; **nonreturnable** ~ Verpackung zum Wegwerfen; ~ **ordered** vorschriftsmäßige Verpackung; **original** ~ Original;, Fabrikverpackung; **outer** ~ äußere Verpackung; **seaproof (seaworthy)** ~ seetüchtige (seefeste) Verpackung, Seeverpackung; **waterproof** ~ wasserdichte Verpackung;
~ **at cost** Verpackung zum Selbstkostenpreis; ~ **for export** Überseeverpackung; ~ **of a jury** be-

trügerische (parteiische) Zusammenstellung eines Geschworenengerichts;
not to allow for ~ Verpackung wird berechnet; **to be sent** ~ schwere Abfuhr erleiden; **to do one's** ~ *(coll.)* packen; **to send s. o.** ~ jem. eine Abfuhr verpassen, j. schnellstens loswerden;
~ **agent** Verpacker; ~ **cardboard** Packkarton; ~ **case** Pappkarton, -kiste, Packkiste; ~ **charges** Verpackungskosten; ~ **company** *(US)* **(house, plant)** Konservenfabrik; ~ **credit** Versandbereitstellungskredit; ~ **department** Verpackungsabteilung, Packerei; ~ **house** Warenlager, *(factory, US)* Konservenfabrik; ~ **industry** *(US)* Konservenindustrie; ~ **instructions** Versand-Verpackungsanweisung; ~ **list** Pack-, Versandliste; ~ **material** Verpackungsmaterial; ~ **note** Versand-, Packliste; ~ **officer** *(Br.)* Zollkontrolleur; ~ **paper** Packleinwand, -papier; ~ **plant** Verpackungsbetrieb; ~ **room** Packraum; ~ **sheet** Packleinwand; ~ **slip** Packzettel; ~ **ticket** Packzettel; ~ **trade** *(US)* Konservenindustrie; ~ **wage** Packerlohn.

packman Hausierer.

pad Papier-, Notizblock, *(for rubber stamps)* Stempelkissen;
inking ~ Anfeuchter; **stamp** ~ Stempelkissen.

page Seite, Blatt, *(boy)* Page, *(chronic)* Bericht, *(print.)* Kolumne;
by ~**s** kolumnenweise;
advertising ~ Anzeigenseite; **front** ~ Vorder-, Titelseite;
~**s of advertising** Anzeigen-, Reklameteil;
~ *(v.)* mit Seitenzahlen versehen, paginieren;
~ **s. o.** j. [durch Lautsprecher] ausrufen;
~ **boy** Laufbursche; ~ **dominance** seitenbeherrschende Anzeige; ~ **layout** Seiten-Layout; ~ **number** Seitenzahl; ~ **proof** Seitenabzug; ~ **rate** Seitenpreis-, tarif; **one-time black-and-white** ~ **rate** Anzeigenpreis für eine Schwarzweißseite.

paid bezahlt, *(on receipted bill)* Zahlung erhalten, bezahlt;
~ **in** eingezahlt; **not to be** ~ **for** unbezahlbar; **when** ~ nach Eingang;
carriage ~ frachtfrei; **duty [not]** ~ [un]verzollt; **fully** ~ voll eingezahlt; **highly** ~ hoch (teuer) bezahlt; **postage** ~ frei[gemacht]; ~ **quarterly** in vierteljährlichen Raten; **reply** ~ Rückantwort bezahlt;
~ **for** bezahlt, vergütet;
to be ~ **back** rückzahlbar; **to be** ~ **on Fridays** freitags gelöhnt werden; **to be** ~ **monthly** monatlich bezahlt werden; **to be** ~ **by sender** vom Absender freizumachen; **to be** ~ **out in cash by the postman** Geld durch Zahlkarte überwiesen erhalten; **to be** ~ **out of the town funds** auf der städtischen Lohnliste stehen; **to get** ~ sich bezahlen lassen; **to make o. s. (itself)** ~ sich bezahlt machen;
~ **announcement** *(advertising)* bezahlte Werbeankündigung; ~ **attorney** engagierter Anwalt; ~ **check** *(US)* **(cheque,** *Br.)* eingelöster Scheck; ~ **mortgage** abgelöste Hypothek; ~**-on charges** *(Br.)* Auslagen; **badly** ~ **situation** schlecht bezahlte Stellung; ~ **subscriber** Subskribent, der mindestens 50% des Bezugspreises bezahlt hat; ~ **work** bezahlte Arbeit, Lohnarbeit.

paid-in | capital eingezahltes Kapital, Einlagekapital; ~ **surplus** *(accounting, US)* Agioerlös, *(profit, US)* nicht entnommener Gewinn.

paid off creditor abgefundener Gläubiger.

paid out ausbezahlt, ausgezahlt.

paid up abgezahlt, abgetragen.

paid-up | addition *(life insurance)* Verwendung des Prämienerlöses zur Erhöhung der Versicherungssumme, Summenzuwachs [durch stehengelassene Prämie]; ~ **capital** voll eingezahltes Kapital, *(corporation)* eingezahltes Grundkapital; ~ **debt** abgetragene Schuld; ~ **insurance** voll eingezahlte Lebensversicherung; ~ **membership** zahlende Mitglieder; ~ **policy** voll eingezahlte Police; **fully** ~ **shares (stock)** eingezahltes Aktienkapital, *(in a cooperative society)* Geschäftsguthaben; ~ **value** *(life insurance)* Umwandlungswert.

palm | *(v.)* **s. th. off on s. o.** jem. etw. aufschwindeln (anhängen); ~ **off old stock on a client** einem Stammkunden Lagerreste (Ladenhüter) aufschwatzen;
~ **grease** *(sl.)* Bestechungsgeld; ~ **oil** *(sl.)* Schmier-, Bestechungsgelder.

paltry | debts Bagatellschulden; ~ **sum** Schand-, Spottgeld.

pamphlet Flugblatt, -schrift, Streitschrift, Pamphlet, Broschüre, Prospekt, *(newspaper)* kurzer Artikel;
~ *(v.)* Flugschriften herausgeben;
~ **copy** broschierte Ausgabe.

panel Ausschuß, Forum, Gremium *(advertisement)* Kästchen, *(health service, Br.)* Kassenarztliste, *(persons reviewed)* befragter Personenkreis, Befragtengruppe;
on the ~ *(Br.)* als Kassenarzt zugelassen;
~ **of consumers** Verbraucherausschuß;
to be on the ~ auf der Liste stehen, *(health service, Br.)* als Kassenarzt zugelassen sein;
~ **chairman** Ausschußvorsitzender; ~ **doctor** *(Br.)* Kassenarzt; ~ **envelope** Fensterbriefumschlag; ~ **patient** *(Br.)* Kassenpatient; **to be working under the** ~ **system** *(Br.)* zur Kassenpraxis zugelassen sein.

panic *(stock exchange)* Börsenpanik, Kurssturz, Deroute;
~ **buying** Angstkäufe; ~ **price** Angstpreis; ~ **purchases** Hortungskäufe.

paper Papier, Pappe, *(bill)* Wechsel, *(document)* Dokument, *(negotiable instrument)* Wertpapier, Urkunde, *(newspaper)* Zeitung, *(report)*

Bericht, *(stock exchange)* Brief, *(travel(l)er)* Paß;
accommodation ~ Gefälligkeitswechsel, -akzept **bank[able]** ~ bankfähiges Papier, Bankakzept; **best** ~ erstklassiger Wechsel; **blank** ~ Blankopapier; **blotting** ~ Löschpapier; **brown** ~ Packpapier; **business** ~ Handelswechsel; **commercial** ~ Waren-, Handelswechsel, Wechselmaterial; **commodity** ~ Warenwechsel; **double-name** ~ Wechsel mit zwei Unterschriften; **eligible** ~ *(US)* [zentral]bankfähiger Wechsel; **financial** ~ Handels-, Börsenblatt; **foreign** ~ Luftpostpapier; **inconvertible** ~ nicht einlösbares Papiergeld; **long-dated** ~ langfristiger Wechsel; **negotiable** ~ begebbares (durch Indossament übertragenes) Papier; **photocopying** Lichtpauspapier; **printed** ~ Drucksachen; **self-liquidating** ~ kurzfristiges Papier; **shipping** ~**s** Versandpapiere; **third-class** ~ Wechsel dritter Güte; **time** ~ Wechsel mit fester Laufzeit; **tracing** ~ Pauspapier; **trade** ~ Fachzeitschrift, Verbandsorgan, *(bill of exchange)* Handels-, Kunden-, Warenwechsel; **three-months** ~ Dreimonatswechsel; **typewriting** ~ Schreibmaschinenpapier; **wrapping** ~ Packpapier;
~**s of a business concern** Geschäftsunterlagen; ~ **of direction** *(label)* Adreßkarte; ~**s opposed to the government** regierungsfeindliche Presse; ~**s and periodicals** Zeitungen und Zeitschriften;
to commit to ~ zu Papier bringen; **to examine** ~**s** Akten einsehen; **to have one's** ~**s viséd** Visum erhalten; **to insert in a** ~ in eine Zeitung setzen; **to produce one's** ~**s** sich ausweisen; **to subscribe to a** ~ Zeitung halten;
~ **bag** Papierbeutel, -tüte; ~ **basis** Papierwährung, valuta; ~ **blockade** nicht effektiv gewordene Blockade; ~ **book** Formularbuch; **to increase** ~ **circulation** Notenumlauf steigern; ~ **clip** Büro-, Briefklammer; ~ **credit** offener Wechselkredit; ~ **currency** *(circulation)* Papiergeld-, Banknotenumlauf, *(money)* Papiergeld, Banknoten, *(standard)* Papierwährung; ~ **debts** Wechselschulden; ~ **factory** Papierfabrik; ~ **fastener** Musterklammer; ~ **holdings** Wechselbestand; ~ **manufacturing** Papierfabrikation; ~ **mill** Papierfabrik.

paper money Papiergeld, Banknoten, Scheine;
~ **expansion** Papiergeldausweitung; ~ **inflation** Papiergeldinflation.

paper | profits Papiergewinne, unrealisierte Gewinne; ~ ~ **punch** Locher; ~ **seal** Verschlußmarke; ~ **standard** Papierwährung; ~ **trade** Papierindustrie; ~ **value** Papiervaluta; ~ **work** *(administration work)* Schreibarbeit.

paperback broschiertes Buch, Taschenbuch, Taschenausgabe;
~ **book** *(US)* Volksausgabe.

par *(equality)* Gleichwertigkeit, Ebenbürtigkeit, *(face value)* Pari, Nennwert, *(newspaper)* kurzer Zeitungsartikel;
above (below) ~ über (unter) Pari (dem Nennwert); **at** ~ al pari, zum Nennwert; **repayable at** ~ al pari zurückzahlbar; **on a** ~ *(Br.)* durchschnittlich, im Durchschnitt, *(with s. o.)* auf gleicher Ebene;
face ~ Nennbetrag; **issue** ~ Emissionskurs; **nominal** ~ Nominalwert;
~ **of exchange** Wechselpari[tät], Parikurs; **mint** ~ **of exchange** Münzpari; ~ **of stocks** Effektenparität;
to be above ~ über Pari stehen; **to be at** ~ [auf] Pari stehen, *(profit and loss)* sich die Waage halten; **to be on a** ~ **with** gleich (ebenbürtig) sein; **to be up to** ~ gesundheitlich auf der Höhe sein; **to put on a** ~ **with** gleichstellen; **to receive at** ~ zu Pari nehmen;
~ **clearance** *(US)* Clearing zum Pariwert; ~ **collection** Inkasso zum Pariwert; ~ **collection of checks** *(US)* Inkasso von Schecks zum Pariwert ohne Abzug der Spesen; ~ **exchange rate** *(International Monetary Fund)* Wechselkurssatz; ~ **line** *(of stock)* Aktienmittelwert; ~ **list** *(US)* Pariliste, Paritätstabelle; ~ **point** *(US)* Pariplatz; ~ **remittance** *(US)* Überweisung eines Schecks zum Parikurs; ~ **value** Pari-, Nennwert, Parität; ~ **value of currencies** Währungsparität; ~ **value stock** *(US)* Nennwertaktie; **no** ~ **value stock** *(US)* nennwertlose Aktie.

parallel | conscious business behavio(u)r *(antitrust law, US)* bewußt gleichlaufendes Geschäftsverhalten; ~ **case** Parallelfall; ~ **credit market** Parallelmarkt.

paraphernal property, paraphernalia eingebrachtes Gut, Sondervermögen der Ehefrau.

paraphrase poster *(US)* Außenwerbung an öffentlichen Verkehrsmitteln.

parcel *(bundle)* Bündel, Ballen, *(conveyancing)* Grundstücksbeschreibung, *(of goods)* Posten, Partie, Menge, Los, Ware, *(luggage)* Gepäckstück, *(package)* [Post]paket, Versandstück, *(piece of land)* [Grundstücks]parzelle, Stück Land, *(packet, US)* Päckchen;
express ~ Eilpaket; **insured** ~ *(Br.)* Wertpaket; **numbered** ~ Wertpaket; **postal** ~ Postpaket; **registered** ~ Einschreibpäckchen; **sealed** ~ Wertpaket; **special-handling** ~ *(US)* Schnellpaket;
~ **to be called for** postlagerndes Paket; ~**s awaiting delivery** noch nicht zugestellte Sendungen; ~ **of goods** Warenpartie; ~ **of shares** Aktienpaket;
~ *(v.)* Paket packen, *(cut up into lots)* parzellieren;
~ **out** ab-, aufteilen, *(bankruptcy)* aussondern, *(real estate)* parzellieren;
~ **a customer's purchases** Einkäufe eines Kunden einpacken; ~ **into farms** in Güter aufteilen; ~ **goods** Waren in Partien aufteilen; ~ **land**

into smallholdings Land (Großgrundbesitz) parzellieren; ~ **an inheritance** Erbschaftsverteilung vornehmen;
to slice up large ~s of land große Grundstücksflächen parzellieren;
~ **bill** Paketeingangszettel; ~ **carrier** Paketwagen; ~ **cartage** *(Br.)* Paketzustellung; ~ **cartage service** *(Br.)* Paketzustelldienst; ~ **delivery** Paketzustellung, -ausgabe; ~ **delivery company** Paketfahrgesellschaft; ~ **delivery service** Paketzustellungsdienst; ~ **express company** Paketexpreßgesellschaft; ~ **mailing form** Paketkarte; ~ **office** *(US)* Paketannahme- und -ausgabestelle, *(cloakroom, Br.)* Gepäckabfertigung, -aufbewahrung.

parcel post Paketpost, -sendung;
by ~ als Paket;
to send s. th. by ~ etw. als Postpaket schicken.

parcel-post als [Post]paket;
~ **insurance** *(US)* Paketversicherung; ~ **office** *(US)* Paketannahmestelle; ~ **rates** Paketposttarif, -sätze; ~ **stamp** Paketpostbriefmarke; ~ **window** *(US)* Paketschalter.

parcel | postage Paketporto; **~s rate** Paketgebühr; ~ **receipt** Paketempfangsschein; ~ **room** *(Br.)* Handgepäckaufbewahrung; ~ **service** *(Br.)* Paketdienst; ~ **shipment** Muster-ohne-Wert-Sendung; ~ **sticker** Paketaufklebeadresse; ~ **traffic** Paketverkehr; ~ **van** *(Br.)* Paketpostwagen.

pare | *(v.)* **[down] expenditures** Kosteneinsparung vornehmen; ~ **the work force** Belegschaft verringern, Belegschaftsabbau herbeiführen.

parent | bank Gründer, Stammbank; ~ **body** Muttergesellschaft; ~ **company (concern, corporation, establishment)** Mutter-, Dach-, Holding-, Gründergesellschaft, Stammhaus; ~ **organization** Dachorganisation; ~ **plant** Stammwerk, -betrieb; ~ **union** Ober-, Dachgewerkschaft.

pari passu gleichrangig, *(creditors)* gleichberechtigt;
to rank as ~ Gleichrang haben, gleichrangig sein; **to rank** ~ **with new shares issue** mit neuen Aktien gleichberechtigt sein;
~ **bonds** gleichrangige Obligationen.

paring | of employment Beschäftigungsrückgang;
~-down committee Einsparungsausschuß.

parish *(Br.)* Gemeindebezirk;
poor-law ~ *(Br.)* Fürsorgebehörde, -verband;
on the ~ auf Fürsorgeunterstützung angewiesen; **to be (go) on the** ~ Fürsorgeunterstützung beziehen;
~ **relief** *(Br.)* Fürsorgeunterstützung; ~ **road** Landstraße.

parity Parität, Parikurs, Pariwert, Umrechnungskurs, *(equality)* Gleichheit;
at the ~ **of** zum Umrechnungskurs von; **at** ~ **of prices** bei Gleichheit der Preise;
commercial ~ *(US)* Handelsparität; **gold** ~ Goldparität; **mint** ~ Münzparität; **peacetime** ~ Friedensparität; **purchasing power** ~ Kaufkraftparität; ~ **of pay** gleiche Bezahlung; ~ **of reasoning** Analogieschluß; ~ **of stocks** Effektenparität; ~ **of value** Umwechslungspreis [zwischen Gold und Silber]; ~ **of votes** Stimmengleichheit;
to be at a ~ pari stehen; **to bring back to** ~ **with each other** gegenseitige Parität wiederherstellen; **to crawl one's** ~ seine Währungsparität langsam ändern; **to have reached** ~ pari stehen; **to stand at** ~ al pari stehen;
~ **clause** Paritätsklausel; ~ **payments** [Auszahlungen zum Parikurs; ~ **point** Paritätspunkt, ~ **price** Parikurs; **at the** ~ **rate** zum mittleren Kurs; ~ **rights** Paritätsrechte; ~ **table** Paritätstabelle.

parking Parken;
no ~ **except for residents** Parken nur für Anlieger;
low-cost night-time ~ billige Parkmöglichkeiten während der Nachtzeit; **monthly** ~ monatliche Parkgebühr; **no** ~ Parkverbot; **on-street** ~ Parken auf der Straße; ~ **prohibited** Parken verboten; **roof-top** ~ überdachte Parkmöglichkeit; **street** ~ Parken auf der Straße;
~ **in dangerous position** Parken im Parkverbot;
no-~ **area** Parkverbotsgebiet; ~ **attendant** Parkwächter; ~ **bay** reservierter Parkplatz; ~ **demand** Parkbedürfnisse; ~ **facilities** Parkmöglichkeiten; ~ **fee** Parkgebühr; ~ **garage** *(US)* Hochhausgarage; ~ **light** Standlicht, Parklicht; ~ **lot** *(US)* Parkplatz; **free** ~ **lot** kostenlose Parkmöglichkeiten; **guaranteed** ~ **lot** *(US)* bewachter Parkplatz; ~ **meter** Parkuhr; **~-meter violation** Parkzeitüberschreitung; **~-meter zone** Parkuhrbereich; ~ **offence** Parkvergehen; **[public]** ~ **place** [öffentlicher] Parkplatz; ~ **policy** Parkplatzpolitik; ~ **regulations** Parkplatzvorschriften; ~ **site** *(Br.)* Parkplatz; ~ **space** Parkplatz; ~ **spot** Parkplatz, -möglichkeit; ~ **ticket** Parkzettel, *(US)* gebührenpflichtige Verwarnung wegen falschen Parkens; ~ **time** Parkzeit; ~ **violation** Verstoß gegen die Parkbestimmungen.

parkway nur für PKW zugelassene Autobahn, *(US)* Promenade, Allee.

parol agreement formloser Vertrag.

part Teil, Stück, *(of book issued at intervals)* Lieferung, *(duty)* Amt, Aufgabe, *(of a loan)* Tranche, Teilbetrag, *(location)* Gegend, *(share)* Anteil, Bestandteil, Partie, *(side)* Seite, Partei;
in foreign ~s im Ausland;
~s replaced ausgewechselte Teile; **spare** ~ Ersatzteil; ~ **and parcel** wesentlicher Bestandteil; ~ **of a business** Teilbetrieb; **substantive ~s of a contract** wesentliche Vertragsbestimmungen;
~ *(v.)* **with one's money** mit dem Geld herausrücken, sein Scheckbuch zücken; ~ **with a property** Vermögensanteil aufgeben;
to be ~ **of the inventory** zum Inventar gehören;
to be issued in weekly ~s in wöchentlichen

Lieferungen (wöchentlich) erscheinen; **to contribute in ~ to the expense of production** Produktionskosten teilweise übernehmen; **to keep back ~ of the price** Teil des Preises zurückhalten; **to issue in fortnightly ~s** alle 14 Tage eine Lieferung herausbringen, 14täglich liefern; **to make a payment in ~** Abschlagszahlung leisten; **to pay in ~s** Teilzahlungen leisten; **to take ~ in** teilnehmen an, partizipieren;

~ **damage** Teilschaden; ~ **delivery** Teillieferung; ~**s depot** Ersatzteillager; ~ **loads** Stückgüter; ~**-load traffic** Stückgüterverkehr; ~ **owner** Teil-, Miteigentümer, *(marine shipping)* Mitreeder, Schiffspartner; ~**-paid stock** *(US)* teilweise eingezahltes Aktienkapital; ~ **payment** Teil-, Raten-, Abschlagszahlung; **in ~ payment of the outstanding balance** zur teilweisen Begleichung des noch ausstehenden Betrags; ~ **payment on account** Akontozahlung eines Teilbetrages; ~**-payment terms** Teilzahlungsbedingungen; ~ **shortage** Ersatzteilknappheit.

part time verkürzte Arbeitszeit;
to be on (be employed) ~ nicht ganztägig beschäftigt sein, kurzarbeiten.

part-time nebenberuflich;
~ **employee** nicht ganztägig beschäftigter Angestellter, Kurzarbeiter; ~ **employment** Kurzarbeit, Halbtags-, Teilzeitbeschäftigung; ~ **job** Halbtagsstelle; ~ **member** nichtselbständiges Mitglied; ~ **school** Fortbildungsschule; ~ **student** Student auf Zeit; ~ **work** Kurz-, Halbtagsarbeit; ~ **worker** Kurzarbeiter, Halbtagskraft.

part|-timer Aushilfs-, Kurzarbeiter, Halbtagskraft; ~ **warrant** *(warehouse)* Teillagerschein.

partake in profits am Gewinn teilnehmen, gewinnbeteiligt sein.

partial | acceptance Teilakzept ~ **account** *(executor)* Teilabrechnung; ~ **amount** Teilbetrag; ~ **assignment** Teilabtretung; ~ **audit** Teilrevision; ~ **average** besondere (einfache) Havarie; ~ **board** halbe Pension; ~ **bond** *(Br.)* Teilschuldschein; ~ **data** Teilerhebung; ~ **delivery** Teillieferung; ~ **endorsement** Teilindossament; ~ **monopoly** unvollständiges Monopol; ~ **payment** Abschlags-, Teilzahlung; ~ **payment of debts** Schuldenregelung im Vereinbarungswege; ~**-payment plan** Abzahlungsplan; ~ **shipment** Teilsendung, -lieferung.

participate *(v.)* Anteil haben, teilnehmen, *(have share)* teilhaben, beteiligt sein an, *(share in profits)* gewinnbeteiligt sein;
~ **in a business** sich an einem Geschäft beteiligen; ~ **in a loss** am Verlust beteiligt sein; ~ **equally in the profits** seinen Gewinnanteil haben.

participating [gewinn]berechtigt, -beteiligt;
~ **bonds** *(US)* Obligationen mit Gewinnbeteiligungsrecht, Vorzugsobligationen; ~ **capital stock** *(US)* mit zusätzlicher Dividendenberechtigung ausgestattetes Aktienkapital, *(liquidation)* am Liquidationsgewinn beteiligte Vorzugsaktien; ~ **certificate** Genußschein; ~ **company** beteiligte Gesellschaft; ~ **contract** *(insurance law)* Gewinnbeteiligungsvertrag; ~ **dividend** Vorzugsdividende; ~ **insurance** gewinnbeteiligte Versicherung; ~ **mortgage** mehreren Gläubigern zustehende Hypothek; ~ **rights** Gewinnbeteiligung[srechte]; ~ **preference shares** *(Br.)* **(preferred stock,** *US)* mit zusätzlicher Dividendenberechtigung ausgestattete Vorzugsaktien.

participation Mitwirkung, Teilnahme, *(banking)* Konsortialbeteiligung, *(profit sharing)* Gewinn-, Mit-, Kapital-, Konsortialbeteiligung, *(taking part in a company)* kommanditistische Beteiligung;
financial ~ Kapitalbeteiligung; **immediate ~** unmittelbare Gewinnbeteiligung;
~ **in a business** Geschäfts-, Konsortialbeteiligung;
~ **in dividends** Dividendenberechtigung; ~ **in an enterprise** Beteiligung an einem Unternehmen; ~ **in a syndicate** Konsortialbeteiligung;
to take up a financial ~ sich kapitalmäßig beteiligen;
~ **account** Beteiligungs-, Konsortialkonto; ~ **certificate** *(US)* Anteilschein; ~ **clause** Allbeteiligungsklausel; **immediate ~ guarantee** Garantie für unmittelbare Gewinnbeteiligung; ~ **loan** Konsortialkredit; ~ **share** Anteilschein; ~ **show** Fernsehveranstaltung mit Beteiligung des Publikums.

participator Teilnehmer, Teilhaber.

particular|s *(details)* Einzelheiten, nähere Angaben, Umstände, *(of person)* Angaben zur Person, Personalien;
~**s of an account** einzelne Abrechnungsposten; ~**s of a car** Autosteckbrief; ~**s of a risk** Gefahrenmerkmale; ~**s of sale** *(auction sale)* detaillierte Objektbeschreibung;
to execute an order in every ~ Auftrag Punkt für Punkt ausführen; **to take down s. one's ~s** jds. Personalien aufnehmen;
~ *(a.)* besonders, einzeln, speziell, *(law)* dem Besitzer nur beschränkt gehörend;
full and ~ account eingehender Bericht; ~ **average** kleine (besondere) Havarie; ~ **costs** direkte Kosten; ~ **customs** Ortsgebrauch; ~ **fund** besonders bezeichneter Vermögensfonds; ~ **partnership** Gelegenheitsgesellschaft.

parties | concerned die Beteiligten; ~ **contracting** vertragschließende Parteien (Teile); ~ **primarily liable** *(on commercial papers)* unmittelbar Wechselverpflichtete;
~ **in interest** Konkursgläubiger.

partition *(real estate)* Grundstücksteilung;
distribution and ~ *(US)* Verteilung des beweglichen und unbeweglichen Nachlasses, Auseinandersetzung;

~ **of a farm** Parzellierung;
~ **plan** Parzellierungsplan.

partner Beteiligter, Teilnehmer, *(conversation)* Gesprächspartner, *(in partnership)* Teilhaber, Gesellschafter, Kompagnon, Partner, Sozius; **active (acting)** ~ geschäftsführender Teilhaber (Gesellschafter), Komplementär; **apparent** ~ Scheingesellschafter; **associated** ~ unbeschränkt haftender Teilhaber; **chief** ~ Hauptgesellschafter; **continuing** ~ verbleibender Gesellschafter; **contracting** ~ Vertragspartner; **dormant** ~ stiller Teilhaber; **general** ~ unbeschränkt haftender Gesellschafter; **holding-out** ~ Scheingesellschafter; **incoming** ~ neueintretender Gesellschafter (Teilhaber); **inactive** ~ nichttätiger (nicht geschäftsführender) Gesellschafter; **infant** ~ minderjähriger Gesellschafter; **junior** ~ jüngerer Teilhaber, Juniorchef; **latent** ~ stiller Teilhaber; **limited** ~ beschränkt haftender Teilhaber (Gesellschafter), Kommanditist; **liquidating** ~ Liquidator, abwickelnder Teilhaber; **managing** ~ geschäftsführender Gesellschafter, Geschäftsführer, Chef; **nominal** ~ Scheingesellschafter; **ordinary** ~ *(Br.)* unbeschränkt haftender Teilhaber; **ostensible** ~ Scheingesellschafter, vorgeschobener Gesellschafter; **outgoing** ~ ausscheidender Gesellschafter; **quasi** ~ Scheingesellschafter; **retiring** ~ ausscheidender Gesellschafter; **secret** ~ stiller Teilhaber (Gesellschafter); **senior** ~ Hauptgesellschafter, Seniorchef; **silent (sleeping)** ~ stiller (nicht geschäftsführender) Gesellschafter; **solvent** ~ vom Konkurs nicht betroffener Teilhaber; **special** ~ beschränkt haftender Teilhaber, Kommanditist; **state-run** ~ staatlicher Teilhaber; **trade** ~ Handelsvertragspartner; **surviving** ~ überlebender Teilhaber; **unlimited** ~ unbeschränkt haftender Gesellschafter, Komplementär; **withdrawing** ~ ausscheidender Gesellschafter; **working** ~ tätiger Teilhaber, geschäftsführender Gesellschafter;
~ **in business** Mitgesellschafter, Geschäftspartner;
~ *(v.)* sich assoziieren, Partner sein;
to admit as ~ als Teilhaber aufnehmen; **to be a** ~ teilhaben; **to become a** ~ sich liieren; **to become** ~ **in a firm** als Teilhaber in eine Firma eintreten, in ein Geschäft einsteigen, Gesellschafter werden; **to be personally liable as a** ~ als Gesellschafter persönlich haften; **to buy out a** ~ Teilhaber abfinden; **to enter a firm as** ~ als Teilhaber in eine Firma eintreten; **to hold s. o. out as** ~ j. als Gesellschafter ausgeben; **to introduce as** ~ als Gesellschafter aufnehmen; **to join a firm as** ~ Gesellschafter werden, als Teilhaber eintreten; **to take in a** ~ Teilhaber aufnehmen;
~**-like stake** unternehmerähnliches Interesse;
~ **trustee** Geschäftsbevollmächtigter.

partner's | capital Einlagekapital; ~ **interest (share)** Gesellschafteranteil, -beteiligung.

partnership *(articles)* Gesellschaftsvertrag, *(business association)* [offene] Handels-, Personalgesellschaft, Sozietät[svertrag], *(participation)* Teilhaber-, Partnerschaft, Mitbeteiligung, *(relationship)* Gesellschaftsverhältnis;
with a view to ~ mit der Aussicht späterer Beteiligung;
commercial ~ Handelsgesellschaft; **dormant** ~ stille Teilhaberschaft; **general** ~ offene Handelsgesellschaft [mit unbeschränkter Haftpflicht]; **industrial** ~ *(US)* Gewinnbeteiligung der Arbeitnehmer; **limited** ~ Kommanditgesellschaft; **mining** ~ *(US)* Bergbaugesellschaft; **nontrading** ~ [etwa] Gesellschaft bürgerlichen Rechts; **oral** ~ auf mündlicher Vereinbarung beruhende Teilhaberschaft; **ordinary** ~ *(US)* normale Handelsgesellschaft; **particular** ~ *(US)* Gelegenheitsgesellschaft; **private** ~ Gesellschaft mit nicht mehr als 50 Beteiligten; **quasi** ~ Scheingesellschaft; **secret (silent, sleeping,** *Br.)* ~ stille Beteiligung; **special** ~ Handelsgesellschaft zwecks Durchführung einer besonderen Transaktion, Gelegenheitsgesellschaft; **trading** ~ Handelsgesellschaft; **unlimited** ~ *(US)* [etwa] BGB-Gesellschaft, Gesellschaft des bürgerlichen Rechts; ~ **wanted** *(advertisement)* Teilhaber gesucht;
~ **in commendam** Kommanditgesellschaft auf Aktien; ~ **by estoppel** *(Br.)* Gesellschaft kraft Rechtsscheins; ~ **in syndicate** Konsortialbeteiligung; ~ **at will** jederzeit kündbare Gesellschaft, [etwa] Gesellschaft des bürgerlichen Rechts;
to be in ~ **with s. o.** mit jem. assoziiert sein; **to be admitted into a** ~ in eine Gesellschaft aufgenommen werden; **to bring one's skill into a** ~ seine Arbeitskraft in eine Gesellschaft einbringen; **to carry on in** ~ Gesellschaftsverhältnis fortsetzen; **to dissolve a** ~ Gesellschaft auflösen, sich trennen; **to enter into** ~ **with s. o.** sich mit jem. assoziieren; **to establish a** ~ Gesellschaft gründen; **to give s. o. a** ~ **in the business** jem. einen Geschäftsanteil überlassen; **to hold the property in trust for a** ~ als Treuhänder von Grundvermögen einer OHG fungieren; **to join a** ~ als Teilhaber eintreten; **to organize a** ~ Teilhaberschaft[sverhältnis] begründen; **to retire from a** ~ als Teilhaber ausscheiden; **to take into** ~ zum Teilhaber machen (nehmen), als Teilhaber aufnehmen; **to withdraw from a** ~ als Teilhaber (Gesellschafter) ausscheiden, Gesellschaftsverhältnis beenden;
~ **affairs** Gesellschaftsangelegenheiten; ~ **agreement** Gesellschafter-, Teilhabervertrag, Gesellschaftervereinbarung; ~ **articles** Gesellschaftssatzung, -vertrag; ~ **assets** Gesellschaftsvermögen; ~ **assurance** *(Br.)* Teilhaberversicherung; ~ **books** Geschäftsbücher einer OHG; **within the scope of the** ~ **business** im Rahmen der Gesellschaftstätigkeit; ~ **capital**

Gesellschaftskapital; ~ **claim** Gesellschaftsanspruch, -forderung; ~ **concerns** Gesellschaftsangelegenheiten; ~ **contract** Gesellschaftervertrag; ~ **creditor** Gesellschaftsgläubiger; ~ **debt** Gesellschaftsschuld; ~ **deed** Gesellschaftsvertrag; ~ **funds** Gesellschaftskapital; ~ **income** Firmeneinkommen; ~ **insurance** Teilhaberversicherung; ~ **interest** Firmen-, Gesellschaftsanteil; **limited** ~ **interest** Beteiligung an einer Kommanditgesellschaft, Kommanditanteil; ~ **liability** Gesellschaftsverpflichtungen; ~ **loss** Firmen-, Gesellschaftsverlust; ~ **name** Firmenname; ~ **obligations** Gesellschaftsverpflichtungen; ~ **personalty** Mobiliarvermögen einer Gesellschaft; ~ **property** Firmen-, Gesellschaftseigentum,- vermögen; ~ **registration** Eintragung einer Gesellschaft im Handelsregister; ~ **purpose** Gesellschaftszweck; **to withdraw from** ~ **registration** Gesellschaft im Handelsregister löschen lassen; ~ **realty** Grundbesitz einer Gesellschaft; ~ **relation** Teilhaber-, Partnerschaftsverhältnis; ~ **transaction** Gesellschaftstransaktion.

party [Vertrags]partei, -partner, Kontrahent;
for account of a third ~ zugunsten eines Dritten; **by order of a third** ~ im Auftrag eines Dritten;
accommodated ~ Begünstigter; **charter** ~ Charter-, Schiffsfrachtvertrag; **contracting** ~ vertragschließender Teil; **innocent** ~ gutgläubiger Dritter; **interested** ~ Beteiligter, Interessent; **working** ~ Arbeitsgruppe;
~ **to a bill of exchange** Wechselpartei, -beteiligter; ~ **entitled to a claim** Anspruchsberechtigter; ~ **liable for cost** Kostenschuldner;
to deposit a sum in the hands of a third ~ Summe bei einem Treuhänder hinterlegen; **to escort a** ~ Reisegesellschaft begleiten; **to make s. o. a** ~ **to an undertaking** j. an einem Unternehmen beteiligen, j. als Teilhaber aufnehmen; **third-**~ **creditor (beneficiary)** Begünstigter eines Vertrages zugunsten Dritter; **third-**~ **insurance** Haftpflichtversicherung; **third-**~ **risk** Regreßrisiko.

pass *(identification card)* Personalausweis, Ausweiskarte, *(permission to ~)* Paß, Grenz-, Erlaubnis-, Passierschein, Ausweis, Geleitbrief, *(free ticket)* Freifahrkarte, *(railroad, US)* Dauerkarte, Jahresbillet;
customhouse ~ Zollbegleitschein; **free** ~ *(railway)* Dauer-, Freifahrschein; **international travelling** ~ Carnet; **sea** ~ Schiffspaß; ~ *(v.) (approve)* genehmigen, *(bill)* angenommen werden, *(book-keeping)* eintragen, buchen, *(coins)* gültig sein, Kurs haben, *(fashion)* kommen und gehen, unmodern werden, *(risk)* übergehen;
~ **an account** Rechnung genehmigen; ~ **to s. one's account** jem. in Rechnung stellen; ~ **an item to the current account** *(Br.)* Posten verbuchen; ~ **along** *(price)* abwälzen; ~ **an amount to the credit of s. o.** jem. einen Betrag gutschreiben; ~ **into the books** buchen, eintragen; ~ **a check** *(US)* **(cheque,** *Br.)* Scheck einlösen; ~ **forged coins** Falschgeld in Umlauf bringen; ~ **in conformity** gleichlautend buchen; ~ **costs on** Unkosten abwälzen; ~ **to s. one's credit** jem. gutschreiben; ~ **the customs** zollamtlich abgefertigt werden; ~ **a customs entry** Zollerklärung abgeben, zur Verzollung deklarieren; ~ **to s. one's debit** j. belasten (debitieren); ~ **a dividend** *(US)* Dividende ausfallen lassen; ~ **an entry** Eintragung machen, Buchung vornehmen; ~ **off one's goods as those of another make** seine Waren unter falschem Warenzeichen vertreiben; ~ **the hat round** Geldsammlung veranstalten; ~ **increased labo(u)r costs on to consumers** erhöhte Lohnkosten auf die Verbraucher abwälzen; ~ **counterfeit money** Falschgeld in Umlauf setzen; ~ **on rising cost without becoming incompetitive** gestiegene Kosten ohne Verschlechterung der Wettbewerbssituation weitergeben; ~ **over in a ferry** in einer Fähre übersetzen; ~ **into the ownership** als Eigentum übertragen; ~ **by sale** *(title of goods)* beim Verkauf übergehen; ~ **on a tax to s. o.** Steuer auf jem. abwälzen.

pass through | **at once** *(tel., US)* sofort verbinden; ~ **the journal** Journal durchlaufen.

pass | **check** *(US)* Passierschein, Eintrittskarte, Kontermarke; ~ **duty** Durchgangszoll; ~ **sheets** *(Br.)* Kontoauszug.

passage *(Br.)* Durchgang, [Haus]flur, Korridor, Gang, *(book)* [Text]stelle, Belegstelle, *(channel)* Fahrwasser, Kanal, *(crossing)* Überfahrt, Passage, *(easement)* freier Durchgang, *(fare)* Fahr-, Überfahrtsgeld, *(gallery)* Strecke, *(money)* Fahrgeld, -preis, *(negotiation)* Verhandlung, *(parl.)* Annahme [eines Gesetzes], Verabschiedung, *(river)* Furt, *(road)* Straße, Verbindungsgang, *(transit)* Durchreise, -fahrt, [Waren]transit, *(transition)* Übergang, *(voyage)* Seereise;
on ~ unterwegs; **on his** ~ **home** auf seiner Heimreise;
air ~ Flug[reise]; **assisted** ~ Reise-, Fahrgeldzuschuß;
~ **through the canal** Kanaldurchfahrt;
to book one's ~ seine Schiffskarte (Flugkarte) lösen; **to take one's** ~ **to New York** sich nach New York einschiffen; **to work one's** ~ seine Überfahrt abarbeiten;
~ **boat** Fährboot; ~ **broker** *(Br.)* Auswanderungsagent; ~ **money** Überfahrtsgeld.

passbook *(Br.)* Konto-, Einzahlungsbuch, *(dealer)* Anschreibebuch;
~ **savings** Kontobuchersparnisse, Sparleistungen.

passed dividend *(US)* ausgefallene Dividende.

passenger Passagier, Reisender, Fahrgast, *(air-*

plane) Fluggast, *(incompetent member, sl.)* Schmarotzer;

aircraft ~ Fluggast; **cabin** ~ Kajütenpassagier; **fellow** ~ Mitreisender; **first-class** ~ Passagier (Reisender) erster Klasse; **deck** ~ Deckpassagier; **foot** ~ Fußgänger; **individual** ~ Einzelreisender; **public transit** ~ Benutzer öffentlicher Verkehrsmittel; **regular** ~ Dauerfahrgast; **regularly scheduled** ~ Fluggast einer Linienmaschine; **steerage** ~ Passagier dritter Klasse, Zwischendeckpassagier; **through** ~ Durchreisender; **tourist** ~ Passagier der Touristenklasse;

to put down ~**s** Fluggäste (Schiffsreisende) absetzen; **to take on** ~**s** Schiffsreisende (Fluggäste) aufnehmen;

~ **accommodation** Passagierräume; ~ **account** Passagierverkehrskonto; ~ **agent** *(US)* Schalterbeamter; ~ **baggage** *(US)* Reisegepäck; ~ **boarding** Passagiereinschiffung; ~ **boat** Personendampfer; ~ **cabin** Fluggastkabine; ~ **capacity** Fluggastkapazität; ~ **car** *(US)* **(carriage,** *Br.)* Personen[kraft]wagen; ~ **check-in** Fluggastannahme; ~ **coach** Personenwagen; ~ **contract** Personenbeförderungsvertrag; ~ **density** Verkehrsdichte; ~ **depot** *(US)* Personenbahnhof; ~ **duty** Fahrkartensteuer; ~ **elevator** *(US)* Personenaufzug; ~ **fare** Personenfahrpreis; ~ **goods** Passagiergut; ~ **kilometer (kilometre,** *Br.)* Personenkilometer, *(airplane)* Fluggastkilometer; ~ **list** Passagierliste; ~ **locomotive** *(US)* Personenzuglokomotive; ~**s' luggage** *(Br.)* Reisegepäck, *(airplane)* Fluggepäck; ~ **milage** Beförderungsziffern; ~ **plane** Verkehrsflugzeug; ~ **rate** Personentarif; ~ **records** Passagierunterlagen; ~ **reservation** Flugreservierung; ~ **revenue** Einkünfte aus dem Passagierverkehr; ~ **service** Passagier-, Personenbeförderung; ~ **service charge** Fluggastgebühr; ~ **ship** Fahrgastschiff; ~ **space** Fahrgastraum; ~ **station** Personenbahnhof; ~ **steamer** Passagierdampfer; ~ **tariff** Personen-, Beförderungstarif; ~ **ticket** Fahrkarte, -schein, *(airplane)* Flugkarte, -schein, *(ship)* Schiffskarte; ~ **traffic** Passagier-, Personenverkehr; **commutator** ~ **traffic** *(US)* Zeitkartenverkehr; ~ **train** Personenzug; **by** ~ **train** als Eilgut; ~**-train service** Personenzugverkehr; ~ **van** Kombiwagen; ~ **vessel** Personenfahrzeug.

passing | **counterfeit money** Inumlaufsetzen von Falschgeld; ~ **of property** Eigentumsübergang; ~ **of risk** *(conveyance)* Gefahrenübergang, *(insurance)* Risikoabwälzung;

~ **off** *(US)* unlauterer Wettbewerb, Verkauf unberechtigt als Markenartikel ausgezeichneter Waren.

passive zurückhaltend, *(economics)* still, untätig, *(interest)* zinslos;

~ **bond** unverzinsliche Schuldverschreibung; ~ **commerce** Passivhandel; ~ **debt** unverzinsliche Schuld; ~ **trade** Passiv-, Einfuhrhandel; ~ **trade balance** *(US)* passive Handelsbilanz.

passout Kontermarke.

passport Reisepaß, *(licence to pass goods)* Erlaubnisschein;

official ~ Amtspaß; **ship's** ~ Seepaß;

to amend a ~ Paß abändern; **to apply for a** ~ Paß beantragen; **to examine a** ~ Paßprüfung durchführen;

~ **inspection** Paßkontrolle; ~ **provisions** Paßbestimmungen.

past | **bill** überfälliger Wechsel; ~**-due interest** Verzugszinsen.

paste-on label Aufklebeadresse.

patent Patent[urkunde], *(letters patent)* Privileg, Freibrief, Bestallung, *(licence)* Konzession;

additional ~ *(Br.)* Zusatzpatent; **improvement** ~ Vervollkommnungspatent; **interfering** ~ Kollisionspatent; **lapsed** ~ abgelaufenes (verfallenes) Patent; **petty** ~ *(US)* Gebrauchsmuster; **pioneer** ~ Stammpatent; **prior** ~ Vorpatent;

~ **for invention** Erfindungspatent;

~ *(v.) (grant a patent)* patentieren, Patent erteilen, *(take out a patent)* Patent nehmen;

to base a ~ **on a discovery** Patent auf eine Erfindung stützen; **to defeat the right to a** ~ Patentanspruch zu Fall bringen; **to derive benefit from a** ~ Patenteinkünfte haben; **to file an application for a** ~ **abroad** Patentanmeldung im Ausland einreichen, Auslandspatent anmelden; **to infringe a** ~ Patent verletzen; **to lodge an opposition to a** ~ Patentwiderspruch anmelden; **to revoke a** ~ Patentrechtsanspruch aufheben; **to shelve a** ~ Patent ungenutzt lassen; **to work a** ~ Patent ausüben (verwerten);

~ *(a.) (manifest)* offenkundig, offensichtlich, *(patented)* gesetzlich geschützt, patentiert, *(privileged)* mit offiziellen Privilegien ausgestattet;

~ **advertising** Patentberühmung; ~ **article** Markenartikel; ~ **business** Patentschutzverfahren; ~ **defect** offensichtlicher Fehler, offener Mangel; ~ **filing** Patentschrift; ~ **goods** Markenartikel; ~ **infringement** Patentverletzung; ~ **licence** Patentlizenz; ~ **licensing** Patentvergabe; ~ **monopoly** Monopolpatent; ~ **number** Patentnummer; ~ **specification** Patentbeschreibung.

patented | **article** patentiertes Erzeugnis, Markenartikel; **to be manufactured by a** ~ **process** nach einem Patentverfahren hergestellt sein; ~ **product** patentiertes Erzeugnis.

patron *(protector)* Förderer, Gönner, Mäzen, Schutzherr, Schirmherr, Wohltäter, *(restaurant)* Stammgast, *(shop)* Stammkunde, Klient.

patronage Protektion, Gönnerschaft, Schirmherrschaft, *(financial subsistence)* Unterstützung, *(granting privilege)* Ämterpatronage, *(shop)* Kundschaft, Besucherkreis, Klientele, regelmäßige Einkäufer;

to have a select ~ vornehme Kundschaft haben; ~ **discount** Rabatt für Stammkunden, Treuerabatt;
~ **dividend** *(US)* Rabattmarke, Rückvergütung; ~ **refund** *(US)* Kundenrabatt; ~ **system** Vetternwirtschaft.
patronize *(v.)* [als Kunde (häufig)] besuchen, *(other countries)* gönnerhaft behandeln, *(favo(u)r)* begünstigen, protektionieren, fördern, unterstützen, *(restaurant)* Stammgast sein.
patronizer Gönner, Förderer, Wohltäter, *(client)* regelmäßiger Kunde, *(restaurant)* Stammgast.
patronizing gönnerhaft.
patter *(street vendor)* marktschreierisches Anpreisen.
pattern *(excellent example)* Muster[exemplar], *(model)* Muster, Modell, Vorlage, Schema, *(sample)* Warenprobe, *(structure)* Struktur, Gefüge;
according to ~ nach Muster (Probe), mustergetreu; **as per** ~ **enclosed** laut beiliegender Qualitätsprobe;
holding ~ *(airplane)* Warteschleife; **landing** ~ *(airplane)* Platzrunde; **reference** ~ Ausfallmuster; **standard** ~ Einheitsmuster;
~ **of consumption** Verbrauchsstruktur einer Ware; ~ **of expenditure** Ausgabengestaltung, -struktur; ~ **of investment** Investitionsschema; ~ **of trade** Handelsstrom; ~ **of working** Arbeitsrezept;
to call off a holding ~ von einer Wartebahn abrufen; **to have a look at the** ~**s** Muster einsehen; **to work from a** ~ nacharbeiten, nach einem Muster arbeiten;
~ **agreement** Modellabkommen, -tarif; ~ **articles** Massenware; ~ **card** Musterkarte; ~ **designer** Modellzeichner; ~ **parcel** Mustersendung; **by** ~ **post** als Muster ohne Wert; ~ **shop** Modellwerkstätte.
patterned sample Probestück.
pauper relief Armenunterstützung.
pavement café Boulevardrestaurant.
pavilion *(exhibition)* Ausstellungszelt, -pavillon.
pawn Pfand[stück], Pfandgegenstand, Faustpfand, *(bailment of goods)* Verpfändung, *(figurehead)* Strohmann, Marionette;
to advance money on ~**s** gegen Pfandbestellung vorschießen; **to lend on** ~**s** Darlehen gegen Pfandbestellung gewähren; **to put in** ~ verpfänden, ins Leihhaus tragen, versetzen;
~ **money** Pfandgebühr; ~ **office** Pfandleihanstalt; ~ **taking** Pfandnahme; ~ **ticket** Pfandschein.
pawnable versetzbar, verpfändbar, *(stocks)* lombardfähig.
pawnbroker Pfand[ver]leiher, -hausbesitzer;
~**'s business (shop)** Pfandleihe, Leihhaus, -amt.
pawned | bill of exchange verpfändeter Wechsel; ~ **stock** *(Br.)* [bei einer Bank] lombardierte Wertpapiere.
pawnee Pfandnehmer, Pfandschuldner.
pawner Pfandleiher, -schuldner.
pawnshop Pfand-, Leihhaus.
pay *(mil.)* Besoldung, Wehrsold, *(payment)* Bezahlung, *(remuneration)* Entgelt, Entschädigung, *(reward)* Belohnung, *(salary)* Gehalt, Dotierung, *(ship)* Heuer, *(wages)* [Arbeits]-lohn, Löhnung, Sold, Besoldung, Entlohnung;
in the ~ **of** beschäftigt (angestellt) bei; **more to** ~ nicht genügend frankiert; **without** ~ unbezahlt;
additional ~ Gehaltsaufbesserung, -zulage, Geldzuschuß; **back** ~ Gehalts-, Lohnrückstand; **basic** ~ Grundgehalt, -lohn; **call-back** ~ zusätzliche Vergütung für außerplanmäßige Arbeit; **not enough** ~ unzureichende Bezahlung; **extra** ~ Zulage, Lohnzuschlag; **final** ~ *(pension scheme)* auf das letzte Gehalt abgestellte Rentenzahlung; **full** ~ volles Gehalt; **gross** ~ Bruttogehalt; **half** ~ Wartegeld; **insufficient** ~ ungenügende Bezahlung; **leave** ~ Urlaubsbezahlung, -geld; **longevity** ~ altersbedingte Gehaltserhöhung; **military** ~ Wehrsold; **minimum call** ~ *(US)* Mindestlohn für nur stundenweise Tätigkeit; **monthly** ~ Monatsgehalt; **one year's** ~ ein Jahresgehalt; **overdue** ~ rückständiges Gehalt; **overtime** ~ Überstundenzuschlag; **regular** ~ Grundgehalt; **retired** ~ *(mil.)* Pension; **retirement** ~ Pension[szahlung]; **takehome** ~ Nettogehalt, *(profit taken)* mitgenommener Gewinn; **weekly take-home** ~ wöchentlicher Nettolohn; **unemployed** ~ Arbeitslosenunterstützung; **weekly** ~ Wochenlohn;
~ **in advance** Vorschußzahlung; ~ **by the day** Stundenlohn; ~ **after stoppage** *(Br.)* Nettogehalt; ~ **before stoppage** *(Br.)* Bruttogehalt; **equal** ~ **for equal work** gleicher Lohn für gleiche Arbeit;
~ *(v.)* zahlen, Zahlung leisten, *(debt)* bezahlen, begleichen, befriedigen, *(reward)* belohnen, *(salary)* [aus]zahlen, *(yield)* sich rentieren, Gewinn abwerfen, sich bezahlt machen;
~ **an account** Rechnung bezahlen; ~ **into an account** auf ein Konto einzahlen; ~ **on account** anzahlen, Anzahlung leisten; ~ **in addition** nachzahlen; ~ **an additional amount (sum)** Geld nachschießen; ~ **in advance (by anticipation)** vorausbezahlen, pränumerando (vor Fälligkeit) zahlen; ~ **alimony** Unterhalt zahlen; ~ **an amount in full** Betrag in voller Höhe bezahlen; ~ **s. o. an annuity** jem. eine Rente zahlen; ~ **attention** beachten; ~ **away** auszahlen; ~ **back** zurück[be]zahlen, zurückerstatten, Schulden abdecken; ~ **s. o. back in his own coin** jem. mit gleicher Münze zurückzahlen; ~ **the balance** Unterschiedsbetrag (Rest) begleichen; ~ **through a bank** Geld durch die Bank überweisen; ~ **into the bank** bei der Bank einzahlen; ~ **beforehand** pränumerando zahlen, vorausbe-

zahlen; ~ **a bill** Zeche bezahlen, Rechnung begleichen, *(of exchange)* Wechsel einlösen; ~ **by means of a bill** mit einem Wechsel bezahlen; ~ **a call on s. o.** jem. einen Besuch abstatten; ~ **a [further] call on shares** Teilzahlung auf Aktien leisten; ~ **cash down** bar bezahlen; ~ **by check** *(US)* **(cheque,** *Br.)* per Scheck zahlen; ~ **compensation** Entschädigung gewähren, Schadenersatz leisten; ~ **one's compliments to s. o.** jem. einen Höflichkeitsbesuch abstatten; ~ **one's contributions** seinen Beitrag zahlen; ~ **the costs** Kosten tragen; ~ **one's creditors in full** seine Gläubiger voll befriedigen; ~ **over the counter** am Schalter aus[be]zahlen; ~ **damages** Schadenersatz leisten; ~ **dearly for one's experience** teures Lehrgeld zahlen; ~ **one's debts** seine Schulden bezahlen (begleichen); ~ **one's debt to the last penny** seine Schulden auf Heller und Pfennig bezahlen; ~ **the devil** etw. teuer bezahlen müssen; ~ **a dividend out of capital** Dividende vom Kapital zahlen; ~ **on the dot** ganz pünktlich bezahlen; ~ **double the price** doppelten Preis bezahlen; ~ **down** bar [be]zahlen, *(downpayment)* Anzahlung leisten; ~ **duty** Zoll bezahlen, verzollen; ~ **the expenses** für die Kosten aufkommen; ~ **extra** nachbezahlen; ~ **extra duty** Steuerzuschlag bezahlen; ~ **the fare** für die Fahrt bezahlen; ~ **the full fare** vollen Fahrpreis bezahlen; ~ **a fee to s. o.** j. honorieren, jem. ein Honorar bezahlen; ~ **a fine** Geldstrafe bezahlen.

pay for bezahlen, Kosten tragen, entgelten, aufkommen für, *(costs)* sich rentieren;
~ **itself** sich bezahlt machen; ~ **s. o.** *(restaurant)* j. einladen; ~ **domestic help** Haushalthilfe entlohnen; ~ **hono(u)r** als Intervenient zahlen; ~ **services** Dienste belohnen; ~ **a trip** Reise bezahlen.

pay | in full voll begleichen (bezahlen), restlos bezahlen; ~ **half the cost** Kosten zur Hälfte (hälftig) tragen; ~ **handsomely** anständig bezahlen; ~ **home** heimzahlen, vergelten; ~ **homage to s. o.** jem. Ehre erweisen; ~ **due hono(u)r to a draft** Wechsel honorieren.

pay in einzahlen;
~ **a check** *(US)* **(cheque,** *Br.)* Scheck einlösen; ~ **to a fund** zu einem Fonds beisteuern; ~ **money in** Einzahlung vornehmen; ~ **an equal sum** Einlage in gleicher Höhe machen.

pay | in monthly instal(l)ments in Monatsraten bezahlen, monatliche Teilzahlungen leisten; ~ **interest on s. th.** etw. verzinsen.

pay into einlegen;
~ **an account** auf ein Konto einzahlen; ~ **the bank** bei der Bank einzahlen; ~ **a check** *(US)* **(cheque,** *Br.)* **into the bank** Scheck bei der Bank einlösen; ~ **court** Geld bei Gericht hinterlegen.

pay | before maturity vorausbezahlen, vor Fälligkeit bezahlen; ~ **by two methods of trading** auf zwei Usi bezahlen; ~ **ready money** prompt bezahlen; ~ **too much for s. th.** etw. überzahlen, zuviel bezahlen; ~ **through the nose** Wucherpreis bezahlen.

pay off ausbezahlen, *(pay in full)* tilgen, [vollständig] ab[be]zahlen, *(sl.)* abwimmeln, *(workers)* auszahlen, entlohnen;
~ **s. o. off for s. th.** es jem. heimzahlen, Revanche nehmen; ~ **bonds** Obligationen einlösen; ~ **one's creditors** seine Gläubiger voll befriedigen; ~ **the crew** Mannschaft abmustern (entlassen); ~ **one's debts** seine Schulden abbezahlen (abtragen); ~ **an employee** *(US)* Angestellten ausbezahlen; ~ **a loan** Darlehen zurückzahlen; ~ **a mortgage** Hypothek amortisieren (ablösen, zurückzahlen); ~ **in increased profits** sich in Gewinnerhöhungen niederschlagen; ~ **old scores** alte Schulden (Rechnungen) bezahlen (begleichen).

pay to the order of s. o. an jds. Order zahlen.

pay out auszahlen;
~ **s. o.** j. abfinden; ~ **s. o. out for s. th.** es jem. heimzahlen; ~ **60% of profit to shareholders** 60% der Erträgnisse an die Aktionäre ausschütten; ~ **in part** Teilzahlung leisten; ~ **s. one's share** jem. seinen Gewinnanteil auszahlen; ~ **large sums of money** große Geldbeträge ausgeben; ~ **s. o. out for his tricks** sich bei jem. für seine unanständige Handlungsweise revanchieren; ~ **the wages** Löhne auszahlen, löhnen.

pay | in part teilweise bezahlen; ~ **one's passage** seine Überfahrt bezahlen; ~ **the penalty of a crime** Verbrechen sühnen; ~ **the piper** Unkosten tragen; ~ **s. o. from (out of) one's own pocket** j. aus der eigenen Tasche bezahlen; ~ **extra postage** Strafporto zahlen; ~ **promptly** pünktlich bezahlen; ~ **according to the quality of the work** Lohn nach der Leistung bemessen; ~ **on receipt** postnumerando zahlen; ~ **the rent annually in advance** Jahresmiete im voraus bezahlen; ~ **one's final (last) respects to s. o.** jem. die letzten Ehren erweisen; ~ **reverence to s. o.** jem. Ehrerbietung erweisen; ~ **the shot** Kosten tragen; ~ **one's own shot** seinen Anteil an der Rechnung bezahlen; ~ **on the spot** [in] bar bezahlen; ~ **a sum of money into the court** Geld bei Gericht hinterlegen; ~ **taxes** Steuern abführen; ~ **DM 1000,– in taxes** DM 1000,– an Steuern zahlen; ~ **through the nose** sich neppen lassen; ~ **on time** pünktlich zahlen; ~ **s. o. for his trouble** j. für seine Bemühungen entschädigen; ~ **twice as much** doppelt soviel bezahlen.

pay up voll bezahlen, tilgen, *(shares)* voll einzahlen;
~ **one's debts** seine Schulden abzahlen, sich von seinen Schulden befreien.

pay | for the value of s. one's services jds. Verdienste entsprechend honorieren; ~ **s. o. a visit** jem. einen Besuch abstatten; ~ **wages** Gehalt geben, Lohn zahlen; ~ **one's way** seinen Verbindlichkeiten nachkommen, sich vor Schulden bewahren, auf seine Kosten kommen, genug verdienen, genug zum Lebensunterhalt verdienen, sein Auskommen [ohne Zuschuß] haben, für seinen Unterhalt aufkommen können; ~ **one's own way** für sich selbst bezahlen; ~ **its own way in ten years** sich in zehn Jahren rentieren; ~ **by the week** wochenweise entlohnen; ~ **well** guten Ertrag abwerfen, sich gut rentieren, viel eintragen;

to be in s. one's ~ bei jem. angestellt sein; **to be in the** ~ **of the enemy** gegen sein eigenes Land spionieren, für den Gegner arbeiten; **to be a good** ~ *(US)* guter Zahler sein, gute Zahlungsmoral haben; **to draw one's** ~ Sold beziehen; **to increase** ~ Lohnerhöhung vornehmen; **to keep s. o. in one's** ~ jem. Lohn und Brot geben; **to receive one's** ~ sein Gehalt bekommen; **to stick out for higher** ~ auf höherem Lohn bestehen;

~ **agreement** Lohnabkommen; ~ **bill** Gehalts-, Lohnliste, *(Br.)* Kassen-, Zahlungsanweisung; ≗ **Board** *(US)* Richtlinienausschuß für Lohn- und Gehaltsfragen; ~ **book** *(mil.)* Soldbuch; ~ **boost** Gehaltsanstieg; **upper** ~ **brackets** höhere Besoldungsgruppen; ~ **check** *(US)* Gehaltsscheck; ~ **claim** Gehaltsforderung; ~ **clerk** Lohnauszahler, *(mil.)* Rechnungsführer, Zahlmeistergehilfe; ~ **cut** Gehaltskürzung; ~ **date** Auszahlungstermin, Zahltag; ~ **desk** Kasse[nschalter]; ~ **differential** Lohnunterschied, -gefälle; ~ **envelope** Lohntüte; ~ **grade (group)** Besoldungsgruppe; ~ **guest** Pensionär; ~ **hospital** Privatkrankenhaus; ~ **increase** Gehaltserhöhung, -steigerung, Lohnerhöhung; ~**-increase procedure** Gehaltssteigerungsverfahren; ~**-increase program(me)** Gehaltserhöhungsprogramm; ~ **item** kostenvergütete Position; ~ **jump** starker Gehaltsanstieg; ~ **level** *(US)* Gehälter-, Lohnniveau, Gehaltsstufe; ~ **list** Lohnliste; ~ **negotations** Lohnverhandlungen; ~**-off** *(sl.)* Lohnzahlung, *(payday)* Löhnungstag, *(film)* wirksamer Schlußteil, *(instalment)* letzte Rate; ~**-off period** Tilgungszeitraum; ~**-off stage** Gewinnschwelle; ~ **office** Kasse, Zahlstelle, Lohnbüro, Schalter; **central** ~ **office** Hauptkasse; ~ **ore** ertragreiches Erz; ~ **package** gebündeltes Lohnangebot; ~ **packet** Lohntüte; ~ **pact** Lohnabkommen; ~ **parade** *(mil.)* Löhnungsappell; ~ **period** Lohn-, Gehaltsperiode; ~ **phone** *(tel., US)* Münzfernsprecher; ~ **plan** *(US)* Besoldungsordnung; ~ **raise** *(US)* Gehaltserhöhung; ~ **reduction** Lohnherabsetzung; ~ **rise** *(Br.)* Gehaltserhöhung; ~ **scale** Lohntabelle, Gehaltsskala; ~ **schedule** Gehalts-, Lohntabelle; ~ **sheet** Gehälter-, Lohn-, Auszahlungsliste; ~ **slip** Lohnzettel; ~ **stabilization** Gehälterstabilisierung; ~ **station** *(US)* Münzfernsprecher, Fernsprechkabine, -automat, -häuschen; **incentive** ~ **system** Akkordlohnsystem; ~ **telephone** Münzfernsprecher; ~ **voucher** Zahlungs-, Kassenanweisung.

pay-as-you | -earn (PAYE) *(Br.)* Lohnsteuereinbehaltung, -abzug; ~**-earn-system** *(Br.)* Lohnsteuerabzugsverfahren; ~**-go** *(US)* Lohnsteuerabzugsverfahren; ~**-go tax** *(US)* Lohnsteuereinbehaltung; ~**-see television** Münzfernsehen.

payability Fälligkeit, Zahlbarkeit.

payable zahlbar, bezahlbar, begleichbar, zu zahlen, *(due)* fällig, schuldig, *(profitable)* rentabel, ertragreich, gewinnbringend, lohnend;

not ~ nicht tilgbar;

~**s** *(US)* Verbindlichkeiten, Kreditoren;

accounts ~ *(balance sheet)* Passiva, Buchschulden, Verbindlichkeiten; **bill** ~ verfallener Wechsel; **bills** ~ *(balance sheet)* Wechselverbindlichkeiten; **coupons** ~ **at the . . . bank** Zahlstelle für Kupons ist die . . . Bank; **mortgages** ~ Hypothekenschulden; ~ **abroad** im Ausland zahlbar; ~ **at address of payee** am Wohnsitz des Empfängers zahlbar; ~ **in advance** im voraus zahlbar, vorauszahlbar; ~ **annually** jährlich zahlbar; ~ **at the X-bank** bei der X-Bank zahlbar; ~ **to bearer** zahlbar an Überbringer (Inhaber), auf den Inhaber (Überbringer) lautend; ~ **at our counters** an unseren Schaltern zahlbar; ~ **in currency** in Devisen zahlbar; ~ **on delivery** bei Lieferung zahlbar; ~ **on demand** zahlbar bei Anforderung, *(bill)* bei Verlangen (bei Sicht) zahlbar; ~ **with exchange** *(US)* zahlbar zuzüglich Einzugsspesen; ~ **at expiration** bei Verfall zahlbar; ~ **as per indorsement** *(Br.)* zahlbar zu den im Indossament vermerkten Umrechnungskurs; ~ **in monthly instal(l)ments** monatlich abzahlbar, in monatlichen Raten zahlbar; ~ **at maturity** bei Verfall zahlbar; ~ **with Mr. X** bei Herrn X zahlbar; ~ **to order** an Order (auf den Namen) lautend; ~ **on presentation** bei Vorlage (Sicht) zahlbar; ~ **on receipt** zahlbar bei Erhalt; ~ **at sight** bei Sicht zahlbar; ~ **upon submission of proof of identity** zahlbar gegen Vorlage des Personalausweises; ~ **to suppliers** *(balance sheet)* Warenlieferungen; ~ **against surrender of shipping documents** zahlbar gegen Aushändigung der Begleitpapiere;

to be ~ **from** *(interest)* laufen vom; **to be** ~ **on the 15th prox.** am 15. des nächsten Monats fällig sein; **to make** ~ domizilieren, zahlbar stellen; **to make a bill** ~ **to s. o.** Wechsel an jds. Order ausstellen; **to make an expense** ~ **out of public funds** Summe zur Zahlung aus der Staatskasse anweisen; **to make** ~ **by a third party** bei einem Dritten zahlbar stellen.

payback period *(US)* Kapitalrückflußdauer.

paybox *(Br.)* Kasse, Schalter.

payday *(Bill)* Erfüllungstag, *(stock exchange)* Lieferungs-, Zahltag, Ablieferungstermin, *(workers)* Löhnungstag.

payee Zahlungsempfänger, -berechtigter, *(bill)* Wechselinhaber, -nehmer;
~ **of an addressed bill** Domiziliat; ~ **of a bill of exchange** Wechselnehmer, Remittent; ~ **of a check** *(US)* **(cheque,** *Br.)* Scheckempfänger.
payer [Ein]zahler, Auszahlender, *(bill of exchange)* Trassat, Bezogener;
dilatory (slow, tardy) ~ säumiger Zahler (Schuldner); **prompt** ~ pünktlicher Zahler.
paying Zahlung;
~ **back** Rückzahlung; ~ **in** Einzahlung; ~ **off** Abtragung, -zahlung, Tilgung, *(mortgage)* Amortisation; ~ **off the creditors** Gläubigerbefriedigung; ~ **off shares** Aktieneinziehung; ~ **out** Auszahlung, *(partner)* Abfindung;
~ *(a.)* einträglich, ertraglich, einbringlich, lohnend, rentabel, gewinnabwerfend, -bringend, lukrativ, sich bezahlt machend;
not ~ unrentabel;
to be ~ viel einbringen;
~ **agent** [Kupon]zahlstelle; **to indicate as** ~ **agent** als Zahlstelle angeben; ~ **bank[er]** auszahlende Bank; **cash (specie) -** ~ **bank** barzahlende (beauftragte) Bank; **to put its relationship on a** ~ **basis** seine Beziehungen finanziell untermauern; ~ **boarder** Kostgänger; ~ **concern** einträgliches Geschäft, rentables Unternehmen; ~ **counter** Auszahlungsschalter; ~ **cashier** Auszahlungsbeamter; ~ **department** Kassenabteilung für Auszahlungen; ~ **guest** Feriengast, Pensionär; ~ **habits** Zahlungsgebräuche.
paying-in | book *(Br.)* Einzahlungsbuch; ~ **form** Einzahlungsformular; ~ **slip** *(Br.)* Einzahlungsbeleg, -schein.
paying | load Nutzlast; ~ **office** Zahl-, Auszahlungsstelle, Kasse.
paying-out post office Auszahlungspostamt.
paying | teller *(US)* Kassierer für Auszahlungen, erster Kassierer; ~ **up** Schuldenabzahlung.
payload Lohnkostenanteil, Belastung durch Lohnkosten, *(plane, ship)* Nutzlast.
paymaster Kassierer für Auszahlungen, *(mil.)* Zahlmeister;
~ **general** *(Br.)* Generalzahlmeister [des englischen Schatzamtes]; ~ **robbery insurance** Versicherung gegen Lohngeldberaubung.
paymastership Zahlmeisterstelle.
payment *(bill)* Einlösung, *(creditor)* Befriedigung, *(of debt)* Begleichung, Abtragung, *(paying)* [Be]zahlung, Ein-, Auszahlung, Entrichtung, Entgelt, Zahlungsweise, *(redemption)* Einlösung, *(satisfaction of claim)* Befriedigung, *(sum paid)* Zahlung, *(wages)* Entlohnung, Lohn, Löhnung;
against ~ gegen Bezahlung; **in** ~ **of our account** zum Ausgleich unserer Rechnung; **as** ~ **for** zum Ausgleich für; **as** ~ **for your services** als Entgelt (Vergütung) für Ihre Dienste; **in lieu of** ~ an Zahlungs Statt; **in default of** ~ mangels Zahlung; **on** ~ nach Eingang, gegen Bezahlung (Erlegung); **on** ~ **of costs** unter Auferlegung der Kosten; ~ **provided** vorbehaltlich der Zahlung; **reserving due** ~ vorbehaltlich des richtigen Eingangs; **subject to** ~ gegen Entgelt; **upon** ~ **of charges** gegen Zahlung der Gebühren; **for want of** ~ mangels Zahlung; **without** ~ kostenlos, gratis, umsonst;
additional ~ Nachschuß, Nach-, Zuschlags-, Zuzahlung; **advance** ~ Vorauszahlung; **anticipated** ~ *(US)* Vorausbezahlung; **back** ~ Nachzahlung; **bank** ~ Bankanweisung; **benefit** ~ Unterstützungszahlung; **cash [down]** ~ Barzahlung, *(banking)* Kassenauszahlungen; **clean** ~ Bezahlung gegen offene Rechnung; **commutation** ~ Abfindung; ~ **conditional to survival** *(insurance)* Auszahlung nur im Erlebensfalle; ~ **countermanded** Zahlung gesperrt; **current** ~**s** laufende Zahlungen; **declined** ~ Zahlungsverweigerung; **deferred** ~ Ratenzahlung; **delayed** ~ verspätete Zahlung; **delinquent** ~**s** Zahlungsrückstände; **dividend** ~ Dividendenzahlung; **due** ~ fällige Zahlung; **easy** ~**s** Abzahlung in bequemen Raten, Zahlungserleichterungen; **ex gratia** ~ Gratifikation, *(thirdparty insurance)* freiwillige Entschädigungsleistung; **extra** ~ Zuschlags-, Nachzahlung; **feigned** ~ Scheinzahlung; **final** ~ Rest-, Abschlußzahlung; **fortnightly** ~ Halbmonatszahlung; **fresh** ~ Nachschuß[zahlung]; **full** ~ Vollbezahlung; **general** ~**s** allgemeiner Zahlungsverkehr; **initial** ~ erste Zahlung, Anzahlung; **international** ~**s** internationaler Zahlungsverkehr; **inward** ~ *(book-keeping)* Eingänge; **irregular** ~**s** unpünktliche Zahlungen; **large** ~**s** große Zahlungen; **loss** ~ Auszahlung der Schadenssumme; **lump-sum** ~ Pauschalzahlung; **monthly** ~**s** monatliche Zahlungen; **all-in-one monthly** ~ monatliche Gesamtzahlung; **outward** ~ *(book-keeping)* Ausgänge; **overdue** ~ überfällige Zahlung; **overtime** ~**s** Überstundengelder; **parity** ~**s** [Aus]zahlungen zum Parikurs; **part** ~ Teil-, Raten-, Abschlagszahlung; **partial** ~ Teilzahlung; **preferred** ~ *(Br.)* bevorrechtigte Auszahlung; **premium** ~ Prämienleistung, -zahlung; **progress** ~ proratarische (anteilige) Bezahlung; **prompt** ~ sofortige (schnelle) Bezahlung; ~ **prorata** anteilige Zahlung; **quarterly** ~ Quartalszahlung; ~**s received** Eingänge, eingegangene Zahlungen; **regular** ~ laufende Zahlungen; **retroactive** ~ Zahlungen mit rückwirkender Kraft; **revolving** ~**s** wiederkehrende (revolvierende) Zahlungen; **single** ~ einmalige Zahlung; ~ **stopped** Zahlungseinstellung; **subsequent** ~ Nachzahlung; **supplementary** ~ Nachschuß, Nachzahlung, *(relief)* Zusatzunterstützung; **token** ~ Anerkenntniszahlung; **voluntary** ~ freiwillige Zahlung des Gemeinschuldners; **wage** ~ Lohnzahlung;
~ **on account** An-, Abschlags-, Akontozahlung, Anzahlungssumme; ~ **on account of costs** Ko-

stenvorschuß; ~**s on account received** erhaltene Anzahlungen; ~ **per account** Saldozahlung; ~ **in advance (by anticipation)** Voraus-, Vorschuß-, Pränumerandozahlung; ~ **in arrears** Nach-, Nachtrags-, Rückstandszahlung; ~ **by way of a bill** Zahlung durch Wechsel; ~ **for breakage** Refaktie; ~ **in cash** Barzahlung, Zahlung gegen Kasse; ~ **by check** *(US)* **(cheque,** *Br.)* Scheckzahlung; ~**s due and from foreign countries** internationaler Zahlungsverkehr; ~ **into court** Hinterlegung bei Gericht, Einzahlung bei Gericht (in die Gerichtskasse); ~ **due on death** Sterbegeld; ~ **of debts** Schuldenbezahlung, -gleichung; ~ **on delivery** Zahlung bei Lieferung, Lieferung gegen bar (Nachnahme); ~ **must be made upon delivery of the goods** Zahlung bei Eingang der Waren; ~ **of dividends** Dividendenzahlung, Dividendenausschüttung, *(out of a bankrupt's estate)* Abschlagsverteilung; ~ **of dues** Beitragszahlung; ~ **of duty** Verzollung; ~ **in excess** Überzahlung; ~ **of a fee** Gebührenbegleichung; ~ **in full** vollständige [Aus]zahlung, Voll[ein]zahlung; ~ **in full on allotment** Volleinzahlung einer repartierten Zuteilung; ~ **in goods** Bezahlung in Waren; ~ **for hono(u)r** Ehreneintritt, Subventionszahlung; ~ **during illness** Gehaltsfortzahlung im Krankheitsfall; ~ **by instal(l)ments** Ratenzahlung; ~ **of interest** Verzinsung, Zinsendienst, Zinszahlung; ~ **by intervention** Interventionszahlung; ~ **in kind** Sach-, Naturalleistung, Sachbezüge; ~ **during leave** Urlaubsgeld; ~ **by letter** briefliche Auszahlung; ~ **is in the mail** Zahlung erfolgt gleichzeitig per Post; ~ **in part** Teil-, Abschlagszahlung; ~ **on behalf of a third party** Zahlung zugunsten eines Dritten, Interventionszahlung; **[regular]** ~ **of premiums** [laufende] Prämienzahlung; ~ **supra protest** Ehren-, Interventionszahlung; ~ **in ready money** Barzahlung; ~ **of remainder** Restzahlung; ~ **of rent[al]** Begleichung der Miete, Mietzahlung; ~ **of reparations** Reparationsleistungen; ~ **on request** Zahlung auf Verlangen; ~ **by results** Leistungs-, Erfolgslohn; ~ **of royalties** Tantiemenvergütung; ~ **to suppliers** Lieferantenzahlungen; ~ **of taxes** Steuerzahlung; ~ **in due time** fristgemäße Zahlung; ~ **of wages** Lohnabrechnung; ~ **as you feel inclined** Zahlung nach Belieben;

to accept ~ Zahlung annehmen; **to accept in** ~ in Zahlung nehmen; **to agree on a date for the** ~ Zeitpunkt für die Zahlung (Zahlungstermin) vereinbaren; **to anticipate** ~ Zahlung vor Fälligkeit leisten; **to apply to the** ~ **of a debt** Geld für die Bezahlung (Begleichung) von Schulden verwenden; **to be admitted in** ~ gesetzliches Zahlungsmittel sein; **to be behind with one's** ~**s** mit seinen Zahlungen im Rückstand sein; **to be punctual (prompt) in one's** ~**s** seinen Zahlungsverpflichtungen pünktlich nachkommen; **to be slow in** ~ schlechter Zahler sein, schlechte Zahlungsmoral haben; **to call for additional** ~ Nachschuß einfordern; **to cease** ~**s** Zahlungen einstellen; **to claim** ~ Zahlung verlangen; **to compel** ~ Zahlung erzwingen; **to decline** ~ [Be]zahlung ablehnen; **to default on** ~ mit den Zahlungen in Verzug kommen; **to defer** ~ Zahlung aufschieben; **to delay in making** ~ mit der Zahlung in Verzug sein; **to deliver in** ~ in Zahlung geben; **to demand** ~ zur Zahlung auffordern; **to demand prompt** ~ auf sofortiger Bezahlung bestehen; **to effect** ~ Zahlung leisten; **to enforce** ~ **by legal proceedings** Zahlung gerichtlich beitreiben; **to evade** ~ sich einer Zahlungsverpflichtung entziehen; **to exact** ~**s** Zahlungen ein-, beitreiben; **to extend the time of** ~ Zahlungsfrist verlängern; **to grant a delay in** ~ Zahlungsaufschub gewähren; **to keep up one's** ~**s** seine Zahlungsverpflichtungen einhalten; **to keep international** ~**s in balance** Zahlungsbilanzen im Gleichgewicht halten; **to make** ~ Zahlung leisten; **to make** ~**s on account** Akontozahlungen leisten; **to make an additional (further)** ~ nachzahlen, Nachzahlung leisten; **to make** ~ **in advance** pränumerando (im voraus) bezahlen; **to make a subsequent** ~ nachbezahlen; **to make a supplementary** ~ nachschießen; **to meet the** ~**s** Ratenzahlungen einhalten; **to miss a** ~ **on one's home** mit einer Hypothekenrate in Verzug kommen; **to offer as** ~ in Zahlung geben; **to pass an account for** ~ Etattitel zur Zahlung anweisen; **to postpone** ~ Zahlung aufschieben; **to present a bill for** ~ Wechsel zur Zahlung vorlegen; **to present a check** *(US)* **(cheque,** *Br.)* **for** ~ Scheck zur Einlösung vorlegen; **to procure** ~ Inkasso besorgen; **to provide** ~ für Deckung sorgen; **to receive** ~ Zahlungen entgegennehmen; **to receive in** ~ in Zahlung nehmen; **to require** ~ **on delivery** Zahlung Zug um Zug verlangen; **to resume** ~**s** Zahlung wiederaufnehmen; **to stand surety for the** ~ **of a sum** für den Eingang eines Betrages bürgen; **to stop (suspend)** ~**s** Zahlungen einstellen; **to sue for** ~ auf Zahlung klagen; **to take in (as)** ~ an Zahlungs Statt annehmen; **to take in part** ~ als Teilzahlung annehmen; **to transgress** ~ Zahlungstermin nicht einhalten;

≗-of-Wages Act *(Br.)* Lohnfortzahlungsgesetz; ~ **agreement (arrangement)** Zahlungsvereinbarung; -abkommen, -regelung; ~ **balance** Zahlungsbilanz; ~**s balance discipline** Zahlungsbilanzdisziplin; ~ **bill** zur Zahlung vorzulegender Wechsel, Dokumentenwechsel; ~**s deficit** Zahlungsbilanzdefizit; ~**s gap** Zahlungsbilanzlükke; ~ **imbalance** Zahlungsunausgeglichenheit; ~ **instructions** Zahlungsanweisungen; ~ **moratorium** Zahlungsmoratorium; ~ **order** Zahlungsauftrag; ~**s outlook** Zahlungsaussichten; ~ **period** Zahlungsfrist; ~ **plan** Zahlungsplan;

~ **sheet** *(Br.)* Lohn-, Gehälterliste; ~ **side** Ausgabenseite; ~ **surplus** Zahlungsbilanzüberschuß; ~ **system** Zahlungsverkehr; ~ **terms** Zahlungsbedingungen; ~ **transactions** Zahlungsverkehr.

payoff ausschlaggebend, *(remunerative)* rentabel, lohnend;
~ **opportunities** reelle Chancen; ~ **period** *(US)* Kapitalrückflußdauer.

payola *(sl.)* Bestechungs-, Schmiergelder, *(broadcasting, US)* bestochene Rundfunksendung.

payor bank *(US)* zahlende Bank.

payout Auszahlung;
~ **variations** verschiedene Auszahlungsmöglichkeiten.

payroll Lohnliste, Gehaltsverzeichnis, Gehälterliste, *(for individual employee)* Lohnkonto;
on the ~ angestellt;
~**s** *(balance sheet)* Löhne und Gehälter;
accrued ~**s** *(balance sheet)* fällige Löhne; **daily** ~ tägliche Lohnsumme;
to be off the ~ *(US)* arbeitslos (entlassen) sein; **to be on the** ~ *(US)* auf der Lohnliste stehen, beschäftigt sein; **to be no longer on s. one's** ~ nicht mehr bei jem. beschäftigt sein; **to cut the** ~ **by 10%** zehnprozentige Lohnkürzung durchführen; **to have a huge** ~ Riesensumme an Löhnen zahlen; **to increase the weekly** ~ wöchentliche Lohnkosten erhöhen; **to make out a** ~ Gehalts-, Lohnliste aufstellen; **to throw s. o. off the** ~ j. nicht mehr auf der Lohnliste führen;
~ **account** *(US)* Lohnkonto; ~ **book** *(US)* Lohnliste; ~ **clearing account** *(US)* Lohnverrechnungskonto; ~ **clerk** *(US)* Lohnbuchhalter; ~ **data** Gehaltsangaben; ~ **deductions** *(US)* Lohnsteuerabzüge; ~ **deductions plan** *(US)* Lohnsteuerabzugsverfahren; ~ **department** *(US)* Lohnbüro, Gehalts-, Lohnabteilung; ~ **disbursements** Lohn-, Gehaltsauszahlung; ~ **distribution** Lohnkostenaufteilung; ~ **division** Lohnabteilung; ~ **employment** lohnsteuerpflichtiger Beruf; ~ **fund** Gehälterfonds; ~ **journal** Lohnrechnung, -buchführung; ~ **office** Lohnbüro, -buchhaltung; ~ **period** Lohn-, Gehaltsperiode, Lohnzahlungszeitraum; ~ **records** *(US)* Lohnsteuerunterlagen, Lohnabrechnung; ~**s serving** *(banking)* Gehaltsauszahlung; ~ **sheet** Lohnbuchführung; ~ **summary** Lohnübersicht; ~ **system** *(US)* Lohnsteuerverfahren; ~ **tax** *(US)* Lohnsummensteuer; ~ **variance** Lohnabweichung; ~ **voucher** *(US)* Lohnzettel, -auszahlungsbeleg.

payroller *(US)* Gehalts-, Lohnempfänger.

peacetime economy Friedenswirtschaft; ~ **production** Friedensproduktion.

peak höchster Stand, Gipfel, Höchstpunkt, *(fig.)* Höhepunkt, *(el., traffic)* Hauptbelastung, Stoßzeit, *(peak price)* Höchst-, Maximalpreis;
post-war ~ Nachkriegshöchststand;
~ **of demand** Spitzenbedarf; ~ **of production** Produktionshöchststand;
to be off only slightly from their ~ knapp unter der Spitzenposition liegen; **to have reached its** ~ in voller Blüte stehen; **to reach the** ~ Höchststand erreichen;
~ *(v.)* Höchststand erreichen;
~ **capacity** Höchstleistungsgrenze; ~ **capitalism** Hochkapitalismus; ~ **construction season** Hochbausaison; **to cope with** ~ **consumption** Maßnahmen gegen den Höchstverbrauch treffen; ~ **demand** Spitzenbedarf; **off-**~ **flights** gering belegte Flugzeiten, flugarme Zeiten; ~ **hours** Stoßzeit, Hauptgeschäftszeit; ~ **hours of traffic** Verkehrsspitze, verkehrsreichste Stunden, Hauptverkehrszeit, -stunden; **industry's** ~ **hours** Zeiten größter Belastung in der Industrie, Spitzenbelastungszeit; **to have its** ~ **hours in the evening** abends am stärksten belastet sein; ~ **level** Höhepunkt, Höchststand, höchster Stand; **to reach** ~ **levels** *(stock exchange)* Höchstkurse erzielen; ~ **load** Maximalbelastung, *(electricity)* Spitzen-, Höchst-, Hauptbelastung; ~ **output** Spitzenleistung, Produktionsmaximum, Höchstproduktion; ~ **performance** Spitzen-, Gipfelleistung; **off-**~ **periods** Zeiten geringerer Belastung; ~ **price** Höchstpreis, -kurs; **to handle the seasonal** ~ **problems** mit dem Problem der saisonalen Spitzenbelastung fertig werden; ~ **sales** Spitzenverkaufszahlen; ~ **sales period** Hauptgeschäftszeit; ~ **season** Hochsaison, Hauptverkaufszeit; ~ **time** konjunktureller Wellenberg, Hochkonjunktur, *(traffic)* Hauptverkehrs-, Stoßzeit, Verkehrsspitze; ~ **value** Spitzen-, Höchstwert; ~ **wage** Spitzen-, Höchstlohn; ~ **year** Spitzenjahr.

peasant Bauer, Landwirt, *(labo(u)rer)* Landarbeiter;
~ **labo(u)r** landwirtschaftliche Arbeitskräfte; ~ **proprietor** Landwirt, kleinbäuerlicher Grundbesitzer.

peculate *(v.)* *(law)* [öffentliche Gelder] unterschlagen, veruntreuen.

peculation [Amts]unterschlagung, -schleif, Veruntreuung.

pecuniary geldlich, finanziell, pekuniär;
~ **advantage** materieller Vorteil, Vermögensvorteil; ~ **aid** finanzielle Unterstützung; ~ **affairs** Geldangelegenheiten; ~ **aid (assistance)** geldliche (finanzielle) Unterstützung; ~ **benefit** geldlicher Vorteil, Vermögensvorteil; ~ **circumstances** Vermögensverhältnisse, -lage, finanzielle Lage; ~ **claim** Geldforderung; ~ **compensation** Geldentschädigung; ~ **consideration** Äquivalent in Geld; ~ **damages** Vermögensschaden; ~ **demand** Geldforderung; ~ **difficulty (embarrassment)** Geldverlegenheit, -klemme, -sorgen; **for** ~ **gain** in gewinnsüchtiger Absicht, zwecks Erlangung eines Vermögensvorteils; ~ **interest** finanzielle Belange (In-

teressen); ~ **legacy** Geldvermächtnis; ~ **loss** Vermögensverlust, -schaden; ~ **obligations** finanzielle Verpflichtungen; ~ **offence** mit Geldstrafe belegte Übertretung; ~ **penalty** Geldstrafe; ~ **prejudice** Vermögensnachteil; ~ **present** Geldgeschenk; ~ **property** bares Vermögen; ~ **requirements** Geldbedarf; ~ **resources** Geldquellen, -mittel, finanzielle Mittel (Möglichkeiten); ~ **reward** [Geld]belohnung; **for ~ reward** gegen Entgelt; ~ **satisfaction** Geldentschädigung.

peddle *(v.)* Hausierhandel treiben, hausieren, Wandergewerbe betreiben;
~ **it out** *(loan)* in kleineren Beträgen abgeben;
~ **through its branch offices** durch das eigene Filialnetz vertreiben; ~ **without a licence** ohne Gewerbeschein tätig sein.

peddler *(US)* Hausierer, fliegender Händler;
~**'s licence** Wandergewerbe-, Hausierschein.

peddling ambulantes Gewerbe, Hausierhandel, Wandergewerbe.

pedestrian | crossing Fußgängerüberweg, Straßenübergang; ~ **crossing lights** Fußgängerampel; ~ **mall** Fußgängerpromenade; ~ **street** Fußgängerweg; ~ **zone** Fußgängerbereich.

pedlar *(Br.)* fliegender Händler, Hausierer;
~**'s certificate** *(Br.)* **(licence,** *US)* Wandergewerbeschein.

peg *(stock exchange)* Kurs-, Marktunterstützung;
off the ~ von der Stange [gekauft];
discretionary crawling ~ ermessensmäßig vorgenommene vorsichtige Kursstützung;
~ **to hang a claim on** Vorwand für eine Forderung;
~ *(v.) (price)* [Kurs] stützen, stabilisieren;
~ **out one's claims** seine Ansprüche vorbringen; ~ **the market** Kursstützungen durchführen; ~ **a price** Preis stützen, Preisstützung vornehmen; ~ **one's production** sein Arbeitspensum schaffen; ~ **the value of the pound to the dollar** Kurs des Pfundes an den Dollar anhängen; ~ **the wages at** Löhne stoppen bei.

pegged | exchange künstlich gehaltene Kurse; ~ **market** *(US)* unveränderlicher Markt; ~ **price** subventionierter Preis, Stützpreis, *(stock exchange)* künstlich gehaltener Kurs, Stützkurs.

pegging *(market, price)* Kurs-, Preisstützung;
~ **the exchange** Kursstützung; ~ **of prices** Preisstabilisierung;
wage-~ efforts Lohnstabilisierungsbemühungen.

pen | desk set Füllhalterständer; ~ **shop** Schreibwarengeschäft.

penalty *(fine)* Geldstrafe, -buße, *(for nonfulfilment of contract)* Vertrags-, Konventionalstrafe;
fiscal ~ Steuerstrafe;
~ **for nonperformance of a contract** Konventional-, Vertragsstrafe bei Nichterfüllung;
motorist's ~ chart Straftabelle für Verkehrsübertretungen; ~ **envelope** *(US)* Briefumschlag frei durch Ablösung, frankierter Dienstumschlag; ~ **postage** Strafporto; ~ **rate** *(US) (insurance)* Zusatztarif, Gefahrenzulage.

pence rates *(Br.)* in Pennys notierte Devisenkurse.

pending | debts schwebende Schulden; ~ **risks** laufende Versicherungsrisiken.

penny *(Br.)* Penny, *(fig.)* Heller, Kleinigkeit;
to the last ~ bis zum letzten Heller;
to be a ready ~ leichten Verdienst abgeben; **to cost a pretty** ~ schönes Stück Geld kosten; **to come in for a pretty** ~ beträchtliches Vermögen erben; **to have not a ~ to bless o. s. with** keinen roten Heller haben; **to know how to turn a** ~ sein Geschäft verstehen; **to look at every** ~ jeden Pfennig zweimal umdrehen; **to make a pretty ~ out of s. th.** an einer Sache ein schönes Stück Geld verdienen.

penny | bank *(Br.)* Sparkasse, Sparkassenannahmestelle; ~ **deposit** Pfennigsparen; ~ **mail** Geldrente; ~ **pincher** Pfennigfuchser; ~ **stocks** *(US)* Kleinaktien.

pennyworth *(bargain)* wohlfeiler Kauf, gutes Geschäft;
to find s. th. a good ~ gutes Geschäft machen.

pension Pension, Rente, Ruhegehalt-, geld, *(allowance)* Zehr-, Kostgeld, *(board and lodging)* Pension, Fremdenheim, *(boarding school)* Pensionat, Internat, *(employee's insurance portion)* Pensionsanteil des Arbeitnehmers, *(university, Br.)* Gebühren;
entitled (eligible) to a ~ pensionsberechtigt-, -fähig, versorgungsberechtigt;
~**s** Versorgungsbezüge;
~ **charged on an income** auf das Einkommen angerechnete Pension; **contributory** ~ beitragspflichtige Pension; **disability** ~ Invaliden-, Kriegsversehrtenrente; **employee** ~ Angestelltenpension; **life** ~ lebenslängliche Rente, Pension auf Lebenszeit; **normal** ~ Normalpension; **old-age** ~ *(Br.)* Alters-, Invalidenrente, Altersversorgung; **portable** ~ übertragbarer Pensionsanspruch; **public-service** ~ Staatspension; **retiring (retirement)** ~ Ruhegehalt, *(Br.)* Altersrente; **state** ~ Staatspension; **supplementary** ~ Zusatzrente, -versorgung; **survivor's** ~ Hinterbliebenenrente; **war** ~ Kriegs-, Hinterbliebenenrente; **widow's** ~ Witwenrente, -pension;
~ **for life** lebenslängliche Pension, Lebensrente;
~ *(v.)* pensionieren, in den Ruhestand versetzen, Ruhegehalt gewähren, *(v/i)* in Pension sein;
~ **s. o. off** jem. ein Ruhegehalt gewähren, j. mit Pension verabschieden (in den Ruhestand versetzen), j. pensionieren, jem. seinen Abschied bewilligen;
to apply for retirement (to be retired) on a ~ um seine Pensionierung einkommen; **to have a**

~ **on two-thirds salary** Grundpension in Höhe von zwei Dritteln des Gehaltes beziehen; **to be awarded a** ~ Pension erhalten (beziehen); **to be entitled to a** ~ Pensionsberechtigung haben, pensionsberechtigt sein; **to be ~ed off** in den Pensionsstand treten; **to draw a** ~ Pension beziehen; **to go on a** ~ in den Ruhestand treten, sich pensionieren lassen; **to go to the Post Office to draw one's** ~ sich bei der Post seine Rente auszahlen lassen; **to grant a** ~ **to s. o.** jem. eine Pension zahlen; **to live in** ~ in einer Pension wohnen; **to live on a** ~ von seiner Pension leben; **to qualify for a** ~ Voraussetzungen für die Gewährung einer Pension (Pensionsvoraussetzungen) erfüllen; **to receive a** ~ Pension bekommen; **to retire on a** ~ pensioniert werden, in Pension gehen, sich pensionieren lassen, in den Ruhestand treten; **to settle a** ~ Ruhegehalt aussetzen; **to supplement one's** ~ zu seiner Pension hinzuverdienen;

~ **account** Pensionskasse; **Old-Age ~s Act** *(Br.)* Altersversorgungsgesetz; ~ **benefit** Pensionszahlung; ~ **board** Pensionsausschuß; ~ **burden** Pensionsverpflichtungen; ~ **committee** Pensionsausschuß; ~ **contribution** Pensionszuschuß; ~ **costs** Pensionslasten; ~ **credit** Pensionsgutschrift; ~ **fund** Pensionskasse; **Old-Age ~ Fund** Altersversorgungskasse; ~ **reserve fund** Pensionsreservefonds; **~-fund manager** Treuhänder eines Pensionsfonds; ~ **improvements** Verbesserung der Pensionsleistungen; ~ **increase** Pensions-, Ruhegehaltserhöhung; ~ **increment** Rentensteigerungsbetrag; **old-age** ~ **insurance** Alters-, Pensionsversicherung; ~ **management company** Pensionsverwaltungsgesellschaft; ~ **obligations** Pensionsverpflichtungen; ~ **payment** Pensionszahlung, Versorgungsleistung; ~ **portfolio** Effektenportefeuille eines Pensionsfonds.

pension plan Pensions-, Alterversorgungsplan, Pensionskasse;

company-financed ~ beitragsfreies Pensionssystem; **contributory** ~ beitragspflichtige Pensionskasse; **definite benefit** ~ gehaltsgebundenes Pensionssystem; **noncontributory** ~ beitragsfreie Pensionskasse;

to fund a ~ Pensionsfonds errichten.

pension | pool *(US)* gemeinsame Pensionskasse mehrerer Industriebetriebe; ~ **reserve** Pensionsrückstellung, Rückstellung für Ruhegeldverpflichtungen; ~ **rights** Ruhegehaltsanspruch, Pensionsberechtigung; **occupational** ~ **scheme** [betrieblicher] Pensionsplan; **to be a participant in a** ~ **scheme** pensionsberechtigt sein; ~ **scheme arrangement** Pensionsvereinbarung; ~ **trust** Pensions- [und Unterstützungs]-kasse; **to make contributions to the** ~ **trust** Beiträge zur Pensionskasse leisten.

pensionable ruhegehalts-, pensionsfähig, -berechtigt;

~ **age** pensionsfähiges Alter, Pensionsalter; ~ **emoluments** Pensions-, Ruhegehaltsbezüge; ~ **post** pensionsberechtigte Stellung.

pensionary *(Br.)* Pensionär, Ruhegehaltsempfänger, *(v.i.p.)* hohes Tier;

~ **on the government** pensionierter Beamter; ~ *(a.)* pensioniert, im Ruhestand, *(consisting of a pension)* in einer Pension bestehend, *(hired)* gedungen, bezahlt;

~ **provisions** Pensionsbestimmungen; ~ **spy** bezahlter Spion.

pensioned, to be ~ **off** pensioniert (in den Ruhestand versetzt) werden; **to be** ~ **on the government** staatliche Pension beziehen.

pensioner Pensionär, Rentner, Ruhegehalts-, Renten-, Pensionsempfänger, *(boarding house)* Pensionsgast, *(boarding school)* Internatszögling;

old-age ~ Bezieher einer Altersversorgung;

~ **delegate** Pensionärsvertreter.

pensioning | off Pensionierung; ~ **warrant** Pensionszusicherungsschein.

penury Mangel, Knappheit.

per, as ~ **account rendered** laut erhaltener Rechnung; ~ **advance** im voraus; ~ **advice** laut Abzeige; ~ **bearer** durch Überbringer; ~ **capita** pro Kopf der Bevölkerung; ~ **capita quota** Kopfbetrag; ~ **capita sales** *(turnover)* Pro-Kopf-Umsatz; ~ **cent** Prozent, vom Hundert; ~ **contra** als Gegenbuchung eintragen; ~ **diem** pro Tag, täglich, *(allowance, US)* Tagesgeld, Diäten; ~ **rail** per Achse, mit der Bahn.

percent prozentig;

~s festverzinsliche Wertpapiere;

to have one's money in seven ~s sein Geld in siebenprozentigen Wertpapieren angelegt haben.

perceivable risk übersehbares Risiko.

percentage Prozent[satz], Anteilsgebühr, *(allowance)* Tantieme, *(commission)* Provision, *(content)* [Prozent]gehalt, -satz, *(of earned income)* Gewinnbeteiligung, -anteil, *(share)* [An]teil;

expressed as a ~ prozentual ausgedrückt;

average ~ Durchschnittsprozentsatz; **certain** ~ sicherer Gewinn; **contract** ~ vertraglich ausgehandelter Prozentsatz; **director's** ~ Vorstandstantieme; **lowest** ~ *(mining)* Mindestgehalt; **markup** ~ Bruttogewinnsatz; **statutory** ~ gesetzliche Verzinsung, gesetzlicher Zinsfuß, -satz;

~ **of capital** Kapitalanteil; ~ **of cost** Kostenprozentsatz; ~ **of distribution** Verteilungsschlüssel; ~ **of gold** Goldgehalt; ~ **of the incentive rate** Leistungslohnanteil; ~ **of income** Einkommensprozentsatz; ~ **of increase** prozentuale Zunahme; ~ **on profit** Anteil am Geschäftsgewinn, Gewinnanteil; ~ **of recovery** *(US)* Konkursquote; ~ **of sales** Umsatzprovision; ~ **of silver** Silbergehalt; ~ **of a voting** Wahlbeteiligung;

to allow a ~ on all transactions Umsatzprovision gewähren; **to get a good ~ in one's outlay** fast alle Spesen ersetzt bekommen;
on a ~ basis gegen Prozente; ~ **depletion** *(income tax)* für Substanzvermögen zugelassener Abschreibungssatz; ~ **distribution** *(statistics)* Prozentverteilung, *(board)* Tantiemeverteilung; **fixed ~ fee** fester Provisionssatz; ~ **figures** Prozentsätze; ~ **increase** prozentualer Anstieg, Prozentsatzzunahme; ~ **lease** Umsatzpacht; **fixed ~ method** gleichmäßige Abschreibung von Buchwert; **~-of-sales method** *(advertising budget)* Prozent- oder Kostensatzmethode; ~ **premium** Prämienprozentsatz, Anteilsprämie; ~ **requirements** Mehrheitserfordernisse; ~ **shop** *(US)* Unternehmen mit festgelegter Mindestzahl an Gewerkschaftsmitgliedern; ~ **statement** vergleichende Betriebsbilanz; ~ **tare** Bruttotara; ~ **worker** *(sl.)* Profitgeier.

perfect | **competition** *(US)* uneingeschränkter Wettbewerb; ~ **obligation** gesetzliche Verpflichtung; ~ **trust** rechtsgültig errichtete Stiftung; ~ **usufruct** uneingeschränkter Nießbrauch.

perforated sheet of postage stamps perforierter Briefmarkenbogen.

perform | *(v.)* **quarantine** Quarantäne machen; ~ **satisfactorily** *(car)* zufriedenstellend laufen.

performance | **of contract** Vertragserfüllung; ~ **of earnings** Gewinnentwicklung; ~ **in kind** Naturalleistung; ~ **in money** Geldleistung;
to give an uneven ~ *(stock exchange)* unruhiges Bild abgeben; **to sue for specific ~** auf Erfüllung klagen; **to turn in another strong ~** *(stock exchange)* erneuten Auftrieb erhalten; **to turn in stellar ~** *(stock exchange)* raketenartigen Auftrieb erfahren;
~ **appraisal** Leistungsbeurteilung; ~ **bond** *(US)* Bietungsgarantie; ~ **bonus** Leistungsprämie; ~ **budget** Istetat; ~ **chart** Leistungsdiagramm; ~ **efficiency** Leistungsgrad; ~ **graph** Leistungskurve; ~ **guarantee** *(Br.)* Liefergarantie; ~ **rating** Leistungsbeurteilung; ~ **rating scale** Leistungsbeurteilungsskala; ~ **report** Leistungsbericht; **standard ~ time** Normalausführungszeit.

performer Erfolgsunternehmen, *(stock exchange)* Erfolgsaktie.

peril Risiko;
at one's (your ~ auf eigene (Ihre) Gefahr; **excepted ~s** Freizeichnung für Schäden; **extraneous ~** *(insurance)* Sondergefahr; **marine ~** Seetransportgefahr;
~ **of transportation** Transportrisiko;
excepted ~ clause Freizeichnungsklausel; ~ **point** *(customs duty, US)* kritischer Punkt.

period *(break)* Pause, Absatz, *(portion of time)* Laufzeit, Zeit[abschnitt], Zeitraum, -dauer, Periode;
within a ~ of one month from the date of requirement binnen eines Monats nach Antragstellung;
accounting ~ Rechnungsabschnitt; **additional ~** Nachfrist; **assessment ~** Veranlagungszeitraum; **busy ~** Hauptgeschäftsstunden; **credit ~** Laufzeit eines Kredits; **fiscal ~** Steuerabschnitt; **given ~** Berichtsperiode; **guarantee ~** Garantiefrist; **limitation ~** Verjährungsfrist; **operating ~** Betriebsdauer; **postwar transitional ~** Nachkriegsübergangszeit; **probationary ~** Probezeit; **rest~** Arbeits-, Ruhepause; **subscription ~** Bezugsdauer, Zeichnungsfrist; **tender ~** Einreichungs-, Bewerbungsfrist; **waiting ~** Wartezeit, *(insurance)* Karenzzeit; **working ~** Betriebszeitraum, -periode;
~ **of an account** Rechnungsperiode; ~ **of adjustment** Angleichungsperiode; ~ **of vocational (professional) adjustment** Einarbeitungszeit; ~ **of appeal** Berufungsfrist; ~ **of appointment** Amtsdauer; ~ **of apprenticeship** Lehr-, Lehrlingszeit; ~ **of assessment** Veranlagungszeitraum; ~ **under audit** Prüfungsabschnitt; ~ **of availability of a ticket** Gültigkeitsdauer einer Fahrkarte; ~ **of buoyancy** Hausseperiode; ~ **allowed for carriage** Beförderungsfrist; ~ **of circulation** Umlaufzeit; ~ **of civilization** Kulturepoche; ~ **for claims** Mängelrügefrist; ~ **for computation** Berechnungszeitraum; ~ **of coverage** *(insurance)* Deckungszeit; ~ **of a credit** Laufzeit eines Kredites; ~ **for declaration** Anmeldefrist, -zeit; ~ **of decline in economic activity** abgeschwächte Konjunkturperiode; ~ **of depression** Depressionsperiode; ~ **of development** Entwicklungszeitraum; ~ **of embargo** Sperrfrist; [minimum] ~ **of employment** [Mindest]beschäftigungszeit, Betriebszugehörigkeit; ~ **of erection** Bauperiode, -zeit; ~ **of exchange** Umtauschfrist; ~ **of exposure** *(photo)* Belichtungszeit; ~ **of extension** Stundungs-, Verlängerungsfrist; ~ **set for filing** *(patent law)* Anmeldefrist; ~ **of grace** Nach[sichts]frist, Gnadenfrist; ~ **of guarantee** Garantiezeit; ~ **of implementation** Durchführungszeitraum; ~ **of inflation** Inflationszeit; ~ **of investment** Anlagezeitraum; ~ **of lease** Miet-, Pachtdauer, Mietzeit; ~ **of three months** dreimonatige Frist; ~ **of notice** Kündigungsfrist; ~ **of general prosperity** Hochkonjunktur; ~ **of recession** Rezessionszeit; ~ **of repayment** Tilgungsfrist; ~ **to run** Laufzeit; ~ **of dull sales** Absatzflaute; ~ **of sluggishness** Flautezeit; ~ **of proposed stay** beabsichtigte Aufenthaltsdauer; ~ **of subscription** Bezugs-, Subskriptionsdauer; ~ **of training** Ausbildungszeit; ~ **of validity** Gültigkeitsdauer; ~ **of warranty** Gewährleistungsfrist;
to discharge a liability within the agreed ~ Schuld innerhalb der vereinbarten Zeit zurückzahlen; **to extend a ~** Frist verlängern.

periodic | **accounting** Abrechnung in regelmäßigen

Abständen; ~ **audit** laufend durchgeführte Revision; ~ **average inventory plan** Bewertung des Vorratsvermögens zu Durchschnittspreisen; ~ **charges (cost, expense)** wiederkehrende Aufwendungen; ~ **dues** laufende Beiträge; ~ **payment** laufend anfallende Zahlungen; ~ **reports** laufende Berichte.

periodical Magazin, [periodische] Zeitschrift; **monthly** ~ Monatszeitschrift;
~ *(a.)* regelmäßig wiederkehrend, in regelmäßigen Abständen, periodisch, *(publication)* fortlaufend erscheinend;
~ **advertising** Zeitschriftenwerbung; ~ **contribution** regelmäßiger Beitrag; ~ **meeting** regelmäßige Zusammenkunft; ~ **newspaper** Zeitschrift; ~ **payments** wiederkehrende Zahlungen; ~ **payments of interest** laufende Zinszahlungen; ~ **tenancy** festgelegte Mietzeit (Pachtzeit).

perishability *(food)* Verderblichkeit, *(goods)* Kurzlebigkeit.

perishable *(food)* verderblich, *(goods)* kurzlebig;
~ **cargo** verderbliche Ladung; ~ **commodities** Verbrauchsgüter; ~ **goods** leicht verderbliche Waren; ~ **consumer goods** kurzlebige Konsumgüter; **of** ~ **nature** dem Verderb ausgesetzt; ~ **tool** Verschleißwerkzeug; ~ **traffic** Handel in leicht verderblichen Waren.

perk up *(orders)* hereinkommen.

perks *(Br. sl.)* Nebeneinnahme, -verdienst, *(sl.)* freiwillige Sozialleistungen.

permanency Dauerstellung.

permanent dauernd, [be]ständig, fest, *(for life)* auf Lebenszeit, lebenslänglich;
~ **abode** ständiger Wohnsitz; ~ **address** ständige Adresse; ~ **alimony** lebenslängliche Unterhaltsrente; ~ **appointment (assignment)** feste Anstellung, Dauerstellung; ~ **assets** *(accounting)* Anlagevermögen; ~ **capital** Anlagekapital; ~ **disability** dauernde Arbeitsunfähigkeit, Vollinvalidität; ~ **employee** Festangestellter; ~ **employment** Dauerstellung, feste Anstellung; ~ **establishment** Betriebsstätte; ~ **files** Archivunterlagen; ~ **fund** eiserner Bestand; ~ **holdings** Daueranlagen; ~ **life insurance** jährlich kündbare Lebensversicherungspolice; ~ **medium** feste Währung; ~ **portfolio** *(securities)* Dauerbesitz, -anlage; ~ **residence** ständiger Wohnsitz; ~ **way** Bahnkörper, Geleise, Eisenbahnoberbau.

permissible | **expense** *(taxation)* abzugsfähige Unkosten; ~ **load** Höchstbelastung.

permission Erlaubnis[schein], Genehmigung, Zulassung, Bewilligung;
by special ~ mit besonderer Genehmigung; **without** ~ unbefugt;
blanket ~ *(US)* generelle Erlaubnis; **general** ~ generelle Erlaubnis; **government** ~ *(Br.)* staatliche Erlaubnis; **owner's** ~ Erlaubnis des Eigentümers;
~ **by the authorities** behördliche Genehmigung; ~ **for building** Bauerlaubnis, -genehmigung; ~ **to print** Druckerlaubnis; ~ **to reside** Aufenthaltsgenehmigung; ~ **to transact business** Gewerbegenehmigung;
to grant a ~ Genehmigung erteilen.

permissive | **provision** Kannvorschrift; ~**use** gestatteter Gebrauch; ~ **wage-adjustment clause** genehmigte Lebenshaltungskostenklausel; ~ **waste** Vernachlässigung notwendiger Gebäudereparaturen.

permit Erlaubnis[schein], Genehmigung, *(customs)* Zollgeleit-, Zollfreischein, -abfertigungsschein, Ausfuhrerlaubnis, *(to enter)* Durchlaß-, Passierschein, -zettel, *(licence)* Lizenz, Zulassung, Zulassungsschein, Konzession, *(for rationed goods)* Bezugsschein;
building ~ *(US)* Baubewilligung, -genehmigung; **customs** ~ Zollabfertigungsschein; **discharging** ~ Löscherlaubnis; **exit** ~ Ausreisebewilligung, -genehmigung; **export** ~ Ausfuhrgenehmigung, -deklaration; **fishing** ~ *(US)* Fischereischein; **government** ~ staatliche Genehmigung; **hunting** ~ *(US)* Jagdschein; **import** ~ Einfuhrerlaubnis; **labo(u)r** ~ Arbeitsbewilligung, -genehmigung; **landing** ~ Landeerlaubnis; **loading** ~ [Ver]ladeerlaubnis; **omnibus** ~ generelle Erlaubnis; **residence** ~ Aufenthaltsgenehmigung; **special** ~ Sondergenehmigung; **stay** ~ Aufenthaltsgenehmigung; **written** ~ Genehmigungsurkunde;
~ **for home consumption** Zollfreischein für im Lande verbleibende Waren; ~ **of transit** Transitschein;
~ **number** Zulassungsnummer.

permittee Berechtigter.

perpetual fort-, immerwährend, dauernd, *(annuity)* unablösbar, unkündbar, unbefristet, ewig;
~ **annuity** ewige Rente; ~ **inventory** *(US)* buchmäßig laufend geführtes Inventar, Buchinventar; ~ **inventory file** *(US)* laufende Bestandskarte; ~ **lease** unkündbare Pacht; ~ **trust** auf unbegrenzte Zeit errichtete Stiftung.

perquisite Verdienst, Einkommen, *(gratuity)* Sondervergütung, Trinkgeld; ~**s** *(Br.)* Nebenverdienst, -bezüge, -einkünfte, Sachbezüge, Sporteln, *(US)* Selbsterworbenes.

person Person, Einzelwesen, Individuum;
~ **carried over** *(Br.)* Reportgeber; ~ **domiciled here** Wohnsitzberechtigter; ~ **insured** Versicherter; ~**s interested** beteiligte Personen, Interessenten;
~ **of full age and capacity** Volljähriger und Geschäftsfähiger; ~ **under disability** Geschäftsunfähiger; ~ **of private (independent) means** Rentner, finanziell Unabhängiger; ~ **of unsound mind** Geisteskranker; ~ **of prominence** bedeutende Persönlichkeit; ~ **of ordinary prudence** normaler Durchschnittsmensch; ~ **who is not the owner** Nichteigentümer.

personal *(a.)* *(private)* privat, vertraulich, *(claim)* obligatorisch, *(property)* persönlich, beweglich; ~ **accident insurance** Unfallversicherung; ~ **account** Personal-, Kundenkonto, *(private account)* laufendes Konto, Privatkonto; ~ **accounting** private Rechnungsführung; ~ **allowance** *(employee)* persönliche Freizeit, *(income tax, Br.)* persönlicher Steuerfreibetrag, abzugsfähiger Betrag; ~ **articles** persönliche Gebrauchsartikel; ~ **assets** Privatvermögen des Gemeinschuldners; ~ **attendance required** *(advertisement)* persönliche Vorstellung erwünscht; ~ **baggage** *(US)* Handgepäck; ~ **business** Privatangelegenheit; ~ **call** *(tel., Br.)* Gespräch mit Voranmeldung; ~ **chattels** *(Br.)* Kleidungsstücke, Hab und Gut, Hausrat; ~ **column** *(newspaper)* Briefkasten; ~ **consumption** eigener Verbrauch; ~ **contribution to social insurance** *(US)* Arbeitnehmeranteil zur Sozialversicherung; ~ **credit** Personalkredit; ~ **data** Angaben zur Person, ~ **data and testimonials** Bewerbungsunterlagen; ~ **demand** persönliche Zahlungsaufforderung; ~ **earnings** Arbeitseinkommen; ~ **effects** Mobiliarvermögen, Privateigentum; ~ **estate** Mobiliarvermögen; ~ **exemption** *(taxation, US)* persönlicher Freibetrag; ~ **expense** *(worker)* Eigenaufwand für Geräte und Kleidung; ~ **exports** *(Br.)* Waren für den persönlichen Verbrauch; ~ **files** Handakten; ~ **finance company** Finanzierungsgesellschaft für Kleinkredite; ~ **history form** Personalbogen; ~ **holdup insurance** Versicherung gegen Raubüberfall; ~ **income** Privateinkommen; ~ **income tax** Einkommensteuer; ~ **letter** vertraulicher Brief; ~ **letter in business** persönlich gehaltener Geschäftsbrief; ~ **liability** persönliche Haftung; ~ **liability insurance** Privathaftpflichtversicherung; ~ **loan** Personalkredit; ~ **loan company** *(US)* Abzahlungsfinanzierungsgesellschaft; ~ **loan department** Personalkreditabteilung; ~ **luggage** *(Br.)* Handgepäck; ~ **property** Mobiliarvermögen; ~ **property tax** *(US)* Vermögenssteuer auf bewegliches Eigentum; ~ **relief** *(Br.)* persönlicher Freibetrag; ~ **record** Personalbogen; ~ **salesmanship** Verkaufsgewandtheit; ~ **service business** *(US)* Dienstleistungsgewerbe; ~ **share** Namensaktie; ~ **shopper** Auftragskäufer; ~ **tax** Personensteuer; ~ **use** Eigenbedarf.

personally liable persönlich haftbar.

personalty Mobiliarvermögen;
to convert realty in ~ Grundvermögen realisieren.

personnel Personal, Belegschaft, *(ship)* Besatzung, Mannschaft;
operating ~ Belegschaft; **sales** ~ Verkaufspersonal; **skilled (specialized, trained)** ~ geschultes Personal, Fachkräfte;
to recruit ~ Personal einstellen;
~ **administration** Personalverwaltung; ~ **accounting** Personalbuchhaltung; ~ **assistant** Personalbearbeiter; ~ **audit** Überprüfung der Personalpolitik; ~ **budget** Personalausgaben; ~ **chart** Stellenbesetzungsplan; ~ **chief** Personalchef; ~ **controller** Personalleiter; ~ **counsellor** Personalberater, Berater des Personalchefs; ~ **cutback** Personalkürzungen, -abbau; ~ **data** Personalangaben; ~ **department** Personalabteilung, -büro; ~ **difficulties** Personalschwierigkeiten; ~ **director** Personalchef, Leiter der Personalabteilung; ~ **division** Personalabteilung,-büro; ~ **expenses** Personalaufwendungen, -kosten; ~ **files (folders)** Personalakten; ~ **form** Personalbogen; ~ **functions** Personalaufgaben; ~ **inventory** Personalbestandskontrolle; ~ **management** Personalführung; ~ **manager** Personalchef; ~ **matters** Personalangelegenheiten; ~ **mobility** Belegschaftsfluktuation; ~ **needs** Personalbedürfnisse; ~ **office** Personalbüro; ~ **officer** Personalchef, -abteilungsleiter, -sachbearbeiter; ~ **organization** Organisation des Personalwesens, Personalorganisation; ~ **performance** betriebliche Leistungen; ~ **periodical** Betriebszeitschrift; ~ **policy** Personalpolitik; ~ **problems** Personalfragen, -probleme; ~ **program(me)** Personalprogramm; ~ **rating** Personalbeurteilung; ~ **records** Personalunterlagen, -akten; ~ **requirements** Personalbedarf; ~ **review** Personalbeurteilung; ~ **service** [soziale] Betriebsfürsorge; ~ **shake-up** personelle Umbesetzungen; ~ **shift** personelle Versetzungen, Personalumbau; ~ **specialist** Personalfachmann, spezialisierter Personalberater; ~ **statute** Personalstatut; ~ **strength** Stärke der Belegschaft, Belegschaftsstärke; ~ **technician** Personalbearbeiter; ~ **transfer** Versetzungen innerhalb des Betriebes, innerbetriebliche Umsetzungen.

persuasive advertising stark überzogene Werbung.

peruse *(v.)* **an account** Rechnung durchgehen.

petition [schriftliches] Gesuch, Antrag, Eingabe;
creditor's ~ Konkurseröffnungsantrag eines Gläubigers; **debtor's** ~ Konkurseröffnungsantrag des Gemeinschuldners; **voluntary** ~ *(US)* Konkursanmeldung [durch den Gemeinschuldner];
~ **for arrangement** Vergleichsantrag; ~ **in bankruptcy** Konkurseröffnungsantrag; ~ **for discharge [of a bankrupt]** *(US)* Antrag auf Aufhebung des Konkursverfahrens; ~ **for reorganization** *(US)* Vergleichs-, Sanierungsantrag; ~ **to wind up** Liquidationsantrag;
to dismiss a ~ Antrag zurückweisen; **to file an involuntary** ~ Zwangskonkurs beantragen; **to file one's** ~ **in bankruptcy** Antrag auf Konkurseröffnung stellen; **to file a** ~ **for a receiving order in bankruptcy** Antrag auf Erlaß eines Konkurseröffnungsbeschlusses stellen.

petitioning creditor Konkursgläubiger.

petrol *(Br.)* Benzin, Sprit, Treibstoff;
~ *(v.)* [auf]tanken;

~ **allowance** Benzinzuteilung; ~ **consumption** Benzinverbrauch; ~ **station** Tankstelle; ~**-station attendant** Tank[stellen]wärter, Tankwart.

petty amounts geringfügige Beträge, kleine Ausgaben;
~ **average** kleine Havarie.

petty | cash kleine Bar-, Portokasse; ~ **cashier** Portokassenführer; ~ **cause** Bagatellsache; ~ **charges (expenses)** kleine Spesen, Portospesen; ~ **dealer** unbedeutender Händler, Kleinhändler; ~ **debts** Läpper-, Bagatellschulden; ~ **details** unwesentliche Einzelheiten; ~ **farmer** Kleinlandwirt; ~ **goods** Kurzwaren; ~ **journal** Kladde; ~ **larceny** *(US)* Mundraub; ~ **offense** *(US)* **(offence,** *Br.)* Übertretung; ~ **officer** mittlerer Beamter; ~ **patent** *(US)* Gebrauchsmuster; ~ **prince** Duodezfürst; ~ **regulations** engstirnige Bestimmungen; ~ **sessions** *(Br.)* Verhandlung vor dem Friedensrichter; ~ **shopkeeper (trader)** kleiner Geschäftsmann; ~ **troubles** geringfügige Schwierigkeiten; ~ **wares** Kurzwaren.

phantom stock deal nur buchmäßig erfaßtes Aktiengeschäft.

phase Stadium, Phase, Etappe;
alternating ~s of the cyclical trend konjunkturelle Wechselphasen;
~ *(v.)* **out low-margin products** Erzeugnisse mit niedriger Gewinnspanne produktionsmäßig auslaufen lassen; ~ **out subsidies** Vergabe weiterer Investitionen beenden.

photogravure Kupfertiefdruck.

photomontage Fotomontage.

photostat Fotokopie, Lichtbild;
~ *(v.)* fotokopieren.

photostatic copy *(US)* Fotokopie.

phototelegram Bildtelegramm.

physical | assets Sachanlagevermögen; ~ **depreciation** auf Grund natürlicher Abnutzung erforderliche Abschreibung, Gebrauchsabschreibung; ~ **impossibility** absolute Unmöglichkeit; ~ **inventory** tatsächlich aufgenommenes Inventar, körperliche Bestandsaufnahme; ~ **life** *(machine)* technische Nutzungsdauer; ~ **turnover** mengenmäßiger Umsatz.

picayune business unbedeutendes Geschäft.

pick up *(market)* sich erholen, *(motor)* auf Touren kommen, *(passengers)* aufnehmen, *(sales)* steigen, zunehmen;
~ **a bargain** gutes Geschäft machen; ~ **bargains** *(stock exchange)* Gewinne mitnehmen; ~ **a livelihood** seinen Lebensunterhalt finden; ~ **part of the costs** Kosten teilweise auffangen; ~ **profit** Gewinn machen; ~ **route 51** der Bundesstraße 51 folgen; ~ **for a song** *(sl.)* spottbillig kaufen.

picked sample entnommene Stichprobe.

picket Streikposten, -wache;
~ *(v.)* Streikposten stehen, *(beset with pickets)* durch Streikposten absperren;
~ **a factory** Streikposten vor einer Fabrik aufstellen;
~ **assignment** Streikposteneinteilung; **to cross the ~ line** sich als Streikbrecher betätigen.

picketing Aufstellen von Streikposten;
secondary ~ *(US)* betriebsfremde Streikposten.

pickings Nebeneinkünfte, Beiseitegebrachtes.

pickup *(acceleration)* Anzugs-, Startvermögen, *(bargain)* Gelegenheitskauf, *(collecting)* Abholung, *(small commercial body)* Liefer-, Kleinlastwagen, *(recession, US sl.)* Konjunkturerholung, Auftriebstendenz, Wiederanstieg;
gradual ~ in activity leichter Konjunkturanstieg; ~ **in employment** Beschäftigungsanstieg; ~ **in filings** Antragszunahme; ~ **in orders** Auftragszunahme, -erholung; ~ **profits** bessere Gewinnentwicklung;
~ **and delivery service** Abhol- und Zustelldienst; ~ **truck** schneller Lkw, Abholfahrzeug.

picture Bild, Abbildung;
~ **advertisement** Lichtspielhauswerbung; ~ **trademark** Bildwarenzeichen.

piece | of business Geschäftsangelegenheit; **risky ~ of business** gewagte Spekulation; ~ **of land** Grundstück, Stück Land, Parzelle; ~ **of luggage** *(Br.)* Gepäckstück; ~ **of money** Geldstück; ~ **of property** Vermögensgegenstand; **excellent ~ of work** hervorragende Arbeit[sleistung];
to be paid by the ~ Stücklohn erhalten; **to pay workmen by the** ~ Arbeiter im Akkord (Stücklohn) bezahlen;
~ **broker** Restehändler; ~ **cost** Stückkosten; ~ **goods** nach dem Stück verkaufte [Textil]waren, Stückgüter, Meter-, Schnittwaren; ~ **labo(u)r** Stück-, Akkordarbeit; ~ **list** Stückliste; ~ **market** *(Br.)* Stückgütermarkt; ~ **master** *(Br.)* Akkordlohnvermittler; ~ **price** Stückpreis; ~ **-price system** Akkordsystem, Stücklohnverfahren.

piece rate Stücklohn-, Akkordsatz;
group ~ Gruppenakkordlohn.

piece-rate | bonus Akkordprämie; ~ **earnings** Akkordverdienst; ~ **formula** Akkordlohnformel; ~ **plan** Akkordsystem; ~ **system** Prämienlohnsystem; ~ **work** Akkordarbeit.

piece | scale Akkordlohnordnung; ~ **wage** Akkord-, Gedinge-, Stücklohn.

piecemeal stückweise, Stück für Stück;
to buy only ~ nur stückweise einkaufen;
~ **contracts** Einzelaufträge; **to work on a ~ plan** ohne Plan und Überlegung arbeiten; ~ **price fixing** *(US)* Preisfestsetzung von Fall zu Fall.

piecework Akkord-, Gedingearbeit, *(print.)* Paketsatz;
high ~ progressiver Leistungslohn;
~ **with base guarantee** Akkordlohn mit garantiertem Mindestbetrag;
to do ~ im Akkord arbeiten (stehen); **to put s. o. on** ~ j. im Akkord beschäftigen;

~ **bonus** Akkordzuschlag; ~ **earnings** Gesamtverdienst bei Anwendung des Prämienlohnsystems, Akkordverdienstlohn; ~ **pay** Akkord-, Stücklohn; **non-** ~ **bonus plan** nicht akkordmäßiger Leistungslohn; ~ **rate** Akkordrichtsatz; ~ **system** Akkordlohnsystem.

pieceworker Akkord-, Stückarbeiter.

pier Hafendamm, Lösch-, Landungsplatz, Landungssteg, Mole, Kai;
floating ~ schwimmende Landungsbrücke.

pierage Hafen-, Kaigebühren, Ufergeld.

pigeonhole [Brief]fach, Ablagefach, Zettelkasten;
~ *(v.)* **files** Akten ablegen.

piggy bank Sparschwein.

piggyback [rail]service Huckepackverkehr.

piggly-wiggly-store *(US)* Lebensmittelautomat.

pile Stapel, Stoß, Packen, Haufen, *(group of buildings)* Gebäudekomplex;
~ **of correspondence** Stoß von Briefen; ~ **of documents** Aktenstoß;
to have a ~ **of money** Geld wie Heu haben; **to make a** ~ **of money** Stange Geld verdienen.

pilot Flugzeugführer, Pilot, Flieger, *(ship)* Lotse;
compulsory ~ Zwangslotse; **licensed** ~ seeamtlich befähigter Lotse;
~ *(v.)* **a ship through a channel (canal)** Schiff durch einen Kanal lotsen;
~ **boat** Lotsenboot; ~ **flag** Lotsenflagge; ~ **licence** Lotsenschein, *(plane)* Piloten-, Flugzeugführerschein; ~ **lot** Null-, Versuchsserie; ~ **production** Versuchsproduktion; ~ **program(m)e** Versuchsprogramm; ~ **project** Versuchsprojekt; ~ **scheme** Versuchsprojekt; ~ **service** Lotsendienst; ~ **ship** Lotsenfahrzeug; ~ **stage** Entwicklungsstadium; ~ **survey** *(statistics)* Probeerhebung.

pilotage Lotsengebühr;
compulsory ~ Lotsenzwang; **free** ~ Lotsenfreiheit;
~ **waters** Lotsenstrecke, -revier.

pin money *(daughter)* Nadelgeld, *(outworker)* Heimarbeiterlohn, *(seasonal worker)* Saisonarbeiterverdienst.

pinch kritischer Augenblick, *(stock exchange)* plötzliche Kurssteigerung;
money ~ zeitweilige Geldknappheit;
~ **on profits** Erlösdruck;
to feel the ~ von der Depression betroffen werden; **to feel the** ~ **of poverty** in drückender Armut leben.

pinched im Druck, in Bedrängnis;
to be ~ darben, *(stock exchange)* plötzlich zu Deckungskäufen gezwungen sein; **to be** ~ **for money** in finanzielle Schwierigkeiten geraten sein, knapp dran (bei Kasse) sein;
~ **circumstances** beschränkte Verhältnisse.

pioneer Pionier, Bahnbrecher, Wegbereiter, Schrittmacher;
~ **patent** Stammpatent.

pirate Seeräuber, *(patent law)* Verletzer eines Patentrechts;
radio (wireless) ~ Schwarzhörer;
~ *(v.)* **designs** Gebrauchsmuster kopieren; ~ **a trademark** Warenzeichen nachahmen.

pit *(coal pit)* Kohlenbergwerk, Zeche, Grube, *(commodity exchange, US)* Maklerstand für den Handel bestimmter Warengattungen, Produktenbörse, *(mining)* Schacht;
coal ~ Kohlenbergwerk; **grain** ~ Getreidebörse;
~**-head price** Zechen-, Grubenpreis; ~ **trader** *(US)* selbständiger Produktenmakler.

pitch *(street trade, Br.)* Verkaufsstelle, Stand [eines Straßenhändlers], *(wares for sale)* angebotene Warenmenge, Warenangebot;
~ *(v.)* Verkaufsstand aufschlagen.

pitchfork | *(v.)* **s. o. into a position** j. in eine Stellung lancieren.

pittance kleine Summe, *(meager wage)* Hungerlohn.

pivotal | **industry** Schlüsselindustrie; ~ **trades** Schlüsselgewerbe.

placard Plakat, Anschlag[zettel];
~ *(v.)* durch Anschlag bekanntgeben, *(wall)* plakatieren, mit Plakaten bekleben.

placarder *(US)* Plakatkleber.

placarding Anschlag, Aushang.

place Ort, Ortschaft, Platz, Stelle, *(employment)* [An]stellung, Amt, *(location)* Örtlichkeit, *(residence)* Wohnort, Wohnung;
out of a ~ stellenlos; **confidential** ~ Vertrauensstellung; **permanent** ~ Dauerstellung; **shipping** ~ Versandort;
~ **of abode** Wohnsitz; ~ **of arrival** Ankunftsort; ~ **of business** Geschäftssitz, gewerbliche Niederlassung; **fixed** ~ **of business** feste Geschäftseinrichtung; ~ **of call** Anlaufhafen; ~ **of consignment** Versendungsort; ~ **of custody** Verwahrungsort; ~ **of delivery** Lieferungs-, Erfüllungsort; ~ **of destination** Bestimmungsort; ~ **of discharge** Ausladeort, Löschungsplatz; ~ **of employment** Arbeitsplatz; **of entry** Zollhafen; ~ **of exchange** Ausstellungsort; ~ **of issue** Ausstellungsort; ~ **of loading** Verladeort; ~ **of management** Sitz der Geschäftsleitung; ~ **of manufacture** Herstellungsort; ~ **of origin** Ursprungsort; ~ **of payment** Zahlungsort; ~ **of performance** Erfüllungsort; **established (settled)** ~ **of residence** fester Wohnsitz; ~ **of shipment** [Ver]ladestelle; ~ **of transmission** Löschungshafen; ~ **of transshipment** Umschlagplatz; ~ **of work** Arbeitsplatz, -stelle; ~ *(v.)* *(arrange)* anordnen, *(dispose of goods)* liefern, *(invest)* investieren, Investition vornehmen, anlegen *(loan) placieren, unterbringen, (put in office)* anstellen, *(put in place)* stellen, legen, setzen, *(find situation for)* unterbringen;
~ **to s. one's account** jem. in Rechnung stellen; ~ **to new account** auf neue Rechnung vortragen; ~ **on the agenda** auf die Tagesordnung setzen; ~ **an amount to s. one's credit** jem.

[einen Betrag] gutschreiben; ~ **bonds** Obligationen unterbringen; ~ **a contract** Geschäft abschließen; ~ **to s. one's credit in the bank** auf jds. Bankkonto übertragen; ~ **on file** zu den Akten nehmen; ~ **goods** Ware absetzen; ~ **an insurance** Versicherung abschließen; ~ **an issue** Emission unterbringen; ~ **a loan at 98%** Anleihe zum Kurse von 98% unterbringen; ~ **a name in case of need on a draft** Namen als Notadresse auf einen Wechsel setzen; ~ **an order** Auftrag erteilen (vergeben); ~ **pressure on the money market** Druck auf dem Geldmarkt verursachen; ~ **to the reserve** der Rücklage überweisen; ~ **shares** Aktien unterbringen; ~ **a sum at the disposal of s. o.** jem. einen Geldbetrag zur Verfügung stellen; ~ **surplus stock** überschüssige Waren loswerden; ~ **in a warehouse** auf einen Speicher verbringen;
to book a ~ sich einen Platz reservieren lassen; **to go to ~s and see things** Touristenreise machen; **to have a ~ to stay without cost** unentgeltlich übernachten können; **to know the** ~ Lokalverhältnisse kennen;
~ **holder** Angestellter, Platzhalter; ~ **hunter** Stellenjäger; ~ **hunting** Stellenjägerei, Ämterjagd.

placeman *(Br.)* Futterkrippenpolitiker, Pöstcheninhaber.

placemanship *(Br.)* Futterkrippenwirtschaft.

placement Unterbringung, *(employees)* Arbeitseinsatz, Einstellung, *(investment)* Investition, Anlage, *(securities, US)* Placierung, Placement, Unterbringung;
~ **of capital** Kapitalanlage; ~ **of funds** Kapitalverwendung; **appropriate** ~ **of labo(u)r** sinnvolle Verwendung (richtige Verteilung) von Arbeitskräften;
~ **agency** *(US)* Stellenvermittlung; ~ **agent** *(US)* Stellenvermittler; ~ **bureau** *(US)* Arbeitseinsatzbüro, Berufsberatungsstelle; **government** ~ **center** *(US)* staatliche Stellenvermittlung; ~ **consulter** *(US)* Berufsberater; ~ **facilities** Stellenvermittlungsmöglichkeiten; **private** ~ **market** privater Kapitalmarkt; ~ **officer** *(US)* Berufsberater, Stellenvermittler; ~ **service** *(US)* Berufsberatungs-, Stellenvermittlungsdienst; ~ **specialist** *(US)* Berufsberater.

placing | of an advertisement (advertising) Anzeigenaufgabe, -placierung; ~ **of a loan** Anleiheplacierung; ~ **of an order** Auftragserteilung; ~ **of a poster** Plakatanschlag.

plain | bond ungesicherter Schuldschein; ~ **dealing** lauteres (reelles) Geschäftsgebaren; ~ **postcard** gewöhnliche Postkarte.

plan *(arrangement)* Anordnung, System, Plan, Projekt, Programm, *(design)* Entwurf, Anlage, Zeichnung, *(intention)* Vorhaben, Absicht, *(method)* Verfahren, Weg, Vorgehen, Methode;
financing ~ Finanzierungsplan; **five-year** ~ Fünfjahresplan; **instal(l)ment** ~ Abzahlungssystem; **investment** ~ Investitionsvorhaben; **pension** ~ Altersversorgungsplan;
~ **of accumulation** Kapitalsammlungsplan; ~ **of arrangement** Vergleichsvorschlag; ~ **of the installation** Lage-, Übersichtsplan; ~ **of readjustment** Sanierungsprogramm, -plan; ~ **of redemption** Amortisationsplan; ~ **of reorganization** Sanierungsprogramm, -plan; ~ **for settlement** Vergleichsvorschlag; ~ **to encourage thrift** Sparanreizsystem; ~ **for zoning** Bebauungs-, Flächennutzungsplan;
~ *(v.)* **a scheme** Projekt ausarbeiten;
to remain below ~ Produktionsziel nicht erreichen;
~**s board** *(advertising agency)* Planungsstab.

plane *(airplane, coll.)* Flugzeug, *(level of development)* Entwicklungsstadium, *(mining)* Förderstrecke;
chartered ~ Charterflugzeug; **high-performance** ~ hochleistungsfähiges Flugzeug; **hijacked** ~ entführtes (gekapertes) Flugzeug; **idle** ~ nicht eingesetztes Flugzeug; **mail** ~ Postflugzeug;
to allow a ~ into revenue service Flugzeug für Linienverkehr freigeben; **to catch a** ~ Flugzeuganschluß (Anschlußflugzeug) erreichen;
~ **reservation** Flugplatzreservierung.

plank *(v.)* **down the ready** *(fam.)* Bargeld auf den Tisch legen (knallen).

planned dirigistisch;
~ **economy** Planwirtschaft; ~ **labo(u)r** Arbeitslenkung; ~ **obsolescence** geplante Veralterung.

planning Planung, Ausarbeitung, Bewirtschaftung;
city ~ *(US)* Stadtplanung, -bebauungsplan; **economic** ~ Wirtschaftsplanung; **private** ~ industrielle Zukunftsplanung;
~ **of work** Einteilung der Arbeit;
~ **agency** Planungsbehörde; ~ **board** Planungsstelle; ~ **measures** dirigistische Maßnahmen; **≗ Minister** *(Br.)* Planungsminister; ~ **office** Lenkungsstelle; **≗-Programming-Budgeting System** Verfahren eines integrierten Planungs-, Programmierungs- und Haushaltssystems; **to pass the** ~ **stage** über das Entwurfsstadium hinausgelangen.

plant [Werk-, Betriebs-, Fabrik]anlage, Fabrik, Betrieb, *(machinery)* technische Anlage, Maschinenanlage, Betriebsinventar, Gerätschaften, *(railway)* Betriebsmaterial;
armaments ~ *(Br.)* Rüstungsbetrieb, -fabrik; **assembly** ~ Montagewerk; **fully automated** ~ vollautomatisiertes Werk; **branch** ~ Filialbetrieb; **colliery** ~ Anlage einer Steinkohlenzeche; **competing** ~ Konkurrenzbetrieb; **electric** ~ elektrische Anlage; **newly established** ~ neu in Betrieb genommene Anlage; **finishing** ~ Veredlungsbetrieb; **government-furnished** ~ staatlich ausgerüsteter Fabrikbetrieb; **government-operated** ~ Staatsbetrieb; **industrial** ~

Industrieanlage; **limited-capacity** ~ Betrieb mit begrenzter Kapazität; **low-cost** ~ billig arbeitender Betrieb; **low-wage** ~ Betrieb mit niedrigem Lohnniveau; **manufacturing** ~ Fabrikations-, Herstellungsbetrieb; **middle-sized** ~ mittelgroßer Betrieb; **model** ~ Musterbetrieb; **movable** ~ beweglicher Maschinenpark; **pilot** ~ Versuchsbetrieb; **poster** ~ Plakatanschlagsunternehmen; **power** ~ Kraftwerk, *(airplane)* Triebwerk, *(car)* Motor und Getriebe; **regular** ~ abgekartete Sache; **small** ~ Kleinbetrieb; **subsidiary** ~ Nebenanlage; **waggon-way** ~ Förderbahn;

~ **and equipment** *(balance sheet)* Betriebseinrichtung und Ausstattung, Maschinen und Einrichtungen; ~ **and machinery** Betriebseinrichtung und Maschinen; ~ **for motorists** Autofalle; ~ **in process of conversion** Umstellungsbetrieb; ~ **working with a deficit** Verlustbetrieb;

~ *(v.)* *(colonize)* besiedeln, ansiedeln, kolonisieren, *(establish)* anlegen, errichten, gründen; **to move a ~ to another locality** Betrieb verlagern, Betriebsverlagerung durchführen; **to pluck up a** ~ Fabrik demontieren; **to run a** ~ Betrieb leiten;

~ **account** Anlagekonto; ~ **addition** Betriebserweiterung; ~ **assets** Betriebsanlagewerte; ~ **bargaining** betriebliches Tarifwesen; ~ **bargaining problems** betriebliche Tarifprobleme; ~ **blindness** Betriebsblindheit; ~ **capacity** betriebliche Leistungsfähigkeit, Betriebskapazität; **idle ~ capacity** betriebliche Reservekapazität; ~ **closing** Betriebsschließung, -einstellung; ~ **committee (council)** *(US)* Betriebsrat; ~ **community** Betriebsgemeinschaft; ~ **conditions** Betriebsverhältnisse; ~ **constructions costs** Kosten für Betriebsbauten; ~ **costs** Betriebsunkosten; ~ **deficiency** Betriebsverlust; ~ **efficiency** betriebliche Leistungsfähigkeit; ~ **estimates** Betriebsbudget; ~ **expansion** Fabrik-, Betriebsausweitung, -erweiterung; ~ **expansion program(me)** betriebliches Ausbauprogramm; ~ **extension** Betriebsvergrößerung, -erweiterung; ~ **facilities** Betriebseinrichtungen; ~ **fund** *(institutional accounting)* Betriebserweiterungsfonds; ~ **gate** Fabriktor; ~ **grounds** Fabrik-, Betriebsgelände; ~ **improvements** Betriebsverbesserungen; ~ **inspection** Betriebsaufsicht; ~ **inventory** Betriebsinventar; ~ **job** Fabrikposten, Arbeitsplatz in der Fabrik; ~ **layout** betriebliche Anlagenplanung, Fabrik-, Betriebsanlage; ~ **ledger** Betriebshauptbuch; ~ **location** Fabriklage, Betriebsbelegenheit; ~ **magazine** Betriebszeitschrift; ~ **management** Betriebsführung, -leitung, Werksleitung; ~**manager** *(US)* Werk-, Betriebsleiter; ~ **operations** Betriebsverfahren; ~ **physician** Betriebsarzt; ~ **premises** Fabrikgebäude; ~ **processing** Werksveredelung; ~ **productivity** betriebliche Produktivität; ~ **program(me)** Produktionsprogramm; ~ **rationalization** Betriebsrationalisierung; ~ **regulations** Betriebsvorschriften; ~ **rehabilitation** Wiederaufbau des Betriebs; ~ **rules** Betriebsrichtlinien, -anweisung; ~ **shopper** Einkäufer für die Betriebsmitglieder; ~ **shutdown** Betriebsschließung, -einstellung, Fabrikschließung; ~ **site** Betriebsgrundstück, -gelände, Fabrikgelände, -grundstück; ~ **space** Betriebsgelände; ~ **tour** Betriebsbesichtigung; ~ **superintendent** *(US)* Betriebsdirektor, -leiter; ~ **supervision** Betriebsüberwachung; ~ **unemployment benefit** vom Betrieb gezahlte Arbeitslosenunterstützung; ~ **utilization** Betriebsausnutzung, Ausnutzung der Betriebskapazität; ~ **value** Betriebswert; ~ **visit** Betriebsbesichtigung; ~**-wide burden rate** Gemeinkostenzuschlag.

plastic-processing industry kunststoffverarbeitende Industrie.

platform Bahnsteig, *(party, US)* Grundsatzerklärung, politischer Standpunkt, *(for speaker)* Podium, Rednerbühne;

unloading ~ Abladeplatz;

to come in ~ 4 auf Gleis (Bahnsteig) 4 einlaufen;

~ **barrier** Bahnsteigsperre; ~ **car** *(US)* **(carriage)** offener Güterwagen; ~ **ticket** Bahnsteigkarte.

play| *(v.)* **away a fortune** Vermögen verspielen; ~ **ducks and drakes with one's money** mit seinem Geld nur so herumschmeißen; ~ **up to one's boss** seinem Vorgesetzten schmeicheln; ~ **up a piece of news** Nachricht groß aufmachen (in großer Aufmachung bringen);

to be in full ~ in vollem Betrieb sein;

~ **date** *(advertising)* Ausstrahlungstermin; ~ **debt** Spielschuld.

pleasure Vergnügen, *(discretion)* Gutdünken, Belieben, Wahl, *(grace)* Gefallen, Gefälligkeit;

to serve at the ~ of the board an Vorstandsweisungen gebunden sein;

~ **ground** *(Br.)* Anlage, Vergnügungspark; ~ **resort** Ausflugs-, Erholungsort; ~ **spot** Ausflugsort; ~ **trip (travel)** Vergnügungsreise, Ausflug.

pledge *(article pledged)* Pfand[gegenstand], Faustpfand, *(guaranty)* Bürgschaft, *(pawn)* [Unter]pfand, Faustpfand; **as a** ~ als Pfand; **in** ~ verpfändet;

dead ~ Faustpfand; **forfeited** ~ verfallenes Pfand;

~ **of personal property** Verpfändung beweglichen Eigentums; ~ **of securities** Verpfändung von Sicherheiten; ~ **of stocks** Aktienverpfändung;

~ *(v.)* versetzen, verpfänden, Pfand bestellen; ~ **one's property** sein Vermögen als Sicherheit stellen; ~ **securities with a bank for payment of a loan** Effekten bei einer Bank lombardieren lassen; ~ **as security** sicherheitshalber übereignen;

to hold property as a ~ Pfandhalter sein; to take out of ~ Pfand auslösen;
~ keeper Pfandhalter; ~ taker Pfandnehmer.

pledged verpfändet, zur Sicherheit gestellt;
~ **as security** sicherheitsübereignet;
~ **article** Pfandobjekt; ~ **assets** Pfandsicherheit; ~ **chattels** verpfändete Gegenstände; ~ **merchandise** sicherungsübereignete Waren; ~ **property** Pfand[gut], Pfandobjekt, -sache; **to levy against the ~ property** Vollstreckung in den Pfandgegenstand betreiben; ~ **securities** lombardierte Effekten;

pledgee Pfandnehmer, -inhaber, -gläubiger.

pledger Verpfänder, Pfandschuldner, Pfandgeber.

pledging of securities Lombardierung von Wertpapieren.

plot *(land)* Grundstück, Parzelle, Bauplatz, -grundstück;
~ **of unbuilt ground** unbebautes Grundstück.

plottage Parzellenfläche;
~ **increment** *(US)* Wertsteigerung bei Zusammenlegung.

plough, plow *(US)* *(v.)* **back the profits of a business** Geschäftsgewinn sofort wieder anlegen.

ploughing back of earnings (profits) Gewinnrückstellung, nicht entnommener Gewinn, Nichtausschüttung (Wiederanlage) von Gewinnen, Selbstfinanzierung.

plug *(advertising)* [Rundfunk]reklamesendung, unbezahlte Werbebotschaft, *(labo(u)rer, sl.)* ungelernter Arbeiter, *(slow-selling goods, US)* unmoderne Artikel.

plum *(best part)* das Beste, Rosine, *(desirable post, coll.)* begehrenswerte Stellung, *(100 000 £, sl.)* 100 000 englische Pfund, *(melon, US sl.)* Gratisaktie, Sonderdividende.

plunge *(v.)* **[downward]** *(of prices)* plötzlich fallen.

plunged into debt völlig verschuldet.

plus Pluszeichen;
~ *(a.)* plus, zuzüglich, *(el.)* positiv;
~ **angle** Plusseite; ~ **factor** Gewinnfaktor; **to be in the $ 3 000 ~ range** in der Preislage von 3 000 Dollars aufwärts liegen; **on the ~ side of the account** auf der Aktivseite; ~ **sign** Pluszeichen, positives An-, Vorzeichen; ~ **value** Mehrbetrag, Wertzuwachs.

plutocracy Geldherrschaft, -aristokratie, -adel, Plutokratie.

pluvious policy Regenversicherungspolice.

ply *(v.)* **a trade** Handwerk betreiben.

poach *(v.)* **employees** Angestellte abwerben.

pocket Tasche, *(for money)* Geldbeutel, -sack, -vorrat, *(mining)* Erz-, Goldnest;
out of one's own ~ aus der eigenen Tasche;
empty ~ armer Schlucker;
~ *(v.)* einstecken, in die Tasche stecken, *(mil.)* *(take fraudulently)* sich unrechtmäßig aneignen, einheimsen;
~ **cash** Geld einkassieren; ~ **half of the profits** Hälfte des Gewinns kassieren; ~ **the money** Geld einstecken;
to be in ~ gut bei Kasse sein; **to be £ 10 in ~** 10 Pfund profitieren; **to be out of ~** Verluste haben, sein Geld nicht wiederbekommen; **to be hundreds of dollars out of ~ each year** jedes Jahr hunderte von Dollars zusetzen; **to line one's ~s** sich bereichern (die Taschen füllen), schwer Geld verdienen; **to put one's hand in one's ~** zur Geldausgabe bereit sein; **to pay s. o. from one's own ~** j. aus der eigenen Tasche bezahlen; **to suffer in one's ~** jem. an den Geldbeutel gehen; **to zip one's ~s tighter** seinen Geldbeutel noch fester zuhalten;
~ **adding machine** Kleinaddiermaschine; ~ **agreement** Nebenabrede; ~ **almanac** Taschenkalender; ~ **book** Taschenausgabe, -buch, *(notebook)* Notizbuch, *(wallet, US)* Geldbeutel, -täschchen, Brieftasche; **average ~ book** Normaleinkommen, Durchschnittsgeldbeutel; ~ **book edition** Tachenbuchausgabe; ~ **borough** *(Br.)* kontrollierter Wahlkreis; ~ **dictionary** kleines Lexikon, Taschenwörterbuch; ~ **edition** Taschenausgabe; **out-of-~ expenses** ~ bare Auslagen, Spesen; ~ **guide** Führer im Taschenbuchformat; ~ **knife** Taschenmesser; ~ **lamp** Taschenlampe; ~ **lighter** Taschenfeuerzeug; ~ **money** Taschengeld; ~ **piece** Heck-, Glückspfennig; ~ **pistol** kleiner Revolver; ~**-size[d]** [in] Taschenformat; ~**-size camera** Kleinbildkamera; ~ **veto** *(politics, US)* Zurückhaltung (Verzögerung) eines Gesetzentwurfes; ~ **volume** Taschenbuch[ausgabe].

point Punkt, Stelle, Ort, *(agenda)* Punkt, Einzel-, Teilfrage, *(hint)* Hinweis, Tip, *(ration coupon)* Punkt, *(scale)* Grad, *(stock exchange)* Punkt, Einheit bei Kursschwankungen, *(subject matter)* fraglicher Gegenstand;
at all ~s vollinhaltlich;
bullion ~ Goldpunkt; **gold ~** Goldausfuhrpunkt; **unloading ~** Entladestelle;
turning ~ in s. o.'s career Wendepunkt in jds. Laufbahn; ~ **of destination** Bestimmungsort; ~ **of dispatch** Versandstation; ~ **of entry** Zoll-, Eingangshafen; ~ **of an exhibition** Anziehungspunkt einer Ausstellung ~ **of exit** Ausfahrt; ~**s from letters** Auszüge aus Leserbriefen; ~ **of loading** Verladeort; ~ **of origin** Herkunfts-, Ursprungsort; ~ **of purchase** Kaufort; ~ **of reshipment** Rückladeort; ~ **of shipment** Versandort; **converging ~s of traffic** Brennpunkt des Verkehrs; ~ **of view** Gesichts-, Standpunkt, Argument, Aussicht;
to be on ~s nur auf Karten erhältlich (bewirtschaftet) sein; **to decline 5 ~s** um 5 Punkte nachgeben, 5 Punkte fallen; **to go on ~s** bewirtschaftet (rationiert) sein; **to go up several ~s** *(cost of living)* um mehrere Punkte steigen; **to raise a ~ of order** das Wort zur Geschäftsordnung verlangen, Einwendungen gegen die Tagesordnung erheben; **to release on ~s** auf Punkte freigeben; **to rise a ~** *(stock exchange)* um einen Punkt steigen;

~**-of-purchase display** Verkaufsförderungsmittel; ~ **duty** *(police, Br.)* Verkehrsdienst; ~ **policeman** *(Br.)* Verkehrsschutzmann; ~ **rating system** Punktbewertungssystem; ~ **rise** Punktanstieg; ~ **system** *(job evaluation)* Punktbewertungssystem.

police *(v.)* **price increases** Preisanstiege überwachen.

policy Methode, Verfahren, Taktik, Politik, *(investment fund)* Geschäftspolitik, *(lotto, US)* Zahlenlotto, *(science of government)* Politik, politisches Verfahren, Regierungskunst, Staatswissenschaft, *(insurance)* Versicherungsschein, [-]police;

as per copy of ~ **annexed** laut beigeschlossener Police;

accident ~ Unfallpolice; **additional** ~ Nachtrags-, Zusatzpolice; **all-risks** ~ *(car)* Universalversicherungspolice; **blank** ~ Policenformular; **blanket** ~ *(US)* Pauschalpolice; **block** ~ Generalpolice, laufende Police; **business** ~ Geschäftspolitik, **buy-American** ~ Kaufbindungspolitik; **cargo** ~ Frachtpolice; **commercial** ~ Handelspolitik; **compound** *(US)* Pauschalpolice; **convertible term** ~ umwandelbare Lebensversicherungspolice; **deferred annuity** ~ Police über eine aufgeschobene Rentenversicherung; **deflationary** ~ Deflationspolitik; **depreciation** ~ Abschreibungspolitik; **economic** ~ Wirtschaftspolitik; **endowment** ~ abgekürzte Lebensversicherungspolice; **extended-term** ~ prolongierte Versicherungspolice; **expired** ~ abgelaufene Versicherungspolice; **financial (fiscal)** ~ Finanz-, Steuerpolitik; **fire-insurance** ~ Feuerversicherungspolice; **fleet** ~ Kraftfahrzeugsammelversicherungsschein; **floater** ~ Pauschalversicherung für verschiedene Transportgefahren; **floating** ~ offene Police, *(fire insurance)* Pauschalversicherungsschein für alle im Gebäude vorhandenen Gegenstände; **free** ~ prämienfreie Police; **freight** ~ Frachtpolice; **general liability** ~ allgemeine Haftpflichtpolice; **group** ~ Sammelpolice; **income** ~ Rentenversicherungspolice zugunsten eines Dritten [nach dem Tode des Versicherungsnehmers]; **inflationary** ~ Inflationspolitik; **instal(l)ment** ~ Police über eine in Teilbeträgen zahlbare Versicherungssumme; **insurance** ~ Versicherungspolice; **labo(u)r** ~ Arbeitsmarktpolitik; **lapsed** ~ verfallene Police; **liability** ~ Haftpflichtversicherungspolice; **life** ~ Lebensversicherungspolice; **limited-payment life** ~ Lebensversicherungspolice mit abgekürzter Prämienzahlung; **marine insurance** ~ Seeversicherungspolice; **mixed** ~ *(Br.)* Zeit- und Reiseversicherung; **monetary** ~ Währungspolitik; **named** ~ Namenspolice; **ordinary life** ~ Lebensversicherungspolice mit gleichbleibenden Prämien; **straight (whole) life** ~ Versicherungspolice auf den Todesfall; **managerial** ~ Unternehmerpolitik; **marine** ~ Seepolice; **nonassessable** ~ *(US)* nachschußfreie Versicherungspolice; **noncancellable** ~ unkündbare Lebenversicherung; **nonparticipating** ~ nicht gewinnberechtigte (gewinnbeteiligte) Police; **open** ~ *(Br.)* Pauschalpolice, offene Police, Police ohne Wertangabe; **paid-up** ~ prämienfreie Versicherung; **participating** ~ Versicherung mit Gewinnbeteiligung, gewinnberechtigte Police; **limited-payment** ~ Versicherung mit begrenzter Prämienzahlung; **limited-payment life** ~ abgekürzte Lebensversicherungspolice; **pricing** ~ Preispolitik; **renewable term** ~ erneuerungsfähige Lebensversicherungspolice; **rental value** ~ Mietverlustversicherung; **return premium** ~ Prämienrückgewährpolice; **short-term automobile-and-hospitalization** ~ *(US)* kurzfristige Auto- und Krankenhausversicherung; **single** ~ Einzelpolice; **social** ~ Sozialpolitik; **standing** ~ Einheitspolice; **stock [-rate]** ~ Lebensversicherungspolice ohne Gewinnbeteiligung; **supplementary** ~ Zusatz-, Nachtragspolice; **survivorship annuity** ~ Rentenversicherungspolice zugunsten eines überlebenden Dritten; **tariff** ~ Zollpolitik; **term** ~ zeitlich befristete Lebensversicherungspolice; **time** ~ Zeitpolice; **tourist floater** ~ Reisegepäckversicherungspolice; **trade** ~ Handelspolitik; **unlimited** ~ Pauschalversicherungspolice; **unvalued** ~ Pauschalpolice, *(Br.)* Police ohne Wertangabe; **valued** ~ taxierte Police, Police mit Wertangabe, *(fire insurance)* Wert-, Summenversicherungspolice; **voyage** ~ Reiseversicherungspolice, *(marine insurance)* Seeversicherungspolice für eine bestimmte Ladung; **wage** ~ Lohnpolitik; **wage-freezing price-lowering** ~ Lohnstopp- und Preissenkungspolitik; **whole life** ~ Lebensversicherungspolice auf den Todesfall;

paid-up ~ **of a reduced amount** prämienfreie Versicherungspolice mit gekürzter Versicherungssumme; ~ **of assurance** *(Br.)* Versicherungspolice; ~ **of active ease** Liquiditätspolitik; ~ **of economy** Sparpolitik; ~ **of insurance against accidents** Unfalltodversicherungspolice; ~ **of marine insurance** Seeversicherungspolice; ~ **of restraint in sales** nicht aggressive Verkaufspolitik;

to amend a ~ Police ergänzen; **to cancel a** ~ Versicherung aufheben; **to keep the** ~ **in force** Versicherung aufrechterhalten; **to lend money on a** ~ Police beleihen; **to reinstate a lapsed** ~ abgelaufene Versicherung wieder aufleben lassen; **to take out a** ~ sich versichern lassen, Versicherungsvertrag abschließen;

~ **book** Policenbuch, -register; ~ **borrowing** Policenbeleihung; ~ **broker** Versicherungsmakler, -agent; ~ **conditions** Versicherungsbedingungen; ~ **contract** Versicherungsvertrag; ~ **drafting** Policenausfertigung; ~ **duty** Versicherungssteuer; ~ **form** Policenformular; ~ **formulation** Festlegung der Firmenpolitik; ~ **loan** Policenbeleihung; ~**-maker of business** führende Persönlichkeit des Wirtschaftslebens; ~**-making procedure** entscheidender Arbeitsprozeß; ~ **meeting** geschäftspolitische Tagung; ~ **number** Policennummer; ~ **owner** Versicherungsnehmer; ~ **period** Laufzeit einer Police, Policendauer; ~ **playing** *(US)* Lottospielen; ~ **proof of interest** *(marine insurance)* als Nachweis des Anspruchs genügt die Police; ~ **provisions** Versicherungsbestimmungen; ~ **racket** *(US)* illegales Zahlenlotto; ~ **reserves** Schadensreserven; ~ **shop** *(US)* Lottoannahmestelle; ~ **slip** *(US)* Wettkarte, Lottoschein; ~ **ticket** *(US)* Lottoschein; ~ **value** Versicherungswert; ~ **year** Versicherungsjahr.

policyholder Versicherungsnehmer, Policeninhaber.

polish *(v.)* **off arrears of correspondence** Briefschulden aufarbeiten (wegputzen).

pollution | **of the air** Luftverschmutzung, -verunreinigung, -verpestung;
~ **damage** Verschmutzungs-, Verunreinigungsschaden; **to meet** ~ **standards** den Anforderungen des Umweltschutzes entsprechen.

pool Interessengemeinschaft, -verband, *(arrangement between companies)* Kartell, Ring, Pool, Vereinigung, Unternehmenszusammenschluß, Gewinngemeinschaft, *(common fund)* gemeinsamer Fonds, *(races)* Toto, totalisator, *(traffic agreement)* Verkehrsvereinbarungen;
~**s** Lotto, *(shipping business)* Gewinnabrechnungsgemeinschaften;
bear (bull) ~ Spekulantengruppe zur Herbeiführung einer Baisse (Hausse); **blind** ~ Interessengemeinschaft, deren Geschäftsführer unbeschränkte Vollmacht hat; **buffer** ~ Ausgleichspool; **football** ~ [Fußball]toto; **money** ~ *(US)* in Krisenzeiten operierende Bankengruppe; **gross-money** ~ Gewinnverteilungskartell; **net-money receipts** ~ Reingewinnbeteiligungsvertrag; **patent** ~ Patentmonopol; **purchasing** ~ Einkaufsgemeinschaft **railway** ~ Eisenbahnkartell; **typing** ~ Gemeinschaftssekretariat; **wagering** ~ Wettgemeinschaft;
~ **of liquidity** Liquiditätsfonds; ~ **of technical manpower** Zusammenstellung von Fachkräften; ~ **of mortgages** Hypothekenfonds?
~ *(v.)* zusammenwerfen, *(coordinate)* zusammenfassen, koordinieren, vereinigen, *(form a pool)* einer Interessengemeinschaft unterwerfen, Kartell bilden, kartellieren, zusammenschließen, *(share profits)* [Gewinne] teilen, poolen, *(throw into common fund)* Kräfte (Material) gemeinsam einsetzen;
~ **efforts** Kräfte gemeinsam einsetzen; ~ **expenses** sich an den Kosten schlüsselmäßig beteiligen, Unkosten aufschlüsseln; ~ **funds** Gelder zusammenlegen (zusammenschießen); ~ **mortgages** Hypotheken vereinigen (zusammenschreiben); ~ **orders** Aufträge kartellisieren (poolen); ~ **patents** Patente zusammenwerfen; ~ **the profits** Gewinne teilen; ~ **one's resources** sein Geld zusammenwerfen; ~ **one's savings** seine Ersparnisse zusammentun; ~ **traffic** gemeinsame Verkehrspolitik betreiben;
to win a fortune from the ~**s** beim Toto ein Vermögen machen;
~ **Betting Act** Lottogesetz; ~ **filler** Lottospieler; ~ **interests** Kartellanteile; ~ **selling** Verkauf im Rahmen eines Kartells; ~ **support** Stützungskäufe der Poolbeteiligten.

pooling | **of accounts** Kontenzusammenlegung; ~ **of freights** *(US)* Frachtenverrechnungsabkommen; ~ **of interests** Interessenvereinigung, -gemeinschaft; ~ **of mortgages** Hypothekenvereinigung, -zusammenschreibung; ~ **of profits** Gewinnteilung, -poolung; ~ **of risk** Risikoverteilung [innerhalb eines Unternehmens];
~ **agreement (contract)** Poolvertrag, Kartellabkommen, Interessengemeinschaft.

poor schwach, schlecht, ärmlich, besitzlos, kümmerlich, elend, *(business)* ungünstig, *(debtor)* arm, mittellos, *(needy)* [unterstützungs]bedürftig, *(profit)* dürftig, schlecht, *(without reserves)* schlecht fundiert, ohne [Geld]reserven, *(soil)* unergiebig, mager;
~ **business** schlechtes Geschäft; ~ **debtor** pfändungsfreier Schuldner; ~ **debtor's oath** *(US)* Offenbarungseid; ~ **investment** schlechte Kapitalanlage.

poor-law | **guardian** Fürsorgebeamter; ~ **relief** öffentliche Fürsorge, Armenfürsorge, -pflege; ~ **union** Fürsorgeverband.
poor | **market** schwacher Markt, schleppender Warenabsatz; ~ **quality** schlechte (nicht ausreichende) Qualität; ~**-quality goods** Waren geringer Qualität; ~ **rate** Armensteuer; ~ **supply** jämmerliches Angebot.

pop, in *(Br. sl.)* versetzt, auf der Pfandleihe;
~ *(v.)* *(Br. sl.)* versetzen, verpfänden;
~**-and-mom shop** Tante Emma Laden.

popular volkstümlich, populär, *(having general currency)* allgemein, weit verbreitet;
~ **article** zugkräftiger Artikel; ~ **edition** Volksausgabe; ~ **price** volkstümlicher Preis; ~**-priced** zu volkstümlichen Preisen

popularity | **contest** Beliebtheitswettbewerb; ~ **poll** *(US)* Beliebtheitsumfrage.

population Bevölkerung, Einwohnerzahl, Einwohnerschaft, *(statistics)* Gesamtzahl, Grundgesamtheit, statistische Masse;
employed ~ arbeitende Bevölkerung; **floating** ~ fluktuierende Bevölkerung; **foreign** ~ fremdländischer Bevölkerungsanteil; **labo(u)ring** ~ arbeitende Bevölkerung; **permanent** ~ ortsansässige Bevölkerung; **surplus** ~ Bevölkerungsüberschuß; **working-class** ~ werktätige Bevölkerung;

~ **curve** Bevölkerungskurve; ~ **density** Bevölkerungsdichte; ~ **redistribution** Umverteilung der Bevölkerung; ~ **shift** Bevölkerungsverschiebung.

port [See]hafen, Flughafen, *(opening in a ship)* Ladeluke, -pforte, *(left side of ship)* Backbord-[seite];
bonded ~ Hafen mit Zollager; **close** ~ *(Br.)* innerer Hafen; **commercial** ~ Handelshafen; **deepwater** ~ Hochseehafen; **discharging** ~ Entladehafen Löschplatz; **domestic** ~ Inlandshafen; **emergency** ~ Nothafen; **final** ~ Endhafen; **foreign** ~ Auslandshafen; **free** ~ Freihafen; **home** ~ Heimathafen; **ice-free** ~ eisfreier Hafen; **import** ~ Einfuhrhafen; **inner (inland)** ~ Binnenhafen; **intermediate** ~ Zwischenhafen; **inward** ~ Einfuhrhafen; **loading** ~ Verladehafen; **maritime** ~ Seehafen; **naval** ~ Kriegshafen; **outer** ~ äußerer Hafen, Vorhafen; **river** ~ Flußhafen; **sea** ~ Seehafen; **shipping** ~ Versandhafen; **trading** ~ Handelshafen; **unequipped** ~ gesperrter Hafen;
~ **of anchorage** Nothafen; ~ **of call** Anlauf-, Order-, Anlegehafen, *(airplane)* Anflughafen; ~ **of clearance** Abgangs-, Abfertigungshafen; ~ **of commission** Heimathafen; ~ **of delivery** Liefer-, Entladehafen, -platz; ~ **of departure** Abgangs-, Abfahrtshafen, *(airplane)* Abflughafen; ~ **of destination** Bestimmungshafen; ~ **of discharge** Löschungshafen, -ort, Lösch-, Entladeplatz; ~ **of disembarkation** Ausschiffungshafen; ~ **of distress** Nothafen; ~ **of embarkation** Einschiffungs-, Ausgangshafen; ~ **of entry** Eingangs-, Zollabfertigungshafen; ~ **of exportation** Ausfuhrhafen; ~ **of import** Einfuhrhafen; ~ **of lading** Ladehafen; ~ **of landing** Landungshafen; ~ **of loading** Verlade-, Versandhafen; ~ **of refuge** Nothafen; ~ **of registry** Heimathafen, -ort; ~ **of sailing** Abgangshafen; ~ **of shipment** Versand-, Verschiffungshafen; ~ **of transit** Transithafen; ~ **of transshipment** Umschlaghafen;
to be held up in ~ **with engine troubles** mit Maschinenschaden im Hafen festliegen; **to call at a** ~ Hafen anlaufen, *(airplane)* Flughafen anfliegen; **to clear a** ~ aus einem Hafen auslaufen; **to close a** ~ Hafen sperren (schließen); **to come into** ~ in den Hafen einlaufen; **to come safe to** ~ sein Ziel sicher erreichen; **to leave** ~ auslaufen; **to make (put into)** ~ Hafen anlaufen, in einen Hafen einlaufen, auf einen Hafen zuhalten; **to reach** ~ Hafen erreichen, in den Hafen gelangen; **to reach the** ~ **safely** sicher in den Hafen einlaufen;
~ **administration** Hafenverwaltung; ~ **area** Hafengebiet; ~ **authority** Hafenbehörde; ~ **bill of lading** Hafenkonnossement; ~ **charges (dues)** Hafengebühren; ~ **equalization** Frachtbasis; ~ **equipment** Hafenanlage; ~ **facilities** Hafenanlagen; ~ **installations** Hafenanlagen; ~ **interests** Hafeninteressen; ~**-operators' association** Hafenbetriebsgesellschaft; ~ **regulation** Hafenordnung; ~ **risk** *(marine insurance)* Hafenrisiko; ~ **risk insurance** Versicherung des Hafenrisikos; ~ **sanitary authority** Hafengesundheitsbehörde; ~ **station** Hafenbahnhof; ~ **toll** *(US)* Hafengebühren; ~ **warden** *(US)* Hafenaufseher, -meister.

portable | **pension** übertragbarer Pensionsanspruch; ~ **typewriter** Reiseschreibmaschine.

portage *(freight)* Ladung, Fracht, *(transporting)* Transport, *(charge for transportation)* Transport-, Frachtkosten, Rollgeld, Zustellgebühr.

porter Portier, Pförtner, *(Pullman, US)* Steward Schlafwagenschaffner, *(station)* [Gepäck]träger;
bank ~ Bankbote; **hotel** ~ Hotelportier; **luggage** ~ *(Br.)* Gepäckträger.

porter's | **fee** Gepäckträgergebühr; ~ **lodge** Portierloge.

portfolio *(list of investment)* Bestand, Portefeuille *(map)* Aktentasche, -koffer, Mappe, *(minister)* Geschäftsbereich, Portefeuille, Ressort;
insurance ~ Versicherungsbestand; **investment** ~ Wertpapierportefeuille, -bestand; **pension** ~ Portefeuille eines Pensionsfonds; **minister's** ~ ministerieller Geschäftsbereich;
~ **of bills** Wechselportefeuille, -bestand; ~ **of securities** Wertpapierportefeuille; ~ **of shares** Aktienportefeuille;
to be without ~ kein besonderes Ressort haben; **to resign one's** ~ sein Ministerium abgeben;
~ **bill** Portefeuillewechsel; ~ **deal** Portefeuillegeschäft; ~ **description** *(investment fund)* Wertpapieraufstellung; ~ **investment** Kapitalanlage in Wertpapieren; ~ **management** Effektenverwaltung [eines Investmenttrusts]; ~ **manager** Vermögens-, Effektenverwalter; ~ **switch** Effektenaustausch.

porthole Bullauge.

portion Teil, Stück, *(block of shares)* Tranche *(dowry)* Mitgift, Heiratsgut, Aussteuer, *(inheritance)* Erb[an]teil, *(share)* Anteil, Quote;
~ **accruing to each heir** jedem Erben zukommender Anteil, Erbanwachs; **aggressive** ~ *(investment trust, US)* risikoreichere Anlage; **defensive** ~ *(investment trust, US)* risikoärmere Anlage; **legal** ~ Pflichtteil; **unexpended** ~ nicht abgehobener Betrag;
~ **of cost** Kostenanteil; **unused** ~ **of credit** offener Kreditbetrag; ~ **of income** Einkommensanteil; **unsold** ~ **of an issue** unverkaufte Emissionsspitze; ~ ~ **of a loan** Tranche (Abschnitt) einer Anleihe; ~ **of profit** Gewinnanteil; ~ **of property** Vermögensteil, -stück; ~ **of shares** Aktienpaket;
~ *(v.)* ver-, zuteilen, *(dowry)* aussteuern, -statten;
~ **out** auf-, zuteilen;

~ **policy** Aussteuerpolice.

portioner Anteilberechtigter.

position *(advertising)* Placierung, *(airplane)* Standort, *(financial condition)* finanzielle Verfassung, *(employment)* Anstellung, Stelle, Stellung, Platz, Posten, Position, *(mil.)* Verteidigungsstellung, *(point of view)* Standpunkt, *(post office)* [Post]schalter, *(rank)* Position, Stellung, *(ship)* Besteck, Position, Schiffsort, *(situation)* Stand, Lage, Stellung, Position, *(tariff)* Tarifnummer;

~ **as per ...** Stand vom ...; **of good** ~ in guten Verhältnissen; **in a high** ~ in einer hohen Stellung; **awkward** ~ schwierige (verzwickte) Lage; **advanced** ~ gehobene [Dienst]stellung; **balance-of-payments** ~ Zahlungsbilanzposition; **bear** ~ Baisseposition; **bull** ~ Hausseposition; **competitive** ~ Konkurrenzfähigkeit, Wettbewerbslage; **cash** ~ Kassenlage, -stand; ~ **closed** *(post office)* hier keine Abfertigung, Schalter geschlossen; **current** ~ *(bank)* Liquiditätslage; **debtor** ~ Schuldnerlage; **exceptional** ~ Ausnahme-, Sonderstellung; **factual** ~ Sachlage; **fiduciary** ~ Vertrauensstellung, -position; **financial** ~ Vermögens-, Finanzlage; **food** ~ Ernährungslage; **fortified** ~ befestigte Stellung; **full** ~ *(US)* Vorzugsplacierung; **geographical** ~ geographische Lage; **good** ~ gute Vermögensverhältnisse; **healthy** ~ gesunde Lage; **high-paying** ~ hochbezahlte Stellung, Ehrenamt; **inferior** ~ untergeordnete Stellung; **honorary** ~ ehrenamtliche Tätigkeit; **intermediate** ~ Zwischenstellung; **January** ~ *(trading in futures)* Januarposition; **leading** ~ leitende Stellung; **legal** ~ Rechtslage; **look-see** ~ abwartende Haltung; **managerial** ~ leitende Stellung; ~ **offered** Stellenangebot; **permanent** ~ Dauer-, Lebensstellung; **policy-making** ~ leitende Stellung; **preferred** ~ *(advertising)* Sonderplacierung; **quick** ~ *(of a business)* Flüssigkeit (Liquidität) eines Unternehmens; **responsible** ~ verantwortliche Stellung; **senior** ~ leitende Stellung; **short** ~ Baisseposition; **sound** ~ gesunde Finanzverhältnisse; **special** ~ Sonderstellung, *(advertising)* besondere Placierung; **supervisory** ~ Aufsichtstätigkeit; **top** ~ Spitzenstellung; **unpaid** ~ ehrenamtliche Tätigkeit, Ehrenamt; **well-paid** ~ gut dotierte Stellung;

~ **of account** Kontostand; ~ **of advertisement** Placierung einer Anzeige; ~ **of authority** verantwortungsvolle Stellung; ~ **of affairs** Stand der Dinge; **customer's** ~ **at the bank** Kundenbeurteilung durch die Bank; **relative** ~ **within the organizational chart** Stellung in der Betriebshierarchie; ~ **of community leadership** führende Stellung in der Gemeinde; ~ **of constraint** Zwangslage; ~ **in industry** Industriestellung; ~ **of influence** einflußreiche Position; ~ **of priority** Vorrangstellung; ~ **on the promotion roster** Rangstelle; ~ **with good prospects** ausbaufähige Stellung; ~ **of responsibility** verantwortliche Stellung; ~ **of trust** Vertrauensposten, -stellung;

to accept a ~ Stellung annehmen; **to apply for a** ~ sich um eine Stellung bewerben, für einen Posten kandidieren; **to be in an established** ~ in Amt und Würden sein; **to be in a good** ~ gute Stelle haben; **to be in a subordinate** ~ in abhängiger Stellung sein; **to be promoted to a better** ~ in eine höhere Stelle aufrücken; **to build up a sizable** ~ **in the stocks** *(US)* beträchtliches Aktienpaket zusammenkaufen; **to change one's** ~ seine Stellung wechseln; **to fill a** ~ Posten besetzen, *(v. i.)* Stelle bekleiden, Platz ausfüllen; **to find the** ~ *(ship)* orten; **to fix a ship's** ~ Position eines Schiffes bestimmen; **to give up a** ~ Stellung aufgeben; **to hold a high-level** ~ führende Stellung einnehmen; **to hold a** ~ **of management responsibility in business** im Wirtschaftsleben eine verantwortungsreiche Stellung haben; **to improve one's** ~ vorwärtskommen; **to maintain a** ~ **in sound stocks** auf guten Werten sitzen bleiben; **to move to a** ~ **of greater responsibility** verantwortungsvollen Posten bekommen; **to overstay a** ~ Engagement durchhalten; **to owe one's** ~ **to influence** seine Stellung seinen Beziehungen verdanken; **to rise to a better** ~ in eine höhere Stelle aufrücken; **to work o. s. into a good** ~ sich hocharbeiten;

~ **bookkeeping** *(securities market)* Liste der eingegangenen Verpflichtungen; ~ **charge** Placierungsaufschlag; ~ **costs** Placierungskosten; ~ **finder** Funkortungsgerät; ~ **finding** Funkortung, Ortsbestimmung; ~ **lights** Positionslichter; ~ **report** Standortmeldung; ~ **sheet** *(foreign exchange dealings)* Devisenposition, -status.

possession Innehabung, Sachherrschaft, Besitzgegenstand, Besitz[tum];

in ~ **of a passport** im Besitze eines Passes; **actual** ~ tatsächlicher (unmittelbarer) Besitz; **adverse** ~ fehlerhafter Besitz; **constructive** ~ mittelbarer Besitz; **foreign** ~**s** auswärtige Besitzungen, *(income tax, Br.)* Vermögensgegenstände im Ausland; ~**s overseas** überseeische Besitzungen; **physical** ~ unmittelbarer Besitz; **vacant** ~ bezugsfertiges Haus;

to acquire by adverse ~ ersitzen; **to be in** ~ **of a large fortune** großes Vermögen besitzen; **to be let with immediate** ~ bezugsfertig zu vermieten; **to remain in** ~ **of the business** Geschäfte weiterführen dürfen; **to sue for** ~ *(Br.)* auf Räumung klagen; **to take** ~ **of an estate** Besitz (Erbschaft) antreten;

~ **money** *(Br.)* Verwahrungsgebühr für zwangsvollstreckte Gegenstände; ~ **proceedings** *(Br.)* Räumungsverfahren.

post *(dipl.)* Einsatzort, Auslandsposten, *(employment)* Amt, Stelle, [An]stellung, Posten, *(item)* Rechnungsposten, *(letter box, Br.)* Post-, Brief-

kasten, *(message)* Botschaft, Nachricht, *(post office, Br.)* Post[amt], *(postal delivery)* Postzustellung, *(postal matters, Br.)* Postsendungen, -sachen, Post, *(stock exchange, US)* Makler-, Börsenstand, *(trading settlement)* Handelsniederlassung;
by return (earliest) ~ *(Br.)* mit umgehender Post; **if delivered by** ~ *(Br.)* bei Postbezug;
book ~ *(Br.)* Drucksachenpost; **confidential** ~ Vertrauensposten; **established** ~ Planstelle; **first-aid** ~ Unfallstation; **general** ~ *(Br.)* Früh-, Morgenpost; **halfpenny packet** ~ *(Br.)* Päckchenpost; **holiday** ~ Ferienbeschäftigung; **late-fee** ~ *(Br.)* letzte Zustellung; **letter** ~ *(Br.)* Briefpost; **morning** ~ *(Br.)* Morgenpost; **newspaper** ~ *(Br.)* Drucksachenpost; **parcel** ~ *(Br.)* Paketpost; **permanent** ~ Dauerstellung; **pneumatic** ~ *(Br.)* Rohrpost;
~ **of authority** einflußreiche Stellung; ~ **of great responsibility** sehr verantwortungsreicher Posten; ~ **still unapplied for** ohne Bewerber gebliebene Ausschreibung;
~ *(v.)* *(appoint to post)* ernennen, abkommandieren, *(enter in a list)* [Namen] in eine Liste eintragen, *(examinee, Br.)* auf die Liste der Durchgefallenen setzen, *(letter, Br.)* aufgeben, zur Post geben, auf der Post aufliefern, mit der Post befördern (senden), *(publish)* anschlagen, öffentlich bekanntgeben, *(publish name of ship)* Schiff als verloren erklären, *(transfer to ledger)* [ins Hauptbuch] übertragen, eintragen, *(forbid trespassers, US)* [durch Verbotstafeln] vor unbefugtem Zutritt schützen;
~ **no bills!** Zettelankleben verboten;
~ **an airliner as missing** Verlust eines Flugzeugs bekanntgeben; ~ **an announcement on the notice board** Hinweis am Schwarzen Brett anbringen; ~ **bills** Zettel ankleben; ~ **at the counter** *(Br.)* am Schalter aufgeben; ~ **an entry** Buchung vornehmen; ~ **forward** übertragen, transportieren; ~ **gains** Gewinne verzeichnen; ~ **an item** Posten verbuchen; ~ **a journal into the ledger** Buchung in das Hauptbuch übertragen; ~ **a letter** *(Br.)* Brief einwerfen; ~ **s. o. for nonpayment of his dues** bei jem. die Bezahlung der Mitgliedschaftsbeiträge anmahnen.

post up anschlagen, aushängen, *(keep informed, US)* auf dem laufenden halten;
~ **an account** Konto abschließen; ~ **the books** Bücher à jour bringen; ~ **the ledger** Hauptbuch vollständig nachtragen.

post, to advertise a Stelle ausschreiben; **to apply for a** ~ sich um ein Amt (eine Stellung) bewerben; **to be given a** ~ **as general manager** zum Generaldirektor ernannt werden; **to deal with one's** ~ *(Br.)* seine Post erledigen; **to dispatch (forward, send) by** ~ *(Br.)* mit der Post senden (schicken); **to fill up a** ~ Stelle besetzen; **to go through one's** ~ *(Br.)* seine Post erledigen; **to miss the** ~ *(Br.)* abgehende Post verpassen; **to reply by return of** ~ *(Br.)* umgehend antworten; **to take a** ~ Stelle annehmen; **to take up one's** ~ seine Stellung antreten;
~ **bag** *(Br.)* Postbeutel; ~ **bill** Begleit-, Ladezettel; ~ **boat** *(Br.)* Postschiff, Paketdampfer; ~ **check** Kontrolle nach Erscheinen, nachträgliche Analyse; ~**-dated check** vordatierter Scheck; ~ **directory** *(Br.)* Postadreßbuch; ~ **dispatcher** Expedient; ~ **endorsement** Nachindossament; ~**-free** *(Br.)* portofrei; ~ **hours** *(Br.)* Schalterstunden; ~**-mortem cost** nachkalkulierte Kosten.

post office Post[amt], *(administration, Br.)* Postverwaltung, Ministerialverwaltung für Post-, Telegrafie und Fernsprechwesen;
branch ~ Zweigpostamt; **distributing** ~ Verteiler[post]amt; **general** ~ *(GPO)* Hauptpostamt; **General** ≗ *(Br.)* Oberpostdirektion; **head** ~ Hauptpostamt; **paying** ~ Auszahlungspostanstalt; **railway** ~ Bahnpostamt; **separating** ~ Verteiler[post]amt; **special** ~ Sonderpostamt; **sub** ~ *(Br.)* Postnebenstelle; **travelling** ~ *(T. P. O.)* Bahnpost[amt];
to go to the ~ zur Post (zum Postamt) gehen;
~ **address** *(US)* Postanschrift; ~ **advance** Postvorschuß; ~ **assistant** Postgehilfe; ~ **box** Postschließfach; ~ **car** Postwagen, -auto; ~ **clerk** Postbeamter; ~ **counter** Postschalter; ≗ **Department** *(US)* Postministerium; ~ **guide** Postadreßbuch; ~ **hours** Schalterstunden; ~ **money order** *(US)* Zahlungs-, Postanweisung; ~ **official** Postbeamter; ~ **receipt** Post[einlieferungs]schein, -quittung; ~ **regulation** *(Br.)* Postordnung; ~ **savings bank** *(Br.)* Postsparkasse; ≗ **Savings Bank Act** *(Br.)* Postsparkassengesetz; ~ **sorter** Postsortierer.

post | official Postbeamter; ~ **remittance** *(US)* Postüberweisung; ~ **season** Nachsaison.

postage Porto[gebühr], Briefporto, Portospesen;
~ **free, free of** ~ freigemacht, portofrei, franko; **liable (subject) to** ~ portopflichtig; ~ **paid** portofrei, postfrei, freigemacht, franko; ~ **unpaid** unfrankiert;
additional ~ Portozuschlag, Nachgebühr; **book** ~ Drucksachenporto; ~ **due** Strafporto, Nachgebühr; **excess** ~ Nachgebühr, Strafporto; **extra** ~ Portozuschlag, Straf-, Nachporto; **inland** ~ Inlandsporto; **ordinary** ~ einfaches Porto; **overseas** ~ *(Br.)* Auslandsporto; **return** ~ Rück[sende]porto; **return** ~ **guaranteed** Rücksendeporto trägt der Empfänger; **statement** ~ Porto für Kontoauszüge; **underpaid** ~ ungenügende Freimachung, nicht genügend frankiert;
~ **to be collected** unter Portonachnahme; ~ **and revenue** Posteinnahme; ~ **by the weight** Gewichtsporto;
~ **will be paid by licensee** Gebühr zahlt Empfänger;
to charge the ~ **to the consumer** dem Kunden Portogebühren in Rechnung stellen; **to pay the** ~ Brief freimachen (frankieren);

~ **account** Portorechnung; ~ **book** Portokassenbuch; **special handling** ~ **charge** *(US)* Eilzustellgebühr; ~ **cost** Portounkosten; ~**-due stamp** Nachportomarke; ~ **envelope** *(US)* Freiumschlag; ~ **expenses** Portoauslagen, -spesen; ~ **meter [machine]** *(US)* Frankiermaschine, Freistempler; ~ **rates** *(Br.)* Postgebühren, -tarif; **overseas** ~ **rates** *(Br.)* Auslandspostgebühren; ~ **stamp** Briefmarke, Postwertzeichen.

postal *(fam., US)* Postkarte;
~ *(a.)* postalisch;
~ **address** Postanschrift; ~ **advertising reply** *(Br.)* Werbeantwort; ~ **agency** Postagentur; ~ **arrangements** postalische Einrichtungen; ~ **authorities** Postbehörde, -verwaltung; ~ **building** Postamt, -gebäude; ~ **car** *(US)* Bahnpostwagen; ~ **card** *(US)* Postkarte; ~ **cash order** Postnachnahme; ~ **censorship** Postzensur; ~ **charges** Postgebühren; ~ **clerk** *(US)* Bahnpostbeamter; ~ **collection order** *(US)* Postauftrag; ~ **collection** Briefkastenleerung, Geldeinziehung durch die Post; ~ **communication** Postverkehr, -verbindung; ~ **convention** Postabkommen; ~ **deficit** Defizit der Post; ~ **delivery** Postzustellung, Bestellung; ~ **delivery van** Postauto; ~ **delivery zone** *(US)* Postzustellbezirk; ~ **directory** [Post]adreßbuch; ~ **district** postalischer Bezirk, Zustellbezirk; ~ **district number** Nummer des Postzustellbezirks; ~ **employee** Postbeamter, -angestellter; ~ **establishment** Postanstalt; ~ **expenses** Portokosten, -spesen; ~ **fees** Postgebühren; ~ **guide** Posthandbuch; ~ **increase** Erhöhung der Postgebühren; ~ **information** Auskunft in Postangelegenheiten; ~ **inspector** Postinspektor; ~ **items** Postsachen; ~ **lot** Postgewicht; ~ **manual** Posthandbuch; ~ **matter** Brief- und Paketpost; ~ **matters** Postsachen, -wesen; ~ **money order** Postanweisung; ~ **newspaper service** Postzeitungsdienst; ~ **note** *(Canada, US)* Zahlungs-, Postanweisung; ~ **official** Postbeamter; ~ **order** *(Br.)* Postanweisung [für kleinere Beträge]; ~ **packet** *(Br.)* Postpaket, -sendung; ~ **plant** Postbetrieb; ~ **principle** *(US)* Postzwang; ~ **rates** *(US)* Post-, Portogebühren, Posttarif; ~ **receipt** Posteinlieferungsschein, -quittung; ~ **reform** Postreform; ≗ **Reform Act** *(US)* Postreformgesetz; ~ **regulations** postalische Bestimmungen, Postordnung.

postal savings Ersparnisse auf dem Postsparkassenbuch;
~ **account** *(US)* Postsparkassenkonto, -scheckguthaben; ~ **bank** *(US)* Postsparkasse; ~ **bonds** *(US)* Postsparkassenschuldverschreibung; ~ **certificate** *(US)* Postsparkassenquittung, Postscheckguthabenbescheinigung; ~ **deposit** *(US)* Postsparguthaben; ~ **office** *(US)* Postsparkasse; ~ **service** *(US)* Postsparkassendienst; ~ **stamp** Postsparmarke; ~ **system** *(US)* Postsparkassenwesen.

postal | service Postverkehr, -dienst; **army** ~ **service** Feldpostdienst; **technical** ~ **service** Postbetriebsdienst; **to suspend** ~ **services** Postverkehr einstellen; ~ **staff** Postangestellte; ~ **cancellation stamp** Postentwertungsstempel; ~ **strike** Postarbeiterstreik; ~ **subscription rate** Postbezugspreis; ~ **system** Postwesen; ~ **tariff** Postgebühren, -tarif; ~ **survey** postalische Umfrage, Umfrage auf dem Postwege; ~ **system** Postwesen; ~ **trade** Postversandwesen; ~ **tube** Rohrpost; ~ **union** Postarbeitergewerkschaft; **Universal** ≗ **Union** Weltpostverein; **self-service** ~ **unit** betriebseigenes Postamt; ~ **user** Postbenutzer; ~ **weight** Postgewicht; ~ **worker** Postangestellter; ~ **wrapper** Streif-, Kreuzband; ~ **code number** *(Br.)* Postleitzahl; ~ **code** *(Br.)* Postleitzahlsystem.

postalization Gebührenvereinheitlichung.

postbox Briefkasten.

postboy Briefträger, -bote.

postcard *(Br.)* Postkarte, *(US)* Postkarte ohne Marke;
foreign ~ Welt-, Auslandspostkarte; **picture** ~ Ansichts[post]karte; **ready-printed** ~ vorgedruckte Postkarte; **reply-paid** ~ Postkarte mit Rückantwort;
~ **automatic supply** Postkartenautomat; ~ **order form** vorgedruckte Auftragspostkarte.

postclosing balance sheet berichtigte Bilanz.

postdate späteres Datum;
~ *(v.)* später datieren, nachdatieren.

poste restante *(Br.)* Abteilung für postlagernde Sendungen, Postaufbewahrungsstelle;
~ *(a.)* postlagernd.

posted gebucht, *(well-informed)* unterrichtet;
well ~ gut unterrichtet;
to be ~ *(examinee, Br.)* nicht bestanden haben, durchgefallen sein; **to be** ~ **home** nach Hause versetzt werden; **to be** ~ **as missed** *(ship)* als vermißt gemeldet werden; **to keep s. o.** ~ **[on]** j. auf dem laufenden halten;
best-~ **correspondent** *(US)* bestinformierter Journalist; ~ **property** *(US)* Besitz mit verbotenem Zugang; ~ **rate** *(US)* Briefkurs für ausländische Valuta.

postentry *(bookkeeping)* nachträgliche [Ver]buchung, nachträglicher Eintrag, *(customs)* Nachdeklaration, -verzollung;
to pass a ~ *(customs)* Nachverzollung durchführen.

poster [Laden]plakat, Anschlagzettel, *(courier)* Kurier, Eilbote;
bill ~ Zettelankleber; **glaring** ~ grellfarbiges Plakat; **permanent** ~ Dauerplakat; **time** ~ Aushängefahrplan;
~ **advertising** Bogenanschlag-, Plakatwerbung; ~ **artist** Plakatgestalter; ~ **boarding** *(Br.)* Anschlagtafel; ~ **colo(u)r** Plakatfarbe; ~ **design** Plakatentwurf; ~ **display** Plakatwerbung; ~ **hoarding** Anschlagtafel, -zaun; ~ **panel** Pla-

kat-, Anschlagtafel; ~ **pillar** Anschlag-, Litfaßsäule; ~ **plant** Bogenanschlagsunternehmen; ~ **showing** *(advertising)* Anschlagstellenblock; ~ **site** Anschlagstelle, -tafel, -säule.

posting *(advertisement)* Anschlag[werbung], Plakatierung, *(bookkeeping)* Übertragung in das Hauptbuch, *(dipl.)* Auslandsposten, *(entering)* Eintragung, Verbuchen, Verbuchung, *(letter, Br.)* Aufgabe bei der Post, Posteinlieferung, Auflieferung, *(mil.)* Abkommandierung, Ernennung;
fly ~ wilder Anschlag; **parallel** ~ Parallel-, Übertragungsbuchung;
~ **of items** *(Br.)* Einlieferung von Postsendungen;
~ **bill** Anschlagzettel, Plakat; ~ **medium** Buchungsunterlage; ~ **operation** Buchungsverfahren, -vorgang; ~ **reference** Parallelbuchungsbeleg, Übertragungshinweis.

postman Briefträger, Brief-, Postbote;
~ **of the walk** Revierbriefträger.

postmark Datum-, Tages-, Entwertungs-, Poststempel;
~ *(v.)* Post abstempeln.

postmarked the 20th mit dem Poststempel vom 20. versehen.

postmarking stamp Entwertungsstempel.

postpaid portofrei, Porto bezahlt, frankiert;
to send ~ frankieren, freimachen.

postpone *(v.)* **a date** Termin verlegen; ~ **a journey** Reise aufschieben; ~ **the payment of an amount** Überweisung eines Geldbetrages verzögern.

postponement Aufschub, Verschiebung, Befristung, Stundung, Vertagung.

postscript *(P. S.)* Nachschrift, -trag.

postwar | boom Nachkriegskonjunktur; ~ **capitalism** Nachkriegskapitalismus; ~ **economic recovery** wirtschaftliche Wiederbelebung der Nachkriegszeit; ~ **recession** Rezession der Nachkriegszeit; ~ **rehabilitation** Wiederaufbau in der Nachkriegszeit; ~ **transitional period** Übergangswirtschaft der Nachkriegszeit.

pot | s of money Haufen (viel) Geld, Heidengeld;
to cost a ~ **of money** schweres Geld kosten; **to make** ~**s and pans of one's property** sein Geld verjubeln (Vermögen durchbringen).

potential Potential, Möglichkeit, Hilfsquellen;
economic ~ Wirtschaftspotential; **working** ~ Arbeitskräftepotential, -reserven;
~ **buyer** Kaufinteressent, potentieller Käufer; ~ **customer** möglicher (voraussichtlicher) Kunde; ~ **demand** möglicher Bedarf; ~ **earnings** geschätzte Verdienstmöglichkeiten; ~ **market** potentieller Markt, Absatzmöglichkeiten, -chancen, mengenmäßiger Absatzspielraum; ~ **resources** latente Hilfsquellen; ~ **sales** Umsatz-, Absatzchancen; ~ **stock** nicht gegebener Teil des genehmigten Aktienkapitals.

pound Pfund Sterling, *(weight)* Pfund;
car ~ Wagenpark;
~ *(v.)* pfänden;
to pay twenty shillings in the ~ voll bezahlen;
~ **breach** Arrest-, Pfandbruch.

poundage nach dem Gewicht erhobener Zoll, *(postal order, Br.)* Gebühr, *(paid as wages)* Tantieme;
sheriff's ~ *(Br.)* Zwangsvollstreckungsgebühren.

pour | in *(v.)* *(orders)* hereinströmen, in großen Mengen eingehen;

poverty | affidavit *(US)* Armenrechtseid; ~ **area** Armutsgebiet; **to below the** ~ **line** Mindesteinkommensgrenze unterschreiten.

power *(ability to act)* Macht, *(authority)* Vollmacht, Berechtigung, Befugnis, Ermächtigung, *(capacity)* Vermögen, Fähigkeit, *(capacity of engine)* Leistung, *(competency)* Zurechnungsfähigkeit, *(electric power)* [Kraft]strom, *(state)* Land, Staat, Regierung, Macht;
by virtue of ~ **of attorney** laut Vollmacht; **within one's** ~**s** im Rahmen seiner Vertretungsmacht; **outside the** ~**s** *(corporation)* außerhalb des ordnungsgemäßen Geschäftsbereichs;
antiinflationary ~**s** antiinflationistische Vollmachten; **bargaining** ~ *(trade union)* Tarifabschlußvollmacht; **buying** ~ Kaufkraft; **competitive** ~ Konkurrenzfähigkeit; **contractual** ~ Vertragsfähigkeit; **discretionary** ~ Ermessensvollmacht; **earning** ~ Ertragsfähigkeit; **economic** ~ Wirtschaftspotential, -macht; **financial** ~ Finanzkraft, finanzielle Leistungsfähigkeit; **full** ~**s** [General]vollmacht; **lending** ~ Ausleihungsbefugnis; **limited** ~ **to bind a firm** beschränkte Handlungsvollmacht; **productive** ~ Produktionskraft; **purchasing** ~ Kaufkraft; **unlimited** ~**[s]** Blankovollmacht;
~ **to operate on an account** Verfügungsberechtigung über ein Konto; ~ **of an agent** Vertretungsmacht; ~ **of alienation** Veräußerungsbefugnis.

power of attorney Handlungs-, Vertretungsvollmacht, notarielle Vollmacht, *(lawsuit)* Prozeßvollmacht.

power | to collect Inkassovollmacht, -befugnis; ~ **to consume** Konsumkraft [einer Zielgruppe]; ~ **to contract** Abschlußvollmacht; ~ **of disposal** Verfügungsbefugnis; ~ **coupled with an interest** [etwa] Vollmacht unter Ausschluß des Selbstkontrahierens; ~ **of the keys** *(wife)* Schlüsselgewalt; ~ **to negotiate** Verhandlungsvollmacht, *(negotiable instrument)* Begebungsrecht; ~ **of the purse** *(Br.)* Zweckbestimmungsbefugnis; ~ **of redemption** Rückkaufsrecht; ~ **to tax** Besteuerungsrecht; ~ **of testation** Testierfähigkeit; ~ **per unit of displacement** Hubraumleistung;
to act in excess of one's ~ seine Befugnisse (Vollmacht) überschreiten; **to have sole** ~ allein befugt sein; **to invest (furnish) s. o. with full** ~**s** jem. Generalvollmacht erteilen;

~ **blackout** Stromausfall; ~ **consumption** Stromverbrauch; **electric** ~ **industry** Energiewirtschaft; ~ **loading** *(plane)* Leistungsbelastung; ~ **rationing** Stromeinschränkung; ~ **shutdown** Stromsperre; ~ **steering** *(car)* Servolenkung; **electric** ~ **supply** Stromversorgung, -abgabe, Energieversorgung.

powered *(motor)* angetrieben;
high-~ car hochtouriger Wagen; **high-~ salesman** hochqualifizierter Verkäufer.

powerful lot of money eine Masse Geld.

practice *(custom)* Brauch, Gewohnheit, Praktik, *(working method)* Arbeitsweise, *(profession)* Praxis, *(commercial usage)* Usance;
~**s** Gepflogenheiten, *(cartel)* Geschäftspraktiken;
administrative ~**s** Verwaltungspraktiken; **business** ~**s** *(cartel law)* Geschäftspraktiken; **deceptive business** ~**s** *(US)* unlautere Machenschaften; **commercial** ~ Handelsbrauch; **concerted** ~**s** *(cartel law)* aufeinander abgestimmte Verhaltensweise; **sharp** ~ Schiebung, unlautere Machenschaften; **shop** ~ Geschäftsübung, -gebrauch; **trade** ~**s** Handelspraktiken;
~ **of merchants** Handelsgebrauch; ~ **of profession** Berufsausübung;
~ *(v.)* betreiben, ausüben, *(doctor)* praktizieren, Praxis ausüben.

preacquisition losses Gesellschaftsverluste vor Konzerneingliederung.

preaudit Vorprüfung, *(disbursing officer)* Prüfung der Auszahlungsbelege.

precarious living unsichere Erwerbsquelle.

preceding indorser Vor[der]mann.

precept Regel, Richtschnur, *(election)* Wahlerlaubnisschein, *(summons to pay)* schriftlicher Zahlungsbefehl, *(taxation)* Steuerzahlungsauftrag.

precinct *(boundary)* Grenze, *(district)*, [Amts]-bezirk, [Amts]bezirk, Polizeibezirk;
within the ~ **of a city** im Weichbild einer Stadt; **shopping** ~ Geschäftsgegend.

precious wertvoll, kostbar;
to have ~ **little money left** kaum mehr Geld übrig haben; ~ **metal** Edelmetall; ~ **sampling** gezielte Stichprobe; **to cost a** ~ **sight** ganz schön teuer sein.

précis of a set of documents Aktenauszug.

preclosing trial balance Probebilanz.

preclude *(v.)* **from an allotment** von der Zuteilung [bei der Aktienemission] ausschließen.

precut house Fertighaus.

predate *(newspaper)* vordatierte Ausgabe.

predatory | practices rücksichtslose Wettbewerbsmethoden; ~ **price differential** *(US)* gezielte Kampfpreise.

predecessor | in interest Rechtsvorgänger;
~ **company** Vorgesellschaft, Geschäftsvorgänger[in].

predetermine *(v.)* **the cost of a building** Baukostenvoranschlag machen.

predetermined cost vorkalkulierte Kosten.

predicted cost Standard-, Normalkosten.

pre-eminence, economic wirtschaftliche Vorrangstellung.

pre-empt *(v.) (obtain right of pre-emption)* Vorkaufsrecht erwerben, *(obtain by pre-emption)* durch Ausübung des Vorkaufsrechts erwerben.

pre-emptible vorkaufspflichtig.

pre-emption Vorkauf[srecht], *(law of nations)* Ankauf einer Prise, *(stockholder, US)* Bezugsrecht;
clause of ~ *(Scot.)* Vormerkung;
to obtain by ~ im Wege des Vorkaufsrechtes erwerben;
~ **claimant** Vorkaufsberechtigter; ~ **entry** Vormerkung; ~ **price** Vorkaufspreis; ~ **right** Vorkaufsrecht.

pre-emptioner Vorkaufs-, Vormerkungsberechtigter.

pre-emptive | priorities absolute Prioritäten; ~ **right** Vorkaufsrecht, *(stockholder, US)* Bezugsrecht.

pre-emptor Vorkaufsberechtigter, Vorkäufer.

prefab Fertighaus.

prefabricate *(v.)* [Hausteile] fabrikmäßig herstellen, vorfabrizieren, genormte Hausteile vorfertigen.

prefabricated house Fertighaus.

prefabrication serienmäßige Vorfertigung, fabrikmäßige [Häuser]teilanfertigung.

prefabricator Fertighausbetrieb.

prefer *(v.)* bevorzugen, vorziehen, Vorzug geben, lieber tun, *(creditors)* bevorzugt befriedigen, *(promote)* befördern;
~ **claims against s. o.** Ansprüche gegen j. erheben; ~ **one creditor over others** Gläubiger bevorzugen, sich der Gläubigerbevorzugung schuldig machen; ~ **to a higher post** befördern.

preferable vorzugsweise, *(law)* bevorzugt zu befriedigen.

preference Bevorzugung, Vorzug, *(in bankruptcy)* [Gläubiger-, Konkurs]vorrecht, vorzugsweise Befriedigung, Bevorrechtigung, *(claim)* Vorzugs-, Prioritätsrecht, *(customs, Br.)* Meistbegünstigung[skauf], Präferenz, *(trade)* Begünstigung, Bevorzugung, Priorität, Vorzugsbehandlung;
by ~ vorzugsweise;
~**s** *(stock exchange)* Vorzugsaktien;
fraudulent ~ *(in bankruptcy)* Gläubigerbegünstigung; **imperial** ~ *(Br.)* Bevorzugung der Empirestaaten; **recoverable** ~ Aussonderungsrecht; **undue** ~ ungerechte Bevorzugung, *(bankruptcy)* Gläubigerbegünstigung;
~ **as to assets** *(dissolution of company)* Vorzugsbehandlung im Falle einer Liquidation; ~ **of creditors** Gläubigerbegünstigung; ~ **as to dividends** Dividendenbevorrechtigung; ~ **in liquidation** Liquidationsvorrecht;
to give a ~ einem [Gläubiger] vorzugsweise

Befriedigung gewähren; **to receive a** ~ Vorzugsstellung erhalten;
~ **area** Präferenzgebiet; ~ **bonds** Prioritätsobligationen, Prioritäten; ~ **claim** bevorrechtigte (privilegierte) Forderung; ~ **dividend** *(Br.)* Vorzugsdividende; ~ **freight** *(US)* zu Vorzugsbedingungen beförderte Fracht; ~ **income** steuerlich begünstigte Einkünfte; ~ **income bonds** *(US)* Prioritätsobligationen, Prioritäten; ~ **issue** Vorzugsausgabe; ~ **items** *(taxation)* steuerlich begünstigte Posten; ~ **legacy** Vorausvermächtnis; **to bequeath s. th. as a** ~ **legacy** als Vorausvermächtnis zuwenden; ~ **loan** Vorrechts-, Prioritätsanleihe; ~ **margin** Präferenzspanne; ~ **offer** Vorzugs-, Sonderangebot; **founder's** ~ **rights** Gründerrechte; ~ **shares** *(Br.)* Prioritäts-, Vorzugsaktien; **convertible** ~ **shares** *(Br.)* mit Umtauschberechtigung ausgestattete Vorzugsaktien; **cumulative** ~ **shares** *(Br.)* nachzugsberechtigte Vorzugsaktien; **cumulative** ~ **shares** *(Br.)* nachzugsberechtigte Vorzugsaktien; **participating** ~ **shares** *(Br.)* Vorzugsaktien mit zusätzlicher Dividendenberechtigung; ~ **share certificate** *(Br.)* Vorzugsaktienzertifikat; ~ **shareholder** *(Br.)* Vorzugsaktionär; ~ **stocks** *(US)* Vorzugsaktien; ~ **stockholder** *(US)* Vorzugsaktionär; ~ **voting** Vorwahl.

preferential mit einem Vorzugsrecht ausgestattet, bevorzugt, bevorrechtigt;
to treat a creditor's claim as ~ Gläubigerforderung absondern;
~ **arrangement** Präferenzabmachung; -regelung; ~ **quantitive arrangement** mengenmäßige Präferenzregelung; ~ **assignment** Vermögensübertragung auf die Konkursgläubiger; ~ **ballot** Vorwahl; ~ **benefit** *(US)* Voraus-, Vorwegentnahme; ~ **claim** bevorrechtigte Forderung, Vorzugsrecht, Absonderungsanspruch; **to give a matter** ~ **consideration** Angelegenheit bevorzugt behandeln; ~ **creditor** *(Br.)* bevorrechtigter (absonderungsberechtigter) Gläubiger, Vorzugsgläubiger; ~ **debt** *(Br.)* bevorrechtigte [Konkurs]forderung; ~ **dividend** *(Br.)* Vorzugsdividende; ~ **hiring** *(US)* bevorzugte Einstellung von Gewerkschaftsmitgliedern; ~ **loan** *(Br.)* Prioritätsanleihe; ~ **offer** Vorzugs-, Sonderangebot; ~**payments** *(bankruptcy proceedings, Br.)* bevorrechtigte Auszahlung; ~ **position** Vorzugsstellung; ~ **price** Vorzugspreis; ~ **rate** *(customs)* Präferenzzollsatz, Vorzugstarif; ~ **right** *(Br.)* Absonderungs-, Vorzugsrecht; ~ **share** *(Br.)* Vorzugs-, Prioritätsaktie; ~ **shop** *(union, US)* Betrieb, der Gewerkschaftsmitglieder bei der Einstellung bevorzugt; ~ **stock** *(US)* Vorzugs-, Prioritätsaktie; ~ **tariff** Präferenz-, Vorzugszoll, -tarif, *(Br.)* Meistbegünstigungstarif; ~ **tariff area** Zollvorzugsgebiet; ~ **terms** Vorzugsbedingungen; ~ **treatment** Bevorzugung, Vorzugsbehandlung, *(bankruptcy)* Absonderung; **to be given** ~ **treatment** bevorrechtigte Behandlung erfahren, Absonderung vornehmen können; **to enjoy a** ~ **treatment** *(customs)* Präferenz genießen; ~ **voting** Präferenzwahl, Vorzugswahlsystem.

preferment Bevorzugung, *(pre-emption)* Vorkaufsrecht, *(promotion)* Beförderung, Ernennung;
~ **to a benefice** Einsetzung in eine Pfründe.

preferred mit einem Vorrecht ausgestattet, bevorzugt, bevorrechtigt;
to be ~ bevorzugt sein; **to be** ~ **to an office** für ein Amt vorgeschlagen werden;
~ **bond** Prioritätsobligation; ~ **claim** Vorzugsanspruch, bevorrechtigte Konkursforderung; ~ **creditor** bevorrechtigter [Konkurs]gläubiger; ~ **debt** bevorrechtigte [Konkurs]forderung; ~ **dividend** *(US)* Vorzugsdividende; ~ **position** Vorzugsstellung, *(advertising)* Vorzugsplatz, bevorzugte Placierung, Sonderplacierung; ~ **risk plan** *(US)* Schadensfreiheitsrabatt; ~ **share** Prioritäts-, Vorzugsaktie; ~ **stocks** *(US)* Vorzugsaktien, Prioritäten; ~ **capital stock** *(US)* aus Vorzugsaktien bestehendes Kapital; **convertible** ~ **stocks** *(US)* konvertierbare Vorzugsaktien; **participating** ~ **stock** *(US)* mit zusätzlicher Dividendenbevorrechtigung ausgestattete Vorzugsaktien; ~ **stockholder** *(US)* Vorzugsaktionär.

prefinance *(v.)* vorfinanzieren.

prefinancing Vorfinanzierung.

prejudice *(bias)* Vorurteil, Voreingenommenheit, Befangenheit, *(detriment)* Beeinträchtigung, Nachteil, Schaden, *(judge)* Befangenheit;
without ~ ohne Schaden, ohne Obligo (Verbindlichkeit), ohne Anerkennung einer Rechtspflicht;
~ *(v.)* **s. one's interests** jds. Interessen beeinträchtigen.

preliminary vorläufig, vorbereitend, *(in advance)* im voraus;
~ **advice** Voravis, -anzeige; ~ **announcement** Voranzeige; ~ **audit** Vorprüfung; ~ **balance sheet** Vorbilanz; ~ **calculation** Vorausberechnung, Vorkalkulation, -anschlag; ~ **cost** *(US)* Organisationskosten; ~ **draft** Vorentwurf; ~ **estimate** Vorausschätzung, Kostenvoranschlag; ~ **examination** Aufnahmeprüfung, *(bankruptcy proceeding, Br.)* Schuldnervernehmung; ~ **expenses** *(company, Br.)* Gründungskosten; ~ **and issue expenses** *(balance sheet, Br.)* Gründungs- und Unterparikosten; ~ **financing** Vorfinanzierung; ~ **negotiations** Vorverhandlungen; ~ **products** Vorprodukte; ~ **proof** *(insurance)* erster Schadensnachweis; ~ **steps for an establishment** der Gründung vorausgehende Schritte; ~ **work** Vor[bereitungs]arbeiten.

premerger notification *(US)* vorausgehende Fusionsmitteilung.

premises dazugehöriger Grund und Boden,

Grundstück, Haus und Nebengebäude, Geschäftsräume, -lokal, Räumlichkeiten, *(contract law)* vorerwähnte Punkte, das obenerwähnte Grundstück, *(document)* Einleitungssätze, *(insurance law)* versicherter Gegenstand;
on the ~ im Betrieb; **on these** ~**s** an Ort und Stelle, auf dem Grundstück;
bank ~ Bankgebäude; **business** ~ Geschäftsgrundstück, -lokal, -räume; **decontrolled** ~ im weißen Kreis gelegene Wohnung; **extensive** ~ ausgedehnte Geschäftsräume; **exhibition** ~ Ausstellungsräume; **factory** ~ Fabrikgrundstück, -gebäude; **licensed** ~ *(Br.)* Lokal mit Schankkonzession, Schanklokal; **neighbo(u)ring** ~ Nachbargrundstück; **residential** ~ Wohngebäude, -grundstück; **shop** ~ Ladenräume;
to be consumed on the ~ zum Verzehr im Lokal;
~ **account** Grundstücks-, Liegenschaftskonto.

premium *(agio)* [Wechsel]agio, Aufgeld, Zuschlag, *(apprenticeship)* Lehrgeld, *(bonus)* Bonus, Prämie, *(bounty)* Zuschuß, *(fee for instruction)* Ausbildungshonorar, *(insurance)* Versicherungsprämie, Beitrag, *(object offered free)* Zugabe[artikel], *(special offer)* Gratis-, Sonder-, Vorzugsangebot, *(renting a house)* bezahlter Abstand, Abstandssumme, verlorener Zuschuß, *(reward)* Prämie, Preis, Belohnung, *(shop)* Rabattmarke, *(stock exchange)* Prämie, Reugeld;
at a ~ über Pari, *(fig.)* hoch im Kurs; **free of** ~ *(insurance)* prämienfrei;
additional ~ zusätzliche Prämie, Prämienzuschlag; **advance** ~ Vorauszahlungsprämie; **annual** ~ Jahresprämie; **average** ~ Durchschnittsprämie; **bleed** ~ *(advertising)* Anschnittszuschlag; **compound** ~ Doppelprämie; **constant** ~ stehendes Agio; **current** ~ Folgeprämie; **deferred** ~ noch nicht fällige Prämie; ~ **due** ausstehende Prämie; **earned** ~ eingezahlte Prämie; **exchange** ~ Agio; **extra** ~ Zusatzprämie; **first** ~ Erstprämie; **flat-rate** ~ Pauschalprämie; **fluctuating** ~ veränderliches Agio; **gross** ~ Bruttoprämie; **initial** ~ Anfangsprämie; **insurance** ~ Versicherungsprämie; **level** ~ gleichbleibende Prämie; **limited** ~ abgekürzte Prämie; **long** ~ hohe Prämie; **minimum** ~ Mindestprämie; **monthly** ~ Monatsprämie; **natural** ~ Mindestprämie zur Fortsetzung der Versicherung; **net** ~ Nettoprämie; **office** ~ Bruttoprämie einschließlich Verwaltungskostenzuschlag; **opening** ~ erste Prämie; **outstanding** ~**s** Prämienrückstände; **pure** ~ Nettoprämie; **quarterly** ~ Vierteljahresprämie; **renewal** ~ Erneuerungs- Folgeprämie; **return** ~ Rückgabeprämie; **risk** ~ Nettoprämie; **semiannual** ~ Halbjahresprämie; **short** ~ niedrige Prämie; **single** ~ Einmalprämie; **stock** ~ *(life insurance)* Gewinnbeteiligung; **supplementary** ~ Zusatzprämie; **tabular** ~ Tarifprämie; **total** ~ Gesamtprämie; **unearned** ~ *(life insurance)* Prämienreserve; **uniform** ~ *(life insurance)* Einheitsprämie;
~ **of apprenticeship** Lehrgeld, Ausbildungskosten; ~ **for the call** Vorprämie[ngeschäft]; ~ **on capital stock** Emissionsagio; ~ **for good conduct** Prämie für gute Führung; ~ **of the dollar over the franc** Dollaragio gegenüber dem Franken; ~ **on exchange** Wechselagio; ~ **on gold** Goldagio; ~ **of insurance** Versicherungsprämie; ~ **on a lease** Agio bei Auslösung einer Kaution; ~ **for [single] option to put** Rückprämie[ngeschäft]; ~ **for double option** Stellgeld; ~ **out and home** Versicherungsprämie für Hin- und Rückreise; ~ **on redemption** Rückprämie, Anleiheagio;
to arrange a ~ Prämie vereinbaren; **to be at a** ~ über Pari stehen, *(in high esteem)* sehr gesucht (geschätzt) sein; **to buy at a** ~ über Pari kaufen; **to command a** ~ Agio genießen; **to pay a** ~ **to an agent** Provision an einen Vertreter zahlen; **to pay** ~**s to date** Versicherungsprämie fortzahlen; **to put a** ~ **on s. th.** Preis (Belohnung) für etw. aussetzen; **to raise the** ~ Prämie erhöhen; **to reward with a** ~ prämiieren; **to sell at a** ~ über Pari stehen, *(v. t.)* mit Gewinn verkaufen; **to yield a** ~ Prämie abwerfen;
~ **bargain** Prämiengeschäft; ~ **bond** Prämienschein; ~ **bonds** *(Br.)* Prämienanleihe; -lose, -obligationen; ~ **boost** Prämienerhöhung; ~ **brand** Marke von besonders hoher Qualität; ~ **catalog(ue)** Preis-, Prämienverzeichnis; ~ **computation** Prämienberechnung; ~ **costs** Prämienaufwendungen; ~ **deposit** Prämieneinzahlung; ~ **dodge** *(fam.)* Prämienschwindel; ~ **drawing** Prämienziehung; ~ **due date** [Prämien]fälligkeitstag; ~ **earnings** Prämienlohn; ~ **hunter** Kursspekulant; ~ **hunting** Börsenspiel, Agiotage; ~ **income** Prämieneinnahme; **low** ~ **insurance** Versicherung mit ermäßigten Prämiensätzen; **single** ~ **insurance** Lebensversicherung gegen Zahlung einer Einmalprämie; ~ **loan** Prämienanleihe; ~ **money** Prämiengeld; ~ **note** Prämienrechnung; ~ **offers** *(US)* Verkauf mit Zugaben, Zugabenangebot; ~ **overtime** Überstundenzuschlag; ~ **pay** *(US)* Prämie, Überstundengeld; ~ **payment** Prämienleistung; -zahlung; ~ **plan** Prämien[lohn]system; ~ **product** Zugabeprodukt; ~ **promotion** Zugabewesen; ~ **rate** Prämiensatz, -tarif für Vorzugsplacierung; ~ **rebate** Prämienrabatt; ~ **receipt** Prämienquittung; ~ **reminder** *(insurance company)* Mahnschreiben; ~ **reserve** *(insurance)* Prämienreserve; -übertrag, Deckungskapital; ~ **reserve fund** Deckungsstock; ~ **savings bond** Prämienbon; ~ **savings bonds** *(Br.)* Sparprämienanleihe; ~ **statement** Beitrags-, Prämienberechnung; ~ **system** Prämien[lohn]system; ~ **tax** Prämiensteuer; ~ **token** Prämien-, Gutschein; ≗ **Treasury Bond** Prämienschatzanweisung, Babybond; ~ **wage** Prämienlohn.

prepaid vorausbezahlt, *(post)* frankiert, freigemacht, portofrei;
carriage ~ frachtfrei;
~ **assets** *(balance sheet)* transitorische Posten;
~ **expenses** *(balance sheet)* transitorische Posten, vorausbezahlte Aufwendungen; ~ **freight** vorausbezahlte Fracht; ~ **income** *(balance sheet)* antizipatorische Passiva, im voraus eingegangene Erträge; ~ **letter** frankierter Brief;
~ **reply** Freiantwort, [Rück]antwort bezahlt; ~ **telegram** Rückantworttelegramm; ~ **wage plan** Lohnvorauszahlungssystem für vorübergehend Arbeitslose.
preparation Vorbereitung, *(document)* Abfassung;
~ **of a budget** Etatsvorbereitung, -aufstellung;
~ **of a form** Ausfüllung eines Formulars;
~ **expense** *(factory)* Aufwand vor Produktionsaufnahme; ~ **unit cost** Vorbereitungskosten je Einheit.
preparatory work *(plant)* Fertigungsvorbereitung.
prepare *(v.)* *(document)* aufstellen, abfassen;
~ **the balance sheet** Bilanz aufstellen; ~ **the budget** Haushaltsplan aufstellen; ~ **a contract** Vertrag aufsetzen; ~ **the way for negotiations** Weg für Verhandlungen ebnen.
prepared to deliver lieferbereit.
prepay | **s** *(balance sheet)* Anzahlungen an Lieferanten;
~ **a reply to a telegram** Rückanwort eines Telegramms (telegrafische Rückantwort) vorausbezahlen.
prepayable vorauszahlbar.
prepayment Anzahlung, Voraus-, Pränumerandozahlung, *(post)* Freimachung, Frankierung;
without ~ unfrankiert, unfrei, nicht freigemacht;
compulsory ~ Freimachungszwang; **insufficient** ~ ungenügende Frankierung;
~**s for capital additions** *(balance sheet)* Anzahlungen für Neuanlagen; ~ **of interest** Zinsvorauszahlung; ~ **of postage** Freimachung, Frankierung; ~ **of rent** Rentenvorauszahlung;
~ **clause** Vorfälligkeitsklausel; ~ **fee** Freimachungsgebühr; ~**plan** *(wage-hour law, US)* Überstundenvorauszahlungsschema.
preprint Anzeigenvorabdruck, Andruck.
preprocess cost Rohstoffbeschaffungskosten.
preprofessional vorberuflich.
preproduction | **costs** Vorverfahrenskosten; ~ **model** Herstellungsmuster.
prerecord *(V.)* *(broadcasting)* auf Dose nehmen.
prerecorded | **broadcast** Bandaufnahme; ~ **tape** Konserve.
preretail *(v.)* **an order** Kleinhandelspreis bereits bei der Bestellung festsetzen.
prescribed | **industrial disease** *(Br.)* Berufskrankheit; ~ **form** vorgeschriebenes Formblatt; **within a** ~ **period** fristgemäß; ~ **position** *(advertisement)* vorgeschriebene Placierung.
prescription *(prescribing)* Vorschrift, Verordnung, *(acquisition of title by long usage)* Ersitzung;
~ **of a bill of exchange** Wechselverjährung.
prescriptive debt verjährte Schuld.
preselect *(v.)* vorwählen.
preselection *(tel.)* Vorwahl.
preselector *(tel.)* Vorwähler.
preselling Vorverkauf eines Produkts.
present *(a.)* anwesend, zugegen, gegenwärtig, *(current)* laufend, *(being dealt with)* vorliegend, (existing now) gegenwärtig;
~ *(v.)* *(bill)* vorlegen, präsentieren, *(introduce)* vorstellen, *(show)* zeigen, darbieten, *(submit)* über-, einreichen;
~ **accounts** Rechnungen vorlegen; ~ **again** *(cheque)* wieder vorlegen; ~ **a balance of $ 100 to your credit** Saldo von 100 Dollar zu Ihren Gunsten aufweisen; ~ **a certificate** Bescheinigung vorlegen; ~ **a check** *(US)* **(cheque,** *Br.)* **to the bank** Scheck bei der Bank einreichen;
~ **agreement** dieses Abkommen; ~ **capital** tatsächlich eingezahltes Kapital; ~ **enjoyment** tatsächlicher Besitz; ~ **estate** gegenwärtiges Vermögen; ~ **market** effektiver Markt; ~ **money** bares Geld; ~ **price** Tagespreis; ~ **and future property** gegenwärtiges und zukünftiges Vermögen; ~ **value (worth)** gegenwärtiger Wert, Bar-, Tages-, Gegenwarts-, Zeitwert.
presentation *(advertising)* Aufmachung, Markenausstattung, *(advertising agency)* Vorlage eines Werbeplanes, Werbeplanvorlage, *(bill of exchange)* Präsentierung, Vorlegung, Vorlage, *(donation)* Schenkung, Überreichung, (film) Darbietung, Vorstellung, Aufführung;
on (upon) ~ gegen Vorlage, bei Vorzeigung;
personal ~ persönliche Vorstellung;
~ **of the annual balance sheet** Vorlage des Jahresabschlusses; ~ **of claim** Anspruchserhebung;
to be payable on ~ bei Vorlage zahlbar werden;
to mature upon ~ bei Sicht fällig werden;
~ **draft** *(US)* Sichtwechsel.
presentee Schenkungsempfänger.
presenter *(of a bill)* Vorzeiger.
presentment | **for acceptance** Vorlage zur Annahme (zum Akzept); ~ **of a bill** Wechselvorlage.
preservation of life Lebenserhaltung.
preside *(v.)* Vorsitz haben, vorsitzen;
~ **over a business** Geschäft führen.
president *(of corporation, US)* Generaldirektor, Vorsitzender des Vorstandes, Vorstandsvorsitzender;
≗ **of the Board of Trade** *(Br.)* Handelsminister;
~ **of a trade union** Generalsekretär einer Gewerkschaft.
press *(newspaper)* Presse, Zeitungswesen, Journalismus, *(newspaper writers as a class)* Journalisten, Zeitungsschreiber, *(printing plant)* Druckerei, Druckanstalt;
"~" „gut zum Druck";
before going to ~ vor Redaktionsschluß; **ready for** ~ druckfertig, -reif;

copying ~ Kopierpresse; **forging** ~ Falschgeldwerkstatt; **yellow** ~ sensationslüsterne Blätter;
~ **of business** Drang der Geschäfte, Geschäftsandrang;
~ *(v.)* pressen, drängen, bedrängen, betreiben, zusetzen, drücken;
~ **a claim** auf einer Forderung bestehen; ~ **s. o. for a debt** von jem. dringend die Rückzahlung einer Schuld verlangen; ~ **down heavily** *(tax)* sich drückend bemerkbar machen; ~ **money on s. o.** jem. Geld aufnötigen; ~ **for payment** auf Zahlung drängen, (bestehen); ~ **heavily on the tradesmen** *(tax)* schwer auf der Geschäftswelt lasten; ~ **on with the work** Arbeit vorwärtstreiben;
to be favo(u)rably noticed in the ~ gute Aufnahme in der Presse finden; **to correct the** ~ Korrekturfahnen lesen; **to go to** ~ in Druck gehen, bedruckt werden;
~ **advertisement** Zeitungsanzeige; ~ **advertising** Anzeigenwerbung; ~ **agency** Nachrichtenagentur, -büro, Pressebüro; ~ **announcement** Zeitungsanzeige; ~ **clipping** *(US)* Zeitungsausschnitt; ~ **clipping bureau** Ausschnittsbüro; ~ **conference** Pressekonferenz, -besprechung; ~ **coverage** Pressebetreuung; ~ **cutting** *(Br.)* Zeitungsausschnitt; ~ **date (day)** Redaktionsschluß; ~ **money** Handgeld; ~ **photographer** Pressefotograf, Bildberichterstatter.

pressed | **by one's creditors** von seinen Gläubigern bedrängt; ~ **for funds (money)** geldknapp, in Geldverlegenheit.

pressing business dringende Geschäfte.

pressure | **economic** wirtschaftlicher Druck; **financial** ~ finanzielle Schwierigkeiten; **monetary** ~ Geldknappheit, -mangel;
~ **of business** Geschäftsanspannung; ~ **of demand** Nachfragedruck, -sog; ~ **in liquidity** Liquiditätsdruck, -anspannung; ~ **on the money market** Versteifung des Geldmarktes; ~ **on money supply** erschwerte Geldmarktversorgung; ~ **of the prices** Druck der Preise, Preisdruck, *(stock exchange)* Kursdruck; ~ **of increasing prices** Teuerungsdruck; ~ **of taxation** Steuerdruck, -belastung; ~ **on wages** Lohndruck, -belastung; ~ **of work** Arbeitsandrang;
to be under ~ *(stock exchange)* gedrückt liegen, stark angespannt sein; **to be under selling** ~ unter Verkaufsdruck liegen; **to put** ~ **on the management** Vorstand unter Druck setzen; **to work at high** ~ mit Hochdruck arbeiten; ~ **bargaining** unter Streikdruck stehende Tarifverhandlungen; ~ **cabin** *(airplane)* Luftdruckkabine; ~ **group** Interessenverband, -gruppe; ~ **group policy** Interessenpolitik.

prest money *(ship)* Handgeld.

prestabilization debts Schulden vor der Währungsstabilisierung, Vorkriegsschulden.

prestige | **advertising** Image-, Prestige-, Repräsentationswerbung; ~ **magazine campaign** Publizitätskampagne; ~ **merchandise** Prestigeartikel.

pretax profit Gewinn von Steuern.

pretest *(advertising)* Werbewertprüfung. *(interview)* Probebefragung, -test.

prevailing | **price** gegenwärtiger Preis; ~ **rate** geltender Lohntarif; ~ **tone** *(stock exchange)* Grundton, -stimmung, -tendenz.

prevalent fashion geltende Mode.

prevention | **of accidents** Unfallverhütung; ~ **of enjoyment** *(possession)* Besitzstörung; ~ **of hardships** Vermeidung von Härtefällen; ~ **of loss** Schadensverhütung.

preventive | **officer** *(Br.)* Beamter des Zollfahndungsdienstes; ~ **service** *(Br.)* Küstenschutz-, Zollfahndungsdienst.

previous | **application** *(patent law)* Voranmeldung;
~ **arrangements** vorausgegangene Vereinbarungen; ~ **career** bisherige Tätigkeit; **our** ~ **communications** unsere früheren Briefe (Vorkorrespondenz); ~ **day** *(stock exchange)* letzter Notierungstag; ~ **endorser** Vor[der]mann; ~ **holder** Vorbesitzer, Vordermann; ~ **illness** *(insurance)* altes Leiden; ~ **notice** Vorankündigung; ~ **payment** Vorschußzahlung; ~ **quotation** letzte Notierung.

prewar | **export** Vorkriegsausfuhr; ~ **holdings** Vorkriegsbeteiligungen; ~ **level** Vorkriegsstand; ~ **period** Vorkriegszeit; ~ **price** Friedens-, Vorkriegspreis; ~ **price level** Vorkriegspreisniveau; ~ **rent** Friedens-, Vorkriegsmiete.

preyer *(fig.)* Ausbeuter.

price Preis, Kauf-, [Markt]preis, *(bribe)* Bestechungsgeld, -summe, *(cost)* Kosten, *(reward)* Lohn, Belohnung, *(stock exchange)* Kurs[wert], *(value)* Wert, Schätzung;
above ~ unschätzbar; **according to the** ~ nach Maßgabe des Preises; **at all** ~**s** in jeder Preislage; **at any** ~ um jeden (zu jedem) Preis; **at the lowest** ~ bei billigster Berechnung; **at present** ~**s** bei den gegenwärtigen Kursen; **not at any** ~ um nichts auf der Welt, um keinen Preis; **at the best** ~ *(stock exchange)* bestens, bestmöglich; **at current market** ~**s** *(stock exchange)* zum Tageskurs; **at the established** ~ zum amtlich festgesetzten Preis; **at half** ~ zum halben Preis; **at a high** ~ zu erhöhten Preisen; **at a low** ~ billig; **at one** ~ zu festem Preis; **all at one** ~**, a dollar** jedes Stück für einen Dollar; **at present** ~**s** *(stock exchange)* bei dem heutigen Kursstand; **at a reduced** ~ mit Preisnachlaß, herabgesetzt; **beyond** ~ unbezahlbar; **for half the** ~ zum halben Preis; **of great** ~ von hohem Wert; **under** ~ unter [dem Selbstkosten]preis; **within the limits of this** ~ in derselben Preislage; **without** ~ unschätzbar;
~ **is no object** der Preis spielt keine Rolle;
~ **absorbing freight** Frachtkosten inbegriffen; **acceptable** ~ annehmbarer Preis; **actual** ~ tatsächlich erzielter Preis; **adequate** ~ angemessener Preis; **adjustable** ~ gestaffelter Preis, Staf-

felpreis; **administered** ~ amtlich festgesetzter Preis; **advanced** ~ erhöhter Preis (Kurs); **advertised** ~ *(newspaper)* Bezugspreis; **agreed** ~, ~ **agreed upon** vereinbarter (abgesprochener) Preis; **agricultural** ~**s** Preise landwirtschaftlicher Erzeugnisse; **allround** ~ Gesamtpreis; **approved** ~ genehmigter Preis; **asked** ~ geforderter Preis, *(stock exchange)* Briefkurs; **asking** ~ Preiserwartung, Angebotspreis; **attractive** ~ vorteilhafter Preis; **auction** ~ Auktionspreis; **average** ~ Durchschnittspreis, mittlerer Preis, *(stock exchange)* Kursdurchschnitt, Durchschnittskurs; **average cost** ~ Durchschnittsgestehungspreis; **bargain** ~ Vorzugs-, Ausverkaufspreis; **base (basic)** ~ Grundpreis; **basing-point** ~ Zielpreis; **best** ~ Bestpreis; **bid** ~ gebotener Preis, *(stock exchange)* Geldkurs; **bidding** ~ erstes Gegenangebot; **bottom** ~ niedrigster Preis, *(stock exchange)* niedrigster Kurs; **cash** ~ Bar-, Kassapreis, Preis bei Barzahlung, *(stock exchange)* Kassakurs; **catalog(ue)** ~ Katalog-, Listenpreis; **ceiling** ~ [amtlicher] Höchstpreis; **not-to-exceed ceiling** ~ unüberschreitbarer Höchstpreis; **certain** ~ durchschnittlicher Marktpreis, *(foreign exchange)* fester Umrechnungskurs; **city** ~ *(stock exchange)* Börsenkurs; **class** ~ überhöhter, vom Kunden akzeptierter Preis; **close** ~ scharf kalkulierter Preis, *(stock exchange)* um Bruchteile differierender Kurs; **closing** ~ *(stock exchange)* Schlußkurs, -notierung; **closing bid and asked** ~ Geld- und Briefkurs; **commercial** ~ echter Preis; **commodity** ~ Warenpreis; **competitive (competitor's)** ~ konkurrenzfähiger Preis, Wettbewerbs-, Konkurrenzpreis; **conditional** ~ ausbedungener Preis; **consecutively quoted** ~**s** laufende Kursnotierungen; **construction** ~**s** Baukosten; **consumer** ~ Verbraucherpreis; **contract (contracted)** ~ Vertragspreis, vertraglich vereinbarter Preis, Lieferpreis; **controlled** ~ gebundener Preis, Stopppreis; **cost** ~ Selbstkosten-, Anschaffungs-, Einkaufs-, Einstandspreis, Herstellungskosten; **curb [market]** ~ Freiverkehrskurs; **current** ~ üblicher (laufender, jetziger, gegenwärtiger) Handelspreis; **cut** ~ herabgesetzter (erniedrigter) Preis; ~ **cut very fine** scharf kalkulierter Preis; **cut-rate** ~ Reklamepreis; **cut-throat** ~ Schleuderpreis der Konkurrenz; **cutting** ~ Schleuderpreis; **declining** ~**s** fallende Kurse; ~ **delivered** Bezugs-, Lieferpreis; **depressed** ~**s** gedrückte Kurse; **discount** ~ Preis für Wiederverkäufer, Wiederverkaufspreis; **diverging** ~ abweichender Preis; **domestic** ~ Inlandspreis; **dropping** ~**s** fallende Preise, *(stock exchange)* Kursrückgang; **dumping** ~ Dumpingpreis; **early-bird** ~ Reklame-, Einführungspreis; **elastic** ~**s** bewegliche (nachgebende) Preise; **enhanced** ~ erhöhter Preis; **equilibrium** ~ durch Angebot und Nachfrage ausgeglichener Preis; **equity** ~**s** Kurse von Dividendenwerten; **estimated** ~ Schätzungswert; **exceptional** ~ Sonder-, Ausnahme-, Vorzugspreis; **excessive** ~ Überpreis; **exhaust** ~ *(forward deal)* Sicherungsvorschuß erschöpfender Preis; **exorbitant (extortionate)** ~ Wucherpreis; **expected** ~ Preisvorschlag; **factory** ~ Fabrikpreis, Preis ab Fabrik; **fair** ~ angemessener (reeller) Preis; **fair market** ~ marktgerechter Preis, Normalpreis; **fairly good** ~ leidlicher Preis; **falling** ~ sinkender Preis; **fancy** ~ Phantasie-, Liebhaberpreis; **farm** ~**s** Preis landwirtschaftlicher Erzeugnisse; **final** ~ Endpreis; **firm** ~**s** *(stock exchange)* feste Kurse; **first** ~ Ankaufs-, Einkaufs-, Anschaffungspreis; **fixed** ~ gebundener Preis, Festpreis, fester Preis (Satz, Kurs); ~ **as fixed by the authorities** amtlich festgesetzter Preis; **flat** ~ Pauschal-, Einheitspreis; **floor** ~ Mindestpreis; **free** ~ ungebundener Preis; **flexible** ~**s** bewegliche Preise; **foreign** ~ Auslandspreis; **forward** ~ *(Br.)* Terminkurs; **frozen** ~ gestoppter Preis, Stopppreis, **full** ~ voller (nicht herabgesetzter) Preis; **future** ~ *(Br.)* Terminkurs; **giveaway** ~ Schleuderpreis; **going-market** ~ gängiger Marktpreis; **going-to-press** ~**s** letzte Kursnotierung; **gold** ~ Goldpreis; **graduated** ~ gestaffelter Preis, Staffelpreis; **gross** ~ Bruttopreis; **guaranteed** ~ Garantiepreis; **guiding** ~ Richtpreis; **high** ~ hoher Preis[stand]; **high-flying** ~ hochgestochener Preis; **higher** ~ Mehrpreis; **highest** ~ Best-, Höchstpreis, *(stock exchange)* Höchstkurs; **hire-purchase** ~ *(Br.)* Abzahlungspreis, Preis bei Abzahlung; **home-market** ~ Inlandspreis; **huge** ~ enormer Preis; **increased** ~ erhöhter Preis; **increasing** ~**s** steigende Preise; **industrial** ~ Fabrikpreis; **industrial share** ~**s** Notierungen für Industriewerte; **industry-wide** ~ in der ganzen Industrie geltender Preis; **inflationary** ~**s** inflationistische Preise; **inofficial** ~ *(stock exchange)* außerbörslicher Kurs, Freiverkehrskurs; **internal** ~ interner Verrechnungspreis; **inventory** ~ Inventurpreis; **invoice[d]** ~ auf der Rechnung angegebener Preis, Rechnungsbetrag, Fakturenpreis, **issue** ~ Ausgabe-, Emissionskurs; **keener** ~ konkurrenzfähiger Preis; **kerb [-stone]** ~ *(Br.)* Freiverkehrskurs; **knock-down** ~ Reklamepreis, äußerster Preis; *(auction)* Taxe; **knockout** ~ Schleuderpreis; **land** ~ Boden-, Grundstückspreis; **last** ~ letzter Kurs; **latest** ~ Tagespreis; **limited** ~ Kurslimit; **list[ing]** ~ Katalog-, Listenpreis; ~ **loco** Lokopreis; **losing** ~ Verlustpreis; **low** ~ niedriger Preis (Kurs); **lowest** ~ äußerster (niedrigster) Preis, Mindestpreis, *(stock exchange)* niedrigster Kurs; **lumpsum** ~ Pauschalpreis; **in-the-mail** ~ Preis frei Haus; **maintained** ~**s** gebundene Preise; **making-up** ~ *(Br.)* Abrechnungs-, Lieferungs-, Verrechnungs-, Liquidationskurs; **managed (manipulated)** ~ manipulierter (gesteuerter) Preis; **manufacturer's**

[sales] (manufacturing) ~ Fabrik-, Herstellungspreis; **marked** ~ ausgezeichneter Preis; **market** ~ Tages-, Marktpreis, *(auditing, US)* Wiederbeschaffungswert, *(stock exchange)* Tages-, Börsenkurs, Kurswert; **maximum** ~ *(stock exchange)* Höchstkurs; **maximum [selling]** ~ Höchst[verkaufs]preis; **maximum wholesale** ~ Großhandelshöchstpreis; **medium** ~ Mittelpreis; **middle** ~ Mittelkurs; **minimum** ~ Mindest[verkaufs]preis, *(stock exchange)* Mindestkurs; **minimum resale** ~ in der zweiten Hand gebundener Preis; **moderate** ~ mäßiger Preis; **monopoly** ~ Monopolpreis; **natural** ~ durchschnittlicher Marktpreis; **net** ~ Nettopreis; **nominal** ~ Nominalpreis, -kurs; **normal** ~ Normalpreis, -satz, durchschnittlicher Marktpreis, Nominalsatz; ~ **obtained** erzielter Preis; **offer[ed]** ~ gebotener Preis, *(stock exchange)* Briefkurs; **open-market** ~ freier Marktpreis; **opening** ~ *(stock exchange)* erster Kurs, Anfangs-, Eröffnungskurs; **option** ~**s** Prämiensätze; **operative** ~ verbindlicher Preis; **original** Anschaffungs-, Einkaufspreis, ~**s outsoaring the wages** über das Lohnniveau emporschnellende Preise; **overhead** ~ Herstellungs- und Generalunkosten deckender Preis; **overseas** ~**s** Überseepreise; **parity** ~ Parikurs; **paying** ~ lohnender Preis; **peak** ~ Höchstpreis, *(stock exchange)* Höchstkurs; **pegged** ~ Stützungspreis, gestützter Preis, *(stock exchange)* gestützter Kurs; **pithead** ~ Preis ab Schacht; **popular** ~ volkstümlicher Preis; **posted** ~ *(oil industry)* Preis; **preëmption** ~ Vorkaufspreis; **preferential** ~ Vorzugspreis; **premium** ~ Überpreis; **present** ~ Tagespreis; **prevailing** ~ geltender Preis, Tagespreis; **prewar** ~ Vorkriegs-, Friedenspreis; **private** ~ Vorzugspreis; **producers'** ~ Erzeuger-, Herstellerpreis; **product** ~**s** Preis der Erzeugnisse; **profitable** ~ wirtschaftlicher Preis; **prohibitive** ~ unerschwinglicher Preis; **publication** ~ Verlagspreis; **purchase** ~ Einkaufspreis, Kauf-, Erwerbs-, Anschaffungspreis; **put** ~ Rückprämienkurs; **put-up** ~ heraufgesetzter Preis, *(auction)* geringstes Gebot, Mindestgebot; **put and call** ~ Stellagekurs; **quantity** ~ Mengenpreis; **quoted** ~ angegebener Preis; ~**s quoted** Kursnotierung; **raw-material** ~ Rohmaterialaufwand; **real-estate** ~ Grundstückspreis; **reasonable** ~ mäßiger (angemessener) Preis; **receding** ~ fallender Preis; **receding** ~**s** *(stock exchange)* fallende Kurse, Kursrückgang; **recommended** ~ Richtpreis, Preisempfehlung; **record** ~ Rekordpreis; **reduced** ~ gesunkener (herabgesetzter, ermäßigter, erniedrigter) Preis; **regular** ~ Normalpreis; **remunerative** ~ lohnender Preis; **replacement** ~ Wiederbeschaffungskosten; **resale** ~ Wiederverkaufspreis; **fixed resale** ~ gebundener Preis; **reservation** ~ Mindestverkaufspreis; **reserved** ~ Wiederverkaufspreis; **retail** ~ Kleinverkaufs-, Einzelhandels-, Kleinhandelspreis; **retail ceiling** ~ Einzelhandels-, Verbraucherhöchstpreis; **ridiculously low** ~ Spottgeld; **rigid** ~ starrer Preis; **rising** ~ steigender Preis; **rock-bottom** ~ allerniedrigster (äußerst kalkulierter) Preis; **rocketing** ~**s** raketenartig ansteigende Preise; **ruinous** ~ Verlust-, Schleuderpreis; **ruling** ~ laufender (geltender) Preis, Marktpreis; **sagging** ~**s** nachgebende Kurse, Kursrückgang; **sales** ~ Verkaufspreis; **scarcity** ~ Knappheitskurs; **secondhand** ~ Preis zweiter Hand; **selling** ~ Laden-, Verkaufspreis; **set** ~ fester Preis, Festpreis; **settled** ~ abgemachter (festgesetzter) Preis; **settling** ~ Liquidationspreis; ~**s shaded for quantities** Mengentarifpreise; **share** ~ Aktienkurs; **short** ~ reduzierter (ermäßigter) Preis; **sidewalk** ~ Freiverkehrskurs; **skyrocketing** ~ Phantasiepreis; **slackening** ~**s** nachgebende Kurse; **sliding** ~**s** gleitende Preise; **special** ~ Sonder-, Ausnahme-, Vorzugspreis; **speculative** ~ spekulativer Kurs; **spot** ~ Lokopreis; **stable** ~**s** stabile Preise; **standard** ~ Einheits-, Normalpreis; **standardized** ~ genormter Preis; **starting** ~ Einsatzpreis; **stated** ~ festgesetzter Preis; **at-station** ~ Preis ab Versandbahnhof; **stationary** ~ stabiler Preis; **steady** ~**s** feste Preise; **sticky** ~ *(US)* stabiler Preis; **stiff** ~**s** Apothekerpreise; **stipulated** ~ vereinbarter Preis; **stock** ~ *(US)* Aktienkurs; **stop** ~ gestoppter Preis, Stopppreis; **sub-marginal** ~ unterschwelliger Preis; **subscription** ~ Subskriptions-, Bezugspreis; **subsidized** ~ subventionierter Preis; **suggested** ~ empfohlener Richtpreis; **supported** ~ subventionierter Preis, Stützpreis; **barely supported** ~ knapp aufrechterhaltener Kurs; **take-over** ~ Übernahmepreis; **target** ~ abänderungsfähiger Grundpreis; **time** ~ Abzahlungspreis, Preis bei Ratenzahlung; **today's** ~ Tagespreis, -kurs; **top** ~ Höchstpreis; **trade** ~ Wiederverkäufer-, Händler-, Engrospreis; **uniform** ~ Einheitspreis; **uniform delivered** ~ *(US)* vom Lieferort unabhängiger Preis; **unreasonable** ~ unangemessener Preis; **unit** ~ Preis per Einheit; **upset** ~ *(foreclosure proceedings)* Anschlags-, Einsatzpreis; **ex warehouse** ~ Preis ab Speicher; **wholesale** ~ Großhandels-, Engrospreis; **wide** ~**s** stark divergierende Preise, große Preisunterschiede, *(stock exchange)* starke Kursunterschiede; **world** ~ Weltmarktpreis; **wretched** ~ Schleuderpreis; **zone** ~ *(US)* Zonenpreis;

~ **for the account** *(Br.)* Terminkurs; ~ **of adjudication** Zuschlagspreis; ~ **of admission** Eintrittspreis; ~ **by arrangement of the authorities** amtlich festgesetzter Preis; ~ **of call** Vorprämienkurs; ~ **for cash** Bar-, Kassapreis, *(stock exchange)* Kassakurs; ~ **subject to change without notice** Preis freibleibend; ~ **to be considered** zugrunde zu legender Preis; ~ **to consumer** Verbraucher-, Endpreis; ~ **to the**

ultimate consumer Endverbraucherpreis; ~ **covering the costs of production** kostendeckender Preis; ~ **for delivery** Terminpreis; ~ **of the dinner exclusive of wine** Preis des trockenen Gedecks; ~ **by the dozen** Dutzendpreis; ~**s without engagement** unverbindliches Preisangebot; ~ **of exchange** Aufgeld; ~ **fixed by the government** Festpreis; ~**s of foodstuffs** Lebensmittelpreise; ~ **for forward (future) delivery** Terminpreis; ~**s of goods** Warenpreise; ~ **after hours** nachbörslicher Kurs; ~ **of issue** Zeichnungs-, Emissionskurs; ~ **of labo(u)r** Wert der Arbeit; ~ **in the lump** Pauschalpreis; ~**s laid down by the manufacturer** vom Hersteller festgesetzte Verkaufspreise; ~ **of material** Baustoffpreis, Materialkosten; ~ **of money** Kapitalmarktzins; ~ **of option** Prämienkurs; **high ~ to pay for peace** hoher Preis für die Erhaltung des Friedens; ~**s at peacetime level** friedensmäßige Preise, Friedenspreise; ~ **inclusive of postage and packing** Preis einschließlich Porto und Verpackung; ~ **of products** Fabrikatspreis; ~ **of put** Rückprämienkurs; ~ **for the settlement** *(Br.)* Terminkurs; ~**s shaded for quantities** Mengentarifpreise; ~ **of shares** Aktienkurs; ~ **at station** Preis frei Station; ~ **ex store** Preis bei sofortiger Lieferung; ~**s quoted in tenders** in verbindlichen Angeboten abgegebene Preise; ~ **per unit** Stückpreis; ~ **at works** Preis ab Werk, Fabrikpreis;

~ *(v.) (appraise)* abschätzen, bewerten, *(fix price)* Preis festsetzen, (ansetzen), mit einem Preis (Preisangebot) versehen;

~ **goods** Waren auszeichnen; ~ **s. th. high** etw. hoch bewerten; ~ **o. s. out of the market** sich durch überhöhte Preise den Markt entfremden; ~ **one's service freely** seine Dienstleistungsgebühr unabhängig festsetzen;

to abate a ~ Preis nachlassen (herabsetzen); **to adjust** ~**s** Preise angleichen; **to administer a** ~ Richtpreis festsetzen; **to advance the** ~ Preis (Kurs) erhöhen, im Preis (Kurs) steigern; **to affect** ~**s** Preise beeinflussen; **to agree upon a** ~ Preis vereinbaren; **to arrive at a** ~ Preis kalkulieren (berechnen); **to ask a** ~ Preis fordern (verlangen); **to ask about the** ~ sich nach dem Preis (Markt) erkundigen; **to ascertain a** ~ Preis festsetzen; **to be marked by a decline of** ~**s** im Zeichen der Baisse stehen; **to bear too high a** ~ zu hoch zu stehen kommen; **to beat down a** ~ Preis herunterhandeln; **to bid up the** ~ Preis in die Höhe steigern; **to bring down the** ~ Preis herunterdrücken; **to calculate a** ~ Preis berechnen (kalkulieren), Preiskalkulation vornehmen; **to cut a** ~ Preis ermäßigen (herabsetzen); **to cut** ~**s** Preise verderben; **to cut s. one's** ~**s** j. preislich (im Preise) unterbieten; **to cut** ~**s to the minimum** Preise schärfstens kalkulieren; **to cut down a** ~ Preis herabsetzen (ermäßigen); **to demand a** ~ Preis verlangen; **to depress the** ~**s** Kurse drücken; **to determine a** ~ Preis bestimmen; **to drive down a** ~ Preis herunterbringen; **to establish a** ~ Preis amtlich festsetzen; **to establish minimum** ~**s** Mindestpreise für den Einzelhandel festlegen; **to establish a** ~ **at a high level** Preis sehr vorsichtig kalkulieren; **to fall in** ~ im Kurs fallen; **to fetch huge** ~**s** enorme Preise erzielen; **to fix a** ~ Preis (Kurs) bestimmen (festsetzen); **to flatten** ~**s** Preise abflachen, *(stock exchange)* Kurse abschwächen; **to force down a** ~ Preis herunterdrücken, Kurs drücken; **to force up** ~**s** Preise hinauftreiben, *(stock exchange)* Kurs in die Höhe treiben; **to freeze a** ~ Preisstopp durchführen; **to get a good** ~ zu einem guten Preis verkaufen; **to give a long** ~ teuer kaufen (bezahlen); **to go into a** ~ Preis bestimmen (ausmachen); **to go down in** ~ im Kurs fallen; **to go up in** ~ im Preis steigen; **to hammer down a** ~ **of shares** Aktienkurs herunterdrücken; **to have one's** ~ *(person)* bestechlich sein; **to have a high** ~ hohen Preis haben; **to hold back on** ~**s** bestehende Preise beibehalten; **to increase** ~**s** Preise anheben; **to increase in** ~ im Preis (Kurs) steigen; **to inquire about the** ~ nach dem Preis fragen, sich nach dem Preis erkundigen; **to jump** ~**s** Preise sprunghaft erhöhen; **to keep** ~**s down** Preise niedrig halten; **to keep** ~**s on an even level** Preise stabil halten; **to keep** ~**s up** Preise hoch halten; **to let go under** ~ unter dem Preis losschlagen; **to limit a** ~ Preislimit festsetzen; **to limit to a** ~ an einen Preis binden; **to lower a** ~ verbilligen, Preis reduzieren (senken); **to maintain** ~**s** Preise halten; **to make a** ~ Preis festsetzen; **to make an allowance upon (a reduction in) the** ~ vom Preis nachlassen, Preisabschlag gewähren; **to name a** ~ Preis festsetzen (nennen); **to negotiate a** ~ Preis vereinbaren, über einen Preis verhandeln; **to obtain a** ~ Preis realisieren; **to pay a heavy** ~ mit Geld aufwiegen; **to pay top** ~**s** Höchstpreise zahlen; **to peg** ~**s** Preise stützen, *(stock exchange)* Kurse stützen; **to prescribe minimum** ~**s** Mindestverkaufspreise für den Einzelhandel vorschreiben; **to push up** ~**s** Kurs in die Höhe treiben; **to put a** ~ **on s. one's head** Belohnung für jds. Ergreifung aussetzen; **to put up** ~**s** Preise erhöhen; **to quote a** ~ Kurs notieren, Preis festsetzen; **to quote** ~**s conditionally** Preise freibleibend aufgeben; **to quote a lower** ~ niedrigeres Preisangebot stellen; **to raise a** ~ Preis erhöhen; **to raise the level of** ~**s** Preisniveau anheben; **to realize a** ~ Preis erzielen; **to reduce the** ~ verbilligen, Preis abbauen (ermäßigen), mit dem Preis heruntergehen; **to remain stationary at yesterday's** ~ sich auf dem gestrigen Kurs halten (behaupten); **to screw up** ~**s** Preise hochschrauben; **to sell s. th. above the established** ~ etw. über Preis (zu höherem als dem amtlich festgesetzten Preis) verkaufen; **to**

sell below ~ unter Wert verkaufen; **to sell goods subject to a condition as to the** ~ Ware mit Preisbindungsklausel verkaufen; **to sell under cost** ~ unter dem Selbstkostenpreis abgeben; **to sell under list** ~ unter dem Listenpreis verkaufen; **to sell a house at a good** ~ guten Preis für ein Haus erzielen; **to sell at reduced** ~**s** zu ermäßigten Preisen verkaufen; **to send up the** ~**s** Kurse hochtreiben; **to set a** ~ **on an article** Preis für etw. festsetzen (eines Artikels festlegen); **to set a** ~ **on s. one's head** Preis für jds. Kopf aussetzen; **to set a high** ~ **on s. th.** einer Sache großen Wert beimessen; **to settle on a** ~ Preis ausmachen; **to shade** ~**s** Preise herabsetzen; **to slash** ~**s** Preise stark ermäßigen (herabsetzen); **to stabilize** ~**s** Preise stabilisieren; **to stick to** ~**s** auf Preise halten; **to stick to the fixed** ~ Limit einhalten; **to suggest a** ~ Preis empfehlen; **to undercut s. one's** ~**s** jds. Preise unterbieten;

~**s are advancing** Kurse ziehen an; ~**s are on the decline** Kurse fallen (geben nach); ~**s are easing off** Kurse bröckeln ab; ~**s are firm** Kurse sind fest; ~**s are improving** Kurse bessern sich; ~**s become firmer** Kurse werden fest; ~**s continue stable** Kurse bleiben stabil; ~**s crumble [off]** Kurse bröckeln ab; ~**s have eased [off]** Kurse sind abgeschwächt (abgebröckelt); ~**s have dropped (gone down)** Kurse sind gefallen; ~**s have gone up** Kurse sind gestiegen; ~**s have hardened** Kurse zogen an; ~**s have improved** Kurse sind zurückgegangen; ~**s have remained unchanged** Kurse sind unverändert; ~**s have jumped** Kurse gingen sprunghaft in die Höhe; ~ **remain steady** Kurse halten sich; ~**s rise sharply** Preise (Kurse) ziehen heftig an; ~**s show a downward tendency** Kurse zeigen eine rückläufige Bewegung;

~ **abatement** Preisnachlaß, -ermäßigung; ~ **acceleration** beschleunigter Preisanstieg; ~ **action** Preismaßnahme, -aktion; ~ **adjustment** Preisausgleich, -angleichung, -anpassung, *(stock exchange)* Kurskorrektur; ≗ **Adjustment Board** *(US)* Preisüberwachungsstelle; ~ **administration** *(US)* Preislenkung [durch Richtpreise], -überwachung; ≗ **Administrator** *(US)* Preiskommissar; ~ **advance** Preis-, Kurssteigerung, Preis-, Kurserhöhung, Kursanstieg; ~ **advantage** Preisvorteil, preislicher Vorteil; ~ **advertising** Werbung mit [niedrigen] Preisen; ~ **agreement** Preiskonvention, -vereinbarung, -abrede, -absprache; ~ **allowance** Preisnachlaß; ~ **alteration** Neufestsetzung eines Verkaufspreises, Preisänderung; ~ **appeal** preislicher Anreiz, Kaufanreiz durch einen besonders günstigen Preis; ~ **announcement** Preisankündigung; ~ **area** Preisgebiet, *(special product)* Preisspanne; ~ **arrangement** Preisvereinbarung; ~ **arrangement scheme** Preisbindungsvereinbarung, Preisbindung der zweiten Hand; ~ **atmosphere** Preisklima; ~ **authority** Preisbehörde; ~ **average** Preisdurchschnitt; ~ **barometer** Preisbarometer; ~ **barrier** Preisgrenze; ~ **basis** Preisgrundlage, -basis; ≗**s and Income Board** *(Br.)* Preis- und Lohnbehörde; ~ **boost** Preissteigerung, -erhöhung, -treiberei; ~**-bound** preisgebunden; ~ **bracket** Preislage; ~ **calculation** Preiskalkulation, -bildung, -berechnung; ~ **cartel** Preiskartell; ~ **catalog(ue)** Preisliste, -katalog, -verzeichnis; ~ **ceiling** festgesetzte Preisobergrenze, Preisstopp, ~ **ceilings** Höchstpreise, Preisgrenzen; ~ **change** Neufestsetzung eines Verkaufspreises; ~ **changes** Preis-, Kursänderungen; ~ **change slip** Preisänderungsmitteilung; ~ **climb** Preisanstieg; ~ **collapse** Preiszusammenbruch; ~ **combination** Preiskartell; ≗ **Commission** *(US)* Preisüberwachungsstelle; ~ **commitments** Preiszusagen; ~ **comparison** Preisvergleich; ~ **competition** Preiskonkurrenz, -wettbewerb; ~ **concession** Gewährung preislicher Vorteile, Preiszugeständnis; **off-season** ~ **concessions** außerhalb der Saison gewährte Preisnachlässe; ~ **condition** Preisbestimmung, -bedingung, -festlegung; ~ **conditions** Preisklima; ~**-conscious** preisbewußt; ~ **consciousness** Preisbewußtsein; **fixed** ~ **contract** Festpreisvereinbarung; **administration** ~ **control** staatliche Preiskontrolle, -überwachung, -bindung; ≗ **Control Board** *(US)* Preisüberwachungsstelle; ~**-controlled** preisgebunden; ~**-controlled articles** der Preisüberwachung unterliegende Waren; ~**-controlled economy** kontrollierte Wirtschaft; ~ **convention** Preisabkommen, -vereinbarung; ~ **crisis** Preiskrise; ~ **curb** Preisdrosselung; ~ **current** Preisliste, -bericht, -verzeichnis; ~ **cut** Preisherabsetzung, -ermäßigung, -senkung, -kürzung; ~ **cutter** billiger werdende Firma, Preisunterbieter, Schleuderfirma; ~ **cutting** erhebliche Preissenkung, -unterbietung, -drückerei, -dumping; ~**-cutting** preissenkend; ~**-cutting move** Preissenkungsmaßnahme; ~**-cutting program(me)** Preissenkungsprogramm; **to lead the** ~**-cutting wave** Preisbrechergruppe anführen; ~ **data** Preisunterlagen; ~**-deciding** preisbestimmend, -entscheidend, -beherrschend; ~ **decline** Preisverfall, -rückgang, *(stock exchange)* Kursabfall; ~ **decontrol** Aufhebung (Abbau) der Preisüberwachungsvorschriften, Freigabe der Preise, Preisfreigabe; ~ **deduction** Preisnachlaß; ~ **deflation** Preisdeflation; ~**decrease** Preisherabsetzung; ~ **deflator** preislicher Deflationsfaktor; ~ **determination** Preisbestimmung, -festsetzung, *(stock exchange)* Kursbildung; ~ **-determining** preisbestimmend; ~ **development** Preisentwicklung; ~ **difference** Preisunterschied, -differenz; ~ **differential** Preisunterschied, -differenzierung; ~ **dip** Preisrückgang; ~ **discrimination** preislich unterschiedliche Behandlung, Preisdiskriminierung; **unfair** ~ **dis-**

crimination *(US)* unlautere Preisunterbietung; ~ **drop** Kursrückgang; ~ **-earnings ratio** Preis-Ertrags-Verhältnis; ~ **elasticity** Preiselastizität; ~ **-enhancing** preisauftriebsfördernd, -treibend; ~ **equation** Preisgleichung; ~ **equilibrium** Preisausgleich; ~ **equivalent** Preisäquivalent; ~ **estimation** Preiskalkulation; ~ **examiner** Preisprüfer; ~ **expectancy** *(moving picture business)* kalkulierte Mindesteinnahmen; ~ **expectations** Preiserwartungen; ~ **firmness** Festigkeit der Preise; ~**-fixed** preisgebunden; ~**-fixed merchandise** Produkt mit gebundenem Preis; ~ **fixing** Preisfestsetzung, -limitierung, -bestimmung, -bindung, *(cartel law)* Preisabsprache, -vereinbarung, **resale** ~ **fixing** *(Canada)* Preisbindung der zweiten Hand; ~**-fixing** preisbestimmend, -bindend; ~**-fixing agreement** Preiskonvention, -vereinbarung, -abrede; ~**-fixing committee** *(US)* Preisfestsetzungsausschuß; ~**-fixing conspiracy** Preisverabredung; ~ **flexibility** Anpassungsfähigkeit der Preise, Preisflexibilität; ~ **floor laws** *(US)* Gesetze zur Festlegung von Mindestpreisen; ~ **fluctuations** Preisschwankungen, -fluktuationen, Fluktuieren der Preise, *(stock exchange)* Kursschwankungen; **to be subject to** ~ **fluctuations** Preisschwankungen (Kursschwankungen) unterliegen; ~ **formation** Preisbemessung, -bildung, -gestaltung; ~ **formula** Preisformel; ~ **formulation** Berechnungsmethode für bestehende Preise; ~ **freeze** Einfrieren der Preise, Preisstopp; ~ **front** Preisfront; ~ **gain** Preisgewinn; ~ **gap** Preisgefälle, -lücke; ~ **government** Preissteuerung; ~ **guarantee** Preisgarantie; ~ **guidelines** Preisrichtlinien; ~ **hike** Preisanstieg; ~ **improvement** Preiserhöhung, -steigerung, *(stock exchange)* Kursverbesserung; ~ **increase (increment)** Preisanhebung, -erhöhung, -steigerung, -anstieg; **general** ~ **increase** globale Preiserhöhung, Teuerung; ~ **increase rate** Preissteigerungsrate; ~ **index** Preisindex, -meßzahl; ~ **consumer index** Preisindex für die Lebenshaltung, Lebenshaltungs-, Verbraucherindex; **ratail** ~ **index** Einzelhandelspreisindex; **wholesale** ~ **index** Großhandelspreisindex; ~ **index number** Preisindexzahl; ~ **indication** Richtpreis; ~ **inflation** Preisaufblähung, -inflation; ~ **influences** Preiseinflüsse; ~ **inquiry** Preisanfrage; ~ **inspector** Preisprüfer; ~ **intervention** *(stock exchange)* Kursintervention; ~ **jump** plötzlicher Preisanstieg; ~ **label** Preisschild, Etikett; ~ **leader** *(US)* Preisführer; ~ **leadership** *(US)* Preisführerschaft; ~ **legislation** Preisgesetzgebung; ~ **level** Preishöhe, -niveau, -stand, *(stock exchange)* Kursniveau; **wholesale** ~ **level** Großhandelspreisniveau; ~ **limit** Preisgrenze, -limit; **to observe a certain** ~ **limit** bestimmte Preisgrenze einhalten; ~ **line** *(US)* Preislage; **established** ~ **lines** feste Preislagen; **fixed** ~ **lines** preisgebundene Artikel.

price list Preisverzeichnis, -liste, -katalog, Katalog mit Preisangabe, *(stock exchange)* Kurszettel; **daily** ~ Tageskurszettel; **illustrated** ~ Bilderkatalog, illustrierte Preisliste; **market** ~ Marktbericht;
to post up a ~ Preistafel aushängen.

price | **-lowering** preissenkend; ~ **-maintained goods** preisgebundene Waren.

price maintenance Preisbindung [für Markenartikel];
resale ~ Preisbindung der zweiten Hand;
~ **agreement** Preisbindungsabsprache; ~ **law** Preisbindungsverordnung.

price |**-maintained articles (goods, commodities, products)** Produkte mit stabilen (gestützten) Preisen; ~ **making** Preisfestsetzung, -bildung; ~**-making function** Preisbildungsfunktion; ~ **margin** Preisspanne; ~ **mark** Preiszettel, -auszeichnung; ~ **-market mechanism** Marktpreismechanismus; ~ **marking** Preisauszeichnung; ~ **mechanism** Preismechanismus; ~ **merry-go-round** Preiskarussell; ~ **modification** Preisänderung; ~ **moratorium** Preismoratorium; ~ **movement** Preisbewegung, -entwicklung, *(stock exchange)* Kursbewegung; -entwicklung; **to be in a downward** ~ **movement** abwärts gerichtete Kursbewegung haben; **to be in a sidewise** ~ **movement** weder steigen noch fallen; ~ **obstacle** Preishindernis; ~ **offer** Preisangebot; ~ **oscillations** Preis-, Kursschwankungen; ~ **outlook** Preiserwartungen, -aussichten; ~ **pattern** Preisschema; ~ **pause** Preispause, Pause in der Preisbewegung; **[open-]** ~ **piracy** Preispiraterie; ~ **pledge** Verpflichtung zur Preisstabilität; ~ **policy** [Einheits]preispolitik; ~ **poster** Preisständer; ~ **push** Preisvorstoß; ~ **quotation** Preisangabe, -notierung, *(stock exchange)* Kursfestsetzung, -notierung, -stellung; **excessive** ~ **quotation** Preisüberhöhung; ~ **raising** Preiserhöhung; ~**-raising** preissteigernd, -treibend; ~**-raising factors** preiserhöhende (preistreibende) Faktoren; ~ **-raising tendency** preissteigernde Tendenz; ~ **range** Preisskala, -lage, -spanne, *(stock exchange)* Kursspanne; **medium** ~ **range** mittlere Preislage; **to carry the full** ~ **range** Erzeugnisse aller Preisklassen führen; ~ **recession** rückläufige Preistendenz, Preis-, Kursrückgang; ~ **recommendations** Preisempfehlungen; ~ **record** Höchstpreise; ~ **recovery** Preisanstieg, Erholung der Kurse; ~**-reducing** preissenkend; ~ **reduction** Preisherabsetzung, -senkung; ~ **regulation** Preislenkung, -regelung, -vorschrift, *(stock exchange)* Kursregulierung; **maximum** ~ **regulations** Höchstpreisbestimmungen; ~ **relationship** Preisverhältnis; -relation; ~ **relative** Preismeßziffer; ~ **relief** Preisstützung; ~ **relief measures** Preisstützungsmaßnahmen; ~ **resistance** Preiswiderstand, Widerstandsfähigkeit der Preise; ~ **restraint** zurückhaltende Preispolitik; ~ **review** Preisüberprüfung; **government ~ review** Preisüberprüfung durch staatliche Stellen; ~ **review system** Preisüberprüfungssystem; ~ **review team** Preisüberwachungsgruppe; ~ **rigidity** Preisstarre, eingefrorene Preise; ~ **ring** Preis-, Verkaufskartell, Verkäuferring, *(stock exchange)* Börsenkonsortium; ~ **rise** Preis-, Kostensteigerung; ~ **rise out of proportion** *(stock exchange)* überproportionale Kurssteigerung; ~ **risk** Kursrisiko; ~ **rollback** staatliche Preissenkungsaktion; ~**-ruling** preisbestimmend, entscheidend, -beherrschend; ~ **scale** Preisspanne; ~ **schedule** Preisliste; ~ **scissors** Preisschere; ~ **setter** Preisführer; ~ **setting** Preisführerschaft; ~ **shading** Preisschattierung; ~ **situation** Preissituation; ~ **slashing** Preisschleuderei; ~ **slowdown** verlangsamter Preisanstieg, rückläufige Preiskonjunktur; ~ **slump** Kurssturz; ~ **spectrum** Preisspektrum; ~ **speed-up** plötzlicher Preisanstieg; ~ **spiral** Preisspirale; ~ **spread** *(US)* Preisspanne; ~ **stability** Preis-, Kursstabilität, konstante Preise; ~ **stabilization** Preisstabilisierung, Stabilisierung der Preise; **raw-material ~ stabilization** Stabilisierung der Rohstoffpreise; ~ **stabilization pact** Preisstabilisierungsabkommen; ~**-stabilizing** preisstabilisierend; ~ **standard** Verrechnungspreis; ~ **statistics** Preisstatistik; ~ **stop** Preisstopp; **one- ~ store** Einheitspreisgeschäft; ~ **strength** Kurshöhe; ~ **structure** Preisgefüge, *(stock exchange)* Kursgefüge; **stable ~ structure** festes Preisgefüge; ~ **subsidy** Subvention von Preisen, Preissubvention.

price support Kurs-, Preisstützung;
~ **activities** Preisstützungsmaßnahmen; ~ **period** Kursstützungsperiode; ~ **scheme** Preisstützungsaktion.

price | -supporting program(me) Preisstützungsprogramm; ~ **swing** Kursumschwung; ~ **system** Preisfestsetzungswesen; **delivered ~ system** *(US)* Kalkulations-, Preisbindungssystem; **free ~ system** freie Marktwirtschaft; ~ **tag** Preismarke, -schild, -zettel, Auszeichnungszettel; ~**-tagged** mit Preisen ausgezeichnet; ~ **theorist** Preistheoretiker; ~ **ticket** Preiszettel, -schild; **to pin on a ~ ticket** Preisetikett feststecken; ~**-tight situation** angespannte Preissituation; ~ **trend** Preistendenz, -entwicklung; ~ **turn** Preiswende; ~ **understandings** Preisvereinbarungen; ~ **variance** Preisabänderung, -abweichung; ~ **variation clause** Preisgleitklausel; ~**-wage spiral** Preis-Lohn-Spirale; ~ **war** Preiskrieg; ~ **weakness** Preisabschwächung, *(stock exchange)* Kursabschwächung; ~ **weapon** Preiswaffe.

priced | at mit Preisen (Preisangabe) versehen, ausgezeichnet;
budget-~ *(US)* preisgünstig; **completely ~** schärfstens kalkuliert; **economy- ~** preisgünstig; **high-~** hochbewertet, teuer; **low-~** niedrig bewertet, billig; **thrift-~** *(US)* preisgünstig; **to be ~ at $ 2** zum Preis von 2 Dollar verkauft werden; **to be clearly ~** *(goods)* sorgfältig ausgezeichnet sein; **to be competitively ~** im Preis konkurrenzfähig sein; **to be fully ~** vollauf bezahlt sein; **to be ~ right** preislich richtig liegen;
~ **catalog(ue)** Preiskatalog, -liste, -verzeichnis.

priceless unschätzbar.

pricer Preiskalkulator.

pricing *(calculation of prices)* Preiskalkulation, -feststellung, -festlegung, -bestimmung, -bildung, -festsetzung, *(estimate)* Bewertung, Schätzung;
cost-based ~ kostenorientierte Preisbildung; **dual ~** Doppelpreissystem; **flat ~** pauschalierte Preisbestimmung; **return-on-capital ~** von der Kapitalverzinsung ausgehende Preisbestimmung; **zone ~** *(freightage, US)* Preisfestsetzung nach Zonengebieten;
~ **in code** verdeckte Preisauszeichnung; ~ **out of the market** Marktentfremdung;
~ **factors** preisbestimmende Faktoren; ~ **formula** Preisberechnungsmethode; ~ **method** Preisberechnungsmethode; ~ **philosophy** Preisphilosophie; ~ **policy** Preispolitik; ~ **practices** Kalkulationsverfahren; ~ **regulations** Preisfestlegungen; ~ **schedule** Kalkulationstabelle; ~ **system** Preisbildungs-, Kalkulationssystem; **basing-point ~ system** System der differenzierten Preisfestsetzung bei verschiedenen Auslieferungsstellen.

prick | *(v.)* **off names on a list** Namen auf einer Liste abstreichen; ~ **up items** Posten abstreichen.

pricking note Ausfuhrversandliste.

primary *(a.)* *(chief)* hauptsächlich, in erster Linie, primär, *(original)* ursprünglich;
~ **appeal** *(advertising)* Hauptblickfang; ~ **beneficiary** Hauptnutznießer; ~ **benefit** *(social insurance)* Grundrente; ~ **bill** Primawechsel; ~ **boycott** unmittelbarer Boykott; ~ **business** erste (wichtigste) Aufgabe; ~ **conveyance** Erstübertragung; ~ **cost** effektive Kosten; ~ **demand** vordringlicher Bedarf; ~ **deposits** *(US)* effektive Einlagen; ~ **discount** echtes Skonto; ~ **industry** Grundstoffindustrie; ~ **insurance amount** *(pension scheme)* Grundrente; ~ **liability** direkte (unmittelbare) Haftung, selbstschuldnerische Verpflichtung; ~ **market** *(US)* Richtwerte setzender Großhandelsmarkt; ~ **materials** Rohstoffe; ~ **money** Währungseinheit; ~ **obligation** *(US)* Hauptverbindlichkeit, *(bill of exchange)* primäre Haftung; ~ **obligator** *(US)* selbstschuldnerischer Bürge; ~ **point** *(US)* Hauptumschlagplatz für landwirtschaftliche Erzeugnisse; ~ **producer** Rohstoffproduzent; ~ **products** Halbfertigwaren, -fabrikate; ~ **reserve** *(banking)* Kassenreserve; ~ **road** Landstraße erster Ordnung.

prime Primasorte, auserlesene Qualität, Spitzenqualität, *(stock exchange)* Prämie;

~ *(a.)* prima, vorzüglich, erstklassig, ausgezeichnet, *(original)* ursprünglich;
~ **banker's acceptance** *(US)* Primadiskonten; ~ **bill** *(US)* prima (erstklassiger) Wechsel; ~ **bond** erstklassige Obligation; ~ **condition** vorzüglicher Zustand; ~ **contractor** Hauptlieferant; ~ **cost** *(cost price)* Selbstkosten-, Gestehungspreis, Gestehungskosten, *(purchase price)* Einkaufspreis, Anschaffungskosten, -wert, *(US)* Einzelkosten; **to sell at ~ cost** zum Einkaufspreis (Selbstkostenpreis) verkaufen; ~ **cost burden rate** Gemeinkostenzuschlagssatz auf Basis der Einzelkosten; ~ **election** erste Wahl; ~ **entry** vorläufige Zolldeklaration; ~ **investment** erstklassige Kapitalanlage; ~ **market area** Hauptabsatzgebiet; ≗ **Minister** Premierminister, Ministerpräsident; ~ **ministry** Ministerpräsidentschaft; ~ **mover** *(fig.)* treibende Kraft, Triebfeder; ~ **motive** Hauptmotiv; ~ **number** Primzahl; ~ **paper** erstklassiges Papier; ~ **quality** Primasorte, vorzügliche Qualität; ~ **[lending] rate** *(US)* Bankzinssatz für erstklassige Firmen, Leitzinssatz; ~ **suspect** Hauptverdächtiger; ~ **target** Hauptziel; ~ **time** *(broadcasting, television)* Hauptsendezeit; ~ **trade bill** *(US)* erstklassiger Handelswechsel; ~ **value** Spitzenwert.

principal *(capital)* Grundkapital, Kapitaleinlage, Kapital[summe], Hauptsumme, *(chief)* Chef, Leiter, *(debtor)* Hauptschuldner, *(employer of agent)* Auftrag-, Vollmachtgeber, *(person primarily liable)* Hauptschuldner, *(pledger)* Sicherungsgeber, *(proprietor)* Unternehmer, Geschäfts-, Firmeninhaber, Geschäftsherr;
only ~s will be dealt with *(newspaper)* Vermittler verbeten;
foreign ~ ausländischer Auftraggeber; **undisclosed ~** ungenannter Auftraggeber;
~ **and agent** Auftraggeber und Auftragnehmer, Vollmachtgeber und -nehmer; ~ **and charges** volle Summe einer Forderung, Kapital und Spesen; ~ **with interest accrued** Kapital samt aufgelaufenen Zinsen;
to be liable as a ~ selbstschuldnerisch (unmittelbar) haften; **to consult one's ~** sich mit seinem Auftraggeber besprechen; **to make incursions into the ~** Kapital angreifen;
~ *(a.)* hauptsächlich;
~ **activity** Haupttätigkeit; ~ **agent** Generalvertreter; ~ **amount** Kapitalbetrag; ~ **amount of the loan** Anleihebetrag; ~ **consumer** Hauptverbraucher, -zielgruppe der Verbraucher; ~ **creditor** Hauptgläubiger; ~ **debtor** Hauptschuldner; ~ **establishment (firm, house)** Zentrale, Stammhaus; ~ **income** Haupteinkommen; ~ **market** Hauptabsatzgebiet; ~ **owner** Hauptinhaber, *(shipping)* Hauptreeder; ~ **payments** Zahlungen aus dem Kapital; ~ **place of business** Haupt[geschäfts]sitz, Hauptniederlassung; ~ **shareholder** Großaktionär; ~ **sum** Kapitalbetrag, Gesamtsumme, *(accident insurance)* Kapitalabfindung; ~ **value** *(Br.)* gemeiner Wert.

principle|s of accounting Buchführungsmethoden, Revisionsgrundsätze; **~s of bookkeeping** Grundbegriffe der Buchführung; ~ **of political economy** volkswirtschaftliche Leitsätze; ~ **of a loan** Kapitalbetrag einer Anleihe; **~s of selling** Verkaufsrichtlinien; ~ **of settlement** Vergleichsgrundlage.

print Druck, *(printed edition, US)* [Druck]auflage, *(newspaper)* Zeitung, *(photo)* Abzug, Kopie, Ablichtung;
in ~ *(at hand)* vorrätig, auf Lager; **in small ~** kleingedruckt; **out of ~** vergriffen;
blue ~ Lichtpause; **colo(u)red ~** Farbdruck; **daily ~s** *(US)* Tageszeitungen;
~ *(v.)* **an address** Adresse in Druckschrift schreiben; ~ **in bold type** durch fetten Druck hervorrufen; ~ **in italics** kursiv drucken;
to appear in ~ im Druck erscheinen; **to be in ~** gedruckt vorliegen, *(on sale)* im Buchhandel sein.

printed | application form gedrucktes Antragsformular; ~ **clause** vorgedruckte Klausel; ~ **and mixed consignment** Postwurfsendung; ~ **exchange** Kurszettel; ~ **form** Vordruck, Formular; ~ **form of receipt** Quittungsformular; ~ **matter (paper,** *Br.)* Drucksache, -schrift; ~ **paper rate** *(Br.)* Drucksachentarif, -porto.

printer Drucker, Druckereibesitzer, *(copying apparatus)* Kopierapparat.

printing | charges (costs, expenses) Druckkosten; ~ **establishment** Druckerei, grafischer Betrieb; ~ **machine** *(Br.)* Schnellpresse; ~ **order** Druckauftrag; ~ **space** Satzspiegel; ~ **telegraph** Fernschreiber; ~ **trade** Druckergewerbe, grafisches Gewerbe.

prior früher, älter, vorher-, vorausgehend;
~ **to his appointment** vor seiner Ernennung; ~ **to deduction of taxes** vor [Abzug der] Steuern, brutto; ~ **to maturity** vor Fälligkeit;
~ **applicant** *(patent law)* früherer Anmelder, Voranmelder; ~ **art** *(patent law)* Stand der Technik; ~ **claim** älterer Anspruch, bevorrechtigte Forderung; ~ **creditor** bevorrechtigter Gläubiger; ~ **endorser** Vordermann; ~ **holder** früherer Inhaber, Vorbesitzer; ~ **indorser** Vormann; ~ **lien** älteres (dem Range nach vorgehendes) Pfandrecht; ~ **mortgage** vorgehende (vorrangige) Hypothek; ~ **preference (preferred,** *US)* **stock** Sondervorzugsaktien; ~ **redemption** vorzeitige Tilgung; ~ **year charges** vorjährige Belastungen.

priorities, to be low on the am Ende der Dringlichkeitsliste stehen.

priority *(bankruptcy)* Rangfolge, *(order that takes priority)* Dringlichkeitsauftrag, *(preference)* Dringlichkeit, Priorität, Vorzug[srecht], Vorrecht, Vorrang, *(urgency)* Dringlichkeitsstufe;

according to ~ dem Range nach; **of top** ~ von größter Dringlichkeit;
convention ~ Verbandspriorität; **head-of-the line** ~ relative Priorität; **top** ~ höchste Dringlichkeitsstufe; **union** ~ *(dipl.)* Unionsvorrang;
~ **of birth** Erstgeburt; ~ **of claim** Vorrang (Vorgehen) eines Anspruchs; ~ **of creditors** Gläubigervorrang, Rangordnung der Gläubiger; ~ **of date** zeitlicher Vorrang; ~ **of invention** Erfindungspriorität; ~ **of liens** Rangordnung von Pfandrechten; ~ **in the payment of debts** Vorzugsbefriedigung; ~ **of rank** Vorrang; **to be given** ~ bevorzugt abgefertigt werden; **to claim** ~ **for an application** *(patent law)* Erstanmeldung beanspruchen; **to come under** ~ zur ersten Dringlichkeitsstufe gehören; **to distribute according to** ~ rangentsprechend ausgeschüttet werden; **to establish** ~ über die Dringlichkeitsfrage entscheiden; **to give** ~ **to** Vorrang einräumen, bevorzugt behandeln (abfertigen); **to give high** ~ als besonders dringlich behandeln; **to give top** ~ **in the allocation** hinsichtlich der Zuteilung höchste Dringlichkeitsstufe zuerkennen; **to have** ~ **over s. o.** jem. im Rang vorgehen (gegenüber bevorrechtigt sein); **to have** ~ **over s. o. in one's claim on mortgaged property** jem. im Grundbuch vorgehen; **to have the highest** ~ höchste Dringlichkeitsstufe besitzen; **to promote with** ~ bevorzugt befördern; **to take** ~ Vorrang haben; **to take advantage of the** ~ **of previous application** *(patent law)* Priorität einer vorhergehenden Anmeldung in Anspruch nehmen;
~ **bonds** Prioritätsobligationen, Prioritäten; ~ **call** *(tel.)* dringendes Gespräch, Vorranggespräch; ~ **claim** Prioritätsanspruch; **to receive** ~ **consideration** bevorzugt behandelt (abgefertigt) werden; ~ **date** Prioritätstermin; ~ **delivery** Vorzugslieferung; ~ **document** Prioritätsbelege; ~ **fee** Gebühr für bevorzugte Abfertigung; ~ **holder** Vorzugsberechtigter, Bevorrechtigter; ~ **permit holder** Inhaber einer Vorzugsberechtigung; ~ **job** Schlüsselberuf; ~ **list** Vorrangs-, Vorzugs-, Dringlichkeitsliste; ~ **message** dringende Meldung; ~ **notice** *(real estate law, Br.)* Vormerkung; ~ **rating** Festsetzung der Dringlichkeit; ~ **redemption** vorzeitige Tilgung; ~ **right** Vorzugsrecht; ~ **share** Prioritäts-, Vorzugsaktie; ~ **system** Bewirtschaftungssystem; ~ **task** vordringliche Aufgabe; ~ **telegram** dringendes Telegramm; ~ **treatment** Vorrangsbehandlung.

prison Haft-, Straf-, Gefangenenanstalt, Gefängnis, *(building)* Gefängnisgebäude, *(imprisonment)* Inhaftierung.

privacy Zurückgezogenheit, Vertraulichkeit, Intimsphäre, Eigenleben, *(private matter)* Privatangelegenheit;
~ **scrambler** *(tel.)* Verschlüsselungsmaschine.

private *(a.)* privat, persönlich, *(not known)* vertraulich, nicht öffentlich, nicht für die Öffentlichkeit bestimmt, *(unofficial)* nicht amtlich, außerdienstlich, -geschäftlich;
in ~ unter vier Augen;
to go ~ *(company)* in ein Privatunternehmen umgewandelt werden;
~ **account** Privatguthaben, *(secret fund)* Geheimkonto; ~ **accountant** betriebseigener Revisor; ~ **agent** Vertrauensmann, persönlicher Vertreter; ~ **arrangement** gütlicher Vergleich; ~ **bank** Privatbankhaus; ~ **banker** Privatbankier; **to sell by** ~ **bargain** unter der Hand verkaufen; ~ **bill of exchange** Kundenwechsel; ~ **boarding house** Privatpension; ~ **box** Abhol-, Schließfach; ~ **brand** Haus-, Händler-, Eigenmarke; ~ **business** Privatwirtschaft; **to enter** ~ **business** in die Wirtschaft gehen; ~ **car** *(railroad, US)* vorbestellter Eisenbahnwagen; ~ **car[riage]** Sonderanfertigung; ~ **company** *(Br.)* auf höchstens 50 Mitglieder beschränkte Aktiengesellschaft, Personalgesellschaft; ~ **consumption** Selbst-, Eigenverbrauch; **by** ~ **contract** freihändig; ~ **corporation** *(US)* Privatunternehmen, privatrechtliche Körperschaft; ~ **correspondence** Privatkorrespondenz; ~ **customer** Privatkunde; ~ **debts** persönliche Schulden, Privatschulden; ~ **door** Privateingang; ~ **enterprise** Privatunternehmen, -wirtschaft; ~ **enterprise system** freie Wirtschaft; ~ **expenses** persönliche Ausgaben; ~ **firm** Privatfirma, -unternehmen, Einzel-, Handelsfirma; **to pass into** ~ **hands** in Privathand übergehen; ~ **hotel** Fremdenheim; ~ **income** Privateinkommen; ~ **labelling** Ausstattung mit Eigenmarken; ~ **ledger** *(Br.)* Geheimbuch, -konto; ~ **liability** persönliche Haftung; ~ **limited company** *(Br.)* Gesellschaft mit beschränkter Haftung; ~ **line** *(tel.)* Privatanschluß; ~ **management** Unternehmertum; **to live on** ~ **means** von seinem Vermögen leben; ~ **money** Privateinkünfte; ~ **offering** Absatz an Private; ~ **office** Privatkonto, -büro; ~ **property** Privatvermögen, -eigentum, persönliches Vermögen; ~ **proprietor** Privatunternehmer; ~ **rate of discount** *(Br.)* Diskontsatz der Geschäftsbanken; ~ **room** *(hotel)* reserviertes Besprechungszimmer; ~ **sale** freihändiger Verkauf; ~ **secretary** Privatsekretär[in]; ~ **sector [of the economy]** Privatwirtschaft; ~ **siding** Werksanschluß; ~ **trade** Eigenhandel; ~ **trader** selbständiger Unternehmer; **to sell by** ~ **treaty** freihändig verkaufen; ~ **trust** Familienstiftung; ~ **underwriter** *(US)* Einzelversicherungsunternehmen; ~ **undertaking** Privatbetrieb, -unternehmen.

privilege *(advantage)* [Vor]zugs-], Sonderrecht, Vergünstigung, Privileg, *(bankruptcy)* Gläubigervorrecht, *(immunity)* Immunität, *(legal nonrestraint)* Rechtfertigungsgrund, *(marine insurance)* Frachtzuschlag, *(stock exchange, US)* Spekulations-, Prämien-, Stell-, Zeitgeschäft,

Stellage, *(witness)* Zeugnisverweigerungsrecht; **absolute** ~ uneingeschränktes Immunitätsrecht; **circulation** ~ Notenbankprivileg; **commercial** ~ Konzession, Gewerbeberechtigung; **conditional** ~ bedingtes Immunitätsrecht; **financial** ~ Finanzhoheit; **monopoly** ~ Monopolrecht; **note-issuing** ~ Notenbankprivileg; **subscription** ~ Bezugs-, Subskriptionsrecht; **tax** ~ Steuerbegünstigung;
~ **in bankruptcy** Konkursvorrecht; ~ **of operating a business** Gewerbeberechtigung; ~ **of communications** Verkehrsprivileg; ~ **by reason of occasion** *(Br.)* Wahrnehmung berechtigter Interessen;
~ *(v.)* bevorzugen, bevorzugt behandeln, bevorrechtigen, privilegieren;
~ **broker** *(US)* Prämienmakler; ~ **cab** *(Br.)* Bahnhofsdroschke; ~ **tax** *(US)* Konzessionssteuer.

privileged bevorrechtigt, mit besonderen Vorrechten ausgestattet, privilegiert;
~ **from distress** nicht pfändbar, unpfändbar; ~ **from production** nicht vorlagepflichtig;
to be ~ from disclosure nicht der Offenlegungspflicht unterliegen;
~ **communication** *(confidential communication)* der Schweigepflicht unterliegende vertrauliche Mitteilung, Berufsgeheimnis, *(parl., Br.)* Äußerung in Wahrnehmung berechtigter Interessen; ~ **creditor** bevorrechtigter Gläubiger; ~ **debt** bevorrechtigte Forderung; ~ **occasion** *(Br.)* Erklärung in Wahrnehmung berechtigter Interessen; **to have a ~ position** bevorzugte Stellung einnehmen; ~ **share** Vorzugsaktie; ~ **shareholder** Vorzugsaktionär; ~ **stock** *(US)* Vorzugsaktien; ~ **stockholder** *(US)* Vorzugsaktionär.

privity *(knowledge shared)* Mitwissen, Mitwisserschaft, Eingeweihtsein, *(participation in interest)* Interessengemeinschaft, *(legal relation)* Rechtsbeziehung, *(mutual relationship to same rights)* Rechtsgemeinschaft, *(trusteeship)* Treueverhältnis;
with his ~ and consent mit seinem Wissen und Willen;
~ **of contract** vertragliche Bindung, vertragliches Treueverhältnis; ~ **of lease** Pachtverhältnis;
to enter into ~ vertragliche Bindungen eingehen.

prize *(competition)* Preis, Prämie, *(lottery)* Treffer, [Lotterie]gewinn, *(ship)* aufgebrachtes Schiff, Prise;
consolation ~ Trostpreis; **first (grand, great, highest)** ~ großes Los, Hauptgewinn; **lottery** ~ Lotteriegewinn; **Nobel** ≗ Nobelpreis;
~**s of a profession** höchste Stellungen in einer Berufssparte;
~ *(v.)* *(appraise)* schätzen, taxieren, *(value highly)* hochschätzen;
to award a ~ Preis zuerkennen, prämieren; **to draw a ~ in a lottery** Lotteriegewinn machen; **to draw the first** ~ großes Los gewinnen; **to make ~ of a ship** Schiff als Prise aufbringen (wegnehmen), Schiff kapern; **to offer a** ~ Preis aussetzen;
~ **bounty** Prisengeld; ~ **competition (contest)** Preisausschreiben; ~ **crew** Prisenkommando; ~ **fund** Prämienfonds; ~ **list** Gewinnliste; ~ **money** Prisengeld; ~ **scholarship** Freiplatz, -stelle; **to draw a ~-winning ticket** Gewinnlos ziehen.

prizer Abschätzer, Taxierer.

probability | **of life** Lebenswahrscheinlichkeit; ~ **of survival** *(life assurance)* Erlebenswahrscheinlichkeit;
~**sample** zufallsgesteuerte Stichprobenauswahl; ~ **sampling** Wahrscheinlichkeitsauswahl.

probable | **cause** ausreichender Grund; **to reckon the ~ costs** sich die voraussichtlich entstehenden Kosten ausrechnen; ~ **date of arrival** mutmaßlicher Ankunftstag; ~ **future payments** *(workmen's compensation act)* voraussichtliche zukünftige Leistungen; ~ **life** *(life insurance)* mutmaßliche Lebensdauer.

probation Probe, Eignungsprüfung;
on ~ auf Probe, widerruflich;
~ **of three months** dreimonatige Probezeit;
to engage s. o. two years on ~ j. mit einer zweijährigen Probezeit einstellen;
~ **appointment** Probeanstellung.

probationary | **appointment** Probeanstellung; ~ **term** Bewährungs-, Probezeit.

probationer auf Probe Angestellter, provisorisch angestellter Beamter, *(candidate for membership)* Anwärter, Probekandidat;
to qualify as ~ for a post Anwartschaft auf eine Stelle erwerben.

probationership Prüfungs-, Lehrzeit.

problem | **of particular urgency** besonderes Dringlichkeitsproblem; ~ **of taxes** Steuerfrage.

probusiness *(US)* wirtschaftsfreundlich eingestellt.

procedural | **committee** Verfahrensausschuß; ~ **improvements** verfahrenstechnische Verbesserungen.

procedure Verfahren[sart], Verfahrensregeln, Vorgehen, Procedere, Verhalten, Handlungsweise, *(process of production)* Arbeitsprozeß, -ablauf, *(transaction)* Transaktion;
administrative ~ Verwaltungsverfahren; **operating** ~ Herstellungs-, Betriebsverfahren;
~ **by foreclosure** Zwangsvollstreckungsverfahren; ~ **of reorganization** Sanierungsverfahren.

proceed | *(v.)* **with an application** Antrag bearbeiten; ~ **to the next item on the agenda** nächsten Punkt auf der Tagesordnung behandeln; ~ **with one's journey** seine Reise fortsetzen.

proceeding *(act)* Handlung, Maßnahme, Vorgehen, *(ship)* Weiterfahrt;

~**s** *(records of meeting)* Sitzungsberichte, -protokoll;
bankruptcy ~**s** Konkursverfahren; **composition** ~**s** Vergleichsverfahren, -verhandlungen; **costly** ~ kostspieliges Verfahren; **illegal** ~ unerlaubte Transaktion;
to file Chapter TEN ~**s** *(US)* Vergleichsverfahren beantragen; **to institute** ~**s against s. o.** gegen j. gerichtlich vorgehen, Gerichtsverfahren gegen j. anstrengen; **to take [legal]** ~**s for the recovery of a debt** Forderung einklagen.

proceeds Erlös, Ertrag, Einnahmen, Einkünfte, Gewinn, *(of bills)* Diskonterlös, *(of cheque)* Gegenwert;
actual ~ Isteinnahme; **annual** ~ Jahresertrag; **business** ~ Geschäftseinnahmen; **cash** ~ Barerlös; **entire** ~ Gesamtertrag; **factory** ~ Produktionserlös; **foreign-exchange** ~ Devisenerlös, -einnahmen; **gross** ~ Brutto-, Rohertrag; **interest** ~ Zinserträge; **net** ~ Netto-, Reinertrag, Nettoerlös; **quantity** ~ Mengenertrag; **realization** ~ Verkaufserlös; **short** ~ Mindererlös; **total** ~ Gesamterlös, -ertrag; **working** ~ Betriebsertrag;
~ **of an auction** Versteigerungserlös; ~ **of a cargo** *(insurance)* durch Verkauf der Hinfracht erworbene Rückfracht; ~ **in cash** Kassenertrag; ~ **to go to local charities** für örtliche Wohltätigkeitseinrichtungen bestimmte Erträge; ~ **of collection** Inkassobeträge; ~ **of a liquidation** Liquidationserlös; ~ **of a sale** Verkaufserlös; ~ **from utilization of waste material** Erlös aus Abfallverwertung;
to credit the ~ **to an account** Konto mit dem Gegenwert erkennen; **to hold the** ~ **at disposal of Messrs....** Gegenwert zur Verfügung der Firma ... halten; **to place the** ~ **to the credit of s. o.** Gegenwert jem. gutschreiben.

process *(action at law)* Rechtsstreit, Prozeß, Gerichtsverfahren, *(course)* Fortgang, Fortschreiten, Lauf, *(course of action)* Vorgang, Verfahren, *(method of production)* Arbeits]prozeß, -stufe, -gang, Verfahren, Verfahrensweise, [Verfahrens]methode;
during the ~ **of removal** während des Umzugs; **changing** ~ Umstellungsprozeß; **compulsory** ~ Zwangsverfahren; **executory** ~ Vollstreckungsverfahren; **finishing** ~ Veredelungsverfahren; **industrial** ~ industrielles Herstellungsverfahren; **manufacturing (production)** ~ Produktionsprozeß, Herstellungsverfahren; **operating** ~ Arbeitsverfahren; **secret** ~ Geheimverfahren;
~ **of automation** Automatisierungsprozeß; ~ **of concentration** Konzentrationsprozeß; ~ **of dismantling** Demontageverfahren; ~ **of distraint** Zwangsvollstreckungsverfahren; ~ **of distribution** Verteilungsprozeß; ~ **of industrialization** Industrialisierungsprozeß; **[industrial]** ~ **of manfacture** [industrielles] Herstellungsverfahren, Produktionsprozeß;
~ *(v.)* *(finish)* veredeln, weiterverarbeiten, *(office practice)* [Brief] mechanisch herstellen, vervielfältigen, *(raw material)* behandeln, ver-, bearbeiten, einem Verfahren unterwerfen;
to be in ~ **of manufacture** in Arbeit sein; **to undergo a** ~ **of concentration** sich einem Konzentrationsprozeß unterwerfen;
~ **account** Fabrikationskonto; ~ **accounting** Divisionskalkulation; ~ **chart** Arbeitsablaufdiagramm; ~ **control** Fertigungs-, Qualitätskontrolle; ~ **costing** Berechnung der Produktionskosten, Kostenrechnung für Serienfertigung; ~ **costs** Verarbeitungskosten; ~ **letters** vervielfältigte Briefe.

processed products Veredelungserzeugnisse.

processing Be-, Verarbeitung, Veredelung;
contract ~ Lohnveredelung; **data** ~ Datenverarbeitung, **textile** ~ Imprägnierung;
~ **in bond** Zollveredelung; ~ **under a job contract** Lohnveredelung;
~ **center** Verarbeitungszentrum; ~ **company** Weiterverarbeitungsbetrieb; ~ **cost** Fabrikations-, Herstellungskosten; ~ **country** Veredelungsland; ~ **department** Veredelungs-, Verarbeitungsabteilung; ~ **enterprise** Verarbeitungs-, Veredelungsbetrieb; ~ **expenses** Verarbeitungs-, Veredelungskosten; ~ **fee** Bearbeitungsgebühr; ~ **industry** verarbeitende Industrie, Veredelungsindustrie; **food** ~ **industry** Lebensmittelindustrie; ~ **permit** Verarbeitungsgenehmigung; ~ **plant** Verarbeitungs-, Veredelungsbetrieb; ~ **prescription** Verarbeitungsvorschrift; ~ **product** Weiterverarbeitungsprodukt; ~ **prohibition** Verarbeitungsverbot; ~ **restriction** Verarbeitungsbeschränkung; ~ **stage** Veredelungs-, Verarbeitungsstufe; ~ **tax** Veredelungs-, Verarbeitungssteuer.

procuration *(brokerage fee)* Maklergebühr, *(instrument)* Vollmachtsurkunde, *(power of attorney)* [etwa:] Prokura, Vollmacht, Bevollmächtigung, Vertretungsmacht, *(procurement)* Beschaffung, Versorgung;
per ~ **(per proc.)** in Vertretung;
branch ~ [etwa:] Filialprokura; **express** ~ ausdrücklich erteilte Vollmacht; **single (sole)** ~ Einzelvollmacht;
~ **of a loan** Anleihebeschaffung;
to hold ~ Prokura haben; **to indorse a bill by** ~ Wechsel in Vollmacht unterschreiben;
~ **fee (money)** Maklerprovision für Kreditvermittlung.

procure *(v.)* **acceptance** Akzept einholen; ~ **capital** Kapital beschaffen; ~ **funds** Kapital beschaffen; ~ **goods** Waren beziehen.

procurement Beschaffung, Besorgung, Beibringung, Erlangung, Erwerbung;
~ **of capital** Kapitalbeschaffung; ~ **of funds** Beschaffung von Mitteln, Mittelaufbringung; ~

of a loan Anleihevermittlung; ~ **of merchandise** Warenbeschaffung;
~ **agency** *(US)* Beschaffungsstelle; ~ **budget** Arbeitsbeschaffungsetat; **normal ~ channels** normaler Beschaffungsweg; ~ **officer** Beschaffungsbeamter; **government ~ policy** beschaffungspolitische Maßnahmen des Staates.

procuring agency Beschaffungsbehörde.

produce *(product)* Erzeugnis, Produkt, *(agricultural product)* landwirtschaftliches Erzeugnis, *(yield)* Ertrag, Gewinn;
agricultural ~ landwirtschaftliche Erzeugnisse; **colonial** ~ Kolonialwaren; **daily** ~ Tagesleistung; **excess** ~ Überschußerzeugnis; **farm** ~ landwirtschaftliche Erzeugnisse; **foreign** ~ ausländisches Erzeugnis; **gross** ~ Rohertrag; **home (inland)** ~ inländische Bodenerzeugnisse, einheimische Erzeugnisse; **natural** ~ Bodenerzeugnisse; **net** ~ Reinertrag, -gewinn; **raw** ~ Rohmaterial, Rohstoffe; **surplus** ~ Überschußprodukt;
~ **of the country** Landesprodukte; ~ **of 5 years' work** Ergebnis fünfjähriger Arbeit;
~ *(v.) (for broadcasting)* [für den Funk] bearbeiten, *(effect)* bewirken, schaffen, *(farming)* Ertrag bringen (liefern), erzeugen, *(film)* produzieren, *(manufacture)* [Güter] erzeugen, herstellen, ausstoßen, produzieren, fabrizieren, fertigen, *(theater)* einstudieren, aufführen, *(yield)* einbringen, abwerfen;
~ **accounts for inspection** Bücher zur Revision vorlegen; ~ **an after-effect** nachwirken, Nachwirkung erzielen; ~ **an alibi** Alibi beibringen; ~ **a book** Buch veröffentlichen; ~ **a certificate** Bescheinigung vorlegen; ~ **heavy crops** reiche Ernten erbringen; ~ **documents** Urkunden als Beweis[material] vorlegen; ~ **evidence** Beweismittel vorlegen; ~ **mainly for export** in der Hauptsache für den Export anfertigen (herstellen); ~ **at an economic figure** rentabel produzieren; ~ **goods by machinery** Produkte maschinell herstellen; ~ **interest** Zinsen tragen; ~ **an invention** Erfindungsgegenstand herstellen; ~ **one's passport** seinen Paß vorzeigen; ~ **a photograph** Fotografie machen; ~ **a new play** neues Stück aufführen; ~ **a power of attorney** Vollmacht vorlegen; ~ **a prisoner** Untersuchungsgefangenen vorführen; ~ **the proofs of a statement** Beweise für eine Aussage liefern; ~ **reasons** Gründe anführen; ~ **a sensation** Sensation hervorrufen; ~ **one's ticket at the station [at request]** seine Fahrkarte bei der Sperre [auf Verlangen] vorzeigen; ~ **a witness** Zeugen beibringen;
~ **advance** Produktivkredit; ~ **broker** Produkten-, Warenmakler; ~ **business** Produktenhandel; ~ **dealer** Produktenhändler; ~ **exchange** Produktenbörse; ~ **market** Produkten-, Warenmarkt; ~ **merchant** Produktenhändler; ~ **middleman** Produktenmakler; ~ **trade** Produktenhandel.

producer Hersteller, Erzeuger, Produzent, *(broadcasting)* Rundfunkbearbeiter, *(film, Br.)* Herstellerfirma, Filmproduzent, -regisseur, Spielleiter;
domestic ~ inländischer Erzeuger; **high-cost** ~ mit hohen Kosten arbeitender Produzent, teurer Herstellungsbetrieb; **industrial** ~ Industrieller; **inland** ~ Inlandserzeuger; **low-cost** ~ billiger Herstellungsbetrieb; **marginal** ~ Betrieb an der Grenze der Rentabilität; **primary** ~ Urerzeuger; **small-lot** ~ Kleinserienerzeuger;
~ **advertising** Herstellerwerbung; ~ **association** Produzentenverband; ~**'s brand** Herstellermarke; ~**'s capital** Produktionsgüter; ~ **cartel** Produktionskartell; ~**s' cooperative** Erzeuger-, Produktivgenossenschaft, landwirtschaftliche Absatzgenossenschaft; ~ **costs** Gestehungskosten; ~ **country** Herstellerland; ~**'s credit** Produzentenkredit; ~**'s direction** Regieanweisung; ~ **display** Herstellerauslage; ~ **gas** Generatorengas; ~**s' goods** Produktionsgüter, -mittel; ~**s goods industry** Produktionsgüterindustrie; ~**'s liability insurance** *(US)* Gewährleistungsversicherung des Produzenten; ~ **organization** Erzeugerverband; ~ **power** Produktionskapazität; ~**'s price** Produzenten-, Erzeugerpreis; ~**'s rent** Unternehmergewinn; ~**'s risk** Erzeugerrisiko; ~**'s surplus** Unternehmergewinn.

producibility Herstellbarkeit.

producible herstell-, produzierbar.

producing Herstellung, Produktion;
~ **for stock** Lageranfertigung;
~ *(a.)* produzierend, herstellend;
~ **area** Produktionsgebiet; **raw material ~ area** Rohstoffgebiet; ~ **capacity** Produktions-, Leistungsfähigkeit; ~ **center (centre, Br.)** Herstellungsstätte, Produktionszentrum; ~ **country** Herstellungs-, Produktionsland; ~ **facilities** Produktions-, Fabrikationsanlagen; **to expand one's ~ facilities** seine Produktionskapazität erweitern; ~ **factory** Erzeugungs-, Produktionsstätte; ~ **industries** Produktionswirtschaft; ~ **power** Produktionskapazität, -leistung; ~ **unit** Produkt[ions]einheit.

product Erzeugnis, Produkt, Fabrikat, Artikel, Ware, *(result)* Ergebnis, Frucht;
~**s** *(Br., interest)* Zinszahlen, -nummern;
advertised ~**s** Reklame-, Werbeartikel; **agricultural** ~**s** landwirtschaftliche Erzeugnisse; **basic** ~**s** Grundprodukte; **best** ~ bestes Fabrikat; **black** ~**s** *(interest, Br.)* schwarze [Zins]nummern; **by-** ~ Nebenerzeugnis, -produkt; **chief** ~ Hauptprodukt; **colonial** ~**s** Kolonialprodukte, -waren; **credit** ~**s** *(Br.)* Habenzinsnummern; **debit** ~**s** *(Br.)* Sollzinsnummern; **established** ~ gut eingeführter Artikel; **factory** ~ gewerbliches Erzeugnis; **farm** ~**s** landwirtschaftliche Erzeugnisse; **faulty** ~ Fehlprodukt; **final** ~ End-

produkt; **finished ~s** Fertigerzeugnisse, -waren; **half-finished ~s** Halbfabrikate; **foreign [-made] ~s** ausländische Erzeugnisse; **hard-to-move ~** schwer zu verkaufendes Erzeugnis, schwer absetzbare Ware; **high-quality ~s** Qualitätserzeugnisse, -produkte; **highly perishable ~s** leicht verderbliche Waren; **home ~s** inländische Erzeugnisse; **industrial ~s** Industrieerzeugnisse, -produkte; **inferior ~** minderwertige Ware; **inland ~** einheimisches Fabrikat; **intermediary (intermediate) ~** Zwischenprodukt; **joint ~s** Verbundprodukte; **light ~s** Erzeugnisse der Leichtindustrie; **machine-made ~s** maschinell hergestellte Erzeugnisse; **manufactured ~s** gewerbliche Erzeugnisse; **misbranded ~s** mit falschen Warenzeichen versehene Erzeugnisse; **national ~** Sozialprodukt; **[total] gross national ~** Bruttosozialprodukt; **natural ~s** Früchte einer Sache; **net ~** Reingewinn; **non-graded ~s** nicht sortierte Artikel; **price-maintained ~s** Artikel (Erzeugnisse) mit stabilen Preisen, preisstabile Erzeugnisse; **nonprice-maintained ~s** nicht preisstabile Produkte; **primary ~s** Rohprodukte; **processing ~s** Weiterverarbeitungserzeugnisse; **profit-yielding ~** Erfolgsträger; **raw ~** Rohprodukt; **residual ~** Abfall-, Nebenprodukt; **rival ~** Konkurrenzerzeugnis, -fabrikat; **secondary ~** Nebenprodukt; **semi-fabricated (-finished) ~s** Halbfabrikate, -fertigwaren; **spinoff ~s** anfallende Nebenprodukte; **standardized ~s** Standarderzeugnisse; **staple ~** Hauptartikel, -produkt; **substitute ~** Ersatzerzeugnis; **surplus ~s** Produktionsüberschuß; **waste ~** Abfallprodukt;

~s of one's brain Schöpfungen seines Geistes, geistiges Produkt; **~s of a country** Erzeugnisse eines Landes, Landeserzeugnisse, -produkte; **~s of one's labo(u)r** Früchte seiner Arbeit; **~ of agricultural levies** Abschöpfungsbeitrag auf Agrareinfuhren; **~ available for sale** zum Verkauf bereitstehende Erzeugnisse, Vertriebslagerbestände; **~s of the season** Früchte der Saison;

to showcast new ~s neue Produkte vorführen;

~ acceptance Warenaufnahme; **~ advertisement action** Werbeverbindung, -übertrag; **~ advertising** produktbezogene Werbung; **~ analysis** Warenanalyse; **~ base** Produktenbasis; **to carry out negotiations on a selective ~-by-~ basis** Verhandlungen über einzeln ausgewählte Waren führen; **~ category** Produktenkategorie; **~ choice** Produktauswahl; **~ class** Produktgruppe; **~ control** Fertigungsüberwachung; **~ cost** Produktionskosten, -aufwand; **~ designer** Produktgestalter, Designer; **~ development** Fortentwicklung einzelner Erzeugnisse; **~ differentiation** Produktdifferenzierung; **~ diversification** reichhaltiges Produktionsprogramm, Produktionsbreite; **~ endorsement** Produktaussage; **~ engineer** Fertigfabrikatsingenieur; **~ exposure** Produktbekanntmachung; **~ features** Produkteigenschaften; **~ grouping** Produktbündel; **~ history** Entwicklung einer Marke im Markt; **~ information** Produktenkenntnis, Information über ein Erzeugnis; **~ life cycle** Entwicklungskurve eines Produkts; **~ line** Produktionszweig; **~ lines** Sortiment; **broadly diversified ~ lines** breit gestreutes Warensortiment; **principle ~ line** Hauptproduktion; **to round up its ~ line** Fertigungsprogramm abrunden; **~ line planning** Planung der Produktionsgebiete; **~ manager** Markenbetreuer; **~ managing** Markenbetreuung; **~ material** Informationsmaterial für einzelne Erzeugnisse; **~ mix** gemischtes Produktionsprogramm; **~ personality** Profil eines Produkts; **~ planning** Marktreifgestaltung, Produktplanung; **~ policy** Herstellungspolitik; **~ promotion** auf ein bestimmtes Produkt abgestellte Verkaufsförderung; **~ public liability insurance** Betriebshaftpflichtversicherung; **~ publicity** Aufklärungswerbung; **~ quality** Produktionsqualität; **~ research** Marktforschung für ein neues Erzeugnis; **~ sales breakdown** Umsatzaufschlüsselung; **~ sharing** Deputatentlohnung; **~ specification** Produktbeschreibung; **~ split** Produktionsaufteilung; **finished ~ stage** Fabrikationsreife; **~ standards** Warennormen; **~ testing** Testen eines Produktes, Produktionstest; **~ timing** Terminplanung für die Markteinführung; **~ warranty** Mängelgewähr.

production Hervorbringen, Herstellung, Erzeugung, Ausstoß, Fertigung, Fabrikation, Produzieren, Produktion, *(broadcasting)* Rundfunk-, Fernsehproduktion, *(of documents)* Vorlage, -legung, Beibringung, Beweismaterial, *(film)* Regie, Produktion, *(mining)* Förderleistung, *(print.)* Herstellung der Druckunterlagen, *(theater)* Auf-, Vorführung, Inszenierung, *(works of mental creation)* geistiges Erzeugnis, Werk;

ready to go into ~ fertigungs-, produktionsreif; **agricultural ~** Erzeugung landwirtschaftlicher Produkte; **annual ~** Jahresproduktion, -erzeugung; **armaments ~** Rüstungsproduktion; **average ~** Durchschnittserzeugung, -produktion; **big-diameter pipe ~** Großrohrproduktion; **commercial ~** handelsübliche Fertigung; **contracting ~** schrumpfende Produktion; **copyrighted ~s** urheberrechtlich geschützte Veröffentlichungen; **current ~** laufende Produktion; **domestic ~** Eigenerzeugung, inländische Produktionsleistung, Inlandsproduktion; **ebbing ~** abnehmende Produktion; **economic (factory) ~** gewerbliche Produktion, industrielle Erzeugung, Industrieproduktion; **excessive ~** Überproduktion; **falling ~** Produktionsrückgang; **flow ~** Fließarbeit, -bandfertigung; **full ~** volle Produktion; **high-cost ~** mit hohen Selbstkosten arbeitende Industrie; **home ~** Eigenerzeugung, inländische Produktionsleistung; **increased** ~ Produktionssteigerung; **individual** ~ Einzelanfertigung; **industrial** ~ industrielle Produktion, Industrieproduktion; **initial** ~ Anfangsproduktion; **large-scale** ~ Massenfertigung, -produktion, Großserienproduktion, -herstellung; **line** ~ Produktion am laufenden Band; **lot** ~ Massenherstellung, -produktion; **low-cost** ~ mit niedrigen Unkosten (niedrigen Selbstkosten) arbeitende Industrie; **mass** ~ Massenherstellung, -produktion; **moving-band** ~ Produktion am laufenden Band; **peacetime** ~ Friedensproduktion; **primary** ~ Urerzeugung; **quantity** ~ Massenherstellung, -produktion; **record** ~ Rekordproduktion; **seasonal** ~ Saisonproduktion; **secondary** ~ verarbeitende Industrie; **serial (series)** ~ Reihenanfertigung, Serienherstellung; **soft goods** ~ Produktion schnell verbrauchbarer Güter; **standard** ~ Normal[arbeits]leistung; **standardized** ~ genormte Produktion; **steady** ~ gleichmäßige Produktion; **surplus** ~ Überproduktion; **total** ~ Gesamtproduktion; **volume** ~ Massenerzeugung, -produktion; **war** ~ Rüstungsproduktion; **wartime** ~ Kriegsproduktion; **world** ~ Weltproduktion; **yearly** ~ Jahresproduktion;

~ **of armaments** Rüstungsproduktion; ~ **of the brain** Hirngespinst; ~ **in bulk** Massenherstellung, -produktion; ~ **of current** Stromerzeugung; ~ **of forged documents** Vorlage falscher Urkunden; ~ **of evidence** Erbringen von Beweisen, Beweisvorbringen, -antritt; ~ **of gold** Goldgewinnung, -produktion; ~ **of goods** Gütererzeugung; ~ **of manufactured goods** Herstellung von Massengütern; ~ **of income** Einkommensbildung; ~ **of nature** Naturprodukte; ~ **of a prisoner** Vorführung eines Untersuchungsgefangenen; ~ **of the soil** Naturprodukte; ~ **for stock** Vorrats-, Lageranfertigung; ~ **of a witness** Beibringung eines Zeugen; **his early ~s as a writer** seine ersten literarischen Arbeiten; **to be in good** ~ genügend hergestellt werden; **to be no longer in** ~ nicht mehr hergestellt werden, ausgelaufen sein; **to check** ~ Produktion einschränken; **to curb (curtail) the** ~ Produktion drosseln; **to cut** ~ Produktion einschränken (drosseln), Produktionsdrosselung vornehmen; **to form the bulk of** ~ wesentlichen Teil der Produktion ausmachen; **to go into** ~ *(new factory)* Produktion aufnehmen; **to hire off** ~ Produktionsaufträge in einem fremden Werk herstellen lassen; **to increase** ~ Förderung (Produktion) steigern, Produktionssteigerung herbeiführen; **to increase** ~ **by better methods** Produktionsausstoß durch bessere Fertigungsmethoden steigern; **to operate at full** ~ mit voller Kapazität arbeiten; **to put the brake on** ~ Produktion abstoppen; **to reduce** ~ Produktion verringern; **to round out one's** sein Produktionsprogramm abrunden; **to rush into** ~ sofort mit der Produktion beginnen, Produktionsbeginn sofort aufnehmen; **to satisfy** ~ *(law)* Beweismaterial vorlegen; **to start full** ~ mit der Serienproduktion beginnen; **to step up** ~ Produktion steigern (erhöhen), Produktionsausstoß erhöhen; **to tailor** ~ **to demand** Produktion der Nachfrage anpassen;

~ **account** Fabrikations-, Produktionskonto; ~ **activity** Produktionstätigkeit; **civilian** ~ **administration** *(US)* Produktionslenkung des zivilen Bedarfs; ~ **agents** Produktionsfaktoren; ~ **aim** Produktionsziel; ~ **allocation program(me)** *(US)* kriegsbedingte Produktionslenkung; ~ **area** Produktionsgebiet; ~ **assistant** *(publisher)* Hersteller; ~ **average** Produktionsdurchschnitt; ~ **bonus** *(US)* Produktions-, Leistungsprämie; ~ **breakdown** Zusammenbruch der Produktion; ~ **budget** Produktionsplan; ~ **capacity** Ertrags-, Leistungsfähigkeit, Mengenleistung, Erzeugungskraft, Produktionskapazität, Produktionsleistung[sfähigkeit]; ~ **capital** Produktivkapital; ~ **car** Serienwagen; ~ **center** *(US)* **(centre,** *Br.***)** Fertigungs[haupt]stelle, Produktionszentrum; ~ **combination** Produktionskartell; ~ **committee** Produktionsausschuß; ~ **contract** Produktionsauftrag; ~ **control** Produktionskontrolle, -lenkung, -beschränkung, Fabrikationskontrolle, Fertigungssteuerung, -überwachung; ~ **controller** Produktionsüberwacher; ~ **cooperative** Produktionsgenossenschaft; ~ **costs** Gewinnungs-, Gestehungskosten, Produktionsaufwand, -kosten; ~ **credit** Produktivkredit; ~ **credit association** *(US)* landwirtschaftliche Kreditgenossenschaft; ~ **crusade** Produktionskreuzzug; ~ **curve** Produktionskurve; ~ **cut** Produktionseinschränkung, -kürzung, Drosselung der Produktion; ~ **cutback** Produktionsdrosselung, -kürzung; ~ **cycle** Produktionskreislauf; ~ **decrease** Produktionsrückgang; ~ **date** Produktionstermin; ~ **decision** Produktionsentscheidung; ~ **decline** Produktionsrückgang; ~ **delay** Produktionsverzögerung; ~ **department** Fertigungs-, Herstellungsabteilung; ~ **difficulties** Produktionsschwierigkeiten; ~ **director** *(broadcasting)* Sendeleiter; ~ **diversions** Produktionsbereich; ~ **division** Herstellungs-, Fertigungsabteilung; ~ **engineer** Fertigungs-, Betriebsingenieur; ~ **engineering** Fertigungs-, Produktionstechnik; ~ **enterprise** Produktionsbetrieb; ~ **equipment** Produktionsausstattung, Betriebseinrichtung; **high-~ equipment** Höchstleistungseinrichtung; ~ **expertise** Produktionsgutachten; ~ **facilities** Produktionsmöglichkeiten, -einrichtungen; ~ **factors** Produktions-, Elementarfaktoren; ~ **figures** Ausstoß-, Produktionszahlen, Produktionsziffern, Förderziffern; ~ **force** Belegschaft; ~ **function** Produktionsaufgabe, -funktion; ~ **goal** Produktionsziel; ~ **goods** Produktionsgüter; ~ **goods industry** Produktionsgüterindustrie; ~ **grants** *(Br.)* Produktionsprämie; ~ **increase** Produktionssteigerung, -zunahme; ~ **index** Produktionsindex; ~ **job** Fertigungsberuf; ~ **limit figure** Produktionshöchstziffer; ~ **line** Förder-, Transport-, Fließband, Fertigungsstraße; **empty** ~ **line** auftragloser Fertigungszweig; **to halt** ~ **lines** einzelne Produktionszweige stillegen; ~ **loss** Produktionsverlust; ~ **machinery** Produktionsanlage; **mechanical** ~ **man** Produktionsfachmann; ~ **management** Produktionssteuerung, -lenkung; ~ **manager** Betriebs-, Fertigungs-, Fabrikations-, Produktionsleiter, *(publishing)* Herstellungsleiter; ~ **method** Produktionsmethode, -verfahren, Herstellungsart; **cost-saving** ~ **methods** kostensparende Produktionsmethoden; ~ **model** Fertigungsmodell; ~ **operations** Produktionsablauf; ~**-orientated** produktionsorientiert; ~ **order** Fertigungs-, Produktions-, Fabrikationsauftrag; ~ **outlook** Produktionsvorschau; ~ **overhead charges** Fertigungsgemeinkosten; ~ **part** Fertigungsteil; ~ **permit** Produktionserlaubnis, Fabrikationsgenehmigung; ~ **picture** Produktionsbild; ~ **plan** Produktionsprogramm, -dispositionen, Fabrikationsplan, -programm; ~ **planning** Fertigungs-, Produktionsplanung, Auftragsplanung und -steuerung; ~ **policy** Produktionspolitik; ~ **prescriptions** Herstellungs-, Fabrikations-, Produktionsvorschriften; ~ **price** Fabrikations-, Herstellungspreis; ~ **process** Produktionsgang, -prozeß, Herstellungsverfahren, -prozeß; ~ **program(me)** Fertigungs-, Produktionsprogramm, -dispositionen; ~ **prohibition** Fabrikations-, Herstellungsverbot; ~ **quota** Produktions-, Erzeugungsquote, Produktionskontingent; ~ **rate** Produktionstempo, -leistung; ~ **rationalization** rationalisiertes Produktionsverfahren; **all-time** ~ **record** Produktionshöchststand, -spitze; ~ **report** Produktionsbericht; ~ **run** Produktionsablauf, -verlauf; ~ **schedule** Produktions-, Herstellungsprogramm, Produktionsziel; ~ **scheme** Produktionsplan; ~ **slowdown** Produktionsverlangsamung; ~ **slump** Produktionsabfall; ~ **staff** Produktionsstab; ~ **standard** durchschnittliche Leistungsfähigkeit der Arbeiter; ~ **statement** Produktionsbilanz; ~ **step** Produktionsstufe; ~ **supervision** Produktionsüberwachung; ~ **supervisor** Produktionsleiter; ~ **surplus** Produktionsüberschuß; ~ **system** Herstellungs-, Fabrikationssystem; ~ **target** Produktionsziel; ~ **technique** Produktions-, Herstellungsverfahren; ~ **time** Herstellungsdauer, Produktions-, Fertigungszeit; **individual** ~ **time** Stückzeit; ~ **transfer** *(US)* aus Betriebsgründen erfolgende Versetzung, innerbetriebliche Umsetzung von Arbeitskräften; ~ **unit** Produktionseinheit, -stelle, Fertigungsgruppe, -einheit; ~ **value** Produktions-, Herstellungswert; ~ **volume** Produktionsvolumen, -umfang, -stand; **to keep** ~ **wheels humming** Produktion in Gang halten; ~ **worker** Industriearbeiter; ~ **workers** in der Produktion Beschäftigte.

productive leistungsfähig, produzierend, *(tending to produce exchangeable value)* produktiv, werteschaffend, *(yielding in abundance)* ertragreich, ertragsfähig, ergiebig, fruchtbar;
~ **activity** Fabrikationstätigkeit, *(yielding activity)* gewinnbringende Tätigkeit; ~ **apparatus** Produktionsapparat; ~ **capacity** Produktivität, Produktionspotential, -fähigkeit, -kapazität, Mengenleistung; **national** ~ **capacity** Sozialproduktvolumen; ~ **capital** arbeitendes (gewinnbringendes) Kapital, Produktivkapital; ~ **burden center** *(US)* **(centre,** *Br.)* Fertigungskostenstelle; ~ **cooperative society** Produktivgenossenschaft; ~ **department** Herstellungs-, Produktionsabteilung; ~ **efficiency** Leistungsfähigkeit [eines Betriebes], Produktionsfähigkeit; ~ **enterprise** ertragbringendes Unternehmen; ~ **equipment** Produktions-, Fabrikationseinrichtungen, Produktionsmittel; ~ **establishment** Fabrikations-, Produktionsstätte; ~ **expenses** werbende Ausgaben; ~ **experience** Fabrikationserfahrung; ~ **facilities** Produktionsmöglichkeiten; ~ **industry** Produktionsmittelindustrie; ~ **investments** werteschaffende Anlagen; ~ **labo(u)r** Fertigungslöhne, produktive Löhne; ~ **-motivated basic premium** vermögenspolitisch motivierte Sockelprämie; ~ **process** Herstellungs-, Produktionsprozeß, -vorgang; ~ **property** Produktionsvermögen; ~ **resources** nutzbare Reserven; ~ **[trading] society** Produktivgenossenschaft; ~ **technique** Herstellungsverfahren; ~ **unit** Produktionsstätte; ~ **value** Ertragswert; ~ **wages** produktive Löhne, Fertigungslöhne; ~ **weakening** Produktionsabschwächung.

productivity, productiveness Ertragsfähigkeit, Ergiebigkeit, wirtschaftliche Leistungsfähigkeit, Produktivität, *(writer)* Ideenreichtum;
labo(u)r ~ Arbeitsleistung; **long-time** ~ Dauerertragsfähigkeit; **marginal** ~ Grenzproduktivität;
to increase ~ Produktivität erhöhen, Produktivitätsgrad steigern;
~ **agreement** Produktivitätsvereinbarung; ~ **bargaining** am Produktivitätszuwachs orientierte Tarifvereinbarung; ~ **boost** Produktivitätssteigerung; ~ **differential** Produktivitätsgefälle; ~ **drive** Produktivitätsfeldzug; ~ **gain** Produktivitätszuwachs; ~ **hike** Produktivitätssteigerung; ~ **increase** Produktivitätszuwachs; **to turn in the best** ~ **performance** erstklassige Produktivitätsergebnisse aufweisen; ~ **rise** Produktivitätssteigerung; **to settle for rises based on a** ~ **rate** Tariferhöhungen auf Produktivitätszunahmesätze abstellen; ~**-related pay hike** produktivitätsgekoppelter Lohnanstieg; ~ **showing**

Produktivitätsbild; ~ **standards** Produktivitätsnormen; ~ **team** Produktivitätsberatung; **marginal ~ theory** Grenzproduktivitätstheorie; ~ **wages** auf die Produktivität abgestellte Löhne.

profess *(v.)* als Beruf ausüben, *(be expert)* Fachwissen haben, Fachgebiet beherrschen.

profession *(collective body)* Berufsschicht, -stand, *(learned ~)* freier (akademischer) Beruf, freiberufliche Tätigkeit, *(vocation)* Beruf[szweig], Erwerbszweig, Gewerbe, Berufsleben;
by ~ von Beruf; **in my** ~ in meinem Fach; **without** ~ beschäftigungslos;
commercial ~ Kaufmannsstand, -beruf; **crowded** ~ überfüllter (übersetzter) Beruf; **learned ~s** akademische Berufe; **legal** ~ Anwaltsberuf; **main** ~ Haupterwerbszweig;
~ **of accounting** Wirtschaftsprüfer-, Buchprüferberuf; ~ **or vocation** *(income tax, Br.)* freie oder sonstige selbständige Berufe;
to be skilled in one's ~ sein Fach verstehen; **to be trained in a** ~ Berufsausbildung genossen haben; **to carry on a** ~ Beruf ausüben; **to enter a** ~ Beruf ergreifen.

professional Berufsangehöriger, *(expert)* Fachmann, -arbeiter, *(sport)* Profi, *(stock exchange)* Berufsspekulant, *(university man)* Geisteswissenschaftler, Akademiker;
~s *(Br.)* sachverständige Berater;
~ *(a.)* beruflich, fachlich, berufsmäßig, *(expert)* fachmännisch, -gemäß, *(liberal profession)* freiberuflich tätig, akademisch, *(making a profession)* berufsmäßig;
to turn ~ *(sport)* Berufsspieler (Profi) werden; ~ **activity** [frei]berufliche Tätigkeit, Berufstätigkeit; **to take ~ advice from s. o.** j. beruflich in Anspruch nehmen, sich von jem. fachmännisch beraten lassen; ~ **agency** Berufsorganisation, -vertretung; ~ **association** Berufsverband, -vereinigung; ~ **auditor** selbständiger Wirtschaftsprüfer; ~ **beauty** Filmschönheit; ~ **body** Berufskörperschaft; **to be of ~ caliber** sich für einen Beruf besonders eignen; ~ **capacity** berufliche Eigenschaft; ~ **character** Amtscharakter; ~ **chart** Fachtabelle; ~ **classes** höhere Berufsstände, Angehörige freier Berufe; ~ **classification** Berufszugehörigkeit; ~ **clothes** Berufskleidung; ~ **colleague** Berufskollege; ~ **conduct** standesgemäßes Verhalten; ~ **confidence** Berufsgeheimnis; ~ **consul** Berufskonsul; ~ **consultant** Berufsberater; ~ **criminal** Berufsverbrecher; ~ **diplomatist** Karrierediplomat; ~ **discretion** Schweigepflicht; ~ **division** berufliche Gliederung; ~ **driver** Berufsfahrer; ~ **duty** Berufspflicht; ~ **earnings** Einkünfte aus freiberuflicher Tätigkeit; ~ **education** Berufs-, Fachausbildung, Berufserziehung; ~ **employee** akademisch Vorgebildeter; ~ **employment** berufliche Tätigkeit, Berufstätigkeit; ~ **ethics** Berufsmoral, -ethos, Standespflichten; ~ **etiquette** Standesehre; ~ **examination** Fachprüfung; ~ **exertion** Berufsausübung; ~ **expenditure** *(income tax statement)* Werbungskosten; ~ **fee** Sachverständigenhonorar; ~ **group** Berufs-, Fachgruppe; ~ **goal** Berufsziel; ~ **government** Berufsbeamtentum; ~ **institution** Berufsverband; ~ **investor** berufsmäßiger Kapitalanleger; ~ **jealousy** Konkurrenzneid; ~ **job** fachmännische Arbeit; ~ **journal** Fachzeitschrift; ~ **liability** Unternehmerhaftpflicht; ~ **man** freiberuflich Tätiger, Angehöriger eines freien Berufs, geistig Schaffender, Intellektueller, Geistesarbeiter; **in a ~ manner** fachmännisch; ~ **organization** Berufsverband; ~ **outlay** *(income tax statement)* Werbungskosten; ~ **partnership** Berufsgemeinschaft, Sozietät; ~ **privilege** berufliches Vorrecht; ~ **promoter** gewerbsmäßiger Gründer [von Gesellschaften]; ~ **prospects** Berufsaussichten; ~ **qualifications** berufliche Qualifikation, fachliche Eignung; ~ **record** beruflicher Werdegang; ~ **risk indemnity insurance** *(Br.)* Berufshaftpflichtversicherung ~ **school** Berufs-, Fachschule; ~ **service** freier Beruf; ~ **speculator** *(US)* berufsmäßiger Spekulant; ~ **standards** berufsethische Grundsätze; ~ **status** berufliche Stellung; ~ **tax** Gewerbesteuer; ~ **training** Fachstudium, berufliche Ausbildung, Berufs-, Fachausbildung; **in a ~ way** berufsmäßig, professionell, als Broterwerb; ~ **work** Berufstätigkeit; ~ **worker** freiberufliche Arbeitskraft.

professionalize *(v.)* berufsmäßig, ausüben, zum Gewerbe machen.

profit *(advantage)* Nutzen, Vorteil, Genuß, *(arising from land)* Rente, Ertrag, Nutzung, Erträgnis, *(gain)* Gewinn, [Rein]ertrag, Erlös, Verdienst, Profit;
at a ~ mit Gewinn; **with a view to** ~ in gewinnsüchtiger Absicht;
~s *(insurance)* Gewinnanteile;
actual ~ tatsächlich erzielter Gewinn, Effektivgewinn; **additional** ~ Nebengewinn; **aggregate** ~ Gesamterlös; **annual** ~ Jahresgewinn, -ertrag; **anticipated** ~ erwarteter Gewinn, Gewinnerwartung; **apparent** ~ Scheingewinn; **available** ~ verfügbarer Gewinn; **back ~s** rückständige Gewinne; **book** ~ Buchgewinn; **business** ~ Geschäftsgewinn, Gewinn aus Gewerbebetrieb; **casual** ~ gelegentlicher Gewinn; **clear (clean)** ~ glattes Geschäft, Netto-, Reingewinn, -ertrag, -erlös; **company** ~ Gesellschaftsgewinn, -ergebnis, **contingent** ~ eventueller Gewinn; **decent** ~ stattlicher Gewinn; **deferred** ~ als antizipatives Passivum gebuchter Ertragsposten; **differential** ~ Differenzialrente; **distributed** ~ ausgeschütteter Gewinn; **easy** ~ müheloser Gewinn; **excess ~s** Mehr-, Übergewinn; **exchange** ~ Kursgewinn; **extra ~s** außerordentliche Erträge; **extraneous** ~ Konjunkturgewinn; **fair** ~ angemessener Gewinn; **gross** ~ Roh-, Bruttogewinn, -ertrag; **handsome** ~

stattlicher Gewinn; **illusory** ~ Scheingewinn; **imaginary** ~ Scheingewinn; **incidental** ~ unmittelbarer Nutzen, Nebengewinn; **industrial** ~ Gewerbeertrag; **intercompany** ~**s** Konzernerlöse; ~**s left** stehengebliebener Gewinn; ~ **lost** entgangener Gewinn; ~ **made** erzielter Gewinn; **manufacturing** ~ Fabrikationsgewinn; **mesne** ~ Zwischengewinn; **missed** ~ entgangener Gewinn; **monopoly** ~**s** Monopolerträgnisse; **monthly** ~ Monatsverdienst; **net** ~ reiner Überschuß, Reingewinn, Nettogewinn, -ertrag; **net trading** ~ Geschäftsreinertrag; **nonrecurring** ~**s** außerordentliche Erträge; **operating** ~ Betriebsgewinn, Gewinn aus der Hauptbebriebstätigkeit; **optimum** ~ optimaler Gewinn; **overall** ~ Gesamterlös; **paper** ~**s** Buchgewinn; **pretax** ~ Gewinn vor Berücksichtigung der Steuern; ~ **prior to consolidation** Gewinn vor der Fusionierung, Vorgründungsgewinn; **pure** ~ Unternehmerreingewinn; **realized (secured)** ~ erzielter Gewinn; **shrivel(l)ing** ~**s** schwindende Gewinne, Erlösrückgang; **small** ~ geringer Verdienst; **soaring** ~**s** rapid ansteigende Gewinne; **speculative** ~ Spekulationsgewinn; **surplus** ~**s** überschießender Gewinn, Gewinnüberschuß; **taxable** ~ steuerpflichtiger Gewinn; **trading** ~ Betriebs-, Geschäftsgewinn; **unapplied** ~**s** nicht verwendeter (ausgeschütteter) Gewinn; **unappropriated** ~ für die Dividendenausschüttung verfügbarer (nicht ausgeschütteter) Gewinn; **undistributed net** ~ *(Br.)* unverteilter Reingewinn; **undivided** ~**s** unausgeschütteter (unverteilter) Gewinn; **unwithdrawn** ~ nicht entnommener Gewinn, Entnahmeverzicht; **war** ~ Kriegsgewinn; **windfall** ~ unerwarteter Gewinn; **yearly** ~ Jahresertrag;

~**s of (from) capital** Kapitalerträge; ~**s on exchange** Kursgewinne; ~ **on investment** Gewinn aus Kapitalanlagen, Kapitalerlös; ~ **and loss** Gewinn und Verlust; ~ **from operations** *(US)* Unternehmergewinn; **[net]** ~ **from (on) operations** *(US)* Betriebs[rein]-, Nettobetriebsgewinn; ~ **due from participations** Erträgnisse aus Beteiligungen; ~ **à prendre** Holz-, Gras-, Torfgerechtigkeit; ~**s of profession or vocation** freiberufliche Einkünfte, Einkünfte aus freiberuflicher Tätigkeit; **gross** ~ **on sales** Umsatz-, Warenrohgewinn; ~ **issuing from stocks** Aktienrendite; ~**s before taxation** Ertrag vor Abzug der Steuern; ~ **per unit** Erlös pro Verkaufseinheit;

~ *(v.)* nützen, von Vorteil sein, Nutzen bringen, Vorteil (Nutzen) ziehen, profitieren;

~ **by s. one's advice** sich jds. Ratschlag bestens dienen lassen; ~ **by experience** aus Erfahrung lernen; ~ **nothing** nichts einbringen; ~ **by an opportunity** Gelegenheit benutzen; ~ **from reading a book** Buch mit Gewinn lesen; ~ **by the tendency** Kurstendenz ausnützen;

to allocate the ~ **among the employees** Gewinn unter die Angestellten verteilen; **to ascertain the** ~ Gewinn feststellen; **to bring in** ~ nutzbringend sein, Gewinn abwerfen; **to bring in good** ~**s** reichen Ertrag einbringen; **to clear a** ~ Reingewinn erzielen; **to cut into** ~**s** Gewinnmarge beschneiden; **to derive a** ~ **from s. th.** Nutzen aus etw. ziehen; **to distribute** ~**s** Gewinne verteilen; **to divide** ~**s** Gewinne ausschütten; **to do s. th. for** ~ etw. gewerbsmäßig betreiben; **to draw** ~**s** Gewinne erzielen; **to gain** ~ **from one's studies** von seinen Studien profitieren; **to hold down** ~**s** Gewinne niedrig halten; **to increase one's** ~ seinen Ertrag steigern; **to leave a** ~ Nutzen (Gewinn) abwerfen (bringen); **to lock in the** ~ Gewinn kassieren; **to make a** ~ verdienen; **to make a** ~ **out of s. th.** Nutzen aus etw. ziehen (herauswirtschaften); **to make a** ~ **out of a transaction** an einem Geschäft verdienen, Transaktion mit Gewinn abschließen; **to make huge** ~**s** schwer verdienen, riesige Gewinne erzielen; **to make illicit** ~**s** unerlaubte Gewinne einstreichen; **to make a** ~ **of a shilling on every article sold** beim Verkauf jedes Stücks einen Shilling verdienen; **to operate at a** ~ mit Gewinn arbeiten; **to participate in the** ~ Gewinnanteil haben; **to plow (plough,** *Br.)* **back** ~**s into research** Gewinnrücklagen für Forschungszwecke einsetzen; **to put down to** ~ **and loss** in die Erfolgsrechnung einsetzen; **to realize a** ~ Gewinn erzielen; **to reap a** ~ Gewinn einstreichen; **to render a** ~ Nutzen abwerfen; **to secure** ~**s** Gewinne erzielen, *(stock exchange)* Gewinne mitnehmen; **to sell at a** ~ mit Gewinn verkaufen; **to share in** ~**s** am Gewinn beteiligt sein, Gewinnanteil haben; **to shove up** ~**s** Gewinnchancen verbessern; **to show a** ~ Gewinn aufweisen (bringen); **to show a good** ~ ertragreich sein; **to siphon off** ~**s** Gewinn abschöpfen, Gewinnabschöpfung vornehmen; **to study s. th. to one's** ~ bei der Beschäftigung einer Sache profitieren; **to take** ~**s** Gewinne mitnehmen; **to turn s. th. to** ~ aus etw. Nutzen ziehen; **to turn to one's** ~ sich zunutze machen; **to turn a healthy** ~ angemessene Gewinne erzielen; **to work a mine at a** ~ Bergwerk mit Gewinn betreiben; **to yield fair** ~**s** angemessene Gewinne abwerfen;

~ **account** Gewinnkonto, Erfolgsrechnung; ~ **and loss account (statement)** Gewinn- und Verlustkonto, -rechnung, Erfolgsrechnung; ~ **and loss accounts** Erfolgskonten; ~ **and loss summary account** Gewinn- und Verlustsammelkonto; **to pass to the** ~ **and loss account** auf Gewinn- und Verlustkonto buchen; ~ **amount** Gewinnbetrag; ~ **balance** Gewinn nach Vortrag, Gewinnsaldo, -überschuß; ~ **-bearing** gewinnträchtig; ~ **builder** gewinnförderndes Element; ~ **chance** Gewinnchance; ~ **contribution** Dekkungsbetrag, Bruttogewinn; **to turn the** ~ **corner** Gewinnschwelle überschreiten; ~ **decline**

Gewinnrückgang; ~ **development** Gewinnentwicklung; ~**-earning capacity** Ertragsfähigkeit, Rentabilität; ~ **dip** Erlös-, Gewinnrückgang; ~ **drop** Gewinnabfall, -rückgang; **excess ~s duty** *(Br.)* Mehrgewinnsteuer; ~**-earning** rentabel; ~**-earning possibilities** Ertragschancen; ~ **erosion** Gewinnerosion; ~ **expectations** Gewinnaussichten, -erwartungen; ~ **and loss expenses** Handlungsunkosten; ~ **explosion** Gewinnexplosion; ~ **figures** Gewinnzahlen, -ziffern; **interim ~ figures** zwischenzeitliche Ertragswerte; ~ **forecast** Gewinnprognose, Ertragsvorschau; ~ **forward** Gewinnvortrag; ~ **goals** Gewinnabsichten; ~**-guaranteeing contract** Gewinngarantievertrag; ~ **improvement** Erlös-, Ertrags-, Gewinnverbesserung; ~ **insurance** Gewinnverlustversicherung; ~ **maker** Ertrags-, Erlös-, Gewinnfaktor; ~ **making** Gewinnerzielung; ~**-making** auf Gewinn gerichtet, gewinnbringend; ~**-making ability** Gewinneigenschaft; ~ **margin** Verdienst-, Gewinn-, Erlösspanne, *(limit)* Ertragsgrenze; ~ **motive** Gewinnmotiv, -streben, -prinzip; ~ **opportunity** Gewinnmöglichkeit, -chance; ~ **orientation** Gewinnorientierung; ~ **outlook** Ertrags-, Gewinnaussichten; ~ **picture** Ertragsbild; ~ **pinch** Erlös-, Gewinnverknappung; ~ **planning** Gewinnmaximierung, -planung; ~ **potential** Gewinnpotential; ~ **potentiality** Gewinnmöglichkeit; ~**-producing** gewinnbringend, einträglich, ertragreich; ~ **projection** Gewinnvorschau, -projektion; ~ **prospects** Gewinnaussichten; ~ **ratio** Gewinnverhältnis; ~ **record** Rekordhöhe der Gewinne; ~**-reducing** erlös-, ertrags-, gewinnmindernd; ~ **responsibility** Renditeverantwortung; ~**-seeking** auf Gewinn gerichtet; ~ **share** Anteil am Gewinn, Erlös-, Gewinnanteil.

profit sharing *(employees)* Gewinnbeteiligung, Lohnkorrektur;
~ **and loss sharing** Gewinn- und Verlustbeteiligung;
~ **agreement (arrangement)** Gewinnbeteiligungsvertrag; ~ **employee** gewinnbeteiligter Arbeitnehmer; ~ **fund** Gewinnbeteiligungsfonds; ~ **payment in cash** Barauszahlung aus einer Gewinnbeteiligungsvereinbarung; **to initiate (start) a ~ scheme** Gewinnbeteiligung einführen; ~ **system** Erfolgsanteilsystem.

profit | shrinkage Gewinnschrumpfung; ~ **situation** Erlös-, Ertragslage, -situation; ~ **slide** rasanter Gewinnrückgang; ~ **slump** Erlös-, Gewinneinbruch; ~ **squeeze** Verminderung der Gewinnspanne, Gewinnverdeckung, -druck; ~**s system** kapitalistisches System; ~ **taking** *(stock exchange)* Gewinnsicherung, -realisation; ~**-taking sales** Realisierungsverkäufe; ~ **target** Gewinnplanziel; ~**s tax** *(Br.)* Körperschaftssteuer; **excess-~s tax** *(US)* Mehrgewinnsteuer; ~ **transfer** Gewinnabführung; ~ **variables** veränderliche Gewinnfaktoren; ~**-yielding** ertragreich.

profitability graph Rentabilitätsdiagramm; ~ **level** Gewinnschwelle; ~ **trend** Erlös-, Ertragstendenz.

profitable *(yielding gain)* gewinnbringend, gewinn-, ertragreich, einbringlich, einträglich, wirtschaftlich, rentabel, *(useful)* vorteilhaft, nützlich;
mutually ~ für beide Teile vorteilhaft;
to be ~ [sich] rentieren; **to be ~ for all** sich für alle auszahlen; **to stay** ~ Gewinnposition beibehalten;
~ **basis** Gewinnschwelle; **to be on a ~ basis** Gewinnschwelle überschritten haben, mit Gewinn arbeiten; ~ **business** einträgliches (rentables) Geschäft; ~ **employment** einträgliche Beschäftigung; ~ **enterprise** rentabler Betrieb, lebensfähiges Unternehmen; ~ **investment** lohnende (rentable) Kapitalanlage; **to put on a ~ track** ertragsfähig machen, Rendite erwirtschaften.

profiteer Geschäftemacher, Schieber, Schwarzhändler, Wucherer, Kriegsgewinnler;
war ~ Kriegsgewinnler;
~ *(v.)* Schiebergeschäfte machen, schieben.

profiteering Geschäftemacherei, Preistreiberei, Wuchergeschäfte, Schiebung, Schiebertum;
~ **job** Schiebergeschäft.

profitmonger Wucherer.

proforma Proforma, zum Schein;
~ **account (invoice)** Proformarechnung, fingierte Verkaufsrechnung; ~ **account sales** Proformaverkaufsrechnung; ~ **balance sheet** fiktive Bilanz; ~ **bill** Keller-, Gefälligkeits-, Proformawechsel; ~ **purchase** Scheinkauf, Proformageschäft; ~ **receipt** Scheinquittung; ~ **sale** Scheinverkauf; ~ **statement** fiktive Bilanz; ~ **transaction** Proforma-, Scheingeschäft.

profuse | expenditure übermäßige (verschwenderische) Ausgabenwirtschaft.

prognosis Prognose, Vorausschätzung, -schau, Vorhersage.

prognostic of development Entwicklungsvorhersage.

prognosticate *(v.)* vorhersagen, prognostizieren.

prognosticator Konjunkturprognostiker.

program(me) Programm, Plan, *(broadcasting)* Rundfunkprogramm, Sendung, Sendefolge, *(schedule of work)* Arbeitsplan;
aid ~ Hilfsprogramm; **cooperative** ~ *(advertising)* Gemeinschaftswerbesendung; **crash** ~ Sofortprogramm; **financial** ~ Finanzplan; **full-length** ~ abendfüllendes Programm; **high-rated** ~ beliebtes Fernsehprogramm; **housing** ~ Wohnungsbauprogramm; **manufacturing** ~ Produktionsprogramm; **opposite** ~ *(broadcasting)* Kontrast-, Konkurrenzprogramm; **relief** ~ Hilfsplan; **working** ~ Arbeitsplan;
~ **for action** Aktionsprogramm; ~ **for coverage** Betreuungsprogramm; ~ **of personal development** persönlicher Fortbildungsplan; ~ **of investment** Investitionsprogramm;

~ *(v.)* Programm gestalten (aufstellen), *(computer)* programmieren;
~ **advertising** Theater-, Kinowerbung; ~ **budget** Istetat.

progress *(onward cause)* Fortgang, Verlauf, *(improvement)* Verbesserung, Fortschritt;
~ **achieved** erzielter Fortschritt; **economic** ~ wirtschaftlicher Aufschwung; **technological** ~ technologischer Fortschritt;
~ **of economics** wirtschaftliche Fortschritte;
~ *(v.)* beruflich vorwärtskommen;
to bring about a better ~ **of representation** seine Repräsentationspflichten verstärkt wahrnehmen; **to make** ~ *(negotiations)* vom Fleck kommen;
~ **chart** Entwicklungsdiagramm; ~ **control** Absatzkontrolle; ~ **payment** proratarische Bezahlung; ~ **report** Tätigkeitsbericht, *(on employee)* Beurteilung [eines Probeangestellten]; ~ **sharing** Erfolgsbeteiligung am Produktivitätszuwachs.

progression Fortschreiten, Progression, Steigerung, Stufenfolge, *(lapse of time)* Verlauf, *(taxation)* Staffelung;
~ **wages** gestaffelte Löhne.

progressive *(a.)* modern, fortschrittlich, *(tax)* progressiv, gestaffelt;
~ **assembly** Fließbandmontage; ~ **organization** fortschrittliches Unternehmen; ~ **rate** progressiver Zinssatz; ~ **removal of restrictions** stufenweiser Abbau von Beschränkungen; ~ **tax** gestaffelte (progressive) Steuer, Progressionssteuer; ~ **wages** mit der Produktion steigende Löhne; ~ **wage rate** Progressivlohn.

prohibited | **area** Sperrzone, -gebiet; ~ **articles** Schmuggelware, Konterbande; ~ **risk** *(insurance)* nicht versicherungsfähiges Interesse; ~ **zone** Sperr-, Verbotszone.

prohibition | **of exports** Export-, Ausfuhrverbot; ~ **of frontier traffic** Grenzsperre; ~ **of issue** Emissionssperre; ~ **to sell** Veräußerungsverbot.

prohibitionism Schutzzollsystem.

prohibitionist Schutzzöllner.

prohibitive | **cost** untragbare Kosten; ~ **duty** Schutz-, Sperrzoll; ~ **price** unerschwinglicher Preis; ~ **tax** prohibitive Steuer.

project Projekt, Plan, Entwurf, Vorhaben, *(research work)* Forschungsunternehmen;
development ~ Entwicklungsvorhaben; **financial** ~ Finanzprojekt; **hush** ~ Geheimprojekt; **industrial** ~ Wirtschaftsprojekt; **investment** ~ Investitionsvorhaben;
~ **supported by taxes** aus Steuern finanziertes Projekt;
~ **funds** Projektmittel; ~ **team** Projektgruppe.

projected financial statement zukünftiger Finanzstatus.

projection Planung, *(sample)* Ergebnisübertragung auf die Gesamtheit;
~ **apparatus** Vorführ-, Projektionsapparat; ~ **booth** Vorführkabine.

projector Gründer, *(swindler)* Spekulant.

prolong *(v.)* *(bill of exchange)* prolongieren, Fälligkeit hinausschieben.

prolongation [Frist]verlängerung, *(allonge)* Verlängerungsstück, *(bill of exchange)* Prolongation, Prolongierung;
~ **of an agreement** Vertragsverlängerung; ~ **of a bill** Wechselprolongation; ~ **of time** Nachfrist.
~ **business** Prolongationsgeschäft.

prominent position bedeutsame Stellung.

promiscuous | **charges** diverse Kosten; ~ **standards** schwankende Wertmaßstäbe.

promise, express ~ ausdrückliches Versprechen; **new** ~ Schuldanerkenntnis;
~ **to make a gift** Schenkungsversprechen; ~ **of help** Hilfszusage; ~ **to pay [the debt of another]** Zahlungsversprechen; ~ **of reward** Auslobung.

promised quality ausdrücklich zugesicherte Eigenschaft (Qualität).

promising vielversprechend, günstig;
to look ~ sich gut anlassen, *(harvest)* gut stehen;
~ **market** erfolgversprechender Absatzmarkt;
~ **undertaking** erfolgversprechendes Unternehmen.

promissory note Schuldschein, schriftliches Versprechen, *(bill of exchange)* eigener (trockener) Wechsel, Eigen-, Solawechsel, Promesse;
joint ~ Gesamtschuldversprechen;
~ **made out to bearer** Inhaberwechsel; ~ **made out to order** Ordertratte; ~ **payable on demand** Sichttratte.

promote *(v.)* *(advance to higher position)* befördern, *(advertise, US)* Reklame machen, anpreisen, propagieren, *(float)* gründen, *(support)* fördern, begünstigen, vorantreiben;
~ **a bill in Parliament** Gesetzentwurf initiieren;
~ **a new business company** *(Br.)* neue Gesellschaft gründen; ~ **good feelings between ...** Beziehungen zwischen ... fördern; ~ **s. o. to an office** j. in eine Stellung aufrücken lassen; ~ **a pupil to a higher class** Schüler in eine höhere Klasse versetzen; ~ **the sale** Verkauf fördern;
~ **a scheme** Plan unterstützen.

promoter *(furtherer)* Förderer, Gönner, *(of joint stock company)* Gründer, *(organizer)* Organisator, Veranstalter;
~**'s shares (stocks, US)** Gründeraktien.

promoting syndicate *(Br.)* Gründerkonsortium.

promotion *(advertising, US)* Reklame, Werbung, Propagierung, *(furtherance)* Unterstützung, Begünstigung, Förderung, Hebung, *(marketing)* Verkaufsförderung, *(to higher rank)* Beförderung, *(of joint stock company)* Gründung;
direct-mail ~ Werbung durch Postversand; **export** ~ Exportförderung; **sales** ~ Verkaufswerbung, -förderung; **volume incentive** ~ mengenmäßige Leistungsförderung;

~ **of employment** Arbeitsbeschaffung; ~ **of exports** Ausfuhrförderung; ~ **of industries** Förderung der Wirtschaft; ~ **of prospective managers** Nachwuchsförderung; ~ **by selection** Beförderung außer der Reihe; ~ **by seniority** Beförderung nach dem Dienstalter; ~ **of tourism** Fremdenverkehrsförderung; ~ **of trade** Wirtschaftsförderung;
to be on one's ~ in der Beförderung an der Reihe sein, zur Beförderung anstehen; **to be down for** ~ vor seiner Beförderung stehen; **to forward s. o. for a** ~ j. für eine Beförderung eingeben; **to get one's** ~ befördert werden; **to merit** ~ Förderung verdienen; **to urge one's** ~ auf seine Beförderung hinarbeiten; **to win** ~ befördert werden;
~ **allowance** *(US)* Reklamenachlaß; ~ **and advertising costs** *(US)* Werbungskosten; ~ **department** *(US)* Werbeabteilung; ~ **expense** Gründungskosten, -aufwand; ~ **list** Beförderungsliste; ~ **manager** *(US)* Werbeleiter; ~ **matter** *(US)* Verkaufsförderungs-, Werbematerial; ~ **money** *(Br.)* Gründungsaufwand, -kosten, Finanzierungskosten; ~ **plan** Beförderungsplan; ~ **practice** Beförderungsverfahren; ~ **roster** Beförderungsliste; ~ **shares (stock,** *US)* Gründeraktien.

promotional fördernd, *(US)* werbend;
~ **activity** Förderungsmaßnahmen; ~ **arrangements** Beförderungsbestimmungen; ~ **chart** Beförderungstabelle; ~ **examination** Aufstiegsprüfung; ~ **idea** verkaufsfördernde Idee; ~ **literature** *(US)* Werbematerial; ~ **material** Werbematerial, *(personnel)* Beförderungsunterlagen; ~ **measures** Förderungsmaßnahmen; ~ **policy** Beförderungspolitik; ~ **program(me)** Beförderungsplan, -programm; ~ **push** energische Förderungsmaßnahmen; ~ **raise** *(US)* **(rise,** *Br.)* Gehaltsaufbesserung bei einer Beförderung; ~ **status** Beförderungsaussichten; ~ **support** verkaufsfördernde Unterstützung; ~ **system** Beförderungswesen; ~ **value** Werbewert.

prompt Ziel, Zahlungsfrist;
~**s** *(Br.)* sofort lieferbare Ware;
~ *(a.) (immediate)* baldmöglichst, prompt, unverzüglich, sofort, *(payment)* bar, *(punctual)* pünktlich, prompt;
to pay ~ **ly** pünktlicher Zahler sein;
to take ~ **action** Sofortmaßnahmen einleiten; ~ **answer** umgehende Antwort; ~ **attention to an order** sofortige Auftragserledigung; **for** ~ **cash** gegen Barzahlung (sofortige Kasse); ~ **day** *(London, stock exchange)* Abrechnungstag; ~ **delivery** Lieferung innerhalb kürzester Frist; ~ **forwarding** sofortiger Versand; ~ **note** Mahnzettel, Verkaufsnota, Schlußschein mit Lieferfristangabe; ~ **payer** pünktlicher Zahler; ~ **payment** pünktliche Zahlung; ~ **service** prompte Bedienung; ~ **shipment** sofortiger Versand.

prone | **to crisis** krisenanfällig;
to become more ~ **to settle** abschlußbereiter werden.

proof Nachweis, Beweis, Beweismittel, -grund, *(photo)* Probebild, -abzug, *(print.)* Korrekturbogen, -fahne, Probeabdruck, Andruck, *(test)* Erprobung, Probe;
brush ~ *(print.)* Bürstenabzug; **clean** ~ *(print.)* Revisionsbogen;
~ **of claim** Anspruchsbegründung, *(bankruptcy)* Forderungsanmeldung; ~ **of competency** Befähigungsnachweis; ~ **of death** Nachweis des Ablebens; ~ **of debt** Forderungsnachweis; ~ **of one's identity** Legitimation, Identitätsnachweis; ~ **of indebtedness** Schuldtitel; ~ **of loss** Schadensnachweis *(fire insurance)* Schadensanzeige; ~ **of service** Zustellungsnachweis;
~ *(a.)* **against bribes (corruption)** unbestechlich;
to lodge a ~ **in bankruptcy** zur Konkurstabelle anmelden; **to lodge a** ~ **of debt** *(bankruptcy)* Nachweis einer Forderung erbringen, [Konkurs]forderung anmelden; **to pay s. o. a sum upon submission of** ~ **of identity** jem. gegen Vorlage seines Personalausweises einen Betrag auszahlen; **to produce documents in** ~ **of a claim** Dokumente zum Beweis seiner Ansprüche vorlegen;
~ **coin** Probemünze; ~ **correction** Korrekturenbesorgung; ~ **drive** Probefahrt; ~ **sheet (slip)** Korrekturbogen, Druckfahne.

proofreader Korrekturenleser, Korrektor.

propaganda propagandistische Tätigkeit, Propaganda, *(publicity)* Reklame, Werbetätigkeit, Werbung;
~ **by government departments for better driving** staatliche Aufklärungsaktion für die Verkehrssicherheit;
~ **barrage** Werbehindernis; ~ **efforts** Werbeanstrengungen; ~ **film** Propaganda-, Werbefilm; ~ **leaflet** Werbeprospekt; ~ **organization** Propagandaorganisation, -unternehmen; ~ **offensive** Werbeoffensive; ~ **week** Reklame-, Werbewoche; ~ **writings** Reklameschriften.

propensity | **to buy** Kauflust; ~ **to consume** Konsumfreudigkeit, -neigung; ~ **to invest** Investitionsfreudigkeit, -neigung; ~ **to spend** Ausgabenneigung, -bereitschaft, -drang;
to have a ~ **for getting into debt** zum Schuldenmachen neigen.

proper richtig, passend, *(correct)* sach-, ordnungsgemäß, *(due)* gebührend;
~ **independent advice** unabhängiger fachmännischer Rat; ~ **authority** zuständige Behörde; **through the** ~ **channels** auf dem Dienstwege; ~ **custody** ordnungsgemäße Aufbewahrung; **in the** ~ **form** formgerecht; **due and** ~ **notice** ordnungsgemäß zugestellte Kündigung; **at the** ~ **rate** zum Tarifsatz; ~ **receipt** ordnungsgemä-

ße (rechtsgültige) Quittung; ~ **usage** sachgemäße Behandlung.

propertied classes begüterte Kreise, besitzende Klassen.

properties Liegenschaften, Immobilien;
nonoperating ~ stillgelegte Betriebe; **onerous** ~ belastetes (beschwertes) Vermögen.

property *(fortune)* Habe, Gut, Güter, Vermögen[sgegenstand], *(ownership)* Eigentum[srecht], *(piece of ~)* Grundstück, Stück Land, *(quality)* Eigenschaft, Beschaffenheit, *(real estate)* Grundbesitz, -vermögen, Besitz[tum], Immobilien;
of handsome ~ bemittelt; **on one's own** ~ auf eigenem Grund und Boden;
abandoned ~ herrenloses Eigentum; **absolute** ~ absolutes (unbeschränktes) Eigentum; ~ **acquired during marriage** während der Ehe erworbenes Vermögen, Errungenschaft; **adjoining** ~ Nachbargrundstück, angrenzendes Grundstück; **afteracquired** ~ später erworbenes Vermögen, *(wife)* nach der Heirat erworbenes Eigentum; **aggregate** ~ Gesamteigentum, -vermögen; **alien** ~ Ausländervermögen; **bailed** ~ hinterlegte Vermögensstücke; **beneficial** ~ Nießbrauch; **blocked** ~ gesperrtes Vermögen; **built-on** ~ bebautes Grundstück; **business** ~ Geschäftsgrundstück; **cash** ~ Barvermögen; **charged** ~ belastetes Grundstück; ~ **charged as security for a debt** als Kreditsicherheit dienendes Grundstück; **child's** ~ Kindesvermögen; **common** ~ Gesamtgut, gemeinsames Vermögen, *(municipal corporation)* Gemeindeeigentum, Gemeingut; **community** ~ Gemeinschaftseigentum, *(US)* Güter-, Errungenschaftsgemeinschaft; **confiscated** ~ beschlagnahmtes Vermögen; **corporate** ~ Gesellschaftsvermögen; **country** ~ Landbesitz, -gut; **cultural** ~ Kulturgüter; **dotal** ~ eingebrachtes Gut der Ehefrau; **encumbered** ~ belastetes Grundstück; **enemy** ~ Feindvermögen; **estate** ~ unbewegliches Vermögen; **exempt** ~ *(bankruptcy)* konkursfreies Eigentum; **external** ~ Auslandsvermögen; **factory** ~ Betriebs-, Fabrikgrundstück; **family** ~ Familienvermögen; **foreign-owned** ~ im Eigentum eines Ausländers stehendes Vermögen, Ausländervermögen; **freehold** ~ freies Grundeigentum; **funded** ~ in Effekten (Staatspapieren) angelegtes Vermögen; **general** ~ unbeschränktes Eigentum; **government** ~ fiskalisches Eigentum, Staatseigentum; ~ **held in fee simple** unbeschränkt vererbliches Grundeigentum; **house** ~ Hausgrundstück; **identifiable** ~ feststellbare Vermögensgegenstände; **immovable** ~ *(US)* unbewegliches Vermögen; **improved** ~ bebautes Grundstück; **income-producing** ~ ertragabwerfendes (zinstragendes) Vermögen (Kapital); **incorporeal** ~ immaterielle Vermögenswerte; **individual** ~ persönliches Vermögen [eines Gesellschafters]; **industrial** ~ Fabrik-, Industriegrundstück, gewerblich genutztes Grundstück, gewerbliches Eigentum; **intangible** ~ immaterielle Vermögenswerte; **intellectual** ~ geistiges Eigentum; **joint** ~ gemeinsames Eigentum, Miteigentum; **landed** ~ Grundeigentum, -vermögen, unbewegliches Vermögen, Grundbesitz; **leased** ~ verpachtetes Grundstück, Pachtgrundstück; **leasehold** ~ [Erb]pachtgrundstück; ~ **left** Nachlaß, Hinterlassenschaft; **literary** ~ geistiges Eigentum, Urheberrecht; **similarly located** ~ Grundstück in gleicher Lage; **lost** ~ Fundgegenstände; **no** ~ **worth mentioning** kein nennenswertes Vermögen; **mixed** ~ bewegliches und unbewegliches Vermögen; **mortgaged** ~ hypothekarisch belastetes Grundstück; **movable** ~ *(US)* bewegliches Vermögen, Mobilien; **national** ~ Volkseigentum, Nationalvermögen; **nonessential** ~ zufälliges Merkmal; **original** ~ Anfangsvermögen; **personal** ~ bewegliches Vermögen (Eigentum), persönliches Eigentum, Mobiliarvermögen, *(inheritance)* beweglicher Nachlaß; **pledged** ~ Sicherungseigentum, verpfändete Vermögensstücke; **present and future** ~ gegenwärtiges und zukünftiges Vermögen; **private** ~ Privateigentum, -vermögen; **public** ~ Staatseigentum; **qualified** ~ bedingtes Eigentumsrecht; **railway (railroad,** *US)* ~ Bahneigentum; **real** ~ Grund[stücks]eigentum, Grundbesitz, Immobilienvermögen; **remaining** ~ verbleibendes Vermögen, Restvermögen; ~ **reserved** *(Br.)* Rückstellung für Abschreibungen; **residential** ~ Wohngrundstück; **restituted** ~ rückerstatteter Vermögensgegenstand; **restricted** ~ Zweckvermögen; **separate** ~ Sondervermögen, *(wife)* eingebrachtes Gut der Ehefrau; **settled** ~ *(Br.)* gebundener Besitz; **small** ~ Kleinlandbesitz; **special** ~ beschränktes Eigentum; **state** ~ Staatseigentum; **stolen** ~ gestohlenes Gut; **store** ~ *(US)* Laden-, Geschäftsgrundstück; **stranded** ~ Strandgut; **tangible** ~ greifbare Vermögenswerte; **aggregate taxable** ~ steuerpflichtiges Gesamtvermögen; **trust** ~ Treuhandvermögen; **unattachable** ~ konkursfreies (pfändungsfreies) Vermögen; **vacant** ~ nicht genutztes Grundstück, leerstehendes Haus; **waterfront** ~ Ufergrundstück;
~ **of another** *(US)* fremdes Eigentum; ~ **lodged with a bank** bei einer Bank deponiertes Vermögen; ~ **of a capital nature** Kapitalvermögen; ~ **of a corporation (city)** städtisches Eigentum; ~ **in land** Grundbesitz; ~ **of material** Werkstoffeigenschaft; ~ **to be reported** anmeldepflichtiges Vermögen; ~ **listed for sale** zum Verkauf gestelltes Grundstückseigentum; ~ **of state** *(US)* Staatseigentum;
to acquire ~ Eigentum erwerben; **to alienate** ~ Vermögen veräußern; **to act as trustee for s. one's** ~ jds. Vermögen verwalten; **to be s. one's** ~ j. zu Eigentum gehören; **to be common** ~

allgemein bekannt sein; **to be free with other people's** ~ mit fremdem Geld leichtsinnig umgehen; **to be liable to the extent of one's** ~ mit seinem ganzen Vermögen haften; **to charge** ~ Eigentum belasten; **to come into** ~ Besitz erben; **to come into a little** ~ kleines Vermögen erben; **to convey** ~ [Grundstücks]eigentum übertragen; **to declare** ~ Vermögen anmelden; **to devise** ~ Vermögen vermachen; **to dispose of** ~ als Eigentümer verfügen; **to get a** ~ **free from all encumbrances** Grundstück lastenfrei erwerben; **to have** ~ **in land** Land besitzen; **to have a** ~ **100% rented at all times** Haus ganzjährig vermietet haben; **to have a small** ~ **in the country** kleines Grundstück auf dem Land besitzen, etw. Grundbesitz haben; **to hold** ~ Eigentum haben (besitzen), Eigentümer sein; **to levy on the entire** ~ gesamtes Vermögen beschlagnahmen; **to price a** ~ Verkaufspreis für ein Grundstück festsetzen; **to realize one's** ~ sein Vermögen flüssigmachen; **to remove** ~ *(bankrupt)* Vermögensstücke beiseite schaffen; **to report** ~ Vermögen anmelden; **to restore the** ~ Vermögen zurückgeben; **to retain the** ~ **in one's estate** Eigentum am Grundstück behalten; **to seize** ~ Vermögen beschlagnahmen; **to steal public** ~ Diebstahl an öffentlichem Eigentum begehen; **to take the** ~ **over** Eigentum übernehmen; **to take private** ~ **for public use** Privatgrundstücke für öffentliche Zwecke enteignen; **to throw a** ~ **into business use** Grundstück für die Errichtung von Geschäftshäusern freigeben; **to transfer** ~ Vermögen übertragen; **to vest** ~ **in s. o.** Vermögen auf j. übertragen;

~ **account** Sach-, Immobilien-, Anlagenkonto; ~ **accountability** Rechnungslegungspflicht für Grundbesitz; ~ **accounting department** Anlagenbuchhaltung; **Married Woman's** ~ **Act** *(Br.)* Gesetz über die Verfügungsgewalt der Ehefrau über eingebrachtes Gut; ~ **assets** Vermögenswerte; ~ **balance** Vermögensbilanz; ~ **brief** Grundstückspapiere; ~ **capital** in Wertpapieren angelegtes Kapital; ~ **company** Grundstücks-, Immobiliengesellschaft; ~ **control** Vermögensaufsicht; ~ **cost record cards** Anlagenkartei; ~ **crime** *(US)* Eigentumsdelikt; ~ **damage** Vermögensschaden; ~ **damage [liability] insurance** Sachschadenversicherung; ~ **deal** Grundstücksgeschäft; ~ **depreciation** Grundstücksabschreibung; ~ **development costs** [Grundstücks]erschließungskosten; ~ **dividend** Dividende in Gestalt von Gratisaktien anderer Aktiengesellschaften, Sachwertdividende; ~ **finance consultant** Vermögensberater; ~ **holder** Eigentümer, Vermögensbesitzer; ~ **holdings** Vermögenswerte; ~ **income** Einkünfte aus Land- und Forstbesitz; ~ **increment tax** Wertzuwachssteuer; ~ **insurance** Sachversicherung; ~ **interest** Vermögensanteil; ~ **investments** Anlagevermögen; ~ **issue form** Materialausgabeschein; ~ **law** *(US)* Liegenschaftsrecht; ~ **lawyer** Grundstücksspezialist, auf Immobilien spezialisierter Anwalt; ~ **ledger** Anlagen-, Grundstücks-, Betriebshauptbuch; ~ **levy** Vermögensabgabe; ~ **loss** Vermögensverlust, -schaden; ~ **maintenance** Gebäudeunterhaltung; ~ **man** *(theater)* Requisiteur; ~ **management** Grundstücks-, Vermögens-, Anlagen-, Hausverwaltung; ~ **manager** Grundstücks-, Hausverwalter; ~ **market** *(Br.)* Immobilien-, Grundstücksmarkt; **lost-** ~ **office** Fundbüro; ~ **owner** Vermögensträger, Grundstückseigentümer; ~, **plant and equipment** *(balance sheet US)* Grundstücke und Gebäude, Maschinen und maschinelle Anlagen; ~ **qualification** Vermögens-, Eigentumsnachweis; ~ **rarity** einmaliges Grundstück; **found-** ~ **report** Liste gefundener Gegenstände; ~ **reserve** Vermögensreserve; ~ **returns** Rücklieferungen der Kundschaft; ~ **right** Eigentumsrecht, -anspruch; ~ **room** *(theater)* Requisitenkammer; ~ **sale** Grundstücksverkauf; ~ **settlement** Vermögensregelung; ~ **speculation** Grundstückspekulation; ~ **speculator** Grundstücksspekulant; ~ **statement** Vermögensaufstellung, -erklärung, -rechnung; ~ **structure** Eigentumsgefüge; ~ **tax** *(Br.)* Vermögens-, Grund- und Gebäude-, Besitzsteuer, *(US)* Grundsteuer; **general** ~ **tax** *(US)* Steuer auf bewegliches und unbewegliches Vermögen; ~ **tax assessment** *(US)* Grundsteuerveranlagung; ~ **tax payable** *(Br.)* fällige Vermögenssteuer; ~ **taxation** Vermögensbesteuerung; ~ **value** Besitz-, Eigentums-, Vermögenswert, *(real estate)* Grundstückswert.

proportion *(ratio)* Verhältnisziffer;

in ~ **to** anteils-, verhältnismäßig, proratarisch; **in the** ~ **of one new share to every two old shares held** im Verhältnis 1 : 2;

relative ~**s** *(quantity)* Mengenverhältnis, *(size)* Größenverhältnis, Proportionen;

~ **of costs** Kostenanteil; ~ **of liability** Hauptpflichtanteil; ~ **of reserves to liabilities** Verhältnis der Reserven zu den Verbindlichkeiten;

~ *(v.)* **one's expenses to one's income** seine Ausgaben dem Einkommen anpassen;

to be out of ~ **to one's income** zum Einkommen in keinem Verhältnis stehen; **to build up an export of substantial** ~**s** erhebliches Exportgeschäft aufziehen; **to divide expenses in equal** ~**s** Unkosten umlegen; **to pay one's** ~ **of the expenses** seinen Unkostenanteil übernehmen.

proportional proportional, anteils-, verhältnismäßig, entsprechend;

~ **allotment** Quote; ~ **assessment** anteilsmäßige Veranlagung; ~ **distribution of goods** mengenmäßige Güterverteilung; ~ **rate** *(railroad)* Distanztarif; ~ **share** Quote, verhältnismäßiger Anteil; ~ **taxation** Proportionalbesteuerung.

proportionate charge Anteilsgebühr.

proposal Vorschlag, Antrag, *(insurance)* Versicherungsantrag, *(trade)* Lieferungsangebot;
~**s received** eingegangene Anträge; **sealed** ~ verschlossenes Angebot; **tax-cut** ~ Steuersenkungsvorschlag;
~ **of insurance** Versicherungsantrag; ~ **for settlement** Vergleichsvorschlag; ~ **for a subscription** Subskriptionsangebot;
~ **bond** Bietungsgarantie; ~ **form** Antragsformular.

propose *(v.)* *(for membership)* zur Mitgliedschaft vorschlagen, *(motion)* Antrag stellen;
~ **a candidate** Kandidaten vorschlagen (aufstellen); ~ **s. o. for chairman** j. als Vorsitzenden vorschlagen; ~ **a dividend** Dividende in Vorschlag bringen; ~ **to an insurance company** Versicherungsantrag stellen; ~ **terms of a settlement** Vergleichsvorschlag machen.

proposed budget Haushaltsvorschlag.

proprietary Besitzstand, *(landed estate)* Grundstückseigentum, *(ownership)* Eigentumsrecht, *(proprietor)* Eigentümer, Besitzer;
landed ~ Grundbesitzer; **peasant** ~ landwirtschaftlicher Besitz;
~ *(a.)* eigentümlich, einem Besitzer gehörig, vermögensrechtlich;
~ **account** Kapitalkonto, *(governmental accounting)* Haushaltskonto; ~ **articles** patentierte Artikel, Monopolartikel, *(branded goods, US)* Markenartikel; ~ **capital** Eigenkapital; ~ **club** Subskriptionsverein; ~ **company** *(US)* kontrollierende Gesellschaft, Holdinggesellschaft, *(land-leasing company)* Grundstückgesellschaft, *(privately owned company, Br.)* Gründer-, Privatgesellschaft; ~ **fund** Grundstücksfonds; ~ **goods** *(US)* Markenartikel; ~ **industrial process** patentiertes Herstellungsverfahren; ~ **insurance** *(Br.)* Prämienversicherung; ~ **name** gesetzlich geschützter Name; **to reserve one's** ~ **rights** Eigentumsvorbehalt machen, sich das Eigentumsrecht vorbehalten.

proprietor *(holder)* Inhaber, *(owner)* Eigner, Eigentümer, *(possessor)* Besitzer;
joint ~ Miteigentümer; **landed** ~ Grundeigentümer, -besitzer; **peasant** ~ Kleinlandwirt; **private** ~ Privateigentümer; **registered** ~ eingetragener Gebrauchsmusterinhaber; **riparian** ~ Uferanlieger; **sole** ~ Alleineigentümer, -inhaber;
~ **of a bank** Bankinhaber, -herr; ~ **of a business** Geschäfts-, Firmeninhaber; ~ **of a commercial establishment** Handelsherr, Prinzipal, Geschäftsinhaber; ~ **of a hotel** Hotelbesitzer, Hotelier; ~ **of a patent** Patentinhaber; ~**s in a joint stock company** *(Br.)* Aktionäre; ~ **of a trademark** Warenzeicheninhaber; ~ **in a trading company** Gesellschafter einer Handelsgesellschaft, Handelsgesellschafter;
to apply to be registered as ~ Grundbucheintragung als Eigentümer beantragen;
~**s' capital** Eigenkapital; ~ **s' capital account** Kapitalkonto; ~ **'s income** Vermögenseinkünfte.

proprietorial | **attitude** Unternehmerhaltung, -einstellung; ~ **outlook** Unternehmeransicht.

proprietorship Eigentumsrecht, Eigenbesitz, Eigentum, *(balance sheet, US)* Eigenkapital;
corporate ~ *(US)* Gesellschaftskapital; **individual** ~ *(US)* Einzelfirma, -unternehmen; **single** ~ *(US)* Einzelfirma, -unternehmen; **sole** ~ *(firm)* Einzelinhaberschaft, *(ownership)* alleiniges Besitzrecht (Eigentumsrecht); **total** ~ Gesamteigenkapital;
~ **account** Kapitalkonto.

prorata *(lat.)* Verhältnismäßig, anteilmäßig, proratarisch;
~ **apportionment** Anteilsmäßige Aufteilung; ~ **contribution** anteilsmäßiger Beitrag; ~ **distribution** anteilsmäßige Verteilung; ~ **freight** Distanzfracht; ~ **premium** verdienter Prämienanteil; ~ **rate** anteilige Prämie; ~ **share** verhältnismäßiger Anteil.

prorate *(v.)* *(assess, US)* anteilsmäßig veranlagen, nach einem bestimmten Schlüssel aufteilen, umlegen, aufschlüsseln.

prorated expenses *(US)* Schlüsselgemeinkosten.

prosecute | *(v.)* **a claim** Anspruch verfolgen, Forderung einklagen; ~ **a trade** einem Gewerbe nachgehen.

prospect Aussicht, *(consumer, US)* potentieller Verbraucher (Käufer), Reflektant, *mining claim)* Schürfrecht, -stelle, Mineralvorkommen, Mutung, *(politics)* möglicher Bewerber (Kandidat), Interessent;
cyclical ~**s** Konjunkturaussichten; **future** ~**s** Zukunftsaussichten;
~**s of compromise** Kompromißchancen; ~**s of economy** Konjunkturaussichten; ~**s of life** Lebensaussichten; ~**s of the market** Konjunkturaussichten; ~**s of success** Erfolgschancen; **future** ~**s of an undertaking** Zukunftsaussichten eines Unternehmens;
~ *(v.)* schürfen, prospektieren, [Bergwerk] versuchsweise ausbeuten;
~ **for gold** nach Gold schürfen; ~ **for oil** nach Öl bohren;
to have good ~**s** Erbschaftsaussichten haben; **to have in** ~ in Aussicht haben; **to have nothing in** ~ keine Stellung in Aussicht haben; **to have fine** ~**s before o. s.** große Zukunft haben; **to hold out the** ~ **of s. th.** etw. in Aussicht stellen; **to hold out bright** ~ **s** goldene Berge versprechen; **to hold out the** ~ **of a new flat** neue Wohnung in Aussicht stellen; **to injure one's** ~**s** seiner Karriere schaden;
~ **tower** Aussichtsturm.

prospecting | **licence** Schürfrecht; ~ **operation** Schürfbetrieb.

prospective | **advantage** erwarteter (voraussichtlicher) Vorteil; ~ **buyer** potentieller Käufer,

Kaufinteressent, -reflektant, -anwärter; ~ **client** potentieller Kunde; ~ **consumer** potentieller Verbraucher; ~ **customer** voraussichtlicher Kunde; ~ **damages** mittelbarer Schaden, entgangener Gewinn; ~ **investors** anlagesuchendes Publikum; ~ **managers** Führungsnachwuchs; ~**subscriber** potentieller Zeichner.

prospector *(mining)* Schürfer, *(stock exchange sl.)* Spekulant.

prospectus gedruckter Plan, Prospekt, Werbeblatt, -schrift, Ankündigung, Voranzeige, *(of a new company)* Subskriptionsanzeige, *(price list)* Preisliste, *(private school)* Unterrichtsprogramm;
~**es sold here** Prospekte hier erhältlich;
to send out a ~ Prospekt versenden, Prospektversand durchführen;
~ **company** *(Br.)* Gesellschaft mit Prospekt; ~ **cover** Prospektumschlag.

prospertiy Wohlstand, Gedeihen, Blütezeit, Aufschwung, Prosperität;
commercial ~ blühender Handel; **national** ~ Volkswohlstand; **peak** ~ Hochkonjunktur; **specious** ~ Scheinblüte, -konjunktur; **vastly increased** ~ enorm gestiegener Wohlstand;
to live in ~ Wohlstandsleben führen;
~ **era** wirtschaftliche Blütezeit; ~ **index** Wohlstandsindex; ~ **phase** Konjunkturperiode.

prosperous business (enterprise) erfolgreiches (gut gehendes) Unternehmen.

protect *(v.)* *(bill)* honorieren, *(by imposition of duties)* durch Erhebung von Schutzzöllen schützen;
~ **a bill at maturity** Wechsel bei Verfall einlösen; ~ **s one's interests** jds. Interessen wahrnehmen; ~ **domestic products from foreign competition by trade barriers** einheimische Erzeugnisse durch Zollschranken vor ausländischer Konkurrenz schützen.

protected | articles durch Einfuhrzölle geschützte Waren; ~ **industries** *(US)* durch Zollschranken geschützte Industriezweige; ~ **profit stop** *(US)* limitierte Verkaufsorder; ~ **state** Schutzstaat.

protection Schutz, Schirm, Protektion, *(economy)* Schutzzollpolitik, -system, *(bill of exchange)* [Wechsel]hononierung, *(insurance)* Versicherungsschutz, *(mercantile law, US)* Schutzbrief;
~ **of creditors** Gläubigerschutz; ~ **of registered design** Gebrauchsmusterschutz; ~ **against inflation** Inflationsschutzmaßnahmen; ~ **of interests** Wahrnehmung von Interessen; ~ **of industrial property** gewerblicher Rechtsschutz; ~ **of tenants** Mieterschutz; ~ **of trademarks** Warenzeichenschutz;
to claim the ~ **of the Rent Acts** *(Br.)* Mieterschutzrechte in Anspruch nehmen; **to find (meet with) due** ~ *(bill)* akzeptiert (honoriert) werden; **to give a draft due** ~ Tratte akzeptieren (honorieren);
≗ **of Inventions Act** Gebrauchsmustergesetz; ~ **and indemnity insurance** Schiffshaftpflichtversicherung; ~ **money** *(US)* Bestechungsgelder **trade** ~ **society** Gläubigerschutzverband.

protectionism Schutzzollsystem, -politik, Protektionismus.

protectionist Schutzzöllner, Schutzzollpolitiker;
~ *(a.)* schutzzöllnerisch;
~ **activities** protektionistische Maßnahmen; ~ **sentiment** wachsender Protektionismus.

protective schützend, *(tariff)* schutzzöllnerisch;
~ **aspect** *(tariff)* Schutzwirkung; ~ **clause** Freizeichnungs-, Schutzklausel; ~ **department** *(fire insurance)* Feuerschutzabteilung; ~ **duty** Schutzzoll; ~ **food** vitaminreiche Lebensmittel; ~ **labor legislation** *(US)* Arbeiterschutzgesetzgebung; ~ **measures** Abwehr-, Schutzmaßnahmen; ~ **system** Schutzzollsystem; ~ **[customs] tariff** Abwehrzoll, Schutzzoll[tarif]; ~ **trade measures** handelspolitische Schutzmaßnahmen; ~ **trust** *(Br.)* Treuhandfonds auf Lebenszeit.

protegé Schützling, Protegé.

protest Verwahrung, Einspruch, Protest, Reklamation, *(bill of exchange)* Wechselprotest[urkunde], *(parl., Br.)* Minderheitsprotest, *(solemn declaration)* feierliche Erklärung, Beteuerung;
as a ~ zum (als) Protest; **no** ~ *(bill)* ohne Kosten; **under** ~ unter Vorbehalt;
due ~ rechtzeitiger Protest; **extended** ~ *(navigation)* Seeprotest, Verklarung; **past due** ~ zu spät erhobener Protest; **ship's** ~ See-, Havarieattest, Verklarung; **vigorous** ~**s** nachdrückliche Protestaktionen; ~ **waived** ohne Protest (Kosten);
~ **of intervention** Interventionsprotest; ~ **for nonacceptance** Protest wegen Nichtabnahme; ~ **for nonpayment** Protest mangels Zahlung; ~ **for better security** Protest wegen Sicherstellung; ~ **of the shipmaster** Verklarung, Seeprotest; ~ **in writing** schriftlicher Vorbehalt;
~ *(v.)* Einspruch (Protest, Verwahrung) erheben, einwenden, protestieren;
~ **against** vorstellig werden wegen; ~ **against an appointment** gegen eine Ernennung sein Veto einlegen; ~ **a bill** Wechselprotest einlegen; ~ **a bill for nonacceptance** Wechsel mangels Annahme protestieren; ~ **a bill for nonpayment** Wechsel mangels Zahlung protestieren; ~ **one's good faith** versichern, in gutem Glauben gehandelt zu haben; ~ **to a government** Verwahrung (Protest) bei einer Regierung einlegen; ~ **one's innocence** seine Schuldlosigkeit beteuern; ~ **against a measure** gegen getroffene Maßnahmen protestieren; ~ **a witness** *(US)* Zeugen ablehnen, gegen einen Zeugen Einspruch einlegen;
to accept under ~ unter Vorbehalt annehmen; **to defer (delay) the** ~ Protest hinausschieben; **to enter a** ~ Protest (Einspruch, Einwendungen) erheben (einlegen), Verwahrung einlegen,

to enter a ~ in case of damage Verklarung über die Beschädigung eines Schiffes einlegen; **to extend** ~ Verklarung einlegen; **to give way without** ~ keine Einwendungen mehr erheben; **to go to** ~ zu Protest gehen; **to lodge a** ~ Verwahrung einlegen, Protest erheben; **to make a** ~ Verwahrung einlegen, Protest erheben; **to make a written** ~ schriftlich Einspruch einlegen, **to note (notify) a** ~ Protest aufnehmen [lassen]; **to pay a bill under** ~ Wechsel unter Protesterhebung einlösen; **to pay a tax under** ~ Steuer unter Einlegung von Einspruch zahlen; **to raise a** ~ Einspruch einlegen; **to receive** ~ Einsprüche entgegennehmen; **to return under** ~ mit Protest zurückgehen lassen; ~ **activities** Protestaktion; ~ **certificate** Protesturkunde; ~ **charges (expenses, fees)** Protestkosten, -spesen; ~ **strike** Proteststreik.

protestation Protesterhebung.

protested *(bill of exchange)* zu Protest gegangen; ~ **for nonacceptance** mangels Annahme protestiert; ~ **for nonpayment** mangels Zahlung protestiert;
to be ~ at once sofort zu Protest gehen; **to have a bill** ~ Wechsel protestieren lassen; **to return a bill** ~ Wechsel unter Protest zurückgehen lassen;
~ **check** *(US)* **(cheque,** *Br.)* protestierter Scheck.

protocol Verhandlungs-, Sitzungsbericht, Protokoll, *(international agreement, US)* Staatsvertrag, Zusatzvertrag, -protokoll, *(labo(u)r dispute)* Beilegung von Streitigkeiten;
additional ~ Zusatzprotokoll;
to be according to ~ den protokollierten Bestimmungen genügen;
to draw up a ~ Protokoll aufsetzen.

prototype Muster, Modell, Prototyp, Ausgangsbaumuster, Erstausführung;
~ **contract** Muster-, Modellvertrag; ~ **production** Musterproduktion.

provable claim anmeldungsfähige Konkursforderung.

prove *(v.)* *(attest) beglaubigen, beurkunden, (bankruptcy)* [Forderung im Konkursverfahren] geltend machen, *(demonstrate)* unter Beweis stellen, Nachweis führen, be-, nachweisen, *(print.)* Probeabzug machen, *(put to a test)* prüfen, erproben, *(turn out)* sich erweisen, (herausstellen);
~ **a claim in bankruptcy** Konkursforderung anmelden; ~ **beyond doubt** unwiderlegbar beweisen; ~ **against the estate** Konkursforderung anmelden; ~ **to be a forgery** sich als Fälschung herausstellen; ~ **s. th. to be genuine** Echtheitsbeweis für etw. antreten; ~ **one's identity** sich legitimieren (ausweisen); ~ **ownership** Besitznachweis erbringen; ~ **unequal to one's tasks** sich seiner Aufgabe nicht gewachsen zeigen.

proved | damages festgestellter Schadensersatzanspruch; ~ **debt** festgestellte [Konkurs]forderung.

provide *(v.)* beschaffen, [be]liefern, [mit]besorgen, bereitstellen, *(money)* anweisen, anschaffen, bereitstellen.

provide against a coal shortage sich gegen eine Kohlenknappheit eindecken.

provide for vorsehen, in Rechnung stellen;
~ **s. o.** für jds. Unterhalt sorgen; ~ **a bill** Deckung für einen Wechsel anschaffen; ~ **an emergency** für einen Notfall Vorsorge treffen; ~ **the entertainment of our visitors** für das Amüsement der Gäste Vorsorge treffen; ~ **an eventuality** für einen Notfall Vorsorge treffen; ~ **the expenses against suit** Gerichtskosten abdecken; ~ **a large family** große Familie unterhalten; ~ **maintenance of s. o.** für jds. Unterhalt sorgen; ~ **the needs** Bedürfnisse befriedigen; ~ **an opportunity for s. o.** jem. eine Gelegenheit verschaffen; ~ **payment** Deckung anschaffen, für Zahlung (Deckung) sorgen.

provide with versehen (beliefern, ausstatten) mit;
~ **a bill with acceptance** Wechsel mit Akzept versehen; ~ **s. o. with cover** j. mit Deckung versehen, jem. Deckung anschaffen.

provide | employment Arbeit beschaffen; ~ **funds** Deckung anschaffen; ~ **payment** Deckung anschaffen; ~ **a time limit** Frist vorsehen; ~ **security** Kaution stellen.

provided vorgesehen, vorgeschrieben, vertrags-, vereinbarungsgemäß;
not ~ for keine Deckung;
~ **by the articles of the association** in den Satzungen der Gesellschaft vorgesehen, satzungsgemäß; ~ **in the budget** in den Etat eingestellt; ~ **due payment** [rechtzeitiger] Empfang vorbehalten;
to be well ~ with capital kapitalkräftig sein.

provident *(exercising foresight)* vorausschauend, vor-, fürsorglich, *(thrifty)* sparsam;
~ **bank** Sparkasse; ~ **benefit** Fürsorgeunterstützung; ~ **care** Vor-, Fürsorge; ~ **company** Wirtschaftsgenossenschaft; ~ **fund** Kranken-, Unterstützungskasse, Fürsorge-, Pensionsfonds, Unterstützungs-, Hilfskasse; **miners' ~ fund** Knappschaftskasse; ~ **fund for the staff** Unterstützungsfonds für die Belegschaft, Belegschaftsfonds; ~ **reserve** Sonderrücklage, -stellung; ~ **reserve fund** außerordentlicher Reservefonds; ~ **scheme** Hilfsaktion; ~ **society** *(Br.)* Wirtschaftsgenossenschaft, Wohlfahrts-, Unterstützungsverein [auf Gegenseitigkeit].

provider Ernährer, *(supplier)* Versorger, Lieferant;
universal ~s Waren-, Kaufhaus.

province [Wissens]gebiet, Fach, *(region)* Gebiet, Landstrich, Gegend, *(sphere of action)* Geschäftskreis, Bereich, Feld, Fach, -gebiet, Beruf, Wirkungskreis, Aufgabenbereich, Tätig-

keits-, Arbeitsgebiet, *(scope of office)* Amt, Ressort;
within the ~ of innerhalb des Aufgabenbereichs.

provincial | bank Provinzbank; ~ **market** *(Br.)* Provinzmarkt, -börse; ~ **taxes** Provinzialabgaben.

proving | the debt Forderungsnachweis; ~ **of identity** Legitimationsprüfung.

provision Vorkehrung, Maßnahme, *(balance sheet)* Rückstellung, Rücklage, Reserve, *(clause)* Klausel, Vorschrift, *(previous preparation)* Vorsorge, Anstalt, *(proviso)* Vorbehalt, Bedingung, *(remittance)* Übermachung, Dekkung, *(stipulation)* Bestimmung, Verordnung, Vorschrift, Verfügung, *(supply)* Eindeckung, Vorrat;
after ~ for contingencies nach Rückstellungen für unvorhergesehene Ausgaben; **in accordance with the ~s of the agreement** gemäß den vertraglichen Bestimmungen; **notwithstanding any ~s to the contrary** ungeachtet entgegenstehender Bestimmungen; **till further ~s** bis auf weitere Verfügung; **under the usual ~s** unter üblichem Vorbehalt;
~s Lebensmittel, Proviant, Nahrungsmittel, *(reserve, Br.)* Rückstellungen und Wertberichtigungen, Rücklagen, Reserven;
additional ~s Zusatzbestimmungen; **canned ~s** Konserven; **fiscal ~s** steuerrechtliche Bestimmungen; **implementing ~s** Ausführungsbestimmungen; **long-term ~s** langfristige Rückstellungen; **nonforfeiture ~s** Bestimmungen über die Aufrechterhaltung der Versicherungsansprüche bei Verfall (Rückkauf) der Police; **redemption ~s** Einlösungsbestimmungen; **~s running out** ausgehende Vorräte; **standard ~s** *(insurance)* allgemeine Versicherungsbedingungen; **tax-law ~s** steuerrechtliche Bestimmungen, Steuerbestimmungen;
~ **for doubtful accounts** Zurückstellung für faule Kunden; ~ **for old age** Altersversicherung; **formal ~s of an agreement** protokollarische Vertragsbestimmungen; **~s of a bill** Gesetzesbestimmungen; ~ **of capital** Kapitalbeschaffung, -bereitstellung, -disposition; ~ **and issue of coins** Münzprägung und Münzausgabe; ~ **for contingencies** Rückstellungen für unvorhergesehene Ausgaben; **clear-cut ~s of a contract** glasklare Vertragsbestimmungen; ~ **for deferred repairs and renewals** Rückstellungen für Reparaturen und Erneuerungen; ~ **for depreciation** Rückstellungen für Abschreibungen (Wertminderung), Entwertungsrücklage; ~ **for depreciation of investments** Kapitalentwertungsrücklage; **~s for dissolution** Auflösungsbestimmungen; ~ **in execution of a law** Durchführungsbestimmung; ~ **of funds** Kapitalbeschaffung, Deckung; ~ **for the future** Vorsorge für die Zukunft; ~ **of information for credit purposes** Beschaffung von Kreditunterlagen; **~s of an insurance policy** Versicherungsbestimmungen; ~ **for inventory reserve** Rückstellung für Inventarauffüllung; ~ **of a law** Gesetzesbestimmung; **~s in the lease** Pachtvertragsbestimmungen; ~ **for outstanding losses** *(insurance)* Schadensreserve; ~ **of the necessities of life** Fürsorge für die Lebensbedürfnisse; ~ **for obsolescence** Rückstellung für Überalterung; ~ **for renewals** *(Br.)* Rückstellung für Ersatzbeschaffung; ~ **for replacement of inventories** *(US)* Rückstellung für Auffüllung des Lagerbestandes; ~ **for retirement** Altersvorsorge; ~ **for taxes** Steuerrückstellungen; **~s of a will** Testamentsbestimmungen;
~ *(v.)* mit Proviant (Lebensmitteln) versehen, verproviantieren;
to break into ~s Vorräte anbrechen; **to cut off ~s** Lebensmittelzufuhr abschneiden; **to lay in a store of ~s** Vorratslager anlegen; **to make ~s** *(balance sheet)* Rückstellungen bilden (vornehmen), Reserven anlegen; **to make ~s for one's old age** Vorkehrungen für sein Alter (Altervorsorgebestimmungen) treffen; **to make ~ for cover of a bill** für die Deckung eines Wechsels sorgen; **to make ~s for one's family** für die Zukunft seiner Familie sorgen; **to make ~ for taxation** für Steuern zurückstellen, Steuerrückstellung vornehmen;
wholesale ~ business Lebensmittelgroßhandel; ~ **dealer (merchant)** Kolonialwaren-, Feinkost-, Lebensmittelhändler; ~ **industry** Nahrungsmittelindustrie.

provisional *(a.)* vorläufig, provisorisch, zeit-, einstweilig, kommissarisch, interimistisch;
~ **account** vorläufiges Konto; ~ **agenda** vorläufige Tagesordnung; ~ **application** *(patent law)* vorläufige Anmeldung; ~ **arrangement** vorläufige Anordnung, Provisorium; **to make a ~ arrangement** vorläufige Vereinbarung treffen; ~ **bond (certificate)** Zwischen-, Interimsschein; ~ **booking** provisorischer Abschluß; ~ **committee** vorübergehend eingesetzter Ausschuß; ~ **contract** vorläufiger Vertrag; ~ **duties** einstweilige Funktionen; ~ **government** provisorische Regierung, Interimsregierung; ~ **invoice** vorläufige Rechnung; ~ **injunction** Zwischenverfügung; ~ **judgment** vorläufiges Urteil; ~ **law** Übergangsgesetz; ~ **order** *(Br.)* einstweilige Verfügung [durch Provinzbehörden], Ausnahme-, Notverordnung; ~ **receipt** Interims-, Zwischenquittung; ~ **regulations** Übergangsbestimmungen; ~ **scrip** Zwischen-, Interimsschein; ~ **seizure** vorläufige Beschlagnahme; ~ **specification** *(patent law)* vorläufige Beschreibung; ~ **treaty** vorläufiger Vertrag.

proviso Bedingung, Klausel, einschränkende Bestimmung, *(conditional stipulation)* Vorbehalt;
under the ~ unter dem Vorbehalt;
~ **in case of war** Kriegsklausel;

~ **clause** Vorbehaltsklausel.

proximity to transportation Verkehrsnähe, nahe Verkehrsbelegenheit.

proximo *(prox.)* nächsten Monat.

proxy [Handlungs]vollmacht, Stellvertretung, *(agency)* Geschäftsbesorgung, *(for meeting of shareholders)* Stimmrechtsermächtigung, *(procurator)* Anwalt, Mandator, *(representative)* Rechts-, Stellvertreter, Bevollmächtigter, bevollmächtigter Vertreter, Geschäftsträger;
irrevocable ~ *(shareholders' meeting, Br.)* unwiderruflich erteilte Vollmacht;
to appoint a ~ sich vertreten lassen, Bevollmächtigten bestellen, jem. Vollmacht erteilen; **to send in** ~ **against (in favo(u)r)** *(shareholders' meeting)* sein Stimmrecht durch einen Bevollmächtigten dagegen (dafür) ausüben lassen; **to vote by** ~ sich bei der Abstimmung vertreten lassen;
~ **form** Vollmachtsformular; ~ **power** Depotstimmrechtsermächtigung; ~ **rights** Depotstimmrecht; ~ **statement** Vollmachtsanweisung, *(shareholders)* Aktionärsinformation.

proxyholder Stellvertreter eines Aktionärs.

prudence Besonnenheit, Umsicht, Klugheit;
ordinary ~ im Verkehr erforderliche Sorgfalt.

prudent | business man umsichtiger Kaufmann; ~ **investment** ordnungsgemäß vorgenommene Kapitalanlage.

prudential | committee *(US)* Beratungs-, Verwaltungsausschuß, Beirat; ~ **insurance** Volksversicherung.

prune *(v.)* **budget requests** Haushaltsanforderungen beschneiden.

psychological breaking point *(income taxation)* psychologischer Schockpunkt.

psychology of advertising Werbepsychologie.

pub *(Br.)* Kneipe, Schänke, Schankwirtschaft, Wirtshaus.

public Öffentlichkeit, Allgemeinheit, *(audience)* Zuschauer, Publikum;
general investing ~ das anlageninteressierte (anlagesuchende) Publikum;
~ *(a.)* allgemein, öffentlich [bekannt], staatsbürgerlich, staatlich, *(serving as official)* im öffentlichen Dienst stehend;
to become ~ bekannt werden; **to go** ~ *(company)* in eine öffentlich-rechtliche Gesellschaftsform umwandeln, öffentliche Rechtsform annehmen; **to make known to the** ~ öffentlich bekanntgeben;
~ **accommodations** öffentliche Einrichtungen; ~ **account** *(Br.)* Staatskonto, Konto für staatliche Gelder; ~ **accountancy** Wirtschaftsprüfungswesen; **[certified]** ~ **accountant** *(US)* Bücherrevisor, Wirtschaftsprüfer; ~ **address system** Lautsprecheranlage; ~ **administration** Regie, öffentliche Verwaltung; ~ **appointment** Staats[an]stellung; ~ **assistance** *(US)* öffentliche (soziale) Fürsorge; **to be put on** ~ **assistance rolls** *(US)* Wohlfahrtsempfänger werden; ~ **auction** öffentliche Versteigerung; ~ **bonds** Staatsanleihe; ~ **budgeting** Staatshaushaltsführung; ~ **building** öffentliches Gebäude; ~ **business** Staatsbetrieb; ~ **call** *(US)* Kursfestsetzung im Wege des Zurufs; ~ **call box** *(Br.)* öffentliche Fernsprechzelle; ~ **carrier of passengers** Personenbeförderungsunternehmen; ~ **company** *(Br.)* gemeinwirtschaftliche Unternehmung; ~ **consumption monopoly** staatliches Verbrauchermonopol; ~ **corporation** *(municipal corporation)* Magistrat; ~ **cost** Staatskosten; ~ **credit** öffentlicher Kredit, Staatskredit; ~ **creditor** Staatsgläubiger; ~ **debt** Staatsschuld, öffentliche Schuld; ~ **deposits** *(US)* Staatsgelder, aus öffentlichen Geldern bestehende Einlagen; ~ **economist** Nationalökonom; ~ **economy** Volkswirtschaftslehre, Nationalökonomie; ~ **employment office (service)** Arbeitsvermittlungs[büro]; ~ **enterprise** Staatsbetrieb; ~ **examination** *(bankruptcy proceedings)* Prüfungstermin; ~ **expenditures** öffentliche Ausgaben, Staatsausgaben; **at the** ~ **expense** auf Kosten des Steuerzahlers, auf Staatskosten; **to be large in the** ~ **eye** in der Öffentlichkeit viel in Erscheinung treten; ~ **finance** öffentliches Finanzwesen; ~ **funds** öffentliche Gelder, Staatsgelder, *(government securities, Br.)* Staatspapiere; ~ **holiday** gesetzlicher Feiertag (Ruhetag); ~ **house** *(Br.)* konzessionierter Alkoholausschank, Schankwirtschaft, Kneipe; ~ **institution** gemeinnütziges Unternehmen; ~ **investments** Investitionen der öffentlichen Hand; ~ **ledger** Hauptbuch; ~ **liability insurance** Haftpflichtzwangsversicherung; ~ **loan** Staatsanleihe, öffentliche Anleihe; ~ **money** öffentliche Gelder, Staatsgelder; ~ **occupation** Tätigkeit im Dienst der Öffentlichkeit; ~ **offering** öffentliche Aufforderung zur Zeichnung von Effekten.

public | ownership Staatseigentum, *(municipal accounting)* Kommunalbesitz, Gemeindeeigentum; ~ **part** *(land)* der Öffentlichkeit zugänglicher Teil; ~ **pension** Staatspension; ~ **parking place** öffentlicher Parkplatz; ~ **property** Staatseigentum.

public relations öffentliche Meinungspflege, Kontaktpflege, Öffentlichkeitsarbeit, Vertrauenswerbung;
~ **adviser** Berater in Fragen der Öffentlichkeitsarbeit; ~ **campaign** Aufklärungsfeldzug; ~ **consultant (counsellor)** Berater in Fragen der Öffentlichkeitsarbeit; ~ **director** Vorstandsmitglied für Öffentlichkeitsfragen; ~ **firm** Agentur für Öffentlichkeitsfragen; ~ **manager** Leiter der PR-Abteilung, PR-Chef; ~ **officer** Sachbearbeiter für Öffentlichkeitsfragen, PR-, Pressechef; ~ **practitioner** erfahrener PR-Mann; ~ **setup** Arbeitsstab für Öffentlichkeitsfragen; ~ **society** Public-Relations-Gesellschaft.

public | relief *(Br.)* öffentliche Fürsorge; ~ **revenue** Staatseinkünfte; ~ **reward** Auslobung; ~ **road** Landstraße; ~ **sale** Auktion, öffentliche Versteigerung; ~ **securities** Staatspapiere.

public service *(US)* Staatsdienst, öffentlicher Dienst, *(business of supplying utilities, US)* Bereitstellung gemeinnütziger Betriebsmittel (von Versorgungseinrichtungen);
~ **company (corporation, enterprise,** *US)* öffentliche Versorgungsgesellschaft, gemeinnütziger Betrieb; ~ **vehicle** öffentliches Verkehrsmittel.

public | supply undertaking öffentliches Versorgungsunternehmen; ~ **store** Zollniederlage; ~ **tax** Steuer; ~ **telephone** Münzfernsprecher; ~ **tender** Ausschreibung; ~ **transport** öffentliche Verkehrsmittel; ~ **undertaking** öffentlicher Betrieb, Staatsbetrieb; ~ **utilities** Versorgungsbetriebe.

public utility [öffentlicher] Versorgungsbetrieb;
~ **agency** *(US)* Versorgungsbetrieb; ~ **bonds** Versorgungswerte; ~ **common stocks** *(US)* Stammaktien gemeinnütziger Unternehmen; ~ **company (corporation, establishment, undertaking)** Gemeinde-, öffentlicher Versorgungsbetrieb, Versorgungsunternehmen; ~ **field** Gebiet der öffentlichen Versorgungsbetriebe; ~ **shares (stocks)** Versorgungswerte.

public | warehouse [öffentlicher] Speicher; ~ **way** öffentlicher Weg, Landstraße; ≗ **Works Administration** *(US)* Arbeitsbeschaffungsbehörde; ~ **works project** *(US)* Arbeitsbeschaffungsprojekt.

publication Veröffentlichung, öffentliche Bekanntmachung, Kenntnisgabe, Kundgabe, *(book)* Veröffentlichung, Erscheinen, Publikation, Herausgabe;
business ~ Wirtschaftswerbung;
~ **of a report** Herausgabe eines Berichts;
~ **date** Erscheinungsdatum, -termin; ~ **price** *(bookshop)* Ladenpreis; ~ **schedule** Erscheinungsweise.

publicity Öffentlichkeit, *(advertising)* Reklame, Propaganda, Werbung, Werbewesen, -tätigkeit, *(public relations)* Öffentlichkeitsarbeit;
broadcast ~ Rundfunkwerbung; **export** ~ Exportwerbung; **outdoor** ~ Straßenreklame;
~ **from the air** Luftwerbung;
to create favo(u)rable ~ positive Reaktionen in der Öffentlichkeit auslösen;
~ **agency** Werbeagentur; ~ **agent** freiberuflicher Mittler für werbliche Informationen; ~ **bureau** Anzeigenannahmestelle, Werbebüro; ~ **campaign** Werbefeldzug, -aktion; **to conduct a** ~ **campaign** Werbefeldzug durchführen; ~ **costs (expenses)** Placierungskosten für werbliche Informationen; ~ **department** Reklame-, propaganda-, Werbeabteilung; ~ **expenses** Werbekosten, -aufwand; ~ **document** Werbeschrift; ~ **editor** für den Anzeigenteil verantwortlicher Redakteur; **Foreign** ≗ **Department** Propagandaabteilung des Foreign Office; ~ **man** Werbefachmann, -berater; ~ **manager** Werbeleiter; ~ **material** Werbe-, Prospektmaterial; ~ **medium** Informationskanal; ~ **sign** Reklameschild; ~ **office** Werbebüro; ~ **program(me)** Werbeprogramm; ~ **purpose** Werbezweck; ~ **spokesman** autorisierter Sprecher; ~ **stunt** Werbefeldzug.

publicly-owned staatseigen, im öffentlichen Eigentum.

publicize *(v.)* öffentlich bekanntmachen, publizieren, *(advertise)* Reklame machen.

publish *(v.) (book trade)* herausgeben, verlegen, publizieren, veröffentlichen;
~ **counterfeit money** Falschgeld in Umlauf setzen; ~ **a newspaper** Zeitung herausgeben; ~ **a report** Meldung veröffentlichen.

published price Ladenpreis;

publisher's statement *(advertising)* geprüfte Auflagenmeldung, -bestätigung.

publishing | agreement Verlagsvertrag; ~ **business** Verlagsbuchhandel, -geschäft; ~ **cost (expenses)** Veröffentlichungskosten; ~ **profit** Verlagsgewinn; ~ **trade** Verlagsbuchhandel, -geschäft.

puff *(v.)* **up goods** Warenpreis in die Höhe treiben.

puffer Marktschreier, *(auction)* Scheinbieter [für den Grundeigentümer], Preistreiber.

puffery *(Br.)* übertriebene Reklame.

puffing *(Br.)* übertriebene Anpreisung, Marktschreierei, *(auction)* Abgabe von Scheingeboten, *(prices)* Preistreiberei;
harmless ~ *(US)* überzogene Werbung;

puisne mortgage *(Br.)* nachstehende (nachrangige) Hypothek.

pull *(influence, sl.)* Macht, politischer Einfluß, Protektion, gute Beziehungen, *(print.)* Probeabzug, *(sale)* Verkaufsanreiz, -wirkung, Zugkraft, *(spoils)* Schiebung;
~ **of demand** Nachfragesog; **inflation-induced** ~ **of imports** inflatorisch bedingter Einfuhrsog;
~ *(v.) (use one's influence)* seinen Einfluß geltend machen, seine Beziehungen spielen lassen;
~ **back** *(date earlier)* zurückdatieren; ~ **in the cash** Außenstände eintreiben; ~ **down the prices of stocks** Aktienkurse herunterdrücken; ~ **in one's expenses** Kosten sparen; ~ **off a good speculation** erfolgreiche Spekulation durchführen;
to be a heavy ~ **upon s. one's purse** jem. teuer zu stehen kommen; **to secure an office through one's** ~ Stellung durch Beziehungen bekommen;
~**-out supplement** herausnehmbare Beilage.

Pullman | car *(US)* Schlafwagen; ~ **express** D-Zug-Waggon.

pump *(v.)* **s. o. for money** j. um Geld anpumpen; ~ **priming** *(US)* Ankurbelung der Wirtschaft.

punch *(die)* Prägestempel;

~ *(v.)* **a bus ticket** Omnibusfahrkarte lochen;
~ **one's card** *(worker)* seine Karte stechen;
~ **card** Hollerith-, Lochkarte.

punctual prompt, pünktlich, rechtzeitig;
to be ~ in one's payment seine Zahlungstermine einhalten (pünktlich erledigen).

puppet union *(US)* Betriebsgewerkschaft.

purchasable käuflich, erwerbbar.

purchase Kauf, Kaufen, An-, Einkauf, *(acquisition)* Erwerbung, Anschaffung, Bezug, *(position of influence)* Machtstellung, einflußreiche Position, *(of property)* Grundstückerwerb, *(annual return from land)* Jahresertrag;
by ~ käuflich, durch Kauf; **at thirty years' ~** zum Dreißigfachen des Jahresertrages; **at the time of ~** beim Kaufabschluß; **by way of ~** kaufweise;
~s *(balance sheet)* Wareneingänge;
advance ~ Vorratseinkauf; **bona-fide ~** gutgläubiger Erwerb; **bulk ~** Massen-, Mengen-, Großeinkauf; **bull ~** Kauf auf Hausse; **cash ~** Barkauf, Kauf gegen bar; **compulsory ~** *(Br.)* Enteignung; **cover[ing] ~** Deckungskauf; **credit ~** Kreditkauf; **fictitious ~** Scheinkauf; **firm ~** Festkauf; **~ forward** Terminkauf, Kauf auf Zeit (Lieferung); **future ~** *(US)* Terminkauf; **heavy ~s** bedeutende Käufe; **hire ~** *(Br.)* Abzahlungskauf, -geschäft; **innocent ~** gutgläubiger Erwerb; **large ~s** Großeinkauf; **material ~s** Materialeinkäufe; **mock ~** Scheinkauf; **occasional ~** Gelegenheitskauf; **open-market ~** Käufe am offenen Markt; **outright ~** *(bank)* Übernahme auf dem Konsortialwege, *(US)* Kauf gegen sofortige Lieferung; **proforma ~** Scheinkauf; **quantity ~** Großeinkauf; **ready-money ~** Barkauf; **short ~** *(US)* Kauf auf Baisse; **specific ~** Spezifikationskauf; **speculation (speculative) ~s** spekulative Käufe, Meinungs-, Spekulationskäufe; **ten-years' ~** zehnfacher Jahresertragswert; **trade ~** Handelskauf; **volume ~** Großeinkauf; **wholesale ~** Engros-, Pauschalkauf;
~ **for acceptance** Kauf gegen Akzept; ~ **on account** Kauf auf Kredit ([feste] Rechnung); ~ **of account receivables** Forderungsaufkauf; ~ **on approval** Kauf auf Probe; ~ **in auction** Ersteigerung; ~ **in bulk** Großeinkauf; ~ **for cash** Barkauf, Kauf gegen bar; ~ **on commission** Kommissionskauf; ~ **on credit** Kauf auf Ziel, Kreditkauf; ~ **for future delivery** *(US)* Lieferungs-, Terminkauf; ~ **by description** Gattungskauf; ~ **of real estate** Grundstückskauf; ~ **of gold** Goldankauf; ~ **of certain definite goods** Spezieskauf; ~ **of goods and services** Güter und Dienstleistungskäufe; ~ **of a home** Eigenheimerwerb; ~ **subject to inspection** Kauf zur Ansicht; ~ **of land** Grunderwerb; ~ **in the lump** Kauf in Bausch und Bogen; ~ **of materials** Materialeinkauf; ~ **of merchandise on credit** Kreditkauf; ~ **of office** Ämterkauf; ~ **at option** Prämienkauf; ~ **of participation** Beteiligungserwerb; ~ **and sale** Einkauf und Verkauf; ~ **according to (by) sample (pattern)** Kauf nach Probe; ~ **of securities** Effektenerwerb; ~ **of shares** Aktienerwerb; ~ **for the settlement** *(Br.)* Terminkauf; ~ **on speculation** Ankauf zu Spekulationszwecken, Meinungs-, Spekulationskauf; ~ **on the deferred payment system** *(US)* Abzahlungskauf; ~ **on term** Kauf auf Lieferung; ~ **on trial** Kauf zur Probe mit Rückgaberecht; ~ **for value without notice** gutgläubiger Erwerb;
~ *(v.)* *(acquire)* erstehen, [käuflich] erwerben, *(buy)* kaufen, ab-, an-, einkaufen, anschaffen;
~ **on account (credit)** auf Rechnung kaufen; ~ **at auction** ersteigern; ~ **for cash** gegen bar kaufen; ~ **compulsorily** *(Br.)* enteignen; ~ **forward** auf Termin kaufen; ~ **for future delivery** *(US)* auf Lieferung kaufen; ~ **at first hand** aus erster Hand kaufen; ~ **in the open market** am offenen Markt kaufen; ~ **a portion of a new issue** Konsortialanteil einer Anleihe übernehmen; ~ **as secondhand** antiquarisch kaufen; ~ **for transshipment** zur Weiterausfuhr kaufen; ~ **for value** käuflich erwerben; ~ **wholesale** in Bausch und Bogen kaufen;
to acquire by ~ käuflich erwerben; **to cancel a ~** Kauf rückgängig machen; **to fill one's car with one's ~s** seine Einkäufe im Auto verstauen; **to get (secure) a ~** gutes Geschäft tätigen; **to have some ~s to make** einige Besorgungen zu erledigen haben (machen müssen); **to live on one's ~** von seiner Hände Arbeit leben; **to make a ~** Kauf tätigen; **to repudiate (retire, withdraw from) a ~** vom Kauf[vertrag] zurücktreten; **to sell at thirty years ~** für den dreißigfachen Pachtertrag verkaufen;
~ **account** Wareneingangskonto, -rechnung; **hire-~ agreement** *(Br.)* Abzahlungsvertrag; ~ **agreement form** Kaufvertragsvordruck; ~ **and sale agreement** Übernahmevertrag; ~ **allowance** Preisnachlässe; ~ **area** Einkaufsgebiet; ~ **book** Einkaufsbuch; ~ **budget** Einkaufsbudget; ~ **commitment** *(issue of securities)* Konsortialprovision; ~ **commitments** *(balance sheet)* Konsortialverpflichtungen; ~ **contract** Kaufvertrag, *(stock exchange)* Schlußnote; ~ **cost of real estate** Grunderwerbskosten; ~ **date** Bestellungstermin; ~ **deed** Verkaufsurkunde; ~ **decision** Kaufentscheidung; ~ **diary** Einkaufszettel; ~ **discount** Einkaufsrabatt; ~ **group** *(issue of securities, US)* Konsortium; ~ **intention** Kaufabsicht; ~ **invoice** Eingangsrechnung; ~ **journal** Einkaufsjournal; ~ **ledger** *accounting)* Kreditorenbuch.

purchase money Kaufpreis, -summe;
~ **bonds** Kaufgeldobligationen; ~ **chattel mortgage** *(US)* Sicherungseigentum; ~ **loan** Warenbeschaffungs-, Kaufgeldkredit; ~ **mortgage**

Restkaufgeldhypothek; ~ **obligation** Kaufgeldverpflichtungen.

purchase | **notice** Bedarfsmeldung; **prior ~ obligation** Vorkaufsrecht; ~ **observation** Beobachtung der Kaufgewohnheiten; ~ **offer** Kaufangebot; ~ **order** Kaufauftrag, Bestellung; ~ **order form** Bestellformular; ~ **pattern** Käuferverhalten; ~ **preference list** *(stock exchange)* Liste bevorzugter Werte; ~ **price** Anschaffungs-, Erwerbs-, Kaufpreis, Kaufsumme; ~ **privilege** Kaufvorrecht; ~ **proposition** Verkaufsargumentation; ~ **quota** Einkaufskontingent; ~ **record** Einkaufsbuch; ~ **records** Einkaufsbelege; ~ **register** Kreditorenjournal; ~ **requisition** Bedarfsmeldung, Lageranforderung, Kaufanweisung; ~ **requisition number** Bestellnummer; ~ **returns** Einkaufsretouren; ~ **returns account** Retourenkonto; ~ **returns journal** Retourenjournal; ~ **syndicate** *(issue of securities)* [Emissions]konsortium; ~ **tax** *(Br.)* Einphasenwarenumsatzsteuer; ~ **tender** Einkaufsangebot; ~ **terms** Kaufbestimmungen; ~ **trial** Abnahmeprüfung; ~ **value** Einkaufswert.

purchased | **paper** *(US)* per Kasse gekauftes Papier; **dearly ~ victory** teuer erkaufter Sieg.

purchaser Käufer, An-, Einkäufer, Erwerber, Abnehmer *(auction)* Ersteigerer, *(customer)* Kunde, *(issue of securities)* Konsortialmitglied;
bona-fide ~ gutgläubiger Erwerber; **chief** ~ Haupteinkäufer; **first** ~ Ersterwerber; **individual** ~ Einzelabnehmer; **innocent** ~ gutgläubiger Erwerber; **intending (prospective)** ~ [Kauf]reflektant, Kauflustiger, -interessent; **one-time** ~ Laufkunde;
~ **in bad faith** bösgläubiger Erwerber; ~ **in good faith** gutgläubiger Erwerber; **innocent ~ for value [without notice]** gutgläubiger entgeltlicher Erwerber;
to find (meet with) ~s Abnehmer finden;
~s' association Einkaufsgenossenschaft.

purchasing Kauf[en], Einkauf, Ankauf, Erwerb, *(procurement)* Beschaffung;
centralized ~ zentraler Einkauf; **direct** ~ Direkteinkauf, -bezug; **joint** ~ Gemeinschaftseinkauf;
~ **of assets** Anlagenkauf; ~ **on credit** Kreditkauf;
~ **agency** Einkaufsgesellschaft; ~ **agent** Einkaufssachbearbeiter, Einkäufer, *(independent middleman)* Zwischenhändler, *(purchasing department)* Leiter der Einkaufsabteilung; ~ **association** Einkaufsgenossenschaft, -verband; **cooperative ~ association** Bezugsgenossenschaft; ~ **behavio(u)r** Einkaufsverhalten; ~ **broker** Einkaufsmakler; ~ **business** Einkaufsgeschäft; ~ **cartel** Abnehmerkartell; ~ **combine** Einkaufsgemeinschaft; ~ **commission (committee)** Einkaufskommission; ~ **company** Käuferin; ~ **costs** Warenbeschaffungskosten; ~ **country** Käuferland; ~ **decision** *(advertising business)* Einkaufsentscheidung; ~ **department** Einkaufsabteilung; ~ **frequencies** Einkaufshäufigkeit; ~ **functions** Aufgaben des Einkaufs; ~ **group** Einkaufsgemeinschaft; ~ **high** Käuferhausse; ~ **influence** Kaufbeeinflussung; ~ **level** Stufen des Beschaffungsprozesses; ~ **motive** Kaufmotiv; ~ **office** Einkaufsbüro; ~ **order** Kaufauftrag, Bestellung; ~ **party** Käufer[in], Erwerber[in]; ~ **pattern** Einkaufsverfahren; ~ **permit** Bezugsschein.

purchasing power Kaufkraft;
excessive ~ Kaufkraftüberhang; **prewar** ~ Vorkriegskaufkraft;
~ **of the population** Massenkaufkraft;
to decline in ~ an Kaufkraft verlieren;
~ **parity** Kaufkraftparität; **to skim off ~ surplus** überschüssige Kaufkraft abschöpfen.

purchasing | **pool** Einkaufsgemeinschaft; ~ **rate** Ankaufpreis;
~ **responsibility** Verantwortung in Einkaufsfragen; ~ **value** Anschaffungs-, Kaufkraftwert.

pure unverfälscht, rein, *(gold)* massiv;
~ **competition** *(US)* freier Wettbewerb, vollkommene Konkurrenz; ~ **economics** theoretische Volkswirtschaft; ~ **endowment** Kapitalversicherung auf den Erlebensfall; ~ **gold** Feingold; ~ **interest** Nettoeinsatz; ~ **profit** Reingewinn.

purge *(v.)* **the finances of a country** Finanzen eines Landes in Ordnung bringen.

purposive sampling stichprobenartig durchgeführte Marktforschung.

purse Börse, [Geld]beutel, Portemonnaie, *(finance)* Hilfsmittel, -quellen, *(sum collected)* gesammeltes Geld, Geldsammlung, -geschenk, *(sum of money)* Geld[summe], Mittel, Fonds;
common ~ gemeinsame Kasse; **heavy (long, well-lined)** ~ wohlgespickte (volle) Börse; **ill-lined** ~ leeres Portemonnaie; **a light** ~ magerer Geldbeutel; Armut; **privy** ~ *(Br.)* königliche Privatschatulle; **public** ~ öffentliche Gelder, Staatsschatz, -säckel;
to be beyond one's ~ etw. nicht erschwingen können; **to have a common** ~ gemeinsame Kasse machen; **to have a well-lined** ~ mit Geld reichlich versehen sein; **to live within one's** ~ seinen Verhältnissen entsprechend leben; **to make up a** ~ Geld zu einem bestimmten Zweck sammeln; **to win the** ~ Geldpreis gewinnen;
~ **bearer** Kassenwart; ~ **pride** Geldstolz; ~ **snatcher** *(US)* Taschendieb; **to grip one's ~ strings tightly** sein Portemonnaie festhalten; **to hold the ~ strings** das Portemonnaie haben, über den Geldbeutel verfügen; **to loosen the ~ strings** in die Tasche greifen; **to tighten the ~ strings** Daumen auf dem Geldbeutel halten, *(public administration)* Ausgabenwirtschaft einschränken.

pursue | *(v.)* **one's business** seinen Geschäften

(seinem Beruf) nachgehen; ~ **a trade** Gewerbe betreiben.

pursuit *(carrying into effect)* Durchführung, Verfolgung, *(occupation)* Bestätigung, Beschäftigung, Ausübung, Beruf, Tätigkeit;
commercial (mercantile) ~**s** Händelsbetrieb;
~ **of a trade** Gewerbeausübung.

purvey *(v.)* versorgen, [Lebensmittel] liefern, [Vorräte] anschaffen.

purveyance Anschaffung, Lieferung.

push Unternehmungsgeist, Energie, Schwung, Tatkraft, *(vigorous effort)* neue Anstrengung;
upward ~ **on costs** Kostenauftrieb;
~ *(v.) (promote)* Reklame machen, propagieren, *(work hard)* schuften, sich tüchtig ins Zeug legen;
~ **ahead about six points** etwa sechs Punkte gewinnen; ~ **one's advantage** seinen Vorteil wahrzunehmen wissen; ~ **one's business** sein Geschäft voranbringen; ~ **one's claims** sein Recht in Anspruch nehmen; ~ **goods** Waren aufdrängen; ~ **one's way into a job** sich in eine Stellung hineindrängeln; ~ **off** *(goods)* losschlagen, [Lager]räumen; ~ **s. o. for payment** j. mit der Rückzahlung bedrängen; ~ **shares** *(stock exchange)* Schwindelaktien an der Börse unterbringen; ~ **up** *(prices)* hinauf-, in die Höhe treiben, hinaufschrauben; ~ **one's wares** seine Waren absetzen;
to get the ~ *(Br. sl.)* hinausfliegen; **to get a job by** ~ seine Position reiner Protektion verdanken; **to have enough** ~ **to succeed as a salesman** über die notwendige Durchsetzungskraft als Verkäufer verfügen;
~ **money** Verkäuferprämie für Absatz von Ladenhütern; ~ **pencil** Druckstift.

pushed, to be ~ **for money** in Geldverlegenheit sein.

pusher, share Aktienschwindler.

put *(stock exchange)* Rückprämie;
~ **and call** Stellagegeschäft, Geschäft auf Geben und Nehmen, Terminkauf, -handel; ~ **of more** Nach[lieferungs]geschäft, Nochgeschäft auf Geben (in Verkäufers Wahl);
~ *(v.)* stellen, setzen, *(option money)* geben, liefern;
~ **the bee (bite) on s. o.** *(US sl.)* j. anpumpen;
~ **one's initials** abzeichnen; ~ **a matter in the hands of a solicitor** Angelegenheit einem Rechtsanwalt übertragen.

put | *(v.)* **a business deal across** Geschäft erfolgreich abschließen; ~ **a good deal of money aside** schönes Stück Geld zurücklegen; ~ **a stock at a certain price** Aktien zu einem zugesicherten Preis liefern; ~ **away for one's old age** Geld für seine alten Tage zurücklegen;

put back | **to harbo(u)r** in den Hafen zurückkehren; ~ **production** Produktion zurückwerfen.

put by for the future für später sparen.

put down | **to s. one's account** jem. in Rechnung stellen; ~ **to a customer's account** *(Br.)* für einen Kunden anschreiben; ~ **one's expenditure** seine Ausgabenwirtschaft einschränken; ~ **passengers** Fahrgäste absetzen; ~ **to profit and loss** in die Ergebnisrechnung einsetzen.

put forward | **a claim** Anspruch auf etw. erheben;
~ **a list of candidates** Kandidatenliste aufstellen.

put in *(in bank)* einlegen, *(employ)* einstellen, *(file)* vorlegen, einreichen, *(ship)* einlaufen;
~ **an advertisement** Annonce in die Zeitung einrücken lassen; ~ **a claim for damages** Schadenersatzanspruch stellen; ~ **a distress** Zwangsvollstreckung betreiben; ~ **an extra hour's work** Überstunde machen; ~ **for a job** sich um eine Stellung bewerben; ~ **funds** mit Deckung versehen; ~ **operation** in Betrieb setzen; ~ **pawn** verpfänden; ~ **for repairs** *(ship)* zu Reparaturarbeiten einlaufen; ~ **requisition** in Anspruch nehmen; ~ **store** einlagern; ~ **a trade** in die Lehre geben.

put into Geld einschießen;
~ **capital into a business** Geld in ein Geschäft stecken; ~ **circulation** in Umlauf setzen; ~ **commission** *(ship)* in Dienst stellen; ~ **the market** auf den Markt (in den Verkehr) bringen; ~ **one's money into land** sein Vermögen in Grundstücken anlegen; ~ **operation** in Betrieb setzen; ~ **money into an undertaking** Geld in ein Geschäft stecken.

put off auf-, ver-, hinausschieben, anstehen lassen, auf die lange Bank schieben, *(forged money)* in Umlauf setzen, *(goods)* an den Mann bringen, losschlagen, *(ship)* auslaufen;
~ **creditors** Gläubiger hinhalten; ~ **a dun with an instalment** Gläubiger mit einer Ratenzahlung beruhigen; ~ **until next week** bis zur nächsten Woche verschieben.

put on einführen;
~ **an (a new) article on the market** Ware auf dem Markt anbieten, neuen Artikel lancieren;
~ **it on during the holiday season** während der Ferienzeit höhere Preise verlangen; ~ **to the market** auf den Markt bringen; ~ **a price on each article** jeden Artikel einzeln auszeichnen;
~ **a new service on a line** neues Zugpaar auf einer Strecke einsetzen; ~ **extra trains** Sonderzüge einsetzen.

put out verdingen, *(dismiss)* entlassen, herauswerfen;
~ **to apprentice** in die Lehre geben; ~ **1000 bales of goods weekly** wöchentlich 1000 Warenballen produzieren; ~ **money** Geld anlegen;
~ **of operation** außer Betrieb setzen; ~ **work** in Submission vergeben.

put through a business deal Geschäft zu einem erfolgreichen Abschluß bringen.

put to | **account** in Rechnung stellen, berechnen; ~ **great expense** große Unkosten verursachen; ~ **the money to a good use** Geld vernünftig anlegen; ~ **a resolution to the meeting** Resolutionsentwurf einer Versammlung vorlegen; ~ **large sums to reserve** große Rückstellungen machen (vornehmen).

put up *(increase)* erhöhen, heraufsetzen, (Aktien) übernehmen, *(at a hotel)* übernachten [in], *(placard)* anschlagen, *(parl.)* als Kandidat auftreten, kandidieren, *(stand)* aufstellen, errichten, *(wrap up)* einpacken;

~ **s. o.** j. aufnehmen, jem. Unterkunft gewähren; ~ **in barrels** in Fässern verpacken; ~ **£ 10 000 capital** Kapital von 10 000 Pfund aufbringen; ~ **funds** Geld aufbringen; ~ **goods to (for) auction** Waren zur Auktion geben; ~ **a house up** Haus zum Verkauf annoncieren; ~ **a notice** Bekanntmachung anschlagen; ~ **a price** Preiserhöhung vornehmen, Preis heraufsetzen; ~ **the rate of a tax** Steuersatz anheben; ~ **the rent by 15 s a week** Miete (Mietpreis) um 15 Shilling wöchentlich heraufsetzen; ~ **the money for an undertaking** Geld für ein Unternehmen zur Verfügung stellen; ~ **a vessel for freight** Schiff zur Verladung vormerken.

put and call Geschäft auf Geben und Nehmen, Stellagegeschäft;

~ **option** Verkaufsoption, Rück-, Lieferungsprämie.

put off Verschiebung, Vertagung, Rückprämiengeschäft;

~ **price** Rückprämienkurs.

put premium Rückprämiengeschäft.

put-up | **job** aufgelegter Schwindel, abgekartete Sache; ~ **price** *(auction)* Taxpreis.

putting | **in hotchpot** Ausgleichung, Kollation, Erbausgleich; ~ **into force** Inkraftsetzung; ~ **into operation** Inbetriebsetzung; ~ **out system** Heimarbeit; ~ **up of funds** Kapitalaufbringung.

pyramid *(advertisement)* pyramidenförmige Anordnung, *(stock exchange)* ständig zunehmender Börsengewinn;

~ *(v.)* pyramidenförmig aufhäufen, verschachteln, *(stock exchange) (US)* [Aufträge] zu Spekulationszwecken sich häufen lassen.

pyramiding Verschachtelung, *(market, US)* Benutzung noch nicht realisierter Gewinne zu neuen Spekulationen, *(monopoly position)* finanzielle Monopolstellung;

~ **business** Schachteltransaktion;

~ **transaction** Gewinnanlagegeschäft.

pyrotechnics *(stock exchange, US)* heftige Kursbewegungen.

Q

quackish marktschreierisch.

quadrangular operation in exchange vierseitiges Devisengeschäft.

qualification *(act of qualifying)* [erforderliche] Befähigung, persönliche Begabung, [berufliche] Eignung, Berufseignung, Fähigkeit, Qualifikation, *(classification)* Bezeichnung, Klassifizierung, *(of corporate director)* Mindestaktienkapital eines Aufsichtsratsmitgliedes, *(modification)* Einschränkung, Modifikation, Verklausulierung, *(requisite)* Erfordernis, [Vor]bedingung, Voraussetzung, *(restriction)* Einschränkung, Vorbehalt;

subject to ~ Änderung vorbehalten; **with certain** ~**s** beziehungsweise; **without any** ~ ohne jede Einschränkung;

full ~ Vollberechtigung; **legal** ~ juristische Befähigung; **professional** ~**s** fachliche Qualifikationen; **property** ~ Eigentums-, Vermögensnachweis;

~ **for benefits** Unterstützungsvoraussetzung; ~ **of citizenship** Voraussetzung für den Erwerb der Bürgerrechte; ~ **for dividend** Dividendenberechtigung; ~ **for election** Wahlberechtigung; ~**s for an examination** *(US)* Prüfungsvoraussetzungen; ~**s for membership [of a club]** Mitgliedschaftsvoraussetzungen; ~**s for naturalization** *(Br.)* Einbürgerungsbedingungen; ~ **of an offer** Einschränkung eines Angebots; ~**s for a public office** Vorbedingung für ein öffentliches Amt, Beamteneigenschaften; ~ **for pension** Pensionsberechtigung; ~ **of a privilege** Vorrechtsbeschränkung; ~ **in shares** Aktienkaution; ~ **to vote** Wahlberechtigung;

to accept without ~ vorbehaltlos annehmen; **to bring one's** ~**s with o. s.** seine Papiere (Unterlagen) mitbringen; **to have the necessary** ~**s [for a post]** den gestellten Anforderungen [für Besetzung eines Postens] genügen; **to hold the** ~**s** [berufliche] Voraussetzungen haben; **to make only one** ~ nur eine Abänderung vornehmen;

~ **card** Personalbogen; ~ **form** Bewerbungsformular; ~ **rating** *(US)* Eigenschaftsbeurteilung; ~ **requirements** Berechtigungserfordernisse; ~ **shares** Pflicht-, Qualifikationsaktien [eines Aufsichtsratsmitgliedes].

qualified *(authorized)* autorisiert, befugt, berechtigt, *(eligible)* berechtigt, *(fit)* qualifiziert, geeignet, befähigt, beschaffen, tauglich, *(balance sheet approval)* eingeschränkt, *(limited)* bedingt, einge-, beschränkt, modifiziert;

~ **to list** *(shares)* börsenfähig; ~ **for a post** anstellungsberechtigt;

to be ~ **in one's subject** fachlich qualifiziert sein;

~ **acceptance** Annahme unter Vorbehalt, bedingtes Akzept; ~ **certificate** *(auditing)* eingeschränkter Prüfungsbericht; ~ **indorsement** Giro ohne Verbindlichkeit; ~ **majority** qualifizierte Mehrheit; ~ **operator** qualifizierter Arbeiter; ~ **plan** *(trust, US)* steuerlich begünstigter Gewinnbeteiligungs- oder Pensionsplan; ~ **procedure** *(US)* Zulassungsverfahren; ~ **report** *(auditing)* einschränkender Prüfungsbericht; ~ **reserve** Wertberichtigungsreserve; ~ **sale** Konditionskauf, Kauf unter Eigentumsvorbehalt; ~ **seaman** Maat; **to entrust the working of an undertaking to a ~ staff** Betriebsleitung einem Stab von Fachleuten übertragen; ~ **test** Eignungsprüfung; ~ **worker** Facharbeiter, Spezialist.

qualify *(v.) (authorize)* autorisieren, qualifizieren, *(entitle)* berechtigen, *(to be fit)* sich eignen, Befähigung besitzen, befähigt sein, *(to make fit)* qualifizieren, befähigen, *(to prove fit)* seine Befähigung nachweisen, sich qualifizieren, Voraussetzungen [einer Bewerbung] erfüllen, *(modify)* einschränken, modifizieren;

~ **a security for sale to the public** Wertpapier zur Börsenzulassung anmelden; ~ **for dividend** dividendenberechtigt sein; ~ **[o. s.] for a job** berufliche Voraussetzungen erfüllen; ~ **for a pension** für die Pensionierung reif sein, zur Pensionierung anstehen; ~ **s. o. for a relief** j. zum Empfang einer Unterstützung berechtigen; ~ **with the US Securities and Exchange Commission** *(US)* Börsenzulassung beantragen.

qualifying | agreement *(Br.)* Lombardschein; ~ **certificate** Befähigungsnachweis; ~ **examination** Eignungsprüfung; ~ **experience** nachgewiesene Erfahrungen; ~ **grounds** Ausscheidungsgründe; ~ **period** Anwartschaftszeit [in der Sozialversicherung], Warte-, Karenzzeit; ~ **period of service** auf die Pension anrechnungsfähige Dienstzeit; ~ **reserve** Berichtigungsreserve; ~ **shares** [nach den Statuten] vorgeschriebener Aktienbesitz; ~ **statement** berichtigende Erklärung.

qualitative interview *(market research)* Tiefeninterview, informelles Interview.

qualities | of merchandise Warenqualität;

to manufacture goods in various ~ Waren verschiedenster Qualität herstellen.

quality *(degree of excellence)* Güte, Qualität, Wert, Beschaffenheit, *(faculty)* Eigenschaft, Fähigkeit, *(grade)* Gütegrad, Sorte, Marke, *(kind)* Gattung, Art;

in ~ gütemäßig; **of first (prime)** ~ feinster Sorte, von bester Qualität; **of high** ~ von guter Qualität; **of special** ~ extrafein; **of uniform kind and** ~ von gleichmäßiger Art und Güte; **varying in** ~ von ungleicher Güte;

accidental ~ zufällige Eigenschaft; **agreed** ~ vereinbarte Qualität; **average** ~ Durchschnittsqualität; **bottom** ~ schlechte Qualität; **choicest** ~ feinste Sorte; **commercial** ~ Handelswert [einer Ware]; **well conditioned** ~ gut abgelagerte Qualität; **current** ~ gängige Qualität; **essential** ~ notwendige Eigenschaft; **fair** ~ gute Qualität; **fair average** ~ Durchschnittsqualität; ~ **falling short** minderwertige Qualität; **first-class (rate)** ~ erstklassige (prima) Ware (Marke); **good** ~ Qualitätsware; **inferior** ~ unterwertige (minderwertige) Güte, Minderwertigkeit, geringere (abfallende) Qualität (Sorte); **medium (middling)** ~ Mittelsorte, Sekundaqualität; **merchantable** ~ Ware mittlerer Art und Güte; **good merchantable ~ and condition** gute Qualität und Beschaffenheit; **good middling** ~ gute Mittelsorte; ~ **not up to standard** schlechtere Qualität; **poor** ~ schlechte Qualität; **promised** ~ zugesicherte Eigenschaft (Qualität); ~ **rated** gewertete Eigenschaft; **required** ~ erforderliche Qualität; **second-class** ~ zweite Qualität; **secondary** ~ Nebeneigenschaft; **standard** ~ Durchschnittsqualität; **sterling** ~ allererste Qualität; **superior** ~ vorzügliche Qualität, Bonität; **supervisory** ~ Aufsichtsstellung; **top** ~ erstklassige Qualität; **uniform** ~ Standardware; **warranted** ~ zugesicherte Eigenschaft;

~ **of audience** Leserschaftsqualität; ~ **of commodities** Handelswert einer Ware; ~ **of estate** Umfang der Eigentumsrechte; ~ **of life** Lebensqualität; ~ **of prints** Druckausfall; ~ **of production** Produktionsgüte; ~ **as per sample** Qualität laut Muster; ~ **of work** Arbeitsqualität;

to act in the ~ of an agent als Vertreter handeln; **to aim at** ~ Qualitätsleistungen anstreben; **to be of inferior** ~ untergeordneten Wert haben; **to check the** ~ Qualitätsprüfung vornehmen; **to correspond in ~ with the sample** mit der vorgezeigten Probe in der Qualität übereinstimmen; **to enrich (heighten) a** ~ Qualität steigern; **to stock only one** ~ nur eine Sorte führen; **to upgrade** ~ Qualität steigern; **to vary in** ~ qualitativ verschieden ausfallen;

~ **area** Güteklasse; ~ **assurance** Qualitätszusicherung; ~ **car** Qualitätswagen; ~ **categories** Güteklassen; ~ **characteristic** Güteeigenschaft; ~ **circulation** Qualitätsauflage; ~ **complaint** Qualitätsrüge; ~ **conformance** Qualitätsübereinstimmung; ~ **control** Qualitätskontrolle, statistische Güteüberwachung; ~ **-control practice** Qualitätskontrollverfahren; ~ **description** Güte-, Qualitätsbezeichnung; ~ **designation** Qualitäts-, Gütebestimmung; ~ **factor** Gütefaktor; ~ **film** gehaltvoller Film; ~ **goods** Qualitätswaren; ~ **language** gewählte Sprache; **medium-** ~ **goods** Waren mittlerer Qualität und Güte; **poor-** ~ **goods** Waren von schlechter Qualität; ~ **grade** Qualitätssorte, -stufe; ~ **inspection** *(Br.)* Abnahmeprüfung; ~ **inspector** *(Br.)* Abnahmebeamter; ~ **label** Gütezeichen; **[accept-**

able] ~ **level** [toleriertes] Qualitätsniveau; ~ **mark** Gütezeichen; ~ **market** Qualitätsmarkt; ~ **merchandise** Qualitätsware; ~ **performance** Qualitätsleistung; ~ **picture** Qualitätsbild; ~ **product** Qualitätserzeugnis; ~ **protection** Qualitätsschutz, Güteschutz; **average-** ~ **protection** Gewährleistung der Durchschnittsqualität; ~ **range** Qualitätslage; ~ **rating** Qualitätsbeurteilung; ~ **specification** *(Br.)* Güte-, Abnahmevorschriften; ~ **stabilization** *(US)* Preisbindung der zweiten Hand; ~ **test** Abnahme-, Qualitätsprüfung; ~ **warranty** Bürgschaft für Qualität, Garantieverpflichtung; ~ **workmanship** Qualitätsarbeit.

quandaries, on-the-job berufliche Schwierigkeiten.

quantitative | **index** Mengenindex; ~ **sales** Mengenkonjunktur.

quantities in großen Mengen;
to survey a building for ~ *(Br.)* Baukostenkalkulation durchführen.

quantity Quantität, Quantum, *(great amount)* Menge, Masse, *(law)* Zeitdauer;
average ~ Durchschnittsmenge, Pauschquantum; **consumer** ~ Verbrauchsmenge; ~ **issued** *(inventory)* Abgang; **minimum commercial** ~ handelsübliche Mindestmenge; ~ **received** *(inventory)* Zugang;
~ **buyer** Großabnehmer, Grossist; ~ **buying** Mengen-, Großabnahme; ~ **contract** Gattungskauf; ~ **description** Mengenbezeichnung; ~ **discount** Ermäßigung bei Mengenabnahme, Großhandels-, Mengenrabatt; ~ **index** Mengenindex; ~ **manufacturing** Massenherstellung, -erzeugung, Serienproduktion; ~**mark** Mengenangabe; ~ **order** Mengenauftrag; ~ **price** Mengenpreis; ~ **proceeds** Mengenerlös; ~ **production** Massen-, Mengenherstellung, Massenproduktion; ~ **purchase** Großhandelseinkauf, -abnahme; ~ **rate** Mengen-, Grossistentarif, Mengenrabatt; ~ **rebate** Mengenrabatt; ~ **reduction** Mengennachlaß, -rabatt; ~ **relative** *(statistics)* Mengen-, Meßziffer; ~ **scale** Mengenstaffel; ~ **standard** Mengenvorgabe; ~ **surveying** Baukosten-, Preiskalkulation; ~ **surveyor** *(Br.)* Preiskalkulator, Bausachverständiger; ~ **theory of money** Quantitätstheorie; ~ **turnover** mengenmäßiger Umsatz, Mengenumsatz; ~ **variance** Mengenabweichung.

quantum index Mengenindex; ~ **merit** Teillohn.

quarantine Quarantäne[station], *(restraint)* Isolierung, Absonderung, Quarantänemaßnahmen;
~ *(v.)* unter Quarantäne stellen, Quarantäne verhängen;
to be in ~ Quarantäne machen; **to be out of** ~ Quarantäne hinter sich haben; **to remain in** ~ in Quarantäne liegen;
~ **expenses** Quarantänegelder; ~ **flag** Quarantäneflagge; ~ **harbo(u)r** Quarantänehafen.

quarter Viertel, *(dollar, US)* Vierteldollar, *(lodging)* Unterkunft, Logis, Quartier, *(mar.)* Posten, *(mil.)* Pardon, *(of town)* Stadtviertel, -bezirk, *(of year)* Vierteljahr, Quartal;
from authoritative ~**s** von maßgebender Seite; **from official** ~**s** von amtlichen Stellen;
business ~ Geschäftsgegend, -viertel; **financial** ~**s** Finanzkreise; **industrial** ~**s** Industriegegend; **living** ~ Appartment, größere Wohnung; **manufacturing** ~ Fabrikviertel, -gegend, Industrieviertel; **residential** ~ Wohnviertel;
to apply to the proper ~ sich an die zuständige Stelle wenden; **to be pressed for money from all** ~**s** von allen Leuten um Geld angegangen werden; **to have to expect no help from that** ~ von dieser Stelle auf keinen Pfennig hoffen können; **to have free** ~**s** umsonst wohnen; **to owe several** ~**s' rent** mehrere Mietraten schuldig sein; **to pay one's rent at the end of each** ~ seine Miete vierteljährlich postnumerando zahlen; **to shift one's** ~**s** umziehen, andere Wohnung nehmen;
~**s allowance** Beköstigungsgeld; ~ **bill** Quartalsabrechnung, *(mar.)* Schiffsrolle; ~ **day** Quartalstag, Zinstag, Termin; ~ **earnings** Vierteljahreserträgnisse; ~ **page** *(advertising)* Viertelseite; ~ **stock** *(US)* Viertelsaktie, mit nur 1/4 des Pariwertes gehandelte Aktie; ~**-yearly instal(l)ment** vierteljährliche Ratenzahlung.

quarterly | **account** Quartalsrechnung; ~ **allowance** Quartalsgeld; ~ **disbursement** Quartalszahlung; ~ **dividend** Vierteljahresdividende; ~ **settlements** Abwicklung der Quartalsverbindlichkeiten; ~ **trade accounts** vierteljährliche Abschlüsse.

quasi | **agreement** *(antitrust law, US)* aufeinander abgestimmtes Verhalten, Gruppendisziplin; ~**-contract** vertragsähnliche Verpflichtung; ~**-governmental corporation** halbstaatliche Einrichtung; ~**-municipal bonds** *(US)* nicht vollwertige Kommunalanleihe; ~ **partnership association** Vorvereinigung, Gesellschaft vor Eintragung; ~ **prosperity** Scheinkonjunktur; ~**-public company** Gesellschaft mit öffentlich-rechtlichen Befugnissen; ~ **usufruct** nießbrauchähnliches Verhältnis.

quay Schiffslandeplatz, Anlegestelle, Kai;
legal ~ Zollkai;
to discharge at the ~ am Kai löschen;
~ **dues** Kaigebühren; ~ **receipt** Kai-Empfangsschein; ~ **rent** Kailagergeld; ~**-side worker** Hafen-, Dockarbeiter.

queer *(US)* Falschgeld, Blüten;
~ **bill** fauler Wechsel; **to be in** ~ **street** *(sl.)* in Geldschwierigkeiten sein, in der Tinte sitzen; ~ **transaction** verdächtiges Geschäft.

query *(v.)* **the items of agenda** Rechnungsposten beanstanden.

question [Streit]frage, *(interrogation)* Vernehmung, Verhör, *(request for information, parl.)* kleine Anfrage, Interpellation;
economic ~ Wirtschaftsproblem; **64thousand**

dollar ~ Gretchenfrage;
~ **of apprenticeship** Lehrlingsausbildungsproblem; ~ **of common concern** Frage von allgemeinem Interesse; ~ **relating to craft** Berufsproblem; ~**s of currency** Währungsfragen; ~ **of minor interest** Frage von zweitrangiger Bedeutung;
~ *(v.)* **the computation of an account** Kontoabrechnung nicht anerkennen; **to allow s. one's claim without** ~ jds. Forderung widerspruchslos anerkennen; **to be calling for the** ~ Schluß der Debatte verlangen; **to have a** ~ **placed on the agenda** Frage auf die Tagesordnung setzen lassen; **to leave a** ~ **in the cold** Frage ausklammern;
~ **form** Fragebogen.
questionnaire, questionary Fragebogen;
to fill in a ~ Fragebogen ausfüllen;
~ **survey** Umfrage anhand von Fragebogen.
queue | **of cars** Fahrzeug-, Autoschlange;
~ *(v.)* **up** *(Br.)* Schlange stehen (bilden), in einer Reihe anstehen, sich anstellen.
queuing line Warteschlange.
quick schnell, sofort, prompt, *(in business)* geschäftsgewandt;
~ **assets** leicht realisierbare Aktivposten, *(balance sheet, US)* flüssige (liquide) Anlagen, Umlaufvermögen; ~**-assets ratio** *(US)* Flüssigkeitsverhältnis, Liquiditätsgrad; ~**-freeze goods** Lebensmittel dem Tiefkühlverfahren unterziehen; ~**-frozen food** tiefgekühlte Nahrungsmittel; ~ **liabilities** kurzfristig rückzahlbare Schulden; ~ **luncheon** Schnellgericht; ~**-lunch bar** Imbißstube, Schnellrestaurant; ~ **returns** schneller Umsatz; ~ **train** Schnellzug; ~ **workman** flotter Arbeiter.
quickie *(advertising)* kurzer Werbespot, *(article cheaply produced)* Raumschware;
~ **strike** von den Gewerkschaften nicht genehmigter (wilder) Streik.
quickly, to go off reißenden Absatz finden.
quiet *(a.)* ruhig, *(stock exchange)* lustlos, still, flau;
~ **dinner party** formlose Abendgesellschaft; ~ **title proceedings** Eigentumsfeststellungsverfahren.
quinquennial valuation *(Br.)* alle fünf Jahre erfolgende Einheitswertfeststellung.
quit *(a.)* frei, befreit;
~ **of charges** spesenfrei, nach Abzug der Kosten;
~ *(v.)* *(give up)* aufgeben, *(leave)* gehen, verlassen, ausziehen, räumen;
~ **business** sich vom Geschäft zurückziehen; ~ **cost** Unkosten bezahlen; ~ **an employment** Stellung (Beschäftigung) aufgeben; ~ **scores** Konto ausgleichen; ~ **five years earlier than required** fünf Jahre vorzeitig in Pension gehen; **to give notice to** ~ Mieter kündigen;
~ **rate** Kündigungsprozentsatz.
quitclaim Verzicht[leistung], *(conveyance, US)* Grundstücksübertragungsurkunde;
~ **deed** Abtretungs-, Grundstücksübertragungs-, Zessionsurkunde.
quittance Bezahlung, Quittung.
quitter *(US)* Arbeitsunlustiger, Drückeberger.
quitting clause *(US)* Dienstschlußklausel.
quorum beschlußfähige [Mietglieder]zahl, Beschlußfähigkeit;
to lack a ~ beschlußunfähig (nicht beschlußfähig) sein.
quota *(allocation)* Kontingent, Quote, *(bankruptcy)* [Konkurs]quote, -dividende, *(contribution)* Beitrag, *(delivery, US)* Liefersoll, *(immigration, US)* Einwanderungskontingent, -quote, *(share)* [Verhältnis]anteil, Rechnungs-, verhältnismäßiger Anteil, prozentuale Beteiligung, Beteiligungsverhältnis, [Teil]quantum;
subject to a ~ kontingentiert;
applicable ~ in Frage kommendes Kontingent; **basic** ~ Grundkontingent; **building** ~ Baukontingent; **buying** ~ Einkaufskontingent; **electoral** ~ Wahlkontingent; **exhausted** ~ erschöpftes Kontingent; **export** ~ Ausfuhrquote; **foreign-exchange** ~ Devisenkontingent; **full** ~ volle Zuteilung; **immigration** ~ Einwanderungskontingent; **import** ~ Einfuhrkontingent; **legislated** ~ gesetzlich festgesetztes Kontingent; **mandatory** ~ Zwangskontingent; **marketing** ~ Absatzkontingent; **maximum** ~ Höchstkontingent; **overall** ~ Globalkontingent; **overall import** ~ Gesamteinfuhrkontingent; **production** ~ Produktionsquote; **purchase** ~ Einkaufskontingent; ~ **provided for** vorgesehene Quote; **sales** ~ Absatz-, Verkaufskontingent; **tariff-rate** ~ Zollkontingent; **taxable** ~ steuerpflichtige Dividende; **territory** ~ regionales Verkaufskontingent; **yearly** ~ Jahreskontingent;
~ **of immigrants** *(US)* Einwanderungsquote; ~ **of production** Produktionsquote; ~ **of profits** Gewinnanteil;
to allow unfilled ~**s to carry into next year** unausgenutzte Quoten ins nächste Jahr übertragen lassen; **to apportion** ~**s for import** Einfuhrkontingente festsetzen; **to contribute one's** ~ seinen Anteil bezahlen, seine Quoten übernehmen; **to dispose of a** ~ über ein Kontingent verfügen; **to exceed a** ~ Kontingent überziehen; **to fix a** ~ Kontingent festsetzen, kontingentieren, zuteilen; **to increase (raise) the** ~ Kontingent (Quote) erhöhen; **to reduce the** ~ Kontingent kürzen; **to use up a** ~ Kontingent erschöpfen;
~ **accountancy** Quotenabrechnung; ~ **admission** Zulassungsquote; ~ **agent** Kontingentträger; ~ **agreement** Kontingentsvereinbarung; ~ **bargaining** Quotenaushandlung; ~ **bill** Kontingentierungsgesetz; ~ **country** *(immigration policy, US)* Kontingentsland; ~ **goods** kontingentierte (bewirtschaftete) Waren; ~ **immigrant** *(US)* Einwanderer im Rahmen der Quotenzuteilung; ~ **increase** Quotenerhöhung; ~

restriction Kontingentierung; ~ **sample** *(statistics)* Quotenstichprobe, Stichprobenanalyse; ~ **sampling** Quotenauswahlverfahren; ~ **selection** Quotenauswahl; ~ **share** Kontingentsanteil, *(reinsurance)* Quote; ~ **share treaty** *(reinsurance)* Quotenvertrag; ~ **system** Kontingentierungs-, Zuteilungssystem; ~ **treaty** *(reinsurance)* Quotenvertrag; ~ **wall** Kontingentsmauer.

quotable *(stocks)* notierbar;
to be ~y higher etw. höher stehen;
~ **book** druckfähiges Buch.

quotation Anführung, Zitierung, zitierte Stelle, Beweis, Belegstelle, Zitat, *(naming of prices)* Preisangabe, -anschlag, -ansatz, -notierung, -stellung, Offerte, *(print)* Steg, *(stock exchange)* [Kurs]notierung, Börsennotierung, Effektenkurs, -notiz, Kurs[meldung];
at the present ~ zum gegenwärtigen Kurs; **below** ~ unter Kurswert; **under today's** ~ unter Tagespreis; **without official** ~ ohne Kurs;
~**s** gehandelte Kurse;
above ~ obiger Preis; **asked** ~ Briefkurs, -notierung; **average** ~ Durchschnittsnotierung; **bid** ~**s** Geldkurs; **closing** ~ Schlußnotierung; **consecutive** ~ [fort]laufende Notierung; **daily** ~**s** Kursbericht, -blatt; **exaggerated (outbid)** ~ übersteigerter Kurs; **exchange** ~ Börsennotierung; **final** ~ Schlußnotierung, -kurs; **flat** ~ *(US)* Kursnotierung ohne Zinsberücksichtigung; **fluctuating** ~ schwankender Kurs; **highest** ~ höchster Kurs; **latest** ~ zuletzt notierter Kurs, Tagespreis; **latest** ~**s from the stock exchange** letzte Kursnotierungen; **lowest** ~ niedrigster Kurs; **market** ~ Börsennotierung, Marktkurs; **nominal** ~ Notiz, ohne Umsätze; **noon** ~ mittägliche Notierungen; **official** ~ amtliche Notierung, Börsenbericht, -blatt; **opening** ~ erste Notierung, Eröffnungskurs; **previous** ~ letzte Notierung; **price** ~ Preisangabe, *(stock exchange)* Kursnotierung; **regular** ~ einheitliche Notierung; **share** ~**s** *(Br.)* Aktiennotierung; **split** ~ uneinheitliche Notierung; **spot** ~ Preis bei sofortiger Lieferung; **standard** ~ Einheitskurs; **stock-exchange** ~ Börsenkurs; **telegraphic (exchange)** ~ Kurstelegramm, Drahtangabe; **today's** ~ heutige Notierung; **verbatim** ~ wörtliches Zitat; **wholesale** ~**s** Großhandelsnotierung; **word-for-word** ~ wörtliches Zitat;
~ **of one's authorities (authority)** Quellenangabe; ~ **of a case** Berufung auf eine Entscheidung; ~ **of the day** Tageskurs; ~**s for forward delivery** Terminnotierungen; ~ **of [foreign] exchange [rates]** Devisen-, Valutanotierung; ~**s of freight rates** Frachtkursnotierung, -notiz; ~**s for futures** Terminnotierung; ~ **of a loan** Anleihenotierung; ~ **on a foreign market** Auslandsnotierung; ~**s for plant** Betriebserrichtungskosten; ~ **of a price** Preisangabe; ~ **of specie** Geldkurszettel; ~ **on the stock market** Börsenkurs, -notierung;
to admit for ~ **on the stock exchange** zur Notierung zulassen; **to apply for official** ~ *(Br.)* Zulassung zur Börse beantragen; **to be admitted for** ~ **on the stock exchange** zum Handel an der Börse zugelassen werden; **to give a** ~ **for building a house** Hausbaukosten berechnen, Kostenvoranschlag für einen Hausbau vornehmen;
~ **board** Kurstafel; ~ **form** direkte Redeform; ~ **marks** Anführungsstriche; ~ **ticker** *(US)* Börsenfernschreiber.

quote Preisangebot;
(v.) (cite) anführen, zitieren, *(state price)* Preise angeben, ansetzen, berechnen, *(stock exchange)* Kurse börsenmäßig feststellen, notieren, Kurs feststellen;
~ **a number in reply to a letter** bei der Briefantwort eine Chiffre angeben; ~ **a price** Preisangebot machen, *(stock exchange)* Kurs notieren; ~ **references** Referenzen angeben.

quoted | on exchange börsengängig;
to be ~ **at** notieren (im Kurs stehen) mit; **to be** ~ **consecutively** fortlaufend notiert werden; **to be** ~ **on the stock exchange** amtlich (an der Börse) notiert sein; **to be** ~ **higher** [im Kurs] gestiegen sein; **to be** ~ **officially** amtlich notiert werden, zur Notierung kommen;
~ **investments at costs** *(balance sheet, Br.)* börsengängiger Wertpapiere zum Anschaffungskurs; ~ **list** *(Br.)* amtlicher Kurszettel; ~ **price** angegebener Preis, Preisangebot, *(stock exchange)* notierter Kurs, Kursnotierung; ~ **securities** börsengängige Wertpapiere; ~ **shares (stocks,** *US)* zur Börsennotierung zugelassene (notierte) Aktien; ~ **value** Kurswert.

R

rack Gestell, Ständer, Verkaufsständer, *(railway)* Gepäcknetz, -ablage;
baggage ~ Gepäcknetz, -ablage; **newspaper** ~ Zeitungsständer; **unloading** ~ Abladeplatz;
to buy a suit off the ~ Anzug von der Stange kaufen;
~ **folder** Werbefaltblatt für Spezialauslagen; ~ **jobber** *(US)* Regalgroßhändler, Großlieferant eines Kaufhofs.

racket *(line of business, sl.)* Geschäftszweig, Fach, *(sharp practices, US)* Schiebung, Geschäftemacherei, dunkle Machenschaften;
to be in the ~ vom Bau sein.

racketeer *(US)* Schieber, unsauberer Geschäftemacher, *(blackmailer)* Erpresser, Gangster.

rackrent *(Br.)* jahresübliche Miete, *(Ireland)* unerschwingliche Miete, Wuchermiete.

rackrenter überforderter Mieter.

radio Rundfunk, Radio, *(apparatus)* Rundfunkgerät, -empfänger, *(wireless telegraphy)* Funk;
on the ~ im Rundfunk;
mobile ~ fahrbarer Sender; **wired** ~ *(US)* Drahtfunk;
~ **address** Rundfunkansprache; ~ **advertiser** Rundfunkwerbung betreibende Firma; ~ **advertising** Rundfunkreklame, -werbung, Hörfunkwerbung; ~ **announcement** Rundfunkdurchsage; ~ **broadcast** Rundfunksendung, -übertragung; ~ **hookup** Ringsendung; ~ **jamming** Störsendung; ~ **link** Funksprechverbindung; ~ **listener** Rundfunkhörer; ~ **lottery** Funklotterie; ~ **marker** Funkbake, Anflugbake; ~ **newsreel** *(Br.)* Nachrichtensendung; **to sponsor a** ~ **program(me)** Finanzierung eines Rundfunkprogramms übernehmen; ~ **spot** kurze Werbedurchsage; ~ **taxi** Funktaxi.

radius | **of action** Aktionsradius; ~ **of activity** Tätigkeitsbereich.

raffle *(lottery)* Ausspielung, Verlosung, Tombola, *(stock exchange)* Auslosung von Wertpapieren;
~ *(v.)* an einer Tombola teilnehmen, *(stock exchange)* [Wertpapiere] verlosen.

rag *(newspaper)* Skandal-, Schundblatt;
~ **and bone dealer** *(Br.)* Lumpensammler; ~ **fair** Trödelmarkt; ~ **money** *(US)* entwertetes Papiergeld; ~ **trade** Lumpenhandel.

ragged bonds *(US)* Obligationen mit abgetrennten, noch nicht fälligen Kupons.

raid bewaffneter Überfall, *(prices)* Druck, *(stock exchange)* Kursdruck;
~ **on a bank** Banküberfall; ~ **on the reserves** Angreifen der Reserven;
~ *(v.)* überfallen, Überfall machen, *(pirate members)* [Mitglieder] abwerben;
~ **the market** Kurse durch Verkäufe drücken; ~ **the labo(u)r market** Arbeitsmarkt leerpumpen; ~ **the reserves** Reserven angreifen; ~ **a rival organization** Arbeitskräfte von einem Konkurrenzbetrieb abwerben.

raiding *(trade union, US)* Mitgliederabwerbung;

rail *(railway)* Schiene, *(ship)* Reling;
by ~ per [Eisen]bahn; **ex** ~ ab Bahnhof; ~**s** *(shares)* Eisenbahnaktien, -werte;
~ *(v.)* **goods** Waren mit der Bahn befördern;
to forward by ~ mit der Bahn befördern;
~ **bonds** *(US)* **(equities)** Eisenbahnobligationen; ~ **charges** Eisenbahnfrachtkosten; ~ **freight** [Eisen]bahnfracht; ~ **freight rate** [Eisenbahn]frachttarif; ~ **freight revenue** Frachteinnahmen; ~ **freight traffic** Eisenbahnfrachtverkehr; ~ **piggyback** Huckepackverkehr; **by an all-~ route** ausschließlich mit der Bahn; ~ **and water terminal** Güterumschlagstelle, Umschlagplatz; ~ **transit system** Eisenbahndurchgangsverkehr; ~ **transportation insurance** *(US)* Eisenbahntransportversicherung.

railroad *(US)* Eisenbahn, *(railway line)* Eisenbahnlinie, Schienenweg;
~ **bill of lading** Eisenbahnfrachtbrief; ~ **bonds** Eisenbahnobligationen; ~ **bulletin** Streckenplakat; ~ **car** Eisenbahnwaggon; ~ **carloading** Bahnfrachtsendung; ~ **carrier** bahnamtlicher Spediteur, Bahnspediteur; ~ **company** Eisenbahngesellschaft; ~ **earnings** [Eisenbahn]betriebseinnahmen; ~ **employee** Eisenbahnbeamter, Bahnangestellter; ~ **fare** [Eisenbahn]-fahrkarte; ~ **freight** Bahnfracht; ~ **freight car** [Eisenbahn]waggon, Güterwagen; ~ **freight rate** Gütertarif; ~ **industry** Waggonindustrie; ~ **passenger car** Personenwagen, -waggon; ~ **property** Bahneigentum; ~ **rates** Eisenbahntarif; ~ **relief fund** Eisenbahnunterstützungsfonds; ~ **station telegram** Bahntelegramm; ~ **stocks** Eisenbahnwerte, -aktien; ~ **strike** Eisenbahnstreik; ~ **truck line** Haupt[eisenbahn]linie; ~ **worker** Eisenbahnarbeiter.

railway *(Br.)* Eisenbahn, Schienenweg, *(branch line)* Neben-, Lokalbahn;
~**s** *(stock exchange)* Eisenbahnwerte;
district ~ Vorort-, Lokalbahn; **factory** ~ Schlepp-, Werkbahn; **harbour** ~ Hafenbahn; **high-speed** ~ Schnellbahn; **industrial** ~ Betriebsbahn;
~ **advertising** Eisenbahnwerbung; ~ **advice** Eisenbahnavis; ~ **building** Bahnhofsgebäude; ~ **car** Triebwagen; ~ **carriage** Eisenbahn-, Personenwagen, *(transport)* Bahnfracht; ~ **communication** Eisenbahnverkehr; ~ **company (corporation)** Eisenbahngesellschaft; ~ **consignment note** Frachtbrief; ~ **delivery** Bahnzustellung; ~ **earnings** [Eisenbahn]betriebseinnahmen; ~ **employee** Bahnangestellter; ~ **express** Expreß-, Eilgut; ~ **express agency** [Eisen]-bahnspedition, bahnamtlicher Spediteur; ~ **ex-**

press business Eilgutverkehr; ~ **fare** [Eisenbahn]fahrpreis; ~ **freight** [Eisenbahn]fracht; ~ **goods traffic** [Eisenbahn]güterverkehr; ~ **mail service** Bahnpostdienst; ~ **market** *(stock exchange)* Markt für Eisenbahnwerte; ~ **parcels** Bahnfrachtgut; ~ **parcels service** Bahnfrachtdienst; ~ **passenger duty** Beförderungssteuer; ~ **passenger insurance** Eisenbahnunfallversicherung; ~ **passenger transportation** [Eisenbahn]personenverkehr; ~ **rates** [Eisen]bahntarif; ~ **securities** Eisenbahnpapiere, -werte; ~ **station office** Bahnpostamt; ~ **stocks** Eisenbahnwerte; ~ **terminal** Kopfbahnhof; ~ **ticket** [Eisenbahn]fahrkarte; ~ **traffic regulations** Eisenbahnverkehrsordnung.

rain | **check** *(US)* Einlaßkarte für Ersatzveranstaltung; ~ **insurance** Regenversicherung.

raise | **in (of) wages** *(US)* Gehalts-, Lohnerhöhung, Gehaltsaufbesserung, -verbesserung;
~ *(v.)* stellen, geltend machen, *(increase)* erhöhen, in die Höhe treiben;
~ **the bank rate** Diskontsatz erhöhen; ~ **a blockade** Blockade aufheben; ~ **capital** Kapital aufnehmen (aufbringen); ~ **additional capital for new plant facilities** Kapitalerhöhung zwecks Durchführung von Betriebserweiterungen vornehmen; ~ **cash** Geld aufbringen (auftreiben); ~ **a check** *(US)* Scheckziffern in betrügerischer Absicht erhöhen; ~ **a claim under a guarantee** Garantieansprüche stellen (geltend machen); ~ **a credit** Kredit aufnehmen; ~ **the discount** Diskont[satz] erhöhen; ~ **the dividend** Dividendenerhöhung vornehmen; ~ **a great estate out of small profits** aus kleinen Gewinnen ein großes Vermögen machen; ~ **exports** Ausfuhr steigern; ~ **a fund** Fonds errichten; ~ **funds by subscription** Geld durch Zeichnung aufbringen; ~ **the interest from 7 per cent to 8 per cent** Zinsfuß von 7% auf 8% erhöhen; ~ **the level of prices** Preisniveau anheben; ~ **the limit** Limit erhöhen; ~ **a loan** Anleihe aufnehmen; ~ **money** Geld auftreiben (beschaffen); ~ **money on an estate** Geld (Hypothek) auf ein Grundstück aufnehmen; ~ **money for an industry** Industriezweig mit Kapital ausstatten; ~ **money for a new undertaking** Geld für ein neues Unternehmen bereitstellen; ~ **a mortgage** Hypothek aufnehmen; ~ **a point of order** Punkt für die Tagesordnung vorschlagen; ~ **production to a maximum** Produktion auf den Höchststand bringen; ~ **a tariff** Tariferhöhung vornehmen; ~ **a tax** Steuer erhöhen; ~ **the top** *(securities)* Höchstkurs heraufsetzen; ~ **the wages** Löhne erhöhen; ~ **the wind** *(sl.)* sich das nötige Geld verschaffen;
to get a ~ *(US)* Gehaltsaufbesserung erfahren.

raised | **bill** *(US)* durch Werterhöhung gefälschte Banknote; ~ **check** *(US)* durch Erhöhung des Betrages gefälschter Scheck.

raising | **of the bank rate** Diskonterhöhung; ~ **of capital** Kapitalaufbringung, -aufnahme; ~ **of a claim** Geltendmachung eines Anspruchs; ~ **of credit** Kreditaufnahme; ~ **of a loan** Anleiheaufnahme; ~ **of a mortgage on an estate** hypothekarische Beleihung eines Grundstücks; ~ **of postal** *(Br.)* **(postage,** *US)* **rates** Portoerhöhung; ~ **of prices** Preiserhöhung, -anhebung; ~ **of rents** Mietsteigerung; ~ **of revenue** Steueranhebung;
to organize the ~ **of funds for charitable purposes** Geldsammlung für Wohltätigkeitszwecke veranstalten.

rake *(v.)* **together wealth** Vermögen zusammenscharren;
~**-off** *(US sl.)* Gewinnanteil, Provision.

rally *(meeting, US)* Tagung, Treffen, Zusammenkunft, Massenversammlung, *(stock exchange)* [schnelle] Erholung, [Preis]aufschwung;
~ *(v.) (prices)* anziehen, sich erholen (verbessern, verstärken).

ramification Verzweigung, Verästelung, *(company)* Zweiggesellschaft;
widespread ~**s of trade** weitverzweigte Handelsorganisation.

ramp Rampe, *(usury, Br. sl.)* Preistreiberei, Geldschneiderei;
~ **agent** Flugspeditionsvertreter.

random auf Geratewohl, zufällig;
~ **distribution** Zufallsverteilung; ~ **purchase** Mengenkauf ohne Besichtigung; ~ **sample** Stichprobe; ~ **sampling** Stichprobenerhebung.

range *(collection)* Sammlung, Kollektion, *(country district, US)* Stadtbezirk mit einer Ausdehnung bis zehn km, *(limits of variation)* Spielraum, äußere Grenze, *(port)* frachtgleicher Hafen, *(production)* Programm, *(sphere)* Raum, Gebiet, Spannweite, Bereich, Fächer, Umfang, Aktionsradius, Wirkungskreis, -gebiet, Reichweite, *(stock exchange)* Schwanken der Kurse, Schwankung;
comprehensive ~ gute Auswahl; **price** ~ Preisbewegung, -bildung, *(stock exchange)* Kursbewegung, -bildung; **rate** ~ Lohnspanne; **salary** ~ Gehaltsklasse;
~ **of activities** Betätigungsfeld; **the whole** ~ **of articles** alle einschlägigen Artikel; ~ **for cable transfers** Satz für Kabelauszahlungen; ~ **of customers** Kundenkreis; ~ **of dispersion** Streuungsbreite; ~ **of earnings to be effected** betroffene Einkommensgruppen; ~ **of goods** Produktangebot; ~ **of income** Einkommensbereich; **wide** ~ **of items** großes Warenangebot; ~ **of patterns** Musterauswahl; ~ **of prices** Preisskala, -klasse, -lage, -spanne; ~ **of products** Produktionsrahmen, Umfang des Fertigungsprogramms; **full** ~ **of samples** vollständige Musterauswahl; ~ **of validity** Gültigkeitsbereich;
~ *(v.) (place in specified order)* einrangieren, -ordnen, -reihen, in Reihen aufstellen, klassifizieren, *(print.)* zurichten, ausgleichen, *(stock exchange)* schwanken, sich bewegen;

~ **o. s.** sich rangieren, seine Verhältnisse ordnen; ~ **between 10 and 20** zwischen 10 und 20 schwanken; ~ **from 5 to 10 marks** *(prices)* zwischen 5 und 10 Mark liegen;
to have a wide ~ of goods über ein großes Sortiment verfügen; **to move in a narrow ~** geringe Kursschwankungen aufweisen.

rank *(formation)* Ordnung, Formation, Aufstellung, *(order of precedence)* Rang[ordnung], *(position in life)* Rang, Klasse, Stand, [soziale] Stellung, Schicht, Würde, *(statistics)* Rangordnungsnummer;
of prior ~ im Range vorgehend, vorrangig;
cab ~ *(Br.)* Taxistand, -haltestelle; **prior ~** älterer Rang;
~s of middle management Schicht der gehobenen Angestellten; ~ **of workers** Heer der Arbeiter;
~ *(v.)* bevorrechtigt sein, *(have priority, US)* höheren Rang einnehmen, Vortritt haben, *(range in a class)* einordnen, klassifizieren, rangieren, *(bankruptcy proceedings)* als forderungsberechtigt aufgeführt werden, bevorrechtigt sein;
~ **a creditor** Rangordnung eines Gläubigers bestimmen; ~ **as creditor** als Gläubiger Anspruch erheben; ~ **for the July dividend** schon im Juli an der Dividendenausschüttung teilnehmen; ~ **equally** *(debts of a bankrupt)* gleichen Rang haben, gleichrangig sein; ~ **first in dividend rights** dividendenbevorrechtigt sein; ~ **high in public favo(u)r** großes Ansehen in der Öffentlichkeit genießen;
to be in the ~s of the unemployed zu der Schar der Arbeitslosen (dem Arbeitslosenheer) gehören; **to take high ~** *(Br.)* hoch gewertet werden; **to take the taxi at the head of the ~** *(Br.)* erstes Taxi an der Haltestelle nehmen;
~ **-and-file union member** einfaches Gewerkschaftsmitglied; ~ **order** *(employees)* Rangordnung.

ranking | of assets Rangfolge von Konkursgegenständen; ~ **of claims** Rangordnung der Ansprüche; ~ **of a creditor** Gläubigerrang; ~ **of mortgage** Hypothekenrang;
~ *(a.)* **for dividend** dividendenberechtigt;
equally ~ creditor gleichrangiger Gläubiger.

ransom Lösegeld;
~ **of cargo** Auflösung der Ladung;
~ **bill (bond)** Lösegeldverpflichtung; ~ **demand** Lösegeldforderung; ~ **money** Lösegeld; ~ **price** Wucherpreis; **to obtain s. th. at a ~ price** etw. zu einem exorbitanten Preis bekommen.

rapid | mass transport Schnelltransport von Massengütern; ~ **transit** *(US)* Nahschnellverkehr; ~ **transit line** *(US)* Nahschnellverkehrslinie; ~ **transit railroad** *(US)* Schnellbahn; ~ **transit system** *(US)* Nahschnellverkehrswesen.

rat *(strike)* Streikbrecher;
~ **race** *(politics, sl.)* Pöstchenjägerei.

rata, pro *(lat.)* verhältnismäßig, anteilig, proratarisch.

ratable verhältnis-, anteilsmäßig, *(estimable)* abschätzbar, *(liable to customs duty)* zollpflichtig, *(municipal tax, Br.)* umlage-, kommunalsteuerpflichtig;
~ **estate (property)** *(Br.)* grundsteuerpflichtiges Grundstück; ~ **freight** Distanzfracht; ~ **share** Verhältnisanteil; ~ **value** steuerbarer Wert, Steuermeßwert; ~ **value of a house** *(Br.)* Veranlagungswert eines Hauses.

ratal *(Br.)* Kommunalsteuersatz, Steuermeßbetrag, Veranlagungswert.

rate *(advertising)* Anzeigenpreis, *(amount)* Betrag, *(broadcasting)* Minutenpreis, *(electricity, gas)* Abgabepreis, Tarif, *(estimate)* Preis, Veranschlagung, Anschlag, Berechnung, Taxe, Preisansatz, Wert, *(public charge)* Gebühr, Leistungsentgelt, *(degree)* Grad, *(insurance)* Prämiensatz, *(marine insurance)* Risikoklasse, *(post)* Gebührenbetrag, Porto[satz], Posttarif, *(proportion)* Maß[stab], Verhältnis[ziffer], *(quota)* Quote, *(railway)* fester Satz, Tarif, *(share)* [verhältnismäßiger] Anteil, Rate, *(ship)* Rang, Klasse, *(stock exchange)* Kurs, Preis[stand], *(velocity)* Geschwindigkeit;
all the same ~ zum gleichen Preis; **at any ~** *(in any case)* auf jeden Fall, *(price)* zu jedem Preis; **at the ~ of** zum Preise (Kurse, Satze) von, *(proportion)* im Verhältnis von; **at the best possible ~** bestens, bestmöglich; **at a cheap (low) ~** wohlfeil, billig, preiswert; **at the current ~** zum Tageskurs; **at a dear (high) ~** teuer; **at an easy ~** ohne große Unkosten; **at a fearful ~** in einem erschreckenden Ausmaß; **at a firm ~** zu festem Preis; **at a fixed ~** zu einem bestimmten (festen) Satz; **at a great ~** mit großer Geschwindigkeit; **at the highest ~ of exchange** zum höchsten Kurse; **at a lower ~** zu ermäßigtem Preis; **at a modified ~** zu einer herabgesetzten Gebühr; **at the most favo(u)rable ~** zum günstigen Kurs; **at a ~ of 4 per cent** zu einem [Zins]satz von 4%; **at the present ~ of consumption** beim augenblicklichen Verbrauch; **at the ~ [of exchange] quoted** zum verzeichneten Kurs; **at a reduced ~** zu ermäßigter Gebühr; **at a slow ~** in langsamem Tempo;
~s *(municipal taxes, Br.)* Gemeindeabgaben; Gemeinde-, Kommunalsteuern, *(tariff)* Tarif;
first-~ erster Klasse, erstklassig; **second- ~** zweitrangig; **third- ~** von minderwertiger Qualität;
actual ~s besondere [nachgewiesene] Bankspesen; **advanced ~** erhöhter Frachtsatz; **advertising ~** Anzeigentarif; **annual ~** *(insurance)* Jahresprämie; **applicable ~** gültiger Frachtsatz; **asked ~** Briefkurs; **average ~** Durchschnittssatz, *(stock exchange)* Mittel-, Durchschnittskurs; **average earned ~** Durchschnittsverdienst; **bank**

~ Diskont[satz]; **base (basic)** ~ Grundtarif, -gebühr, *(wages)* Grundlohn; **birth** ~ Geburtenziffer; **blanket** ~ Pauschaltarif, -satz; **borough ~s** *(Br.)* Gemeindeabgaben, -umlagen; **buying** ~ Ankaufs-, Geldkurs; **call** ~ Satz für täglich fälliges Geld; **carload** ~ Stückgütertarif; **cash** ~ Scheckkurs, *(stock exchange)* Kassakurs; **church** ~ *(Br.)* Kirchensteuer; **circulation** ~ Auflageziffer; **class** ~ *(freight)* Sondertarif, *(insurance)* Tarifprämie; **class A** ~ *(broadcasting)* höchste Preisgruppe; **clearing** ~ Verrechnungskurs; **clock card** ~ *(wage earner)* garantierter Stundenlohn; **closing** ~ Schlußkurs; **yesterday's closing ~s** gestrige Schlußnotierung; **4-colo(u)r** ~ *(advertising)* Preis für vierfarbige Anzeigen; **combination** ~ *(advertising)* kombinierter Anzeigensatz, Kombinationstarif; **combination through** ~ kombinierter Durchgangsfrachtsatz; **commission** ~ Provisions-, Kommissionssatz; **commodity ~s** Gütertarif; **comparable** ~ Vergleichstarif; **composite** ~ Durchschnittssatz; **composition** ~ Vergleichsquote; **contango** ~ Report-, Deportkurs; **continental ~s** Sorten und Devisenkurse auf europäischen Plätzen; **contribution** ~ Beitragssatz; **cost-per-thousand** ~ *(advertising)* Tausenderpreis; **country** ~ Kommunal-, Bezirks-, Kreisumlage; **currently adjusted** ~ fortlaufender Kurs; **customs** ~ Zollsatz; **daily** ~ Tagessatz; **day** ~ Tagessatz, -kurs; **death** ~ Sterblichkeitsziffer; **deposit** ~ Habenzinssatz; **differential ~s** Ausnahmefrachtsätze; **discount** ~ Diskont[satz]; **distance** ~ Distanzfrachttarif; **dividend ~s** Dividendensätze; **divorce** ~ Scheidungsziffer; **dollar** ~ Dollarkurs; **domestic ~s** Inlandspostgebühren; **double** ~ doppelte Gebühr; **drooping ~s** rückläufige Kurse; **education** ~ Schulgeld; **effective** ~ effektiver Zinssatz, *(Br.)* Höchstbetrag der Steuer, Steuerhöchstbetrag; **electric** ~ *(US)* Strompreis, -tarif; **entrance** ~ *(US)* Anfangsgehalt, -lohn; **equitable** ~ *(insurance)* gerechte Prämie; **established** ~ fester Kurs; **exceptional** ~ Ausnahmetarif; **exchange** ~ Wechsel-, Devisen-, Umrechnungskurs; **experience** ~ *(workmen's compensation insurance)* Erfahrungsrichtsatz; **factory overhead** ~ Fertigungsgemeinkostensatz; **fair** ~ annehmbarer Preis; **favo(u)rable** ~ günstiger Kurs; **federal funds** ~ *(US)* [Bank-]diskontsatz; **first** ~ erste Qualität, *(stock exchange)* Anfangskurs; **fixed** ~ fester Kurs, Festkurs, feste Valuta; **flat** ~ Pauschal-, Einheitspreis, -satz, -tarif, *(advertising)* Anzeigenfestpreis, *(el. US)* Grundgebühr; **flat mil(e)age** ~ Kilometerpauschale; **foreign** ~ Auslandsporto; **forward exchange** ~ Devisenterminkurs; **forward** ~ Terminkurs; **freight ~s** *(US)* Gütertarif, Frachtgebühren, Seefrachtsatz; **freight-of-all-kinds** ~ gleichmäßiger Frachttarif; **full** ~ voller Fahrpreis; **gas** ~ *(US)* Gastarif; **general ~s** *(Br.)* allgemeine Kommunalabgaben; **graduated** ~ gestaffelter Satz, Staffeltarif; **ground** ~ *(railway)* Grundtarif; **guaranteed** ~ garantiertes Grundgehalt; **half** ~ halber Fahrpreis; **harbo(u)r ~s** Hafengebühren; **high** ~ hoher Satz; **highway ~s** Straßenabgabe; **hourly** ~ Stundenlohn, -satz; **income tax** ~ Einkommensteuersatz; **individual** ~ Einzelprämie; **initial** ~ Anfangssatz, -prämie; **inland** ~ *(postage)* Inlandsporto; **insurance** ~ Versicherungsprämie; **interest** ~ Zinssatz, -fuß; **interior** ~ *(shipping)* Übergangstarif; **introductory** ~ Einführungstarif; **job** ~ Akkordrichtsatz; **joint** ~ Gesamtfrachtsatz, Sammeltarif; **joint combination** ~ kombinierter Sammeltarif; **judgment** ~ *(fire insurance, US)* nach eigenem Ermessen festgesetzte Prämie, Selbsteinschätzung; **less-than-carload (LCL) ~s** *(US)* Stückguttarif; **lastage ~s** Löschungsgebühren; **lawful** ~ gesetzlich zulässiger Tarif; **letter postage** ~ *(Br.)* Briefporto; **life** ~ gesamte Lebensversicherungsprämie; **line** ~ Mindesttarifsatz; **liners** ~ *(charter)* Frachtraten nach regulären Bedingungen; **loan** ~ durchschnittlicher Handelskredit-, Darlehnszinssatz; **local ~s** *(Br.)* ortsübliche Sätze, *(shipping)* Ortstarif, *(taxation)* Gemeindeabgaben, Kommunalsteuer; **Lombard** ~ Lombardzinssatz; **loose** ~ überdurchschnittlich hoher Lohn; **low** ~ niedriger Kurs; **lowest [possible]** ~ Mindestpreis, -satz, äußerst reduzierter Preis; **lump-sum** ~ Pauschalsatz; **marine** ~ Prämiensatz der Seetransportversicherung; **market** ~ Marktpreis, *(Br., discount rate)* Diskontsatz, *(stock exchange)* amtlicher Kurs, Börsenkurs; **marriage** ~ Zahl der Eheschließungen, Heiratsziffer; **maximum** ~ Höchstsatz, *(stock exchange)* Höchstkurs; **merit** ~ *(insurance)* besonders festgesetzte Versicherungsprämie; **mileage** ~ Kilometersatz, -tarif; **minimum** ~ Mindestpreis, -satz, *(employee)* Mindestlohn, *(freight)* Mindesttarif, *(insurance)* Mindestprämie, *(stock exchange)* Mindestkurs; **minimum piece** ~ Mindeststücklohntarif; **minimum plant** ~ betrieblicher Mindestlohn; **minimum time** ~ Mindestzeitlohntarif; **mixed carload** ~ *(US* Stückguttarif; **money** ~ Geldkurs; **money market ~s** Geldmarktsätze; **mortality** ~ Sterblichkeit[sziffer]; **mortgage** ~ Hypothekenzinssatz; **municipal ~s** *(Br.)* Kommunalumlage, -abgabe; **net U. K.** ~ *(Br.)* Steuersatz nach Anrechnung der Doppelsteuer; **newspaper** ~ Zeitungsporto; **nominal** ~ einem Wertpapier aufgedruckter Zinssatz; **occupational** ~ üblicher Stundenlohn; **official** ~ behördlich genehmigter Frachttarif, *(stock exchange)* amtlicher Kurs; **one-time** ~ *(advertising)* Seitenpreis, Einmaltarif; **opening** ~ Eröffnungs-, Anfangskurs; **open-market ~s** *(US)* Geldsätze am offenen Markt; **option** ~ *(Br.)* Prämiensatz; **page** ~ Seitenpreis; **ordinary** ~ normales Porto;

paper ~ nur auf dem Papier stehender Tarif; **parcel** ~ [Post]paketgebühr; **parish** ~ Kommunalabgabe; **part-time** ~ Lohn für nicht ganztägig beschäftigte Arbeitskräfte; **passenger** ~**s** Personentarif; **poor** ~ Armenumlage; **postage** ~**s** *(Br.)* Porto-, Postgebühren; **postal** ~**s** *(Br.)* Porto[gebühr]; **posted** ~ übliche Bankspesen; **preferential** ~**s** Vorzugssatz, -tarif; **prevailing** ~ *(US)* Mindestlohn für Arbeiter bei öffentlichen Bauvorhaben; **previous** ~ bisheriger (letzter) Preis; **prime** ~ *(Br.)* Mindestzinssatz; **private** ~ *(Br.)* Privatdiskontsatz; **probationary** ~ Anfangsgehalt, -lohn; **production** ~ Produktionsleistung; **public utility** ~**s** Gebührnisse öffentlicher Betriebe; **quantity** ~ Grossisten-, Mengentarif; **railroad** *(US)* **(railway,** *Br.)* ~**s** Eisenbahntarif[sätze]; **reduced** ~ ermäßigte Fahrkarte, Tarifermäßigung: **regular** ~ feste Valuta, *(railway)* Normaltarif, *(wages)* Normallohn, -gehalt; **released** ~ *(US)* Tarif mit beschränkter Haftpflicht des Spediteurs; **renewal** ~ Prolongationssatz; **river** ~ Flußfrachtsatz; **ruling** ~ bestehender Kurs; **runaway** ~ überdurchschnittlich hoher Lohn; **salary** ~ Angestelltengehalt; **scale** ~ *(Br.)* Staffeltarif; **schedule** ~ Tarifprämie; **selling** ~ Verkaufs-, Briefkurs; **short** ~ *(fire insurance)* Versicherungsprämie für einen Zeitraum unter einem Jahr; **single** ~ Einheitslohn; **special** ~ Zweckabgabe, *(preferential ~)* Vorzugssatz, -tarif; **special** ~**s** *(railway)* Ausnahmetarif; **specific** ~ *(insurance)* Sondertarif; **spot** ~ Platzkurs, *(freight)* Frachttarif für Expreßversand, *(stock exchange)* Kassasturz; **standard** ~ Einheits-, Normalsatz, Grundtarif; **standard** ~ **per mile** Kilometersatz, -preis; **standard wage** ~ Einheitstarif; **starting** ~ *(US)* Anfangsgehalt, -lohn; **state-approved** ~ staatlich genehmigter Tarif; **straight piece** ~ reiner Stücklohn; **subminimum** ~ untertariflicher Lohn; **subscription** ~ Abonnements-, Subskriptionspreis; **substandard** ~ unterdurchschnittlicher Lohnsatz für behinderte Arbeiter; **supplementary** ~ Zuschlag; **tapering** ~**s** Staffeltarif; **tariff** ~ *(insurance)* Tarifprämie; **tax** ~ Steuersatz; **telegram** ~ Wortgebühr; **telephone** ~**s** *(US)* Telefongebühr; **temporary** ~ Sonderlohnsatz; **through** ~ *(Br.)* Frachtsatz für Ladungen unter 50 kg; **time** ~ Stundenlohn; **today's** ~ Tageskurs, Marktpreis; **tonnage** ~ Tonnenlohn; **town** ~**s** städtische Abgaben; **transient** ~ Anzeigentarif für Einzelinsertion ohne Rabatt; **transit** ~ Frachttarif für Durchgangsgüter; **transportation** ~ Frachtsatz, -tarif; **trial** ~ Probegehalt; **uncertain** ~ veränderliche Valuta; **unchanged** ~**s** unveränderte Preise; **uniform** ~ Einheitsgebühr; -tarif; **usual** ~ üblicher Wechselkurs; **wage** ~ Lohntarif, -satz; **water** ~**s** *(Br.)* Wassergeld;

~**s and taxes** Gebühren und Abgaben; ~ **of absenteeism** Abwesenheitssatz; ~ **of advance** Steigerungsbetrag; ~**-in-aid** *(Br.)* kommunale Ausgleichsumlage; ~ **of ascent** *(airplane)* Steiggeschwindigkeit; ~ **of assessment** Veranlagungs-, Steuersatz, Bewertungsmaßstab; ~**s of benefits** *(social insurance)* Unterstützungssätze, Leistungshöhe; ~ **of building** Bautempo; ~ **of carriage** Beförderungstarif; ~ **per cent** Kurs in Prozenten; **good** ~ **of climb** *(airplane)* gute Steigfähigkeit; ~ **of commission** Provisionssatz; ~ **of compensation** Kompensationskurs; ~ **of consideration** Prämiensatz; ~ **of consumption** Verbrauchssatz; ~ **of contango** Prolongationsgebühr; ~**s of contribution** Beitragssätze; ~ **of conversion** Konversionssatz, Umrechnungskurs; ~ **of corporation tax** Körperschaftssteuersatz; **letter postage** ~ **to foreign countries** *(Br.)* Auslandsbriefporto; ~ **of customs** Zolltarifsatz; ~ **of the day** Tageskurs, -notierung; ~ **for day-to-day money** Tagesgeldsatz; ~ **for delivery** Löschquantum; ~ **of depreciation** Abschreibungssatz; ~ **of discount** Diskontsatz; ~ **of duty** Steuer-, Zollsatz; **preferential** ~ **of duty** *(Br.)* Zollvorzugssatz, Präferenzzoll; **ad valorem** ~ **of duty** Wertzollsatz; ~ **of erection** Montagesatz.

rate of exchange Kursstand, -verhältnis, *(agio)* Agio, *(bills of exchange)* Wechsel-, Devisen-, Valuten-, Umrechnungskurs;

at a favo(u)rable ~ zu besonders günstigem Kurs;

arbitrated ~ ermittelter Arbitrageumrechnungskurs; **forced** ~ Zwangskurs; **present** ~ gegenwärtige Valuta.

rate | **of economy** Konjunkturmaßstab; ~ **of expansion** Zuwachs-, Expansionsrate; ~ **of extraction** Förderungsquantum; ~ **of fare** Fahrpreis, Eisenbahntarif; ~**s in force** geltende Tarifsätze; ~ **of gold** Goldkurs; ~ **of growth** Zuwachs-, Wachstumsrate; ~ **of economic growth** Wachstumsrate des Sozialprodukts; ~ **of income growth** Einkommenszuwachsrate; ~ **of income tax** Einkommensteuersatz; ~ **of increase** Steigerungsbetrag, -satz, Zuwachsrate; ~ **of increment** Zuwachsrate; ~ **of inflation** Inflationsrate; ~ **of insurance** Versicherungsprämie; ~ **of interbank loans** Zinssatz für von Banken aufgenommene Gelder, Tagesgeldsatz.

rate of interest Zinsfuß, -satz, *(participation)* Beteiligungsquote;

attractive ~**s** anziehende Zinssätze; **contract** ~**s** vertraglich ausgedungene Zinssätze; **high** ~ hoher Zinsfuß; **legal** ~ gesetzlicher Zinsfuß; **sliding** ~ gleitender Zinsfuß; **stipulated** ~ vereinbarter Zinssatz.

rate | **of investment** Investitionsrate, -grad; ~ **of issue** Ausgabe-, Emissionskurs; ~ **for the job** Lohnkosten für die einzelne Arbeitsverrichtung; ~ **of living** Lebensstandard; ~ **for loans on collateral** Lombardsatz; ~ **of the market** Platzkurs; ~**s for money on loan** *(banking)*

Geldsätze; ~ **of money growth** Geldzuwachsrate; ~ **of mortality** Sterblichkeitsziffer; ~**s obtained at today's market** heute erzielte Börsenkurse; ~ **of operations** Betriebsvolumen; ~ **of option** *(Br.)* Prämiensatz; ~ **of output** Ausstoßziffer; **actual** ~ **of output** Ist-Ausstoß; ~ **of pay** Lohnsatz; **hourly** ~ **of pay** Stundenlohnsatz; ~ **of performance** Leistungsziffer; **annual** ~ **of population increase** jährlicher Bevölkerungszuwachs; **percentage** ~ **of population growth per annum** jährlicher Bevölkerungszuwachs in Prozenten; ~ **of portion** Beteiligungsquote; ~ **of postage** Portosatz; ~**s of postage** Posttarif, -gebühren; ~ **of premium** Prämiensatz; ~ **for printed matter** Drucksachenporto; ~**s of production** Produktionshöhe, -ziffern; ~ **of productivity** Produktivitätsrate; ~ **of profit** Gewinnsatz; ~ **of progress** Progressionssatz; **annual** ~**s of property tax** jährliche Vermögenssteuersätze; ~ **of redemption** Rückzahlungs-, Einlösungskurs; ~ **of returns** *(US)* Kapitalverzinsung; **highest** ~ **of return on investment** höchste Investitionsrendite; **low of return** geringe Rendite; ~ **of settlement** Abrechnungs-, Kompensationskurs; ~ **of shares** Aktienkurs; ~ **of shipping** Frachttarif; ~ **of stock building** Lagerauffüllungsprozentsatz; ~ **of stowage** Stauerlohn; ~ **of subscription** Bezugspreis, Abonnementsgebühr, *(stock exchange)* Zeichnungskurs; ~**s and taxes** *(Br.)* Kommunal- und Staatssteuern; ~ **of taxation** Steuersatz; **progressive** ~**s of taxation** Staffelung der (gestaffelte) Steuersätze; ~ **of turnover** Umsatzziffer; -geschwindigkeit; Umschlagsgeschwindigkeit; ~ **of unemployment** Arbeitslosenprozentsatz; ~ **of wages** Lohnsatz, -tarif; ~ **of wear and tear** Abnutzungssatz; ~ **of withdrawal** Entnahmesatz;

~ **at which the franc has been established** Stützungskurs des Franken;

~ *(v.)* *(appraise)* [ab]schätzen, [be]werten, bemessen, berechnen, taxieren, *(assess)* einschätzen, besteuern, *(employees)* beurteilen, *(range)* bestimmten Wert haben, rangieren, *(ship)* zu einer Klasse zählen, *(ship goods, US)* Waren zu einem bestimmten Frachtsatz versenden;

~ **s. o.** j. nach seinen Fähigkeiten beurteilen, *(assess)* zu einer Umlage heranziehen; ~ **s. o. up** *(insurance)* j. höher (in eine höhere Prämiengruppe) einstufen;

~ **a building for insurance purposes** Gebäude für die Versicherung schätzen lassen; ~ **a coin** Münze taxieren; ~ **s. one's fortune at $ 400 000** jds. Vermögen auf 400 000 Dollar taxieren; ~ **among one's friends** zu seinen Freunden zählen; ~ **heavily** kräftig besteuern; ~ **s. o. high** j. hoch einschätzen; ~ **as hospitable** für gastfreundlich halten; ~ **a pension** Pensionshöhe festsetzen; ~ **on points** nach Punkten bewerten; ~ **s. one's property at £ 100 per annum** 100 £ Vermögenssteuer für j. festsetzen; ~ **a ship** Schiff klassifizieren; ~ **the tare** Tara berechnen; ~ **up** höher versichern;

to accord s. o. favo(u)rable ~**s** jem. einen günstigen Tarif zugestehen (einräumen); **to advance the** ~ Kurs aufsetzen; **to apply a** ~ **of five per cent** Satz von 5% in Anwendung bringen; **to be increasing at a fearful** ~ beängstigend zunehmen; **to be quoted at the** ~ **of ...** zum Kurs von ... notiert werden; **to buy things at a** ~ **of 8s a hundred** hundert Stück zum Preis von je acht Shilling kaufen; **to cut the** ~ **of discount** Diskont herabsetzen; **to fix** ~**s** *(stock exchange)* Kurse (Preise) festsetzen, *(tariff policy)* tarifieren; **to improve the** ~ Kurs heraufsetzen; **to lay a** ~ **on a building** Hauszinssteuer erheben; **to levy a** ~ *(Br.)* Kommunalabgabe erheben; **to live at the** ~ **of 9 000 $ a year** 9 000 Dollar im Jahr ausgeben; **to lose at the** ~ **of ten pounds a week** wöchentlich zehn Pfund zusetzen; **to lower the** ~ Kurs herabsetzen; **to mark the** ~ **down** Satz herabsetzen; **to pay s. o. at the** ~ **of 4 dollars an hour** jem. einen Stundenlohn von 4 Dollar zahlen; **to put up the** ~ **of a pension** Pension erhöhen; **to quote** ~**s** Kurse angeben; **to reduce** ~**s** Umlagen herabsetzen; **to sell s. th. at a reasonable** ~ etw. zu einem vernünftigen Preis verkaufen; **to take the** ~ Geld aufnehmen; **to travel at a** ~ **of 60 miles an hour** mit einer Geschwindigkeit von 100 Stundenkilometern fahren; **to trim slightly the current** ~ **of spending** Umfang der vorgesehenen Investitionen leicht anheben; **to value at a high** ~ *(US)* hoch bewerten; **to value at a low** ~ (US) niedrig einschätzen;

~ **adjustment** Prämienregulierung; ~**-in-aid** *(Br.)* kommunale Ausgleichszulage; ~**-aided** *(Br.)* mit gemeindlicher (kommunaler) Unterstützung; ~**-aided person** *(Br.)* Unterstützungsempfänger; ~ **announcement** Preisankündigung, *(advertising)* Mitteilung über die Anzeigentarife; ~ **base** Richtsatz; ~ **basis** Frachtberechnungsgrundlage; ~ **book** Steuerrolle, Umlagenregister, *(advertising)* Zeitungskatalog, Nachschlagewerk, *(freight)* Tarifbuch, Preisliste; ~ **card** *(advertising)* Preistafel, Anzeigentarif, -preisliste, Tarif, Annoncenpreisstaffel; ~ **case** Tarifstreit; ~ **change** Tarif-, Prämienänderung; ~ **check** Überprüfung von Frachtrechnungen; ~ **class** *(broadcasting)* Tarifklasse; ~ **collection** Umlagenerhebung; ~ **collector** Gemeindesteuereinnehmer; ~ **collector's office** Stadtsteueramt; ~ **competition** Prämienkonkurrenz; ~ **cut** Tarifkürzung; ~ **cutting** Tarifermäßigung, -unterbietung, Anwendung der Akkordschere, *(wages, US)* Lohnkürzung; ~ **-cutting** verbilligend; ~ **decrease** Tarifverbilligung; ~ **deficiency grant** *(Br.)* Ausgleichszahlungen an finanzschwache Gemeinden; ~ **deregulation** Tariffreigabe; ~ **factors** Tariffaktoren; ~ **filing** Tarifklage; ~ **fixer** Tarifbehörde; ~ **fixing**

Kursfestsetzung, *(piece wage)* Akkordberechnung; ~**-fixing** kursbestimmend, *(freight)* tarifbestimmend; ~ **hike** Tariferhöhung; ~ **holder** *(advertising)* Komplettierungsanzeige, Rabattkunde, -schinder, *(US)* laufende kleine Anzeigen, Dauerinserat; ~ **increase** Gebühren-, Tariferhöhung; ~ **level** *(insurance)* Prämienhöhe; ~ **limit** *(mail, US)* Höchstgewicht; ~ **maker** Tarifberechner; ~ **making** Gebührenfestsetzung, *(insurance)* Prämienfestsetzung, *(wages)* Tarifberechnung.

rate-making tarifbestimmend;
~ **association** Tarifverband; ~ **body** *(US)* Tarifbehörde; ~ **method** Tarif-, Prämienbildung, -festsetzungsmethode.

rate | notification *(tel.)* Gebührenansage; ~**-paying** steuerumlagezahlend; **for ~ purposes** zu Tarifzwecken; ~**-raising** tariferhöhend; ~ **range** Tarifspanne; ~ **receipt** *(Br.)* Kommunalabgabenquittung; ~ **reduction** Tarifkürzung, -ermäßigung, *(municipal accounting, Br.)* Umlagenermäßigung; ~ **regulation** *(US)* Festlegung des Höchsttarifs; ~ **scale** *(US)* gestaffelter Tarif, Staffel-, Zonentarif; ~ **schedule** Anteilaufstellung; ~ **setting** Lohnfestsetzung, *(time study)* Vorgabezeitermittlung; **joint ~ setting** Lohnfestsetzung durch Betriebsführung und Betriebsrat; ~ **tariff** *(carrier)* Speditionssatz; **first-~ teacher** erstklassiger Lehrer; ~ **treatment** Tarifbehandlung, -regelung; ~ **war** Tarifkrieg, -kampf.

rat(e)ability [Ab]schätzbarkeit, *(customs)* Zollpflichtigkeit, *(municipal tax)* Abgaben-, Kommunalsteuerpflicht, *(tax)* Umlagepflicht.

rat(e)able verhältnismäßig, anteilmäßig, *(customs)* zollpflichtig, *(estimable)* [ab]schätzbar, *(municipal tax)* abgaben-, kommunalsteuerpflichtig, *(tax)* taxierbar, besteuerbar, umlagepflichtig;
~ **property** der Besteuerung unterliegendes Vermögen; ~ **value** steuerbarer Wert.

rated eingeschätzt, klassifiziert, *(municipal taxation)* gemeindesteuerpflichtig;
to be highly (heavily) ~ hoch besteuert sein;
~ **tax** Reparationssteuer; ~ **value of property** Mietertragswert eines Grundstückes.

ratepayer *(Br.)* Gemeindeabgabenpflichtiger, Kommunalsteuer-, Umlagenzahler;
~ **in arrears** rückständiger Steuerzahler.

ratepaying steuer-, umlagezahlend.

rater Taxator, Schätzer, *(US)* [Leistungs]prüfer, Beurteilender;
a first ~ Schiff erster Klasse.

ratification Genehmigung, Bestätigung, Anerkennung, Ratifizierung;
~ **of directors' acts** Entlastung des Vorstands, Vorstandsentlastung.

ratify *(v.)* **a sale made under power of attorney** einem vom bevollmächtigten Vertreter getätigten Verkauf zustimmen.

ratifying bestätigend.

rating *(amount fixed, Br.)* [Steuer]satz, zu zahlende Steuer, Gemeindesteuerbetrag, Umlage[betrag], Beitragsbemessung, *(appraisal)* Bemessung, Bewertung, Einschätzung, [Ab]schätzung, Taxieren, Taxierung, *(assessment, Br.)* [Steuer]einschätzung, Heranziehung zu einer Umlage, *(banking)* Krediteinschätzung, Bonitätsprüfung, *(broadcasting)* Hörerbefragung [über Beliebtheit von Sendungen], *(class)* Klasse, Kategorie, *(collection of rates, Br.)* Heranziehung zu Kommunalabgaben, Umlagenerhebung, *(financial standing)* finanzielle Stellung, *(fixing of rates)* Tarifierung, Tariffestsetzung, *(mar., Br.)* [einfacher] Matrose, *(performance of machine)* Leistung, *(position)* Rang, finanzielle Stellung [eines Unternehmers], *(railway)* Tarif, *(ranging)* Klassifizierung, Klasseneinteilung nach Rangklassen;
~**s** *(US, stock exchange)* Effektenbewertung;
A ~ erste Anlagen; **capital** ~ *(US)* Kapitalbewerbung; **classification** ~ Tarifeinstufung; **credit** ~ *(US)* Einschätzung der Kreditfähigkeit, Bonitätsprüfung; **efficiency** ~ *(US)* Leistungsbeurteilung, -analyse; **employee** ~ *(US)* Beurteilung der Arbeitnehmer, Angestellteneinstufung; **experience** ~ *(US)* Leistungsbeurteilung, -einstufung; **job** ~ *(US)* Arbeitsbewertung; **merit** ~ *(US)* Leistungsbeurteilung, -bewertung; **individual** ~ *(insurance)* Prämienanpassung an das konkrete Risiko; **mutual** ~ *(US)* gegenseitige Beurteilung [von Betriebsangehörigen]; **performance** ~ *(US)* Leistungsbeurteilung; **qualification** ~ *(US)* Eigenschaftsbeurteilung; **railway** ~ Festsetzung der Eisenbahntarife; **service** ~ *(US)* Leistungsanalyse; **special** ~ *(US)* Kreditauskunft; **treasury** ~ *(car)* Steuerleistung;
officers and ~s *(ship)* Offiziere und Unteroffiziere; ~ **of the entire mortgage pattern** Abschätzung zwecks hypothekarischer Beleihung; ~ **by points** punktuelle Bewertung; ~ **premium** Prämienberechnung; ~ **of supervisors** Leistungsanalyse von Vorgesetzten;
~ **agreement** Tarifvereinbarung; ~ **appeal** Einspruch gegen zu hohe Einschätzung [des Firmenwertes]; ~ **area** *(Br.)* kommunaler Steuer-, Veranlagungs-, Umlagenbezirk; ~ **assessment** *(Br.)* Steuer-, [insbesondere] Firmenveranlagung; ~ **authority** *(Br.)* kommunale Steuerbehörde; ~ **book** *(US)* Sammelauskunfts-, Bewertungsbuch, Unterlagen einer Kreditauskunftei; ~ **bureau** Prämien-, Tarifbüro, *(insurance business)* Zweckverband; ~ **column** Tarifrubrik; ~ **committee** *(employees)* Beurteilungsausschuß; ~ **engineer** Prämiensachverständiger; ~ **error** Beurteilungsfehler; ~ **flop** vom Publikum abgewertetes Fernsehprogramm; ~ **form** Beurteilungsformular; ~ **office** Prämienberechnungsstelle; ~ **period** Beurteilungszeitraum für [Gehaltseinstufungen]; ~ **point**

Bewertungspunkt; ~ **procedure** [Gehalts]einstufungsverfahren; ~ **program(me)** Beurteilungsprogramm für Gehaltseinstufung; ~ **reform** Abgabenreform; **to claim ~ relief** *(Br.)* Vergünstigung bei der Festsetzung der Kommunalsteuerabgabe beantragen; ~ **scale** Schätz-, Beurteilungsskala; ~ **system** *(employees)* Leistungswesen, *(freight)* Tarifsystem, *(municipal undertaking)* Gemeindesteuersystem; ~ **table** *(securities, US)* Bewertungssystem; ~ **up** Festsetzung höherer Prämien; ~ **valuation** *(Br.)* Grundsteuereinschätzung.

ratio Verhältnis[zahl], Verteilungsschlüssel, Koeffizient, *(balance sheet)* Wertverhältnis;
bond-stock ~ Renditeverhältnis; **capital structure** ~ Kapitalstrukturverhältnis; **capital turnover** ~ Kapitalumsatzverhältnis; **cash position** ~ Kassenstandskoeffizient; **clearing** ~ Verrechnungsschlüssel; **collection** ~ Forderungsumschlagziffer; **cover** ~ Deckungsverhältnis [einer Bank]; **current position** ~ Flüssigkeitsverhältnis (Liquiditätsstatus) eines Unternehmens; **equity** ~ Verhältnis der Aktiva zum Eigenkapital; **financial** ~ Verhältnis der finanziellen Mittel; **inventory turnover** ~ Umschlagshäufigkeit der Vorräte; **investment** ~ Investitionsquote, **liquidity** ~ Liquiditätskoeffizient; **loss** ~ *(insurance)* Schadensquote; **operating** ~ Betriebskoeffizient; **price-earnings** ~ Kurs-Gewinnverhältnis; **profit** ~ Gewinnverhältnis; **reserve** ~ *(US)* Flüssigkeitskoeffizient (Liquiditätsspielraum) der Federal-Reserve-Banken; **turnover** ~ Umschlagshäufigkeit der Vorräte; **working-capital** ~ Betriebskapitalverhältnis;
~ **of allotment** Zuteilungsquote; ~ **of components** Mischungsverhältnis; ~ **of current assets to total liabilities** Verhältnis der flüssigen Aktiven zu den gesamten Verbindlichkeiten; ~ **between supply and demand** Verhältnis zwischen Angebot und Nachfrage; **average ~ of depreciation** durchschnittliches Abschreibungsverhältnis; ~ **of distribution** Verteilungsschlüssel; ~ **of exchange** Wechselparität; ~ **of indebtedness to net capital** Verschuldungskoeffizient; **high ~ of old people** hoher Prozentsatz alter Leute; ~ **of sales to receivables** Kontoumsatz;
~ **analysis** Bilanzanalyse; ~ **chart** Verhältnistabelle; ~ **delay study** Zeithäufigkeitsstudie.

ration Ration *(rationing)* Zuteilung;
off the ~ unrationiert, nicht bewirtschaftet, marken-, punktfrei;
basic ~ Normalzuteilung, **basic petrol ~** Benzinnormalzuteilung; **travel ~** Reiseproviant;
~ *(v.) (conrol)* rationieren, in Rationen zuteilen, der Zwangsbewirtschaftung unterwerfen, [zwangs]bewirtschaften, *(currency)* kontingentieren, *(mil.)* verpflegen;
to take s. th. off the ~ Rationierung für etw. aufheben;
~ **board** Kartenstelle; ~ **book** Lebensmittel-, Zuteilungskarte; ~**-book holder** Karteninhaber; ~ **card** Lebensmittel-, Zuteilungskarte; ~ **coupon** Lebensmittelkartenabschnitt; ~ **cut** Rations-, Zuteilungskürzung; ~**-free** markenfrei; ~ **period** Karten-, Zuteilungsperiode; ~ **rates** Rationssätze; ~ **ticket** Lebensmittelkarte.

rational sales rationelles Verkaufsargument.

rationalization Rationalisierung, Wirtschaftlichkeit, wirtschaftliche Vereinfachung;
industrial ~ betriebswirtschaftliche Rationalisierung;
~ **advantage** Rationalisierungsvorteil; ~ **boom** Rationalisierungskonjunktur; ~ **efforts** Rationalisierungsanstrengungen; ~ **measures** Rationalisierungsmaßnahmen.

rationalize *(v.)* rationalisieren.

rationed rationiert, [zwangs]bewirtschaftet, bezugsscheinpflichtig;
~ **goods** bewirtschaftete Güter; ~ **item** rationierter Artikel.

rationing Rationierung, Zuteilung, Bewirtschaftung, Zwangswirtschaft;
~ **of consumption** Verbrauchsregelung; ~ **of credit** Kreditkontingentierung; ~ **of foreign exchange** Devisenbewirtschaftung, -zwangswirtschaft;
~ **arrangements** Rationierungsmaßnahmen, Maßnahmen zur Warenbewirtschaftung; ~ **card** Zuteilungskarte; ~ **program(me)** Bewirtschaftungsprogramm; ~ **regulations** Rationierungsvorschriften; ~ **scheme** Bewirtschaftungsplan; ~ **system** Rationierungssystem; -wesen, Bewirtschaftungssystem.

ratten *(Br. sl.)* an der Arbeit hindern, Sabotage treiben, sabotieren.

rattener *(Br.)* Saboteur.

rattening *(Br. sl.)* Arbeitsbehinderung; Sabotage.

rattling trade florierendes Geschäft.

raw *(land, US)* unkultiviert, unbebaut, *(not manufactured)* roh, unbe-, unverarbeitet, *(untrained)* unerfahren, ungeschult;
~ **or processed** unbearbeitet oder bearbeitet;
~ **goods** Warenladungsgut.

raw material Rohmaterial, -stoff, Ausgangsmaterial;
duty-free ~ zollfreier Rohstoff; ~**s used** Rohstoffverbrauch;
~**s and supplies** *(balance sheet)* Roh-, Hilfs- und Betriebsstoffe.

raw-material | inventory Rohstofflager; ~ **market** Rohstoffmarkt; ~ **shortage** Rohstoffknappheit; ~ **supply** Rohstoffversorgung.

raw | produce (products) Rohprodukte, -stoffe.

re *(letterhead)* bezüglich, betreffs, wegen.

reaccount *(bill of exchange)* Rückrechnung.

reach Trag-, Reichweite, Bereich, *(influence)* Einflußbereich, -sphäre;
out of s. one's ~ unerschwinglich;
higher (upper) ~es höhere Stellen;

~ *(v.)* *(amount)* ausmachen, sich belaufen, *(goods)* eintreffen, *(influence)* beeinflussen;
~ **the age limit** Altersgrenze erreichen; ~ **an agreement** Vereinbarung treffen (erzielen); ~ **one's majority** volljährig werden; ~ **port** in einen Hafen einlaufen; ~ **a high price** hohen Preis erzielen.

reach-me-down Anzug von der Stange;
~**s** Konfektionskleidung, -ware, Kleider von der Stange;
~ *(a.)* zum Gebrauch fertig, billig, *(clothes)* konfektioniert.

reacquired capital stock Portefeuille eigener Aktien.

react *(v.)* **markedly lower** *(stock exchange)* mit erheblich niedrigeren Notierungen einsetzen.

reaction Reaktion, Rück-, Gegenwirkung, *(stock exchange)* Umschwung, Rückschlag, -gang, rückwärtige Bewegung;
sharp ~ *(stock exchange)* scharfer Rückschlag;
~ **of cost on prices** Kostenreaktion auf die Preise; ~ **on the stock market** Rückwirkung auf den Effektenmarkt;
to suffer a slight ~ leichter [Kurs]rückgang erleiden.

reactionary *(a.)* *(stock exchange)* rückgängig.

reader Leser, *(lecturer)* Lektor, *(print.)* Korrektor, *(university, Br.)* Dozent;
~**advertisement** Textanzeige, redaktionelle Anzeigen; ~ **circulation** tatsächliche Leser, wirkliche Auflagenhöhe; ~ **feedback score** Leserecho; ~**'s proof** Korrekturbogen; ~ **traffic** Leserprozentsatz.

readership Vorlesungsamt;
upper-income ~ Leserschaft der höheren Einkommensklasse;
~ **analysis** Leseranalyse, -umfrage; ~ **ratings** Ergebnisse einer Leserumfrage; ~ **research** Leserumfrage.

readily marketable staples *(Us)* sofort realisierbares [Waren]lager.

readiness Bereitschaft, *(promptness)* Geneigtheit, Schnelligkeit, Pünktlichkeit;
~ **for delivery (to deliver)** Lieferbereitschaft; ~ **to invest** Anlageneignung; ~ **to pay** Zahlungsbereitschaft.

reading Lesen, *(lecture)* Vorlesung, *(matter which is read)* Lesestoff, Lektüre;
advanced ~ Lektüre für Fortgeschrittene; **first** ~ *(parl.)* erste Lesung; **proof** ~ Korrekturlesen;
~ **of the balance sheet** Bilanzlesen; ~ **of a clause in an agreement** Auslegung einer Vertragsklausel;
~ **circle** Leserzirkel; ~ **matter** Lesestoff, *(newspaper)* redaktioneller Teil; ~ **notice** redaktionell aufgemachte Anzeige, Textanzeige im redaktionellen Teil; ~ **public** Leserpublikum.

readjust *(v.)* **the accounts** Konten wieder in Ordnung (Übereinstimmung) bringen.

readjustment Wiederanpassung, -herstellung, *(of business enterprise)* [wirtschaftliche] Sanierung, *(reorientation)* Neuorientierung, Reorganisation;
debt ~ Schuldenregelung;
~ **of capital stock** Berichtigung des Aktienkapitals; ~ **of priorities** Neuverteilung von Vorzugsaktien.

ready bereit, *(available)* [gebrauchs]fertig, greifbar, verfügbar, einsatzbereit, fertig, *(market)* aufnahmefähig, geneigt, *(money)* flüssig, bar, *(on the spot)* prompt;
~ **for collection** abhol-, abrufbereit; ~ **for delivery** auf Abruf, Lieferung sofort; ~ **for dispatch** versandbereit; ~ **for the journey** reisefertig; ~ **to move in** bezugsfertig; ~ **for occupancy** bezugsfertig; ~ **to take responsibility** verantwortungsfreudig; ~ **for sea** seeklar; ~ **for shipment** versandfertig; ~ **to spend** ausgabefreudig; ~ **to take off** *(airplane)* flugklar; ~ **to be voted on** beschlußreif; ~ **for wear** *(US)* konfektioniert; ~ **for working** betriebsfertig;
~ **assets** verfügbare Vermögenswerte; ~ **cable** Platzkurs; ~ **capital** Umlaufkapital; ~ **cash** Barzahlung, -geld, sofortige Kasse.

ready-made [zum Gebrauch] fertig, gebrauchsfertig, *(clothes)* konfektioniert, von der Stange;
~**-clothes** Konfektionsartikel, -ware; ~ **shop** Konfektionsgeschäft; ~ **suit** Anzug von der Stange, Konfektionsware.

ready market aufnahmefähiger Markt, schneller Absatz;
to find (meet with) a ~ gut gehen, leicht Absatz finden.

ready money Bargeld, bares Geld;
for ~ in bar; **without** ~ bargeldlos;
to pay ~ in bar bezahlen.

ready-money | article Barartikel; ~ **business** Kassageschäft; ~ **purchase** Bargeschäft.

ready | room *(airport)* Bereitschaftsraum; **to find a** ~ **sale** gut gehen, schnell Absatz finden; ~**-to-serve dish** Fertiggericht; ~**-to-wear** zum Gebrauch fertig, konfektioniert; ~**-to-wear department** Konfektionswarenabteilung.

real tatsächlich, real, wirklich, effektiv, *(genuine)* nicht gefälscht, echt;
~ **account** Bestands-, Sachkonto; ~ **amount** Istbestand; ~ **assets** *(law)* unbewegliches Vermögen, unbeweglicher Nachlaß; ~ **bill** *(Br.)* echter Wechsel; ~ **contract** *(US)* Liegenschaftsvertrag.

real estate unbewegliches Vermögen, Immobilien, Immobiliarvermögen, Grundstück[seigentum], Grundeigentum, Liegenschaften, Grundbesitz, Grund und Boden, *(balance sheet)* unbebaute und bebaute Grundstücke;
developed ~ bebautes Grundstück; **farm** ~ landwirtschaftliches Grundstück; **improved** ~ im Wert gestiegenes Grundstück; **industrial** ~ gewerblich genutztes Grundstück; **institutional-**

ly owned ~s Grundstücke im Besitz von Kapitalsammelstellen; **mortgaged** ~ [hypothekarisch] belastetes Grundstück; **ordinary** ~ freies Grundeigentum.

real-estate | **account** Liegenschaftskonto; ~ **advertising** Grundstücksreklame; ~ **agency** *(US)* Immobilienbüro; ~ **appreciation** Grundwertsteigerung; ~ **bank** Bodenkreditbank; ~ **board** Maklerverband; ~ **bonds** *(US)* Grundstücksobligationen, Grundkreditpfandbriefe; ~ **broker** Immobilien-, Grundstücksmakler; ~ **brokerage** [Grundstücks]maklergebühr; ~ **business** Immobiliengeschäft; ~ **closing** Unterzeichnung des Grundstückskaufvertrages; ~ **columns** *(newspaper)* Immobilien-, Grundstücksmarkt; ~ **company (corporation,** *US)* Terrain-, Immobiliengesellschaft; ~ **consultant** Grundstücksvermittler; ~ **deal** Grundstückgeschäft; ~ **dealer** Grundstücksmakler, Immobilienhändler; ~ **dealing** Grundstücksgeschäft; ~ **depreciation** Grundstücksabschreibung; ~ **depreciation fund** Grundbesitzentwertungsfonds; ~ **developer** Grundstücks-, Baulanderschließungsgesellschaft; ~ **development project** Landerschließungsvorhaben; ~ **exchange** Grundstückstausch; ~ **field** Grundstückswesen; ~ **finance** Grundstücksfinanzen; ~ **financing** Grundstücksfinanzierung; ~ **firm** Immobiliengeschäft, Terraingesellschaft; ~ **foreclosure** Zwangsversteigerung; ~ **holdings** Grundstücksbeteiligungen; ~ **[holding] corporation** Grundstücksgesellschaft; ~ **industry** Grundstücksgewerbe, Immobiliengeschäft; ~ **interests** Grundstücksinteressen; ~ **investment** Anlage in Grundstükken, Grundstücksanlage, Investitionen im Immobiliensektor; ~ **investment counsel** Immobilienanlageberater; ~ **investment trust** Immobilien-, Immobiliarinvestmentfonds; ~ **investor** Kapitalanleger in Grundstücken; ~ **law** Grundstücks-, Sachenrecht; ~ **lawyer** *(US)* auf Immobilien (Grundstücksrecht) spezialisierter Anwalt; ~ **levy** Grundbesitzabgabe; ~ **loan** hypothekarisch gesicherter Kredit, Hypothekenkredit; ~ **manager** Grundstücksverwalter; ~ **map** Grundbuchblatt; ~ **market** *(US)* Grundstücks-, Immobilienmarkt; ~ **marketing** *(US)* Grundstücksverkauf; ~ **matters** Grundstücksangelegenheiten; ~ **mortgage** Grundschuld, Hypothek; ~ **mortgage note** Hypothekenpfandbrief; ~ **offering** Grundstücksangebot; ~ **office** Immobilien-, Maklerbüro; ~ **operator** Grundstücksmakler; ~ **owner** Grundstückseigentümer; ~ **picture** Grundstücksbeschreibung; ~ **price** *(US)* Grundstückspreis; ~ **project** Grundstücksprojekt; ~ **records** Grundbuchpapiere; ~ **recording** *(US)* Grundbucheintragung; ~ **recording office** *(US)* Grundbuchamt; ~ **register** *(US)* Grundbuch; ~ **salesman** Grundstücksagent, -makler; ~ **section** *(newspaper)* Grundstücks-, Immobilienmarkt; ~ **securities** Grundstückwerte; ~ **selling** Grundstücksverkauf; ~ **subject** Grundstücksangelegenheit; ~ **syndicate** Terraingesellschaft; ~ **tax** *(US)* Grundsteuer; ~ **transactions** Immobilienhandel, Grundstückstransaktionen; ~ **trust** Terraingesellschaft; ~ **utility** Nutzungswert eines Grundstücks; ~ **value** Grundstückswert; ~ **venture** Bodenspekulation.

real | **gold** reines (echtes) Gold; ~ **head of a business** eigentlicher Kopf eines Unternehmens; ~ **income** wirkliches Einkommen, Realeinkommen; ~ **investment** Sachanlage, -investition; ~ **money** klingende Münze, *(cash)* Bargeld, *(coin, US)* Metallgeld; ~ **obligation** dingliche Verpflichtung; ~ **offer** effektives Angebot; ~ **price** effektiver Preis; ~ **property** Grundstückseigentum, Grundbesitz; ~ **purchasing power** effektive Kaufkraft; ~ **receipts** tatsächliche Einkünfte, Isteinnahme; ~ **security** *(US)* Grundpfand; ~ **shares (stock,** *US)* tatsächlicher Bestand, Istbestand, effektiv im Besitz befindliche Aktien; ~ **tare** Nettotara; ~ **tax** Realsteuer; ~ **value** effektiver (wirklicher) Wert, Sach-, Effektivwert; ~ **wages** Reallohn.

realizable ausführbar, *(convertible into capital)* kapitalisierbar, *(salable)* verkäuflich, umsetzbar, *(utilizable)* verwertbar, realisierbar;
~ **at short notice** kurzfristig realisierbar;
~ **assets** effektiver Bestand, ~ **stock** börsengängige Papiere.

realization *(converting into capital)* Kapitalisierung, *(converting into fact)* Verwirklichung, Realisierung, Erfüllung, *(converting into money)* Flüssigmachung, Liquidation, Versilberung, *(evening up)* Glattstellung, Flüssigwerden, *(fetching a price)* Erzielung, *(sale)* Verkauf, *(utilization)* Verwertung;
compulsory ~ Zwangsglattstellung; **current** ~ laufende Liquidation; **revenue** ~ Gewinnrealisierung;
~ **of a pledge** Pfandverwertung; ~ **of profit** Gewinnrealisierung; ~ **of a project** Durchführung eines Vorhabens;
~ **[and liquidation] account** Glattstellungs-, Liquidationskonto; ~ **clause** Verwertungsklausel; ~ **price** Liquidations-, Verkaufspreis; ~ **sale** Verkaufsrealisation, Glattstellungsverkauf; ~ **statement** Konkursabwicklungsbilanz; ~ **value** Liquidations-, Realisationswert.

realize *(v.)* *(convert into capital)* kapitalisieren, *(convert into fact)* in die Wirklichkeit umsetzen, verwirklichen, *(convert into money)* flüssig-, zu Geld machen, in Geld umsetzen, realisieren, verwerten, versilbern, erlösen, *(even up)* glattstellen, aktivieren, *(perform)* leisten, *(sell)* verkaufen, veräußern, unterbringen, *(understand)* zur Feststellung gelangen;
~ **assets** Vermögenswerte flüssigmachen; ~ **bonds at short notice** Obligationen kurzfristig

flüssigmachen; ~ **goods** Waren verwerten; ~ **a [high] price** [hohen] Preis erzielen; ~ **profits** Gewinne realisieren; ~ **large profits** große Gewinne erzielen; ~ **a project** Vorhaben durchführen.

realized | income tatsächlich verbrauchtes Einkommen; ~ **profit (revenue)** realisierter Gewinn.

realizing Realisierung, Glattstellung;
~ **order** Glattstellungsauftrag; ~ **sale** Verkaufsrealisation, Glattstellung[sverkauf].

reallocation Neuverteilung.

reallot *(v.)* repartieren.

reallotment Repartierung.

realtor *(US)* Grundstücksmakler.

realty Grundbesitz, -eigentum, Immobilien, Liegenschaften;
partnership ~ Grundbesitz einer Gesellschaft; **to convert** ~ **into personalty** unbewegliches in bewegliches Vermögen umwandeln, Grundbesitz realisieren;
~ **company** *(US)* Grundstücksgesellschaft; ~ **rates** Grundsteuersatz; ~ **transfer tax** *(US)* Grunderwerbssteuer.

reap *(v.)* **profits** Gewinne realisieren.

reapplication erneuter Antrag, erneutes Gesuch.

reappoint *(v.)* **the retiring treasurer** bisherigen Schatzmeister bestätigen.

reappointment Wiederernennung; -anstellung.

reappraisal Neubewertung.

rearmament boom Rüstungskonjunktur.

rearrangement Neuordnung, Umwandlung;
~ **of business** Änderung der Tagesordnung; ~ **of debts** Schuldenregelung; ~ **of a time-table** Fahrplanänderung;
~ **expenses** innerbetriebliche Umzugskosten.

reason, to cost a sum out of all völlig unsinnigen Preis kosten;
~-why advertising Aufklärungswerbung; **~-why copy** rationell argumentierender Werbetext.

reasonable vernünftig, *(current)* gangbar, *(fair)* angemessen, annehmbar, gerechtfertigt, solide, reell, *(moderate)* mäßig, billig;
to be ~ in one's demands vernünftige Forderungen stellen;
~ **care and diligence** im Verkehr erforderliche Sorgfalt; ~ **cause to believe a debtor insolvent** ausreichender Verdacht für das Vorliegen von Zahlungsunfähigkeit eines Schuldners; **fair and ~ compensation** angemessene Vergütung; ~ **demand** billige Forderung; ~ **expenses** angemessene Auslagen; ~ **man** normaler Durchschnittsmensch; ~ **notice** ausreichende (angemessene) Kündigungsfrist; ~ **offer** vernünftiges Angebot; ~ **period of time** angemessene Frist; ~ **price** annehmbarer (mäßiger) Preis; ~ **terms** annehmbare Bedingungen; ~ **wear and tear** übliche Abnutzung.

reasonableness of prices Mäßigkeit der Preise.

reassess *(v.)* nochmals abschätzen (besteuern), neu veranlagen, *(securities)* bereinigen.

reassessment Neuveranlagung, *(revalorization)* Aufwertung, *(securities)* Bereinigung;
~ **of real property** Neufestsetzung des Einheitswertes; ~ **of taxes** Berichtiungsveranlagung.

reassignment Rückübertragung, Wiederabtretung.

reassure *(v.)* rückversichern.

reattachment wiederholte Pfändung.

rebate [Preis]nachlaß, Rabatt, Abzug, Abstrich, Herabminderung, *(banking)* Bonifikation, *(drawback)* Rückzoll, *(insurance)* Provisionsbeteiligung durch den Versicherungsmakler, *(interest)* Zins-, Rückvergütung;
less ~ abzüglich Rabatt; **on** ~ auf Rabatt; **a 25 per cent** ~ Rabatt von 25%, 25%iger Rabatt;
dealer's ~ Händlernachlaß, -rabatt; **deferred** ~ Frachtrabatt für regelmäßige Verlader; **freight** ~ Frachtnachlaß; **quantity** ~ Mengenrabatt; **special** ~ Vorzugsrabatt; **tax** ~ Steuernachlaß;
~ **on bill not due** Wechseldiskontabzug; ~ **of freight** Frachtnachlaß; ~ **of income tax** Einkommensteuernachlaß; ~ **of interest** Zinsermäßigung, -vergütung; ~ **on sales** Verkaufsrabatt;
~ *(v.)* Nachlaß gewähren, Rabatt zugestehen, Preis ermäßigen, *(shipping)* Frachtrabatt gewähren;
to allow a ~ on an account Rechnungsnachlaß gewähren; **to grant a** ~ Abzug gewähren; **to take up a bill under** ~ Wechsel vor Fälligkeit bezahlen;
~ **system** [Fracht]rabattsystem.

rebated acceptance *(US)* vor Fälligkeit bezahltes Akzept.

rebook *(v.)* umbuchen.

rebooking Umbuchung.

rebound *(stock exchange)* [heftiger] Umschwung.

rebroadcast Wiederholungssendung, Ballsendung.

rebuilding *(house)* Wiederaufbau;
~ **of liquidity** Liquiditätsverbesserung.

recall | for redemption Aufforderung zur Rückzahlung;
~ *(v.)* zurückrufen, (Kapital, Kredit, Anleihe) [auf]kündigen;
~ **from circulation** aus dem Verkehr ziehen, außer Kurs setzen; ~ **a wire** Telegramm widerrufen;
aided-~ test Gedächtnistest unter Zuhilfenahme von Gedächtnisstützen; **pure (unaided) ~ test** reiner Gedächtnistest.

recapitalization Neufinanzierung, Neukapitalisierung;
~ **of business** [Geschäfts]sanierung.

recapitalize *(v.)* kapitalisieren, neufinanzieren, sanieren.

recapitulation sheet Sammelbogen [für Materialausgabe oder Löhne].

recapture *(confiscation, US)* Enteignung, *(international law)* erneute Beschlagnahme;

~ **of excess depreciation upon sale of property** Wegfall von Sonderabschreibungen (besonders gewährten Steuervorteilen) bei Grundstücksverkäufen;
~ *(v.)* erneut beschlagnahmen, *(railroad accounting, US)* mehr als den vereinbarten Gewinnanteil entnehmen, *(prize)* erneut zur Prise erklären;
~ **clause** *(railroad accounting, US)* Gewinnabführungsklausel.

recast *(v.) (account)* [Konto] überprüfen.

recede *(decline in value)* Wertminderung, *(prices)* Rückgang, Weichen;
~ *(v.)* [im Wert] zurück-, heruntergehen, sinken, *(prices)* weichen, nachgeben;
~ **from a contract** von einem Vertrag zurücktreten; ~ **fractionally** *(stock exchange)* abbröckeln; ~ **a point** *(shares)* um einen Punkt nachgeben; ~ **from one's position** seinen Rücktritt erklären.

receding prices weichende (nachgebende) Kurse.

receipt *(bill)* Rechnung, Quittung, Kassenbon, *(of letter)* Empfang, Inempfangnahme, *(luggage)* Aufgabeschein, *(receiving)* Annahme, *(crip)* Interimsanleiheschein, *(voucher)* Quittung, Beleg, Abnahme-, Empfangs-, Übernahmeschein, Empfangsbescheinigung; -bestätigung;
as per ~ **enclosed** laut beiliegender Quittung; **in** ~ **of your favo(u)r (letter)** im Besitz Ihres geschätzten Schreibens; **on** ~ gegen Quittung, nach Eingang; **on** ~ **of** gegen Einsendung von, bei (nach) Empfang; **on** ~ **of the draft** bei Eingang des Wechsels; **on** ~ **of the news** beim Eintreffen der Nachrichten;
~**s** *(goods)* eingehende Waren, *(market)* Vorräte, *(money received)* eingehende Gelder, Einnahmen, Einkünfte, Eingang, Ertrag;
accountable ~ Buchungs-, Rechnungsbeleg, Quittungsbescheinigung; **actual** ~**s** Ist-, Effektiveinnahme; **annual** ~**s** Jahresertrag; **application** ~ *(shares, Br.)* Zeichnungsbescheinigung; **bank** ~ Depotschein; **binding** ~ *(insurance)* Deckungszusage; **box-office** ~**s** Kasseneinnahmen; **cash** ~**s** Kasseneingang; **clean** ~ vorbehaltlose Quittung; **conditional** ~ *(insurance)* Deckungszusage; **current** ~**s** *(US)* Umlaufvermögen; **customhouse** ~ Zollquittung; **daily** ~**s** Tageseinnahme; **delivery** ~ Lieferschein; **dock** ~ Dock-, Kaiempfangsschein; **double (duplicate)** ~ doppelte Quittung, Quittungsduplikat; **effectual** ~ rechtsgültige Quittung; **formal** ~ förmliche Quittung; **gross** ~**s** Bruttoeinnahme[n], Rohertrag; **interest** ~**s** Zinseingänge; **interim** ~ vorläufige Quittung; Zwischenquittung; **luggage** ~ *(Br.)* Gepäckschein; **mate's** ~ Steuermannsempfangsschein; **net** ~**s** Nettoeinkommen, -eingänge, -einnahme[n], Betriebsüberschüsse, *(tax)* Nettosteueraufkommen; **nonnegotiable warehouse** ~ Rektalagerschein; **official** ~ amtliche Empfangsbescheinigung; **other** ~**s** *(balance sheet)* sonstige Einnahmen; **postal** ~ Posteinlieferungsschein; **renewal** ~ Erneuerungsschein; **return** ~ *(post)* Rück-, Empfangsschein; **ship's** ~ Schiffsempfangsschein; **smaller** ~**s** Mindereinnahmen; **sundry** ~**s** *(balance sheet)* verschiedene Einnahmen; **tax** ~**s** Steueraufkommen; **total**~**s** Gesamterlös, -eingänge, -einnahme; **trust** ~ Hinterlegungsschein; **warehouse** ~ Lagerschein; **yearly** ~**s** Jahreseinnahmen;
~ **for the balance** Schlußquittung; ~ **in blank** unausgefüllte Quittung; ~ **with consideration for payment stated** Quittung mit Angabe des Zahlungsgrundes; ~**s of the day** Tageskasse; ~ **of delivery** Aushändigungs-, Ablieferungsschein; ~ **of deposit** Depot[hinterlegungs]schein; Einzahlungsbescheinigung; ~ **in full** Schlußquittung; ~ **in full discharge** Ausgleichsquittung; ~ **in duplicate** doppelt ausgefertigter Empfangsschein; ~ **in due form** ordnungsgemäße Quittung; ~**s and expenditures (expenses)** Einnahmen- und Ausgaben[buch]; ~ **in full** Pauschal-, Generalquittung; ~ **for goods** Warenempfangsbestätigung; ~ **for loan** Darlehnsquittung; ~ **of money** Geldempfang; ~ **of an order** Auftragseingang; -empfang; ~ **that is not in order** unvollständige Quittung; ~ **in part** Teilquittung; ~ **for payment** Zahlungsquittung;
~ *(v.)* Quittung austellen, quittieren, mit Quittungsstempel versehen;
~ **a bill** Rechnung quittieren, [Geld]empfang bescheinigen; ~ **a hotel bill** Quittungsstempel auf eine Hotelrechnung setzen; ~ **in full** Generalquittung ausstellen;
to acknowledge [the] ~ Empfang bestätigen (anzeigen); **to acknowledge [the]** ~ **of a letter** Briefeingang (Eingang eines Briefes) bestätigen; **to be in** ~ **of** im Besitz sein von; **to be in [the]** ~ **of a good income** gutes Einkommen haben; **to be in** ~ **of DM 20.000,– a year** Jahreseinkommen von 20 000 DM haben; **to count the** ~**s** Kasse schließen; **to enter as** ~ als Einnahme buchen; **to get a** ~ **for money spent** Spesenzettel erhalten; **to give (make out) a** ~ Quittung ausstellen, Empfang schriftlich bescheinigen (bestätigen); **to give** ~ **in full** per Saldo quittieren; **to pay [up] on** ~ bei Empfang (postnumerando) zahlen; **to put one's** ~ **on** quittieren; **to sign a** ~ Empfangsbescheinigung ausstellen; **to take** ~ **of** in Empfang nehmen;
please acknowledge ~ um Bestätigung des Empfangs wird gebeten;
~ **book** Quittungsbuch; ~ **card** Quittungskarte; ~ **declaration** Empfangsbestätigung; ~ **form** Quittungsformular; ~ **holder** Lagerscheininhaber; ~ **side** Einnahmeseite; ~ **stamp** Eingangs-, Quittungsstempel, -marke, Eingangsstempel; ~ **tax** Einnahmen-, Umsatzsteuer.

receipted bill of exchange quittierter Wechsel.

receiptor Quittungsaussteller, *(bailee)* Aufbewahrer beschlagnahmten Eigentums.

receivable ausstehend, noch als Eingang zu erwarten, auf Zahlung wartend, zu zahlen, *(admissible)* annehmbar, zulässig;
~s *(US)* Forderungen, Außenstände, Debitoren [aus Buch-, Wechselforderungen, Schuldscheinen], *(balance sheet)* Kundenforderungen;
accounts ~ *(US)* Buchforderungen, Außenstände, ausstehende Rechnungen; **deferred accounts** ~ *(US)* künftig fällige Forderungen; **accruals** ~ *(US)* entstandene Forderungen; **bills** ~ *(US)* Wechselforderungen, Rimessen; **currents** ~ *(balance sheet, US)* Umlaufvermögen; **long-term ~s** *(US)* langfristige Debitoren; **mortgages** ~ (US) Hypothekenforderungen; **trade acceptances** ~ *(US)* ausstehende Handelsakzepte; **uncollectable ~s** langfristige Forderungen;
~s from customers *(balance sheet, US)* Kundenforderungen; **~s and payables** *(US)* Forderungen und Verbindlichkeiten;
~ **assets** ausstehende Guthaben; ~ **item** debitorischer (ausstehender) Posten; **~s turnover** Umschlagsfähigkeit der Forderungen, Forderungsumschlag.

receive *(v.)* annehmen, empfangen, *(money)* einnehmen, vereinnahmen;
~ **in advance** vorausempfangen; ~ **for collection** zum Inkasso übernehmen; ~ **upon credit** auf Kredit erhalten; ~ **goods** Waren beziehen; ~ **stolen goods** als Hehler fungieren; ~ **a loan back** Kredit zurückgezahlt bekommen; ~ **an order** Auftrag entgegennehmen; ~ **a salary** Gehaltsempfänger sein; ~ **a telegram** Telegramm erhalten.

received [Zahlung] erhalten, empfangen, *(generally accepted)* authentisch, echt;
cash ~ Betrag bar erhalten; **duly** ~ richtig erhalten; **value** ~ *(bill of exchange)* Wert empfangen; **when** ~ nach Empfang (Erhalt);
~ **on account** in Gegenrechnung empfangen, als Akontozahlung erhalten; ~ **for shipment** zur Beförderung übernehmen; ~ **with thanks** dankend erhalten;
to be ~ *(money)* eingehen; **to be** ~ **in audience** in Audienz empfangen werden;
payment ~ Betrag erhalten, bezahlt; ~ **stamp** Eingangsstempel.

receiver Empfänger, Adressat, Übernehmer, *(bankruptcy, US)* Konkurs-, Masseverwalter, *(court officer)* Rechtspfleger der Hinterlegungsstelle, *(for person with mental defect, Br.)* Pfleger, *(estate)* Nachlaßkonkursverwalter, *(money)* Einnehmer, *(official liquidator, Br.)* [amtlich bestellter] Liquidator, Zwangsverwalter, *(shipping business)* Ladungsempfänger, *(tel.)* Telefonhörer, Hörmuschel, *(teller)* Kassierer, *(trustee)* *(trustee)* Treuhänder, behördlich bestellter Verwalter, Vermögensverwalter, *(wholesale marketing)* Aufkäufer, *(wireless)* Empfangsgerät, Empfänger;
~ **general of the public revenue** *(Br.)* Obersteuereinnehmer; **official** ~ *(Br.)* behördlich bestellter (amtlicher) Konkursverwalter;
~**in bankruptcy** Konkursverwalter [im Zwangskonkurs]; ~ **of customs** Zolleinnehmer; ~ **of goods** Konsignator, Warenempfänger; ~ **of stolen property** Hehler; ~ **of a loan** Darlehnsnehmer; ~ **of taxes** Steuereinnehmer; ~ **of wreck** *(Br.)* Strandvogt;
to petition for the appointment of a ~ *(US)* Antrag auf Geschäftsaufsicht stellen;
~ **'s certificate** [Zwangs]versteigerungsvermerk, Beschlagnahmeverfügung; ~ **'s office for the customs** Zollabfertigungsstelle.

receivership Vermögensverwaltung, *(bankruptcy, US)* Zwangs-, Konkursverwaltung, Geschäftsaufsicht, *(taxation)* Amt des Steuereinnehmers;
under ~ in Konkurs;
to go into ~ bankrott werden, Konkurs machen; **to make application for** ~ Antrag auf Geschäftsaufsicht stellen; **to steer near** ~ auf den Konkurs zusteuern;
receiving An-, Abnahme, Empfangnahme, *(department)* Warenannahme[stelle], *(wireless set)* Empfang;
~ **a bribe** passive Bestechung; ~ **of goods** Warenannahme; ~ **stolen goods** gewerbsmäßige Hehlerei; ~ **an order** Entgegennahme eines Auftrags;
~ **box** Briefkasten; ~ **cashier** Kassierer am Einzahlungsschalter; ~ **clerk** *(US)* Abnahmebeamter; ~ **counter** Briefannahmestelle; ~ **division (department)** Warenempfangs-, Warenannahmeabteilung; ~ **house** Brief- und Paketannahmestelle, *(goods, Br.)* Auslieferungslager; ~ **note** Lade-, Versandschein, Versandanzeige; ~ **office** Annahmestelle; ~ **order** *(Br.)* Veräußerungsverbot, Konkurseröffnungsbeschluß; ~ **place** Empfangsort; ~ **report** Reklamationsbericht; ~ **room** Empfangsraum, *(goods)* Wareneingangsstelle, -annahme; ~ **slip** Wareneingangsschein; ~ **teller** Einzahlungskassierer; ~ **ticket** Warenempfangsschein.

reception *(acceptance)* Inempfangnahme, *(admission)* Zulassung, Aufnahme [in einen Verein], *(bill)* An-, Aufnahme, *(hospital)* Aufnahme;
formal ~ offizieller (feierlicher) Empfang;
~ **of deposits** Annahme von Einlagen;
~ **desk** Empfangs[büro]; ~ **hall** Empfangshalle; ~ **office** *(hotel)* Empfang[sbüro], ~ **order** *(Br.)* Entmündigungsbeschluß; ~ **room** Empfangsraum, -salon, *(hotel)* Gesellschaftsraum, -zimmer, *(office)* Wartezimmer.

receptionist Empfang, Empfangschef, -dame.

receptive aufnahmebereit, *(market)* aufnahmefähig.

recess *(break)* [Arbeits]pause.

recession [Preis-, Kurs]rückgang, Rückschlag, *(cyclical movement)* Rezession, [leichter] Konjunkturrückgang, -rückschlag, -flaute, Wirtschaftsrückgang, -flaute, *(insurance)* Rückabtretung, *(weather)* Abzug;
business ~ Geschäftsrückgang; **full-fledged** ~ gesamte Wirtschaft erfassende Rezession; **initial violent** ~ anfängliches starkes Nachgeben [der Kurse]; **material** ~ beträchtlicher [Kurs]-rückgang; **trade** ~ wirtschaftlicher Rückschlag, Konjunkturrückgang;
~ **in business** Konjunkturrückgang; ~ **in profits** Gewinnrezession; ~ **of conquered territory** Rückgabe eroberten Gebiets;
to come out of a ~ Rezession gerade hinter sich gebracht haben; **to head into a** ~ Rezessionsperiode ansteuern; **to topple into a severe** ~ in eine heftige Rezession stürzen;
~ **-borne** rezessionsgesteuert; ~ **fear** Rezessionsangst; ~ **gap** Rezessionsloch, -lücke; ~ **money** Abstandsgeld; **anti-** ~ **policy** Politik der Konjunkturbelebung; ~ **-proof** rezessionsunempfindlich; **to put a** ~ **tag on a period** Zeitraum als Rezession definieren, einer Wirtschaftsepoche den Rezessionsstempel aufdrükken; ~ **times** Rezessionszeit; ~ **year** Jahr wirtschaftlichen Rückgangs.

recessional *(business)* rückläufig, rezessionsbedingt.

recessionary trend rückläufige Konjunkturbewegung.

recharter Weiterbefrachtung.

recipient Empfänger, Empfangsberechtigter, *(benefited party)* Bedachter;
~ **of an allowance** Zuschuß-, Zuteilungs-, Kostgeldempfänger; ~ **of a gift** Schenkungsempfänger; ~ **of a pension** Pensions-, Ruhegehaltsempfänger;
~ **country** Empfängerland.

reciprocal | **insurance** Versicherung auf Gegenseitigkeit; ~ **protection of investments** *(law of nations)* gegenseitiger Schutz von Kapitananlagen; ~ **trade agreement** Gegenseitigkeitsabkommen; **to grant** ~ **treatment** Gegenseitigkeit gewähren.

reciprocate *(v.)* **an entry** Posten übereinstimmend vortragen.

reciprocity | **in trade** Gegenseitigkeit der Zolltarife;
~ **clause (stipulation)** Gegenseitigkeitsklausel; ~ **dealings** Gegenseitigkeitsgeschäfte; ~ **principle** Gegenseitigkeitsprinzip; ~ **treaty** Gegenseitigkeitsvertrag.

reckon *(v.)* *(compute)* berechnen, kalkulieren, *(count)* rechnen, zählen, *(include in computation)* anrechnen, in Ansatz bringen;
~ **a business generally as prosperous** Geschäftsbranche generell für gewinnträchtig halten; ~ **the cost of a holiday** Kostenaufwand eines Urlaubs ausrechnen; ~ **the cost of an undertaking** Kostenaufwand eines Unternehmens kalkulieren; ~ **in one's head** im Kopf ausrechnen; ~ **one's total indebtedness** sich über den Umfang seiner Schulden klarwerden; ~ **rent in the cost of living** Mietanteil in die Lebenshaltungskosten mit einbeziehen; ~ **up the bill** Rechnung addieren; ~ **up one's losses** Verlustbilanz aufstellen.

reckoner, ready Umrechnungs-, Zinstabelle.

reckoning *(computing)* [Be]rechnung, *(counting)* Rechnung, Rechnen, Zählen, Zählung, *(inn)* Rechnung, Zeche, *(ship)* Besteck;
by my ~ meiner Berechnung nach; **without** ~ **the travel(l)ing expenses** Reisespesen ungerechnet;
dead ~ *(ship)* gegißte Berechnung;
to be out in one's ~ sich verrechnet haben; **to include in the** ~ mit einrechnen; **to pay the** ~ Rechnung begleichen; **to work out the ship's** ~ Besteck berechnen (nehmen).

reclaim *(v.)* zurückfordern, beanspruchen, heraus verlangen, reklamieren.

reclamation *(banking)* Differenzbetrag [in der Scheckverrechnung], *(protest)* Reklamation, Beschwerde, Einspruch, Einwand, Rückforderung;
~ **proceedings** *(US)* Aussonderungsverfahren.

reclassification Neueinstufung, -einteilung.

reclassify *(v.)* neu einstufen, umgruppieren.

recoal *(v.)* Kohlenvorrat ergänzen, Kohlen bunkern.

recognition *(advertising)* Anzeigenwiedererkennung, *(claim)* Anerkennung;
to receive top professional ~ Aufmerksamkeit innerhalb der maßgebenden Berufskreise erregen;
~ **test** Erinnerungs-, Wiedererkennungstest.

recognizance [Schuld]anerkenntnis, Schuldschein *(sum liable to forfeiture)* Kaution, Sicherheitsleistung.

recognize *(v.)* [Schuld] anerkennen;
~ **one's lack of qualification(s)** seine mangelnde Eignung für eine Stellung zugeben;
to refuse to ~ **one's signature** seine Unterschrift nicht anerkennen.

recognized | **agent** anerkannter (zugelassener) Vertreter; ~ **merchant** Gewerbesteuerpflichtiger; ~ **stock exchange** staatlich anerkannte Börse.

recognizee Schuldscheinnehmer.

recognizor Schuldscheinaussteller.

recommend | *(v.)* **a candidate for a post** Kandidaten vorschlagen; ~ **s. o. highly** j. besonders empfehlen; ~ **a price** als [Richt]preis empfehlen.

recommendation Befürwortung, Empfehlung, Vorschlag, Anpreisung, Einführung [von Personen];
upon the ~ **of** auf Veranlassung (Empfehlung) **with a favo(u)rable** ~ befürwortend.

hen, Anstieg, Ansteigen, Festigung der Börse, Geschäftsbelebung;
past ~ unwiederbringlich verloren; **by way of** ~ auf dem Regreßwege;
economic ~ Konjunktur-, Wirtschaftsbelebung, Konjunkturanstieg; **final** ~ *(US)* obsiegendes Endurteil, Prozeßgewinn in letzter Instanz; **financial** ~ finanzielle Gesundung (Erholung), Sanierung; **industrial** ~ Konjunktur-, Wirtschaftsbelebung; **total** ~ Gesamtausbeute; **trade** ~ Wiederbelebung des Handels, Konjunktur-, Wirtschaftsbelebung;
~ **of amounts outstanding** Eintreibung von Außenständen; ~ **of a lost article** Wiedererlangung einer verlorenen Sache; ~ **in business** Konjunktur-, Geschäftsbelebung; ~ **of by-products** Gewinnung von Nebenprodukten; ~ **of international credit** Wiederherstellung des internationalen Vertrauens; ~ **of damages** Erlangung von Schadensersatz, Schadensersatzleistung; ~ **of outstanding debts** Eintreibung (Einkassierung) ausstehender Schulden; ~ **of land** Wiedererlangung eines Grundstücks; ~ **of maintenance** Geltendmachung des Unterhaltsanspruchs; ~ **of the market** Kurserholung; ~ **of payment made by mistake** Wiedereingang einer versehentlich geleisteten Zahlung; ~ **of prices** Ansteigen der Preise, Preisanstieg, *(stock exchange)* Kurserholung, erneuter -anstieg; ~ **of property** Wiedererlangung des Eigentums; ~ **of stolen goods** Wiedererlangung gestohlener Güter; ~ **of title** Wiedererlangung des Eigentums; ~ **of trade** Wiederbelebung des Handels; ~ **of waste** Abfallverwertung;
to be past ~ hoffnungslos darniederliegen; **to experience a** ~ *(market)* sich [wieder] erholen; **to seek** ~ Regreß nehmen; **to share in a subsequent** ~ *(stock exchange)* an einer nachfolgenden Erholung teilhaben;
~ **charges** Einziehungskosten, -spesen; ~ **means** Wiederaufbaumittel; ~ **measures** Wiederaufbaumaßnahmen; ~ **party** Abschleppkommando; **[economic]** ~ **program(me)** [wirtschaftliches] Wiederaufbauprogramm; **European** ≗ **Program(me) (ERP)** Europäisches Wiederaufbauprogramm; ~ **right** Schadenersatzanspruch; ~ **value** Ausschlachtungswert; ~ **vehicle** Abschleppwagen.

recreate *(v.)* ausspannen, sich erholen.

recreation Ausspannen, Erholung, Arbeitsruhe, Freizeit[gestaltung];
~ **area** Urlaubs-, Freizeits-, Erholungsgebiet; ~ **boom** Urlaubskonjunktur; ~ **center (centre,** *Br.)* Erholungsplatz; ~ **director** Freizeitleiter, -gestalter; ~ **facilities** Erholungseinrichtungen, -anlagen, Freizeiteinrichtungen; ~ **field** Freizeitwesen; ~ **ground** Erholungsstätte, Spiel-, Sportplatz; ~ **guidance** Freizeitberatung; ~ **market** Freizeitindustrie; ~ **room** Aufenthaltsraum; ~ **site** Freizeits-, Erholungsgelände; ~ **time** Erholungspause, -zeit, Ruhepause.

recreational | activities Freizeitbeschäftigung; ~ **club** Freizeitclub; ~ **equipment** Freizeitgeräte; ~ **facilities** Erholungsmöglichkeiten; ~ **program(me)** Erholungsprogramm; **company** ~ **program(me)** betriebliches Freizeitprogramm; ~ **space** *(hotel)* Gesellschaftsräume; ~ **vehicle** Freizeitfahrzeug.

recruit Rekrut, *(laborer, US)* neu angeworbene Arbeitskraft;
~**s to engineering** Ingenieursnachwuchs;
~ *(v.) (crew)* anheuern, *(labor, US)* anwerben, anstellen, einstellen, *(recover)* sich erholen;
~ **on campus** *(US)* Arbeitskräfte (Nachwuchskräfte) direkt von der Universität wegengagieren; ~ **supplies** Lager auffüllen.

recruiter *(plant, US)* Beschaffer von Arbeitskräften, Einstellungsleiter.

recruiting *(labor, US)* personelle Ergänzung, Einstellung [von Arbeitern];
personnel ~ Personalbeschaffung;
~ **firm** Rekrutierungsbüro; ~ **gang** Einstellungsgruppe; **motorized** ~ **squad** *(US)* motorisiertes Einstellungsbüro.

recruitment *(labor)* Anstellung (Einstellung) von Arbeitskräften;
~ **of apprentices** *(US)* Lehrlingsanwerbung;
~ **program(me)** *(US)* Ein-, Anwerbungsprogramm; ~ **sources** *(US)* Arbeitskräftereservoir;
~ **technique** *(US)* An-, Einstellungsverfahren.

rectification | of an account Ansatzberichtigung;
~ **of capital stock** Kapitalberichtigung; ~ **of an entry** Berichtigung einer Buchung.

rectify *(v.)* berichtigen, richtigstellen, verbessern, korrigieren;
~ **entries** Eintragungen abändern (berichtigen).

recuperate *(v.)* sich [finanziell] wieder erholen, wieder auf die Beine kommen;
~ **a loss** sich für einen Verlust schadlos halten.

recuperation Erholung, Wiederherstellung;
economic ~ wirtschaftliche Erholung, Konjunkturbelebung;
~ **of waste** Abfallverwertung.

recurrent expenses regelmäßig wiederkehrende Ausgaben.

recurring cost *(US)* laufende Geschäftskosten.

recycle *(v.)* regenieren, *(finance)* Öldollar international wieder anlegen, *(refuse)* Müll aufbereiten.

recycling *(refuse)* Müllaufbereitung, *(tyres)* Regenerierung, *(financing)* Rückführung von Öldollarkapital.

red *(balance sheet)* Schulden-, Debetseite, *(loss, US)* Verlust, Defizit, Schulden;
to be in the ~ *(US)* Verluste haben, im Debet sein; **to be still in the** ~ *(US)* noch nicht über den Berg sein; **to be wound up in the** ~ *(US)* mit Verlust liquidiert werden; **to climb (get, come) out of the** ~ *(US)* aus den roten Zahlen herauskommen, Gewinn erzielen; **to go into the**

~ *(US)* in die Verlustzone geraten; **to go heavily into the** ~ *(US)* schwere [finanzielle] Verluste erleiden; **to paint the town** ~ Stadt auf den Kopf stellen; **to run in the** ~ *(US)* in die roten Zahlen geraten, mit Verlust arbeiten; **to see** ~ rot sehen;

~**-carpet clause** *(letter of credit)* Vorschußklausel; **to give a visiting notable a** ~**-carpet reception** für einen berühmten Gast den roten Teppich auslegen; ~**- carpet treatment** großer Bahnhof; ~ **ensign** *(Br.)* Handelsflagge; ~ **figures** *(balance sheet)* rote Zahlen, Verlustzahlen; ~ **herring** *(securities issue, US)* Vorankündigung eines Emissionsprospektes; ~ **-hot news** allerneueste Nachrichten; **to cope with the** ~ **ink** *(US)* mit dem Defizit fertig werden; **to fall into** ~ **ink** *(US)* in die Verlustzone geraten; **to run (spurt)** ~ **ink** plötzlich in die roten Zahlen (Verlustzone) geraten; **to show** ~ **ink** *(US)* rote Zahlen (Verluste) aufweisen; ~ **-ink entry** *(US)* Verlusteintragung; **to raise the accumulated** ~ **-ink figures** *(US)* schon bestehendes Defizit erhöhen; ~ **interest** Sollzinsen; ~ **numbers** Zinszahlen; ~ **pencil** Rotstift; ~ **tape** Bürokratismus, Amtsschimmel; ~ **-tape** bürokratisch; ~ **tapism** Beamtenwirtschaft; Paragraphenreiterei, Bürokratismus; ~ **-tapist** Bürokrat.

reddendum *(agreement)* Vorbehaltsklausel.

redeem *(v.)* *(amortize)* amortisieren, *(buy off)* zurückzahlen, ablösen, tilgen, *(make amends)* Schadenersatz leisten, entschädigen, wiedergutmachen, ausgleichen, *(pledge goods)* [wieder] einlösen, zurückkaufen, auslösen;

~ **an annuity** Rente ablösen; ~ **bank notes** Banknoten einlösen; ~ **a bill** Wechsel honorieren (einlösen); ~ **bonds by drawing** Pfandbriefe zur Rückzahlung auslösen; ~ **a debt** Schuld abtragen (tilgen); ~ **an error** Fehler gutmachen; ~ **at an interest date** zu einem Zinstermin ablösen; ~ **a mortgage** Hypothek tilgen (ablösen); ~ **an obligation** Verpflichtung erfüllen; ~ **paper money** Papiergeld einlösen; ~ **a pledge** Pfand einlösen; ~ **by purchase** zurückkaufen; ~ **one's rights** seine Rechte wiedererlangen; ~ **a slave** Sklaven freikaufen; ~ **a pawned watch** verpfändete Uhr einlösen.

redeemable *(to be amortized)* tilg-, amortisierbar, *(loan)* kündbar, *(recoverable)* ablöslich, auslösbar, *(repurchasable)* rückkaufbar, einlösbar, *(securities)* rückzahlbar, *(treasury bonds)* auslösbar;

not ~ unkündbar;

~ **in advance** vorzeitig tilgbar; ~ **in gold** in Gold rückzahlbar;

~ **annuity** Ablösungsrente; ~ **bonds** auslösbare (kündbare) Obligationen; ~ **charge** rückzahlbare Belastung; ~ **feature** Kündigungsrecht; ~ **loan** Tilgungsdarlehen; ~ **preference shares** *(Br.)* rückzahlbare Vorzugsaktien; ~ **right** Ablösungsrecht; ~ **stock** rückzahlbare Werte; ~ **preferred stock** *(US)* kündbare Vorzugsaktie.

redeemableness Tilg-, Ablös-, Auslos-, Einlösbarkeit.

redelivery Rückgabe, Rücklieferung, -sendung.

redemption *(amortization)* Amortisierung, Tilgung, *(coupon)* Gutscheineinlösung, *(investment trust)* Rückzahlung von Investmentanteilen, *(of pledge)* Aus-, [Wieder]einlösung, *(repayment)* Rückzahlung, Ablösung, *(repurchase)* Rück-, Wiederkauf, *(shares)* Einziehung;

subject to ~ tilgbar, kündbar;

mandatory ~ Einlösung vor Verfall; **previous** ~ vorzeitige Tilgung;

~ **of an annuity** Rentenablösung; ~ **of bank notes** Einlösung von Banknoten; ~ **before due date** Rückzahlung vor Fälligkeit; ~ **of debts** Schuldtilgung; ~ **in gold** Rückzahlung in Gold; ~ **of land tax** Grundsteuerablösung; ~ **of a loan** Anleiheablösung; ~ **before maturity of noncallable bonds** frühzeitige Tilgung unkündbarer Schuldverschreibungen; ~ **of shares (stocks,** *US)* Aktienrückkauf;

to call for ~ zur Einlösung aufrufen; ~ **account** Tilgungs-, Amortisationskonto; ~ **bonds** neufundierte Obligationen; ~ **capital** Ablösungsbetrag; ~ **charge** Tilgungsgebühr. *(investment fund)* Rücknahmespesen; ~ **check** *(US)* Verrechnungsscheck für Ausgleichsbeträge; ~ **clause** Einlösungsklausel; ~ **cost** *(investment trust)* Verkaufsspesen; ~ **fee** Einlösungskosten; ~ **fund** *(US)* Ablösungs-, [Schulden]tilgungs-, Amortisationsfonds; ~ **instal(l)ment** Tilgungsquote, -rate; ~ **loan** Ablösungsanleihe, Abgeltungsdarlehn; ~ **money** Tilgungs-, Abgeltungsbetrag; ~ **mortgage** Amortisationshypothek; ~ **office** Tilgungs-, Einlösungs-, Amortisationskasse; ~ **payment** Ablösungszahlung; ~ **plan** Schuldentilgungsplan; ~ **premium** Rückzahlungsprämie; ~ **price** Rückzahlungspreis, Ablösungsbetrag, Einlösungs-, Tilgungskurs, *(investment fund)* Rücknahmepreis; ~ **rate** Tilgungskurs, -quote; ~ **reserve** Tilgungsrücklage; **capital** ~ **reserve fund** *(Br.)* Kapitaltilgungsreservefonds; ~ **right** Auslosungsrecht; ~ **service** Anleihedienst; ~ **sum** Abgeltungsbetrag; ~ **table** Amortisations-, Tilgungsplan; ~ **value** Rückkaufs-, Rückzahlungs-, Tilgungswert; ~ **voucher** Einlösungsschein.

redemptory price Lösegeld.

redeploy the assets of a company Vermögenswerte eines Unternehmens anderweitig einsetzen; ~ **the labo(u)r force** Arbeitskräfte umgruppieren.

redeployment Umgruppierung von Arbeitskräften.

redeposit *(v.)* wieder einzahlen.

redhibition *(US)* *(sales contract)* Wandlung;

to give rise to a ~ zur Wandlung berechtigen, Wandlungsrecht begründen.

redhibitory | **action** *(US)* Wandlungsklage; ~ **defect (vice)** Gewährmangel.

redirect *(v.) (letter)* umadressieren, nachschicken, -senden;.

rediscount Rediskont, *(US)* Diskont;
eligible for ~ rediskontfähig, *(US)* diskontfähig;
~ *(v.)* rediskontieren, *(US)* diskontieren;
~ **credit** Rediskontkredit, *(US)* Diskontkredit; ~ **policy** Rediskontpolitik, *(US)* Diskontpolitik; ~ **quota** Rediskontkontingent, *(US)* Diskontkontingent; ~ **rate** Rediskontsatz, *(US)* Diskontsatz.

redistribution of income Einkommensschichtung, -umverteilung.

redraft *(return draft)* Rückwechsel, Rikambio-[wechsel];
~ **charges** Rückwechselspesen.

redraw | *(v.)* **upon** zurücktrassieren;
to draw and ~ **bills** Wechselreiterei treiben.

redress | *(v.)* **the balance of trade** Handelsbilanz ausgleichen; ~ **grievances** Beschwerden (Mißstände) abstellen; **to get no** ~ **for one's losses** unentschädigt bleiben; **to obtain** ~ **from s. o.** gegen j. Regreß nehmen.

reduce *(v.) (abate)* ermäßigen, ab-, nachlassen, verbilligen, *(bring in possession)* in Besitz bringen, *(diminish in value)* herab-, heruntersetzen, reduzieren, herunterdrücken, senken, *(impair)* [ver]mindern, *(mil.)* unterwerfen, *(retrench)* abbauen, verringern;
~ **the assessment on a building** Gebäude niedriger bewerten; ~ **the bank rate** Diskontsatz senken; ~ **a business by one half** Geschäft um die Hälfte verkleinern; ~ **a claim** Forderung reduzieren; ~ **to classes** klassifizieren; ~ **the consumption** Verbrauch einschränken; ~ **costs** Unkosten verringern; ~ **debts** Schulden abbauen; ~ **to a common denominator** auf einen gemeinsamen Nenner bringen; ~ **to distress** in Not bringen; ~ **the customs duties** Zollsätze herabsetzen; ~ **the establishment** Personalabbau durchführen; ~ **expenses** Ausgaben einschränken, Unkosten senken; ~ **a fee** Gebühren ermäßigen; ~ **forces** Arbeitskräfte abbauen; ~ **to a form** auf eine Form bringen; ~ **by half** um die Hälfte ermäßigen; ~ **imports** Einfuhr beschränken; ~ **land to public use** Land für öffentliche Zwecke enteignen; ~ **money** Devisen umrechnen; ~ **the output** Produktion drosseln; ~ **pro rata** nach dem Verhältnis der Beträge kürzen; ~ **one's reliance on defense (defence,** *Br.)* **contracts** sich aus dem Rüstungsgeschäft teilweise zurückziehen; ~ **the share capital** Kapital herabsetzen, Kapitalherabsetzung vornehmen; ~ **tariffs** Zölle abbauen; ~ **a tax** Steuer herabsetzen; ~ **the taxes on a house** Grundsteuer ermäßigen; ~ **to writing** zu Papier bringen.

reduced herabgesetzt, ermäßigt;
and ~ *(capital stock, Br.)* und herabgesetzt, mit herabgesetztem Kapital;
to be ~ **to judgment** *(US)* urteilsmäßig festgestellt sein;
~ **annuity** verkürzte Rente; ~ **assessment** niedrigere Bewertung; ~ **capital** herabgesetztes Kapital; **in** ~ **circumstances** in beschränkten Verhältnissen, heruntergekommen, verarmt; **at a** ~ **fare** zu ermäßigtem Fahrpreis; **at a** ~ **fee** für ein mäßiges Honorar; ~ **goods** Ausverkaufsware; ~ **liquidity** Liquiditätsbeengung; ~ **price** ermäßigter (herabgesetzter, verbilligter) Preis; ~ **rate** ermäßigter Tarif; ~**-rate relief** *(Br.)* gestaffelte Steuerermäßigung; ~**-rate ticket** *(Br.)* verbilligte Fahrkarte; **in a** ~ **state** geschwächt.

reducing | **form** übliches Einkommensformular; ~**-fraction method of calculating depreciation** Abschreibungsmethode mit fallenden Quoten.

reduction *(abatement)* Abschlag, Abzug, [Preis]-nachlaß, -ermäßigung, Rabatt, *(conversion)* Umwandlung, Verwandlung, *(customs)* Abbau, *(decreasing)* Reduzierung, Einschränkung, Herab-, Heruntersetzung, *(diminution)* Verkleinerung, *(of foreign exchange)* [Devisen]umrechnung, *(impairment)* [Verminderung, Entwertung, *(restoration)* Zurückführung, *(retrenchment)* Abbau, *(waste)* Abgang, Schwund;
without ~ ohne Abschlag;
customs ~ Zollsenkung; **dividend** ~ Dividendenrückgang; **freight** ~ Frachtermäßigung; -senkung; **great** ~ starke Ermäßigung; **import** ~ Einfuhrrückgang; **no** ~**s** feste Preise; **price** ~ Preissenkung, Preisermäßigung, -abbau, -senkung; **tax** ~ Steuererleichterung; -ermäßigung;. -nachlaß; **wage** ~ Lohnsenkung, -abbau;
~ **in the bank rate** Diskontherabsetzung; ~ **of barriers of trade** Abbau der Handelsschranken; ~ **of capital** *(Br.)* Herabsetzung des Grundkapitals, Kapitalherabsetzung, -zusammenlegung; ~ **of a claim** Anspruchskürzung; ~ **for children** Kinderermäßigung; ~ **of competition** Wettbewerbsbeschränkung; ~ **of debts** Schuldenabbau; ~ **in the discount rate** Diskontherabsetzung; ~ **of dividends** Dividendenkürzung; ~ **of duties** Steuerermäßigung, -herabsetzung; ~ **of earning capacity** Erwerbsminderung; ~ **of employment** Sinken der Beschäftigungszahl; ~ **of expenses** Kosteneinsparung, -verringerung; ~ **in fares** Fahrpreisermäßigung; ~ **in the freight rate** Frachtermäßigung; ~ **of fees** Gebührenermäßigung; ~ **in hours of work (of working hours)** Arbeitszeitverkürzung; ~ **of the interest [rate]** Zinsherabsetzung, -senkung; ~ **of money** [Geld]umrechnung; ~ **of output** Drosselung der Produktion; ~ **of an overdraft** Zurückführung einer Kontoüberziehung; ~ **of premises account** Abschreibungen auf Verwaltungsgebäude; ~ **in prices** Preisermäßigung, -abbau; ~ **in proceeds** Ertragsrückgang; ~ **in the rate of duty** Zollsenkung; ~ **in the rediscount rate** *(US)* Diskontherabsetzung; ~ **in revenue[s]** Ertrags-

rückgang; ~ **of salary** Gehaltsabzug; ~ **of share capital** *(Br.)* Zusammenlegung (Herabsetzung) des Aktienkapitals, Kapitalherabsetzung, -zusammenlegung; ~ **of stock** Lagerabbau; ~ **of tariffs** Tarifermäßigung; ~ **of taxes** Steuererleichterung; ~ **in train schedules** Fahrplaneinschränkung; ~ **in turnover** Minderumsatz; ~ **in value** Wertrückgang, -herabsetzung; ~ **in the gold value** Goldwertschwund; ~ **of wages** Lohnsenkung; ~ **of working hours** Arbeitszeitverkürzung;

to claim a ~ **of assessment** Neubewertung verlangen; **to give s. o. a** ~ **of 15 per cent** jem. eine Bonifikation von 15% gewähren;

~ **formula** Umrechnungsformel.

redundance of workers nicht benötigte Arbeitskräfte.

redundant | **capital** Kapitalüberschuß; ~ **labo(u)r** überzählige Arbeitskräfte.

reemploy *(v.)* wiedereinstellen, -beschäftigen, -anstellen.

reemployment Wiedereinstellung, -beschäftigung.

reenter *(v.)* **an employment** Stellung wieder annehmen.

reestablish *(v.)* **a firm's credit** Kredit eines Unternehmens wiederherstellen.

reestablishment of currency Stabilisierung der Währung, Währungssanierung.

reexport [ation] | **prohibition** Wiederausfuhrverbot; ~ **trade** Wiederausfuhrhandel.

reexports wieder ausgeführte Ware[n].

refer | *(v.)* **to the board** Vorstand ansprechen; ~ **a check (cheque,** *Br.)* **to the drawer** Scheck an den Aussteller zurückgeben; ~ **to a former employer** letzten Arbeitgeber als Referenz angeben; ~ **s. o. to the manager** j. zum Betriebsleiter bestellen; ~ **a request to s. o.** jem. ein Gesuch vorlegen.

referee in bankruptcy *(US)* Konkursrichter, -beauftragter.

reference *(act of referring)* Anspielung, Bezugnahme, Hinweis, *(book)* Belegstelle, *(dictating)* Zeichen, *(person giving information)* Referenz, Auskunftgeber, Gewährsmann, *(record)* Beleg, Unterlage;

for ~ zur Information **with further** ~ **to my letter** im Anschluß an mein Schreiben;

banker's ~ Bankauskunft; -referenz; **business** ~ geschäftliche Empfehlung, **first-class** ~**s** erstklassige (prima) Referenzen; **trade** ~ Kreditauskunft; **your** ~ Ihr Aktenzeichen; ~ **in case of need** *(bill of exchange)* Notadresse; ~ **to be quoted in all communications** im Schriftwechsel anzugebendes Aktenzeichen;

to be outside the ~ **of a commission** nicht zu den Aufgaben eines Ausschusses gehören; **to furnish** ~**s** Referenzen angeben; **to have good (first-class)** ~**s** gute (prima, erstklassige) Referenzen haben; **to quote a** ~ Aktenzeichen angeben;

~ **book** Nachschlagebuch; ~ **files** Handakten; ~ **initials** Diktatzeichen; ~ **mark** Geschäftszeichen; ~ **number** Akzenzeichen, Kennziffer, *(bookkeeping)* Übertragungsvermerk, *(business letter)* Geschäftsnummer; ~ **pattern** Ausfall-, Probemuster; ~ **sample** Kontrollstichprobe.

refinancing Refinanzierung;

~ **plan** Refinanzierungssystem.

refine *(goods)* veredeln.

refinement *(goods)* Veredelung.

refinery Raffinerie.

refining industry Veredelungsindustrie.

refit *(v.)* **a ship** Schiff reparieren.

reflation Wirtschaftsbelegung durch inflationäre Mittel.

refloat *(v.)* **a loan** Anleihe neu auflegen.

refloating | **of a company** Reorganisation (Sanierung) einer Gesellschaft; ~ **of a loan** Neuauflage einer Anleihe.

reflux of capital Kapitalrückfluß.

reform Umgestaltung, Umbau, Reform;

currency ~ Währungsreform; **land** ~ Bodenreform.

reforward *(v.)* [Brief] nachsenden; -schicken;

~ **on arrival** bei Ankunft weiterbefördern.

refreight wieder befrachten.

refreighter Unterbefrachter.

refresher *(Br.)* zusätzliches Anwaltshonorar;

~ **course** *(US)* Fortbildungs-, Auffrischungs-, Wiederholungskurs.

refreshment Erfrischung, Imbiß;

~ **car** Speisewagen; ~ **counter** Getränkeausschank; ~ **house** *(Br.)* Restaurant, Gaststätte; ~ **room** Büfett, Erfrischungsraum; ~ **stand** Erfrischungskiosk.

refrigerated | **cargo** Kühlraumladung; ~ **truck** Kühlwagen.

refrigeration industry Tiefkühlindustrie.

refrigerator car (van) *(US)* Kühlwagen; ~ **vessel** Kühlschiff.

refuge *(safety zone, Br.)* Verkehrsinsel.

refund Rückvergütung, -erstattung, Zurückzahlung, Ersatz;

tax ~ Steuerrückerstattung;

~ **on income tax** Einkommensteuerrückerstattung, -vergütung; ~ **of premium** Prämiengewähr; ~ **of the purchase price** Zurückerstattung des Kaufpreises; ~ **of travel expenses** Reisekostenerstattung;

~ *(v.)* *(fund anew)* [Anleihe] neu fundieren, *(pay back)* zurückzahlen, -erstatten, [wieder]-erstatten, *(indemnify)* schadlos halten, ersetzen;

~ **an amount** Betrag wieder zur Verfügung stellen; ~ **the cost of postage** Portospesen zurückvergüten; ~ **duties** Zölle vergüten; ~ **the expenses (disbursements)** Auslagen zurückerstatten; ~ **s. o. for all his expenses** jem. alle

Unkosten ersetzen; ~ **money** Geld zurückerstatten;
to make ~ zurückvergüten; **to obtain a** ~ **of a deposit (the money deposited)** *(customs)* Zollkaution zurückerhalten;
~ **annuity contract** Rentenversicherungsvertrag; **[tax]** ~ **certificate** Steuerrückvergütungsschein; ~ **offer** Rückerstattungsangebot bei Nichtgefallen; **tax** ~ **proceedings** Steuererstattungsverfahren.

refunding Rückerstattung, *(loan)* Neufundierung;
~ **of duties** Steuerrückerstattung; -nachlaß; ~ **at maturity** Anleihetausch vor Fälligkeit; ~ **of postage** Portovergütung;
~ **bonds** Ablösungsschuldverschreibungen, Umtauschobligationen; ~ **first mortgage bonds** *(US)* erststellig abgesicherte neufundierte Obligationen.

refusal ablehnende Antwort, Ablehnung, Absage, abschlägiger Bescheid, *(patent law)* Zurückweisung;
individual ~ *(antritrust law, US)* einzelne Abschlußverweigerung;
~ **of acceptance (to accept)** Annahmeverweigerung; ~ **to accept performance** Annahmeverzug; ~ **to deal** *(antitrust law, US)* Abschlußverweigerung, Liefersperre; **concerted** ~ **to deal** *(US)* abgestimmte Lieferverweigerung; ~ **to deliver** Auslieferungsverweigerung; ~ **of goods** Annahmeverweigerung; ~ **to pay** Zahlungsverweigerung; ~ **to supply** Lieferablehnung, Auftragsverweigerung;
to buy the ~ Waren auf Termin kaufen; **to give the right of [the] first** ~ Vorkaufsrecht einräumen;
first-~ **clause** *(US)* Vorkaufsklausel.

refuse *(job goods)* Ausschuß[ware], Ramsch;
trade ~ gewerblicher Abfall;
~ *(v.)* **the acceptance** Abnahme (Annahme) verweigern; ~ **admittance** Zutritt verweigern; ~ **to back a bill** Giro verweigern; ~ **delivery** Annahme verweigern; ~ **payment** nicht honorieren, Bezahlung verweigern; ~ **a request** Gesuch abschlagen.

refused acceptance Annahmeverweigerung.

regard Rücksicht[nahme], Berücksichtigung, *(estimation)* Wertschätzung;
~ *(v.)* **a communication as confidential** Mitteilung vertraulich behandeln; ~ **s. o. highly** große Stücke von jem. halten.

regardless of expense(s) ohne Rücksicht auf die Kosten.

regime *(matrimonial property rights)* [eheliches] Güterrecht;
statutory ~ *(US)* gesetzliches Güterrecht.

regimented industries unter staatlicher Aufsicht stehende Industrien.

region Bezirk, Distrikt, Bereich, Landstrich, Gegend, Gebiet;
industrial ~ Industriegebiet; **overcrowded** ~ Ballungsgebiet.

regional örtlich, lokal, regional, zu einem Bezirk gehörig;
~ **ads** Regionalanzeigen; ~ **arrangement** Gebietsabkommen; ~ **association** Regionalverband; ~ **director** Bezirksdirektor; ~ **dispersion** regionale Streuung; ~ **economic policy** *(EG)* Standortpolitik; ~ **exchange** Provinzbörse; ~ **line** Nahverkehrslinie; ~ **planning** Landesplanung; ~ **show** landwirtschaftliche Ausstellung; ~ **station** *(Br.)* Großrundfunksender; ~ **tax** Regionalsteuer; ~ **wage differential** regional bestimmter Lohnunterschied.

register Register, *(ledger)* Journal, Kontobuch, *(minutes)* Protokoll, *(official written record)* [amtliches] Register, [amtliche] Liste (Aufstellung), Verzeichnis, Eintragungsbuch, *(records of landed property)* Grundbuch, *(registration)* Registrierung, Eintrag[ung], Aufzeichnung, *(registrar, US)* Registerführer, Registrator, *(ship's ~)* Schiffsregister, *(official abstract of ship's ~)* Schiffsregisterauszug, *(table of contents)* Register, Inhaltsverzeichnis, Index;
~**s** Jahrbücher;
cash ~ Kontroll-, Registrierkasse; **check (cheque,** *Br.)* ~ Scheckverzeichnis; **church** ~ Kirchenbuch; **colonial** ~ *(Br.)* Verzeichnis der in den Dominions eingetragenen Aktiengesellschaften; **commercial** ~ Handelsregister; **electoral** ~ Wählerverzeichnis; **estate** ~ Kataster; **Federal** ~ *(US)* Bundesanzeiger; **fixed-assets** ~ Anlagenkartei; ~ **general** Firmen-, Genossenschaftsregister; **hotel** ~ Fremdenbuch; **land** ~ *(Br.)* Grundbuch[amt]; **Lloyd's** ~ *(Br.)* Schiffsregister; **parish** ~ Kirchenbuch; **parliamentary** ~ Wählerliste; **principal** ~ *(trademarks, US)* Hauptregister; **public** ~**s** öffentliche Bücher; **real-estate** ~ *(US)* Grundbuch[amt]; **share** ~ *(Br.)* Aktionärsverzeichnis; **ship's** ~ Schiffsregister, Bordbuch; **stock** ~ Gesellschaftsregister; **supplemental** ~ *(trademarks, US)* Nebenregister; **trade** ~ Handelsregister; **transfer** ~ *(Br.)* Umschreiberegister; **unpaid** ~ *(checks)* Verzeichnis nicht eingelöster Schecks; **voucher** ~ Belegsammlung, -order;
~ **of aircraft** Luftfahrzeugrolle; ~ **of apprentices** Lehrlingsliste; ~ **in bankruptcy** Konkursrichter; ~ **of births, deaths and marriages** *(Br.)* Standesamts-, Personenstandsregister; ~ **of births, mariages and burials** *(US)* Personenstandsregister; ~ **of charges** *(Br.)* Lasten-, Hypothekenregister; ~ **of companies** *(Br.)* (commercial firms) Handelsregister; ~ **of convictions** Strafregister; ~ **of condolence** Kondolenz-, Trauerliste; ~ **of cooperative societies** Genossenschaftsregister; ~ **of copyrights** Urheberrechtsregister; ~ **of deaths** Sterberegister, -liste, -buch; ~ **of debentures (debenture holders)** *(Br.)* Liste der Schuldverschreibungsinha-

ber; ~ **of deeds** *(Br.)* Liste der Schuldverschreibungsinhaber, *(US)* Urkundenbeamter, *(some US states)* Grundbuch ≗ **of Designs** *(Br.)* Gebrauchsmusterverzeichnis; ~ **of directors** Direktorenverzeichnis; ~ **of electors** Wählerliste; ~ **of fares** Fahrpreisverzeichnis; ~ **of goods in bond** Verzeichnis der Zollverschlußwaren; ~ **of land charges** *(Br.)* Hypothekenregister; ~ **of land office** *(US)* Grundbuchregister; ~ **of marriages** Familienbuch; ~ **of members** Mitgliederverzeichnis, *(stock exchange, Br.)* Aktionärsregister; ~ **of membership of corporations** *(US)* Vereinsregister; ~ **of mortgages** Hypothekenregister; ~ **of patents** *(US)* Patentverzeichnis, -register, -rolle; ~ **of persons** Personenverzeichnis; ~ **of probate** *(US)* Nachlaßrichter; ~ **of sasines** *(Scot.)* Grundbuch; ~ **of securities** *(Br.)* lebendes Depot, Effektendepot; ~ **of shares** Aktienbuch; ~ **of ships (shipping)** Schiffsregister; ~ **of vital statistics** Personenstandsbücher, -register; ~ **of taxes** Hebeliste; ~ **of title** Grundbuchamt; ~ **of trademarks** Warenzeichenregister, -rolle; ~ **of transfers** *(Br.)* Register für Aktienverkäufe, Umschreibungsbuch; ~ **of voters** Wählerliste; ~ **of wills** *(US)* Urkundbeamter des Nachlaßgerichtes;

~ *(v.) (enter in the minutes)* protokollieren, *(hotel register)* sich anmelden, *(letter)* einschreiben lassen, *(luggage)* aufgeben, *(minutes)* protokollieren, *(patent)* in das Patentregister eintragen, *(post office)* einschreiben lassen, *(record in list, books etc.)* registrieren, [amtlich] eintragen, in eine Liste eintragen, amtlich erfassen, gesetzlich schützen lassen, *(record in writing)* ver-, aufzeichnen, *(shares)* im Register umschreiben, *(ship)* Schiffszertifikat ausstellen, *(university)* in die Matrikel einschreiben, immatrikulieren;

~ **bonds** Obligationen auf den Namen eintragen; ~ **a company** Gesellschaft (Firma) handelsgerichtlich eintragen [lassen]; ~ **for a fair** sich zu einer Messe anmelden; ~ **small gains** kleine Gewinne verzeichnen; ~ **at a hotel** Anmeldezettel im Hotel ausfüllen; ~ **a land charge** Grundschuld bestellen; ~ **a motor vehicle** Kraftfahrzeug anmelden; ~ **o. s. with the police** sich polizeilich anmelden; ~ **sailors** Matrosen anwerben; ~ **a security** Sicherheit bestellen; ~ **shares** Aktien überschreiben lassen; ~ **a stop** *(check)* sperren lassen; ~ **a new top** neuen Höchstkurs verbuchen; ~ **a trade** Gewerbe anmelden; ~ **with a tradesman** sich in eine Kundenliste eintragen lassen; ~ **a trademark** Warenzeichen anmelden;

to enter in the ~ registrieren; **to refuse to** ~ **a firm** einer Firma die handelsgerichtliche Eintragung versagen; **to remove a firm from the** ~ Firma im Handelsregister löschen;

~ **card** Karteikarte; ~ **certificate** *(Br.)* Effektenbesitzbescheinigung; ~ **number** Auftragsnummer; ~ **office** Registratur, Anmeldestelle, *(employment ~, US)* Stellenvermittlung; ~ **port** Registerhafen.

registerable as to principal only nur dem Kapitalbetrag nach eintragungsfähig.

registered eingetragen, registriert, *(company)* handelsgerichtlich eingetragen, *(letter, parcel)* eingeschrieben, *(securities)* eingetragen, auf den Namen lautend, *(trademark)* gesetzlich geschützt;

≗ ! Einschreiben;

officially (duly) ~ handelsgerichtlich eingetragen;

to have one's luggage ~ *(Br.)* sein Gepäck aufgeben;

~ **address** feststehende Adresse; ~ **bonds** Namensschuldverschreibungen; ~ **capital** autorisiertes [Aktien]kapital, Grundkapital; ~ **certificate** Namenspapier; ~ **charge** *(Br.)* eingetragene Grundstücksbelastung, Grundschuld; ~ **company** handelsgerichtlich eingetragene Gesellschaft; ~ **coupon bond** *(US)* Namensschuldverschreibung; ~ **customer** in die Kundenkartei aufgenommener Kunde, Stammkunde; ~ **design** eingetragenes Gebrauchsmuster; ~ **items** eingeschriebene Postsendungen; ~ **letter** Einschreibebrief; Wertbrief; ~ **luggage** *(Br.)* aufgegebenes (großes) Gepäck; ~ **mail** *(US)* Einschreibsendungen; ~ **mail insurance** *(US)* Postwertversicherung; ~ **mail receipt** *(US)* Posteinlieferungsschein; ~ **mortgage** eingetragene Hypothek; ~ **office** *(Br.)* Dienstsitz, Hauptniederlassung; ~ **parcel** Einschreibpäckchen; ~ **pattern** Gebrauchsmuster, geschütztes Modell; ~ **policy** auf den Namen ausgestellte Police; **by** ~ **post** *(Br.)* per Einschreiben; ~ **representative** *(US)* Börsenauftragsnehmer; ~ **securities** Namenspapiere; ~ **share** *(Br.)* Namensaktie, -papier; ~ **ship** registriertes Schiff; ~ **tonnage** Registertonnage; ~ **trademark** eingetragenes Warenzeichen; ~ **user** *(trademark, Br.)* eingetragener Lizenznehmer.

registrar *(Br.)* Registerführer, Urkundsbeamter, *(real estate)* Grundbuchbeamter;

~ **in bankruptcy** *(Br.)* Konkursrichter; ~ **of companies** Registerrichter, *(US)* Handelsregister; ≗ **of the Treasury** *(US)* Schiffsregister.

registration amtliche Eintragung, Eintragungsvermerk, Registrierung, Erfassung, Protokollierung, Vormerkung, Aufzeichnung, *(enrolment)* Anmeldung, *(luggage, Br.)* Gepäckaufnahme, *(persons registered)* registrierter Personenkreis, *(with the police)* polizeiliche Anmeldung, *(political science)* Eintragung in die Wählerliste, *(post office)* Einschreibung, *(securities)* Börsenanmeldung von Wertpapieren, *(university, US)* Immatrikulation;

subject to ~ eintragungs-, anmeldepflichtig;

compulsory ~ Eintragungszwang; **home** ~

(trademark) Ursprungseintragung; **land** ~ Grundbucheintragung;
~ **of business** Gewerbeanmeldung; ~ **of business name** *(Br.)* handelsgerichtliche Eintragung, Registrierung des Firmennamens; ~ **of a company** *(Br.)* handelsgerichtliche Eintragung einer Gesellschaft; ~ **of designs** Mustereintragung; ~ **of employees** Arbeitnehmerliste; ~ **of land** *(Br.)* Grundbucheintragung; ~ **of a letter** Briefaufgabe per Einschreiben; ~ **of luggage** *(Br.)* Gepäckaufgabe; ~ **of mortgage** Hypothekeneintragung; ~ **of a motor vehicle** *(Br.)* Anmeldung eines Kraftfahrzeugs; ~ **with the police** polizeiliche Anmeldung; ~ **of property** Vermögenserfassung; ~ **as a bill of sale** Eintragung in das Mobiliarpfandregister; ~ **of trademarks** Warenzeicheneintragung;
to require one's ~ registrierungspflichtig sein;
~ **bills** *(trademark)* Warenzeichenrolle; ~ **card** Personalbogen, Stammrolle; ~ **certificate** *(motor vehicle, US)* Zulassungsausweis, -urkunde, Kraftfahrzeugbrief; ~ **fee** Eintragungs-, Einschreibe-, Aufnahme-, Vormerkungs-, Ummelde-, Inskriptions-, Anmeldegebühr, *(post office)* Einschreibegebühr, *(transfer of shares)* Umschreibungs-, Übertragungsgebühr; ~ **form** Anmeldeformular; ~ **label** Klebezettel für Einschreibesendungen; ~ **list** Melde-, Wählerliste; ~ **number of a car** Zulassungs-, Wagennummer; ~ **plate** *(car, Br.)* polizeiliches Kennzeichen; ~ **slip** Wagenpapiere; ~ **statement** *(US)* Gründungs-, Eröffnungsbilanz; ~ **window** Gepäckschalter.

registry *(employment office)* Arbeitsvermittlungsstelle, -nachweis, Stellenvermittlung, *(register)* Verzeichnis, Register, Protokoll, *(registration)* Eintragung, Registrierung, *(ship)* Registerbehörde;
~ **fee** *(real estate)* Grundbuchkosten, -gebühren, *(post office)* Einschreibegebühr; **servants** ~ **office** Stellenvermittlungsbüro.

regrade *(v.)* [gehaltlich] neu einstufen.

regrading *(of civil servants, Br.)* [gehaltliche] Neueinstufung.

regress Wiederinbesitznahme, *(recourse)* Schadloshaltung.

regressive taxation regressive Besteuerung.

regrets only Antwort nur bei Absage erforderlich.

regrouping *(capital)* Umgruppierung, *(concentration)* Rekonzentration, Umschichtung.

regular *(customer)* Stammkunde;
~ *(a.)* normal, regelmäßig, *(according to established rule)* satzungs-, ordnungs-, vorschriftsmäßig, *(train)* fahrplanmäßig;
to be ~ **in one's attendance at one's office** seine Bürostunden pünktlich einhalten;
~ **agent** ständiger Vertreter; ~ **amount of pay rate** Normallohnsatz; ~ **business** laufende Geschäfte; ~ **collateral** *(US)* Sicherheit durch Hinterlegung verschiedener Effekten; ~ **course of business** normaler Geschäftsablauf; ~ **customer** Stammkunde, *(restaurant)* Stammgast; ~ **day** Empfangstag, Jour; ~ **employment** feste Anstellung; ~ **income** festes Einkommen; ~ **lot** *(stock exchange)* handelbare Größe, *(US)* Normal-, Börsenabschlußeinheit; ~ **model** Normalausführung; ~ **money** *(Br.)* ziemlich festes Tagesgeld; ~ **payments** regelmäßig wiederkehrende Zahlungen; ~ **place of business** Betriebsstätte; ~ **price** regulärer Preis, Normalpreis; **to have no** ~ **profession** keinen festen Beruf ausüben; ~ **rate** *(employee)* Normaltarif, *(stock exchange)* feste Valuta, *(wages)* üblicher Lohnsatz; ~ **salary** festes Gehalt, Fixum; ~ **sale** *(stock exchange)* Verkauf für Lieferung am folgenden Tag; ~ **size** Normalgröße; ~ **staff** ständiges Personal; ~ **supplier** regelmäßiger Lieferant; ~ **traveller** Dauerkarteninhaber; ~ **wage** Normallohn; ~ **way** *(stock exchange, US)* Lieferung am nächsten Geschäftstag; **to have no** ~ **work** keine feste Anstellung haben, keine bestimmte Tätigkeit ausüben.

regulate *(v.)* regulieren, regeln, Geschäft ordnen, *(business)* Geschäft abwickeln;
~ **one's expenditure** seine Ausgabenwirtschaft in Ordnung bringen; ~ **traffic** Verkehr regeln.

regulated | company *(ancient)* privilegierte Handelsgesellschaft; ~ **industries** *(US)* gebundene Industriezweige.

regulation Regelung, Regulierung, Reglement;
according to ~**s** vorschriftsmäßig, statutengemäß;
additional ~ Zusatzbestimmung; **building** ~**s** Bauvorschriften; **currency** ~**s** Devisenbestimmungen; **customs** ~**s** Zollvorschriften; **economic** ~**s** wirtschaftliche Maßnahmen; **export** ~**s** Ausfuhrbestimmungen; **factory** ~**s** Betriebsordnung; **import** ~**s** Einfuhrbestimmungen; **income-tax** ~**s** Einkommensteuerbestimmungen; **market** ~**s** Marktordnung; **monthly** ~ Ultimoliquidation; **postal** ~**s** postalische Bestimmungen; **price** ~**s** Preisvorschriften; **restricting marketing** ~ einschränkende Vorschriften über den Marktverkehr; **road** ~**s** Straßenverkehrsvorschriften; **safety** ~**s** Sicherheitsbestimmungen; **stock-exchange** ~**s** Börsenordnung; **trade** ~**s** Gewerbeordnung;
~**s of a corporation** Satzung einer Gesellschaft; ~ **of credit** Kreditlenkung; ~ **of the market** Marktregulierung; ~ **of navigation** Schiffahrtsverordnung; ~**s of pay scale** Tarifordnung; ~ **of production** Produktionslenkung;
to apply a ~ **very loosely** Verordnung elastisch handhaben; **to suffer from undue** ~**s** wegen unnötiger Staatseingriffe Schaden erleiden;
~ **charge** Gewerbescheingebühr; ~ **size** Normalgröße.

regulatory | agency Durchführungsstelle, -behörde; ~ **job** Regulierungsaufgabe, Überwachungstätigkeit, -funktion; ~ **policies** Durchführungsmethoden; ~ **tool** Regulativ; ~ **void** Überwachungslücke.

rehabilitate *(v.)* normalisieren, *(old buildings)* restaurieren, instandsetzen, *(reinstate)* wiedereinsetzen, *(reorganize)* sanieren, *(workers)* umschulen;

~ **a company financially** Finanzen einer Gesellschaft sanieren.

rehabilitation Normalisierung, *(buildings)* Restaurierung, *(reorganization)* Sanierung;

industrial ~ wirtschaftlicher Wiederaufbau; **monetary** ~ Währungssanierung; **vocational** ~ [berufliche] Umschulung;

~ **and resettlement** berufliche und soziale Wiedereingliederung;

~ **center (centre,** *Br.)* Umschulungszentrum; ~ **costs** *(house)* Instandsetzungskosten; ~ **loan** Wiederaufbauanleihe; ~ **plan** Sanierungsplan; ~ **relief** soziale Fürsorge.

rehire *(v.)* wieder einstellen (anstellen).

rehouse *(v.)* **people from slums** Mieter aus Elendsvierteln umquartieren.

rehypothecation Wieder-, Weiterverpfändung, *(securities)* zweite Lombardierung.

reimburse *(v.) (indemnify)* abgelten, entschädigen, *(repay)* [zurück]vergüten, wiederbezahlen, zurückzahlen-, -erstatten;

~ **o. s.** nachnehmen; ~ **o. s. upon s. o.** sich bei jem. bezahlt machen (schadlos halten, erholen); ~ **s. o. for his costs** jem. die Spesen ersetzen; ~ **expenses** Kosten decken, Auslagen erstatten; ~ **s. o. for his losses** jds. Verluste übernehmen; ~ **for postage incurred** Portoauslagen vergüten.

reimbursement *(indemnification)* Abgeltung, Ersatz[leistung], Entschädigung, Schaden-, Geldersatz, *(repayment)* Wiederbezahlung, Rückzahlung, -erstattung, [Rück]vergütung;

~ **of charges** Spesenvergütung; ~ **for expenses incurred** Spesen-, Kostenerstattung, -ersatz ~ **for exports** Rückvergütung für Exporte, Ausfuhrrückvergütung; ~ **of premium** Prämienrückerstattung; ~ **of taxes** Steuerrückvergütung; ~ **of value** Wertannahme;

to take as ~ als Deckung annehmen;

~ **card** Nachnahmekarte; ~ **charges** Spesenvergütung; ~ **credit** Rembourskredit; ~ **draft** Rembourstratte; ~ **fund** Deckungskapital

reimport *(v.)* wieder einführen.

reimportation Wieder-, Rückeinfuhr.

reimpose *(v.)* **taxes** neue Steuern auferlegen.

reimposition erneute Besteuerung.

reindorse *(v.)* wieder indossieren.

reinstal(l)ment of an employee Wiedereinstellung eines Angestellten.

reinstate | *(v.)* **the contents of a parcel** Paketwert ersetzen; ~ **an insurance** Versicherung wiederaufleben lassen; ~ **workers** Arbeiter wiedereinstellen.

reinstatement Wiederinstandsetzung, Wiedereinsetzung, *(insurance)* Wiederaufnahme von Prämienzahlungen.

reinsurance Rück-, Gegenversicherung;

catastrophe ~ Katastrophenrückversicherung; **excess** ~ Rückversicherung für einen Spitzenbetrag, Exzedentenrückversicherung; **excess loss** ~ unbegrenzte Rückversicherung; **facultative** ~ individuelle Rückversicherung; **flat** ~ unkündbare Rückversicherung; **treaty** ~ automatisch wirksame Rückversicherung;

~ **by quota cession** Quotenrückversicherung;

~ **agreement** Rückversicherungsvertrag; ~ **broker** Rückversicherungsmakler; ~ **business** Rückversicherungsgeschäft; ~ **carrier** Rückversicherer; ~ **company** Rückversicherungsgesellschaft; ~ **contract** Rückversicherungsvertrag; ~ **policy** Rückversicherungspolice; ~ **pool** *(Br.)* Rückversicherungsfonds; ~ **premium** Rückversicherungsprämie; ~ **share** Rückversicherungsanteil; ~ **syndicate** Rückversicherungskonsortium; ~ **transaction** Rückversicherungsgeschäft; ~ **treaty** Rückversicherungsvertrag.

reinsure *(v.)* nach-, rückversichern.

reinsured Rückversicherter;

~ **carrier** rückversicherte Gesellschaft.

reinsurer Rückversicherer.

reinvest *(v.)* [Geld] wieder anlegen.

reinvestment of proceeds Wiederanlage des Erlöses.

reissue *(banknotes)* Wiederausgabe;

~ *(v.) (banknotes)* wieder begeben, *(publishing)* wiederauflegen, neu auflegen;

~ **stamps** Briefmarken nachdrucken.

reject *(job goods)* Ausschluß;

manufacturing ~**s** Ausschußware;

~ *(v.)* ablehnen, abweisen, zurückweisen, *(discard)* aussondern, ausmustern, *(sell cheaply)* als Ausschuß[ware] verkaufen;

~ **an application** Bewerbung ablehnen; ~ **a check (cheque,** *Br.)* Scheck zurückweisen; ~ **goods delivered** Warenlieferung beanstanden.

rejection *(refusal of acceptance)* Annahmeverweigerung;

~**s** *(job goods)* Ausschußware, -stücke;

~ **of goods delivered** Beanstandung von Waren; ~ **of offer** Angebotsablehnung; ~ **of proof** *(bankruptcy proceedings)* Zurückweisung einer Konkursforderung;

~ **slip** Verwerfungsschein.

related | **company** Tochter-, Konzerngesellschaft; ~ **cost** notwendige Kosten; ~**-item display** Warenauslage verwandter Artikel.

relation [Rechts]beziehung, Zusammenhang, Verhältnis, Bezug, [Ver]bindung, Relation, *(to prior date)* Rückwirkung, -beziehung;

business (commercial) ~**s** geschäftliche Beziehungen, Geschäftsbeziehungen; **close** ~**s** enge [Geschäfts]beziehungen; **confidential** ~**(s)** Vertrauensverhältnis; **contractual** ~**(s)** Vertrags-

verhältnis; **fiduciary** ~ Vertrauensstellung; **financial** ~ kapitalmäßige Bindung; **industrial** ~**s** *(US)* Beziehungen zwischen Arbeitgeber und Arbeitnehmern;
~ **back to the date of filing the petition** Zurückbeziehen auf das Datum des Konkurseröffnungsantrages;
to establish a legal ~ Rechtsverhältnis begründen; **to have business** ~**s with s. o.** in Geschäftsbeziehungen mit jem. stehen.

relationship Beziehung, Verhältnis;
agency ~ Vertretungsverhältnis; **business (commercial)** ~ Vertragsbeziehung, -verhältnis; **fiduciary** ~ Treuhandverhältnis.

relative | **cost** relative Kosten; **to live in** ~ **ease** verhältnismäßig wohlhabend sein; ~ **value** verhältnismäßiger Wert.

relax | *(v.)* **a blockade** Blockade lockern; ~ **requirements** Anforderungen herabsetzen; ~ **restrictions** Beschränkungen abbauen.

relaxation Lockerung, *(recreation)* Erholung, Entspannung;
~**s in credit** Krediterleichterungen; ~ **of money rates** Erleichterung des Geldmarktes.

release *(conveyance)* Übertragung, *(discharge from responsibility)* Entlastung, Entpflichtung, Entbindung, *(document effecting ~)* Verzichts-, Übertragungsurkunde, *(press)* Freigabe, Veröffentlichung, *(quitclaim)* Verzichtserklärung, -urkunde, Erledigungsschein, *(receipt)* Quittung, *(renunciation)* Verzicht[leistung], Aufgabe, Preisgabe, *(from service)* Entlassung;
carriage ~ *(typewriter)* Randauslösungstaste; **general** ~ *(of taxes)* allgemeine Steueramnestie; **implied** ~ stillschweigend gewährter Schuldenerlaß;
~ **of a blocked account** Kontenfreigabe, Entsperrung eines Kontos; ~ **from bond** Zollfreigabe; ~ **of a claim** Forderungserlaß; ~ **of credit** sinkender Kreditbedarf; ~ **from debts** Erlaß von Schulden, Schuldenerlaß; ~ **of liquid funds** Liquiditätsfreisetzung; ~ **of hoarded gold** Freigabe von gehortetem Gold; ~ **of goods against payment** Warenfreigabe gegen Bezahlung; ~ **from liability** Haftungsausschluß; ~ **of mortgage** Hypothekenlöschung;
~ *(v.)* *(convey)* [Vermögen] übertragen, *(discharge from responsibility)* entlasten, entbinden, befreien, freistellen, *(remit)* [Schuld, (Steuer)] erlassen;
~ **a blocked account** gesperrtes Konto freigeben, Kontensperre aufheben; ~ **an attachment** Freigabe anordnen; ~ **s. o. from bondage** j. aus einer Bürgschaftsverpflichtung entlassen; ~ **capital** Kapital flüssigmachen; ~ **from custody** aus der treuhänderischen Verwahrung freigeben; ~ **debts** Schulden erlassen; ~ **one's equity of redemption** sein Einlösungsrecht verkaufen; ~ **a mortgage** Hypothek löschen; ~ **to the press** für die Presse freigeben; ~ **a property** Vermögen übertragen; ~ **a reserve** Reserve auflösen; **to demand a** ~ *(trustee)* Entlastung verlangen;
~ **date** Veröffentlichungstermin.

released rate *(railroad, US)* ermäßigter Tarif bei beschränkter Haftpflicht.

relet *(v.)* wieder vermieten.

relevant | **costs** relevante Kosten; ~ **document** rechtserhebliche Urkunde; ~ **information** zweckdienliche Auskunft; ~ **market** *(antitrust law, US)* maßgeblicher Markt.

reliability Zuverlässigkeit, *(financial rating)* Kreditwürdigkeit, Solidität, Bonität;
~ **in operation (service, working)** Betriebssicherheit.

reliable zuverlässig, verläßlich, vertrauenswürdig, sicher, *(solvent)* kreditwürdig, solide, reell;
~ **authority** sicherer Gewährsmann; ~ **firm** solide (reelle) Firma; ~ **security** ordnungsgemäße Sicherheit; **to have from a** ~ **source** aus zuverlässiger Quelle haben.

relief *(assistance to the poor, Br.)* Wohlfahrts-, [Gemeinde]-unterstützung, Fürsorge, *(discharge)* Entlastung, *(help)* Hilfe, Erleichterung, Unterstützung, Fürsorge, *(reduction of taxes, Br.)* Nachlaß, Ermäßigung, Freibetrag, Steuerabzug, *(wages for public work)* Entlohnung für Notstandsarbeiten;
eligible for (entitled to) ~ *(Br.)* fürsorge-, unterstützungsberechtigt;
age ~ *(Br.)* Altersfreibetrag; **child** ~ *(Br.)* Kinderfreibetrag; **dependant-relatives** ~ *(Br.)* Freibetrag für Unterstützung abhängiger Verwandter; **double-taxation** ~ *(Br.)* Anrechnung im Ausland gezahlter Steuern; **earned-income** ~ *(Br.)* Freibetrag für Arbeitseinkünfte; **housekeeper** ~ *(Br.)* Freibetrag für Beschäftigung einer Haushaltshilfe; **small-income** ~ *(Br.)* gestaffelter Freibetrag für Einkommen von 250 bis 350 £; **income-tax** ~ *(Br.)* Steuervergünstigung, -abzug, Freibetrag; **life-insurance** ~ *(Br.)* Abzug (Freibetrag) für Lebensversicherung; **out[door]** *(Br.)* Fürsorgeunterstützung; **poor** ~ Armenfürsorge, Wohlfahrt; **public** ~ *(Br.)* öffentliche Unterstützung, Fürsorgeunterstützung; **reduced-rate** ~ *(Br.)* gestaffelte Steuerermäßigung für kleine Einkommen; **unemployment** ~ Arbeitslosenunterstützung;
~ **against forfeiture** *(tenant)* Vollstreckungsschutz; ~ **to officers** Vorstandsentlastung [durch den Betriebsprüfer]; ~ **of old people** Altersfürsorge; ~ **from taxation** Steuererleichterung;
to be on ~ *(Br.)* [Fürsorge]unterstützung beziehen; **to be a** ~ **for the state** Staat finanziell entlasten; **to give** ~ Entlastung erteilen; **to grant** ~ Unterstützung gewähren; **to obtain** ~ *(Br.)* [Fürsorge]unterstützung erhalten; **to receive state** ~ *(Br.)* Fürsorgeunterstützung beziehen; **to send** ~ **to people made homeless by**

floods Spenden für Flutgeschädigte zur Verfügung stellen;
~ **agency** Hilfsorganisation, -werk; ~ **aid** [Hilfs]spenden; ~ **association** Fürsorgeverein, -verband; **to put on a ~ bus** zusätzlichen Omnibus einsetzen; ~ **fund** Hilfs-, Unterstützungsfonds, -kasse, Härtefonds; ~ **loan** Notstandskredit, -anleihe; ~ **office** *(Br.)* Wohlfahrtsbehörde, Fürsorgeamt; ~ **officer** *(Br.)* Fürsorgebeamter; ~ **payments** Unterstützungszahlungen; ~ **program(me)** Unterstützungs-, Hilfs-, Notstandsprogramm; ~ **road** Entlastungsstraße; ~ **roll** *(Br.)* Fürsorge-, Wohlfahrtsempfängerliste; **to go on ~ rolls** *(Br.)* Fürsorge-, Sozialunterstützung empfangen; ~ **secretary** Aushilfssekretärin; ~ **shift** *(US)* zusätzliche Schicht; ~ **standards** *(Br.)* normale Unterstützungssätze; ~ **ticket** *(Br.)*. Unterstützungsbescheinigung; ~ **train** Entlastungs-, Vorzug; ~ **works** Notstandsarbeiten; ~ **worker** Notstandsarbeiter.

relievable unterstützungsberechtigt.

relieve *(v.)* *(exonerate)* entlasten, Entlastung erteilen, entpflichten, *(help)* helfen, beistehen, *(redress)* abhelfen, wiedergutmachen, Recht verschaffen, *(release)* erlassen, *(subsist)* unterstützen, Unterstützung gewähren;
~ **the common distress** allgemeine Not lindern; ~ **distress among flood victims** Los der Flutgeschädigten erleichtern; ~ **s. o. of his duties** j. im Dienst ablösen; ~ **an emergency** Notlage beheben; ~ **the guard** Wache ablösen; ~ **hardships** Härtefälle mildern; ~ **s. o. from a liability** j. von einer Haftung befreien; ~ **s. o. of the necessity of working** j. in die Lage versetzen, nicht mehr arbeiten zu müssen; ~ **the people of a tax** Öffentlichkeit von einer Steuer befreien; ~ **the poor** die Armen unterstützen; ~ **an official of his post** Beamten aus dem Dienst entlassen (seines Postens entheben); ~ **the railway** Eisenbahnverkehr entlasten.

reliever of the poor *(Br.)* Fürsorgebeamter, Wohlfahrts-, Armenpfleger.

relieving officer *(Br.)* Fürsorgebeamter, Wohlfahrtspfleger.

relinquish *(v.)* *(abandon)* verlassen, aufgeben, abandonieren, *(cede)* überlassen, abtreten, *(renounce)* Verzicht leisten, verzichten;
~ **one's appointment** von seinem Posten zurücktreten; ~ **a claim** von einer Forderung Abstand nehmen; ~ **a debt** Schuld erlassen; ~ **a residence** Wohnsitz aufgeben.

relinquishment *(abandonment)* Aufgabe, *(cession)* Überlassung, Abtretung, *(relinquished land, US)* aufgegebenes Grundstück;
~ **of one's property** Vermögensaufgabe, Eigentumsverzicht; ~ **of succession** Erbschaftsausschlagung.

reliquidate *(v.)* wieder liquidieren.

reliquidation abermalige Liquidation.

reload *(v.)* umladen, wieder beladen, umschlagen, *(stock exchange)* billig kaufen und teuer verkaufen.

reloading Umladung, Umschlag, Wiederverladung;
~ **charges** Umschlagskosten, Umladegebühren.

relocate *(v.)* *(plant)* verlagern;
~ **an employee** Angestellten in die Zentrale zurückversetzen; ~ **the population** Bevölkerung umsiedeln (zwangsevakuieren).

relocation Umsiedlung, *(employee)* [Zurück]versetzung in die Zentrale, *(plant)* Verlagerung;
~ **of industry** Industrieverlagerung; ~ **of the population** Zwangsevakuierung der Bevölkerung;
~ **assistance** Umzugshilfe; ~ **expenses** Versetzungskosten; ~ **specialist** Verlagerungsfachmann.

reluctant *(buyer)* zurückhaltend.

remain *(v.)* übrigbleiben, restieren, *(prices)* stehen, sich halten;
~ **active in business** im Geschäft tätig bleiben; ~ **in existence** *(firm)* weiterbestehen; ~ **firm** *(prices)* fest bleiben, sich behaupten; ~ **in force** Geltung behalten; ~ **on hand (unsold)** unverkauft [liegen]bleiben; ~ **on the shelf** auf Lager bleiben; ~ **steady** *(prices)* sich behaupten; ~ **until called for** postlagernd aufbewahrt werden.

remainder [Rest]bestand, Restbetrag, Überbleibsel, *(arrears)* Rückstand, *(balance)* Saldo, *(books)* Partieartikel, *(estate for life)* beschränktes Eigentum, *(publishing)* Restauflage, *(right of succession)* Erbanwartschaft, Nacherbe;
~ **of an account** Rechnungsrückstand; ~ **of a debt** Restschuld; ~ **of order** Auftragsrest, -bestand; ~ **of stocks** Restbestand;
~ *(v.)* Restauflage billig abstoßen;
to pay the ~ nachschießen;
~ **interest** Anwartschaftsrecht; ~ **line** unverkaufter Restbestand; ~ **sale** Ausverkauf einer Auflage.

remaining verbleibend, übriggeblieben, restlich, *(unsold)* unverkauft;
~ **amount** Restbetrag; ~ **assets** *(bankruptcy)* Restmasse; ~ **credit balance** verbleibendes Guthaben; ~ **foreign exchange** nicht ausgenutzte Devisenbeträge; ~ **stock** Restbestand.

remanufacture Umarbeitung.

remargin *(v.)* *(US)* nachschießen.

remark endorsed on the bill of lading Konnossementsvermerk;.

remarking of merchandise Neufestsetzung von Warenpreisen.

remedial | action Schadenersatzklage; ~ **measures** Abhilfemaßnahmen.

remedy Hilfsmittel, *(mintage)* Toleranz;
~ **of damages** Schadenersatzanspruch;
~ *(v.)* Abhilfe schaffen, abhelfen;
~ **defects** Mängel beseitigen;

~ **allowance** *(Br.)* Toleranz, zulässige Abweichung.

reminder Mahnung, Hilfs-, Mahnzettel;
~ **of due date** Fälligkeitsavis;
~ **advertisement** Erinnerungsanzeige; ~ **advertising** Erinnerungswerbung; ~ **letter** Mahnbrief; ~ **value** *(bookkeeping)* Erinnerungswert, -posten.

remiss | **in paying one's bills** schludrig beim Bezahlen seiner Rechnungen;
~ **correspondent** unzuverlässiger Briefschreiber.

remission *(abatement)* Ermäßigung, Nachlaß, *(customs)* Erstattung, *(debts)* Erlaß;
conventional ~ ausdrücklicher Schuldenerlaß;
~ **of charges** Gebührenerlaß; ~ **of duty** Zollerlaß; ~ **of money** Geldüberweisung; ~ **of rent** Miet-, Pachtnachlaß; ~ **of taxation** Steuerverkürzung;
to allow a ~ Nachlaß gewähren.

remit *(v.)* *(cover)* Deckung anschaffen, Rimesse machen, *(to lower court)* zurückverweisen, *(make over)* überlassen, vermachen, abtreten, *(postpone)* verschieben, vertagen, *(release)* [Schuld, Steuer] erlassen, *(transmit)* überweisen;
~ **for s. one's account $ 1000.–** für jds. Rechnung 1 000 Dollar überweisen;
~ **arrears of maintenance** Unterhaltsrückstände erlassen; ~ **through a bank** durch eine Bank überweisen; ~ **a bill** Wechsel einlösen (übertragen); ~ **a bill for collection** Wechsel zum Inkasso übersenden; ~ **by check (cheque,** *Br.***)** mit einem Scheck bezahlen; ~ **a claim** Forderung nachlassen; ~ **one's efforts** in seinen Anstrengungen nachlassen; ~ **a fee** Gebühr erlassen; ~ **a fine** Geldstrafe erlassen; ~ **home every month** monatlich Geld nach Hause schicken; ~ **s. o. to liberty** j. wieder in Freiheit setzen; ~ **by mail** brieflich überweisen; ~ **a matter to a higher tribunal** Fall an höheres Gericht abgeben; ~ **by return of post** postwendend überweisen; ~ **the proceeds** Gegenwert anschaffen; ~ **samples** Muster vorlegen; ~ **a sum of money to s. o.** jem. einen Geldbetrag überweisen; ~ **a sum to a bank** Betrag bei einer Bank anschaffen; ~ **a tax** Steuer erlassen; ~ **one's work** seine Arbeit einstellen.

remittance Geldsendung, -anweisung, Überweisung, *(cover)* Anschaffung, *(consignment of valuables)* Wertsendung;
prepaid ~ portofreie Sendung; **return** ~ Rücküberweisung;
capital ~**s abroad** Kapitalausfuhr; ~ **for the amount payable** Überweisung des geschuldeten Betrages; ~ **per appoint** Ausgleichswechsel; ~ **of a bill** Wechselsendung; ~ **in cash** Barsendung; ~ **of cover** Regulierung eines überzogenen Kontos; ~ **of funds** Geldsendung; ~ **of proceeds** Überweisung (Anschaffung) des Gegenwertes; ~ **of profit** Gewinntransferierung; ~ **in transit** Durchgangsposten;
to make (send, provide for) ~ Rimesse machen, remittieren, Deckung (Gegenwert) anschaffen;
to send s. o. a ~ jem. Geld überweisen;
~ **account** Überweisungskonto; ~ **basis** *(income tax, Br.)* Versteuerung nur nach England überwiesener Beträge; ~ **fee** Übermittlungsgebühr; ~ **form** Überweisungsformular; ~ **covering letter** beigefügte Geldüberweisung; ~ **man** im Ausland lebender Rentner; ~ **order** Überweisungsauftrag; ~ **slip** Überweisungsträger.

remittee Überweisungsempfänger.

remitter Geldsender, Übersender, *(bill)* Remittent, *(postal order)* Aufgeber.

remnant [Über]rest, Überbleibsel, Rückstand;
~**s of a large property** Überbleibsel eines großen Vermögens;
~**sale** Resteverkauf.

remodel *(v.)* **a corporation** Unternehmen umorganisieren.

remodel(l)ing job Reorganisationsaufgabe.

remonetization Wiederinkurssetzung.

remonetize *(v.)* wieder in Kurs setzen.

remonstrative letter Protestschreiben.

remote *(US, radio, television)* ferngesteuertes Programm, Direktübertragung, -aufnahme;
~ *(a.)* abgelegen, entlegen, entfernt, *(damages)* nicht in Kausalzusammenhang stehend;
~**-controlled** fernbedient, -gesteuert; ~ **damage** nicht voraussehbarer (indirekter, nicht zurechenbarer) Schaden; ~ **party** mittelbar Beteiligter.

remoteness | **of damages** Unterbrechung des Kausalzusammenhanges; ~ **of market** Marktferne, -entlegenheit.

removal Entfernen, Fortschaffen, *(bankruptcy)* Beiseiteschaffen [von Vermögensgegenständen], *(changing of residence)* Aus-, Weg-, Umzug, Räumung, *(discharge)* Entlassung, Absetzung;
mandatory ~ zwangsweise Entlassung;
~ **to avoid taxes** Verlagerung aus Steuergründen; ~ **of business** Geschäftsverlegung; ~ **without proper cause** unberechtigte Entlassung; ~ **of directors** Absetzung des Vorstandes; ~ **of disqualification** Wiedererlangung (Rückgabe) des Führerscheins; ~ **of an embargo** Embargobeseitigung; ~ **of furniture** Umzug; ~ **without notice** fristlose Entlassung; ~ **from office** Dienstentlassung, Amtsenthebung; ~ **of price ceilings** Beseitigung von Höchstpreisbestimmungen; ~ **from the register** Löschung in der Warenzeichenrolle; ~ **of restrictions** Aufhebung von Beschränkungen; ~ **from the stock-exchange list** Absetzung von (Streichung in) der amtlichen Notierung; ~ **of tariff** Zollaufhebung;
~ **allowance** *(Br.)* Umzugskostenersatz, -beihilfe; ~ **bond** Zollfreigabeschein; ~ **business**

(Br.) Umzugs-, Speditionsgeschäft; ~ **contractor** *(Br.)* Möbelspediteur; ~ **expenses** *(Br.)* Umzugsgeld, -kosten; ~ **goods** *(Br.)* Umzugsgut; ~ **van** *(Br.)* Möbelwagen.

remove *(change of residence, Br.)* Wohnsitzveränderung, Umzug, *(departure)* [Ab]reise, *(discharge)* Absetzung;

~**s to convertibility** Übergang zur Konvertibilität;

~ *(v.)* *(bankruptcy)* [Vermögensgegenstände] beiseite bringen, *(business)* verlegen, *(change residence, Br.)* aus-, umziehen, räumen, *(discharge)* entlassen;

~ **from the agenda** von der Tagesordnung absetzen; ~ **a blockade** Blockade aufheben; ~ **a business** *(Br.)* Geschäft verlegen; ~ **the disqualification** eingezogenen Führerschein zurückgeben; ~ **furniture** *(Br.)* [Wohnungs]umzüge besorgen; ~ **a manager** Geschäftsführer abberufen; ~ **an official** Beamten absetzen; ~ **from the register** *(trademarks)* in der Warenzeichenrolle löschen; ~ **the seals** Plomben abnehmen; ~ **a ship** Schiff überführen.

remover *(furniture, Br.)* [Möbel]spediteur.

removing expenses Umzugskosten.

remunerate *(v.)* *(pay)* honorieren, dotieren, *(reimburse)* vergüten, *(reward)* belohnen;

~ **the labo(u)r** Arbeit bezahlen; ~ **s. o. for his trouble** j. für seine Bemühungen entschädigen.

remuneration *(fee)* Honorar, Dotierung, *(for labo(u)r)* Arbeitsentgelt, Lohn, *(reimbursement)* Entgelt, Entschädigung, Entlohnung, Vergütung, *(reward)* Belohnung;

as ~ **for your services** als Bezahlung für Ihre Dienste; **without** ~ unentgeltlich;

adequate ~ entsprechende Belohnung; **total** ~ Gesamtvergütung;

~ **of directors** Vorstandsvergütung; ~ **from profession** freiberufliche Einkünfte, Einkünfte aus freiberuflicher Tätigkeit; ~ **for salvage** Bergelohn; ~ **of staff** Besoldung des Personals; ~ **for work** Arbeitsentgelt;

to charge ~ Honorar liquidieren; **to receive an adequate** ~ **for one's work** angemessene Vergütung für seine Arbeit erhalten.

remunerative vorteilhaft, einträglich, lohnend, Gewinn abwerfend, gewinnbringend, ergiebig, lukrativ;

~ **business** einträgliches Geschäft; ~ **duties** vorteilhafte Gemeindeabgaben; ~ **employment** Erwerbstätigkeit; ~ **investment** lukrative Anlage, gewinnbringende Kapitalanlage; ~ **price** lukrativer Preis; ~ **salary** anständiges Gehalt; ~ **undertaking** rentables Unternehmen.

render *(v.)* *(cede)* auf-, abgeben, *(pay rents)* bezahlen;

~ **account** Rechnung [vor]legen; ~ **an account for one's expenditure** seine Spesenabrechnung einreichen; ~ **annual dues** jährliche Abgaben entrichten; ~ **the price of a purchase** Kaufpreis angeben; ~ **a profit** Gewinn abwerfen; ~ **valid** validieren; ~ **void** nicht machen.

rendered, to (per) account laut erteilter (früherer) Rechnung.

rendering | of accounts Rechnungsauflegung; ~ **a highway dangerous** Gefährdung des Straßenverkehrs; ~ **of services** Dienstleistung.

renegotiation erneute Verhandlung, *(war contract, US)* Vertragserneuerung.

renew *(v.)* wiederherstellen, restaurieren, renovieren, *(extend)* erneuern, verlängern;

~ **a bill (draft)** Wechsel prolongieren; ~ **an order** nachbestellen, Nachbestellung vornehmen; ~ **a passport** Paß erneuern; ~ **a stock of goods** Vorräte ergänzen, Warenlager wieder auffüllen; ~ **one's subscription** sein Abonnement erneuern.

renewable verlängerungsfähig, *(bill)* prolongationsfähig;

~ **term insurance** verlängerungsfähiger Risikolebensversicherungsvertrag.

renewal *(bill)* Prolongation;

~**s** *(balance sheet)* Neuanschaffungen;

~ **of a bill** Wechselprolongation; ~ **of credit** Kreditprolongation; ~ **of a lease** Pachtverlängerung; ~ **of negotiations** Wiederaufnahme von Verhandlungen; ~ **of orders** Auftragserneuerung; ~ **of passport** Paßerneuerung, -verlängerung;

to grant a ~ **of a draft** Wechsel prolongieren; **to put through** ~**s at 2 per cent** Verlängerungen zum Satz von 2% tätigen;

~ **bill** Prolongationswechsel; ~ **bonds** *(US)* prolongierte Obligationen; ~ **certificate** Erneuerungsschein, Talon; ~ **clause** automatische Verlängerungsklausel; ~ **commission** Prolongationsprovision; ~ **contract** Erneuerungsvertrag; ~ **costs** Prolongationskosten; ~ **coupon** Talon, Erneuerungsschein; ~ **fee** *(patent)* Patentverlängerungs-, Erneuerungsgebühr; ~ **fund** Erneuerungsrücklage; ~ **notice** Prämienrechnung; ~ **order** Erneuerungsauftrag; ~ **period** Verlängerungszeitraum; ~ **policy** Erneuerungspolice; ~ **premium** Folgeprämie; ~ **rate** Prolongationssatz [für den nächsten Tag]; ~ **receipt** Erneuerungsschein; **social** ~ **work** soziale Erneuerungsarbeiten.

renounce | a claim auf eine Forderung verzichten; ~ **an inheritance** Erbschaft ausschlagen; ~ **one's property** auf sein Vermögen verzichten.

renouncement | of one's property Vermögensverzicht; ~ **of a succession** Erbschaftsausschlagung.

renovate *(v.)* **a house** an einem Haus Erneuerungen vornehmen.

renowned | banking company bekanntes (angesehenes) Bankhaus; **world-**~ **firm** weltweit bekannte Firma.

rent *(periodical payment)* [Wohnungs]miete, Mietzins, Pacht[zins], Pachtgeld, *(return of val-*

ue) Einkommen[squelle], Rente, Miet-, Pachteinnahme, *(US)* Pachtbesitz;

for ~ zu vermieten (verleihen); **free of** ~ mietfrei; **subject to** ~ mietzinspflichtig;

~**s** Einküfte;

accrued ~ Mietrückstände; **accustomed** ~ übliche Miete; **advanced** ~ Mietvorschuß, -vorauszahlung; **annual** ~ Jahresmiete, Grundrente; **back** ~ rückständige Miete; **barren** ~ testamentarisch aufgesetzte Rente [unabhängig von der wirtschaftlichen Lage des Empfängers]; **commercial** ~ wirtschaftlich berechtigter Mietzins; **consumers'** ~ Konsumentenrente; **contract** ~ vertraglich vereinbarte Miete; **controlled** ~ gesetzlich geschätzte Miete; **current market** ~ übliche Miete; **dead** ~ Bergregalabgabe; **double** ~ Pachtzins für die Zeit nach der Aufkündigung; **dry** ~ Naturalzins; ~ **due** fällige Miete; **economic** ~ *(Ricardian theory of rent)* Grundrente, wirtschaftliche Rente, *(special bonus)* besondere Einkünfte aufgrund vorzüglicher Leistungen; ~ **exclusive of . . .** reine Miete ohne . . .; **fair** ~ angemessene Miete, *(Ireland)* fünfzehnjährig festgelegte Pacht; **farm** ~ Pachtzins; **fixed** ~ Bergregalabgabe; **flat** ~ Pauschalmiete; **forehand** ~ Mietanzahlung, -vorauszahlung; **garage** ~ Garagenmiete; **ground** ~ Grundabgabe, Reallast, Grundstückspacht; **heavy** ~ hohe Miete, *(Maryland)* Nutzungsentgelt; **high** ~ hohe Miete; **imputed** ~ Mietwert der eigengenutzten Wohnung im Einfamilienhaus; **legal** ~ gesetzliche Miete; **low** ~ niedrige Miete; **net** ~ Grundrente; **nominal** ~ nominelle Rente; **office** ~ Büromiete; **outstroke** ~ *(coal mining)* Bergregalabgabe; **peppercorn** ~ *(Br.)* nomineller, an die Gemeinde zahlbarer Pachtzins; **premium** ~ Supermiete; **prepaid** ~ Mietvorauszahlung; **prewar** ~ Vorkriegs-, Friedensmiete; **pure** ~ Grundrente; **quarter's** ~ Vierteljahresmiete; **rack** ~ *(Ireland)* Wuchermiete; **receivable** ~ Sollmiete; **residential** ~ Wohnungsmiete; ~ **seck** testamentarisch ausgesetzte Rente; **sleeping** ~ Bergregalabgabe; **standard** ~ *(Br.)* normale Friedensrente [per 3. 8. 1914]; **true** ~ Grundrente; **uncontrolled** ~ *(Br.)* freie Miete; **warehouse** ~ Speichermiete;

~ **in advance** Mietvorschuß; ~ **issues and profits** Vermögenserträgnisse, -einkünfte; ~**s and profits of land** Einkünfte aus Grundbesitz; ~ **in kind** Naturalrente; ~ **stated in the lease** vertraglich festgesetzte Miete; ~ **of office** Büromiete; ~ **paid in advance** vorausbezahlte Miete; ~ **of a premise** Wohnungsmiete; ~ **lying in prender** *(Br.)* Mietbringschuld; ~ **lying in render** *(Br.)* Mietholschuld;

~ *(v.)* mieten, [ab]pachten, *(borrow, US)* sich etw. leihen, *(let for ~, US)* vermieten, verpachten, *(to be let at)* vermietet (verpachtet) werden zu;

~ **an apartment** *(US)* Wohnung [ver]mieten; ~ **a building with the option of purchase** Haus mit Vorkaufsrecht mieten; ~ **a farm** Hof pachten; ~ **a field to a farmer** landwirtschaftliche Nutzfläche verpachten; ~ **a film** Film verleihen; ~ **a flat and take over the furniture** *(Br.)* Wohnung mieten und die Möbel übernehmen; ~ **s. o. high (low)** hohe (niedrige) Miete von jem. verlangen; ~ **a house** Haus mieten; ~ **a house from the tenant** Haus im Wege der Untermiete pachten; ~ **by the month** monatlich mieten; ~ **one's tenants low** seinen Mietern geringe Miete abverlangen; ~ **at £ 900 a year** 900 Pfund an Miete im Jahr erbringen;

to be in arrears with one's ~ im Mietrückstand sein; **to collect** ~**s** Mieten einziehen (kassieren); **to command a high** ~ hohe Miete erzielen; **to fix a** ~ Mietzins festsetzen; **to have a house free of** ~ mietfrei wohnen; **to let for** ~ verpachten; **to owe three months'** ~ drei Monate mit der Miete im Rückstand sein; **to pay a heavy (high)** ~ **for farming land** für eine landwirtschaftliche Nutzfläche eine hohe Pacht bezahlen; **to raise a lodger's** ~ j. in der Miete steigern; **to take a** ~ pachten;

~**s have soared** Mieten sind gestiegen;

~ **account** Mietkonto; ~ **-a-car** Mietwagen; ~ **-a-car agency (firm, corporation)** Mietwagenverleih, Autovermietungsfirma; ~ **allowance** Mietzuschuß; **perpetual** ~ **annuity** lebenslängliche Rente; ~ **arrears** Miet-, Pachtrückstand, rückständige Miete; ~ **bill** Mietrechnung; ~ **ceiling** Höchstmiete, Miethöchstpreis; ~ **charge** Grunddienstbarkeit, *(Br.)* Erbzins; ~ **charge bonds** Erbzinsobligationen; ~ **charger** Nutznießer einer Grunddienstbarkeit; ~ **collection** Einziehung der Miete; ~ **collector** Mieteneinsammler; ~ **control** Mieterschutz; ~ **day** Miet-, Pachtzahlungstag; ~ **expense(s)** Mietaufwendungen; ~ **-free** pacht-, mietfrei; **to live** ~**-free in a house** mietfrei wohnen; ~**-free house** mietfreies Haus; **to occupy a house** ~**-free** Haus zur freien Miete bewohnen; ~ **income** Pacht-, Mieteinkommen, -erträgnisse; ~ **insurance** Mietverlustversicherung; ~ **money** Pachtgeld, -preis; ~ **payer** Mieter, Pächter; ~**-paying** ertragreich; ~**-raising** miet-, pachterhöhend; ~ **receipts** Miet-, Pachteinnahmen; ~**-reducing** gewinnmindernd; ~ **restrictions** gesetzlicher Mieterschutz; ≗ **Restriction Act** *(Br.)* Mieterschutzgesetz; ~ **return** Mietertrag; ~ **roll** Zinsbuch, -register, Rentenverzeichnis, *(income from ~)* Pacht-, Mietertrag; **total** ~ **roll** Gesamtmiet-, -pachteinnahmen; ~ **schedule** Mietertragstabelle; ~ **service** persönliche Grunddienstbarkeit; ~ **subsidy** Mietzuschuß; ~ **supplement** Mietzuschuß; ~ **tax** Hauszinssteuer; ~ **tribunal** *(Br.)* Mieteinigungsamt.

rental Miet-, Pachteinnahme, [Brutto]mietertrag, *(amount paid as rent)* Miete, Pacht, Miet-, Pachtzins, *(tel. Br.)* Grundgebühr;

assessed ~ steuerlicher Mietwert; car ~ Automietgebühr; fixed ~ (tel.) Pauschalgebühr; gross ~ Bruttoertrag; net ~ (real estate) Nettoertrag; subscriber's ~ Fernsprechanschlußgebühr;
~ agent Häusermakler; ~ allowance Wohnungsgeld, Mietzuschuß; ~ apartment Mietwohnung; ~ basis Mietgrundlage; ~ commission Vermietungsprovision; ~ car company Mietwagenfirma, -unternehmen; ~ company Verleihfirma, -gesellschaft; ~ deal Vermietungsgeschäft; ~ development Mietpreisentwicklung; ~ earnings (motion picture) Verleiheinnahmen; ~ fee Mietgebühr; ~ figure (term insurance) Rentabilitätsziffer, -darstellung; ~ fleet Mietwagenflotte; ~ income Miet-, Renteneinkommen; to produce ~ income Mieteinkünfte abwerfen; ~ library (US) Leihbibliothek, -bücherei; ~ market Mietenmarkt; ~ payments Mietzahlungen; ~ period Pachtzeit; ~ property einträglicher Betrieb; ~ rate (US) Miet-, Pachtpreis; to break out its sales-to-~ ratio for public display Verteilerschlüssel von Verkäufen zu Vermietung öffentlich bekanntgeben; ~ result Vermietungsergebnis; ~ return Pachtertrag; ~ right (Br.) Erbpacht; ~ schedule Mietertragstabelle; ~ space für Vermietungszwecke zur Verfügung stehende Fläche; ~ value Miet[ertrags]wert, Pachtwert; rent and ~ value insurance Mietausfallversicherung; ~ value policy Mietverlustpolice.

rented | car Mietauto, Leihwagen; ~ land verpachtetes Grundstück.

renter Mieter, Pächter, *(film industry)* Filmverleih; ~ of a safe Depotmieter.

renting | of cars Autovermietung; ~ of safes Schrankfachmiete;
to roll into ~ ins Verleihgeschäft einsteigen;
~ ability Mieteigenschaft; ~ department Miet-, Pachtabteilung; ~ failure Mietversager; ~ market Mietenmarkt; ~ space Miet-, Pachtfläche.

renunciation | of agency Widerruf des Vertretungsverhältnisses; ~ of dower Ausschlagung der Mitgift; ~ of guarantee Garantieverzicht;
~ form *(Br.)* Verzichterklärungsformular [für Bezugsrechte].

reopen *(v.)* wieder eröffnen (in Betrieb setzen);
~ a case of bankruptcy Konkursverfahren noch einmal aufrollen; ~ a shop Laden wiedereröffnen.

reopening of the securities exchanges Wiedereröffnung der Effektenbörsen.

reoperate *(v.)* nacharbeiten.

reoperating cost Nacharbeitskosten.

reorder Nach-, Neubestellung, Erneuerungsauftrag; ~ *(v.)* nach-, neu bestellen;
~ priorities Prioritätenliste neu zusammenstellen.

reorganization Neugestaltung, Neuregelung, Um-, Reorganisation, *(financial ~)* Sanierung, Bereinigung, *(US)* Gläubigervergleich, *(legal reconstruction)* Neugründung;
tax-free ~ steuerfreie Sanierung;
~ under Chapter 10 *(US)* Vergleichsverfahren;
~ of a corporation *(US)* Firmenvergleich;
to file the petition for ~ under Chapter 10 *(US)* Antrag auf Eröffnung des Vergleichsverfahrens stellen;
~ account *(US)* Vergleichskonto; ~ bar *(US)* Vergleichsverfahrensspezialisten; ~ bond *(US)* Gewinnschuldverschreibung; ~ committee Sanierungsausschuß; ~ fund Sanierungsfonds; ~ measures Sanierungsmaßnahmen; ~ petition Vergleichsantrag; involuntary ~ petition Zwangsvergleichsantrag; ~ plan Sanierungs-, Reorganisations-, wirtschaftlicher Wiederaufbauplan; ~ proceedings *(US)* Vergleichsverfahren; ~ program(me) Sanierungsprogramm; ~ report Sanierungsbericht; ~ trustee *(US)* Vergleichsverwalter.

reorganize *(v.)* wieder einrichten, reorganisieren, neu regeln (gestalten, umstellen), *(firm)* sanieren, *(economy)* wiederaufbauen;
~ under Chapter 10 *(US)* Vergleichsverfahren durchführen;
to apply for permission to ~ under the Bankruptcy Act Antrag auf Eröffnung des Vergleichsverfahrens stellen.

repair Instandsetzung, Wiederherstellung, Reparatur, Ausbesserung, *(accounting)* Instandhaltungsaufwand, *(house)* baulicher Zustand, *(place of resort)* Zufluchts-, Aufenthaltsort;
in bad ~ *(house)* baufällig, in schlechtem Zustand; in need of ~ reparatur-, instandsetzungsbedürftig;
emergency ~s unbedingt notwendige Reparaturen; road (street) ~s Straßeninstandsetzungsarbeiten; tenant's ~s dem Mieter obliegende Reparaturen;
~ to a building Gebäudeinstandsetzung; ~s chargeable to the owner zu Lasten des Eigentümers gehende Reparaturen;
~ *(v.)* erneuern, ausbessern, instandsetzen, reparieren, *(machine)* überholen, in Ordnung bringen, *(make amends)* wiedergutmachen, Verlust ersetzen;
~ damages Schaden ersetzen; ~ one's fortune seine Vermögensverhältnisse neu ordnen; ~ a loss Verlust wettmachen; ~ the roads Straßen instand setzen; ~ to the seaside resorts Seebäder im Sommer frequentieren;
to be closed during ~s während der Reparaturarbeiten geschlossen sein; to be under ~ in Reparatur sein, repariert werden; to keep a building in ~ Gebäude in gutem baulichen Zustand erhalten; to put into port for ~s zur Vornahme von Reparaturen in den Hafen einlaufen;
[statutory]~s allowance (deduction) [etwa] 7b-Abschreibung; ~ costs Reparatur-, Instand-

setzungskosten; ~ **crew** Reparaturmannschaft; ~ **department** Reparaturabteilung; ~ **facilities** Reparaturanlagen, -möglichkeiten; ~ **increase** auf Instandsetzungskosten beruhende Mietererhöhung; ~ **order** Reparatur-, Instandsetzungsauftrag; ~ **permit** Reparaturschein; ~ **service** Instandsetzungs-, Kundendienst; ~ **ship** Reparaturschiff; ~ **shop** Reparaturanstalt, -werkstatt; ~ **truck** *(railway)* Eisenbahnausbesserungswagen; ~ **work** Instandsetzungsarbeiten.

repairing shop Reparaturwerkstatt.

repairman Mechaniker;
automobile ~ *(US)* Autoschlosser.

reparation Instandsetzung, Wiederherstellung;
~ **account** Reparationskonto; ~ **agreement** Reparationsabkommen; ~ **charges** Reparatur-, Instandsetzungskosten; ~ **covenant** *(rent)* Reparaturvereinbarung; ~ **payments** Reparationszahlungen.

repartition [verhältnismäßige] Aufteilung, *(profit)* Gewinnverteilung.

repatriate Zivilinternierter, Umsiedler;
~ *(v.)* **capital** Kapital wieder ausführen (rückführen); ~ **earnings from foreign investments** ausländische Anlagenerlöse devisenmäßig vereinnahmen; ~ **profits** Gewinne transferieren.

repatriation Wiedereinbürgerung, *(foreign workers)* Heimaturlaub;
~ **of capital** Kapitalrückführung; ~ **of dividend** Dividendentransfer.

repay *(v.)* zurück[be]zahlen, nochmals bezahlen, wiederbezahlen, rückerstatten, -vergüten, abdecken, *(make amends)* entschädigen, Ersatz leisten;
~ **o. s.** sich erholen (schadlos halten);
~ **a credit** Kredit zurückzahlen; **s. o. in full** j. voll befriedigen; ~ **before the expiration of a period** vor Verfall zurückzahlen; ~ **a mortgage debt** Hypothek tilgen; ~ **an obligation** sich von einer Verbindlichkeit frei machen.

repayable on demand auf Verlangen rückzahlbar.

repayment Rückzahlung, -vergütung, -erstattung, *(redemption)* Tilgung;
~ **of a credit** Kredittilgung; ~ **by instal(l)ments** Rückzahlung in Raten; ~ **of a mortgage debt** Hypothekentilgung; ~ **of principal** Kapitalrückzahlung;
~ **period** Rückzahlungszeitraum, *(hire purchase)* Abzahlungsfrist, -periode.

repeat neue Bestellung, neuer Auftrag, Neubestellung, *(advertising)* Ersatz-, Erinnerungs-, Wiederholungsanzeige, *(broadcasting)* Wiederholungssendung;
~ *(v.)* wiederholen, *(recover)* irrtümlich erhaltenes Geld zurückzahlen;
~ **an article** nach-, neu bestellen; ~ **back a telegram** Telegramm kollationieren; ~ **a pattern** Muster vervielfältigen;
~ **audience** *(advertising)* wiederholt angesprochene Konsumenten; ~ **business** Wiederkäufe; ~ **order** Neu-, Nachbestellung, *(advertising)* Wiederholungsauftrag; **to place a** ~ **order** nachbestellen; ~ **sale** *(US)* Verkauf auf Grund von Erinnerungswerbung.

repeating clause Widerrufsklausel.

repetition | **of an order** Auftragswiederholung;
~**-paid telegram** kollationiertes Telegramm; ~ **work** Serienarbeit, -herstellung.

replace *(v.)* *(refund)* wieder-, rückerstatten, rückvergüten, *(become substitute)* als Nachfolger eingesetzt werden, ersetzen, Stelle einnehmen;
~ **fixed assets** Anlagen erneuern; ~ **coal by oil** Kohle durch Öl ersetzen; ~ **as much as 20% of its faculty each year** pro Jahr bis zu 20% Abgänge haben; ~ **stolen money** unterschlagenes Geld ersetzen; ~ **a sum of money borrowed** geliehenen Geldbetrag zurückgeben.

replaceable ersetzbar, austauschbar.

replaced equipment Ersatzanschaffungen.

replacement *(accounting)* Anlagenerneuerung, *(destroyed building)* Wiederherstellungs-, -errichtungskosten, *(substituting)* Ersatz-, Wiederbeschaffung, Ersatzleistung;
holiday ~ *(Br.)* Urlaubsvertretung; ~ **of inventories** Auffüllung des Lagerbestands; ~ **in kind** Naturalersatz; ~ **of worn-out parts** Ersatz abgenützter Einzelteile;
to buy goods in ~ Deckungskauf vornehmen; **to get a** ~ **while one is away on holiday** Ferienvertretung zugeteilt erhalten; **to require goods in** ~ Ersatzlieferung verlangen; **to train a** ~ Ersatzmann anlernen;
~ **cost** Gestehungs-, Wiederbeschaffungskosten; ~ **cost of real estate** Wiederaufbaukosten; ~ **cost depreciated** tatsächlicher Wert [der Ersatzbeschaffung]; ~ **cost new** Neuanschaffungswert; ~ **cost standard** *(balance sheet)* Wiederbeschaffungswert; ~ **demand** Ersatz-, Erneuerungsbedarf; ~ **draft** Ersatzwechsel; ~ **equipment** Ersatzausstattung; ~ **fund** Erneuerungsrücklage; ~ **goods** Ersatzware; ~ **housing** Ersatzwohnung; ~ **method of depreciation** Abschreibung auf Basis der Wiederbeschaffungskosten; ~ **needs** Ersatzbedarf; ~ **outlay** Ersatzaufwand; ~ **parts** Ersatzteile; ~ **practices** Wiederbeschaffungspraxis; ~ **price** Wiederbeschaffungspreis; ~ **program(me)** Ausweichprogramm, *(investing)* Anlagenerneuerungsplan; ~ **rate** Wiederbeschaffungs-, Anlagenerneuerungssatz, *(employees)* Zu- und Abgangssatz; ~ **reserve** Rückstellung für Wiederbeschaffung; ~ **unit** erneuerte Anlage; ~ **value** Ersatz-, Wiederbeschaffungswert.

repledge *(v.)* *(collateral securities)* wiederverpfänden.

replenish *(v.)* **one's inventory** sein Lager auffüllen;
~ **a loan** zusätzliche Sicherheit leisten; ~ **the reserves** Reserven auffüllen; ~ **a ship's stores** Schiffsvorräte ergänzen; ~ **one's stocks** sein Lager vervollständigen.

replenishment | **of a loan** Gestellung zusätzlicher Sicherheiten; ~ **of stocks** Lagerauffüllung; ~ **ship** Versorgungsschiff.
replete with all modern conveniences mit dem modernsten Komfort ausgestattet.
replevin *(bail)* Pfandauslösung, Selbsthilfeverkauf.
reply *(letter)* Antwortschreiben, Rückäußerung; **intermediate** ~ Zwischenbescheid; ~ **paid** [Rück]antwort bezahlt; ~ **received** eingegangene Antwort;
~ **by return of post** postwendende Antwort; ~ **card** *(US)* [Rück]antwortkarte; **business** ~ **card** Werbeantwortkarte; ~ **coupon** [Post]antwortschein [für das Ausland], *(advertising)* Bestellkupon; **business** ~ **items** Geschäftsantwortsendungen; ~ **paid postcard** *(Br.)* Rückantwortkarte; ~ **paid telegram (wire)** Telegramm mit bezahlter Rückantwort.
report *(account of occurrence)* Nachricht, Meldung, *(corporation)* Geschäfts-, Rechenschaftsbericht einer Aktiengesellschaft, *(customs) Zolldeklaration, (declaration)* Anzeige, *(opinion)* Gutachten, *(formal statement)* [Rechenschafts]bericht, Berichterstattung;
annual ~ Jahres-, Geschäftsbericht; **captain's** ~ Verklarung, Seeprotest; **cash** ~ Kassenbericht; ~ **certified** *(publishing business)* Auflagenbestätigung; **change** ~ Veränderungsmeldung; **confidential** ~ vertraulicher Bericht; **credit** ~ Kreditauskunft; **damage** ~ *(insurance)* Schadensmeldung, -bericht, *(marine insurance)* Havariebericht; **director's** ~ Geschäfts-, Rechenschaftsbericht; **exchange** ~ Kursbericht; **expert's** ~ Sachverständigengutachten; **false newspaper** ~ Zeitungsente; **financial** ~ Geschäftsbericht; **market** ~ Markt-, Preisbericht, *(stock exchange)* Börsen-, Kursbericht; **over-the-counter** ~**s** *(US)* Kursblatt für Freiverkehrswerte; **receiving** ~ Wareneingangsmeldung; **referee's** ~ Sachverständigengutachten; **statutory** ~ Gründungsbericht; **stock-market** ~ *(US)* Kursblatt; **trading** ~ Gewinnausweis; **treasurer's** ~ Bericht des Schatzmeisters; ~ **from abroad** Auslandsbericht; ~ **and accounts** Geschäfts-, Rechenschaftsbericht; ~ **on business [conditions]** Konjunkturbericht; ~ **of loss** Schadensmeldung; ~ **of the market** Markt-, Preisbericht, *(stock exchange)* Börsen-, Kursbericht; ~ **of the meeting** Sitzungsbericht, Protokoll; ~ **on the state of the roads** Straßenzustandsbericht; ~ **of survey** Havariegutachten; **false** ~ **of weight** falsche Gewichtsangabe;
~ *(v.) (customs)* deklarieren, *(denounce)* [Vergehen] anzeigen, Anzeige erstatten, *(state a fact)* melden, berichten, Bericht erstatten;
~ **an accident to the police** Unfallmeldung erstatten; ~ **directly to the President** dem Vorstandsvorsitzenden unmittelbar unterstehen; ~ **an employee for misconduct** Angestellten zur disziplinarischen Bestrafung melden; ~ **a market improvement in business** Konjunkturaufschwung feststellen; ~ **[o.s.] to the manager** sich beim Vorstand anmelden lassen; ~ **to the port authorities** sich beim Hafenamt melden; ~ **progress** über den Stand einer Angelegenheit berichten; ~ **the receipts and expenditures** Übersicht über die Finanzverhältnisse geben; **to be of good** ~ guten Leumund haben (Ruf besitzen); **to cook a** ~ *(sl.)* Bericht frisieren; **to draft a** ~ protokollieren; **to draw up a** ~ **on an accident** Unfallschadensmeldung aufnehmen; **to make a** ~ **on the state of the roads** Straßenzustandsbericht erstatten; **to present a** ~ **on a plan** über den Fortgang eines Unternehmens berichten; **to receive a** ~ **on a firm** Auskünfte über eine Firma erhalten;
~ **form** Gewinn- und Verlustrechnung in Staffelform; ~ **preparation** Berichterstattung.
reporting | **of property** Vermögensanmeldung; ~ **form** Berichtsformular, *(insurance)* Risikoformular; ~ **insurance** Inventarversicherung mit Auflage von Veränderungsmeldungen; ~ **pay** garantierter Mindestlohn für Anwesenheit am Arbeitsplatz, Anwesenheitsgeld; ~ **policy** *(US)* aufgrund periodisch zu erstattender Wertangabe ausgestellte Feuerversicherungspolice; ~ **requirements** Berichtsauflagen.
repository Verwahrungsort, *(shop)* Laden,, *(warehouse)* Warenlager, Niederlage, Magazin, Speicher;
central ~ Zentralarchiv; **furniture** ~ [Möbel]-speicher;
~**for old bills** Aufbewahrungsort für alte Rechnungen; ~ **for securities** Depotstelle.
repossess *(v.)* **goods** *(hire purchase)* auf Teilzahlung gekaufte Waren wieder in Besitz nehmen.
repossession Rücknahme einer auf Teilzahlung gekauften Sache.
represent *(v.)* wieder vorlegen;
~ **every facet of business** repräsentativen Querschnitt der gesamten Wirtschaft darstellen; ~ **a firm** Firma vertreten; ~ **graphically** grafisch darstellen; ~ **the interests of the creditors** Gläubigerinteressen wahrnehmen.
representation *(accounting)* Vorstandserläuterung über die Geschäftspolitik für Revisionsbeamte, *(made while making a contract)* Garantieerklärung, *(description)* Darstellung, -legung, Schilderung, *(protest)* Vorhaltungen, Protest;
~**s** *(insurance)* versicherungswichtige Umstände, Anzeige von Gefahrenumständen, Risikobeschreibung;
~ **abroad** Auslandsvertretung; **employees'** ~ Angestelltenvertretung; **legal and general** ~ gerichtliche und außergerichtliche Vertretung; **managerial** ~ Vertretung der Betriebsführung; **material** ~ *(life insurance)* versicherungswichtiger Umstand; **occupational** ~ berufständische Vertretung;
~ **of interests** Interessenvertretung; ~ **in equal**

numbers paritätische Vertretung; ~ **of ownership** Vertretung der Anteilseigner; ~ **of the workers** Betriebsdelegation;
to have ~ at the bargaining table am Verhandlungstisch vertreten sein; **to make ~s to the Inspector of Taxes about an excessive assessment** Einspruch beim Finanzamt gegen zu hohe Veranlagung einlegen;
~ **allowance** Aufwandsentschädigung.
representative [Stell]vertreter, Bevollmächtigter, Beauftragter, Agent, *(typical embodiment)* repräsentativer Querschnitt, *(type)* Musterbeispiel, Typ, Verkörperung;
~ **abroad** Auslandsvertreter; **authorized** ~ Bevollmächtigter; **commercial** ~ Handelsvertreter; **consular** ~ konsularischer Vertreter; **employer's** ~ Arbeitgebervertreter; **lawful** ~ ordnungsgemäß bevollmächtigter Vertreter; **manufacturer's** ~ Vertreter, Handlungsreisender; **public** ~ Vertreter öffentlichen Interesses; **sales** ~ Vertreter; **sole** ~ *(firm)* General-, Alleinvertreter; **special** ~ Sonderbeauftragter, *(advertising)* Bezirksvertreter, Repräsentant;
~ *(a.)* vertretungsberechtigt, [stell]vertretend, repräsentativ, *(typical)* typisch, charakteristisch;
~ **capacity** Vertretereigenschaft; ~ **firm** Durchschnittsfirma; ~ **money** *(US)* Papiergeld, Geldsurrogat; ~ **office** Vertreterbüro, Agentur; ~ **sample** Serienmuster; ~ **sampling** repräsentatives Auswahlverfahren; ~ **stock** *(US)* führende Börsenwerte, Standardwerte.
representational activity Repräsentationstätigkeit.
represented on the board im Aufsichtsrat vertreten.
reprice *(v.)* neu auszeichnen (bewerten).
repricing erneute Preisfestsetzung;
~ **clause** Preisänderungsklausel; ~ **provisions** Klauseln für die Festsetzung neuer Preise.
reprint Wiederab-, Wiederholungsdruck, Neuauflage, -druck, *(number of copies)* Auflageziffer; **cheap** ~ Volksausgabe; **separate** ~ Sonderdruck;
~ **edition** Neu-, Volksausgabe; ~ **royalty** Abdrucktantieme.
reprise *(Br., quit-rent)* Erbzins.
reprivatization Reprivatisierung.
reprivatize *(v.)* reprivatisieren.
reproduce *(v.)* vervielfältigen, wieder hervorbringen;
~ **an extract** auszugsweise wiedergeben; ~ **a letter** Brief abdrucken.
reproduction Abdruck, Wiederherstellung, Reproduktion, Vervielfältigung;
~ **cost** Veredlungskosten, *(replacement)* Wiederbeschaffungskosten; ~ **standard** *(balance sheet)* Wiederbeschaffungswert; ~ **value** Reproduktionswert.
reproductive | **proof (pull)** reproduktionsfähiger Abzug; ~ **service** werbende [öffentliche] Dienstleistungen.
repudiate | *(v.)* **an agreement** Vertrag nicht anerkennen; ~ **s. one's claims** jds. Forderungen in Abrede stellen; ~ **the national debt** *(US)* Staatsschuld nicht anerkennen.
repudiation Zurückweisung, Nichtanerkennung, *(of national debt)* Zahlungsverweigerung;
~ **of contract** Nichtanerkennung eines Vertrages.
repurchase Wieder-, Wiederan-, Rückkauf;
with option of ~ mit Rückkaufsrecht;
~ **of units** *(Br.)* Einlösung (Rückkauf) von Investmentanteilen;
~ *(v.)* zurück-, wiederkaufen;
~ **short sales** Leerabgaben einer Position decken;
~ **agreement** Rückkaufsvertrag; ~ **cost** Wiederbeschaffungskosten; ~ **privilege** *(investment fund)* Rückgaberecht; ~ **value** Rückkaufswert.
repurchaser Rück-, Wiederkäufer.
reputable employment angesehene Stellung.
reputation Leumund, Ruf, Ansehen, Renommée;
business ~ geschäftliches Ansehen; **international (world-wide)** ~ Weltruf;
~ **of a firm** geschäftliches Ansehen einer Firma; **to damage s. one's** ~ jds. Ruf schädigen, Rufmord an jem. begehen; **to gain a good** ~ sich einen guten Ruf erwerben; **to live up to one's** ~ standesgemäß leben.
repute Ruf, Ansehen, Leumund;
of good ~ gut renommiert.
reputed | **owner** anscheinender Eigentümer; ~ **ownership** vermutliches Eigentum.
request *(asking for)* Bitte, [An]ersuchen, Aufforderung, *(demand)* Nachfrage, Anforderung, *(petition)* Gesuch, Eingabe, Antrag, Verlangen, *(statement in plaintiff's declaration)* Nachweis der ordnungsgemäßen Zahlungsaufforderung;
by (on) ~ auf Ansuchen (Vorschlag, Wunsch), bei Bedarf; **in** ~ gefragt, begehrt; **in little** ~ wenig gefragt; **on (at) one's own** ~ auf eigenen Wunsch;
formal ~ förmliche Aufforderung; **urgent** ~ dringendes Anliegen; **vain** ~ Fehlbitte; **vacation** ~ *(US)* Urlaubsgesuch; **written** ~ Aufforderungsschreiben;
~ **for check (cheque,** Br.) Scheckanforderung; ~ **for diminution of taxes** Steuerherabsetzungsantrag; ~ **for help** Hilfsgesuch; ~ **for a holiday** *(Br.)* Urlaubsgesuch; ~ **for money (payment)** Zahlungsaufforderung, Mahnbrief; ~ **for overtime** Überstundenforderung; ~ **for repurchase** Rückkaufsantrag; ~ **for respite** Stundungsgesuch;
~ *(v.)* bitten, ersuchen;
~ **a brief delay** um eine kurze Fristverlängerung einkommen; ~ **an extension of time** um Fristverlängerung bitten; ~ **s. o. to use his influence** jds. Beziehungen für sich einzusetzen suchen;

~ **a loan** Kredit beantragen; ~ **an opinion** Gutachten einholen; ~ **permission** um Erlaubnis bitten;
to be in great (little) ~ sehr (wenig) gefragt (begehrt, gesucht) sein; **to deal with a** ~ Antrag bearbeiten; **to handle written** ~**s** schriftliche Anfragen beantworten; **to send by** ~ auf Bestellung zuschicken; **to stop by** ~ *(bus)* bei Bedarf halten;
~**s book** Beschwerdebuch; ~ **form** Bestellschein; ~ **note** *(Br.)* Kautionsverpflichtung zwecks Verlagerung zollpflichtiger Waren; ~ **program(me)** Wunschkonzert; ~ **slip** Bücherbestellzettel; ~ **stop** *(Br.)* Bedarfshaltestelle.

requested sehr begehrt (gesucht);
~ **authority** ersuchte Behörde.

require *(v.) (demand)* [an]fordern, verlangen, *(need)* benötigen, Bedarf haben an, brauchen;
~ **extra help** zusätzliche Arbeitskräfte benötigen; ~ **money** Geld kosten.

required erforderlich, vorgeschrieben, *(advertisement)* zu kaufen gesucht, verlangt;
when ~ nach Bedarf;
to be ~ **at the business** im Geschäft benötigt werden; **to have the money** ~ über das erforderliche Kapital verfügen;
~ **idle time** unvermeidliche Verlustzeit.

requirement *(demand)* [An]forderung, *(direction)* Vorschrift, *(need)* Bedarf, Erfordernis, Bedürfnis, *(qualification)* erforderliche Eigenschaft;
meeting the ~**s** den Anforderungen (Vorschriften) entsprechend;
additional ~ Mehrbedarf; **counter** ~**s** [Zahlungs]anforderungen im Schalterverkehr; **educational** ~**s** Bildungsvoraussetzungen; **export** ~**s** Exportbedarf; **financial (monetary)** ~**s** Finanzbedarf; **government-imposed** ~**s** staatliche Forderungen; **household** ~**s** Haushaltsbedarf; **labo(u)r** ~**s** Arbeitskräftebedarf; **legal** ~**s** gesetzliche Voraussetzungen; **monthly** ~**s** Ultimobedürfnisse; **necessary** ~**s** notwendiger Bedarf; **nonrecurrent** ~**s** außerordentlicher Bedarf; **number-one** ~ allererste Voraussetzung; **peacetime** ~**s** Friedensbedarf; **personal**~ Eigenbedarf, persönlicher Bedarf; **public** ~**s** öffentlicher Bedarf; **recurrent** ~**s** ordentlicher Bedarf; **regular** ~ Normalausstattung; **statutory** ~**s** Satzungserfordernisse; **subsidy** ~ Zuschußbedarf; **total** ~ Gesamtbedarf; **variable** ~**s** elastische Bedürfnisse; **over-the-window** ~**s** Anforderungen im Schalterverkehr; **yearly** ~ Jahresbedarf;
~**s for admission** Zulassungsvoraussetzungen; ~ **for college entrance** Aufnahmebedingungen eines College; ~**s in goods** Warenbedarf; ~**s of primary importance** lebenswichtiger Bedarf; ~**s of raw material(s)** Rohstoffbedarf; ~**s of registration** Eintragungserfordernisse, -voraussetzungen; ~**s for success** Erfolgsvoraussetzungen; **to be modest in one's** ~**s** bescheidene Ansprüche stellen; **to comply with the** ~**s** den Anforderungen entsprechen, Bedarf decken; **to fulfil the** ~**s of the law** den gesetzlichen Erfordernissen genügen; **to meet the** ~**s** den Anforderungen (Vorschriften) entsprechen; **to meet s. one's** ~**s** jds. Bedarf decken; **to meet the** ~**s at a competitive price** preisgünstig liegen; **to meet the** ~**s for entrance** Aufnahmebedingungen erfüllen; **to meet the** ~**s of raw material** Rohstoffbedarf decken;
~ **contract** Bedarfsdeckungsvertrag.

requisite Gebrauchsgegenstand, Bedarfsartikel;
office ~**s** Büroartikel; **travel(l)ing** ~**s** Reiseartikel, -utensilien;
~ **capital** notwendiges Betriebskapital; **to lack the** ~ **capital** unzureichende Kapitaldecke haben; ~ **form** vorgeschriebene Form.

requisition Ersuchen, Auf-, Anforderung, *(formal application)* Anforderung[sschein], *(demand)* Nachfrage, Bedarf;
upon ~ auf Verlangen;
purchase ~ Ermächtigung der Einkaufsabteilung; **stores** ~ Lageranforderung;
~ **for materials** Materialanforderung; ~ **for money** Geldanforderung; **notary's** ~ **of payment** notarielle Zahlungsaufforderung; ~ **for supplies** Lieferungsanforderung;
to be in constant ~ *(bus)* in fortlaufendem Einsatz sein; **to make a** ~ **on the citizens for stores** Bürgerschaft zur Bevorratung veranlassen; ~ **blank** Anforderungsformular; ~ **form** *(Br.)* Bestell-, Auftragszettel; ~ **number** Bestellnummer.

requisitioning authority Erfassungsstelle.

requital Vergütung, Belohnung;
to get food and lodging in ~ **of one's services** au pair leben.

reroute *(v.)* umleiten, *(air ticket)* umschreiben.

rerouting Umleitung, *(air ticket)* Umschreibung.

resale *(by default of payment)* Selbsthilfeverkauf, *(sale at secondhand)* Verkauf aus zweiter Hand, *(second sale)* Weiter-, Wiederverkauf;
~ **price** Wiederverkäufer-, Einzelhandels-, Ladenverkaufs-, Kleinhandelspreis; **minimum** ~ **price** Mindestwiederverkaufspreis; **to sell at a price below the** ~ **price** unter dem Wiederverkaufspreis verkaufen; ≗ **Price Act** *(Br.)* Preisbindungsgesetz; ~ **price agreement** Preisbindungsabkommen, -vereinbarung; ~ **price condition** Preisbindung; ~ **price fixing** *(Canada)* **(maintenance)** Preisbindung der zweiten Hand, vertikale Preisbindung; ~ **price maintaining** Einhaltung von Wiederverkaufspreisen; ~ **profit** Wiederverkaufsgewinn; ~ **value** Wiederverkaufswert; **to have a better** ~ **value** sich gut wiederverkaufen lassen.

reschedule *(v.)* **production** neue Produktionseinteilung vornehmen.

rescind | *(v.)* **a bargain** von einem Geschäft zurücktreten; ~ **a contract** Vertrag annullieren; ~

a guaranty Garantieversprechen für ungültig erklären.

rescindable aufhebbar, anfechtbar.

rescinder Anfechtungsberechtigter.

rescinding a contract Vertragsannullierung.

rescission Rückgängigmachung, Rücktritt, Ungültigkeitserklärung;
qualified ~ Vertragsaufhebung unter Beibehaltung von Schadenersatzansprüchen;
~ **for breach of warrant** *(US)* Wandlung wegen Gewährleistungsbruchs; ~ **of contract** Rücktritt vom Vertrag; ~ **of a receiving order** Aufhebung der Konkursverwaltung.

rescue Rettung, Hilfe, *(law)* Pfandbruch, *(salvage)* Bergung;
~ **of goods restrained** Pfand-, Verstrickungsbruch;
~ **goods** Pfandbruch begehen; ~ **the market** Markt stützen, Stützungsaktionen unternehmen;
~ **party (squad)** Bergungsmannschaft, Hilfstrupp; ~ **ship** Rettungsschiff.

research genaue Untersuchung, Nachforschung, *(advertising)* Werbevorbereitung, Markt- und Meinungsforschung, Erhebung, Analyse, *(scientific)* Forschung[sarbeit];
audience ~ *(Br.)* Höreranalyse; **business** ~ Konjunkturforschung; **desk** ~ Sekundärerhebung; **field** ~ Primärerhebung; **industrial** ~ Konjunkturforschung; **listenership** ~ *(US)* Höreranalyse; **market** ~ Markt-, Absatzforschung, Marktanalyse, -untersuchung; **opinion** ~ Meinungsbefragung; **readers' interest** ~ Leserumfrage; **subscriber** ~ Abonnentenanalyse;
~ *(v.)* forschen, Forschertätigkeit ausüben, *(advertising)* Meinungsforschung betreiben;
~ **assignment** Forschungsauftrag; ~ **budget** Forschungsetat; ~ **center (centre,** *Br.)* Forschungszentrum; ~ **director** *(advertising)* Leiter der Marktforschung; ~ **establishment** Forschungsinstitut; ~ **funds** Mittel für die Forschung; ~ **material** Forschungsergebnisse, *(marketing)* Informationsmaterial; **economic** ~ **organization** Konjunkturinstitut; ~ **plant** Versuchungsanlage, -anstalt; ~ **service** *(advertising)* Ausschnittsdienst; ~ **study** Forschungstätigkeit.

resell *(v.)* weiter-, wiederverkaufen.

reseller Wiederverkäufer.

reservation *(clause)* Einschränkung, Vorbehalt[sklausel], *(reserve)* Rückstellung, *(reserved room)* reserviertes Zimmer, *(of seats, US)* Vorbestellung, Buchung, Platzkarte, reservierter (belegter) Platz, Reservierung, *(telephone exchange)* reservierte Sprechzeit;
with the usual ~**s** unter üblichem Vorbehalt;
continuing-plane ~ Anschlußbuchung; **flight** ~ Flugplatzreservierung; **mental** ~ geheimer Vorbehalt, Mentalreservation; **room** ~ Zimmerreservierung;
~ **of all rights** alle Rechte vorbehalten; ~ **of seats** Platzbestellung; ~ **of earned surplus** Gewinnrückstellung; ~ **of title** Eigentumsvorbehalt;
to accept s. th. without ~ etw. vorbehaltlos (bedingungslos) annehmen; **to cancel a** ~ Reservierung rückgängig machen; **to enter a** ~ **in respect of a contract** Vertragsvorbehalt aufnehmen lassen; **to make all the necessary** ~**s for a journey** alle Buchungen für eine Reise erledigen; **to telegraph to a hotel for a** ~ Hotelzimmer telegrafisch vorbestellen;
~ **agent** Buchungsagent; ~ **fee** Vormerk-, Reservierungsgebühr; ~ **form** Platzkartenformular; ~ **system** Reservierungs-, Buchungssystem.

reserve *(balance sheet)* Reserve, Rücklage, *(US)* Rückstellung, *(land reserved)* Schutzgebiet, Reservat[ion], *(reservation)* Einschränkung, Vorbehalt, Ausnahme, Reservation, *(supply)* Vorrat, Reserve;
in ~ vorrätig, in Reserve; **under** ~ vorbehaltlich; **under usual** ~ unter üblichem Vorbehalt; **without** ~ rückhaltlos, ohne Ausnahme (Vorbehalt), unbedingt, *(auction sale)* freier Verkauf [ohne Mitbieten des Eigentümers];
~**s** Reserven;
actual ~ Istreserve; **adequate** ~ aus-, hinreichende Reserven; **adjusted** ~ *(US)* besondere Rückstellung der Bundes-Reserve-Banken; **amortization** ~ Rücklagen zur Abschreibung langfristiger Anlagegüter; **available** ~ freie (frei verfügbare) Reserven; **bad-debt** ~ Rücklagen für zweifelhafte Forderungen; **bank's** ~ Bankreserve, -rücklage; **Bank of England** ~ Reserven der Bank von England; **capital** ~ Kapitalreserve; **cash** ~ Barbestand; **operating cash** ~ Betriebsmittelrücklage; **catastrophe** ~ *(insurance)* Rücklagen für Katastrophenfälle, Katastrophenrücklage; **claim** ~ *(US)* Rückstellungen für strittige Forderungen; **company's** ~ nicht verteilter Gewinn, Betriebsrücklage; **contingency** ~ Sicherheitsrücklage, Eventualreserve, Delkredererückstellung, Rücklage für Notfälle; **declared** ~ ausgewiesene (offene) Reserve; **deficiency** ~ Rückstellungen für Produktionsausfall; **depreciation** ~ Rückstellung für Abschreibungen, Entwertungsrücklage; **disclosed** ~ offene Rücklage; **equalization** ~ Ausgleichsrücklage; **excess** ~ *(US)* außerordentliche Reserve; **foreign-exchange** ~ Devisenpolster; **free** ~ *(banking, US)* [etwa] freie Guthaben bei der Landeszentralbank; **funded** ~ in verzinslichen Wertpapieren angelegter Reservefonds; **general** ~ Betriebsreserve; **general-purpose contingency** ~ allgemeine Rücklage; **gold** ~ Goldreserve; **hidden** ~ stille Reserve; **initial** ~ *(life insurance)* Anfangsreserve [für das nächste Jahr]; **inner** ~ stille (innere) Reserve; **labo(u)r** ~ Arbeitskräftereservoir; **latent** ~ stille Reserven; **lawful** *(US)*, **legal** *(Br.)* ~

(banking) gesetzlich vorgeschriebene Reserve (Rücklage), Mindestreserve; **liability** ~ Rückstellung für eingegangene Verbindlichkeiten; **life-insurance** ~ Reservefonds einer Lebensversicherungsanstalt; **loss ~s** Rückstellungen für Verluste, *(insurance)* Rücklage für laufende Risiken; **maintenance** ~ Rückstellung für Unterhaltskosten; ~ **maintained** Istreserve, *(banking)* Ist-, Mindestreserve; **mental** ~ geheimer Vorbehalt, Mentalreservation; **monetary** ~ Liquiditätsüberhang; **naked** ~ *(US)* besondere Rückstellung der Bundes-Reserve-Banken; **net** ~ Nettoreserve; **official** ~ offene Reserven; **open ~s** offene Reserven; **operating** ~ Betriebsreserve; **passive** ~ stille Reserven; **primary** ~ *(banking)* Kassenreserve; **provident** ~ Sonderrückstellung; **real** ~ *(banking)* Kassenreserve, -bestand; **replacement** ~ Rückstellung für Ersatzbeschaffungen; **required ~s** Pflichtrücklagen; ~ **required by contract** vertraglich vorgesehene Reserve, Reservesoll; **return-package** ~ Rückstellung für zurückkommende Verpackung; **revaluation** ~ Rückstellung für Neubewertungen; **revenue** ~ *(Br.)* Ertragsrücklage; ~ **running short** abnehmende Reserven; **secret** ~ stille Reserven; ~ **set up** eingesetzte Reserve; **sinking-fund** ~ Rückstellungen zur Schuldentilgung; **special** ~ Sonderrückstellung, -lage; **statutory** ~ gesetzlich vorgeschriebene Reserve, Mindestreserve; **surplus** ~ *(banking)* über die gesetzlichen Verpflichtungen hinausgehende Reserve, Liquiditätsüberhang; **surplus contingency** ~ Rückstellung für mögliche Verluste am Reingewinn; **taxation** ~ Steuerrückstellung; **terminal** ~ *(insurance)* Prämienreserve; **undisclosed** ~ stille Reserven; **unearned-premium** ~ Prämienreserve; **valuation** ~ Wertberichtigungsreserve; **visible** ~ offene Reserve; **wild-life** ~ Naturschutzgebiet; **world monetary ~s** Weltwährungsreserven;

~ **for accidents** Unfallrückstellung; ~ **for additions, betterments and improvements** Erneuerungsrücklage; ~ **for amortization** Rückstellung für Anlageerneuerung; ~ **provided by the articles** satzungsmäßig vorgesehene Rücklage; ~ **to balance the budget** Ausgleichsrücklage; ~ **of capital** Kapitalreserve; ~ **for bad debts** Rückstellung für Dubiose (zweifelhafte Forderungen), Delkredere; ~ **for outstanding claims** *(insurance company)* Schadensreserve; ~ **for claims in litigation** Rückstellung für schwebende Prozesse; ~ **for contingencies** Rückstellung für unvorhergesehene Ausgaben (Risiken), Delkredererückstellung; ~ **for contingent liabilities** Rückstellung für zweifelhafte Schulden; ~ **for currency equalization** Rückstellung für Währungsausgleich; ~ **for debt redemption** Rückstellung für Schuldentilgung; ~ **for future decline in inventories** Rückstellung für Wertminderung der Vorräte; ~ **for depletion** Wertberichtigungsposten auf Anlagen, Rückstellung für Substanzverminderung; ~ **for depreciation** Entwertungs-, Abschreibungsrücklage, Wertberichtigung auf das Anlagevermögen; ~ **for depreciation of real estate owned** Rückstellung für Grundstücksentwertungen; ~ **for discounts** Rückstellung für Kontonachlässe; ~ **at disposal** freie Reserven; ~ **for dividends voted** Rückstellung für Dividendenausschüttungen; ~ **for expansion** Rücklagen für Erweiterungsbauten; **net borrowed ~s of Federal Reserve member bank** *(US)* [etwa] Bruttorediskontlinie der dem Landeszentralbanksystem angeschlossenen Banken; ~ **for income tax** Einkommensteuerrückstellungen; ~ **for possible inventory losses** Rückstellungen für mögliche Inventarverluste; ~ **for investment fluctuations** Rückstellungen für Anlageveränderungen; ~ **of labo(u)r** Arbeitskräftereservoir; ~ **of liquidity** Liquiditätsreserve; ~ **for loss on investment** Rücklagen für Anlagenverluste; ~ **of manner** Zurückhaltung; ~ **of orders** zurückhaltende Aufträge; ~ **for overheads** Rückstellung für Generalunkosten; ~ **for payments to be made under a pending lawsuit** Rückstellung für Kosten eines schwebenden Prozesses; ~ **for unearned premium** *(balance sheet)* Prämiumüberhang; ~ **for special purposes** zweckbedingte Reserve; ~ **for renewals and replacements** Erneuerungsrücklage; ~ **for deferred repairs and renewals** Rückstellungen für Reparaturen und Neuanschaffungen; ~ **for replacement** Erneuerungsrücklage; ~ **for high replacement cost** Rückstellung für Anschaffungskosten hochwertiger Wirtschaftsgüter des Anlagevermögens; ~ **for retirement of preferred stock** Rücklage für den Rückkauf von Vorzugsaktien; ~ **against shareholding interests in foreign banks** Rücklage für Beteiligung an ausländischen Banken und Bankinstituten; ~ **for sinking fund** Tilgungsrücklage; ~ **for surplus contingencies** Delkredererückstellung aus dem Reservefonds; ~ **for taxes** Steuerrückstellungen, Rückstellungen für Steuern; ~ **for wear, tear, obsolescence or inadequacy** Abschreibungsrücklage;

~ *(v.)* *(goods)* Waren zurückhalten, *(make reservation, US)* buchen, *(set aside)* aufsparen, reservieren, zurückstellen, *(by stipulation)* vorbehalten;

~ **a th. to o. s.** sich eine Sache vorbehalten;

~ **one's decision** seine Entscheidung zurückstellen; ~ **one's judgment** mit seiner Meinung zurückhalten, *(judge)* Urteilsverkündung aussetzen; ~ **a judgment on appeal** Urteil in der Berufsinstanz aufheben; ~ **money for unforeseen contingencies** Geld für unvorhergesehene Ereignisse zurücklegen; ~ **a part of the profit** Gewinnteil zurücklegen; ~ **a question for further consideration** zwecks weiterer Überlegung zurückstellen; ~ **a right for o. s.** sich ein Recht vorbehalten; ~ **the right of regress** sich Regreßansprüche vorbehalten; ~ **rooms at a hotel** *(US)* Zimmer vorausbestellen; ~ **a seat for s. o.** Sitz (Platz) für j. reservieren; ~ **space** Anzeigenraum belegen; ~ **for special guests** für Ehrengäste reservieren; ~ **for another time** auf ein andermal verschieben; ~ **one's view** sich die Stellungnahme vorbehalten;

to abolish a ~ Vorbehalt aufheben; **to accept s. one's conditions without** ~ jds. Bedingungen vorbehaltlos annehmen; **to accept a statement without** ~ einer Erklärung vollen Glauben schenken; **to accumulate** ~**s** Reserven ansammeln; **to be classifiable as** ~ den Reserven (Rücklagen) zugerechnet werden; **to be a draw on one's** ~**s** Reservenabbau verursachen; **to be short in one's** ~**s** unzureichende Reserven (Rücklagen) haben; **to be sold without** ~ auf jeden Fall verkauft werden; **to break through s. one's** ~ j. auflockern, j. zur Aufgabe seiner Zurückhaltung veranlassen; **to build up** ~**s** Reserven ansammeln, Rücklagen bilden; **to create a** ~ Reserve bilden; **to draw on the** ~ von den Reserven zehren, Rücklagen angreifen; **to exercise** ~ Zurückhaltung üben; **to form** ~**s** Reserven bilden; **to have a little money in** ~ etw. Geld zurückgelegt haben; **to have recourse to financial** ~**s** finanzielle Reserven als Rückhalt haben; **to maintain** ~**s** Reserven unterhalten; **to overrun one's** ~**s** seine Rücklagen aufzehren; **to place (put) to** ~ dem Reservefonds zuführen (überweisen), auf das Reservekonto überweisen, auf Reservekonto verbuchen; **to place a** ~ **on a picture** Mindestverkaufspreis für ein Bild festlegen; **to publish news with all** ~**s** Nachrichten mit allem Vorbehalt veröffentlichen; **to put large sums to** ~ größere Beträge dem Reservefonds zuführen; **to release a** ~ Reserve[fonds] (Rücklagen) auflösen; **to set aside as a** ~ zurückstellen, Rückstellungen vornehmen, zur Rücklagenbildung verwenden; **to shunt undisclosed sums into inner** ~**s** nicht offen gelegte Beträge in den stillen Rücklagen verstecken; **to stipulate a** ~ Vorbehalt formulieren;

~ **account** Rückstellungs-, Delkredere-, Reservekonto, Konto, Rückstellungen; **Federal** ≗ **Act** *(US)* Gesetz über die Bundesbank der USA; ~ **adequacy** Angemessenheit von Reserven; ~ **agent (depository)** *(US)* Nationalbank mit der Befugnis zur Verwaltung gesetzlicher Reserven; ~ **assets** Währungsguthaben; **Federal** ≗ **Bank** *(US)* eine der 12 Bundesbanken der USA, [etwa] Landeszentralbank; ~ **bank credit** [etwa] Darlehen der Landeszentralbank; ~ **capital** Reservekapital; ~**-carrying** *(banking)* mindestreservepflichtig; ~ **city** *(US)* Stadt, in der eine Federal Reserve Bank mehr als 25% Reserven unterhalten muß, Bankplatz zweiter Klasse; ~ **currency** Reservewährung; ~ **depot** *(mil.)* Ersatzteillager; ~**-free base figure** [etwa] landeszentralbankfreie Einlagensumme.

reserve fund Rücklage-, Reserve[fonds];

to add to the ~ den Rücklagen zuführen; **to build a secret** ~ stille Reserven schaffen; **to carry to the** ~ dem Reservefonds zuführen; **to increase a** ~ Fonds dotieren.

reserve | item Rückstellungsposten; ~ **liability** *(life insurance, Br.)* Nachschußpflicht; ~ **part** Ersatzteil; ~ **position** Reservepolster, *(advertising)* Ausweichplacierung; ~ **price** Mindestpreis, *(auction sale)* Einsatz-, Mindestverkaufs-, Vorbehaltspreis; **to put a** ~ **price on a house** Mindestverkaufspreis für ein Haus festlegen; ~ **purpose** Rückstellungszweck; ~ **ratio** *(US)* Flüssigkeitskoeffizient der Bundes-Reserve-Banken, Deckungsverhältnistabelle; ~ **requirements** Mindestreservevorschriften; ~ **stock** Reservelager; ~ **strength** Überschuß der Aktiva über die laufenden Verbindlichkeiten; ~ **unit** Ersatzteil; ~ **value** *(insurance)* Prämienreserve.

reserved *(seat, US)* belegt, *(stock exchange)* zurückhaltend;

all rights ~ alle Rechte vorbehalten; **all seats** ~ nur gegen Platzkarten;

~**-interest account** Konto zweifelhafter Zinseingänge; ~ **material** bereitgestelltes Material; ~ **occupation** *(mil.)* Unabkömmlichkeitsstellung; ~ **position** *(advertising)* reservierter Anzeigenplatz; ~ **power** Klausel, Vorbehalt; ~ **prices** bescheidene Preise; ~ **seat** bestellter (numerierter, reservierter, belegter) Platz; ~**-seat ticket** Platzkarte; ~ **share** Vorratsaktie; ~ **surplus** Gewinnvortrag, zweckgebundene Rücklage.

reserving due payment Eingang vorbehalten.

reservoir of labo(u)r Arbeitskräftereservoir.

resettlement Umsiedlung, Wiederbesiedelung, *(after the war)* Zurückführung in den Zivilberuf, Wiedereingliederung;

occupational ~ berufliche Umschulung;

~ **fund** Wiedereingliederungsfonds.

reshape *(v.)* **a company** Firma umorganisieren.

reship *(v.)* wieder verladen, als Rückfracht senden, *(ship)* umladen.

reshipment erneute Verladung, Wiederversendung, -verladung, *(re-export)* Wiederausfuhr, *(return freight)* Rück[ver]ladung, -fracht, -sendung.

reshipping cost Weiterversendungskosten.

reshuffle *(v.)* **its top team** Vorstandsspitze neu besetzen.

reshuffling of top management Umbesetzung der Schlüsselpositionen in der Vorstandsspitze.

reside *(v.)* **abroad** im Ausland wohnen.

residence *(abode)* Aufenthalts-, Wohnort, [Wohn]sitz, Ansässigkeit, *(dwelling)* Wohnung, *(duration of abode)* Aufenthaltsdauer;

in ~ *(official)* mit einer Dienstwohnung ausgestattet;

~ **abroad** Auslandsaufenthalt; **fixed** ~ fester

(ständiger) Wohnsitz; **ordinary** ~ *(Br.)* steuerlicher Wohnsitz; **permanent** ~ fester (ständiger) Wohnsitz, Dauerwohnung; **town** ~ Stadthaus; **board and** ~ Unterkunft und Verpflegung;
~ **of a company (corporation)** Gesellschaftssitz; **to change one's** ~ seinen Wohnsitz verlegen, umziehen; **to fix one's** ~ **in a city** seinen Geschäftssitz begründen; **to take up temporary** ~ **abroad** seinen Wohnsitz vorübergehend im Ausland aufschlagen;
~ **is required** Residenzpflicht;
~ **address** Privat-, Wohnsitzanschrift; ~ **certificate** Aufenthaltsgenehmigung; ~ **insurance** Gebäudeversicherung; ~ **and outside theft insurance** Einbruchversicherung; ~ **permit** Aufenthaltsgenehmigung; ~ **requirement** Wohnsitzerfordernis.

resident Anwohner, Bewohner, *(city)* Bürger, ortsansässiger Einwohner, Ortsansässiger, *(hotel)* Dauergast, *(US)* Deviseninländer;
national ~ *(US)* Staatsangehöriger;
~**s of the suburbs** Vorstadtbevölkerung;
to be ~ ansässig sein, domizilieren; **to be** ~ **abroad** Auslandswohnsitz haben;
~ **agent** Empfangsbevollmächtigter; ~ **alien** *(US)* ausländischer Staatsbürger mit Wohnsitz in den USA; ~ **area** Wohnviertel; **U. K.** ~ **company** *(Br.)* Handelsgesellschaft mit Geschäftssitz in Großbritannien.

residential | **accommodation** Wohnmöglichkeit; ~ **allowance** Ortszulage; ~ **area** Wohngegend, -viertel; ~ **building** Wohngebäude; ~ **building outlook** Wohnungsbauprognose; **private** ~ **construction** privater Wohnungsbau; **low-(high-) rent** ~ **district** billige (teure) Wohnlage; ~ **estate** Wohngrundstück; ~ **financing** Eigenheimfinanzierung; ~ **flat** Privatwohnung; ~ **hotel** Familienpension; ~ **property** Wohngrundstück; ~ **rent** Wohnungsmiete; ~ **section** Wohngegend; ~ **segment** Wohnungs-, Eigenheimanteil; ~ **settlement** [Wohn]siedlung; ~ **suburb** Vorstadtwohngegend; ~ **taxpayer** unbeschränkt (inländischer) Steuerpflichtiger; ~ **theft coverage** Einbruch-, Diebstahlsversicherungsschutz; ~ **trade** Lokalhandel.

residual | **amount** Restbetrag; ~ **assets** Restvermögen;~ **costs** Restbuchwert; ~ **debt** Restschuld; ~ **fee** Nebeneinkommen; ~ **product** Abfall-, Nebenprodukt; ~ **quantity** Differenzbetrag; ~ **value** *(balance sheet)* Restbuchwert.

residuary | **beneficiary** Nachlaßbegünstigter; ~ **estate** *(Br.)* Nachlaß nach Zahlung aller Verbindlichkeiten; ~ **legatee** Nachvermächtnisnehmer.

residue restlicher Teil, Rest[betrag], *(balance)* Rechnungsrest, *(estate)* reiner Nachlaß, Nachlaßrest, *(remainder)* [Waren]rest.

resign verzichten auf, aufgeben, *(retire, US)* zurücktreten, ausscheiden, abdanken;
~ **an agency** Vertretung niederlegen (aufgeben); ~ **in a body** geschlossen zurücktreten; ~ **a claim** auf eine Forderung verzichten; ~ **an inheritance** Erbschaft ausschlagen; ~ **one's job** seinen Beruf aufgeben; ~ **from the management** von der Geschäftsführung zurücktreten; ~ **a managership** Vorstandsamt niederlegen.

resignation Verzicht, Verzichtleistung, *(membership)* Austritt[serklärung], *(formal document)* Rücktrittsschreiben, -gesuch, *(office)* [Amts]niederlegung, Rücktritt, Rücktrittsgesuch, -erklärung;
involuntary ~ nahegelegte Kündigung;
to address one's ~ **to X** sein Rücktrittsgesuch an X richten;
~ **request** Rücktrittsersuchen.

resist *(v.)* **a claim** Anspruch bestreiten.

resistance | **to high prices** Käuferwiderstand; ~ **to wear** Verschleißfestigkeit;
to offer ~ **in the public** von der Öffentlichkeit nicht positiv aufgenommen werden; **to show strong** ~ *(market)* sehr widerstandsfähig sein, Widerstandsfähigkeit zeigen;
~ **level** *(stock market)* Widerstandsschwelle; ~ **point** *(US)* abgeschlossener Kursstand.

resistant *(stock exchange)* widerstandsfähig;
~ **to the slowdown** konjunkturunempfindlich.

resolution Resolution, Beschluß[fassung], Entschließung, *(cancellation of contract)* Vertragsaufhebung;
corporate ~ *(US)* Hauptversammlungsbeschluß; **draft** ~ Resolutionsentwurf; **extraordinary** ~ *(bankruptcy)* qualifizierter Mehrheitsbeschluß, *(company, Br.)* mit 3/4 Mehrheit gefaßter Hauptversammlungsbeschluß; **ordinary** ~ *(bankruptcy, company meeting, Br.)* einfacher Mehrheitsbeschluß aller Besitzer nachgewiesener Forderungen;
to carry a ~ Entschließung (Resolution) annehmen; **to get a** ~ **past a committee** Beschluß von einem Ausschuß genehmigen lassen; **to put a** ~ **to the meeting** Entschließung (Resolution) einbringen.

resort Aufenthaltsort, *(place of popular resort)* Urlaubsort, *(recourse)* Ausweg, *(resource)* Hilfsmittel, Zuflucht;
health ~ Bade-, Kurort; **holiday** ~ Ferienaufenthalt; **seaside** ~ Seebad; **summer** ~ Sommerkurort; **winter** ~ Winterkurort, -sportplatz;
~ *(v.)* **to an inn** in einem Gasthaus verkehren;
to build ~**s on a monster scale** Erholungsgebiete im Riesenmaßstab errichten;
~ **hotel** Ferien-, Kurhotel; ~ **project** Ferienprojekt.

resource Ausweg, Hilfsquelle, Behelf, *(reserve)* Vorrat, Reserve;
~ **shortage** knappe Bodenschätze.

resources Hilfsmittel, -quellen, *(accounting, US)* Aktiva, Vermögenswerte, *(company)* Eigenmittel, *(money)* Geldmittel;

out of one's own ~ aus eigenen Mitteln; **without** ~ mittellos;
business ~ geschäftliche Aktiva; **a company's** ~ Gesellschaftskapital; **covering** ~ Deckungsmittel; **credit** ~ Kreditmittel; **financial** ~ finanzielle Mittel; **inexhaustible** ~ unerschöpfliche Bodenschätze; **limited** ~ beschränkte Mittel; **liquid** ~ flüssige Mittel; **local** ~ örtliche Hilfsquellen; **natural** ~ Bodenschätze;
natural ~ of a country natürliche Bodenschätze eines Landes; ~ **in men** Menschenreserve; ~ **of one's own** eigene Mittel;
to be at the end of one's ~ alle Mittel aufgebraucht haben, *(fig.)* keinen Ausweg mehr wissen; **to be thrown upon one's own** ~ auf sich selbst angewiesen sein; **to be thrown upon s. one's** ~ jem. zur Last fallen; **to draw upon one's** ~ seine Hilfsquellen in Anspruch nehmen; **to exploit the natural ~ of a country** Bodenschätze eines Landes ausbeuten; **to have exhausted all** ~ alle Reserven aufgebraucht haben; **to have only limited** ~ nur beschränkte Mittel zur Verfügung haben; **to leave s. o. to his own** ~ j. sich selbst überlassen; **to make the most of one's** ~ sein Kapital schwerpunktartig einsetzen; **to mobilize one's** ~ seine Hilfsquellen mobilisieren; **to open up new** ~ neue Hilfsquellen erschließen; **to pool one's** ~ zusammenschießen; **to throw all one's ~ into a job** zur Durchführung eines Auftrags alle Hilfsmittel mobilisieren; **to use one's** ~ seine Hilfsquellen einsetzen.

respect *(moral worth)* Ansehen, Achtung, Respekt, Ruf, *(reference)* Hinsicht, Rücksicht, Beziehung;
world-wide ~ Weltgeltung;
~ *(v.)* **a clause in a contract** Vertragsklausel respektieren; ~ **one's own interests** eigene Interessen berücksichtigen;
to pay one's ~s to s. o. jem. seine Aufwartung (einen Anstandsbesuch) machen.

respectable | **amount** bedeutende (beachtliche) Summe; ~ **attendance** erhebliche (beachtliche) Beteiligung; **to belong to the ~ middle class** zum gehobeneren Mittelstand gehören; ~ **competence** beachtliches (erhebliches) Vermögen; **to run to a ~ figure** erheblichen Betrag ausmachen; ~ **firm** angesehenes Haus; **to have a ~ income** schönes Einkommen haben.

respectfully yours *(letter)* hochachtungsvoll, ergebenst.

respite Aufschub, *(delay permitted in paying, Br.)* Frist, Termin, Nachsicht, Bedenkzeit, Zahlungsaufschub, Stundung;
additional (after) ~ Nachfrist;
~ **of a month** Monatsfrist; ~ **for payment** (Zahlungsaufschub, Stundung, Moratorium;
~ *(v.) (Br.)* stunden, Zahlungsaufschub bewilligen;
to accord a ~ Frist zugestehen; **to accord a ~ of payment of a draft** Wechsel prolongieren; **to apply for a** ~ Stundung beantragen, Stundungsgesuch stellen; **to ask for a** ~ um Zahlungsaufschub bitten; **to grant a** ~ Frist einräumen (gewähren), Zahlungsaufforderung befristen;
~ **money** Prolongationsgebühr.

respited freight gestundete Fracht.

respond *(v.)* [be]antworten, *(acknowledge)* bestätigen, Empfang bescheinigen, *(be liable for payment, US)* haften, einstehen;
~ **for a credit** für einen Kredit einstehen; ~ **in damages** *(US)* schadensersatzpflichtig sein.

respondentia Verschiffungskredit, Bodmerei auf die Schiffsladung.

response Antwort, *(advertising)* Reaktion.

responsibility Kompetenz, Verantwortlichkeit, Verantwortung, Verantwortungsbereich, *(ability to contract, US)* Vertragsfähigkeit, *(liability)* Haftung, *(solvency, US)* Zahlungsfähigkeit, Solidität;
without ~ ohne Verbindlichkeit (Obligo);
additional ~ erhöhte Haftung; **limited** ~ bedingte Geschäftsfähigkeit;
~ **of one seeking a loan** Kreditfähigkeit eines Darlehnsnehmers;
to assume [the] ~ for another's debts Haftung für j. übernehmen; **to assume ~ in the overall operating management** Gesamtverantwortung in einem Vorstandsbereich übernehmen; **to pass ~ down the line** Verantwortungsbereich dezentralisieren; **to question the ~ of s. one seeking a loan** jds. Kreditfähigkeit in Frage stellen; **to seek relief from one's** ~ Haftungsbefreiung zu erreichen suchen;
~ **basis** Verantwortungsbereich; ~ **costing** verantwortlich aufgeteilte Kostenkalkulation.

responsible *(accountable)* rechnungspflichtig, *(legally accountable)* zurechnungs-, geschäftsfähig, *(answerable)* verantwortlich, *(competent)* zuständig, kompetent, *(liable)* haftpflichtig, *(solvent)* zahlungsfähig, solvent, solid, *(trustworthy)* vertrauenswürdig;
jointly and severally ~ solidarisch (gesamtschuldnerisch) haftbar; **primarily** ~ unmittelbar haftpflichtig;
~ **to a limited extent** beschränkt geschäftsfähig;
to be ~ for the expenditure Ausgaben zu verantworten haben; **to be ~ for a loss** auf Schadenersatz haften, für einen Verlust aufkommen müssen; **to be ~ for maintenance** unterhaltspflichtig sein; **to be ~ for [the] payment of a debt** für die Rückzahlung einer Schuld einzustehen haben; **to be ~ for the petty cash** Portokasse verwalten; **to be primarily** ~ unmittelbar verantwortlich sein (haften); **to hold the carrier ~ for the full value** vollen Schadenersatz vom Spediteur verlangen;
~ **age** geschäftsfähiges Alter; ~ **bidder** zahlungsfähiger Ersteigerer; ~ **business** zahlungsfähige (solvente) Firma; ~ **job** Vertrauensstellung; ~ **partner** persönlich haftender Gesell-

schafter (Teilhaber); ~ **position (post)** Vertrauensstellung, -position.

rest Nachtruhe, *(abode)* Wohnstätte, Aufenthalt, *(balance)* Rest, [Rechnungs]saldo, Konto-, Rechnungsabschluß, *(balance sheet, Br.)* Bücherabschluß, Bilanzierung, *(remainder)* [Über]rest, *(repose)* Ruhepause, *(reserve fund, Br.)* Reserve[fonds] [der Bank von England];
in need of a ~ erholungsdürftig; **without** ~ unverzüglich, ohne aufzuhören;
~**s** Rückstände;
half-yearly ~**s** Halbjahresabschlüsse; **net** ~ Nettoüberschuß; **night's** ~ nächtliche Ruhe; **seamen's** ~ Seemannsheim; **well-earned** ~ wohlverdiente Ruhe;
~ *(v.) (matter)* unerledigt bleiben, *(be quiet)* feiern, nicht arbeiten, sich ausruhen;
to let a matter ~ Sache auf sich beruhen lassen; **to take a** ~ **[from work]** sich eine Arbeitspause gönnen; **to travel with occasional** ~**s** mit Unterbrechungen reisen;
~ **capital** *(Br.)* Reservefonds, -kapital; ~ **center (centre,** *Br.*) Erholungsstätte, -zentrum; ~ **fund** *(banking)* Mindestreserve; ~ **house** Rasthaus; ~ **pause (period)** Arbeits-, Betriebs-, Ruhe-, Werkspause; ~ **room** Aufenthalts-, Tagesraum, *(US)* Waschraum, Toilette.

restaurant Gastwirtschaft, -stätte, Lokal, Restaurant, Restauration;
de-luxe ~ Luxusrestaurant; **municipal** ~ städtische Gaststätte;
to operate *(US)* **(run,** *Br.*) **a** ~ Restaurant betreiben;
~ **business** Gaststättengewerbe; ~ **car** *(US)* Speisewagen; ~ **chain** Restaurantkette; ~ **keeper** Gastwirt; ~ **owner** Restaurantbesitzer; ~ **tax** Schanksteuer.

restitute *(v.)* [wieder]setzen, Ersatz leisten, wiederherstellen, *(refund)* zurückzahlen, rückerstatten.

restitution Wiedererstattung, *(return)* Rückgabe, -erstattung, -lieferung, Restitution, Herstellung des früheren Zustandes, Wiedergutmachung, -gabe;
~ **in kind** Naturalrestitution, -herstellung; ~ **of the purchase money** Rückerstattung des Kaufpreises; ~ **of property** Vermögensrückgabe, Restitution;
to be liable to make ~ rückerstattungspflichtig sein; **to make** ~ rückerstatten, Ersatz leisten;
~ **treaty** Wiedergutmachungsabkommen.

restitutory right Rückerstattungsanspruch.

restock *(v.) (US)* wieder auf Lager nehmen, Lager auffüllen, Vorrat ergänzen.

restoration *(currency)* Sanierung, *(reparation)* Instandsetzung, Wiederherstellung, -gutmachung, *(return)* Wieder-, Rück-, Herausgabe, Rückerstattung;
~ **of a building** Gebäudeinstandsetzung; ~ **of goods in distraint** Pfandfreigabe; ~ **of confiscated property** Vermögensrückgabe; ~ **of supplies** Umlagerung von Vorräten.

restore *(v.) (give back)* zurückgeben, -erstatten, wiederbringen, *(reimburse)* wiedererstatten, ersetzen, *(reinstate)* wiedereinsetzen, *(repair)* instand setzen, reparieren, *(replace)* wiedereinsetzen, -herstellen, *(supplies)* umlagern;
~ **a ruin[ed building]** verfallenes Gebäude wiederherstellen (instand setzen); ~ **an employee to his old post** einem Angestellten seine alte Stellung wiedergeben; ~ **money to the owner** Geld dem Eigentümer zurückerstatten; ~ **confiscated property** beschlagnahmtes Vermögen freigeben.

restrain | *(v.)* **s. one's freedom to work** jem. ein Wettbewerbsverbot auferlegen; ~ **production** Produktion drosseln; ~ **trade** Handel beschränken.

restraining clause Konkurrenzklausel, einschränkende Bestimmung.

restraint [Verfügungs]beschränkung;
ancillary ~ wettbewerbsbeschränkende Nebenabrede; **monetary** ~ Geldverknappung; **unreasonable** ~ unlauterer Wettbewerb;
~ **on alienation** *(Br.)* Veräußerungsverbot; ~ **of princes** Embargo; ~ **of princes and rulers** Verfügungen von hoher Hand, *(marine insurance)* Einwand der Beschlagnahme auf hoher See; ~ **in spending** Einschränkung der Ausgabenwirtschaft; ~**s of foreign trade** Außenhandelsbeschränkungen; ~ **of trade** *(competition)* Konkurrenzbeschränkung, -verbot, Wettbewerbsbeschränkung;
to put a ~ **on s. one's activities** jds. Betätigungsfeld (Tätigkeitsdrang) einschränken;
~ **clause** Konkurrenz-, Wettbewerbsklausel.

restrict *(v.)* ein-, beschränken, *(real estate, US)* Baubeschränkungen erlassen;
~ **competition** Wettbewerb einschränken; ~ **the freedom of movement** Freizügigkeit einschränken; ~ **to thirty miles an hour in built-up areas** Höchstgeschwindigkeit in geschlossenen Ortschaften auf 50 km beschränken; ~ **production** Produktion drosseln; ~ **a road** Geschwindigkeitsbeschränkungen für eine Straße festsetzen.

restricted beschränkt, begrenzt, eingeschränkt, *(controlled)* bewirtschaftet, *(confidential)* nur für den Dienstgebrauch, *(under reserve)* vorbehaltlich;
to be ~ **to advising** nur beraten dürfen;
~ **area** *(US)* Zone mit Geschwindigkeitsbegrenzung; ~ **cash** Termineinlagen; **to enjoy** ~ **credit** bescheidenen Kredit genießen; ~ **district** *(US)* Gebiet mit Baubeschränkungen; ~ **fund** Stiftung, bei der nur über die Zinserträgnisse verfügt werden kann; ~ **hours** Parkverbotszeit; ~ **indorsement** beschränktes Giro; ~ **information** vertrauliche Information; ~ **ownership** beschränktes Eigentum; ~ **receipts** zweckgebun-

dene Einnahmen; ~ **share** gebundene Aktie; ~ **stock** *(US)* nur an private Abnehmer verkaufsfähige Aktie; ~ **stock option** Aktienangebot an die Angestellten; ~ **street** Parkverbotsstraße.

restriction Be-, Einschränkung, *(land register, Br.)* Vormerkung, *(reservation)* Vorbehalt, *(zoning laws, US)* Baubeschränkung;
credit ~ Kreditrestriktion; **currency (foreign-exchange)** Devisenbeschränkungen, -bewirtschaftung; **quota** ~**s** Kontingentbeschränkungen; **rent** ~**s** *(Br.)* Mieterschutzbestimmungen; **zoning** ~**s** *(US)* Baubeschränkungen;
~ **on benefit** *(insurance)* Karenz; ~ **on circulation** Auflagebegrenzung; ~ **of commerce** Handelsbeschränkungen; ~ **of credit** Kreditverknappung; ~ **of consumer credits** Konsumptivkreditbeschränkung; ~ **of expenditure** Ausgabenbeschränkung; ~ **of exports** Ausfuhrbeschränkungen; ~ **of output** Ertrags-, Ausstoßbeschränkung, Produktionsbegrenzung; ~ **on sales** Verkaufsbeschränkung;
to abrogate ~**s** Beschränkungen aufgeben; **to place** ~**s on the sale of s. th.** Verkaufsbeschränkungen für etw. festsetzen (anordnen); **to plan** ~**s on imports** Einführung von Einfuhrbeschränkungen beabsichtigen; **to reimpose** ~**s on imports** Liberalisierung aufheben.

restrictive einschränkend, beschränkend;
to construe ~**ly** einschränkend (eng) auslegen;
~ **business practices** *(cartel law, Br.)* Geschäftspraktiken; ~ **clause** einschränkende Bestimmung; ~ **covenant** Konkurrenzvereinbarung, *(real estate)* Baubeschränkungsvereinbarung, *(US)* obligatorische Nebenvereinbarung; ~ **credit policy** Kreditdrosselungspolitik; ~ **elements** zeitlich nicht beeinflußbare Arbeitsgänge; ~ **indorsement** beschränktes Giro, Rektaindossament; ~ **injunction** Verbotsverfügung; ~ **interpretation** einschränkende (enge) Auslegung; ~ **particle of a tariff** einschränkende Tarifbestimmung; ~ **policy** Restriktionspolitik; ~ **practices** wettbewerbsbeschränkende Verhaltensweise, *(labour, Br.)* untaugliche Arbeitsmethoden; ~ **practices in industry** gewerbepolizeiliche Auflagen; ≗ **Practices Court** *(Br.)* Kartellgericht; ~ **regulations** einschränkende Bestimmungen; ~ **trade agreement** *(Br.)* Kartellvereinbarung; ~ **trade practices** *(Br.)* wettbewerbsbeschränkende Geschäftspraktiken, Kartellmaßnahmen; ≗**Trade Practice Act** *(Br.)* Kartellgesetz; ~ **trading agreement** *(Br.)* wettbewerbsbeschränkende Kartellvereinbarung.

result | **s** *(achievement)* Leistung, *(advertising)* Werbeerfolg, *(balance sheet, US)* Jahresergebnis;
financial ~ finanzielles Ergebnis; **profit** ~ Gewinnergebnis;
~ *(v.)* **from negligence** auf Fahrlässigkeit zurückzuführen sein; ~ **in a profit** Gewinn zeitigen;
to announce the ~**s of a competition** Wettbewerbsergebnisse veröffentlichen; **to work without** ~ umsonst arbeiten; **to yield** ~**s** gute Ergebnisse zeitigen;
~ **fee** *(Br.)* Erfolgshonorar; ~ **wage** Erfolgslohn.

resulting | **bank** Nachfolgebank; ~**use** zeitlich beschränktes Nießbrauchrecht.

resume *(v.)* **one's activities** seine Tätigkeit wieder aufnehmen; ~ **business** Geschäft wiedereröffnen; ~ **a journey** Reise fortsetzen; ~ **negotiations** Verhandlungen wiederaufnehmen.

resumption | **of business** Wiederaufnahme der Geschäftstätigkeit; ~ **of dividends** Wiederaufnahme der Dividendenzahlungen; ~ **of inflation** Inflationsrückkehr; ~ **of specie payments** Wiederaufnahme der Barzahlungen; ~ **of work** Wiederaufnahme der Arbeit.

resupply Wiederbelieferung.

retail Klein-, Handverkauf, Handel in kleinen Mengen, Detailgeschäft, Einzelverkauf, -handel;
by ~ im einzelnen, en detail, stückweise; **wholesale and** ~ im Groß- und Einzelhandel;
~ *(v.)* im kleinen (en detail) verkaufen, wiederverkaufen, detaillieren, Einzelhandelsgeschäft betreiben;
~ **at five shillings** im Einzelhandel fünf Schillinge kosten; ~ **a slander** Verleumdung verbreiten;
to buy ~ en detail kaufen; **to sell [by** *(Br.)*, **at** *(US)*] ~ einzeln (en detail, im Einzelhandel) verkaufen, wiederverkaufen, im Kleinverkauf absetzen;
~ **account** Einzelhandelskunde; ~ **advertising** Einzelhandelswerbung; ~ **book credit** Kundenkredit [des Kaufmanns]; ~ **bookseller** Sortimentsbuchhändler, Sortimenter; ~ **business** Einzelhandels-, Detailgeschäft; **to make** ~ **calls** Einzelhandelsgeschäfte besuchen; ~ **chain** Einzelhandelskette; ~ **charge account** Kundenkreditkonto; ~ **clientele** Einzelhandelskundschaft; ~ **competitor** Einzelhandelskonkurrenz; ~ **consignments** Einzelsendungen, Stückgut; ~ **co-ops** Einkaufsgenossenschaften des Einzelhandels; ~ **cost** *(accounting)* Zuschlagkosten; ~ **credit** *(US)* Kunden-, Konsumptivkredit; **to seek** ~ **credit** Kundenkredit beantragen; ~ **credit [exchange] bureau** Kundenkreditauskunftsstelle; ~ **creditor** Kundenkreditgeschäft; ~ **customer** Einzelhandelskunde; ~ **dealer** Einzel-, Kleinhändler, Wiederverkäufer; ~ **dealing** Einzelhandel[sgeschäfte]; ~ **demand** Bedürfnisse des Einzelhandels; ~ **department** Einzelhandelsabteilung; ~ **discount** Einzelhändler-, Kleinhandelsrabatt; ~ **distribution** Einzelhandelsverteilung; ~ **distribution agency** Einzelhandelsverteilungsstelle; ~ **drawing** Stückauszeichnung; ~ **enterprise (establishment, firm)** Einzelhandelsunternehmen, -betrieb, -firma; ~

function Einzelhandelsfunktion; ~ **goods** Detailwaren; ~ **house** Detail-, Einzelhandelsgeschäft; ~ **issue** Klein-, Einzelhandelsverkauf; ~ **industry** Einzel-, Kleinhandelsindustrie; ~ **issue** Kleinverkauf; ~ **licence** Einzelhandelslizenz, -konzession; ~ **line** Sortiment des Einzelhandels; ~ **margin** Einzelhandelsgewinn-, Kleinverkaufsspanne; ~ **market** Einzelhandel; ~ **markup** Handelsspanne; ~ **member** Einzelhandelsmitglied; ~ **merchandising** Wareneinzelhandel; ~ **merchant** Einzel-, Klein-, Detailhändler; ~ **method** *(accounting)* Zuschlagsmethode; ~ **method of valuation** Realisationsprinzip; ~ **middleman** Detailzwischenhändler; ~ **operation** Einzelhandelsbetrieb, -unternehmen; ~ **organization** Einzelhandelsorganisation; ~ **outlet** Einzelhandelsverkaufsstelle; ~ **[selling] price** Kleinhandels-, Einzelhandels-, Laden-, Detail-, Kleinverkaufspreis; ~ **ceiling price** Verbraucherhöchstpreis; **fixed** ~ **price** Wiederverkaufspreis; ~ **price determination (fixing, making)** Bestimmung des Einzelhandelspreises; ~ **price index** Einzelhandelspreisindex; ~ **price maintenance** Preisbildung der zweiten Hand; ~ **net profit** Einzelhandelsnettoverdienst; ~ **reduction** Herabsetzung der Einzelhandelspreise; ~ **sale** Ladenverkauf; ~ **sales** Einzelhandelsumsatz; **not made up for** ~ **sale** nicht in Aufmachungen für den Einzelverkauf; ~ **sales tax** *(US)* Kleinhandels-, Einzelhandelsumsatz-, Einzelverkaufssteuer; ~ **shop** Klein-, Einzelhandelsgeschäft; ~ **shop selling** Einzelhandelsverkauf; ~ **societies** *(Br.)* Konsumgenossenschaften; ~ **spending boom** Einzelhandelskonjunktur; ~ **store** *(US)* Detail-, Laden-, Einzelhandelsgeschäft [eines Konzerns]; ~ **store sales** *(US)* Einzelhandelsumsätze; ~ **structure** Einzelhandelsstruktur; ~ **trade** Einzelhandel[sgewerbe]; ~ **trade demands** Bedürfnisse des Einzelhandels; ~ **trader** Einzelhändler; ~ **trading** Einzelhandel; ~ **trading zone** zentrumsnahe Geschäftsviertel; ~ **turnover** Einzelhandelsumsatz; ~ **value** Kleinhandelsverkaufspreis.

retailer Klein-, Wiederverkäufer, Detail-, Einzelhändler, Detaillist, kleiner Kaufmann;
independent ~ selbständiger Einzelhändler; **limited-line** ~ Inhaber eines Spezialgeschäftes; **mail-order** ~ Einzelhandelsversandgeschäft; **single-store** ~ selbständiger Einzelhändler; **small** ~ Kleinhändler;
~**-affiliated** einzelhandelsorientiert; ~**-sponsored** vom Einzelhändler gefördert;
~ **cooperation** *(US)* Einzelhändlereinkaufsgenossenschaft; ~**'s excise tax** *(US)* Einzelhandels-, Kleingewerbesteuer; ~ **survey** Einzelhändlerbefragung.

retailing Detailverkauf, Einzelhandel;
large-scale ~ Massenfilialbetrieb;
to go into ~ ins Einzelhandelsgeschäft einsteigen; ~ **sale** Stückverkauf.

retain behalten, *(v.) (book)* [Plätze] belegen, *(keep possession)* zurück-, einbehalten;
~ **an agent** Vertreter beschäftigen; ~ **an amount out of the pay** Betrag vom Lohn einbehalten; ~ **on a per-diem-plus-expense basis** auf Tages- und Unkostenbasis engagieren; ~ **part of the money** Teil des Geldes einbehalten; ~ **a sample** Probe entnehmen; ~ **s. one's service** sich jds. Dienste versichern; ~ **title** sich das Eigentum vorbehalten.

retained | **earnings** *(US)* thesaurierter Gewinn; ~ **income** *(US)* Gewinnrücklage.

retainer Anwaltsbestellung, *(fee, Br.)* vorläufiges Anwaltshonorar, Gebührenvorschuß, *(flat fee)* Pauschalhonorar, *(formal retention)* Zurückbehaltung[srecht];
~ **of debts** *(personal representative)* Vorwegbefriedigungsrecht;
to charge a ~ Kostenvorschuß in Rechnung stellen.

retaining | **fee** Anwalts-, Gebührenvorschuß; ~ **note** *(US)* Eigentumsvorbehaltsurkunde.

retaliate *(v.) (customs)* Vergeltungsmaßnahmen treffen, Kampfzölle (Retorsionszölle) erheben.

retaliation Repressalien, *(customs)* Retorsion;
fiscal ~ Erhebung von Kampfzöllen.

retaliatory | **duty** Kampf-, Retorsionszoll; ~ **measures** Repressalien, Vergeltungsmaßnahmen.

retention Ein-, Bei-, Zurückbehaltung, *(reinsurance business)* Selbstbehalt;
title ~ Eigentumsvorbehalt;
~ **of goods** Zurückbehaltung von Waren, Warenhortung; ~ **of wages** Lohneinbehaltung;
~**-of-title clause** Eigentumsvorbehaltsklausel; ~ **money** *(Br.)* Sicherheitssumme, einbehaltene Garantiesumme; ~ **schedule** Schema für die Aufbewahrung von Akten.

retiral *(bill of exchange)* Einlösung eines Wechsels, *(retirement from business)* Zurückziehen aus dem Geschäft, *(retirement from office)* Rücktritt, Ausscheiden.

retire *(v.)* sich zurückziehen, *(board member)* abwählen, *(bookkeeping)* ausbuchen, *(from circulation)* [Noten] aus dem Verkehr ziehen, *(give up office)* zurücktreten, ausscheiden, Amt niederlegen, sich pensionieren lassen, in Pension gehen, *(pension off)* pensionieren, in den Ruhestand versetzen;
~ **under the age limit** wegen Erreichung der Altersgrenze in den Ruhestand treten, sich aus Altersgründen pensionieren lassen; ~ **a bill** Wechsel einlösen; ~ **bonds** Obligationen aus dem Verkehr ziehen; ~ **from business** aus dem Geschäft ausscheiden (austreten), sich vom Geschäft zurückziehen, sich zur Ruhe setzen; ~ **coins from circulation** Münzen aus dem Verkehr ziehen; ~ **5,4 million of debts** Dollarschuld von 5,4 Mio. zurückzahlen; ~ **the head**

clerk Prokuristen pensionieren; ~ **a loan** Anleihestücke zurückkaufen; ~ **outstanding issues** fällige Emissionen zurückkaufen; ~ **on a pension at 60** unter Gewährung eines Ruhegehalts mit 60 Jahren pensioniert werden; ~ **from one's full executive responsibility** seine Vorstandstätigkeit beenden; ~ **by rotation** turnusgemäß ausscheiden; ~ **to consultant status** in Pension gehen, aber noch beratend tätig bleiben; ~ **a unit** Anlage außer Betrieb nehmen.

retired *(abandoned)* ausgebucht, *(bill)* zurückgezogen, eingezogen, *(pensioned)* im Ruhestand, pensioniert, in Pension;

to have ~ nicht mehr arbeiten; **to live** ~ im Ruhestand leben;

~ **list** Pensionärsliste, Liste der Ruhestandsbeamten; **to be placed on the** ~ **list at one's own request** auf eigenen Wunsch pensioniert werden; ~ **loan** abgelöste Anleihe; ~ **partner** ausgeschiedener Gesellschafter; ~ **pay** Ruhegehalt, Pension[szahlung].

retirement *(bill)* Zurück-, Einziehung, *(board member)* Abwahl, *(bookkeeping)* Ausbuchung, buchmäßiger Abgang [eines Anlagegutes], *(debts)* Einziehung, Einzug, *(from office)* Rück-, Austritt, Ausscheiden, Pensionierung, (Amts]niederlegung, Ruhestand, Pension, *(removal of fixed assets)* Außerbetriebnehmen eines Anlagegutes, *(withdrawal from circulation)* Außerkurssetzung;

nearing ~ kurz vor der Pensionierung;

~**s** *(balance sheet)* Abgänge;

compulsory ~ Zwangspensionierung; **disability** ~ Versetzung in den Ruhestand wegen Arbeitsunfähigkeit; **early** ~ frühzeitige Pensionierung; **optional** ~ Pensionierung auf eigenen Wunsch;

~ **on account of age** Alterspensionierung; ~ **of a bill** Wechseleinlösung; ~ **from business** Aufgabe eines Geschäftes; ~ **of the public debt** Tilgung der öffentlichen Schuld; ~ **of a director** Ausscheiden eines Direktors; ~ **of a loan** Anleiherückkauf, -rückzahlung; ~ **of a partner** Austritt eines Teilhabers; ~ **on full pension** Pensionierung mit vollem Ruhegehalt; ~ **of securities** Kraftloserklärung von Wertpapieren; ~ **of stock** Kapitaleinziehung;

to choose early ~ **at sixty** sich mit sechzig vorzeitig pensionieren lassen; **to go into** ~ sich zur Ruhe setzen; **to spend an active** ~ sich nach seiner Pensionierung noch betätigen;

~ **accounting method** Abschreibungsmethode; ~ **age** Altersgrenze, Pensionierungsalter; **to be past** ~ **age** Pensionsalter überschritten haben; **to stay on past** ~ **age** über das pensionspflichtige Alter hinaus tätig bleiben; ~ **age limit** Pensionierungsgrenze; ~ **allowance** Altersrente, Pensionszuschuß; ~ **annuity** bei der Pensionierung ausgezahlte Versicherungsrente; ~ **benefits** *(US)* Pensionszuwendung, -bezüge, Altersversorgung, Ruhegeld; ~ **benefit system** Pensionssystem; ~ **credit** Pensionsanspruch; ~ **curve** Sterblichkeitskurve; ~ **eligibility** Pensionsberechtigung; ~ **fund** Pensionsfonds, -kasse; ~ **income** Pensionseinkommen, -einkünfte, Ruhegehaltsbezüge; ~ **loss** Ausbuchungs-, Abschreibungsverlust; ~ **matters** Pensionsangelegenheiten; ~ **pay** Ruhegehalt; ~ **pension** bei der Entlassung gewährte Pension, Altersversorgung, Ruhegehalt; ~ **plan** Pensionsplan; ~ **planning** Vorbereitung der Pensionierung; ~ **provision** Altersfürsorge; ~ **rate** *(loan)* Rückkaufssatz; ~ **reserve fund** Tilgungsrücklage; ~ **right** Pensionierungsanspruch; ~ **table** Sterbetafel; ~ **unit** außer Betrieb genommene (abgeschriebene) Anlage; ~ **vacancies** durch Pensionierungen frei gewordene Stellen; ~ **years** Pensionsjahre, -zeit.

retiring Pensionierung, Versetzung in den Ruhestand;

~ **of a bill** Wechseleinlösung; ~ **from business** Ausscheiden aus einem Geschäft; ~ **from office** Amtniederlegung;

~ **age** Pensionierungs-, Pensions-, Ruhegehaltsalter; **to reach** ~ **age** Pensionsalter erreichen; ~ **allowance** Ruhegehalt, Pension; ~ **board** Pensionsausschuß; ~ **date** Pensions-, Rücktrittstermin; ~ **director** ausscheidendes Vorstandsmitglied; ~ **partner** ausscheidender Gesellschafter; ~ **pension** Ruhegehalt; ~ **president** bisheriger Präsident; ~ **room** Toilette.

retool *(v.)* **industry** Industrie neu ausrüsten.

retrain *(v.)* umschulen.

retraining scheme Umschulungsprogramm.

retreat *(stock exchange)* allgemeiner Kursrückgang.

retrench *(v.)* *(cut down expenses)* Ausgaben einschränken, sparen, *(civil service cut)* Verwaltungsapparat abbauen, *(reduce)* kürzen, schmälern;

~ **discussion** Diskussionszeit beschränken; ~ **one's expenses** sich einschränken, Einsparungen vornehmen; ~ **a passage in a book** Buchstelle streichen; ~ **a pension** Pension (Ruhegehaltsbezüge) kürzen; ~ **privileges** Vorrechte aufheben; ~ **this year** in diesem Jahr sehr sparsam leben.

retrenchment Einschränkung, Kürzung, Schmälerung, Verminderung, *(of employees)* [Beamten]abbau;

~ **of employees** Personalabbau; ~ **of budgetary expenditure** Haushaltseinsparungen; ~ **of expenses** Ausgabenbeschränkung, Kostenverringerung, Sparsamkeit; ~ **of salary** Gehaltsabbau, -kürzung;

~ **program(me)** Sparprogramm.

retrievable loss ersetzbarer Verlust.

retrieval of one's fortune Zurückerlangung seines Vermögens.

retrieve | *(v.)* **one's fortune** sein Vermögen wiedererwerben; ~ **a loss** Verlust wieder einbringen; ~ **a lost piece of luggage** *(Br.)* verlorengegangenes Gepäckstück zurückerhalten; ~ **one's reputation** seinen Ruf wiederherstellen.

retroactive *(law)* rückwirkend;
~ **insurance** *(marine insurance)* Haftpflichtversicherung für ein unbekannt abgebliebenes Schiff; ~ **pay** rückwirkende Lohnerhöhung.

retroactivity rückwirkende Kraft.

retrocede *(v.)* wiederab-, zurücktreten, -übertragen, *(insurance)* rückversichern.

retrocession Rück-, Wiederabtretung, Rückübertragung, *(reinsurance)* Folgerückversicherung.

retrograde movement *(stock exchange)* rückgängige [Kurs]bewegung.

retrospective *(law)* rückwirkend;
~ **appraisal** Bewertung für einen bestimmten zurückliegenden Zeitpunkt; **to have** ~ **effect** rückwirkende Kraft haben.

return *(act of reelecting)* Wiederwahl, *(advertising)* Werbeantwort, *(bailiff)* Vollzugsbericht, *(census)* Volkszählung, *(coming back)* Rückkehr, -kunft, Wiederkehr, *(income tax)* [Einkommen]steuererklärung, *(insurance)* Storno, *(journey)* Rückfahrt, -reise, *(parl., Br.)* Kandidatenwahl, *(repayment)* Rückzahlung, -erstattung, *(replacement)* Rückgabe, -lieferung, Wiedergabe, *(report)* Wahlbericht, [amtliche] Meldung, [amtlicher] Bericht, statistischer Ausweis, *(response)* Antwort, Erwiderung, *(sending back)* Rücksendung, -lieferung, *(sending back of writ)* Wiederzustellung der Prozeßakten, *(statement)* [Bank]ausweis, [Ertrags]übersicht, Aufstellung, *(ticket)* Hin- und Rückfahrkarte, *(turnover)* Umsatz, *(yield)* Zinsertrag, Erträgnis, Einnahme, [Anlage]gewinn, -verzinsung, [Gewinn]ergebnis;
by ~ **[of post]** postwendend; **for collections and** ~**s** zwecks Einziehung und Überweisung; **in** ~ **for** als Ersatz; **in** ~ **for his services** als Entgelt für seine Tätigkeit; **on my** ~ bei meiner Rückkunft; **on [sale | for]** ~ in Kommission; **please** ~ unter Rückerbittung; **without** ~ unentgeltlich, umsonst;
~*s* *(balance sheet)* Einkünfte aus Kapitalvermögen, *(circulation of money)* [Geld]umsatz, -verkehr, Wiedereingang von Geldbeträgen, *(goods returned)* Retour-, Rückwaren, -gut, Remittenden, *(receipts)* Gegenwert, Einnahmen, Erträgnisse, [Brutto]gewinn, *(redrafts, Br.)* retournierte Schecks, Rückwechsel, *(results)* Zählungs-, Wahlergebnis, *(set of tabulated statistics)* Zusammenstellung, statistische Aufstellung (Listen, Angaben, *(unsold copies)* nicht verkaufte Exemplare;
amended ~ Einkommensteuerberichtigung; **annual** ~ Jahresausweis, *(taxation, Br.)* jährliche [Einkommen]steuererklärung; **average** ~ Durchschnittsertrag; **bank** ~ Bankausweis; **Board of Trade** ~**s** *(US)* Ausweis des Statistischen Bundesamtes, Handelsstatistik; **consolidated** ~ *(US)* Konzernbilanz; **corporate income-tax** ~ Körperschaftsteuerformular; **custom** ~**s** Zollerträge; **daily** ~ Tagesumsatz, -einnahme; **diminishing** ~**s** Ertragsrückgang; **duty-free** ~ zollfreie Wiedereinfuhr; **early** ~**s** rascher Umsatz; **election** ~**s** amtlicher Wahlbericht, Wahlresultat; **false** ~ *(taxation)* unkorrekte Einkommensteuererklärung; **gross** ~**s** Bruttoeinnahmen; **income-tax** Einkommensteuererklärung; **increment[al]** ~ Gewinnertrag; ~**s inwards** zurückgekommene Waren; **irregular** ~ unregelmäßige Wahl; **joint** ~ gemeinsame [Einkommen]steuererklärung; **large** ~**s** große Umsätze; **monthly** ~ Monatsausweis, -übersicht; **net** ~**s** Nettoumsatz; **normal** ~**s** landesübliche Kapitalverzinsung; **official** ~**s** amtliche Ziffern, statistischer Bericht; ~**s outwards** zurückgesandte Waren; **physical** ~ Kapitalrelation; **processed** ~ bearbeitetes Einkommensteuerformular; **production** ~ Produktionsübersicht; **quarterly** ~ Vierteljahresbericht, *(taxation)* vierteljährliche Steuererklärung; **quick** ~ schneller Absatz; **reasonable** ~ angemessener Gewinn; **recurring** ~**s** wiederkehrende Nutzungen; ~ **requested** gegen Rückschein; **sales** ~**s** Verkaufserlös; **small** ~**s** geringer Nutzen; **smaller** ~**s** Mindererlös, -ertrag; **tax** ~ Steuererklärung; **trade** ~ Handelsstatistik; **traffic** ~**s** Verkehrsziffern, *(railway)* Betriebsstatistik; ~ **unsatisfied** *(bankruptcy)* Konkursmasse nicht ausreichend, mangels Masse; **week's (weekly)** ~ Wochenausweis;
large ~**s from agents in the field** hohe Umsätze durch die Vertreter im Außendienst; ~ **as to allotment** Aktienzuteilungsbericht; ~**s and allowances** *(balance sheet)* Retouren und Rabatte; ~ **of an amount overpaid** Rückerstattung eines zuviel gezahlten Betrages; ~ **of bill to drawer** Wechselrückgabe; ~ **of capital** Kapitalrückgabe; ~ **on capital employed** Kapitalverzinsung, -rendite; ~ **of a capital sum** Rückzahlung des Kapitalbetrages; ~ **of a charge** *(tel.)* Gebührenerstattung; ~ **of contribution** Beitragsrückerstattung, -gewähr; ~ **of unsold copies** Remittendenrückgabe; ~ **of the day** Tagesumsatz; ~ **of duties** Gebührenrückerstattung; ~ **of empties** Rücksendung der Verpackung; **greater** ~ **on equity** höhere Kapitalrendite; ~ **in equivalent** Gegenleistung; ~ **of exchange** Rückwechselrechnung; ~ **of expenses** Spesen-, Ausgabenaufstellung, Unkostenetat; ~ **of a gift** Widerruf einer Schenkung, Schenkungswiderruf; ~ **of goods** Warenrückgabe; ~ **of income** Einkommensteuererklärung; **fair** ~ **on investment** angemessene Rentabilität; **good** ~ **on an investment** gute Kapitalverzinsung (Rentabilität); **first-class** ~ **to Munich** einmal erster Klasse nach München und zurück; ~ **to public order** Wiederherstellung von Ruhe und Ord-

nung; ~ **to the owner** Rückgabe an den Eigentümer; ~**s of payment** Rimessen, Rückzahlungen; ~ **to plant** wieder aufgenommene Arbeit; ~ **of premium** *(marine insurance)* Prämienrückgewähr; ~ **of process** Wiederaufnahme des Verfahrens; ~ **on sales** Gewinnspanne; ~ **of tax** Steuererklärung; ~ **to work** Wiederaufnahme der Arbeit; ~ **of writ** Pfändungsbericht; ~ **during the year** Jahreseinkommen;

~ *(v.) (come back)* zurück-, wiederkommen, zurück-, wiederkehren, *(give back)* zurück-, wiedergeben, wiederbringen, *(send back)* zurückschicken, -senden, wiederzustellen, *(politics, Br.)* Wahlergebnis melden (veröffentlichen), *(remit)* übermachen, retournieren, remittieren, zurückgewähren, *(repay)* zurückerstatten, -zahlen, *(response)* antworten, erwidern, Antwort geben, *(state officially)* melden, [amtlich] berichten, *(turnover)* umsetzen, *(yield)* einbringen, abwerfen;

~ **an overpaid amount** zuviel gezahltes Geld zurückgeben; ~ **an amount by bill of exchange** Betrag durch Wechsel übermachen; ~ **an article** Ware retournieren; ~ **a bill accepted** Wechsel mit Akzept zurückschicken; ~ **a bill to drawer** Wechsel retournieren; ~ **a bill of exchange protested** Wechsel mit Protest zurückschicken; ~ **a book to its place** Buch auf seinen Platz zurückstellen; ~ **a call** Gegenbesuch machen; ~ **a check (cheque,** *Br.*) Scheck zurückweisen; ~ **a commission** Provision zurückvergüten; ~ **from the dead** von den Toten auferstehen; ~ **a denial** Gegendementi abgeben; ~ **the details of one's income** detaillierte Einkommensteuererklärung abgeben; ~ **to the family** *(estate)* an die Familie zurückfallen; ~ **a fine** Geldstrafe bezahlen; ~ **five per cent** sich mit fünf Prozent verzinsen; ~ **one's income at $ 15 000** 15 000 Dollar an Einkommen versteuern; ~ **a good interest** gut verzinslich sein; ~ **from a journey** von einer Reise zurückkehren; ~ **liabilities at £ 10 000** Verbindlichkeiten mit 10 000 Pfund angeben; ~ **to port** wieder in den Hafen einlaufen; ~ **property to its rightful owner** Vermögensgegenstand dem rechtmäßigen Eigentümer zurückgeben; ~ **to a position** auf einen Posten zurückkehren; ~ **a profit** Gewinn abwerfen; ~ **under protest** unter Protest zurückkommen; ~ **a result** Ergebnis zeitigen; ~ **later to a subject** später noch einmal auf eine Sache zurückkommen; ~ **taxes to the treasury** Steuern bezahlen; ~ **in writing** schriftlich [be]antworten;

to answer by ~ of mail *(US)* postwendend antworten; **to ask for the ~ of a loan** Rückzahlung eines Kredits verlangen; **to be on one's ~** auf der Rückreise sein; **to bring a fair ~** guten Ertrag abgeben, angemessenen Gewinn abwerfen; **to deliver goods on sale or ~** Waren in Kommission geben; **to file a joint ~** gemeinsame [Einkommen]steuererklärung abgeben, sich zusammen veranlagen lassen; **to file separate ~s** getrennte Einkommensteuererklärung abgeben, sich getrennt veranlagen lassen; **to get (give) a good ~ on an investment** gute Verzinsung für seine Kapitalanlage bekommen, gute Rendite erwirtschaften, hohe Rendite abwerfen; **to get a small ~ for one's money** nur wenig Nutzen aus seinem Kapital ziehen; **to have a ~ of an illness** Rückfall in seine Krankheit erleiden; **to make one's income-tax ~** seine [Einkommen]steuererklärung machen; **to make double ~s** das Doppelte einbringen; **to make good ~s** gute Umsätze erzielen; **to make a ~ of nulla bona to the writ of fiere facias** Erfolglosigkeit auf dem Vollstreckungsbefehl vermerken; **to owe s. o. some ~** jem. eine Gegenleistung schulden; **to pay in ~** als Gegenleistung gewähren; **to prepare a[n income] tax ~** [Einkommen]steuererklärung aufsetzen; **to process a ~** Einkommensteuererklärung bearbeiten; **to secure one's ~ to X** als Vertreter des Wahlkreises X ins Parlament einziehen; **to send [goods] on ~** [Waren] in Kommission geben; **to send a reply by ~** umgehend antworten; **to take a first-class ~ to X** Rückfahrkarte erster Klasse nach X lösen; **to transmit the ~** Gegenwert überweisen; **to yield an easy (quick, short) ~** schnell abgehen, rasch umgesetzt werden; **to yield high ~s** reichen Ertrag abwerfen, sich hoch verzinsen;

in case of nondelivery ~ to the sender falls nicht zustellbar bitte an den Absender zurück;

~ **account** Rückrechnung; ~**s account** Retourenkonto; **[missing] ~ address** [fehlender] Absender; ~ **air fare** Rückflugkarte; ~ **book** Abgeordnetenliste; ~**s book** Retourenbuch; ~ **business** Gegengeschäft; ~ **card** [Rück]antwortkarte, *(advertising)* Bestellkarte; ~ **cargo** Rückfracht, -ladung, Retourfracht; ~ **charges** Rückfracht, -spesen; ~ **check** *(theater)* Wiedereinlassungskarte; ~ **commission** Provisionsvergütung; ~**-on-investment concept** Renditekonzeption; ~ **copies** Remittenden; ~ **coupon** Kupon in Form einer Bestellkarte; ~**s credit voucher** Gutschriftsanzeige; ~ **day** *(law court, US)* Tag des persönlichen Erscheinens, Termin für die Rücksendung einer Klageschrift, Verhandlungstermin; ~ **debit** Rückbelastung; ~ **debit voucher** Rückbelastungsaufgabe; ~ **draft** Rückwechsel; ~ **envelope** Freiumschlag; ~ **fare** Fahrgeld für Hin- und Rückfahrt; ~ **freight** *(Br.)* Rückfracht; ~ **goods** *(customs)* Rückwaren; ~ **half** *(Br.)* Rückfahrkartenabschnitt; **a ~ home** Heimkehr; ~ **journey** Rückreise, -fahrt, -weg; ~ **load factor** Rückfrachtfaktor; ~ **passage** Rückreise; ~ **passenger** Rückreisender; ~ **performance** Gegenleistung; ~ **period** *(statistics)* Periode der Wiederkehr; ~ **plane** Rückflugzeug; ~ **plane reservation** für den Rückflug vorgenommene Buchung; ~ **postage** Rückporto; ~ **premium** rückvergütete (stornierte) Prämie, Rückprämie; ~ **privilege** Rückgaberecht; ~ **receipt** Rück-, Empfangsschein; ~ **reference** Wiedervorlage; ~ **remittance** Rücküberweisung, *(US)* Anschaffung mittels Scheck; ~ **request** *(US)* Bitte um Rücksendung eines unbestellten Briefes; ~ **run** *(train)* Rückfahrt; ~ **service** Gegendienst; ~ **shipping order** Rücklieferungsauftrag; ~ **tag** Rücksendeadresse; ~ **ticket** Rückfahrkarte, Retourbillet, *(worker)* Arbeiterrückfahrkarte; ~ **ticket available for three days** Rückfahrkarte mit dreitätiger Gültigkeit; **to book the ~ ticket** Rückfahrt belegen; ~ **travel fare** Rückfahrkarte; ~ **visit** Gegenbesuch; ~ **voyage** Rückreise.

returnable rückgabepflichtig, *(repayable)* rückzahlbar;
not ~ nicht umtauschfähig, Einwegpackung;
~ **goods** zurückgehende Waren.

returned zurückgesandt, retourniert;
~ **empty** leer zurück;
~ **for want of acceptance** mangels Annahme zurück;
to be ~ at $ 200 000 *(liabilities)* auf 200 000 Dollar geschätzt werden; **to be ~ unfit for work** arbeitsunfähig geschrieben werden;
~ **articles** Remittenden; ~ **bill** Rück-, Retourwechsel; ~ **checks (cheques,** *Br.)* Retourschecks; ~ **empties** zurückgesandte Verpakkung, Leergut zurück; ~ **goods** *(customs, US)* zurückgehende Waren, Rück-, Retourware; ~ **letter** unbestellbarer Brief; **~-letter office** Postamt für unbestellte Postsendungen; ~ **shipments** Retoursendungen- **~-shipment rate** *(US)* verbilligter Frachtsatz für Leergut; **~-stores report** Lagerrückgabemeldung.

reuse package Mehrwegverpackung.

revalorize *(v.)* neu bewerten, aufwerten.

revaluation erneute Schätzung, *(revalorization)* Neube-, Um-, Aufwertung;
~ **of assets** Neubewertung des Anlagevermögens, Re-, Nachaktivierung; ~ **of the currency** Neueinstufung der Währung; ~ **of property** Neubewertung von Vermögen;
quasi-~ measures aufwertungsähnliche Maßnahmen; ~ **reserves** Rückstellung für Wertberichtigungen, Neubewertungsreserve.

revalue *(v.)* von neuem schätzen, *(revalorize)* aufwerten;
~ **assets** Anlagen nach-, reaktivieren; ~ **a currency** Währung aufwerten.

revamp | *(v.)* **agriculture in a backward country** Landwirtschaft in einem zurückgebliebenen Land modernisieren; ~ **rules** Richtlinien überholen.

revel *(v.)* **away money** sein Geld verplempern.

revenue *(government board)* Finanzverwaltung, Fiskus, *(income)* Einkommen, Einnahme[n], Einkünfte, Ertrag, *(source of income)* Einnahme-, Einkommensquelle, *(state's annual income)* Staatseinnahmen, -einkünfte, Steueraufkommen, *(periodical yield from investment)* Nutzung, Ertrag, Rendite;
~s fundiertes Einkommen;
annual ~ Jahreseinnahme; **annual gross operating** ~ *(motor carrier)* jährlicher Bruttobetriebsertrag; **continuing** ~ Dauereinnahmen, -einkünfte; **customs** ~ Zolleinnahmen; **government** ~ *(Br.)* Staatseinkünfte; **inland** *(Br.)* **(internal,** *US)* ~ Steuereinnahmen, -aufkommen, *(office)* Staatskasse; **land** ~ *(Br.)* Domänenerträge; **local** ~ Kommunaleinnahmen; **marginal** ~ Grenzertrag; **national** ~ *(US)* Staatseinnahmen, Nationaleinkommen; **nonoperating ~s** betriebsfremde (außerbetriebliche) Einkünfte; **nontax ~s** nicht aus Steuereingängen herrührende Staatseinnahmen; **operating** ~ Betriebseinnahmen; **publc** ~ Staatseinkommen, -einkünfte, Einkünfte der öffentlichen Hand; **recurring ~s** wiederkehrende Nutzungen; **special** ~ Sondereinnahme, -erträge; **stable** ~ feste Einkünfte; **state** ~ Staatseinkünfte; **surplus** ~ Mehreinkommen; **taxable** ~ steuerbares Einkommen; **total** ~ Gesamteinkommen; **uncommitted** ~ nicht verplante Staatseinkünfte; **unearned** ~ Kapitalrente; **yearly** ~ Jahreseinkommen;
~s of the city council Kommunaleinnahmen; ~ **of a produce** Nutzungswert;
to defraud the ~ Steuern hinterziehen, Steuerhinterziehung begehen; **to derive ~s from** Einkünfte beziehen; **to produce less** ~ geringeres Steueraufkommen erzielen;
~ **account** Ertrags-, Gewinn- und Verlustkonto; **≗ Acts** *(US)* Steuergesetze; ~ **agent** *(US)* [Einkommen]steuerbeamter, Finanzbeamter, *(customs)* Zollbeamter; ~ **assets** werbende Betriebsmittel; ~ **authorities** Finanzbehörden; ~ **bill** *(US)* Staatshaushaltsgesetz; ~ **board** Finanzamt; ~ **bonds** *(US)* kurzfristige Schatzanweisungen; ~ **case** Steuersache, -ermittlungsfall; ~ **charges** Kapitalaufwand [für nicht aus dem Einkommen zu deckende Ausgaben]; ~ **classification** *(balance sheet)* Einnahmenaufgliederung; ~ **considerations** Steuerüberlegungen; ~ **cutter** *(US)* Zollschiff, -kutter, -wachschiff, -boot, -fahrzeug; ~ **cutter service** *(US)* Zolldienst; ~ **deduction** *(municipal accounting)* Erlösschmälerung; ~ **deficit** *(taxes)* Einkommen-, Steuerdefizit; ~ **department** *(Br.)* Steuerverwaltung; ~ **drain** *(budgeting)* steuerlicher Verlustfaktor; ~ **duty** Finanzzoll, fiskalische Gebühr; ~ **estimates** Steuervorausschätzungen; ~ **expenditure** *(US)* Betriebsausgabe, Kapitalaufwand; ~ **forecast** Steueraufkommensschätzung; ~ **frauds** Schmuggelwesen; ~ **gain** Steuergewinn; ~ **increase** Erhöhung des Steueraufkommens; ~ **item** Einnahmeposten; ~ **law**

(US) Steuerrecht, Einkommensteuergesetz; ~ **loss** Steuerverlust; ~ **offence** Steuerdelikt, -vergehen; ~ **office** Zollamt; **inland** ~ **office** Steuerbehörde; ~ **officer** Steuerbeamter, *(customs)* Zollbeamter; ~ **producer** *(budgeting)* steuerlicher Gewinnfaktor; ~ **raiser** steueraufbringende Maßnahmen, Einkommensteuerzuwachs; ~ **raising** Erhöhung des Steueraufkommens; ~ **realization** Einnahmeverbuchung; ~ **receipts** Steueraufkommen, -einnahmen; **additional** ~ **requirements** zusätzliche Steuerforderungen; ~ **reserve** *(Br.) (balance sheet)* Ertragsrücklage, steuerpflichtiger Kapitalgewinn; ~ **service** Zolldienst; **Internal** ≗ **Service** *(US)* oberste Steuerbehörde; **to introduce to** ~ **service** im Zolldienst einsetzen; ~ **sharing** *(government)* Steuer-, Finanzausgleich; ~ **shortage** unzureichendes Steueraufkommen; ~ **shortfall** Einnahmenausfall; ~ **side of the Exchequer** Steuerermittlungstätigkeit; ~ **stamp** Banderole, Steuermarke; ~ **surplus** *(taxes)* Steuer-, Einnahmeüberschuß; ~ **tax** Finanzzoll; **internal** ~ **taxes** inländische Steuern und Abgaben; ~ **tariff** Einkommensteuertarif; ~ **waybill** Frachtrechnung.

revenuer *(US sl.)* Zollbeamter, -kutter.

reversal *(counterentry)* Stornierung, Gegenbuchung;
~ **in the money market** Liquiditätsumschwung; ~ **of opinion** Meinungsumschwung; ~ **in stockpiling** Umschwung in den Lagerdispositionen.

reverse *(check)* Revers, *(coin)* Rückseite, Gegenseite, *(fig.)* Kehrseite, *(gear)* Rückwärtsgang; **automatic ribbon** ~ automatische Farbbandumspulung; **financial** ~ mißliche Finanzlage;
~ *(v.)* **the charge** *(tel., US)* R-Gespräch herstellen; ~ **an entry** Buchung stornieren;
~**-charge call** *(tel., US)* R-Gesprächsgebühr; ~ **entry** Gegenbuchung, -eintrag; ~ **split-up** Aktiensplit, -zusammenlegung.

reversed call *(tel., US)* R-Gespräch.

reversing entry Stornierungseintrag, Wertberichtigungsbuchung.

reversion *(deferred annuity)* Anwartschaftsrente, *(life insurance)* Versicherungssumme, *(return of estate)* An-, Heimfall [einer Erbschaft], Erbschaftsanfall, *(right of reversion)* Heimfall-, Rückfallrecht, *(right of succession)* Anwartschaft;
~ **claim** Anwartschaft[srecht]; ~ **[value] duty** *(Br.)* 10%ige Wertzuwachssteuer für an den Verpächter zurückfallenden Besitz.

reversionary | additions *(life insurance)* Summenzuwachs durch stehengelassene Prämien; ~ **annuity** einseitige Überlebensrente; ~ **interest** Anwartschaftsrecht, Rückfallanspruch; ~ **succession** Nacherbfolge[recht].

reversioner Anwartschaftsberechtigter.

revest *(v.)* **property** Eigentum zurückübertragen.

review *(of book)* Besprechung, Rezension, *(check)* [Nach]prüfung, *(judicial revision)* gerichtliche Überprüfung, Revision, *(periodical)* Zeitschrift, Magazin;
market ~ Marktbericht; **previous** ~ *(book)* Vorbesprechung;
~ **of costs** Überprüfung einer Kostenrechnung; ~ **of the market** Börsen-, Marktbericht;
~ *(v.)* [über]prüfen, revidieren;
~ **[copy of] a book** Buch rezensieren (besprechen); ~ **a price list** Preisliste berichtigen; ~ **taxation** *(Br.)* Kostenrechnung eines Anwalts überprüfen;
~ **copy** *(book)* Rezensions-, Presseexemplar.

revise nochmalige Überprüfung, Revision, *(proof taken after correction)* Revisionsbogen;
second (final) ~ letzte Korrektur, Umbruchkorrektur;
~ *(v.) (correct)* verbessern, über-, umarbeiten, *(examine)* überprüfen, revidieren;
~ **a dictionary** Wörterbuch neu bearbeiten (überarbeiten); ~ **one's estimates** Neukalkulation vornehmen.

revised | edition neubearbeitete (verbesserte) Auflage; ~ **proof** Korrekturbogen.

revision Nachprüfung, Revidierung, Revision, Überarbeitung, *(revised edition)* Überarbeitung, überarbeitete Auflage, zweite Bearbeitung, Neubearbeitung;
~ **of a treaty** Vertragsrevision.

revitalization of the capital market Wiederbelebung des Kapitalmarktes.

revival *(market)* Wiederbelebung, -aufleben, Aufschwung, Erholung;
~ **in business** Geschäfts-, Konjunkturbelebung; ~ **of contract** Wiederauflebenlassen eines Vertrages, Vertragserneuerung; ~ **of trade** Geschäftsbelebung.

revive *(v.) (debt barred by the statute of limitations)* wiederaufleben lassen, erneuern, *(stocks)* sich erholen, *(speculation)* wiedereinsetzen, *(trade)* sich wiederbeleben, aufblühen;
~ **an agreement** Vertrag wiederaufleben lassen; ~ **an industry** Industriezweig beleben; ~ **the issue of mergers** Fusionsbestrebungen beleben.

revocable | letter of credit widerrufliches Akkreditiv; ~ **licence** widerrufliche Genehmigung; ~ **trust** kündbare Stiftung.

revocation | of agency Widerruf des Auftragsverhältnisses; ~ **of a contract** Vertrags[auf]kündigung; ~ **of a donation (gift)** Schenkungswiderruf; ~ **of a letter of credit** Akkreditivwiderruf; ~ **of a licence** Lizenzrücknahme; ~ **of a driving licence** *(Br.)* **(a driver's licence,** *US)* Führerscheinentzug; ~ **of an offer** Zurücknahme eines Vertragsangebots.

revoke *(v.)* widerrufen, *(cancel)* rückgängig machen, *(licence)* zurücknehmen, entziehen, zurückziehen;
~ **an agency** Vertretungsverhältnis aufheben; ~ **an authority** Vollmacht widerrufen; ~ **a**

letter of credit Akkreditiv zurückziehen; ~ **a licence** Lizenz zurücknehmen; ~ **a driving licence** *(Br.)* Führerschein entziehen; ~ **an order** Auftrag stornieren (annullieren).

revolution Revolution, Umsturz, Umwälzung;
industrial ~ industrielle Umwälzung; **managerial** ~ Regime der Manager;
~s in our ways of travelling Revolution unseres ganzen Verkehrssystems.

revolving | **account** revolvierendes Konto; ~ **assets** Umlaufsvermögen; ~ **[letter of] credit** sich automatisch erneuerndes Akkreditiv; **secured** ~ **credit** Warenlombardkredit; ~ **credit agreement (arrangement)** Revolvingabkommen; ~ **fund** *(governmental accounting, US)* rückzahlbare Staatssubvention; ~ **payments** wiederkehrende Zahlungen; ~ **pencil** Drehbleistift.

reward [Finder]lohn, [Geld]belohnung, *(fee)* Honorar, Vergütung, Entgelt;
as a ~ **for** als Belohnung (Entgelt) für;
due ~ angemessene Belohnung;
~ *(v.)* **s. o. suitably** j. nach Gebühr belohnen;
to announce a ~ Belohnung aussetzen; **to confer a** ~ **on s. o.** jem. eine Belohnung gewähren; **to offer a** ~ Belohnung aussetzen, Auslobung vornehmen, ausloben;
~ **system** Prämienlohnsystem.

rework expense Nacharbeitungskosten.

rezone *(v.) (US)* Baubeschränkungen aufheben.

rezoning *(US)* Änderung des Flächennutzungsplans.

ribbon | **building** *(Br.)* am Stadtrand gelegene Reihenhäuser; ~ **development** *(Br.)* Stadtrandsiedlung.

rich *(abounding)* reichhaltig, ergiebig, *(fertile)* fruchtbar, fett, *(wealthy)* wohlhabend, begütert, reich;
~ **oil** Schweröl; **the** ~ **people** die Reichen; ~ **reward** hohe Belohnung.

rid | *(v.)* **o. s. of an employee** Angestellten loswerden; ~ **one's estate of debt** seinen Grundbesitz schuldenfrei machen; ~ **o. s. of an obligation** sich von einer Verbindlichkeit befreien;
to get ~ **of old stock** alte Bestände abstoßen.

ride | **on a bus** Autobusfahrt;
~ *(v.) (vehicle)* [in öffentlichem Verkehrsmittel] fahren;
~ **on a bus** Omnibusfahrt machen, Omnibus fahren; ~ **higher off the ground** *(car)* höhere Straßenlage haben; ~ **out a contraction of business** mit abnehmendem Geschäftsvolumen fertig werden.

rider *(advertisement)* abschließender Kaufappell, *(of a bill)* Verlängerungszettel, Wechselallonge, *(document)* Anlage, Anhang, *(endorsement)* Nachtrag, Zusatz[klausel], *(insurance)* besondere Versicherungsvereinbarung.

rig *(fraudulent trick)* abgekartetes Spiel, *(stock exchange)* Börsenmanöver;
~ *(v.)* **up the prices** Preise (Kurse) heraufschrauben.

rigger Preistreiber, *(stock exchange)* Kurstreiber.

rigging the market Preistreiberei, *(stock exchange)* Kurstreiberei, Börsenmanöver.

right Recht, Anrecht, [Rechts]anspruch, Berechtigung, *(application right)* Bezugsrecht auf Aktien, *(privilege)* Vorrecht;
all ~s reserved alle Rechte vorbehalten, Nachdruck verboten; **cum ~s, ~s on** mit (inklusive) Bezugsrechten;
application ~ *(Br.)* Bezugsrecht; **chartered ~s** verbriefte Rechte; **drawing** ~ Auslosungsrecht; **exclusive** ~ Ausschließlichkeitsrecht; **industrial** ~ gewerbliches Schutzrecht; **optional** ~ Optionsrecht; **patent** ~ Patentrecht, -anspruch; **priority** ~ Vorzugsrecht; **production** ~ Herstellungsrecht; **serial ~s** Veröffentlichungsrechte in Zeitungen und Zeitschriften; **shop ~s** Fabrikationsrechte; **stock** ~ *(US)* Bezugsrecht; **subscription** ~ *(Br.)* Bezugsrecht;
~ **to act as a contracting party** Selbsteintrittsrecht; ~ **of admission** Zulassungsanspruch; ~ **of alienation** Veräußerungsrecht; ~ **to alimony** Unterhaltsanspruch [der Ehefrau]; ~ **of anticipation** Vorkaufsrecht; ~ **of avoidance** Rücktritts-, Anfechtungsrecht; ~ **to benefit** *(social security)* Leistungsanspruch; ~ **of change** *(insurance)* Wahlrecht; ~ **to choose the place of delivery** Wahl des Lieferortes; ~ **of combination** Kartellrecht; ~ **of compensation** Entschädigungsanspruch; ~ **to compete** Wettbewerbsrecht; ~ **of conversion** Umwandlungsrecht; ~ **to convey** Übertragungsanspruch; **~s of creditors** Gläubigerrechte; ~ **to a dividend** Dividendenanspruch; ~ **of sole emption** Alleinverkaufsrecht; ~ **to issue bank notes** Banknotenprivileg; ~ **of lien** Zurückbehaltungs-, Pfandrecht; ~ **of maintenance** Unterhaltsanspruch; ~ **to manufacture** Fabrikations-, Herstellungsrecht; ~ **of nomination** Vorschlagsrecht; **sole ~s to the patent** alleinige Patentrechte; ~ **of preëmption** Vorkaufsrecht; ~ **of priority** Prioritätsrecht, *(creditor)* Recht auf vorzugsweise Befriedigung im Konkursverfahren; ~ **of recourse** Rückgriffsrecht, Regreßrecht, -anspruch; ~ **of recovery** Schadenersatzanspruch; ~ **of reinstatement** *(life insurance)* Erneuerungsanspruch; ~ **of repurchase** Rückkaufsrecht; ~ **of resale** Wiederverkaufsrecht; ~ **to rescind (of rescission)** Rücktrittsrecht; ~ **of retention** Zurückbehaltungsrecht; **[sole]** ~ **to sell (of selling)** [alleiniges] Verkaufs-, Vertriebsrecht, Universalverkaufsrecht; ~ **of separation** Absonderungsanspruch; ~ **of setoff** Aufrechnungsanspruch; ~ **of stoppage in transit (to stoppage in transit)** kaufmännisches Zurückbehaltungsrecht; ~ **to strike** Streikrecht; ~ **to subscribe** Bezugsrecht; ~ **to exclusive use** ausschließliches Benutzungsrecht; ~ **of usufruct** Nießbrauch[recht];

to abandon a ~ auf einen Anspruch verzichten; **to exercise a** ~ Recht ausüben, *(stock exchange)* Bezugsrecht ausüben; **to forfeit the** ~ **of recourse** Regreßanspruch verlieren; **to have the legal** ~ **to file a claim** anspruchsberechtigt sein; **to have £ 400 in one's own** ~ über eine Jahresrente von 400 Pfund verfügen; **to lose one's** ~**s under a guaranty** seiner Garantieansprüche verlustig gehen; **to reserve the** ~ **of property** Eigentum[srecht] vorbehalten; **to reserve the** ~ **of recourse** Regreßansprüche vorbehalten; **to waive a** ~ auf ein Recht (einen Anspruch) verzichten;
~**s dealings** *(US)* Handel in Bezugsrechten; ~**s market** *(US)* Markt für Bezugsrechte; ~**s offering** Bezugsrechtsangebot;
~ *(a.)* gerecht, billig, richtig, angemessen;

rightful | action berechtigter Anspruch; ~ **authority** ordnungsgemäße Vollmacht; ~ **claimant** Anspruchsberechtigter; ~ **property** rechtmäßiges Eigentum.

rigid *(supply and demand)* starr, unelastisch;
~ **economy** strengste Sparsamkeit, sparsame Wirtschaftsführung.

rigorous search for dutiable goods rücksichtslose Zolldurchsuchung.

ring Ring, Kartell, Syndikat, *(stock exchange)* Börsenkonsortium, *(tel.)* [Telefon]anruf;
bull ~ *(stock exchange)* Haussepartei; **counterfeiting** ~ Fälscherbande; **the** ~ *(Br.)* Buchmacher;
~ **of dealers at an auction** Händlergruppe (Aufkäuferring) bei einer Versteigerung;
~ *(v.)* **out** *(US)* Lieferungsgeschäfte erledigen;
~ **up** *(tel.)* [telefonisch] anrufen, -klingeln, telefonieren;
~ **trading** *(Br.)* Händlerabsprachen.

ringing tone *(tel.)* Freizeichen.

ringman *(Br.)* Buchmacher.

rise *(amount of increment)* Zuwachs, Zunahme, *(nation)* Aufstieg, *(extra pay, Br.)* Zulage, Gehaltsaufbesserung, -erhöhung, -zulage, *(in prices)* Anziehen, Steigen, [Preis-]steigerung, Preiserhöhung, [Preis]aufschlag, *(occasion)* Anlaß, Grund, *(personal advancement)* Emporkommen, sozialer Aufstieg, *(stock exchange)* Aufschwung, Aufwärtsbewegung, Besserung [der Kurse], Kursanstieg, -steigerung, Hausse;
on the ~ im Steigen begriffen;
abrupt ~ scharfer Kursanstieg; **moderate** ~ leichter Kursanstieg; **widely spread** ~ Kursanstieg auf breiter Basis; **substantial** ~**s** beträchtliche Kurssteigerungen;
~ **in the bank rate** *(Br.)* Diskonterhöhung; ~ **of postal charges** *(Br.)* Erhöhung der Postgebühren; ~ **in costs (expenditure)** Kostensteigerung, -anstieg; ~ **in exports** Exportsteigerung; ~ **in the ground** Bodenerhebung; ~ **in income** Einkommenssteigerung; ~ **in labo(u)r costs** Arbeitskostenanstieg; ~ **in life** sozialer Aufstieg, Emporkommen; ~ **in population** Bevölkerungszuwachs, -zunahme; ~ **in social position** gesellschaftliches Vorwärtskommen; ~ **in prices** Preisanstieg, *(stock exchange)* Kurserhöhung, -anstieg; ~ **in production** Produktionssteigerung; ~ **in profits** Gewinnanstieg; ~ **of railroad rates** *(US)* Erhöhung der Eisenbahntarife; ~ **in sales** Absatzerhöhung; ~ **in spending** Ausgabenanstieg; ~ **in the standard of living** Erhöhung (Verbesserung) des Lebensstandards; ~ **of stocks** *(US)* Aktienhausse; ~ **in temperature** Temperaturanstieg; ~ **in unemployment** erhöhte Arbeitslosigkeit; ~ **in value** Wertsteigerung, -erhöhung; ~ **in wages** Lohnerhöhung;
~ *(v.)* sich erheben, *(adjourn)* auseinandergehen, Sitzung aufheben, sich vertagen, *(amount to)* sich belaufen, betragen, *(curtain)* aufgehen, *(grow up)* heranwachsen, *(mil.)* befördert werden, *(person)* in einer Stellung vorankommen, *(prices)* anziehen, [im Preise steigen], sich aufwärts bewegen, hochgehen, in die Höhe gehen, teurer werden, *(riot)* sich empören, revoltieren, *(stock exchange)* sich bessern, anziehen, steigen;
~ **at 8 p. m.** *(parl.)* Diskussion (Sitzung) um 20 Uhr beenden; ~ **in arms** bewaffneten Aufstand machen; ~ **to the bait** auf den Leim gehen; ~ **to be chairman** Vorsitzender werden; ~ **to an emergency** in der Notzeit seinen Mann stehen; ~ **in s. one's esteem** in jds. Achtung steigen; ~ **above events** über den Ereignissen stehen; ~ **into new high ground** neuen Höchstkurs erzielen; ~ **above mediocrity** über das Mittelmaß herausragen; ~ **by merit only** seinen Aufstieg allein sich selbst verdanken; ~ **next Friday** *(parl.)* am nächsten Freitag die Parlamentsferien beginnen; ~ **from nothing** aus kleinsten Verhältnissen stammen; ~ **to the occasion** sich der Lage gewachsen zeigen; ~ **to order** zur Geschäftsordnung sprechen; ~ **to power** an die Macht gelangen; ~ **from the ranks** von der Pike auf dienen; ~ **to a higher rank** befördert werden; ~ **in revolt** sich erheben, revoltieren; ~ **from a sickbed** von einer Krankheit genesen; ~ **strongly** *(market)* scharf anziehen; ~ **to wealth** zu einem Vermögen gelangen, wohlhabend werden;
to ask one's employer for a ~ seinen Arbeitgeber auf Gehaltserhöhung ansprechen; **to be on the** ~ [im Preis] steigen, im Steigen begriffen sein, *(person)* vorankommen; **to be back on the** ~ wieder ansteigen; **to buy for a** ~ auf eine Hausse hin Käufe tätigen, auf Hausse spekulieren; **to experience a** ~ **in price** Preiserhöhung erfahren; **to get a** ~ [Gehalts]zulage bekommen; **to get a** ~ **out of s. o.** j. in Harnisch (hoch) bringen; **to give** ~ **to a scandal** Ärgernis hervorrufen; **to go in for a** ~ auf Hausse spekulieren;

to have a sudden ~ plötzlich im Kurs steigen; **to operate for a** ~ auf Hausse spekulieren; **to show a** ~ Steigerung aufweisen; **to speculate on a** ~ auf Hausse spekulieren; **to undergo a** ~ Steigerung erfahren;

~ **forecast** Kurssteigerungsprognose.

rising Steigung, *(prices)* Steigen, Steigerung, Anstieg, Anziehen, Erhöhung;

~ *(a.)* steigend, *(fig.)* aufstrebend, *(stock exchange)* kursanziehend;

~ **costs** steigende Kosten; ~ **market** steigende Kurse, Kursanstieg; **to be a** ~ **market** Kurssteigerung erfahren; ~ **prices** Preisanstieg; ~ **tendency** Preiserhöhungstendenz, *(stock exchange)* Kursaufschwung; **to show a** ~ **tendency** Kursaufschwung nehmen, sich befestigen.

risk Verlust, Risiko, Fährnis, *(insurance)* Wagnis, Gefährdung, Verlustgefahr, *(object or person insured)* versicherte Person, versicherter Gegenstand;

at all ~**s** ohne Rücksicht auf Verluste; **at my** ~ auf mein Risiko; **at one's own** ~ auf eigenes Risiko (eigene Gefahr); **at consigner's** ~ auf Gefahr des Absenders; **at the** ~ **of one's own life** unter Gefahr seines Lebens, unter Lebensgefahr; **at one's own** ~ auf eigene Verantwortung; **at owner's** ~ auf eigene Gefahr; **at your** ~ auf Ihre Verantwortung;

abnormal ~ erhöhtes Risiko; **accident** ~ Unfallrisiko; **business** ~ Ausfall-, Geschäftsrisiko; **catastrophe** ~ Katastrophengefahr; **commercial** ~ wirtschaftliches Risiko; **consumer's** ~ Verbraucherrisiko; **contractor's** ~ Unternehmerrisiko; ~ **covered** gedecktes Risiko; **credit** ~ Kreditrisiko; **current** ~**s** laufende Versicherungsrisiken; **exchange** ~ Kursrisiko; **excluded** ~ ausgeschlossenes Risiko; **extraordinary** ~ außerordentliches Risiko; **fire** ~ Brand-, Feuersgefahr; **flat** ~ *(insurance)* Pauschalsatz; **individual** ~ *(fire insurance)* Eigengefahr; **loading** ~ Verladerisiko; **marine (maritime)** ~ Seetransportgefahr; **moral** ~ moralisches Risiko; **normal** ~ normales Risiko; **pending** ~**s** laufende Risiken; **place** ~ Platzrisiko; **price** ~ Kursrisiko; **pure** ~ *(insurance business)* Risiko im engeren Sinne; **sea** ~**s** Seegefahr; ~ **run** versicherte Gefahr; **security** ~ Sicherheitsrisiko; **special** ~ Sonderrisiko; **subscribed** ~ versicherte Gefahr; **superstandard** ~ *(life insurance)* unterdurchschnittliches Risiko; **tenant's** ~ Mieterhaftung; **transport** ~ Transportrisiko; **uninsured** ~**s** ungedeckte Risiken; **war** ~ Kriegsrisiko;

~ **of breakage** Bruchgefahr; ~ **of business** Geschäftsrisiko; ~**s of carriage** Beförderungsgefahr, Transportrisiko; ~ **of competition** Wettbewerbsrisiko; ~ **of death** Sterblichkeitsrisiko; ~ **incident to employment** Berufsrisiko, Haftpflicht; ~ **of error** Fehlerrisiko; ~ **of exchange** Kursrisiko; ~ **of fire** Feuersgefahr; ~ **of inflation** Inflationsgefahr, inflationistische Gefahren; ~ **of investment** Anlagen-, Investitionsrisiko; ~ **of loss** Gefahrentragung, Verlustrisiko; ~ **of marketing** Absatzrisiko; ~ **of occupation** berufliches Risiko; ~**s and perils** *(insurance)* gedeckte Gefahren; ~**s and perils of the sea** Seegefahr; ~ **of production** Produktionsrisiko; ~ **at sea** Seegefahr; ~**s of an undertaking** unternehmerisches Risiko; ~ **of war** Kriegsrisiko;

~ *(v.)* wagen, riskieren;

~ **defeat** Niederlage einkalkulieren; ~ **one's fortune** sein Vermögen einsetzen; ~ **one's health** seine Gesundheit aufs Spiel setzen; ~ **money** Geld wagen (einsetzen); ~ **one's neck** seinen Kragen riskieren; ~ **one's own skin** seine Haut zu Markte tragen; ~ **everything on one throw** alles auf eine Kappe setzen;

to assume a ~ Risiko übernehmen; **to be full of** ~**s** voller Risiken stecken; **to bear a** ~ Risiko tragen; **to class as high** ~ zum besonders hohen Risiko erklären; **to cover a** ~ für ein Risiko die Versicherung übernehmen; **to expose o. s. to a** ~ sich einem Risiko aussetzen; **to relieve of a** ~ vom Risiko befreien (entlasten); **to run a** ~ Gefahr laufen, Risiko eingehen, riskieren; **to run the** ~ **of losing everything** alles auf eine Karte setzen; **to spread the** ~ Risiko verteilen, *(reinsurance)* Rückversicherungsrisiko atomisieren; **to take a** ~ Gefahr (Risiko) übernehmen, Risiko eingehen; **to take a** ~ **on a cargo** Ladung versichern; **to take no** ~**s** kein Risiko eingehen; **to undertake a** ~ Risiko übernehmen; **to underwrite a** ~ Versicherung übernehmen;

~ **analysis** Risikoanalyse; ~ **assurance** Risikoversicherung; ~ **bearer** Risikoträger; ~ **[-bearing] capital** Spekulations-, Risikokapital; ~**s book** Liste übernommener Risiken; ~ **capital opportunities** Chancen für den Einsatz von Risikokapital; ~ **factor** Risikofaktor; ~ **-free** risikolos; ~ **function** *(statistics)* Risikofunktion; ~ **money** Kaution, *(cashier)* Manko-, Fehlgeld; ~ **note** *(railway, Br.)* Haftungsbeschränkung auf eigenes Verschulden der Beamten; ~ **premium** Risikoprämie; ~ **taker** Risikoträger; ~ **taking** Risikoübernahme, Gefahrtragung.

rival Konkurrent;

~**s in business** Konkurrenten;

~ *(v.)* rivalisieren, konkurrieren, in Wettbewerb treten;

~ **business concern** Konkurrenzgeschäft, -betrieb, -unternehmen, -firma; ~ **company** Konkurrenzfirma; ~ **manufacturer** Konkurrenzbetrieb; ~ **shop** Konkurrenzgeschäft; ~ **supply** Konkurrenzangebot.

rivalry Rivalität, *(in business)* Konkurrenz, Wettbewerb.

river, navigable schiffbarer Fluß;

~ **bill of lading** Flußladeschein; ~ **insurance** Flußversicherung; ~ **navigation** Flußschiffahrt;

~ **rates** Flußfrachtsätze; ~ **traffic** Flußschifffahrt, -verkehr.

road [Land]straße, Verkehrs-, Fahrweg, Strecke, *(mining)* Förderstrecke, *(railroad, US)* Eisenbahnlinie, -strecke, Geleise, Gleisanlage, *(roadstead)* Reede, *(route)* Fahrtstrecke, Reiseweg, *(waterway)* Wasserweg;
by ~ auf dem Straßenweg, per Fahrzeug, mit dem Lastauto, im Straßentransport; **on the** ~ auf der Fahrbahn, *(travelling)* auf der Reise, auf Reisen, geschäftlich unterwegs;
~**s** *(stock exchange, US)* Eisenbahnwerte;
access ~ Zufahrtsstraße, Zubringer; **accommodation** ~ Zufahrtsstraße; **adopted** ~ vom Kommunalverband unterhaltene Straße; **arterial** ~ Hauptverkehrsstraße; ~ **carrying fast-moving traffic** *(Br.)* Schnellverkehrsstraße; ~ **closed ahead** gesperrt für den Durchgangsverkehr; **decontrolled** ~ Straße ohne Geschwindigkeitsbegrenzung; **heavy** ~ ausgefahrene Straße; **high** ~ Hauptverkehrsstraße; **major** ~ Vorfahrtstraße; ~ **open to traffic** für den öffentlichen Verkehr freigegebene Straße; **public** ~ öffentlicher Weg; ~ **inadequately signposted** ungenügend beschilderte Straße; **subsidiary** ~ Entlastungsstraße; **through** ~ Durchgangsstraße; **no through** ~ Sackgasse;
~ **versus rail** Wettbewerb zwischen Schiene und Straße;
to be in the ~**(s)** auf der Reede (vor Anker) liegen; **to be off the** ~ *(car)* aus dem Verkehr gezogen sein; **to be on the** ~ *(bus)* im Betrieb (eingesetzt) sein, *(traveller)* [geschäftlich] unterwegs (auf Reisen, Tour) sein; **to be on the** ~ **about a third of the time** Drittel des Jahres unterwegs (auf Achse) sein; **to open a** ~ **for traffic** Straße für den Verkehr freigeben;
~ **accident** Auto-, Verkehrsunfall; ~ **behavio(u)r** Verkehrsdisziplin; ~ **check** Straßen-, Verkehrskontrolle; ~ **conditions** Straßenzustand; ~-**construction** Straßenbau[arbeiten]; ~ **contractor** Fuhrunternehmer; **long-distance** ~ **haulage** Güterkraftverkehr; ~ **-holding facilities** *(car)* Straßenlage; ~ **maintenance** Straßeninstandsetzung; ~ **repairs** [Straßen-]ausbesserungsarbeiten; ~ **tax** *(Br.)* Straßenbenutzungsgebühr; ~ **traffic** Straßenverkehr; ≗ **Traffic Act** *(Br.)* Straßenverkehrsgesetz, -ordnung; ~ **traffic control** Verkehrsregelung; ~ **transport** *(Br.)* Straßen-, Gütertransportverkehr; ~ **user** Verkehrsteilnehmer; ~ **vehicle** Straßenfahrzeug.

roadbook Straßenatlas, Reisehandbuch, Autoreiseführer.

roadman Straßenarbeiter, *(hawker)* Hausierer, Straßenhändler.

roadside | **establishment** Straßenrestaurant; ~ **inn** Rasthaus; ~ **stand** Straßenverkaufsstand.

roadworthy fahrsicher.

roaring | **business** Bombengeschäft; **to drive a** ~ **trade** glänzende Geschäfte machen.

rock, on the ~**s** *(ship)* gestrandet, *(stressed conditions)* pleite, in Geldnöten.

rock-bottom price äußerst kalkulierter Preis, Schlagerpreis.

roll *(register)* Verzeichnis, Liste, Rolle, *(register of names)* Namensverzeichnis, -liste, Anwesenheitsliste;
assessment ~ Steuer-, Hebeliste; **bank** ~ Banknotenbündel; **muster** ~ *(ship)* Stamm-, Musterrolle; **rent** ~ Pachtaufkommen;
~ *(v.)* *(shift taxes)* Steuern abwälzen;
~ **back** *(US)* Preise durch Subventionsmaßnahmen senken; ~ **back the pay cuts** Gehaltskürzungen rückgängig machen; ~ **in money** im Geld schwimmen (wühlen); ~ **out 20 000 trucks a year** jährlich 20 000 LKW's herstellen;
~ **over bank loans on a continuing basis** Bankkredite revolvierend einsetzen;
~ **-on (**~ **-off) service** Huckepackverkehr.

rolling *(ship)* Schlingerbewegung;
to be ~ **in money** *(sl.)* im Geld schwimmen;
~ **adjustment** *(US)* Konjunkturdämpfung auf einzelnen Gebieten; ~ **capital** Betriebskapital; ~ **charges** Rollgeld; ~ **plant** Betriebsmittel, Wagenpark; ~ **stock** *(railway)* rollendes Material, Eisenbahnbetriebsmittel, Wagenpark.

room Zimmer, Raum, Stube, Kammer, *(extent of space)* Raum, Platz, *(mining)* Abbaustrecke *(occasion)* Gelegenheit, Anlaß, Veranlassung, *(stock exchange)* Börsensaal;
auction ~ Auktionslokal; **furnished** ~ **[with attendance]** möbliertes Zimmer [mit Bedienung]; **hotel** ~ Hotelzimmer; **standing** ~ *(bus)* Stehplatz; **store** ~ Lagerraum; **strong** ~ Tresor, Stahlkammer;
~ **and board** Kost und Logis; ~ **for two people** *(hotel)* Doppelzimmer;
~ *(v.)* *(US)* logieren, als Mieter wohnen;
to book a hotel ~ Hotelzimmer bestellen; **to have a private** ~ *(hospital)* erster Klasse liegen; **to live in furnished** ~**s** möbliert wohnen; **to rent a** ~ Zimmer mieten; **to reserve a** ~ Zimmer bestellen;
~ **fee** Zimmerpreis; ~ **telephony** Telefonanschluß auf dem Zimmer; ~ **trader** *(US)* auf eigene Rechnung spekulierendes Börsenmitglied.

roomer *(US)* Untermieter.

roomette *(US)* Schlafwagen-, Einzelkabine.

roster Liste, Tabelle, Namenliste, Teilnehmerverzeichnis;
advancement (promotion) ~ Beförderungsliste;
blue-chip ~ **of partners** erstklassiges Führungsgremium.

rotate | *(v.)* **advertising executives** Umbesetzung der Werbefachleute vornehmen; ~ **promising executives** erfolgversprechende Nachwuchskräfte turnusmäßig versetzen; ~ **in office** sich turnusmäßig abwechseln.

rotating shift Wechselschicht.

rotation geregelter Stellenwechsel, Turnus, *(advertising)* ständig wiederholte Werbeserie;
in ~ turnusmäßig, im Turnus, abwechselnd;
job ~ *(US)* Arbeitsplatzwechsel;
~ **of directors** turnusmäßiger Direktorenwechsel;
~ **period** Turnus; ~ **training** Praktikantenausbildung.

rough *(a.)* roh, rauh, *(fig.)* ungefähr, annähernd, überschläglich, *(uncultivated)* ungebildet, unkultiviert;
~ **accommodation at a small country inn** dürftige Unterbringung in einem kleinen Landgasthaus; ~ **balance** Probe-, Rohbilanz; ~ **book** Vormerkbuch, Kladde; ~ **calculation** flüchtige Berechnung, Voranschlag, Überschlag; ~ **draft** erster Entwurf, Vorentwurf; **in a** ~ **and ready manner** behelfsmäßig; ~ **translation** annähernde Übersetzung.

round *(tour)* Rundreise, Tour, *(tour of inspection)* Besichtigungs-, Rundgang.
daily ~ tägliche Beschäftigung; **postman's** ~ Bestellgang des Briefträgers; **visiting** ~ Inspektionsfahrt;
~**-of-wage increase** globale Anhebung des Lohnniveaus; ~ **of negotiations** Verhandlungsrunde; ~ **of visits** Besuchstour;
~ *(v.)* **off one's career by being made Minister** seine Karriere mit einem Ministeramt abrunden; ~ **off one's property** sein Gelände arrondieren;
to get ~ **regulations** *(US)* Bestimmungen umgehen; **to go the** ~ **of the papers** durch alle Zeitungen gehen; **to make** ~ arrondieren; **to order one's car** ~ seinen Wagen kommen (vorfahren) lassen; **to pay for a** ~ **of drinks** Runde (Lage) spendieren (ausgeben); **to show s. o.** ~ **the factory** j. die Fabrik besichtigen lassen;
~ *(a.)* rund, ganz, voll, *(stock exchange)* ungefähr, zirka, etwa;
in ~ **figures** in runden Zahlen; ~ **lot** *(US)* mehrere Hundert Aktien umfassendes Aktienpaket; **good** ~ **sum** abgerundeter Betrag; ~**-table conference** Konferenz am runden Tisch; ~ **tour** Rundreise; ~ **transaction (turn)** abgeschlossenes Börsengeschäft.

round trip Rundreise, -fahrt, *(US)* Hin- und Rückfahrt;
scheduled economy ~ Touristenrundreise in einer Linienmaschine.

round-trip *(US)* für Hin- und Rückfahrt gültig;
~ **air fare** Rundreiseflugkarte; ~ **discount** Rückfahrtermäßigung; ~ **excursion fare** Rundreise-, Ausflugsfahrkarte; ~ **fare** *(US)* Fahrpreis für die Hin- und Rückreise; ~ **jet** Düsenflugzeugrundreise; ~ **ticket** Rundreisefahrkarte.

roundabout *(detour, US)* Umleitung, *(road junction, Br.)* Kreisel-, Rundverkehr;
~ **system of traffic** Kreisverkehr.

rounded number aufgerundete Zahl.

roundsman *(Br.)* Laufbursche, Lieferbote, Austräger.

rousing trade blühender Handel.

roustabout *(US)* Schauermann, Werftarbeiter.

route *(airplane)* Fluglinie, -route, -strecke, *(direction)* Richtung, *(line)* Linienführung, *(insurance)* Transportweg, *(road)* [Reise]route, Weg [Bundes]straße, *(salesman)* Verkaufstournee, *(ship)* Schiffahrtsweg, Kurs;
en ~ unterwegs;
bus ~ Omnibusstrecke; **definite** ~ *(salesman)* bestimmte Verkaufstournee; **forwarding** ~ Beförderungsweg; **high-density** ~ Fluglinie mit hoher Verkehrsdichte; **sea** ~ Seeweg; **trade** ~ Handelsstraße;
low-cost ~ **to raise capital to finance expansion** billiger Finanzierungsweg für Betriebsausweitungen; ~ **to be followed by a case of goods** Transportweg einer Warensendung; ~ **of travel** Beförderungsweg;
~ *(v.)* befördern, leiten, dirigieren, *(material)* einer Reihe von Verarbeitungsprozessen unterwerfen, *(post)* mit Postleitvermerk versehen, *(railway)* Route kennzeichnen;
~ **documents** Urkunden auf dem Amtsweg weiterleiten; ~ **a memo** Aktennotiz versenden; ~ **in a sales race** im Umsatzwettrennen auf den zweiten Platz verweisen; ~ **shipments** Frachtsendungen leiten (dirigieren);
to be en ~ unterwegs sein; **to build regular** ~**s** feste Verkaufstournee festlegen; **to find a new** ~ neuen Weg finden; **to fly by the** ~ **across the Pole** Polroute befliegen; **to pick up** ~ **10** *(US)* der Bundesstraße 10 folgen;
~ **application** Fluglinienantrag; ~ **award** Fluglinienzuteilung; ~ **card** Arbeitsablaufkarte; ~ **forecast** Streckenvorhersage, Flugwetterdienst; ~ **instructions** Leitvermerk; ~ **items** *(US)* Boteninkassi; ~ **map** Straßenkarte, *(airplane)* Fluglinienkarte, *(railway)* Streckenkarte; ~ **planning** Fluglinienfestlegung.

routed mit Leitvermerk versehen;
to be ~ **via X** *(letter)* über X gehen.

routine Prozedur, gewohnheitsmäßiger Verlauf, Trott, Schlendrian, Routinesache, *(business)* [Geschäfts]routine, *(matter of form)* Brauch, Formsache, Dienstweg;
by ~ routinemäßig, nach der Schablone;
business (office) ~ üblicher Arbeitsgang, gewöhnliche Büroarbeiten;
[daily] ~ **of business** [täglicher] Geschäftsgang; **to be** ~ Regel (Routine) sein; **to be only** ~ reine Formsache sein; **to do s. th. as a matter of** ~ etw. routinemäßig tun; **to make a** ~ **of** es zur Regel werden lassen;

~ *(a.)* alltäglich, routine-, gewohnheitsmäßig, mechanisch, schablonenhaft;
~ **board** Dienstplan; ~ **business** Routinearbeit, laufende Geschäftsangelegenheiten, *(fig.)* geistlose Beschäftigung; ~ **business letter** üblicher Geschäftsbrief; ~ **chores** Routinearbeit; ~ **contracts** Normverträge; ~ **correspondence** Geschäftskorrespondenz; ~ **duties** Routineaufgaben; ~ **expenditure** tägliche Ausgaben; ~ **job** mechanische Arbeit (Tätigkeit); ~**-like** schablonenhaft; ~ **matters** übliche Angelegenheiten; ~ **operation** mechanische Tätigkeit; ~ **order** *(mil.)* Tages-, Dienstbefehl; ~ **procedure** übliches Verfahren, Routineverfahren; ~ **reply** Routineantwort; **to furnish a** ~ **report** Routinebericht vorlegen; ~ **testing** planmäßige Prüfung; ~ **visit** Routinebesuch; ~ **work** tägliches Einerlei, Routinearbeit.

routing Leitvermerkbestimmung;
~ **of salesmen** Festlegung der Verkaufsrouten von Vertretern;
~ **clerk** *(US)* Abfertigungsbeamter; ~ **order** Anordnung eines Leitweges; ~ **plan** Festlegung der Verkaufstournee; ~ **sheet** Arbeitsfolgenplan; ~ **slip** Laufzettel.

Royal warrant *(Br.)* Hoflieferantendiplom.

royalties, free of frei von Lizenzabgaben;
to derive ~ Lizenzgebühren beziehen.

royalty *(copyright)* Autorenanteil, Tantieme, Honorar, *(licence)* Lizenzgebühr, -abgabe, *(mining)* Bergwerksabgabe, *mining)* Patentgebühr, *(share in profit)* Gewinn-, Ertragsanteil, Tantieme;
accrued ~ Tantiemenforderung; **director's** ~ Aufsichtsratstantieme; **minimum** ~ Mindestlizenz;
~ **of 10% on the published price** zehn Prozent vom Ladenverkaufspreis;
to fix a ~ Lizenzgebühr festlegen; **to get a** ~ **on** Tantieme erhalten;
on a ~ **basis** gegen Zahlung einer Lizenzgebühr; ~ **demand** Tantiemenforderung; ~ **fees** Patent-, Lizenzgebühren; ~**-free licence** gebührenfreie Lizenz; ~ **interest** Lizenz-, Tantiemenanteil; ~ **remittance** Tantiementransfer; ~ **statement** Lizenzabrechnung; ~ **tax** Tantiemenabgabe.

rub | *(v.)* **along (on)** gerade so auskommen; ~ **off in great style** glänzenden Absatz finden.

rubber | **s** *(stock exchange)* Gummiwerte, -aktien;
~ **check** *(coll. US)* ungedeckter (geplatzter) Scheck; ~ **stamp** Gummistempel, *(innocent agent)* willenloses Werkzeug; ~ **-stamp** *(v.)* sich genau nach den Vorschriften richten; ~ **-stamp commitments** *(US sl.)* Zahlungsverpflichtungen routinemäßig erledigen.

rubricate *(v.)* rubrizieren, mit Rubriken versehen.

rude | **classification** grobe Unterteilung; ~ **produce** Rohprodukt.

rue *(v.)* **a bargain** Geschäft rückgängig machen wollen.

ruin Ruin, finanzieller Zusammenbruch;
~ *(v.)* **s. one's good reputation** Rufmord an jem. begehen;
to be on the brink of ~ kurz vor dem Zusammenbruch stehen.

ruinous *(building)* baufällig;
~ **expenditure** ruinöser Aufwand; ~ **price** ruinöser Preis, Schleuder-, Verlustpreis; ~ **sale** Verlustkauf.

rule Ausführungs-, Rechtsverordnung, Vorschrift, Verfügung, Verwaltungsvorschrift;
against the ~**s** regel-, vorschriftswidrig; **under the** ~**s** *(stock exchange)* börsenmäßig;
formal ~**s** Formvorschriften; **general** ~ allgemeine Verfahrensvorschriften; **shop** ~**s** Betriebssatzung; **standing** ~ Geschäftsordnung, Satzung;
~**s for admission** Zulassungsbedingungen; ~ **of the air** Luftverkehrsbestimmung; ~**s of the air** Luftverkehrsordnung; ~**s of a cartel** Kartellvorschriften; ~ **of conversion** Umrechnungsregeln; ~**s for credit** Kreditrichtlinien; **liberalized** ~**s on depreciation** günstige Abschreibungsmodalitäten; ~**s of disclosure** Offenlegungsbestimmungen; ~ **of exchange** Börsenordnung; ~ **s on expense-account spending** Spesenrichtlinien; ~**s of good husbandry** *(Br.)* Regeln einer ordnungsgemäßen Wirtschaft; ~**s of pension** Pensionsrichtlinien; ~ **for the prevention of accidents** Unfallverhütungsvorschriften; ~**[s] of the road** [Straßen-]verkehrsordnung; ~**s of the stock exchange** Börsenordnung; ~**s of taxation** Besteuerungsvorschriften, Steuerrichtlinien;
~ *(v.)* *(direct)* anordnen, bestimmen, verfügen, *(be in force)* gelten, in Kraft sein, *(prices)* notieren, stehen, sich stellen;
~ **around** $7^1/_2$% zu etwa $7^1/_2$% umgehen; ~ **high** *(prices)* hoch liegen, hohes Kursniveau haben; ~ **off an account** Konto abschließen; ~ **a motion out of order** Antrag von der Tagesordnung absetzen; ~ **steady** *(prices)* sich halten;
to break the ~ **of a cartel** gegen eine Kartellvereinbarung verstoßen; **to continue to** ~ **high** weiterhin hohe Kurse behaupten (hoch notieren); **to loosen** ~**s on depreciation** Abschreibungsmodalitäten lockern; **to work to** ~ *(labo(u)rers)* Bestimmungen übergenau einhalten, genau (streng) nach Vorschrift arbeiten, Dienst nach Vorschrift tun;
~ **change** Richtlinienänderung; ~ **-of-thumb ratio** über den Daumen gepeilter Verteilungsschlüssel.

ruling | **classes** privilegierte Klassen; ~ **price** gegenwärtiger (geltender) Preis, Tages-, Durchschnittspreis; **to be the** ~ **spirit in a firm** maßgebender Kopf eines Unternehmens sein.

rummage Ausschuß, Ramsch, Restwaren, *(search*

by customs officials) zollamtliche Durchsuchung, Zolluntersuchung;
~ *(v.)* **a ship** *(Br.)* Schiff zollamtlich untersuchen;
~ **goods** Auschußware; ~ **sale** Fundsachenversteigerung, Ramschverkauf, *(sale for charity)* Wohltätigkeitsbasar.

run Lauf, *(airplane)* Rollstrecke, *(circulation)* [Zeitungs]auflage, *(class of goods)* Sorte, Qualität, *(course)* Lauf, Gang, Fortgang, *(great demand)* Absatz, Abgang, Vertrieb, starker Zulauf, starke Nachfrage, Ansturm, Andrang, Run, *(election campaign, US)* Wahlkampf, *(heavy fall)* plötzlicher Sturz, *(licence to make free use)* freies Verfügungsrecht, *(machine)* Arbeitsperiode, -zeit, *(output)* Betriebsleistung, Ausstoß, *(series)* Folge, Serie, Reihe, *(production series)* Fertigungsserie, *(in taxi)* Taxifahrt, *(tendency)* Tendenz, *(tenure of office)* Amtszeit, *(short visit)* kurzer Besuch, Abstecher, Flitztour, *(validity)* Gültigkeitsdauer, Laufzeit; **common** ~ Durchschnittsklasse; **great** ~ starke Nachfrage; **inaugural** ~ Jungfernfahrt;
~ **on a bank** Ansturm auf eine Bank, Bankpanik; ~ **of business** Geschäftsgang; **ordinary of buyers** übliche Käuferschicht; ~ **of creditors** Zudrang (Ansturm) der Gläubiger; ~ **of customers** Kundenansturm; ~ **of events** Gang der Ereignisse; ~ **of the market** Marktverlauf; ~ **of mill** Durchschnittserzeugnis; **a** ~ **for one's money** etw. für sein Geld; ~ **of office** Amtsdauer; **trial** ~ **of a plant** Probelauf einer Fabrik; ~ **of paper position** *(advertising)* ohne Platzanweisung; ~ **on oil stocks** ungeheure Nachfrage nach (Sturm auf) Erdölaktien; ~ **of one's teeth** freie Kost;
~ *(v.)* *(circulate)* [um]laufen, in Umlauf sein, *(customers)* Run veranstalten, *(become due)* laufen, fällig werden, *(be in force)* gelten, gültig sein, Geltung (Rechtskraft) haben, *(function)* funktionieren, laufen, gehen, arbeiten, im Betrieb sein, *(operate)* betreiben, *(pass)* verlaufen, *(to be operative)* gültig sein, Gültigkeit haben, laufen, *(price)* sich stellen [auf], *(railway)* in Betrieb sein, gehen, [Züge] verkehren lassen, *(rumo(u)r)* umlaufen, zirkulieren, *(time)* verstreichen, verfließen, vergehen, *(train)* fahren, *(to be worded)* lauten.

run stock against one's clients Aktien seiner Auftraggeber aufkaufen.

run | **aground** *(ship)* auflaufen, stranden; ~ **at pari** *(shares)* Pari stehen.

run away with a lot of ratepayers' money erhebliche kommunale Mittel verschlingen.

run counter *(interests)* sich kreuzen, gegeneinanderstehen, *(tendency)* entgegenlaufen.

run down *(prices)* drücken, herunterwirtschaften;
~ **the goods of a competitor** Konkurrenzware anschwärzen.

run for profit auf Renditebasis betreiben.

run in *(car)* einfahren.

run into | **a credit crisis** in eine Kreditkrise geraten; ~ **debt** in Schulden geraten, Schulden machen, sich in Schulden stürzen; ~ **five figures** fünfstelligen Betrag ausmachen; ~ **heavy selling** sich schwer verkaufen lassen; ~ **losses** sich in Verluste stürzen; ~ **money** ins Geld gehen.

run low auf die Neige gehen, knapp werden, ausgehen.

run off *(clear)* (Lager) räumen, *(bill of exchange)* ablaufen, fällig werden, *(prices)* im Preis sinken, *(stock exchange)* rückläufig sein;
~ **with the cash** mit der Kasse durchgehen (durchbrennen); ~ **a letter on the typewriter** Brief auf der Schreibmaschine herunterrasseln.

run on *(debts)* auflaufen.

run out *(contract)* auslaufen, *(lease)* ablaufen, *(loan)* erschöpft werden, *(passport)* ablaufen, *(stock)* zu Ende gehen, ausgehen, alle werden;
~ **of cash** sich ganz verausgabt haben.

run over *(examine)* durchsehen;
~ **one's accounts** seine Konten durchgehen.

run through | **an account** Rechnung überfliegen, überrechnen; ~ **one's mail** seine Post durchsehen; ~ **one's property** sein Vermögen durchbringen; ~ **one's work** sich mit einer Arbeit beeilen.

run to a pretty penny anständige Stange Geld kosten.

run up sich summieren, *(force up prices)* hinauftreiben, in die Höhe schrauben, *(rise in price)* im Preise steigen, anziehen;
~ **an account** auf Rechnung kaufen, *(bill)* anschreiben, (Schuldkonto anwachsen) lassen; ~ **the bidding** *(auction)* Angebote hinauftreiben; ~ **a big bill in a hotel** große Hotelrechnung machen; ~ **the costs** Kosten steigern; ~ **debts** sich in Schulden stürzen, Schulden anwachsen lassen; ~ **a score** anschreiben lassen.

run | **an account with a shop** bei einem Laden auf Rechnung einkaufen, anschreiben lassen; ~ **an ad** Anzeige laufen haben; ~ **the blockade** Blokkade durchbrechen; ~ **a book** anschreiben lassen; ~ **a bus company** *(US)* Omnibusunternehmen betreiben; ~ **a car at small cost** wenig Geld für sein Auto ausgeben; ~ **in connection with** *(train)* Anschluß haben; ~ **day and night** *(trains)* Tag und Nacht verkehren; ~ **debts** Schulden machen; ~ **errands** Botengänge machen; ~ **a factory** Fabrik betreiben; ~ **a factory at a loss** in einer Fabrik mit Verlust arbeiten; ~ **by fits and starts** nur unregelmäßig verkehren; ~ **flat** *(business)* auf niedrigen Touren laufen, auf Sparflamme kochen; ~ **flat-out** auf Hochtouren laufen; ~ **foul of each other** *(ships)* miteinander kollidieren; ~ **high** *(prices)* gestiegen sein; ~ **every hour** *(train)* alle Stunden verkehren; ~ **letters into a file** Briefe abheften; ~ **a cheap line** billige Artikel verkaufen; ~ **lines of credit** Kreditlinie in Anspruch nehmen; ~ **low** ausgehen; ~ **at par** auf Pari stehen; ~

properly *(machine)* gut laufen; ~ **red with ink** Defizit aufweisen; ~ **on schedule** fahrplanmäßig verkehren; ~ **a score** anschreiben lassen; ~ **short** knapp werden, zur Neige gehen, ausgehen; ~ **short of cash** schwache Kassenbestände haben; ~ **short of money** sich verausgaben; ~ **a stand** Kiosk besitzen; ~ **extra trains** Sonderzüge einsetzen; ~ **pretty well on time** Fahrplanzeit ziemlich genau einhalten; ~ **only a year** *(lease)* nur über ein Jahr laufen;
to be much (greatly) ~ **after** großen Zulauf haben; **to be** ~ **at small cost** *(car)* billig im Betrieb sein; **to come down with a** ~ *(prices)* ruckartig fallen; **to give s. o. a** ~ **for his money** jem. für sein Geld etw. bieten; **to have come down with a** ~ *(prices)* plötzlich gefallen sein; **to have a good** ~ **of business** gute Geschäfte machen; **to have a** ~ **for one's money** auf seine Kosten kommen; **to pay in the long** ~ sich auf die Dauer bezahlt machen; **to take off its usual** ~ von der üblichen Fahrtroute abziehen.

run | **-of-paper** Anzeigenplacierung nach Wahl des Verlegers.

run-up *(airplane)*Anflug, *(motor car)* Probelauf;
high-cost ~ hoher Kostenaufwand;
~ **in the money supply** Geldbedarfzunahme; ~ **of prices** *(US)* Kurssteigerung, -anstieg.

runabout Herumtreiber, Landstreicher, *(car)* Kleinwagen;
~ **ticket** *(railway, Br.)* Netzkarte; ~ **utility vehicle** Kombiwagen.

runaway *(economy)* schnellen Veränderungen unterworfen, *(prices)* schnell steigend;
~ **cost** schnell steigende Kosten; ~ **inflation** zügellose (hemmungslose) Inflation; ~ **shop** Gewerbe im Umherziehen.

runner Bote, Botengänger, Laufbursche, *(agent for steamship line)* Passagiermakler, *(manager) (US)* Geschäftsführer, Unternehmer, *(retail store)* gängiger (glänzend gehender) Artikel, *(running-down action)* Verkehrs-, Unfallsache, *(salesman, US)* Handlungsreisender, Vertreter, *(tout, Br.)* Schlepper, Kundenwerber;
bank ~ Bankbote.

running *(currency)* Laufzeit, Gültigkeitsdauer, *(functioning)* Laufen, Lauf, Betrieb, *(lead)* Führung, Verwaltung, Aufsicht, *(operation)* Betreiben, *(trip)* Abstecher, Spritztour;
~ **in** *(car)* Einfahren; ~ **into debt** Verschuldung; ~ **of a train** Zugverkehr;
~ *(a.) (car)* wird eingefahren, *(circulating)* zirkulierend, umlaufend, *(current)* laufend, offen, *(working)* in Betrieb;
to alter the ~ **of trains** Zugfolge ändern; **to be** ~ **again** *(hotel)* wieder in Betrieb sein; **to be** ~ **low** *(fund)* bald erschöpft sein, dem Ende zugehen; **to have ceased** ~ *(factory, hotel)* Betrieb eingestellt haben;
~ **account** Kontokorrent[konto], laufende (offene) Rechnung, Verrechnungskonto; **to have a** ~ **account** in Rechnung stehen, Kontokorrentkonto haben; ~**-account mortgage** *(Br.)* Höchstbetragshypothek; ~ **body** *(advertising)* Hauptteil einer Anzeige; ~ **cash** umlaufendes Geld; ~ **costs** Betriebs[un]kosten; ~ **commentary** Rundfunkkommentar; ~ **days** Ladetage; ~ **debts** laufende (schwebende) Schulden; ~ **engagements** laufende Verpflichtungen; ~ **expenses** *(railway)* Betriebs-, Transportkosten; ~ **form** *(insurance)* Risikoformular; ~ **hand** Kurrentschrift, ausgeschriebene Handschrift; ~ **head** Kolumnentitel; ~ **idle** *(machine)* Leerlauf; ~ **interest** laufende Zinsen; ~ **light** *(ship)* Positionslampe; **per** ~ **meter** pro laufenden Meter; **in** ~ **order** betriebsfertig; ~ **time** Fahrzeit; ~ **title** Kolumnentitel; ~ **yield** *(Br.)* laufende Verzinsung.

runway Lande-, Roll-, Startbahn.

rural | **cooperative** *(US)* landwirtschaftliche Genossenschaft; ~ **economy** Landwirtschaft; ~**-free delivery** *(US)* freie Landpostzustellung.

rush Andrang, Ansturm, Zulauf, Betrieb, *(business)* Geschäftsandrang, *(demand)* äußerst lebhafte Nachfrage, *(traffic)* [Verkehrs]andrang, Hochbetrieb;
Christmas ~ vorweihnachtliche Geschäftigkeit; ~ **of business** Geschäftsandrang; ~ **of orders** Auftragsstrom; ~ **for seats** Sturm auf die Sitzplätze; **wild** ~ **for a shop** wilder Ansturm auf einen Laden; ~ **at the stations** Betrieb auf den Bahnhöfen; ~ **on mining stocks** Nachfrage nach Montanaktien;
~ *(v.) (business)* sich lebhaft entwickeln;
~ **s. o. for an article** *(sl.)* jem. einen überhöhten Preis für einen Artikel abjagen; ~ **s. o. for money** j. dringend um Geld bitten; ~ **through an order for goods in three days** Warenauftrag in drei Tagen ausliefern; ~ **up** *(prices, US)* in die Höhe treiben;
to keep pace with the ~ **of orders** Auftragseingänge pünktlich erledigen;
~ **hour** verkehrsstarke Zeit, Verkehrsandrang, Stoß-, Hauptgeschäftszeit; **to beat the** ~ **hours** Hauptverkehrszeit umgehen; ~**-hour traffic** Spitzenverkehr; ~ **job (order)** Eilauftrag, vordringlicher Auftrag; ~ **work** schludrige Arbeit.

S

sabotage Sabotage[akt];
economic ~ Wirtschaftssabotage.
sack Sack, *(dismissal, sl.)* Entlassung, Hinauswurf;
~ *(v.)* *(dismiss)* feuern, hinauswerfen, an die Luft setzen, entlassen, Laufpaß geben, fristlos kündigen;
to get the ~ *(sl.)* gekündigt (entlassen, an die Luft gesetzt, gefeuert) werden; **to hold the** ~ **for the whole of the balance unpaid** *(fam., US)* Haftung für den unbezahlten Rechnungssaldo übernehmen.
sacrifice Verlust, *(fig.)* Verzicht, Opfer *(loss)* Gewinnverlust, Einbuße;
general average ~**s** Aufopferungen der großen Havarie;
~ **of time** Zeitaufwand;
to sell at a ~ zu jedem Preis losschlagen;
~ **price** Verlustpreis; ~ **sale** Verlustverkauf.
sacrificed goods spottbillige Waren, *(marine insurance)* aufgeopferte Güter.
safe *(bank)* Schließ-, Bank-, Stahlkammerfach, Depot, *(strong box)* Tresor, Geldschrank, Safe;
burglar-proof ~ diebessicherer Geldschrank; **fireproof** ~ feuerfester Geldschrank; **fire protection steel filing** ~ feuersicherer Panzerschrank; **fire and burglar-resisting** ~ feuer- und diebessicherer Geldschrank;
~ *(a.)* *(cautions)* solide, kein Risiko eingehend, *(secure)* wohlbehalten, gefahrlos, sicher, in Sicherheit;
as ~ **as houses** todsicher;
~ **to operate** betriebssicher; ~ **and sound** gesund und wohlbehalten;
to be ~ *(criminal)* auf Nummer sicher sein; **to be** ~ **from recognition** unerkannt bleiben; **to be** ~ **to win one's seat** sich seines Parlamentssitzes sicher sein; **to consider s. o.** ~ **for a credit of $ 4 000** j. für einen Kredit von 4 000 Dollar für gut (sicher) halten; **to keep s. th.** ~ etw. sicher aufbewahren; **to play** ~ auf Nummer sicher gehen;
~ **arrival** glückliche Ankunft; ~ **builder** Geldschrankfabrikant; **iron** ~ **clause** *(insurance business)* Safeklausel; ~ **conduct** sicheres Geleit, Schutzgeleit, *(letter of safe conduct)* Schutzbrief; **to grant s. o.** ~ **conduct** jem. freies Geleit gewähren; ~ **custodies** *(Br.)* Depotgeschäft.
safe custody sicherer Gewahrsam, *(banking, Br.)* Depotstelle, Wertpapierdepot;
in ~ in sicherem Gewahrsam;
~ **of securities** *(Br.)* Effektenverwaltung;
to assume ~ *(Br.)* Effekten verwalten;
~ **account** *(Br.)* Depotkonto, Effektendepot; ~ **charges (fees)** *(Br.)* Depot[verwaltungs]gebühr; ~ **department** *(Br.)* Depotabteilung; ~ **receipt** *(Br.)* Aufbewahrungsschein, Depotquittung; ~ **register** *(Br.)* Effektenstrazze.
safe deposit Geldschrank, Tresor, Stahlkammer, *(US)* [Bank]depot.
safe-deposit feuer-, einbruchsicher;
~ **balance** Depotguthaben; ~ **box** Schließ-, Tresor-, Stahl-, Bankfach, Safe; ~ **box insurance** Depotversicherung; ~ **company** *(US)* Gesellschaft zur Aufbewahrung von Wertgegenständen; ~ **department** Tresorabteilung; ~ **keeping** *(US)* Aufbewahrung in Stahlkammern; ~ **facilities** Schließfachmiete, *(banking, US)* Aufbewahrung in Stahlkammern; ~ **fee** Schließfach-, Aufbewahrungsgebühr; ~ **institution** Tresorvorrichtung; ~ **register** *(US)* Depotbuch; ~ **vault** Stahl-, Schließfach, Stahlkammer.
safe | **estimate** vorsichtige Schätzung; ~ **investment** [mündel]sichere Anlage; **perfectly** ~ **investment** todsichere Geldanlage; ~ **place to work** sicherer Arbeitsplatz; ~ **pledge** Kaution; **from a** ~ **quarter** aus zuverlässiger (sicherer) Quelle; ~ **undertaking** gefahrloses Unternehmen.
safeblower Geldschrankknacker.
safebreaker Geldschrankknacker.
safeguard Sicherung, Schutz, *(protection)* Schutzvorrichtung, *(safe conduct)* Paß, Schutz-, Geleitbrief; ~**s** Sicherungsklauseln;
~ *(v.)* **an industry** Schutzzölle für einen Industriezweig festsetzen; ~ **against losses** gegen Verluste sicherstellen.
safeguarding | **of credits** Kreditsicherstellung; ~ **of the currency** Währungssicherung;
≗ **of Industry Act** *(Br.)* Gewerbeschutzgesetz;
~ **duty** *(Br.)* Schutzzoll.
safekeeper Verwahrer.
safekeeping sichere Aufbewahrung, Verwahrung, Gewahrsam, *(bank)* Depot[aufbewahrung];
to give money to the bank for ~ sein Geld einer Bank anvertrauen; **to have jewels in** ~ Schmuck im Tresor haben.
safemaker Geldschrankfabrikant.
safeman Geldschrankfabrikant.
safety Sicherheit, Schutz, Gefahrlosigkeit;
road ~ Verkehrs-, Straßensicherheit;
~ **in operation (service)** Betriebssicherheit;
to endanger the ~ **of the workmen** nicht für genügend Schutzvorrichtungen für die Arbeiter sorgen;
~ **belt** Rettungsgürtel, *(car)* Anschnallgürtel; ~ **box** Panzerschrank; ~ **car** den Sicherheitsbestimmungen gerecht werdendes Auto; ~ **clause** *(life insurance)* Nachschußklausel bei Versicherungsvereinen auf Gegenseitigkeit; ~ **education** Verkehrserziehung; ~ **factor** Sicherheitsfaktor; ~ **film** nicht brennbarer Film; ~ **fund** Reservefonds, *(banking)* Mindestreserven; ~ **hazard** Sicherheitsrisiko; ~ **inspection of facto-**

ries gewerbepolizeiliche Überprüfung der Betriebssicherheit; ~ **island (isle)** Verkehrsinsel; ~ **load** zulässige Belastung; **to qualify under the new ~ regulations** den neuen Sicherheitsvorschriften entsprechen; ~ **vault** Panzergewölbe, Stahlschrank; ~ **zone** *(pol.)* Sicherheitszone, *(traffic)* Fußgängerüberweg, Zebrastreifen, Verkehrsinsel.

sag *(price)* vorübergehende Preisdepression, *(stock market)* Baisse;
~ *(v.)* *(prices)* nachgeben, gedrückt sein, sinken, abflauen, sich abschwächen.

sagging *(stock market)* Baisse;
~ **of the Franc** Nachgeben des Franckurses; ~ **of the market** Kursabschwächung;
~ *(a.)* abgeschwächt;
~ **market** abgeschwächter Markt, nachgebende Kurse; ~ **prices** sinkende Kurse.

sail *(v.)* *(of goods)* zur See befördert werden, *(ship)* in See stechen, abgehen;
expected to ~ voraussichtliche Abfahrt;
~ **to schedule** fahrplanmäßig auslaufen;

sailing Abfahrt, Auslaufen;
arrival and ~ Ankunft und Abfahrt;
~ **card** Verladeanweisung; ~ **date** *(ship)* Abfahrtszeit; ~ **line** Seeschiffahrtslinie; ~ **list** Fahrplan; ~ **orders** Abfahrtsbefehl.

salable verkäuflich, *(marketable)* absatz-, marktfähig, absetz-, gang-, umsetzbar, einschlagend;
~ **price** gängiger Preis; ~ **stock** börsengängige Papiere; ~ **type** gängiger Typ.

salableness, salability Verkäuflichkeit, Gangbarkeit.

salaried festes Gehalt beziehend, fest angestellt, besoldet;
high-~ hoch bezahlt;
~ **basis** Gehaltsbasis; ~ **classes** Gehaltsempfänger[schicht]; ~ **clerk** Büroangestellter; ~ **employee** *(Br.)* Gehaltsempfänger, Angestellter; ~ **group** Angestelltenklasse; ~ **man** Angestellter, Gehaltsempfänger; ~ **office** besoldetes Amt; ~ **officer** Angestellter; **high-~ officials** hochbezahlte Angestellte; ~ **personnel** Gehaltsempfänger; ~ **post (position)** Angestelltenposition.

salaries, actually earned Effektivbezüge; **executive** ~ Gehälter leitender Angestellter;
~ **of staff** Belegschaftsgehälter.

salary Gehalt, Besoldung, Dienstbezüge, Lohn, Salär;
accrued ~ Gehaltsrückstände; **advance** ~ Gehaltsvorschuß; **agreed-upon** ~ vereinbartes Gehalt; **annual** ~ Jahresgehalt; ~ **appendant to a position** mit einer Stellung verbundenes Gehalt; **commencing** ~ Anfangsgehalt; **basic** ~ Grundgehalt; ~ **expected** *(advertisement)* Gehaltsansprüche; **fixed** ~ Fixum, festes Gehalt; **flat** ~ Pauschalgehalt; **gross** ~ Bruttogehalt; **high** ~ hohes Gehalt; **increasing** ~ steigendes Gehalt; **initial** ~ Anfangsgehalt; ~ **required** *(advertisement)* Gehaltsansprüche, -wünsche; **respectable** ~ anständiges Gehalt; **stating** ~ *(advertisement)* Gehaltsangabe; **starting** ~ Anfangsgehalt; **straight** ~ festes Gehalt; **tax-free** ~ steuerfreies Gehalt; **top[level]** ~ Spitzengehalt; **weekly** ~ Wochenlohn;
~ **by arrangement** Gehalt nach Vereinbarung; ~ **and other emoluments** Gehalt und andere Bezüge; ~ **of a member of Parliament** Aufwandsentschädigung eines Abgeordneten, Diäten; ~ **no object** *(newspaper)* Gehalt ist Nebensache;
~ *(v.)* Gehalt bezahlen, besolden;
to apply for a boost (increase, rise) in ~ um Gehaltserhöhung einkommen; **to appoint (fix) a** ~ Gehalt auswerfen (festlegen); **to carry an attractive** ~ mit gehobeneren Gehaltsansprüchen verbunden sein; **to depend on one's** ~ auf sein Gehalt angewiesen sein; **to draw a** ~ Gehalt beziehen; **to draw one's** ~ sein Gehalt abheben; **to draw a fixed** ~ fest angestellt sein; **to earn a good** ~ gutes Gehalt haben; **to give s. o.** ~ jem. Gehalt zahlen, jem. besolden; **to increase a** ~ zum Gehalt zulegen, Gehalt erhöhen; **to live on a small** ~ von einem kleinen Gehalt leben; **to pay a** ~ besolden, Gehalt zahlen; **to pay s. one's ~ in full** jds. Gehalt voll ausbezahlen; **to raise a** ~ [Gehalts]zulage gewähren, am Gehalt zulegen; **to receive a** ~ Gehaltsempfänger sein;
~ **account** Gehaltskonto; ~ **adjustment** Gehaltsangleichung; ~ **advance** Gehaltsvorschuß; ~ **arrears** Gehaltsrückstand; ~ **bonus** Gehaltszulage; ~ **bracket** Gehaltsstufe; ~ **check** *(US)* Gehaltsscheck; ~ **class** Gehalts-, Besoldungsgruppe; ~ **classification** Gehaltseinstufung; ~ **compensation** festes Honorar; ~ **conditions** Besoldungsverhältnisse; ~ **cut** Gehaltskürzung; ~ **decrease** Gehaltskürzung; **demotional ~ decrease** Gehaltskürzung infolge anderer Einstufung; ~ **demand** Gehaltsanspruch, -forderung; ~ **differential** Gehaltsgefälle; ~ **earner** Gehaltsempfänger; ~ **expense** Gehälterunkosten; ~ **figures** Gehaltsziffern; ~ **fund** Gehälterfonds; ~ **grade** Gehaltsstufe, -klasse, Besoldungsstufe; ~ **group** Gehalts-, Besoldungsgruppe; ~ **hike (increase)** Gehaltserhöhung, -verbesserung; **automatic ~ increase** automatische Gehaltserhöhung; **promotional ~ increase** mit einer Beförderung verbundene Gehaltserhöhung; ~ **level** Gehaltsniveau; **present ~ level** augenblickliche Bezüge; ~ **list** Besoldungsliste; ~ **open** *(advertising)* Gehalt ist Verhandlungssache; ~ **problem** Gehaltsfrage; ~ **proportion** Gehaltsanteil; ~ **range** Gehaltsrahmen; ~ **rate** Besoldungssatz; ~ **requirements** Gehaltsansprüche, -forderungen; ~ **research unit** Team zur Erforschung der Gehälter; ~ **review** Gehaltsübersicht; ~ **rise** Gehaltssteigerung; ~ **roll** Gehälter-, Besoldungsliste, Gehaltsabrech-

nung; ~ **scale** Gehaltsskala, -stufe, Besoldungsordnung; ~ **a secondary consideration** *(advertisement)* Gehalt ist Nebensache; ~ **slip** Gehaltsstreifen; ~ **structure** Gehaltsrahmen; ~ **supplements** zusätzlich zum Gehalt gewährte Vergütungen; ~ **system** Gehaltssystem.

sale Verkauf, *(alienation)* Veräußerung, *(agreement)* Kaufvertrag, *(clearance sale)* Inventur-, Saisonaus-, Saisonschlußverkauf, *(distribution)* Vertrieb, [Markt]absatz, Markt, *(public auction)* [öffentliche] Versteigerung, Auktion;
~**s** *(balance sheet)* Abgänge, *(turnover)* Umsatz, Absatz, Abschlüsse;
at the time of ~ beim [Ver]kauf[s]abschluß; **by private** ~ unter der Hand, aus freier Hand; **for (on)** ~ zum Verkauf, zu verkaufen, [ver]käuflich, feil; **for** ~ **to the highest bidder** dem Höchstbietenden zustehend; **no** ~**s** ohne Umsatz, umsatzlos; **not for** ~ unverkäuflich; **on** ~ **or return** auf Kommissionsbasis, mit Rückgaberecht; **slow of** ~ schlecht verkäuflich; **subject to prior** ~ Zwischenverkauf vorbehalten;
absolute ~ bedingungsloser Verkauf; **accrued** ~**s** getätigte Verkäufe; **adjourned** ~ aufgeschobene Auktion; **advance** ~ Vorverkauf; **aggregate** ~**s** Gesamtverkäufe, -umsatz; **annual** ~ Jahresumsatz; **bargain** ~ Gelegenheitskauf, *(advertising)* Reklameverkauf; **bearish** ~ Leerabgabe; **bogus** ~ betrügerischer Verkauf; **brisk** ~**s** gute (flotte) Umsätze; **bulk** ~ Verkauf in Bausch und Bogen; **cash** ~ Barverkauf, Verkauf gegen bar, *(stock exchange)* Kassageschäft; **casual** ~ Gelegenheitsverkauf; **catalog(ue)** ~ Verkauf auf Grund übersandten Katalogs, Versandgeschäft; **certified net** ~ beglaubigter (wirklicher) Nettoverkauf; **charge** ~ Verkauf gegen Kredit, Kreditverkauf; **clear[ance] (cheap)** ~ Ausverkauf; **close-out** ~ Schluß-, Ausverkauf; **closing-down** ~ Räumungsverkauf; **commodity** ~ Warenverkauf; **compulsory** ~ Zwangsversteigerung, -verkauf; **conditional** ~ Verkauf unter Eigentumsvorbehalt; **consignment** ~ Kommissions-, Konsignationsverkauf; **consolidated outside** ~ *(balance sheet)* Umsatz an die Kundschaft; **countermanded** ~ rückgängig gemachter Kauf; **credit** ~ Kreditverkauf, Verkauf auf Ziel; **direct** ~ freihändiger Verkauf, Direktverkauf; **distress** ~ Notverkauf gepfändeter Gegenstände; **dull** ~**s** langsamer Verkauf, *(stock exchange)* matte Verkäufe; **duty-paid** ~ Verkauf nach erfolgter Verzollung; **executed** ~ Kauf mit Eigentumsübergang; **execution** *(US)* ~ Zwangsversteigerung; **executory** ~ [Ver]kauf unter Eigentumsvorbehalt, Bedingungskauf; **external** ~**s** *(balance sheet)* Umsatz an die Kundschaft; **fair** ~ ordnungsgemäß durchgeführte Versteigerung; **fictitious** ~**s** fingierter Umsatz; **final liquidation** ~ Zwangsverkauf; **forced** ~ **[by order of the court]** [gerichtlich angeordnete] Zwangsversteigerung; **forward** ~ Verkauf auf Lieferung, Terminverkauf; **fraudulent** ~ betrügerischer Verkauf; **going-out-of-business** ~ Totalausverkauf; **gross** ~**s** Bruttoumsatz, -erlös; **heavy** ~ schlechter Absatz, *(stock market)* größere Abgaben; **hedging** ~ Deckungsverkauf; **home** ~**s** Inlandsverkäufe; **illegal** ~**s** verbotene Geschäfte; **important** ~**s** Massenabsatz; **instal(l)ment** ~ Abzahlungsgeschäft, Verkauf gegen Ratenzahlung; **intercompany** ~**s** Umsätze nerhalb eines Konzerns, konzerneigene Verkäufe, Konzernumsatz; **inventory** ~ Inventurausverkauf; **judicial** *(Scot., US)* vom Gericht angeordneter Verkauf, Zwangsversteigerung; **large** ~**s** großer Absatz, große Umsätze; **losing** ~ Verlustverkauf; **mail-order** ~ *(US)* Verkauf auf Grund übersandten Katalogs, Versandgeschäft; **matched** ~**s** *(stock exchange)* gekoppelte Börsengeschäfte; **memorandum** ~ Kommissionsverkauf; **money** ~ Barverkauf; **net** ~**s** Nettoumsatz; **new-car** ~**s** Neuwagengeschäft; **offhand** ~ freihändiger Verkauf; **open** ~ Blankoverkauf; **open-market** ~ **s** Verkäufe am offenen Markt; **overall** ~**s** Gesamtumsatz; **panic** ~ Angstverkauf; **private** ~ freihändiger Verkauf; **profit-taking** ~ [Verkauf zwecks] Gewinnrealisierung, Sicherungsverkauf; **pro-forma** ~ Scheinverkauf; **public** ~ öffentliche Versteigerung, Auktion; **qualified** ~ Konditions[ver]kauf; **quick** ~ rascher Umschlag; **rapid** ~**s** reißender Absatz; **ready** ~ rascher Verkauf, schlanker Absatz; **remnant** ~ Restverkauf; **repeat** ~ Kauf auf Grund von Erinnerungswerbung; **retail** ~**s** Einzelhandelsumsätze; **rising** ~**s** Umsatzsteigerungen; **ruinous (sacrifice)** ~ Verlustverkauf; **rummage** ~ Ramschverkauf; **seasonal** ~ Schluß-, Saisonausverkauf; **second-hand** ~ Kauf aus zweiter Hand; **sham** ~ Schein-, Verkauf pro forma; **sheriff** ~ *(Br.)* Zwangsversteigerung; **shore** ~ *(stock exchange, US)* Leerverkauf, Verkauf ohne Deckung, Blankoverkauf, -abgabe; **slow** ~**s** langsamer Absatz; **split** ~ *(stock exchange)* Verkauf zu verschiedenen Zeiten und zu verschiedenen Preisen; **spring** ~ Schlußverkauf im Frühling; **summer** ~**s** Sommerschlußverkauf; **tax** ~ Verkauf zur Bezahlung von Steuern; **tie-in** ~ Kuppelungsgeschäft; **time** ~ Kauf auf Zeit, Zeitkauf; **total** ~**s** Gesamtumsatz; **uncovered** ~ Verkauf ohne Deckung; **under-the-counter** ~ Verkauf unter dem Ladentisch; **unrestricted** ~ unbehinderte (unkontrollierte) Verkäufe; **used-car** ~**s** Gebrauchtwagenverkäufe, -umsatz; **voluntary** ~ freihändiger Verkauf; **wash** ~ Börsenscheingeschäft; **weekend** ~ Wochenendumsätze; **white** ~ weiße Woche; **winter** ~ Winterschlußverkauf;
bargain and ~ Kaufvertrag;
~ **on account** Verkauf auf Rechnung; ~ **for the account** *(stock exchange, Br.)* Verkauf für zu-

künftige Lieferung; ~ **on approval** Kauf zur Probe; ~**s to arrive (on arrival)** Verkauf auf Ankunft, Transitwarenverkauf; ~ **by auction** Verkauf im Wege der Versteigerung; ~ **per aversionem** *(lat.)* Verkauf in Bausch und Bogen; ~ **by sealed bids** Submissionsverkauf; ~ **to the highest bidder** Zuschlag an den Meistbietenden; ~ **ex bond** Verkauf ab Zollager; ~ **by the bulk** Verkauf in Bausch und Bogen, Partie-, Bauschverkauf; ~ **of chattels** Verkauf beweglicher Sachen; ~ **on commission** Kommissionsverkauf, kommissionsweiser Verkauf, Verkauf auf Kommissionsbasis; **total** ~**s of the consolidated companies** Gesamtumsatz der in den konsolidierten Jahresabschluß einbezogenen Gesellschaften; ~ **by private contract** freihändiger (privatrechtlicher) Verkauf; ~ **per copy** *(newspaper)* Einzelverkauf; ~ **below cost** Schleuderverkauf, Abgabe unter Selbstkostenpreis; ~ **on credit** Terminverkauf; ~ **on delivery** Terminverkauf; ~ **for prompt delivery** Verkauf zur sofortigen Lieferung; ~ **by description** Gattungskauf; ~ **with all faults** Verkauf wie es steht und liegt; ~ **for forward (future) delivery** Verkauf auf Lieferung (Zeit), Termin[ver]kauf; ~ **of goods** Waren-, Güterverkauf, Warenabsatz, Handelskauf; ~ **of ascertained goods** Spezieskauf; ~ **of unascertained goods** Gattungskauf; ~ **in gross** Partieverkauf, Verkauf in Bausch und Bogen; ~ **on inspection** Kauf nach Besichtigung; ~ **of land** Grundstücks[ver]kauf; ~**s transacted at large** Warenvertrieb im großen; ~ **of a licence** Lizenzverkauf; ~**s of loans** Anleiheverkäufe, -absatz; ~ **in lots** Verkäufe in Partien, Partieverkauf; ~ **of luxuries** Luxusgütervertrieb; ~ **on the open market** freihändiger Verkauf, Freihandelsverkauf; ~ **with option of repurchase** Verkauf mit Rückkaufsrecht; ~ **with right of redemption** Verkauf mit Rückkaufsrecht; ~ **by order of the court** gerichtliche Versteigerung, Zwangsverkauf; ~**s to others** *(balance sheet)* Verkäufe an Dritte; ~ **to pattern** Verkauf nach Muster; ~ **of personalty (personal property)** Verkauf beweglicher Sachen; ~ **of property** Veräußerung von Vermögensgegenständen, Immobilienverkauf; ~ **of provisions** Lebensmittelverkauf; **direct** ~ **to the public** *(stock exchange)* freihändiger [Effekten]verkauf; ~ **of real property (realty)** Grundstücks[ver]kauf, Verkauf von Grundbesitz; ~ **at retail** Einzelhandels-, Detail-, Kleinhandelsverkauf, Verkauf zu Einzelhandelspreisen; ~ **on return** Verkauf mit Rückgaberecht, Kommissionsgeschäft, -verkauf, ~ **with right of redemption** Verkauf mit Rückkaufsrecht; ~ **by sample** Kauf nach Probe (Muster); ~**s made on the basis of samples** auf Grund von Warenproben getätigte Verkäufe; ~**s of securities** Begebung von Wertpapieren, Wertpapier-, Effektenverkäufe; ~ **of services** entgeltliche Dienstleistung; ~ **of shares** Vertrieb von Anteilen (Aktien); ~ **for the settlement** *(Br.)* Terminverkauf; ~ **to specification** Spezifikationsverkauf; ~**s on speculation** Meinungsverkäufe; ~ **on the spot** Platzverkauf, Verkauf an Ort und Stelle; ~ **on the deferred payment system** *(US)* Abzahlungsgeschäft; ~ **by [sealed] tender** Submissionsverkauf; ~ **on trial** Verkauf zur Probe; ~ **at a valuation** Spezifikations-, Bestimmungskauf; ~ **of work** Verkauf zu Wohltätigkeitszwecken;

to achieve world-wide ~ weltweiten Absatz haben; **to attend a** ~ bei einem Verkauf mitwirken; **to avoid a** ~ Verkauf widerrufen; **to be dull of** ~ sich schwer verkaufen lassen; **to be entrusted with the** ~ **of. s. th.** mit dem Verkauf einer Sache beauftragt sein; **to be exposed for** ~ zum Verkauf aufliegen; **to be for** ~ verkäuflich sein, zum Verkauf ausstehen; **to be of quick** ~ schnell (reißend) Absatz finden; **to be of slow** ~ langsam umgesetzt werden; **to buy goods at the** ~**s** Waren auf einer Auktion (im Ausverkauf) kaufen; **to close (consummate) a** ~ Verkauf abschließen (tätigen); **to conclude a** ~ Handel abschließen; **to effect a** ~ realisieren, Kauf abschließen; **to exhibit for** ~ zum Verkauf ausstellen; **to find a quick (ready)** ~ guten (schnellen) Absatz finden; **to find no** ~ keinen Absatz finden, nicht untergebracht werden können, sich nicht verkaufen lassen; **to go on** ~ zum Verkauf gelangen; **to help** ~**s** sich umsatzsteigernd auswirken; **to increase** ~**s** Absatz fördern, Umsatz steigern; **to make more** ~**s** größere Umsätze tätigen; **to make** ~ **of a thing** Verkauf einer Sache bewirken; **to make** ~**s on credit to retail customers** seinen Einzelhandelskunden Warenkredit einräumen; **to meet with a [ready]** ~ [guten] Absatz finden, sich leicht (gut) verkaufen [lassen]; **to offer for** ~ zum Verkauf anbieten; **to push** ~**s** Absatz vorantreiben; **to put to** ~ zum Verkauf bringen; **to put up (set out) for** ~ feilbieten, meistbietend verkaufen, zum Verkauf stellen; **to rack up big** ~**s** dick verdienen; **to rescind a** ~ Verkauf rückgängig machen; **to ring up the** ~ Betrag registrieren; **to roll up the** ~**s** Umsatz steigern, Umsatzsteigerung erzielen; **to take** ~**s well** *(market)* Verkäufe gut (glatt) aufnehmen;

on ~**, owner retiring from business** wegen Geschäftsaufgabe zu verkaufen;

~ **board** Verkaufsschild; ~ **catalog(ue)** Verkaufskatalog; ~ **contract** Verkaufsvertrag; ~ **goods** Ramschwaren; ~**-lease back** *(US)* Erwerb von Anlagegütern im Leasingverfahren; ~ **note** *(broker, US)* Schlußnote; ~ **price** [Aus]verkaufspreis; ~ **ring** *(auction)* Käuferring, Aufkäufergruppe; ~ **room** *(Br.)* Verkaufsraum, *(auction)* Auktionslokal; ~ **value** Verkaufswert; ~ **wares** Waren.

salegoer Käufer.

sales | **ability** Verkaufsbegabung; ~ **account** Warenausgangs-, Verkaufskonto, *(advertising agency)* Kunde, Kundenetat, *(commission)* Verkaufsrechnung; ~ **activity** Verkaufstätigkeit, -aktivität; ~ **administration** Vertriebsapparat; ~ **agency** Absatzvertretung, Verkaufsagentur, -organisation; ~ **agent** *(US)* Handels-, [General]vertreter; **travelling** ~ **agent** *(US)* Handlungs-, Geschäftsreisender; ~ **agreement** Kaufvereinbarung, -vertrag; **conditional** ~ **agreement** Kaufvertrag mit Eigentumsvorbehalt; ~ **aid** Verkaufsunterstützung; ~ **allowance** [Verkaufs]rabatt; ~ **analysis** Verkaufsanalyse; ~ **angle** Kaufgesichtspunkt; ~ **appeal** Verkaufsappell; ~ **approach** Verkaufsgesichtspunkt, -politik; **[narrow]** ~ **area** [beschränktes] Absatzgebiet (Verkaufsgebiet); ~ **argument** Verkaufsargument; ~ **association** Vertriebs-, Verkaufsgesellschaft; **industrial** ~ **background** industrielle Verkaufserfahrungen; ~ **ban** Verkaufsverbot; ~ **base** Verkaufsbasis, -grundlage; ~ **bill [of exchange]** Verkaufstratte; ~ **book** Ausgangsfakturen-, [Waren]verkaufsbuch; ~ **booth** Verkaufsstand, -bude; ~ **branch** Verkaufsfiliale, -niederlassung; **manufacturer's** ~ **branch** fabrikeigenes Ladengeschäft; ~ **bulletin** Kundenzeitschrift; ~ **call** Vertreter-, Kundenbesuch; ~ **call costs** Vertreterbesuchskosten; ~ **campaign** Verkaufskampagne, -aktion, -feldzug, Werbe-, Absatzfeldzug; ~ **cancellation** Verkaufsstornierung; ~ **capacity** Vertreter-, Verkäufertätigkeit; ~ **cartel** Absatz-, Rayonierungskartell; ~ **channel** Vertriebsweg, -kanal; ~ **charge** Abschlußgebühr; ~ **chart** Umsatzkurve in graphischer Darstellung; ~ **check** *(US)* Kassenzettel, -beleg, -quittung, Verkaufsscheck; ~ **classification** Absatzgliederung; ~ **club** Verkäufervereinigung; ~ **combine** Absatz-, Vertriebsgemeinschaft; ~ **commission** Verkaufs-, Abschlußprovision; ~ **committee** Absatz-, Vertriebsausschuß; ~ **company** Vertriebsgesellschaft; ~ **consultant** Vertriebs-, Verkaufsberater; ~ **contest** Verkaufswettbewerb; ~ **contract** Kaufvertrag; **conditional** ~ **contract** Verkauf unter Eigentumsvorbehalt; ~ **control** Verkaufs-, Absatzkontrolle; ~ **check control** Kassenzettelkontrolle; ~ **convention** Absatztagung; ~ **cost** Absatz-, Vertriebskosten; ~ **correspondent** Korrespondent; ~ **crisis** Absatzkrise, Umsatztief, -krise; ~ **curve** Absatzdiagramm, Absatz-, Verkaufs-, Umsatzkurve; **to stem the downward** ~ **curve** weiteres Absinken der Umsatzkurve verhindern; ~ **demonstration** Verkaufsvorführung; ~ **devices** Vertriebseinrichtungen; ~ **department** Verkaufs-, Vertriebsabteilung; ~ **difficulties** Verkaufsschwierigkeiten; ~ **dip** Verkaufs-, Umsatzrückgang; ~ **discount** Kunden-, Verkaufsrabatt; ~ **display** [Verkaufs]auslage; ~ **drive** Hochdruckverkauf, Verkaufsvorstoß, verstärkter Werbeeinsatz; ~ **effort** verstärkte Absatzbemühung, Verkaufsanstrengungen; **total** ~ **effort of a company** gesamter Firmenabsatz; ~ **engineer** Verkaufsingenieur, technischer Kaufmann; ~ **estimate** Absatzkalkulation, Umsatzschätzung; ~ **etiquette** Berufsethos beim Verkaufen; ~ **event** verkaufsförderndes Ereignis, spezieller Verkaufsanlaß; ~ **executive** für den Verkauf verantwortliches Vorstandsmitglied, Verkaufsleiter; ~ **expectancy** erwartete Verkaufserfolge, Umsatz-, Verkaufserwartung; ~ **expenses** Verkaufsunkosten, Vertriebskosten; ~ **experience** Verkaufserfahrung; ~ **figures** Verkaufsziffern, Absatzzahlen, -ziffern, Umsatzzahlen, -werte; **foreign** ~ **figures** Außenhandelsziffern; ~ **finance company** Absatzfinanzierungsgesellschaft; ~ **floor** Verkaufsfläche; ~ **fluctuations** Absatz-, Umsatzschwankungen; ~ **force** *(US)* Verkäufer, Verkaufspersonal, -mannschaft, Verkäufer-, Vertreter-, Absatzstab; ~ **and service force** Verkaufs- und Kundendienstnetz; ~ **forecast[ing]** Absatzprognose, -vorausschätzung, Verkaufsvoraussage; ~ **frequency** Umsatz-, Umschlagsgeschwindigkeit; ~ **gains** Absatzsteigerungen, Umsatzgewinne; ~ **gimmicks** *(US sl.)* Verkaufstrick; ~ **group** Vertriebs-, Verkaufsgemeinschaft; ~ **guaranty** Umsatz-, Absatzgarantie; ~ **impact** *(advertising)* Wirkungsgrad; ~ **inducement** Kaufanreiz; ~ **interview** Verkaufsinterview; ~ **invoice** Verkaufsrechnung; ~ **journal** Verkaufsbuch, -journal; ~ **jump** sprungartiger Umsatz-, Absatzanstieg; ~ **kit** *(US)* Verkaufsausrüstung, Werbematerial [eines Reisenden], Verkaufsförderungsmaßnahmen; ~ **lady** Verkäuferin; ~ **lag** Verkaufslücke; ~ **leap** sprungartig angestiegener Umsatz; ~ **ledger** Debitorenbuch; ~ **letter** Werbebrief, -schreiben; ~ **licence** Übernahmeschein; ~ **limit** Umsatz-, Absatzgrenze; ~ **literature** Verkaufsprospekt, -literatur; ~ **load** *(investment trust)* Verkaufsspesen; ~ **location** Verkaufsgelände; ~ **management** Verkaufsleitung; ~ **manager** Verkaufsleiter-, direktor, Repräsentant; **divisional** ~ **manager** Bezirksleiter; **district** ~ **manager** Bezirksverkaufsleiter; **export** ~ **manager** Exportleiter; ~ **manual** Handbuch für Verkäufer, Verkaufshandbuch; ~ **marketing conference** Absatzgremium; ~ **measures** Verkaufsaktivitäten; ~ **meeting** Vertretertagung, Verkäuferschulung; ~ **message** Verkaufsaussage, Werbebotschaft; ~ **method** Absatz-, Vertriebs-, Verkaufsmethode; **~-minded** umsatz-, absatzbewußt; ~ **mission** Verkaufsdelegation; ~ **mix** *(US)* Verkaufsmischung, Sortiment; ~ **monopoly** Absatz-, Vertriebsmonopol; ~ **note** *(US)* Schlußnote; **conditional** ~ **note** zur Sicherung des Eigentumsvorbehaltes ausgestellte Urkunde; ~ **notice** Verkaufshinweis; ~ **objective** Umsatz-, Verkaufsziel; ~ **offer** Verkaufsofferte, -angebot; ~ **office** Verkaufsbüro, -stelle; **to beef up one's** ~ **operations** seine Verkaufsanstrengungen verstärken; ~ **opportunity** Absatzmöglichkeit, -chance; ~ **order** Verkaufsauftrag, -order; ~ **organization** Absatz-, Vertriebsorganisation, Vertriebsapparat, Verkaufsorganisation, *(subsidiary)* Vertriebsgesellschaft; **subsidiary** ~ **organization** Verkaufsorganisation einer Tochtergesellschaft; ~ **organizer** Verkaufsorganisator; ~ **outlet** Vertriebs-, Verkaufsstelle; ~ **outlook** Verkaufsaussichten; **allocated** ~ **overhead expenses** verrechnete Vertriebsgemeinkosten; ~ **package** Verkaufspackung; ~ **people** *(US)* **(personnel)** Verkaufspersonal, Verkäufer, Absatzstab; **to hire extra** ~ **people** zusätzliches Verkaufspersonal einstellen; ~ **percentage** Umsatzprovision; ~ **performance** Verkaufstätigkeit, -durchführung; ~ **permit** Veräußerungsgenehmigung; ~ **person** Verkäufer; ~ **pitch** Verkaufserfolg eines Verkäufers; ~ **planning** Verkaufs-, Umsatzplanung; ~ **plus** Verkaufsplus; ~ **policy** Vertriebs-, Absatz-, Verkaufspolitik; ~ **position** Absatzlage, *(employer)* Verkaufsstellung; ~ **possibilities** Markt-, Absatzchancen; ~ **potential** Absatz-, Verkaufspotential; ~ **premium** Umsatz-, Abschlußprämie; ~ **price** Verkaufs-, Kaufpreis; **net** ~ **proceeds** [Verkaufs]reinerlös; ~ **process** Verkaufsvorgang; **to speed up the** ~ **process** Absatzbeschleunigung herbeiführen, für beschleunigten Umsatz Sorge tragen; ~ **profit** Gewinn aus Veräußerungen, Veräußerungsgewinn, Verkaufserlös; ~**-profit ratio** Verhältnis Gewinn zu Umsatz; ~ **prohibition** Veräußerungsverbot; ~ **projection** Absatzplan; ~ **promoter** Verkaufsförderer; ~ **promotion** Vertriebs-, Verkaufs-, Absatzförderung, Absatzsteigerung; ~ **promotion agency** Absatzvertretung; ~ **promotion aids** Mittel der Verkaufsförderung; ~ **promotion budget** Verkaufsförderungsetat; ~ **promotion campaign** Verkaufsförderungsaktion; ~ **promotion manager** Leiter der Verkaufsförderung; ~ **promotion techniques** Absatzförderungsverfahren; ~ **promotional efforts (practices)** Anstrengungen (Maßnahmen) zur Absatzsteigerung; ~ **proportion** Absatzquote; ~ **prospects** Vertriebs-, Verkaufs-, Absatzchancen, Absatz-, Vertriebsaussichten; ~ **psychology** Verkaufspsychologie; ~ **publicity** Verkaufswerbung; ~ **push** Verkaufsanstrengungen; ~ **quota** Absatz-, Verkaufskontingent, Sollvorgaben im Verkauf; ~ **record** Kassenbeleg, Verkaufsunterlage; ~ **records** hervorragende Verkaufsergebnisse; ~ **region** Vertretergebiet; ~ **register** Verkaufsbuch; ~ **report** Verkaufsabschluß; ~ **representation** Verkaufsaktion; **to deliver a** ~ **representation** Verkaufsaktion durchführen; **to streamline one's** ~ **representations** nach modernsten Methoden verkaufen; **to tailor one's** ~ **representation** sein Verkaufsprogramm darauf abstellen; ~ **representative** Verkäufer, [Handels]vertreter, Reisender; ~ **research** Verkaufs-, Absatzforschung; ~ **resistance** Kaufabneigung, -unlust; **to meet with considerable** ~ **resistance** es mit schwierigen Kunden zu tun haben; ~ **result** Absatz-, Umsatzergebnis; ~ **return** Retourwaren; ~ **revenue** Gesamtverkaufseinnahmen, gesamtes Absatzergebnis; ~ **room** Verkaufsraum, *(auction)* Auktionslokal; ~ **sheet** Verkaufsbescheinigung; ~ **shipment** Versendungsverkauf; **on the** ~ **side** auf der Verkaufsseite; ~ **situation** Absatz-, Marktlage; ~ **slip** Kassenschein, -beleg; ~ **slump** rückläufige Verkaufsergebnisse; **spring** ~ **sprint** frühjahrsbedingter Absatzanstieg; ~ **staff** Verkaufspersonal, Absatzstab; ~ **statistics** Umsatzstatistik; **to map out** ~ **strategy** strategischen Verkaufsplan ausarbeiten; ~ **supervision** Verkaufsüberwachung; ~ **supervisor** Verkaufsleiter, Außenrevisor; ~ **syndicate** Vertriebs-, Verkaufs-, Absatzgemeinschaft; ~ **talk** Verkaufsgespräch, *(fig.)* Überredungskünste; ~ **target** Verkaufsziel; ~ **tax** *(US)* Umsatzsteuer; ~**-tax refund** Umsatzsteuerrückvergütung; ~ **team** Verkaufsgruppe; ~ **terms** *(US)* Verkaufs-, Absatz-, Vertriebsbedingungen; ~ **territory** Absatz-, Verkaufsgebiet; ~ **test** Testmarktaktion; ~ **ticket** *(US)* Kassenschein, -beleg, -zettel, Verkaufszettel; ~ **tool** Verkaufshilfe; ~ **trainee** Verkaufspraktikant; ~ **training** Verkaufsschulung; ~ **training course** Verkaufsausbildungskursus; ~ **training group** Schulungsgruppe für Verkäufer; ~ **training program(me)** Ausbildungsprogramm für Verkaufsleiter; ~ **transaction** Verkaufstransaktion; ~ **trend** Umsatzentwicklung, Absatztendenz; ~ **trip** Verkaufs-, Vertretertour; ~ **value** Verkaufswert; ~ **vigo(u)r** Verkaufsleistung, Wirksamkeit der Verkaufstätigkeit; ~ **volume** Umsatz-, Absatz-, Verkaufsvolumen, Kapitalumschlag; ~ **volume rate** Umschlagshäufigkeit des Kapitals, Kapitalumschlagshäufigkeit; ~ **warrant** Kassenschein, -beleg; ~ **week** Verkaufswoche; ~ **year** Verkaufsjahr.

salesclerk *(US)* [angestellter] Verkäufer.

salesfolder illustrierter Klappprospekt, Verkäufermerkblatt.

salesgirl Ladenmädchen, Verkäuferin.

salesman Kaufmann, *(US)* [Laden]verkäufer, *(broker)* Effektenmakler, *(wholesaler)* [Groß]-händler;

carpet-bagging ~ unseriöser Vertreter; **high-cost** ~ hochqualifizierter Verkäufer; **professional** ~ Vertriebsfachmann im Angestelltenverhältnis, festangestellter Reisender; **star** ~ Spitzenverkäufer; **travelling** ~ Geschäfts-, Provisionsreisender;

salesmanship Kunst des Verkaufens, Verkaufsgewandtheit;

high-pressure ~ zielbewußte Verkaufsmethode; **unfair** ~ unlautere Verkaufspraktiken.

salesperson Verkäufer.
salon Salon, *(exhibition)* Ausstellungsraum.
saloon Saal, Halle, *(bar, Br.)* Bar[raum], *(ship)* Salon, *(US)* Gastwirtschaft, Kneipe, Spelunke; **dining** ~ *(ship)* Speisesaal; **seven-seater** ~ siebensitzige Familienkutsche;
~ **car** *(Br.)* Luxuswagen, Limousine, *(railroad, US)* Salonwagen; ~ **anti-~ league** *(US)* Blaukreuzlerverein; ~ **train** Luxuszug.
saloonkeeper *(US)* Gastwirt, Kneipier.
salt *(v.)* **an account** gepfefferte Rechnung ausstellen; ~ **away a lot of money** viel Geld auf die hohe Kante legen; ~ **away part of one's salary** Teil seines Gehaltes sparen; ~ **the books** Geschäftsbücher frisieren.
salutation Grußformel, *(letter)* Begrüßungsformel.
salvage *(dues)* Bergelohn, *(fire insurance)* Wert der geretteten Waren, *(property saved)* gerettetes Gut, Bergungsgut, *(recovery of waste)* [Abfall]verwertung, Wiedergewinnung, *(residual, US)* Restwert, *(saving)* Bergung, Rettung, *(welfare work)* soziale Rettungsarbeit;
civil ~ Bergeleistung, Schiffsrettung; **military** ~ Einbringung nach Prisenrecht;
~ *(v.)* bergen, retten, *(recover)* verwerten;
~ **from the debris** aus den Trümmern bergen;
to assess the amount payable as ~ Höhe des Bergelohnes festsetzen; **to collect old newspapers and magazines for** ~ Altpapiersammlung durchführen; **to make** ~ **of a shipwrecked cargo** Bruchlandung bergen; **to make** ~ **of goods** Güter bergen; **to pay a large** ~ hohes Bergegeld zahlen;
~ **agreement** Bergungsvertrag; ~ **boat** Bergungsfahrzeug; ~ **bond** Bergungsverpflichtung, -vertrag; ~ **charges (cost)** *(marine insurance)* Kosten für Rettungsmaßnahmen, Bergungskosten; ~ **company** Bergungsgesellschaft; ~ **corps** *(US)* Technische Nothilfe [für Brandkatastrophen usw.]; ~ **craft** Bergungsboot; ~ **crane** Abschleppkran; ~ **dues** Bergungsgebühren; ~ **loss** *(marine insurance)* Versicherungsschaden nach Abzug der geretteten Waren; ~ **money** Bergegeld, Rettungslohn; ~ **operations** *(marine insurance)* Bergungs-, Rettungsmaßnahmen; ~ **service** Seenotdienst; ~ **ship** Bergungsdampfer; ~ **stocks** [angeblich] aus See-(Brand-)Schaden gerettete Waren; ~ **tug** Bergungsschlepper; ~ **value** *(marine insurance)* durch sofortigen Verkauf realisierbarer Wert, Bergungs-, Schrottwert; ~ **vessel** Bergungsschiff; ~ **worker** Bergungsarbeiter.
salvaged property gerettetes Vermögen.
sample *(of commodities)* [Waren]probe, Kost-, Qualitätsprobe, [Stück]muster, Gebrauchs-, Typenmuster, *(opinion poll)* Befragte, *(part of population)* zugrunde gelegte Bevölkerungsziffer, *(statistics)* Stichprobe, Querschnitt, [Erhebungs]auswahl;
according to ~ nach Muster (Probe); **inferior to** ~ schlechter als das Muster; **on** ~ nach Probe; **strictly up to** ~ streng nach Muster (der Probe); **up to** ~ dem Muster entsprechend;
~**s** Auswahlsendung;
annexed ~**s** anhängende Muster; **area** ~ Flächenstichprobe; **biased** ~ verzerrte Stichprobe; **defective** ~ unvollständige Stichprobe; ~ **displayed** vorgelegte Probe; **judgment** ~ subjektiv ausgewählte Stichprobe; **linked** ~ verknüpfte Stichproben; ~**s only** Muster ohne Wert; **pattern** ~ Muster-, Probestück; **picked** ~ entnommene Probe; **probability** ~ Wahrscheinlichkeitsprobe; **purposive** ~ bewußt gewählte Probe; **quota** ~ Quotenstichprobe; **random** ~ Zufallsstichprobe; **reference** ~ Probe-, Ausfallmuster; **representative** ~ repräsentative Stichprobe, Typenmuster; **scientifically selective** ~ wissenschaftlich einwandfreies Auswahlsystem; **sealed** ~ verschlossenes Muster; ~ **shown** vorgezeigte Probe; **simple** ~ ungeschichtete Stichprobe; ~ **taken offhand** Stichprobe; **two-stage** ~ zweistufige Stichprobe;
~ **of handwriting** Schriftprobe; ~ **of goods** Warenprobe; ~ **of households** Stichprobe von Haushalten; ~ **for inspection** Ansichtsmuster; ~ **of merchandise** Warenprobe; ~ **of persons** Stichprobe aus einer Gesamtheit von Personen; ~ **of quality** Qualitätsprobe; ~ **of no commercial value** Muster ohne Wert;
~ *(v.)* bemustern, *(try quality)* ausprobieren, durch Entnahme von Mustern prüfen;
~ **out** ausfallen;
to assort ~**s** Muster zusammenstellen; **to be up to** ~ dem Muster (der Probe) entsprechen, nach Probe (mustergetreu) sein; **to buy s. th. from** ~ etw. nach dem Muster kaufen; **to draw** ~**s** Probe nehmen; **to keep a stock of** ~**s** Musterlager unterhalten; **to make up** ~**s** Warenproben zusammenstellen; **to match the** ~ dem Muster (der Probe) entsprechen; **to order goods from the** ~ nach dem Muster bestellen; **to send** ~**s** bemustern; **to submit** ~**s** Muster vorlegen; **to take a** ~ Probe entnehmen; **to take** ~**s at random** Stichproben entnehmen;
~ **advertising** Werbung durch Ausgabe von Warenproben; ~ **assortment** Musterkollektion; ~ **bag** Musterkoffer; ~ **balance sheet** Bilanzmuster; ~ **book** Musterbuch; ~ **box** Probekiste; ~ **card** Probe-, Musterkarte; ~ **census** Stichprobenbasis; ~ **collection** Mustersendung, [Muster]kollektion; ~ **copy** Ansichtsexemplar; ~ **depot** Musterlager; ~ **design** Auswahl-, Stichprobenplan; ~ **entry** Mustereintragung; ~ **envelope** Musterkuvert; ~ **fair** Mustermesse; ~ **item** Musterstück; ~ **letter** Musterbrief; ~ **lots (parcels)** Mustersendungen; ~ **make-up** *(statistics)* Gruppenzusammensetzung; ~ **number** Musternummer; ~ **offer** Probeauftrag, Musterbestellung; ~ **order** Probebestellung; ~ **packet** Mustersendung; ~ **pair** Musterpaar; ~ **plan**

Auswahl-, Stichprobenplan; **by ~ post** als Muster ohne Wert; ~ **request card** Musteranforderungskarte; ~ **respondent** Befragter innerhalb der ausgewählten Stichprobe; ~ **room** Ausstellungsraum; ~ **size** Mustergröße, *(statistics)* Stichprobenumfang; ~ **statistic** aus Stichproben gewonnene Meßzahl, Teilerhebung; ~ **stock** Musterlager, -kollektion; ~ **survey** Stichprobenerhebung; ~ **testing** Befragung eines beschränkten Personenkreises; ~ **unit** Stichprobeneinheit.

sampling Musterstück, *(collection)* Mustersammlung, *(free trial, US)* Werbung durch Musterverteilung, [Kost]probenverteilung, *(marketing)* Marktforschung durch genaues Studium einer repräsentativen Käuferschicht, *(price fixing, US)* Preisbestimmung nach dem Muster, *(representative investigation)* Auswahl eines repräsentativen Querschnitts, *(sending of samples)* Bemusterung, *(statistics)* Stichprobenverfahren;
acceptance ~ Stichprobenentnahme bei der Abnahme; **area** ~ Flächenstichprobeverfahren; **bulk** ~ Stichprobenentnahme aus der Masse; **chunk** ~ Gelegenheitsstichprobe; **controlled** ~ statistisches Auswahlverfahren für Marktforschungszwecke; **lottery** ~ *(statistics)* Auslosungs-, Stichprobenverfahren; **multi-stage** ~ mehrstufiges Stichprobenverfahren; **probability** ~ Zufallsstichprobe; **quota** ~ Quotenauswahlverfahren; **random** ~ Entnahme von Stichproben; **simple** ~ einfaches Stichprobenverfahren; **stratified** ~ geschichtetes Stichprobenverfahren;
~ **by taste** Gratiskostprobe;
~ **demonstration** Kostprobe; ~ **distribution** Stichprobenverteilung; ~ **error** Auswahl-, Stichprobenfehler; ~ **fraction (ratio)** *(statistics)* Auswahlsatz; ~ **inspection** Stichproben-, Teilprüfung; ~ **interval** Auswahlabstand; ~ **scheme** Stichprobenschema; ~ **survey** Stichprobenerhebung; ~ **unit** *(statistics)* Auswahleinheit.

sanction *(approval)* Genehmigung, Billigung, Bestätigung;
economic ~s wirtschaftliche Sanktionen;
to put ~s into motion Sanktionsmaßnahmen in Gang setzen.

sandwich course Zwischenlehrgang.

sandwichman Schilder-, Plakatträger.

sanitary | arrangements sanitäre Einrichtungen; ~ **inspection** Überwachung durch die Gesundheitsbehörden; ~ **installations** sanitäre Einrichtungen; ~ **service** Gesundheitsdienst; ~ **worker** Kanalarbeiter.

sanitation | s sanitäre Einrichtungen;
to improve the ~ of a town Stadt kanalisieren.

satellite | airfield Ausweich-, Feldflughafen; **communication ~ corporation** Satellitenfernmeldegesellschaft; ~ **suburb** Satellitenstadt; ~ **town** Trabantenstadt.

satiate *(v.)* **the market** Markt sättigen.

satisfaction Zufriedenheit, Genugtuung, Begleichung, Bezahlung, Tilgung, Befriedigung, *(payment of debts)* Abfindungssumme;
job ~ *(US)* Arbeitsfreude;
~ **of claim** Anspruchsbefriedigung; ~ **of a creditor** Gläubigerbefriedigung; ~ **of mortgage** Löschungsbewilligung; ~ **of record** *(US)* Hypothekenlöschung;
to enter ~ Löschung einer Hypothek im Grundbuch eintragen lassen, Hypothek im Grundbuch löschen; **to find complete ~ in one's work** volle Befriedigung in seinem Beruf finden; **to make ~ for a debt** Anspruch voll befriedigen;
~ **piece** *(real-estate law, US)* löschungsfähige Quittung.

satisfactory genügend, befriedigend, zufriedenstellend;
~ **arrangement** alle Teile befriedigende Abmachung; ~ **pension** auskömmliche Pension.

satisfy *(v.)* *(give compensation)* [Schaden]ersatz leisten, *(meet expectations)* zufriedenstellen, befriedigen, *(fulfil(l) obligations)* Verpflichtungen nachkommen (erfüllen), Schulden bezahlen;
~ **an accord** Vergleich durchführen; ~ **a claimant** Forderung des Klägers erfüllen; ~ **one's creditors** seine Gläubiger befriedigen; ~ **a debt out of a property** sich aus einem Vermögensstück befriedigen; ~ **the demand** Nachfrage befriedigen; ~ **an execution** Zwangsvollstrekkung durch Zahlung abwenden.

saturate *(v.)* *(market)* sättigen.

saturated *(market)* nicht mehr aufnahmefähig.

saturation | of consumer demands Marktsättigung;
~ **coefficient** *(marketing)* Sättigungskoeffizient.

save *(v.)* retten, schützen, bewahren, *(abstain from expending)* [ein]sparen, Ersparnisse machen, *(keep for future use)* erübrigen, *(reduce requisite amount)* ersparen;
~ **for one's old age** für sein Alter sparen; ~ **30% on costs versus competitors** Kostenersparnis von 30% gegenüber den Konkurrenzfirmen erzielen, 30% kostengünstiger als die Konkurrenz arbeiten; ~ **half of one's salary each month** Hälfte seines Monatsgehalts sparen; ~ **on income taxes** Steuern sparen, Steuerersparnisse machen; ~ **labo(u)r** Arbeitskräfte einsparen; ~ **little by little** kleine Beträge sparen; ~ **a lot of expense** Haufen Unkosten vermeiden; ~ **middlemen's profit** Provision sparen; ~ **money for a holiday** für den Urlaub sparen; ~ **the statute of limitations** Verjährungsfristen unterbrechen; ~ **up money for a holiday** Geld für eine Reise zusammensparen;
~**-all** Sparbüchse.

saver Sparer, sparsamer Mensch;
~ **of labo(u)r** Arbeitskräfteersparnis;

~**s' club** Sparverein; ~**s' surplus** Sparergewinn.

saving Sparvorgang, Sparen, [Kosten]einsparung; ~**s** Ersparnis[se], Spartätigkeit, erspartes Geld, Notpfennig, *(deposit)* Spargelder, Spareinlagen;
business ~**s** Geschäftsersparnisse; **collective** ~ Werksparen; **compulsory** ~ Zwangssparen; **considerable** ~ beträchtliche Verbilligung; **current** ~**s** laufende Ersparnis; **forced** ~**s** Zwangssparen; **individual** ~**s** privates Sparen; **labo(u)r** ~ Arbeitskräfteeinsparung; **net** ~**s** Nettoersparnis; **personal** ~**s** private Spartätigkeit; **postal** ~ Postsparguthaben; **postal** ~**s** Postsparen; **school** ~**s** Schulsparen; **tax** ~**s** Steuerersparnisse; **war** ~**s** Kriegsersparnisse;
~**s in handling costs** Einsparung der Bearbeitungskosten; ~**s for education** Ausbildungsrücklage; ~ **of expense** Kostenersparnis; ~ **of raw materials** Werkstoffeinsparung; ~ **the statute of limitations** Unterbrechung der Verjährungsfristen; ~ **of time** Zeitersparnis; **useful** ~ **of time and money** nützliche Zeit- und Geldersparnis;
to be careful of one's small ~**s** äußerst sparsam wirtschaften; **to cheat s. o. out of his** ~**s** j. um seine Ersparnisse bringen; **to dig into** ~**s to pay current debts** seine Ersparnisse zur Schuldenbezahlung angreifen; **to draw on one's** ~**s** auf seine Ersparnisse zurückgreifen; **to encourage** ~ Sparen fordern, Sparförderungsmaßnahmen ergreifen; **to invest one's** ~**s in a business enterprise** seine Ersparnisse in einem Geschäft investieren; **to keep one's** ~**s in the post office** Postsparguthaben besitzen; **to live on one's** ~**s** von seinen Ersparnissen leben;
~ *(a.)* sparsam, haushälterisch, *(economical)* wirtschaftlich;
~ **a dollar** außer einem Dollar; ~ **labo(u)r** arbeitssparend;
~ **bond** Sparbon; ~ **certificate** Rabattmarke; ~ **clause** einschränkende Bestimmung, Vorbehaltsklausel; ~ **investment** *(US)* sichere [Kapital]anlage, erstklassiges Anlagepapier; ~ **manager** sparsamer Verwalter; ~ **manoeuvre** Rettungsmanöver; ~ **measures** Sparmaßnahmen; ~ **ratio** Sparquote; ~ **wage** Ersparnisse gestattender Lohn; ~ **way** Sparmethode.

savingness Sparsamkeit, Wirtschaftlichkeit.

savings account Spar[kassen]guthaben; -einlage[nkonto];
~ **owner** Sparkassenbuchinhaber; ~ **passbook** Sparkassenbuch.

Savings | Association *(US)* Sparverein, -vereinigung; ~ **and Loan Association** *(US)* Spar- und Kreditvereinigung.

savings bank Sparkasse;
municipal ~ Stadtsparkasse; **post-office** *(Br.)* *(postal)* ~ Postsparkasse; **school** ~ Schulsparkasse; **trustee** ~ *(Br.)* zu mündelsicheren Anlagen verpflichtete Sparkasse; **voluntary** ~ *(US)* nicht aufsichtspflichtige Sparkasse;
to put money into the ~ Geld zur Sparkasse tragen.

savings-bank | account Sparkonto, -guthaben; ~ **[deposit] book** Sparkassenbuch; ~ **deposits** Spareinlagen; ~ **depositor** Spareinleger; ~ **investment** *(US)* mündelsicheres Anlagepapier; ~ **investment rates** Sparzinssätze; ~ **securities** sparkassenfähige (mündelsichere) Wertpapiere; ~ **stamp** Sparmarke; ~ **system** Sparkassenwesen; ~ **trust** Stiftung zugunsten eines Dritten.

savings | banking Sparkassenwesen; ~ **bonds** *(US)* kleingestückelte Obligationen, Babybonds; ~ **box** Sparbüchse; ~ **certificate** *(Br.)* [Post]sparschein, Sparbon; ~**-conscious** sparbewußt; ~ **department** Sparkassenabteilung; ~ **deposits** Spargelder, -einlagen; ~ **fund** Spar[kassen]fonds, *(life-insurance fund)* Prämienreserve, Deckungskapital; ~ **industry** Sparkassenbereich; ~ **institution** Sparkasseninstitut; ~ **loss** Sparanlagenverlust; ~ **plan** Prämienplan, Sparvertrag; ~ **rate** Sparrate; ~ **stamp** Rabattmarke; ~ **withdrawals** Abhebungen vom Sparkonto, Spareinlagenabgänge.

scab *(US)* Nichtgewerkschaftler, Streikbrecher;
~ **work** *(US)* Schwarz-, Streikarbeit, Arbeit unter Tariflohn.

scads of money *(US)* Unmenge von Geld.

scale Waagschale, *(gradation)* Gradeinteilung, Abstufung, *(measure)* Maßstab, Größenverhältnis, Skala, *(range)* Umfang, *(tariff)* Tabelle, Staffel, Tarif, Gehaltsordnung;
on a ~ *(stock exchange)* zu verschiedenen Kursen limitiert; **on a descending** ~ *(tax)* degressiv; **cost-of-living sliding** ~ Gleitlohntarif; **salary** ~ Gehaltstabelle, -gruppe, Besoldungsgruppe; **sliding** ~ **[of wages]** gleitende [Lohn]skala, Staffeltarif, Nachlaßstaffel; **standard** ~ Normalgröße; **taxation** ~ Steuersatz; **wage** ~ Lohnskala, -staffel, -tabelle, -gruppe;
~ **of allowances** Zuteilungsumfang, Zulagestaffel; ~ **of benefits** Unterstützungsumfang; ~ **of charges** Gebührenordnung, -tabelle, Tarif; ~ **of commission** *(Br.)* Courtagetarif; ~ **of discount** Nachlaß-, Rabattstaffel; ~ **of fees** Gebührenordnung, -staffelung; **high** ~ **of financing** hoher Finanzierungsumfang; ~ **of living** Lebensstandard; **low** ~ **of pay** niedriges Gehaltsniveau; ~ **of premiums** Prämienleiter, -staffelung, -staffel, Beitragsstaffel; ~ **of prices** Preisskala, -staffel; ~ **of production** Produktionsumfang; ~ **of salaries** Gehaltsordnung, -staffelung; ~ **of taxation** Steuersatz, -klasse; **highest** ~ **of taxation** höchste Steuerklasse; **[union]** ~ **of wages** [einheitliche] Lohnskala (Lohntabelle);
~ *(v.)* **credits** Kredite nach ihrer Größenordnung aufführen; ~ **a debt** Schuld reduzieren; ~ **down an allotment** Zuteilung repartieren; ~ **down one's liabilities** seine Verbindlichkeiten

reduzieren; ~ **down wages** Löhne kürzen (senken), Lohnsenkung vornehmen; ~ **up income tax 10 per cent** Einkommensteuersätze 10% heraufsetzen; ~ **up wages by 6 per cent** Löhne um 6% heraufsetzen;
to be at the top of the ~ Tabelle anführen; **to buy on a** ~ Teilkäufe machen, *(stock exchange, US)* seine Zukäufe über eine Baisseperiode verteilen; **to live on a large** ~ auf großem Fuß leben; **to sell on a** ~ *(stock exchange, US)* seine Verkäufe über eine Hausseperiode verteilen, zu einem Durchschnittskurs weiter verkaufen;
~ **analysis** *(marketing)* Skalenanalyse; ~ **buying** *(US)* Wertpapierkauf zu verschiedenen Zeiten; ~ **graduation** Tarifstaffelung; ~ **rate** *(advertising)* Normalsatz für Tiefdruckätzung, Listenpreis; ~ **selling** *(US)* sukzessiver Verkauf von Wertpapieren.

scalp *(stock exchange, US)* kleiner Weiterverkaufsgewinn;
~ *(v.)* *(stock exchange, US)* mit kleinem Nutzen realisieren.

scalping *(stock exchange, US)* Mitnahme kleinster Spekulationsgewinne.

scandal on the stock exchange Börsenskandal.

scant | **of money** nur mit wenig Geld versehen;
~ **allowance** knappe Zuteilung; ~ **supply** geringer Vorrat.

scantiness of resources Dürftigkeit finanzieller Mittel.

scanty | **income** kümmerliches Einkommen; ~ **means** unzureichende Geldmittel.

scarce knapp, spärlich;
to be ~ **of money** über geringe Mittel verfügen;
~ **articles (commodities, goods, materials)** knappe Waren, Mangelwaren.

scarcity Knappheit[serscheinung], Verknappung, Mangel, Teuerung;
~ **of currency** Devisenmangel; ~ **of goods** Warenknappheit; ~ **of housing** Wohnungsnot; ~ **of labo(ur)** Mangel an Arbeitskräften; ~ **of money** Geldverknappung, -knappheit; ~ **of paper** *(Stock exchange)* Stückemangel; ~ **of tonnage** Mangel an Schiffsraum;
~ **price** Mangelwarenpreis; ~ **value** Seltenheitswert.

scare | **on the stock exchange** Börsenpanik;
~ **buying** Angstkäufe; ~ **headline** Schlagzeile.

scaremonger Panikmacher.

scatter | **coefficient** Streuungskoeffizient; ~ **diagram** *(statistics)* Streubild, -diagramm.

scent *(v.)* **a job** Stellung ausfindig machen.

schedule *(additional clause)* Zusatzartikel, *(advertising)* Werbeplan, *(annex to income tax)* Einkommensteuerverordnung, *(appendix)* Anhang, Zusatzartikel, *(balance sheet)* Aufstellung über die Aktiven und Passiven, *(bankruptcy)* Konkursbilanz, -status, *(bill of quantities)* Baukostenvoranschlag, *(broadcasting)* Programmverzeichnis, -zeitplan, *(constitutional law)* Verfassungsanhang, *(covering note)* Begleitschreiben, *(income-tax bracket, Br.)* Einkommensteuerklasse, *(income-tax form)* Einkommensteuerformular, *(prescribed form)* Formblatt, Formular, *(insertions)* Datenschema, *(inventory)* Inventur, *(list of operations)* Produktionsverlauf, *(list annexed)* Anlage, Anhang, *(printing)* Satzvorlage, *(questionnaire)* Fragebogen, *(railway guide, US)* Fahrplan, *(rider)* Zusatzurkunde, *(statistics)* Fragebogen, *(timetable)* Ablauf-, Zeit-, Stundenplan, *(working plan, US)* Arbeitsplan, fester Plan, *(written statement)* Tabelle, Liste, [tabellarisches] Verzeichnis, Aufstellung, Zettel;
according to (on) ~ [fahr]planmäßig; **up to** ~ *(train)* auf die Minute [genau];
aging ~ Fälligkeitstabelle; **cost** ~ Kostenaufstellung; **demand** ~ Bedarfsliste; **itemized** ~ Einzelaufstellung; **production** ~ Produktionsprogramm; **supply** ~ Vorratsverzeichnis; **train** ~ Zugfolge; **vacation** ~ *(US)* Urlaubsplan; **wage** ~ Lohntarif;
~ **of accounts payable** *(US)* Kreditorenverzeichnis; ~ **of accounts receivable** *(US)* Debitorenverzeichnis; ~ **of arrivals and departures** Tafel der ankommenden und abgehenden Züge; ~ **of assets** Verzeichnis der Aktiven; ~ **to a balance sheet** Bilanzanlage; ~ **of a bankrupt's debts** Konkurstabelle; ~ **of cases** Terminkalender; ~ **of charges** Gebührentarif; ~ **of commissions** Gebührenordnung, Provisionstabelle; ~ **of commission charges** *(US)* Courtagetarif; ~ **of concessions** Zollzugeständnisliste; ~ **for the construction of a building** Arbeitsplan für die Errichtung eines Gebäudes; ~ **of creditors** Gläubigerverzeichnis; ~ **of dilapidations** Verzeichnis vorzunehmender Reparaturen; ~ **for discount by frequency and volume** Mal- und Mengenstaffel; ~ **of encumbrances** Verzeichnis der hypothekarischen Belastungen; ~ **of expenses** Kostenaufstellung; ~ **of fees** Gebührenordnung; ~ **of insertions** Datenplan der Anzeigen, Zeitplan für eine Insertion, Insertionsplan; ~ **of investments** Verzeichnis der Anlagewerte; ~ **of planes** Flugplan; ~ **of prices** Preisverzeichnis; ~ **of property** Vermögensaufstellung, -verzeichnis; ~ **of rates** Frachttarif; ~ **of shipments** Versandplan; ~ **of trains** Fahrplan; ~ **of wages** Lohnklasse;
~ *(v.)* Liste (tabellarisch) zusammenstellen, in eine Liste eintragen, *(determine, US)* festlegen, bestimmen, *(railway guide)* in einen Fahrplan eintragen;
~ **production** *(US)* Produktionsablauf festlegen, Produktion programmieren; ~ **the publication for November** Veröffentlichung für November planen; ~ **one's time** seine Zeit einteilen; ~ **a new train** neuen Zug in den Fahrplan einfügen;
to arrive right on ~ fahrplanmäßig eintreffen;

to be finished on ~ zeitgerecht (termingemäß) fertig werden; **to be running behind** ~ nicht fahrplanmäßig verlaufen; **to be on a tight** ~ feste Reiseroute befolgen; **to catch up with** ~ Terminplan wieder einhalten; **to compile a** ~ Liste aufstellen; **to coordinate one's** ~**s** Terminkalender aufeinander abstimmen; **to fall behind** ~ Planziel nicht erreichen; **to file one's** ~ *(Br.)* Konkurs machen, fallieren; **to file a** ~ **of assets and liabilities** Vermögensaufstellung einreichen; **to go off according to** ~ *(fam.)* programmgemäß verlaufen; **to maintain a** ~ *(US)* Fahrplan einhalten; **to meet a** ~ *(US)* Terminplan einhalten; **to open on** ~ zur vorgesehenen Zeit eröffnen; **to prepare a** ~ Verzeichnis aufstellen; **to start after** ~ nach Plan abfahren;

~ **change** Fahrplanänderung; ~ **contract** Regievertrag; ~ **form** *(fire insurance)* Kompensationsklausel; ~ **maintenance** Fahrplaneinhaltung; ~ **point** *(US)* Postumschlagsstelle; ~ **time** fahrplanmäßige Abfahrts-, Ankunftszeit; ~ **work** Regiearbeiten.

scheduled, as fahrplanmäßig;

~ **airline service** Linienverkehr; ~ **business** *(airline)* Liniengeschäft, ~ **cost** vorkalkulierte Kosten; ~ **departure** planmäßige Abfahrt; ~ **flight** Linienflug; ~ **price** Listenpreis; ~ **ship** fahrplanmäßiges Schiff; ~ **time** fahrplanmäßige Zeit; ~ **taxes** *(Br.)* veranlagte Steuern; ~ **territories** *(Br.)* Länder des Sterlingblocks; **to arrive at the** ~ **time** zur fahrplanmäßigen Zeit eintreffen.

scheduler, production Produktionsprogrammierer.

scheduling *(US)* Fertigungsplanung, Produktionsprogrammierung.

scheme *(deceased's estate, Br.)* Verteilungsplan, *(plan)* Plan, Entwurf, Projekt, Vorhaben, *(statement)* [tabellarische] Aufstellung, Liste, Übersicht, *(systematic arrangement)* Schema;

allocation ~ Zuteilungsplan, **bubble** ~ Schwindelunternehmen; **business** ~ geschäftliches Unternehmen; **pension** ~ Pensionsplan; **sampling** ~ Stichprobenschema;

~ **of arrangement** *(Br.)* vergleichsweise Regelung der Schulden, Vergleichsvorschlag; ~ **of a lottery** Lotterie-, Ziehungsplan; ~ **of manufacturing** Produktionsplan; ~ **of marking** Zensurenschema; ~ **of redemption (repayment)** Amortisationsplan; ~ **of work** Arbeitsplan.

school Schule, Schulunterricht, *(course of study)* Lehrgang, Kursus, *(system)* Lehrsystem, Richtung;

commercial ~ *(Br.)* Handelsschule; **continuation** ~ Fortbildungsunterricht; **evening** ~ Abendschule, -unterricht; **industrial** ~ Fach-, Berufs-, Gewerbeschule; **laissez-faire** ~ liberalistische Richtung; **language** ~ Sprachenschule; **night** ~ *(Br.)* Abendschule; **professional** ~ Fachschule; **technical** ~ Gewerbe-, Fach-, Berufsschule; **trade** ~ Handels-, Berufsschule.

science | **economic** Wirtschaftswissenschaft; **social** ~ Soziologie, Sozialwissenschaft;

~ **of industrial administration** Betriebswirtschaftslehre; ~ **of future** Wissenschaft von der Zukunft, Futurologie.

scientific | **management** wissenschaftliche Betriebsführung; ~ **tariff** nach wissenschaftlichen Grundsätzen aufgestellter Tarif.

scissors, price Preisschere.

scoop *(piece of news)* sensationelle Reportage, Allein-, Erst-, Exklusivmeldung, Knüller, *(special gain)* Sondergewinn;

~ *(v.)* **$ 10 000 in a day** 10 000 Dollar an einem Tag kassieren; ~ **in a large profit** Sondergewinn einstreichen, guten Schnitt machen; **to earn a lot of money in one** ~ auf einen Schlag viel Geld verdienen; **to make a** ~ guten Fang machen, Coup laden; **to win £ 100 at a** ~ auf einen Schlag 100 Pfund gewinnen.

scope *(law)* Gültigkeitsbereich, Geltungsgebiet, *(range)* Bereich, Umfang, Rahmen, *(sphere of action)* Aufgaben-, Wirkungskreis, Reichweite, Bezirk, Gebiet, Betätigungsfeld, *(sphere of business)* Geschäftsbereich;

~ **of application** Anwendungsbereich; ~ **of audit** Prüfungsumfang; ~ **of [agent's] authority** Umfang der Vertretungsmacht, Vollmachtsumfang; ~ **of business** Geschäftsumfang;

to act within the ~ **of one's authority** im Rahmen seiner Vertretungsmacht handeln.

score *(debt owing)* Schuldposten, Zeche;

~ *(v.)* auf Rechnung setzen, anschreiben;

~ **an advance** Kursgewinn verzeichnen; ~ **a point** Gewinnpunkt machen; ~ **up debts** Schulden machen;

to pay one's ~ Rechnung völlig ausgleichen; **to run up a** ~ *(Br.)* Schulden machen, sich verschulden, Schuldkonto anwachsen lassen.

scoring up of a debt Anschreibenlassen.

scot Beitrag, Zahlen;

to pay ~ **and lot** alles auf Heller und Pfennig bezahlen.

scot-free *(free from duty)* frei von Abgaben, steuerfrei.

scrabble *(v.)* | **for one's livelihood** sich für seinen Lebensunterhalt abrackern; ~ **the pennies together** Pfennige zusammenkratzen.

scramble | **on stocks** Ansturm auf Aktien; ~ **for wealth** Jagd nach dem Reichtum;

~ *(v.)* **up money** Geld zusammenscharren.

scrambler *(tel.)* Geheimhaltungs-, Verwürfelungsanlage.

scrap Schrott, Abfall, Ausschuß, Altmaterial, *(building)* Abbruch, *(newspaper)* Zeitungsausschnitt;

~ *(v.)* verschrotten, *(cast out)* ausrangieren, *(dismantle)* abmontieren;

~ **company** Schrottfirma; ~ **material** Abfallmaterial; ~ **price** Schrottpreis; ~**-steel dealer**

Schrotthändler; ~ **value** Schrott-, Abnutzungswert.

scrape | *(v.)* **a living** sich kümmerlich durchbringen; ~ **together a few dollars for the holiday** ein paar Dollars für eine Urlaubsreise zusammenkratzen.

scrapepenny Pfennigfuchser, Geizkragen.

scrapman Autoausschlachter.

scrapping facilities Schrottverwertungsanlage.

scratch | *(v.)* **along** sich mühsam durchschlagen; ~ **around for funds** auf der Kapitalsuche sein; ~ **an item from a account** Rechnungsposten streichen;
to start from ~ ganz unten (von vorn) anfangen;
~ **collection** Zufallskollektion; ~ **paper** *(US)* Notiz-, Schmierpapier; ~**-penny** Geizkragen.

screen Wandschirm, *(car)* Windschutzscheibe, *(cinema)* Film-, Kinoleinwand, *(television)* Bild-, Fernsehschirm;
~ *(v.)* überprüfen, *(film)* für den Film bearbeiten, *(marketing)* grobe Vorauswahl treffen, *(televise)* im Fernsehen bringen;
~ **candidates** *(US)* Bewerber sieben;
~ **advertising (advertisement)** Kino-, Filmreklame, Filmwerbung.

screening Überprüfung, Durchsieben, *(film)* Verfilmung;
~ **of candidates** *(US)* Ausscheiden ungeeigneter Bewerber;
~ **panel** *(US)* Prüfungsausschuß.

screw | *(v.)* **down prices** Preise herunterdrücken; ~ **up the rents** Mieten unmäßig erhöhen.

scribble *(advertising)* Rohentwurf;
~ **block** Notizblock.

scribbling paper *(Br.)* Konzept-, Schmierpapier, Notizzettel.

scrip Interims-, Zwischen-, Bezugs-, Berechtigungsschein, *(mil.)* Besatzungsgeld, *(money, US)* [früherer] Staatskassenschein unter 1 Dollar;
dollar ~ *(US)* Skripdollar, Besatzungsgeld; **land** ~ *(US)* staatlicher Landzuweisungsschein; **registered** ~ auf den Namen lautender Interimsschein; **stock** ~ *(US)* Berechtigungsschein für den Bezug von Aktien;
~ **bonus** Gratisaktie; ~ **certificate** *(US)* Anteilschein einer Aktie, Zertifikat, *(Br.)* Interims-, Zwischenschein; ~ **company** *(US)* Kommanditgesellschaft auf Aktien; ~ **dividend** *(US)* Berechtigungsschein für spätere Dividendenleistung; ~ **holder** Interimsscheininhaber; ~ **issue** *(Br.)* [Gratis]berichtigungsaktie; ~ **money** *(US)* Schwundgeld.

script Drehbuch, Film-, Fernseh-, Funkmanuskript.

scroll Strazze, Tabelle.

scrub *(v.)* | **for one's living** sich für seinen Lebensunterhalt abplacken.

scrupulous in money matters in Geldsachen äußerst pingelig.

sea See, Seegang, Ozean, Meer;
beyond the ~**s** in Übersee, *(Br.)* außerhalb Großbritanniens; **in the open** ~ auf hoher See; **ready for** ~ seefertig;
to put to ~ in See stechen, auslaufen;
~**-borne commerce** Überseehandel; ~**-borne goods** Seehandelsgüter; ~**-damaged** havariert; ~ **damages** Seeschaden; ~ **freight** Seefracht; ~ **insurance** Seeversicherung; ~ **letter** Schiffspaß; ~ **orders** Reiseinstruktionen; ~**-proof packing** Überseeverpackung; ~ **protest** Verklarung, Seeprotest; ~ **risk** Seegefahr, -transportrisiko; ~ **trade** Seehandel.

seaboard market Küstenhandelsplatz.

seagoing vessel Hochseeschiff.

seal Siegel[abdruck], Dienstsiegel, *(customs)* Plombe, Verschluß;
under ~ unter Verschluß; **given under my hand and** ~ eigenhändig von mir unterschrieben; **broken** ~ erbrochenes Siegel; **common (corporate)** ~ Firmensiegel; **customhouse** ~ Zollverschluß;
~ *(v.)* *(customs)* plombieren;
~ **weights and measures** Maße und Gewichte stempeln;
to affix a ~ *(customs)* plombieren; **to affix the** ~**s** pfänden; **to break the** ~ **of a letter** Briefgeheimnis verletzen; **to remove the** ~**s** Pfändung aufheben; **to remove the** ~**s from a package** Ware aus dem Zoll freigeben; **to return (resign) the** ~**s** *(Br.)* sein Amt niederlegen, demissionieren.

sealed versiegelt, *(with lead)* plombiert;
~ **and delivered** *(signature of witness)* unterzeichnet und gesiegelt;
~ **bargain** fest vereinbarter Handel; ~ **bid** *(US)* Submissionsangebot im versiegelten Umschlag; ~ **orders** geheime Instruktionen; ~ **sample** Muster unter versiegeltem Verschluß; ~ **tender** Submissionsangebot in versiegeltem Umschlag.

sealing | **label** Verschlußmarke; ~ **wax** Siegelwachs.

seaman Seemann, Schiffer, Matrose;
able-bodied ~ Vollmatrose; **merchant** ~ Handelsschiffer.

seamen's | **employment agency** Heuerbüro; ~ **shore allowance** Landeganggelder.

search Durchsuchung, Überprüfung;
house ~ Haus[durch]suchung; **personal** ~ Leibesvisitation;
~ **for capital** Kapitalsuche; ~ **of luggage** *(Br.)* Gepäckrevision;
~ *(v.)* suchen, fahnden, durchsuchen, überprüfen;
~ **a register** Grundbuch einsehen; ~ **a ship** Schiff durchsuchen;
~ **party** *(Br.)* Suchtrupp, Rettungskolonne; ~ **warrant** Haus-, Durchsuchungsbefehl.

seaside promenade Seepromenade.

season Jahreszeit, Saison *(increased business acti-*

vity) Hauptverkaufs-, -geschäftszeit, *(date of maturity, US)* Fälligkeitstermin;
in ~ zur rechten Zeit, fristgerecht, *(market)* günstig auf dem Markt zu haben; **in** ~ **and out of** ~ zu jeder Jahreszeit; **out of** ~ nicht auf dem Markt, *(untimely)* zur Unzeit, ungelegen;
busy ~ Hauptsaison; **dead (dull, off)** ~ tote Jahreszeit, stille Saison; **peak** ~ Hochsaison, -konjunktur; **tourist** ~ Reisezeit;
~ **business** Saisongeschäft; ~**'s stocks** Saisonwerte.

season ticket *(Br.)* Eisenbahnabonnement, Dauer-, Zeit-, Abonnements-, Monatsfahrkarte;
annual ~ Jahresfahrkarte; **monthly** ~ Monatsfahrkarte;
to buy a ~ Dauerfahrkarte erwerben, *(theater)* im Theater abonnieren, Theaterabonnement abschließen; **to have a** ~ Inhaber einer Dauerfahrkarte sein; **to take out a** ~ Dauerkarte nehmen (lösen);
~ **holder** Dauerkarteninhaber, Berufsverkehrsteilnehmer, *(theater)* Theaterabonnent.

seasonable für die Saison passend.

seasonal saisonbedingt, -üblich, von der Jahreszeit abhängig, jahreszeitlich bedingt, *(temporarily employed)* zeitweilig (vorübergehend) beschäftigt, *(periodical)* periodisch [wiederkehrend];
~ **adjustment** Konjunkturausgleich; ~ **advertising** Saisonwerbung; ~ **allowance** Frühbezugsrabatt; ~ **articles** Saisonartikel; ~ **business** Saisongeschäft; ~ **clearance** *(US)* **(closing-out,** *Br.)* **sale** Saisonschlußverkauf; ~ **commodity** Saisonartikel; ~ **consumption** saisongebundener Verbrauch, Saisonbedarf; ~ **demand** saisonbedingte Nachfrage; ~ **display** Saisonauslage; ~ **employment** Saisongeschäft; **to be due to** ~ **factors** jahreszeitlich bedingt sein; ~ **fluctuations** saisonbedingte (saisonale) Schwankungen, Saisonschwankungen; ~ **goods** Saisonerzeugnisse, -artikel; ~ **industries** saisonbedingte Industrien; ~ **item** Saisonartikel; ~ **labo(u)rer** Saisonarbeiter; ~ **layoffs** saisonbedingte Entlassungen, Saisonentlassungen; ~ **nature** *(industry)* Saisonbedingtheit; ~ **occupation** Saisonberuf, -beschäftigung; ~ **production** saisonbedingte Produktionstätigkeit; ~ **rates** Saisonsätze; ~ **requirements** Saisonbedürfnisse; ~ **sickness** sommerliche Flaute; ~ **slump** saisonbedingter Geschäftsrückgang; ~ **tariff** *(el., Br.)* saisonbedingter Tarif; ~ **tolerance** saisonbedingte Nichtachtung der Tarifbestimmungen; ~ **trade** Saisongewerbe; ~ **trend** saisonbedingte Tendenz, saisonbedingter Konjunkturaufschwung; ~ **unemployment** saisonbedingte (konjunkturelle) Arbeitslosigkeit; ~ **upturn** saisonbedingter Anstieg; ~ **variations** Saisonschwankungen, jahreszeitliche Schwankungen; ~ **work** Saisonarbeit; ~ **worker** Saisonarbeiter.

seasonality of work saisonbedingte Arbeit.

seasonally | adjusted saisonbereinigt; ~ **unstable** durch Saisonschwankungen beeinträchtigt.

seasoned securities Favoriten, renommierte Wertpapiere.

seat Sitz, Sitzplatz, -gelegenheit, Bank, *(administration)* Amts-, Regierungssitz, *(establishment)* [Gesellschafts]sitz, Hauptniederlassung, *(stock exchange)* Börsensitz;
reserved ~ reservierter (numerierter) Platz;
~ **on a board** Vorstands-, Aufsichtsratssitz; **chief** ~ **of commerce** Geschäftszentrum; ~ **on the stock exchange** Börsensitz, -mitgliedschaft; **to bag the best** ~**s** beste Plätze mit Beschlag belegen; **to be entitled to a** ~ **on a committee** Anspruch auf einen Ausschußsitz haben; **to book** ~**s** Plätze [vor]bestellen (reservieren lassen); **to reserve a** ~ Platz vorausbestellen;
~ **availability** verfügbare Plätze; ~ **belt** *(aircraft)* Rettungs-, Anschnall-, Sicherheitsgurt; ~ **reservation** Platzbelegung.

seaworthy seetüchtig;
~ **packing** seegemäße Verpackung.

second *(of exchange)* Sekunda[wechsel], zweite Wechselausfertigung;
~**s** *(goods)* Mittelsorte, Waren mittlerer Art und Güte (zweiter Qualität);
~ *(a.)* zweitklassig, -rangig, untergeordnet;
~ **cabin** Kabine zweiter Klasse; ~ **car** Zweitwagen.

second-class zweitklassig, -rangig, *(railway)* zweite Klasse;
to go (travel) ~ zweiter Klasse reisen;
~ **carriage** zweiter Klasse Wagen; ~ **compartment** Abteil zweiter Klasse; ~ **hotel** zweitklassiges Hotel; ~ **mail** *(US)* Zeitungspost; ~ **papers** zweitklassige Papiere; ~ **passenger** Reisender zweiter Klasse; ~ **ticket** Fahrkarte zweiter Klasse.

second | deliverance Zweitausfertigung; ~ **distress** Anschlußpfändung; ~ **floor** *(Br.)* zweite Etage, zweiter Stock, *(US)* erste Etage, erster Stock; ~ **issue** *(securities)* zweite Ausgabe; ~**-level** zweitrangig, -klassig; ~ **lien** nachrangiges Pfandrecht, ~ **mortgage** zweit[stellig]e (nachstehende) Hypothek; ~**-rate** zweitrangig, -klassig, minderwertig; ~ **raters** zweitklassige Leute; ~ **sheet** Zweitbogen; ~ **stor(e)y** *(Br.)* zweite Etage, zweiter Stock, *(US)* erste Etage, erster Stock; ~ **teller** zweiter Kassierer, Kassierer für Einzahlungen.

secondarily liable *(US)* mittelbar haftpflichtig, zweitverpflichtet.

secondary zweitrangig, -klassig, nebensächlich, untergeordnet;
~ **account** Nebenbuchkonto; ~ **boycott** mittelbarer Boykott; ~ **calling** Nebenberuf; **salary a** ~ **consideration** Gehalt ist Nebensache; ~ **credit** *(US)* Gegenakkreditiv; ~ **creditor** nachstehender Gläubiger; ~ **distribution of securities**

nachbörslicher Wertpapierhandel; ~ **liability** *(US)* sekundäre Haftung, Eventualverbindlichkeit, -verpflichtung; ~ **market** Nebenmarkt; ~ **market trader** *(securities)* Erwerber aus zweiter Hand; ~ **picketing** Bestreikung eines nur mittelbar beteiligten Betriebes; ~ **product** Nebenprodukt; ~ **railway** Neben-, Sekundärbahn; ~ **reserve** *(banking)* Sekundärliquidität; ~**-use package** weiterverwendungsfähige Packung.

secondhand aus zweiter Hand, gebraucht, antiquarisch;
to buy s. th. ~ etw. antiquarisch (gebraucht) kaufen; **to get news** ~ keine Eigenkenntnis von einem Ereignis haben;
~ **book** antiquarisches Buch; ~ **bookshop** Antiquariat; ~ **bookseller** Antiquar; ~ **buyer** Käufer aus zweiter Hand; ~ **car** gebrauchter Wagen, Gebrauchtwagen; ~ **copy** antiquarisches Buch; ~ **dealer** Trödler, Altwarenhändler; ~ **evidence** Beweis vom Hörensagen; ~ **furniture** gebrauchte Möbel; ~ **goods** gebrauchte Sachen; ~ **hirer** Untermieter; **to have a** ~ **knowledge** vom Hörensagen wissen; ~ **market** Trödlermarkt; ~ **shop** Trödlerladen.

secrecy | **of correspondence** Post-, Briefgeheimnis; **to maintain** ~ **during negotiations** während der Verhandlungen Stillschweigen bewahren.

secret, business Geschäftsgeheimnis; **manufacturing** ~ Fabrikationsgeheimnis; **trade** ~ Betriebs-, Geschäftsgeheimnis;
~ **of correspondence** Briefgeheimnis;
~ *(a.)* geheim, verborgen, *(person)* verschwiegen;
~ **account** Geheimkonto; ~ **commission** *(agent)* verbotene Sonderprovision; **to keep up a** ~ **correspondence with s. o.** geheimen Briefwechsel mit jem. führen; ~ **equity** geheimgehaltener Anspruch; ~ **[manufacturing] process** geheimes Herstellungsverfahren; ~ **partner** stiller Teilhaber; ~ **process** Geheimverfahren; ~ **reserves** stille Reserven; ~ **service fund** Geheim-, Reptilienfonds.

secretarial | **area** Sekretariatsbereich; ~ **assistance** Sekretariatsgestellung; ~ **clerk** Büroangestellter; ~ **facilities** Büromitbenutzung; ~ **help** Hilfskräfte im Büro; ~ **job** Sekretariatstätigkeit; ~ **pool** Gemeinschaftssekretariat; ~ **service** Bürotätigkeit, -dienst; ~ **supply** Sekretärinnenangebot; ~ **training** Sekretariatsausbildung; ~ **work** Büro-, Sekretariatsarbeit.

secretary Sekretär[in], *(of society)* Schriftführer, *(writing desk)* Sekretär, Schreibschrank;
company ~ *(Br.)* Vorstandsassistent; **competent** ~ gewandte Sekretärin; **executive** ~ *(US)* Geschäftsführer; **German-language** ~ deutschsprachige Sekretärin; **trade-union** ~ Gewerkschaftssekretär;
≗ **of Agriculture** Landwirtschaftsminister; ≗ **of Commerce** *(US)* Handelsminister; ~ **of the managing director** Direktionssekretär; ≗ **of the Treasury Department** *(US)* Finanzminister, Schatzkanzler.

section Dezernat, *(compartment)* Abteil, *(sleeping compartment)* Schlafwagenabteil, *(stock exchange)* Marktbereich;
agricultural ~ ländlicher Bezirk; **busy** ~ belebter Stadtteil; **commercial** ~ Geschäftsviertel; **concluding** ~ Schlußabschnitt; **residential** ~ Wohnviertel; **shopping** ~ Einkaufsgegend;
~ **of industry** Industriezweig; ~ **of a line** Teilstrecke;
to contract in several ~**s** *(stock exchange)* in verschiedenen Effektengruppen Abschlüsse tätigen, **to export in** ~ in Teilladungen verschiffen; **to run in two** ~**s** *(train)* in zwei Teilzügen verkehren;
~ **boss** *(railroad, US)* Vorarbeiter; ~ **chief (manager)** Abteilungsleiter; ~ **hand (man,** *US)* Streckenarbeiter.

sectional | **interests** Lokal-, lokale Interessen; ~ **price list** Einzelprospekt; ~ **strike** örtlich (zeitlich) begrenzter Streik, Teilstreik.

sector Sektor, Ausschnitt, Abschnitt, Bezirk, Geländestreifen;
in the industrial ~ im industriellen Bereich;
postal ~ Postbezirk;
~ **of the economy** Wirtschaftsgebiet, -zweig; **private** ~ **of industry** im Privatbesitz befindliches Industrievermögen.

secular or business day Werk- oder Arbeitstag.

secure *(v.) (acquire)* sich sichern (verschaffen), erwerben, erlangen, *(guarantee)* sicherstellen, Sicherheit geben, gewährleisten;
~ **agreement** Zustimmung einholen; ~ **an application** [Versicherungs]antrag entgegennehmen; ~ **a good appointment** gute Stelle erhalten; ~ **a business** Abschluß vermitteln; ~ **a creditor** Gläubiger sicherstellen; ~ **a debt by mortgage** Anspruch hypothekarisch absichern; ~ **an interest** Beteiligung erwerben; ~ **a note by the pledge of collateral security** Schuldschein mit zusätzlicher Sicherheit ausstatten; ~ **an order** Auftrag erhalten; ~ **payment** Zahlung sicherstellen; ~ **higher prices** bessere Preise erzielen; ~ **special prices** Sonderpreise vereinbaren; ~ **profits** Gewinne erzielen; ~ **a room in a hotel** Hotelzimmer bestellen; ~ **a seat** Platz belegen; ~ **a better share of the market** sich einen größeren Marktanteil sichern; ~ **valuables** Wertsachen in Sicherheit bringen; ~ **the best value** Höchstpreis erzielen;
~ **investment** sichere Kapitalanlage; **to establish o. s. in a** ~ **position** sich in einer Stellung verankern.

secured gesichert, sichergestellt, *(privileged)* bevorrechtigt;
~ **by mortgage** hypothekarisch gesichert;
~ **account** abgesichertes Konto; ~ **advance** gedecktes Darlehen, Lombardkredit; ~ **bill** durch Wertpapiere gedeckter Wechsel; ~ **bond** *(US)*

hypothekarisch gesicherte Obligation; ~ **credit** sichergestellter Kredit; ~ **creditor** sichergestellter (bevorrechtigter) Gläubiger; Vorzugsgläubiger; ~ **debt** bevorrechtigte Forderung; ~ **liability** durch Verkauf von Schuldnereigentum realisierte Forderung; ~ **loan** gesicherter Kredit; ~ **maintenance** *(Br.)* gesicherter Unterhalt; ~ **note** lombardgesicherter Schuldschein; ~ **transaction** *(US)* Sicherungsgeschäfte.

securities Sicherheiten, *(bonds)* [Wert]papiere, Effekten[bestände], Stücke;

active ~ Effekten mit täglichen Umsätzen, lebhaft gehandelte Effekten; **assented** ~ im Sanierungsverfahren abgestempelte Effekten; **assessable** ~ nachschußpflichtige Wertpapiere; **bearer** ~ auf den Inhaber ausgestellte Wert-, Inhaberpapiere; ~ **callable** auslosbare Wertpapiere; **collateral** ~ lombardierte Wertpapiere (Effekten); **corporation** ~ Industrieobligationen; ~ **deposited** hinterlegte Effekten, Effektendepot; **deferred** ~ Wertpapiere mit zeitweilig gesperrter Dividendenauszahlung; **dividend-paying** ~ börsengängige Dividendenwerte; **drawn** ~ ausgeloste Wertpapiere; **dubious** ~ unsichere Anlagewerte, schlechte Papiere; **first-class** ~ erstklassige Sicherheiten; **fixed-interest (income)-bearing** ~ festverzinsliche Werte; **foreign** ~ ausländische Effekten, Auslandswerte; **gilt-edged** ~ *(Br.)* mündelsichere Wertpapiere (Anleihewerte), erstklassige Effekten; **good-delivery** ~ lieferbare Effekten; **government** ~ *(Br.)* Staatsobligationen, -papiere, -anleihen, *(US)* Bundesanleihen; **guarantee** ~ Kautionseffekten; **high-grade** ~ hochwertige Effekten (Anlagewerte); **higher-yield** ~ Wertpapiere mit höherer Rendite; **inactive** ~ Effekten mit geringen Umsätzen; **industrial** ~ Industrieobligationen; **interbourse** ~ *(Br.)* international gehandelte Papiere, internationale Werte; **interest-bearing** ~ verzinsliche Wertpapiere; **fixed-interest-bearing** ~ festverzinsliche Werte; **international** ~ international gehandelte Werte; **investment** ~ Anlagepapiere; **junior** ~ *(US)* erst an zweiter Stelle dividendenberechtigte Papiere; **listed** ~ *(US)* amtlich notierte Werte; **lost** ~ abhanden gekommene Effekten; **low-grade** ~ niedrigstehende Werte; **marketable** ~ börsengängige (fungible, absetzbare) Effekten; **readily marketable** ~ leicht realisierbare Wertpapiere; **marketable** ~ **at cost** *(balance sheet)* börsenfähige Wertpapiere zu Ankaufskursen; **miscellaneous** ~ *(balance sheet)* verschiedene Werte; **municipal** ~ Kommunalanleihe; **negotiable** ~ marktfähige Effekten; **noninterest-bearing** ~ unverzinsliche Werte; **nontaxable** ~ *(US)* Wertpapiere mit steuerfreien Zinserträgen; **nonvoting** ~ stimmrechtlose Wertpapiere; **outside** ~ *(US)* [amtlich] nicht notierte Wertpapiere; **outstanding** ~ noch nicht fällige Obligationen; **pledged** ~ lombardierte Effekten; **public** ~ Staatsobligationen, -papiere, -anleihe; **quoted** ~ notierte Werte; **realizable** ~ eintreibbare Forderungen; **redeemable** ~ auslosbare Wertpapiere; **registered** ~ *(Br.)* eingetragene Wertpapiere, Namenspapiere; **restricted** ~ gesperrte Wertpapiere; **savings-bank** ~ sparkassenfähige [mündelsichere] Wertpapiere; **seasoned** ~ gut eingeführte Wertpapiere; **senior** ~ Wertpapiere mit Vorzugsrechten; **short-maturing** ~ kurzfristige Anlagewerte; **speculative** ~ Spekulationswerte; -papiere; **state** ~ *(US)* Staatsanleihe; **suffering** ~ notleidende Werte; **sundry** ~ *(balance sheet)* verschiedene Werte; **tax-exempt** ~ ertragssteuerfreie Wertpapiere; **terminable** ~ Zeitrenten; **transferable** ~ übertragbare Wertpapiere; **treasury** ~ Portefeuille eigener Aktien; **trustee** ~ *(Br.)* mündelsichere Wertpapiere; **uncurrent** ~ *(US)* selten notierte Werte; **underlying** ~ *(Br.)* Portefeuillewerte [eines Investmentfonds]; **undigested** ~ *(US)* vom Markt noch nicht aufgenommene Wertpapiere; **unlisted** ~ *(US)* [amtlich] nicht notierte Werte, Freiverkehrswerte; **unquoted** ~ nicht notierte Werte;

~ **dealt in for the account** Terminpapiere; ~ **dealt in for cash** Kassapapiere, marktgängige Werte; ~ **held (lodged) as collateral** lombardierte Effekten; ~ **negotiated for future delivery** auf Zeit gehandelte Wertpapiere; ~ **entitled to a dividend** Effekten mit Dividendenberechtigung; ~ **on hand** Effektenbestand, -portefeuille; ~ **payable to bearer** Inhaberpapiere; ~ **quoted on the spot market** Kassapapiere, -werte;

to advance on ~ lombardieren; **to afford** ~ Sicherheiten bestellen; **to be loaded with** ~ mit Effekten festsitzen; **to borrow on** ~ Effekten lombardieren (beleihen) lassen; **to call in** ~ Papiere aufrufen (einziehen); **to collateral** ~ Effekten lombardieren; **to commute** ~ in Kost gegebene Effekten auswechseln; **to deposit** ~ **in safe custody** *(Br.)* Wertpapiere ins Depot einliefern; **to give** ~ Sicherheiten bestellen; **to have** ~ **hypothecated** Effekten lombardieren lassen; **to hold** ~ **for safekeeping** Effekten im Depot verwahren; **to hypothecate** ~ Effekten lombardieren; **to introduce (list,** *US*, **market)** ~ **on the stock exchange** Effekten an der Börse einführen; **to marshal** ~ Sicherheiten aufteilen; **to place** ~ **in a deposit** *(US)* Wertpapiere ins Depot einliefern; **to pledge** ~ Wertpapiere lombardieren; **to take** ~ **on a commission basis** Wertpapiere in Kommission nehmen; **to withdraw** ~ **from a deposit** Wertpapiere aus einem Depot entnehmen;

~ **account** Stückekonto; ≗ **Exchange Act** *(US)* Wertpapiergesetz; ~ **assistant** Sicherheitenbearbeiter; ~ **blotter** *(US)* Effektenstrazze; ~ **book** *(Br.)* Lebendes Depot[konto]; ~ **broker**

Effektenmakler; ~ **business** Effekten-, Wertpapiergeschäft; ~ **clearing bank** Effektengirobank; ~ **collateral loan** Lombardkredit; ≗ **and Exchange Commission** *(US)* Börsenaufsichtsbehörde; ~ **company** *(US)* Effektenverwertungsgesellschaft; ~ **custody** Depotverwahrung; ~ **dealer** *(US)* Effektenhändler; ~ **dealings** Effektengeschäfte; ~ **department (division)** Effektenabteilung; ~ **holdings** Wertpapier-, Effektenbesitz, Effektenportefeuille; ~ **insurance** Wertpapierversicherung; ~ **issue** Effektenemission; ~ **journal** *(Br.)* Effektenstrazze; ~ **ledger** *(Br.)* Effektenkonto, totes Depot, Effektenbuch; ~ **market** Effektenmarkt; **to rock the ~ market to its foundations** Wertpapiermarkt (Effektenmarkt) bis in seine Grundfesten erschüttern; ~ **market transactions** Effektentransaktionen; ~ **marketing law** Wertpapiergesetz; ~ **offerings** Wertpapier-, Effektenangebot; ~ **prices** Effektenkurse; ~ **quotation** Wertpapiernotierung; ~ **register** *(US)* Effektenkonto, lebendes Depot; ~ **sales blotter (book,** *US)* Effektenausführungsbuch; ~ **salesman** Effektenverkäufer; ~ **tax** Wertpapiersteuer; ~ **teller** Effektenkassierer; ~ **trading** Effekten-, Wertpapierhandel; **stolen ~ traffic** Handel mit gestohlenen Wertpapieren.

security Sicherheit, Schutz, *(cover)* Sicherheit, -stellung, Sicherheitsleistung, [Kredit]deckung, Sicherung, *(guarantee)* Bürgschaft, Kaution, Garantie, *(guarantor)* Bürge, *(pledge)* [Unter]-pfand, *(mil., pol.)* Sicherheit;

able to put up ~ kautionsfähig; **against** ~ gegen Sicherstellung; **by way of** ~ zur Sicherheit, pfandweise; **in ~ for** als Garantie für; **pledged as** ~ sicherungsübereignet, zu Sicherungszwekken (sicherungshalber) übereignet; **without** ~ ungedeckt;

additional ~ zusätzliche Sicherheit (Deckung); **ample** ~ genügende Deckung; **cash** ~ Barsicherheit; **collateral** ~ zusätzliche Dekkung, Nebensicherheit; **counter** ~ Rückbürgschaft; **eligible** ~ geeignete Sicherheit; **fair** ~ angemessene Sicherheit; **financial** ~ Kreditsicherheit; **floating** ~ auswechselbare Kreditsicherung; **good** ~ sichere Bürgschaft; **high-grade** ~ hochwertige Sicherheit; **joint** ~ Solidarbürgschaft; **material** ~ dingliche Sicherheit; **personal** ~ persönliche Sicherheit, Mobiliarsicherheit; **property** ~ zusätzliche Deckung; ~ **owned** vorhandene Sicherheit; **real** ~ dingliche (hypothekarische) Sicherheit; **secondary** ~ Nebensicherheit; **shifting** ~ auswechselbare Kreditsicherheit; **substantial** ~ sicherer (tauglicher) Bürge; **sufficient** ~ hinreichende Deckung; **trust** ~ *(US)* mündelsichere Anlage; **underlying** ~ erststellige Hypothek, **valid** ~ gültige Sicherheit;

~ **against advance** Kreditsicherheit; ~ **for costs** *(required by nonresident)* Sicherheitsleistung für die Gerichtskosten, Kostenvorschuß, -hinterlegung, Prozeßkostenkaution; ~ **for a debt** Sicherheit für eine Forderung; ~ **by mortgage** hypothekarische Sicherstellung; ~ **behind paper money** Notendeckung; ~ **of a person** persönliche Sicherheit; ~ **on property** *(US)* dingliche (hypothekarische) Sicherheit; ~ **of tenure** Mieterschutz;

to afford ~ Sicherheit stellen; **to be deposited as underlying** ~ als Unterpfand dienen; **to become ~ for s. o.** für j. Bürgschaft leisten; **to cross the street in ~ at a pedestrian crossing** Straße sicher auf dem Zebrastreifen überqueren; **to forfeit** ~ Sicherheit für verfallen erklären; **to furnish (give)** ~ Bürgschaft, (Kaution, Garantie, Sicherheit) leisten, garantieren, sich verbürgen; **to furnish a bill with** ~ Wechsel mit Bürgschaft versehen, Wechsel decken; **to hold** ~ gesichert (gedeckt) sein; **to lend money on** ~ Geld gegen Sicherheiten ausleihen; **to lend money without** ~ Blankokredit gewähren; **to lodge as** ~ als Sicherheit hinterlegen; **to lodge stock as additional** ~ Aktien als Lombardsicherheit hinterlegen; **to offer** ~ Sicherheit bieten; **to pay in a sum as a** ~ Anzahlung leisten; **to pledge as** ~ zu Sicherheitszwecken (sicherungshalber) übereignen; **to provide (stand)** ~ Kaution stellen; **to stand ~ for s. o.** Bürgschaft für j. leisten; **to stand ~ for a debt** Schuld avalieren; **to stand ~ for a signature** Unterschrift avalieren; **to turn over as** ~ als Sicherheit hingeben; **to want a** ~ Sicherheit[en] verlangen;

~ **account** Effektenkonto, -rechnung; **to offer ~ advice** Effektenberatung andienen; ~ **agreement** *(pol.)* Sicherheitsabkommen; ~ **analyst** Effektenberater; ~ **bill** durch Effekten gesicherter Wechsel, Kautions-, Garantiewechsel; ~ **bond** Bürgschaftsschein; ~ **contract** Bürgschafts-, Garantieversprechen; ~ **dealer** Effektenhändler; ~ **exchange** Wertpapierbörse; ~ **flotation company** *(US)* Emissionsgesellschaft, -bank; ~ **holder** Sicherheitsempfänger, *(stockholder)* Wertpapierbesitzer; ~ **holdings** Wertpapierbestände, Wertpapier-, Effektenbestand; ~ **market** Effekten-, Wertpapiermarkt, Effektenbörse; ~ **prices** Effektenkurse, -preise; ~ **purchase** Effekten-, Wertpapierkäufe; ~ **reserve fund** Sicherheitsrücklage; ~ **sales** Effekten-, Wertpapierverkäufe; ~ **trading** Effekten-, Wertpapierhandel; ~ **transactions** Effektentransaktionen, *(for safety)* Sicherungsmaßnahmen; ~ **value** Bürgschaftswert.

sedan Limousine.

see | *(v.)* **s. o. on business** j. geschäftlich sprechen; ~ **into a claim** Anspruchslage prüfen; ~ **s. o. off at the airport** j. am Flugplatz verabschieden.

seek *(v.)* suchen, begehren, *(apply for)* sich um etw. bewerben;

~ **admission** um Zulassung nachsuchen; ~ **s.**

one's advice sich beraten lassen; ~ **employment** sich um eine Stellung bewerben; ~ **information** Auskünfte einholen; ~ **recovery** Schadenersatz verlangen; ~ **shelter with conglomerates** großindustrielle Abstützung suchen.

seeker Aspirant.

segment of business community Wirtschaftskreise.

segregated | **account** *(US)* Sonderkonto; ~ **appropriation** *(fund, US)* gesonderte Zweckbestimmung.

segregation Absondern.

seize *(v.)* *(confiscate)* beschlagnahmen, mit Beschlag belegen, *(property)* pfänden;
~ **s. one's goods for payment of debt** jds. Sachen wegen ausstehender Schulden pfänden; ~ **property on an execution** Zwangsvollstreckung durchführen.

seizure *(act of seizing)* Beschlagnahme, Einziehung, Konfiskation, *(distraint)* Pfändung, Arrest, *(ship)* Aufbringung, *(taking possession)* Inbesitznahme, Besitzergreifung;
~ **under a prior claim** Vorpfändung; ~ **of contraband by customs officers** Beschlagnahme von Schmuggelware durch den Zoll; ~ **of goods by the sheriff** Zwangsvollstreckung; ~ **of property** Vermögensbeschlagnahme [im Arrestverfahren];
to be subject to ~ der Beschlagnahme unterliegen; **to effect a** ~ Beschlagnahme vornehmen; **to lift the** ~ Beschlagnahme (Pfändung) aufheben;
~ **note** Quittung des Gerichtsvollziehers.

select | *(v.)* **a specimen at random** Muster stichprobenartig auswählen;
~ **table** Sterblichkeitstabelle.

selected | **applicant** erfolgreicher Bewerber; ~ **goods** auserlesene Ware; ~ **investments** ausgesuchte Anlagewerte.

selection Auslese, Auswahl, Kollektion, *(personnel)* Personalauswahl, Konkurrenzauslese;
in a wide ~ **of fields** auf verschiedensten Sparten;
adverse ~ *(life insurance)* Ausscheiden der besseren Risiken; **portfolio** ~ optimale Planung einer Wertpapieranlage; **tentative** ~ *(US)* bedingte Warenauswahl;
~ **on the basis of aptitude** Eignungsauslese; ~ **of customers** Kundenwahl; ~ **of media** *(advertising)* Auswahl der Werbeträger; ~ **of risks** Risikoauslese; ~ **of site** Grundstückswahl; ~ **committee** Bewerbungsausschuß; ~ **procedure (process)** Ausleseverfahren.

selective | **advertising** gezielte Werbung; ~ **demand** spezifischer Bedarf; ~ **distribution** Vertrieb durch einen ausgewählten Händlerkreis; ~ **driver plan** *(US)* Versicherungsnachlaß für unfallfreies Fahren; ~ **employment tax** *(Br.)* Arbeitgeberlohnanteil; ~ **selling** selektive Absatzpolitik; ~ **strength** *(stock exchange)* auf Spezialwerte beschränkte feste Haltung.

self | **-addressed card** Rückantwortkarte; ~**-addressed envelope** Freiumschlag; ~**-administrated pension plan** eigene Pensionskasse; ~**-advertisement** Eigenreklame; ~**-appraisal** *(taxation)* Selbsteinschätzung; ~**-assessed** selbstveranlagungspflichtig; ~**-assessment** [steuerliche] Selbsteinschätzung; ~**-balancing** *(general ledger)* ausgeglichen; ~**-check** *(banking, US)* eigener Scheck; ~ **-consumption** Eigenverbrauch; ~ **-contained flat** *(Br.)* abgeschlossene Wohnung; ~**-contained house** *(Br.)* Einfamilienhaus; ~**-contained industries** autarke Industriezweige; ~**-cost** Gestehungs-, Selbstkostenpreis; ~**-destruction** *(life insurance)* Selbstentleibung; ~**-drive** *(Br.)* für Selbstfahrer; ~**-drive cars for hire** *(Br.)* Autovermietung für Selbstfahrer; ~ **employed** selbständig erwerbstätig; ~**-employed person** selbständiger Erwerbstätiger; ~**-employer** selbständiger Unternehmer; ~**-employment** selbständige Tätigkeit; ~**-employment income** Einkünfte aus selbständiger Erwerbstätigkeit; ~**-employment retirement plan** Ruhegeldsystem für selbständig Erwerbstätige; ~**-financing** Eigen-, Selbstfinanzierung; ~**-help enterprise** Selbsthilfeunternehmen; ~ **insurance** Eigen-, Selbstversicherung; ~**-insurer** Selbstversicherer; ~**-liquidating** sich automatisch abdeckend; ~**-liquidating display** Ausstellungsmaterial zum Selbstkostenpreis; ~**-liquidating loan** *(US)* kurzfristiger Warenkredit; ~**-liquidating premium** Warenprobe zum Selbstkostenpreis; ~**-mailer** Versandprospekt ohne Umschlag, Werbesache mit Rückantwort; ~**-rating** Selbsteinschätzung; ~**-retention** *(insurance business)* Selbstbehalt; ~**-service restaurant** Restaurant mit Selbstbedienung, Automatenrestaurant; ~**-service shop (store)** Selbstbedienungsladen; ~**-service system** Selbstbedienungssystem; ~**-starter** Selbstanlasser; **national** ~**-sufficiency** wirtschaftliche Unabhängigkeit, Autarkie; **to be** ~**-sufficient** Selbstversorger (autark) sein; ~**-support** Selbstversorgung; ~**-supporter** Selbstversorger.

sell *(sl., stock exchange)* zu verkaufendes Wertpapier;
hard ~ *(US)* energische Verkaufstechnik; **no end of a** ~ ausgesprochene Pleite; **soft** ~ *(US)* zwanglose Warenwerbung;
~ *(v.)* verkaufen, [ver]käuflich überlassen, absetzen, abgeben, losschlagen, unter-, anbringen, *(alienate)* veräußern, *(find purchasers)* Absatz finden, verkauft (abgesetzt) werden, sich verkaufen, *(puff, US)* anpreisen, *(trade)* handeln, vertreiben, *(turn over)* umsetzen;
~ **abroad** ausführen, exportieren; ~ **for the account** *(Br.)* auf Termin verkaufen; ~ **for the account of s. o.** auf jds. Rechnung verkaufen; ~ **to advantage** mit Gewinn verkaufen; ~ **again** wiederverkaufen; ~ **by anticipation** auf Lieferung verkaufen; ~ **at a shilling a piece** Stück

einen Shilling kosten; ~ **by [public] (at,** *US)* **auction** öffentlich versteigern, im Wege öffentlicher Versteigerung verkaufen, verauktionieren, in die Auktion geben; ~ **badly** sich schwer verkaufen lassen, schwer abgehen; ~ **a bear** *(stock exchange)* ohne Deckung *(blanko)* verkaufen, auf Baisse spekulieren; ~ **best in the summer** hauptsächlich im Sommer gängig sein, im Sommer am besten gehen; ~ **at best** bestens (zum Bestpreis) verkaufen, *(stock exchange)* zum Höchstkurs verkaufen; ~ **to the highest bidder** meistbietend verkaufen; ~ **by the bottle** flaschenweise verkaufen (abgeben); ~ **by bulk** im Ramsch (in Bausch und Bogen) verkaufen; ~ **like hot cakes** reißenden Absatz finden, wie warme Semmeln (heiße Würstchen) abgehen; ~ **for cash** gegen Barzahlung verkaufen; ~ **one's goods cheaply** seine Ware billig abgeben (ablassen); ~ **on commission** auf Kommissionsbasis verkaufen; ~ **below cost price (less than cost)** unter Selbstkostenpreis (Wert, Herstellungskosten) verkaufen; ~ **over the counter** im Laden (über den Ladentisch) verkaufen, *(stock exchange, US)* im Freiverkehr handeln; ~ **on credit** auf Kredit (gegen Zeit) verkaufen; ~ **the crop standing** Ernte auf dem Halm verkaufen; ~ **dear** teuer verkaufen; ~ **dirt-cheap** verschleudern; ~ **at a discount** mit Verlust verkaufen; *(stock exchange)* unter Pari stehen; ~ **at a disadvantage** mit Verlust verkaufen; ~ **divisions to raise cash** einzelne Fertigungszweige zum Zweck der Liquiditätsverbesserung aufgeben; ~ **in dribs and drabs** in kleinen Partien verkaufen; ~ **free from encumbrances** pfandfrei (lastenfrei) verkaufen; ~ **forward** auf Lieferung (Termin) verkaufen; ~ **for future delivery** auf Termin verkaufen; ~ **goods** Waren debitieren (verkaufen); ~ **one's goods** seine Ware verkäuflich machen; ~ **goods easily** Waren leicht absetzen; ~ **by hand** aus freier Hand verkaufen; ~ **hard (heavily)** schlechten Absatz finden, sich schwer verkaufen lassen; ~ **insurance** Versicherungsvertreter sein; ~ **an interest** Geschäftsanteil ([Kapital]beteiligung) verkaufen; ~ **an issue en bloc** Emission en bloc begeben; ~ **one's life dearly** sein Leben teuer verkaufen; ~ **long stock** Aktien aus einem großen Portefeuille verkaufen; ~ **at a loss** mit Verlust (Schaden, unter Selbstkostenpreis) verkaufen; ~ **out of a loss situation** aus einer Verlustsituation heraus verkaufen; ~ **at an all-time low** zu den niedrigsten je erzielten Preisen verkaufen; ~ **machinery as junk** Maschinen auf Abbruch verkaufen; ~ **on margin** gegen Sicherheitsleistung verkaufen; ~ **at market down** mit Rabatt verkaufen; ~ **in the open market** am offenen Markt (aus freier Hand) verkaufen; ~ **for ready money** gegen bar verkaufen; ~ **off** ausverkaufen, Lager räumen, *(stocks)* liquidieren; realisieren; ~ **off goods** Waren abstoßen; ~ **off hand** freihändig verkaufen; ~ **off one's possessions** seinen ganzen Besitz abstoßen; ~ **at option** auf Prämien verkaufen; ~ **by order of the court** gerichtlich versteigern; ~ **out** ausverkaufen, Lager räumen, *(stock exchange)* lombardierte Wertpapiere realisieren; ~ **out against s. o.** *(Br.)* Exekutionsverkauf gegen j. durchführen; ~ **out against a client** *(stock exchange)* Börsenorder gegen die Interessen des Auftraggebers ausführen; ~ **out of line** Verkäufe unterhalb der abgesprochenen Preisgrenze vornehmen; ~ **at a sacrifice** mit Verlust verkaufen, Verlustverkauf tätigen; ~ **for the settlement** *(Br.)* auf Termin verkaufen; ~ **out one's share of a business** seinen Geschäftsanteil abgeben (verkaufen); ~ **out the Yankees** *(coll., US)* Unfall haben, ins Krankenhaus kommen; ~ **outright** zu einem festen Preis verkaufen; ~ **the pass** sein Land verraten; ~ **for current payment** gegen bar verkaufen; ~ **by the piece** stückweise (nach dem Stück) verkaufen; ~ **at a premium** mit Gewinn (Vorteil) verkaufen, *(stock exchange)* über Pari stehen; ~ **at a good price** guten Preis erzielen; ~ **at a low price** preiswert verkaufen; ~ **at reduced prices** mit Abschlag (unter Taxe) verkaufen; **under the price** unter Preis verkaufen; ~ **privately** unter der Hand verkaufen; ~ **by private contract (treaty)** aus freier Hand (freihändig) verkaufen; ~ **at a profit** mit Gewinn verkaufen; ~ **s. o. a project** jem. ein Projekt schmackhaft machen; ~ **the public on s. th.** der Öffentlichkeit etw. anpreisen; ~ **publicly** öffentlich versteigern; ~ **s. o. a pup** *(fam.)* jem. einen alten Hut verkaufen; ~ **rapidly** reißend abgehen; ~ **retail** *(Br.)* en detail verkaufen; ~ **readily** guten Absatz finden, leicht anzubringen sein; ~ **down the river** *(sl.)* verraten und verkaufen; ~ **at public sale** *(US)* verauktionieren, versteigern; ~ **by sample** nach dem Muster verkaufen; ~ **on a scale** *(stock exchange, US)* seine Verkäufe über eine Hausseperiode verteilen; ~ **separately** einzeln verkaufen; ~ **shares** Papiere verwerten; ~ **short** *(stock exchange)* ohne Deckung verkaufen, fixen; ~ **at the spear** im Wege der Auktion verkaufen, versteigern; ~ **by subhastation** im Wege öffentlicher Versteigerung verkaufen; ~ **under the system** auf Punkte verkaufen; ~ **to the trade** an Wiederverkäufer verkaufen; ~ **underhand** [Waren] verschieben; ~ **up** Konkursmasse liquidieren; ~ **s. o. up** j. auspfänden; ~ **for value** entgeltlich überlassen, gegen entsprechende Bezahlung verkaufen; ~ **a wide variety of goods** großes Warensortiment haben; ~ **one's vote** seine Stimme verkaufen; ~ **one's way into profit** durch Umsatzsteigerungen zu Gewinnen gelangen; ~ **by the weight** dem Gewicht nach verkaufen; ~ **well** sich leicht verkaufen lassen, gut gehen, gefragt sein; ~ **wholesale** *(Br.)* **(at wholesale,** *(US)* en gros

verkaufen; ~ **by working through government program(me)s** beim Verkauf staatliche Finanzierungshilfen in Anspruch nehmen;
to be commissioned to ~ **s. th.** etw. an Hand haben; **to be hard to** ~ schwer verkäuflich sein;
~**-and-lease agreement** Grundstücksverkaufsvertrag unter gleichzeitigem Abschluß eines langjährigen Pachtvertrages; ~**-off** *(stock exchange)* Abgaben, Glattstellenverkauf; ~**-off of holdings** Ausverkauf von Beteiligungen; ~**-out** Ausverkauf, *(betrayal)* Verrat.

seller Verkäufer, Veräußerer, *(stock exchange, Br.)* Abgeber, *(thing readily sold)* Verkaufsschlager, gängiger Artikel;
bad ~ *(book)* schlecht verkäufliches Buch; **bear** ~ Baissespekulant; **best** ~ Verkaufsschlager, Jahreserfolg, *(book)* viel verlangtes Buch, Bestseller; **big** ~ Verkaufsschlager; **forward** ~ Terminverkäufer; **good** ~ *(book)* leichtverkäufliches Buch; **intermediate** ~ Zwischenverkäufer; **original** ~ Rückkäufer;
~ **of a call option** *(Br.)* Verkäufer einer Vorprämie.

seller's | **commission** Absatzprovision; ~ **duty to deliver** Übergabepflicht des Verkäufers; ~ **lien** Verkäuferpfandrecht, Zurückbehaltungsrecht des Verkäufers; ~ **obligation** Verkäuferpflicht; ~ **option** Terminverkauf, Rückprämie, Verkaufsoption; **to hold subject to the** ~ **order** zur Verfügung des Käufers halten.

sellers *(stock exchange)* Brief;
more buyers than ~ *(Br.)* mehr Geld als Brief; ~ **only** *(Br.)* Brief; ~ **over** *(Br.)* vorwiegend Brief; **would-be** ~ Verkaufsinteressenten;
~ **and buyers** *(Br.)* Brief und Geld; ~ **of a spread** Stellagegeber.

sellers' | **cartel** Absatzsyndikat; ~ **market** Verkäufermarkt, Marktnachfrage, Absatzkonjunktur.

selling Verkauf[en], Absatz, Vertrieb, *(stock exchange)* Verkäufe, Umsätze;
development ~ Entwicklung neuer Verkaufsmöglichkeiten; **direct** ~ direkter Absatz, Direktverkauf; **direct-to-customer** ~ direkter Kundenverkauf, Beziehungskauf; **direct-to-the-point** ~ anschauliche Verkaufsmethoden; **effective** ~ erfolgreiche Verkaufstätigkeit; ~ **forward** Lieferungs-, Terminverkäufe; **heavy** ~ größere Abgaben; **house-to-house** ~ Verkauf durch einen Hausierer, Direktverkauf durch Vertreter, Hausierhandel; **low-pressure** ~ unaufdringliche Verkaufsmethodik; **mail-order** ~ Versandhausgeschäft; **maintenance** ~ Erhaltung des gegenwärtigen Abschlußniveaus, Verkäufe im früheren Umfang; ~ **off (out)** Ausverkauf, *(US, sl.)* Vertrauensbruch, *(stock exchange)* Exekutionsverkauf; **scattered** ~**s** vereinzelte Verkäufe; **selective** ~ Vertrieb durch bestimmte Vertreter; **spasmodic** ~ unregelmäßige Verkäufe; ~ **stocks short** Verkäufe auf Baisse, Blankoverkäufe, -abgaben, Fixgeschäfte;
~ **by auction** [Verkauf im Wege der] Versteigerung; ~ **a bear** *(Br.)* Baissespekulation; ~ **below cost price** Verkauf unter Selbstkosten; ~ **in bulk** Massenabsatz; ~ **by direct mail** Versandhausgeschäft; ~ **with premium** Verkauf mit Zugaben, Zugabewesen; ~ **without premium** Verkauf ohne Zugabe; ~ **under price** Verschleuderung; ~ **on a scale** *(US)* Aufgabe von Kauf- und Verkaufsorders zu verschiedenen Zeiten; ~ **[off] of stock** Abstoßen von Aktien, Aktienverkauf; ~ **by wholesale** Engros-, Massen-, Großhandelsverkäufe;
to be ~ **fast** schnell weggehen; **to be entrusted with the** ~ **of s. th.** mit dem Verkauf von etw. beauftragt sein; **to run into heavy** ~ sich schwer verkaufen lassen;
~ *(a.)* gängig, gut verkäuflich;
~ **account** Betriebskonto; ~ **accounts receivable outright** *(US)* Debitorenverkauf, Warenbevorschussung; ~ **agency** Vertriebs-, Verkaufsbüro, Verkaufskontor; ~ **agent** Absatz-, [Verkaufs]vertreter, -kommissionär; ~ **aid** Verkaufshilfe; ~ **appeal** Verkaufsanreiz; ~ **area** Absatzgebiet; **high-pressure** ~ **argument** aufdringliche Verkaufsargumente; ~ **arrangement** Verkaufs-, Absatzvereinbarung; ~ **attitude** Verkaufsverhalten; ~ **brokerage** Verkaufskommission; ~ **calendar** Absatzkalender; ~ **campaign** Absatz-, Verkaufsfeldzug; ~ **capacity** Absatz-, Vertriebsfähigkeit; ~ **commission** Absatz-, Verkaufsprovision; **[onerous]** ~ **conditions** [erschwerte] Absatzverhältnisse; ~ **conversation** Verkaufsgespräch; ~ **costs** Vertriebs-, Verkaufs-, Selbstkosten; ~ **days** Verkaufstage; ~ **department** Verkaufsabteilung; ~ **efforts** Absatzanstrengungen; ~ **expense** Vertriebsunkosten, Vertriebsgemeinkosten, Verkaufsspesen; **administrative and general** ~ **expenses** *(balance sheet, US)* Verkaufs-, Verwaltungs- und allgemeine Kosten; ~ **and administrative expense** *(income statement)* Verwaltungsunkosten; ~ **function** Verkaufsfunktion; ~ **group** Absatzgremium, *(banking)* Emissions-, Verkaufskonsortium; ~ **hours** Verkaufstätigkeit; ~ **licence** Verkaufslizenz; ~ **methods** Absatz-, Vertriebsmethoden; ~ **office** Verkaufsbüro; ~ **order** Verkaufsauftrag, -order; **to give a** ~ **order** zum Verkauf aufgeben, Verkaufsauftrag erteilen; ~ **organization** Verkaufsorganisation; ~**-out day** *(stock exchange)* Tag für Exekutionsverkäufe; ~ **plan** Absatz-, Vertriebssystem, Verkaufsplan; **overall** ~ **plan** globales Verkaufsprogramm; ~ **point** Verkaufsstelle; ~ **points** Verkaufspunkte, -argumente; ~ **policy** Verkaufs-, Absatzpolitik; ~ **possibility** Vertriebs-, Absatzmöglichkeit; ~ **power** Werbekraft; ~ **pressure** Verkaufsdruck, Absatzmangel, *(stock exchange)* drängendes Angebot; **to be under** ~ **pressure** *(market)* durch Verkäufe gedrückt liegen; ~ **price** La-

den[verkaufs]preis, *(stock exchange)* Briefkurs; **fixed ~ price** fester Verkaufspreis; **to up one's ~ prices** Verkaufspreise heraufsetzen; **~ process** Verkaufsverfahren; **~ rate** Verkaufs-, Briefkurs; **~ right** Verkaufsrecht; **~ season** Absatz-, Verkaufssaison; **~ situation** Absatzlage, -situation; **~ space** Verkaufsfläche; **~ staff** Verkaufspersonal, Absatzstab; **~ stop order** *(US)* limitierte Verkaufsorder; **~ syndicate** [Emissions]konsortium; **~ talk** Verkaufsgespräch; **~ technique** Verkaufskunst; **~ territory** Absatz-, Verkaufsgebiet; **~ transactions** Abschlüsse; **~ value** Verkaufswert; **~ wave** Verkaufswelle; **~ weight** Verkaufsgewicht.

sellout *(sl.)* Ausverkauf.

semiannual | instal(l)ment Halbjahresrate; **~ interest** halbjährliche Zinsen.

semifinished products Halbfertigwaren, -fabrikate.

semifixed fund Investmentfonds mit begrenzt auswechselbarem Portefeuille.

semigovernmental corporation halbstaatliche Gesellschaft.

semiluxuries, heavily-taxed hochbesteuerte Genußmittel.

semimanufactured goods Halb[fertig]fabrikate.

semimonopoly Quasimonopol.

semimunicipal bonds *(US)* nicht vollwertige Kommunalanleihen.

semiofficial halbamtlich, -dienstlich, offiziös.

semipostal Wohlfahrtsmarke.

semiskilled worker angelernter Arbeiter.

semisolus *(advertisement, Br.)* halb alleinstehend.

send *(v.)* schicken, senden, *(forward)* ab-, übersenden, [zu]schicken, zugehen lassen, zum Versand bringen, *(remit)* überweisen;

~ in an application Antrag einreichen; **~ on approval** zur Ansicht schicken; **to have to ~ away for many things** viele Bestellungen aufzugeben haben; **~ in one's bill** seine Rechnung vorlegen (schicken); **~ in bills to an insurance office** Rechnungen bei einer Versicherung einreichen; **~ in one's card** seine Visitenkarte abgeben; **~ out circulars** Rundschreiben verschikken; **~ an employee away** Angestellten entlassen; **~ s. o. flying** j. achtkantig herauswerfen; **~ for** *(order)* bestellen; **~ goods to a fair** Messe beschicken; **~ goods to the market** Markt beliefern; **~ on one's luggage** *(Br.)* sein Gepäck aufgeben; **~ by mail** *(US)* mit der Post schikken; **~ money** Geld überweisen; **~ in (up) one's name** sich anmelden [lassen]; **~ off** expedieren, fort-, ab-, verschicken, ab-, versenden, abgehen lassen, *(discharge)* entlassen; **~ off by post** zur Post geben, expedieren; **~ on** nachsenden; **~ out accounts** Rechnungen verschicken; **~ in one's papers** um seine Entlassung einkommen; **~ by post** *(Br.)* mit der Post schicken; **~ prices down** Preise herunterdrücken; **~ prices up** Preise hinaufschrauben, *(stock exchange)* Kurse in die Höhe treiben; **~ up gate receipts** Kasseneinnahmen ansteigen lassen; **~ by sea** auf dem Seeweg schicken (befördern); **~ s. o. a sum of money by post** jem. durch Postanweisung Geld zukommen lassen; **~ a telegram** Telegramm aufgeben.

sender Ab-, Ein-, Übersender, Aufgeber, *(shipper)* Befrachter;

~ of a money order Einzahler einer Zahlungsanweisung;

return to ~ an den Absender zurück.

sending Absenden, Auflieferung, *(dipl.)* Entsendung, *(forwarding)* Übersendung, Versand;

~ out of a circular Rundschreibenversand; **~ down** *(university, Br.)* Verweisung von der Universität, Ausschluß vom Universitätsstudium, zeitweilige Relegation; **~ away of an employee** Entlassung eines Angestellten; **~ of goods** Warenversand; **~ in of money** Geldüberweisung; **~ to prison** Gefängniseinweisung; **~ of vouchers** Versand von Belegexemplaren, Belegversand;

~ station Versandstation, Aufgabestelle.

senior Dienstälterer, -ältester, Rangältester, Senior[chef];

~ *(a.)* älter, *(privileged)* bevorrechtigt, vorrangberechtigt, *(security market)* bevorzugt, *(service)* rang-, dienstälter, ranghöher, übergeordnet;

~ accountant leitender Buchhalter, *(auditing)* selbständiger Revisionsbeamter; **~ bonds** Vorzugsobligationen; **~ capital** *(Br.)* Stammkapital; **~ clerk** Bürovorsteher; **~ executive** leitender Angesteller; **~ lien** Vorrangspfandrecht; **~ mortgage** *(US)* Vorrangshypothek; **~ officer** *(enterprise, US)* leitender Angestellter; **my ~ officer** mein Vorgesetzter; **~ partner** Hauptinhaber, Seniorpartner; **~ securities** Wertpapiere mit Vorzugsrechten; **~ shares** *(Br.)* Stamm-, Vorzugsaktien; **~ stock** *(US)* Vorzugsaktien.

seniority höheres Dienstalter, *(enterprise, US)* Betriebszugehörigkeitsdauer, *(in rank)* Dienst[vor]rang;

to be chairman by ~ Alterpräsident sein; **to be promoted by ~** nach dem Dienstalter befördert werden; **to rise by ~** nach dem Dienstalter aufrücken;

~ allowance *(US)* Dienstalterzulage; **~ basis** Beförderung nach dem Dienstalter; **~ list** *(US)* Dienstrangliste; **~ pay** *(US)* Dienstalters-, Beförderungszulage; **~ principle** Dienstaltersprinzip; **~ problem** Beförderungsproblem; **~ right** Beförderungsanspruch; **~ rule** *(parl., US)* Dienstaltersbestimmungen; **~ system** Dienstaltersplan; **to crack the ~ system** mit Anziennitätsrechten aufräumen.

sensitive | to business movements konjunkturempfindlich;

to be ~ to political disturbance *(stock exchange)* empfindlich auf politische Unruhen reagieren; **to be ~ to a downturn** auf konjunk-

turelle Verschlechterungen empfindlich reagieren;
~ **market** empfindlich reagierende Börse; ~ **material** vertrauliche Unterlage.

sensitivity to economic fluctuations Konjunkturempfindlichkeit.

sentimental | damage *(insurance)* Wertminderung; ~ **value** Liebhaberwert.

separable costs Produktionskosten.

separate *(v.)* [ab]trennen, *(bankruptcy)* aus-, absondern, ausscheiden, *(corporation)* auflösen;
~ **into small fields** in kleine Parzellen aufteilen;
~ *(a.)* einzeln, getrennt, *(bankruptcy)* ausgesondert;
~ **account** Sonder-; Separatkonto; ~ **accounts** *(pension scheme)* getrennte Anlagen; ~ **acknowledgment** *(married woman)* getrenntes Schuldanerkenntnis; ~ **action** getrenntes Verfahren, selbständige Klage; ~ **agreement** Sonderabkommen, -vertrag; ~ **book** Nebenbuch; ~ **confinement** Einzelhaft; ~ **covenant** Sondervereinbarung; -vertrag; **under** ~ **cover** im besonderen Umschlag; ~ **discussion** Einzelbesprechung; ~ **edition** Sonderausgabe; ~ **estate** Sondervermögen, *(married woman)* eingebrachtes Gut, Vorbehaltsgut; ~ **maintenance** *(US)* Unterhaltsleistung [an getrennt lebende Ehefrau]; ~ **opinion** abweichende Meinung; ~ **peace** Separatfriede; ~ **print** Sonderdruck; ~ **property** *(US)* Sondervermögen, *(married woman)* Vorbehaltsgut, Gütertrennung; ~ **return** getrennte Steuererklärung; ~ **rooms** Einzelzimmer; ~ **satisfaction** *(bankruptcy)* abgesonderte Befriedigung; ~ **trade** Proprehandlung, Handlung auf eigene Rechnung; ~ **treaty** Sonderabkommen, Separatvertrag; ~ **volume** einzelner Band, Einzelband.

separating post office *(US)* Verteileramt.

separation Trennung, Teilung, *(bankruptcy proceedings)* Absonderung, Aussonderung;
~**s** *(labo(u)r force)* Abgänge in der Belegschaft;
~ **of claims** *(bankruptcy)* Absonderung; ~ **of estate** Gütertrennung; ~ **of partnership** Auflösung einer Handelsgesellschaft; ~ **of property** *(US)* Gütertrennung;
~ **agreement** Vereinbarung des Getrenntlebens.

sequence | of good harvests Reihe guter Ernten; ~ **of operations** Arbeitsfolge.

sequester Verwaltung, Treuhänder, Sequester, *(property)* treuhänderisch verwaltetes Eigentum;
~ *(v.)* zwangsverwalten, unter Treuhänderschaft stellen, sequestrieren;
~ **alien property** Feindvermögen beschlagnahmen.

sequestrable beschlagnahmefähig, konfiszierbar.

sequestrate *(v.)* sequestieren, beschlagnahmen, konfiszieren.

sequestration Beschlagnahme, *(bankruptcy)* Zwangsverwaltung, Sequestrierung des Vermögens, *(law of contracts)* Hinterlegung bei Gericht (bei Dritten) [bis zur Prozeßbeendigung]; **to award** ~ **of estate** Vermögensbeschlagnahme anordnen; **to put under** ~ unter Zwangsverwaltung stellen.

serial *(broadcasting)* Sendereihe, *(publication)* Serie, Veröffentlichungsreihe, Lieferungswerk;
~ *(a.)* serienmäßig, *(publication)* periodisch (in Lieferungen, Fortsetzungen) erscheinend;
~ **advertisements** Serienanzeigen, Anzeigenserie; ~ **bond** Serienobligation; ~ **bonds** Tilgungsanleihe; ~ **construction** Serienherstellung, Massenfabrikation; ~ **house** Reihenhaus; ~ **issue of bonds** Emission in Serien; ~ **manufacture** Serienherstellung, Massenfabrikation; ~ **number** laufende Nummer, Fabrikationsnummer; **in** ~ **parts** in einzelnen Nummern; ~ **production** Fließarbeit, Arbeit am laufenden Band, Reihenan-, Serienfertigung, Massenproduktion; ~ **work** Serienarbeit.

serialization serienmäßige Herstellung, Massenproduktion, *(publishing)* Veröffentlichung in Fortsetzungen.

serialize *(v.)* in Fortsetzungen veröffentlichen, *(production)* serienmäßig herstellen, in Massen produzieren.

series Zahlenfolge, Serie, Reihe, Gruppe;
in ~ serienmäßig, reihen-, serienweise;
to purchase the whole ~ ganze Reihe abnehmen;
~ **discount** *(advertising)* Wiederholungsrabatt;
~ **posting** Reihenanschlag; ~ **production** Serienherstellung, Massenproduktion; ~ **rate** *(advertising)* [Anzeigen]tarif; ~ **stamps** Briefmarkenserie.

seriousness of a country's financial affairs schwierige finanzielle Lage eines Landes.

servant Dienstbote, Diener, Bediensteter, *(law)* [Erfüllungs]gehilfe, *(official)* Angestellter;
civil ~ *(Br.)* Verwaltungs-, Staatsbeamter; **fellow** ~ *(Br.)* Kollege; **hired** ~ Lohndiener; **hotel** ~**s** Hotelpersonal;
~ **of a company** Firmenangehöriger.

serve *(v.)* dienen, im Dienst stehen, Dienst leisten, *(customers)* bedienen, beliefern, *(deliver summons)* [Klage] zustellen, *(be employed)* beschäftigt sein, *(office)* verwalten, amtieren, fungieren, *(public utility)* versorgen;
~ **one's apprenticeship** seine Lehrjahre ableisten; ~ **one's articles** in der Lehre sein; ~ **with a bankruptcy notice** Konkurseröffnungsbeschluß zustellen; ~ **as collateral** als Deckung dienen; ~ **a customer** Kunden bedienen; ~ **a customer with goods** Waren an einen Kunden liefern; ~ **as a gardener and as chauffeur** zugleich als Gärtner und Fahrer Dienst versehen; ~ **one's own interests** den eigenen Interessen dienen; ~ **some private ends** privaten Zwecken

dienen; ~ **in a shop** im Laden bedienen; ~ **a term under articles** *(Br.)* im Anwaltsbüro arbeiten; ~ **the town with gas** Stadt mit Gas versorgen; ~ **a writ of attachment upon s. th.** etw. mit Beschlag belegen (pfänden).

service Dienst[leistung], Arbeitsleistung, Amtstätigkeit, *(attendance)* Bedienung, *(delivery of a writ)* Zustellung, *(machine)* Betrieb, *(mil.)* Wehrdienst, Dienstzeit, *(payment of interest)* Zinsendienst, *(public utility)* Versorgungsbetrieb, -dienst, *(for purchasers)* Kundendienst, kostenlose Dienstleistung, Service, *(railway)* Verkehr, *(servant)* Stellung, Dienst, *(set of plates)* Gedeck;

15 per cent for ~ 15% für die Bedienung;

at your ~ **at all times** stets zu Ihren Diensten, **in consideration of your** ~**s** in Berücksichtigung Ihrer Dienste für uns; **exempt from** ~ dienstfrei; **fit for** ~ dienstfähig; **liable for** ~ leistungspflichtig; **on active** ~ beim Bund; **on Her Majesty's** ~ *(Br.)* portofrei, [etwa] frei durch Ablösung; **out of** ~ außer Betrieb; **ready for** ~ einsatzbereit; **retired from** ~ in Pension, außer Dienst; **unfit for** ~ dienstuntauglich; **within 2 weeks of** ~ binnen zwei Wochen nach Zustellung;

~ **abroad** Auslandsdienst; **accepted** ~ angenommene Ersatzzustellung; **accounting** ~ Buchprüfungsdienst; **active** ~ Militärdienst; **administrative** ~ Verwaltungstätigkeit; **advisory** ~ beratende Tätigkeit; **after-sales** ~ Kundendienst nach Verkauf; **air** ~ Luftverkehr; **airmail** ~ Luftpostverkehr; **built-in maid** ~ Übernahme von Aufgaben des Verbraucherhaushalts; **bus** ~ Omnibusverkehr; -verbindung; **car** ~ Wagenpflege; **career** ~ Berufsbeamtentum; **cartage** ~ Rollfuhrdienst; **civil** ~ *(Br.)* Staats-, Verwaltungs-, öffentlicher Dienst; **clerical** ~ Bürotätigkeit, **collection** ~ Inkassodienst; **constructive** ~ *(process)* Ersatzzustellung; **consular** ~ Konsulatsdienst; **contributing** ~ [auf die Pension] anrechnungsfähige Dienstzeit; **customer** ~ Kundendienst; **customs** ~ Zolldienst; **debt** ~ Schuldendienst; **delivery** ~ Zustelldienst; **direct** ~ *(process)* unmittelbare (persönliche) Zustellung; **divine** ~ Gottesdienst; **door-to-door airport limousine** ~ Flugplatzabholdienst; **electric** ~ elektrischer Betrieb; **eminent** ~**s** hervorragende Dienste; **essential** ~**s** lebenswichtige Betriebe; **excellent** ~ ausgezeichnete Bedienung; **express delivery** ~ Express-, Eilgutverkehr; **faithful** ~**s** treue Dienste; **field** ~ Außendienst, *(mil.)* Frontdienst; **the fighting** ~**s** Streitkräfte; **freight** ~ Frachtverkehr; **full** ~ *(process)* vollständige Zustellung; **funeral** ~ Trauergottesdienst; **gas** ~ Gasversorgung; **government** ~ Staatsdienst; **gratuitous** ~ Kundendienst; **hard** ~ schwerer Dienst; **honorary** ~ ehrenamtliche Tätigkeit; **indoor** ~ Innendienst; **intelligence** ~ Nachrichtendienst; **line** ~ *(railway)* Außendienst; **lip** ~ Lippenbekenntnis; **loan** ~ Anleihezinsendienst; **local line** ~ Zubringerdienst; **mail** ~ Postzustellungsverkehr; **omnibus** ~ Omnibusverkehr; **municipal** ~**s** städtische Einrichtungen; **night** ~ Nachtdienst; **on-the-spot** ~ Kundendienst an Ort und Stelle; **outdoor** ~ Außendienst; **passenger** ~ Personenverkehr; **past** ~**s** geleistete Dienste; **personal** ~ persönliche Dienstleistungen, *(of a writ)* persönliche Zustellung; **phone-and-delivery** ~ telefonischer Bestell- und Lieferbetrieb; **pick-up [and delivery]** ~ Rollfuhrdienst; **postal** ~ Postzustellungsdienst; **good postal** ~ gute Postverbindungen; **pre-sales** ~ Service vor Verkaufsabschluß; **press** ~ Pressedienst; **prompt** ~ schnelle Bedienung; **proper** ~ *(writ)* ordnungsgemäße Zustellung; **public** ~ *(US)* Staatsdienst; **poor railroad** ~ *(US)* schlechte Eisenbahnverbindungen; **railway** ~ *(Br.)* Eisenbahnverkehr; **regular twenty-four-hour** ~ ganztägiger (durchgehender) Betrieb; ~**s rendered** geleistete Dienste; **return** ~ Gegendienst; **salvage** ~ Seenotdienst; **secretarial** ~ Bürotätigkeit; **self-** ~ Automat[enrestaurant]; **self-supported** ~ sich selbst tragender Dienstleistungsbetrieb; **shipping** ~ Schiffahrtsverkehr; **shuttle** ~ Pendelverkehr; **store-door** ~ Hauszustellung; **substituted** ~ *(of a writ)* Ersatzzustellung; **supervisory** ~ Überwachungsdienst; **take-out** ~ Lieferung frei Haus; **tax-supported** ~ durch Steuern mitfinanzierter Dienstleistungsbetrieb; **technical** ~ technischer Dienst; **telegraph** ~ Telegrafenverkehr; **telephone** ~ Telefonverkehr; **train** ~ Zugverkehr, -folge; **twenty-minute** ~ Zwanzig-Minuten-Verkehr; **public utility** ~**s** öffentliche Dienstleistungen; **water** ~ Wasserversorgung;

~ **by advertisement in the press** öffentliche Zustellung; ~ **of capital** Kapitaldienst; ~ **with the colo(u)rs** aktive Dienstzeit; ~ **of complaint** Beschwerdestellung; ~**s to one's country** Verdienste um sein Vaterland; ~ **of custodianship** *(US)* Depotverwaltung; ~ **to customers** Kundendienst; ~ **of debts** Schuldendienst; ~ **of foreign debts** Auslandsschuldendienst; ~ **in the field** Kriegsdienst; ~ **at the front** Frontdienst; ~ **under a guarantee** Garantieinanspruchnahme; ~ **of an heir** *(Scot.)* Erbenanerkennung; ~ **of a loan** Anleihezinsendienst; ~ **by mail** *(US)* **(post,** *Br.)* Postzustellung; ~ **of legal proceedings** Zustellung im Zivilprozeß; ~ **of process** Zustellung von Gerichtsdokumenten, Klagezustellung; ~ **by publication** öffentliche Zustellung; ~ **to the State** dem Staat geleistete Dienste; ~ **to stockowners** *(US)* Aktionärspflege; ~ **of trains** Zugverkehr; ~ **of a writ of summons** Ladungszustellung;

~ *(v.)* instandhalten, Pflegedienst übernehmen; **to have one's car** ~**d regularly** sein Auto laufend zum Kundendienst bringen;

to accept ~ *(Br.)* Ersatzzustellung annehmen; **to add 10 per cent to the bill for** ~ 10% Bedienungszuschlag auf die Rechnung setzen; **to ask s. o. [for] a** ~ j. um Unterstützung bitten; **to be at s. one's** ~ jem. zur Verfügung stehen; **to be in s. one's** ~ in jds. Diensten stehen; **to be in the civil** ~ *(Br.)* Staatsbeamter (in der öffentlichen Verwaltung tätig) sein, im Beamtenverhältnis stehen; **to be in the customs** ~ Zollbeamter sein; **to be out of** ~ *(car)* aus dem Betrieb gezogen sein; **to be introduced into regular** ~ in den Fahrplan aufgenommen werden; **to begin commercial** ~ Dienstbetrieb aufnehmen; **to build a** ~ **to a peak of efficiency** Dienstleistungsbetrieb zu hundertprozentiger Leistungsfähigkeit bringen; **to buy a television with** ~ **for six months** Fernsehgerät mit halbjähriger Garantie kaufen; **to come into** ~ in Dienst gestellt werden; **to conduct a** ~ Gottesdienst abhalten; **to contribute one's** ~**s** seine Arbeitskraft einbringen; **to cut back** ~ Dienstbetrieb einschränken; **to effect** ~ zustellen; **to enter the diplomatic** ~ ins Auswärtige Amt eintreten; **to extend tailormade** ~**s** auf den einzelnen Kunden zugeschnittene Dienstleistungen ausweiten; **to give only lip** ~ nur ein Lippenbekenntnis ablegen; **to go into** ~ sich verdingen, Hausangestellte werden; **to leave the** ~ [aus dem Amt] ausscheiden; **to make use of s. one's** ~**s** von jds. Angebot Gebrauch machen, jds. Dienste beanspruchen (in Anspruch nehmen); **to market a** ~ Dienstleistung anbieten; **to need the** ~**s of a lawyer** eines Rechtsanwalts bedürfen; **to place s. th. at s. one's** ~ jem. etw. zur Verfügung stellen; **to provide with intelligent** ~ nutzbringenden Service leisten, guten Kundendienst haben; **to put a bus (ship) into** ~ Omnibus (Schiff) in Dienst stellen; **to render s. o. a** ~ jem. einen Dienst leisten; **to render s. o. a** ~ **in return** jem. einen Gegendienst leisten; **to retire from** ~ aus dem Dienst scheiden, in den Ruhestand treten; **to run joint** ~**s** gemeinsam betreiben; **to see** ~ Kriegsdienst tun; **to sell one's** ~ **country-wide** seine Tätigkeit über das ganze Land ausdehnen; **to send the car in for** ~ **every 3000 miles** Auto alle 5000 km zur Inspektion bringen; **to take** ~ sich verdingen; **to take s. o. into one's** ~ j. als Hausangestellte[n] einstellen; **to take out of** ~ aus dem Verkehr ziehen;

~ **agreement** Dienstvertrag, -vereinbarung, Dienstleistungsabkommen; ~ **allowance** ermäßigte Dienstleistungen; ~ **apportionments** Pensionszuschüsse; ~ **area** *(broadcasting)* Sendebereich, *(town gas)* Versorgungs-, Liefergebiet; ~ **box** *(el.)* Hauptanschluß; ~ **business** Dienstleistungsgeschäft; ~ **call** *(tel.)* Dienstgespräch; ~ **capacity** Leistungs-, Produktionsfähigkeit; ~ **carrier** Dienstleistungsträger; ~ **center** *(US)* **(centre,** *Br.)* Reparaturwerkstätte; ~ **charge** Forderung für geleistete Dienste, Unkosten-, Dienstleistungsgebühr, *(banking)* Vermittlungs-, Bearbeitungsgebühr, *(investment trust)* Verwaltungsgebühr, *(restaurant)* Bedienungszuschlag, Trinkgeld; ~ **club** gemeinnütziger Verein; ~ **concept** Kundendienstkonzept; ~ **contract** Dienstvertrag; **company** ~ **contract** *(Br.)* Heuervertrag; ~ **control** Dienstaufsicht; ~ **cost** abschreibungsfähige Kosten; **future** ~ **cost** *(pension scheme)* in der Zukunft zu erdienende Versorgungsleistungen; **past** ~ **cost** *(pension scheme)* nicht fundierte Verbindlichkeiten; ~ **credit** Dienstrang; **to transfer one's** ~ **credits** seine zusätzlichen Sozialansprüche abtreten; ~ **department** Hilfsbetrieb, *(shop)* Kundendienstabteilung; ~ **depot** Außen-, Zweig-, Kundendienststelle, *(car)* Reparaturlager; ~ **economy** Dienstleistungsindustrie; ~ **elevator** *(hotel)* Gepäckaufzug; ~ **employment** Beschäftigung in der Dienstleistungsindustrie; ~ **engineer** Wartungsingenieur; ~ **entrance** Dienstboteneingang; ~ **expense** Dienstaufwand; ~ **families** Militärangehörige; ~ **fee** Zustellungsgebühr, *(agency)* Dienstleistungsgebühr, Agenturvergütung; ~ **field** Dienstleistungsbereich; ~ **flat** *(Br.)* Etagenwohnung mit Bedienung; ~ **functions** Betreuungsaufgaben; ~ **garage** *(car)* Kundendienstzentrum; ~ **hatch** Durchreiche; ~ **industries** Dienstleistungsbetriebe, -industrien, -gewerbe; ~ **institution** Dienstleistungseinrichtung; ~ **instructions** Betriebsvorschriften, Bedienungsanweisung; ~ **job** Dienstleistungsberuf; ~ **lease** *(US)* Maschinen-, Pacht- und Wartungsvertrag; ~ **life** *(asset, Br.)* Lebensdauer; ~ **mark** *(US)* Dienstleistungsmarke; ~ **medal** *(tel., US)* Grundgebühr; ~ **office** Dienstleistungsfunktion; ~ **output depreciation method** Abschreibung auf Basis der erbrachten Leistung; ~ **packaging** Werbematerial für Dienstleistungsbetriebe; ~ **pension** Beamtenpension; ~ **period** Dienstzeit; ~ **provisions** Fürsorgebestimmungen; ~ **rating (review)** Leistungseinstufung, -beurteilung, -analyse; ~ **record** *(mil.)* Führungszeugnis; ~ **regulations** *(railway)* Betriebsvorschriften; ~ **report** Eignungsbericht; ~ **requirements** Betriebserfordernisse; ~ **road** Verkehrsstraße, -weg; ~ **sector** Dienstleistungsbereich; ~ **retirement allowance** Pensionszuschuß; ~ **space** *(ship)* Wirtschaftsraum; ~ **staff** Beamtenkörper, Dienstpersonal; ~**-station** Autoreparaturwerkstätte Kundendienstwerkstatt, *(radio)* Reparaturwerkstatt, *(US)* Tankstelle, Hilfsdienst für Autofahrer; ~ **station dealer** *(US)* Tankstellenbesitzer; ~ **store** Dienstleistungsbetrieb; ~ **times** Bedienungszeiten; ~ **transactions** Dienstleistungsverkehr; ~ **undertaking** Dienstleistungsbetrieb; ~ **unit** *(balance sheet)* Gebrauchseinheit; ~ **utility** Nutzeffekt persönlicher Dienstleistungen; ~ **wholesaler** Effektivgroßhändler ~ **work** Betriebsfürsorge; ~ **workers** in Dienst leistungsbetrieben Beschäftigte; ~**-yield basis [of depreciation]** Abschreibungsberechnungsgrundlage.

serviceable *(durable)* dauerhaft, leistungsfähig, *(ready for service)* betriebsfertig, *(useful)* einsatz-, gebrauchsfähig, nutzbar, nützlich, dienlich.

servicing *(US)* Kundendienst;
~ **of government debt** Staatsschuldendienst; ~ **of customers** Kundenbedienung.

servitude *(easement)* Dienstbarkeit, Nutzungsrecht, Nutznießung.

session Sitzung, Tagung, Versammlung, Konferenz, *(stock exchange)* Börsentag;
budget ~ Haushaltsberatungen; **full** ~ Plenarsitzung, Plenum;
to attend a ~ an einer Sitzung teilnehmen; **to meet in regular** ~**s** zu regelmäßigen Tagungen zusammenkommen.

set *(books)* mehrbändige Ausgabe, *(broadcasting receiver)* Rundfunk-, Fernsehempfänger, *(of goods)* Serie, Satz, Sortiment, Garnitur, Kollektion;
all-mains ~ Allstromgerät;
~ **of accounts** Buchungssystem; ~ **of articles** Artikelserie; ~ **of bills** Wechselserie, Satz Wechsel; **complete** ~ **of bills of lading** vollständiger Satz Konnossemente; ~ **of exchange** Satz Wechsel; ~ **of furniture** Möbelgarnitur; ~ **of negotiations** Verhandlungsrunde; ~ **of public opinion** Tendenz der öffentlichen Meinung; ~ **of patterns** Musterkollektion; ~ **of rooms** Zimmerflucht; ~ **of stamps** Satz Briefmarken;
~ *(v.)* **a copy** [als Muster] vorschreiben; ~ **an early date** frühes Datum setzen; ~ **one's hand to a document** Urkunde unterzeichnen; ~ **one's heart to money-making** nur ans Geldverdienen denken; ~ **a price on s. th.** etw. preislich auszeichnen, Preis für etw. festsetzen; ~ **the price of a house** Verkaufspreis für ein Haus festsetzen.

set apart beiseitelegen, reservieren, bestimmen für, *(bankruptcy)* aussondern;
~ **funds for a purpose** Sonderfonds einrichten; ~ **so much out of one's savings** bestimmten Betrag von seinen Ersparnissen nehmen.

set aside *(annul)* außer Kraft setzen, annullieren, für unwirksam (nichtig) erklären, *(exclude)* absondern, *(money)* beiseite legen;
~ **an agreement** Vertrag für ungültig erklären; ~ **an amount** Betrag absetzen; ~ **clearly** absondern.

set back s. one's interests jds. Interessen nicht berücksichtigen.

set down schriftlich niederlegen, niederschreiben;
~ **to s. one's account** auf jds. Rechnung setzen; ~ **o. s. down in a hotel register** Berufsangabe bei der Hotelanmeldung vornehmen; ~ **s. o. for a job** j. für einen Posten vorsehen.

set in *(crisis)* sich einstellen, *(merchant)* sich als Kaufmann niederlassen, *(season)* einsetzen, beginnen;
~ **action (operation, into operation)** in Gang setzen, in Betrieb nehmen.

set off *(Br.)* an-, aufrechnen, in Gegenrechnung bringen, gegen einen Posten validieren;
~ **a gain against a loss** Gewinn mit einem Verlust verrechnen; ~ **one item against the other** Posten gegen einen anderen aufrechnen.

set out *(goods)* Ware auslegen;
~ **goods on a stall** auf einem Stand Waren zur Schau stellen.

set up errichten, *(auction)* zur Auktion bringen, *(in business)* sich etablieren, sich selbständig machen, sich als Kaufmann niederlassen, *(found)* gründen, stiften, *(railway)* Strecke freimachen;
~ **one's abode** seinen Wohnsitz begründen; ~ **an account** Konto eröffnen; ~ **as a bookseller** sich als Buchhändler niederlassen; ~ **a new branch** neue Zweigstelle eröffnen; ~ **breach of contract** sich auf Vertragsbruch berufen; ~ **s. o. up in business** j. [geschäftlich] etablieren; ~ **a company** Gesellschaft gründen; ~ **a competition** Konkurrenz machen; ~ **a day** Termin anberaumen (festsetzen); ~ **s. o. up in funds** j. mit Geldmitteln versehen; ~ **a manufactory** Fabrikationsbetrieb errichten; ~ **reserves** Rückstellung bilden (vornehmen); ~ **for public sale** zum Verkauf ausstellen; ~ **a shop** Laden eröffnen; ~ **one's son in a trade** seinem Sohn ein Geschäft einrichten; ~ **the statute of limitations** Verjährung einwenden.

set | aside *(US)* [Lebensmittel]reservefonds; ~ **prices** feste Preise; ~ **work** Serienfabrikat.

setback Rückschlag, Rückschritt, *(stock exchange)* Einbruch, Rückschlag, Verschlechterung;
~ **in production** Produktionsrückgang;
to have a ~ **in one's business** geschäftlichen Rückschlag erleiden.

setting | apart Bereitstellung; ~ **aside** Absonderung, *(claims)* Zurückweisung, Verwerfung; ~ **free** Flüssigmachen; ~ **off** Abreise; ~ **out** Abreise; ~ **the retail price** Bestimmung des Einzelhandelspreises; ~ **up** Etablierung, Errichtung, Gründung; ~ **up in business** Geschäftsgründung, Selbständigmachung; ~ **up of a trust** Stiftungsvereinbarung;
~ **cost** Einrichte-, Einstellungskosten; ~ **up time** Anlauf-, Einrichtezeit.

settle *(v.)* *(agree)* ab-, ausmachen, übereinkommen, vereinbaren, sich einigen, *(bestow)* aussetzen, übertragen, *(business)* erledigen, regeln, abwickeln, abschließen, *(buy plot of land)* sich ankaufen, *(clear)* bereinigen, berichtigen, *(compound with creditors)* sich vergleichen, [Gläubiger] abfinden, *(establish o. s. in business)* Geschäft gründen, sich geschäftlich niederlassen, sich etablieren, *(liquidate)* abwickeln, liquidieren, *(make over)* übertragen, *(pay bill)* Rechnung bezahlen, begleichen, glattstellen, *(regulate)* regeln, ordnen, erledigen, *(take residence)* sich niederlassen, seinen Wohnsitz begründen;

~ **o. s.** sich ansässig machen;

~ **an account** Konto ausgleichen, Rechnung begleichen; ~ **an affair amicably** sich gütlich einigen; ~ **an affair out of court** sich außergerichtlich vergleichen; ~ **an amount of compensation** Abfindung vereinbaren; ~ **an annuity** Rente aussetzen; ~ **the average** Havariekosten aufmachen; ~ **a balance** Saldo ausgleichen; ~ **a bill** Rechnung begleichen (bezahlen); ~ **a bill in full** Rechnung vollständig begleichen; ~ **one's son in business** seinen Sohn in der Wirtschaft unterbringen; ~ **one's children** seine Kinder versorgen; ~ **a claim** Anspruch befriedigen; ~ **commercial colonies** Handelskolonien errichten; ~ **with one's creditors** sich mit seinen Gläubigern vergleichen; ~ **one's daughter** seiner Tochter eine Aussteuer geben; ~ **a day** Termin vereinbaren; ~ **a day for a meeting** Sitzungstermin festlegen; ~ **a debt** Schuld abführen (bezahlen); ~ **down** *(market)* sich beruhigen, *(price)* sich einpendeln, *(take residence)* seinen Wohnsitz nehmen; ~ **down for good** sich für dauernd niederlassen; ~ **down to a new job** sich in einer neuen Stellung einarbeiten, seinen neuen Beruf schätzenlernen; ~ **down in a locality** sich in einer Gegend niederlassen; ~ **at the end of the month** am Monatsende abrechnen; ~ **an estate** Nachlaß verteilen (regulieren); ~ **one's liabilities** seinen Verpflichtungen nachkommen; ~ **part of one's estate on one's son** seinem Sohn schon bei Lebzeiten sein Erbteil auszahlen; ~ **a pension** Ruhegehalt aussetzen; ~ **a price** Preis absprechen; ~ **property** Nacherbschaft festlegen; ~ **all one's property on one's wife** seiner Ehefrau das ganze Vermögen hinterlassen; ~ **on selling** sich zum Verkauf entschließen; ~ **a son in his profession** Sohn gut unterbringen; ~ **the terms of freight** Fracht bedingen; ~ **up** *(estate)* Nachlaß verteilen, *(insolvent corporation)* Konkursmasse verteilen; ~ **up at the end of the month** am Monatsende bezahlen; ~ **$ 500 a year on s. o.** jem. eine jährliche Apanage von 500 Dollar aussetzen.

settled *(balanced)* abgerechnet, abgeschlossen, ausgeglichen, *(decided)* bestimmt, festgelegt, *(daughter)* versorgt, verheiratet, *(domiciled)* ansässig, *(done)* erledigt, abgewickelt, abgemacht, *(paid)* beglichen, bezahlt;

as good as ~ so gut wie abgemacht; **not** ~ unbezahlt; **not yet** ~ noch nicht entschieden;

to be ~ festliegen; **to be all** ~ in Ordnung sein;

~ **abode** fester Wohnsitz; ~ **account** beglichene Rechnung, reguliertes (ausgeglichenes Konto), *(banking)* schriftlich anerkanntes Kontokorrent, Rechnungsaufstellung; **sparsely** ~ **area** dünn besiedeltes Gebiet; ~ **country** besiedeltes Land; ~ **estate** beschränkte Vorerbschaft, Nießbrauch; ~ **income** festes Einkommen; ~ **land** der Verfügungsfreiheit entzogener Grundbesitz; ~ **law** allgemein anerkannter Rechtssatz; ~ **production** gleichmäßige (stetige) Produktion; ~ **property** gebundener Besitz; ~ **question** bereits entschiedene Frage; ~ **thing** feststehende Tatsache; ~ **weather** beständiges Wetter.

settlement *(adjustment)* Beilegung, Erledigung, Schlichtung, *(agreement)* Übereinkommen, Vereinbarung, Abkommen, Abmachung, *(of annuity)* Aussetzung einer Rente, *(colonization)* Kolonisierung, *(colony)* [An]siedlung, Kolonie, abgesonderte [Fremden]niederlassung, Auswanderungsgebiet, landwirtschaftliches Siedlungsgebiet, *(composition)* Vergleich, Verständigung, *(decision)* [endgültige] Entscheidung, *(determination)* Festsetzung, Bestimmung, *(establishment)* Niederlassung, *(establishment in life)* Unterbringung, Einstellung, Versorgung, Begründung einer Lebensstellung, *(estate)* Auseinandersetzung, *(foundation of business)* [Geschäfts]gründung, Etablierung, *(indemnity)* Abfindung, *(legacy)* Vermächtnis, Stiftung, *(liquidation)* Liquidation, Liquidierung, *(matrimonial causes, Br.)* güterrechtlicher Ausgleich, *(of a pauper)* Unterstützungswohnsitz, *(payment)* Begleichung, Bezahlung, *(regulation)* Regelung, Regulierung, Erfüllung einer Forderung, Glattstellung, *(legal residence)* gesetzlicher Aufenthaltsort, Wohnsitz, *(right growing out of residence)* Heimatrecht, -berechtigung, *(settled property)* gebundener Besitz, *(settling of accounts)* Abrechnung, Saldierung, Ausgleichung, Skontierung, Abschluß, *(settling day, Br.)* Abrechnungstermin, *(transfer of property)* Eigentumsübertragung, *(welfare institution)* Wohlfahrtseinrichtung; **in full** ~ **(in** ~ **of all claims)** zum Ausgleich aller Forderungen; **for monthly** ~ per Ultimo; **in** ~ **of your account** zur Begleichung Ihrer Rechnung;

antenuptial ~ vor der Eheschließung abgeschlossener Ehevertrag; ~ **arrived at by the parties inter se** Parteivergleich; **claim** ~ Schadensregulierung; **extra-judicial** ~ außergerichtlicher Vergleich; **family** ~ *(Br.)* Familienabkommen; **final** ~ Schlußabrechnung, Rechnungsabschluß; **fortnightly** ~ Medioabrechnung; **heavy** ~ schwierige Ultimoregulierung; **judicial** ~ Liquidationsvergleich; **lasting** ~ Dauerabkommen, -regelung; **legal** ~ Gläubigervergleich; **loss** ~ Schadensregulierung; **marriage** ~ Ehevertrag; **midyear** ~ Halbjahresrechnung, -abschluß; **midmonth** ~ Medioliquidation, -abrechnung; **monthly** ~ Ultimoabschluß, -abrechnung, -liquidation; **mutual current** ~ laufende gegenseitige Rechnung; **noninflationary** ~ antiinflationistische Lösung; **out-of-court** ~ außergerichtlicher Vergleich; **per-**

sonal ~ *(Br.)* Verfügung über bewegliches Vermögen; **postnuptial** ~ nach der Eheschließung abgeschlossener Ehevertrag; **pre-trial** ~ Vergleichsvereinbarung vor Prozeßbeginn; **prima-facie** ~ natürlicher Wohnsitz; **private** ~ gütliche Regelung; **pro-rata** ~ anteilige (proratarische) Befriedigung; **scattered** ~ Streusiedlung; **separate** ~ Sonderregelung; **special** ~ Sonderliquidation, *(stock exchange)* Sonderliquidation; **strict** ~ Fideikommiß; **voluntary** ~ unentgeltliche Eigentumsübertragung; **wage** ~ Lohnabkommen; **weekly** ~ wöchentliche Abrechnung; **yearly** ~ Jahresabschluß, -rechnung;
~ **of account** Rechnungsbegleichung, Begleichung einer Rechnung; ~ **of an affair** Abwicklung eines Geschäftes, Erledigung einer Angelegenheit; ~ **by arbitration** schiedsrichterliche Entscheidung, schiedsgerichtlicher Vergleich; ~ **of average** Havarieaufmachung, Dispache; ~ **per contra** *(bookkeeping)* Aufrechnung; ~ **in cash** Kapital-, Barabfindung; ~ **of a claim** Schadensregulierung; ~ **of a controversy** Beilegung einer Kontroverse; ~ **out of court** außergerichtlicher Vergleich; ~ **with creditors** Gläubigervergleich; ~ **of damages** Schadenfeststellung; ~ **of a date** Bestimmung eines Zeitpunkts; ~ **of interbank debits and credits** interne Abrechnung der Banken; ~ **of debts** Schuldenregulierung, -regelung; ~ **of a dispute** Beilegung eines Streitfalls; ~ **at the end of a month** Ultimoabrechnung; ~ **of an estate** Nachlaßregulierung; ~ **in full** vollständige Bezahlung (Begleichung); ~ **of hardship cases** Härteregelung; ~ **of inheritance** Erbvergleich; ~ **before judgment** vergleichsweise Regelung vor Urteilsverkündigung; ~ **of a loss** Schadensregulierung; ~ **of payment** Zahlungsausgleich; ~ **of property** Zuwendung von Vermögenswerten, Eigentumsübertragung; ~ **of transactions** Ausgleich des Zahlungsverkehrs; ~ **in trust** Güterrechtsvertrag;
to arrange a ~ **with s. o.** Vergleich mit jem. abschließen; **to buy for** ~ auf Lieferung kaufen; **to come to a** ~ zu einem Vergleich gelangen; **to draw up a** ~ Abschluß aufstellen; **to have reached a** ~ sich vergleichsweise geeinigt haben; **to make a** ~ **on s. o.** jem. ein Vermächtnis aussetzen; **to make a** ~ **with s. o.** Vergleich mit jem. abschließen;
~ **account** Liquidations-, Regulierungskonto; ~ **action** Vergleichsverfahren; ~ **bargain** *(stock exchange)* Termingeschäft; ~ **clerk** *(US)* Abrechnungsbeamter; ~ **date** *(of controversy)* Vergleichstermin, *(maturity)* Fälligkeitstag; ~ **day** *(London stock exchange)* Skontierungs-, Liquidationstag, Abrechnungstag, -termin; ~ **department** *(Br.)* Effektenliquidationsbüro; ~ **house** Wohlfahrtseinrichtung; ~ **market** Terminmarkt; ~ **offer** Vergleichsangebot; ~ **office** Liquidationskasse; ~ **option** Optionsrecht zur Festlegung von Lebensversicherungsteilbeträgen; ~ **price** Terminkurs; ~ **project** Besiedlungsplan; ~ **proposal** Einigungs-, Lösungsvorschlag; ~ **right** Auseinandersetzungsanspruch; **land** ~ **scheme** Siedlungsprogramm; ~ **sheet** *(banking)* Abschlußbogen; ~ **terms** Zahlungsbedingungen, *(bankruptcy)* Liquidationsbedingungen; ~ **worker** Mitarbeiter in wohltätigen Einrichtungen.

settling Abmachung, Abrechnung, Liquidation;
~ **of accounts** Rechnungsbegleichung;
~ **clerk** [Börsen]abrechner; ~ **day** *(clearing day)* Abrechnungs-, Skontierungstag, Abrechnungstermin, *(pay day)* Zahl-, Erfüllungstag, *(term of delivery, Br.)* [Ab]lieferungstag, -termin; ~ **period** Abrechnungsperiode; ~ **place** Erfüllungsort; ~ **price** Liquidationspreis; ~ **rate** Liquidations-, Regulierungskurs; ~ **week** Zahlungswoche.

settlor *(donor)* Treugeber, *(law)* Stifter.

setup Arbeitsstab, Organisation, *(accounting)* Kapitalstrukturschema, *(setting up)* Einrichtung, Etablierung;
economic ~ Wirtschaftssystem;
~ **costs** Gründungskosten; ~ **time** Anlauf-, Leerlaufzeit [beim Produktionswechsel], Einrichte-, Umstellungszeit.

sever *(v.)* **a contract** Vertrag auflösen.

several | **debt** Einzelschuld, -verpflichtung; ~ **debtor** Einzelschuldner; ~ **demand** Einzelforderung; ~ **estate** Sondervermögen; ~ **note** Zahlungsversprechen.

several, joint and solidarisch, gesamtschuldnerisch;
~ **bond** Solidarverpflichtung; ~ **guarantee** gesamtschuldnerische Bürgschaft; ~ **liability** Gesamtschuld[nerschaft], Gesamtverbindlichkeit; ~ **mortgage** Gesamthypothek; ~ **note** *(US)* gesamtschuldnerisches Zahlungsversprechen; ~ **obligation** Gesamtschuldverhältnis; ~ **right** Gesamtgläubigerschaft.

severalty Sondervermögen, Eigenbesitz, Bruchteilseigentum;
~ **owner** Bruchteilseigentümer.

severance [Ab]trennung, Bruch, *(detachment of fixtures)* Entfernung des Zubehörs;
~ **allowance** Trennungsentschädigung; ~ **benefit** *(pension plan)* Übergangsentschädigung; ~ **fund** Abfindungsfonds; ~ **pay** Entlassungsabfindung, Härteausgleich; ~ **wage** Entlassungsgeld.

severe | **competition** scharfe Konkurrenz, scharfer Wettbewerb; ~ **illness** *(life policy)* schwere Krankheit; ~ **requirements** schwierige Bedingungen.

shade *(small degree)* geringer Grad, Kleinigkeit, Nuance, Spur, Idee, *(stock exchange)* Schattierung, Nuance;
~ *(v.) (change gradually)* nuancieren, abstufen, *(prices)* allmählich sinken.

shading Nuancierung, Abstufung, *(stock exchange)* geringfügiger Kursrückgang.

shadow *(slightest degree)* Spur, Kleinigkeit, Andeutung;
~ **factory** *(mil.)* Schatten-, Tarn-, Ausweichbetrieb; ~ **print advertisement** Schattendruckanzeige.

shady | **business** dunkles (zweifelhaftes) Geschäft; ~ **financier** zweifelhafter Finanzier; ~ **speculator** windiger Spekulant.

shake | *(v.)* **down into a job** sich an einen Beruf gewöhnen; ~ **out** *(stock exchange)* Werte abstoßen.

shaken credit geschwächter Kredit.

shakeout *(closing down)* Produktionsaufgabe, *(economic situation)* Nachlassen der wirtschaftlichen Aktivität, *(stock exchange)* Ausbooten der Konkurrenz.

shakeup Umbesetzung, -organisation, *(reorganization)* Personalumbau, Umbesetzung.

shaking out *(US)* Börsenmanöver.

shaky *(business)* windig;
~ **credit** unsicherer Kredit; ~ **firm** unzuverlässige (unsichere) Firma.

sham Betrug, Schein, fauler Zauber, Schwindel, *(imitation)* Ersatz, Nachahmung;
~ *(a.)* falsch, fingiert, nachgemacht, unecht;
~ **bid** Scheingebot, fingiertes Angebot; ~ **boom** Scheinblüte, Scheinkonjunktur; ~ **business** Scheingeschäft, fingiertes Geschäft; ~ **contract** Scheinvertrag; ~ **dividend** Scheindividende, fiktive Dividende; ~ **package** Schaupackung; ~ **payment** Scheinzahlung, fingierte Zahlung; ~ **profit** Scheingewinn; ~ **purchase** Scheinkauf, fingierter Kauf; ~ **sale** Scheinverkauf; ~ **transaction** fingiertes Geschäft.

share *(bankrupt's estate)* [Konkurs]quote, *(of capital)* Kapitalanteil, Anteil am Gesellschaftsvermögen, Gesellschaftsanteil, Einschuß, *(contribution)* Beitrag [bei Geldsammlungen], *(cooperative society)* Genossenschaftsanteil, *(dividend)* Dividende, *(mining ~)* Kux, *(part)* [An]teil, *(partnership)* Teilhaberschaft, Beteiligung, *(of profits)* Beteiligung, [Gewinn]anteil, Geschäfts-, Gewinnbeteiligung, *(quota)* Kontingent, Quote, *(royalty)* Tantieme, *(ship)* Schiffspart, *(stock)* Aktienanteil, *(stock certificate)* Anteilschein;
~ **and** ~ **alike** zu gleichen Teilen; **for my** ~ meinerseits; **in equal** ~**s** zu gleichen Teilen;
~**s applied for** gezeichnete Aktien; **atomic** ~**s** Atomaktien; **automobile** ~**s** *(US)* Autoaktien; **baby** ~ Kleinaktie; **bank** ~ Bankaktie; **bank** ~**s** *(stock exchange)* Bankwerte; **bearer** ~ Inhaberaktie; **bonus** ~ Genuß-, Gratisaktie; **business** ~ Geschäftsanteil; **common** ~ *(US)* Stammaktie, -anteil, gewöhnliche Aktie; **cumulative** ~ kumulative Aktie; **cumulative preference** ~ nachzugsberechtigte Vorzugsaktie; **deferred** ~ *(Br.)* an letzter Stelle dividendenberechtigte Aktie, Nachzugsaktie; **definite** ~ endgültige Aktie; **deposited** ~ hinterlegte Aktie; **dividend** ~ Gratisaktie; **dummy** ~ Proformaanteil [eines Vorstandsmitglieds]; **established** ~**s** solide Werte; **fair** ~ gerechter Anteil; **forfeited** ~**s** kaduzierte Aktien; **founder's** ~ Gründeraktie; **free** ~ Freiaktie, -kux; **fresh** ~ neue Aktie; **fully paid-up** ~ voll eingezahlte Aktie; **guaranteed** ~ Aktie mit garantierter Mindestdividende; **half** ~ gemeinsame Rechnung, Halbpart; **hereditary** ~ *(US)* gesetzliches Erbteil, Erbanteil; **high-grade** ~**s** erstklassige Aktien; **industrial** ~ Industrieaktie; **initial** ~ Gründeranteil; **inscribed** ~ Namensaktie; **interest-bearing** ~ zinstragende Aktie; **issued** ~ begebene Aktie; **lease-line** ~ verpachtete Aktie mit Dividendengarantie; **legal** ~ Pflichtteil; **limited partner's** ~ Kommanditanteil; **the lion's** ~ Löwenanteil; **listed** ~ notierte Aktie; **loaned** ~ lombardierte Aktie; **mining** ~ Kux, Montan-, Bergwerksaktie; **motor** ~**s** Autoaktien; **new** ~ junge Aktien; **noncumulative** ~ nicht kumulative Prioritätsaktie (Vorzugsaktie); **nonnegotiated** ~ nicht weitergegebene Aktie; **nonvoting** ~ nicht stimmberechtigte Aktie; **nonvoting preference** ~ stimmrechtlose Vorzugsaktie; **no-par value** ~ nennwertlose Aktie, Aktie ohne Nennwert; **oil** ~**s** Ölaktien; **fully paid-up** ~**s** *(Br.)* voll eingezahlte Aktien; **ordinary** ~ *(Br.)* Stammaktie; **original** ~ Stammaktie, -einlage; **own** ~ *(Br.)* eigene Aktie; **paid-up** ~ Vollaktie, voll eingezahlte Aktie; **participating** ~ dividendenberechtigte Aktie; **partly paid[-up]** ~ noch nicht voll eingezahlte Aktie; **partnership** ~ Geschäftsanteil, -einlage; **personal** ~ *(Br.)* Namensaktie; **preference** ~ Vorrechts-, Vorzugsaktie; **participating preference** ~ *(Br.)* mit zusätzlicher Gewinnbeteiligung ausgestattete Vorzugsaktie; **preferred** ~ *(US)* Prioritäts-, Vorzugsaktie; **preferred ordinary** ~ bevorzugte Stammaktie; **primary** ~ Stammaktie, -anteil; **proportionate** ~ Verhältnisanteil, *(bankruptcy)* [Gläubiger]quote, anteilmäßige Befriedigung; **qualification** ~ für eine Vorstandsstellung erforderlichen Aktienbesitz; **railway** ~**s** *(Br.)* Eisenbahnaktien; **railroad** ~ *(US)* Eisenbahnaktien; **recalled** ~ eingezogene Aktie; **redeemable preference** ~ rückkaufbare Vorzugsaktie; **redeemed** ~ amortisierte Aktie; **registered** ~ auf den Namen lautende Aktie, Namensaktie; **reserved** ~ Vorratsaktie; **restricted** ~ gebundene Aktie; **rubber** ~**s** Gummiaktien; **shipping** ~ Schiffahrtsaktie; **speculative** ~**s** Spekulationsaktien; **stock** ~ Stammaktie; **subscribed** ~ gezeichnete Aktie; **surrendered** ~ zur Einziehung eingelieferte Aktie; **narrowly traded** ~**s** nur im kleinsten Kreis gehandelte Aktien; **transferable** ~ Inhaberaktie; **unclaimed** ~ herrenlose Aktie; **underwriting** ~ Konsortialbeteiligung; **unissued** ~ unverwertete Aktie; **utility** ~**s** Versorgungs-

werte; **voting** ~ Stimmrechtsaktie; **withdrawn** ~ aus dem Verkehr gezogene Aktie;

~s and amounts owing from subsidiary companies *(balance sheet, Br.)* Anteile und Geldbeträge von Tochtergesellschaften; **~s and securities** *(balance sheet)* Kapitalvermögen; ~ **in bank stock** Bankaktie; ~ **of benefit** Nutzanteil; ~ **in a business** Geschäftsanteil; ~ **of capital** Geschäftseinlage, Kapitalanteil; ~ **of capital introduced by a partner** Kapitaleinlage eines Gesellschafters; **~s at a discount** Aktien unter dem Nennwert; ~ **in the estate** Erbanteil; ~ **of the expenses** [Un]kostenanteil; **(allocated)** ~ **of exports** Ausfuhrkontingent; ~ **of export trade** Außenhandelsanteil; **~s of a fund** Fondsanteile; ~ **of inheritance** *(US)* Erbanteil; ~ **of beneficial interest** *(US)* Treuhandanteilschein; ~ **under an intestacy** gesetzliches Erbteil, Pflichtteil; ~ **in the loss** Verlustanteil; ~ **of the market** Marktanteil; ~ **of output** Produktionsanteil; ~ **of overhead** Gemeinkostenanteil; **25%** ~ **in the ownership** 25%iger Eigentumsanteil; ~ **payable to bearer** Inhaberaktie; ~ **of proceeds** Gewinnanteil, Tantieme; ~ **in profits** Gewinnbeteiligung, -anteil; ~ **cum rights** Aktie mit Dividendenschein; ~ **ex rights** Aktie ohne Prämienrechte; ~ **in a ship** Schiffspart; ~ **for staff** *(Br.)* an die Belegschaft ausgegebene eigene Aktien; ~ **of stock** Aktie, Anteilschein, Anteil am Aktienkapital, Kapitalanteil; ~ **of corporate stock** *(US)* Aktie; ~ **in a syndicate** Konsortialanteil; ~ **of turnover** Umsatzanteil;

~s that show a depreciation im Wert geminderte Aktien; **~s that yield high interest** Aktien mit hoher Rendite; ~ **on which one third has been paid** zu einem Drittel eingezahlte Aktie;

~ *(v.)* teilen, gemeinsam besitzen;

~ **in** teilhaben, sich beteiligen; ~ **and** ~ **alike** Gewinne und Verluste zu gleichen Teilen tragen; ~ **equally in the capital** gleiche Kapitalanteile haben; ~ **with s. o. in the costs** sich mit jem. die Unkosten teilen; ~ **one's estate between one's heirs** sein Vermögen unter die Erben aufteilen; ~ **the expenses** Kosten verteilen; ~ **a hotel bedroom with a stranger** sich mit einem Fremden ein Hotelzimmer teilen; ~ **one's household** in Familiengemeinschaft (gemeinsamem Haushalt) leben; ~ **jointly** gemeinsam beteiligen; ~ **losses** Verluste aufteilen; ~ **in the expanding market** sich an der Marktausweitung beteiligen; ~ **an office with s. o.** Büro mit jem. teilen, Bürogemeinschaft mit jem. haben; ~ **out** austeilen; ~ **one's last penny with s. o.** seinen letzten Groschen mit jem. teilen; ~ **in profits** am Gewinn beteiligt (gewinnbeteiligt) sein; ~ **a room with s. o.** Zimmergenossen sein; ~ **a thing** etw. teilen; ~ **with s. o. in an undertaking** sich mit jem. an einem Unternehmen beteiligen; ~ **a view** Ansicht teilen;

to allot ~s Aktien zuteilen; **to apply for ~s** *(Br.)* Aktien zeichnen; **to be entitled to equal ~s** zu gleichen Anteilen berechtigt sein; **to be entitled to a ~ in the estate** erbberechtigt sein; **to bear a ~ in** Anteil haben, beitragen; **to call in ~s** Aktien einziehen; **to claim a ~ in s. th.** Anteil an etw. verlangen; **to claim one's proportionate ~** seinen [vollen] Anteil beanspruchen; **to come in for a full ~ of s. th.** seinen vollen Anteil an etw. bekommen; **to cut s. o. out from a ~ in property** j. von einem Vermögensanteil ausschließen; **to deposit ~s for the general meeting** Aktien zur Generalversammlung anmelden; **to fall to s. one's ~** jem. bei der Teilung zufallen; **to get one's ~** sein Teil erhalten; **to give s. o. a. ~ in profits** j. am Gewinn beteiligen; **to go ~s in s. th.** sich in etw. teilen; **to go ~ and ~** zu gleichen Teilen beteiligt sein, gleichen Anteil haben; **to go half ~s with s. o.** Metageschäfte mit jem. machen; **to go ~s with s. o. in the expense of s. th.** sich in die Unkosten von etw. mit jem. teilen; **to have a ~ in a bank** an einer Bank beteiligt sein; **to have a ~ in the profit** Anteil am Gewinn haben, am Gewinn beteiligt sein, Gewinnbeteiligung haben; **to have a ~ in an undertaking** an einem Unternehmen beteiligt sein; **to have no ~ in** unbeteiligt sein an; **to have no ~ in a business** an einem Geschäft nicht beteiligt sein; **to hold ~s in a company** Aktionär einer Gesellschaft sein; **to hold 500 ~s in a shipping company** 500 Anteile einer Schiffahrtsgesellschaft besitzen; **to ignore ~s** *(stock exchange)* Aktien vernachlässigen; **to make additional payment on ~s** auf Aktien nachzahlen; **to own control of ~s** Aktienpriorität besitzen; **to pay off ~s** Aktien einziehen; **to pay one's ~** mitbezahlen, seinen Teil beitragen, seine Quote aufbringen; **to pay ~ and ~ alike** gleiche Anteile übernehmen; **to pay up ~s** Aktien voll einzahlen; **to pick up ~s** Aktien mitnehmen; **to place ~s with the public** Aktien beim Publikum placieren; **to recall ~s** Aktien einziehen; **to sell ~s** Aktien abgeben; **to subscribe to (for,** *Br.)* **~s** Aktien zeichnen; **to take a ~ in the expenses** sich an den Unkosten beteiligen; **to take much ~ in a conversation** sich an einem Gespräch lebhaft beteiligen; **to take over ~s** Anteile übernehmen; **to take a personal ~ in a work** an einer Sache persönlich Anteil nehmen; **to take up ~s** Aktien beziehen; **to unload a block of ~s** Aktienpaket abstoßen;

~ **account** Aktien-, Kapitalkonto; **~-acquisition scheme** *(Br.)* Gewinnbeteiligungssystem für Arbeitnehmer; **~s analyst** Aktienfachmann; ~ **applicant** Aktienzeichner; ~ **bonus** Gewinnprämie, Aktienbonus, *(Br.) (split up)* Split; ~ **broker** Aktienmakler; ~ **capital** Geschäfts-, Aktienkapital, *(original capital)* Stamm-, Grund-, Gründungskapital; **nominal** ~ **capital** Norminalkapital; **to reduce ~ capital** Zusammenlegung des Aktienkapitals vornehmen; ~ **certificate** *(Br.)* Aktienzertifikat, -promesse, Anteilschein, Globalaktie, Mantel; ~ **deposit account** Stückkonto; ~ **earnings** Aktienerträgnisse; ~ **-for-** ~ **exchange** *(stock exchange)* Umtauschverhältnis eins zu eins; ~ **index** *(Br.)* Aktienindex; **industrial ordinary** ~ **index** Industrieaktienindex; ~ **issue** Aktienausgabe, -emission; ~ **ledger** *(Br.)* Aktionärsverzeichnis; ~ **list** *(Br.)* Aktienkursliste, *(register)* Aktienregister; ~ **loan** Effektenlombardkredit; ~ **market** Aktienmarkt; ~ **market boom** Aktienhausse; ~ **movements** Kursbewegungen; ~ **-out** Ver-, Aufteilung; ~**-the-work plan** *(US)* Kurzarbeitsvereinbarung; ~ **premium** Emissionsagio; ~ **price** Aktienkurs, -preis, Börsenkurs; ~ **quotation** Aktiennotierung; ~ **register** Aktienregister; ~ **sales** Aktienverkäufe; ~ **tenancy** in Naturalien zahlbare Pacht; ~ **tenant** in Naturalien zahlender Pächter; ~ **transfer** Aktienübertragung; ~ **warrant [to bearer]** [Inhaber]aktienzertifikat, Inhaberaktie.

sharecrop system *(US)* Halbpacht.

sharecropper *(US)* Deputant, Pächter.

sharecropping family Tagelöhnerfamilie.

shareholder Aktieninhaber, Aktionär, Anteilscheinbesitzer, Anteilseigner, *(investment fund)* Anteilseigner, -scheinbesitzer, *(partner)* Gesellschafter, Teilhaber;
chief (principal) ~ Hauptaktionär; **controlling** ~ Großaktionär; **dissenting** ~ überstimmter Aktionär; **nonresident** ~ auswärtiger Aktionär; **ordinary** ~ Inhaber von Stammaktien; **preferential** ~ Vorzugsaktionär; **registered** ~ Inhaber von Namensaktien; **registered** ~ eingetragener Aktionär; **single** ~ Einzelaktionär;
~ **in a bank** Bankanteilseigner; ~**s outside the family** familienfremde Aktionäre, nicht zur Familie gehörige Aktionäre;
to tap ~**s with rights offering** Aktionären mit Bezugsrechten Geld aus der Tasche locken.

shareholder's bill Aktionärsklage gegen seine Gesellschaft.

shareholders' | **approval** Genehmigung durch die Anteilseigner; ~ **body** Aktionärsgremium; ~ **committee** Aktionärsausschuß; ~ **equity** *(balance sheet, US)* Eigenkapital; ~ **group** Aktionärsgruppe; ~ **ledger** *(Br.)* Aktienbuch; ~ **liabilities** Aktionärsverpflichtungen; ~ **meeting** Aktionärsversammlung; ~ **newsletter** Aktionärsbrief; ~ **proposal** Aktionärsvorschlag; ~ **register** *(Br.)* Aktionärsverzeichnis; ~ **satisfaction** Aktionärszustimmung; ~ **suit** Aktionärsklage; ~ **support** Unterstützung durch die Aktionäre.

shareholding interest Aktienbeteiligung.

shareholdings Beteiligungen, Besitz von Aktien, Aktienbesitz;
nominee ~ auf den Namen von Strohmännern lautende Aktienbeteiligungen.

sharepusher *(Br.)* Aktienschwindler.

sharepushing *(Br.)* Börsenmanöver.

sharer Mitinhaber, Teilhaber;
to be ~ **in** beteiligt sein, teilhaben.

sharing Beteiligung;
cost ~ Kostenbeteiligung; **progress** ~ Teilnahme am Fortschritt;
fair ~ **of burden** gerechte Lastenverteilung; ~ **of costs** Kostenbeteiligung; ~ **of experience** Erfahrungsaustausch; ~ **of loss** Beteiligung am Verlust, Verlustbeteiligung; ~ **the market** Marktaufteilung; ~ **in profits** Gewinnbeteiligung;
~ **plan** *(US)* Gewinnbeteiligungssystem.

shark Schwindler, Betrüger, Gauner;
loan ~ *(US)* Zinswucherer.

sharp | **business** Schwindel, Gaunerei; ~ **lawyer** skrupelloser Anwalt; ~ **practices** Beutelschneiderei, Schmutzkonkurrenz; **to blink at** ~ **practices** über unerlaubte Geschäftsmethoden hinwegsehen; ~ **swings** *(stock exchange)* starke Kursschwankungen.

shave *(US sl.)* übermäßiger Diskont, Wucherzins;
~ *(v.)* Wechsel zu hohem Diskont aufkaufen;
~ **the budget estimates** Haushaltsvoranschlag kürzen.

sheet *(advertising)* großformatige Anzeige, *(newspaper sl.)* Zeitung, *(piece of paper)* Bogen, Blatt;
advance ~**s** vor Veröffentlichung zugesandte Druckbogen; **attendance** ~ Anwesenheitsliste; **balance** ~ Bilanz; **blank** ~ *(fig.)* unbeschriebenes Blatt; **clean** ~ Reinkorrektur, *(fig.)* reine Weste; **cost** ~ Kostenaufstellung; **defective** ~ Defektbogen; **first** ~ Original eines Maschinenmanuskripts; **fly** ~ Flugblatt; **imperfect** ~ Defektbogen; **inventory** ~ Inventuraufstellung; **loose** ~ loses Blatt, *(flysheet)* Flugblatt; **news** ~ Druckbogen, Zeitung; **order** ~ Bestellschein; **pay** ~ Lohnliste; **proof** ~ Korrekturbogen; **sale** ~ Verkaufsschein; **spoilt** ~ Fehldruck; **supplementary** ~ Extrabogen, Beiblatt; **tear** ~ *(US)* Belegstück; **time** ~ *(employee)* Arbeitsblatt, -zettel, *(railway)* Aushängefahrplan; **waste** ~ Makulaturbogen;
~ **of coupons** Zinsschein-, Kuponbogen; ~ **of note paper** Bogen Briefpapier; ~ **of paper** Papierbogen, Blatt Papier; **stamped** ~ **of paper** Stempelbogen; ~ **of prints and figures** Bilderbogen; ~ **of waste paper** Makulaturbogen; ~ **of wrapping paper** Bogen Packpapier;
to be in ~**s** *(book)* nicht gebunden (ungebunden) sein.

shelf Gestellbrett, Sims, Bord, [Waren]fach, Regal, *(bookcase)* Bücherbord;
on the ~ *(fig.)* auf dem Abstellgleis, ausrangiert, *(official)* ohne Amt;
to have on the ~ auf Lager haben;
~ **label** Regalschild; ~ **space** Stellfläche; ~ **warmer** Ladenhüter.

shell *(company)* Firmenmantel, *(ship)* Rumpf.

sheltered industries (trades) durch Einfuhrzölle geschützte Industriezweige.

shelve *(v.)* unberücksichtigt lassen, auf die lange Bank schieben, *(discard)* ausrangieren, *(furnish with shelves)* mit Regalen (Fächern) versehen.

shepherd *(v.)* **passengers to an airliner** Passagiere zum Flugzeug geleiten.

sheriff's sale *(Br.)* Zwangsversteigerung.

shift Verlagerung, Verschiebung, *(change)* Wechsel, *(change of residence, dial.)* Wohnungswechsel, Umzug, *(makeshift)* Notbehelf, Ausweg, Hilfsmittel, *(working hours)* [Arbeits]-schicht, Tagewerk, *(workmen)* Schicht, Mannschaft;

day ~ Tagesschicht; **double** ~ Tag- und Nachtarbeit; **dropped** ~ Fehl-, Feierschicht; **extra** ~ Überschicht; **relief** ~ *(US)* zusätzliche Schicht; **swing** ~ *(US)* Zusatzschicht;

~ **in monetary policy** geldmarktpolitische Änderungen; ~ **of prices** Kursverschiebung;

~ *(v.)* verändern, verschieben, wechseln, *(capital)* umschichten, *(cargo)* verrutschen, *(goods)* über-, umladen, *(move)* umziehen, *(tax)* abwälzen;

~ **for o. s.** sich selbst helfen, allein zurechtkommen; ~ **the cargo** umlagern; ~ **for a living** sich durchschlagen; ~ **orders** Aufträge verlagern; ~ **slightly** *(prices)* sich leicht verändern; ~ **from full-time schedules to part-time** vom Status der Vollbeschäftigung zur Kurzarbeit übergehen; ~ **all the trains one hour forward** alle Züge um eine Stunde vorverlegen;

to drop ~**s** Feierschichten einlegen; **to live by** ~**s** sich durchmogeln; **to make** ~ **with the money one has** mit dem einem zur Verfügung stehenden Geld zurechtkommen; **to resort to dubious** ~**s in order go get some money** sich mit zweifelhaften Methoden etw. Geld zu verschaffen suchen; **to work in** ~**s** Schichtarbeit verrichten;

~ **allowance (differential)** Schichtzuschlag, -ausgleich; ~ **operation** Schichtbetrieb; **multiple** ~ **operation schedule** mehrschichtiger Betriebsplan; ~ **pay** Schichtlohn; ~ **transfer** Versetzung von Arbeitskräften in andere Schichten; ~ **wage** Schichtlohn; ~ **work** Schichtarbeit, -unterricht.

shifting Verlagerung;

~ **of cargo** Verschiebung der Ladung; ~ **of funds** Deckungsaustausch; ~ **of income** Einkommensverlagerung; ~ **of loans** Kreditverlagerung; ~ **of personnel** Personalumsetzungen; ~ **of risk** Risikoabwälzung; ~ **of taxation** Steuerabwälzung;

~ **ballast** *(marine)* übergehender Ballast.

shiftman Schichtarbeiter.

shilling, a ~ **in the pound** 5 Prozent;

to cut s. o. off with a ~ j. bis auf den letzten Heller enterben; **to pay twenty** ~**s in the pound** *(Br.)* seine Schuld auf Heller und Pfennig bezahlen.

shiners *(sl.)* Moneten, Dukaten.

ship Schiff, *(airplane)* Flugzeug, *(airship)* Luftschiff, *(ship's company)* gesamte Schiffsbesatzung, *(one's fortune)* Geldschiff, Glück;

convoy ~ Begleitschiff; **full** ~ beladenes Schiff; **merchant** ~ Kauffahrtei-, Handelsschiff; **ocean-going** ~ Hochseedampfer; **register[ed]** ~ Registerschiff;

~ **under average** havariertes Schiff; ~ **in difficulties (in distress)** in Gefahr befindliches Schiff, Schiff in Seenot;

~ *(v.)* *(on board)* verschiffen, laden, [Ware], einnehmen, einladen, *(forward, US)* verfrachten, verladen, versenden, abschicken, aufliefern, *(transport)* durch Schiffe befördern, transportieren;

~ **in bulk** lose verladen; ~ **in carlots** in Waggonladungen versenden; ~ **a crew for a voyage round the world** Schiffsmannschaft für eine Weltreise anheuern; ~ **on deck** auf Deck verladen; ~ **a gangway** Landungssteg einholen; ~ **goods** Güter auf dem Wasserwege befördern; ~ **goods by instal(l)ments** Ware in Teilladungen versenden; ~ **goods by express train** als Eilgut schicken; ~ **passengers** Passagiere an Bord nehmen; ~ **as steward on an airliner** Steward auf einem Verkehrsflugzeug sein;

to break up a ~ Schiff ausschlachten; **to launch a** ~ Schiff vom Stapel [laufen] lassen; **to lay a** ~ **on the stocks** Schiff zum Kauf auflegen; **to leave the** ~ von Bord gehen; **to pass a** ~ **into a dock** Schiff in ein Dock einschleusen; **to put a** ~ **in commission** Schiff in Dienst stellen; **to unload a** ~ Schiff entladen;

~**'s agent** Schiffsmakler, -agent; ~**'s articles** Heuervertrag; ~**'s bill** Bordkonnossement; ~ **breaker** Schiffsaufkäufer, Ausschlachter, Verschrotter, Abwrackgeschäft; ~ **broker** Schiffs-, Frachtenmakler; ~ **brokerage** Frachten-, Schiffsmaklergeschäft; ~ **canal** Schiffahrtskanal; ~ **captain** Schiffskapitän; ~ **carpenter** Schiffszimmermann; ~ **chandler** Schiffslieferant, Lieferant von Schiffsbedarf; ~ **chandlery** Schiffsbedarf; ~**'s company** Schiffsbesatzung; ~ **damage** Havarie-, Schiffsschaden; ~**'s days** Entladetage; ~ **deliverer** Auslader, Löscher, *(forwarder)* Schiffsspediteur; ~ **destination** Löschplatz; ~**'s distress signal** Schiffsnotsignal; ~**'s freight** Schiffsfracht; ~**'s hold** Schiffs-, Verladeraum; ~**'s husband** Korrespondenz-, Mitreeder; ~ **insurance** Schiffsversicherung; ~**s inventory** Schiffsinventar; ~**'s journal** Logbuch; ~ **ladder** Schiffsleiter; ~ **letter** Schiffsbrief; ~ **news** Schiffahrtsnachrichten; ~**'s newspaper** Bordzeitung; ~ **order** Schiffsauftrag; ~**'s papers** Schiffspapiere, -dokumente; ~**'s passport** See-, Schiffsbrief; ~**'s protest** Havarieerklärung, Verklarung; ~ **railway** Schiffseisenbahn;

~ **'s register** Schiffsregister; ~ **reservation** Schiffsreservierung; ~ **stores** Schiffsbedarfsmagazin; ~**'s stores** Vorräte an Bord.
shipboard container Schiffsbehälter.
shipbuilder Schiffbauer;
~**'s yard** Schiffswerft.
shipbuilding Schiffbau;
~ **boom** Konjunktur in der Schiffsbauindustrie; ~ **company** Schiffbaugesellschaft; ~ **industry** Schiffsbau[industrie]; ~ **order** Schiffsbauauftrag.
shipload Schiffsladung, -last.
shipman Seemann, Matrose.
shipment Verschiffung, *(consignment)* [Waren]-sendung, Ladung, Frachtgut, *(US, forwarding)* Spedition, Expedition, Versendung, Verfrachtung, Verladung, Versand, *(shipload)* Schiffsladung;
ready for ~ versandbereit; **received for** ~ als Frachtgut registriert;
daily ~ Tagesversand; **drop** ~ Auftragssendung; **general-commodity** ~ Sammelgutladung; **gold** ~ Goldsendung; **high-cost peak** ~ teure Frachtsendungen in Spitzenverkehrszeiten; **individual** ~ Einzeltransport; **less-than-carload** ~ *(US)* Stückgutsendung, -versand; **merchandise** ~ Warenversand; **overseas** ~ Überseetransport; **partial** ~ Teilsendung, -verladung; **pooled** ~ Sammelladung; **prompt** ~ prompte Verladung; **short** ~ Minderlieferung; **split** ~ Teilsendung; **through** ~ Durchgangsfracht, -ladung; **trucking** ~ Überlandtransport;
~ **on deck** Verladung auf Deck; ~ **of food [stuffs]** Lebensmittelsendung; ~ **of gold** Goldversand; ~ **of goods** Warenversand; ~ **at less-than-carload lot** *(US)* Stückgutversand; **incoming (outgoing)** ~ **of merchandise** ein-(aus)gehende Warensendungen; ~ **by sea** Seetransport;
to call forward a ~ Sendung abrufen;
~ **account** Versandkonto; ~ **invoice** Versandrechnung; ~ **operation** Fracht-, Versandbetrieb.
shipowner Reeder, Schiffseigentümer, -eigner;
~**s' club** Reedereiversicherungsverein auf Gegenseitigkeit; ~**'s office** Reederei.
shipped an Bord gebracht, verschifft, abgesandt, verladen;
when ~ nach Verladung;
~ **in carloads** *(US)* in Waggonladungen versandt;
~ **by express** per Expreß [versandt];
~ **bill of lading** Bordkonossement.
shipper Verschiffer, Ab-, Verlader, *(US, land transport)* Versender, Spediteur, Verfrachter, *(US, railway)* Eisenbahnspediteur;
all-purpose ~ Universalspediteur; **country** ~ Inlandspediteur;
~**'s manifest** Ausfuhrdeklaration; ~**'s memorandum** Konnossement; ~**'s order** *(bill of lading)* Eigentumsvorbehalt des Spediteurs; ~**'s papers** Schiffs-, Verladepapiere; ~**'s representative** Speditionsagent.
shipping Verladung, Verladen, *(dispatch, US)* Versand, Versendung, Spedition, Auflieferung, *(on board ship)* Verschiffung, *(body of vessels)* Schiffsbestand, Gesamttonnage, Handelsflotte;
ready for ~ zur Verladung bereit;
coastal ~ Küstenschiffahrt; **idle** ~ aufgelegte Tonnage; **inland** ~ Binnenschiffahrt; **maritime** ~ Seeschiffahrt;
~ **of goods** Güterversendung, Warenversand;
to take ~**s** laden, an Bord nehmen;
~**Act** *(US)* Schiffahrtsgesetz; ~ **advice** *(US)* Versandbenachrichtigung; ~ **agency** Schiffsagentur, Speditionsgeschäft; ~ **agent** Schiffsagent, -makler, Reedereivertreter, *(US)* [Seehafen]spediteur; ~ **agreement** Schiffahrtsabkommen; ~ **announcement** *(US)* Versandanzeige; ~ **areal** *(US)* Versandgebiet; ~ **articles** Heuervertrag; ~ **association** *(US)* Versandvereinigung; ~ **authorities** Schiffahrtsbehörden; ~ **bill** Verzeichnis verschiffter Waren, Warenbegleitschein, Manifest, *(customs)* Zollfreischein; ~ **board** Schiffahrtsbehörde; ~ **broker** Schiffsmakler; ~ **business** Seehandel, -geschäfte, -transportgeschäft, Reederei; ~ **card** Liste der Abfahrtsdaten; ~ **charges** Verschiffungs-, Verladungskosten, *(US)* Versand-, Speditionskosten, -gebühren; ~ **clerk** *(Br.)* Expedient, Leiter der Versandabteilung, *(US)* Spediteur; ~ **commissioner** *(US)* Seemannsamtskommissar, -amt; ~ **company** Schiffahrts-, Reedereigesellschaft; ~ **concerns** Schiffsangelegenheiten; **suitable** ~ **conditions** *(US)* angemessene Transportbeschaffenheit; ~ **conferences** Schiffahrtskonferenzen; ~ **container** *(US)* Versandbehälter; ~ **contract** *(US)* Frachtvertrag; ~ **costs** *(US)* Versandkosten; ~ **date** *(US)* Versandtermin; ~ **department** *(US)* Versandabteilung, Expedition; ~ **directory** Schifffahrtskalender; ~ **documents** Schiffspapiere, *(US, land transport)* Versand-, Verladungspapiere; ~ **dues** Schiffsabgaben; ~ **exchange** Frachtenbörse; ~ **expenses** Verladungskosten, Schiffsspesen, *(US)* Versand-, Fracht-, Transportkosten; ~ **expenses account** *(US)* Speditionskonto; ~ **experience** *(US)* Transporterfahrung; ~ **facilities** *(US)* günstige Versand-, Frachtmöglichkeiten; ~ **formalities** *(US)* Versandformalitäten; ~ **house** Seehandlung, Reederei; ~ **industry** Schiffsbau; ~ **instruction** *(US)* Versandanweisung, -vorschrift; ~ **insurance** *(US)* Transportversicherung; ~ **intelligence** Schiffahrtsnachrichten; ~ **issues** *(stock exchange)* Schiffahrtswerte; ~ **law** *(Br.)* Seerecht; ~ **line** Schiffahrtsgesellschaft; **to be in the** ~ **line** Reederei betreiben; ~ **list** Schiffsverzeichnis, *(dispatch book, US)* Versandverzeichnis; ~ **marks** Versandmarkierung; ~ **master** Heuerbaas, Schiffsmak-

ler, *(Br.)* Seemannsamtskommissar; ~ **needs** Schiffahrtsbedürfnisse; ~ **news** Schiffahrtsnachrichten, -berichte; ~ **note** *(Br.)* Verzeichnis der versandten Waren, Lade-, Anlieferungs-, Frachtannahme-, Warenbegleitschein; ~ **office** *(US)* Speditionsbüro, *(Br.)* Büro eines Schiffsmaklers, *(Br.)* Heuerbüro; ~ **opportunity** Schiffsgelegenheit; ~ **order** *(US)* Transport-, Versandauftrag; ~ **papers** Schiffspapiere; ~ **point** *(US)* Versandort; ~ **point inspection** *(US)* Prüfung am Versandort; ~ **port** Ausgangs-, Versand-, Ausfuhr-, Ladehafen; ~ **prices** Verladepreise; ~ **report** *(US)* Eisenbahntransportbericht; ~ **room** *(US)* Versand-, Verpackungsraum; ~ **route** Schiffahrtsweg, -route; ~ **sample** *(US)* Versandmuster; ~ **season** Schiffahrtssaison; ~ **section** Markt für Schiffahrtswerte; ~ **service** *(US)* Frachtdienst; ~ **shares** Schiffahrtsaktien, -werte; ~ **space** Schiffs-, Transportraum; ~ **stretch-outs** *(US)* Überstunden im Speditionsgewerbe; ~ **subsidy** Schiffahrtssubvention; ~ **ticket** *(US)* Versand-, Lieferschein; ~ **trade** Reedereibetrieb, *(US)* Transport-, Speditionsgeschäft; ~ **traffic** Schiffsverkehr; ~ **weight** Fracht-, Abladegewicht; **average** ~ **weight** Verschiffungs-, Durchschnittsverladegewicht; ~ **worker** *(US)* Versandarbeiter, Packer.

shipwreck Schiffbruch, Wrack.

shipwrecked gestrandet, schiffbrüchig.

shipwright Schiffbauer, Werftbesitzer.

shock Stoß, Erschütterung;

to recover from the ~ **of the election result** *(stock exchange)* sich von dem durch den Wahlausgang verursachten Schock erholen;

~ **worker** Straßenarbeiter.

shoddy piece of work Arbeit von geringer Qualität.

shoestring *(US sl.)* völlig unzureichendes Kapital;

~ *(a.) (US)* völlig unterkapitalisiert;

~ **budget** unzureichender Etat; ~ **margin** *(US)* völlig ungenügende Deckung.

shoot Schuttabladestelle, *(film)* [Film]aufnahme;

~ *(v.) (film)* Filmaufnahmen machen, filmen, drehen;

~ **the amber** *(US sl.)* bei Gelb über die Kreuzung fahren; ~ **into new high ground** *(prices)* in rascher Steigerung neue Höchstkurse erzielen; ~ **the moon** *(Br. sl.)* mit der Kasse durchbrennen; ~ **up in the last months** in den letzten Monaten enorm steigen.

shootout *(sl.)* Schießerei, Revolverduell.

shop [Kauf]laden, [Laden]geschäft, Handlung, *(occupation)* Geschäft, Gewerbe, Beruf, Fach, *(operational research)* Bearbeitungsstelle, *(plant)* Betrieb, Fabrik, *(premises)* Geschäftslokal, *(workshop)* Werkstatt, Werkstätte;

all over the ~ *(sl.)* in riesiger Unordnung;

~**s** Fabrikwerkstätten;

anti-union ~ *(US)* gewerkschaftsfeindlicher Betrieb; **closed anti-union** ~ *(US)* Betrieb, der nur nichtorganisierte Arbeiter einstellt; **antique** ~ Antiquitätenladen, -geschäft; **china** ~ Porzellanwarengeschäft; **bucket** ~ Winkelbörse; **closed** ~ *(US)* gewerkschaftspflichtiger Betrieb; **closed-union** ~ **with closed union** *(US)* Betrieb, der nur Gewerkschaftsangehörige einstellt; **draper's** ~ Tuchhandlung; **erecting** ~ Montagehalle; **fitting** ~ Montagewerkstatt; **fruit** ~ Obstgeschäft; **ironmonger's** ~ Eisenwarenhandlung; **junk** ~ Ramschladen; **machine** ~ [mechanische] Werkstatt; **maintenance of membership** ~ *(US)* Betrieb, der Aufrechterhaltung der Gewerkschaftszugehörigkeit verlangt; **mobile** ~ fahrender [Lebensmittel]laden; **open** ~ offener Laden, *(US)* gewerkschaftsfreier Betrieb; **open-union** ~ *(US)* Gewerkschaft anerkennender Betrieb; **the other** ~ die Konkurrenz; **pattern** ~ Modellwerkstätte; **preferential nonunion** ~ *(US)* Betrieb, der nicht gewerkschaftlich organisierte Arbeiter bevorzugt; **preferential union** ~ *(US)* Betrieb, der Gewerkschaftsangehörige bei der Einstellung bevorzugt; **repair** ~ Reparaturwerkstatt; **stationer's** ~ Schreibwarenhandlung; **struck** ~ bestreikter Betrieb; **tobacco** ~ Zigarrengeschäft, Tabakwarenladen; **union** ~ *(US)* gewerkschaftspflichtiger Betrieb; **well-stocked** ~ wohlassortierter Laden;

~**-by-phone** telefonische Einkaufserledigung;

~ *(v.)* kaufen, einkaufen [gehen], Besorgungen (Einkäufe) machen, *(criminal sl.)* verpfeifen, denunzieren, auffliegen lassen;

~ **near one's home** seine Besorgungen in Wohnungsnähe machen; ~ **regularly at A's** regelmäßig bei A kaufen;

to be all over the ~ in alle Himmelsrichtungen verstreut sein; **to buy a** ~ **with all fixtures** Laden mit der gesamten Ausstattung erwerben; **to clear a** ~ ausverkaufen; **to close up a** ~ Geschäft schließen; **to come to the wrong** ~ an die falsche Adresse geraten; **to fit out a** ~ Geschäft einrichten; **to give up one's** ~ **to one's son** sein Geschäft seinem Sohn übergeben; **to go through the** ~**s** *(apprentice)* Lehre durchmachen; **to keep [a]** ~ Laden haben (halten), Ladenbesitzer sein; **to keep** ~ **for s. o.** j. im Laden kurzfristig vertreten; **to keep a** ~ **open** Laden offenhalten, (aufmachen); **to lease a** ~ Laden vermieten; **to manage a** ~ Geschäft führen; **to open a** ~ Laden eröffnen; **to patronize a** ~ regelmäßig in einem Laden einkaufen; **to rent a** ~ Laden [ver]mieten; **to round the** ~**s looking for s. th.** Läden nach etw. abklappern; **to run a** ~ Geschäft führen; **to set up** ~ Einzelhandelsgeschäft eröffnen; **to shut up** ~ Laden zuschließen (dichtmachen), *(give up)* Geschäft aufgeben, sich vom Geschäftsleben zurückziehen, Bude zumachen, *(stock working)* Feierabend machen; **to sink the** ~ nicht vom Ge-

schäft reden; **to smell of the** ~ sich nur für seinen Beruf interessieren; **to take a** ~ Laden übernehmen; **to talk** ~ fachsimpeln; **to work in the ~s** in der Fabrik arbeiten;
~ **will open at the beginning of November** Geschäftseröffnung Anfang November;
~ **advertising** Ladenwerbung; ~ **agreement** Betriebstarifvertrag, -vereinbarung; ~ **assistant** *(Br.)* Handlungsgehilfe, Ladenangestellter, Verkäufer; ~ **assistants** Bedienung[spersonal]; ~ **audit** Händlerbefragung; ~ **bell** Ladenklingel, Türglocke; ~ **bill** Geschäftsanzeige, Preisliste, Aushängeschild; ~ **buying** *(stock exchange)* Berufskäufe; ~ **case** Vitrine; ~ **chairman** *(US)* Betriebsratsvorsitzender; ~ **check** Bestandsaufnahme; ~ **clerk** Verkäufer, Ladenangestellter; ~ **closing** Ladenschluß; ~ **commercial complex** Ladenverkaufszentrum; ~ **committee** *(US)* Betriebsrat, -ausschuß; ~ **conditions** Betriebsbedingungen, -verhältnisse; ~ **cost** Fabrikkosten; ~ **council** *(US)* Betriebsrat; ~ **council law** *(US)* Betriebsrätegesetz; ~ **data** Betriebsangaben; ~ **deputy** Betriebsratsvorsitzender, Vertrauensmann der Belegschaft; ~ **discipline** Betriebsdisziplin; ~ **door** Ladentür; ~ **employee** Ladenangestellter, Betriebsangehöriger; ~ **fittings** Ladeneinrichtung; ~ **foreman** Werkmeister; ~ **front** Ladenfront, Schaufenster, Auslage; ~ **hours** Verkaufszeiten; ~ **infraction** Betriebsvergehen; ~ **management** Betriebsleitung; ~ **master** Werkmeister; ~ **paper** Packpapier; ~ **porter** Markthelfer; ~ **premises** Geschäfts-, Ladenräume; ~ **price** Ladenpreis; **closed** ~ **provisions** *(trade union)* Mitgliedschaftszwang; ~ **rent** Lokal-, Geschäfts-, Ladenmiete; ~ **right** *(patent law, US)* Herstellungs-, Fabrikationsrecht, Ausnutzung von Betriebserfindungen durch die Firmeninhaber, Arbeitgeberlizenz; ~ **rules** Betriebsanordnungen, -anweisungen; ~ **selling** *(stock exchange)* Berufsverkäufe; **~-soiled** angeschmutzt; ~ **steward** Arbeitnehmervertreter, Betriebsobmann, Vertrauens-, Betriebsratsvorsitzender; **~-training department** Lehrwerkstätte.

shopboard Ladentisch.

shopbook Journal, Geschäfts-, Hauptbuch.

shopbreaking Ladeneinbruch, -diebstahl.

shopcraft union Betriebsgewerkschaft.

shopfloor necessities Betriebsbedingte Notwendigkeiten.

shopgirl Ladenmädchen, Verkäuferin.

shopkeeper Geschäfts-, Ladeninhaber, Ladenbesitzer, *(shelf warmer)* Ladenhüter, *(small trader)* Krämer, Kleinhändler.

shopman Ladendiener, -angestellter, -gehilfe, Kommis, Verkäufer, *(shopkeeper)* Ladeninhaber, *(workshop)* Werkstattarbeiter, Maschinenschlosser.

shopmark Markenzeichen.

shopmobile fahrbare Verkaufsstelle.

shopper Ladenbesucher, Käufer, *(buying agent)* Einkäufer;
~s on the lookout for a bargain Gelegenheitskäufer.

shopping Einkauf, Einkaufen [in Läden], Einkäufe, Besorgungen, Ladenbesuch;
spring ~ Frühjahrseinkauf;
to do some ~ einige Einkäufe (Besorgungen) erledigen; **to go [out]** ~ Einkäufe (Besorgungen) machen, einholen, (einkaufen) gehen;
~ **area** Geschäftsgegend, -viertel; ~ **bag** Einkaufstasche, -beutel; ~ **basket** Einkaufskorb, *(statistics)* Warenkorb; ~ **cart** Einkaufswagen; ~ **center** *(US)* **(centre,** *Br.)* Geschäftsviertel, -zentrum, Einkaufszentrum; ~ **day** Einkaufstag; ~ **district** Geschäftsgegend, -viertel; ~ **expedition** Ladenbesuch; ~ **goods** *(US sl.)* Konsum-, Verkehrsgüter, erst nach Preisvergleich gekaufte Waren; ~ **hours** [Laden] Verkaufszeit; ~ **list** Einkaufsliste, Besorgungszettel; ~ **mall** Einkaufszentrum; ~ **news** Kundenzeitschrift; ~ **note** Einkaufshinweis; ~ **parade** Ausstellungsraum; ~ **promenade** Laden-, Einkaufsstraße; ~ **street** Laden-, Geschäftsstraße.

shoppy voller Geschäfte, *(showing petty commercialism)* krämer-, philisterhaft;
~ **neighbo(u)rhood** Geschäftsgegend; ~ **part of a city** Geschäftszentrum einer Stadt; ~ **street** Laden-, Geschäftsstraße; ~ **talk** Fachsimpelei.

shoptalk Fachsimpelei.

shopwalker [Geschäfts]aufsicht im Laden, Empfangschef, Ladenaufseher, aufsichtsführender Abteilungsleiter.

shopwindow Schaufenster;
to dress a ~ Auslage herrichten, Schaufenster dekorieren; **to have everything in the** ~ sehr auf Äußerlichkeiten bedacht sein; **to put all one's goods in the** ~ *(fig.)* für keinerlei Reserven Sorge tragen;
~ **advertising** Schaufensterwerbung, -reklame;
~ **lighting** Schaufensterbeleuchtung.

shopworn angestaubt, beschädigt.

short *(bear)* Baissespekulant, Baissier, Fixer, *(deficit)* Manko, Fehlbetrag, Defizit, *(selling short)* Verkauf ohne Deckung;
~s *(refuse used for inferior production)* zur Weiterverarbeitung geeignete Abfallprodukte, *(stock exchange, US)* Baissespekulanten, -partei, *(securities)* ohne Deckung verkaufte Wertpapiere;
~s and overts Überschüsse und Fehlbeträge;
~ **in [the] cash** Kassendefizit, -manko;
~ *(a.)* knapp, *(securities)* blanko, deckungslos, noch anzuschaffen, *(at short sight) (suddenly)* jäh, abrupt, plötzlich, kurzfristig, mit kurzer Laufzeit;
~ **of liquid assets (funds)** liquiditätsbeengt; ~ **of cash** knapp bei Kasse; ~ **of hands** knapp an Arbeitskräften; ~ **of means (money)** nicht bei Kasse, knapp an Geld; ~ **of stock** kapitalarm;

to be ~ fehlen; **to be $ 10** ~ zehn Dollar zu wenig [in der Kasse] haben; **to be** ~ **of** knapp sein an, *(stock exchange, US)* noch Aktien einzudecken haben; **to be** ~ **of an article** Ware im Augenblick nicht vorrätig haben; **to be little** ~ **of a miracle** beinahe an ein Wunder grenzen; **to be** ~ **of money** nicht bei Geld sein; **to be** ~ **in one's payments** verspätet zahlen, säumiger Zahler sein; **to be** ~ **of petrol** kein Benzin mehr haben; **to be still three miles** ~ **of one's destination** noch fünf Kilometer zu fahren haben; **to be** ~ **with s. o.** j. kurz abfertigen; **to be** ~ **of staff** an Personalmangel leiden; **to be** ~ **of stock** *(US)* noch Aktien einzudecken haben; **to be in** ~ **supply** beschränkt lieferbar sein; **to be** ~ **of trading capital** nicht über ausreichendes Betriebskapital verfügen; **to cut** ~ **the proceedings** Verfahren rasch beenden; **to enter** ~ *(customs)* unter dem Wert (zu wenig) angeben; **to give** ~ **weight** knapp abwiegen; **to go** ~ *(US)* blanko (in Baisse) verkaufen; **to go** ~ **of money** geldknapp sein; **to invest [money, capital] at** ~ **notice** [Geld, Kapital] kurzfristig anlegen; **to run** ~ knapp werden, auf die Neige gehen; **to run** ~ **of provision(s)** knapp an Vorräten werden; **to sell** ~ *(US)* ohne Deckung verkaufen, in Baisse spekulieren; **to stop** ~ plötzlich bremsen; **to take s. o. up** ~ j. unterbrechen;

~ **account** *(Br.)* Baisseposition, *(US)* Baisseengagements; ~ **amount** Minderbetrag; ~ **answer** barsche Antwort; ~ **balance** Unterbilanz; ~ **bill** Wechsel auf kurze Sicht, kurzfristiger Wechsel, *(bill of collection, Br.)* Inkassowechsel; ~ **call** Stippvisite; ~**-circuit** *(el.)* Kurzschluß verursachen; ~**-circuit appeal** *(advertising)* Kurzschlußappell; ~**-commons** Hungerration; **to be on** ~ **commons** nicht genug zum Essen haben; ~ **covering** *(US)* Deckungskauf; ~ **crop** zu knappe Ernte; ~ **cut** Abkürzung[sweg], *(fig.)* abgekürztes Verfahren, Schnellverfahren; ~ **date** Kurzfristigkeit, kurze Sicht (Frist); **at** ~ **date** kurzfristig; ~**-dated** kurz[fristig]; ~**-dated bill** kurzfristiger Wechsel; ~**-dated paper** *(Br.)* kurzfristiges Papier; ~ **delivery** unvollständige Lieferung, Teil-, Minderlieferung; **to prevent** ~ **delivery** stets volles Lager haben; ~ **deposits** kurzfristige Einlagen; ~ **distance** Kurzstrecke; ~**-distance goods traffic** *(Br.)* Güternahverkehr; ~ **engagements** Baisseengagements; ~ **entry** *(banking, Br.)* vorläufige Gutschrift, *(customs)* Unterdeklaration; ~ **exchange** *(Br.)* kurzfristiger Devisenwechsel; ~ **film** Kurzfilm; ~**-form report** Revisionsbericht in abgekürzter Form; ~ **haul freight traffic** *(US)* Güternahverkehr; **by a** ~ **head** *(fig.)* sehr knapp; ~ **holiday** kleine Ferienreise, kurzer Urlaub, Kurzurlaub; ~ **hour** knappe Stunde; ~ **hours** Kurzarbeit; ~ **interest** fehlende (nicht verladene) Ware, *(insurance)* Überversicherung, *(of the market, US)* Baisseengagements, -position, Baissiers, Deckungsbedürfnis; ~**-landed** zu knapp geliefert; ~ **lease** kurzfristiger Pachtvertrag; ~ **lecture** Kurzstunde; ~ **letter** kurzer Brief; ~ **line** nicht volle Zeile, Kurzzeile; ~ **list** Auswahlliste, engere Kandidatenliste; ~**-list** *(v.)* Kandidaten in die engere Wahl ziehen; ~**-lived assets** kurzlebige Wirtschaftsgüter; ~ **loan** kurzfristiges Darlehn; ~ **loan fund** *(Br.)* Tagesgeldmarkt; ~ **market** Baissemarkt; ~ **measure** knappes Maß, Untermaß; ~ **money** kurzfristiges Darlehn; ~ **note** *(US)* kurzfristige Promesse; ~ **notice** kurze Frist; **at** ~ **notice** kurzfristig kündbar; ~**-notice charge** Kleinanzeigenzuschlag; ~ **number** *(print.)* kleine Auflage; ~ **offer** Baisseangebot; ~ **order** *(restaurant)* Schnellgericht; **in** ~ **order** schnell; ~ **paper** Wechsel auf kurze Sicht; ~ **paragraph** kleine Textanzeige; ~ **payment** sofortige (schnelle) Bezahlung; ~ **period** kurzer Zeitraum; ~ **position** *(investment fund)* Baisseengagement, Leerverkaufsposition; ~**-posted** zu niedrig angesetzt; ~ **premium** niedrige Prämie; ~ **price** Nettopreis; ~**-range plan** kurzfristiger Plan; ~ **rate** Devisenkurs für kurzfristige Wechsel, *(advertising, US)* ermäßigter Tarif, Rabattarif, Rabattrück-, Nachbelastung, *(insurance)* Überprämie bei Kündigung durch den Versicherungsnehmer; ~ **rations** knappe Rationen; ~ **return of interest** *(insurance)* Rückvergütung; ~ **sale** *(ready sale)* schneller Absatz, *(stock exchange, US)* Verkauf ohne Deckung, Leerverkauf, Blankoabgabe, -verkauf, Fixgeschäft, Terminverkauf; ~ **seller** Blankoverkäufer, Leerverkäufer, Fixer, Baissier; ~ **selling** *(US)* Blankoabgaben, -verkäufe, Leerabgabe, Fixgeschäfte, Fixen; ~**-ship** *(v.)* **a consignment by 1 cwt** einen Zentner Ware zu wenig liefern; ~**-shipped** in ungenügender (nicht hinreichender) Menge verladen; ~ **shipment** Minderlieferung; ~ **side** *(US)* Baissepartei; **at** ~ **sight** mit kurzer Sicht; ~ **-sighted** kurzsichtig; ~**-sighted policy** kurzsichtige Politik; ~ **stock** *(US)* Baisseengagements, auf Baisse verkaufte (gefixte) Aktien; ~ **story** Kurzgeschichte; ~ **street** kurze Straße; ~ **subject** Kurzfilm, Beiprogramm; **to be in** ~ **supply** beschränkt lieferbar sein; ~ **term** *(advertising)* Abschluß für weniger als ein Jahr.

short-term kurzfristig;

~ **borrowings** kurzfristige Geldaufnahmen; ~ **credit** kurzfristiger Kredit; ~ **financing** Zwischen-, Finanzierung; ~ **liability** kurzfristige Verbindlichkeit; **unsecured** ~ **loan** kurzfristiger Blankokredit.

short | time Arbeitszeitverkürzung; ~ **-time** *(v.)* **s. o.** j. als Kurzarbeiter beschäftigen; **to be on (work)** ~ **time** *(factory)* Kurzarbeit eingeführt haben, kurzarbeiten; ~**-time treasury bill** unverzinsliche Schatzanweisung; ~**-time work** Kurzarbeit; ~**-time working** Kurzarbeit; ~ **ton**

(US) Tonne; ~ **weight** Fehl-, Unter-, Mindergewicht, zu leichtes Gewicht, Manko.

shortage *(bottleneck)* Engpaß, *(deficiency)* Fehl-, Minderbetrag, -menge, -bestand, Defizit, *(scarcity)* Klemme, Mangel, Knappheit[serscheinung], Verknappung, *(weight)* Gewichtsverlust, -abgang, Manko;
owing to ~ of staff mangels Arbeitskräfte;
food ~ Lebensmittelknappheit; **housing** ~ Wohnungsknappheit; **labo(u)r** ~ Arbeitskräftemangel; **manpower** ~ fehlende Arbeitskräfte; **wartime** ~ kriegsbedingte Verknappung;
~ **of liquid assets** Liquiditätsbeengung; ~ **of bulk** Sturzgüterverlust; ~ **of capital** Kapitalmangel; ~ **in the cash** Kassendefizit, -fehlbetrag; ~ **of foreign currency** Devisenknappheit; ~ **of dollars** Dollarknappheit; ~ **of food** Mangel an Lebensmitteln, Lebensmittelknappheit; ~ **of goods** Warenknappheit; ~ **of labo(u)r** Arbeitskräftemangel; ~ **of manpower** Knappheit an Arbeitskräften, Arbeitskräftemangel; ~ **of materials** Materialknappheit; ~ **of money** Geldknappheit; ~ **in money accounts** mangelnde Flüssigkeit, Liquiditätsbeengung; ~ **of mortgage money** knappes Hypothekenangebot; ~ **of personnel** Personalmangel, -knappheit; ~ **of provisions** Lebensmittelknappheit; ~ **of rolling stock** unzureichendes Betriebsmaterial; ~ **of transport** fehlende Transportmittel; ~ **of supplies** Angebotsknappheit; ~ **in weight** Untergewicht; ~ **of work** Auftragsmangel;
to make up a ~ Fehlbetrag ausgleichen.

shortchange *(v.)* *(US coll.)* zu wenig Wechselgeld herausgeben.

shortcoming *(defectiveness)* Unzulänglichkeit, Mängel, *(deficiency)* Defizit, Fehlbetrag, *(shortage)* Verknappung;
~**s in the plant** Mängel der Betriebsanlage;
~ **goods** Mangelwaren.

shorten *(v.)* **commitments** Aufträge zurückziehen;
~ **one's working time** Arbeitszeit verkürzen.

shortening | **of policy** Abkürzung der Versicherungsdauer; ~ **of working hours** Verkürzung der Arbeitszeit.

shortfall in revenue Einnahmerückgang.

shorthand Stenografie, Kurzschrift, Schnellschrift;
to take notes in ~ sich stenografische Aufzeichnungen machen; **to transcribe** ~ Stenogramm übertragen;
~ **clerk** Stenokontoristin; ~ **notes** stenografische Aufzeichnungen; ~ **notebook** Stenoblock; ~ **secretary** Stenosekretärin; ~ **writing** stenografieren.

shorthanded knapp an Arbeitskräften.

shorthaul Güternahverkehr;
~ **business** Kurzstreckenfrachtgeschäft.

shortness in weight *(coin)* Gewichtsverlust.

shot Schuß, *(over public address system, sl.)* Ausruf, *(advertising)* Postwerbeexemplar, *(tel. sl.)* telefonischer Weckruf;
~ **in the arm** *(business cycle)* Konjunkturspritze; ~ **in the locker** *(fig.)* Geld in der Tasche, Rückhalt, letzte Reserve;
to stand the ~ Zeche bezahlen.

shovel *(v.)* **up money** Geld scheffeln.

show *(entertainment)* Vorführung, Vorstellung, Darbietung, Schau, *(exhibition)* Ausstellung, Messe, *(outfit)* Sache, Laden, Kram, *(window display)* Auslage (Aushang) [im Schaufenster];
on ~ zur Besichtigung, ausgestellt; **on ~ on our premises** bei uns zu besichtigen;
automobile ~ *(US)* Autoausstellung; **one-man** ~ Alleinunterhaltung; **trade** ~ *(Br.)* Gewerbeausstellung; **travelling** ~ Wanderausstellung;
~ **of goods** Warenmesse;
~ *(v.)* zeigen, *(exhibit)* [Waren] ausstellen;
~ **an advance** *(industrials)* Kurssteigerung aufweisen; ~ **a balance in s. one's favo(u)r** Saldo zu jds. Gunsten auf-, ausweisen; ~ **a decrease** Ausfall ergeben; ~ **a deficit** Defizit aufweisen; ~ **small gains** *(stock exchange)* kleine Gewinne verzeichnen; ~ **improvement** Besserung zeigen; ~ **great improvement** erhebliche Kurssteigerung aufweisen; ~ **a cheap line of goods** billige Waren feilbieten; ~ **a loss** mit Verlust abschließen; ~ **a profit** Gewinn aufweisen, Nutzen abwerfen; ~ **signs of retrenchments** Kostenabbauzeichen erkennen lassen; ~ **one's ticket** seine Fahrkarte vorzeigen; ~ **a good tone** *(stock exchange)* fest liegen (sein); ~ **an uptick** Steigerung aufweisen;
~ **bill** Verzeichnis der ausgelegten Waren, *(advertising)* Werbeplakat; ~ **boat** Vergnügungsdampfer; ~ **business** Vergnügungs-, Unterhaltungsindustrie, Schaugeschäft; ~ **card** Ausstellungs-, Aufstell-, Reklameplakat, *(shopwindow)* Schaufensterplakat, *(business card)* Muster-, Geschäftskarte; ~ **flat** Modellwohnung; ~ **house** Musterhaus; ~ **purpose** Reklamezweck; ~ **window** *(US)* Schau-, Auslagefenster.

showboard Anschlagtafel, Schwarzes Brett.

showcase Auslagekasten, Schaukasten, Vitrine.

shower *(exhibitor)* Aussteller.

showing *(film)* Vorführung, *(outdoor advertising)* Anschlagseinheit;
financial ~ *(firm)* Status, finanzielle Lage; **full** ~ Vollbelegung;
to have a poor financial ~ in einer schlechten Finanzlage sein; **to make a mixed** ~ *(stock exchange)* uneinheitliches Bild bieten; **to make a ~ on cost** sich kostenmäßig auswirken.

showman Schausteller, Manager.

showpiece Ausstellungsgegenstand, -stück.

showroom Ausstellungsraum, Musterlager;
~ **model** Ausstellungsstück.

showy marktschreierisch.

shrewd businessman kluger Geschäftsmann.

shrink *(v.)* *(income)* zusammenschrumpfen, niedriger werden.

shrinkage Schwund, Verlust, *(allowance)* Refaktie, Nachlaß, *(decrease)* Abnahme, [Wert]minderung, *(trade)* schrumpfen, Schrumpfung;
profit ~ Gewinnschrumpfung;
~ **of the export trade** Exportrückgang; ~ **in the price of stocks** Kursverlust; ~ **of stocks** Lagerverlust; ~ **in value** Wertminderung.

shrinking | of prices Preisherabsetzung;
~ **capital** schrumpfendes Kapital.

shuffle of holdings Beteiligungsumstellungen.

shunt ausweichen, umschwenken, Schwenkung, *(railway)* rangieren;
~ *(v.)* *(train)* auf ein Nebengleis fahren, rangieren, abstellen;
~ **s. o.** j. kaltstellen, j. nicht zum Zuge kommen lassen.

shunter *(engine)* Rangierlokomotive, *(stock market, Br.)* Arbitrageur, *(sl.)* geschickter Organisator.

shunting | station Rangier-, Verschiebebahnhof; ~ **track** Rangiergleis.

shut | for dividends Dividendenschluß;
~ *(v.)* *(business)* stillegen, schließen, [Betrieb] einstellen;
~ **the door upon further negotiations** Tür zu weiteren Verhandlungen zumachen; ~ **down** *(factory)* schließen, Betrieb einstellen, stillegen; ~ **in** *(fam., US)* Ölförderung einstellen; ~ **out competitive goods** Konkurrenzerzeugnisse nicht hereinlassen; ~ **out of foreign markets** von Auslandsmärkten ausschließen; ~ **up one's jewels in a safe** seinen Schmuck im Safe verschließen; ~ **up shop** Laden schließen (dichtmachen), Bude zumachen;
~**-outs** aus Raummangel nicht verladene Güter.

shutdown *(closing of plant, US)* Stillegung, Schließung, vorübergehende Betriebsstillegung, *(interruption of work)* Arbeitsunterbrechung, -einstellung, Betriebsstörung;
plant-wide ~**s** umfassende Betriebsstillegungen; **seasonal** ~ saisonbedingte Betriebsschließung;
~ **in production** Produktionsstillegung;
~ **costs** Kosten der Betriebseinstellung (Betriebsstillegung); ~ **order** Schließungsanweisung.

shutting | down Stillegung; ~ **up shop** Ladenschluß.

shuttle Pendelverkehr;
~ *(v.)* **between two professions** zwischen zwei Berufen schwanken;
~ **bus** im Pendelverkehr eingesetzter Bus; ~ **car** Triebwagen; ~ **service** Pendelverkehr; ~ **train** Zubringer-, Vorort-, Pendelzug.

shuttling between government and business Berufswechsel vom Staatsdienst in die Wirtschaft.

shy of money *(US sl.)* knapp bei Kasse.

shyster *(US)* Hamsterer, Schieber, *(legal business)* Winkelkonsulent, -advokat, Rechtsverdreher.

sick | allowance Krankengeld; ~ **benefit** *(Br.)* Krankenhilfe; ~ **benefit fund** Krankenkasse; ~ **certificate** Krankenschein; ~ **fund** Krankenkasse; ~ **insurance** Krankenversicherung; ~ **market** *(US)* uneinheitlicher und lustloser Markt, flaue Börse; ~ **pay** Krankengeld.

sickness | allowance Krankengeld; ~ **benefit** Leistungen im Krankheitsfall; **to draw** ~ **benefits** Krankengeld beziehen; ~ **certificate** Kranken-, Kassenschein; ~ **compensation** Krankengeld, -beihilfe; ~ **fund** Krankenkasse; ~ **insurance** Krankenversicherung; ~ **rate** Krankheitssatz; ~ **relief** Krankenbeihilfe.

side Gegend, Bezirk, Nachbarschaft, *(viewpoint)* Stand-, Blickpunkt;
credit ~ Kreditseite; **debit** ~ Soll-, Debetseite; **right[-hand]** ~ Aktiv-, Kreditseite;
to be on the debit ~ im Debet stehen; **to be on the high** ~ *(prices)* hoch sein;
~ **building** Anbau; ~ **partner** *(US)* Mitarbeiter; ~ **show** Nebenvorstellung.

sideline Seitenlinie, *(goods, US)* zusätzliche Waren, (Verkaufsartikel), *(profession)* Nebenberuf, -beschäftigung, *(railway)* Nebenlinie, -bahn, *(traveller)* zusätzliche Vertretung;
~ **employment** Nebenbeschäftigung.

sidetrack *(US)* totes Gleis, Anschluß-, Fabrik-, Neben-, Abstellgleis, *(fig.)* unbedeutender Posten, Abstellgleis;
to shunt s. o. ~ j. auf ein Abstellgleis abschieben.

siding *(railway)* Anschluß-, Fabrikgleis, Ausweich-, Abstell-, Nebengleis.

sight *(bill of exchange)* Sicht, Vorzeigung, Präsentation;
after ~ nach Sicht; **at** ~ bei Sicht (Vorkommen); **at short (long)** ~ auf kurze (lange) Sicht; **in** ~ *(on the market)* vorhanden; **on sale** ~ **unseen** *(US)* ohne Besichtigung zu verkaufen; **payable at** ~ bei Vorzeigung (Sicht) zahlbar; **commercial** ~ Handelsakzept;
~ *(v.)* **a bill** Wechsel mit Sicht versehen;
to cost s. o. a ~ **of money** j. ein schönes Stück Geld kosten; **to give s. o.** ~ **into the business** jem. geschäftlichen Einblick gewähren; **to hono(u)r a draft on** ~ Tratte bei Vorzeigung honorieren;
~ **bill** Sichtwechsel, -tratte, Avistawechsel; ~ **credit** bei Sicht fälliger Kredit; ~ **deposits** täglich fällige Gelder, Sichteinlagen; ~ **draft** Sichttratte, -wechsel; ~ **exchange,** Sichtwechselkurs; ~ **items** Sichtpapiere; ~ **rate** Kurs für Sichtpapiere, Sichtkurs.

sighting a bill *(US)* präsentieren eines Wechsels.

sightseeing Besichtigung, Besuch von Sehenswürdigkeiten;
~ **bus** Aussichts-, Rundfahrtautobus; ~ **tour** Stadtrund-, Besichtigungsfahrt.

sightseer Tourist.

sign [An]zeichen, *(advertising)* Werbeschild,

(mark) Kennzeichen, Merkmal, *(shop)* Laden-, Aushängeschild, *(tel.)* Ruf[zeichen], *(traffic)* Verkehrszeichen;
prohibitive ~ Verbotszeichen; **road** ~ Wegweiser, Verkehrszeichen; **shop** ~ Ladenschild; **traffic** ~ Verkehrszeichen;
~ **of correction** Korrekturzeichen; ~**s of slowdown** Anzeichen konjunktureller Verschlechterung, konjunkturelle Abschwächungshinweise;
~ *(v.)* [unter]zeichnen, unterschreiben, *(subscribe)* zeichnen;
~ **o. s.** sich anmelden; ~ **as attorney-in-fact** in Vollmacht unterschreiben; ~ **a decree of adjudication** Konkurseröffnungsbeschluß erlassen; ~ **away one's interest in an estate** auf Grundstücksansprüche verzichten; ~ **a bill** Wechsel unterschreiben; ~ **a bond** Schuldschein ausstellen; ~ **a check** *(US)* **(cheque,** *Br.)* Scheck unterschreiben; ~ **a sales contract** Kaufvertrag unterzeichnen; ~ **up for evening classes** sich zu Kursen für die Erwachsenenbildung anmelden; ~ **on behalf of a firm** für eine Firma zeichnen; ~ **for the goods** Warenempfang bestätigen; ~ **on the dotted line** auf der punktierten Linie unterschreiben; ~ **one's name** unterschreiben; ~ **off** *(radio, US)* Funkstille (Sendepause) ansagen, Schlußmelodie spielen, *(relinquish one's claims)* verzichten, Ansprüche aufgeben, *(stop work)* Arbeitsschluß registrieren, *(workman)* kündigen; ~ **on** *(broadcasting)* Eingangsmelodie spielen, Sendebetrieb eröffnen, *(factory)* anwerben, einstellen, *(return to work)* sich wieder zur Arbeit melden, *(take up a job)* anmustern, -heuern; ~ **on as a sponsor** Patenschaft für ein Rundfunkprogramm übernehmen; ~ **the ship's articles** sich anheuern lassen; ~ **a trade agreement** Handelsvertrag abschließen; ~ **up a year in advance** Arbeitsvertrag ein Jahr zuvor abschließen; ~ **on for a voyage** *(seaman)* für eine Reise anheuern;
to show ~**s of improvement** Besserungstendenzen erkennen lassen;
~ **mast advertising** Mastwerbung.

signal Signal, Zeichen, *(mil.)* Funkspruch;
left-turn ~ Linksabbiegersignal; **time** ~ Zeitzeichen; **traffic** ~ Verkehrszeichen;
~ **for inflation** Inflationszeichen;
~**s ahead** Verkehrsampel; ~ **wave** Betriebswelle.

signatory, Unterzeichner, Vertragspartner;
~ **government** Unterzeichnerregierung; ~ **power** Signatarmacht.

signature Unterschriftsleistung, Signatur, Unterzeichnung, [eigenhändige Namens]unterschrift, Namenszug, *(broadcasting)* Sende-, Pausenzeichen, *(firm)* Firmenunterschrift;
~ **differs** Unterschrift ungenau;
autographic ~ eigenhändige Unterschrift; **blank** ~ Blankounterschrift; **corporate** ~ *(US)* Firmenunterschrift, -zeichnung; **counter** ~ Gegenzeichnung; **deferred** ~ nachträgliche Unterschrift; **facsimile** ~ Faksimileunterschrift; **fictitious (forged)** ~ gefälschte Unterschrift, Unterschriftsfälschung; **genuine** ~ echte Unterschrift; **joint** ~ Gesamtzeichnungsberechtigung, Kollektivprokura; ~ **missing** Unterschrift fehlt; **multiple** ~ gemeinsame Unterschrift;
~ **on a bill** Wechselunterschrift; ~ **of a contract** Vertragsunterschrift;
to acknowledge one's ~ seine Unterschrift als echt anerkennen; **to have one's** ~ **legalized** seine Unterschrift beglaubigen lassen; **to round up** ~**s** Unterschriften sammeln;
~ **book** Unterschriftenverzeichnis; ~ **card** Unterschriftsprobe, -karte; ~ **card file** Unterschriftenkarthotek; ~ **tune** Erkennungs-, Sendermelodie, Pausenzeichen.

signboard Aushänge-, Firmenschild.

significance *(market research)* Bewertungsgrad.

significant amount abgerundeter Betrag.

signing | **of a contract** Vertragsunterzeichnung; ~ **on** *(labo(u)r)* Einstellung;
~ **clerk** Prokurist; ~ **fee** Zeichnungsgebühr; ~ **power** Unterschriftsvollmacht.

signpost Hinweiszeichen, Wegweiser, Geschwindigkeitsschild.

signwriter Reklamezeichner.

silent | **consent** stillschweigende Zustimmung; ~ **partner** *(Br.)* stiller Teilhaber; ~ **partnership** *(Br.)* stille Teilhaberschaft.

silver Silber;
fine ~ Feinsilber; **loose** ~ Silberkleingeld; **standard** ~ Münzsilber;
~ **agio** Silberagio; ~ **bar** Silberbarren; ~ **basis** Silberwährung; ~ **quotations** Silbernotierungen; ~ **standard** Silberwährung.

simple | **average** einfache Havarie; ~ **bond** hypothekarisch nicht gesicherte Obligation; ~ **contract** formloser (mündlicher) Vertrag; ~ **contract creditor** gewöhnlicher Konkursgläubiger; ~ **contract debt** nicht bevorrechtigte [Konkurs]forderung; ~ **debts** gewöhnliche Forderungen; ~ **interest** Kapitalzinsen; ~ **journal** Journal für einfache Buchführung; ~ **majority** einfache Mehrheit; ~ **trust** *(income tac, US)* Stiftung, die nur Zinsen ausschüttet.

simulated | **account** fingierte Rechnung; ~ **contract** Scheinvertrag; ~ **debt** fingierte Forderung; ~ **judgment** Scheinurteil; ~ **sale** Scheinkauf.

simulcast *(television)* Simultansendung, Direktübertragung.

single *(railway, Br.)* Einzelfahrkarte;
~ *(a.)* einzig, allein, einmalig, *(machine)* nur einen Arbeitsgang verrichtend, *(unmarried)* ledig, unverheiratet, alleinstehend;
~ **allowance** *(income tax, Br.)* persönlicher Freibetrag; ~ **basing point system** *(US)* Frachtausgangspunktsystem; ~ **bill** Solawechsel; ~**-carrier service** kombinierte Speditionslei-

stung; ~-**copy price** Heftpreis; ~ **creditor** einseitig (nur einmal) gesicherter Gläubiger; ~-**employer bargaining** Einzeltarifverhandlung; ~-**entry book-keeping** einfache Buchführung; ~-**family dwelling (home)** Einfamilienhaus; ~ **fare** einfacher Fahrpreis; ~ **item** Einzelposten; ~ **line** eingleisige Bahn, *(tel.)* Einzelanschluß; ~-**line store** Spezialwarengeschäft; ~ **loan** einmalige Staatsanleihe; ~-**part production** Einzelanfertigung; ~-**name paper** *(US)* Schuldschein, Solawechsel; ~ **option** einfaches Prämiengeschäft; ~ **payment** einmalige Zahlung; ~ **plant** Einzelbetrieb; ~-**plant bargaining** Einzeltarifverhandlung; ~ **premium** Einmalprämie; ~ **price** Einheitspreis; ~-**price store** Einheitspreisgeschäft; ~-**rate letter** einfacher Brief; ~-**schedule tariff** Einheitszolltarif; ~ **signature** Alleinzeichnungsberechtigung; ~ **standard** *(US)* monometallistische Währung; ~-**step income statement** *(US)* Gewinn- und Verlustrechnung in Kontoform; ~-**storey** eingeschossig; ~ **tariff** autonomer Tarif; ~ **tax** Einheitssteuer; ~ **ticket** *(Br.)* einfache Fahrkarte; ~ **track** eingleisige Strecke; ~ **trader** *(Br.)* Einzelkaufmann; ~-**venture partnership** *(US)* Handelsgesellschaft zur Durchführung einer einmaligen Transaktion.

singular successor Einzelnachfolger.

sink *(v.)* *(amortize)* tilgen, amortisieren, *(prices)* sinken, fallen, niedriger werden, *(ship)* sinken, untergehen, *(tie up capital)* festlegen, fest anlegen;
~ **a debt** Schuld abtragen (tilgen); ~ **half of one's fortune in a new business undertaking** Hälfte seines Vermögens in einem neuen Geschäft anlegen; ~ **money in an annuity** Geld in Rentenwerten anlegen; ~ **prices** Preise herabsetzen; ~ **the level of prices** Kursniveau vertiefen.

sinking Versenkung, *(investment)* Geldanlage, *(redemption)* Tilgung, Amortisierung;
~ **of debts** Schuldentilgung.

sinking fund Schuldentilgungs-, Ablösungsfonds, Amortisationsfonds, -kasse;
to raid the ~ Tilgungsfonds zweckentfremden;
~ **assets** *(US)* Anlagenkonto für den Tilgungsfonds; ~ **income** Erträgnisse des Amortisationsfonds; ~ **instalment** Tilgungsrate; ~ **loan** Tilgungsanleihe; ~ **method of calculating depreciation** Abschreibungsmethode mit steigenden Quoten; ~ **payment** Amortisationszahlung; ~ **reserve** Tilgungsrücklage.

siphon *(v.)* **off funds** Mittel abschöpfen.

sister | **company** Schwestergesellschaft; ~ **ship** Schwesterschiff.

sit *(v.)* sitzen, tagen, Sitzung abhalten;
~ **on (upon) a committee** Ausschußmitglied sein; ~ **at a high interest** hohe Zinsen zahlen müssen; ~ **at $ 120 a week** 120 Dollar wöchentliche Ausgaben haben;
~-**down strike** Sitzstreik.

site Lage eines Grundstückes, *(plot of land)* Bauplatz, -grund, -gelände, Gelände, *(posting)* Anschlagstelle;
delivered [on] ~ Lieferung frei Baustelle;
building ~ Bauplatz, -gelände; **erection** ~ Aufstellungsort; **fair** ~ Ausstellungs-, Messegelände; **home** ~ Eigenheimgrundstück; **obstructed** ~ *(posting)* verdeckter Anschlag; **usual used** ~ allgemeine Anschlagstelle;
~**s under construction** im Bau befindliche Anlagen; ~ **of an industry** Sitz einer Industrie;
~ *(v.)* stationieren, placieren;
~ **a new factory** neues Fabrikgelände festlegen;
to deliver materials to a building ~ Baumaterial zum Bauplatz bringen;
~ **development** Baulanderschließung; ~ **land** Baugelände; ~ **list** Stellen-, Standortverzeichnis; ~ **owner** Grundstückseigentümer; ~ **preparation** Geländeaufbereitung; ~ **value** [steuerlicher] Einheitswert.

sitting Sitzung, Tagung;
all-night ~ Nachtsitzung;
to be served in one ~ *(restaurant)* zur gleichen Zeit bedient werden;
~**s fee** *(Br.)* Sitzungsgebühr, -geld; ~ **member** Sitzungsmitglied.

situated gelegen;
well ~ gut gestellt;
to be badly ~ finanziell schlecht gestellt sein;
well ~ **business** Geschäft in guter Lage.

situation Lage, Zustand, Situation, *(building)* Geschäftslage, Gelegenheit, *(employment)* [An]-stellung, Stelle, Posten, *(office)* Amt, *(position)* Stand;
awkward ~ schwierige Lage; **financial** ~ Finanzlage, Status; **good** ~ gute Stelle, Versorgung; **hazardous** ~ gefährlicher Arbeitsplatz; **labo(u)r** ~ Arbeitsmarktlage; **local political** ~ innenpolitische Lage; **permanent** ~ Lebens-, Dauerstellung; ~**s required** *(newspaper)* Stellengesuche; **sunny** ~ *(house)* sonnige Lage; **tense** ~ gespannte Lage; ~**s vacant** Stellenangebot; ~**s wanted** Stellengesuch;
~ **as bookkeeper** Buchhalterstelle;
to apply for a ~ sich um eine Stelle umtun (bewerben); **to find a** ~ **for s. o.** j. in einer Stellung unterbringen; **to take a new** ~ neue Stellung antreten; **to throw up a** ~ Stelle (Beschäftigung) aufgeben.

situs Belegenheit, Lageort, *(plant)* Geschäftssitz;
business ~ steuerlicher Geschäftssitz.

sixes *(stock exchange)* Sechsprozenter.

size Größe, Nummer, Maß, Umfang, Format, Volumen;
of all ~**s** in allen Größen;
commercial ~ marktfähige Größe; **full** ~ Lebensgröße; **odd** ~ nicht gängige Größe; **pocket** ~ Taschenformat; **stock** ~ Lagergröße;
~ **of business** Betriebsgröße; ~ **of income** Höhe des Einkommens; ~ **of order** Auftragsvolumen; ~ **of salary** Gehaltshöhe;

~ *(v.)* nach Größen ordnen, *(produce)* in einer bestimmten Größe anfertigen;
to seek ~ rather than quality mehr auf Quantität als auf Qualität gehen;
~ **limits** Höchstgrößen [im Postverkehr].

sized nach Größen geordnet;
large-~ in Großformat; **standard-~** in Normalgröße.

skeleton Gerüst, Gestell, *(building)* Rohbau, *(draft)* Skizze, Entwurf, *(plant)* Stammpersonal;
~ **agreement** Rahmenabkommen; ~ **bill** unausgefülltes [Wechsel]formular, Wechselblankett; ~ **contract** Manteltarif; ~ **due (fee)** Rahmengebühr; ~ **letter** Blankoformular; ~ **note** unausgefülltes Wechselformular; ~ **organization** Rahmenorganisation; ~ **staff** Stamm-, Rahmenpersonal; ~ **wage agreement** Mantel-, Rahmentarif.

sketch *(account)* Übersicht, *(calculation)* Überschlag, überschlägige Berechnung;
first (rough) ~ Rohentwurf;
to make a ~ of a house Plan (Grundriß) eines Hauses aufzeichnen.

skid *(car)* Schleudern, Rutschen;
~ **in profits** Gewinnabfall;
~ *(v.)* rutschen, schleudern, *(price)* gleiten, rutschen, fallen;
~ **over details** über Details hinweggehen;
~**-proof** *(tyre)* rutschfest, gleitsicher; ~ **row** *(sl.)* billiges Vergnügungsviertel.

skill Geschick[lichkeit], Fertigkeit, Fähigkeit, Können, Kenntnis;
basic ~s Grundkenntnisse.

skilled gelernt, geschickt, bewandert;
to be ~ in a business fachlich ausgebildet sein;
~ **labo(u)r** Fachkräfte, -arbeiter; ~ **manpower** gelernte (ausgebildete) Arbeitskräfte; ~ **occupation** Anlernberuf; ~ **trades** Spezialberufe; ~ **worker** Facharbeiter, gelernter Arbeiter, Fachkraft.

skim *(v.)* **surplus purchasing power** überschüssige Kaufkraft abschöpfen.

skimming of express profits Gewinnabschöpfung.

skip *(debtor, US)* unbekannt verzogener Schuldner;
~ *(v.)* **bail** Kaution verfallen lassen; ~ **over to Paris** Blitztour nach Paris machen;
~ **tracing** *(US)* Ausfindigmachung eines säumigen Schuldners.

skipper Küstenschiffer, Kapitän.

sky *(astronautics)* Luftraum, *(climate)* Klima, Wetter, Witterung;
~ **advertising** Luftwerbung; ~ **lift** Luftbrücke; ~ **pilot** geprüfter Pilot; ~ **sign** Leucht-, Lichtreklame, Werbesilhouette; ~ **tourist** Touristenfluggast; ~ **train** *(US)* fliegender Güterzug; ~ **truck** *(US)* Transportflugzeug.

skyrocket *(v.)* *(prices, US)* in die Höhe treiben (schnellen).

skyrocketing Emporschnellen, *(US)* raketenartiges [An]steigen [der Kurse].

skyscraper Wolkenkratzer, Hochhaus.

skyways Luftverkehrswege.

skywrite *(v.)* *(advertising)* Himmelschrift schreiben.

skywriter Himmelsschreiber.

skywriting Himmelschrift, Luftwerbung.

slack Nachlassen, Flaute, *(coll.)* Ruhepause;
~ **in the economy** Konjunkturflaute;
~ *(v.)* **at one's job** bei der Arbeit trödeln;
to be ~ wenig zu tun haben, *(stock market)* keinen Auftrieb zeigen, lustlos sein, *(trade)* stocken;
~ *(a.)* *(stock exchange)* unbelebt, geschäftslos, flau, lustlos, still;
~ **business** ruhiges Geschäft; ~ **demand** spärliche Nachfrage; **to keep a ~ hand on affairs** die Zügel schleifen lassen; ~ **hours** *(railway)* verkehrsarme Stunden, verkehrsschwache Zeit; ~ **period (season)** stille (tote) Saison, flaue Geschäftszeit, *(traffic)* verkehrsschwache Zeit; ~ **times in business** geschäftliche Flaute.

slacken *(v.)* *(stock exchange)* nachlassen, flau werden, stocken.

slackening *(stock exchange)* abbröckelnd;
~ **demand** nachlassende Nachfrage; ~ **tendency** Abschwächungstendenz.

slackness *(stock exchange)* Unlust, Unbelebtheit, Flaute, Flauheit, Stillstand;
~ **of business** Geschäftsstockung; ~ **of the market** Flaute, geschäftlose Zeit; ~ **of trade** Geschäftsstockung, -stille.

slander of goods Herabsetzung der Qualität einer Ware.

slap | **-up** *(Br.)* todschick, mit allen Schikanen;
~**-up restaurant** *(sl.)* erstklassiges Restaurant.

slash [Preis]nachlaß, Abstrich;
10 per cent price ~ in new cars Preisnachlaß von 10% auf Neuwagen;
~ *(v.)* **a budget** Etat zusammenstreichen; ~ **costs** Unkosten drastisch reduzieren; ~ **prices** Preise drastisch herabsetzen; ~ **production** Produktion einschränken, Produktionseinschränkung vornehmen; ~ **a salary** Gehalt stark heruntersetzen; ~ **taxes** Steuern kräftig ermäßigen;
to sell at ~ prices zu herabgesetzten Preisen verkaufen.

slashing, price Preisherabsetzung;
~ **of production** Produktionseinschränkung.

slate *(nomination, US)* provisorische Kandidatenliste, Vorschlagliste;
~ **for nomination as treasurer** zur Ernennung zum Schatzmeister vorsehen;
~ **club** *(Br.)* Unterstützungsverein, Hilfskasse.

slaughtered price Schleuderpreis.

slave | **labo(u)r** Zwangsarbeit; ~ **labo(u)r camp** Zwangsarbeiterlager; ~ **labo(u)rer** Arbeitssklave, Zwangsarbeiter.

sledding, smooth gutes Vorankommen;
to have a hard ~ schleppenden Geschäftsgang aufweisen.
sleeper *(railway, Br.)* Eisenbahnschwelle, *(sleeping accommodation)* Schlafplatz, *(US)* langsam verkäufliche Ware, Ladenhüter;
~ **train** Schlafwagen.
sleeperette Schlafkoje.
sleeping | accommodation Schlafgelegenheit, [Hotel]unterkunft; ~ **account** totes Konto; ~ **car** Schlafwagen; **to book a** ~ **car** Schlafwagenplatz bestellen; ~**-car company** Schlafwagengesellschaft; ~**-car ticket** Schlafwagenkarte; ~ **compartment** Schlafwagenabteil; ~ **partner** *(Br.)* stiller Teilhaber (Gesellschafter), Kommanditist; ~ **partnership** *(Br.)* Kommanditgesellschaft.
slender profit magerer Gewinn.
slice | of budget Etatsanteil; ~ **of a commission** Provisionsanteil; ~ **of a loan** Anleihentranche; ~ *(v.)* **a piece of property** Grundstückskomplex aufteilen.
slick | business deal aalglattes Geschäft; ~ **paper** elegante Zeitschrift; ~ **salesman** gerissener Geschäftsmann.
slide Dia[positiv], Stehbild, *(film)* Filmband, *(sliding)* Rutschen, Gleiten;
~ **in the interest rate** nachlassende Zinssätze; ~ **in values** Absinken der Kurse;
~ *(v.)* **down** *(prices)* abgleiten; ~ **below a trading range anchored in a special plateau** vorher festgelegte Kursmarke unterschreiten;
~ **advertising** Diapositivwerbung; ~ **lecture** Lichtbildervortrag; ~ **window** Schiebefenster.
sliding | budget veränderlicher Etat; ~ **rate of interest** Staffelzins; ~ **scale** *(advertising)* Nachlaß-, Rabattstaffel, *(prices)* bewegliche Preisskala, *(wages)* bewegliche Lohnskala, gleitender Lohntarif; ~**-scale discount** Rabatt-, Nachlaßstaffel; ~**-scale premium** gleitende Prämie; ~**-scale price** Staffelpreis; ~**-scale tariff** Staffeltarif, gleitender Lohntarif, *(customs)* gleitender Zoll; ~ **stock** fallende Aktie.
slight leicht, geringfügig;
~ **decline** *(stock exchange)* geringe Abschwächung.
slip *(advertising)* Aufkleber, *(banking)* Formularstreifen, *(bill of exchange)* Anhang, *(evasion)* Entkommen, *(galley proof)* [Druck]fahne, *(marine insurance) (Br.)* Versicherungsvertrag, *(mistake)* Versehen, Schnitzer, [Flüchtigkeits]-fehler, *(of paper)* Zettel, Blatt Papier, *(ship)* Gleitbahn, Helling, *(voucher)* Beleg, Abschnitt, Kupon;
bank ~ Girozettel, -abschnitt; **betting** ~ Wettschein; **binding** ~ *(insurance law)* vorläufige Deckungszusage; **check** ~ Kontrollabschnitt; **credit** ~ Bon, Gutschein; **paying-in** ~ *(Br.)* Einzahlungsbeleg, -formular; **sales** ~ Kassenzettel; **wage** ~ Lohn[abrechnungs]zettel;
~ *(v.)* *(stock exchange)* abgleiten;
~ **back** *(stock exchange)* fallen, sinken;
to be still on the ~ *(ship)* noch in Reparatur sein;
~ **book** Quittungs-, Belegbuch; ~ **fuel tank** abwerfbarer Brennstoffbehälter; ~ **proof** *(print.)* Fahnenabzug, -korrektur; ~ **sheet** Einschießbogen; ~ **sheets** Makulaturpapier; ~ **system** Belegbuchhaltung.
slogan *(advertising)* Werbetext, -spruch, Slogan.
sloganize *(v.)* *(advertising)* Werbetexte verfassen.
slops Konfektionsware.
slopseller Konfektionshändler.
slopshop billiger Konfektionsladen.
slopwork Konfektionskleidung.
slot Spalt, Einwurf[schlitz] für Münzen, Geldschlitz;
~ **machine** automatischer Verkaufsapparat, [Verkaufs]automat.
slovenly | work Schluderarbeit.
slow langsam, *(business)* zurückgeblieben, schleppend, flau, *(debtor)* säumig, saumselig;
~ *(v.)* *(prices)* langsamer steigen;
~ **down economy** Konjunktur verlangsamen; ~ **down industrial expansion** Wachstum der Industrie verlangsamen; ~ **down the pace of business** Konjunkturtempo verlangsamen;
to go ~ *(workers)* Bummelstreik durchführen, streng nach Vorschrift arbeiten;
~ **assets** feste (fixe) Anlagen; ~ **goods traffic** Frachtgutverkehr; ~**-motion film** Zeitlupenfilm; ~**-motion picture** Zeitlupenaufnahme; ~**-moving** *(business)* flau; ~**-moving goods** Waren mit geringer Umsatzgeschwindigkeit; ~ **payer** säumiger Zahler; ~ **train** Personen-, Bummelzug.
slowdown *(workers)* Arbeitsverlangsamung, Bummelstreik;
economic ~ verlangsamte Konjunkturbewegung;
~ **in business** verlangsamte Konjunktur; ~ **in inflation** Verlangsamung des Inflationstempos, verlangsamtes Inflationstempo; ~ **in investment** Investitionsverlangsamung; ~ **in orders** nachlassender Auftragseingang; ~ **in prices** Nachgeben der Preise; ~ **in price increase** nachlassender Preisanstieg;
~ **strike** *(US)* Bummelstreik.
slowing down | on the job Arbeitsverlangsamung; ~ **of the economy** Konjunkturverlangsamung; ~ **of inflation** verlangsamtes Inflationstempo; ~ **in prices** verlangsamter Preisanstieg.
sluggishness Geschäftsunlust, Flaute, Stagnation.
slum Elendsgasse, -quartier;
~ **area** Elendsgebiet; ~ **clearance** Beseitigung von Elendsgebieten, Städtesanierung; ~ **worker** Sozialarbeiter.
slumberette Schlafsitz [im Flugzeug].
slump *(of prices)* Fall, [plötzliches] Fallen der Preise, Preissturz, *(stock exchange)* Einbruch, Bais-

se, Kurssturz, *(trade cycle)* rückläufige Konjunktur, Konjunkturrückgang, Tiefstand, Rezession, Repression, Wirtschaftskrise;
world-wide ~ Konjunktureinbruch auf der ganzen Linie;
~ **in home building** nachlassende Eigenheimbaukonjunktur; ~ **in the franc** Frankensturz, Sturz des Frankenkurses; ~ **in prices** Kurs-, Preissturz; **heavy** ~ **in cotton prices** scharfer Einbruch der Baumwollpreise; ~ **in agricultural produce** Zusammenbruch des landwirtschaftlichen Preisspiegels; ~ **in production** [scharfer] Produktionsrückgang; ~ **in sales** Absatzkrise, rapider Umsatzrückgang; ~ **in stocks** Aktiensturz; ~ **in trade** Geschäftsstockung, Depression, Konjunkturrückgang;
~ *(v.) (prices)* stürzen, *(stock market)* plötzlich [im Wert] fallen;
~ **heavily** heftigen Kurssturz erfahren; ~ **ten points** zehn Punkte fallen;
~ **clause** Baisseklausel; ~**-proof** krisenfest.

slush | **fund** *(US)* Reptilien-, Bestechungsfonds; ~ **money** *(US)* Schmiergelder.

smalls kleinere Gebrauchsgegenstände, *(advertising)* rubrizierte Anzeigen, Kleinanzeigen.

small | **of means** minderbemittelt;
~ **ad** Kleinanzeige; ~ **bonds** *(US)* Obligationen in kleinen Stückelungen; ~ **business** gewerblicher Mittelstand, Klein- und Mittelbetriebe; ~ **business men** kleine Geschäftsleute; ~ **-business recommendations** Mittelstandsempfehlungen; ~ **capital** geringes Kapital; ~**-car market** Kleinwagenmarkt; ~ **change** Wechsel-, Kleingeld; ~ **charges** kleine Spesen; ~ **coin** Wechsel-, Kleingeld; ~ **consignments** Stückgut; ~ **debts** *(Br.)* Bagatell-, Läpperschulden; ~ **denominations** kleine Stücke (Werte); ~ **establishment** Kleinbetrieb; ~ **hand** gewöhnliche Korrespondenzschrift; ~ **income** mäßiges Einkommen; ~**-income allowance** *(Br.)* Freibeträge für niedrige Einkommen; ~ **industry** Kleinbetrieb; ~ **landowner** Kleinlandbesitzer; ~ **loan** Kleinkredit; ~**-loan company** *(US)* genossenschaftliche Darlehnskasse, *(hire purchase)* Abzahlungsbank; ~**-lot consignment** Stückgutsendung; ~**-lot production** Kleinserienherstellung; ~ **master** Kleinhandwerker; ~ **matter** Bagatellsache; ~**-merchandising unit** Kleingewerbebetrieb; ~ **money** Klein-, Wechselgeld; ~ **resources** unbedeutende Mittel; ~ **saver** Kleinsparer; **medium and** ~**-scale enterprises** Mittel- und Kleinbetriebe; ~**-scale operator** Kleinbetrieb; ~ **tradesman** Minderkaufmann; ~ **wares** Kurzwaren, **to carry on business in a** ~ **way** kleines Geschäft unterhalten.

smaller | **receipts** Mindereinnahmen; ~ **returns** Mindererertrag.

smallholder *(Br.)* Kleinbauer, Kleinlandbesitzer, *(savings)* Kleinsparer, *(stock ownership)* Kleinaktionär.

smallholding *(piece of land, Br.)* Kleinlandbesitz *(stock market)* Kleinaktionäre.

smalltime organization unwichtiger Verband, Schmalspurorganisation.

smart *(in business)* geschäftsgewandt, -tüchtig, routiniert;
~ **bargainer** pfiffiger Geschäftsmann; ~ **money** Reu-, Abstandsgeld, Buße, *(indemnification, US)* Schmerzensgeld; ~ **price** ganz schöner Preis.

smash *(banking)* Bankkrach, *(collision)* Zusammenstoß, *(commercial failure)* Zusammenbruch, Bankrott;
~ *(v.) (go bankrupt)* zugrunde (bankrott) gehen, zusammenbrechen, *(v./tr.)* finanziell ruinieren;
to go ~ umwerfen, Konkurs machen;
~**-and-grab raid** Schaufenstereinbruch.

smasher Rückschlag, *(Br. sl.)* Geldfälscher.

smashup völliger Zusammenbruch, Bankrott, *(plane)* Bruchlandung.

smuggle *(v.)* schmuggeln;
~ **a new clause into a text** neue Bestimmung in einen Vertrag hineinpraktizieren; ~ **through the customs** durch den Zoll schmuggeln.

smuggled goods Schmuggelware.

smuggler Schmuggler, Schieber, *(vessel)* Schmuggelschiff.

smuggling Schmuggel, Schleichhandel;
currency ~ Devisenschmuggel.

snack bar (counter) Imbißstube.

snap *(easy job, US sl.)* Druckposten, ruhiger Posten;
~ *(v.)* **at an offer** sich auf ein Angebot stürzen;
~ **up the cheapest articles** billigste Ware sofort kaufen;
~ **check** Stichprobe, stichprobenartige Überprüfung.

sniping *(US)* wilder Plakatanschlag.

snob appeal Anziehungskraft für Snobs, Snobgefühl.

snowball *(fund, Br.)* durch Mitgliederwerbung stetig vergrößerter Fonds.

snug little income nettes kleines Einkommen.

soak *(v.)* **the rich** *(US sl.)* die Reichen kräftig besteuern.

soap opera *(US, radio)* rührselige Fernseh-, Hörfunkserie, Fortsetzungswerbeprogramm.

soaring prices sprunghaft steigende Kurse.

social sozial, gesellschaftlich, *(politics)* sozialistisch;
~ **accounting** Sozialstatistik; ~ **adjustment** *(convict)* Resozialisierung; ~ **agency** *(US)* Sozialbehörde; ~ **cost** Soziallasten; ~ **credit** Sozialkredit; ~ **-economic balance sheet** Sozialbilanz; ~ **economics (economy)** Sozialwirtschaft, -ökonomie; ~ **environment** Milieu; ~ **expenditures** Sozialausgaben, -leistungen; ~ **income** Volkseinkommen.

social insurance *(US)* Sozialversicherung;

~ **benefits** Sozialversicherungsleistungen; ~ **contributions** Sozialversicherungsbeiträge; ~ **institution** Sozialversicherungsträger; ~ **system** Sozialversicherungswesen.

social | relief Sozialfürsorge; ~ **saving** kollektives Sparen; ~ **sciences** Sozialwissenschaft, Soziologie; ~ **scientist** Sozialwissenschaftler, Soziologe.

social security soziale Sicherheit, *(US)* Sozialversicherung;

≗ **Act** *(US)* Sozialversicherungsgesetz; ~ **adjustment** *(US)* Anpassung der Sozialversicherungsleistungen; ~ **benefits** *(US)* Sozialversicherungsleistungen; ~ **card** *(US)* Angestelltenversicherungskarte; ~ **check** *(US)* Sozialversicherungszahlung, Auszahlung der Sozialrente; ~ **contribution** *(US)* Sozialversicherungsbeitrag; ~ **legislation** *(US)* Sozialversicherungsgesetzgebung; ~ **payments** *(US)* Sozialabgaben, -leistungen; ~ **recipient** *(US)* Sozialversicherungsempfänger, -rentner; ~ **rent** *(US)* Sozialrente; ~ **service** *(US)* Sozialversorgung; **voluntary** ~ **services** *(US)* freiwillige Sozialleistungen; ~ **system** *(US)* Sozialversicherungssystem; ~ **tax** *(US)* Sozialversicherungssteuer, Zwangsbeiträge zur Sozialversicherung; ~ **tax payment** *(US)* Bezahlung der Sozialversicherungsbeiträge; ~ **trust fund** *(US)* Sozialversicherungsvermögen.

social | service Wohlfahrt, Fürsorge, *(philanthropic assistance)* Fürsorgearbeit, -tätigkeit; ~ **services** Sozialleistungen, Sozial-, Fürsorgeeinrichtungen; ~ **settlement** Fürsorgeverband; ~ **stock** Gesellschaftsvermögen; ~ **system** Sozial-, Gesellschaftsordnung; ~ **unit** bei Sozialuntersuchungen zugrunde gelegte Menschengruppe; ~ **welfare** soziale Fürsorge, Sozialhilfe; ~ **[welfare] work** soziale Berufe, Sozialarbeit, Fürsorgetätigkeit; ~ **worker** Fürsorgebeamter, Fürsorger[in].

socialization Sozialisierung, Vergesellschaftung, Verstaatlichung.

socialize *(v.)* sozialisieren, verstaatlichen, vergesellschaften.

society Gesellschaftsordnung, *(association)* Verein[igung], Verband, *(cooperative society)* Genossenschaft, *(partnership)* Gesellschaft, *(trade partnership)* Berufsgenossenschaft;

approved ~ *(Br.)* staatlich anerkannter Wohltätigkeitsverein; **benevolent** ~ *(Br.)* wohltätiger Verein, *(US)* Versicherungsverein auf Gegenseitigkeit; **building** ~ *(Br.)* Bausparkasse; **charitable** ~ Wohltätigkeitsverein; **cooperative** ~ *(Br.)* Konsumverein, -genossenschaft; **cooperative buying** ~ Einkaufsgenossenschaft; **cooperative marketing** ~ Absatzgenossenschaft; **cooperative productive** ~ Produktionsgenossenschaft; **cooperative wholesale** ~ *(Br.)* Zentralgenossenschaft; **incorporated** ~ eingetragener (rechtsfähiger) Verein; **industrial** ~ Erwerbsgenossenschaft; **industrial and provident** ~ *(Br.)* Produktions- und Konsumverein; **loan** ~ *(Br.)* Darlehnsverein; **mutual** ~ Unterstützungsverein auf Gegenseitigkeit; **provident** ~ *(Br.)* Wirtschaftsgenossenschaft; **registered** ~ *(Br.)* registrierte Genossenschaft; **retail** ~ *(Br.)* Konsumgenossenschaft;

~ **funds** Vereinskasse.

socio-economic sozialwirtschaftlich.

sociological soziologisch, sozialwissenschaftlich.

sociologist Soziologe;

industrial ~ Betriebssoziologe.

sociology Soziologie, Sozialwissenschaft;

industrial ~ Betriebssoziologie.

soft *(negative)* weich, *(stock exchange)* nachgiebig, unstabil, leicht zu beeinflussen;

~ **currency** weiche Währung; ~**-currency country** währungsschwaches Land, Land mit weicher Währung, Weichwährungsland; ~**-drink industry** alkoholfreie Getränkeindustrie; ~ **goods** *(Br.)* Textilien und verwandte Produkte; ~ **job** leichte Arbeit; ~ **market** nicht sehr aufnahmefähiger Markt; ~ **money** Papiergeld; ~**-pedal** *(v.)* **one's claims** seine Forderung abschwächen; ~ **sell** weiche Tour; ~**-sell material** unterschwelliges Nachrichtenmaterial; ~ **spot** *(stock exchange, US)* schwaches Papier bei anziehenden Kursen.

soften *(v.)* *(business cycle)* sich abschwächen.

softening | in business conditions Konjunkturabschwächung; ~ **in the economy** Nachlassen der Konjunktur.

softness *(business cycle)* Abschwächung, nachlassen;

~ **in demand** Nachfrageschwäche.

soil improvement Melioration.

sojourn kurzer Aufenthalt (Besuch);

foreign ~ Auslandsaufenthalt.

sold verkauft;

~ **by auction** in der Auktion verkauft; ~ **in bond** aus dem Zoll verkauft; ~ **for cash** gegen bar (Kasse) verkauft; ~ **on credit** auf Kredit verkauft; ~ **on order** auf Vorbestellung verkauft; ~ **out** ausverkauft, nicht mehr vorrätig, *(books)* vergriffen; **temporarily** ~ **out** zur Zeit ausverkauft; ~ **up** ausverkauft, *(bankruptcy)* ausgepfändet, fallit, bankrott; ~ **without resort to legal prices** im Selbsthilfewege verkauft;

to be ~ verkauft werden, zum Verkauf kommen, im Handel sein, zu verkaufen; **not to be** ~ unverkäuflich; **to be** ~ **on the idea of profit-sharing** *(US)* zu den Anhängern der Gewinnbeteiligung gehören; **to be** ~ **out** vergriffen sein; **to be** ~ **out of small sizes** kleine Größen nicht mehr vorrätig haben;

~ **ledger** Verkaufsbuch, -journal; ~ **note** *(broker, Br.)* Schlußschein, -note.

sole | account alleinige Rechnung; ~**-actor doctrine** Verantwortlichkeit (Haftung) für den Erfüllungsgehilfen; ~ **advertisement** alleinstehende Anzeige; ~ **-advertising representation** reine Anzeigenverwaltung; ~ **agency** Alleinvertretung; ~ **agent** Alleinvertreter; ~ **bill** Solawechsel; ~ **buyer** alleiniger Abnehmer; **to be left in ~ charge of the business** alleinige Geschäftsaufsicht anvertraut bekommen; ~ **corporation** Einmanngesellschaft; ~ **debtor** Einzelschuldner; ~ **heir** Universal-, Alleinerbe; ~ **management** alleinige Geschäftsführung; ~ **occupation** ausschließliche Beschäftigung; ~ **owner** Alleineigentümer, -inhaber, *(ship)* Alleinreeder; ~ **proprietor** Alleineigentümer, Einzelkaufmann, *(firm, US)* Alleininhaber, alleiniger Leiter einer Firma, Einzelkaufmann; ~ **proprietorship** *(US)* Einzelinhaberschaft, -firma, -unternehmen; ~ **representative** Alleinvertreter; ~ **right of negotiation** Ausschließlichkeitsrecht; ~ **right to sell (of selling)** alleiniges Verkaufsrecht, Alleinverkaufs-, Alleinvertriebsrecht; ~ **trade** Monopol; **feme-~ trader** Kauffrau.

solicit | *(v.)* **for custom** um Kundschaft werben; ~ **donations** um Spenden bitten; ~ **orders** Aufträge sammeln, sich um Aufträge bemühen; ~ **proxies** sich um Stimmrechtsvollmachten bemühen; ~ **subscriptions** Abonnenten werben.

solicitation | **of business** Geschäftsanfrage; ~ **of customers** Kundenwerbung; ~ **of orders** Auftragsbesorgung.

solicitor *(law court, Br.)* [nicht plädierender Rechts]anwalt, Rechtsbeistand, -konsulent, *(for subscriptions, US)* Agent, Acquisiteur, Abonnentenwerber, *(law, US)* [etwa] Amtsgerichtsrat;
adverse ~ *(Br.)* gegnerischer Anwalt;
~ **at law** *(Br.)* Rechtskonsulent, -berater;
to retain a ~ *(Br.)* Anwalt betrauen;
no ~s allowed in this building Sammeln ist in diesem Hause nicht gestattet.

solid *(bulky)* massig, *(credit rating)* kreditfähig, -würdig, leistungsfähig, *(honest)* gediegen, solide, redlich;
to be ~ with a committee mit der vollen Unterstützung eines Ausschusses rechnen können;
~ **business firm** solide Firma, solides Unternehmen; ~ **cash** Hartgeld; ~ **fuel** fester Treibstoff; ~ **gold** gediegenes Gold.

solidarity Solidarität, Interessengemeinschaft, *(civil law)* Gesamtschuldnerschaft;
~ **campaign** Solidaritätsfeldzug.

solidity *(credit rating)* Kreditfähigkeit, -würdigkeit, Bonität, *(of goods)* Haltbarkeit.

solution of financial troubles Behebung finanzieller Schwierigkeiten.

solus position *(Br.)* alleinstehend.

solvency Zahlungsfähigkeit, Solvenz, *(estate)* Flüssigkeit, Gesundheit, Liquidität;
~ **rules** Liquiditätsbestimmungen.

solvent *(able to pay)* zahlungsfähig, solvent, liquid, *(credit rating)* kreditfähig, -würdig, *(financially sound)* leistungsfähig, *(solid)* solide;
to be ~ *(estate)* Schulden decken;
~ **debtor** solventer Schuldner; ~ **estate** liquider Nachlaß; ~ **merchant** zahlungsfähige (leistungsfähige) Firma.

song, for a mere um ein Spottgeld, für einen Spottpreis.

sophistication geistige Differenziertheit, *(technics)* Differenziertheit, hochentwickelter Stand der Technik.

sordid | **gains** unerlaubte Gewinne; **to be living in ~ poverty** in drückender Armut leben.

sort Sorte, Klasse, *(brand)* Marke, *(kind)* Gattung, Art, *(quality)* Güte, Qualität;
of ~s unsortiert, gemischt;
a ~ of stockbroker eine Art Börsenmakler;
~ *(v.)* sichten;
~ **letters** Briefe sortieren; ~ **out** auslesen, ausrangieren, sortieren, sieben, *(law of bankruptcy)* aussondern.

sorting Sortieren, Auslesen;
~ **out** *(law of bankruptcy)* Aussonderung;
~ **machine** Sortiermaschine; ~ **office** *(post)* Verteileramt.

sought | **after** *(securities)* gesucht, gefragt.

soul of an enterprise Seele eines Geschäfts, Kopf eines Unternehmens.

sound *(v.)* sondieren; ~ **a capitalist with regard to a proposed investment** Kapitalgeber wegen der Finanzierung eines Unternehmens ansprechen;
~ **in damages** *(action at law)* Schadenersatzansprüche begründen;
~ *(a.)* gesund, unversehrt, *(credit rating)* kreditfähig, -würdig, *(without fault)* fehlerfrei, *(firm)* solide, reell;
financially ~ kapitalkräftig, -stark;
~ **bank** seriöse Bank; ~ **business house** solide Firma; ~ **commercial credit** geschäftliches Ansehen; **in a ~ condition** *(goods)* in tadellosem Zustand; ~ **currency** gesunde Währung; ~ **and disposing mind and memory** *(US)* Testierfähigkeit; ~ **position** sichere Stellung; ~ **financial postion** gesunde Finanzverhältnisse; ~ **ship** seetüchtiges Schiff; ~ **value** *(fire policy)* Verkehrs-, Tageswert.

sounding in damages Schadenersatzklage.

soup *(fog)* Waschküche, *(fuel)* Sprit;
in the ~ *(coll.)* in der Patsche (Klemme);
~ **kitchen** Armen-, Wohlfahrtsküche; ~ **ticket** Essenmarke.

source Ursprung, *(authority)* Gewährsmann, Quelle, *(supplier)* Lieferant;
at the ~ *(taxation)* an der Quelle; **from a reliable** ~ aus sicherer (zuverlässiger) Quelle;
~s close to the bank der Bank nahestehende Kreise; ~ **of earnings** Einkommensquelle; ~ **of revenue** Steuer-, Einnahmequelle; ~ **of supply** Liefer-, Bezugsquelle; ~ **of taxation** Steuerquelle;
to be a ~ of liquidity liquiditätspolitische Möglichkeit darstellen; **to open up new ~s** neue

Quellen erschließen; **to pay a tax at the ~** Steuer gleich vom Ertrag abführen, Quellensteuer entrichten; **to turn to private ~s of capital** Kapitalmarktpublikum in Anspruch nehmen;
~ and disposition statement Verwendungsnachweis.
souvenir shop Geschenkartikelgeschäft.
sovereign *(gold coin)* Sovereign, Zwanzigshillinggoldstück;
~ immunity of state from liability Haftungsausschuß bei Ausübung von Hoheitsrechten.
sovereignty Hoheits-, oberste Staatsgewalt, Staatshoheit, Oberherrschaft, Souveränität;
financial ~ Finanzhoheit;
~ of the air Lufthoheit.
space Raum, Platz, *(advertising, US)* Anzeigenraum, -teil;
advertising ~ Reklamefläche, Anzeigenraum; **blank ~** freie Stelle; **cargo ~** Laderaum; **confined ~** begrenzter Raum; **floor ~** Bodenfläche; **living ~** Lebensraum; **narrow ~** enger Raum; **~ occupied** in Anspruch genommener Raum; **office ~** Bürofläche; **open ~** freie Fläche, unbebautes Gelände; **outer ~** Weltraum; **~ required** Platz-, Raumbedarf;
~ charged against a block booking Anzeigenraumabnahme in Teileinheiten zum Tarif des Gesamtauftrages; **~ of a month** Monatsfrist;
~ *(v.)* out payment over several years Zahlungen über mehrere Jahre verteilen;
to apply for ~ sich zu einer Messe anmelden; **to book ~** Anzeigenraum belegen; **to contract for ~** Anzeigenraum sicherstellen; **to fill out blank ~** leere Stellen ausfüllen; **to take ~ at an exhibition** Ausstellungsraum belegen, Ausstellung beschicken; **to write one's name in the ~ indicated** seinen Namen an die bezeichnete Stelle setzen;
~ advertisement seitenteilige Anzeige; **~ bar** *(typewriter)* Leer-, Zwischentaste; **~ broker** Werbungsmittler, Annoncenexpedition; **~ buyer** Werbungsmittler, Mediadisponent, Anzeigenkäufer; **~ buying** Anzeigenbelegung; **~ charge** Streukosten; **~ discount** Mengenrabatt; **~ fee** Zeilenhonorar; **~ rate** Anzeigentarif, *(exhibition)* Ausstellungsgebühr; **~ salesman** *(US)* Anzeigenvertreter, -akquisiteur; **~ schedule** Datenschema, Streuplan.
spaced | composition Sperrsatz; **~ payment** Ratenzahlung; **in ~ type** gesperrt gedruckt.
spacing of lines Zeilenabstand.
spare Reserve-, Ersatzteil, Extrastück;
~ *(v.)* [er]sparen, erübrigen, *(do without)* entbehren;
~ no expenses keine Kosten scheuen; **~ s. o. a gallon of petrol** jem. mit etw. Benzin aushelfen; **~ capacity** *(Br.)* freie (ungenützte) Kapazität; **~ capital** flüssiges (verfügbares) Kapital; **~ cash** übriges Geld; **~ money** Notgroschen; **~ part** Reserve-, Ersatzteil, Ersatzstück; **~-part service** Ersatzteildienst; **~-parts warehouse** Ersatzteillager; **~ room** Besuchs-, Gast-, Gäste-, Fremdenzimmer; **~ time** Freizeit; **~-time activities** Freizeitbeschäftigung, -gestaltung; **~-time job** Freizeitbeschäftigung; **~-time work** Nebenarbeit, -beschäftigung; **~ tyres** *(Br.)* **(tires,** *US)* Ersatzbereifung.
spasmodic dealings *(stock exchange)* vereinzelte Abschlüsse.
spate of orders Auftragsstrom.
speaking clock *(tel.)* Gesprächsuhr.
special *(correspondent)* Sonderberichterstatter, *(newspaper)* Extrablatt, *(railway)* Sonderzug;
~ *(a.)* speziell, ungewöhnlich, besonders;
~ acceptance eingeschränktes Akzept; **~ account** Sonder-, Separatkonto; **~ additional charge** Sonderzuschlag; **~ advances** Sondervorschüsse; **~ advice** Separatanzeige; **~ agent** Sonderbevollmächtigter; **~ allowance** Sondervergütung; **~ area** *(Br.)* Notstandsgebiet; **~ assessment** *(municipal accounting)* Sonderumlage, -ausgabe [für Anliegerkosten]; **~ assessment bonds** *(US)* kommunale Schuldverschreibungen; **~ assessment fund** *(municipal accounting)* Meliorationsfonds; **~ assignment** Anweisung zur Befriedigung einzelner Gläubiger; **~ audit** außerplanmäßige Revision; **~ authorization** Sondergenehmigung; **~ bargain** Sonderangebot; **~ benefit** Enteignungsentschädigung; **~ bonus** Sonderzulage; **~ branch** *(trade)* Spezialität, Fachgebiet; **~ capital** Kommanditkapital; **~ carrier** Gelegenheitsspediteur; **~ commissioner** *(income tax, Br.)* Steuerfachmann; **~ contingency reserve** Sonderrücklage, besondere Rücklage; **~ cost** spezifische Kosten; **~ crossing (cheque,** *Br.)* Sonderkreuzvermerk; **~ damages** zusätzlicher ([besonders] nachzuweisender) Schadenersatzanspruch.
special delivery *(US)* Eilzustellung;
~ fee *(US)* Eilzustellungsgebühr; **~ letter** *(US)* Eilbrief; **~ mailman** *(US)* Eilpostzusteller.
special | deposit festes Depot; **~ deposits** *(Bank of England, Br.)* Mindestreserven, *(US)* Spezialdepots; **~ dictionary** Fach-, Spezialwörterbuch; **~ discount** Sonderrabatt; **~ dividend** außerordentliche Dividende, Superdividende, Bonus; **~ drawing rights** Sonderziehungsrechte; **~ endorsement** Vollgiro; **~ execution** vollstreckbare Ausfertigung; **~ expenditure** Sonderausgaben; **~ fee** Sondergebühr; **~ fund** Sonderfonds; **~ guarantee** *(US)* Kreditbürgschaft; **~ handling** *(US, postal service)* Einschreiben, eigenhändig, persönlich; **~ hazard** *(fire insurance)* Sonderrisiko [bei Industrieversicherungen]; **~ indorsement** Vollgiro; **~ insurance** zusätzliche Transportversicherung; **~-interest department** *(US)* Sparkassenabteilung; **~ knowledge required** erforderliche Spezialkenntnisse; **~ lien** Zurückhaltungsrecht; **~ line** Spezialfach; **~ lines** Spe-

zialartikel; ~ **messenger** Eil-, Expreßbote; ~ **notice** Mitteilung über die Einberufung zur Hauptversammlung; ~ **offering** *(securities market)* Sonderangebot; ~ **order** Sonder-, Fabrikationsauftrag; ~ **partner** beschränkt haftender Teilhaber (Gesellschafter), Kommanditist; ~ **partnership** *(US)* Handelsgesellschaft zur Durchführung einer einmaligen Transaktion; ~ **permit** Ausnahmegenehmigung; ~ **place** Zahlstelle; ~ **position** *(advertising)* bevorzugte Placierung, Vorzugsplacierung; ~ **price** Vorzugspreis; ~ **property** Sondervermögen; ~**-purpose financial statement** Finanzstatus für besondere Zwecke; ~ **quota** Sonderkontingent; ~ **rate** *(advertising)* Sonder-, Vorzugspreis; ~ **reduction** Sonderrabatt; ~ **reserve** Sonderrückstellung; ~ **restraint of trade** auf bestimmte Gebiete beschränktes Konkurrenzverbot; ~ **revenue** Sondereinnahmen; ~ **revenue fund** *(municipal accounting)* Fonds zur Finanzierung von Sonderaufgaben; ~**-risk policy** kurzfristige Versicherungspolice für ein besonderes Risiko; ~ **road** *(Br.)* Autobahn;
~ **service tariff** Sondertarif; ~ **settlement** *(stock exchange) (Br.)* Sonderliquidation; ~ **settling day** *(Br.)* Sonderliquidationstag; ~ **stocks** *(US)* Spezialwerte, Favoriten; ~ **subject** Spezialgebiet, Wahlfach; ~ **supplement** Sonderbeilage; ~ **tariff** Sondertarif; ~ **tax** Sondersteuer; ~ **terms** Sonderbedingungen, *(books)* Partiepreis; ~ **trade** Spezialhandel; ~ **train** Sonder-, Extrazug; ~ **training** Fachausbildung; ~ **trust** *(US)* [einfache] Hinterlegungsstelle; ~ **warranty** besondere Eigentumsgarantie.

specialist Fachmann, -arbeiter, Spezialist, Sachverständiger, *(doctor)* Fach-, Spezialarzt, *(US, stock exchange)* Börsenmitglied der New Yorker Börse, Kursmakler;
~**s** Fachkreise;
accounting ~ Buchprüfungsspezialist; **eye** ~ Augenarzt; **radio and television** ~ Fachgeschäft für Radio und Fernsehen;
to become a ~ **in s. th.** sich auf etw. spezialisieren;
~ **circles** Fachkreise; ~ **staff** Fachkräfte; ~ **staff appointments** Stabstätigkeit für Spezialisten; ~ **teacher** Fachlehrer; ~ **writer** Sonder-, Spezialberichterstatter.

specialization Spezialisierung, Fachrichtung;
commodity ~ Warenspezialisierung.

specialize *(v.)* **in (on)** [sich] spezialisieren, als Spezialfach betreiben, auf ein bestimmtes Gebiet beschränken.

specialized fachkundig, -männisch;
~ **fair** Fachmesse; ~ **worker** Facharbeiter.

specialties *(advertising)* Werbegeschenke, *(stock exchange, US)* Spezialwerte.

specialty Besonderheit *(Br., contract)* formgebundener Vertrag, notarielle Urkunde, *(goods)* Neuheit, Spezialität, Spezialartikel, *(special pursuit)* Spezial-, Fachgebiet, Spezialfach;
~ **contract** formbedürftiger Vertrag; ~ **debt** kraft Gesetzes (Notariatsakts) entstandene Schuld; ~ **gift** Werbegeschenk; ~ **goods** Speziesachen, Marken-, Spezialartikel; ~ **manufacturer** Fabrikant von Spezialartikeln; ~ **product** Spezialerzeugnis, -produkt; ~ **salesman** Spezialverkäufer; ~ **selling** Verkauf von Spezialartikeln; ~ **shop (store,** *US)* Spezial[artikel]-, Spezialitätengeschäft; **departmental** ~ **store** Gemischtwarengeschäft; ~ **value** Neuheitswert.

specie Metallgeld, bares Geld, Bargeld, klingende Münze, Hartgeld, gemünztes Geld, Münzsorte;
to pay in ~ in klingender Münze zahlen;
~ **account** Sortenkonto; ~ **consignment** Barsendung; ~ **payment** Barzahlung; ~ **point** Goldpunkt; ~ **remittance** Geldsendung.

specific | **amount** bestimmter Betrag; ~ **deposit** Sonderdepot; ~ **duty** *(customs)* Mengen-, Stück-, Gewichtszoll, *(special fee)* Sondergebühr; ~ **goods** Speziessachen; ~ **guaranty** *(US)* Garantievertrag; ~ **lien** Zurückbehaltungsrecht; ~ **obligation** Speziesschuld; ~ **order** Sonderauftrag; ~**-order cost system** Kostenrechnungssystem für auftragsweise Fertigung; ~ **performance** effektive Vertragserfüllung, Naturalleistung; ~ **restitution of property** Rückgabe eines bestimmten Vermögensgegenstandes; ~ **tariff** Mengenrabatt, Stückzoll.

specification *(full particulars)* genaue Angabe, *(law of personal property)* Eigentumserwerb durch Verarbeitung, *(patent)* Patentbeschreibung, -schrift, *(securities)* namentliches Stückeverzeichnis, *(detailed statement)* Einzelnachweis, nähere Bestimmung, Spezifikation, Spezifizierung;
~**s** *(building estimate)* Baukostenvoranschlag, *(conditions of contract)* Ausschreibungsbedingungen, *(inventory)* Stückeverzeichnis;
acceptance ~**s** Abnahmebestimmungen; **building** ~**s** Ausschreibungsbedingungen, Baukostenvoranschlag; **complete** ~ *(patent law)* komplette Patentbeschreibung; **export** ~ *(Br.)* Ausfuhrerklärung; **job** ~ *(US)* Arbeitsplatzbeschreibung;
~**s for building a garage** Kostenvoranschlag für einen Garagenbau; ~**s of a car** technische Daten eines Autos; ~**s of a contract** Vertragsbestimmungen; ~ **of disbursements** Spesen-, Auslagenaufstellung; ~ **of merchandise** Warendeklaration; ~ **of numbers** Nummernverzeichnis; ~ **of a patent** Patentbeschreibung; ~ **of the points in issue** Aufführung der strittigen Punkte; ~ **of weight** Gewichtsnota; ~**s of work to be done** Submissions-, Ausschreibungsbedingungen;
~ **cost** Standardkosten.

specified | **account** detaillierte Rechnung; ~ **currencies** *(exchange control regulations, Br.)* spezifizierte Währungen; **in** ~ **instalments** in festgesetzten Raten; ~ **period** vereinbarte Frist.

specify | *(v.)* **in an agreement** vertraglich vorsehen; ~ **items** Posten einzeln aufführen; ~ **a place of payment** Zahlungsort angeben.

specimen Muster, Muster-, Probestück, -exemplar, *(of raw material)* Rohstoff-, Materialprobe;
~ **of signature** Unterschriftsprobe;
~ **book** Musterbuch; ~ **copy** Probe-, Ansichts-, Gratis-, Belegexemplar, Probenummer; ~ **letter** Musterbrief; ~ **number** Probenummer; ~ **rate** Vorzugssatz.

spectacular *(advertising)* Werbegroßanlage, bewegliche Leuchtwerbung, *(newspaper advertisement)* großformatige Anzeige.

speculate *(v.)* *(business)* spekulieren, gewagte Geschäfte machen;
~ **in atomic shares** mit Atomaktien spekulieren; ~ **for differences** *(Br.)* in Kursunterschieden spekulieren, Differenzgeschäfte machen; ~ **on (for) a fall (rise)** auf Baisse (Hausse) spekulieren; ~ **on the stock exchange** an der Börse spekulieren.

speculating | **in contangos** Reportgeschäft;
~ **manoeuvre** Spekulationsmanöver; ~ **transactions** Spekulationsgeschäfte.

speculation *(business)* Spekulation, gewagtes Unternehmen;
bad ~ Fehlspekulation, **bear[ish]** ~ Baissespekulation; **bull** ~ Haussespekulation; **good** ~ Börsencoup;
~ **for a fall** Baissespekulation; ~ **in futures** Terminspekulation; ~ **in real estate** Grundstücks-, Terrainspekulation; ~ **for a rise** Haussespekulation; ~ **in stocks** *(US)* Aktienspekulation;
to buy s. th. on (as a) ~ etw. zu Spekulationszwecken kaufen; **to make some bad ~s** einige Fehlspekulationen vornehmen.

speculative spekulativ, *(enterprising)* unternehmend, *(theoretical)* theoretisch;
~ **buying** Spekulations-, Meinungskäufe; ~ **cycle** Kreislauf der Spekulation; ~ **damages** vorausberechneter Schaden; ~ **dealer** Spekulant; ~ **enterprise** Risikogeschäft, riskantes Unternehmen; ~ **gain** Spekulationsgewinn; ~ **interest** Spekulationsinteresse; ~ **merchant** wagemutiger Kaufmann; ~ **money** Spekulationsgelder; ~ **operations** Spekulationsgeschäfte; ~ **profit** Spekulationsgewinn; ~ **purchases** Spekulations-, Meinungskäufe; ~ **sales (selling)** Meinungsverkäufe; ~ **security** Spekulationspapier; ~ **spirit** Spekulationslust; ~ **stock** *(US)* Spekulationsaktie, -papier; ~ **venture** riskantes (gewagtes) Unternehmen.

speculator Spekulant, *(ticket seller)* Schwarzhändler;
~ **for a fall** Baissespekulant; ~ **in property** Grundstücksspekulant; ~ **for a rise** Haussespekulant; ~ **outside the stock exchange** Winkelbörsenspekulant.

speech Rede, Ansprache, Darlegungen, Ausführungen;
maiden ~ Jungfernrede; **opening** ~ Eröffnungsrede;
~ **balloon** Sprechblase; ~ **writer** Ansprachenverfasser, Dichter.

speed Geschwindigkeit, Tempo, *(railway)* Streckengeschwindigkeit;
cruising ~ *(car)* Reisegeschwindigkeit; **scheduled** ~ fahrplanmäßige Geschwindigkeit;
~ **of loading** Ladetempo; ~ **of turnover** Umsatzgeschwindigkeit, Umschlagshäufigkeit;
~ *(v.)* **up** Geschwindigkeit erhöhen, Tempo steigern, *(increase performance)* zur höchsten Leistung anspornen; ~ **up production** Produktionsausstoß erhöhen; ~ **up the train service** Zugverbindungen beschleunigen;
~ **control** Geschwindigkeitskontrolle; ~ **cop** *(sl.)* motorisierter Verkehrspolizist; ~ **goods** Eilgut; ~ **limit** Höchstgeschwindigkeit; ~ **recorder** Fahrtenschreiber; ~ **trap** Autofalle, *(police)* Straßenfalle.

speeding Überschreitung der Höchstgeschwindigkeit;
to be booked (fined) for ~ Strafzettel wegen zu hoher Geschwindigkeit erhalten.

speedup | **of production** beschleunigter Produktionsausstoß, beschleunigte Produktionserhöhung; ~ **of tax collection** beschleunigtes Steuereintreibungsverfahren.

speedway *(US)* Schnellstraße, -weg.

spell *(period of work)* Arbeitszeit, Beschäftigung, *(short way, coll. US)* kurze Strecke, Katzensprung;
sinking ~ *(export)* rückläufige Periode;
~ **of depression** vorübergehende Depression.

spend *(v.)* *(employ)* aufwenden, *(money)* verausgaben, ausgeben, *(squander)* verschwenden, *(time)* verleben, *(use up)* verbrauchen;
~ **on advertising** für Werbungszwecke ausgeben; ~ **one's breath** in den Wind reden; ~ **a great deal** großen Aufwand treiben, große Ausgaben vornehmen; ~ **all one's energies** sich mit aller Energie an etw. machen, sich mit ganzer Kraft dahintersetzen; ~ **an estate in gaming** Vermögen verwetten (verspielen); ~ **freely** freigebig sein; ~ **one's fortune** sein Vermögen durchbringen; ~ **one's leisure** seine Freizeit verbringen; ~ **a lot of time on s. th.** viel Zeit für etw.aufwenden; ~ **money for s. o.** Geld für j. anderen aufwenden; ~ **money with a free hand** Geld leicht ausgeben; ~ **all one's money** sein ganzes Geld ausgeben; ~ **money like water** Geld mit vollen Händen ausgeben; ~ **a penny** *(coll.)* auf die Toilette gehen; ~ **a weekend** ein Wochenende verbringen; ~ **the winter abroad** Winter im Ausland verbringen; ~ **£ 1 000 a year** 1 000 Pfund im Jahr ausgeben.

spendable | **earnings** ausgezahltes Gehalt, Nettoeinkommen; ~ **income** Nettoeinkommen.

spender Geldausgeber, Verschwender.

spending Ausgabe, Ausgabenwirtschaft;
business ~ Gesamtaufwand der Volkswirtschaft; **capital** ~ Kapitalaufwand; **consumer** ~ Verbraucherausgaben; **deficit** ~ öffentliche Verschuldung durch Anleiheaufnahme; **government** ~ Aufwand der öffentlichen Hand, Staatsausgaben; **state** ~ Staatsausgaben;
~ **to automate (for automation)** Investitionen für den Automatisierungsprozeß;
to hold ~ **down** Ausgabenwirtschaft einschränken; **to increase its** ~ **on plant** Betriebsinvestitionen erhöhen; **to keep s. th. for one's own** ~ etw. zum eigenen Gebrauch behalten;
~ **capacity** Kaufkraft; ~ **decision** Ausgabenentscheidung; **to show** ~ **forbearance** sich in den Ausgaben Beschränkungen auferlegen; ~ **group** Käuferschicht; ~ **habit** Ausgabengewohnheit; ~ **income** verfügbares Einkommen; ~ **item** Ausgabeposten; ~ **mood** Ausgabenstimmung; ~ **period** Budgetperiode; ~ **plans** geplante Ausgaben, Aufwandsprogramm, Investitionsplan; ~ **power** Ausgabenvollmacht, Dispositionsfähigkeit, Kaufkraft; ~ **priorities** vordringliche Ausgabeposten; ~ **revival** wiederbelebte Ausgabenneigung; ~ **splurge** rapider Ausgabenanstieg; **to be off on a** ~ **spree** Geld mit vollen Händen ausschütten, auf einer Bierreise sein; ~ **trend** Aufwandsentwicklung; ~ **unit** Verbrauchereinheit.

spendthrift Verschwender;
~ **trust** *(US)* Unterhaltsfonds.

spent bill of lading erloschener Frachtbrief.

sphere | **of activity (action)** Tätigkeits-, Arbeits-, Geschäfts-, Wirkungskreis; ~ **of business** Geschäftsrahmen, -zweig, -bereich; ~ **of interest** Interessensphäre, -gebiet; ~ **of operation** Wirkungsbereich.

spill | *(v.)* **money** *(sl.)* Geld ausspucken; ~ **stocks** *(coll.)* Aktien auf den Markt werfen.

spin *(aircraft)* Trudeln, *(travel(l)ing)* kurzer Autoausflug, Spritztour.

spinoff *(income tax, US)* Aktientausch;
~ **products** anfallende Nebenprodukte, Abfallerzeugnisse.

spiral, inflationary Inflationsschraube; **wage-price** ~ Lohn-Preis-Spirale.

spiral(l)ing | **of costs** Kostenspirale;
~ **wage costs** spiralartig ansteigende Lohnkosten.

spirit, business (commercial) Geschäftssinn, Handelsgeist.

splinter operation Kleinbetrieb.

split Teilung, *(shares)* Aktiensplit, *(stock exchange)* Ausführung eines Börsenauftrags in zwei Abschnitten (zu verschiedenen Preisen), *(taxation)* Einkommensaufteilung;
~ *(v.)* **the costs of a dinner party** Kosten eines Abendessens aufteilen; ~ **the income** *(US)* Steuereinkommen aufspalten; ~ **the profits** Gewinn untereinander aufteilen; ~ **shares (stocks)** Aktien splitten;
~ *(a.) (stock exchange)* geteilt;
~ **commission** geteilte Provision; ~ **off** *(US)* Aktientausch; ~ **opening** *(US)* Eröffnungsnotierung mit stark abweichenden Kursen; ~ **order** *(US)* Kaufauftrag für Abschnitte zu verschiedenen Kursen; ~**-proof system** *(US)* beschleunigtes Prüfungsverfahren für Kasseneingänge; ~ **quotation** in Sechzehnteln gegebene Notierung, *(US)* Notierung in Bruchteilen; ~ **run** Anzeigenwerbung in Teilauflagen, Anzeigensplit; ~ **shift** unterbrochene Arbeitsschicht; **[reserve]** ~**-up** *(stocks)* [Aktien]split; ~**-ups** *(US)* Bonus in Form aufgeteilter Aktien.

splitting Spaltung, Teilung, *(advertising)* Auflagenteilung, *(income tax)* getrennte Veranlagung, *(shares)* Aktiensplit, -teilung;
~ **system** *(taxation)* Haushaltsbesteuerung.

spoil *(acquisition)* Gewinn, Schatz, Errungenschaft, *(paper)* Makulatur.

spoiled, spoilt schadhaft, beschädigt, *(food)* verdorben;
to be ~ **of one's money** um sein Geld gebracht werden;
~ **goods** verdorbene Ware; ~ **stamps** ungültige Briefmarken; ~ **work** Ausschuß.

spoils *(US)* materielle Vorteile des Wahlsieges;
~ **system** *(US)* parteipolitische Ämterpatronage, Futterkrippenwirtschaft.

spokesman Sprecher, Sprachrohr, Wortführer, Vertrauensmann.

spondulics Moneten, Zaster.

sponge *(v.)* **on s. o.** auf jds. Kosten leben, jem. etw. abknöpfen.

sponsor *(advertising)* Auftraggeber, *(furtherer, US)* Gönner, Förderer, Schirmherr, Stifter, Geldgeber, *(guarantor)* Bürge, *(radio)* Pate, Patronatsfirma;
~ *(v.)* fördern, unterstützen, bürgen, Bürgschaft übernehmen, *(advertising)* Auftrag für eine Sendung erteilen, Sendeprogramm fördern;
~ **for a new employee** neuen Betriebsangehörigen einweisen (einarbeiten).

sponsored gefördert, unter Schirmherrschaft;
government-~ staatlich unterstützt;
~ **broadcast (program(me))** Patronatssendung.

sponsorship Bürgschaft, *(broadcasting)* Patenstelle, -schaft, Fördertätigkeit;

spot Ort, Platz, Fleck, Stelle, *(film)* Kurzszene, *(local goods)* Lokowaren, *(radio, US)* Durchsage;
in a ~ *(sl.)* in schwieriger Lage (der Klemme);
~**s** sofort lieferbare Ware, Lokowaren;
hot ~ Touristenattraktion; **over** ~ *(stock exchange, Br.)* Report; **tender** ~ *(fig.)* weiche Stelle, wunder Punkt, Achillesferse; **under** ~ *(stock exchange) (Br.)* Deport;
to be without a ~ **on one's reputation** makello-

sen Ruf (blütenweiße Weste) haben; **to deal with a supplier on the ~** Platzgeschäfte machen; **to do a ~ of work** ein bißchen arbeiten;

~ *(a.) (to be delivered immediately)* sofort lieferbar, *(to be paid immediately)* sofort zahlbar;

~ **aid** Soforthilfe; ~ **announcement** *(US)* Werbedurchsage, -einblendung, -spot; **to buy on a ~ basis** gegen bare Kasse kaufen; **to sell on a ~ basis** auf der Grundlage der Barzahlung verkaufen; ~ **broker** Kassa-, Platzmakler; ~ **business** Platz-, Lokogeschäft; ~ **cash** *(US)* bares Geld, Barzahlung, sofortige Kasse (Zahlung), *(balance sheet)* sofort verfügbare liquide Mittel, *(stock exchange)* sofortige Kasse; ~ **check** Stichprobe, Prüfung an Ort und Stelle; ~ **-check** *(v.)* **the shipment** *(US)* Warensendung stichprobenartig überprüfen; ~ **-check system** Stichprobenverfahren; ~ **commodities** Kassaware; ~ **conditions** Barzahlungsbedingungen; ~ **contract** Platzgeschäft, -abschluß; ~ **-credit approval** sofort erteilte Kreditgenehmigung; ~ **deal** Kassageschäft; ~ **delivery** sofortige Lieferung, Kassalieferung; **to sell for ~ delivery** loko verkaufen; ~ **drawing** Streuzeichnung; ~ **exchange transaction** Kassageschäft in Devisen; ~ **film** Werbekurzfilm; ~ **firm** Barzahlungsgeschäft; ~ **goods** Lokowaren; ~ **market** Loko-, Kassamarkt; ~ **-market price** Platzkurs; ~ **needs** örtliche Bedürfnisse; ~ **offer** Platzangebot; ~ **parcels** sofort lieferbare Stücke; ~ **price** Kassapreis, -kurs; ~ **purchase** Platz-, Lokokauf; ~ **quotations** Kassakurs; ~ **radio** schwerpunktartige Funkwerbung; ~ **rate** Platzkurs, *(freight)* Frachttarif für Expreßversand, *(stock exchange)* Kassakurs; ~ **sale** Umsatz am Kassamarkt, Kassaumsatz; ~ **trading** *(US)* Verkäufe gegen sofortige Kasse und Lieferung; ~ **transaction** Kassa-, Loko-, Effektivgeschäft; ~ **transfer** Platzüberweisung.

spotted *(stock exchange, US)* mit wenigen Ausnahmen unverändert.

spout Pfand-, Leihhaus;

up the ~ *(coll.)* versetzt, verpfändet;

to go up the ~ versetzt werden.

spread Ausdehnung, -breitung, Verbreitung, *(advertising)* Streuung, *(advertisement)* ganzseitige (doppelseitige) Werbeanzeige, *(underwriters' commission)* Konsortialprovision, *(first page)* Aufschlagseite, *(margin, US)* Spanne, Differenz, *(put and call, US)* Prämien-, Stellage[geschäft];

double-page ~ doppelseitige Anzeige; **price ~** Kursdifferenz; **small ~** kleine Gewinnspanne; **two-page black and white ~** doppelseitige Schwarzweißanzeige;

~ **of land** Stück Land; ~ **of risk** Risikoverteilung;

~ *(v.) (ads)* streuen, *(rumo(u)r)* umlaufen;

~ **out goods for sale** Waren zum Verkauf ausbreiten; ~ **out income** Einkommen [steuerlich] verteilen; ~ **the cost of an asset over its useful life** Anschaffungskosten eines Wirtschaftsguts auf seine Nutzungsdauer verteilen; ~ **the impact of a tax loss over five years** Steuerverlust über fünf Jahre verteilen; ~ **instal(l)ments over several months** Abzahlungsraten auf mehrere Monate verteilen; ~ **s. th. on the records** *(US)* etw. aktenmäßig (im Protokoll) festhalten; ~ **the risk** Risiko verteilen; ~ **payments out for two years** Zahlungen auf einen Zeitraum von zwei Jahren verteilen; ~ **over the entire taxable year** steuerlich über das ganze Jahr verteilen; ~ **work more evenly throughout the year** gleichmäßigen Arbeitseinsatz im ganzen Jahr gewährleisten;

~ *(a.) (advertisement)* mehrspaltig;

~ **sheet** Verteilungsbogen; ~ **-work system** Arbeitsstreckenverfahren.

spreading | of work Arbeitsstreckung;

~ **operations** *(Br.)* Transaktionen in verschiedenen Effekten.

spreadover *(advertising)* Streuplan, *(industry)* Arbeitsstundenanpassung.

spring | resort Kurort; ~ **sales (shopping)** Frühjahrseinkäufe, -besorgungen.

spurious falsch, unecht, *(document)* untergeschoben;

~ **bank bill** Falschgeldschein; ~ **note** Kellerwechsel.

spurt plötzliches Anziehen der Preise;

upward ~s Kurssprünge.

squander *(v.)* [Geld] durchbringen, verbuttern;

~ **one's estate** sein väterliches Erbteil verschleudern.

square | *(v.)* accounts Konten ausgleichen (abrechnen, abgleichen); ~ **an official** Beamten bestechen.

squaring of accounts Kontenabstimmung, -ausgleich.

squeeze Druck, Klemme, Geldverlegenheit, *(blackmail)* Erpressung, *(commission, East-Asia)* unerlaubte Provision, *(scarcity)* Knappheit, wirtschaftlicher Engpaß, *(stock exchange)* Zwang zu Deckungskäufen;

credit ~ Kreditbeschränkung, -restriktion; **money ~** geldmarkttechnische Zwangslage, Liquiditätsbeendung;

~ *(v.)* drücken, unter Druck setzen, in die Enge treiben, *(taxation)* bedrücken;

~ **the bears** *(stock exchange)* zu Deckungskäufen zwingen; ~ **out of business** aus dem Geschäft herausdrängen; ~ **out** [Börse] zum Verkauf zwingen; ~ **down prices** Preise (Kurse) herunterdrücken; ~ **the shorts** *(stock exchange)* zu Deckungskäufen zwingen;

~ **pricing** *(US)* Über-(Unter-)bieten aus Konkurrenzgründen.

squeezing the shorts *(stock exchange)* Zwang zu Deckungskäufen.

stability *(goods)* Haltbarkeit, *(prices)* Beständigkeit, Stabilität;
monetary ~ Währungsstabilität;
~ **of prices** Kurs-, Preisstabilität; ~ **of value** Wertbeständigkeit.
stabilization Stabilisierung, Festigung;
monetary ~ Währungsstabilisierung; **price** ~ Kurs-, Preisstabilisierung;
wage ~ **board** *(US)* Lohnausgleichsstelle; ~ **fund** Stabilisierungs-, Währungsausgleichsfonds; ~ **law** Stabilisierungsgesetz; ~ **loan** Stabilisierungs-, Aufwertungsanleihe; ~ **program(me)** Preisstabilisierungsprogramm.
stabilize *(v.)* **prices** Preise stabilisieren.
stabilizing | **factors of the market** Kursstützungsfaktoren.
stable *(management)* fest angestellte Beratergruppe;
~ *(a.)* beständig, fest, stabil, *(goods)* haltbar, dauerhaft, *(in value)* wertbeständig, unveränderlich;
~ **in price** preisstabil;
~ **currency** stabile Währung; ~ **income** feste Einkünfte; ~ **job** Dauerbeschäftigung; **of** ~ **value** wertbeständig.
stacks of work *(fam.)* Haufen Arbeit.
staff [Geschäfts]personal, Betriebspersonal, Angestellte, Belegschaft, Personalbestand, Mitarbeiterstab, *(of civil servants)* Beamtenkörper;
on the regular ~ fest angestellt;
administrative ~ Verwaltungspersonal; **editorial** ~ Redaktion[sstab]; **efficient** ~ gut geschultes Personal; **field** ~ Außenkräfte; **sales** ~ Verkaufspersonal, Absatzstab; **senior** ~ leitende Angestellte; **shop** ~ Belegschaft, Betriebspersonal; **temporary** ~ Aufhilfspersonal;
~ *(v.)* **an office** Büropersonal engagieren, Büro mit Personal besetzen;
to be on the ~ zum Personal (zur Belegschaft) gehören, *(of a newspaper)* bei einer Zeitung mitarbeiten; **to be on the regular** ~ im festen Angestelltenverhältnis stehen; **to handle an efficient** ~ leistungsfähiges Mitarbeitergremium haben; **to trim one's** ~ seine Stabskräfte reduzieren;
~ **agency** Betriebsberatungsstelle; ~ **auditor** Betriebsrevisor; ~ **department** Personal-, Stabs-, Betriebsabteilung; ~ **director** Stabsleiter; ~ **expenses** Personalkosten; ~ **magazine** Werkszeitschrift; ~ **manager** Personalchef, -referent; ~ **officer** Berater des Vorstandes, Betriebsberater; ~ **organization** Stabs-, Personalorganisation; ~ **pension fund** *(Br.)* [Angestellten]pensionsfonds; ~ **shares** *(Br.)* an Betriebsangehörige ausgegebene Aktien, Belegschaftsaktien; ~ **training** Personalausbildung; ~ **turnover** Belegschaftswechsel; ~ **vacations** Betriebsferien; ~ **welfare** Belegschaftsunterstützung.
staffing schedule *(US)* Stellenbesetzungsplan.
stag *(irregular dealer, Br.)* nicht an der Börse zugelassener Makler, Spekulant, *(stock exchange, Br.)* Konzertzeichner;
~ *(v.)* in Aktien spekulieren, Differenzgeschäfte machen;
~ **the market** *(Br.)* Börsenkurse durch Konzertzeichnungen beeinflussen;
~ **party** Herrenabend, -gesellschaft.
stage Abschnitt, Stadium, [Entwicklungs]phase, Etappe, *(traffic)* Abschnitt, Teilstrecke, *(works)* Arbeitsstufe;
committee ~ Ausschußstadium; **landing** ~ Anlegeplatz, Landungsbrücke; **manufactured** ~ abgeschlossenes Produktionsstadium; **operational** ~ Betriebsstadium, -abschnitt; **trust** ~ Zeitalter der Industriekonzerne;
~ **of s. one's life** Etappe im Leben eines Menschen; ~ **of negotiations** Stand der Verhandlungen; ~**s of production** Produktionsstufen; ~ **of recession** Rezessionsphase;
~ **service** Linienverkehr.
stagflation mit langsamem Wachstum des Sozialprodukts gekoppelte Inflation.
stagger *(prices)* Schwanken, *(working time)* Staffelung;
~ *(v.)* staffeln, *(news)* erschüttern, *(working time)* abwechseln lassen;
~ **the annual holidays** Zeit der großen Ferien aufteilen.
staggered *(working time)* gestaffelt;
~ **schedule** *(advertising)* Wechselstreuung, Würfeln.
staggering | **of hours** Staffelung der Arbeitszeit;
~ **of shifts** Schichtverkürzung zur [Arbeitslosenbekämpfung], Kurzarbeit, *(traffic)* Schichtstaffelung.
stagging | **of new issues** *(Br.)* Konzertzeichnungen von neu aufgelegten Wertpapieren; ~ **the market** *(Br.)* Beeinflussung der Börsenkurse durch Konzertzeichnungen.
staging post Zwischenlandestation.
stagnancy *(stock exchange)* Mattheit, Lustlosigkeit, Stockung, Stagnation, Flaute.
stagnant flau, lustlos, stockend;
to be ~ stagnieren, Flaute durchmachen;
~ **market** stagnierender Markt, matte Börse; ~ **state of business (trade)** Flaute, Geschäftsstokkung.
stagnation Stillstand, Stagnation, Stockung;
~ **of business** Geschäftsstille, -stockung; ~ **of trade** Absatzstockung.
stainless reputation untadeliger Ruf.
stake [Renn]einsatz, *(capital)* Einschuß, Einlage, *(risk)* Wagnis, *(share)* Anteil, Interesse;
consolation ~ Trostpreis;
~ **in a business** geschäftliches Interesse; ~ **in ownership** Eigentumsanteil;
~ *(v.)* riskieren, aufs Spiel setzen;
~ **out a claim** Grundstück abstecken, *(fig.)* Forderung umreißen;

to have a ~ in s. th. materielles Interesse an etw. haben; **to have a ~ in the lottery** in der Lotterie spielen; **to have large sums at ~ in an enterprise** große Beträge in einem Unternehmen investiert haben;
~ money Einsatz, Wettgebühr.
stakeholder Einsatzhalter, *(landowner)* Parzelleninhaber, *(trustee)* Sequester, Verwalter, Verweser.
stale flau, *(impaired in legal force)* verjährt, unwirksam;
~ articles unmoderne Waren; **~ bear** *(bull)* geschlagener Baissier (Haussier); **~ check** *(US)* verjährter Scheck; **~ claim** ungültige Forderung; **~ debt** verjährte Schuld; **~demand** verjährter Anspruch; **~ market** flaue Börse; **~ news** abgestandene Neuigkeiten.
stall Verkaufsstand, -bude, Marktbude, -stand, Budike, *(parking, US)* Parkplatz;
~ *(v.) (airplane)* abrutschen, durchsacken, *(car)* steckenbleiben, *(engine)* blockieren;
~ a debt Schuld in Raten abtragen.
~ rent Standgeld, -gebühr.
stallage *(Br.)* Stand-, Marktgeld.
stallkeeper Budiker, Budenbesitzer.
stalwarts of the market führende Marktwerte.
stamp *(brand)* Firmenzeichen, Etikette, *(evidence of quality)* Qualitätsstempel, *(mark)* Stempel, *(postage)* Frei-, Briefmarke, Postwertzeichen, *(on receipted bill)* Stempelmarke;
free of ~ *(stock exchange)* börsenumsatzsteuerfrei;
adhesive ~ Stempel-, Klebemarke; **affixed ~** Aufklebemarke; **airmail ~** Luftpostmarke; **bill ~** Wechselstempel; **cancelling ~** Entwertungsstempel; **~ collected** Stempelgebühr bezahlt; **contract ~** *(stock exchange)* Schlußnotenstempel; **deed ~** Urkundensteuerstempel; **defacing ~** Entwertungsstempel; **embossed ~** Trockenstempel; **facsimile ~** Namens-, Faksimilestempel; **finance ~** Stempelmarke; **firm ~** Firmenstempel; **impressed ~** eingedruckte Briefmarke; **inland-revenue ~** *(Br.)* Steuer-, Gebührenmarke; **marking ~** *(US)* Aufgabe-, Entwertungsstempel; **official ~** Dienstsiegel, Amtsstempel; **postage ~** Briefmarkenstempel; **postage-due ~** Nachportostempel; **receipt ~** Quittungsmarke; **signature ~** Faksimilestempel; **savings ~** *(Br.)* Sparmarke; **special-delivery ~** Aufkleber für die Eilzustellung; **subscription ~** Beitragsmarke; **trading ~** Rabatt-, Prämienmarke; **ad-valorem ~** Wertmarke;
~ on securities *(US)* Effektenstempel, Tagesstempel; **~ on a warrant** Lagerhausstempel;
~ *(v.)* ver-, abstempeln, *(coin)* prägen, *(mail)* freimachen, frankieren, *(pay taxes)* Stempelsteuer bezahlen;
~ a document Urkunde verstempeln; **~ a manunfacturer's name (trademark) on his goods** Warenzeichen einprägen;
to affix a ~ Stempel aufdrücken; **to make a claim for allowance of spoiled ~s** Antrag auf Erstattung beschädigter Stempelmarken stellen; **to put one's personal ~ on a company** einer Firma seinen Persönlichkeitsstempel aufdrükken; **to remove (unstick) a ~ from an envelope** Briefmarke vom Umschlag ablösen;
~ Act *(Br.)* Stempelerneuerungsgesetz; **~ book** Portobuch; **~ booklet** Briefmarkenheft; **~ collection** Briefmarkensammlung; **~ dealer** Briefmarkenhändler; **~ duty** Stempelsteuer, -gebühr, -abgabe; **exempt from ~ duty** stempelfrei; **subject to ~ duty** stempelpflichtig; **~ machine** Briefmarkenautomat; **~ note** *(Br.)* Zollfreigabeschein; **~ pad** Stempelkissen; **~ paper** Stempelpapier, Stempelbogen; **~ tax** *(US)* Stempelsteuer.
stamped abgestempelt, verstempelt, *(with affixed postage)* freigemacht, frankiert;
insufficiently ~ ungenügend frankiert;
~ envelope Freiumschlag, -kuvert; **~ receipt** gestempelte Quittung; **~ shares** abgestempelte Aktien; **~ weight** geeichtes Gewicht.
stamping Abstempelung, Verstempeln, *(mail)* Frankierung, *(paying duty)* Versteuerung;
~ machine Frankiermaschine.
stand Stand, Verkaufsbude, -stand, *(advertising, US)* Fläche für Plakatanschlag, Plakatständer, *(business situation, US)* Geschäftslage, *(for files)* Aktenbock, *(industrial show)* Messestand, *(till money)* Ladenkasse.
cab ~ Taxihaltestelle; **fair ~** Messestand; **market ~** Marktbude, Stand; **taxi ~** Taxistand, -haltestelle;
~ in a trade exhibition Ausstellungsstand;
~ *(v.) (agreement)* nicht mehr abgeändert werden können, *(run)* sich bewerben, kandidieren;
~ by an agreement sich an eine Vereinbarung halten; **~ bail for s. o.** für j. Kaution stellen; **~ as a candidate** kandidieren; **~ by** *(radio station)* sendebereit sein; **~ in competition with s. o.** mit jem. konkurrieren; **~ at cost at ...** *(balance sheet)* mit einem Herstellungspreis von ... zu Buch stehen; **~ to s. one's credit** als jds. Guthaben ausgewiesen sein; **~ s. o. a dinner** j. zum Essen einladen (ausführen); **~ down** *(assign)* abtreten, seine Kandidatur zurückziehen, *(partner)* Beteiligung aufgeben; **~ guarantee for s. o.** als Bürge für j. haften; **~ idle** *(factory)* stilliegen, nicht arbeiten; **~ in for s. o.** für j. einspringen; **~ in with s. o.** sich mit jem. die Rechnung teilen, sich an jds. Unkosten beteiligen; **~ indebted** verschuldet sein; **~ on one's own legs** *(fam.)* unabhängig sein; **~ in line** *(US)* Schlange stehen; **~ first on the list** Liste anführen; **~ to lose $ 10** zehn Dollar riskieren; **~ a loss** Verlust tragen; **~ for ready money** über Bargeld verfügen; **~ on s. one's name** *(house)* auf jds. Namen eingetragen sein; **~ off** *(employees)* vorübergehend entlassen; **~ for an office** sich

um ein Amt bewerben; ~ **out** nicht teilnehmen, *(capital)* ausstehen, rückständig sein, *(ship)* auf Auslandskurs liegen; ~ **on the record** aufgezeichnet (im Protokoll vermerkt, protokolliert) sein; ~ **security for s. o.** jem. Sicherheit (Garantie) stellen (leisten), sich für j. verbürgen; ~ **for the shore** auf Einlaufkurs liegen; ~ **shot to s. o.** j. freihalten; ~ **by the terms of a contract** sich an die Vertragsbedingungen halten; ~ **for free trade** Anhänger des Freihandels sein; ~ **for more wages** auf höheren Löhnen bestehen, Lohnerhöhung fordern;
to let an account ~ over Konto unausgeglichen lassen;
~-in in charge stellvertretender Geschäftsführer; **to have a good ~-in with s. o.** gute Nummer bei jem. haben, bei jem. gut angeschrieben sein; ~ **space** Ausstellungsfläche; **~-up buffet** kaltes Büffet.

standard Standard, [Güte]grad, *(average)* Durchschnitt, *(coinage)* gesetzlicher Feingehalt, -gewicht, Münzfuß, -einheit, *(currency)* Währung[sstandard], [feste] Valuta, *(measure)* Maßstab, -einheit, Richt-, Eichmaß, Einheitsform, *(norm)* Norm, Normentyp, Richtwert, *(quality)* Standardqualität, -ausführung, Qualitätsniveau, *(price)* Normalpreis, *(sample)* Muster, *(time study)* Vorgabeleistung, *(value)* Wert, Wertmesser, -einheit, *(weight)* Normalgewicht;
by European ~s nach europäischen Maßstäben;
alternative ~ Alternativwährung; **bimetallic (double)** ~ Doppelwährung; **commodity** *(US)* ~ auf dem Grundsatz Mark gleich Mark aufgebaute Währung; **credit ~s** Kreditrichtlinien; **fluctuating** ~ unbeständige Valuta; **full** ~ *(of a coin)* Vollgehalt; **gold** ~ Goldstandard; **gold-bullion** ~ Goldkernwährung; **gold-exchange** ~ Golddevisenwährung; **gold-specie** ~ Goldumlaufwährung; **industry ~s** Industrienormen; **limping** ~ hinkende Währung; **monetary** ~ Münzstandard, -fuß; **multiple** ~ Indexwährung; **paper** ~ Papierwährung; **product ~s** Warennormen; **production ~s** Richtwerte für die Fertigung; **professional ~s** berufsethische Grundsätze; **tabular** ~ Indexwährung;
~s of a benefit Normalsätze des Krankengeldes; **~s of business contracts** einheitliche Grundsätze über den Abschluß von Geschäftsverträgen; **~s of business forms** einheitliche Geschäftsmethoden; ~ **of coinage** Münzfuß; **normal ~ of interest** üblicher Zinsfuß, -satz; ~ **of living (life)** durchschnittliche Lebenshaltung, Lebensstandard; ~ **of deferred payments** Wertmaß für aufgeschobene Leistungen; **~s of performance** Leistungsanforderungen; ~ **of prices** Preisniveau, -spiegel; **ethical ~s of a profession** Standespflichten eines Berufs; **prewar ~ of profits** Vorkriegsgewinndurchschnitt; ~ **of value** Wertmesser, -maßstab; ~ **of wages** Lohnniveau; ~ **of weight** Gewichtseinheit;
to be up to ~ den Anforderungen (Güteerfordernissen) genügen; **to promote high ~s** hohe Qualitätsansprüche stellen; **to raise the ~ of living** Lebensstandard anheben; **to raise the ~ of free trade** Banner des Freihandels hochhalten; **to reach a high ~ of efficiency** hohen Leistungsgrad erreichen; **to set a high ~ of business morality** hohe Anforderungen an die Geschäftsmoral stellen;
~ *(a.)* normal, vorschriftsmäßig, *(classical)* klassisch, *(leading)* führend, maßgebend, musterhaft, *(stable)* stabil, wertbeständig;
~ **account form** Einheitskontoblatt; ~ **advertising register** *(US)* Nachschlagewerk für die Werbung; ~ **articles** Einheitsware; ~ **author** anerkannt guter Schriftsteller; ~ **automobile public liability policy** *(US)* allgemeine Kraftfahrzeughaftpflichtpolice; ~ **bearer** *(fig.)* Anführer, Bannerträger; ~ **benefit** Einheitsunterstützung[ssatz]; ~ **broadcast** Mittelwellenfunk; ~ **bullion** Münzgold, -silber; ~ **calculation** Normalkalkulation; ~ **capacity** Normal-, Durchschnittsleistung; ~ **car** Standardtyp, -ausführung; ~ **claim** Valutaschuld; ≗ **International Trade Classification** Internationales Warenverzeichnis für den Außenhandel; ~ **clause** Grundbedingung, *(currency)* Währungsklausel; ~ **coin** Münze mit gesetzlich vorgeschriebenem Feingehalt; ~ **coinage** Münzfuß, -tarif; ~ **conditions** normale Arbeitsbedingungen; ~ **cost** Einheits-, Standard[herstellungs-], Richt-, Normalkosten, vorkalkulierte Kosten; ~ **-cost system** Einheitspreissystem, Kostenindex, Normalkostenrechnung; **gold-~ country** Land mit Goldwährung, Goldwährungsland; **silver-~ country** Land mit Silberwährung, Silberwährungsland; ~ **currency** Einheitswährung; ~ **data** *(time study)* Richtwerte; ~ **deduction** *(income tax, US)* Pauschalabzug für Geschäftsunkosten, Sonderausgabenpauschale; ~ **design** Normal-, Regelausführung; ~ **deviation** *(statistics)* Normal-, Standardabweichung; ~ **distance** Einheitsstrecke; ~ **eight-hour day** achtstündiger Normalarbeitstag; ~ **dictionary** klassisches Wörterbuch; ~ **dividend rate** Einheitsdividendensatz; ~ **dollar** Golddollar; ~ **edition** Standardausgabe; ~ **elemental times** Elementarzeiten; ~ **equipment** Normal-, Standardausrüstung; ~ **error** *(statistics)* Standardfehler; ~ **family** *(statistics)* Normalfamilie; ~ **figures of distribution** Kennzahlen des Absatzes, Normalabsatzzahlen; ~ **film** Normalfilm; ~ **fire policy** *(US)* Einheitspolice; ~ **[gauge] film** Normalfilm; ~ **fire policy** *(US)* Feuerversicherungs-, Einheitspolice; ~ **form** Einheitsformular; ~ **form contract conditions** allgemeine Geschäftsbedingungen; ~ **freight** Einheitsfracht; ~ **gauge** Normaleichmaß, *(railway)* Normalspurweite,

Vollspur; ~ **gold** Probe-, Münzgold; ~ **grade** Einheitssorte, -qualität; ~ **hours** Normal[arbeits]stunden, *(time study)* Vorgabestunden; ~ **and poor's indices** *(US)* Indexziffern der Börsenkurse; ~ **interest** üblicher Zinsfuß, -satz; ~ **item** Serienerzeugnis; ~ **labo(u)r rate** Grundlohn einschließlich der Normalzuschläge; ~ **labo(u)r time (man hours)** Normalarbeitszeit, durchschnittliche Arbeitszeit; ~ **lamp** Stehlampe; ~ **letter** Routinebrief; ~ **life** durchschnittliche Lebensdauer; ~ **line** Standardartikel; ~ **machine time** Normalleistung; ~ **make** Normalausführung; ~ **mark** Feingehaltsstempel; ~ **measure** Originalmaß, Normalmaß; ~ **media rates** Standardwerbetarif; ~ **model** Serienausführung, Standard-, Einheits-, Serienmodell; ~ **money** *(coin)* vollgewichtige Münze, *(currency)* Währungsgeld, Geldeinheit; ~ **mortgage clause** *(fire policy)* Auszahlungsklausel bei der Hypothekengewährung; ~ **novel** klassischer Roman; ~ **organization** Einheitsorganisation; ~ **output** Soll-, Normalleistung; ~ **paper** Normalpapier; ~ **pattern** Einheitsmuster; ~ **payment clause** übliche Zahlungsbedingungen; ~ **performance** Vorgabeleistung; ~ **piece wage** Einheitsstücklohn; ~ **policy** Normal-, Einheitspolice; ~ **population** Standardbevölkerung; ~ **poster board** Litfaßsäule; ~ **practice** übliches Verfahren; ~ **price** einheitlicher Preis, Normal-, Richt-, Grund-, Einheitspreis; ~ **production** Durchschnittsproduktion; ~ **profit** Bruttoverdienst; ~ **provisions** allgemeine Versicherungsbedingungen; ~ **purchase price** Normal-, Richt-, Grundpreis; ~ **quality** Einheitsqualität, durchschnittliche Güte (Qualität); ~ **rate** Grundpreis, Einheitsgebühr, *(advertising)* Grund-, Standard, *(stock exchange)* Normalkurs, *(taxation, Br.)* [Steuer]normalsatz; ~ **report** Musterbericht; **~-run quantity** wirtschaftliche Losgröße; ~ **sample** Einheitsmuster; ~ **scheme of account** Normalkontenplan; ~ **silver** Münzsilber; ~ **size** Einheitsformat, Normalgröße, *(advertising)* Standardformat; ~ **specifications** Normalbedingungen; ~ **stock** *(stock exchange)* Standardwerte, Favoriten; ~ **subscription** Normalbezug; ~ **tax** *(income tax, US)* Basissteuer; ~ **text** Mustertext; ~ **time** Normalzeit, *(US)* Zeitnorm [im Arbeitsprozeß]; **~-time data** Richtwerte; ~ **type** *(print.)* normale Schrift[form]; ~ **unit** *(advertising)* Normaleinheit, Standardformat; ~ **value** Normal-, Durchschnitts-, Einheits-, Festwert; ~ **values** *(cost system)* Normalwerte; ~ **wage** Tariflohn; ~ **wage rates** Tariflohnsätze; ~ **weight** Nominal-, Normal-, Eichgewicht; ~ **weight and fineness** *(coinage)* Gewichts- und Feingehaltseinheit; ~ **work** Standardwerk; ~ **working day** Normalarbeitstag; ~ **working week** Normalarbeitswoche ~ **writer** Klassiker.

standardization Normung, Standardisierung, Eichung, Typisierung, Vereinheitlichung;
commercial ~ Warennormung; **monetary** ~ Währungsangleichung;
~ **of factories** Betriebsvereinheitlichung; ~ **of freight charges** Angleichung der Frachtsätze; ~ **of sizes** einheitliche Größenregelung; ~ **of tariffs** Tarifangleichung;
~ **committee** Normenausschuß.

standardize *(v.)* auf eine Norm bringen, norm[ie-r]en, festsetzen, vereinheitlichen, typisieren.

standardized | **product** Einheitserzeugnis; ~ **production** genormte Produktion; ~ **sheet size** Standardformat.

standby Beistand, *(technics)* Not-, Zusatz-, Reservegerät;
to have a sum in reserve as ~ Notpfennig zurückgelegt haben;
~ **agreement** *(banking)* Garantie des Direktabsatzes; ~ **arrangement** Beistandsabkommen, Stillhaltevereinbarung; ~ **charges** Bereitstellungskosten; ~ **cost** fixe Kosten; ~ **credit** Beistandskredit, Kreditzusage; ~ **credit agreement** für Investitionszwecke im voraus vereinbarter langfristiger Kreditvertrag; ~ **underwriting** Übernahmekonsortium für nicht abgesetzte Bezugsrechte.

standee *(US)* Stehplatzinhaber.

standing *(rank)* Rang[dienstalter], Stand, *(repute)* Stellung, Position, Bonität, Ansehen;
business ~ wirtschaftliche Stellung; **credit** ~ Kreditwürdigkeit; **financial** ~ *(firm)* Finanzlage, finanzielle Lage, Kreditfähigkeit, -würdigkeit;
~ **of a commercial house** bewährter Ruf einer Firma; ~ **in industry** Ruf in der Geschäftswelt;
~ **idle** *(factory)* Stilliegen;
to finish a work at one ~ in einem Arbeitsgang erledigen;
~ **audience** Stehempfang; ~ **charge** konstante Kosten, laufende Unkosten; ~ **credit** laufender Kredit; ~ **custom** Usance; ~ **customer** Dauerkunde; ~ **detail** *(advertising)* wiederkehrendes Anzeigenelement; ~ **expenses** laufende (feste) Unkosten; ~ **offer** gleichbleibendes Angebot; ~ **order** Dauerauftrag, *(magazine)* Abonnement; ~ **orders,** *(parl.)* Geschäftsordnung; **with a** ~ **order** bei regelmäßigem Bezug; **to have a** ~ **order for an article** bestimmten Artikel regelmäßig beziehen; ~ **price** fester Preis; ~ **room only** nur Stehplätze; ~ **wages** festes Gehalt.

standout *(workers)* Arbeitsverweigerung, Ausstand.

standstill Stillstand, Stockung;
to be at a ~ stocken, *(factory)* nicht in Betrieb sein; **to be at an absolute** ~ *(trade)* vollständig zum Erliegen gekommen sein;
~ **agreement** Stillhalteabkommen; ~ **credit** Stillhaltekredit.

staple *(chief product)* Haupterzeugnis, -produkt, *(clip)* Heftklammer, *(emporium)* Stapelplatz, Handelszentrum, *(fig.)* Hauptthema, -gegenstand *(loop of iron)* Öse, Krampe, *(raw material)* Rohstoff, -material;
~s Hauptartikel, -produkte, -handelsware, Stapelgut, -waren, Massenartikel, -ware;
foreign ~ Ausfuhrmonopol;
~ **of news** Nachrichtenzentrum;
~ *(a.)* marktgängig;
~ *(v.)* Handelsniederlage errichten;
~ **articles (commodities, goods)** Massen-, Hauptartikel, Hauptprodukte, Stapelwaren; ~ **industries** Hauptindustriezweige; ~ **merchandise** Massenartikel; ~ **place** Hauptniederlage; ~ **port** Stapelhafen; ~ **product** Hauptprodukt; ~ **ware** Stapelware.

start Start, Aufbruch, *(airplane)* Abflug, *(departure)* Abfahrt, Abreise, *(machine)* Inbetriebsetzung;
~ **in life** Startmöglichkeit;
~ *(v.)* anfangen, *(airplane)* abfliegen, starten, *(depart)* abreisen, abfahren, *(production)* anlaufen, *(set going)* in Gang (Betrieb) setzen, in die Wege leiten, einleiten, *(ship)* auslaufen, *(train)* ab-, anfahren;
~ **in business** in ein Geschäft einsteigen; ~ **a new business enterprise** neues Geschäft eröffnen; ~ **s. o. in business** j. etablieren; ~ **s. o. on a career** j. lancieren; ~ **a company** Gesellschaft gründen; ~ **at $ 140 a week** mit 140 Dollar Lohn in der Woche anfangen; ~ **a fund** Kapital aufbringen, Geldsammlung veranstalten; ~ **negotiations** Verhandlungen beginnen; ~ **the price** erstes Gebot abgeben; ~ **running** in Betrieb setzen; ~ **from scratch again** wieder von vorn anfangen; ~ **a shop** Laden eröffnen; ~ **a train** Zug einsetzen; ~ **well** *(sales)* gut gehen;
to get the ~ of one's competitors (rivals) seine Konkurrenten überflügeln; **to muddle at the ~** *(business)* schlechten Start haben; **to work by fits and ~s** ungleichmäßig arbeiten.

starter fund Startfonds.

starting Aufbruch, *(set going)* Inbetriebsetzung;
~ **of an enterprise** Geschäftsbeginn; ~ **of production** Anlauf der Erzeugung;
~ **credit** Anlaufkredit; ~ **date** Einstellungstermin; ~ **-load cost** Vorproduktionskosten, Kosten vor Anlauf der Fertigung; ~ **period** Anlaufzeit; ~ **platform** Abfahrtsbahnsteig; ~ **price** Eröffnungs-, Anfangskurs, *(auction)* Einsatzpreis; ~ **rate** *(employee)* Anfangstarif; ~ **salary** Anfangsgehalt; ~ **time** Abfahrtszeit.

startup | cost Start-, Anlaufkosten; ~ **money** Startkapital.

starvation wage Hungerlohn.

state [Zu]stand, Lage, *(financial situation, Br.)* Status, *(government)* Staat[swesen], Land, *(rank)* Stand, Rang, Stellung, *(Br., weekly return)* wöchentlicher [Bank]ausweis, *(stock exchange)* Haltung;
in the native ~ *(product)* unbearbeitet;
contracting ~ Vertragsstaat; **daily** ~ tägliche Geschäftsübersicht; **deliverable** ~ lieferfähiger Zustand; **financial** ~ Finanzlage, Status; **first-class** ~ erstklassige Beschaffenheit; **foreign** ~ ausländischer Staat; **member** ~ Mitgliedsland; **multinational** ~ Nationalitätenstaat; **noncontracting** ~ Nichtvertragsstaat; **welfare** ~ Wohlfahrtsstaat;
~ **of an account** Kontostand; ~ **of affairs** Sachlage; **proper** ~ **of affairs** geordnete Zustände; ~ **of business** Geschäftslage; ~ **of a commercial house** Vermögensverhältnisse einer Firma; ~ **of credit** Kreditsituation; ~ **of demand** Bedarfslage; ~ **of destination** Bestimmungsland; ~ **of the economy** Konjunkturlage; ~ **of flux** *(stock exchange)* Fließzustand; ~ **of insolvency** Zustand der Zahlungsunfähigkeit; **every** ~ **of life** jeder Lebensbereich; ~ **of the market** Konjunktur-, Marktlage; **bad** ~ **of the packing** schlechter Verpackungszustand; ~ **of production** Fertigungs-, Produktionsstand; ~ **of the roads** Straßenzustand;
~ *(v.)* **an account** Rechnung spezifizieren; ~ **the average** Dispache (Seeschadensberechnung) aufnehmen, dispachieren; ~ **higher (lower)** höher (niedriger) bewerten;
to be in a ~ of distress in bedrängter Lage sein; **to be in a bad ~ of repair** instandsetzungsbedürftig sein; **to live in** ~ großen Aufwand treiben; **to produce a ~ of deadlock in a firm** Unternehmen fast zum Stillstand bringen;
~ **aid** *(US)* staatliche Unterstützung; ~**-aid program(me)** staatliches Unterstützungsprogramm; ~**-aided** subventioniert; ~ **auditor** staatlicher Rechnungsprüfer; ~ **bank** Staatsbank, *(US)* staatlich konzessionierte Bank; ~ **bank examiner** *(US)* Bankenkommissar; ~ **banking department** *(US)* Bankenaufsicht; ~ **borrowing** Staatsschuldenaufnahme; ~ **budget** [Staats]haushaltsplan; ~**-buying organization** staatliche Einkaufsgesellschaft; ~ **cabin** Luxuskabine; ~ **capitalism** Staatskapitalismus; ~ **car** Salonwagen; **to bring industries under ~ control** Industriezweige unter Staatsaufsicht stellen; ~**-controlled** verstaatlicht; ~**-controlled economy** Zwangswirtschaft; ~ **corporation** Staatsunternehmen; ~ **creditor** Staatsgläubiger; ~ **debt** Staatsschuld; ~ **employee** Staatsangestellter, Beamter; ~ **enterprise** Wirtschaftsbetrieb der öffentlichen Hand, Regie-, Staatsbetrieb; ~ **expenditures** Staatsausgaben; ~**-fed** subventioniert; ~ **finance** Staatsfinanzen; ~ **funds** Staatsgelder, Regierungskonten; ~ **grant** Staatszuschuß; ~ **indebtedness** Staatsverschuldung; ~ **insurance** staatliche Versicherung; ~ **insurance commission** *(US)* Aufsichtsamt für das Versicherungswesen; ~ **liability** Staatshaf-

tung; ~ **loans** staatliche Kreditmittel; ~ **monopoly** Staatsmonopol; ~ **note** Staatsschuldschein; ~**-owned** staatseigen; ~**-owned enterprise** Staatsunternehmen; **to transfer to ~ ownership** *(US)* verstaatlichen; ~**-paid** staatlich finanziert; ~ **pension** Staatspension; ~ **planning agency** staatliche Planungsbehörde; ~ **property** *(US)* fiskalisches Vermögen, Staatseigentum; ~ **purchase** Ankauf durch den Staat; ~ **revenue** Staatseinnahmen; ~ **securities** Staatsanleihe; ~ **shareholding** Aktienbesitz des Staates; ~ **subsidy** Staatsunterstützung; ~ **superintendent of banks** *(US)* Bankenkommissar, -aufsicht; ~ **supervision** Staatsaufsicht; ~**-taxed** besteuert; ~ **trading** Regiebetrieb; ~**-trading company** staatliche Handelsgesellschaft; ~ **transfer tax** *(US)* Börsenumsatzsteuer; ~ **unemployment insurance tax** Arbeitslosenversicherungsbeitrag; ~ **use system** Regiebetrieb.

stated | **account** spezifizierte Rechnung; ~ **capital** *(balance sheet, US)* ausgewiesenes Gesellschaftskapital; ~ **hours of business** bestimmte Geschäftsstunden; **by ~ instalments** in festgesetzten Raten; ~ **liabilities** buchmäßig ausgewiesene Verbindlichkeiten; ~ **position** *(ad)* vorgeschriebene Placierung; ~ **salary** festes Gehalt; ~ **value** festgestellter Wert.

statement *(abstract of account)* [Konto]auszug, *(account rendered)* [Rechenschafts]bericht, [Rechnungs]aufstellung, -ablage, *(balance sheet, US)* Bilanz, *(bank)* Bankausweis, *(Br., counterfoil)* Abstimmungsblatt, *(declaration)* Angabe, Erklärung, Verlautbarung, Feststellung, *(estimate)* Überschlag, Übersicht, Veranschlagung, Vor-, Kostenanschlag, *(of property)* Status, Vermögensstand, Bestandsübersicht, *(report)* Aufstellung, Bericht[erstattung], *(return)* Ausweis, *(of wages)* Lohn, Tarif;

as per enclosed ~ laut anliegendem Verzeichnis; **as per ~ below** laut untenstehender Aufstellung;

accounting ~ Revisionsbericht; **annual** ~ Jahresausweis, -bericht; **application of funds** ~ Ausweis über die Verwendung des Grundkapitals; **average** ~ Havarieaufmachung, -rechnung; **bank** ~ Kontoausweis, *(report of bank)* Bankausweis, Geschäftsbericht einer Bank, Geschäftsbericht der Bank; **cash** ~ Kassenbericht; **certified** ~ bewiesene Feststellung; **closing** ~ [Ab]schlußbericht; **comparative** ~ vergleichende Aufstellung; **condensed** ~ *(US)* Bilanzauszug; **corporate** ~ *(US)* Bilanz einer Aktiengesellschaft; **counter** ~ Gegenerklärung; **detailed** ~ Spezifikation, ausführlicher Bericht; **earnings** ~ Gewinnausweis; **factual** ~ Tatsachenbericht; **false** ~ falsche (betrügerische) Angaben; **faulty** ~ fehlerhafter Rechnungsauszug; **final** ~ abschließende Feststellung; **financial** ~ Gewinn- und Verlustrechnung, Handelsbilanz; **financing** ~ *(political party, US)* Finanzierungsnachweis; **income** ~ *(US)* Gewinn- und Verlustrechnung; **individual** ~ *(US)* Einzelbilanz; **interest** ~ Zinsaufstellung; **interim** ~ Zwischenabschluß; **monthly** ~ monatliche Abrechnung, *(banking)* Monatsausweis, -bericht, monatlicher Ausweis; **official** ~ Kommuniqué, amtliche Erklärung; **opening** ~ einleitende Erklärung; **operating** ~ Erfolgsbilanz, Gewinn- und Verlustrechnung; **periodic** ~ Periodenbilanz; **public** ~ öffentliche Erklärung, (Verlautbarung); **registration** ~ Gründungs-, Eröffnungsbilanz; ~ **rendered** Rechnungsaufstellung; **statistical** ~ statistische Aufstellung; **summary** ~ summarische Übersicht; **supplementary** ~ Ergänzungsbilanz; **surplus** ~ [Rein]gewinnaufstellung; **sworn** ~ beeidigte Aussage; **unsworn** ~ nichteidliche Aussage; **verbal** ~ mündliche Darlegung des Tatbestandes; **weekly** ~ Wochenausweis; **well-reasoned** ~ wohlbegründete Erklärung; **working** ~ Geschäftsbericht; **written** ~ schriftliche Erklärung;

~ **of account** Konto[korrent]auszug, Rechnungsauszug, -aufstellung; **affixed ~ of accounts** nebenstehender Kontoauszug; ~ **of account closed per December 31st** Kontoauszug per 31. Dezember; ~ **of affairs** Vermögensaufstellung; Status, *(bankruptcy)* Masseverzeichnis; ~ **of application of funds** Ausweis über die Verwendung von Barmitteln, Verwendungsnachweis, Bewegungsbilanz, finanzwirtschaftliche Bilanz; ~ **of assets and liabilities** *(US)* Bilanzaufstellung; ~ **of average** Havarieschadensaufstellung, -aufmachung; ~ **of bankruptcy** Konkursbilanz; ~ **of a business enterprise** Geschäftsbilanz; ~ **of the case** Sachvortrag; **written ~ of a case** Schriftsatz; ~ **of charges** Kostenrechnung, -liquidation; ~ **of claim** *(Br.)* Klageschrift, -begründung, -substantiierung, Schriftsatz; ~ **of [financial] condition** *(US)* Bilanzaufstellung; ~ **of contents** Inhaltsverzeichnis, -angabe; ~ **to the contrary** Gegenaussage; ~ **of costs** Kostenrechnung, -aufstellung; ~ **of cost of sales** Verkaufs-, Umsatzbilanz; ~ **of damages** Schadensrechnung; ~ **of defence** Klagebeantwortung, -erwiderung; ~ **of duties** Zolltarif; ~ **of exchanges** Kursbericht; ~ **of expenses** Kosten-, Spesenaufstellung; ~ **of facts** Sachdarstellung, -angabe, Tatbestand; **bare ~ of the facts** einfache Aufzählung der Tatumstände; **official ~ of facts** offizielle Sachdarstellung; ~ **of fees** Gebührentarif; ~ **of goods** Lagerbestand; ~ **of a ground of appeal** Berufungsschriftsatz; ~ **of income** Periodengewinnrechnung; ~ **of income and accumulated earnings** *(US)* Gesamtergebnisrechnung; ~ **of income and expenses** Gewinn- und Verlustrechnung; ~ **of income and surplus** *(corporation, US)* Jahresbericht nebst Bilanz sowie Gewinn- und Verlustrechnung; ~ **of open items** Liste offenstehender Posten; ~ **en lieu of prospectus** *(Br.)* Bilanzaufstellung an Stelle eines Prospektes; ~ **of the market** Marktbericht; ~ **made on oath** eidliche Erklärung; ~ **of opinion** Meinungsäußerung; ~ **of particulars** Spezifikation, *(in case of nonappearance)* Beantragung eines Versäumnisurteils; ~ **of financial position** Bilanzaufstellung; ~ **to the press** Erklärung an die Presse, Presseerklärung; ~ **of prices** Preisliste, -verzeichnis; ~ **by prisoner** Gefangenenaussage; ~ **of net proceeds** Reinertragsübersicht; ~ **of profit and loss** *(US)* Gewinn- und Verlustrechnung; ~ **of proof** *(Br.)* anwaltliche Vernehmung von Zeugen; ~ **of realization and liquidation** Liquidationsbilanz; ~ **of resources and liabilities** Bilanzauszug; ~ **of responsibility** Verantwortungsbereich; ~ **of operating results** *(US)* Ergebnisrechnung; ~ **of revenue and expenditure** Gewinn- und Verlustrechnung; ~ **of sales done** Umsatzbilanz; ~ **of securities** Depotauszug; ~ **of size** Größenangabe; ~ **of source and application of funds** Ausweis über die Verwendung des Grundkapitals; ~ **of specie** Geldkurszettel; ~ **of stockholder's equity** *(investment net worth)* Ausweis über die Verwendung des Grundkapitals, Erklärung über die Entwicklung des Eigenkapitals; ~ **of surplus** Erfolgsbilanz; ~ **of earned surplus (retained earnings,** *(US)* Kapitalzuwachsbilanz, Gewinnübersicht, -vertragsrechnung; ~ **of value** Wertangabe; ~ **made by a witness** Zeugenaussage;

to be more explicit in one's ~s seine Behauptungen substantiieren; **to certify its financial** ~ Bestätigungsvermerk erteilen; **to confine itself to a simple** ~ nur eine Darstellung registrieren; **to contradict a** ~ Gegenerklärung (Dementi) veröffentlichen; **to disapprove a** ~ Unrichtigkeit einer Behauptung beweisen; **to draw up a** ~ Erklärung aufsetzen; **to hand in a** ~ Bericht erstatten; **to make a** ~ Behauptung aufstellen, Aussage machen, Erklärung abgeben, *(budget)* Etat aufstellen; **to make knowingly false ~s** wissentlich falsche Angaben machen; **to make an official** ~ amtliche Erklärung abgeben, amtlich verlautbaren; **to make a personal** ~ persönliche Erklärung abgeben; **to make a ~ in a privileged occasion** Äußerungen in Wahrnehmung berechtigter Interessen machen; **to make a ~ on oath** unter Eid erklären; **to publish a** ~ Erklärung veröffentlichen; **to refuse to certify its financial** ~ Bestätigungsvermerk verweigern; **to rely upon ~s** sich auf Angaben verlassen; **to send s. o. a ~ of the amount owing to him** jem. ein Schuldanerkenntnis schicken; **to verify a** ~ Richtigkeit einer Aufstellung bestätigen;

~ **analysis** *(US)* Bilanzanalyse, -kritik; ~ **date** *(US)* Bilanzierungstag; ~ **department** *(US)* Kontoauszugsabteilung; ~ **form** Berichtsformular; ~ **heading** Bilanzschema; ~ **price** Akkordpreis; ~ **purpose** *(US)* Bilanzzweck; ~ **wages** Akkordlohn.

stateroom *(railroad, US)* Privatabteil, *(ship)* Passagierkabine.

static | budget starrer Etat; ~ **calculation** statische Berechnung.

station Station, Stelle, *(broadcasting)* Funkstation, Sender, *(occupation)* Beruf, Stand, Stellung, *(office)* Amt, Stellung, Posten, Position, *(official place)* Dienstort, *(police)* Polizeirevier, -wache, *(railway)* Haltestelle, Bahnhof, *(rank)* Rang, Stand;

[delivered] free of ~ bahnfrei; **left at ~ till called for** bahnlagernd; **suitable to s. one's** ~ jds. Lebensstandard entsprechend;

ambulance ~ Unfallstation; **broadcasting** ~ Rundfunkstation, -sender; **call** ~ *(tel.)* Sprechstelle; **central** ~ Hauptbahnhof; **coastguard** ~ Küstenwachstation; **filling** ~ Tankstelle; **first-aid** ~ Unfallstation; **forwarding** ~ Versandbahnhof; **goods** ~ *(Br.)* Güterbahnhof; **intermediate** ~ Durchgangs-, Zwischenstation; **jamming** ~ Störsender; **lifeboat** ~ *(Br.)* Rettungsstation; **main** ~ Hauptbahnhof; **naval** ~ Flottenstützpunkt; **[omni]bus** ~ Omnibusbahnhof; **petrol** ~ *(US)* Tankstelle; **police** ~ Polizeiwache; **postal** ~ *(US)* Postnebenstelle; **railway** ~ *(Br.)* Bahnhof, -station; **railroad** ~ *(US)* Bahnhof; **shunting** ~ Verschiebebahnhof; **telegraph** ~ Telegrafenamt; **telephone** ~ Telefonzentrale; **terminal** ~ Kopf-, End-, Sackbahnhof; **through** ~ Durchgangsbahnhof; **trading** ~ Handelsniederlassung;

~ **of arrival** Ankunftsbahnhof; ~ **of departure** Abgangsstation; ~ **of destination** Bestimmungsbahnhof;

to bring to the ~ zur Bahn schaffen; **to come into the** ~ in den Bahnhof einlaufen; **to occupy a high ~ in life** bedeutende Stellung im Leben ausfüllen;

~ **announcement (break)** *(radio)* Pausen-, Sendezeichen; ~ **hall** Bahnhofshalle; ~ **hotel** Bahnhofshotel; ~ **identification** Senderansage; ~ **master** Fahrdienstleiter; ~ **premises** Bahnhofsanlagen; **at-~ price** Preis ab Versandbahnhof; ~ **representation** Werbefunkvertreter; ~ **wag(g)on** *(Br.)* Kombiwagen.

stationary lokal auftretend, *(fixed)* feststehend, ortsfest, stationär, *(sedentary)* seßhaft, *(stable)* unverändert, beständig;

~ **prices** stabile Preise; ~ **sum** feste Summe, Fixum.

stationer Schreibwarenhändler;

≗ **s' Company** *(Br.)* Börsenverein der Buchhändler; **~s Hall** *(Br.)* Buchbörse.

stationery Bürobedarf, Papierwaren, Schreibmaterialien, *(letter paper)* Briefpapier;

fancy-boxed ~ Briefpapierkassette; **office** ~ Büromaterial;

~ **department** Materialverwaltung; ~ **goods** Bürogegenstände; ~ **shop (store)** Schreibwarenhandlung, Papierwarengeschäft.

statist *(a.)* dirigistisch, planwirtschaftlich.

statistical ~ *(a.)* statistisch;
~ **code number** Nummer des statistischen Warenverzeichnisses; ~ **compilation** statistische Zusammenstellung; ~ **evaluation** statistische Wertermittlung; ~ **expert** Statistiker; **to collect ~ information** statistisches Material zusammenstellen; ~ **number** *(export trade)* Ausfuhrnummer des statistischen Warenverzeichnisses; ~ **returns** Statistiken; ~ **sampling** Markt- und Meinungsforschung.

statistics Statistik, statistische Unterlagen;
business ~ Betriebsstatistik; **commercial** ~ Handelsstatistik; **distribution** ~ Absatzkennzahlen; **wage** ~ Lohnstatistik;
~ **of employment** Beschäftigungszahlen;
to compile ~ statistische Unterlagen zusammenstellen.

status [geschäftliche] Lage, Geschäftslage, Status, *(capacity to sue)* Aktivlegitimation, *(legal position)* Rechtsstellung, *(position of affairs)* Finanz-, Vermögenslage, *(rank)* Stellung, Stand, Rang, *(social position)* soziale Stellung;
without any official ~ ohne offiziellen Auftrag; **civil** ~ Personenstand; **financial** ~ Vermögenslage, Finanzlage, -status, Status; **legal** ~ rechtliche Stellung, Rechtslage, -position,-fähigkeit; **marital** ~ Familienstand; **national** ~ Staatsangehörigkeit; **nutritional** ~ Ernährungszustand; **personal** ~ Familien-, Personenstand; ~ **quo** *(lat.)* Status quo, gegenwärtiger Zustand; ~ **quo ante** früherer (vorheriger) Zustand; **social** ~ soziale (gesellschaftliche) Stellung; **special** ~ Sonderstatus;
~ **of aliens** Ausländereigenschaft; ~ **of legitimacy** ehelicher Status; ~ **of ownership** Eigentumsverhältnisse; ~ **of a person** Personenstand; **to use facilities as** ~ **conveniences** Einrichtungen zur Festigung der sozialen Stellung benutzen; ~**-plus** Statusgewinn; ~ **symbol** Statussymbol, Standeskennzeichen, Symbolfigur.

statute *(corporation)* Satzung, Statut, Gesellschaftsvertrag, *(law)* gesetzes Recht, Gesetz[esbestimmung], -vorschrift, *(politics)* Parlementsakte;
according to ~ satzungsgemäß; **contrary to** ~**[s]** statut[en]widrig; **not subject to the** ~ **of limitations** unverjährbar;
declaratory ~ Ausführungsgesetz; **general** ~ allgemein verbindliches Gesetz; **local** ~ Ortsstatut; **penal** ~ Strafgesetzbuch; **personal** ~ Personenstandsrecht; **private** ~ interne Bestimmung; **public** ~ allgemein verbindliches Gesetz; **real** ~ Realstatut, Grundstücksrecht; **regulatory** ~ Ausführungsbestimmung; **temporary** ~ befristetes Gesetz; **university** ~ Universitätssatzung; **validating** ~ Übergangsgesetz;
~**s of an association** Gesellschaftsvertrag; ~ **of bankruptcy** Konkursordnung;
~ **in blank** Blankettgesetz; ~ **of descent** Erbfolgeordnung; ~ **of distribution** *(US)* Nachlaßordnung; ≗ **of Frauds** Betrugsgesetz; ≗ **at Large** *(US)* Bundesgesetzblatt, amtliche Gesetzessammlung; ~ **of limitations** Verjährungsbestimmungen, -recht, -gesetz; ~ **of minorities** Minderheitenstatut; ≗ **of Monopolies** *(Br.)* Kartellgesetz; ~ **of a party** Parteistatuten;
to apply the ~ **of limitations** Verjährungsvorschriften anwenden; **to bar a debt by the** ~ **of limitations** Verjährungseinwand gegen eine Forderung erheben; **to be barred by the** ~ **of limitations** von den Verjährungsvorschriften betroffen werden; **to comply with the** ~ Satzungserfordernissen erfüllen; **to extend the** ~ **of limitations** Verjährungsvorschriften verlängern; **to pass a** ~ Gesetz verabschieden; **to plead the** ~ **of limitations** Verjährung einwenden, Verjährungseinwand erheben; **to satisfy the** ~ dem Gesetz Genüge tun; **to secure the immunities of a** ~ Vorzüge eines Gesetzes erlangen; **to take a case out of the operation of the** ~ **of limitations** in einem bestimmten Fall die Folgen der Verjährung vermeiden; **to toll the** ~ **of limitations** *(US)* Verjährungsvorschriften unterbrechen, Verjährung unterbrechen (hemmen); **to waive the** ~ **of limitations** auf Geltendmachung der Verjährung verzichten;
~**-barred** *(Br.)* erlöschen, verjährt; **to become** ~**-barred** verjähren; ~ **book** Gesetzessammlung, Gesetzbuch; ~**-of-limitation issue** Verjährungsstreitfrage; ~ **labo(u)r** Frondienst; ~ **law** Gesetzesrecht, geschriebenes Recht; ~ **mile** gesetzliche Meile; ~ **roll** Gesetzblatt; ~**-run** verjährt.

statutory *(according to statutes of association)* statuten-, satzungsgemäß, *(according to statute law)* gesetzlich [vorgeschrieben], gesetzlich bestimmt;
~ **agent** gesetzlicher Vertreter; ~ **books** *(Br.)* gesetzlich vorgeschriebene Geschäftsbücher; ~ **company (corporation)** Körperschaft des öffentlichen Rechts; ~ **dividend** satzungsmäßige Dividende; ~ **factor's lien** *(US)* Sicherungseigentum an einem Warenlager mit wechselndem Bestand; ~**-forced share** *(US)* festgelegte Nachlaßquote; ~ **foreclosure** Betreibung der Zwangsvollstreckung aus einer vollstreckbaren Urkunde; ~ **holiday** gesetzlicher Feiertag; ~ **instrument** *(Br.)* Aus-, Durchführungs-, Rechtsverordnung; ~ **interest** gesetzliche Zinsen; ~ **lien** gesetzliches Zurückbehaltungsrecht; ~ **limitation** Verjährungsfrist; ~ **meeting** *(Br.)* gesetzlich vorgeschriebene Generalversammlung; ~ **negligence** *(US)* Verletzung der gesetzlich vorgeschriebenen Sorgfaltspflicht; ~ **office** *(corporation, US)* Büroadresse; ~ **period [of limitations]** gesetzliche Verjährungsfrist,

-zeitraum; ~ **regime** *(US)* gesetzliches Güterrecht; ~ **register of mortgages** Hypothekenverzeichnis; ~ **report** *(Br.)* Gründungsbericht, *(joint stock company)* Hauptversammlungsbericht; ~ **reserve** gesetzlich vorgeschriebene Reserve (Rücklage); ~ **tenant** *(Br.)* unter Kündigungsschutz stehender Mieter, Zwangsmieter.

stay Halt, *(ship)* Aufenthalt, *(suspension of judicial proceedings)* Aussetzung, Einstellung[sbeschluß], *(visit)* vorübergehender Aufenthalt;
~ **abroad** Auslandsaufenthalt;
main ~ **of a business** Rückgrat eines Geschäfts;
~ **of foreclosure of a mortgage** Einstellung der Zwangsversteigerung; ~ **at a health resort** Kuraufenthalt;
~ *(v.)* bleiben, Reise unterbrechen, *(judicial proceedings)* aussetzen, einstellen;
~ **execution** Zwangsvollstreckung aussetzen; ~ **at a hotel** in einem Hotel wohnen (logieren);
to be liable to ~ **of execution** nicht der Zwangsvollstreckung unterliegen;
~**-in strike** *(Br.)* mehrtägiger Sitzstreik.

steady ständig, *(price)* fest[stehend], sich behauptend, stabil, *(reliable)* pflichtbewußt, zuverlässig;
~ *(v.) (stock exchange)* sich festigen;
to grow ~ *(market)* stabil werden, sich stabilisieren (befestigen); **to keep (remain)** ~ *(prices)* sich behaupten, fest bleiben;
~ **customer** Stammkunde; ~ **demand** gleichbleibende Nachfrage; ~ **market** feste Börse; ~ **prices** stabile Preise; ~ **rate of progress** gleichbleibender Progressionssatz.

steal | *(v.)* **a competitor's market** jem. absatzmäßig Konkurrenz machen; ~ **s. one's thunder** *(advertising)* mit einer Überraschungsreklame zuvorkommen.

steamboat Dampfer.

steamer Dampfer;
~ **date** Abgangsdatum eines Schiffes; ~ **trunk** Überseekoffer.

steamship Dampfschiff;
~ **company** Schiffahrtsgesellschaft.

steel/boom Stahlkonjunktur; ~ **cartel** Stahlkartell; ~ **concern** Stahlkonzern; ~ **consumption** Stahlverbrauch; ~ **group** *(stock exchange report)* Stahl-, Montanindustrie; ~ **hedging** Vorratskäufe auf dem Stahlmarkt; ~ **importer** Stahleinfuhrunternehmer; ~ **industry** Stahlindustrie; ~ **manufacturer** Stahlproduzent; ~ **nationalization** Verstaatlichung der Stahlindustrie; ~ **output** Stahlproduktion; ~ **plant** Stahlwerk; ~ **price** Stahlpreis; ~ **production** Stahlproduktion; ~ **service center** *(US)* Stahlgroßhandel, -lagerhaus; ~ **stocks** *(US)* Montan-, Stahlaktien.

steep price unverschämter Preis.

steer *(v.)* steuern, lenken, *(fig.)* lenken, leiten, steuern;
~ **private investments into less developed countries** privates Investitionskapital in Entwicklungsländern zum Einsatz bringen; ~ **near receivership** auf den Konkurs zusteuern.

steerage Mittel-, Zwischendeck;
~ **passenger** Passagier dritter Klasse, Zwischendeckpassagier.

steering committee Lenkungs-, Organisationsausschuß.

stellar performance *(stocks)* raketenartiger Auftrieb.

stellionate paper Matrizenpapier.

stencil Matrize, Schablone, *(pattern)* Matrizenabzug;
~ **duplicator** Schablonenvervielfältiger.

stenograph stenografische Aufzeichnung, Stenogramm.

stenographer Stenograf.

stenographic[al] stenografisch, in Kurzschrift.

step Stufe, Schritt, Maßnahme, *(salary)* Gehaltsstufe;
~ *(v.)* **into a fortune** spielend zu einem Vermögen gelangen; ~ **into a good job** durch Zufall zu einer guten Stellung kommen; ~ **up production** Produktion steigern;
to take short ~**s** *(diplomacy)* Politik der kleinen Schritte betreiben;
~ **bonus** Leistungsprämie, Stufenakkord; ~ **rate** *(insurance)* Stufensatz.

stepup | **in inventory growth** lagerzyklischer Aufschwung; ~ **in output** Ausstoßsteigerung.

sterling *(a.)* echt, unverfälscht, vollgültig, *(coin)* vollwertig;
~ **account** Pfundkonto; ~ **area** *(Br.)* Sterlinggebiet; ~ **balance** Sterling-, Pfundguthaben, -saldo; ~ **block** Sterlingblock; ~ **cost** Einkaufspreis; ~ **credit** auf englische Pfund lautender Kreditbrief; ~ **invoice** in Pfund zahlbare Rechnung; ~ **value** ursprünglicher Wert.

stevedore Ab-, Belader, Stauer, Schauermann.

stevedoring cost Verladekosten.

steward *(agriculture)* Ökonom, Inspektor, *(bailiff)* Vogt, *(property)* [Vermögens]verwalter, Administrator, *(of real estate)* Guts-, Grundstücksverwalter, *(ship)* Steward, Kellner;
land ~ *(Br.)* Güterverwalter; **shop** ~ Betriebs-, Vertrauensrat.

stewardship Vermögensverwaltung, Geschäftsleitung;
to give an account of one's ~ Rechenschaft über seine Vermögensverwaltung ablegen.

stick *(impediment)* Verzögerungsgrund, *(labour strike, Br. dial.)* Arbeiterstreik;
~ *(v.)* **s. o.** *(US sl.)* j. anpumpen; ~ **bills** Zettel ankleben, plakatieren; ~ **s. o. for the drinks** j. blechen lassen; ~ **it on during the busy season** während der Saison enorm hohe Preise verlangen; ~ **out for higher pay** auf höherem Lohn bestehen; ~ **up a bank** *(sl.)* Bank ausrauben;
to be high up the ~ hohe Position innehaben;
~**-on label** Aufklebezettel; ~**-up** *(US sl.)* Raubüberfall.

sticker *(US)* Klebestreifen, Aufklebezettel, Aufkleber, *(drug)* Ladenhüter, *(price tag)* Preisschild;
bill ~ Zettelankleber.
sticking, bill Zettel ankleben.
stiff *(prices)* hoch, fest, versteift;
~ **bill** überhöhte Rechnung; ~ **card** *(sl.)* formelle Einladung; ~ **market** stabile Marktlage.
stiffen *(v.)* *(prices)* sich festigen (versteifen), Versteifung erfahren, anziehen, fester werden.
stiffening of prices Anziehen der Preise, *(capital market)* Versteifung am Geldmarkt.
stimulate anregen, ankurbeln;
~ **production** Produktion beleben.
stimulation | of business activity Konjunkturanregung, -förderung, -stimulus; ~ **of production** Produktionsbelebung.
stint *(mining)* Schicht, Tagewerk, *(restriction)* Einschränkung, *(Br., task prescribed)* bestimmtes Arbeitspensum;
~ *(v.)* **o. s.** sich einschränken;
to do one's daily ~ seiner täglichen Beschäftigung nachgehen, sein Tagespensum erledigen; **to spend money without** ~ Geld hemmungslos ausgeben; **to work by** ~**s** auf Schicht arbeiten.
stipend Gehalt, Lohn, feste Bezüge.
stipendiary Gehalts-, Pensionsempfänger, Stipendiat; ~ *(a.)* besoldet, bezahlt, vergütet, honoriert.
stipulate | *(v.)* **conditions** Bedingungen stellen; ~ **for the best material to be used** erstklassige Materialverwendung vereinbaren; ~ **payments in gold** Zahlungen auf Goldbasis vereinbaren; ~ **that the payment should be quarterly** vierteljährliche Zahlungen festsetzen; ~ **for a reward** Belohnung vereinbaren; ~ **the terms of a contract** Vertragsbedingungen festsetzen.
stipulated festgesetzt, ausgemacht, *(contractual)* vertragsgemäß;
~ **damages** Konventionalstrafe; ~ **premium** Vertragsprämie; ~ **quality** ausbedungene Qualität; **to deliver within the** ~ **time** fristgerecht liefern.
stipulation Abmachung, Ausbedingung, Vereinbarung, *(antitrust law, US)* förmliches Besserungsversprechen, *(condition)* Bedingung, Klausel, [Vertrags]bestimmung ,*(stipulating)* Formulierung, [Vertrags]festsetzung, *(written memorandum, US)* Vereinbarung unter den Prozeßanwälten;
on the ~ **that** unter der Bedingung, daß; **on the express** ~ mit der ausdrücklichen Bestimmung; **exclusivity** ~ Ausschluß des Wettbewerbs, Wettbewerbsausschluß; **reciprocity** ~ Gegenseitigkeitsklausel;
~ **of a bill of lading** Konnossementsbestimmung; ~ **of conditions** Festlegung von Bedingungen; ~ **to the contrary** gegenteilige Bestimmung; ~**s of the parties** Parteiabmachungen; ~ **of payment** Zahlungsvereinbarung; ~ **in restraint of trade** Konkurrenzklausel; ~ **as to time** Zeitbestimmung;
~ **proceedings** *(US)* Einigungsverfahren.
stipulator Vertragspartei, Kontrahent.
stock *(Br., capital ~)* Grundstock, Geschäfts-, Stamm-, Grundkapital, *(loan capital, Br.)* Anleihekapital, *(share capital, US)* Anfangskapital [einer Aktiengesellschaft], Aktienkapital, *(inventory)* Inventar, *(lineage)* Herkunft, Abstammung, Abkunft, Stamm, Familie, *(provisions)* Vorrat, *(ready money)* bares Vermögen, Barschaft, Summe, *(share)* Aktie, *(share paid in)* Einlage, [Gesellschafts]anteil, *(shipping)* Stapel, *(state, Br.)* Anleiheschuld, *(store)* Lagerbestand, -vorrat, Warenbestand, -vorrat, *(working capital)* Betriebskapital, -mittel;
carried in ~ lagervorrätig; **ex** ~ ab Lager; **in (on)** ~ auf Lager, vorrätig, vorhanden; **on the** ~**s** *(under construction)* im Bau; **out of** ~ nicht vorrätig, ausverkauft, nicht mehr auf Lager;
~**s** *(Br., bonds)* Obligationen, Schuldverschreibungen, *(government fund)* [fundierte] Staatsschuld, Staatspapiere, -anleihe, -rente, *(securities)* Effekten, Wert-, Börsenpapiere, Aktien, *(store)* Lagerbestände;
active ~ lebhaft gehandelte Papiere; **actual** ~ Istbestand; **adjustment preferred** ~**s** *(US)* im Sanierungsverfahren ausgegebene Vorzugsaktien; **assented** ~ *(US)* im Sammeldepot hinterlegte Aktien; **assessable** ~ *(US)* nachschußpflichtige Aktien; **assigned** ~**s** zedierte Papiere; **authorized** ~ *(US)* genehmigtes (autorisiertes) Kapital; **average** ~ Lagerbestandsdurchschnitt; **bank** ~ Bankaktien; **barometer** ~**s** *(US)* Standardwerte; **bonus** ~ Gratisaktie; **capital** ~ Grundkapital einer Aktiengesellschaft; **authorized capital** ~ genehmigtes Aktienkapital; **[non]voting capital** ~ [nicht] stimmberechtigtes Aktienkapital; **unissued capital** ~ nicht ausgegebenes Aktienkapital; **carriage** ~ Warenbestand; ~**s carrying rights** mit Bezugsrechten ausgestattete Aktien; **classified** ~ Vorrangaktie; **clearinghouse** ~ zum Clearingverkehr zugelassene Aktie, *(US)* im Clearingverkehr abgerechnete Aktie; **closing** ~ Schlußbestand; **common** ~ *(US)* Stammkapital [ohne Vorrechte], -aktien; **considerable** ~ bedeutendes Lager; **consignment** ~ Konsignationsware; **consolidated** ~**s** konsolidierte Schuldverschreibungen; **convertible** ~ umtauschfähige Aktie; **cooperative** ~ Genossenschaftskapital; **corporate** ~ *(US)* Aktien; **corporation** ~**s** *(Br.)* Kommunalobligationen; **cumulative** ~ Aktie mit rückwirkender Dividendenberechtigung; **cumulative preferred** ~ Vorzugsaktie mit Dividendennachzahlungsverpflichtung; **dated** ~**s** kündbare Wertpapiere; **dead** ~ unverkäufliche Ware, totes Inventar, Material; **debenture** ~ Vorzugsaktie; **deferred** ~ *(US)* nicht sofort dividendenberechtigte Aktie, Nachzugsaktie; **de-**

pleted ~**s** erschöpfte Vorräte; **deposited** ~ hinterlegte Aktie, Garantieaktie; **distributing** ~ Auslieferungslager; **donated** ~ *(US)* zurückgegebene Gründeraktie; **dormant** ~ Ladenhüter; **double liability** ~ in voller Höhe nachschußpflichtige Aktie; **eight** ~**s** *(US)* nicht zum regulären Kurs gehandelte kleinere Aktienposten; **equity** ~ Stammaktie; **exhausted** ~ erschöpfte Vorräte; **existing** ~ Aktienbestände; **fancy** ~ *(US)* unsichere Spekulationspapiere; **ficititious** ~ verwässerte Aktie; **finished** ~ *(insurance business)* Fertigwarenlager; **firm** ~ *(Br.)* feste Werte; **first** ~ Stamm-, Grundkapital; **first-rate** ~ sicheres (erstklassiges) Papier; **floating** ~ flüssiges Kapital; **food** ~**s** Lebensmittelvorräte; **foreign** ~**s** *(Br.)* Valutapapier, Auslandswerte; **founder's** ~**s** *(US)* Gründeraktien; **fresh** ~ neue Aktie; **full[y]-paid** ~ eingezahltes Aktienkapital, voll bezahlte Aktie, *(US)* Hundertdollaraktie; **gilt-edged** ~ *(Br.)* mündelsichere (erstklassige) Wertpapiere, Anlagewerte; **gold** ~ Goldbestand; **government** ~**s** *(Br.)* Staatspapiere, -anleihe; **growth** ~**s** Wachstumswerte; **guaranteed** ~**s** Aktien mit von anderen Gesellschaften garantierter Dividende; **half-**~ *(US)* Fünfzigdollaraktie; **heavy** ~ hohe Lagerinvestitionen; **high-quality** ~ Spitzenwert; **imported** ~**s** Importware; **inactive** ~**[s]** Aktien mit geringen Börsenumsätzen, vernachlässigte Wertpapiere; **income-producing** ~**s** ertragbringende Wertpapiere; **incoming** ~ Wareneingänge; **incomplete** ~ unvollständiges Lager; **industrial** ~ *(US)* Sicherheit in Form von an der New Yorker Börse gehandelten Industrieaktien; **inscribed** ~**s** *(Br.)* Schuldbuchgiroforderungen, börsenmäßig gehandelte Buchwerte; **interest-bearing** ~ zinstragende Aktie; **interest-rate sensitive** ~**s** zinsempfindliche Aktien; **international** ~**s** international gehandelte Papiere; **issued** ~ *(US)* effektiv ausgegebenes (emittiertes) Aktienkapital; **joint** ~ *(of joint stock company)* Aktien-, Stammkapital, *(common fund)* Gemeinschafts-, Gesellschaftsfonds, Gesellschaftskapital; **junior** ~ junge Emission; **left-over** ~**s** Lagerbestand; **listed** ~**s** *(US)* an der Börse notierte (eingeführte) Aktie; **live** ~ lebendes Inventar, Viehbestand; ~**s loaned** lombardierte Effekten; **local authorities** ~**s** *(Br.)* Kommunalpapiere; **low** ~ geringer Vorrat; **majority** ~ *(US)* Aktienmehrheit; **management** ~ mehrstimmige Aktie im Besitz der Direktion; **merchandise** ~ Warenlager; **slow-moving** ~ Waren mit langer Umschlagzeit; **motor** ~**s** Automobilaktien; **municipal** ~**s** *(Br.)* Schuldverschreibungen der städtischen Behörden; ~**s negotiable on the** ~ **exchange** börsenfähige Aktien; **negotiated** ~**s** gehandelte Werte; **no-par [value]** ~ *(US)* nennwertlose Aktie, Aktie ohne Nennwert; **new** ~ frische Vorräte; **nonassessable** ~ nachschuß- und umlagefreie Aktie; **nonassessable preferred** ~ *(US)* nicht nachschußpflichtige Vorschußaktie, im Clearingverkehr abgerechnete Aktie; **noncumulative preferred** ~ Vorzugsaktie ohne Dividendennachzahlungsverpflichtung; **nondividend paying** ~**s** nicht zinstragende Papiere; **nonvoting** ~ nicht stimmberechtigtes Aktienkapital, Aktien ohne Stimmrecht; ~ **offered** *(stock exchange)* Abgabenmaterial; **old** ~ zurückgesetzte Waren; **opening** ~ Anfangsbestand; **option** ~ *(Br.)* Prämienwerte; **ordinary** ~ gewöhnliche Aktie, Stammaktie; **original** ~ Grund-, Stammkapital, *(US)* Stammaktie; **original-issue** ~ *(US)* Gründeraktie; **outgoing** ~ [Waren]ausgänge; **outstanding** ~ ausgegebenes Aktienkapital; **overissue** ~ übermittierte [ungültige] Aktie; **paid-up** ~ voll bezahlte (voll eingezahlte) Aktie; **par-value** ~ Nennwertaktie; **participating preferred** ~ mit besonderer zusätzlicher Devidendenberechtigung ausgestattete Vorzugsaktie; **partly-paid** ~ teilbezahlte Aktie, Teilzahlungsaktie; pawned ~s lombardierte Effekten; **permanent** ~ eiserner [Geld-, Waren]-bestand; **phantom** ~**s** nur buchmäßig gutgeschriebene Aktien; **pithead** ~**s** Haldenbestände; **potential** ~ Emissionsreserve; **preference** ~ *(Br.)* Prioritäts-, Vorzugsaktie; **preferred** ~ *(US)* Vorzugs-, Prioritätsaktie; **callable preferred** ~**s** kündbare Vorzugsaktien; **cumulative preferred** ~ zusätzliche Vorzugsaktie; **premium** ~ zu einem Agio abgegebene Aktie; **prior** ~ Vorzugsaktie; **prior preference** ~ Sondervorzugsaktie; **profit-sharing** ~ gewinnberechtigte Aktie; **public** ~**s** Staatsobligationen; **high-quality** ~ erstklassige Papiere; **quarter-**~ *(US)* Fünfundzwangzigdollaraktie; **railroad** ~ *(US)* **(railway,** *Br.)* ~**s** Eisenbahnaktien, -werte; **raw** ~ *(insurance business)* Zustand vor der Verarbeitung; **real** ~ Istbestand; **registered** ~ *(Br.)* Namenspapier, *(US)* auf den Namen eingetragene Aktie, Namensaktie; **replenishing** ~ Ergänzungslager; **reserve** ~ Reservelager; **restricted** ~**s** *(US)* nur an private Abnehmer verkäufliche Aktien; **rolling** ~ [Eisenbahn]betriebsmaterial, rollendes Material, Wagenpark; **salable** ~**s** gangbare Werte; **sound** ~**s** sichere Werte; **special** ~**s** *(US)* Spezialwerte; -papiere, Favoriten; **steel** ~**s** *(US)* Stahl-, Montanaktien; **summer** ~ Sommerlager; **surplus** ~ Inventarüberschuß, überschüssige Vorräte; **total** ~ Gesamtkapital; **treasury** ~ *(US)* eigene Aktien, Portefeuille eigener Aktien; **trustee** ~**s** *(US)* mündelsichere Anlagepapiere (Aktien); **unclaimed** ~ herrenlose Aktie; **unissued** ~ *(US)* genehmigtes, noch nicht ausgegebenes Kapital; **unrestricted** ~**s** *(US)* jederzeit verkäufliche Aktien; **unlisted** ~ *(US)* an der Börse nicht notierte (eingeführte) Aktien; **voted** ~ stimmberechtigte Aktien; **voting** ~ *(US)* stimmberechtigtes Aktienkapital; **voting-pool**

~ beschränkt stimmberechtigter Kapitalanteil; **wag(g)on** ~ Wagenbestand; **~s wanted** verlangte Werte; **watered** ~ verwässertes Aktienkapital; **well-assorted (-selected)** ~ wohlassortiertes (wohlversehenes) Lager; **winter** ~ Winterlager; **wholesale** ~ Großhandelslager;
~s and shares Aktien und Obligationen;
~ **preferred as to assets** Aktie mit bevorzugter Liquidationsberechtigung; ~ **in bank** Bankguthaben; ~ **of bills of exchange** Wechselbestand; ~ **on commission** Kommissionslager; ~ **of books** Büchervorrat; ~ **preferred as to dividends** Aktie mit Dividendenvorzugsberechtigung; ~ **quoted on the stock exchange** kursfähiges Wertpapier; ~ **of food** Lebensmittelvorräte; ~ **of gold** Goldvorrat; ~ **of goods** Warenlager; ~ **of finished goods** Fertigwarenlager; ~ **in (on) hand** Vorrat auf Lager, Lagerbestand, Warenbestand, -vorrat; **total** ~ **on hand** Gesamtbestand; **good** ~ **of information** gute Nachrichtenquelle; **~s and inventory** Lager und Lagerbestand; ~ **of labo(u)r** Arbeitsvorrat; ~ **of a manufactory** gesamter Apparat einer Fabrik; ~ **in the market** Marktvorrat; ~ **of merchandise** Warenvorrat; ~ **of money** *(US)* gesamter Geldbestand [eines Landes]; ~ **negotiable on the stock exchange** börsengängige Aktie; ~ **in process** in der Verarbeitung befindliches Material; ~ **of provisions** Vorratslager; ~ **of raw materials** Rohstofflager; ~ **of regular readers** Leserstamm; **~s in reserve** Effektenreserven; ~ **of spare parts** Ersatzteillager; **~s and stones** unbelebte Dinge; **~s in till** *(bank)* Kassenbestand; ~ **in trade** *(capital)* Betriebsmaterial, -mittel, -vorrat, -kapital, *(goods)* Warenbestand, -vorrat, Handelsvorrat, *(tools)* Arbeitsmaterial, Werkzeug; **~s held in treasury** Aktien in Eigenbesitz, Portefeuille eigener Aktien; ~ *(v.)* auf Lager nehmen, *(have in stock)* Waren auf Lager halten (führen), Vorrat besitzen, *(provide with a stock)* mit einem Lager ausstatten, versorgen, ausrüsten, beliefern, *(store)* aufspeichern, sammeln;
~ **an article** auf Lager haben, Ware führen; ~ **varied goods** alle Arten von Waren (verschiedenste Warengattungen) führen; ~ **a shop with goods** Ladengeschäft assortieren; **not** ~ **outsizes** keine Übergrößen führen; ~ **a warehouse with goods** Kaufhaus mit Waren versehen; ~ **with provisions** mit Lebensmitteln versehen; ~ **up** sich eindecken (einen Vorrat zulegen), Lager auffüllen, bevorraten; ~ **up for the holiday trade** sich vorratsmäßig auf die Touristenzeit einstellen; ~ **up for the winter** sich mit Vorräten für den Winter eindecken;
to be in ~ vorrätig (auf Lager) sein, *(cash)* bei Kasse sein, Geld haben; **to be long of** ~ *(US)* mit Aktien eingedeckt sein, *(Br.)* mit Wertpapieren eingedeckt sein; **to be out of** ~ nicht auf Lager haben, nicht vorrätig (vergriffen) sein; **to be short of** ~ *(US)* Aktien gefixt haben; **to boom a** ~ Preise (Kurse) hinauftreiben; **to borrow** ~ *(stock exchange, US)* Aktien hereinnehmen (in Prolongation nehmen); **to breed** ~ Viehzucht betreiben; **to build up a** ~ Vorräte anlegen; **to buy the whole** ~ **of a business** Geschäft in Bausch und Bogen kaufen; **to carry** ~ *(stock exchange, US)* Aktien hereinnehmen (in Prolongation nehmen); **to carry in** ~ auf Lager (vorrätig) haben; **to carry heavy** ~ umfangreiche Lagervorräte haben; **to clear off old** ~ Lager räumen; **to come of good** ~ aus einer guten Familie stammen; **to dabble in the ~s** an der Börse spekulieren; **to draw on ~s** auf Lagerbestände zurückgreifen, Vorräte angreifen; **to exercise the right to subscribe to [acquire] new** ~ *(US)* Bezugsrecht auf junge Aktien ausüben; **to get in ~s of coal and coke for the winter** sich mit Heizmaterial für den Winter eindecken; **to give on** ~ *(Br.)* in Prolongation geben, hineingeben; **to have in (on, *US*)** ~ auf Lager (vorrätig) haben; **to have an average of six weeks' ~s in hand** über Vorräte für durchschnittlich sechs Wochen verfügen; **to have all one's fortune in ~s** sein ganzes Vermögen in Aktien angelegt haben; **to have goods in** ~ Waren führen; **to have £ 10 000 in the ~s** 10 000 Pfund in Obligationen angelegt haben; **to have a good** ~ **of wine** gute Weinbestände haben; **to have a great** ~ **of information** sehr gut informiert sein; **to have one's money in the ~s** *(Br.)* sein Geld in Staatspapieren angelegt haben; **to hold** ~ *(US)* Aktien besitzen, Aktionär sein; **to invest one's money in a safe** ~ sein Geld in mündelsicheren Papieren anlegen; **to keep in** ~ auf Lager haben, in Vorrat halten; **to keep an article in** ~ Artikel führen; **to lay in** ~ assortieren; **to lay in a** ~ **of s. th.** sich mit etw. eindecken; **to lay in fresh ~s** Neuanschaffungen machen (vornehmen); **to lay in a** ~ **of provisions** sich mit einem Lebensmittelvorrat eindecken; **to lay a ship on the ~s** Schiff auf Kiel legen; **to make for** ~ auf Vorrat produzieren, lagermäßig herstellen; **to make further payment on ~s** Nachschußzahlungen leisten; **to own** ~ **in a paper** an einer Zeitung finanziell beteiligt sein; **to pay a call on** ~ Einzahlung auf Aktien leisten; **to put on the ~s** in Arbeit nehmen; **to put goods in** ~ Waren auf Lager nehmen; **to raise** ~ *(US)* Viehzucht betreiben; **to refill the** ~ Lager wieder auffüllen, Lagerbestand ergänzen; **to renew one's** ~ sein Lager auffrischen; **to replace the** ~ Lager wieder auffüllen, Lagerbestand ergänzen; **to run down ~s** Lager abbauen; **to send the** ~ **skyward** *(US)* Aktienkurse raketenartig hochtreiben; **to set a low value on a** ~ *(US)* Aktie (Aktienwert) niedrig ansetzen; **to slaughter ~s** Bestände verschleudern; **to spring from humble** ~ aus kleinen Verhältnissen stammen; **to subscribe to (for) new** ~ *(US)*

junge Aktien beziehen; **to take ~** Inventar (Lagerbestand) aufnehmen, Inventur machen, inventarisieren, *(fig.)* Bestandsaufnahme machen, sich Rechenschaft ablegen; **take ~ of s. o.** j. in Augenschein nehmen; **to take no ~ of s. th.** von etw. keine Notiz nehmen; **to take in ~** Anteile nehmen; beteiligt sein an, *(Br., stock exchange)* in Prolongation nehmen, hereinnehmen; **to take in ~ for a borrower** *(US)* Aktien hereinnehmen; **to take delivery of ~** *(US)* Aktien in Zahlung nehmen; **to take ~ of a situation** sich über eine Lage klar werden; **to take in ~ without charging contango** Effekten glatt hereinnehmen; **to take up ~** *(US)* Aktien beziehen, gekaufte Aktien bezahlen; **to water the ~** *(US)* Aktienkapital verwässern; **to withdraw from the ~** Bestand nicht mehr ergänzen; **to work on ~** auf Lager (Vorrat) arbeiten, lagermäßig herstellen;

~ *(a.) (commonplace)* abgedroschen, platt, banal, *(employed in handling stock)* mit der Lagerhaltung beauftragt, *(ready for sale)* vorrätig, auf Lager, *(stereotyped)* oft verwendet, stereotyp, stehend;

~ **account** *(capital, Br.)* Kapitalkonto, -rechnung, *(goods)* Lager-, Waren[bestands]konto, *(securities)* Effektenrechnung, -konto, Stückekonto; ~ **accounting** Lagerbuchhaltung; ~ **accumulation** Lagerauffüllung; ~ **actor** zum ständigen Ensemble gehörender Schauspieler; ~ **adventure** *(Br.)* Aktien-, Fonds-, Effektenspekulation; ~**adventurer** *(Br.)* Aktien-, Fonds-, Effektenspekulant; ~ **agency** Effektenkommission; ~ **allotment warrant** *(US)* Aktienbezugsschein; ~ **analyst** Effektenberater; ~ **answer** stereotype Antwort; ~ **appeal** *(US)* Aktienanreiz; ~ **appreciation** Kapitalwerterhöhung; ~ **arbitration (arbitrage)** *(Br.)* Effektenarbitrage, *(committee)* Börsenschiedsgericht; ~ **argument** übliches Argument; ~ **articles** Serienware, stets vorrätige Artikel, Lagerartikel, -ware; ~ **assessment** *(US)* Zuzahlung auf Aktien; ~ **availability** Lagerfähigkeit, -disponibilität; ~ **beer** Lagerbier; ~ **assessment** *(US)* Nachschußzahlung; ~ **association** *(US)* Aktiengesellschaft; ~ **bill** *(US)* bei Aktienauslieferung zahlbarer Wechsel; **to sell a ~ block to an acquisitive conglomerate** *(US)* Aktien en bloc an einen marktaufkaufenden Konzern veräußern; ~ **book** *(shares, US)* Hauptbuch der Aktionäre, Aktienbuch, *(Br.)* Effektenbuch, *(store)* Bestands-, Inventar-, Lagerbuch, Warenverzeichnis; ~ **boom** Effektenhausse; ~ **boy** Lagerbursche; -arbeiter; ~ **bubbling** *(US)* Aktienschwindel; ~ **building** Lagerbildung, -aufbau; ~ **business** Effektenverkehr, -geschäft, Börsengeschäft, *(US)* Aktiengeschäft; ~ **capital** Grund-, Stammkapital; ~ **car** Serienwagen, -modell; ~ **card** Inventarkarte; ~ **carrier** Viehtransporteur; ~ **certificate** *(Br.)* Kapitalanteilschein, *(Br.)* Aktienzertifikat, -mantel, Sammelurkunde; **punch-card ~ certificate** *(US)* gelochtes Aktienzertifikat; ~ **certificate to bearer** Inhaberaktie; **to split ~ certificates** *(US)* Aktien unterteilen; ~ **check** Bestandsaufnahme; ≗ **Clearing Corporation** *(US)* New Yorker Effektenabrechnungsstelle; ~ **clerk** Lagerverwalter; ~ **company** Wanderbühne, *(actors)* ständiges Ensemble, *(corporation, US)* Aktiengesellschaft; ~ **accepting and negotiating company** Effektenübernahmegesellschaft; ~ **comparison** üblicher Vergleich.

stock control Lagerkontrolle, -überwachung, *(capital, US)* Kapitalkontrolle;

~ **clerk** Lagerverwalter, -kontrollführer; ~ **register** Lagerkontrollverzeichnis.

stock | corporation *(US)* Kapital-, Aktiengesellschaft; ~ **customer** Börsenbesucher; ~ **cut** *(advertising)* Lagerklischee; ~ **dealer** *(US)* Viehhändler; ~ **department** *(bank, Br.)* Wertpapierabteilung; ~ **deposit** *(Br.)* Wertpapierdepot; ~ **discount** Agio; ~ **dividend** *(US)* Berichtigungs-, Gratisaktie; **to declare a ~ dividend** *(US)* Ausgabe von Gratisaktien beschließen; ~ **evaluation** Bewertung des Lagerbestandes.

stock exchange [Wertpapier]börse, Effekten-, Aktien-, Fondsbörse, Fondsmarkt;

listed on the ~ *(US)* börsengängig, -fähig;

depressed ~ gedrückte Börse;

to admit for quotations on the ~ zur Börsennotierung zulassen; **to be dealt in on the ~** an der Börse gehandelt werden; **to be on the ~** an der Börse (Börsenmitglied) sein; **to list on the ~** *(US)* an der Börse einführen (notieren); **to meet with losses on the ~** Verluste an der Börse erleiden.

stock-exchange | abbreviation Börsenabkürzung; ~ **account** Börsenbericht; ~ **agent** Börsenvertreter; ~ **bank** *(US)* Effektenbank; ~ **broker** Börsen-, Effekten-, Fondsmakler; ~ **business** Effektenhandel, -geschäft, Börsengeschäft; ~ **circles** Börsenkreis; ~ **clearinghouse** Effektenabrechnungsstelle, -liquidationsbüro; ~ **collateral** *(US)* Sicherheit in Form von an der New Yorker Börse gehandelten Effekten; ~ **commission** Effektenprovision; ~ **committee** *(Br.)* Börsenausschuß, -vorstand; ~ **contract** Börsengeschäft in Effekten; ~ **custom** Börsenusance, -gebrauch; ~ **customer** Börsenbesucher; ~ **dealings** Börsengeschäfte; ~ **expression** Börsenausdruck; ~ **holiday** *(Br.)* Börsenfeiertag; ~ **intelligence** *(Br.)* Börsennachrichten; ~ **introduction** *(Br.)* Börseneinführung; ~ **list** *(Br.)* Börsen-, Kurszettel, Kursblatt; **to remove shares from the ~ list** Aktien von der Notierung absetzen; ~**-listed company** an der Börse notierte Aktiengesellschaft; ~ **loan** kurzfristiges Maklerdarlehen (Börsengeld), Tagesgeld; ~ **manœuvre** Börsenmanöver; ~ **name** Börsenname [eines Wertpapiers]; ~ **news** Börsen-,

Fondsbericht, Börsennachrichten; ~ **operations** Effektengeschäfte, -handel, Börsengeschäfte; ~ **operator** Agioteur, Börsenhändler, Börsianer; ~ **order** Börsenorder, -auftrag; ~ **parlance** Börsensprache; ~ **price** Börsenkurs; ~ **quotation** Börsenkurs, -notierung; ~ **regulations** Börsenordnung; ~ **seat** Börsensitz, -mitgliedschaft; ~ **securities** börsengängige Wertpapiere, Börsenwerte; ~ **settlement** *(Br.)* Liquidation [an der Londoner Börse]; ~ **slang** Börsensprache; ~ **tax** Börsenumsatzsteuer; ~ **terminology** Börsensprache; ~ **transactions** Börsenabschlüsse, Effekten[kommissions]geschäfte; ~ **value** Börsenwert; ~ **venturer** Börsenschwindler.

stock | girl Lagerarbeiterin; ~ **growth** Lagerwachstum; ~ **indicator** Börsentelegraf; ~ **insurance corporation** *(US)* Versicherungsgesellschaft ohne Gewinnbeteiligung; ~ **investment** Lagervorrat, *(capital stock)* Kapitalanlage; ~ **issue** *(US)* Aktienausgabe, -emission; ~ **juggling** *(US)* Kursbeeinflussung, -treiberei; ~ **issue** *(US)* Aktienausgabe; ~ **ledger** *(inventory)* Inventarbuch, *(shares, US)* Aktienregister, Aktionärsverzeichnis; ~ **-ledger account** Lagerbuchkonto; ~ **list** *(US)* [Aktien]kurszettel; ~ **loan** Effektenlombard; ~ **loss** *(insurance)* Katastrophenschaden; ~ **manipulation** *(US)* Aktienmanipulierung.

stock market Effekten-, Wertpapierbörse, Aktien-, Börsen-, Effektenmarkt, [Fonds]börse, *(quotations)* Börsenkurse;

dull ~ Börsenflaute, Börsenkurse;

to play the ~ auf dem Aktienmarkt spekulieren; **to remain shy of the** ~ sich von der Börse fernhalten;

~ **boom** Aktienhausse; ~ **crash** Börsenzusammenbruch, Zusammenbruch des Aktienmarktes; ~ **credit** Lombardkredit; ~ **decline** Rückgang der Börsenkurse; ~ **favo(u)rite** Kursfavorit; ~ **gain** Börsengewinn; ~ **level** Effektenkursniveau; ~ **literature** Börsenliteratur; ~ **loss** Börsenverlust; ~ **observer** Marktkenner, Börsenfachmann; ~ **parlance** Börsenterminologie; ~ **prediction** Voraussage der Börsenentwicklung; ~ **report** *(US)* Kursblatt; ~ **rise** Anstieg der Aktienkurse; ~**sentiment** Börsenstimmung; ~ **setback** Kursrückschlag; ~ **situation** Börsenlage, Lage am Effektenmarkt; ~ **slide** Absinken der Aktienkurse; ~ **slump** Kurseinbruch; ~ **speculation** Aktien-, Effektenspekulation; ~ **trading** Effektenverkehr; ~ **trend** Börsen-, Aktienmarktentwicklung.

stock | model *(car)* Serienmodell, Normaltyp, Standardfabrikat; ~ **note** *(US)* durch Lombardierung von Wertpapieren gesicherter Schuldschein; ~ **office** Effektenabteilung; ~ **option** *(US)* Aktienbezugsrecht [für Betriebsangehörige]; ~ **order** Lagerauftrag; ~ **peak** Lagerhöchststand; **phantom** ~ **plan** *(US)* zur zu Verrechnungszwecken vorgenommene Aktiengutschrift; ~**-option plan** *(US)* Aktienbezugsrechtswesen; ~ **portfolio** *(US)* Aktienportefeuille; ~ **position** Vorratslage; ~ **post** *(US)* Maklerstand; ~ **power** *(US)* [unwiderruflich erteilte] Effektenverkaufsbefugnis, -vollmacht, Börsenvollmacht; ~ **premium** *(US)* Aktienagio; ~ **price** *(US)* Aktienkurs, -preis; ~**-price average** *(US)* Effekten-, Börsenindex; ~ **printer** Börsentelegraf; **[selective]** ~ **purchases** *(US)* [selektive] Aktienkäufe; ~**-purchase plan** *(US)* Belegschaftsaktiensystem; ~**-purchase warrant** *(US)* Options-, Bezugsberechtigungsschein für den Bezug von Aktien; ~ **purse** Gemeinschaftskasse, gemeinsamer Fonds; ~ **quotation** *(US)* Aktiennotierung; ~ **rate** Prämiensatz einer nicht gewinnberechtigten Lebensversicherungspolice; ~ **rebate** Lagerrabatt; ~ **receipt** *(US)* Buchungsbescheinigung über Aktienverkauf, *(Br.)* Effektenquittung; ~ **record** Aktionärsverzeichnis, Aktienregister, *(stores ledger)* Lagerkartei; ~**-record division** Lagerbuchhaltung; ~ **reduction** Lagerabbau; ~ **register** Gesellschafter-, Aktienverzeichnis, Aktienregister, *(mutual fund)* Anteilsregister, *(store)* Inventarverzeichnis; ~ **registrar** *(US)* Überwachungsstelle für die Ausgabe von Aktien; ~ **repurchase** *(US)* Aktienrückkauf; ~ **requirements** Lagerbedarf; ~ **requisition** Entnahmeschein; ~ **requisitions** Lageranforderungen; ~ **right** *(US)* [Aktien]bezugsrecht; ~ **robbery** *(US)* Aktienschwindel; ~ **room** Vorrats-, Lagerraum, Warenlager, *(hotel)* Ausstellungsraum; ~ **[room] clerk** Lagerverwalter; ~ **savings bank** *(US)* Sparkasse nach Art einer Aktiengesellschaft; ~ **scrip** *(US)* Berechtigungsschein für den Bezug von Aktien, Interimsaktie; ~ **selection** Lagerauswahl; ~ **share** Kapitalanteil; ~ **sheet** Bestands-, Lagerliste, Inventurblatt; ~ **shortage** Warenknappheit, *(capital stock)* Kapitalfehlbetrag; ~ **shots** Filmarchivmaterial; ~ **shrinkage** Lagerabnahme; **[coal]** ~**s situation** Kohlenvorratslage; ~ **size** lagergängige (stets vorrätige) Größe, Normal-, Standardgröße; ~ **subscription** *(US)* Aktienkapitalzeichnung; ~**-subscription record** *(US)* [Kapital]zeichnungsliste; ~**-subscription right** Aktienbezugsrecht; ~ **tag** Lagerpreiszettel; ~ **ticker** Börsentelegraf, -fernschreiber, Ticker; ~ **tip** *(US)* Aktien-, Börsentip; ~ **touting** *(US)* Werbung bei Aktienkunden; ~ **trade** Effektenhandel; ~ **trading without transfer** stückeloser Effektenverkehr; ~ **transaction** Börsengeschäft; ~ **transaction for third account** Börsenkommissionsgeschäft.

stock transfer *(Br.)* Wertpapier-, Aktienübertragung.

stock-transfer | agent *(US)* Transferagent für Aktien; ~ **tax** *(US)* Börsenumsatzsteuer.

stock | trend *(US)* Tendenz der Aktienkurse, Börsentendenz; **~-trial order** Lagerprobeauftrag, probeweise erteilter Lagerauftrag; **~ trust** *(US)* Dachgesellschaft; **~ turnover** Lagerumsatz, -umschlag; **~ usages** Börsenusancen; **~ value** *(US)* Aktienwert; **~ voucher** Bestandsbeleg; **~ warehouse** Warenlager; **~ warrant** *(US)* Aktienbezugsrechtsschein, *(Br.)* Aktienzertifikat; **~-allotment warrant** *(US)* Optionsschein; **~ watering** Kapitalverwässerung; **~ work** Lagerarbeit.

stockbroker Aktien-, Effekten-, Börsen-, Fonds-, Kurs-, Geldmakler, Effektenhändler;
outside ~ Freiverkehrsmakler.

stockbrokerage Aktien-, Börsen-, Effektenhandel.

stockbroking *(Br.)* Effektengeschäft, -transaktion, Börsenkommissionsgeschäft;
to take up ~ Makler werden;
~ transaction Effektentransaktion, -geschäft.

stocked geführt, auf Lager, vorrätig;
heavily ~ hinlänglich mit Vorräten versehen;
~ by all retailers durch den Einzelhandel zu beziehen;
~ goods Warenvorräte, -bestände.

stockholder *(US)* Aktionär, Effekten-, Aktieninhaber, *(Br.)* Effekten-, Fondsbesitzer, Anteilseigner, *(capitalist)* Kapitalist;
common ~ einfacher Aktionär; **controlling ~** Aktienmajoritätsbesitzer; **majority ~** Mehrheitsaktionär; **nonresident ~** auswärtiger Aktionär; **ordinary ~** Stammaktionär; **preferred ~** Vorzugsaktionär; **principal ~** Hauptaktionär;
~ of record im Hauptbuch eingetragener Aktionär, Inhaber von Namensaktien;
to give notice to ~s of a general meeting Aktionäre zu einer Generalversammlung einberufen;
~ action Aktionärsklage; **~ communications** Verbindung zu den Aktionären, Aktionärspflege; **~ correspondence** Aktionärskorrespondenz; **~'s derivative action** Aktionärsklage für die Gesellschaft; **~ discontent** Mißvergnügen der Aktionäre; **~ relations** Aktionärspflege; **~ suit** Aktionärsklage.

stockholders' | equity *(US)* Eigen-, Gesellschaftskapital; **~ ledger** *(US)* Hauptbuch der Aktionäre; **~ liability** *(US)* Einzahlungsverpflichtung des Aktionärs; **~ meeting** *(US)* Aktionär-, General-, Hauptversammlung; **~ representative action** *(US)* Klage auf Anfechtung von Hauptversammlungsbeschlüssen; **~ rights** *(US)* Aktionärsrechte.

stockholding *(US)* Aktien-, Effektenbesitz, [Aktien]beteiligungen;
~ elements Anlagepublikum; **~ interests in foreign banks at cost** *(balance sheet)* Aktien auswärtiger Banken zum Anschaffungspreis.

stocking in advance Vorratslagerung.

stockings *(savings)* Ersparnisse.

stockist *(Br.)* Fachgeschäft, -händler.

stockjobber *(Br.)* Börsenmann, -jobber, -spekulant, *(US)* Fondsmakler, Effektenhändler.

stockjobbery *(Br.)* Aktien-, Effektenspekulation, Börsenmanöver, -spekulation, -schwindel, Effekten-, Spekulationsgeschäfte, *(US)* Kurstreiberei, -beeinflussung.

stockjobbing *(Br.)* Aktien-, Effekten-, Spekulationsgeschäfte, Börsenspekulation, Agiotage, *(US)* Kursbeeinflussung, -treiberei.

stockkeeper Lagerhalter.

stockkeeping Lagerhaltung.

stockowner *(US)* Aktien-, Effektenbesitzer.

stockpile Vorrat, Reserve, [Vorrats]lager, Waren-, Lagerbestand;
surplus ~s Lagerüberschüsse;
~ *(v.)* horten, Vorrat anlegen, aufstapeln; **to cut back drastically on the ~s** drastischen Lagerabbau durchführen; **to sit on ~s** im Lager (auf Lagervorräten) festsitzen.

stockpiling Lager-, Vorratswirtschaft, -bildung, Einlagerung, Lageraufstockungen;
to step up one's ~ pace Tempo der Lageranreicherung beschleunigen; **~ purchase** Vorratskäufe; **~ target** Lagerplanziel.

stocktaking Aufnehmen der Bestände, Lager-, Bestands-, Inventur[aufnahme];
actual ~ tatsächliche Bestandsaufnahme; **annual ~** Jahresinventur; **departmental ~** Teilinventur; **final ~** Schlußinventur; **physical ~** tatsächliche Inventuraufnahme;
~ sale Inventurausverkauf.

stony-broke *(sl.)* pleite, abgebrannt.

stop *(Blockade)* Sperrung, Sperre, *(for check)* Sperre, Sperrauftrag, *(inn)* Absteigequartier, Gasthaus, *(ship)* Anlegestelle, *(stop order)* limitierter Börsenauftrag, *(station)* Haltepunkt, -stelle, Station;
bus ~ [Omni]bushaltestelle; **conditional ~** Bedarfshaltestelle; **price ~** Preisstopp; **wage ~** Lohnstopp;
~ *(v.)* *(check)* sperren, *(close down)* stillegen, beend[ig]en, *(issues ~ order)* Zahlungsverbot erwirken, *(stock exchange)* limitierten Börsenauftrag geben, *(traffic)* abstoppen, anhalten, *(train)* halten;
~ an account Konto sperren; **~ s. one's allowance** jem. den Unterhaltszuschuß streichen (wegnehmen); **~ bankruptcy proceedings** Konkursverfahren einstellen; **~ bankruptcy proceedings for lack of assets** Konkursverfahren mangels Masse einstellen; **~ a bill** Wechsel sperren; **~ bonds** Wertpapiere mit Sperre belegen; **~ business** Betrieb einstellen; **~ a car** Auto anhalten; **~ a case** Prozeß aussetzen; **~ a check** *(US)* **(cheque,** *Br.*) Scheck sperren; **~ the cost of s. th. out of s. one's wages** jem. die entstandenen Kosten vom Lohn abhalten (abziehen); **~ a factory** Betrieb stillegen; **~ at an inn** in einem Gasthaus einkehren (absteigen); **~ s. o. in mid-career** j. in seiner Karriere behin-

dern; ~ **a neighbo(u)r's light** dem Nachbarn die Aussicht verbauen; ~ **off** *(US)* kurzen Aufenthalt einlegen; ~ **payment** Zahlung sistieren, Auszahlung sperren, *(declare o. s. insolvent)* Zahlungen einstellen; ~ **payment of a check** *(US)* **(cheque,** *Br.)* Scheck sperren lassen; ~ **at a port** Hafen anlaufen; ~ **by request** bei Bedarf anhalten; ~ **selling** Verkauf einstellen; ~ **supplies** Lieferung einstellen; ~ **wages** Lohn einbehalten; ~ **so much out of s. one's wages** bestimmten Lohnanteil von jem. einbehalten; ~ **work** Arbeit aussetzen, in Streik treten;
to be at a ~ *(business)* darniederliegen; **to come to a dead** ~ im Verkehr steckenbleiben; **to go with only three** ~**s** *(train)* nur dreimal halten; **to pull out all the** ~**s to save s. o.** j. mit allen Mitteln zu retten versuchen; **to put a** ~ **to** beenden, einstellen; **to put a** ~ **to expenses** Unkosten abbremsen, Spesenaufwand begrenzen; **to put a** ~ **upon s. th.** etw. beschlagnahmen; **to run without a** ~ *(train)* durchfahren;
~ **card** *(checks)* Sperrliste; ~ **list** *(trade association)* schwarze Liste, Boykottliste; ~**-loss** zur Vermeidung weiterer Verluste bestimmt; ~**-loss order** limitierter [Börsen]auftrag; ~**-loss premium** Sonderprämie; ~ **motion** *(photo)* Zeitraffer; ~**-off tariff** besondere Speditionsgebühr bei abgeändertem Frachtziel; ~ **order** Verkaufsstopp, *(account book)* Anweisung der Kontosperrung, *(check)* Schecksperre, *(stock exchange, US)* limitierter Börsenauftrag; **to issue a** ~ **order against s. o.** Zahlungsverbot gegen j. erwirken; ~**-payment** Stornierung eines Zahlungsauftrags, Zahlungssperre; ~**-payment order** Schecksperre; ~**-and-go policy** antizyklische Steuerung der Konjunktur durch Staat und Notenbank; ~ **press** *(Br.)* [Spalte für] nach Redaktionsschluß einlaufende Nachrichten; ~**-press news** *(Br.)* letzte (neueste) Nachrichten; ~ **price** gestoppter Preis, Stopppreis; ~ **sign** Haltezeichen; ~ **street** Stopp-, Haltestraße; ~**-transfer order** *(US)* Auftrag zur Sperrung einer Aktie.

stopgap Notbehelf, Lückenbüßer, Aushilfe;
~ **advertisement (advertising)** Füllanzeige, Füller.

stopover *(US)* Fahrtunterbrechung; *(plane)* Zwischenlandung, Flugunterbrechung;
~ **place** Zwischenlandestelle; ~ **ticket** Rundreisefahrkarte.

stoppage Anhalten, Unterbrechung, *(civil law)* Aufrechnung, *(closing down)* [Betriebs]stillegung, *(deduction of salary)* Gehaltsabzug, *(stopping payment)* Zahlungseinstellung, *(stopping work)* Arbeitseinstellung, *(traffic jam)* Betriebsstörung, Verkehrsstockung, *(wages)* Gehalts-, Lohnabzug;
~ **of business** Flaute, Stillstand der Geschäfte; ~ **of credit** Kreditsperre, -entziehung; ~ **of leave** Urlaubssperre; ~ **of pay** Einbehaltung des Lohns, Lohneinbehaltung; ~ **of payment[s]** Zahlungseinstellung; ~ **at source** *(taxation)* Quellenbesteuerung; ~ **of trade** Handelsstokkung, -sperre, -verbot; ~ **of traffic** Verkehrsunterbrechung, -stockung; ~ **in transit[u]** Ausübung des Zurückhaltungsrechts an unterwegs befindlichen Waren; ~ **of wages** Lohneinbehaltung; ~ **of work** Arbeitsunterbrechung, -einstellung;
to put under ~ mit Beschlag belegen.

stopper *(advertising)* Blickfang.

stopping Einstellung der Zahlung;
~ **a check** *(US)* **(cheque,** *Br.)* Sperrung eines Schecks, Schecksperre; ~ **time** Arbeitsschluß; ~ **train** Bummelzug.

storage *cost)* Lagergeld, -miete, -spesen, -zins, Speichergeld, Niederlagegebühren, *(el.)* Speicherung, *(space)* Lagerraum, *(storing)* [Ein]lagerung, Einlagern, [Auf]speicherung;
cold ~ Kühlhauslagerung; **commercial** ~ Warenlagerung;
~ **of cycles** Fahrradaufbewahrung; ~ **on hand** Menge der Waren auf Lager; ~ **in transit** Zwischenlagerung;
to put into cold ~ [Plan] auf Eis legen; **to put furniture in** ~ Möbel auf den Specher bringen; **to take a car out of** ~ Wagen wieder in Betrieb nehmen; **to take goods out of** ~ Waren sortieren;
~ **accommodation** Lagereinrichtungn, -vorrichtungen, Lagerungsmöglichkeit; ~ **agency** Lagervertretung; ~ **area** Lagerräume; ~ **battery** Akku[mulator], Sammler; ~ **building** Lagergebäude; ~ **business** Lagergeschäft; ~ **cabinet** Büroschrank mit Fächern; ~ **capacity** Lageraufnahme-, Lagerungsfähigkeit, Lagervermögen; ~ **charges (costs)** Lagerungsgebühren; -kosten; ~ **facilities** Lagermöglichkeiten, -einrichtungen; ~ **filing cabinet** Kombinations-, Akten- und Büroschrank; ~ **function** Lagerfunktion; ~ **goods** Lagerwaren; **cold-**~ **house** Kühlhaus; ~ **interest** Lagerzinsen; ~ **operation** Lagerbetrieb; ~ **rack** Regal, Gestell; ~ **rent** Lagermiete; ~ **room** Aufbewahrungs-, Lagerraum, *(ship)* Schiffspackraum; ~ **service** Lagerungsdienst, Lagerei; ~ **space** Lagerraum; ~ **tank** Reservetank; ~ **track** Abstellgleis; **cold-**~ **vessel** Gefrierschiff; ~ **warehouse** [Möbel]speicher; ~ **yard** Lagerhof.

store *(abundance)* Überfluß, Fülle, *(Br.)* Aufbewahrungsort, Lager[haus], Magazin, [Waren]-speicher, Depot, Niederlage, *(department store, Br.)* Kauf-, Warenhaus, *(shop, US)* Geschäft, Laden[geschäft], Handlung, *(supply)* [Waren]vorrat, Warenlager, -bestand;
ex ~ ab Lager; **for** ~ zum Aufbewahren; **in** ~ vorrätig, auf Lager;
~s Bestand, Materialvorrat, Vorräte, Proviant, *(mil.)* Ausrüstungsgegenstände, Magazin;
the ~**s** *(Br.)* Konsumverein;

appraiser's ~ *(US)* Zollspeicher; **army surplus** ~ Verkaufsstelle für ausrangiertes Heeresgut; **associated** ~ Verbandsgeschäft; **basement** ~ Laden im Parterre; **bonded** ~ Entrepot, Zollniederlage, -freilager; **branch** ~ Zweiggeschäft, Filiale; **candy** ~ *(US)* Süßwarengeschäft; **chain** ~ Kettenladen; **cigar** ~ *(US)* Zigarrengeschäft; **clothing** *(US)* ~ Kleidergeschäft; **company** ~ betriebseigenes Geschäft, Werks-, Betriebsladen; **contractor's** ~ Materiallager; **cooperative** ~ *(US)* Konsumgenossenschaft, -verein, Konsum; **corner** ~ Laden um die Ecke; **cut-price** ~ preisdrückendes Geschäft; **department** ~ *(Br.)* Kauf-, Warenhaus; **dry-goods** ~ *(US)* Tuchhandlung; **general** ~ Gemischtwarenhandlung, *(US)* Kauf-, Warenhaus; **departmental** ~ *(Br.)* Kauf-, Warenhaus; **general-order** ~ Zollniederlage; **grocery** ~ Gemüse[waren]laden; **hardware** ~ *(US)* Eisenwarenhandlung; **high-class service** ~ Geschäft mit erstklassiger Bedienung; **high-class specialty** ~ hochwertiges Spezial[artikel]geschäft; **independent** ~ selbständiges Einzelhandelsgeschäft; **inner-city** ~ im Stadtzentrum gelegenes Geschäft; **integrated** ~ *(US)* Kettenladen; **intermediate** ~ Zwischenlager für Halbfertigfabrikate; **jewelry** ~ *(US)* Juweliergeschäft; **liquor** ~ *(US)* Spirituosengeschäft; **marine** ~**s** Schiffsbedarf, -ausrüstung, Marinebedarf; **medium-sized** ~ Mittelbetrieb, mittelgroßes Geschäft; **military** ~**s** Depot, Magazin; **multiple** ~ Kettenladenunternehmen; **naval** ~**s** Marinedepot; **neighbo(u)rhood** ~ Laden in der Nachbarschaft; **one-price** ~ Einheitspreisgeschäft; **parent** ~ Hauptgeschäft; **principal** ~ Hauptniederlage; **public** ~ *(US)* öffentliches Zollager, öffentlicher Speicher; **retail** ~ Einzelhandelsgeschäft; **rough (raw-material)** ~ Rohstofflager; **single-line** ~ Sortimentsgeschäft; **single-line retail** ~ Einzelhandelsfachgeschäft; **specialty** ~ *(US)* Spezial[artikel]geschäft; **sporting goods** ~ *(US)* Sportartikelgeschäft; **utility-operated** ~ *(US)* betriebseigener Laden; **limited-price variety** ~ billiges Warenhaus, „Woolworth"; **variety chain** ~ Kaufhaus, -hof; **village** ~ Dorfladen; **war** ~**s** Kriegsvorräte;

~ **of energy** Energiereserve; **great** ~ **of knowledge** großes Wissen; ~ **of money** Geldreserve; ~ **for rent** vermieteter Laden; ~**s of natural resources** natürliches Vorratslager; ~ **of value** Wertspeicherung;

~ *(v.)* aufbewahren, [ein]lagern, auf Lager haben, aufs Lager bringen, *(hold)* fassen, *(supply)* verproviantieren;

~ **away** einlagern, auf Lager nehmen; ~ **furniture** Möbel ins Depot (auf den Speicher) geben (speichern); ~ **goods** Waren hinlegen; ~ **the harvest** Ernte einbringen; ~ **in** einlagern; ~ **one's mind with facts** seinen Kopf mit Tatsachenmaterial füllen; ~ **a ship with provisions** Schiff verproviantieren; ~ **frequently called phone numbers on tape** häufig gebrauchte Telefonnummern auf einem Band speichern; ~ **up** ansammeln, anhäufen, *(take in stock)* einlagern, auf Lager nehmen, aufspeichern, -stapeln, *(money)* thesaurieren;

to create a ~ Depot errichten; **to have in** ~ vorrätig haben; **to have in** ~ **for s. o.** für j. bereithalten; **to have s. th. in** ~ **with s. o.** bei jem. etw. eingelagert haben; **to have a good** ~ **of provisions in the house** ausreichende Vorräte im Haus haben; **to hold in** ~ auf Lager haben; **to keep in** ~ auf Lager (vorrätig) haben, lagern lassen; **to lay in** ~ Vorrat anlegen; **to lay in** ~ **for the winter** Wintervorräte anlegen (einlagern); **to put in** ~ einlagern; **to set little** ~ **by** einer Sache geringen Wert beimessen; **to take out of** ~ auslagern;

~ *(a.)* *(US)* im Laden gekauft;

~ **account** Lagerkonto; ~ **accounting** Lagerbuchführung; ~ **advertising** Geschäftsreklame; ~ **boat** Proviantboot; ~ **book** Lager-, Bestandsbuch; ~**-brand items** ladeneigene Erzeugnisse; ~ **building** Lagerhaus; ~ **buyer** Ladenkäufer, Kunde; ~ **card** *(US)* Reklamekärtchen [zur Beschreibung der Ware]; ~ **cellar** Lagerkeller; ~ **clerk** Lagerist, Lagerhalter; ~ **clothes** *(US)* Konfektionskleider; ~ **credit** kurzfristiger Kundenkredit; **marine** ~ **dealer** Schiffsartikelgeschäft; ~ **decoration** Ladendekoration, -ausstattung; ~ **department** Beschaffungsabteilung; ~ **detective** Ladendetektiv; ~ **display** Ladenauslage; ~**-door delivery,** ~**-door service** *(US)* Zustellung frei Haus, Hauszustellung; ~ **employee** *(US)* Ladenangestellter; ~ **equipment** Ladenausstattung, Geschäftseinrichtung, -ausrüstung; ~ **finance** Geschäftsfinanzen; ~ **furniture** *(US)* Speichermöbel; ~ **hire** Lagermiete; ~ **layout** *(US)* Ladenauslage; ~ **lease** *(US)* Ladenmiete; ~**s ledger** Lagerhauptbuch; ~ **ledger card** Lagerkarte; ~**s ledger clerk** Lagerbuchhalter; ~ **location** Geschäftslage; ~ **management** Geschäftsleitung, -führung; ~ **manager** Geschäftsführer, -leiter; ~ **mark** Lagermarke; ~ **number** Lagernummer; ~ **office** Proviantamt; **new** ~ **opening** Eröffnung eines neuen Ladens; ~ **operation** Geschäftsbetrieb; ~ **order** Lieferauftrag [für eigene Waren an Angestellte]; ~ **organization** Geschäftsorganisation; ~ **owner** *(US)* Ladenbesitzer, Geschäfts-, Ladeninhaber; ~ **paper** Werkzeitung; ~ **pay** *(US)* Bezahlung in Waren; ~ **property** *(US)* Laden-, Geschäftsgrundstück; ~ **rent** Laden-, Lagermiete; ~ **rental** *(US)* Ladenmiete; ~**s requisition** Lageranforderung; ~ **robbery** Ladenüberfall; ~ **sale** Ladenverkauf; ~ **shed** Lager-, Materialschuppen; ~ **show** Ladenausstellung; ~ **sign** *(US)* Reklamekärtchen [zur Beschreibung der Ware]; ~ **space** Laden-, Geschäftsraum; ~ **superintendent** Geschäftsaufsicht im Laden; ~ **supplies** Lagerbedürfnisse; ~ **visit** Ladenbesuch; ~ **warehouse** Lager-, Packhaus, Magazin; ~ **window** *(US)* Schaufenster; ~ **worker** Ladenarbeiter.

storefront Ladenfront;
~ **center** *(US)* **(centre,** *Br.)* Ladenstadt.

storehouse Lagerhaus, [Waren]niederlage, Magazin, Speicher, Warenlager.

storekeeper *(Br.)* Lagerhalter, -verwalter, -aufseher, *(shop, US)* Ladenbesitzer, Händler, Kaufmann.

storekeeping Lagerhaltung, Magazinverwaltung.

storeman Lageraufseher, *(worker)* Lagerarbeiter, Packer.

storeroom Vorrats-, Abstell-, Proviant-, Lagerraum;
~ **clerk** Lagerverwalter.

storey *(Br.)* Stockwerk, Etage.

storing [Ein]lagern, [Ein]lagerung, Lagerhaltung, Speicherung, *(provisioning)* Verproviantierung;
~ **in a warehouse** Lagerung unter Zollverschluß;
~ **business** Lagergeschäft; ~ **charges** Lagergebühren, -geld; ~ **conditions** Lagerbedingungen; ~ **expenses** Lagerspesen; ~ **facilities** Lagereinrichtungen; ~ **number** Lagernummer; ~ **place** Lagerplatz; ~ **time** Lagerzeit.

story *(account)* Darstellung, Bericht, *(advertising)* Quintessenz eines Werbetextes, *(newspaper report)* Zeitungsbericht, *(US)* Stockwerk, Etage; **attic** ~ Mansarde; **first** ~ erste *(US,* zweite) Etage;
~ **in the basement** hohes Kellergeschoß;
~ **board** Entwurfskizze einer Werbesendung;
~ **rights** Drehbuchrechte.

stow *(v.)* im Schiffsraum verstauen, packen;
~ **a wag(g)on** Waggon beladen.

stowage *(charges)* Stauerlohn, *(store room)* Laderaum, -tonnage, Nutzraum, *(stored goods)* aufgestaute Güter, *(stowing)* [Schiffs]verpackung, Verstauung, verstauen;
broken ~ Staulücken; **improper** ~ fehlerhafte Verstauung;
to shift the ~ umstauen;
~ **certificate** Stauattest; ~ **plan** Stauplan.

stowaway blinder Passagier, *(place where is stored)* Abstellraum.

stowdown verstaute Güter, Ladung.

straddle unentschlossene Haltung, *(US)* Gegentransaktion, Stellagegeschäft;
~ *(v.) (arbitrate)* Arbitrage treiben;
~ **the market** in einem Wertpapier auf Baisse und in einem anderen auf Hausse spekulieren.

straight *(account)* geordnet, in Ordnung, *(without discount, US)* ohne Mengenrabatt, mit festem Preis;
~ **from the horse's mouth** *(sl.)* aus erster Quelle;
~ *(v.)* **to be perfectly ~ in all one's dealings** sich immer äußerst korrekt verhalten; **to find the accounts** ~ Bücher in Ordnung befinden; **to go ~ from school into one's father's business** von der Schule aus sofort ins väterliche Geschäft eintreten;
~ **accounts** sorgfältig geführte Konten; ~ **bill of lading** *(US)* auf den Namen ausgestelltes Konnossement, nicht übertragbarer Ladeschein; ~ **commercial** *(broadcasting)* eingeblendete Werbedurchsage; ~ **commission** vorbehaltlose Provision; **~-commission arrangement** üblicher Provisionsvertrag; ~ **dealings** korrektes Geschäftsgebaren; ~ **income** Normaleinkommen; ~ **life insurance** *(US)* Versicherung auf den Todesfall; **~-line method of calculating depreciation** *(US)* Abschreibungsmethode nach Quoten, lineare Abschreibung, gleichmäßige Abschreibung vom Anschaffungswert; **~-line rate** *(US)* linearer Abschreibungssatz; ~ **loan** auf einmal in voller Höhe fälliges Darlehn; ~ **man of business** reeller Geschäftsmann; ~ **note** *(US)* Namenspapier; ~ **piece-rate plan** Stücklohnsystem; ~ **salary** festes Gehalt; **to vote the ~ ticket** *(US)* vorgeschriebene Kandidatenliste wählen; **~-time hourly earnings** Durchschnittsstundenlohn; **~-time pay** reiner Zeit-, Durchschnittslohn; ~ **tip** zuverlässige Auskunft.

straighten | *(v.)* **accounts** Rechnungen in Ordnung bringen.

strain Anstrengung, -spannung, Bemühung, Kraftaufwand, *(distortion)* forcierte Auslegung; ~ **of competition** Wettbewerbskampf;
~ **on credits** Kreditanspannung; **great ~ on s. one's resources** gewaltige Anspannung finanzieller Mittel;
~ *(v.)* **one's credit** seinen Kredit überschreiten;
~ **the meaning of a passage** Stelle in unberechtigter Weise auslegen; ~ **one's powers** seine Befugnisse überschreiten;
to be a ~ on s. one's resources j. finanziell sehr in Anspruch nehmen; **to place great ~s on the economy** Wirtschaft großen Belastungen aussetzen.

straitened, to be in ~ circumstances in bedrängten Verhältnissen leben.

straits Meerenge, *(fig.)* Verlegenheit, Klemme;
to be in low ~ sich in finanziellen Schwierigkeiten befinden.

stranglehold | of restrictions Verbotsmechanismus;
to keep a ~ on the money supply Geldversorgung im Würgegriff halten; **to loosen its ~ on the money supply** Geldhahn wieder aufdrehen.

strategic | goods Waren strategischer Bedeutung, kriegswichtige Güter; ~ **trade control** Kontrolle strategisch wichtiger Handelsgüter.

stratified sample nach Schichten spezifizierte Marktuntersuchung.

straw fingiert, unecht, *(politics)* inoffiziell;
~ **bail** wertlose Bürgschaft; ~ **bid** *(US)* Scheingebot; ~ **bidder** *(US)* Scheinbieter; wertloser

Verpflichtungsschein; ~ **vote** *(US)* Probeabstimmung.

stray herrenloses Gut;
~ **customer** gelegentlicher Kunde; ~ **taxi** vereinzeltes Taxi.

stream | of cars Autokette, lange Reihe von Autos; ~ **of dividends** Dividendenstrom; ~ **of goods** Güterstrom; ~ **of passengers** Fahrgastfluß; ~ **of traffic** Verkehrsstrom.

streamer Wimpel, *(advertising)* Streifenanzeige, Dachschild, *(newspaper)* Balkenüberschrift, -schlagzeile.

streamline *(v.)* modernen Verhältnissen anpassen, rationalisieren, modernisieren;
~ **one's sales representation** seine Verkaufsaktion neuesten Erkenntnissen des Verkaufens anpassen; ~ **a tax-collection system** Steuereintreibungsverfahren modernisieren.

streamlined | body Stromlinienkarosserie; ~ **control** hochmoderne Kontrollmethode.

street Straße, Gasse, *(stock exchange, Br.)* Nachbörse, nachbörsliches Geschäft, *(curb market)* Freiverkehr;
[done] in the ~ *(stock exchange, Br.)* nach Börsenschluß, nachbörslich; **in the open** ~ auf offener Straße; **on easy** ~ *(US)* in guten Verhältnissen;
the ~ *(stock exchange)* Hauptgeschäfts-, Börsenstraße, -viertel;
adopted ~ Kommunalstraße; **commercial** ~ Geschäftsstraße; **one-way** ~ Einbahnstraße; **residential** ~ Wohnstraße; **no-waiting** ~ Parkverbotsstraße;
~ **through which there is much traffic** verkehrsreiche Straße;
to live on a busy ~ in einer belebten Straße wohnen; **to put workers on the** ~ Arbeiter auf die Straße setzen; **to sell on the** ≗ *(Br.)* an der Nachbörse verkaufen, *(curb market)* im Freiverkehr verkaufen;
~ *(a.) (Br.)* nach Börsenschluß, nachbörslich, *(on the curb market)* im Freiverkehr;
~ **accident** [Straßen]verkehrsunfall; ~ **certificate** *(US)* formlos übertragene Aktie; ~ **collection** Straßensammlung; ~ **improvement bonds** *(US)* kommunale Schuldverschreibungen zur Finanzierung des Straßenbaues; ~ **industry** Hausierergewerbe; ~ **island** Verkehrsinsel; ~ **loan** *(US)* kurzfristiges Maklerdarlehen; ~ **market** *(Br.)* Freiverkehrsmarkt, Nachbörse; ~ **number** Hausnummer; ~ **prices** *(Br.)* nachbörsliche Kurse, *(curb market)* Freiverkehrskurse; ~ **sale** Straßenverkauf, -handel; ~ **seller (trader, vendor)** Straßenhändler; ~ **sign** Straßenschild; ~ **traffic** Straßenverkehr.

streetcar *(US)* Straßenbahnwagen;
~ **advertising** Straßenbahnreklame; ~ **strike** Straßenbahnstreik.

strength *(market)* feste Haltung, *(stock exchange)* Festigkeit;
competitive ~ Wettbewerbsfähigkeit; **economic** ~ Wirtschaftskraft; **selective** ~ *(stock exchange)* auf Spezialwerte beschränkte feste Haltung;
~ **in the market** Steigen der Kurse; ~ **of public opinion** Macht der öffentlichen Meinung; ~ **of the staff** Personalbestand;
to employ s. o. on the ~ **of s. one's recommendation** j. auf Grund einer Empfehlung einstellen; **to negotiate on the** ~ **of samples** auf Grund der Vorlage von Mustern verhandeln.

strengthening Verstärkung, Befestigung [der Kurse].

stress Anspannung, Beanspruchung, Belastung, Druck;
under the ~ **of circumstances** unter dem Druck der Verhältnisse; **under the** ~ **of poverty** in drückender Armut;
~ **of competition** Wettbewerbsdruck; Geldanspannung;
to be driven by the ~ **of circumstances** unter dem Druck der Verhältnisse stehen; ~ **disease** Managerkrankheit.

stretch Grundriß, Abriß, *(land)* Strich, Land, *(road)* Strecke;
~ **of authority** Vollmachtmißbrauch;
~ *(v.)* **one's credit** seinen Kredit überschreiten;
to be at full ~ *(factory)* voll beschäftigt (ausgelastet) sein;
~**-out** *(US)* Arbeitsintensivierung (Überstundenzeit) ohne Lohnerhöhung; ~ **-out of program(me)** Programmstreckung.

stretched, to be fully völlig ausgelastet sein.

stricken ship angeschlagenes Schiff.

strict streng, strikt, genau
~ **censorship** strenge Zensur; **in** ~ **confidence** streng vertraulich; ~ **construction** strenge Auslegung; ~ **cost price** scharf kalkulierter Herstellerpreis; ~ **liability** Gefährdungshaftung; ~ **time limit** Ausschlußfrist.

strike Streik, [Arbeits]ausstand, Arbeitseinstellung, -niederlegung, *(attack)* [Flieger]angriff, *(finding of oil)* Ölfund, *(politics, US sl.)* Erpressungsmanöver;
attack ~ Aggressionsstreik; **buyer's** ~ Käuferstreik; **civil** ~ bürgerlicher Streik; **contract** ~ aufgrund von Lohnverhandlungen entstandener Streik; **defence** ~ Defensivstreik; **flash** ~ wilder Streik; **general** ~ General-, Massenstreik, Massenarbeitsniederlegung; **go-slow** ~ Arbeitsverlangsamung, Dienst nach Vorschrift; **hunger** ~ Hungerstreik; **illegal** ~ von der Gewerkschaft nicht genehmigter Streik; **industry-wide** ~ Streik innerhalb eines ganzen Industriezweiges; **lightning** ~ Streik ohne vorherige Ankündigung, Blitzstreik; **local** ~ örtlicher Streik; **lucky** ~ *(US)* Glückstreffer; **negative** ~ Defensivstreik; **one-man** ~ Streik zur Wiedereinstellung eines entlassenen Arbeiters; **outlaw** ~ wilder Streik; **political** ~ aus politischen Gründen

begonnener Streik; **positive** ~ Angriffsstreik; **protest** ~ Proteststreik; **public-utility** ~ Streik der öffentlichen Versorgungsbetriebe; **quickie** ~ *US)* wilder Streik, Kurzstreik; **secondary** ~ mittelbarer Streik; **sectional** ~ Regionalstreik; **selective** ~ schwerpunktartig durchgeführter Streik; **sitdown** ~ Sitzstreik; **slowdown** ~ Streik durch Verlangsamung der Arbeit; **stay-down** ~ *(mining)* Sitzstreik; **stay-in** ~ *(Br.)* mehrtägiger Sitzstreik; **sympathetic** ~ Sympathiestreik; **token** ~ symbolischer Streik; **warning** ~ Warnstreik; **wildcat** ~ wilder Streik;

~s, riots and civil commotions Streik, Aufruhr und bürgerliche Unruhen; ~ **of bus drivers** Autobusfahrerstreik; ~ **in the coal mines** Bergarbeiterstreik; ~ **against bad working conditions** Streik wegen schlechter Arbeitsbedingungen; ~ **for higher pay** Streik für höhere Löhne; ~ **of stevedores** Hafenarbeiterstreik; ~ **of transport workers** Transportarbeiterstreik;

~ *(v.)* in einen Streik eintreten, streiken, *(cease working)* Feierabend machen, *(coin)* münzen, prägen, *(find oil)* auf ein Öllager stoßen;

~ **an average** Durchschnitt nehmen; ~ **a balance** bilanzieren, Bilanz ziehen, *(account)* Rechnung ausgleichen, Saldo ziehen; ~ **a bargain** Handel (Geschäft) [ab]schließen; ~ **on a nation-wide basis** einen das ganze Land erfassenden Streik durchführen; ~ **coins** Münzen schlagen; ~ **a committee** Ausschuß bilden (konstituieren); ~ **against bad working conditions** wegen schlechter Arbeitsbedingungen in den Streik treten; ~ **a dividend** Dividende ausschütten; ~ **a docket** *(bankruptcy proceeding)* Antrag auf Konkurseröffnung stellen; ~ **off entries** Eintragungen im Buch löschen; ~ **off an item** Posten streichen; ~ **on the job** durch Arbeitsverlangsamung streiken; ~ **a lead** *(fig.)* zu Geld kommen, Geldquelle entdecken; ~ **oil** *(US)* auf Öl stoßen, fündig werden, *(fig.) (US sl.)* Geld scheffeln, reich werden; ~ **off** *(auction)* zuschlagen, *(cancel an entry)* Eintragung löschen, *(pay a debt)* Schuld tilgen; ~ **off 2%** 2 Prozent abziehen, zweiprozentigen Abzug vornehmen; ~ **off the register** im Register löschen; ~ **out a new fashion** neue Mode aufbringen; ~ **out a new plan of finance** neuen Finanzierungsplan ersinnen; ~ **for higher pay** für höhere Löhne in den Streik treten; ~ **it rich** *(US)* reiche Geldquelle entdecken, gutes Geschäft machen, Geld scheffeln; ~ **s. o. off the roll** *(Br.)* j. in der Mitgliederliste löschen; ~ **a ship off the list** Schiff abwracken;

to bar a ~ Streik verbieten; **to be on** ~ streiken; **to call a** ~ Streik ausrufen; **to call off a** ~ Streik abbrechen;

~ **activity** Streiktätigkeit; ~ **aid** Streikbeihilfe; ~ **benefit** Streikunterstützung; **constitutional** ~ **actions** verfassungsmäßig erlaubte Streikmaßnahmen; ~ **benefits** Streikgelder; ~ **benefit money** Streikfonds; ~ **bill** *(US)* erpresserischer Gesetzesantrag; ~**-bound** vom Streik betroffen; **to be** ~**-bound for a week** eine Woche lang bestreikt werden; ~**-bound factory** bestreikte Fabrik; ~ **campaign** Streikaktion; ~ **cancellation** Streikbeendigung; ~ **clause** Streikklausel; **no-**~ **clause** Streikverbotsklausel; ~ **date** Streiktermin; ~ **deadline** Streikende, -beendigung; ~ **deterrent** Streikverhütungsmittel; ~ **director** Streikleiter; ~**-free labo(u)r** am Streik unbeteiligte Arbeitskräfte; ~ **fund** Streikfonds, -kasse; **to beef up the** ~ **fund** Streikfonds auffüllen; ~ **insurance** Streikversicherung; ~ **leader** Streikführer; ~**-like tactics** streikähnliche Maßnahmen; ~ **movement** Streikbewegung; ~ **notice** Streikankündigung; ~ **outlook** Streikaussichten; ~ **pact** Streikabkommen; ~ **pay** Streikgeld[er], -lohn; ~ **picket** Streikposten; ~ **plan** Streikplan; ~**-prone** streikanfällig; ~ **protection forces** Streikschutzkräfte; ~ **replacement** Ersatz für Streikausfälle; ~ **settlement** Abkommen zur Streikbeendigung, Streikvereinbarung; ~ **target** Streikziel; ~ **threat** Streikdrohung ~ **toll** Streiknachteile; ~ **vote** Abstimmung über einen Streik, Urabstimmung; ~**-vote meeting** Streikversammlung; ~ **year** Streikjahr.

strikebreaker Streikbrecher.

strikemonger Streikhetzer.

striking Streiken;

~ **a balance** Saldierung, Bilanzziehung; ~ **a docket** Beantragung des Konkursverfahrens.

string Bindfaden, Schnur, *(clause, US)* Geheimklausel;

no ~s attached ohne Klauseln, nicht verklausuliert; **without ~s** *(fam.)* pleite;

~ **of cars** Autokette, -strom;

~ **bag** Einkaufsnetz; ~ **development** Stadtrandsiedlung.

stringency Knappheit, *(argument)* zwingende Kraft, Schärfe, *(money market)* Gedrücktheit; **credit** ~ Kreditverknappung; **fiscal** ~ staatlich gesteuerte Geldverknappung; **foreign-exchange** ~ Devisenknappheit; **money** ~ Geldkrisis, -verknappung, Verknappung am Geldmarkt;

~ **of credit** Kreditverknappung, -knappheit; ~ **on the money market** Geldverknappung, -marktenge.

stringent *(clause)* bindend, *(law)* streng, *(market)* gedrückt, *(money)* knapp;

~ **stock market** angespannte Börse.

stringer *(newspaper)* freiberuflicher Mitarbeiter, freier Korrespondent.

strip Streifen, *(advertising)* Streifenanzeige;

flight ~ Notlandestreifen; **landing** ~ Start- und Landestreifen;

~ *(v.)* **a factory** Fabrik demontieren; ~ **a peg** Anzug von der Stange kaufen;

~ **lighting** Neonbeleuchtung.

stroke Strich, *(performance)* Errungenschaft, Leistung;
first ~ Vorschuß;
good ~ **of business** gutes Geschäft;
not to have done a ~ **of work** keinen Strich Arbeit getan haben.
stroll *(v.)* **around an exhibition** Ausstellung besichtigen.
strong stark, kräftig, *(stock exchange)* fest, widerstandsfähig;
~ **candidate** seriöser (aussichtsreicher) Kandidat; ~ **demand** lebhafte Nachfrage; **to be the** ~ **man in the organization** starker Mann in einem Verband sein; ~ **market** feste Börse.
strongbox Geldschrank, Stahlkassette, -fach, Tresorfach.
strongroom Panzergewölbe, *(bank)* Stahlkammer, Depot, [Bank]tresor.
struck balance *(Br.)* Zwischenbilanz.
structural unemployment strukturelle Arbeitslosigkeit.
structure Beschaffenheit, Aufbau, Struktur, Gefüge, *(building)* Gebäude, Bauwerk;
cost ~ Kostengefüge; **economic** ~ Wirtschaftssystem; **financial** ~ Kapitalstruktur; **market** ~ Marktgefüge; **monetary** ~ Geldgefüge;
~ **of business** Wirtschaftsstruktur; ~ **of distribution** Vertriebsstruktur; ~ **of an organization** Aufbau einer Organisation.
stub *(check book, US)* Kontrollabschnitt, Talon, *(railroad, US)* kurze Nebenstrecke, *(statement of account)* [anhängendes] Bestätigungsformular;
~ **card** perforierte Karte.
studio Studio, *(film, photo)* Aufnahmeraum, Atelier, *(television)* Fernsehstudio;
broadcasting ~ Senderaum;
~ **audience** Statistenpublikum; ~ **shot** Atelieraufnahme.
study Studie, sorgsame (wissenschaftliche) Untersuchung, *(room)* Arbeits-, Herren-, Studierzimmer, *(studying)* Studium, Studienfach, -zweig, -objekt;
market ~ Marktanalyse;
~ **of foreign trade** Außenhandelsanalyse; ~ **of productivity** Produktivitätsstudie, -untersuchung;
~ **economy** zu sparen versuchen; ~ **only one's own interests** nur sein eigenes Interesse im Auge haben, nur auf seinen Vorteil bedacht sein; ~ **the pros and cons** Für und Wider erwägen; **to make a** ~ **of a country's foreign trade** Außenhandel eines Landes untersuchen;
~ **commission** Arbeits-, Studienausschuß; ~ **group** Studiengruppe, Arbeitsausschuß, -gemeinschaft.
stuff *(article)* Ware, *(cash, coll.)* Bargeld, *(journalism)* Manuskript, Artikel, *(material)* Material;
household ~ Einrichtungsgegenstände;
to be short of ~ *(fam.)* kein Geld haben.
stumer *(cheque, Br. sl.)* ungedeckter Scheck, *(fabrication)* falsche Banknote.
stunt Glanz-, Bravourstück, *(advertising)* Reklameschlager, aufsehenerregender -trick;
advertising ~**s** Reklamemätzchen; **publicity** ~ Werbefeldzug.
style Art, Stil, Typ, *(firm)* Firma, Firmenname, -bezeichnung, *(mode)* Mode, Zuschnitt;
under the ~ **of** unter der Firma (dem Namen); **business** ~ Geschäftsstil; **fast-selling** ~ schnell verkäuflicher Modeartikel;
editorial ~ **of advertisement** redaktionell gestaltete Anzeige; ~ **of a business firm** Firmenname;
~ *(v.)* anreden, [be]nennen, betiteln, bezeichnen, *(US, boost)* Reklame machen für, anpreisen, dem Käufer schmackhaft machen, *(fashion)* nach der neusten Mode entwerfen, Mode kreieren;
to live in a ~ **beyond one's means** über seine Verhältnisse leben; **to trade under the** ~ firmieren unter;
~ **name** Fabrikations-, Geschäfts-, name; ~ **show** Modeschau; ~ **trend** Modewechsel.
styling industrielle Formgebung, *(car)* Karosseriebau, *(goods, US)* Warenanpreisung.
subagency Untervertretung, Spezialagentur.
subagent Untervertreter, -bevollmächtigter.
subassociation Unter-, Fachverband.
subbranch *(office)* Zweigstelle, *(organization)* Fachgruppe.
subcommittee Unterausschuß.
subcompany *(US)* Tochtergesellschaft.
subcontract Unter-, Nebenvertrag, Vertrag mit einem Zulieferanten;
~ *(v.)* Nebenvertrag abschließen, als Zulieferant übernehmen;
~ **work** Unterlieferantentätigkeit.
subcontracting, to carry out ~ **work** Arbeiten als Zulieferant ausführen.
subcontractor Zulieferant, Unterlieferant.
subitem *(agreement)* Nummer.
subject [Gesprächs]thema, Gesprächsgegenstand, -stoff, *(constitutional law)* Untertan, Landes-, Staatsangehöriger;
British [-born] ~ britischer Untertan durch Geburt;
~ **of the action** Prozeßgegenstand; ~ **of our negotiations** Gegenstand unserer Verhandlungen; ~ **of a tax** Steuerträger; ~ **for taxation** Steuersubjekt;
~ **to** vorbehaltlich, unterworfen;
~ **to alteration** Änderungen vorbehalten; ~ **to s. one's approval** genehmigungspflichtig; ~ **to change without notice** freibleibend; ~ **to commission** provisionspflichtig; ~ **to the control of the excise** der Zollkontrolle unterliegend; ~ **to the deposit of collateral security consisting of first stocks** *(US)* gegen Hinterlegung erstklassiger Aktien; ~ **to duty** zollpflichtig; ~ **to execu-**

tion der Zwangsvollstreckung unterliegend; ~ **to a fee** gebührenpflichtig; ~ **to licence** gewerbesteuerpflichtig; ~ **to modification** Änderungen vorbehalten; ~ **to rent** mietzinspflichtig; ~ **to reservation** unter Vorbehalt; ~ **to revision** verbesserungsfähig, vorbehaltlich Änderungen; ~ **to stamp duty** stempelsteuerpflichtig; ~ **to tax[ation]** steuerpflichtig; ~ **to the terms of the contract** vorbehaltlich der Vertragsbestimmungen;
be ~ to confirmation zustimmungsbedürftig sein; **be ~ to 4% discount** 4% Rabatt genießen; **to be a ~ of law** Rechtspersönlichkeit haben;
~ **catalog(ue)** systematischer Katalog, Schlagwörterkatalog ~ **entry** *(catalog(ue))* Stichworteintragung; ~ **filing** Ablage nach Sachgebieten, ~ **heading** Unterteilung in Sachgebiete, Sachgebietsaufteilung, -rubrik, Rubrik in einem Sachregister; ~ **index** Sachregister, -index, -katalog; ~ **matter** Stoff, behandelter Gegenstand, [Verhandlungs]gegenstand, *(performance)* Leistungsgegenstand; ~ **matter insured** versicherter Gegenstand, Versicherungsgegenstand; ~ **matter of invention** Gegenstand der Erfindung; ~ **matter of patent** patentfähiger Gegenstand; ~ **matter of sale** Verkaufsgegenstand; ~ **province** abhängige Provinz; ~ **reference** Sachverweis; ~ **section** *(school)* Fachgruppe.

subjoin *(v.)* **to the files** zu den Akten legen.

subjoined bei-, inliegend, beigefügt, bei-, eingeschlossen, in der Anlage.

sublease Unterpacht, -miete, -vermietung;
~ *(v.)* weiterverpachten, untervermieten;
~ **part of its production** Produktionsaufträge teilweise bei Fremdbetrieben unterbringen.

sublettee Untermieter.

subletter Untervermieter.

sublicence Unterlizenz.

subliminal | advertising unterschwellige Werbung.

submanager stellvertretender Direktor.

submarginal *(land)* nicht mehr rentabel, unrentabel.

subminimum rate untertariflicher Lohn.

submission *(to arbitration)* freiwillige Unterwerfung unter ein Schiedsgericht, Schiedsgerichtsvereinbarung, *(bidding)* Submission;
for ~ to zur Vorlage bei; **on ~** bei Einreichung;
~ **of account** Rechnungsvorlage; ~ **of an offer** Vorlage einer Offerte; ~ **of one's passport** Paßvorlage; ~ **of proof of identity** Identitätsnachweis;
~ **bond** Schiedsgerichtsverpflichtung.

submit *(to discretion)* anheimstellen, *(present)* vorlegen, einreichen, unterbreiten;
~ **for s. one's approval** jem. zur Genehmigung vorlegen; ~ **an application** Gesuch einreichen; ~ **an article to a newspaper** Zeitungsartikel einsenden; ~ **to conditions** auf Bedingungen eingehen; ~ **goods to a careful examination** Waren einer genauen Untersuchung unterwerfen; ~ **proofs of identity** Indentitätsnachweis führen; ~ **a railway to traffic** Eisenbahnlinie dem Verkehr übergeben; ~ **one's resignation** seine Entlassung einreichen; ~ **a statement of one's affairs** Liquidationsbilanz aufstellen; ~ **a tender** Offerte unterbreiten.

suboffice Zweig-, Außenstelle, *(bank)* Depositenkasse, Nebenstelle, *(post office)* Posthilfsstelle.

subordinate untergeordnet, *(of inferior importance)* nebensächlich, zweitrangig;
~ **interests** untergeordnete Interessen; ~ **partner** *(Br.)* nicht persönlich haftender Gesellschafter; ~ **position** untergeordnete Stellung.

subordinated, to be unterstellt sein; **to be ~ to a claim of the Inland Revenue** einem Einkommensteuerrückstand nachgeordnet sein;
~ **debt** im Range nachgehende Forderung; ~ **offer** verstecktes Angebot.

subpoena ~ *(v.)* **a company's record on quality control** Fabrik auf Vorlage ihrer Unterlagen über Qualitätskontrollen verklagen.

subpurchaser Käufer aus zweiter Hand, mittelbarer Käufer.

subrogation Rechtsübertragung, Gläubigerwechsel;
~ **assignment** Abtretungserklärung.

subsample *(market research)* Teilstichprobe.

subscribe *(v.) (contribute)* beitragen, -steuern, *(loan, shares)* zeichnen, *(newspaper)* abonnieren, vorbestellen, subskribieren, halten, *(raise by fees)* durch Beiträge aufbringen, *(sign)* unterschreiben, unterzeichnen;
~ **an amount** Geldsumme aussetzen; ~ **to charity** zu einer mildtätigen Stiftung beitragen; ~ **20 dollars to a club** Mitgliedsbeitrag von 20 Dollar zahlen; ~ **for** vorausbestellen; ~ **to a loan** Anleihe zeichnen; ~ **to a relief fund** für einen Unterstützungsfonds Geld stiften; ~ **for five shares in a company** fünf Gesellschaftsanteile übernehmen; ~ **to (for) new shares (stock, *US*)** neue (junge) Aktien zeichnen.

subscribed gezeichnet;
to be ~ several times mehrfach überzeichnet sein; ~ **capital stock** ausstehende Einlagen auf das Grundkapital, Nominalkapital; ~ **risk** *(insurance)* übernommene Gefahr.

subscriber *(furtherer)* Befürworter, Förderer, *(newspaper)* Abonnent, Bezieher, Subskribent, *(loan)* Zeichner, *(signer)* Unterzeichner, Signatar, *(tel.)* Fernsprechteilnehmer;
loan ~ Anleihezeichner; **original ~** Stammaktionär; **telephone ~** Fernsprechteilnehmer;
~ **to charity** Spender; ~ **to a document** Signatar, Unterschriftsleistender; ~ **to a periodical** Zeitschriftenabonnent; ~ **for shares (stocks, *US*)** Aktienzeichner;
~ **analysis** Abonnentenanalyse; **~s' insurance** Abonnentenversicherung; **~s' ledger** Zeichnungsbuch, -liste, Aktionärsbuch; **~'s line** Anschlußleitung, Telefon-, Fernsprechanschluß;

~'s **number** Teilnehmernummer; ~ **trunk dialling** *(Br.)* Selbstwählfernverkehr.

subscription *(amount subscribed)* Subskriptionssumme, *(contribution)* Beitrag, Gebühr, gezeichneter Betrag, *(for shares)* [Anteils]-zeichnung, *(member, Br.)* Mitgliedsbeitrag, *(newspaper)* Bezug, Abonnement, Subskription, *(ordering in advance)* Vor[aus]bestellung, *(price)* Bezugs-, Abonnentenpreis, *(signature)* Unterzeichnung, -schrift;

by ~ im Abonnement; **by public** ~ im Wege einer öffentlichen Sammlung; **open for** ~ zur Zeichnung aufgelegt;

annual ~ Jahresabonnement, -beitrag; **charitable** ~ Spende für wohltätige Zwecke; **club** ~ Klubbeitrag; **deductible** ~ steuerabzugsfähiger Beitrag; **initial** ~ Erstzeichnung; **life** ~ einmaliger Beitrag auf Lebenszeit; **popular** ~ öffentliche Sammlung; **public** ~ Freizeichnung; **quarterly** ~ Vierteljahresbezug; **subsequent** ~ Nachzeichnung; **total** ~ Gesamteinlage;

~**s to be paid in advance** im voraus zu bezahlende Abonnements; ~ **to the stock** *(US)* Aktienzeichnung; ~ **in cash** Barzeichnung; ~ **to charity** wohltätige Spende; ~ **to a club** Vereinsbeitrag; ~ **by conversion of securities** Bezugsrecht bei Anleiheumwandlung; ~ **to a loan** Anleihezeichnung; ~ **to a newspaper** Zeitungsabonnement; ~ **for shares** *(Br.)* Aktienzeichnung; ~ **for new shares** *(Br.)* Bezug junger Aktien;

to be offered for ~ zur Zeichnung aufliegen; **to be open for** ~ zur Zeichnung aufliegen; **to discontinue** ~ **to a paper** Zeitung[sabonnement] abbestellen; **to drop one's** ~ Abonnement aufgeben (kündigen); **to enter a** ~ **to** abonnieren auf; **to erect a monument by public** ~ Denkmalserrichtung im Wege einer öffentlichen Sammlung finanzieren; **to get up a** ~ Sammlung ins Leben rufen; **to invite** ~**s for a loan** Anleihe [zur Zeichnung] auflegen; **to pay a** ~ Beitrag zu einer Sammlung leisten; **to pay one's** ~ seinen Beitrag bezahlen; **to raise the** ~ Beitrag erhöhen, Beitragserhöhung vornehmen; **to renew a** ~ Abonnement erneuern; **to solicit** ~**s** Abonnementswerbung betreiben, Abonnenten werben; **to take out a year's** ~ Jahresabonnement nehmen; **to take out a** ~ **to a paper in favo(u)r of s. o.** Patenschaftsabonnement für j. übernehmen; **to withdraw one's** ~ Abonnement aufgeben (abbestellen);

~ **agent** *(US)* Abonnementenwerber, *(bank)* Annahmestelle; ~ **blank** *(US)* Subskriptionsvordruck, Zeichnungsformular; ~ **book** Subskriptionsbuch, Zeichnungsliste; ~ **charge** Subskriptionsgebühr; ~ **check** *(US)* **(cheque,** *Br.)* Subskriptionsscheck; ~ **concert** Wohltätigkeitskonzert; ~ **contract** Zeichnungs-, Subskriptionsvertrag; ~ **costs** Bezugsgebühren; ~ **department** Abonnementabteilung; ~ **edition** Subskriptionsausgabe; ~ **fee** Abonnementen-, Subskriptionspreis, Bezugs-, Abonnementsgebühr; ~ **form** Zeichnungs-, Abonnementsformular, *(order form)* Bestellschein; ~ **ledger** Aktienzeichnungsbuch; ~ **letter** Abonnementenbrief; ~ **library** Leihbibliothek; ~ **list** *(newspaper)* Zeichnungsliste, *(shares)* Zeichnungsbogen, Subskriptionsliste; **to close a** ~ **list** Aktienzeichnung [ab]schließen; **to open a** ~ **list** Subskriptionsliste auflegen; ~ **method** Subskriptionsverfahren; ~ **money** Bezugspreis, Zeichnungsbetrag; ~ **offer** Zeichnungsangebot; ~ **period** Bezugsdauer; ~ **price** Subskriptions-, Abonnements-, Bezugspreis; ~ **privilege** *(US)* Zeichnungsberechtigung; ~ **quota** Beitragsanteil, *(stock exchange)* Übernahmebetrag; ~ **rate** Abonnements-, Bezugspreis, Tarif; ~ **rate by surface mail** normaler Drucksachenbezugspreis; ~ **receivables** ausstehende Zeichnungsbeträge; ~ **receipt** Zeichnungsbescheinigung; ~ **records** Zeichnungsunterlagen; ~ **reservation** Voraussubskription; ~ **right** Bezugs-, Optionsrecht; ~ **sale** Abonnementsverkauf; ~ **service** Subskriptionsdienst; ~ **ticket** Abonnement[skarte]; ~ **warrant** *(US)* Bezugsrecht, Subskriptionsschein.

subsequent [nach]folgend, nachher, später, nachträglich;

~ **additions** *(balance sheet)* Zugänge; ~ **assessment** Nachveranlagung; ~ **claims** spätere (nachträgliche) Ansprüche; ~ **clause** Zusatzartikel; ~ **delivery** Nachlieferung; ~ **endorser** Nach-, Hintermann; ~ **entry** *(bookkeeping)* Nachtragsbuchung; ~ **insurance** Nachversicherung; ~ **mortgage** (nachrangige) Hypothek; ~ **order** Nachbestellung.

subsidiary Tochtergesellschaft, Ableger, Filiale, *(assistant)* Gehilfe, Stütze;

foreign ~ ausländische Tochtergesellschaft, Auslandstochter; **major** ~ Hauptniederlassung; **partly-owned** ~ Kommandite;

~ *(a.)* subsidiär, ergänzend; ~ **account** Hilfs-, Nebenkonto; ~ **activity** Nebentätigkeit; ~ **agreement** Nebenabkommen; ~ **bodies** nachgeordnete Stellen; ~ **coin** *(US)* Scheidemünze; ~ **coins** Hilfsgeld; ~ **coinage** *(US)* Wechselgeld, Scheidemünzen; ~ **committee** Nebenausschuß; [wholly-owned] ~ **company (corporation)** Tochter-, Organgesellschaft; ~**-company accounting** Buchführung einer Tochtergesellschaft; ~ **employment** Nebenbeschäftigung; ~ **income** Nebeneinkommen; ~ **journal** Hilfskontobuch; ~ **law** subsidiär geltendes Recht; ~ **ledger** Hilfsbuch; ~ **money** Scheidemünzen; ~ **organ** Hilfsorgan; ~ **payments** Hilfsleistungen auf finanziellem Gebiet; ~ **plant** Zweigbetrieb, Tochterunternehmen; ~ **provisions** Aushilfsbestimmungen; ~ **retail business** Zweiggeschäft; ~ **sentence** Nebenstrafe; ~ **source of income** zusätzliche Einkommensquelle, Nebenverdienst; ~ **treaty** Subsidien-, Hilfsvertrag; ~ **troops** Hilfstruppen; ~ **undertaking** Tochterunternehmen; ~ **worker** Hilfskraft, -arbeiter.

subsidies *(state)* Subsidien, Hilfsgelder;
food ~ Nahrungsmittelzuschüsse; **industrial** ~ Industriesubventionen.

subsidize *(v.)* durch Staatsgelder unterstützen, subventionieren, aus öffentlichen Geldern fördern, Zuschuß gewähren, *(bribe)* durch Bestechung gewinnen, kaufen;
~ **farm surplus** landwirtschaftliche Uberschußprodukte subventionieren.

subsidized subventioniert, durch staatliche Zuschüsse unterstützt;
government-~ staatlich subventioniert;
~ **export** subventionierter Export; ~ **housing** Wohnungsbauhilfe; ~ **industry** subventionierte Industrie; ~ **lunch** Verpflegungszuschuß.

subsidizing of exports Exportsubventionierung.

subsidy *(allowance)* Zuschuß, *(international law)* finanzielle Unterstützung von Verbündeten, *(subvention)* [Staats]subvention, Subsidien, staatliche Unterstützung, Beihilfe aus öffentlichen Geldern, öffentlicher Zuschuß;
governmental ~ Staatszuschuß; **nonasset-creating** ~ nichtvermögenswirksame Zuschüsse;
~ **on exports** Exportsubvention, Ausfuhrprämie, -zuschuß;
to grant a ~ **to an ally** einem Verbündeten finanzielle Hilfe gewähren; **to pay (give) a** ~ subventionieren, mit öffentlichen Mitteln (durch Staatszuschüsse) unterstützen;
~ **fund** Unterstützungsfonds, -kasse; ~ **program(me)** Hilfsprogramm; ~ **requirements** Zuschußbedarf.

subsist *(v.)* **s. o.** j. unterhalten; ~ **on [other men's] charity** von der Wohltätigkeit seiner Mitmenschen leben.

subsistence Dasein, Existenz, [Lebens]unterhalt, Fortkommen, *(food)* Nahrung, *(~ money)* Unterhaltungszuschuß, *(provisioning)* Versorgung, Verpflegung;
reasonable ~ angemessener Unterhalt;
to earn a bare ~ das nackte Dasein fristen;
~ **allowance** Unterhaltszuschuß; ~ **expenses** Aufenthaltskosten, Tagesgelder; ~ **level** Existenzminimum; ~ **money** Lohnvorschuß, *(allowance for expenses)* Unterhaltszuschuß; ~ **theory of wages** Existenzminimum-, Produktionskostentheorie; ~ **wage** Existenzlohn; **bare** ~ **wage** Lohnminimum.

substance Stoff, *(essence)* Wesen, Hauptsache, Kern, *(property)* Vermögen, Mittel, Kapital;
to agree in ~ im wesentlichen zustimmen; **to waste one's** ~ sein Geld sinnlos ausgeben.

substandard unter der gesetzlich vorgeschriebenen Norm, unterdurchschnittlich, *(US)* unter der gesetzlich festgelegten Mindestqualität;
~ **business** *(life insurance)* Risikogeschäft; ~ **goods** Ausschußware; ~ **housing** Elendsquartier; ~ **risk** anomales Risiko; ~ **worker** unterdurchschnittlich ausgebildeter Arbeiter.

substantial real, solide, *(commercially sound)* zahlungsfähig, kapitalkräftig, *(well-to-do)* wohlhabend, reich;
~ **business firm** solide (kapitalkräftige) Firma; ~ **compliance** satzungsgemäße Erfüllung (Erledigung); ~ **contribution** wesentlicher Beitrag; ~ **damages** Schadenersatz in beträchtlicher Höhe; ~ **endorser** potenter Girant; ~ **improvement** bedeutsame (beträchtliche) Verbesserung; ~ **landlord** Großgrundbesitzer; ~ **middle class** Großbürgertum; ~ **performance of a contract** annähernde Vertragserfüllung.

substation Neben-, Außenstelle.

substitute *(imitation)* Nachahmung, *(material)* Ersatz[mittel], Surrogat, Austauschwerkstoff, *(person)* [Stell]vertreter, Ersatzmann, Bevollmächtigter;
~ **for travel** Reiseersatz, -spesen;
~ *(v.)* **a debt** Schuld auswechseln;
~ **commodity** Ersatzstoff; ~ **performance** Ersatzvornahme.

substitution [Stell]vertretung, *(replacement)* Ersetzung, Ersatz;
~ **of a debt** Novation; ~ **of one debtor for another** Schuldübernahme.

substratum of a company Daseinszweck einer Firma.

subtenant Untermieter, -pächter.

subtopia Randgebiet der Großstadt.

suburb Vorstadt, Außenbezirk, *(confines)* Grenzbezirk, -bereich;
high-income ~ wohlhabendes Viertel.

suburban | apartment Vorstadtwohnung; ~ **zoning housing** Stadtrandsiedlung; ~ **line** Vorortbahn; ~ **residence** Vorstadtwohnung; ~ **traffic** Vorortverkehr; ~ **train** Vorortzug.

suburbanite Vorstadtbewohner, Kleinstädter.

suburbanize *(v.)* eingemeinden, zum Vorort machen.

suburbia Vorstadt, Stadtrand, *(fig.)* Vorstadtwelt, die Spießer, *(inhabitants)* Vorstadtbewohner;

subventionize *(v.)* staatlich unterstützen, subventionieren.

subway Straßenunterführung, *(Br.)* Fußgängertunnel, *(underground, US)* Untergrund-, U-, Unterpflasterbahn;
~ **platform** *(US)* U-Bahnsteig; ~ **system** *(US)* Untergrundbahnnetz.

subzone Teilzone.

succeed | to a business Geschäft übernehmen; ~ **to a fortune** Vermögen erben; ~ **to an office** Amt antreten.

success, box-office Kassenschlager; **financial** ~ finanzieller Erfolg, Kassenerfolg.

succession *(estate of deceased person)* Nachlaß, Erbfall, [Reihen]folge, *(office)* Nachfolge im Amt, *(order of succeeding)* Erbfolge, -ordnung,

(right of heir to take possession) Erbrecht, Rechtsnachfolge;
~ **of crops** Fruchtwechsel; ~ **to an estate** Erbantritt;
~ **duty** *(US)* Erbschafts-, Erbanfallsteuer, *(Br.)* Erbschaftssteuer für unbewegliches Vermögen; **sale** *(US)* Nachlaßversteigerung; ~ **tax** Nachlaßsteuer.
successor | in interest Rechtsnachfolger;
~ **company** Nachfolgegesellschaft.
sudden chance *(stock exchange)* Umschwung.
sue *(v.)* gerichtlich belangen (vorgehen), verklagen, Klage anstrengen;
~ **for admittance** seine Ansprüche auf die Konkursmasse anmelden; ~ **on a bill** Wechselforderung einklagen; ~ **for breach of the contract(ual) obligations** wegen Nichterfüllung verklagen; ~ **for claims on bills of exchange** Wechselforderungen einklagen; ~ **for damages** Schadenersatzklage anstrengen;
~ **and labo(u)r clause** *(marine insurance)* Selbstbehalt.
suffer *(v.) (business)* Schaden nehmen (erleiden);
~ **a slight decline** *(stock exchange)* leichten Rückgang erfahren; ~ **a default** Versäumnisurteil gegen sich ergehen lassen; ~ **a depreciation** Wertminderung erfahren; ~ **a loss** Verlust erleiden; ~ **a loss in exchange up to 10%** Kurseinbuße bis zu 10% erleiden.
sufferance [stillschweigende] Duldung, *(customs, Br.)* Zollvergünstigung;
to leave in ~ [Wechsel] nicht honorieren; **to remain in** ~ uneingelöst bleiben;
~ **wharf** *(Br.)* Freihafenniederlage.
sufferer [Unfall]geschädigter, *(bill of exchange)* Notleidender.
sufficiency Angemessenheit, *(sufficient subsistence)* hinlängliches Auskommen, Unterhalt;
~ **of fuel** genügend Betriebsstoff; ~ **of money** ausreichende finanzielle Mittel;
to have a ~ sein Auskommen haben; **to have money in** ~ Geld zur Genüge haben.
sufficient genügend, hinlänglich, ausreichend;
not ~ *(bill, check)* ungenügende Deckung; **self-**~ selbstgenügsam, autark;
~ **in numbers** *(quorum)* beschlußfähig;
to be ~ **for the expenses of a journey** Reiseunkosten decken;
~ **income** ausreichendes Einkommen.
suggest *(v.)* **s. o. for a position** j. für eine Stelle in Vorschlag bringen.
suggestion Rat, Anregung, Empfehlung, Vorschlag;
credit ~ Kreditvorschlag; **selling** ~ Verkaufsmethode;
~**s for improvement** Verbesserungsvorschläge;
~ **box** Briefkasten für Verbesserungsvorschläge, Beschwerdebriefkasten; ~ **scheme** *(US)* betriebliches Vorschlagswesen; ~ **selling** *(US)* Kundenbeeinflussung; ~ **system** betriebliches Vorschlagswesen.
suicide Selbstmord, Freitod;
sane or insane ~ *(life insurance)* Selbstmordklausel.
suit *(action in law court)* Rechtsstreitigkeit, Prozeß, Klage [erhebung];
before ~ **was brought** vor Klageerhebung;
administration ~ Nachlaßverfahren;
~ **on dumping** Dumpingverfahren;
to be a party in the ~ Prozeßpartei sein; **to commence a** ~ Klage erheben; **to institute a** ~ **against s. o.** Klage gegen j. einreichen.
suitable for investment zur Kapitalanlage geeignet.
sum summe, [Geld]betrag, Posten;
additional ~ Zusatzbetrag; ~ **assured** Versicherungssumme; ~ **available for dividend** für die Dividendenausschüttung verfügbarer Betrag; **average** ~ Pauschalbetrag; ~ **chargeable to reserve** aus der Rücklage zu deckender Betrag; ~ **due** Schuldposten; ~**s due from banks** *(balance sheet)* Bankguthaben; **insured** ~ Dekkungsbetrag; ~ **invested at 5% interest** mit 5% Zinsen angelegter Geldbetrag; **lump** ~ Pauschalsumme; ~ **payable** Schuldbetrag; ~ **received** Einnahmeposten; ~ **reserved** Rückstellungsbetrag; **round** ~ abgerundeter Betrag; ~ **withdrawn** abgehobener Betrag;
~ **at the bank** Bankguthaben; ~ **of the digits** digitale Abschreibung; ~ **in excess** überschießender Betrag; ~ **paid as compensation** Abfindungssumme;
~ *(v.)* **one's cash account** sein Guthaben zusammenrechnen; ~ **up in note form** in Kurzform zusammenfassen;
to call in a ~ Betrag kündigen; **to lend small** ~**s** kleine Beträge ausleihen; **to pay over a** ~ Summe abführen.
summarized | balance sheet Bilanzauszug;
~ **budget** Gesamthaushaltsplan.
summarizing | account Sammelkonto; ~ **sheet** [tabellarische] Zusammenstellung.
summary *(abridged account)* kurze Inhaltsangabe, Abriß, Kompendium, *(abstract)* Auszug, *(statement)* zusammengefaßte Darstellung;
periodic ~ periodischer Bilanzauszug;
~ **of assets and liabilities** Bilanzauszug; ~ **of balance sheet changes** Ausweis über die Verwendung des Grundkapitals;
~ **account** Übersichts-, Sammelkonto, *(report)* zusammenfassender Bericht, Schlußbericht;
~ **justice** Schnell-, Bagatellgerichtsbarkeit; ~ **sheet** Abrechnungsblatt.
summarily, to dismiss fristlos entlassen.
summation | method *(appraisal)* Summierungsmethode; ~ **value** Wert einer Summe.
summing up Zusammenfassung, *(adding up)* Addition.
summit | meeting Gipfeltreffen; ~ **organization** Spitzenverband.

summon *(v.)* auffordern, beauftragen, *(defendant, witness)* vorladen, vor Gericht zitieren;
~ **a conference** Sitzung (Konferenz) einberufen; ~ **s. o. for debt** j. auf Bezahlung einer Schuld verklagen.
summons *(calling)* Ruf, Berufung, *(court)* gerichtliche Vorladung;
~ **to pay** Zahlungsbefehl;
to answer a ~ einer Vorladung ergehen lassen; **to be served with a** ~ gerichtliche Vorladung erhalten.
Sunday | Observance Act Gesetz zur Einhaltung der Sonntagsruhe; ~ **opening** Offenhalten am Sonntag; ~ **paper** Sonntagszeitung; ~ **store opening** Ladenverkauf am Sonntag.
sundries Verschiedenes, Diverses, *(expenses)* diverse Unkosten, verschiedene Ausgaben;
~ **account** Spesenkonto, Konto für Diverse; ~ **debit form** Spesenbelastungsformular; ~ **journal** Verschiedenes.
sundry verschieden, divers;
~ **debtors** diverse Debitoren, verschiedene Forderungen; ~ **creditors** diverse Forderungen; ~ **creditors account** *(Br.)* diverse Kreditoren; ~ **expenses** verschiedene Unkosten; ~ **goods** Diverses; ~ **money owing** verschiedene Schuldbeträge; ~ **money owing to the estate** verschiedene Nachlaßforderungen; ~ **receipts** verschiedene Einnahmen; ~ **samples** verschiedene Muster, Musterauswahl; ~ **securities** *(market report)* Nebenwerte.
sundryman Krämer, Kurz-, Gemischtwarenhändler.
superannuate *(v.) (reach age limit)* Pensionierungsalter erreichen, pensioniert werden, *(send into retirement)* in den Ruhestand versetzen, pensionieren.
superannuated pensioniert, in den Ruhestand versetzt;
~ **management** pensionsreifer Vorstand.
superannuation *(pension)* Ruhegehalt, Pension, Alterszulage, *(power of attorney)* Erlöschen, *(sending into retirement)* Pensionierung [wegen Erreichung der Altersgrenze];
~ **Act** *(Br.)* Altersversorgungsgesetz; ~ **allowance** Pension, Ruhegehalt; ~ **contribution** Altersversicherungsbeitrag, Pensionszuschuß; ~ **fund** Pensionskasse, -fonds; ~ **money** Pensionsbeitrag; ~ **provisions** Pensionsbestimmungen, -regelung; ~ **security** Pensionsversicherung.
supercommission Superprovision.
superdividend außerordentliche Dividende, Super-, Zusatzdividende, Bonus.
superfluity of money Geldüberhang.
superhighway *(US)* Autobahn.
superintend | *(v.)* **the opening of the letters** beim Öffnen der Briefpost anwesend sein; ~ **work personally** Arbeiten persönlich beaufsichtigen.
superintendence Oberaufsicht, Überwachung, Betriebsleitung;
under the personal ~ **of the manager** vom Geschäftsführer persönlich überwacht.
superintendent Leiter, Vorsteher, Aufsichtsbeamter;
shop ~ Werksführer;
~ **of agents** *(insurance)* Bezirksdirektor.
superintending committee Beirat.
superior [Dienst]vorgesetzter;
~ *(a.)* vorzüglich, überlegen, überdurchschnittlich, *(index number)* hochstehend, *(in rank)* rangälter, vorgesetzt;
~ **article** erstklassige Ware; ~ **authority** vorgesetzte Behörde; ~ **quality** vorzügliche Beschaffenheit, beste Qualität.
superiority, economic wirtschaftliche Überlegenheit.
supermarket *(US)* Supermarkt, großes Warenhaus mit Selbstbedienung, Lebensmittelgroßgeschäft, Selbstbedienungsladen;
~ **chain** Warenhauskette; ~ **shopping** Großmarkteinkauf.
supernumerary Hilfsarbeiter, -angestellter, -beamter;
~ *(a.)* überzählig, *(exceeding a required number)* außeretatsmäßig.
supersede *(v.) (cease to employ)* aus dem Amt entfernen, kassieren;
~ **by a new contract** durch einen neuen Vertrag ersetzen.
supertare zusätzliche Taravergütung.
supertax *(Br.)* Zusatz-, Über-, Mehrgewinnsteuer, *(income tax)* Einkommensteuerzuschlag.
supervising | authority Aufsichtsbehörde; ~ **duty** Aufsichtspflicht.
supervision Überwachung, Aufsichtsführung, [Ober]aufsicht, Beaufsichtigung, Kontrolle;
disciplinary ~ Dienstaufsicht; **factory** ~ Betriebskontrolle;
~ **of calls** *(tel.)* Gesprächsüberwachung; ~ **of cartels** Kartellaufsicht; ~ **of manufacture** Fertigungskontrolle; ~ **of spending** Ausgabenkontrolle; ~ **of the stock exchange** Börsenaufsicht.
supervisor Aufseher, Inspektor, Kontrolleur, Aufsichtsbeamter;
~ **in a factory** Betriebsaufseher, Werksleiter.
supervisory | agency Überwachungsstelle; ~ **body** Kontrollorgan.
supplanted by a rival firm von einem Konkurrenzbetrieb ausgestochen.
supplement Zusatz, Ergänzung, Nachtrag, Anhang, *(book)* Ergänzungsband, *(extra charge)* Preisaufschlag, *(newspaper)* [Gratis]beilage;
commercial ~ Handelsbeilage; **Exchequer** ~**s** *(Br.)* Staatszuschüsse zur Sozialversicherung;
~ *(v.)* ergänzen, Nachtrag liefern;
~ **one's ordinary income by journalism** seine Normaleinkünfte durch journalistische Beiträge aufbessern.
supplemental *(airline)* Charterfluggesellschaft;
~ *(a.)* ergänzend, zusätzlich;

~ **appropriation** Nachtragsbewilligung; ~ **compensation** Zusatzvergütung; ~ **cost** Preisaufschlag, -zuschlag; ~ **register** *(trademarks, US)* Nebenregister; ~ **wages** Lohnzulage, -zuschlag.

supplementary | advertising zusätzliche Werbung, Ergänzungswerbung; ~ **allowance** Zusatzrente; ~ **appropriation** *(US)* Nachtragsbewilligung; ~ **banking functions** irreguläre Bankgeschäfte; ~ **benefit** *(Br.)* Sozialhilfe, staatliche Fürsorge; ~ **budget** Nachtragshaushalt; ~ **cost** Preisaufschlag, Sondereinzelkosten; ~ **entry** Nachtragsbuchung; ~ **estimates** Nachtragsetat, -haushalt; ~ **fee** *(post)* Zusatz-, Nachgebühr; ~ **grant** Nachbewilligung; ~ **income** Nebenverdienst, -einkommen, -bezüge; ~ **insurance** Zusatzversicherung; ~ **list** *(Br.)* Beilage zum amtlichen Kursblatt; ~ **load** Beiladung; ~ **order** Nachbestellung; ~ **payment** Nachzahlung, *(relief)* Zusatzunterstützung; ~ **policy** Nachtragspolice; ~ **sheet** Beiblatt, Extrabogen; ~ **sickness insurance** Krankenzusatzversicherung; ~ **taxation** Nachbesteuerung.

supplied | daily täglich beliefert;
~ **to trade only** Lieferung nur an Wiederverkäufer; **to be ~ with goods from abroad** Waren aus dem Ausland beziehen;
can be ~ lieferbar.

supplier Auslieferer, Lieferant;
~**s** *(balance sheet)* Lieferantenschulden, Verbindlichkeiten aus Warenlieferungen;
foreign ~ ausländische Lieferfirma; **main** ~ Hauptlieferant; **regular** ~ Stammlieferant;
~ **of addresses** Adressenverlag; ~ **of goods** Warenlieferant; ~ **of power** Energieträger; ~ **of services** Erbringer von Dienstleistungen;
to stay with a present ~ augenblicklichen Lieferanten beibehalten;
~ **company** Zulieferungsbetrieb; ~ **costs** Lieferantenkosten; ~**s' financing** Lieferantenfinanzierung.

supplies *(allowance)* Unterhaltungszuschuß, *(balance sheet)* [Hilfs]material, Hilfs- und Betriebsstoffe, *(goods furnished)* Lieferungen, Belieferung, *(grant of money, Br.)* bewilligter Etat, [Ausgaben]budget, *(mil.)* Nachschub, *(stores)* Vorräte;
adequate ~ ausreichende Vorräte; **continuous** ~ geregelte Zufuhr, *(mil.)* Nachschub, Proviant; **food** ~ Lebensmittel; **money** ~ Geldangebot; **operating** ~ Betriebsstoffe; **post-office** ~ Postamtsbedarf; **typewriting** ~ Schreibmaschinenartikel; **war** ~ Kriegslieferungen;
~ **in a factory** Materiallager; ~ **on hand** vorhandene Vorräte; ~ **of money** Kapitalquellen; ~ **on a deferred payment basis** Warenlieferungen auf Abzahlungsbasis; ~ **in transit** unterwegs befindliches Material;
to cut off s. one's ~ jem. (den Zuschuß sperren); **to obtain one's ~ from A** sich von A beliefern lassen; **to withhold ~ from a dealer** Händler nicht mehr beliefern;
~ **industry** Zulieferungsindustrie.

supply *(allowance)* Zuschuß, Beitrag, *(demand)* Angebot, *(mil.)* Proviant, Nachschub, Versorgungsmaterial, *(offer)* [Waren]angebot, Bedarf, *(additional payment)* Nachzahlung, *(provision)* [Be]lieferung, Eindeckung, Beschaffung, Versorgung, Zu-, Anfuhr, *(store)* Vorrat, Lager, Bestand, *(substitute)* Vertretung, Stellvertreter, Ersatzmann;
on ~ in Vertretung, als Ersatzmann;
additional ~ Zuschuß; **aggregate** ~ Gesamtangebot; **assured** ~ gesicherte Zufuhr; **competitive** ~ Konkurrenzangebot; **composite** ~ zusammengesetztes Angebot; **continuous** ~ geregelte (ständige) Zufuhr; **current** ~ laufendes Angebot, *(electricity)* Netzanschluß; **elastic** ~ Preiselastizität des Angebotes; **excessive** ~ Überangebot; **essential** ~ lebenswichtiger Bedarf; **floating** ~ laufendes Angebot; **food** ~ Nahrungsmittelversorgung; **fresh** ~ Nachschub; **fuel** ~ Benzinversorgung; **inexhaustible** ~ unerschöpfliche Vorräte; **large** ~ große Auswahl; **marginal** ~ Spitzenangebot; **minimum** ~ Mindestbedarf; **a month's** ~ Monatsbedarf; **power** ~ Energie-, Stromversorgung; **regular** ~ Normalbezug; **rival** ~ Konkurrenzangebot; **scanty** ~ schwache Zufuhr; **seasonal** ~ Saisonbedarf; **visible** ~ tatsächlicher (sichtbarer) Bestand; **water** ~ Wasserversorgung;
~ **and demand** Angebot und Nachfrage;
~ **of capital** Kapitalbereitstellung, -bedarf; ~ **of cash** Liquiditätsangebot; ~ **of credit** zur Verfügung stehender Kredit, Kreditvolumen, -angebot; ~ **of energy** Energieversorgung; **daily ~ of food** täglicher Bedarf an Lebensmitteln; ~ **of gold** Goldversorgung; ~ **of goods** Güterversorgung, Waren[be]lieferung, -zufuhr; ~ **on hand** vorhandene Vorräte; ~ **of technical knowhow** Zurverfügungstellung industrieller Produktionserfahrungen; ~ **of labo(u)r** verfügbare Arbeitskräfte; **excessive ~ of labo(u)r** Überangebot an Arbeitskräften; ~ **of machinery** Maschinenlieferung; ~ **of material** Materiallieferung, -versorgung; ~ **of raw material** Rohstoffversorgung; ~ **of money** Geldangebot, Angebot am Geldmarkt; ~ **of power** Stromversorgung; ~ **of reading matter** [Vorrat an] Lesestoff; ~ **of scrap** Schrottangebot;
~ *(v.)* *(fill as substitute)* Stelle ausfüllen, vertreten, als Ersatzmann einspringen, *(pay additionally)* nachzahlen, nachschießen, *(procure)* be-, verschaffen, liefern, Lieferant sein, besorgen, *(provision)* mit Proviant versehen, *(replace)* ausgleichen, ersetzen, *(sell)* abgeben, verkaufen;
~ **an army** Armee beliefern; ~ **o. s. with an article from abroad** Ware von außerhalb beziehen; ~ **a defect in a manufacture** Fabrikations-

fehler beseitigen; ~ **the deficiency** Defizit dekken, Fehlbetrag ausgleichen; ~ **the public demand** einem öffentlichen Bedürfnis genügen; ~ **a document** Urkunde beschaffen; ~ **electricity to a town** Stromversorgung einer Stadt übernehmen; ~ **evidence** Beweismaterial beibringen; ~ **a family** Familie unterhalten; ~ **s. o. with a fund** Deckung für jem. anschaffen, j. mit Geldmitteln versehen; ~ **with goods** sich mit Waren eindecken; ~ **information** Auskunft geben; ~ **an interpreter** Dolmetscher stellen; ~ **a loss** Verlust ausgleichen; ~ **the market** Markt mit Waren versehen (beliefern); ~ **the needs** Bedarf decken; ~ **s. one's needs** jds. Lebensunterhalt sicherstellen; ~ **to order** auf Bestellung liefern; ~ **proof** Beweise liefern; ~ **a ship with provisions** Schiff verproviantieren; ~ **a vacancy** freie Stelle besetzen; ~ **a want** ein Bedürfnis befriedigen; ~ **a want that has long been felt** um einem langempfundenen Bedürfnis abzuhelfen; ~ **only to wholesalers** nur den Großhandel beliefern; ~ **a missing word** fehlendes Wort ergänzen;
to assure o. s. of adequate ~ seine ausreichende Versorgung sicherstellen; **to be in short** ~ knapp sein; **to cut off** ~ Zufuhr abschneiden; **to draw one's** ~ **from . . .** seinen Bedarf bei . . . beziehen; **to hold a post on** ~ Stellung vorübergehend innehaben; **to lay (take) in a** ~ **of s. th.** Vorrat von etw. anlegen; **to stay well ahead of** ~ Nachfrage nicht befriedigen können;
~ **agreement** Lieferungsvertrag, Lieferabkommen, -vertrag; ~ **area** Versorgungsgebiet; ~ **base** Nachschub-, Versorgungsbasis, Lieferstelle; ~ **bomb** Verpflegungsbombe; ~ **business** Zulieferungsindustrie; ~ **capacity** Bedarfsdekkungsmöglichkeit; ~ **center** *(US)* **(centre,** *Br.)* Versorgungsstelle; ~ **chain** Versorgungskette; ~ **column** Proviant-, Wagen-, Verpflegungskolonne, *(mil.)* Train[kolonne]; **to convoy a** ~ **column** einer Nachschubkolonne Geleit geben; **to defer fulfilment of** ~ **contracts** Erfüllung von Lieferungsverträgen aussetzen; ~ **curve** Angebotskurve; ~ **department** Proviantamt; ~ **depot** Proviantamt, -lager; ~ **house** Lieferfirma; ~ **index figure** Lieferziffer; ~ **line** Nachschubweg; ~ **network** *(electricity)* Leitungsnetz; ~ **note** Lieferschein; ~ **office** Beschaffungsamt; ~ **plant** Lieferwerk; ~ **position** Versorgungslage, *(retail shop)* Lieferstellung; ~ **price** äußerster (niederster) Preis, Angebotspreis; ~ **problem** Versorgungsproblem; ~ **requirements** Versorgungsbedarf; ~ **schedule** Angebotstabelle; ~ **services** *(Br.)* jährlich neu zu beschaffende Ausgaben des ordentlichen Haushalts; **electric** ~ **service** Stromversorgung; ~ **ship** Versorgungsschiff; ~ **situation** Liefersituation; **tight** ~ **situation** angespannte Versorgungslage; ~ **source** Lieferquelle; **local** ~ **station** Auslieferungslager; ~ **store** Auslieferungslager; ~ **system** Versorgungssystem; ~ **teacher** Aushilfslehrer; ~ **train** Proviantzug; ~ **undertaking** Zuschußbetrieb; ~ **vote** Etatsbewilligung.

support *(assistance)* Unterstützung, Hilfe[stellung], *(stock exchange)* Stützungsaktion, *(subsistence)* [Lebens]unterhalt, Mittel, Auskommen;
without government ~ ohne Staatszuschuß; **banking** ~ Stützungsaktion durch die Banken; **price** ~ Preisstützung;
~ **of credit** Kreditgewährung; **chief** ~ **of one's family** Hauptstütze seiner Familie;
~*(v.)* unterstützen, unterhalten, *(finance)* aufkommen für, finanzieren, *(price)* sich halten;
~ **o. s.** seinen Lebensunterhalt selbst verdienen, seine eigenen Ausgaben bestreiten; ~ **the gold standard** für Aufrechterhaltung des Goldstandardes eintreten; ~ **the notes in circulation** im Umlauf befindliche Banknoten decken; ~ **by taxes** aus Steuern finanzieren;
to be one's family's sole ~ alleiniger Ernährer (Versorger) seiner Familie sein; **to obtain little** ~ *(proposal)* nur geringe Unterstützung finden; **to offer a salary and** ~ **for the year** Gehalt und Lebensunterhalt für ein Jahr anbieten; **to receive financial** ~ finanziell unterstützt werden; **to respond more** ~ *(market report)* sich größerer Beachtung erfreuen;
~ **buying** *(stock exchange)* Interessenkäufe; ~ **costs** Unterhaltungskosten; ~ **payments** Unterhaltszahlungen.

supported unterstützt, *(market)* durch Käufe gehalten;
~ **price** Stützungspreis.

supporting | **order** Interventionsauftrag, Stützungskäufe; ~ **purchase** Stützungs-, Interventionskäufe; ~ **schedule** erläuternde Aufstellung [für die Steuererklärung];

suppress | *(v.)* **a paper** Zeitung beschlagnahmen; ~ **s. one's pension** jem. seine Pension vorenthalten; ~ **a scandal** Skandal vertuschen; ~ **a will** Testament unterschlagen.

suppression Abschaffung, Beseitigung, Aufhebung;
~ **of deeds** Urkundenunterdrückung; ~ **of a newspaper** Beschlagnahme einer Zeitung; ~ **of a scandal** Vertuschung eines Skandals.

supranational institution supranationale Einrichtung.

supraprotest acceptance Interventionsakzept, Ehrenannahme.

surcharge *(advertising)* Preisaufschlag für Placierungswünsche, Placierungsaufschlag, *(excessive charge)* Überforderung, -teuerung, zuviel berechnete Gebühr *(extra charge)* Zuschlag[gebühr], Gebührenzuschlag, Abgabe, *(second mortgage)* nachstellige Hypothek, *(fine)* Steuerstraße, *(overload)* Überlastung, -ladung, *(postage)* Straf-, Zuschlags-, Nachporto,

(stamp) Überdruck, *(taxation)* Steuerzuschlag; **without** ~ zuschlagsfrei;
~ **of electricity** Mehrverbrauch an Strom; ~ **on goods** Tarifaufschlag; ~ **on imports** Einfuhrabgabe, Sonderzoll; ~ **on a letter** Portozuschlag; ~ **for special position** Placierungsaufschlag;
~ *(v.)* überfordern, -teuern, *(extra charge)* aufschlagen, zu viel belasten, mit Zuschlag belegen, *(fine)* mit Geldstrafe belegen, *(postage)* Strafgebühr (Nachporto) erheben, *(print surcharge upon)* [Postwertzeichen] überdrucken; ~ **an account** Konto belasten.

sure *(reliable)* zuverlässig, vertrauenswürdig.

surety *(bail)* Bürgschaft[sleistung], *(bond)* Verpflichtungs-, Garantie-, Bürgschaftsschein, *(del credere)* Delkredere, *(guaranty)* Sicherheit, Pfand, Kaution, Garantie[leistung], *(person acting as surety)* [Ausfall]bürge, Bürgschaftsgeber, Garant;
joint ~ Solidarbürgschaft, -bürge;
~ **for the payment of a bill** Wechselbürgschaft; **to act as** ~ Bürgschaft übernehmen, bürgen; **to become (go, stand)** ~ bürgen, Bürgschaft übernehmen, Sicherheit leisten;
~ **acceptance** Avalakzept; ~ **bond** Bürgschaftserklärung, Kautions-, Garantieverpflichtung, Garantievertrag, -schein; **to enter into a** ~ **bond** Garantieverpflichtung eingehen; ~ **business** Kautionsversicherungsgeschäft; ~ **commission** Garantieprovision; ~ **company** *(US)* Garantie-, Kautionsversicherungsgesellschaft; ~ **credit** Avalkredit; ~ **insurance** Kautionsversicherungsgesellschaft; ~ **-like** wie ein Bürge, bürgschaftsähnlich; ~ **losses** *(balance sheet)* Verluste aus Bürgschaftsverpflichtungen; ~ **warrant** Bürgschaftserklärung.

suretyship Bürgschafts[leistung], Garantie[leistung], Bürgschaftsvertrag.

surface [Ober]fläche, *(earth)* Grundfläche, *(road)* Belag;
~ **forecast chart** Bodenvorhersagekarte; ~ **hand** Übertagearbeiter; ~ **mail** *(Br.)* Gesamtpost außer Luftpost; ~ **marking** Fahrbahnmarkierung; ~ **traffic** Land- und Binnenwasserverkehr; ~ **working** Tagebau.

surfaceman Übertagearbeiter, Arbeiter im Tagebau, *(railroad)* Streckenarbeiter, -wärter.

surge | **of capacity** Kapazitätszunahme; ~ **in orders** Auftragsflut, -strom; **upward** ~ **of prices** steigende Preistendenz; ~ **in sales** Verkaufsanstieg, -welle; ~ *(v.)* **ahead** *(prices)* plötzlich steigen; ~ **forward** *(prices)* steigen auf.

surpass | *(v.)* **all description** jeder Beschreibung spotten; ~ **s. one's expectations** jds. Erwartung übertreffen.

surplus *(abundance)* Überfluß, *(balance sheet, US)* Rücklagen, *(exceeding amount)* Überschuß, Mehrertrag, -betrag, überschießender Betrag, Plus, *(excess profit)* Gewinnüberschuß, *(excess value)* Mehrwert, *(print.)* Überdruck, *(public finance)* haushaltsrechtliche Überschüsse, *(residue of estate)* Nachlaß nach Abzug aller Verbindlichkeiten, *(undivided profit)* unverteilter Reingewinn, *(balance sheet, US)* Überschuß der Aktiva über Grundkapital und Verbindlichkeiten, *(weight)* Zulage, Zugabe;
accumulated ~ Kapitalreserve; **acquired** ~ unverteilter Reingewinn bei Geschäftsübernahme; **agriculture** ~ Überschüsse der Landwirtschaft; **appraisal** ~ Kapitalgewinn; **appropriated** ~ *(US)* zweckgebundene Rücklage, Gewinnrückstellung, -rücklage; ~ **available** verfügbarer Reingewinn; **balance-of-payments** ~ Zahlungsbilanzüberschuß; ~ **brought forward** Gewinnvortrag; **budget** ~ Haushalts-, Etats-, Budgetüberschuß; **capital** ~ *(US)* Kapitalreserve; **company's** ~ Reingewinn einer [Aktien]gesellschaft; **contributed** ~ Reservebeitrag; **corporate** ~ Gesellschaftsreingewinn; **divisible** ~ *(life insurance)* Dividendenguthaben; **donated** ~ stehengelassener Gewinn; **earned** ~ *(US)* Rein-, Geschäftsgewinn, tatsächlicher (unverteilter, thesaurierter) Gewinn, freie Rücklage; **consolidated earned** ~ konsolidierter Reingewinn; **dated unearned** ~ Geschäftsgewinn ab Sanierung; **unappropriated earned** ~ unverteilter Reingewinn, *(balance sheet, US)* Gewinnvortrag, -rücklage; **economic** ~ Differentialrente; **export** ~ Ausfuhrüberschuß; **free** ~ *(insurance)* freie Reserve (Rücklage); **gross** ~ Bruttoüberschuß, *(balance sheet)* ausweispflichtiger Rohüberschuß; **import** ~ Einfuhrüberschuß; **initial** ~ *(corporation)* Reingewinn vor Eintragung ins Handelsregister; **labo(u)r** ~ überschüssige Arbeitskräfte; **life-insurance** ~ Prämien-, Dividendenguthaben; **net** ~ *(fire insurance)* Schadensreserve; **operating** ~ Betriebsüberschuß; **paid-in** ~ *(US)* stehengelassener Gewinn; **producer's** ~ Herstellergewinn; **profit-and-loss** ~ Reingewinn; **reappraisal** ~ Wertänderungsgewinn; **reduction** ~ stehengelassener Gewinn; **unappropriated** ~ *(US)* allgemeine Rücklage, unverteilter Reingewinn; **worker's** ~ Arbeiterrente;
~ **at date of acquisition** unverteilter Reingewinn bei Geschäftsübernahme; ~ **of appreciation** Gewinn aus einer Buchwerterhöhung; ~ **of assets over liabilities** Bilanzüberschuß; ~ **in balance of payments** Zahlungsbilanzüberschuß; ~ **of births over deaths** Geburtenüberschuß; ~ **in the cash** Kassenüberschuß; ~ **from consolidation** Konsolidierungsgewinn; ~ **of exports** Export-, Ausfuhrüberschuß; ~ **of goods** Warenüberfluß; ~ **of imports** Einfuhrüberschuß; ~ **to offer** Überschußangebot; ~ **arising from revaluation** auf Neubewertung beruhender Reingewinn; ~ **of spending power** überschüssige Kaufkraft;
~ *(a.)* überschüssig, überzählig;
to have a ~ **of s. th.** Überschuß an etw. haben;

to shore up the overall ~ Globalüberschuß anreichern.

surplus account Gewinnüberschußkonto;
capital ~ Kapitalgewinnkonto; **earned** ~ Reingewinnkonto.

surplus | accumulation Gewinnansammlung; ~ **adjustment** Gewinnberichtigung; ~ **amount** Mehrertrag; ~ **analysis** Gewinnanalyse; ~ **area** [wirtschaftliches] Überschußgebiet; ~ **assets** *(Br.)* Liquidationswert einer Gesellschaft; ~ **capacity** freie Kapazität, Kapazitätsüberschuß; ~ **charge** Gewinnbelastung; ~ **charges** Abzüge vor Verteilung des Reingewinnes; ~ **commodities** über den Eigenbedarf hinaus hergestellte Güter; ~ **contingency reserve** Reservefonds für mögliche Verluste, Verlustreserve; ~ **copies** überschüssige Durchschläge, *(book trade)* Remittenden; ~ **crop** Überschußrente; ~ **dividend** *(US)* außerordentliche Dividende, Superdividende, Bonus; ~ **earnings** *(US)* Gewinnüberschuß, unverteilter Reingewinn; ~ **fund** Reserve-, Überschußfonds, *(US)* außerordentlicher Reservefonds; ~**-fund warrant** Anweisung zur Auflösung nicht verbrauchter Etatstitel; ~ **interest** Zinsgewinn; ~ **item** Reserveposten; ~ **manpower** Überschuß an Arbeitskräften, überschüssige Arbeitskräfte; ~ **marketing** Absatzüberschuß; ~ **money** Geldüberhang; ~ **population** Überschußbevölkerung, Bevölkerungsüberschuß; ~ **price** Mehrpreis; ~ **problem** Überschußproblem; ~ **product (produce)** Überschußprodukt, Produktionsüberschuß; ~ **production** Überproduktion; ~ **profits** *(US)* unverteilter Reingewinn, Gewinnüberschuß; ~ **property** Überschußgüter; ~ **receipts** Einnahmeüberschuß, Mehreinnahmen; ~ **reinsurance** Exzedentenrückversicherung; ~ **reserve** *(US)* zweckgebundene Rücklage, Gewinnzurückstellung, *(banking)* zusätzliche Deckung; ~ **revenues** Einnahmeüberschuß; ~ **settlement** Spitzenausgleich; ~ **sheets** *(print.)* Makulatur; ~ **situation** Überschußsituation; ~ **state** Überschußgebiet; ~ **statement** Gewinnverwendungsrechnung- -übersicht; ~ **stocks** *(stock exchange)* Überangebot; ~ **supply** Überschußangebot; ~ **supply of labo(u)r** Überangebot an Arbeitskräften; ~ **value** Mehr-, Überwert, *(taxation)* freies Einkommen über dem Existenzminimum; ~ **weight** Über-, Mehrgewicht; ~ **wheat** Getreide-, Weizenüberschuß; ~ **workers** Überschuß an Arbeitskräften.

surrender Aufgabe, Preisabgabe, Verzicht, *(delivery)* Heraus-, Übergabe, Aushändigung, Überantwortung, *(insurance business)* Versicherungsrückkauf;
~ **of a bankrupt's property** Übertragung der Konkursmasse auf die Gläubiger; ~ **of a charter** Konzessionsrücknahme; ~ **of preference** *(US)* Aufgabe einer [Konkurs]vorzugsstellung; ~ **of profits** Gewinnabführung; ~ **of shares** *(Br.)* Aktienrückgabe an die Gesellschaft;
~ *(v.)* übergeben, aushändigen, verabfolgen, überantworten, *(cede)* abtreten, *(real-estate law)* [Grundstück] auflassen;
~ **one's goods to one's creditors** sein Vermögen auf seine Gläubiger übertragen; ~ **an insurance [policy]** Lebensversicherungspolice zurückkaufen; ~ **one's office** demissionieren; ~ **one's role as a leading producer** führende Produktionsstellung aufgeben; ~ **a ship** Schiff aufgeben (verlassen)
~ **-of-profit agreement** Gewinnabführungsvertrag; ~ **charge** *(life insurance)* Verwaltungsgebühr bei Rückkauf einer Lebensversicherung; ~ **privilege** *(life insurance)* Rückkaufsrecht; ~ **value** *(life insurance)* Rückkaufswert [einer Police].

surreptitious edition Raubdruck.

surrogate Ersatz[mittel], Surrogat.

surrounding risk *(fire insurance)* gefahrerhöhende Nachbarschaft, Nachbargefahr.

surtax Zusatz-, Zuschlagsteuer, Steuerzuschlag, -aufschlag, Ergänzungsabgabe, *(Br.)* progressive Gesamteinkommensteuer, zusätzliche Einkommensteuer auf Einkommen über 20 000£;
~ *(v.)* Zuschlagsteuer erheben, *(income tax)* mit einem Einkommensteuerzuschlag belegen;
~ **brackets** Mehreinkommensteuerstufe; ~ **net income** *(US)* Nettoeinkommen nach Abzug der Steuerfreibeträge; ~ **reduction** Herabsetzung der Ergänzungsabgabe; ~ **surcharge** *(Br.)* Verbrauchssteuererhöhung.

survey *(account given of inspection)* Grundstücks-, Geschäftsbewertung, Sachverständigengutachten, *(inspection)* Besichtigung, Inspektion, *(marine insurance)* Schiffsbesichtigung durch das Aufsichtsamt, *(market research)* Marktuntersuchung, -analyse, Umfrage, Erhebung, Befragung, *(surveying)* Vermessung;
cadastral ~ Katasterplan; **consumer** ~ Verbraucherumfrage; **dealer** ~ Händlerbefragung; **employee-attitude** ~ Betriebsumfrage; **factual** ~ Untersuchung von Tatsachen; **Federal Reserve** ≗ *(US)* Bundesreserveausweis; **field** ~ Marktforschung an Ort und Stelle; **fresh** ~ Neu-, Nachvermessung; **general** ~ allgemeiner Überblick; **mail** ~ Befragung auf dem Postwege; **market** ~ Marktuntersuchung; **ordnance** ~ *(Br.)* amtliche Landvermessung; **political** ~ Übersicht über die politische Lage;
~ **of productiveness** Rentabilitätsbild;
~ *(v.)* sorgfältig prüfen, *(ship)* besichtigen, inspizieren, *(real estate)* vermessen;
~ **a building** Gebäude amtlich abnehmen; ~ **an estate** Grundstücksabschätzung vornehmen; ~ **and value a parish** Einheitswerte in einer Gemeinde festlegen;
~ **answer** Umfrageantwort; ~ **certificate** Besichtigungsschein; ~ **charges** Vermessungsge-

bühren; ~ **fee** Besichtigungsgebühr, *(expert)* Gutachtergebühr; ~ **report** Gutachterbericht, *(of ship)* Havarie-, Schadenszertifikat; ~ **sheet** Fragebogen.

surveying [Land]vermessung, Terrainaufnahme;
~ **officer** Vermessungsbeamter; ~ **ship** Vermessungsschiff.

surveyor *(architect, Br.)* [ausführender] Architekt, Baumeister, *(clerk of works)* Bauleiter, *(customs, US)* Zollaufseher, -inspektor, *(inspector)* Aufsichtsbeamter, Aufseher, *(land)* Vermessungsbeamter, *(of ships)* amtlich bestellter Schiffssachverständiger, Havariekommissar, *(valuer)* Sachverständiger, Gutachter, Schätzer; **district** ~ *(London)* Baupolizei; ~ **general** *(Br.)* [etwa] Generalinspekteur; **land** ~ Vermessungsbeamter; **quantity** ~ *(Br.)* Preiskalkulator; **road** ~ Straßenaufseher, Aufsichtsbeamter der Straßenbauverwaltung; **town** ~ Stadtbaurat;
~ **of buildings** Bauamtsleiter; ~ **of the customs** *(US)* Zollaufseher, -inspektor; ~ **of highways** *(Br.)* Aufsichtsbeamter der Bauaufsichtsbehörde, Straßenmeister; ~ **of the mines** Bergwerksinspektor; ~ **of the port** *(US)* Zollbeamter; **land** ~ **and valuer** Katasterbeamter; ~ **of weights and measures** *(Br.)* Eichmeister;
~**'s fees** Bauabnahmegebühren; ~**s' office** Baubehörde.

survival | **of joint liability** Haftung des überlebenden Schuldners;
~ **rate** Geburtenüberschuß; ~ **tables** Sterbetafeln; ~ **value** Erhaltungswert.

survive *(v.) (goods)* erhalten bleiben.

surviving company übernehmende Gesellschaft; ~ **debt** Restschuld.

survivor Überlebender, Hinterbliebener;
~**s' benefit** *(US)* Leistungen an Hinterbliebene; ~**s' insurance** Hinterbliebenenversicherung.

survivorship | **annuity** Überlebensrente; ~ **table** Überlebenstafel.

suspected bill of health Gesundheitspaß mit dem Vermerk „Ansteckungsverdächtig";

suspend *(v.)* aussetzen, unterbrechen, sistieren, außer Kraft setzen [zeitweilig] aufheben, *(bank)* Zahlungen einstellen, *(from office)* suspendieren;
~ **a cashier pending investigation** Kassierer während der Untersuchung beurlauben; ~ **a licence** *(US)* Führerschein zeitweilig einziehen; ~ **from office** des Amtes entheben; ~ **payment** Zahlungen einstellen; ~ **the sale** mit dem Verkauf warten; ~ **the traffic** Verkehr anhalten; ~ **work** in einen Streik treten.

suspended aufgeschoben, -hoben, *(law)* außer Kraft gesetzt;
~ **account** transitorisches Konto; ~ **pocket filing** Hängeregistratur.

suspense Ungewißheit, Unentschiedenheit, Aufschub, Schwebe, *(law)* einstweilige Aufhebung, *(stay of execution)* Vollstreckungsaufschub;
to keep in ~ [Gläubiger] hinhalten; **to keep a bill in** ~ Wechsel Not leiden lassen;
~ **account** vorläufiges (transitorisches) Konto, Zwischen-, Berichtigungs-, Interimskonto; ~ **entries** Zwischeneintragungen, transitorische Buchungen, Übergangsposten; ~ **file** Terminmappe; ~ **interest account** *(Br.)* Konto zweifelhafte Zinseingänge; ~ **item** offenstehender Posten, *(balance sheet)* Rechnungsabgrenzungsposten, transitorischer Posten; ~ **ledger** Hauptbuch für vorläufige Eintragungen; ~ **liabilities** transitorische Passiva.

suspension Aufschub, einstweilige Aufhebung, vorläufige Einstellung, *(from office)* vorübergehende Entlassung, Suspendierung, Suspension;
~ **of air service** Einstellung des Flugverkehrs; ~ **of an automobile** Abmeldung eines Kraftfahrzeugs; ~ **of a bank** Liquidation einer Bank; ~ **of business** Einstellung des Geschäftsbetriebes, Geschäftsschließung; ~ **of earnings** *(US)* Verdienstausfall; ~ **of execution** Aussetzung der Zwangsvollstreckung; ~ **of the gold standard** Aufhebung des Goldstandards; ~ **of insurance** Ruhen einer Versicherung; ~ **of licence** *(US)* vorübergehender Führerscheinsentzug; ~ **of mail** *(US)* Postsperre; ~ **of payments** Zahlungseinstellung; ~ **of specie payment** *(US)* Aufhebung der Goldeinlösungspflicht; ~ **of quotas** Kontingentsaufhebung;
~ **of the statute of limitations** Hemmung (Unterbrechung) der Verjährung; ~ **of work** Arbeitseinstellung;
~ **railway** Schwebebahn.

sustain *(v.)* **an action** einer Klage stattgeben; ~ **a claim** Anspruch aufrechterhalten; ~ **competition** es mit der Konkurrenz aufnehmen; ~ **an industrial injury** Arbeitsunfall erleiden; ~ **a loss** Verlust erleiden; ~ **losses** *(prices)* zurückgehen.

sustaining program(m)e *(US)* rundfunkeigene Sendung.

sustentation fund Unterstützungsfonds.

suttle weight Nettogewicht.

swagshop Kram-, Trödelladen.

swallow *(v.)* **up more than one's earnings** mehr als die Einkünfte verschlingen.

swamped | **with orders** mit Aufträgen überschüttet;
to be ~ **with debts** bis über die Ohren in Schulden stecken.

swap [Devisen]swap, Tausch-, Swapgeschäft;
~ *(v.)* [ver]tauschen, *(fire, sl.)* hinauswerfen, feuern, *(foreign exchange)* Swapgeschäfte machen;
~ **arrangement** Swapabkommen; ~ **rate** Swapsatz.

swarm of bills Haufen Rechnungen.

swarming tenement übervölkerte Mietskaserne.

swear *(v.)* **an estate at $ 100 000** Nachlaßwert mit 100 000 Dollar angeben.

sweat *(v.) (extort, sl.)* bluten lassen, *(labo(u)rers)* ausbeuten, schinden, schlecht bezahlen, *(work)* für Hungerlohn arbeiten;
~ **a practitioner** Praktikanten ausnutzen.

sweated | goods unter Hungerlöhnen erstellte Ware; ~ **industries** unterbezahlte Industriezweige; ~ **money** Hungerlohn.

sweating schlechte Entlohnung, Lohndrückerei, Ausbeutung;
~ **system** Ausbeutungs-, Akkordmeistersystem.

sweatshop *(US sl.),* Ausbeutungsbetrieb.

sweep *(v.)* **the board** ganzen Gewinn einstreichen; **to make a clean ~ of one's staff** sein gesamtes Personal auswechseln.

sweeping reduction in prices bedeutend ermäßigte Preise.

sweepstake [etwa] Toto;
~ **ticket** Totoschein.

sweeten *(v.)* **a loan** *(US)* hochwertige Aktien lombardieren.

sweetener Bestechung, Schmiergeld.

swindle | *(v.)* **money out of s. o.** jem. sein Geld abjagen;
~ **sheet** gefälschter Spesenbelag.

swindling Betrug, *(stock exchange)* schwindelhafte Effektengeschäfte;
insurance ~ Versicherungsbetrug.

swing Spielraum, *(trade agreement)* Swing, Kreditmarge, *(cyclical movement, US sl.)* Konjunkturperiode;
in full ~ in vollem Betrieb (Gang);
market ~ Konjunkturumschwung;
~ **in the economic cycle** Konjunkturperiode; ~ **of the pendulum** Schwankung der öffentlichen Meinung;
to be given full ~ in the conduct of business voll in die Geschäftsführung eingeschaltet werden; **to live in the full ~ of prosperity** im größten Wohlstand leben, *(trade cycle)* Hochkonjunktur erleben;
~ **credit** kurzfristiger Auslandskredit; ~ **shift** *(coll., US)* Hilfs-, Spät-, Zusatzschicht.

switch *(change)* Wechsel, Übergang, Umstellung, *(economy)* Umstellung, Umleitung, *(exchange trade)* Switchgeschäft;
~ *(v.) (export trade)* Switchgeschäfte machen, *(securities, US)* Effektenengagements umstellen, *(tel.)* Anschluß herstellen;
~ **into growth stock** in Wachstumswerte umsteigen; ~ **off** *(radio)* abschalten, *(tel.)* Anschluß (Verbindung) unterbrechen; ~ **out of stocks into high-yielding bonds** aus Aktien in hochverzinsliche Obligationen umsteigen; ~ **a train into a siding** Zug auf ein Nebengleis rangieren.

switching charge *(carrier)* Rangiergebühr.

sworn | appraiser vereidigter Sachverständiger; ~ **translator** beeidigter Übersetzer.

symbol of status Statussymbol.

symbolic delivery fingierte (fiktive) Übergabe.

sympathetic strike Solidaritäts-, Sympathiestreik.

syndicate Konsortium, Syndikat, Verband, Förderungs-, Interessengemeinschaft, *(corner)* Ring, Sammelverkaufsstelle, *(criminals, US)* Verbrecherorganisation, *(journalism)* Nachrichtenagentur, Pressezentrale, *(for issue of a loan)* Anleihe-, Übernahmekonsortium;
banking ~ Bankenkonsortium; **distributing** ~ *(US)* ausgebendes Konsortium; **financial** ~ Finanzkonsortium; **market** ~ Börsensyndikat; **original** ~ *(US)* übernehmendes Konsortium, Übernahmekonsortium; **supporting** ~ Stützungssyndikat; **underlying** ~ *(US)* Gründungskonsortium; **underwriting** ~ Garantiesyndikat;
~ **of bankers** Bankenkonsortium; ~ **on original terms** *(US)* Gründungskonsortium;
~ *(v.)* sich zu einem Syndikat zusammenschließen, Konsortium bilden, *(journalism)* in mehreren Zeitungen gleichzeitig veröffentlichen, *(serve as syndic)* als Syndikus tätig sein;
~ **an article** Artikel in verschiedenen Zeitungen veröffentlichen; ~ **newspapers** zu einem Zeitungskonzern zusammenschließen;
to form a ~ Konsortium bilden; **to lead a** ~ Syndikat führen; **to put a loan into the hands of a** ~ Anleiheausgabe einem Konsortium übertragen;
~ **account** Beteiligungs-, Konsortialkonto, Konto "Beteiligungen"; ~ **advertising** Werbung für Grundstücksbeteiligungen; ~ **agreement** Konsortialvertrag; ~ **business** Konsortialgeschäft; ~ **buying office** *(US)* Zentraleinkaufsbüro eines Konzerns; ~ **company** Immobilienbeteiligungsgesellschaft; ~ **credit (loan)** Konsortialkredit; ~ **manager** führende Bank [eines Konsortiums], Konsortialführer; ~ **member** Mitglied eines Konsortiums, Konsortial-, Verbandsmitglied; ~ **offering** Angebot eines Konsortiums; ~ **operation** [einzelnes] Konsortialgeschäft; ~ **participation** Konsortialbeteiligung; ~ **transaction** Konsortialgeschäft.

syndicated | article in mehreren Zeitungen gleichzeitig erscheinender Artikel; ~ **columnist** Korrespondent für mehrere Zeitungen, Kolumnenschreiber.

syndicatee führendes Konsortialmitglied.

syndicating Agenturdienst;
~ **business** Immobilienbeteiligungsgeschäft.

syndication Konsortial-, Syndikatsbildung.

system System, Gefüge, *(arrangement)* Anordnung, *(method)* Verfahren, Methode, *(railway)* Eisenbahnnetz;
accounting ~ Buchführungswesen; **banking** ~ Bankwesen; **cash** ~ Barzahlungssystem; **clearing** ~ Verrechnungssystem; **currency** ~ Währungssystem; **deferred-payment** ~ *(US)* Abzahlungssystem, -wesen; **dial** ~ Selbstwählverkehr; **domestic** ~ Heimindustrie; **economic** ~ Wirtschaftssystem; **fiscal** ~ Steuersystem; **hire-**

purchase ~ *(Br.)* Abzahlungswesen, -system; **inland-transport** ~ Binnentransportwesen; **manifold** ~ Vervielfältigungsmethode; **piecework** ~ Akkordlohnsystem; **prohibitory** ~ Schutzzollsystem; **quota** ~ Kontingentierungswesen; **social** ~ Gesellschaftsordnung; **standard-cost** ~ Kostenindex; **working** ~ Arbeitsmethode;
~ **of accounts** Buchführungssystem; ~ **of arbitration** Schlichtungswesen; ~ **of bounties** Prämiensystem; ~ **of payment by results** Akkordlohnsystem; ~ **of material property** *(US)* Güterstand; **[graduated]** ~ **of rationing** [abgestuftes] Rationierungssystem; ~ **of service** Überprüfungsdienst für Buchhaltungssysteme; ~ **of supply** Beschaffungswesen; ~ **of taxation** Steuerwesen.

systematic | **advertising** zielbewußte Werbung; ~ **sampling** systematische Marktuntersuchung.

T

tab Etikett, Schildchen, Anhänger, Kartenreiter, *(US, account)* Konto, Rechnung, *(control)* Beaufsichtigung, Kontrolle;
to foot the ~ Rechnung bezahlen; **to keep ~s on the expenses** Spesenwirtschaft im Auge behalten; **to keep close ~s on daily sales** *(Br.)* Tagesumsätze genau kontrollieren; **to keep ~s on the state of the economy** Konjunkturpolitik im Griff behalten; **to pick up the** ~ Rechnung bezahlen.

table Verzeichnis, Liste, *(politics)* Tisch des Hauses, *(schedule)* Tabelle, Tafel, Übersicht, Register, Schema;
alphabetical ~ alphabetisches Inhaltsverzeichnis; **American Experience** ~ amtliche Sterblichkeitstafel; **basic** ~ Grundtabelle; **card** *(gaming)* ~ Spieltisch; **conversion** ~ Umrechnungstabelle; **mortality** ~ Sterblichkeitstabelle; **multiplication** ~ Einmaleins; **negotiating** ~ Verhandlungstisch; **quarterly** ~ Vierteljahrestabelle; **redemption** ~ Tilgungsplan; **Round** ~ Tafelrunde; **sliding** ~ Ausziehtisch; **spelling** ~ Buchstabiertafel; **wage-tax** ~ Tabelle zur Berechnung der Lohnsteuer; **writing** ~ Schreibtisch;
~ **of authorities consulted** Verzeichnis der benutzten Quellen; ~ **of birth** Geburtenregister, -tafel; ~ **of cases** Fallsammlung, Sammlung von Gerichtsentscheidungen; ~ **of charges** Preistabelle, Gebührenverzeichnis, -tabelle; ~ **of contents** Inhaltsverzeichnis, -anzeige, Register; ~ **of prohibited degrees** Liste verbotener Verwandtschaftsgrade; ~ **of depreciation** Abschreibungstabelle; ~ **of descent** Stammtafel; ~ **of exchange** Umrechnungstabelle; ~ **of fares** Eisenbahntarif; ~ **of insurance** Versicherungstarif; ~ **of interest** Zinstabelle; **the ~s of the law** die zehn Gebote; ~ **of organization** Organisationsplan; ~ **of parities** Paritätentafel; ~ **of precedence** *(Br.)* Rangordnung; ~ **of rates** Steuertabelle; ~ **of retentions** Maximaltabelle; ~ **of wages** Lohntabelle; ~ **of weights** Gewichtstabelle;
~ *(v.)* Tabelle anlegen, in eine Liste eintragen, in ein Verzeichnis aufnehmen, *(put off, US)* vertagen, verschieben, auf die lange Bank schieben, auf Eis legen;
~ **an amendment** *(Br.)* Zusatz-, Abänderungsantrag einbringen;
to compile (dress) a ~ Tabelle aufstellen; **to prepare ~s** Tabellen aufbereiten;
~ **board** *(US)* Verpflegung, Kost; ~ **book** Tabellenbuch.

tabloid | **paper** Boulevardblatt; ~ **journalism** Sensationspresse.

tabular tabellarisch;
~ **bookkeeping** *(US)* amerikanische Buchführung; ~ **composition** Tabellenwert; **to arrange in** ~ **form** tabellarisch anordnen; ~ **premium** Tarifprämie; ~ **standard** Preisindexwährung; ~ **statement** tabellarische Aufstellung; ~ **value** Tabellenwert.

tabularization Tabellierung, Tabelle.

tabularize *(v.)* tabellieren, tabellarisch anordnen.

tacit | **acceptance** stillschweigende Annahme; ~ **hypothecation** gesetzlich entstandenes Pfandrecht.

tack *(lease)* Pachtvertrag, *(supplemental bill)* Zusatzantrag;
~ *(v.)* **an appeal for money onto a speech** Rede mit einem Spendenappell abschließen;
~ **mortgages** *(Br.)* Hypotheken verschiedenen Ranges zusammenschreiben; ~ **securities** *(Br.)* Sicherheiten zusammenfassen.

tacking *(mortgage, Br.)* Hypothekenvereinigung, *(securities)* Zusammenfassung, *(supplemental bill, Br.)* Einreichung eines mit einer Gesetzesvorlage gekoppelten Zusatzantrags.

tag *(label)* Etikette, [Bezeichnungs]schild, *(label indicating price)* Preisauszeichnung, -zettel, *(luggage)* Gepäckanhänger, Anhängeradresse, -schildchen, -zettel.
licence ~ Steuermarke;
price ~ Preisschild, -zettel;
~ *(v.)* *(furnish with label)* auszeichnen, etikettieren, mit Preizetteln versehen, *(luggage)* mit einem Anhänger versehen;
~ **addresser** Gepäckanhänger; ~ **day** *(US)*

Sammeltag; ~ **fastener** Etiketthalter; ~ **label** Anhängezettel.

tail *(estate law)* beschränktes Erbrecht, *(issue)* Nachkommenschaft;

~ **of a letter** Briefschluß;

~ **ender** *(competition, US coll.)* Schlußlicht, Allerletzter; ~ **lamp** *(car)* Rück-, Schlußlicht.

tailless airplane Nurflügelflugzeug.

taillight *(car)* Schlußlicht, *(plane)* Hecklicht.

tainted goods *(Br.)* von Nichtgewerkschaftsmitgliedern hergestellte Waren.

take Wegnehmen, *(film)* Szenenaufnahme, Filmszene, *(Br., leasing)* Pachtland, Pachtung, *(theater)* Kasse, Einnahme;

~ *(v.)* nehmen, *(book)* ankommen, einschlagen, *(taxes)* einnehmen, erheben.

~ **in advance** im Vorverkauf erwerben; **legal advice** sich anwaltlich beraten lassen; ~ **a broadcast on tape** Rundfunksendung auf Band aufnehmen; ~ **to business** an die Arbeit gehen; ~ **a call** Anruf entgegennehmen; ~ **for the call** Vorprämie verkaufen; ~ **a census** Volkszählung durchführen; ~ **the chair** Präsidium übernehmen; ~ **charge of** *(goods)* in Verwahrung nehmen; ~ **charge of the luggage** *(Br.)* sich um das Gepäck kümmern; ~ **on credit** auf Kredit (Konto) nehmen, anschreiben lassen; ~ **a day off** sich einen Tag frei nehmen; ~ **delivery of stock** *(US)* Aktien abnehmen; ~ **discount** Diskont in Anspruch nehmen; ~ **on discount** diskontieren, in Discont nehmen; ~ **the public fancy** beim Publikum sehr gut aufgenommen werden; ~ **firm** fest übernehmen; ~ **a flier** *(US)* spekulative Effektentransaktion durchführen; ~ **paying guests** Gäste gegen Bezahlung aufnehmen; ~ **a holiday** in Urlaub gehen, Ferien machen; ~ **an interest in an enterprise** sich an einem Unternehmen finanziell beteiligen; ~ **inventory** Inventur machen; ~ **lodgings** sich einmieten, Zimmer mieten; ~ **a loss** Verlust erleiden; ~ **a mortgage [on real estate]** Hypothek [auf ein Grundstück] aufnehmen; ~ **s. one's name and address** jds. Namen und Adresse feststellen; ~ **a newspaper** Zeitung halten; ~ **office** Büroräume mieten; ~ **an order for s. th.** Bestellung auf etw. erhalten; ~ **a partner into business** als Teilhaber in sein Geschäft aufnehmen; ~ **s. o. into partnership** j. als Teilhaber aufnehmen, (hereinnehmen); ~ **a place (position)** Stelle (Stellung) einnehmen; ~ **possession** in Besitz nehmen; ~ **profits** Gewinne mitnehmen (realisieren); ~ **for the put** Rückprämie kaufen; ~ **as read** *(protocol)* auf die Lesung verzichten; ~ **s. th. as a reparation** etw. im Wege der Wiedergutmachung erhalten; ~ **as reward** als Belohnung erhalten; ~ **a ship** sich einschiffen; ~ **stock** Lagerbestand (Inventar) aufnehmen; ~ **a sum out of one's income** Betrag von seinen Einkünften abzweigen; ~ **a taxi** Taxi nehmen; ~ **a ticket** Fahrkarte lösen; ~ **the train** Bahn benutzen; ~ **$ 400 a week** wöchentlich 400 Dollar verdienen.

take away customers Kunden abfangen.

take back *(goods)* zurücknehmen.

take down *(the minutes)* niederschreiben, zu Protokoll nehmen;

~ **a speech in shorthand** Rede mitstenografieren.

take in *(accept)* Aufnahme gewähren, *(goods)* hereinnehmen, einkaufen, *(hotel)* beherbergen, *(newspaper, Br.)* beziehen, halten, *(receive)* empfangen, erhalten, *(stock exchange) (Br.)* in Report (Prolongation) nehmen, hereinnehmen;

~ **cargo** Ladung einnehmen; ~ **contract** auf Akkordbasis anstellen; ~ **[as] payment** an Zahlungs Statt annehmen; ~ **part payment** sich mit Teilzahlungen einverstanden erklären; ~ **petrol** *(Br.)* *(gas, US)* Benzin tanken.

take into | account einberechnen, -kalkulieren; ~ **a clerk into the firm** Kommis einstellen.

take off *(airplane)* abfliegen, starten, *(bus)* aus dem Verkehr ziehen, *(deduct)* abziehen, *(deduct part of price)* [Preis]senken um, *(market)* aus dem Markt nehmen, *(tax)* aufheben, beseitigen;

~ **4%** 4% abrechnen, Rabatt von 4% in Abrechnung bringen; ~ **a trial balance** Rohbilanz erstellen; ~ **an embargo** Beschlagnahme aufheben; ~ **a ship off the active list** Schiff außer Dienst stellen; ~ **the seals** Siegel abnehmen; ~ **a train** Zug aus dem Verkehr ziehen.

take on *(bus)* aufnehmen, *(labo(u)rers)* einstellen, engagieren;

~ **charter** chartern, mieten; ~ **among all classes** *(fashion)* sich in allen Bevölkerungssparten durchsetzen; ~ **credit** Anschreiben lassen; ~ **extra work** zusätzliche Arbeiten übernehmen; ~ **hire** mieten; ~ **a lease** Pachtvertrag erneuern.

take out *(pawn)* auslösen;

~ **of bond** aus dem Zollverschluß nehmen; ~ **an insurance policy** Versicherungspolice erwerben; ~ **a licence** sich eine Lizenz geben lassen; ~ **a driving licence** Führerschein bekommen; ~ **a passport** sich einen Paß beschaffen; ~ **summons** Zahlungsbefehl erwirken.

take over übernehmen, *(Br.)* Aktienkapital übernehmen;

~ **the assets and liabilities** mit Aktiven und Passiven übernehmen; ~ **a business** Geschäft übernehmen; ~ **a car** Auto von der Fabrik übernehmen; ~ **the management** Leitung übernehmen; ~ **s. one's obligations** in jds. Pflichtenkreis eintreten; ~ **the railways** Eisenbahn verstaatlichen; ~ **accounts receivable and accounts payable** Aktiva und Passiva übernehmen.

take up über-, aufnehmen, *(lodgings)* Wohnung nehmen (beziehen);

~ **an agency** Vertretung übernehmen; ~ **a matter up with a higher authority** Angelegenheit mit einer höheren Instanz besprechen; ~ **a bill** Wechsel honorieren; ~ **a bill when due** Wechsel bei Fälligkeit einlösen; ~ **new capital** neues Kapital aufnehmen; ~ **a line of goods** Vertrieb verschiedener Erzeugnisse übernehmen; ~ **money** Geld aufnehmen; ~ **an option** Bezugsrecht ausüben; ~ **a profession** Beruf ergreifen; ~ **under rebate** *(Br.)* Wechsel diskontieren; ~ **one's residence** seinen Wohnsitz aufschlagen; ~ **shares** Aktien beziehen (zeichnen); ~ **taxes** Steuern einziehen.

take | -home pay (pay packet, wages) Lohntüte, Netto-, Effektivlohn; ~**-in** *(coll.)* Prellerei, Gaunertrick.

take-off, takeoff *(airplane)* Abflug, *(fig.)* Start, Sprungbrett, Ausgangspunkt;
~ **position** Abflugstelle; ~ **run** Startstrecke.

take-over, takeover *(management)* Übernahme der Geschäftsführung, *(stock majority)* Übernahme der Aktienmajorität;
~ **agreement** Übernahmevertrag; ~ **bid (offer)** *(Br.)* Übernahmeangebot; ~ **price** Übernahmepreis.

taker Abnehmer, Käufer, Kunde, *(collector)* Einnehmer, *(stock exchange, Br.)* Hereinnehmer;
first ~ erster Anwartschaftsberechtigter; **ticket** ~ Fahrkartenkontrolleur;
~ **of a bill** Wechselnehmer; ~ **on bottomry** Bodmereinehmer; ~ **for a call** Verkäufer einer Vorprämie; ~ **of an option** Optionsnehmer, Optant; ~ **of option money** *(Br.)* Prämienverkäufer.

taker | -in Heimarbeiter, *(factory)* Faktor, *(stock exchange, Br.)* Hereinnehmer, Kostnehmer; ~**-off** Abnahmebeamter.

taking Entnehmen, Entnahme, *(receipts)* [Geld]-einnahme, *(ship)* Aufbringung;
inventory ~ Bestandsaufnahme, Inventur;
unlawful ~ unrechtmäßige Wegnahme;
~ **delivery** Abnahme; ~ **effect** Inkrafttreten; ~ **an order** Auftragsannahme; ~ **a risk** Risikoübernahme; ~ **samples** Musterziehung.

taking out | an insurance contract Abschluß einer Versicherung;
~ **of pawn** Pfandeinlösung.

taking over Ab-, Übernahme;
delayed ~ Abnahmeverzug;
~ **of a business** Geschäftsübernahme; ~ **of a debt** Schuldübernahme;
~ **price** Übernahmekurs.

taking up | bills under rebate *(Br.)* Wechseldiskontierung; ~ **of capital** Kapitalaufnahme.

takings Einnahmen, Eingänge, Einkünfte;
day's ~ Tageseinnahme;
to check the day's ~ Kassensturz machen.

tale *(counting of money)* Geldzählen;
by ~ dem nominellen Wert entsprechend.

talent Begabung, *(agency costs)* künstlerische Gestaltung;
local ~ Lokalgröße; ~ **for organization** Organisationstalent.

talk Reden, Gespräch, Unterhaltung, Besprechung;
confidential ~ vertrauliches Gespräch; **informal** ~ zwangloses Gespräch;
~**s about entry** Beitrittsverhandlungen; ~ **over the radio** Rundfunkvortrag; ~**s about** ~**s** *(US)* Sondierungsgespräche;
~ *(v.)* **business** über Geschäfte sprechen; ~ **s. o. into buying s. th.** jem. etw. aufschwatzen;
to give a ~ **on s. th.** *(broadcasting)* Vortrag über etw. halten; **to squelch** ~ **of a liquidity pinch** um das Liquiditätsgerede zu beenden.

tally *(account)* Rechnung, [monatliche] Abrechnung, *(coupon)* kleiner Schein, Kupon, *(duplicate)* Seiten-, Gegenstück, Duplikat, *(label)* Etikett, Schild, Anhänger, Kennzeichen, *(list of goods)* Warenliste, *(mark)* Identifizierungszeichen, Kontrollzeichen, *(pass book)* Kontobuch, Gegenbuch [des Kunden], *(stroke)* Zählstrich, Strichmarkierung;
by the ~ nach dem Stück;
~ *(v.)* kontrollieren, abhaken, *(Br., accounts)* übereinstimmen, *(count by the piece)* [Ladung] stückweise nachzählen, *(label)* Waren bezeichnen, etikettieren, *(register)* registrieren, buchen;
to buy by the 100 ~ hundertstückweise kaufen; **to keep** ~ **of goods** Waren auf einer Liste abhaken; **to take the** ~ Abstimmungsergebnis ausrechnen;
~ **business** *(Br.)* [einzelnes] Abzahlungsgeschäft; ~ **clerk** Fracht-, Ladungskontrolleur, *(US)* Stimmenzähler; ~ **keeper** Kontrolleur; ~ **out** *(US)* Lieferschein; ~ **room** *(elections, Ireland)* Wahlausschußzimmer; ~ **sheet** *(US)* Kontrolliste, Abrechnungsbogen; ~**-sheet method** *(US)* Strichelverfahren; ~ **shop** *(Br.)* Abzahlungsgeschäft; ~ **system** *(Br.)* Abzahlungssystem.

tallyman Kontrolleur, *(Br., hire purchase)* Inhaber eines Abzahlungsgeschäftes, *(travel(l)er)* Musterreisender.

talon *(Br.)* Erneuerungsschein, Talon, Zinskupon;
~ **tax** Talonsteuer.

tamper *(v.) (balance sheet)* fälschen, frisieren;
~ **with the cash** sich an der Kasse vergreifen.

tampering of a balance sheet Bilanzfrisur.

tangible greifbar, materiell;
~ **assets** körperliche Wirtschaftsgüter, greifbare Vermögenswerte, Sachanlagevermögen; ~ **goods** materielle Güter; ~ **property** Sachvermögen; ~ **value** greifbarer (materieller) Wert, *(going concern)* Betriebswert.

tank Kanister, Tank;
~ *(v.)* tanken;
~ **car** *(railway)* Kessel-, Behälter-, Tankwagen.

tanker Tanker, Tankdampfer;
~ **fleet** Tankerflotte.

tap *(brand, fam.)* Sorte, Marke, *(gas, water, Br.)* Hahn, *(pub)* Schankwirtschaft, Schenke;
on ~ auf Lager, verfügbar, vorhanden, zum sofortigen Gebrauch bereit;
~ *(v.)* **capital** Kapital angreifen; ~ **a market** auf einem Markt in Erscheinung treten, Markt erschließen; ~ **the money market heavily** Geldmarkt stark in Anspruch nehmen; ~ **s. o. for $ 20** j. um 20 Dollar anpumpen;
~ **issue** *(treasury bills, Br.)* Placierung außerhalb des Publikumsverkehrs; ~ **line (feeder)** Industriebahn, -anschluß; ~ **rate** *(Br.)* Diskontsatz für kurzfristige Schatzwechsel.

tape Papierband [des Börsentelegrafs], *(recording)* Ton-, Magnetofonband, *(teletype)* Lochstreifen;
blank ~ Leerband; **red** ~ Bürokratismus, Amtsschimmel;
~ *(v.)* *(book)* heften, *(take on record)* auf Band sprechen, Tonband aufnehmen;
~ **abbreviations** Börsenabkürzungen; ~ **machine** *(Br.)* [Börsen]fernschreiber; ~ **price** notierter Kurs; ~ **quotations** Kabelnotierungen; ~ **recorder,** Tonbandgerät; ~ **recording** [Ton]bandaufnahme; ~ **relay** Lochstreifenbetrieb; ~ **watcher** Börsenbeobachter.

tapping of natural resources Erschließung von Bodenschätzen;

tardiness *(US)* Verspätung [im Betrieb].

tare tote Last, Tara, Verpackungsgewicht, *(allowance for tare)* Taravergütung;
actual ~ reines Verpackungsgewicht; **average** ~ Durchschnittsgewicht, -tara; **converted** ~ am Empfangsort umgerechnete Tara; **customary** ~ übliche Tara; **customs** ~ Zollgewicht; **estimated** ~ geschätzte Tara; **original** ~ Abgangsgewicht; **real** ~ Nettotara; **super** ~ zusätzliche Tara;
~ **assumed by the customs** Zolltara; ~ **and tret** Tara und Gutgewicht;
~ *(v.)* Tara in Abzug bringen (vergüten), tarieren;
to ascertain (allow for) the ~ tarieren, Verpakkungsgewicht bestimmen;
~ **account (note)** Abgangs-, Tararechnung; ~ **weight** Taragewicht.

target Ziel, *(economics)* wirtschaftliches Planziel, Soll, Vorgabe, *(production)* Förderungsplan, Produktionssoll;
output ~ Produktionsziel;
~ **audience** Zielgruppe; ~ **cost** vorkalkulierte Kosten; ~ **date** Abschlußtermin, Stichtag; ~ **figures** projektierte Zahlen, Sollzahlen; ~ **group** Zielgruppe; ~ **industries** Planzielindustrien; ~ **price** Übernahme-, Vertragspreis.

tariff *(customs)* Zoll[tarif], Zollverzeichnis, -satz, *(list of charges)* Taxe, Tarif, Gebührenverzeichnis, *(Br., prices in restaurant)* Preisliste, [-]verzeichnis, *(railway ~)* Eisenbahntarif, *(telephone call)* Gesprächsgebühr;
as per ~ laut Tarif; **in accordance with (by) the** ~ tarifmäßig;
~**s** Tarifwesen;
agricultural ~ Zoll auf landwirtschaftliche Erzeugnisse; ~ **applicable** anzuwendender Tarif; **autonomous** ~ autonomer Zolltarif, Zollautonomie; **bargaining** ~ Verhandlungstarif; **compound** ~ gemischter (kombinierter) Zolltarif; **contractual** ~ Revokations-, Vertragszoll; **conventional** ~ vereinbarter (ausgehandelter) Zolltarif; **countervailing** ~ Ausgleichszoll; **customs** ~ Zolltarif, -satz; **differential** ~ Staffel-, Differentialtarif; **discriminating** ~ diskriminierender Zoll; **educational** ~ Erziehungszoll; **electricity** ~ Stromtarif; **exceptional** ~ *(Br.)* Ausnahmetarif; **export** ~ Ausfuhrzoll; **external** ~ Außentarif, Ausfuhrzoll; **flexible** ~ Staffel-, Stufentarif, gleitender Zoll; **foreign** ~ Auslandszoll, ausländischer Zoll; **full** ~ ungekürzter Tarif; **fundamental** ~ Grundtaxe; **freight** ~ Fracht-, Gütertarif; **gas** ~ Gastarif; **general** ~ allgemeingültiger Tarif, Normaltarif, -zoll, Einheitstarif; **graded** ~ Stufentarif; **graduated** ~ Staffeltarif; **homeward** ~ hereinkommender Tarif [in der Seeschiffahrt]; **hotel** ~ *(Br.)* Zimmerpreise; **import** ~ Einfuhrzoll; **insurance** ~ Prämien-, Versicherungstarif; **internal** ~ Binnenzoll; **local** ~ Binnentarif; **maximum** ~ *(customs)* Maximal-, Höchstzoll, *(insurance)* Höchsttarif; **minimum** ~ *(customs)* Mindestzoll, *(insurance)* Minimaltarif; **mixed** ~ gemischter (kombinierter) Zolltarif; **most-favo(u)red-nation** ~ Meistbegünstigungstarif; **multilinear (multiple)** ~ Mehrfachzoll; **outward** ~ ausgehender Tarif [in der Seeschiffahrt]; **passenger** ~ Personentarif; **postal** ~ Porto-, Posttarif; **preferential** ~ Begünstigungstarif, Vorzugszoll; **protective** ~ Schutzzoll; **railway (railroad,** *US)* ~ Fracht, [Eisen]bahn-, Gütertarif; **reduced** ~ ermäßigter Tarif; **retaliatory** ~ Kampf-, Vergeltungszoll; **revenue** ~ Finanz-, Einfuhrzoll, Finanztarif; **separate** ~ eigener Zolltarif; **single-column** ~ Einspaltentarif; **single-schedule** ~ Einheitstarif; **sliding-scale** ~ Staffeltarif, Gleitzoll; **specific** ~ Sondertarif; **standard** ~ Einheitstarif, -satz; **suspended** ~ suspendierter (ausgesetzter) Zoll; **through (transit)** ~ Durchtarif [in der Seeschiffahrt]; **time-of-the-day** ~ *(Br.)* Nachtstromtarif; **two-column** ~ Zweispaltentarif; **uniform** ~ Einheitstarif; **unilinear** ~ Einspalten-, Einheitstarif; **valuation** ~ Wertberechnungsskala;
~ **of coins** Münztabelle; ~ **of fares** Fahrpreisverzeichnis; ~ **in force** gültiger Tarif; ~ **at a hotel** *(Br.)* Zimmerpreise in einem Hotel; ~ **on imports** Einfuhrzoll; ~ **of revenue** Finanztarif; ~ **for revenue only** Finanzzolltarif;
~ *(v.)* Tarifwert festsetzen, taxieren, *(customs)* mit Zoll belegen, *(fix a price)* Preis festsetzen, *(make a ~)* Tarif ausstellen, tarifieren;

to fix the ~ tarifieren, Tarif festsetzen; **to increase the** ~ Zölle erhöhen; **to lower the** ~ Zölle senken; **to rate in the** ~ tarifieren, *(customs)* mit Zoll belegen; **to subject to** ~ den Zollbestimmungen unterwerfen;

≗ **Act** *(US)* Zollgesetz; ~ **adjustment** Zollangleichung; ≗ **Amendment Act** *(US)* Zolländerungsgesetz; ~ **abandonment** Aufgabe der Tarifbindungen; ~ **advantage** Tarifvorteil; ~ **advocate** Tarifanhänger; ~ **agreement** Zollvereinbarung, -abkommen; ~ **barriers** Zollschranken; ~ **battle** Zollkrieg; ~ **bill** Zollgesetz; ~ **board** *(US)* Zollamt; ~ **-bound** tarifgebunden, zollpflichtig; ~ **card** Preistarif; ~ **category** Tarifklasse; ~ **changes** [Zoll]tarifänderungen; ~ **charge for calls** Gesprächsgebühr; ~ **charges** [Zoll]tarifsätze; ~ **classification** Tarifierung; ~ **commission** Tarifkommission, *(US)* oberste Zollbehörde; ~ **commitments** Tarifbindungen; ~ **companies** *(Br.)* in einem Kartellsystem zusammengeschlossene Versicherungsgesellschaften; ~ **concession** Zugeständnis auf dem Gebiet des Zollwesens, Tarifzugeständnis; ~ **conference** Zollkonferenz; ~ **cut** Tarif-, Zollsenkung; ~ **cutback** Zollsenkung; ~ **cutting** Zollabbau; ~**-cutting agreement** Zollsenkungsabkommen; ~**-cutting process** Zollabbauprozeß, ~ **development** Entwicklung der Zollpolitik, zollpolitische Entwicklung; ~ **differential** Zollunterschied; ~ **discrimination** benachteiligende Zollbehandlung; ~ **duty** Zolltarif, Tarifzoll; ~ **-fed** durch Zölle geschützt, zollgeschützt; ~ **-free access** zollfreier Zugang; ~ **-free country** zollfreier Staat; ~ **heading** Position des Zolltarifs, Tarifposition; ~ **hike** Zollerhöhung; ~ **increase** Zollerhöhung, -anhebung; ~ **information** Auskunft in Zollangelegenheiten, Zollauskunft; ~ **information catalog(ue)** Zolltarif, -katalog; ~ **issue** Tarifstreit; ~ **item** Tarifposition; ~ **law** Zollgesetz; ~ **laws** Zoll-, Tarifgesetzgebung; ~ **legislation** Zollgesetzgebung; ~ **level** Tarifhöhe; ~ **maker** *(US)* Zollgesetzgeber, Zoll festsetzende Stelle; ~ **making** *(US)* Zoll-, Tariffestsetzung; ~ **matters** Zollfragen, -angelegenheiten; ~ **negotiations** Zollverhandlungen; ~ **plank** Tarifgrundsätze; ~ **platform** zollpolitische Forderungen; ~ **policy** Zoll-, Tarifpolitik; ~ **preference** Tarifvorzug; ~ **preference agreement** Zollvorzugsabkommen; ~ **procedure** Zolltarifverfahren; ~ **-protected** durch Schutzzölle abgesichert, zollgeschützt; ~ **protection** Schutzzollsystem, Zollschutz; **to benefit from incidental** ~ **protection** mittelbaren Zollschutz genießen; ~ **question** Tariffrage; ~ **quota** Zollkontingent; ~ **-raised** durch Zölle im Preis erhöht; ~ **-raising** Tariferhöhung, *(a.)* Zoll erhebend; ~ **rate** Gebühren-, Zollsatz, Tarifsatz; ~ **rates** Ansätze des Tarifs; ~ **rate quota** Zollkontingent; ~ **reduction** Zollsenkung, -abbau; ~ **reform** *(Br.)* Schutzzollpolitik, *(US)* Freihandelspolitik; ~ **reformer** Zollreformer, *(US)* Freihandelspolitiker; ~**-regulating** zollregelnd; ~ **regulations** Zollbestimmungen, -vorschriften; ~ **request** Tarifforderung; ~ **revenue** Zolleinnahmen; ~ **-ridden** mit hohen Zöllen belastet; ~ **revision** Änderung des Zolltarifs, Tarifrevision, -änderung; ~ **rollback** Tarif-, Zollsenkung; ~ **scheme** Tarifschema; ~ **session** Zolltarifsitzung; ~ **structure** Zollgefüge, -konstruktion; ~ **system** Zollsystem; **autonomous** ~ **system** Zollautonomie; ~ **treaty** Tarifabkommen-, Tarif-, Zollvertrag; ~ **value** Zollwert; **to schedule the** ~ **value** *(Br.)* Tarifwert festsetzen; ~ **wall** Zollmauer, -schranke; **to raise** ~ **walls against foreign goods** Tarifmauern gegen ausländische Produkte errichten; ~ **war** Tarif-, Zollkrieg; ~**-wise** tarifmäßig.

tariffication Tarifierung, Tariffestsetzung.

tariffize *(v.)* den Zollbestimmungen unterwerfen.

task Aufgabe, auferlegte Arbeit, *(piece rate)* Mindestleistung;

priority ~ vordringliche Aufgabe;

to finish one's ~ seine Schicht verfahren;

~ **force** *(US)* Arbeitsstab, *(plant)* im Akkord arbeitende Belegschaft; ~ **group** Akkordklasse; ~ **master** Vorarbeiter, Aufseher; ~ **and bonus system** Prämienakkordsystem; ~ **wage** Akkord-, Stücklohn.

tasker *(sl.)* Deputant.

taskmaster Vorarbeiter, Aufseher.

taskwork Stück-, Akkordarbeit.

taskworker Akkordarbeiter.

tavern Kneipe, Schenke, Schankwirtschaft, *(US)* Gast-, Wirtshaus;

~ **token** Getränkemarke.

tax [Staats]steuer, Abgabe, *(assessment)* Besteuerung, *(contribution)* Beitrag, Abgabe, *(fee)* Gebühr, Taxe, *(strain)* Anspannung, Belastung;

after deduction for ~**es** nach Abzug der Steuern; **before (after)** ~**es** vor (nach) Steuerabzug; **free from** ~**es** *(US)* steuer-, abgaben-, gebührenfrei; **liable to** ~ steuerpflichtig; **prior to deduction of** ~**es** vor Berücksichtigung der Steuern;

the ~**es** *(Br.)* Finanzamt; **accumulated-earnings** ~ *(US)* Sondersteuer für nicht ausgeschüttetes Einkommen; **accrued** ~ **[payable]** fällige Steuer[forderung]; **accrued** ~**es** *(balance sheet)* Steuerschulden; **additional** ~ Steuerzuschlag, Nach-, Zusatzsteuer; **amusement** ~ Lustbarkeits-, Vergnügungssteuer; **annual** ~ jährliche Abgabe; **anti-chain store** ~ *(US)* kettenladenfeindliche Steuer; **apportioned** ~ Repartitionssteuer; **assessed** ~ direkte (veranlagte) Steuer; **automobile** ~ Kraftfahrzeugsteuer; **bachelor's** ~ Junggesellensteuer; **back** ~**es** Steuerrückstand; **bank-deposit** ~ Depotsteuer; **betterment** ~ *(Br.)* Wertzuwachssteuer; **beverage** ~ Getränkesteuer; **blanket** ~ umfassende Steuer; **branch-office** ~ Filialsteuer; **building** ~ Bauabgabe; **business** ~ Gewerbesteuer; **capital-gains** ~ Kapitalgewinnsteuer; **capital-stock** ~ Vermögens-, Kapitalsteuer; **capital-yields** ~ Kapitalertragssteuer; **capitation** ~ Kopfsteuer; **chain-store** ~ *(US)* Kettenladensteuer; **cigarette** ~ Tabak-, Zigarettensteuer; **city** ~**es** städtische Abgaben; **consumption** ~ Verbrauchssteuer; **corporation [income]** ~ *(US)* Körperschaftssteuer; **death** ~ *(US)* Erbschaftssteuer; ~ **to be deducted** abzuziehende Steuer; **deferred** ~**es** *(balance sheet)* Steuervorauszahlungen; **defrauded** ~ hinterzogene Steuer; **degressive** ~ degressive (nach unten gestaffelte) Steuer; **delinquent** ~**es** *(US)* rückständige Steuern; **direct** ~ direkte Steuer; **dog** ~ Hundesteuer; ~ **due** Steuersoll, -schuld; **entertainment** ~ Vergnügungssteuer; **estate** ~ *(US)* Nachlaß-, Erbschaftssteuer; **excess** ~ zuviel gezahlte Steuer; **excise** ~ *(US)* Sonderumsatz-, Verbrauchssteuer; **export** ~ Ausfuhr-, Exportabgabe; **farmer's** ~ *(Br.)* Grundertragssteuer; **disposal** ~ Abfallbeseitigungsgebühr; **Federal income** ~ *(US)* Einkommensteuer; **fire-protection** ~ Brandkassenbeitrag; **franchise** ~ *(US)* Konzessionssteuer; **gift** ~ *(US)* Schenkungssteuer; **graduated** ~ gestaffelte Steuer; **import equalization** ~ *(US)* Einfuhrausgleichsabgabe; **[assessed] income** ~ [veranlagte] Einkommensteuer; **incorporation** ~ Gewinnzuwachssteuer; **increment value** ~ Wertzuwachssteuer; **indirect** ~ indirekte Steuer, Verbrauchssteuer; **individual income** ~ *(US)* Einkommenssteuer; **inheritance** ~ *(US)* Erbschafts-, Nachlaßsteuer; **initiation fees** ~ Aufnahmegebühr [bei Vereinseintritt]; **interest equalization** ~ *(US)* Zinsausgleichssteuer; **land and building** ~ Grund-, und Gebäudesteuer; **landed-property** ~ Grundvermögenssteuer; **legacy** ~ Vermächtnissteuer; **licence** ~ Lizenzgebühr; **local** ~**es** *(US)* Kommunalabgaben; **luxury** ~ Luxussteuer; **mature** ~**es** fällige Steuern; **motor-vehicle** ~ *(US)* Kraftfahrzeugsteuer; **municipal** ~**es** *(US)* Kommunalabgaben; **nonresident** ~ Fremdensteuer, Kurtaxe; **normal** ~ *(US)* normale Einkommensteuer; **operating** ~ Betriebssteuer; ~**es paid in kind** Naturalabgaben; ~**es payable** *(balance sheet)* fällige Steuern; **percentage** ~ *(insurance)* Umsatzsteuer; **petrol** ~ *(Br.)* Treibstoff-, Benzinsteuer; **premium** ~ Versicherungs-, Prämiensteuer; **profits** ~ *(Br.)* Körperschaftssteuer; **excess-profits** ~ Mehrgewinnsteuer; **property** ~ Steuer auf bebauten Grundbesitz; **personal-property** ~ *(US)* Mobiliarvermögensteuer; **purchase** ~ *(Br.)* [Einphasenwaren]umsatzsteuer; **real-estate** ~ *(US)* Grundsteuer; **regressive** ~ rückwirkende Steuer; **retail sales (retailers' excise) fund** ~ Verkehrssteuer; **road-using** ~ Straßennutzungsgebühr; **sales** ~ *(US)* [Waren]umsatzsteuer; **social security** ~ *(US)* Zwangsbeitrag zur Sozialversicherung; **special** ~ *(US)* Wertzuwachssteuer; **stamp** ~ *(US)* Stempelsteuer; **stock-transfer** ~ *(US)* Börsenumsatzsteuer; **succession** ~ Erbanfallsteuer [für unbewegliches Vermögen]; **talon** ~ Zinsbogensteuer; **tobacco [manufacturer's]** ~ Tabaksteuer; **turnover** ~ *(Br.)* Umsatzsteuer; **Federal unemployment** ~ *(US)* Arbeitslosenversicherung; **use** ~ *(US)* Aufwands-, Verbrauchssteuer; **ad-valorem** ~ Wertsteuer; **value-added** ~ Mehrwertsteuer; **visitors** ~ Kurtaxe; **war-profits** ~ *(US)* Kriegsgewinnsteuer; **wealth** ~ Vermögenssteuer; **withheld** ~**es** einbehaltene Steuern; **withholding** ~ *(US)* Quellen-, Kapitalertragssteuer, *(wage earner)* Lohnsteuer;

~ **on racing bets** Wettgewinnsteuer; ~ **on business receipts** *(US)* Umsatzsteuer; ~ **on capital** Kapital-, Vermögensteuer; ~ **on the conveyance of real estate** Grunderwerbssteuer; ~ **on consumption** Verbrauchs-, Aufwandsteuer; ~ **on corporations** *(US)* Körperschaftssteuer; ~ **on directorships** Aufsichtsratssteuer; ~ **on dividends** Kapitalertragssteuer; ~ **on earnings** Ertragssteuer; ~ **on exports** Exportabgabe; ~ **on freight transportation** Verkehrssteuer; ~ **on income or profits from trades, profession or vocations** Steuern auf Einkünfte aus selbständiger Arbeit; ~ **in kind** Naturalabgabe; ~ **on land** Grundsteuer, -abgabe; ~ **on allocated portion of profits** Tantiemesteuer; ~ **on inherited property** Erbschaftssteuer; ~ **on real estate** *(US)* Grund[stücks]steuer; ~ **on sales** Umsatzsteuer; ~ **on stock-exchange dealings** *(Br.)* Börsenumsatzsteuer; ~ **on stock sales** *(US)* Aktien-, Börsenumsatzsteuer; **heavy** ~ **on time** starke Zeitbeanspruchung; ~ **on trades** Gewerbesteuer; ~ **on wages** Lohnsummensteuer;

~ *(v.)* *(US, ask for)* als Preis fordern, *(assess)* veranlagen, festsetzen, taxieren, abschätzen, ansetzen, *(examine costs)* Kosten nachprüfen, *(expert)* in Anspruch nehmen, anstrengen, -spannen, *(impose a tax)* mit Abgaben (Steuern) belegen, besteuern, Steuern ausschreiben (erheben);

~ **away** wegsteuern; ~ **income** Einkommen besteuern, Einkommensteuer erheben; ~ **income at the source** Quellensteuern erheben; ~ **with a higher rate** mit einem höheren Satz versteuern;

to abandon a ~ Steuer aufheben; **to assess** ~**es upon** besteuern, Steuern festsetzen; **to avoid a** ~ Steuern umgehen; **to back down a** ~ Steuer wiederaufheben; **to be a** ~ **on s. o.** Belastung für j. darstellen; **to be a** ~ **on s. one's attention** jds. Aufmerksamkeit ablenken; **to be liable for** income ~ einkommensteuerpflichtig sein; **to be subject to** ~ steuerpflichtig sein; **to charge back** ~**es** nachträglichen Steuerbescheid erlassen; **to charge a** ~ **at a lower rate** niedrigeren Steuersatz anwenden; **to collect** ~**es** Steuern eintreiben (beitreiben); **to compute the amount of a ~** Steuerhöhe berechnen; **to defraud (evade) a ~** Steuer hinterziehen; **to drop a ~** Steuer niederschlagen; **to eliminate a ~** Steuer aufheben; **to exact ~es** Steuern erheben (eintreiben); **to free from ~es** von Steuern befreien, Steuerfreiheit gewähren; **to impose (lay, levy) a ~ on s. th.** etw. mit Steuer belegen (besteuern); **to levy a ~ on dividend distribution** Kapitalertragssteuer erheben; **to lower a ~** Steuer ermäßigen; **to pass on a ~** Steuer abwälzen; **to pay ~es** versteuern, Steuern zahlen; **to pay $ 2000 in ~es** 2000 Dollar an Steuern bezahlen; **to put a ~ upon** besteuern; **to raise ~es** Steuern erheben; **to receive ~es** Steuern einnehmen; **to reduce a ~** Steuer ermäßigen (herabsetzen); **to relieve from ~es** Steuerfreiheit gewähren; **to repay a ~** Steuer erstatten, Steuererstattung vornehmen; **to shift a ~** Steuer abwälzen;

~ **abatement** Steuernachlaß; ~ **accounting** Steuerbuchhaltung; ~ **accruals** *(US)* Steuerforderungen; ~ **administration** Steuerverwaltung; ~ **advantage** Steuervorteil; ~ **adviser** Steuerberater; ~ **allowance** *(Br.)* Steuervergünstigung, -freibetrag; ~ **amendment** Steueränderung; ~ **amount** Steuerbetrag; ~ **anticipation certificate** *(Br.)* Steuergutschein; ~ **anticipation notes** *(US)* kleingestückelte Steuergutscheine; ~ **appeal** Steuereinspruch; ~ **argument** Steuerstreitfrage; ~ **arrears** Steuerrückstände; ~ **assessing (assessment)** Steuereinschätzung, -veranlagung, -festsetzung, -bescheid; **to appeal against a ~ assessment** gegen einen Steuerbescheid Einspruch einlegen; **~-assessment note (notice,** *US)* Steuerbescheid; ~ **assessor** Steuerschätzer; ~ **attorney** *(US)* Steueranwalt; ~ **audit** Steuerprüfung, -revision; ~ **auditor** *(US)* Steuerprüfer; ~ **authority** Steuerbehörde; ~ **avoidance** Steuerumgehung, -vermeidung; ~ **balance sheet** *(US)* Steuerbilanz; ~ **base** Steuerbemessungs-, Besteuerungsgrundlage, Steuerobjekt; ~ **bearer** Steuerträger; ~ **benefit** Steuererleichterung, steuerliche Vergünstigung; ~ **bill** *(parl.)* Steuergesetz, -vorlage, *(US, tax payer)* Steuerbescheid, -zettel; ~ **bite** Steuerbelastung; **to put the ~ bite on** Steuerschraube ansetzen; ~ **bond** Steuergutschein, *(US)* Steuerquittung; ~ **book** *(US)* Veranlagungs-, [Steuer]hebeliste; ~ **-bought** *(US)* aus Steuergründen erworben; ~ **bracket** Steuergruppe, -stufe, -klasse; **to put s. o. in a higher ~ bracket** j. in eine höhere Steuerklasse einstufen; **to shove more of the earned income into the ordinary ~ bracket** größeren Teil des Erwerbseinkommens der normalen Besteuerung unterwerfen; ~ **break** Steuervergünstigung, steuerlicher Vorteil; ~ **burden** Steuerlast, -belastung, steuerliche Belastung; ~ **-burdened** besteuert, steuerlich belastet; ~ **business** Steuerberatung; ~ **calculation** Steuerberechnung; ~ **calendar** Steuerkalender; ~ **certificate** *(US)* Grunderwerbssteuerbescheid; ~ **changes** steuerliche Veränderungen, Steueränderungen; ~ **charge** steuerliche Belastung, Steuerbelastung; ~ **claim** Steuerforderung; ~ **class** Steuerklasse; ~ **classification** steuerliche Einstufung, Steuereinstufung; ~ **code** Steuerkodex; ~ **collecting** Steuereinziehung.

tax collection | **s** Steuereingänge;
~ **procedure** Steuereinziehungsverfahren; ~ **regulations** Steuereinziehungsbestimmungen; ~ **shortages** nicht eingegangene Steuern, Steuerminderaufkommen; ~ **speedup** beschleunigtes Steuereinziehungsverfahren; ~ **system** Steuereintreibungsverfahren.

tax collector Steuereinnehmer;
city ~ Stadtsteueramt;
~'s district Steuerbezirk.

tax | **commission** Steuerausschuß; ~ **commissioner** *(Br.)* [Steuer]veranlagungsbehörde; ~ **compliance** Steuerwilligkeit; ~ **computation** Steuerberechnung; ~ **concession** Steuervergünstigung, steuerliches Zugeständnis; ~ **considerations** steuerliche Überlegungen; ~ **consultant** Steuerberater; ~ **consulting (consultation)** Steuerberatung; ~ **convention** Steuerabkommen; ~ **court** Finanzhof; ~ **counsel[lor]** Helfer in Steuersachen, Steuersachverständiger; ≗ **Court of the United States** Bundessteuergericht, Oberster Finanzgerichtshof; ~ **court case** Finanzhofverfahren; ~ **court judge** Finanzrichter; ~ **credit** Steuergutschrift, -freibetrag, -vergünstigung; **foreign ~ credit** Anrechnung ausländischer Steuern; **indirect ~ credit** indirekte Steueranrechnung; ~ **credit system** Steueranrechnungsmethode; ~ **cut** Steuerherabsetzung; ~ **deadline** Steuertermin; ~ **debate** Steuerdebatte; ~ **debtor** Steuerschuldner; ~ **declaration** Steuererklärung; **~-deductible** steuerabzugsfähig; ~ **deductibles** steuerabzugsfähige Beträge; ~ **deduction** Steuerabzug; ~ **deed** *(US)* Abrechnung über Zwangsversteigerungserlöse im Verfahren zur Eintreibung von Steuerrückständen; ~ **deferral** *(US)* Steuerstundung, -aufschub, -verlagerung; ~ **deficit** Steuerausfall; ~ **delinquency** Steuerschuld, -säumnis; ~ **demand** Steuerbescheid; ~ **difference** Steuerunterschied; ~ **digest** Steuerunterlagen beim Finanzamt; **unsettled ~ dispute** unerledigte Steuerfrage; ~ **dodge** Steuerumgehung, -hinterziehung; ~ **dodger** Steuerhinterzieher, -drückeberger; **~-dodging** steuerumgehend; ~ **dollars** Steuergelder; **delinquent ~ due** Säumniszuschlag; ~ **effects** Steuerauswirkungen, steuerliche Auswirkungen; **to make a strong ~ effort** auf dem Steuergebiet große Anstrengungen machen; ~ **equalization item** steuerliche Ausgleichsposten; ~ **evader** *(US)* Steuerhinterzieher; ~ **evasion** *(US)* Steuerhinterziehung; **~-exempt** *(US)* steuerbefreit, steuerfrei, -abgabenfrei, von der

Besteuerung ausgenommen, *(free of Federal income tax, US)* einkommensteuerfrei; **~-exempts** steuerfreie Wertpapiere; **~-exempt amount** Steuerfreibetrag; **~-exempt bonds (securities)** steuerfreie Wertpapiere; **~-exempt income** steuerfreies Einkommen; **~-exempt note** steuerfreier Schuldschein; **~-exempt status** *(US)* steuerfreie Stellung; ~ **exemption** Steuerbefreiung, -freiheit, *(US)* Steuerfreibetrag, ~ **expert** Steuerberater, -fachmann, -helfer, -sachverständiger; ~ **favo(u)r** Steuervergünstigung; ~ **ferrets** Steuerfahndung; ~ **file** Steuerakte; **~-filing date** *(US)* Steuertermin; ~ **forgiveness** Steuernachlaß; ~ **form** Steuerformular; ~ **fraud** Steuerhinterziehung; **~-free** Steuerfrei; **~-free allowance** *(Br.)* Steuerfreibetrag; **~-free covenant** *(US)* Vereinbarung der Steuerfreiheit; **~-free transaction** steuerfreies Wertpapiergeschäft; ~ **group** Steuerklasse; ~ **guide** Steuerberatungsheft, steuerlicher Ratgeber; ~ **heaven** Steuerparadies, -oase; ~ **holiday** steuerfreier Tag; ~ **impact** Steuerbelastung; ~ **implications** Steuerfolgen, steuerliche Folgewirkungen; ~ **incentive** Steueranreiz; ~ **incidence** Steueranfall; ~ **increase** Steuererhöhung; ~ **information** Steuerauskunft; ~ **inspection** Steuerprüfung; ~ **inspector** Steuerprüfer; ~ **instalment** Steuerrate; ~ **instruction** Steueranordnung; ~ **investigation** steuerliche Untersuchung; ~ **investment** steuerbegünstigte Kapitalinvestition; ~ **item** Steuerposten; **personal income** ~ **job** einkommenssteuerliche Aufgabe; ~ **judgment** Steuerurteil, -entscheidung; ~ **jurisdiction** steuerliche Zuständigkeit; ~ **justice** Steuergerechtigkeit; ~ **knowledge** Steuerkenntnisse; **~-laden** *(US)* steuerlich belastet; **Federal Income ≗ Law** *(US)* Einkommensteuergesetz; **under** ~ **law** laut den steuerrechtlichen Bestimmungen; ~ **lawyer** *(US)* Steueranwalt, Anwalt in Steuersachen; ~ **layer** Steuererheber; **[income]** ~ **legislation** [Einkommen]steuergesetzgebung; ~ **levy** Steuererhebung; ~ **liability** Steuerschuld, -verpflichtung; **income-~ liability,** ~ **liability based on income** Einkommensteuerverpflichtung; ~ **lien** *(US)* Steuerpfandrecht, steuerliche Haftung des Grundbesitzers; ~ **limit** Steuerhöchstgrenze; ~ **list** Hebeliste, -rolle, *(real-estate tax)* Liste säumiger Steuerzahler; ~ **load** Steuerlast, -belastung, steuerliche Belastung; ~ **loophole** steuerliches Hintertürchen, Steuerlücke; ~ **loss** Steuerverlust; **to declare a** ~ **loss against future earnings** Steuerverlust vortragen; **~-loss selling** steuerlicher Verlustverkauf; ~ **man** Steuerbeamter, -fachmann; ~ **manager** Vorstandsmitglied für Steuerfragen; ~ **matter** Steuerfrage, -angelegenheit; ~ **matters** *(files)* Steuerakten; ~ **measure** Steuermaßnahme; ~ **money** Steuermittel, -gelder; ~ **morale** Steuermoral; ~ **obligations** Steuerverbindlichkeiten, steuerliche Verpflichtungen; ~ **offence** Übertretung der Steuerbestimmungen; ~ **office** *(US)* Finanzamt; **to go to the** ~ **office** *(US)* aufs Finanzamt gehen; ~ **and revenue office** Finanzamt; ~ **official** Steuerbeamter; ~ **package** Steuerpaket; **~-paid** versteuert; ~ **payments** Steuerzahlungen; ~ **payment date** Steuertermin; ~ **penalty** Steuerstrafe, -säumniszuschlag; ~ **plan** Steuersystem; ~ **planner** Steuersystematiker; ~ **policies** Steuerpolitik; **[local]** ~ **power** [kommunales] Besteuerungsrecht; ~ **practices** steuerliche Maßnahmen, Steuerpolitik; ~ **practitioner** *(Br.)* Steuerberater; ~ **preference income** steuerlich begünstigte Einkünfte; ~ **preference items** steuerlich begünstigte Einkommenspositionen; ~ **preparation** Ausfüllung eines Steuerformulars; **~-preparation business** Steuerberatungsgewerbe, -wesen; **~-preparation service** Steuerberatungsdienst; ~ **preparer** Ausfüller eines Steuerformulars, Steuerberater, -helfer, Helfer in Steuersachen; ~ **privilege** Steuervergünstigung, steuerliche Vergünstigung; **to enjoy** ~ **privileges** steuerbegünstigt sein; **~-privileged** steuerbegünstigt; ~ **probe** *(US)* Steueruntersuchung; ~ **procedure** Steuerverfahren; ~ **program(me)** Steuerprogramm; ~ **progression** Steuerprogression; ~ **provisions** Steuerbestimmungen; ~ **purchaser** *(US)* Ersteigerer bei zum Zwecke der Bezahlung von Steuern vorgenommener Zwangsversteigerung; ~ **question** Steuerfrage; **[income]** ~ **rate** [Einkommen]-steuersatz, -fuß; **to apply the** ~ **rate to** Steuersatz anwenden auf; **~-rate limit** Steuerhöchstsatz; **~-rate schedule** Steuertabelle; ~ **reappraisal** Steuernachveranlagung; ~ **reasons** steuerliche Gründe, Steuergründe; ~ **rebate** Steuerrabatt, -rückvergütung, -nachlaß; ~ **rebate for exporters** Ausfuhrrückvergütung; ~ **receipts** Steueraufkommen, -einnahmen; ~ **receiver** *(US)* Steuereinnehmer; ~ **recovery** Steuerbeitreibung.

tax reduction Steuererleichterung, -herabsetzung, -kürzung, -senkung, -ermäßigung, -minderung, -nachlaß;

flat-rate ~ lineare Steuersenkung; **graduated** ~ gestaffelte Steuersenkung; **income-~** Einkommensteuersenkung.

tax reform Steuerreform;

~ **bill** Steuerreformgesetz; ~ **legislation** Steuerreformgesetzgebung; ~ **package** Steuerreformbündel; ~ **proposal** Steuerreformvorschlag.

tax refund Steuerrückerstattung, -rückvergütung, -rückzahlung;

on-the-spot ~ sofortige Steuerrückvergütung; ~ **certificate** Steuerrückvergütungsschein; ~ **check** *(US)* **(cheque,** *Br.)* Steuerrückerstattungsscheck; ~ **proceedings** Steuererstattungsverfahren.

tax | **regulations** steuerrechtliche Bestimmungen; ~ **relief** Steuererleichterung, -vergünstigung, steuerliche Entlastung; **entitled to** ~ **relief** steuerbegünstigt; ~ **relief bonds** *(US)* Steuervorgriffsscheine; ~ **remission (reserve,** *Br.)* **bill (certificate)** Steuergutschein; ~ **repayment** Steuererstattung; ~ **replacement** Steuerrückvergütung, -rückerstattung; ~ **representative** Steuerbeauftragter, -bevollmächtigter; ~ **reserve** Steuerrückstellung; ~ **reserve certificate** *(Br.)* nicht übertragbare Wertpapiere für angelegte Steuerrücklage; ~ **result** Steuerergebnis; ~ **return** Steuererklärung; **to prepare an income-** ~ **return** Einkommenssteuerformular ausfüllen; ~ **revenue** Steuereinkommen, -aufkommen, -einnahmen [des Staates]; ~ **revenue per capita** ~ Steueraufkommen pro Kopf der Bevölkerung; ~ **revenue gains** erhöhte Steuereinnahmen; ~**-ridden** *(US)* steuerlich belastet, steuerbelastet; ~ **rise** Steuererhöhung; ~ **roll** [Steuer]hebeliste, -kataster; ~ **rules** Steuerrichtlinien; ~ **sale of property** *(US)* Zwangsversteigerung zwecks Bezahlung von Steuerrückständen; ~ **savings** Steuerersparnisse; **estate** ~ **saving** Nachlaßsteuerersparnis; ~**-saving service** steuersparende Tätigkeit, steuerliche Beratungstätigkeit; ~ **selling** Wertpapierverkäufe zwecks Bezahlung der Einkommensteuer, Steuerzwangsverkauf; ~ **service** Steuerprüfdienst, Steuerberatung, Beratung in Steuerangelegenheiten; **to offer** ~ **service** seine Dienste als Steuerberater anbieten; ~**-service wholesaler** Steuerberatungsfirma; ~ **sharing** Finanzausgleich; ~**-sharing formula** Finanzausgleichsformel; ~ **sheet** Steuerkarte; ~ **shelter** Steuerschutz; **to create a** ~ **shelter** einer steuerlichen Belastung ausweichen; **to exploit** ~ **shelters** von Steuererleichterungsbestimmungen Gebrauch machen; ~**-shelter deal** steuerbegünstigtes Geschäft; ~ **source** Steuerquelle; ~ **sovereignty** Steuerhoheit; ~ **stamp** Steuerzeichen; ~ **statement (status)** Steuerbilanz, -status, steuerliche Aufstellung; **long-range** ~ **strategy** langfristige Einkommensteuerpolitik; ~ **structure** Steuersystem, -gefüge; **[income]** ~**-supported** steuerlich begünstigt, steuerbegünstigt; ~ **surcharge** Einkommensteuerzuschlag, -zusatzsteuer; ~ **system** [Einkommen]steuersystem; ~ **table** Lohnsteuertabelle; **optional** ~ **table** wahlweise Steuerveranlagung nach den Steuertabellen; ~ **taker** Steuereinnehmer; ~ **technician** Steuerfachmann; ~ **theory** Steuertheorie; ~ **title** bei der zu steuerlichen Zwecken vorgenommenen Zwangsversteigerung erworbenes Eigentumsrecht; ~ **treatment** steuerliche Behandlung; ~ **treaty** *(US)* Steuerabkommen; ~ **warrant** Steuervollzugsmacht [des Steuereinnehmers]; **to benefit** ~**-wise** steuerlich profitieren; ~ **withholding** Steuereinbehaltung, -abzug; ~ **withholding on dividends** im Abzugswege erhobene Kapitalertragssteuer; ~ **work** Bearbeitung von Steuerunterlagen; ~ **wrinkles** Steuerkniffe; ~ **write-offs** steuerlich zulässige Abschreibungen; ~ **writer** Steuergesetzgeber; ~**-writing committee** Steuerausschuß; ~ **yield** Steueranfall, -erträgnisse.

taxability [Be]steuerbarkeit, Steuerkraft, *(fee)* Gebührenpflichtigkeit, *(plaintiff)* Erstattungspflicht.

taxable Steuerpflichtiger;

~ *(a.)* [be]steuerbar, steuer-, abgaben-, veranlagungs-, gebührenpflichtig, besteuerungsfähig, *(charged against the plaintiff)* erstattungspflichtig;

to be ~ **as ordinary income** als normales Einkommen versteuerbar (normal zu versteuern) sein; **to make** ~ steuerpflichtig machen, Veranlagungspflicht begründen;

~ **article** Steuerobjekt; ~ **capacity** Besteuerungsfähigkeit, Steuerkraft, Steuerleistungsfähigkeit; ~ **class of goods** steuerpflichtige Waren; ~ **costs** [zu erstattende] Gerichtskosten; ~ **estate** steuerpflichtige Erbschaftsmasse; ~ **gain** Steuergewinn; ~ **income** Steuereinkommen, versteuerbares (steuerpflichtiges) Einkommen; **to constitute** ~ **income** steuerpflichtiges Einkommen darstellen; ~ **period** Steuerperiode, Veranlagungszeitraum; ~ **portion** steuerpflichtiger Betrag; ~ **profit** steuerpflichtiger (veranlagungspflichtiger) Gewinn; ~ **property** steuerpflichtiges Vermögen; ~ **value** Steuerwert; ~ **year** *(US)* Veranlagungs-, Steuerjahr, steuerpflichtiges Jahr.

taxableness Besteuerbarkeit.

taxation Besteuerung, Steuerwesen, *(appraisal)* Abschätzung, [Steuer]veranlagung, *(law)* Gerichtskostenfestsetzung, *(revenue from taxes)* Steuereinnahmen, -einkünfte, -aufkommen;

adjusted for ~ steuerlich berichtigt, steuerbereinigt; **exempt from** ~ steuer-, gebühren-, abgabenfrei; **for the purpose of** ~ zu Steuerzwekken, aus steuerlichen Gründen, aus Veranlagungsgründen; **subject to** ~ veranlagungs-, steuerpflichtig;

commensurate ~ maßvolle Besteuerung; **direct** ~ direkte Steuern (Besteuerung); **double** ~ Doppelbesteuerung; **excessive** ~ Überbesteuerung; **foreign** ~ ausländische Steuergesetzgebung; **future** ~ *(balance sheet, Br.)* Steuerrückstellung; **graduated** ~ abgestuftes Steuersystem; **increased** ~ erhöhte Steuerbelastung; **indirect** ~ indirekte Besteuerung (Steuern); **light** ~ geringe Besteuerung; **maximum** ~ Steuerhöchstsatz; **minimum** ~ Steuermindestsatz; **multiple** ~ *(different states)* Mehrfachbesteuerung; **municipal** ~ Kommunalabgaben, Gemeindesteuern; **oppressive** ~ Steuerschraube; **progressive** ~ progressive Besteuerung, Staffelbesteuerung; **property** ~ Vermögensbesteuerung; **reasonable** ~ erträgliche Steuern; **re-**

duced ~ verminderte Steuerlast; **regressive** ~ regressives Besteuerungssystem; **state** ~ *(US)* Besteuerung durch die Einzelstaaten; **subsequent** ~ Nachversteuerung; **supplementary** ~ zusätzliche Besteuerung; **U. K.** ~ *(Br.)* laufende Steuern, **war-time** ~ Kriegsbesteuerung;
~ **of costs** *(court, Br.)* Kostenfestsetzung; ~ **on income** Einkommensbesteuerung; ~ **by stages** fortlaufend erhobene Steuer;
to allow (make provisions) for ~ Steuerrückstellung vornehmen, für Steuern zurückstellen; **to grumble at high** ~ sich über hohe Steuersätze beklagen; **to reduce** ~ Steuersenkung vornehmen;
~ **affairs** Steuerangelegenheiten; **anti-double** ~ **agreement** Doppelbesteuerungsabkommen; ~ **authority** Steuerbehörde; ~ **charge** Steuerbelastung; ~ **cut** Steuerkürzung; ~ **equalization reserve** *(balance sheet, Br.)* Steuerausgleichsrücklage; ~ **legislation** Steuergesetzgebung; ~ **matters** Steuerangelegenheiten; ~ **methods** Steuermethoden; ~ **policy** Steuerpolitik; ~ **position** Steuerlage, steuerliche Lage; ~ **purpose** Steuerzweck; **double-** ~ **relief** Befreiung von der Doppelbesteuerung; ~ **reserve** Rückstellung für Steuern, Steuerrücklage, -rückstellung; ~ **system** Steuerwesen, Besteuerungssystem.

taxeater Wohlfahrts-, Unterstützungsempfänger, *(plant)* staatlich subventionierter Betrieb.

taxed besteuert;
heavily ~ hochbesteuert;
to be ~ besteuert (veranlagt) werden, der Steuerpflicht unterliegen, steuerpflichtig (veranlagungspflichtig) sein; **to be** ~ **heavily** schwer besteuert werden; **to be** ~ **at lower income rates** zu niedrigen Einkommensteuersätzen veranlagt werden; **to be** ~ **to the utmost** außerordentlich in Anspruch genommen werden;
~ **bill of costs** Kostenfestsetzungsbeschluß; ~ **costs** festgesetzte Gerichtskosten.

taxer Abschätzer, Taxator.

taxgatherer Steuereinnehmer.

taxgathering Steuererhebung.

taxi [Auto]taxe, Taxi, Kraftdroschke;
~ **with the flag up** freie Taxe;
~ *(v.)* Taxe benutzen (nehmen), mit dem Taxi fahren, *(airplane)* rollen;
to take a ~ mit dem Taxi fahren, Droschke mieten;
~ **aircraft** Flugtaxi; ~ **driver** Taxichauffeur; ~ **operator** Taxibesitzer; ~ **stand (rank)** Halteplatz für Taxen, Taxistand, -haltestelle.

taxicab Taxe, Taxi, Mietauto.

taximeter Fahrpreisanzeiger, Taxameter, Zähluhr.

taxing Steuerfestsetzung;
~ **area** Steuergebiet, -distrikt; ~ **authority** Steuerbehörde; ~ **capacity** Steuerleistungsfähigkeit; ~ **district** *(US)* Steuerbezirk; ~ **feature** Steuermerkmal; ~ **jurisdiction** Steuer[verwaltungs]bezirk; ~ **master** *(law)* Kostenbeamter; ~ **power** *(US)* Besteuerungs-, Steuerrecht, -hoheit; ~ **statute** *(US)* Steuergesetz; ~ **unit** Steuereinheit, -objekt, -subjekt.

taxiplane *(US)* Mietflugzeug, Lufttaxi.

taxless steuerfrei.

taxpayer Steuerzahler, -pflichtiger, Besteuerter, *(real estate)* vorübergehend errichtetes Gebäude;
dilatory ~ säumiger Steuerzahler; **low-income** ~ Steuerzahler mit niedrigem Einkommen;
~ **in arrears** rückständiger Steuerpflichtiger;

taxpayers' | **list** Veranlagungs-, Hebeliste; ~ **strike** Steuerstreik.

taxpaying Steuerzahlungen;
~ *(a.)* steuerlich leistungsfähig.

tea | **break** *(Br.)* Frühstückspause; ~ **shop** *(Br.)* Imbißstube.

team Arbeitsgemeinschaft, -gruppe;
management ~ Führungsgruppe;
~ **of canvassers** Werbekolonne; ~ **of workmen** Schicht;
~ *(v.)* *(let out to subcontractors, sl.)* an Unterlieferanten vergeben;
~ **thinking** Gruppendenken; ~ **track** Entladegleis.

teamster *(US)* Lastwagenfahrer.

teamwork koordinierte Zusammenarbeit, Gruppenarbeit.

tear | *(v.)* **a check (cheque,** *Br.***) out of the book** Scheck aus dem Scheckheft abtrennen;
~**-off calendar** Block-, Abreißkalender; ~**-open wrapper** Aufreißpackung; ~ **sheet** Belegseite, -stück.

teaser | **advertisement** *(US)* Neugier erregende Anzeige, Rätselreklame; ~ **campaign** *(US sl.)* Neckwerbung.

technical handwerksmäßig, technisch, fachlich, *(stock exchange, US)* manipuliert;
~ **adviser** technischer Berater, Fachberater; ~ **bureau** Konstruktionsbüro; ~ **committee** Fachausschuß; ~ **instruction** Fachunterricht; ~ **instructor** Gewerbelehrer; ~ **library** Fachbücherei; ~ **magazine** Industrieblatt; ~ **man** Fachmann; ~ **manager** technischer Direktor; ~ **market** manipulierter Markt; ~ **price** durch Manipulationen beeinflußter Preis; ~ **profession** technischer Beruf; ~ **sales** representative technischer Verkäufer; ~ **school** Berufs-, Fach-, Gewerbeschule, Polytechnikum; ~ **staff** Fachpersonal; ~ **training** Fachschul-, Berufsausbildung.

technique of production Produktionsverfahren.

technological | **advance** technologischer Fortschritt; ~ **gap** technischer Rückstand, technologische Lücke; ~ **unemployment** entwicklungsmäßig bedingte Arbeitslosigkeit.

technology Gewerbekunde, Technologie.

tel quel rate *(Br.)* Telquelkurs.

telecommunication | **s** Fernmeldewesen, -verkehr, -verbindungen, -dienst, -technik;

~ **satellite** Fernmelde-, Nachrichtensatellit; ~ **traffic** Fernmeldeverkehr.

telecourse Fernsehlehrgang.

telegram Telegramm, Drahtnachricht, Depesche; **by** ~ telegrafisch;
cash-on-delivery ~ Telegramm zu Lasten des Empfängers; **cipher** ~ Schlüsseltelegramm; **decorative** ~ Schmuckblatt-Telegramm; ~ **delivered by mail** Brieftelegramm; **fast** ~ Blitztelegramm; **greetings** ~ Glückwunschtelegramm; **local** ~ Telegramm im Ortsverkehr; **money-order** ~ telegrafische Geldüberweisung; **repetition-paid** ~ Telegramm mit bezahlter Wiederholung; **reply-paid** ~ Telegramm mit bezahlter Rückantwort;
~ **delivered by mail** *(Br.)* Brieftelegramm; ~ **with notice of delivery** Telegramm mit Empfangsbenachrichtigung;
to deliver a ~ Telegramm aufgeben; **to inquire by** ~ telegrafisch anfragen;
~ **address** Telegrammadresse; ~ **counter** *(Br.)* Telegrammschalter; ~ **form** Telegrammformular; ~ **rate** Wort-, Telegrammgebühr; ~ **reception** Telegrammannahme.

telegraph Telegraph, *(telegram)* Telegramm; **page-printing** ~ Blattdrucker;
~ *(v.)* telegrafieren, telegrafisch benachrichtigen, drahten, depeschieren;
~ **boy** Telegrafenbote; ~ **code** Telegrammschlüssel; ~ **form** Depeschen-, Telegrammformular; ~ **office** Telegramm[annahme]schalter.

telegraphic telegrafisch, im Telegrammstil;
~ **acceptance** Drahtakzept; ~ **address** Telegrammadresse; ~ **answer** Drahtantwort; ~ **code** Telegrammschlüssel; ~ **money order** telegrafische Geldanweisung; ~ **transfer** telegrafische Auszahlung, Kabelüberweisung, telegrafische Überweisung.

telephone Fernsprecher, Telefon;
by ~ telefonisch; **on the** ~ durch Fernsprecher; **automatic** ~ Selbstanschluß[betrieb]; **inter-office** ~ Hausanlage; **unlisted** ~ im Geheimanschluß, -nummer;
~ *(v.)* telefonieren, Ferngespräch führen;
to be on the ~ Telefon haben [besitzen], telefonisch erreichbar sein, *(hold the line)* am Apparat sein; **to be wanted on the** ~ telefonisch verlangt werden; **to send a message by** ~ telefonische Nachricht übermitteln;
~ **alphabet** Fernsprechalphabet; ~ **answering service** Fernsprechauftragsdienst; ~ **bill** Telefonrechnung; ~ **book** Fernsprechbuch, -verzeichnis; ~ **booth** Telefonzelle, Fernsprechhäuschen, -kabine, -zelle; ~ **call** Telefongespräch, -anruf, fernmündlicher Anruf; **to take** ~ **calls** Telefonzentrale bedienen; ~ **charges** Fernsprech-, Telefongebühren; ~ **connection** Telefonverbindung, -anschluß, Fernsprechanschluß; ~ **digit** Wählernummer; ~ **directory** Fernsprech-, Teilnehmerverzeichnis, Telefonbuch; ~ **engineer** Fernmeldeingenieur; ~ **engineering** Fernmeldetechnik; ~ **exchange** Fernsprechamt, Vermittlung; ~ **expenses** Telefonspesen; ~ **extension** Fernsprechnebenstelle; ~ **fault(s)man** Störungssucher; ~ **hookup** Telefonschaltung; ~ **information service** Fernsprechauskunfts-, Fernsprechansagedienst; ~ **installation** Fernsprechanlage; ~ **interview** telefonische Befragung; ~ **kiosk** Telefonzelle; ~ **line** Telefonleitung, Anschluß; ~ **link** Telefonverbindung; ~ **network** Fernsprechnetz; ~ **number** Fernsprech-, Ruf-, Telefonnummer; ~ **operator** Telefonist, Zentrale; ~ **order** telefonisch aufgegebene Bestellung; ~ **privilege** Telefonmöglichkeit; ~ **rates** *(US)* Fernsprechgebühren; ~ **reservation** Festzeitgespräch; **Overseas** ≗ **Service** *(Br.)* Fernsprechauslandsdienst; ~ **solicitation** telefonische Kundenwerbung; ~ **trade** *(stock exchange)* Telefonverkehr, -handel; ~ **stocks** *(US)* telefonisch gehandelte Werte; ~ **subscriber** Fernsprechteilnehmer; ~ **subscription** Grundgebühr; ~ **switchboard** Klappenschrank; ~ **tax** Telefongebühr; **[local]** ~ **traffic** [Orts]-fernsprechverkehr; ~ **wire** Fernsprechleitung.

teleprinter Fernschreiber;
~ **connection** Fernschreibanschluß; ~ **communication** Fernschreibverkehr; ~ **line** Fernschreibleitung; ~**service** Fernschreibdienst; ~ **user** Fernschreibteilnehmer.

teleprocessing Datenfernübertragung.

teletype Fernschreiber, *(network)* Fernschreibnetz;
~ *(v.)* fernschreiben, durch Fernschreiber übermitteln;
~ **communication** Fernschreibverkehr; ~ **connection** Fernschreibanschluß; ~ **line** Fernschreibleitung; ~ **link** Fernschreibverbindung; ~ **operator** Fernschreiber; ~ **user** Fernschreibteilnehmer.

teleview *(v.)* im Fernsehen sehen, fernsehen.

televiewer Fernsehteilnehmer, -zuschauer.

televise *(v.)* fernsehsenden.

television Fernsehen;
on ~ im Fernsehen; **suppressed for** ~ fernsehentstört; **tailored for** ~ fernsehgerecht;
cable ~ Kabelfernsehen; **closed-circuit** ~ innerbetriebliches Fernsehnetz; **colo(u)r** ~ Farbfernsehen; **commercial** ~ Werbefernsehen; **educational** ~ *(US)* Bildungsfernsehen; **independent** ~ privates Werbefernsehen; **pay** ~ *(US)* Werbefernsehen; **piped** ~ Fernsehdrahtfunk; **transatlantic** ~ transatlantischer Fernsehverkehr; **wide-screen** ~ großflächiger Bildschirm; **wired** ~ Fernsehdrahtfunk, Drahtfernsehen;
to add ~ **to its media** Fernsehwerbung miteinbeziehen; **to appear on the** ~ im Fernsehen erscheinen; **to broadcast on** ~ im Fernsehen übertragen; **to go on** ~ im Fernsehen sprechen;

to have ~ Fernsehen haben, Fernsehgerät besitzen; **to interview s. o. on** ~ mit jem. ein Fernsehinterview machen; **to look at the** ~ fernsehen; **to speak on** ~ Fernsehansprache halten; **to switch the** ~ **off** Fernsehapparat abschalten; **to switch the** ~ **on** Fernsehapparat einschalten;
ad-ban ~ Fernsehwerbeverbot; ~ **ad revenues** Fernsehwerbeeinnahmen; ~ **adaption** Fernsehbearbeitung; ~ **address** Fernsehansprache; ~ **advertisement** Werbefernsehen; ~ **advertisement duty** Steuer für Werbefernsehanzeigen; ~ **advertiser** Fernsehwerbegesellschaft; ~ **advertising** Werbefernsehen, Fernsehwerbung; ~ **announcer** Fernsehansager[in], -kommentator; ~ **antenna** Fernsehantenne; ~ **audience** Fernsehpublikum; ~ **ban** Fernsehverbot; ~ **broadcast** Fernsehsendung; ~ **broadcaster** Fernsehsender; ~ **broadcasting** Fernsehsendung; ~ **broadcasting circuit** Fernsehleitung; ~ **camera** Fernsehkamera; ~ **canal** Fernsehkanal; ~ **censorship** Fernsehzensur; ~ **channel** Fernsehkanal; ~ **commentator** Fernsehkommentator; ~ **commercial** Fernsehwerbesendung; ~ **commercial time** Fernsehwerbezeit; ~ **conference** Fernsehkonferenz; ~ **course** Fernsehkurs, Unterrichtskurs im Fernsehen; ~ **company** Fernsehgesellschaft; ~ **coverage** Fernsehberichterstattung; ~ **critic** Fernsehkritik; ~ **engineer** Fernsehtechniker, -ingenieur; ~ **expenses** Fernsehgebühren; ~ **eye** Fernsehauge; ~ **film** Fernsehfilm; ~ **frequency** Fernsehfrequenz; ~ **grants** Fernsehzuschüsse; ~ **image** Fernsehbild; ~ **industry** Fernsehindustrie; ~ **industry trade paper** Verbandszeitschrift der Fernsehindustrie; ~ **interference** Fernsehstörung; ~ **interview** Fernsehinterview; **canned** ~ **item** Fernsehkonserve; ~ **licence** Fernsehlizenz; ~ **linkup** Zusammenschluß von Fernsehstationen, von verschiedenen Fernsehstationen gemeinsam ausgestrahlte Sendung; ~ **manufacturer** Fernsehgerätehersteller; ~ **mast** Fernsehantenne; **recorded** ~ **material** Fernsehbandmaterial; ~ **monitor** Fernsehüberwachung; ~ **network** Fernsehsendergruppe, -netz; ~ **news show** Tagesschau; **cable** ~ **operation** Kabelfernsehbetrieb; ~ **organization** Fernsehanstalt; ~ **pickup** Fernsehaufnahme; ~ **pickup van** Fernsehaufnahmewagen; ~ **press conference** Fernsehpressekonferenz; ~ **producer** Fernsehregisseur, -filmproduzent; ~ **production** Fernsehinszenierung; ~ **program(me)** Fernsehprogramm; **to watch a** ~ **program(m)** Fernsehprogramm ansehen, fernsehen; ~ **program(m)er** Fernsehprogrammierer; ~ **ratings** Bewertung von Fernsehsendungen durch das Publikum, Beliebtheitstest; ~ **receiver** Fernsehapparat, Bildempfänger; ~ **report** Fernsehansprache; ~ **rights** Fernsehrechte; ~ **schedule** Fernsehprogramm; ~ **screen** Bild-, Fernsehschirm; ~ **script** Fernsehmanuskript; ~ **set** Fernsehapparat, -gerät; **portable** ~ **set** Fernsehkoffergerät; **to install a** ~ **set** Fernsehapparat aufstellen; ~**-set accessory** Fernsehzusatzgerät; ~**-set manufacture** Produktionsbetrieb für Fernsehgeräte; ~ **short** kurze Fernsehsendung; **prime-time** ~ **show** günstig gelegene Fernsehsendung; **viewable** ~ **show** Fernsehsendung mit Niveau; ~ **spot** Fernsehwerbespot; ~ **spot commercials** kurze Fernsehwerbesendungen; ~ **station** Fernsehstation, -sender; ~ **station owner** Besitzer eines Fernsehsenders; ~ **studio** Fernsehstudio, Aufnahmeraum; **talkback** ~ **system** Fernsehsprechsystem; ~ **take** Fernsehaufnahme; ~ **tape** Fernsehband; ~ **technique** Fernsehtechnik; ~ **teleimage** Fernsehbild; ~ **tower** Fernsehsendeturm; ~ **transmission** Fernsehübertragung; ~ **transmitter** Fernsehsender; ~ **viewer** Fernsehzuschauer; ~ **viewing** Fernsehprogrammauswahl.

televisor Fernsehgerät, -apparat.

telex *(US)* Fernschreiber, *(network)* Fernschreibteilnehmernetz;
by ~ fernschriftlich;
~ *(v.)* fernschreiben;
to send a ~ Fernschreiben schicken;
~ **call charge** Fernschreibgebühr; ~ **communication** Fernschreibverkehr; ~ **connection** Fernschreibanschluß; ~ **exchange** Fernschreibvermittlung; ~ **line** Fernschreibleitung; ~ **message** Fernschreiben, Fernschreibnachricht; ~ **operator** Fernschreiber; ~ **service** Fernschreibdienst; ~ **unit** Fernschreibstelle; ~ **user** Fernschreibteilnehmer.

tell *(v.)* **one's money** *(US)* sein Geld zählen.

teller *(bank, US)* Kassierer, Kassen-, Schalterbeamter;
Fifth ≗ *(US)* Staatsbankabrechnung; **paying** ~ erster Kassierer, Kassierer für Auszahlungen; **receiving** ~ Kassierer für Einzahlungen.

teller's department *(US)* Hauptkasse;
paying ~ Auszahlungskasse.

temporary *(a.)* vorläufig, kommissarisch, einst-, zeitweilig, vorübergehend, provisorisch;
~ **admission** zeitweilig zollfreie Einfuhr; ~ **agreement** Interimsabkommen; ~ **annuity** Zeitrente; ~ **appointment** Ernennung auf Widerruf; ~ **credit** Zwischenkredit; ~ **employment** vorübergehende Erwerbstätigkeit, Zwischenbeschäftigung; ~ **investment** Zwischenanlage, *(balance sheet)* Wertpapiere des Umlaufvermögens; ~ **postman** Hilfsbriefträger; ~ **receipt** Zwischenquittung, Interimsschein; ~ **staff** Aushilfspersonal; ~ **work** Gelegenheitsarbeit.

tenancy Pacht[verhältnis], Mietverhältnis, Miete, *(period)* Pachtdauer;
business ~ gewerbliches Mietverhältnis;
~ **by the entirety** Gütergemeinschaft; ~ **for life** lebenslänglicher Nießbrauch an einem Grundstück; ~ **at sufferance** nach Ablauf der Pacht-

zeit (Mietzeit) jederzeit kündbares Pacht-, Mietverhältnis;
to hold a life ~ of a house lebenslängliches Wohnrecht haben;
~ agreement Pacht-, Mietvertrag.

tenant Besitzer, Inhaber, Mieter, Pächter;
outgoing ~ ausziehender Mieter; **permanent ~** Dauermieter;
~ for life Nießbrauchbesitzer; **~ from month to month** monatlich kündbarer Mieter; **~ at will** jederzeit kündbarer Pächter (Mieter);
~ *(v.)* gepachtet (gemietet) haben, als Mieter bewohnen, *(lessor)* verpachten, vermieten;
to let out to ~s vermieten, verpachten; **to protect the ~** Mieterschutz gewähren;
~'s fixtures Pachtzubehör; **~ list** Mieterliste; **~'s repairs** vom Mieter (Pächter) zu bezahlende Reparaturen; **~'s risk** Mieterhaftung.

tenantable pacht-, mietbar, *(habitable)* bewohnbar;
~ repair ordnungsgemäßer Zustand [eines Pachtgrundstückes], *(house)* bewohnbarer Zustand.

tend | *(v.)* **downwards** fallende Tendenz zeigen; **~ to rise** leichte Aufwärtsbewegung erkennen lassen; **~ a store** Ladenaufsicht haben; **~ to the success of an enterprise** zum Erfolg eines Unternehmens beitragen.

tendencies of the market Börsenentwicklung.

tendency Vorliebe, Hang, Zug, *(stock exchange)* Richtung, Neigung, Tendenz, Strömung, Bewegung;
bearish (downward) ~ Baissetendenz, Abwärtsbewegung, fallende (rückläufige) Tendenz; **bullish ~** steigende Tendenz, Haussetendenz; **distinct ~** ausgeprägte Tendenz; **dull ~** zurückhaltende Stimmung; **falling ~** Baissetendenz; **firm ~** feste Tendenz; **general ~** einheitliche (allgemeine) Tendenz, Grundrichtung; **inflationary ~** inflationistische Tendenz; **present-day ~** heutige Tendenz; **price-raising ~** preissteigernde (kurstreibende) Tendenz, steigende Preistendenz, Preisauftrieb; **rallying ~** kurserholende Tendenz; **reserved ~** zurückhaltende Stimmung; **sagging ~** abschwächende Tendenz; **softening ~** weichende Tendenz; **upward ~** Aufwärtsbewegung [der Kurse], Hochgehen [der Preise], steigende Tendenz; **strong upward ~** Haussetendenz, -neigung;
~ to decline Abschwächungstendenz; **~ of the money market** Geldmerktentwicklung; **~ on the stock exchange** Börsenströmung, -tendenz; **stronger ~ in prices** Kursbefestigung; **weaker ~ in prices** Kursabschwächung; **~ towards higher prices** Hausseneigung; **~ toward protectionism** protektionistische Strömung;
to have a ~ tendieren; **to show a declining ~** sich abschwächen; **to show a ~ to improve** Aufwärtstendenz erkennen lassen; **to show a rising ~** sich festigen.

tender *(estimate of costs)* Kostenanschlag, *(legal ~)* Zahlungsmittel, *(offer)* [Lieferungs]angebot, Offerte, Anerbieten, Antrag, Submission, *(offer to pay)* Zahlungsangebot, *(railway)* Begleitwagen, Tender, *(ship)* Begleitschiff, Beiboot, Leichter, *(subscription)* Zeichnungsofferte, -angebot;
by ~ auf dem Submissionswege, durch Ausschreibung;
fluctuating ~ elastisches Angebot; **government ~** staatliche Ausschreibung; **lawful (legal,** *Br.)* **~** gesetzliches Zahlungsmittel; **sealed ~** versiegeltes Submissionsangebot;
~ of delivery Lieferangebot; **~ of a loan** Darlehnsofferte; **~ of rent due** Andienung der fälligen Miete;
~ *(v.) (make a ~)* [Lieferungs]angebot machen, Lieferung übernehmen, Angebot (Offerte, Anerbieten) machen, anbieten, *(offer as payment)* als Zahlungsmittel anbieten;
~ the amount of rent Mietschuld zu begleichen anbieten, Miete andienen; **~ a bill for discount** Wechsel zur Zahlung einreichen; **~ and contract for a supply** Lieferungsvertrag abschließen; **~ to the government for a loan** sich um einen Staatskredit bemühen; **~ money in discharge of a debt** vernünftiges Angebot zur Schuldbegleichung machen; **~ one's resignation** seinen Rücktritt anbieten; **~ for a supply of goods** sich um einen Liefervertrag bemühen; **~ for work on contract** sich an einer Ausschreibung beteiligen;
to accept the ~ Zuschlag erteilen; **to accept the lowest ~** niedrigstes Angebot annehmen; **to invite ~s [for a piece of work]** Ausschreibung veranstalten, Auftrag ausschreiben; **to make (put in, send in) a ~** offerieren, Angebot machen;
~ allotment price Zuteilungskurs; **~ bills** *(Br.)* Schatzwechsel mit dreimonatlicher Laufzeit; **~ period** Einreichungs-, Bewerbungsfrist; **~ system** *(Br.)* Zeichnungsangebot mit unbestimmtem Kurs.

tenderee *(US)* Angebotsempfänger.

tenderer Angebotsteller, Submittent.

tenement Wohnhaus, gemietetes Haus, Mietwohnung, *(apartment house, US)* Mietskaserne, Miethaus, *(labo(u)rer)* Arbeiterwohnung, *(property)* Besitz, Grundstück;
dominant ~ herrschendes Grundstück; **free ~** freier Grundbesitz; **servient ~** dienendes Grundstück;
~ house Mietshaus, -kaserne; **~ lands** Pachtgüter.

tenor *(bill of exchange)* Laufzeit, *(purport)* Sinn, Inhalt, Wortlaut, Text, Fassung.

tentative | **agreement** Vertragsentwurf; **~ balance sheet** vorläufige Bilanz; **in a ~ stage** im Versuchsstadium.

tenure Grundbesitz, *(lease)* Pacht, Mietkontrakt, **communal** ~ Gütergemeinschaft; **life** ~ lebenslängliche Anstellung; **permanent** ~ unkündbare Stellung;
~ **of office** Amtsdauer;
~ **provision** Kündigungsbestimmung.

term Fachausdruck, *(appointed day)* Termin, *(condition)* [Vertrags]bedingung, *(currency)* Laufzeit, *(quarter, Br.)* Vierteljahresfrist, Quartal, *(rent)* Quartalstermin, *(space of time granted)* Zahlungsfrist;
in ~s of money dem Geldwerte nach; **in ~s of service** an Dienstjahren; **on** ~ auf Zeit; **on accommodating** ~**s** zu günstigen Bedingungen; **on deferred** ~**s** auf Raten (Abzahlung); **on most moderate** ~**s** bei billigster Berechnung; **on short** ~ auf kurze Frist;
business ~ Geschäftsausdruck; **cash** ~**s** gegen bar; **commercial** ~ Handelsausdruck; **conventional** ~**s** übliche Zahlungsfristen; **easy** ~**s** bequeme Raten, Zahlungserleichterungen; **expired** ~ abgelaufene Frist; **inclusive** ~**s** alles inbegriffen; **peremptory** ~ Notfrist; **reasonable** ~**s** *(price)* annehmbarer (vernünftiger) Preis; **trade** ~**s** handelsübliche Vertragsformen;
~ **of acceptance** Annahmebedingungen; ~**s of amortization** Tilgungsbedingungen; ~ **of apprenticeship** Gesellenzeit; ~**s of arrangement** Vergleichsbedingungen; ~ **of a bill** Laufzeit eines Wechsels; ~**s of business** Geschäftsbedingungen; ~**s of composition** Vergleichsvorschläge; ~**s of concession** Konzessionsbedingungen; ~**s of conveyance** Beförderungsbedingungen; ~ **of a credit** Laufzeit eines Kredits; ~**s of credit** Kreditbedingungen; ~ **for delivery** Lieferfrist, -termin; ~**s of delivery** Liefer-, Bezugsbedingungen; ~ **of discount** Diskonttage; ~**s of employment** Arbeitsbedingungen; ~**s for export** Exportbedingungen; ~**s of financing** Finanzierungsbedingungen; ~ **of guarantee** Garantiefrist; ~ **of an insurance** Versicherungsdauer; ~**s of an issue** Emissionsbedingungen; ~**s of a licence** Lizenzbestimmungen; ~ **of limitation** Verjährungsfrist; ~ **of notice** Kündigungsfrist; ~**s of partnership** Gesellschaftsvertrag; ~ **of payment** Zahlungsfrist, -termin; ~**s for (of) payment** Zahlungsbedingungen, -weise; ~**s of policy** Versicherungsbedingungen; ~**s of redemption** Tilgungsbestimmungen; ~**s of reference** Leitsätze, *(committee)* Aufgabengebiet, -bereich; ~ **of sale** Verkaufsziel; ~**s of sale** Verkaufsbedingungen; ~**s inclusive of service** Preise einschließlich Bedienung; ~ **of subscription** Bezugsfrist; ~**s of tender** Ausschreibungsbestimmungen, Submissionsbedingungen; ~**s of trade** Austauschrelationen, -verhältnis; ~**s to the trade** Wiederverkaufspreise; ~ **of validity** Gültigkeitsdauer;
to acqiesce in the ~**s** den Bedingungen stillschweigend zustimmen; **to be for a** ~ **of 15 years** *(loan)* auf 15 Jahre zur Verfügung gestellt werden, fünfzehnjährige Laufzeit haben; **to buy s. th. on easy** ~**s** zu erleichterten Zahlungsbedingungen kaufen; **to come to** ~**s** sich vergleichen (einigen), sich [mit seinen Gläubigen] auseinandersetzen; **to comply with the** ~**s** den Bestimmungen entsprechen; **to exceed the** ~ **of delivery** Lieferfrist überschreiten; **to extend the** ~ Zahlungsfrist verlängern; **to give s. o. special** ~**s** jem. einen Sonderpreis machen; **to inquire about** ~**s for a stay at a hotel** Zimmerpreise in einem Hotel erfragen; **to keep to the** ~**s of the agreement** der Abrede gemäß handeln; **to settle the** ~**s of a contract** Vertragsbedingungen festlegen;
~ **bonds** gleichzeitig fällig werdende Schuldverschreibungen; **short-**~ **borrowing** kurzfristige Geldaufnahme; ~ **file** Lieferkartei; ~ **insurance** Kurz-, Risikolebensversicherung; **long (short)-**~ **loan** lang(kurz)fristige Anleihe; **long-**~ **movements of capital** kompensatorische (langfristige) Kapitalbewegungen; ~ **policy** Zeitpolice; ~ **settlement** *(stock exchange)* Vierteljahresabrechnung; **long-**~ **transaction** langfristige Finanztransaktion.

terminable [zeitlich] begrenzt, *(redeemable)* kündbar, auflösbar, *(repayable)* rückzahlbar, *(timed)* befristet;
~ **annuity** *(Br.)* Zeitrente, abgekürzte Rente; ~ **contract** kündbarer Vertrag; ~ **mortgage** Amortisationshypothek; ~ **property** zeitlich gebundener Besitz.

terminal *(airport)* Flughafenabfertigungsgebäude, *(railroad, US)* Endbahnhof, End-, Kopfstation, *(shipping business)* Verteilerstelle;
bus ~ Autobusstation; **rail and water** ~ Umschlagplatz;
~ *(a.)* termingemäß;
~ **account** Grenzkonto; ~ **aerodrome** Zielflugplatz; ~ **area** Flugplatzgelände; ~ **building** Abfertigungs-, Flugplatzgebäude; ~ **charges** Zustellungsgebühr; ~ **cooperative commission agency** *(US)* Absatzgenossenschaft auf Provisionsbasis; ~ **costs** End-, Grenzkosten; ~ **forecast** *(weather)* Flugplatzvorhersage; ~ **job** Beruf ohne Aufstiegsmöglichkeiten; ~ **leave** Resturlaub; ~ **leave pay** Entlassungsgeld, ~ **market** *(products, Br.)* Terminmarkt; ~ **payment** *(US)* Schlußzahlung, letzte Ratenzahlung; ~ **price** *(Br.)* Preis für die letzte Lieferung; ~ **reserve** *(life insurance)* Prämienreserve zum Jahresschluß; ~ **[railroad] station** Sack-, Endstation, Kopfbahnhof; ~ **value** Endwert.

terminate *(v.)* zum Abschluß bringen, abschließen;
~ **a contract** Vertragsverhältnis beenden; ~ **employment without notice** fristlos kündigen.

termination | of a contract Vertragsbeendigung; ~ **of employment** Beendigung des Dienstverhältnisses; ~ **of offer** Angebotsbegrenzung;
~ **date** Verfalltag.

terminus *(railway, Br.)* Kopfbahnhof, -station, Sack-, Endbahnhof;
~ **hotel** Eisenbahnhotel.

territorial territorial, inländisch;
~ **air space** Lufthoheitsgebiet; ~ **allocation** Marktaufteilung; ~ **application** Geltungsbereich; ~ **property** Grundbesitz, Territorium; ~ **sea** Küstenmeer; ~ **waters** Hoheitsgewässer.

territory Gebiet, Territorium, Geltungsbereich, *(salesman)* Reisegebiet, Vertreterbezirk;
~ **covered** Geltungsbereich; **metropolitan** ~ Einzugsgebiet; **sales** ~ Absatzgebiet, *(salesman)* Vertreter-, Verkaufsbezirk;
to travel over a large ~ *(salesman)* großen Vertreterbezirk haben; **to work one's ~ intensively** seinen Vertreterbezirk gründlich bearbeiten.

test Testverfahren, Prüfungsmittel, -verfahren, *(paper)* Examensaufgabe, *(sample)* Stichprobe; **acceptance** ~ Abnahmeprüfung; **aptitude** ~ Eignungsprüfung; **driving** ~ *(Br.)* Fahrprüfung; **employment** ~ [betriebliche] Eignungsprüfung; **in-store** ~ Test am Verkaufspunkt; **intelligence** ~ Intelligenzprüfung; **job** ~ berufliche Eignungsprüfung; **means** ~ Bedürftigkeitsnachweis; **trade** ~ Prüfung auf der Handelsschule;
~ **of apprentice** Gesellenprüfung; ~ **of competence to drive** Fahrtauglichkeitsprüfung;
~ *(v.)* prüfen, versuchen, erproben, einem Test unterziehen, testen, untersuchen;
~ **a coin for weight** Münze auf das vorschriftsmäßige Gewicht prüfen; ~ **a line** Telefonleitung überprüfen; **to take a driving** ~ *(Br.)* Fahrprüfung machen;
~ **audit** stichprobenweise Prüfung; ~ **blank** Prüfungsvordruck; ~ **campaign** *(advertising)* Teststreuung, Versuchsfeld [für Werbezwecke]; ~ **car** Versuchswagen, -modell; ~ **certificate** Prüfungsprotokoll; ~ **clerk** Prüfungsbeamter; ~ **flight** Probe-, Versuchsflug; ~ **market** *(advertising)* Versuchsmarkt; ~ **note** Prüfungsvermerk; ~ **number** Kontrollnummer, Stichzahl [im Telegrammverkehr]; ~ **series** Versuchsserie; ~ **shipment** Probeverzollung; ~ **site** Versuchsgelände; ~ **specimen** Probe, Muster.

testament Testament, letzter Wille, letztwillige Verfügung.

testamentary letztwillig, testamentarisch;
~ **capacity** Testierfähigkeit; ~ **contract** Erbvertrag; ~ **disposition** Verfügung von Todes wegen; ~ **trust** testamentarisch errichtete Stiftung.

testimonial [schriftliches] Zeugnis, Dienstleistungszeugnis, -bescheinigung;
to give a ~ to an employee Zeugnis für einen Angestellten ausstellen.

testing *(advertising)* Erfolgskontrolle;
~ **of vehicles** Fahrzeugüberprüfung;
~ **clause** Gültigkeitsklausel; ~ **conditions** Prüfungsbedingungen; ~ **engineer** Prüfingenieur; ~ **load** Probebelastung.

textile | **s** Textilwaren;
~ **goods** Textilien; ~ **goods fair** Textilmesse; ~ **industry** Textilindustrie.

textual advertisement Textteilanzeige.

theme Thema, Stoff, Gegenstand, *(broadcasting)* Pausenzeichen, Kennmelodie.

theory | **of chances** Wahrscheinlichkeitsrechnung; **quantity ~ of money** Quantitätstheorie; ~ **of probabilities** Wahrscheinlichkeitsrechnung; ~ **of production** Produktionstheorie; ~ **of rent** Lohntheorie; ~ **of surplus value** Mehrwerttheorie; **subsistence ~ of wages** Produktionskostentheorie.

thin | **attendance** spärlicher Besuch, geringe Beteiligung; **not worth a ~ dime** *(US)* keinen roten Heller wert; ~ **margin** *(US)* sehr knappe Dekkung; ~ **market** *(US)* schwacher Markt; ~ **profit** kümmerlicher Gewinn.

things Sachen, Besitz, *(situation)* Sachlage, Verhältnisse;
~ **corporeal** körperliche Gegenstände; ~ **personal** persönliche Habe; ~ **real** unbewegliche Sachen;
~ **in action** immaterielle Güterrechte; ~ **of value** Wertgegenstände.

third Drittel, *(law)* Dritter, dritte Person, *(widow)* Witwengut;
~**s** *(inferior goods)* Waren minderwertiger Qualität, drittklassige Ware;
~ **of exchange** Wechseldrittausfertigung;
to travel ~ [class] dritter Klasse reisen;
for ~ account für fremde Rechnung; ~ **class** *(US, postal service)* Drucksache, *(railway)* dritte Klasse; ~ **-class** drittklassig; ~ **-class compartment** Abteil dritter Klasse; ~ **-class mail matter** *(US)* Drucksachen; ~ **copy** Drittausfertigung; ~**s off** *(US, marine insurance)* vom Schiffseigner getragenes Reparaturkostendrittel.

third party dritte Person, Dritter, *(proceedings)* Nebenintervenient, Streitgenosse.

third-party | **accident insurance** *(Br.)* Unfallhaftpflichtversicherung; ~ **beneficiary (creditor, donee)** *(US)* Begünstigter eines Vertrages zugunsten Dritter; ~ **beneficiary contract** *(US)* Vertrag zugunsten Dritter; ~ **funds** Fremdgelder; ~ **indemnity** Haftpflicht; ~ **indemnity insurance** Haftpflichtversicherung; ~ **notice** Streitverkündung; ~ **order** *(US)* Zahlungsverbot an Drittschuldner; ~ **risk** *(Br.)* Haftpflichtrisiko; ~ **risk policy** *(Br.)* Haftpflichtpolice.

thirty-two sheet poster *(advertising)* Riesenplakat.

thoroughfare Durchfahrt, -gang, *(frequented way)* Verkehrsader, Hauptverkehrs-, Durchgangsstraße;
public ~ öffentlicher Verkehrsweg.

thread mark *(bank note)* Faserzeichen.

three | **-colo(u)r printing** Dreifarbendruck; ~**-fourth majority** Dreiviertelmehrheit; ~**-mile limit** Dreimeilengrenze; ~**-months' draft** Dreimonatswechsel; ~**-name paper** *(US)* [Sola]-wechsel; ~**-per-cents** *(Br.)* dreiprozentige Papiere.

threshold | **agreement** Tarifvertrag mit Indexklausel; ~ **price** Eingangs-, Schwellenpreis; ~ **worker** *(US)* unerfahrener Arbeiter.

thrift Wirtschaftlichkeit, Sparsamkeit, Ökonomie; ~ **box** Sparbüchse; ~ **department** *(US)* Sparkassenabteilung; ~ **deposit** Spargelder; ~ **flight** verbilligter Flug; ~ **institution** Sparvereinigung; ~ **plan** Sparplan; ~ **program(me)** Sparprogramm; ~ **society** *(US)* Sparvereinigung.

throttle *(v.)* **back the assembly line** Produktion verlangsamen.

through *(a.)* durch, *(arrived at the end)* fertig, *(US)* bis einschließlich;
~ **bill of lading** Transit-, Durchkonnossement; ~ **bookings** Pauschalreisen; ~ **car** *(US)* **(carriage, coach,** *Br.)* Kurs-, Durchgangswagen; ~ **communication** Durchgangsverkehr; ~ **connection** direkte Verbindung; ~ **freight [business]** Durchgangsfracht[geschäft]; ~ **highway** Hauptdurchgangsstraße; ~ **passenger** Durchreisender; ~ **plane** Direktflugzeug; ~ **rate** Durchgangssatz, tarif, Durchfracht; ~ **registration of luggage** *(Br.)* Gepäckaufgabe zur durchgehenden Beförderung; ~ **route** Durchgangsstrecke; ~ **shipment** Durch[gangs]fracht, durchgehende Ladung; ~ **station** Durchgangsstation; ~ **ticket** Durchgangs-, direkte Fahrkarte, für verschiedene Eisenbahngesellschaften gültige Fahrkarte; ~ **traffic** Transit-, Durchgangsverkehr; ~ **train** durchgehender Zug, D-Zug; ~ **waybill** durchgehender Frachtbrief.

throw | *(v.)* **into the bargain** drauf-, dazugeben; ~ **goods on the market** Waren auf den Markt werfen; ~ **one's money about** sein Geld verschleudern; ~ **good money after bad** gutes Geld schlechtem hinterherwerfen; ~ **open to the public** zur öffentlichen Benutzung freigeben; ~ **up a commission** Auftrag zurückgeben; ~ **up one's job** seine Stellung aufgeben.

throwaway Wurf-, Streusendung, Reklamezettel, -schrift, Flugblatt, Handzettel;
~ **product** weggeworfenes Erzeugnis.

thrust *(v.)* **o. s. into a highly paid job** sich mit allen Mitteln eine hochdotierte Stellung verschaffen.

thumb *(v.)* **a lift** Auto zum Mitfahren anhalten.

tick *(account, fam.)* Rechnung, *(fam., credit)* Kredit, Pump, *(sign of control)* Vermerk, Kontrollzeichen, Haken, Häkchen, *(sum owing)* Schuldposten, Debet;
on ~ auf Pump;
~ *(v.)* Kredit gewähren, *(make debts)* Schulden machen, auf Kredit (Pump) kaufen, *(mark with a tick)* abhaken, abstreichen;
~ **away** *(taximeter)* laufen, angestellt sein; ~ **off items in an account** Rechnungsposten abhaken; ~ **up a huge fare** *(taximeter)* hohe Taxirechnung anzeigen;
to buy on *(Br.)* auf Kredit kaufen **to go** ~ Schulden machen; **to live on** ~ auf Borg leben; **to put a** ~ **against an item** Posten abhaken; **to open a** ~ **account for s. o.** *(Br.)* Kreditkonto für j. eröffnen.

ticker *(stock exchange, US)* Börsentelegraf, -fernschreiber;
~ **abbreviations** *(US)* Börsenabkürzungen; ~ **firm** Börsenmakler; ~ **service** *(US)* Börsenfernschreib-, Tickerdienst; ~ **tape** Papierstreifen; **to get a** ~**-tape reception** *(New York)* mit einer Konfettiparade geehrt werden.

ticket *(admission)* Einlaß-, Eintrittskarte, -schein, *(air travel)* Flugschein, *(business transaction)* vorläufige Aufzeichnung, *(dismissal, Br. sl.),* Entlassung, *(label)* Etikett, Schildchen, Preiszettel, *(library)* Ausweis, *(list of candidates)* Wahl-, Kandidatenliste, *(local election)* offizieller Kandidat, *(lottery)* Lotterielos, *(luggage)* Gepäckschein, *(Br. mil, sl.)* Entlassungsschein, *(party platform)* Wahl-, Parteiprogramm, *(pawn house)* Pandschein, *(pilot)* Pilotenschein, Fluglizenz, *(police, US)* gebührenpflichtige Verwarnung, Strafzettel, *(railway) [Eisenbahn]fahrkarte, Fahrschein, (slip)* Zettel, *(stock exchange, Br.)* Bescheinigung über den Verkauf von Wertpapieren, Skontozettel;
by ~ **only** nur gegen Einlaßschein; **without a [valid]** ~ ohne gültigen Fahrausweis;
additional ~ Zuschlagskarte; **admission** ~ Eintrittskarte; **annual** ~ Jahresabonnement; ~ **no longer available** ungültiger Fahrschein; **baggage** ~ *(US)* Gepäckschein; **banker's** ~ Retourrechnung; **berth** ~ Schlafwagenkarte; **cheap** ~ verbilligte Fahrkarte; **circular** ~ *(Br.)* Rundreisebillet; **cloakroom** ~ Garderobenschein, -marke, *(railway, Br.)* Gepäckaufbewahrungsschein; **collective** ~ Sammelfahrschein; **combined** ~ Fahrscheinheft für Bahn, Bus und Schiff; **commutation** ~ *(US)* Zeit-, Dauerfahr-, Abonnementsfahrkarte; **complimentary** ~ Frei-, Ehrenkarte, *(railway)* Freifahrschein; **coupon** ~ Fahrscheinheft, Sammelkarte; **day** ~ Rückfahrkarte mit eintägiger Gültigkeit; **delivery** ~ Lieferschein; **democratic** ~ *(US)* demokratische Parteiliste; **excess** ~ Zusatzfahrschein, Übergangsfahrkarte; **excursion** ~ [etwa] Sonntagsrückfahrkarte; **extra** ~ Zuschlagsfahrkarte; **first (second) [class-]** ~ Fahrkarte erster (zweiter) Klasse; **free admission** ~ Freifahrschein, -karte; **go-as-you-please** ~ Netzfahrkarte; **half** ~ Kinderfahrkarte; **half-fare** ~ Fahrkarte zum halben Preis; **invalid** ~ ungültige Fahrkarte; **job** ~ Arbeitslaufzettel; **landing** ~ Landungskarte; **left-luggage** ~ *(Br.)* Gepäckaufbewahrungsschein; **limited** ~ Fahrkarte mit beschränkter Gültigkeit; **lottery** ~ Lotterieschein,

Los; **luggage** ~ *(Br.)* Gepäckschein; **meal** ~ Essenbon, Gaststättenmarke; **mixed** ~ *(US)* Kompromißwahlliste; **monthly** ~ Monatskarte; **one-way** ~ *(US)* Einzelfahrschein, einfache Fahrkarte; **parking** ~ *(US)* Strafzettel für ordnungswidriges Parken; **party** ~ Sammelfahrschein, *(politics, US)* Kandidatenliste der Partei; **pawn** ~ Pfandschein; **pay** ~ Zahlungsanweisung; **platform** ~ Bahnsteigkarte; **point-to-point** ~ *(airline)* Rundreiseflugschein; **price** ~ Preisauszeichnung, -zettel; **privilege** ~ vergünstigter Fahrschein, Vorzugskarte; **Pullman** ~ *(US)* Fahrkarte erster Klasse; **railway** ~ *(Br.)* Fahrkarte, -schein; **railroad** ~ *(US)* [Eisenbahn]fahrkarte, Fahrschein; **reduced-rate** ~ *(Br.)* verbilligte Fahrkarte; **reserved-seat** ~ reservierter Platz, Platzkarte; **return** ~ Rückfahrkarte; **round-trip** ~ *(US)* Hin- und Rückfahrschein; **rover** ~ Netzkarte; **runabout** ~ Netzkarte; **scratch** ~ *(parl.)* ungültiger Wahlschein; **season** ~ [Eisenbahn]abonnement, Zeit-, Dauer-, Abonnementfahrkarte; **monthly season** ~ Monatskarte; **single** ~ *(Br.)* Einzelfahrschein, einfache Fahrkarte; **sleeping-car** ~ Schlafwagenkarte; **speeding** ~ *(US)* Strafzettel wegen Überschreitung der Höchstgeschwindigkeit; **straight** ~ *(parl.)* Einmannliste; **subscription** ~ Abonnementsfahrkarte; **tear** ~ *(US)* Belegstück; **through** ~ Umsteiger, Umsteigebillet, direkte Fahrkarte; **tourist** ~ Rundreisebillet, Ferienfahrkarte; **transfer** ~ Anschlußkarte; **transferable** ~ übertragbarer Fahrausweis; **weekend** ~ Wochenendkarte; **weekly** ~ Arbeiterwochenkarte; **workman's** ~ Arbeiterfahrschein;

~ **of admission** Einlaßkarte, Zulassungsschein; ~ **of leave** *(Br., criminal)* Entlassungsschein eines vorzeitig entlassenen Sträflings, *(mil.)* Entlassungsschein;

~ *(v.)* etikettieren, numerieren, mit einem Etikett (Schildchen) versehen, beschriften, [Waren] auszeichnen, *(US)* als Fahrtteilnehmer eintragen, Fahrkarte aushändigen;

to buy a ~ Fahrkarte lösen; **to collect the ~s** Fahrkarten abnehmen; **to draw a prize-winning** ~ Lotteriegewinn ziehen; **to get a** ~ *(US)* Strafzettel bekommen; **to get one's** ~ *(sl.)* entlassen werden; **to give s. o. a** ~ *(police)* Strafzettel (gebührenpflichtige Verwarnung, Protokoll) für j. ausstellen; **to issue ~s** Fahrkarten ausgeben; **to punch a** ~ Fahrkarte lochen; **to scratch a** ~ *(US)* Parteiliste durch Streichungen abändern; **to show one's** ~ seine Fahrkarte vorzeigen; **to take a** ~ Fahrkarte lösen; **to take a ~ at the university** sich immatrikulieren lassen; **to turn in one's** ~ seine Fahrkarte bei der Sperre abgeben; **to vote a** ~ Wahlliste wählen; **to vote the straight** ~ Parteianweisungen bei der Abstimmung befolgen; **to work one's** ~ Reisekosten abarbeiten; **to write one's own** ~ sich selbst die Norm setzen; **to write s. one's** ~ j. entlassen;

that's not quite the ~ das gehört sich nicht;

~s please! Fahrkarten vorzeigen!;

~ **advertising** Fahrscheinwerbung; ~ **agent** *(US)* Fahrkartenverkaufsstelle, *(theater)* Vorverkauf; ~ **collector** Fahrkartenabnehmer, -kontrolleur, Bahnsteigschaffner; ~ **control** Fahrkartenkontrolle; ~ **counter** Fahrkartenausgabe; ~ **day** *(Br.)* Vergleichungs-, Abrechnungs-, Liquidationstag, *(London stock exchange)* zweiter Liquidationstag; ~ **envelope** Fahrkartentasche; ~ **gate** Bahnsteigsperre; ~ **holder** Fahrscheininhaber; ~ **inspector** Fahrkartenkontrolleur; **~-of-leave man** *(Br.)* bedingt Entlassener, auf Bewährung vorzeitig entlassener Sträfling; ~ **night** Benefizvorstellung; ~ **number** [Lotterie]losnummer; ~ **office** *(US)* [Fahrkarten]schalter, -ausgabe; ~ **porter** Bahnsteigschaffner; *(Br.)* Gepäckträger; ~ **punch** Fahrkartenlochzange, -locher; ~ **puncher** Fahrkartenkontrolleur; ~ **sales** Kartenumsatz; ~ **seller** Fahrkartenverkäufer; ~ **slot machine** Fahrscheinapparat, -automat; ~ **speculator** Schwarzhändler von Theaterkarten; ~ **window** *(US)* Fahrkartenschalter, *(theater, US)* Kasse.

tickler *(US)* Vormerk-, Terminkalender, Mahnkartei, Verfallbuch;

maturity ~ Wechselverfallbuch.

tidy sum of money hübsches Sümmchen.

tie up *(v.)* *(business)* blockieren, behindern, *(estate)* einer Verfügungsbeschränkung unterwerfen;

~ **capital** Kapital festlegen (fest anlegen); ~ **a factory** Fabrik stillegen; ~ **production** Produktionsstopp vornehmen; ~ **a telephone box** Telefonzelle blockieren.

tie-in geheimer Zusammenhang, *(advertising)* zwei miteinander verbundene Werbungen, aufeinander abgestimmte Werbung;

~ **advertising** Anknüpfungswerbung; ~ **clause** *(US)* Kopplungsklausel; ~ **deal** Kopplungsgeschäft; ~ **sale** *(US)* Kopplungsverkauf.

tie-line installation Direktleitung.

tie-on label Anhängeradresse, -zettel, Anhänger.

tie-up *(US)* Stillstand, Stockung, Lahmlegung, *(strike, US)* Ausstand, Streik, Arbeitseinstellung, *(traffic jam, US)* Verkehrsstockung;

~ **advertising** kombinierte Werbeaktion; **general ~ of industry** Stillegung der gesamten Industrie.

tied | to the index indexgebunden;

~ **cottage** Deputatwohnung; **~-up capital** festgelegtes Kapital; **~loan** zweckgebundene Anleihe.

tight *(embarrassed)* in Geldverlegenheit, in einer Klemme, (mean) knauserig, knickerig, *(market)* angespannt, *(money)* knapp, angespannt;

~ **bargain** Geschäft mit kleiner Marge; ~ **labo(u)r market** leerer Arbeitsmarkt; ~ **money** knappes Geld; ~ **money market** angespannte Lage auf dem Geldmarkt.

tighten | *(v.)* **economic bonds** wirtschaftliche Verbindungen verstärken; ~ **restrictions** Bestimmungen verschärfen.

tightening | **of a blockade** Blockadeverschärfung; ~ **of money conditions (the money market)** Versteifung des Geldmarktes, Liquiditätsanspannung; ~ **of the money supply** Drosselung der Geldversorgung.

tightness Knappheitserscheinung, Verknappung; ~ **of money** Geldknappheit, Liquiditätsanspannung.

till Geld-, Ladenkasse, Geldkassette, -lade;
to break into the ~ Kasse angreifen; **to seize the** ~ Ladenkasse pfänden;
~ **book** Kassenbuch, -strazze; ~ **money** Geld in der Ladenkasse, *(US, banking)* Kassenbestand, -reserve.

tillable anbaufähig, bestellbar.

tillage Feld-, Boden-, Ackerbestellung, Kultivierung.

time Zeit[punkt], Zeitdauer, -abschnitt; *(apprenticeship)* Lehrzeit, *(broadcasting)* käufliche Werbezeit, *(hour)* Stunde, *(term)* Frist, *(wages)* Zeit-, Stundenlohn;
at the ~ **of delivery** bei der Lieferung; **at the** ~ **of expiration** zur Verfallzeit; **in one's spare** ~ nach Feierabend, **on** ~ pünktlich, rechtzeitig, *(instal(l)ment system)* auf Zeit (Raten); **within the** ~ **allowed by the law** innerhalb der gesetzlichen Frist;
~**s** *(railway)* Ankunfts- und Abfahrtzeiten, Zeittabelle.
additional ~ Zusatzfrist; **appointed** ~ Termin; broken ~ Arbeitszeitverlust, Verdienstausfall; **chargeable** ~ *(tel.)* Gebührenminuten; **cooling** ~ *(strike law)* Abkühlungszeit; **dead** ~ *(factory)* Verlustzeit; **dull** ~ stille Saison, tote Zeit, Flaute; **free [allowance]** ~ standgeldfreie [Lade]zeit; **full** ~ volle Arbeitszeit; **idle** ~ Verlustzeit; **individual production** ~ Stückzeit; **leisure** ~ Freizeit; **limited** ~ beschränkte Bezugsdauer; **part** ~ Kurzarbeit; **reasonable** ~ angemessene Frist; **shipping** ~ Versandtermin; **short** ~ verkürzte Arbeitszeit, Arbeitszeitverkürzung; **slack** ~**s** Flaute; **spare** ~ Freizeit; ~ **spent abroad** Auslandsaufenthalt; **straight** ~ regelmäßige Arbeitszeit; **summer** ~ Sommerzeit; **waiting** ~ Wartezeit; ~ **worked** geleistete Arbeitsstunden; **working** ~ Betriebs-, Arbeitszeit;
~ **for acceptance** *(bill)* Annahmezeit; ~ **of accident** Unfallzeitpunkt; ~ **of admission** Aufnahmetermin; ~ **of adjudication** Zuschlagfrist; ~ **of application** Anmeldefrist; ~ **of arrival** Ankunftszeit; ~ **of bankruptcy** Konkursantragstermin; ~ **of collection** Abholzeit; ~ **of contracting** Zeitpunkt des [Vertrags]abschlusses; ~ **of delivery** Liefertermin; ~**s of delivery** *(postal service)* Zustellzeiten; ~ **of departure** Abflug-, Abfahrtszeit; ~ **of dispatch** Abgangszeit; ~ **of a draft** Laufzeit eines Wechsel; ~ **of flight** Flugzeit; ~ **of holding** Sitzungsdauer; ~ **for loading** Ladezeit, -frist; ~ **of maturity** Verfallzeit; ~ **for payment** Zahlungstermin, -frist, Verfallzeit; ~ **of performance** Erfüllungstermin; ~ **of presentment** Vorlagefrist; ~ **for repayment** Rückzahlungsfrist; ~ **to run** *(bill of exchange)* effektive Laufzeit; ~ **of sailing** Abgangszeit; ~ **of shipment** *(US)* Versandzeit; ~ **for unloading** Entladezeit, -frist; ~ **when work begins** Arbeitsbeginn; ~ **when work ends** Arbeitsschluß;
~ *(v.)* Frist gewähren, stunden, *(bill of exchange)* effektive Laufzeit feststellen, *(schedule)* zeitlich abstimmen, *(train)* nach Fahrplan fahren lassen;
to arrive on ~ *(train)* fahrplanmäßig einlaufen; **to ask for** ~ um Aufschub (Fristverlängerung) bitten; **to be always behind** ~ **with one's payments** seine Zahlungstermine nie einhalten; **to be on part-**~ kurzarbeiten; **to be paid by** ~ stundenweise bezahlt werden; **to count** ~ **and a half** *(overtime)* um die Hälfte erhöhten Lohnsatz erzielen; **to give** ~ **off** kurz beurlauben; **to keep** ~ Arbeitszeit registrieren; **to keep one's** ~ termin einhalten; **to know the** ~ **of the trains** Zugfahrplan kennen; **to let the appointed** ~ **pass** Frist verstreichen lassen; **to overrun the allotted** ~ Redezeit überschreiten; **to stipulate a** ~ **for delivery** Lieferfrist festsetzen; **to work full** ~ ganztägig arbeiten;
~ **allowance** Zeitausgleich; ~ **bargain** *(option)* Prämiengeschäft, *(stock exchange)* Zeit-, Termin-, Lieferungs-, Differenz-, Fixgeschäft; ~ **bill** Zeit-, Nachsichtwechsel, *(railway)* Fahrplan; ~ **book** Arbeits[stunden]buch, *(railway)* Fahrplanbuch; ~ **buyer** *(agency)* Sachbearbeiter für Funkwerbung; ~ **buying** Belegen von Sendezeit; **fixed-**~ **call** Festzeitgespräch; ~ **card** Kontroll-, Lohnkarte, Stechkarte; ~ **charge** *(brodcasting)* Tarif für Werbesendungen; ~ **carter** *(ship)* Zeitfracht; ~ **check** *(radio)* Zeitansage; ~ **clerk** *(works)* Zeitkontrolleur; ~ **clock** Stech-, Kontrolluhr; ~**-clock card** Stechkarte; ~ **costs** periodenfremde Aufwendungen; ~ **deposit** festes (langfristiges) Geld, Einlage mit Kündigungsfrist, Festgeld; ~ **discount** Bardiskont, *(advertising)* Mengen-, Abschlußrabatt, *(broadcasting)* Funkwerbungsmengenrabatt; ~ **draft** Zeitwechsel; ~ **freight** *(US)* Eilfracht; ~ **holder** *(advertising)* Komplettierungszeige; **full-**~ **job** Ganztagsbeschäftigung; **spare-** ~ **job** Freizeitbeschäftigung; ~ **lag** zeitliche Verschiebung, *(stock exchange)* Marktanpassungszeit; ~ **liabilities** befristete Verbindlichkeiten; ~ **limit** Zeitraum, -spanne, -beschränkung; Frist; ~ **limit for claims** Rügefrist; ~ **loan** längerfristiges Darlehn, Monatsgeld; ~ **method of calculating depreciation** *(US)* Abschreibungsmethode nach Quoten; ~ **money**

festes Geld, langfristiges Börsengeld; ~ **and one half pay** Überstundenbezahlung; ~ **payment** *(US)* Ratenzahlung; ~ **policy** Zeitpolice; ~ **poster** Aushängefahrplan; ~ **preference** *(economic goods)* Gegenwarts-, Zeitpräferenz; ~ **purchase** Zeit-, Termin-, Lieferungsgeschäft, Fix-, Terminkauf; ~ **rate** Zeitlohn, *(advertising)* Serienrabatt innerhalb eines Jahres; ~ **recorder** Stech-, Kontrolluhr; ~ **report** Stechkarte; ~ **sale** Zeit-, Terminverkauf; ~ **schedule** Zeitplanung, Terminplan, *(advertising)* Werbefunkplan; ~ **selling** *(US)* Abzahlungsgeschäft; ~ **sheet** Arbeitsblatt, Lohnliste; ~ **signal** Zeitzeichen, *(advertising)* mit Werbung verbundene Zeitansagen; ~ **stamp[ing clock]** Zeit-, Eingangsstempel; ~ **standards** Vorgabezeiten; **~-and-motion study** Bewegungsstudie; **~-study data** Zeitstudienergebnisse; **~-study observer** Zeitstudienbeamter; **~-study sheet** Zeitaufnahmebogen; ~ **ticket** *(US)* Stechkarte; ~ **wage** Zeit-, Stundenlohn; ~ **zone** Zeitzone.

timekeeper *(accounting)* Lohnbuchhalter, *(factory)* Arbeitszeitkontrolleur.

timer *(US)* Zeitstudienbeamter, *(works)* Zeitkontrolleur.

timetable Fahrplan, Kursbuch, *(airplanes)* Flugplan;
~ **that is no longer valid** ungültig gewordener Fahrplan.

timetaker Lohnbuchhalter.

timework Stundenlohnarbeit.

tip *(gratuity)* Trinkgeld, *(hint)* Hinweis, Tip, Wink, *(stock exchange)* Börsentip;
coal ~ Kohlenhalde;
~-in Beihefter.

title Titel, *(claim)* [Rechts]anspruch, Rechtstitel, Anrecht, *(disposition)* Verfügungsrecht, *(division of statute)* Abschnitt, Titel, *(official)* Dienstbezeichnung, *(ownership)* Eigentum[stitel, -srecht], *(security)* Name [eines Wertpapiers];
without lawful ~ ohne Rechtsgrund;
bad ~ fehlendes Eigentumsrecht; **bastard** ~ *(print.)* Schmutztitel; **good** ~ rechtsgültiger Anspruch;
~ **of an account** Kontobezeichnung; ~ **of an action** Rubrum; ~ **to a benefit** *(insurance)* Leistungsanspruch; ~ **to certificate** Anteilschein; ~ **to goods** Eigentum an der Ware; ~ **to a pension** Pensionsberechtigung; ~ **of adverse possession** Eigentumserwerb durch Ersitzung; ~ **to property** Besitzurkunde, Eigentumsrecht; ~ **in real property** Grundstückseigentum;
to acquire the ~ Eigentum erwerben; **to have the ~ searched** [etwa] Grundbuch einsehen lassen; **to lower the ~ of the coinage** Währungsstandard senken; **to retain** ~ sich das Eigentum vorbehalten;
~ **deed** Eigentums-, Besitz-, Erwerbsurkunde, *(real estate)* Grundstücksurkunde, Kaufvertrag; ~ **guarantee insurance** *(US)* Rechtstitelversicherung; ~ **retention** Eigentumsvorbehalt; ~ **warranty** Rechtsmängelgewähr.

today's rate *(stock market)* Tageskurs.

token Beweis, Zeichen, *(premium)* Gutschein, Bon, *(piece of currency)* Notgeld;
~ **coin** Scheidemünze; ~ **imports** symbolische Einfuhr; ~ **money** Ersatzgeld; ~ **payment** Teilzahlung in Anerkenntnis einer Verpflichtung, symbolische Zahlung; ~ **strike** Warnstreik.

tolerance *(coins)* Nachlaß, Remedium, *(US, customs)* Sperrgeld, Zollabgabe, -gebühr, *(in weight)* zugelassen, [Gewichts]abweichung.

toll Abgabe, Gebühr, Zoll, *(fig.)* Tribut, *(market)* Markt-, Standgeld, *(road)* Straßenbenutzungsgebühr, Wege-, Brückenzoll, *(shipping)* Hafengebühr, *(tel., US)* Ferngesprächsgebühr, *(transportation)* Transportgebühr;
canal ~ Kanalgebühr; **intermediate** ~ Autobahngebühr; **port** ~ Hafengebühr; **railway** ~ Frachtgebühr; **town** ~ Gemeindeabgabe;
~ **of the road[s]** Verkehrsunfälle, -opfer, Todesopfer der Landstraße;
~ *(v.)* Zoll erheben;
~ **the statute of limitations** Verjährungsfrist hemmen;
to pay the ~ Zoll entrichten; **to take** ~ Zoll einnehmen (erheben); **to take ~ of s. o.** j. arg mitnehmen; **to take heavy ~s of one's income** großen Einkommensteil in Anspruch nehmen;
~ **bar** Zollschranke, Schlagbaum; ~ **book** Zollquittungsbuch; ~ **bridge** Zollbrücke; ~ **broadcasting** gebührenpflichtiger Rundfunk; ~ **cable** Fernleitungskabel; ~ **call** *(tel.)* Ferngespräch, Schnell-, Vorortsverkehrsanruf; ~ **collector** Zolleinnehmer; ~ **exchange** *(tel.)* Schnell-, Nahverkehrsamt; ~ **final selector** *(US)* Fernleitungswähler; ~ **-free** abgaben-, zollfrei, *(tel.)* gebührenfrei; **to call a ~-free number** kostenloses Ferngespräch führen; ~ **gate** Schlagbaum, Zollschranke; ~ **gatherer** Zolleinnehmer; ~ **-less** abgabenfrei; ~ **line** *(tel.)* Fernleitung; ~ **-line dialing** *(US)* Selbstwählfernverkehr; ~ **road** *(US)* gebührenpflichtige Autobahn; ~ **service** *(tel.)* Schnelldienst; ~ **system** Fernleitungsnetz; ~ **through** Durchgangszoll; ~ **traffic** *(tel.)* Schnellamts-, Nahverkehr; ~ **traverse** Wegegebühr.

tollable zollpflichtig, verzollbar.

tollage Gebührenerhebung, *(customs)* Zollentrichtung.

tollkeeper Zolleinnehmer, Zöllner.

tommy *(goods)* Naturalien;
~ **shop (store)** Werkskantine.

ton Tonne[ngehalt], *(capacity)* Trag-, Ladefähigkeit; **by ~s** tonnenweise;
displacement ~ *(warship)* Wasserverdrängung; **freight** ~ Tonnenfracht; long (gross, shipper's, shipping) ~ Tonne (2240 englische Pfund, 1016 kg); **measurement** ~ Frachttonne; **metric**

~ metrische Tonne (2204,6 englische Pfund); **~s processed** verarbeitete Tonnenzahl; **register** ~ Registertonne; **short** ~ *(US)* Tonne (2000 englische Pfund, 907,2 kg);
to have ~s of money scheffelweise Geld haben; ~ **weight** Gewichtstonne.

tone *(stock exchange)* Haltung, Stimmung;
bearish ~ flaue Stimmung; **final** ~ Schlußhaltung; **prevailing** ~ Grundton, Grundhaltung der Börse, vorherrschende Stimmung;
~ **of the market** Börsenstimmung; ~ **of restraint** zurückhaltende Tendenz.

tonnage Tonnage, Tonnengehalt, Wasserverdrängung, *(cubic capacity)* Lade-, Ladungsfähigkeit, *(ancient customs)* Schiffszoll, Tonnengeld, *(freight charge)* Last[gebühr], *(freight carrying capacity)* Rauminhalt, Tragfähigkeit, Fracht-, Schiffsraum, *(merchant fleet)* Gesamttonnage. *(weight of cargo)* Ladungsgewicht;
deadweight ~ Lade-, Tragfähigkeit; **displacement** ~ Verdrängungstonnage; **gross** ~ Bruttoregistertonnage; **net** ~ Nettoregistertonnengehalt; **parcels** ~ *(Br.)* Paketfahrttonnage; **registered** ~ [Netto]registertonnage, Registerschiffsraum; **short** ~ Ladungsmanko; **surplus** ~ Ladungsüberschuß; **total** ~ Gesamttonnage; **war-lost** ~ im Krieg verlorene Tonnage; **waste** ~ ungenutzter Schiffsraum;
~ **car** *(US)* Güterwagen; ~ **certificate** Schiffsmeßschein; ~ **duty** *(Br.)* Tonnengeld; ~ **length** Vermessungsanlage; ~ **mark** Vermessungsmarke; ~ **rate** *(US)* Lohnsatz pro Tonne; ~ **record** Tonnagerekord; ~ **rent** Tonnengeld.

tool|s Handwerkszeug, Arbeitszeug, -gerät;
~s and machinery technisches Zubehör; **~s of one's trade** Rüstzeug zur Berufsausbildung;
~ *(v.)* **a factory** Fabrik mit den notwendigsten Maschinen ausstatten;
to lay down ~s Arbeit einstellen, streiken;
~s insurance Werkzeugversicherung; **~s rent** Werkzeugmiete.

tooling|s, furniture and fixtures *(balance sheet)* Werkzeuge, Betriebs- und Geschäftsausstattung;
~ **costs** Bearbeitungskosten.

top Spitze, Gipfel, *(position)* Spitzenstellung;
at the ~ of the ladder (tree) an oberster Stelle;
~ **of one's career** Höhepunkt seiner Laufbahn;
to buy at the ~ of the market zu Höchstkursen kaufen; **to lift the** ~ *(stock exchange)* Höchstkurs heraufsetzen;
~ **adviser** Spitzenberater; ~ **appointment** Spitzenstellung; ~ **brackets** höchste Steuerstufen; ~ **conditions** erstklassige Bedingungen; ~ **earner** Spitzenverdiener; **to form the ~ echelon in civic activities** zu den Spitzen der Behörden zählen; ~ **executive** leitender Angestellter; ~ **gains** *(stock exchange)* Spitzengewinne; ~ **-grade quality** erste Wahl; ~ **-hat scheme** Bonussystem für leitende Angestellte; ~ **heaviness** *(securities)* Überbewertung; ~ **-heavy** *(economics)* überkapitalisiert, *(nation)* finanziell überlastet, *(overorganized)* überorganisiert, *(securities)* überbewertet; **to be ~ -heavy** *(administration)* Wasserkopf haben; ~ **-heavy market** zu hohe Aktienkurse; ~ **industrials** industrielle Spitzenwerte; **at ~ level** auf höchster Ebene; ~ **-level executive** Spitzenkraft; ~ **-level management status** Spitzenposition; ~ **-level negotiations** Verhandlungen auf höchster Ebene; ~ **line** Kopf-, Titelzeile; ~ **management** Spitzenkräfte, Führungsspitze; ~ **management team** Spitzengremium; ~ **manager** oberster Betriebsleiter; **to be too thin in its ~ managerial ranks** über zu wenig Spitzenkräfte verfügen; ~ **output** Höchstleistung, -produktion; ~ **pay** Spitzengehalt; ~ **price** Höchst-, -kurs, -stand; ~ **priority** höchste Dringlichkeitsstufe; ~ **quality** Spitzenqualität; **to hit ~ ratings** Spitzenbewertung erzielen; ~ **right position** *(advertising)* Placierung oben rechts; **to carry ~ -running priority over any train** Vorfahrtsberechtigung vor jedem anderen Zug haben; ~ **salary** Spitzengehalt; ~ **tax rate** steuerlicher Höchstsatz.

tort unerlaubte Handlung, Vergehen, Schaden;
personal ~ Verletzung von Persönlichkeitsrechten; **property** ~ Vermögensschaden;
to commit a ~ unerlaubte Handlung begehen;
to obtain damages in ~ Schadensersatz wegen unerlaubter Handlung erlangen;
~ **liability** Haftung aus unerlaubter Handlung.

tortfeaser Übertreter, Schadensersatzpflichtiger.

tortious liability Haftung aus unerlaubter Handlung.

total Gesamtsumme, -betrag, Summa (Sa.), Summe, Betrag;
~ *(v.)* im ganzen betragen, sich belaufen auf, ergeben, ausmachen;
~ **amount** Gesamtbetrag, -summe, Hauptbetrag; ~ **assets** Gesamtwert der Aktiva; ~ **circulation** Gesamtauflage; ~ **costs** Gesamtkosten; ~ **current assets** Gesamtumlaufvermögen; ~ **disability** Vollinvalidität; ~ **earnings** Gesamtverdienst; ~ **exports** Gesamtausfuhr; ~ **and permanent disability insurance** Versicherung gegen Vollinvalidität; ~ **liabilities** Gesamtverpflichtungen; ~ **load** Rohlast; ~ **loss** Total-, Gesamtverlust, *(fire insurance)* Totalschaden; ~ **net paid** *(newspaper)* verkaufte Auflage; ~ **output** Gesamtertrag; ~ **production costs** volle Produktionskosten; ~ **proprietorship** Gesamteigenkapital; ~ **receipts** Gesamteinnahmen; ~ **tolerance** *(quality control)* zulässige Toleranz; ~ **tonnage** Gesamttonnage; ~ **transactions** Gesamtumsatz; ~ **value** Gesamtwert.

totalizer Addiermaschine.

tottering state of the money market schwankender Zustand des Geldmarktes.

touch Fühlungnahme, Verbindung, Kontakt, *(borrowing, sl.)* Anpumpen, *(metal)* Feingehalts-,

Gütestempel, *(act of stealing, sl.)* Organisieren; **the Nelson** ~ sichere Beherrschung einer schwierigen Situation;
~ **and go** auf der Kippe;
~ *(v.)* **s. o.** *(sl.)* j. anpumpen, j. um Geld anhauen; ~ **the bottom** niedrigsten Kursstand erreichen; ~ **the capital** Kapital angreifen; ~ **s. one's interests closely** jds. Interessen engstens berühren; ~ **shares of armament firms** in Rüstungswerten investieren;
to be out of ~ **with s. o.** Verbindung zu jem. verloren haben; **to get in** ~ **with s. o.** sich mit jem. ins Benehmen setzen, Kontakt mit jem. aufnehmen; **to give the finishing** ~**es** letzten Schliff geben;
~ **-and-go business** riskantes Geschäft; ~ **system** Zehnfingersystem, Blindschreiben; ~**-type** *(v.)* blindschreiben.

tour Reise, Tour, Rundfahrt, -reise, -gang, Ausflug;
on ~ unterwegs; **on completion of one's** ~ **of duty** nach Beendigung seiner Amtsperiode;
all-expense ~ *(US)* kostenlose Besichtigungsreise; **business** ~ Geschäftsreise; **circular** ~ *(Br.)* Rundreise; **conducted** ~ zusammengestellte Reise, Gesellschaftsreise; **foreign** ~ Auslandsreise; **guided** ~ Führung; **guided package** ~ *(US)* von einem Reiseleiter betreute Gesellschaftsreise; **official** ~ Dienstreise; **motor** ~ Autofahrt; **motor-coach** ~ Omnibusrundfahrt; **mystery** ~ Fahrt ins Blaue; **organized** ~ Gesellschaftsreise, -fahrt; **overseas** ~ Dienstzeit in Übersee; **packaged** ~ *(US)* Gesellschaftsfahrt, -tour, Pauschalreise;
~ **of inspection** Inspektions-, Besichtigungsreise;
~ *(v.)* Tour machen;
~ **the fairs** Messen bereisen;
to be on one's ~ in Geschäften unterwegs (auf Tournee) sein; **to make the** ~ **of a country** übliche Rundreise machen;
~ **operator** Touristikunternehmen.

touring Reiseverkehr;
~ *(a.)* auf Reisen, unterwegs;
~ **exhibition** Wanderausstellung; ~ **information** Reiseauskünfte; ~ **party** Reisegesellschaft.

tourism Fremdenverkehr, Tourismus, *(touring parties)* Reisegesellschaften, *(management of tourists)* Touristenwesen;
to be mainly dependent for one's living on ~ hauptsächlich vom Fremdenverkehr leben;
~ **advertising** Fremdenverkehrswerbung; ~ **business** Fremdenverkehrswesen; ~ **facilities** Fremdenverkehrsmöglichkeiten.

tourist Vergnügungsreisender, Ausflügler, Tourist;
budget-minded ~ sparbewußter Tourist;
to be full of ~**s** von Touristen überlaufen sein;
~ **advertising** Fremden[verkehrs]werbung; ~ **agency** *(US)* Reisebüro; ~ **association** Fremdenverkehrsverband; ~ **baggage insurance** *(US)* Reisegepäckversicherung; ~ **bed** Fremdenbett; ~ **boom** Touristenkonjunktur; ~ **bureau** *(US)* Reise-, Verkehrsbüro; ~ **car (coach)** Reiseomnibus; ~ **center** *(US)* **(centre,** *Br.)* Fremdenverkehrszentrum, -ort; ~ **class** Touristenklasse; ~ **country** Touristenland; ~ **deficit** Fremdenverkehrsdefizit; ~ **development** Entwicklung des Fremdenverkehrs; ~ **dollar** Touristendollar; ~ **expenditure** Touristenausgaben, Reisedevisen; ~ **guide** Fremdenführer; ~ **-haunted (-ridden)** von Touristen überlaufen; ~ **imbalance** unausgeglichene Fremdenverkehrsbilanz; ~ **industry** Fremden[verkehrs]industrie; ~ **office** *(Br.)* Reisebüro; ~ **pamphlet** Reiseprospekt; ~ **passenger** Passagier der Touristenklasse; ~ **promotion** Fremdenverkehrsförderung; ~ **publicitty material** Werbematerial für den Fremdenverkehr; ~ **receipts** Einnahmen aus dem Fremdenverkehr; ~ **season** Reisezeit; ~ **spending** Ausgaben im Reiseverkehr; ~ **ticket** Rundreisefahrkarte; ~ **trade** Fremdenverkehr[sgewerbe, -swirtschaft]; ~ **-trade statistics** Fremdenverkehrsstatistik; ~ **traffic propaganda** Fremdenverkehrswerbung; ~ **travel** Reise-, Touristenverkehr; ~ **voucher** Touristengutschein.

touristic growth Tourismuszunahme.

tout Schlepper, Kundenwerber, -schlepper, -fänger, *(insurance agent)* Akquisiteur;
~ *(v.)* Kunden akquirieren (werben), aufdringlich Werbung betreiben, *(canvass for votes)* Stimmenwerbung betreiben.

tow Schleppen, Schlepparbeit, *(mar.)* Schleppzug;
~ *(v.)* schleppen, ins Schlepptau nehmen, *(ship)* bugsieren, ziehen;
~ **a broken car** kaputtes Auto abschleppen;
~ **car** Abschleppwagen.

towage *(charge)* Schleppgebühr, -lohn.

tower *(aviation)* Kontrollturm;
~ **block** *(Br.)* Wohnhochhaus.

town Stadt, Ort, *(business center)* Stadtzentrum, -inneres, *(municipal administration)* Stadt-, Gemeindeverwaltung, *(municipal corporation, US)* Stadtgemeinde;
on the ~ *(US)* auf städtische Unterstützung (Fürsorge) angewiesen;
commercial ~ Geschäftsstadt; **community** ~ im Nahverkehrsbereich liegende Stadt; **company** ~ *(US)* Firmen-, Werkssiedlung; **manufacturing** ~ Industriestadt; **market** ~ *(Br.)* Marktflecken;
to do one's shopping in ~ seine Einkäufe in der Stadt erledigen; **to scour the whole** ~ ganze Stadt nach etw. ablaufen;
~ **agent** Stadtvertreter; ~ **apartment** Stadtwohnung; ~ **cheque** *(Br.)* Scheck auf die Londoner City; ~ **clearing** *(Br.)* Clearing im Finanzzentrum von London; ~ **clerk** *(Br.)* [Ober]stadtdirektor, *(US)* Gemeindeverwaltungsbeamter, Stadtsyndikus; ~ **collector** städtischer Steuer-

einnehmer; ~ **council** *(Br.)* Gemeinde-, Stadtrat, Magistrat, Stadtverordnetenversammlung; ~ **councillor** *(Br.)* Stadtrat[smitglied], Stadtverordneter, *(US)* Gemeinderatsmitglied; ~ **dues** städtische Abgaben; ~ **management** *(US)* Gemeindeverwaltung; ~ **manager** *(US)* Amtsbürgermeister; ~ **planning** Städteplanung; ~ **property** *(Br.)* Stadtgrundstück; ~ **rates** Kommunalabgaben; ~ **size group** Ortsgrößenklasse; ~ **tax** städtische Abgabe, Bürgersteuer; ~ **travel(l)er** *(Br.)* Platzreisender, -vertreter; ~ **treasurer** Stadtkämmerer.

trace Spur, *(car)* Wagen-, Räderspur, *(stock exchange)* durch Giro übertragbarer Lieferschein; ~ **a letter** Brief ausfindig machen; ~ **lost goods** verlorene Warensendung wiederfinden.

tracer *(railroad, US)* Laufzettel, Umlauf[schreiben], *(US), collecting business)* Inkassobericht; ~ **blank** *(US)* Inkassoauskunftsformular; ~ **information** *(US)* Inkassoauskunft.

tracing paper Pauspapier.

track *(car)* Spurweite, *(mar.)* Fahrrinne, -wasser, *(railway)* Bahnstrecke, Schienenweg, -strang, Spur, Geleise, Strecke, Fahrgleis, *(tyre)* Reifenprofil;
on ~ auf der Achse, unterwegs, rollend;
main ~ Hauptlinie, -strecke, *(railway)* Hauptgleis; **North Atlantic** ~ Nordatlantikroute; **occupied** ~ belegtes Gleis; **team** ~ Entladegleis;
to keep s. o. on the ~ j. auf dem laufenden halten; **to keep** ~ **of new publications** neue Veröffentlichungen verfolgen.

trade Handel, *(business)* [Gewerbe]betrieb, Geschäft, *(business situation)* Geschäftslage, *(business world)* Fach-, Geschäftswelt, Kaufmannschaft, Handelsstand, Berufsschicht, *(customer)* Kundschaft, Kunden, *(exchange)* Austausch, *(futures, US)* [Getreide]termingeschäft, *(guild)* Gilde, Genossenschaft, Zunft, *(handicraft)* Handwerk, *(line)* Branche, Fach, Geschäftszweig, *(occupation)* Gewerbe, Erwerbszweig, Beruf, Berufsstand, Metier, *(pol., US)* Ämterkauf, Schiebung, *(retail trade)* Einzelhandel, *(ship)* Verkehr, Fahrt;
by ~ von Beruf; **by way of** ~ im Handel; **in the same** ~ im gleichen Metier; **supplied to** ~ **only** Lieferung nur an Wiederverkäufer; **without a** ~ ohne Beruf;
the ~ *(Br.)* Spirituosenhandel, *(sl.)* Dienst auf einem U-Boot;
active ~ Aktivhandel, Export; **aggregate** ~ Gesamthandel; **all the** ~**s** alle Handwerksinnungen; **barter** ~ Tauschhandel; **basic** ~ Schlüsselindustrie; **book** ~ Buchhandel, -gewerbe; **brisk** ~ Geschäftsaufschwung; **building** ~ Bauwirtschaft, -gewerbe; **business** ~ Handelsverkehr; **carrying** ~ Transportgewerbe, -geschäft; **catering** ~ Gaststättengewerbe; **clandestine** ~ Schleich-, Schwarzhandel; **coasting** ~ Küstenfahrt; **continental** ~ *(Br.)* Kontinentalhandel; **contraband** ~ Schmuggel; **distributing (distributive)** ~ Verteilergewerbe, Absatzwirtschaft; **domestic** ~ *(US)* Binnenhandel[sverkehr], inländischer Handel; **east-west[ern]** ~ Ost-West-Handel; **export** ~ Export, Außen-, Aktivhandel; **extensive** ~ ausgedehnter Handel; **external** ~ Außenhandel; **fair** ~ Freihandel auf Gegenseitigkeitsbasis; **fictitious** ~ Scheinverkauf, -geschäft; **flourishing** ~ blühendes Geschäft; **foreign** ~ Außen-, Überseehandel, Außenwirtschaft, *(mar.)* große Fahrt; **free** ~ Handelsfreiheit, Freihandel; **goods** ~ Warenverkehr; **home** ~ Binnenhandel, -wirtschaft, *(mar.)* kleine Fahrt; **honest** ~ ehrlicher Beruf; **illicit** ~ Schwarzhandel; **import** ~ Import, Einfuhr, Passivhandel; **inland** ~ Binnenhandel, -verkehr; **intercoastal** ~ *(US)* Küstenverkehr; **intermediary** ~ Zwischenhandel; **internal** ~ Binnenhandel; **international** ~ Welthandel, -markt; **interzonal** ~ Interzonenhandel; **inward** ~ Einfuhr[handel]; **itinerant** ~ ambulantes Gewerbe, Hausierhandel, Wandergewerbe; **jobber** ~ Maklerberuf; **not lawful** ~ verbotenes Gewerbe; **licensed** ~ konzessioniertes Gewerbe; **little** ~ *(stock exchange)* geringe Umsätze; **lucrative** ~ einträgliches Geschäft; **manufacturing** ~ Gewerbebetrieb; **metal** ~ Metallbranche; **nearby** ~Nahverkehr; **offensive** ~ gesundheitsschädliches Gewerbe; **oversea** ~ überseeischer Handel, Überseehandel; **particular** ~ bestimmte Branche; **passive** ~ Einfuhrhandel; **petty** ~ Ramschhandel; **rattling** ~ flottes Geschäft; **roaring** ~ schwunghafter Handel; **retail** ~ Klein-, Einzelhandel; **seaborne** ~ Seehandel; **seasonal** ~ Saisongeschäft; **skilled** ~ Handwerksberuf; **small** ~ Handwerk; **small-scale** ~ Kleingewerbe; **sole** ~ Einzelgeschäft; **specialized** ~ Fachhandel; **stagnant** ~ stockender Handel; **stepped-up** ~ erhöhter Handelsverkehr; **telephone** ~ *(stock exchange)* Telefonhandel, -verkehr; **total** ~ Gesamtwirtschaft; **underhand** ~ Schleich-, Schwarzhandel; **useful** ~ nützliches Gewerbe; **wholesale** ~ Groß-, Engroshandel; **world** ~ Weltwirtschaft;
~ **and industry** Handel und Wirtschaft;
~ **for own account** Eigengeschäft; ~ **for third account** Kommissionshandel; ~ **in arms** Waffenhandel; ~ **subject to licence** gewerbepolizeipflichtiger Betrieb; ~ **in [inland] produce** Produktenhandel; ~ **in products** Warenhandel; ~ **on cash terms** Bargeldverkehr; ~ **with transit goods** Durchgangs-, Transithandel; ~ **of war** Kriegshandwerk;
~ *(v.)* handeln, Handel treiben, *(barter)* tauschen, Tauschhandel treiben;
~ **with s. o.** mit jem. in Geschäftsbeziehungen (Geschäftsverbindung) stehen;
~ **for own account** für eigene Rechnung abschließen; ~ **away** verschleudern, -schachern;

~ **between London and New York** zwischen London und New York verkehren.

trade in *(US)* eintauschen, in Zahlung geben; ~ **bills** Wechselreiterei treiben; ~ **a used car** gebrauchtes Auto in Zahlung geben; ~ **one's 1973 Ford car for a new model** seinen 1973er Ford für das neueste Modell in Zahlung geben; ~ **futures** Termingeschäfte abschließen; ~ **goods** Warengeschäfte machen; ~ **real estate** Grundstücksmakler sein, Immobiliengeschäfte machen (betreiben).

trade off verschachern.

trade on spekulieren, reisen auf; ~ **the credulity of a client** Gutgläubigkeit eines Kunden ausnutzen; ~ **the equity** Geschäfte mit geliehenem Kapital betreiben; ~ **freight** auf Fracht fahren; ~ **one's political influence** von seinen politischen Beziehungen Gebrauch machen.

trade | **under the name of ...** unter der Firma ... Handel treiben; ~ **under one's own name** Firma unter seinem eigenen Namen betreiben; ~ **[up] on s. one's ignorance** jds. Unkenntnisse ausnutzen; ~ **upon one's past reputation** von seinem guten Namen leben.

trade with | **borrowed money** mit fremdem Kapital arbeiten; ~ **seats with s. o.** mit jem. den Platz wechseln.

trade, to be a baker by von Beruf Bäcker sein; **to be in the** ~ Geschäftsmann sein, wirtschaftlich (kaufmännisch) tätig sein, *(Br.)* Einzelhändler sein; **to be in the coffee** ~ in der Kaffeebranche sein; **to carry on a** ~ Geschäft (Gewerbe, Handwerk, Handel) [be]treiben, gewerblich tätig sein, Gewerbebetrieb ausüben; **to carry on a roaring** ~ glänzende Geschäfte machen; **to contemplate** ~ Handelsbeziehungen erwägen; **to differ from** ~ **to** ~ je nach Branche verschieden sein; **to do a great** ~ gute Geschäfte machen; **to do a lot of** ~ bedeutenden Handel treiben; **to drive a good** ~ gutgehendes Geschäft haben; **to drive a roaring** ~ glänzende Geschäfte (Bombengeschäfte) machen; **to engage in foreign** ~ Exportgeschäfte machen; **to exercise a useful** ~ wirtschaftlich notwendigen Beruf ausüben; **to follow a** ~ Gewerbe (Handwerk) ausüben (betreiben); **to foster** ~ Wirtschaft ankurbeln; **to give up** ~ Geschäft aufgeben; **to go into** ~ Beruf ergreifen; **to have learnt a** ~ in einem Beruf (beruflich) ausgebildet sein; **to know one's** ~ in seinem Fach gut Bescheid wissen; **to learn a** ~ Handwerk (Gewerbe) erlernen; **to leave off** ~ Geschäft aufgeben; **to open a** ~ Geschäft eröffnen, Beruf ausüben; **to ply a** ~ Gewerbe ausüben (betreiben); **to ply one's** ~ sein Geschäft besorgen; **to pursue a** ~ Gewerbe (Handwerk) ausüben (betreiben); **to put s. o. to a** ~ j. in die Lehre geben, j. ein Handwerk (Beruf) lernen lassen; **to restrain** ~ Gewerbefreiheit einschränken; **to sell to the** ~ an Wiederverkäufer abgeben; **to set up s. o. in** ~ j. geschäftlich etablieren; **to spoil s. one's** ~ jem. ins Handwerk pfuschen; **to talk a fast** ~ zu einem raschen Abschluß kommen; **to teach several different** ~**s** in verschiedenen Fächern unterrichten;

~ *(a.)* geschäftlich, gewerblich; ~ **abuse** Handelsmißbrauch; ~ **acceptance** Handels-, Kundenakzept, kaufmännische Anweisung, Handels-, Warenwechsel; ~ **accord** Wirtschaftsabkommen; ~ **accounts payable** *(balance sheet, US)* Warenschulden; ~ **accounts receivable** *(balance sheet, US)* Forderungen aus Warenlieferungen und Leistungen, Warenforderungen; ~ **advantage** wirtschaftlicher Vorteil; ~ **advertisement** Geschäftsanzeige; ~ **advertising** Händlerwerbung; ~ **agency** Handelsagentur; **overseas** ~ **agency** Außenhandelsstelle; ~ **agent** Handelsvertreter.

trade agreement Handelsvertrag, -abkommen, *(trade union, US)* Tarifabkommen, -vertrag; **bilateral** ~ zweiseitiges Handelsabkommen; **reciprocal** ~ Gegenseitigkeitsabkommen, gegenseitiger Handelsvertrag;

to enter into bilateral ~**s** zweiseitige Handelsabkommen abschließen.

trade | **allowance** Warenskonto, Großhandelsrabatt, Rabatt für Wiederverkäufer; ~ **arbitration** gewerbliches Schiedsgerichtswesen; ~ **arbitrator** Wirtschaftsschlichter; **free-**~ **area** Freihandelszone; ~ **association** Berufsgenossenschaft, Gewerbeverband, Wirtschaftsverband, -vereinigung, *(employers)* Arbeitgeber-, Unternehmerverband; ~**-association directory** Fachverbandsverzeichnis; ~ **backsliding** Wirtschaftsrückgang; **[adverse]** ~ **balance** [passive] Handelsbilanz; **to run (show) a favo(u)rable** ~ **balance** aktive Handelsbilanz aufweisen; ~ **bank** Handels- und Gewerbebank; ~ **barometer** Wirtschaftsbarometer; ~ **barriers** Handelsschranken; ~ **behavio(u)r** wirtschaftliches Verhalten, Berufseinstellung; ~ **benefits** handelspolitische Vorteile; ~ **bill** Kunden-, Waren-, Handelswechsel; ~ **board** *(Br.)* paritätisch zusammengesetzter Arbeitgeber-Arbeitnehmer-Ausschuß; ~ **book** im Handel erhältliches Buch; ~ **bureau** Wirtschafts-, Handelsbüro; ~ **capitalism** *(US)* Wirtschaftskapitalismus; ~ **card** [geschäftliches] Empfehlungsschreiben; ~ **catalog(ue)** Preisliste, -verzeichnis; ~ **center** *(US)* **(centre,** *Br.)* Wirtschaftszentrum; ~ **channels** Absatzwege, Vertriebskanäle; **to open up new** ~ **channels** neue Handelsbeziehungen anbahnen; ~ **character** *(trade name)* figürlicher Teil; ~ **charge** *(Br.)* Nachnahmebetrag; ~**-charge letter** *(Br.)* Nachnahmepostbrief; ~**-charge money order** *(Br.)* Nachnahmepostanweisung; ~ **club** *(Br.)* Kaufmannsvereinigung; ~ **coin** Handelsmünze; ~ **colony** Handelskolonie; **Federal** ≗ **Commission** *(US)* Ausschuß zur Bekämpfung unlauteren Wettbewerbs; ≗ **Commissioner** *(Br.)* britischer Handelsvertreter in Dominions, *(US)* Mitarbeiter des Handelsattachés; ≗ **Commissioner Service** Handelsdienstorganisation; ~ **committee** Gewerbeausschuß; ~ **competition** Wirtschaftskampf; ~ **concerns** Belange der Wirtschaft, wirtschaftliche Belange; ~ **conditions** Wirtschaftsverhältnisse, Geschäftsbedingungen; ~ **conference** Wirtschaftsbesprechung, -verhandlungen, Handelskonferenz; ~ **connections** Handels-, Wirtschaftsverbindungen; ~ **consultant** Wirtschaftsberater; ~ **contract** Wirtschafts-, Handelsvertrag; **foreign-~ contract** Außenhandelsvertrag; ~ **control** Gewerbeaufsicht; ~ **convention** Wirtschaftsabkommen; **British ≗ Corporation** *(Br.)* Bank für Außenhandel; ~ **council** Ausschuß der gewerblichen Wirtschaft, *(trade unionism)* örtlicher Spitzenverband der Gewerkschaft; ~ **clash** handelspolitische Auseinandersetzung; ~ **credit** Handels-, Geschäftskredit; ~ **creditor** Lieferant, Warengläubiger, *(account current)* Gläubiger aus Kontokorrentgeschäften, Warengläubiger; ~ **crisis** Wirtschaftskrise; ~ **currents** Handels-, Warenströme; ~ **cycle** *(Br.)* Konjunkturzyklus, Kreislauf der Wirtschaft; ~ **data** Handelsziffern, wirtschaftliche Angaben; ~ **debts** Lieferantenschulden; ~ **debtor** Kontokorrentschuldner; ~ **deficit** Handelsdefizit, Ausfuhrüberschuß; ~ **delegation** Wirtschaftsabordnung, -delegation, Handelsdelegation; ~ **demand** Handelsbedürfnisse; ~ **department** Auslieferungslager; ~ **depression** Konjunktur-, Wirtschaftskrise, Tiefkonjunktur, Depression; ~ **description** Warenbezeichnung; ~ **directory** Handels-, Branchenadreßbuch, Firmenverzeichnis; ~ **discount** Rabatt [an Wiederverkäufer], Händlerrabatt, -marge, Warenskonto, *(bookselling)* Kollegenrabatt; ~ **discussions** Wirtschaftsverhandlungen; ~ **disease** Berufskrankheit; ~ **dispute** Auseinandersetzung mit der Gewerkschaft, Arbeitsstreitigkeit; ~ **disputes** Arbeitskämpfe; ~ **dodges** Handelskniffe; ~ **effluent** Abwässer aus Gewerbebetrieben; ~ **empire** Wirtschaftsimperium; ~ **exchange** Handelsaustausch; ~ **exhibition** Fach-, Gewerbeausstellung; ≗ **Expansion Act** *(US)* Gesetz zur Ausweitung des Handels; ~ **expenses** Handelsunkosten; ~ **facilities** Handelserleichterungen; ~ **factory** Handelsniederlassung; ~ **fair** Handelsmesse, Gewerbeausstellung; ~ **financing** Geschäftsfinanzierung; ~ **fixtures** fest eingebaute Maschinenanlagen; ~ **folder** Prospekt für den Handel, Wirtschaftsprospekt; ~ **foothold** wirtschaftliche Festsetzung; ~ **gap** Handelsbilanz-, Außenhandelslücke; ~ **goods** Wirtschaftsgüter; ~ **group** Wirtschaftsgruppe, -zweig, Fachgruppe; ~ **group interchange** *(US)* Kundenkreditauskunftei; ~ **guild** Handwerkszunft, [-]Innung; ~ **hall** Innungs-, Vereinshaus; ~ **hazard** Handelsrisiko; ~ **history** Wirtschaftsgeschichte; ~**-in** in Zahlung gegebene Ware (gegebener Gegenstand); ~**-in allowance** Rabattgewährung bei Inzahlungnahme; ~**-in value** Verkehrs-, Verrechnungs-, Handelswert; ~ **information** Informationsdienst; ~ **inspection** Gewerbeaufsicht; ~ **inspector** Gewerbeaufsichtsbeamter; ~ **investments** *(balance sheet, Br.)* Vermögensanlagen im Interesse des Geschäftsbetriebs; ~**-journal** Handelsblatt, Fach-, Wirtschaftszeitschrift; ~**-journal writer** Wirtschaftsjournalist; ~ **kit** Berufskleidung; ~ **knowledge** Wirtschaftskenntnis, Gewerbekunde; ~ **law** Gewerbeordnung; ~ **lead** wirtschaftliche Entwicklung, Wirtschaftsentwicklung; ~ **legislation** Handels-, Wirtschaftsgesetzgebung; ~ **liability** laufende Verpflichtung; ~ **libel** Anschwärzung der Konkurrenz; ~ **licence** [Gewerbe]lizenz, -erlaubnis, -schein, Konzession, Handelsberechtigung; ~ **list** Preisliste [für Großhändler]; ~ **literature** Fachliteratur; ~ **loan** *(US)* Warenkredit; ~ **loss** gewöhnlicher Gewichtsabgang und Schwund, Geschäftsverlust; ~ **machinery** fest eingebaute Maschinenanlagen; ~ **magazine** Wirtschafts-, Fach-, Handelszeitschrift; ~ **margin** Handelsspanne; ~**-mark name** Schutz-, Markenname, Schutzmarke; ~ **matters** wirtschaftliche Angelegenheiten, Handelssachen, -fragen; ~ **measures** handelspolitische Maßnahmen; ~ **member** Mitglied eines Berufsverbandes, Verbandsmitglied; ~ **ministry** Handelsministerium; ~ **mission** Handelsdelegation, -mission; ~ **monopoly** Handelsmonopol; ~ **name** Firma, Firmenname, Firmen-, Handelsbezeichnung, *(trademark)* Warenzeichen; ~**-name** *(v.)* mit einem Firmenzeichen versehen; ~ **negotiations** Wirtschaftsverhandlungen; ~ **notes receivable** *(US)* Kundenwechsel; ~ **obligations** Geschäftsverpflichtungen; ~**-offs** Handelsobjekte; ~**-off of energy** Energieaustausch; ~ **offensive** Handelsoffensive; ~ **offering** Handelsangebot; ~ **opportunity** Geschäftsmöglichkeit; ~ **organization** Wirtschaftsverband; **International ≗ Organization** Internationale Handelsvereinigung; ~ **pact** Handelsabkommen, -vertrag; **to denounce a ~ pact with three months notice** Handelsvertrag mit dreimonatiger Frist kündigen; ~ **paper** *(advertising)* Händlerzeitschrift, *(bill of exchange)* Kunden-, Waren-, Handelswechsel, *(newspaper)* Fachzeitschrift, -zeitung, Verbandsorgan, Wirtschaftszeitung; ~**-paper advertising** Fachzeitschriftenwerbung, Werbung in Fachzeitschriften.

trade policy Handelspolitik;

free-~ Merkantilsystem, Freihandelspolitik; **government** ~ staatliche Handelspolitik;

~ **effect** handelspolitische Auswirkungen; ~ **initiative** handelspolitische initiative; ~ **in-**

structions handelspolitische Instruktionen; ~ **solution** handelspolitische Lösung.

trade | position wirtschaftliche Stellung; ~ **practice** Handelsgebrauch, -praktiken, -usance; **unfair ~ practices** unlauteres Geschäftsgebaren; ~ **practice submittal** *(US)* Mitwirkung bei einer Vereinbarung über Abstellung von Handelsmißbräuchen; ~ **premium** Warenrabattprämie, *(export business)* Ausfuhrprämie; ~ **press** Fachpresse; ~ **price** Großhandels-, Engros-, Wiederverkäuferpreis; ~ **privileges** Handelsprivilegien; ~ **proficiency** handwerkliche Tüchtigkeit, Berufseignung; ~ **program(me)** Wirtschaftsprogramm; ~ **promotion** Wirtschafts-, Handelsförderung; ~ **promotional facilities** Handelserleichterungen; ~ **prospects** Handelsaussichten; ~ **protection society** *(Br.)* Kreditschutzverein; ~ **publication** Geschäftsankündigung, geschäftliche Bekanntmachung, *(newspaper)* Wirtschaftszeitschrift; ~ **publicity** Wirtschaftspropaganda, Geschäftsreklame; ~ **purchase** Handelskauf; ~ **reasons** wirtschaftliche Überlegungen; ~ **receivables** *(US)* Forderungen aufgrund von Warenlieferungen; ~ **reference** Geschäftsempfehlung, Kreditauskunft; ~ **refuse** Industriemüll; ~ **register** Handelsregister; ~ **regulations** *(US)* Handelsbestimmungen, Wettbewerbsregeln; **three-cornered ~ relations** dreiseitige Handelsbeziehungen; ~ **relations with the Far East** fernöstliche Handelsbeziehungen; ~ **report** Handelsbericht; ~ **representative** Handelsvertreter; ~ **returns** Handelsstatistik; ~ **research** Marktuntersuchung; ~ **revival** Wiederbelebung der Wirtschaft, Konjunkturaufschwung; ~ **rights** Firmenrechte; ~ **risk** Geschäftsrisiko; ~ **rivalry** wirtschaftliche (geschäftliche) Konkurrenz; ~ **road (route)** Handelsstraße, -weg; ~ **sale** Bücherauktion; ~ **school** *(US)* Handels-, Gewerbeschule; ~ **secret** Betriebs-, Geschäftsgeheimnis; **to divulge ~ secrets** Betriebsgeheimnisse verraten; ~ **section** Geschäftszweig, Wirtschaftsabteilung, -gruppe; ~ **service** Handels- und Wirtschaftsabteilung im Auswärtigen Amt; ~ **service diplomat** Handelsattaché; ~ **settlement** Handelsniederlassung; ~ **show** geschlossene Filmvorstellung; ~ **sign** Gewerbezeichen; ~ **split** handelspolitische Spaltung; ~ **stamp** *(US)* Rabattmarke; ~ **standards** Wirtschaftsnormen; ~ **standing** handwerkliches Können; ~ **statistics** Handelsstatistik; ~ **supplies** kaufmännische Bedarfsartikel; ~ **surplus** Handelsüberschüsse; ~ **talks** Handelsbesprechungen, -gespräche; ~ **tax** Gewerbesteuer; ~ **term** Wirtschaftsausdruck; ~ **terms** Wiederverkaufspreisbestimmungen; ~ **test** berufliche Eignungsprüfung; ~ **training** Fach-, Berufsausbildung; ~ **transaction** geschäftliche Transaktion.

trade union Gewerkschaft, Arbeitnehmerverband; **building ~** Baugewerkschaft; **free ~** freie Gewerkschaft; **to form a ~** sich gewerkschaftlich zusammenschließen.

trade-union | affiliation Gewerkschaftszugehörigkeit; ~ **committee** Gewerkschaftsausschuß; ~ **congress** Gewerkschaftskongreß; ~ **delegate** Gewerkschaftsvertreter; ~ **formation** Gewerkschaftsgründung; ~ **leader** Gewerkschaftsführer; ~ **member** Gewerkschaftsmitglied; ~ **movement** Gewerkschaftsbewegung; ~ **official** Gewerkschaftsfunktionär; ~ **paper** Gewerkschaftszeitung; ~ **policy** Gewerkschaftspolitik; ~ **press** Gewerkschaftspresse; ~ **structure** Gewerkschaftsgefüge.

trade | unionism Gewerkschaftswesen, -vereinigung, -bewegung; ~ **unionist** Gewerkschaftsangehöriger, Gewerkschaftler; **~-unionist** gewerkschaftlich; ~ **usage** Geschäfts-, Handelsbrauch; Usance; ~ **value** Verkehrs-, Handelswert; ~ **volume** Handelsvolumen; ~ **walls** Handelsmauern; ~ **war** Handels-, Wirtschaftskrieg; ~ **warranty** *(marine insurance)* Klausel gegen mißbräuchliche Schiffsbenutzung; ~ **weapon** wirtschaftliche Waffe; ~ **wind(s)** Passat; ~ **windfall** unerwarteter Handelsgewinn.

traded-in car in Zahlung genommener Wagen.

trademark Waren-, Handels-, Hersteller-, Schutz-, Fabrikzeichen, Fabrik-, Schutz-, Firmen-, Hersteller-, Handelsmarke, Warenstempel, Etikett; **arbitrage ~** willkürlich gewähltes Zeichen; **associated ~s** *(Br.)* verbundene Warenzeichen; **certification ~s** *(Br.)* Güte-, Verbandszeichen; **collective ~** Kollektivzeichen; **common-law ~** *(US)* nicht eingetragenes Warenzeichen; **defensive ~** *(Br.)* Defensivmarke; **previously existing ~** bereits bestehendes Warenzeichen; **foreign ~** ausländisches Warenzeichen; ~ **owned by a subsidiary** im Eigentum einer Tochtergesellschaft stehendes Warenzeichen; **registered ~** eingetragenes (geschütztes) Warenzeichen; **unregistered ~** nicht eingetragenes Warenzeichen;

~ **with a good name** gutes (anerkanntes) Warenzeichen;

~ *(v.)* gesetzlich schützen lassen, als Warenzeichen eintragen;

to appropriate unlawfully s. one's ~ jds. Warenzeichenrecht verletzen; **to assign as ~** Warenzeichenrecht überschreiben lassen; **to expunge the registration of a ~** Eintragung eines Warenzeichens löschen; **to have a ~ registered at the Board of Trade** Warenzeichen eintragen lassen; **to infringe a ~** Warenzeichen verletzen; **to own a ~** Warenzeichen besitzen; **to register a ~** Warenzeichen eintragen lassen; **to use a ~** Warenzeichen benutzen;

≗ **[Registration] Act** Warenzeichen-, Markenschutzgesetz; ~ **law** Warenzeichenrecht; ~ **legislation** Schutzmarkengesetzgebung; ~ **name** Schutzmarke; ~ **owner** Warenzeichen-, Schutzmarkeninhaber; ~ **procedure** Verfahren in

Warenzeichen; ~ **protection** Warenzeichen-, Musterschutz; ~**s register** Warenzeichenregister; ~ **rights** Warenzeichen-, Schutzmarkenrechte.

trademarked unter Warenzeichenschutz;
~ **commodities (goods)** Markenartikel, -erzeugnisse.

trademaster Gewerbeschullehrer.

trader Händler, Handeltreibender, Handelsmann, Kaufmann, -herr, *(ship)* Handels-, Kauffahrteischiff, *(stock exchange, US)* freier (selbständiger) Makler, Eigen-, Wertpapierhändler;
~**s** Wirtschaftskreise, der Handel, Handelsstand;
big-block ~ Pakethändler; **clandestine (illicit)** ~ Schleich-, Schwarzhändler; **coasting** ~ Küstenfahrer; **door-to-door** ~ fliegender Händler; **floor** ~ *(US)* auf eigene Rechnung spekulierender Makler; **free** ~ *(law)* Kauffrau, Handelsfrau; **petty** ~ kleiner Geschäftsmann; **regular** ~ Handelsschiff; **retail** ~ Einzelhändler; **room** ~ *(US)* auf eigene Rechnung spekulierender Börsenmakler; **small** ~ Kleingewerbetreibender, -händler; **sole** ~ Kauf-, Handelsfrau; **street** ~ Straßenhändler; **wholesale** ~ Großhändler, Grossist.

tradesfolk Gewerbetreibende, Geschäftsleute, Händler.

tradesman Gewerbetreibender, [Einzel]händler, Handelsmann, Kaufmann mit offenem Ladengeschäft, *(craftsman, Br.)* Handwerker, Arbeiter, Minderkaufmann, *(mil.)* Spezialist;
cutting ~ Preisverderber;
to register with a ~ sich bei einem Geschäft (Laden) als Kunde eintragen lassen.

tradesmen | who supply us unsere Lieferanten;
~**'s entrance** Eingang für Lieferanten, Lieferanteneingang.

tradespeople Geschäftsleute, Gewerbetreibende.

tradeswoman Handelsfrau.

trading Handel treiben, Handel[n], *(stock exchange)* Börsenhandel;
over-the-counter ~ Handel mit nicht notierten Wertpapieren; **under-the-counter** ~ Geschäfte unter dem Ladentisch; **freight** ~ *(US)* vertikale Preisbindung; **illicit** ~ Schleich-, Schwarzhandel; **light** ~ *(stock exchange)* schwache Umsätze; **last month's** ~ die letzten Monatsumsätze; **municipal** ~ kommunales Wirtschaftsunternehmen, Kommunalbetrieb; **odd-lot** ~ *(US)* Handel in kleineren Effektenstücken; **push-button** ~ Effektenhandel im Druckknopfverfahren; **speculative** ~ Spekulationsgeschäft;
~ **in calls** *(Br.)* Vorprämiengeschäft; ~ **down** *(US)* Massenvertrieb von billigen Artikeln; ~**-in** In-Zahlung-Geben; ~ **with the enemy** geschäftlicher Verkehr mit feindlichen Ausländern; ~ **in futures** *(US)* Termingeschäft; ~ **in commodity futures** Warentermingeschäft; ~ **on the equity** Fremdfinanzierung; ~ **on margin** *(US)* Reportgeschäft; ~ **under the name** Firmierung; ~ **in puts and calls** Prämiengeschäft; ~ **on rates** Kurshandel, -geschäft; ~ **in securities** Wertpapierhandel; ~ **on the short side** Baissetermingeschäfte; ~ **up** *(US)* Handeln mit Waren höherer Preislage und größeren Gewinnspannen;
to be accepted for ~ **on the stock exchange** zum Handel an der Börse zugelassen sein; **to be** ~ **on the equity** Fremdfinanzierungsmittel einsetzen; **to carry out foreign** ~ Außenhandelsgeschäfte durchführen; **to dominate** ~ Marktgeschehen beherrschen;
~ *(a.)* handeltreibend, kaufmännisch, *(to be bribed)* bestechlich, käuflich;
~ **ability** kaufmännische Eigenschaft (Geschicklichkeit); ~ **account** Verkaufskonto, Betriebskonto, -rechnung; ~ **advantage** Geschäftsvorteil; ~ **area** *(US)* Wirtschaftsgebiet, -raum, Einzugs-, Verkaufsgebiet, Absatzfeld, -bereich, -gebiet; ~ **association** Wirtschafts-, Handelsvereinigung, Berufsverband; ~ **block** Wirtschaftsblock; ~ **capital** Betriebskapital, -mittel, -vermögen; ~ **center** *(US)* Handelszentrum, Geschäftszentrum, -gegend; ~ **certificate** *(Br.)* Gewerbeschein; ~ **classes** handeltreibende Klassen, Handelsstand; ~ **combine** Kartellvereinigung; ~ **community** Handelsgemeinschaft, -welt; ~ **company (corporation)** Handels-, Erwerbsgesellschaft, *(factory)* Faktorei, *(guild)* [Kaufmanns]innung, *(marketing)* Vertriebs-, Absatzgesellschaft, *(purchasing combine)* Einkaufsgesellschaft; ~ **concern** Wirtschafts-, Handelsunternehmen; ~ **conditions** Geschäftsbedingungen; ~ **correspondent** Handelskorrespondent; ~ **enterprise** Handelsunternehmen; ~ **estate** Industriesiedlung; ~ **failure** Zahlungseinstellung, Konkurs; ~ **favo(u)rites** *(stock exchange)* führende Werte; ~ **figures** Ertragszahlen [im Geschäftsbericht]; ~ **firm** Handelshaus; ~ **handicap** Geschäftsnachteil; ~ **house** Handelshaus; ~ **income** Einkünfte aus Gewerbebetrieb, Geschäftserträgnis; ~ **interest** Geschäftsinteresse; ~ **item** Handelserzeugnis, Betriebsprodukt; ~ **licence** Gewerbekonzession, Handelsbefugnis, -erlaubnis; ~ **line** Handelszweig; ~ **loss** Geschäfts-, Betriebsverlust; ~ **market** *(US)* stagnierender Markt; ~ **nation** Handelsnation, -volk; ~ **operation** Handels-, Tauschgeschäft, Geschäftstransaktion; ~ **operations** geschäftliche Unternehmungen, Geschäftstätigkeit; ~ **pace** Umsatzgeschwindigkeit; ~ **partner** Handelspartner; ~ **partnership** offene Handelsgesellschaft; ~ **place** Handelsplatz; ~ **policy** Handels-, Wirtschaftspolitik; ~ **port** Handelshafen; ~ **position** Marktposition; ~ **possibility** Handelsmöglichkeit; ~ **post** Handelsniederlassung, *(stock, exchange, US)* Börsen-, Maklerstand; ~ **practice** Handelsbräuche, -usance; ~ **process** Wirtschaftsablauf, -prozeß.

trading profit Geschäfts-, Betriebsgewinn;
gross ~ Warenrohgewinn; **net** ~ Reingewinn nach Versteuerung;
~ **for 1974** Geschäftsgewinn für das Jahr 1974.
trading | radius Geschäftsumkreis; ~ **rate** Wechselkurs; ~ **report** Erfolgs-, Gewinnausweis, Betriebsbericht; ~ **results** Betriebsergebnisse; ~ **specialist** Börsenfachmann; ~ **settlement** Handelsniederlassung; ~ **ship** Handelsschiff; ~ **stamp** *(US)* Gutschein, Warenbezugsprämie, Rabattmarke; ~ **stocks** Betriebswerte; **net** ~ **surplus** Reingewinn vor Versteuerung; ~ **town** Geschäftszentrum, Handelsplatz; ~ **unit** *(stock exchange)* Handelseinheit; ~ **value** Handelswert; ~ **vessel** Handels-, Kauffahrteischiff; ~ **volume** Handelsvolumen; ~ **year** Geschäfts-, Rechnungsjahr.
traffic *(advertising agency)* termingebundene Arbeiten, *(exchange of goods)* Güteraustausch, -verkehr, *(flow of persons)* Anzahl von Kunden, *(movement of vessels)* Schiffsverkehr, *(railway)* [Bahn]betrieb, *(revenue from ~)* Verkehrseinnahmen, *(total of passengers transported)* beförderte Personenzahl, Personenverkehr, *(trade)* Handelsverkehr, *(transportation)* Verkehr, Transport-, Verkehrswesen, Verkehrsverhältnisse, -leben;
air ~ Luftverkehr; **border** ~ Grenzverkehr; **business** ~ Berufsverkehr; **congested** ~ Verkehrsstauung; **direction** ~ Richtungsverkehr; **fast-moving** ~ Schnellverkehr; **freight** ~ *(US)* Güterverkehr; **full-truck** ~ Wagenladungsverkehr; **goods** ~ *(Br.)* Güterverkehr, *(railway)* Einnahmen aus dem Güterverkehr; **grouped** ~ Sammelladungsverkehr; **heavy** ~ Verkehrsandrang; **illegal** ~ Schwarzhandel; **less-than-carload** ~ *(US)* Stückgüterverkehr; **local** ~ Nah-, Vorortverkehr; **long-distance** ~ Fern-, Überlandverkehr; **merchandise** ~ Waren-, Güterverkehr; **oncoming** ~ Gegenverkehr; **one-way** ~ Einbahnregelung; **passenger** ~ Personenverkehr; **short-distance goods** ~ Nahgüterverkehr; **suburban** ~ Vorortverkehr; **through (transit)** ~ Durchgangsverkehr; **tourist** ~ Fremdenverkehr; **trunk** ~ *(tel.)* Fernverkehr;
~ **on a road** Verkehrsdichte, -stärke; ~ **in a town** Stadtverkehr;
~ *(v.)* handeln, Handel treiben, *(haggle)* feilschen, schachern;
to be opened to ~ in Betrieb genommen werden; **to block the** ~ Verkehr behindern (aufhalten); **to divert the** ~ Verkehr umleiten; **to inconvenience** ~ Verkehrsfluß behindern; **to move more** ~ mehr Verkehr aufnehmen; **to prepare for heavy summer** ~ mit einem großen Verkehrsandrang während der Sommermonate rechnen;
~ **accident** Verkehrsunfall; ~ **arrangement** Verkehrsabkommen; ~ **artery** Verkehrsweg; ~ **beacon** Verkehrsampel; ~ **census** Verkehrszählung; ~ **center** *(US)* **(centre,** *Br.)* Verkehrsknotenpunkt; ~ **circle** *(US)* Kreisverkehr; **Uniform** ≗ **Code** *(US)* Verkehrsordnung; ~ **congestion** Verkehrsstauung; ~ **constable** Verkehrsschutzmann; ~ **cop** Verkehrsschutzmann; **morning's** ~ **crush** morgendlicher Verkehrsandrang; ~ **data** Betriebswerte; ~ **density** Verkehrsdichte; ~ **department** *(advertising)* Terminabteilung; ~ **director** Verkehrsdezernent; ~ **discipline** Verkehrsdisziplin; ~ **diversion** *(Br.)* Verkehrsumleitung; ~ **fine** Verkehrsstrafe; ~ **island** Verkehrsinsel; ~**-indicator lights** Blinklicht[anlage]; ~ **instruction** Verkehrsunterricht; ~ **jam** Verkehrsstockung; ~ **lane** Fahrstreifen; ~ **lights** Verkehrsampel; ~ **management** Verkehrsregelung, *(factory)* Versandleitung; ~ **manager** Versandleiter, Vertriebsdirektor, *(advertising agency)* Terminbearbeiter, *(railway)* Fahrdienstleiter; **no-delay-**~ **office** *(tel.)* Schnellverkehrsamt; **peak** ~ **period** Verkehrsspitze; ~ **receipts** Betriebs-, Verkehrseinnahmen; ~ **regulations** Fahrvorschrift, Straßenverkehrsordnung; ~ **rules** Verkehrsregeln; ~ **service** Verkehrsgewerbe; ~ **sheet** *(hotel)* Liste geführter Gespräche, Gesprächsbelegzettel; ~ **shifter** Fahrdienstleiter; ~ **solicitor** Verkehrswerbungsunternehmen; ~ **statistics** Verkehrsstatistik; ~ **violation** *(US)* Verkehrsübertretung; ~ **work** Speditionsberuf.
trafficator *(Br.)* Fahrtrichtungsanzeiger.
trafficker Schleich-, Schwarzmarkthändler.
trailer *(advertising)* Werbedurchsage für ein Nebenprodukt, *(car)* Wohnwagen[anhänger], *(film)* Filmvoranzeige, Vorspann;
~ **on flat car** *(US)* Huckepackauto.
train [Eisenbahn]zug;
by ~ mit der Bahn;
connecting (corresponding) ~ Anschlußzug; **corridor** ~ D-Zug; **direct** ~ durchgehender Zug; **excursion** ~ Ausflugszug; **express** ~ Eil-, Schnellzug, Express; **fast** ~ Schnell-, D-Zug; **fast goods** ~ *(Br.)* Eilgüterzug; **freight** ~ *(US)* Güterzug; **goods** ~ *(Br.)* Güterzug; **limited** ~ zuschlagspflichtiger Zug; **local** ~ Vorortzug; **mixed** ~ Personen- und Güterzug; **nonstop** ~ durchgehender (direkter) Zug; **parliamentary** ~ *(Br.)* Bummelzug; **passenger** ~ Personenzug; **Pullman** ~ *(US)* Luxuszug; **regular** ~ fahrplanmäßiger Zug; **sleeping-car** ~ Schlafwagenzug; **slow** ~ Personen-, Bummelzug; **through** ~ durchgehender Zug; **vestibule** ~ *(US)* D-Zug; **workmen's** ~ Arbeiterzug;
handy ~ **and bus** gute Eisenbahn- und Busverbindungen;
~ *(v.)* erziehen, ausbilden, unterrichten, schulen; ~ **s. o. to business** j. für das Geschäft anlernen; ~ **for a career** sich auf einen Beruf vorbereiten; ~ **for free** umsonst ausbilden;
to forward by mail ~ als Eilgut befördern; **to institute special** ~**s** Sonderzüge einlegen; **to**

make up a ~ Zug bereitstellen; **to miss one's** ~ seinen Zug verpassen; **to send s. th. by goods** ~ *(Br.)* etw. als Fracht versenden;
~ **accident** Eisenbahnunglück; ~ **connections** Zugverbindungen; ~ **container service** Eisenbahnbehälterverkehr; ~ **crew** Fahrpersonal; ~ **dispatcher** Fahrdienstleiter, Zugabfertigung-; ~ **fare** [Eisenbahn]fahrkarte; ~ **ferry** Eisenbahn-, Zugfähre; ~ **guard** *(US)* Zugschaffner; ~ **journey** Eisenbahnfahrt; ~ **line** Fahrgleis; ~ **reservation** Platzkarte; ~ **schedule** Fahrplan, Zugfolge; ~ **service** [Eisen]bahnverkehr, -verbindung; **to cut** ~ **service** Zugverkehr einschränken; ~ **warrant** [Fracht]begleitzettel.

trained geschult, beruflich vorgebildet;
~ **men** Fachkräfte.

trainee *(US)* Volontär, Praktikant, Nachwuchskraft, Anlernling, *(course)* Kursusteilnehmer, *(mil., US)* Rekrut;
industrial ~ Firmenpraktikant; **on-the-job** ~ *(US)* Firmenpraktikant;
~ **course** Ausbildungslehrgang; ~ **pilot** Flugschüler.

training [Ein]schulung, Ausbildung, Anlernen, Erziehung, Berufsvorbereitung;
additional ~ zusätzliche Ausbildung; **apprenticeship** ~ Lehrlingsausbildung; **basic** ~ Grundausbildung; **blitz** ~ *(US)* Ausbildung in Schnellkursen, Schnellkursausbildung; **business** ~ kaufmännische Ausbildung; **cold-storage** ~ *(US)* Ausbildung von Nachwuchskräften; **continuous** ~ Weiter-, Berufsausbildung; **day-release** ~ Bildungsurlaubswesen; **employee** ~ Angestelltenausbildung; **executive** ~ *(US)* Ausbildung leitender Angestellter; **formal** ~ Pflicht-, regelrechte Berufsausbildung; **further** ~ Weiterbildung; **group** ~ Gruppenausbildung; **in-plant** ~ Ausbildung am Arbeitsplatz; **individual** ~ Einzelausbildung; **industrial** ~ Berufs-, Fach-, fachliche Ausbildung; **initial** ~ Erstausbildung; **in-service** ~ betriebliche (berufliche) Förderung, Ausbildung während der Dienstzeit; **legal** ~ Rechtsausbildung; **mercantile** ~ kaufmännische Ausbildung; **occupational** ~ Berufs-, Fachausbildung; **[on-the-] job (job instruction)** ~ *(US)* Ausbildung am Arbeitsplatz; **outside** ~ außerbetriebliche Ausbildung; **professional** ~ Fach-, Berufsausbildung; **special** ~ Sonderausbildung; **technical** ~ Fachausbildung; **staff** ~ Personalausbildung; **vestibule school** ~ Werkstattausbildung; **vocational** ~ Fach-, Berufsausbildung;
~ **of an apprentice** Lehrlingsausbildung; ~ **for a calling** Berufsausbildung; ~ **in craftmanship** handwerkliche Ausbildung; ~ **for industry** Berufsausbildung, -schulung; ~ **on the job** *(US)* Ausbildung am Arbeitsplatz; ~ **of management** Ausbildung von Führungskräften;
~ **benefit** Ausbildungszuschuß; ~ **camp** Schulungslager; ~ **center** *(US)* **(centre,** *Br.)* Ausbildungszentrum, -zentrale; ~ **coordinator** Schulungs-, Ausbildungsleiter; ~ **course** [Ausbildungs]kursus, Lehrgang; **advanced** ~ Fortbildungskursus; ~ **director** Ausbildungsleiter; ~ **manager** Nachwuchsausbilder; ~ **personnel** Ausbildungspersonal; ~ **program(me)** Schulungs-, Ausbildungsprogramm; ~ **schedule** Ausbildungsplan; ~ **school** Berufsschule; ~ **shop** Anlernwerkstatt; ~ **subsidy** Ausbildungsbeihilfe; ~ **time on job** berufliche Ausbildungszeit.

trainload Waggonladung.

traintime Abfahrtszeit.

tram *(Br.)* Straßenbahn, *(tramcar)* Straßenbahnwagen.

tramcar *(Br.)* Straßenbahn[wagen], Triebwagen.

tramline *(Br.)* Straßenbahnlinie.

tramp *(ship)* Trampschiff;
~ *(v.)* **in search of employment** sich unterwegs Arbeit suchen;
~ **shipping** Trampschiffahrt.

tramstop Straßenbahnhaltestelle.

tramway *(Br.)* Straßenbahnlinie;
~ **advertising** Straßenbahnwerbung; ~ **service** Straßenbahnbetrieb.

transact *(v.)* durchführen, zustande bringen, abschließen, erledigen, abwickeln, *(negotiate)* verunterhandeln, abmachen;
~ **banking business of every description** sämtliche Bankgeschäfte ausführen; ~ **a bargain** Handel abschließen; ~ **business with s. o.** in Geschäftsbeziehungen mit jem. stehen.

transaction *(agreement by mutual concessions)* Übereinkunft, Abmachung, Vergleich, Vertrag, *(management of business)* Verrichtung, Durchführung, *(negotiation)* Unter-, Verhandlung, Abwicklung, Erledigung, *(piece of business)* Transaktion, Geschäftsabschluß, Geschäftsvorfall, [Rechts]geschäft, Handel, Unternehmen, *(society)* Sitzungsbericht, *(stock exchange)* Umsatz, Abschluß, Transaktion;
for the closing of this ~ zum völligen Ausgleich dieser Sache;
~**s** [Geschäfts]umsätze, *(proceeding)* Sitzungs-, Verhandlungsberichte, Verhandlungen, Protokoll, *(stock exchange)* Abschlüsse;
administrative-managerial ~**s** im Verwaltungswege durchgeführte Transaktionen; ~**s amounting to several million pounds** Transaktionen in einer Höhe von mehreren Millionen Pfund; **bank's** ~ Banktransaktion; **banking** ~ bankmäßige Abwicklung; **bear** ~ Baissespekulation, -geschäft; **bilateral** ~ zweiseitiges Rechtsgeschäft; **budgeted** ~**s** im Haushaltsplan vorgesehene Geschäftsabschlüsse; **bull** ~ Haussespekulation, -geschäft; **capital** ~ Kapitaltransaktion; **cash** ~ Kassageschäft, Barverkauf; **cash** ~**s** Barumsätze; **dummy (fictitious, pro forma)** ~ Scheingeschäft; **exchange** ~ Devisentermingeschäft; **executed** ~ abgeschlossenes

Geschäft; **financial** ~ Geldgeschäft, Finanztransaktion; **foreign** ~ Auslandsgeschäft; **foreign-exchange** ~ Devisengeschäft; **forward** ~ Sicht-, Termingeschäft; **inter-association** ~**s** *(US)* verbandseigene Geschäfte, konzerneigene Umsätze, Umsätze innerhalb des Konzerns; **legal** ~ Rechtsgeschäft; **long-term** ~**s** Geschäftsabschlüsse auf lange Sicht; **market** ~ Börsengeschäft; **monetary** ~s Geldgeschäfte; **paying** ~ rentables Geschäft; **security** ~ *(stock exchange)* Effektentransaktion; **simulated** ~ Scheingeschäft; **speculative** ~ Spekulationsgeschäft; **stock-exchange** ~**s** Börsenumsätze, Effektengeschäfte; **taxable** ~ steuerpflichtiges [Rechts]-geschäft; **void** ~ nichtiges Rechtsgeschäft; **voided** ~ angefochtenes Rechtsgeschäft;
~ **for the account** Börsentermingeschäft; ~ **for own account** Geschäft für eigene Rechnung; ~ **for third account** Kommissionshandel, -geschäft, Fremdgeschäft; ~ **of business** Geschäftsbetrieb; ~ **of a society's business** Verwaltungsarbeit eines Vereins; ~ **for cash** Bargeschäft; ~ **contra bonus mores** sittenwidriges Rechtsgeschäft; ~**s on credit** Termingeschäfte; ~**s of a firm** Firmenumsatz; ~**s in gold** Goldtransaktionen; ~ **in goods** Warenabschluß; ~**s at the insurance office** Versicherungsabschlüsse; ~**s in securities** Effektengeschäft, Wertpapierumsätze; ~ **in syndicate** Konsortialgeschäft;
to avoid a ~ Rechtsgeschäft anfechten; **to become mixed up in shady** ~**s** in zweifelhafte Geschäfte verwickelt werden; **to effect** ~**s** Abschlüsse tätigen; **to enter into a** ~ Geschäft abschließen; **to indulge in illicit** ~**s** unerlaubte Geschäfte machen; **to leave the** ~ **of a matter to s. o.** jem. die Abwicklung einer Angelegenheit überlassen; **to record** ~**s** Geschäftsvorfälle aufzeichnen; **to set aside a** ~ Geschäft rückgängig machen; **to spend much time on the** ~ **of the society's business** viel Zeit für die Erledigung der Vereinsangelegenheiten aufwenden;
~ **record** Geschäftsbeleg.

transatlantic | **rate** Überseetarif; ~ **ship** Ozean-, Überseedampfer; ~ **transport** Überseetransport.

transcribe *(v.)* abschreiben, *(bookkeeping)* übertragen, *(broadcasting)* übertragen, aufnehmen, *(shorthand notes)* aus dem Stenogramm in Kurrent-, Maschinenschrift übertragen.

transcript Nieder-, Abschrift, Kopie, *(radio)* Aufzeichnung.

transcription Umschreibung, Abschrift, Kopie, *(broadcasting)* Aufzeichnung.

transfer *(amount carried forward)* Übertrag, Umbuchung, *(assignment)* Abtretung, Zession, Zedierung, Übertragung, -lassung, *(business)* [Geschäfts]übergabe, *(changing the train)* Umsteigen, *(conveyance)* Beförderung, *(deed)* Übertragungsurkunde, *(devolution of title)* Eigentumsübergang, *(of employees)* Versetzung, *(official)* Versetzung, Überstellung, *(point on railway line)* Umschlagplatz, *(print.)* Umdruck, Umdrucken, Abzug, *(railroad ticket, US)* Umsteiger, Umsteigefahrschein, *(remittance)* Überweisung, Anweisung, Transferierung, *(securities)* Umschreibung, Transfer, Übertragung, -schreibung, *(~ company)* Transportgesellschaft;
bank ~ Banküberweisung; **blank** ~ *(Br.)* Blankoindossament; **cable** ~ Kabelauszahlung; **money** ~ Geldüberweisung; **staff** ~**s** Versetzungen;
~ **of balance** Saldoübertrag; ~ **of business** Geschäftsverlegung; ~ **of capital** Kapitaltransfer, *(balance sheet)* Überweisung auf das Kapitalkonto; ~ **for disciplinary reasons** Strafversetzung; ~ **of foreign exchange** Devisentransfer; ~ **of a factory** Fabrikverlagerung; ~ **of funds** Kapitalübertragung; ~ **to avoid income tax** Eigentumsübertragung zur Umgehung der Einkommensteuer; ~ **of interest** Anteilsübertragung; ~ **of land** Auflassung; ~ **on London** Auszahlung London; ~ **of ownership** Eigentumsübertragung; ~ **of personnel** Personalumsetzung; ~ **of actual possession** tatsächlicher Besitzübergang; ~ **of property** Vermögensübertragung; ~ **to reserve** Rückstellung; **to the reserve fund** Überweisung an den Reservefonds; ~ **of salaries** Lohnüberweisung; ~ **of shares** *(Br.)* **(stocks,** *US)* Aktienumschreibung; ~ **of title** Übereignung;
~ *(v.)* *(assign)* abtreten, zedieren, übereignen, -tragen, *(convey)* befördern, *(deliver)* übergeben, *(displace employees)* [Angestellte] versetzen, überstellen, *(negotiate)* begeben, *(securities)* umbuchen, *(tel.)* durchverbinden, -stellen, *(title)* auflassen;
~ **to another account (from one account to another)** umbuchen, Umbuchung vornehmen, ristornieren; ~ **back** zurücküberweisen; ~ **by endorsement (indorsement)** durch Indossament (Giro) übertragen; ~ **entries** umbuchen; ~ **a factory to a suburb** Fabrik in einen Vorort verlagern; ~ **to the reserve fund** dem Reservefonds zuführen; ~ **land** Grundstück auflassen; ~ **money by cable** telegrafisch Geld überweisen; ~ **an office** Geschäftssitz verlegen; ~ **for disciplinary reasons** strafversetzen; ~ **a title to land** Grundeigentum übertragen;
to effect a ~ **in the books** Übertragung in den Büchern vornehmen, umbuchen;
~ **account** Girokonto; ~ **agent** *(US)* Umschreibestelle für Aktien; **bilateral** ~ **agreement** zweiseitiges Verrechnungsabkommen; ~ **allowance** *(US)* Umzugskostenbeihilfe; ~ **balance** Umstellungsbilanz; ~ **bank** Girobank; ~ **book** *(Br.)* Umschreibungsbuch [einer AG]; ~ **case** Aktenschrank für abgelegte Korrespondenz; ~ **certificate** *(Br.)* Übertragungsschein, -urkunde;

~ **check** *(US)* **(cheque,** *Br.)* Überweisungsscheck; ~ **commission** Überweisungsprovision; ~ **committee** Reparationsausschuß; ~ **company** Speditionsgesellschaft, Bahnhofspediteur; **local ~ company** örtlicher Spediteur; ~ **credit** *(US)* Überweisungskredit; ~ **day** *(Br.)* Umschreibungstag; ~ **deed** *(Br.)* Übertragungs-, Zessionsurkunde, Begebungsvertrag, *(title deed)* Auflassungsurkunde; ~ **depot** *(US)* Übergangsstation; ~ **duty** Effekten-, Börsenumsatzsteuer, Umschreibungs-, Stempelgebühr; ~ **entry** Übertragung, Übertrag; ~ **expense** Transfer-, Übertragungsspesen; ~ **fee** Übertragungs-, Transfer-, Umschreibungsgebühr; ~ **form** *(Br.)* Umschreibungs-, Übertragungsformular; ~ **moratorium** Transfermoratorium; ~ **office** Umschreibungsbüro; ~ **order** *(Br.)* Überweisungsauftrag; ~ **paper** *(Br.)* Umdruck-, Überdruckpapier; ~ **payment** *(US)* unentgeltliche Zuwendung, Unterstützungszahlung; ~ **picture** Abziehbild; ~ **point** Umschlagplatz; ~ **price (rate)** *(Br.)* Tages-, Übernahmekurs; ~ **problem** Transferproblem; ~ **receipt** *(Br.)* [aktienrechtliche] Übertragungsquittung; ~ **register** *(Br.)* Umschreibungs-, Übertragungsregister; ~ **remittance** telegrafische Vergütung; ~ **slip** Versetzungsbeleg; ~ **stamp** *(Br.)* Effekten-, Übertragungsstempel; ~ **station** *(railway)* Umladestation; ~ **tax** *(US)* Erbschaftssteuer; ~ **ticket** Verrechnungs-, Überweisungsscheck, Übertragungsschein, *(banking)* Überweisungsformular [im Clearingverfahren], -schein, *(railway)* Übergangsfahrschein, Anschluß-, Umsteigefahrkarte, Umsteiger; ~ **value** Übergabewert; ~ **voucher** Übertragungsbeleg; ~ **warrant** Umschreibungszertifikat.

transferable übertragbar, abtretbar, *(negotiable)* begebbar.

transferee Zessionar, Übernehmer, Rechtsnachfolger;
~ **of a bill of exchange** Indossatar;
~ **company** übernehmende Gesellschaft.

transference *(stock)* Umschreibung.

transferor Transferent, Übertragender, Zedent, *(bill)* Indossant;
~ **company** übertragende Gesellschaft.

trans(s)hip *(v.)* umschlagen, umladen.

trans(s)hipment Umladung, Umschlag;
~ **bill of lading** Umladekonnossement; ~ **bond (delivery note)** Umladungsschein, Zolldurchfuhrschein; ~ **charge** Umladegebühr; ~ **harbo(u)r** Umschlaghafen; ~ **point** Umschlagplatz.

trans(s)hipping | platform Umladebühne; ~ **port** Umschlaghafen; ~ **traffic** Umschlagverkehr.

transient *(US)* Durchreisender;
~ *(a.)* vorübergehend;
~ **arrangement** befristetes Abkommen; ~ **business** Zwischenhandel; ~ **guest** Durchreisender; ~ **hotel** *(US)* Durchgangshotel; ~ **rate** *(advertising)* Einzelinsertionstarif; ~ **vendor** Zwischenhändler.

transire *(Br.)* Zollbegleitschein, -durchlaß-, Passierschein.

transit *(passage)* Durchfahrt, Überfahrt, Durchfuhr, Durchgang, Transit, *(route)* Durchgangsstraße, -verkehr, *(trade)* Zwischenhandel;
in ~ unterwegs; **lost in** ~ auf dem Transport verlorengegangen;
~**s** Durchgangswaren;
overland ~ Überlandverkehr; **rapid** ~ Schnellverkehr; **sea** ~ [Übersee]transport;
rapid ~ from city to city Nahschnellverkehr; ~ **by rail** Bahntransport;
to convey goods in ~ Waren im Durchgangsverkehr abfertigen; **to enter goods as** ~ Waren durchdeklarieren;
~ **account** Übergangskonto; ~ **agent** Zwischenspediteur; ~ **bill** Durchfuhr-, -gangsschein; ~ **bond** Transit-, Durchfuhrschein; ~ **call** *(tel.)* Durchgangsgespräch; ~ **camp** Durchgangslager; ~ **car** Durchgangswagen; ~ **certificate** Durchfuhr-, Passierschein; ~ **charge** Transit-, Durchgangsgebühr; ~ **clerk** *(US)* Beamter für Inkassi auf auswärtigen Plätzen; ~ **department** *(US)* Abteilung für Inkassi auf auswärtigen Plätzen; ~ **dispatch** Transitversand; ~ **duty** Durchgangs-, Durchfuhr-, Transitzoll, Durchgangs-, Transitabgabe; ~ **entries** durchlaufende Buchungen; ~ **entry** *(customs)* Durchfuhr-, Transiterklärung; ~ **exchange of correspondence** Transitverkehr; ~ **floater** *(marine insurance)* Pauschalversicherungspolice; ~ **freight** Durch[gangs]fracht; ~ **goods** Transitgüter, -waren, Durchfuhrgut; ~ **hall** Durchgangshalle; ~ **pass** Passierschein, Durchfahrterlaubnis; ~ **permit** Durchfuhrbescheinigung, -genehmigung, Transiterlaubnis; ~ **point** Durchgangsplatz; ~ **privilege** Anspruch auf Beförderung zu verbilligten Frachtsätzen; ~ **rate** verbilligter Frachttarif für Durchgangsgüter; ~ **station** Übergangsbahnhof; ~ **storehouse** Transitlager; ~ **time** Umlaufzeit; ~ **trade** Transit-, Durchgangshandel, Transit-, Durchfuhrverkehr; ~ **traffic** Durchgangs-, Transit-, Übergangsverkehr; ~ **visa** Durchgangsvisum; ~ **worker** Transportarbeiter.

transition Übergangszeit;
~ **provisions** Überleitungs-, Übergangsbestimmungen; ~ **stage** Übergangsstadium.

transitional | arrangement Übergangsregelung; ~ **period** Übergangsphase.

transitory *(balance sheet)* transitorisch;
~ **stage** Übergangsstadium; ~ **treaty** Übergangsabkommen.

translate *(v.)* übersetzen, -tragen *(foreign exchange)* Gegenwert bestimmen, *(telegram)* dechiffrieren;
~ **s. one's silence as refusal** jds. Stillschweigen als Ablehnung auslegen.

translating bureau *(US)* Übersetzungsbüro.
translation Übersetzung, Übertragung, Wiedergabe, *(cable)* Dechiffrierung; **word-for-word** ~ [wort]wörtliche Übersetzung;
~ **agency** Übersetzungsbüro; ~ **charge** Übersetzungsgebühr.
translight *(advertising)* Transparent.
translocate *(v.)* versetzen, *(industry)* aus-, verlagern.
translocation Ortsveränderung, Versetzung;
~ **of industry** Industrieverlagerung.
transmission Überbringung, -sendung, -mittlung, Versand, *(wireless)* Rundfunkübertragung;
~ **on death** Übergang von Todes wegen; ~ **of goods** Warenversand, Spedition; ~ **of money** Geldüberweisung; ~ **of news** Nachrichtenübermittlung; ~ **of a telegram** Telegrammbeförderung;
~ **business** Speditionsgeschäft, -handel.
transmit *(v.)* *(broadcast)* [durch Rundfunk] übertragen, *(forward)* [über]senden, befördern, schicken, senden, *(remit)* übersenden, transferieren, *(transfer)* übertragen, überschreiben; ~ **baggage** *(US)* Gepäck befördern; ~ **onward** weiterleiten; ~ **an order** Auftrag übermitteln; ~ **a parcel to s. o.** jem. ein Paket schicken; ~ **property** Besitz übertragen.
transmitted telegram Durchgangstelegramm.
transmitter Übersender, *(broadcasting)* Rundfunksender;
~ **of goods** Warenabsender.
transoceanic steamer Überseedampfer.
transonic speed Überschallgeschwindigkeit.
transport *(airplane)* Transportflugzeug, *(amount carried forward)* Übertrag, -schreibung, *(on board ship)* Verschiffung, *(convict)* Deportierter, *(forwarding)* Beförderung, Verfrachtung, Verschiffung, Transport, Überführung, Versand, Spedition, *(freighter)* Frachtschiff, Frachter, *(means of conveyance)* Beförderungsmittel, *(mil.)* Truppentransporter, *(transportation)* Verkehrs-, Transportwesen;
by public ~ mit öffentlichen Verkehrsmitteln; **without** ~ ohne Auto;
air ~ Beförderung auf dem Luftwege, Luftverkehr; **commercial scheduled air** ~ planmäßiger gewerblicher Luftverkehr; **aircraft** ~ Luftfrachtverkehr; **collective** ~ Sammeltransport; **door-to-door** ~ Beförderung von Haus zu Haus; **inland (intercity,** *US)* Binnenverkehr; **inland water** ~ *(US)* Binnenschiffahrtsverkehr; **interstate** ~ *(US)* zwischenstaatlicher Güterverkehr; **land** ~ Beförderungen auf dem Landweg; **long-distance** ~ Fernverkehr; **marine (maritime)** ~ Beförderung auf dem Seewege, Seetransport; **motor-truck** ~ *(US)* Lastwagen-, Kraftwagenverkehr; **ocean** ~ Transatlantikverkehr; **passenger** ~ Personenbeförderung, -verkehr; **public** ~ öffentliches Transportmittel; **rail** ~ Güterverkehr; **railway** ~ *(Br.)* Bahntransport; **railway passenger** ~ *(Br.)* Eisenbahnpersonenverkehr; **road** ~ *(Br.)* Straßentransport, Güterverkehr mit Lastwagen; **sea** ~ Beförderung auf dem Seewege, Seetransport; **short-distance** ~ Nahverkehr; **subsequent** ~ Weiterbeförderung; **waterborne** ~ Beförderung auf dem Wasserweg;
~ **in bulk** Massenbeförderung; ~ **of goods by road** *(Br.)* Güterverkehr mit Lastwagen; ~ **of mail** Postbeförderung;
~ *(v.)* transportieren, befördern, versenden, *(ship)* verschiffen;
~ **goods by truck** Güter verfrachten; ~ **mail by airplane** per Luftpost schicken;
to ride in public ~ öffentliche Verkehrsmittel benutzen;
~ **advertising** *(Br.)* Verkehrsmittelwerbung; ~ **agency** Transportagentur; ~ **agent** Spediteur; ~ **authorities** *(US)* Verkehrsbehörden; ~ **café** Fernfahrerraststätte; ~ **capacity** Fahrgastkapazität; ~ **charges** Transportwesen, -kosten; ~ **company** *(Br.)* Spediteur, Speditionsgesellschaft; ~ **convenience** Transportmöglichkeit; **inclusive of all** ~ **costs** inklusive aller Transportkosten; ~ **document** Versanddokument; ~ **expenses** Versand-, Transportkosten; ~ **facilities** Transportmöglichkeiten; ~ **industry** Transportgewerbe; ~ **installations** Verkehrseinrichtungen; ~ **insurance** Transportversicherung; ~ **risk** Transportgefahr, -risiko; **public** ~ **service** Verkehrsbetrieb, öffentliches Transportwesen; ~ **ship (vessel)** Frachter, Frachtschiff; ~ **system** Verkehrssystem; ~ **trade** Transportgewerbe.
transportation *(carriage)* Beförderung, *(charges)* Versand-, Versendungs-, Beförderungs-, Transportkosten, *(forwarding)* Versendung, Versand, Transport, *(forwarding system, US)* Verkehrs-, Transportwesen, *(deportation)* Verbannung, Deportation, *(means of conveyance, US)* Transportmöglichkeiten, Beförderungsmittel, Transportgelegenheiten, *(method of transport)* Transportsystem, -methode, *(ticket)* Fahrschein, -ausweis;
common carrier ~ Beförderung durch öffentliche Verkehrsmittel; **highway** ~ *(US)* Güterverkehr mit Lastwagen, Landstraßenverkehr; **public** ~ *(US)* öffentliches Transportmittel (Verkehrsmittel) **railroad freight** ~ *(US)* Bahnfrachtverkehr; **reduced-cost** ~ verbilligter Transport;
~ **by air** Luftpostbeförderung, Beförderung auf dem Luftwege; ~ **of freight** Gütertransport; ~ **at ground** Fortbewegung im Bodenverkehr; ~ **of passengers** Passagierverkehr;
to control ~ Verkehrswirtschaft steuern;
~ **accounting** Speditionsbuchführung; ~ **advertisement** *(US)* Verkehrsmittelwerbung; ~ **agency** Speditions-, Verkehrsgesellschaft; ~ **allowance** Fahrkostenzuschuß; **to cope with the** ~ **burden** den Belastungen des Transportge-

werbes gewachsen sein; ~ **carrier** Transport-, Hauptspediteur; ~ **charges** Transportwesen, Beförderungskosten; ~ **committee** Verkehrsausschuß; ~ **company** Speditions-, Verkehrsgesellschaft, Verkehrsbetrieb; **public** ~ **company** öffentliches Verkehrsunternehmen; ~ **consultant** Berater in Verkehrsfragen; ~ **contract** Beförderungsvertrag; ~ **cost** Beförderungskosten, Transport-, Frachtunkosten; ~ **department** Verkehrsabteilung; ≗ **Department** *(US)* Verkehrsministerium; ~ **economy** Verkehrswirtschaft; ~ **enterprise** Verkehrsunternehmen, -betrieb; ~ **equipment** Transportausstattung; ~ **expert** Verkehrssachverständiger; ~ **facilities** Verkehrserleichterungen, -einrichtungen; ~ **industry** Verkehrswirtschaft; ~ **insurance** *(US)* Transportversicherung; ~ **inward costs** Kosten des Abtransportes; ~ **line** Verkehrslinie; **to free the entry into the** ~ **market** staatliche Reglementierung des Verkehrswesens aufheben; ~ **means** Transporteinrichtungen, Verkehrsmittel; ≗ **Minister** Verkehrsminister; ~ **money** Aufkommen der Verkehrswirtschaft; ~ **monopoly** Verkehrsmonopol; ~ **needs** Verkehrsbedürfnisse; ~ **network** Verkehrsnetz; ~ **operation** Transport-, Verkehrsunternehmen; ~ **policy** Verkehrspolitik; ~ **problem** Verkehrsproblem; ~ **rate** Transport-, Frachtsatz, -tarif, Verkehrstarif; ~ **ratio** *(US)* Beförderungs- und Transportverhältnis; ~ **receipt** Transportempfangsschein; ~ **schedule** Frachttabelle; ~ **services** Beförderungsleistungen; ~ **space** Transportraum; ~ **system** Transportwesen, Verkehrssystem; **inland** ~ **system** Binnentransportsystem; ~ **tax** Beförderungs-, Transportsteuer; **[internal]** ~ **technician** [Binnen]-transportsachverständiger; ~ **terminal** Verkehrsendpunkt; ~ **ticket** Fahrschein; ~ **undertaking** Verkehrsbetrieb; ~ **unit** Verkehrsleistung.

transporter Beförderer, *(airplane)* Verkehrs-, Transportflugzeug, *(device)* Transportvorrichtung.

transvaluate *(v.)* neu bewerten, umwerten.

transvaluation Neube-, Umwertung.

travel Reise[n], Reiseverkehr;
air ~ Flugreise; **pleasure** ~ Vergnügungsreise; ~ **on official business** Dienstreise; ~ **to clients** Kundenbesuch;
~ *(v.)* reisen, Reisen machen, *(with car)* befahren, *(salesman)* Reisender sein, bereisen;
~ **by air** per Flugzeug reisen; ~ **on (for the) business** Geschäftsreise unternehmen, geschäftlich unterwegs sein; ~ **in carpets** Teppichvertreter sein; ~ **a good deal** oft verreisen; ~ **on expenses account** zu Lasten des Spesenkontos verreisen; ~ **for a firm** Vertreter sein, Firma vertreten; ~ **light** mit wenig Gepäck reisen; ~ **Pullman** *(US)* erster Klasse reisen; ~ **by sea** Seeweg benützen; **to spend one's vacation in** ~ Ferien auf Reisen verbringen; **to use a car for personal** ~ Auto für Privatfahrten benützen;
~ **advance** Reisekostenvorschuß; ~ **agent (agency)** Reiseagentur, -büro; ~ **allowance** Reisekostenzuschuß, -spesen; ~ **bureau** *(Br.)* Reisebüro; ~ **clearance** Reisegenehmigung; ~ **costs** Reisespesen; ~ **counting** Verkehrszählung; ~ **and entertainment diary** Spesennachweisbuch; ~ **display** Werbung in öffentlichen Verkehrsmitteln; ~ **expenses** Reisekosten, -spesen; ~**-expense report** Reisekostenabrechnung; ~ **folder** Reiseprospekt; ~ **funds** Reisegeld; ~ **information bureau** Reisebüro; ~ **insurance** Reiseversicherung; ~ **pass** Dienstreiseausweis; ~ **permit** Reisegenehmigung; ~ **subsidy (subvention)** Reisekostenzuschuß; ~ **voucher** Fahrausweis.

traveller Reisender, Tourist, Wanderer, *(Br.)* Handlungsreisender, *(sales ticket in retail stores, US)* Einkaufsammelbuch;
commercial ~ Handlungs-, Geschäftsreisender; **expense-account** ~ Spesenritter; **fellow** ~ Mitreisender; **town** ~ Platzvertreter;
~ **on commission** Provisionsvertreter.

traveller's | **accident insurance** Reiseunfallversicherung; ~ **aid** Bahnhofsmission; ~ **book** Fremdenbuch; ~ **check** *(US)* **(cheque,** *Br.)* Reisescheck; ~ **guide** Reisehandbuch, 'Baedeker'; ~ **hotel** Touristenhotel; ~ **letter of credit** *(US)* Reisekreditbrief; ~ **sample** Gebrauchsmuster.

travelling | **agent** Handlungs-, Provisionsreisender, Reisevertreter; ~ **allowance** Reisegeld; ~ **auditor** Außenrevisor; ~ **charges** Reisespesen, -unkosten; ~ **clerk** Handlungsreisender; ~ **diplay** Werbung an öffentlichen Verkehrsmitteln; **to get one's** ~ **expenses** Reisespesen ersetzt bekommen; ~**-expense account** Spesenkonto; ~ **guide** Reiseführer; ~ **money** Zehrpfennig; ~ **post office** Bahnpost[amt]; ~ **salesman** *(US)* [Verkaufs]reisender, Handlungsreisender.

traveltime Wege-, Reisezeit.

treasure Schatz, *(valuable store)* Kostbarkeit, seltenes Stück;
~**-trove** aufgefundener Schatz, Schatzfund.

treasurer Schatzmeister, Kassenverwalter, -wart, -führer, Kassierer, *(curator)* Rendant, Leiter des Finanzwesens;
city ~ *(Br.)* Stadtkämmerer;
~ **of a corporation** *(US)* Finanzvorstand.

treasury *(Br.)* Schatzamt, Finanzministerium, *(book of information)* Schatzkästlein, *(fisc)* Fiskus, *(funds of company)* Vermögen, *(revenue office)* Staats-, Finanzkasse, *(Treasury Department, US)* Finanzministerium;
depleted ~ leere Kasse;
~ **authorities** Finanzbehörden; ~ **bench** *(Br.)* Regierungs-, Ministerbank; ~ **bill** *(Br.)* Schatzanweisung, kurzfristiger Schatzwechsel; ≗

Board *(Br.)* Finanzministerium; ~ **bond** *(Br.)* langfristige Schatzanweisung, *(corporation, US)* eigene Schuldverschreibung; ≗ **Department** *(US)* Bundesfinanzministerium; ~ **financing** Schatzwechselfinanzierung; ~ **licence** Devisengenehmigung; ~ **note** *(US)* Darlehnskassenschein; ~ **office** Schatzamt; ~ **rate (rating)** Steuerleistung; ≗ **Secretary** *(US)* Finanzminister; ~ **securities** Eigenbestand an Wertpapieren; ~**'s short term bill borrowing** Schatzwechseldiskontgeschäfte; ~ **stock** *(US)* Portefeuille (Bestand) eigener Aktien; ~ **warrant** *(Br.)* Schatzanweisung.

treat Einladung, Bewirtung, *(entertainment)* Unterhaltung;
~ *(v.)* behandeln, *(defray expenses)* freihalten, Kosten tragen, bewirten, *(negotiate)* verhandeln, Verhandlungen führen;
to stand ~ all round Runde ausgeben, Lage spendieren.

treatment Behandlung, Behandlungsmethode;
customs ~ zollrechtliche Behandlung; **most-favo(u)red-nation** ~ Meistbegünstigung; **preferential** ~ Vorzugsbehandlung.

treaty Unter-, Verhandlung, *(formal agreement)* [Staats]vertrag, Konvention, Abkommen, *(reinsurance agreement)* Rückversicherungsvertrag;
arbitration ~ Schieds[gerichts]vertrag; **commercial** ~ Handelsvertrag, Wirtschaftsabkommen; **trade** ~ Handelsvertrag, -abkommen;
~ **of establishment** Niederlassungsabkommen;
~ **of navigation** Schiffahrtsabkommen;
to be in ~ Verhandlungen pflegen; **to enter into a ~ with s. o.** Vertragsvereinbarung mit jem. schließen; **to enter into a ~ of commerce** Handelsvertrag abschließen; **to sell s. th. by private** ~ etw. privatrechtlich (freihändig) verkaufen;
~ **arrangement** vertragliche Vereinbarung; ~ **duties** Vertragszölle; ~ **port** Vertragshafen; ~ **reinsurance** automatisch wirksame Rückversicherung.

trend Lauf, Verlauf, *(tendency)* Entwicklung, Entwicklungstendenz, Trend, allgemeine Richtung, Tendenz, Neigung;
cost ~ Kostenentwicklung; **cyclical** ~ Konjunkturverlauf; **downward** ~ Abwärtsbewegung, Konjunkturrückgang, fallende (rückläufige) Tendenz [des Marktes]; **strong downward** ~ stark fallende Tendenz; **upward** ~ Aufwärtsbewegung, steigende Tendenz, Konjunkturanstieg;
~ **of affairs** Geschäftsgang; ~ **in building trade** Baukonjunktur; ~ **of business** Geschäftsgang; **general ~ of business conditions** Konjunkturentwicklung; **decreasing ~ in costs** Kostendegression; **increasing ~ in costs** Kostenprogression; ~**s in the economy** konjunkturelle Entwicklungstendenzen; ~**s of employment** Beschäftigungsentwicklung; ~ **of exchanges** Kursentwicklung; ~ **in freights** Frachtkonjunktur; **expected ~ of the market** Konjunkturerwartungen; **upward ~ of prices** Preisauftrieb;
~ *(v.)* **down** in einer Abwärtsbewegung sein;
to buck the ~ der Konjunkturentwicklung entgehen;
~ **analysis** Konjunkturanalyse.

trespass Eingriff, Übergriff, *(property)* Beeinträchtigung, Eigentumsverletzung, -störung;
~ *(v.)* *(property)* widerrechtlich betreten, in fremde Rechte eingreifen, Besitz stören;
~ **upon s. one's privacy** jds. Intimsphäre verletzen; ~ **upon s. one's property** widerrechtlich jds. Grundstück betreten.

trespasser Besitzstörer, Rechtsverletzer.

trial Prozeß[sache], *(test)* Probe, Versuch, Prüfung;
shop ~ Erprobung auf dem Prüfstand;
to appoint a day for the ~ Verhandlungstermin ansetzen; **to be found on ~ to be incompetent** Probezeit nicht bestehen; **to bring s. o. up for** ~ jem. den Prozeß machen; **to have on** ~ zur Probe gebrauchen; **to put a machine to further** ~ Maschine weiter ausprobieren; **to send a machine for free** ~ Maschine kostenlos zum Ausprobieren zusenden; **to take s. o. on** ~ j. auf Probezeit einstellen;
~ **balance** Probe-, Salden-, Vorbilanz; ~ **date** Verhandlungstermin; ~ **engagement** Probeanstellung; ~ **issue** Probenummer; ~ **lot** Probesendung; ~ **order** Probeauftrag, -bestellung, Versuchsauftrag; ~ **run** Probelauf einer Fabrik, *(ship)* Probe-, Versuchsfahrt; ~ **shipment** Probeverzollung.

triangular operation in exchange Devisenarbitrage in drei verschiedenen Währungen.

tribunal of commerce *(US)* Handelsgericht.

tricar *(Br.)* Dreiradlieferwagen.

trifle Kleinigkeit, Bagatelle, Lappalie;
~ *(v.)* **away one's money** sein Geld vergeuden.

trifling value unerheblicher Wert.

trim *(airplane, ship)* Gleichgewichtslage, *(car)* Innenausstattung, -ausrüstung, *(window decoration, US)* Schaufensterschmuck;
~ **of the hold** gute Verstauung der Ladung;
~ *(v.)* **a shop window** Schaufenster dekorieren.

trimmer Kohlentrimmer, Ladungsarbeiter, Stauer.

trimming *(ship)* Staulage.

trip Fahrt, Reise, Tour, Abstecher, Spritzer;
air ~ Flug[reise]; **business** ~ Geschäftsreise;
~ **through a factory** Betriebs-, Fabrikbesichtigung;
to go for a ~ Ausflug (Spritztour) machen.

triptych Zollpassierschein, internationaler Autopaß.

trolley *(mining, Br.)* Förderwagen, *(railway, Br.)* Draisine, Schienenwagen, *(tram, US)* Straßenbahn[wagen];
~ **bus** Omnibus mit elektrischer Oberleitung, Obus; ~ **line** Straßenbahn-, Obuslinie.

trover Bereicherungsklage.

truck *(US)* Last[kraft]wagen, LKW, *(small articles)* Hausbedarf, Kleinkram, *(barter)* Tausch[handel], -geschäft, -verkehr, Eintausch, *(flattopped car)* Hand-, Gepäckwagen, Karren, *(intercourse)* Verkehr, *(mining)* Förderwagen, Lore, Hund, *(payment in goods)* Warenentlohnung, *(trade, Br.)* [offener] Güter-, Rungenwagen, *(trade)* Handel, Verkehr;
baggage ~ Handgepäckwagen; **cattle** ~ Viehwagen; **flat** ~ Pritschenwagen; **freight** ~ *(US)* Güterwagen; **heavy** ~ *(US)* schwerer Lastkraftwagen (LKW); **industrial** ~ Fernlaster, -lastwagen; **light** ~ *(US)* mittelschwerer LKW; **long-distance** *(US)* Fernlaster; **motor** ~ *(US)* Lastkraftwagen, LKW; **poor** ~ *(US)* wertlose Ware; **semitrailer** ~ Sattelschlepper;
~ *(v.) (barter)* Tauschhandel treiben, *(be employed, US)* Lastwagen fahren, *(railway)* in Güterwagen befördern, *(~ system)* Lohn in Waren zahlen;
~ **for a living** sich als Lastwagenfahrer sein Geld verdienen;
to ship by ~ *(US)* mit Lastwagen (im LKW) befördern;
~ **Acts** *(Br.)* Lohnschutzgesetzgebung; ~ **car** Güterwagen; ~ **charges** Rollgeld; ~ **driver** *(US)* LKW-, Fernlastfahrer; ~ **-driver helper** *(US)* Beifahrer; ~ **economy** Tauschwirtschaft; ~ **factory** *(US)* Lastwagenfabrik; ~ **operation** Transportgeschäft; ~ **production** *(US)* Lastwagenproduktion; ~ **rates** Kilometergeld, Lastwagentarif, Überlandfrachtsatz; ~ **requirement** *(Br.)* Waggongestellung; ~ **service** *(US)* Lastwagen-, Überlandverkehr; ~ **shop** Betrieb mit Entlohnung nach dem Trucksystem, *(US)* Tankstelle mit Restauration; ~ **system** Warenentlohnung; ~ **wages** Warenlohn.

truckage *(conveying goods by trucks, US)* Lastwagenbeförderung, Wagen-, Güterkraftverkehr, -wagentransport, *(exchange)* Tauschsystem, *(money paid, Br.)* Rollgeld, *(US)* LKW-Transport.

trucker *(barterer)* Hausierer, *(US)* Fern[last]wagen-, LKW-, Fernfahrer.

trucking *(US)* Lastwagen-, LKW-Transport, Autospedition, *(Br.)* Güterwagentransport, *(barter)* Tauschhandel;
~ **agency (company,** *US)* Rollfuhrunternehmen, Güterspedition, [Straßen]transportgesellschaft; ~ **costs** *(US)* Überlandversandkosten; ~ **depot** Lastwagendepot; ~ **facilities** Landtransporteinrichtungen; ~ **firm** Rollfuhrunternehmen; ~ **fleet** Lastwagenkolonne; ~ **industry** *(US)* Lastwagenindustrie; ~ **line** *(US)* Überlandverkehr; ~ **service** *(US)* Rollfuhrdienst; ~ **shipment** *(US)* Überlandsendung.

truckload *(Br.)* Waggon-, Sammelladung.

truckman *(US)* Fern-, Fernlast-, Lastwagen-, LKW-Fahrer.

true *(legitimate)* rechtmäßig;
~ **to specimen** laut Muster, mit dem Muster übereinstimmend;
~ **copy** gleichlautende Abschrift; ~ **discount** echter Diskont; ~ **exchange** echtes Devisengeschäft; ~ **gold** reines Gold; ~ **reserve** *(US)* außerordentliche Reserve; ~ **weight** genaues Gewicht.

trumpery wares Ausschußware.

trunk *(box)* Reise-, Übersee-, Schrankkoffer, *(canal, river)* Hauptfahrrinne, *(railway)* Hauptlinie, -strecke, *(tel., Br.)* Fernleitung, -verbindung;
~**s** *(Br.)* Fernamt;
~ **cable** Fernkabel; ~ **call** *(Br.)* Ferngespräch, -anruf; ~ **dialling** *(Br.)* Fernwahl; ~ **enquiries** *(Br.)* Fernauskunft; ~ **exchange** *(Br.)* Fernamt; ~ **line** *(US, railway)* Haupt[eisen]bahn-, Hauptverkehrslinie, Hauptstrecke, *(tel., Br.)* Stamm-, Fernleitung, Fernverbindung; ~ **line system** *(Br.)* Fernleitungsnetz; ~ **road** Haupt-, Auto-, Fernverkehrsstraße; ~ **traffic** Fernverkehr; ~ **zone** Fernverkehrsbereich.

trust *(confidence)* Zu-, Vertrauen, Treu und Glauben, *(US, corner)* Trust, Konzern, Ring, Kartell, *(credit)* Kredit, Borg, *(custody)* Treu[pflicht], -verhältnis, Treuhandverhältnis, Pflegschaft, *(depositing)* Aufbewahrung, Obhut, Verwahrung, *(endowment)* Stiftung, *(entail)* Fideikommiß, *(pledge)* anvertrautes Gut, Pfand, *(trust estate)* Treuhandvermögen, -gut;
in ~ treuhänderisch, zur Verwahrung;
accumulation ~ Kapitalsammelstelle; **active (accessory)** ~ Treuhandverwaltung mit besonderen Vollmachten; **alimentary** ~ Unterstützungsfonds; **bare** ~ *(US)* Hinterlegungsstelle; **business** ~ *(US)* treuhänderisch geleitetes Unternehmen; **cestui que** ~ Nutznießer eines Stiftungsvermögens; **charitable** ~ wohltätige (milde) Stiftung; **complete voluntary (executed)** ~ in allen Einzelheiten festgesetzte Stiftung; **constructive** ~ mittelbares Treuhandeigentum; **contingent** ~ bedingte Stiftung; **corporate** ~ Aktienkonzern; **court** ~ *(US)* aufgrund gerichtlicher Anordnung verwaltetes Vermögen; **direct (express)** ~ im Wege ausdrücklicher Willensäußerung errichtetes Treuhandverhältnis; **directory** ~ in den Grundzügen festgelegte Stiftung; **discretionary** ~ *(Br.)* nach freiem Ermessen verwaltetes Vermögen; **educational** ~ Schulstiftung; **executory** ~ unvollständige Stiftung; **express** ~ ausdrücklich geschaffenes Treuhandverhältnis; **family** ~ Familienstiftung; **fixed** ~ *(US)* Anlagegesellschaft mit festgelegtem Investitionsprogramm; **investment** ~ Kapitalanlagegesellschaft; **managed-list** ~ *(US)* Anlagegesellschaft mit Austauschrecht der Investitionseffekten; **naked (passive)** ~ einfache Treuhandverwaltung; **pension** ~ Pensionsfonds; **private** ~ Familienstiftung; **proprietary**

~ Hinterlegungsstelle; **profit-sharing** ~ Gewinnbeteiligungsfonds; **protective** ~ *(US)* für einen Verschwender errichtete Stiftung; **real-estate** ~ Grundstücksgesellschaft; **savings-bank (Totten,** *US)* ~ Stiftung zugunsten eines Dritten; **sheltering** ~ Stiftung zum Zwecke der Familienversorgung; **simple** ~ *(US)* Hinterlegungsstelle; **statutory** ~ *(Br.)* gesetzlich begründete Vermögensverwaltung; **testamentary** ~ Nachlaßstiftung; **voluntary** ~ Unterstützungsfonds; **voting** ~ Übertragung des Aktienstimmrechts;

~ **for value** entgeltliche Stiftung;

~ *(v.)* Vertrauen haben, sein Vertrauen setzen, *(allow credit for)* kreditieren, borgen, jem. Kredit geben (einräumen), *(place ~ in)* [an]vertrauen;

~ **one's affairs to a lawyer** mit seiner Vertretung einen Anwalt betrauen;

to administer a ~ Treugut verwalten; **to be in a position of** ~ Vertrauensstellung innehaben; **to buy s. th. on** ~ auf Kredit (gegen Abzahlung) kaufen; **to create a** ~ Treuhandverhältnis begründen, *(foundation)* Stiftung errichten; **to deliver in** ~ in Verwahrung geben, treuhänderisches Eigentum verschaffen; **to form industries into a vertical** ~ Industrien integrieren; **to hold in** ~ treuhänderisch verwalten, [als Treuhänder] verwahren; **to supply goods on** ~ Waren auf Kredit liefern; **to take in** ~ in [treuhänderische] Verwahrung nehmen; **to take goods on** ~ Waren auf Kredit beziehen;

~ **account** Treuhand-, Treuhänderkonto; ~ **administration** Treuhandverwaltung, treuhänderische Verwaltung; ~ **agreement** Konzernabkommen, *(trustee)* Sicherungsübereignungs-, Treuhandvertrag; ~ **beneficiary** Nutznießer (Bedachter) einer Stiftung; ~ **bond** Schuldverschreibung über bevorrechtigte Forderung; ~ **buster** *(US)* Beamter des Kartellamtes, Kartelljäger, -entflechter, -brecher; ~ **busting** *(US)* Kartellentflechtung; ~ **capital** Treuhandeigentum, -gut; ~ **certificate** *(US)* Aktienzertifikat einer Dachgesellschaft; ~ **company** Kredit-, Treuhandgesellschaft, *(bank, US)* Aktienkredit-, Treuhandbank; ~ **company stocks** *(US)* Aktien einer Treuhandgesellschaft; ~ **-controlled** von einer Treuhandgesellschaft verwaltet; ~ **corporation** *(Br.)* öffentliche Treuhandstelle; ~ **debenture** Schuldverschreibung über bevorrechtigte Forderungen; ~ **deed** Treuhandvertrag, *(settlement)* Stiftungsurkunde; ~ **department** *(US)* Abteilung für Vermögensverwaltungen, Treuhandabteilung; ~ **deposit** Treuhänder-, Anderdepot; ~ **division** Treuhandabteilung; ~ **donor** Treugeber; ~ **endorsement** Treuhandindossament; ~ **engagement** Treuhandvertrag, -vereinbarung.

trust estate Treuhandvermögen, -gut, treuhänderisch verwaltetes Vermögen (verwalteter Nachlaß), *(foundation)* Stiftungsvermögen;

to distribute a ~ *(bankruptcy law)* Konkursmasse verteilen; **to pay out of the** ~ *(bankruptcy law)* aus der Konkursmasse zahlen; **to wind up a** ~ Nachlaß liquidieren.

trust | fund Treuhandgelder, treuhänderisch verwaltetes Vermögen, Treuhandvermögen, *(investment trust)* Investmentfonds, *(foundation)* Stiftungsgelder, *(guardianship)* Mündelgeld, -vermögen, *(receivership)* Massekonto; **private** ~ **fund** *(US)* bankverwaltetes Privatvermögen; ~**-and-agency fund** *(municipal accounting)* Zweckvermögen; ~**-fund investments** *(US)* mündelsichere Kapitalanlagen; ~ **house** *(Br.)* treuhänderisch geführtes Gasthaus; ~ **indenture** Treuhandvertrag; ~ **institution** Treuhandgesellschaft; ~ **instrument** *(Br.)* Treuhandurkunde; ~ **[fund] investments** *(US)* mündelsichere Kapitalanlagen; ~ **legacy** von einem Treuhänder verwaltetes Vermächtnis (Legat); ~ **letter** *(Br.)* Sicherungs-, Treuhandschein; ~ **maker** Errichter eines Treuhandverhältnisses, Treugeber; ~ **money** Depositengelder, -einlagen, Stiftungsgelder, Mündelgeld; ~ **mortgage** Sicherungshypothek; ~ **movement** Konzernausdehnung, -entwicklung; ~ **officer** *(US)* Vorsteher der Treuhandabteilung einer Bank, Beamter einer Treuhandgesellschaft, Treuhänder; ~ **patent** Treuhandurkunde; ~ **property** Treugut, -handvermögen, *(foundation)* Stiftungsvermögen; ~ **receipt** *(US)* Treuhandquittung, -bescheinigung, *(banking)* Sicherungsübereignungsurkunde, fiduziarische Übereignung, *(certificate of deposit)* Hinterlegungsschein; ~ **receipt device** Sicherungsübereignungsverfahren; ~ **receipt transaction** Sicherungsübereignung; ~ **relation[ship]** Treuhandverhältnis; **to create a** ~ **relation(ship)** Treuhandverhältnis begründen; ~ **report** Treuhandbericht, Bericht eines Treuhänders; ~ **requirements** Anlagevoraussetzungen für ein Treuhandvermögen; ~ **security** mündelsichere Anlage; ~ **settlement** Stiftung[svertrag]; ~ **stock** *(US)* mündelsicheres Wertpapier; ~ **territory** Gebiet unter Treuhandverwaltung, Treuhandgebiet; ~ **transaction** fiduziarisches Rechtsgeschäft, Treuhandgeschäft.

trustee Treuhänder, -nehmer, Bevollmächtigter, Vertrauensmann, Beauftragter, *(administrator)* Vermögensverwalter, -pfleger, Kurator, Kuratoriumsmitglied, Administrator, Sequester, *(criminal, US)* begünstigter Sträfling, Kalfaktor, *(garnishee, US)* Drittschuldner, *(person regarded with trust)* zuverlässiger Mensch, *(receiver, US)* Konkursverwalter;

conventional ~ behördlich bestellter Verwalter (Treuhänder); **court-appointed** ~ gerichtlich bestellter Vermögensverwalter (Treuhänder); **custodian** ~ Treuhänder, Verwalter von Mündelvermögen; **indenture** ~ dokumentarisch bestellter Treuhänder; **joint** ~**s** Treuhändergremium; **judicial** ~ gerichtlich bestellter Pfleger; **managing** ~ amtierender Treuhänder; **official** ~ Konkursverwalter; **private** ~ Vermögensverwalter einer Familienstiftung; **public** ~ *(Br.)* amtliche Hinterlegungs-, Treuhandstelle, öffentlich bestellter Treuhänder; **sole** ~ Einzeltreuhänder; **testamentary** ~ *(US)* Testamentsvollstrecker, Treuhänder einer Nachlaßstiftung; ~ **for administration** Vermögensverwalter; ~ **of a bankrupt's estate** Konkursverwalter; ~ **in bankruptcy** *(Br.)* Masseverwalter, [von den Gläubigern gewählter] Konkursverwalter; ~ **of an estate** Nachlaßverwalter; ~ **under bond issue** Treuhandgesellschaft zum Zwecke der Aktienausgabe; ~ **in charitable uses** Kurator; ~ **under a will** Nachlaßverwalter;

~ **and beneficiary** Treugeber und Treunehmer;

~ *(v.)* *(commit to the care of a ~)* Treuhandverhältnis begründen, einem Treuhänder übergeben, *(serve as ~)* als Treuhänder fungieren, *(~ process, US)* Forderungspfändung durchführen;

~ **an estate** Vermögen auf einen Treuhänder übertragen;

to act as ~ treuhänderisch verwalten, Treuhänder sein; **to appoint a** ~ Treuhänder ernennen; **to remove a** ~ Treuhänder abberufen; **to serve as** ~ als Treuhänder fungieren; **to vest in a** ~ auf einen Treuhänder übertragen;

~**'s account** Treuhänderkonto; ~ **act** *(Br.)* Treuhändergesetz; ~ **bank** gemeinnützige Sparkasse; ~ **capacity** Qualifikation zum Treuhänder; ~**'s certificate** Verwahrungs-, Hinterlegungsschein; ~ **character** Treuhandcharakter; ~ **committee** Treuhänderausschuß; ~ **instruments** *(Br.)* mündelsichere Kapitalanlagen; ~**s' meeting** Treuhändersitzung; ~**'s power** Vollmacht eines Treuhänders; ~ **process** *(US)* Zahlungsverbot an den Drittschuldner, Forderungspfändung, Beschlagnahme; ≗ **Relief Act** *(US)* Hinterlegungsordnung; ~ **savings bank** *(Br.)* gemeinnützige Sparkasse; ≗ **Savings Bank Act** *(Br.)* Sparkassengesetz; ~ **securities** *(Br.)* mündelsichere Wertpapiere; ~ **shares** Aktien einer Kapitalanlagegesellschaft; ~ **state** Treuhandstaat; ~ **stock** mündelsichere Wertpapiere; **to rank as** ~ **stock** Mündelsicherheit genießen.

trusteeship Treuhandverwaltung;

~ **in bankruptcy** Konkursverwaltung;

to accept the ~ **of s. one's property** jds. Vermögensverwaltung treuhänderisch übernehmen;

~ **agreement** Treuhandabkommen.

trustification Trustbildung, Vertrustung.

trustify *(v.)* Industriesyndikate bilden, in Trusts zusammenfassen, vertrusten.

trustor Treugeber.

trustworthy zuverlässig, vertrauenswürdig, solide, *(credit rating)* kreditfähig;

~ **guarantee** einwandfreie Bürgschaft.

truth in advertising Wahrheit in der Werbung.

try *(v.)* **hard for a job** sich ernsthaft um eine Stellung bemühen.

tryout Erprobung, *(advertising)* Versuchs-, Werbefeldzug.

tug Schlepper, Schleppdampfer.

turn *(advantage)* Vorteil, Nutzen, Profit, Schnitt, *(broker)* Courtage, *(change of direction)* Wendung, Drehung, Richtungsänderung, *(crisis)* Umschwung, Krise, *(job)* Arbeit, Beschäftigung, *(alternating order)* Reihenfolge, Turnus, *(period of work)* Arbeitsgang, Turnus, *(road)* Straßenbiegung, Kurve, Kehre, *(shift)* [Arbeits]schicht, *(stock exchange)* Umschwung, Wende, Veränderung, *(stock exchange, Br.)* Kursgewinn, *(tour)* Rundfahrt, *(transaction, US)* Börsentransaktion;

by ~**s** umschichtig; **for a** ~ *(US)* als ganz kurzfristige Anlage;

jobber's ~ *(Br.)* Kursgewinn [des Effektenhändlers an der Londoner Börse];

~ **of exchange** Kursaufbesserung; ~ **of the market** *(jobber, Br.)* Kursgewinn; ~ **in the market** Umschwung, Konjunkturumbruch;

~ *(v.)* drehen, verändern, *(stock market)* sich drehen;

~ **to account** Vorteil ziehen, verwerten; ~ **bankrupt** Konkurs machen, bankrott werden; ~ **bear** Baissier werden; ~ **bull** Haussier werden; ~ **around a company** Betrieb völlig umkrempeln; ~ **firm** *(stock exchange)* fest werden; ~ **a firm into a joint stock company** Firma in eine Aktiengesellschaft umwandeln; ~ **an honest penny** sein Brot ehrlich verdienen; ~ **one's job in** seine Stellung aufgeben; ~ **one's money three times a year** sein Geld dreimal jährlich umsetzen.

turn down a claim Forderung zurückweisen.

turn into cash (money) flüssig-, zu Geld machen, realisieren, versilbern; ~ **a partnership into a limited company** Offene Handelsgesellschaft in eine Gesellschaft mit beschränkter Haftung umwandeln.

turn off the faucet of funds Stiftungszuwendungen einstellen.

turn out *(crop)* ausfallen, *(produce)* [Fabrikat] ausstoßen, herstellen, herausbringen, produzieren, *(strike)* Arbeit einstellen;

~ **a balance** Saldo aufweisen; ~ **s. o. out of his lodgings** j. exmitieren; ~ **s. o. out of his position** j. seiner Stellung berauben.

turn over *(goods)* Umsatz haben, umsetzen, verkaufen;

~ **it over ready to turn a key** schlüsselfertig abliefern; ~ **a business to one's successors** Geschäft seinen Nachfolgern übergeben.

turn | to profit nutzbringend anwenden; ~ **soft** *(market)* Abschwächung zeigen.

turn up a blank mit einer Niete herauskommen.

turn, to continue their ~ towards ease in money rates Tendenz in der Politik der Geldmarkterleichterungen fortsetzen; **to give a favo(u)rable ~ to a business** Sache richtig in Gang bringen; **to have a ~ for business** kaufmännische Ader (Anlage zum Geschäftsmann) haben;
on a ~-key basis schlüsselfertig; **~-key contract** *(US)* schlüsselfertiger Vertrag; **quick ~ round** *(ship)* rasche Abfertigung.

turnabout *(fig.)* Front-, Gesinnungswechsel, *(plane, ship)* Rundreisedauer, *(pol.)* hundertprozentiger Kurswechsel, *(vehicle)* Generalüberholung;
~ time Abladezeit.

turndown in imports Einfuhrrückgang.

turned out to order auf Bestellung angefertigt.

turning | to account Verwertung;
to reach the ~ point *(business cycle)* umschlagen.

turnout Herauskommen, *(book)* Aufmachung, *(motorway)* Ausweichstelle, *(product)* Erzeugnis, Produkt, *(railway)* Ausweichgleis, *(strike, Br.)* Ausstand, Arbeitseinstellung, Streik, *(total output)* Gesamtproduktion.

turnover Umschlag, Geschäftsumsatz, *(apprentice, Br.)* überstellter Lehrling, *(employees)* Fluktuation, *(hospital)* Zu- und Abgang, *(leaf of book)* umgeschlagene Seitenecke, *(politics)* Wahlstimmenverschiebung, Verschiebung der Wählerstimmen, *(reorganization)* Umbau-, organisation, -gruppierung, -schichtung, *(runover, Br.)* auf der nächsten Seite fortgesetzter Zeitungsartikel, *(of sentiment)* Meinungsumschwung;
active ~ reger Umsatz; **annual ~** Jahresumsatz; **average ~** Durchschnittsumsatz; **bank ~** Bankumsatz; **capital ~** Kapitalumsatz, -umschlag; **contracting ~** schrumpfender Umsatz; **discount ~** Diskontumsatz; **domestic ~** Inlandsumsatz; **external ~** Konzernumsatz; **fictitious ~** fingierter Umsatz; **finished-goods ~** Umschlaghäufigkeit des Warenbestandes; **goods ~** Güterumschlag; **gross ~** Bruttoumsatz; **inventory ~** Lagerumschlag; **labo(u)r ~** Arbeitsplatzwechsel, Neu- und Wiedereinstellungsprozentsatz; **merchandise ~** Warenumsatz; **minimum ~** Mindestumsatz; **mixed ~s** *(stock exchange)* verschiedenartige Umsätze; **program(me) ~** Rentabilität einer Werbesendung; **quantity ~** mengenmäßiger Umsatz; **quick ~** schneller Umsatz; **raw-material ~** Umschlaghäufigkeit des Rohstofflagers; **stock ~** Lagerumschlag; **total ~** Gesamt[kassen]umsatz; **total-assets ~** Umschlaghäufigkeit des Kapitals, Kapitalumschlagshäufigkeit; **working-capital ~** Umsatz des Betriebskapitals; **last year's ~** Vorjahresumsatz;
~ per annum Jahresumsatz; **thorough ~ of the operating force** komplette Betriebsumstellung, völlige Belegschaftsumschichtung; **rapid ~ of goods** schneller Warenumsatz; **~ of the labo(u)r force** Fluktuation der Arbeitskräfte; **~ of merchandise** Warenumsatz; **~ of money** Geldumsatz; **~ of seven votes** *(parl.)* Mehrheit von sieben Stimmen; **~ in tenancy** Pachtumsatz;
to do a large ~ großen Umsatz erzielen;
~ account Warenverkaufskonto; **~ business** Umschlaggeschäft; **~ commission** Umsatzprovision; **1 m ~ company** Unternehmen mit Milliardenumsatz; **external ~ expansion** Ausweitung des Fremdumsatzes; **~ gain** Umsatzzuwachs; **~ growth rate** Umsatzwachstumsrate; **~ period** Umschlagszeit; **~ proceeds** Umsatzerlös; **~ range** Umsatzumfang; **~ rate** Umsatzziffer, -quote; **capital ~ ratio** Umschlaghäufigkeit des Eigenkapitals; **~ situation** Umsatzlage; **~ storage** Umschlaglager; **~ tax** *(Br.)* Umsatzsteuer; **~-tax rates** *(Br.)* Umsatzsteuersätze; **~-tax refund** *(Br.)* Umsatzsteuerrückvergütung.

turnpike Zollschranke, Schlagbaum;
~ money *(freeway)* Autobahngebühr; **~ road** *(US)* gebührenpflichtige Autobahn.

tween deck Zwischendeck.

twig branch *(US)* Zweifachgeschäft.

two | -decker zweistöckiger Omnibus; **~-family house** Zweifamilienhaus; **~-job man** *(US)* Doppelverdiener; **~-name paper** *(US)* [Sola]wechsel; **~-price system** System gespaltener Preise; **~-third majority** Zweidrittelmehrheit; **~-tier gold market** gespaltener Goldmarkt; **~-way price** *(Br.)* doppelter Kurs.

tycoon *(US)* Industriemagnat, -kapitän, Großkapitalist, -industrieller, Bonze.

tying | agreement Ausschließlichkeitsabkommen; **~ clause** *(US)* Kopplungs-, Preisbindungsklausel; **~ contract** *(US)* Exklusiv-, Kopplungsvertrag; **~ product** *(US)* gekoppeltes Produkt; **~-up of capital** Kapitalfestlegung.

type Grundform, Art, Type, Muster, Gattung, *(car)* Bauart, *(machine)* Modell;
~s of audit Prüfungsarten; **~ for bills** Plakatschrift; **~ of business** Geschäftsart; **~ of costs** Kostenart; **~ of enterprise** Unternehmensform; **~ of financing** Finanzierungsweise; **~s of hazard** Risikoarten; **~s of income** Einkunftsarten; **~ of insurance** Versicherungsform; **~ of investment** Art der Anlage, Anlageform; **~ of packing** Verpackungsweise; **~ of rating** Beurteilungsmethode; **~ of wage plan** Lohnzahlungsmethode;
~ *(v.)* maschineschreiben, tippen.

typing pool Gemeinschaftssekretariat, Schreibzentrale.

typist Maschinenschreiber, Stenotypist;
shorthand ~ Stenotypistin;
to be a quick ~ flott maschineschreiben.

U

U-turns not allowed *(traffic)* Wenden verboten, Wendeverbot.
ultimate | consumer End-, Letztverbraucher; ~ **consumption** Letztverbrauch; ~ **destination** endgültiger Bestimmungsort.
umbrella organization Spitzen-, Zentralverband, Dachorganisation.
unable *(for legal action)* geschäftsunfähig; ~ **to pay** zahlungsunfähig; ~ **to work** arbeitsunfähig.
unaccommodating unverbindlich, unkulant.
unaccountable nicht rechnungspflichtig (haftbar).
unaccounted for *(balance sheet)* nicht ausgewiesen.
unaccredited nicht beglaubigt (akkreditiert).
unaddressed mailing *(US)* Postwurfsendung.
unadmitted assets *(insurance)* nicht bewertbare Aktiva.
unallotted | appropriation *(government accounting)* noch zur Verfügung stehende Haushaltsmittel; ~ **shares** nicht zugeteilte Aktien.
unamortized debt (bond) discount Disagiogewinn.
unanswerable *(not liable)* nicht haftbar.
unapplied for *(position)* ohne Bewerber; ~ **cash** *(governmental accounting)* frei verfügbare Haushaltsmittel; ~ **funds** totes Kapital.
unappropriated *(money)* nicht ausgeschüttet, keiner bestimmten Verwendung zugeführt; ~ **budget surplus** *(municipal accounting)* Haushaltsüberschuß; ~ **earned surplus** *(US)* nicht verteilter Reingewinn; ~ **funds** nicht verwendete Mittel, totes Kapital; ~ **income** *(institutional accounting)* nicht vorkalkulierte Ertragsüberschüsse; ~ **profit** *(US)* unverteilter Reingewinn.
unarrested *(property)* nicht beschlagnahmt.
unascertained *(internal revenue)* nicht ermittelt; ~ **duties** pauschalierte Steuerzahlungen; ~ **goods** Gattungssachen.
unassessed *(property)* untaxiert, nicht veranlagt.
unassorted unsortiert.
unattached *(property)* nicht mit Beschlag belegt.
unaudited nicht von der Revision erfaßt.
unauthorized | agency Vertretung ohne Vertretungsmacht; ~ **clerk** *(stock exchange, Br.)* unbefugter Maklergehilfe.
unavailable for express trains *(ticket)* berechtigt nicht zur Benutzung von Schnellzügen.
unavailed credit line nicht in Anspruch genommene Kreditlinie.
unavoidable hazards *(insurance business)* unvermeidbare Risiken.
unbacked check *(US)* **(cheque,** *Br.)* nicht indossierter Scheck.
unbalanced *(account)* unausgeglichen, nicht saldiert; ~ **addition** *(national income accounting)* nicht ausgeglichene Wertschöpfung; ~ **budget** nicht ausgeglichener Haushalt.
unbankable nicht bankfähig (diskontfähig).
unblock *(v.)* **an account** Konto freigeben (entsperren).
unblocking Entsperrung, Freigabe.
unbusinesslike nicht geschäftsmäßig.
uncalled *(bonds)* nicht aufgerufen; ~ **capital** noch nicht eingezahltes (eingefordertes) Kapital.
uncancelled *(stamp)* nicht entwertet.
uncertain *(debts)* unsicher, zweifelhaft; ~ **quotations** *(Br.)* per Pfund notierte Devisenkurse.
uncertificated nicht diplomiert; ~ **bankrupt** *(Br.)* nicht rehabilitierter Konkursschuldner.
unchanged *(money)* ungewechselt, *(stock exchange)* unverändert.
uncharged *(not debited)* nicht belastet, unbelastet, *(free of charge)* umsonst, franko, unberechnet, *(ship)* nicht beladen.
unchecked baggage *(US)* nicht aufgegebenes Gepäck.
unclaimed *(letter)* unbestellbar; ~ **balance** nicht zurückgefordertes Guthaben; ~ **dividends** nicht abgehobene Dividenden; ~ **wages** Lohnguthaben; ~ **wreck** herrenloses Wrack.
uncleared *(not paid)* unbezahlt, *(stock exchange, Br.)* nicht verrechnet.
uncollectable items nicht beitreibbare Posten; ~ **receivables** Dubiose.
uncollected *(tax)* noch nicht erhoben; ~ **goods** nicht abgeholte Ware; ~ **items** *(US)* noch nicht eingegangene Abschnitte.
uncollectible nicht beitreibbar (einziehbar).
uncommercial unkaufmännisch.
uncommissioned ohne Auftrag.
uncommitted funds nicht zweckgebundene Mittel.
uncompleted transaction unvollständiges Geschäft.
unconditional | acceptance bedingungsloses Akzept; ~ **offer** vorbehaltloses Angebot; ~ **order** unwiderruflich erteilter Zahlungsauftrag.
unconfirmed credit unbestätigtes Akkreditiv.
uncongenial job nicht zusagende Arbeit.
unconscionable bargain (transaction) unsittliches [Rechts]geschäft.
unconsolidated *(loan)* nicht konsolidiert, unkonsolidiert, unfundiert.
unconstricted *(trade)* unbehindert.
unconsumed *(credit)* unverbraucht.
uncontested owner unumstrittener Eigentümer.
uncontrollable expenses von der Kostenstelle nicht beeinflußbare Kosten.

uncontrolled economy freie Wirtschaft; ~ **rent** freie Miete.
unconverted nicht konvertiert.
unconvertible nicht konvertierbar.
uncooked *(balance sheet)* sauber, einwandfrei, nicht frisiert.
unconvenanted benefit nicht vereinbarter Versicherungsgewinn.
uncovered ungedeckt, ohne Deckung, *(not insured)* unversichert;
~ **advance** Blankovorschuß, ungesicherter (nicht gedeckter) Kontokorrentkredit; ~ **balance** ungedeckter Saldo; ~ **bill** ungedeckter Wechsel; ~ **risk** nicht gedecktes Risiko; ~ **sales** Blankoverläufe, -abgaben, Leerverkäufe.
uncredited ohne Kredit.
uncrossed cheque *(Br.)* offener Scheck, Barscheck.
uncurrent *(order to pay)* ungültig.
uncustomed *(custom-free)* zollfrei, *(goodwill)* ohne Kundschaft.
undebased unverfälscht, *(not devalued)* nicht entwertet;
~ **coinage** vollwertige Münzen.
undeclared goods nicht deklarierte Waren.
undeliverable letter unzustellbarer Brief.
undelivered *(letter)* unbestellt, nicht zugestellt;
~ **goods** noch nicht gelieferte Waren.
undepressed market feste Börse.
underabsorbed indirect cost Fertigungsgemeinkostenmehranfall.
underagent Untervertreter.
underbid Unter-, Mindergebot;
~ *(v.)* durch ein niedriges Angebot ausstechen.
underbill *(v.) (US)* Waren zu niedrig deklarieren.
underbuy *(v.)* unter Preis kaufen, billiger einkaufen.
undercapitalization Unterkapitalisierung.
undercharge *(low price)* niedriger Preis;
~ *(v.)* zu wenig berechnen, zu niedrig in Rechnung stellen.
underconsumption geringer Verbrauch.
undercover payment Spitzelgelder.
undercut *(v.)* **a competitor** Konkurrenz unterbieten.
undercutter Preisunterbieter.
undercutting Preisunterbietung.
underdiscount *(v.)* **the market** *(US)* erwartete Baisse im voraus berücksichtigen.
underemployment mangelnde Beschäftigung, Unterbeschäftigung.
underestimate *(v.)* unter-, zu niedrig schätzen, unterbewerten.
underfreight *(v.)* unter-, weiterbefrachten.
underground *(railway, Br.)* Untergrundbahn, U-Bahn;
~ **bistro** Kellerrestaurant; **two-level** ~ **car park** Tiefgarage mit zwei Etagen; ~ **factory** unterirdische Fabrik; ~ **railway advertising** *(Br.)* U-Bahn-, Untergrundbahnwerbung; ~ **tramway** Unterpflasterbahn; ~ **working** Untertagebau.
underhand | **dealings** Schiebungen; ~ **trade** Schleich-, Schwarzhandel.
underhanded mit ungenügenden Arbeitskräften versehen.
underinsurance Unterversicherung.
underinsure *(v.)* unterversichern, zu niedrig versichern.
underinsured unterversichert, unter dem Wert versichert.
underissue *(securities)* Minderausgabe.
underlease Untermiete, -verpachtung.
underlet *(v.) (let under value)* unter dem Wert vermieten (verpachten), *(sublet)* untervermieten.
underlying | **bonds** *(US)* durch Vorranghypothek gesicherte Obligation; ~ **company** *(US)* [vollständig abhängige] Tochtergesellschaft; ~ **contract** als Grundlage dienender Vertrag; ~ **lien** *(US)* Vorrangpfandrecht; ~ **mortgage** *(US)* Vorranghypothek; ~ **security** gegebene Sicherheit; ~ **syndicate** *(US)* Übernahmekonsortium.
undermanned industry unterbesetzte Industrie.
underpaid schlecht bezahlt;
postage ~ nicht genügend frankiert.
underpayment schlechte Bezahlung.
underprice *(US)* Schleuderpreis.
underprivileged sozial benachteiligt;
~ **area of a city** Armenviertel einer Stadt.
underquote *(v.)* [Preise] niedriger berechnen, unterbieten.
underrate Unterbewertung, zu niedrige Bewertung;
~ *(v.)* unterbewerten, tarifieren, zu niedrig bewerten;
to sell at an ~ unter dem Wert verkaufen.
undersell *(v.)* unter dem Preis (unter dem Wert, billiger) verkaufen, verschleudern, Konkurrenz unterbieten;
~ **the market** *(Br.)* erwartete Baisse am Markt vorausberücksichtigen.
underseller Preisdrücker.
underselling Preisunterbietung, Dumping;
~ **price** Schleuderpreis.
undersigned [End]unterzeichner.
understaffed zu schwach besetzt, unterbesetzt.
understanding *(agreement)* Absprache, Übereinkommen;
friendly ~ gütliches Einvernehmen; **reciprocal** ~ Gegenseitigkeitsvereinbarung.
understatement Unterbewertung, zurückhaltende Darstellung.
understock *(v.)* ungenügend mit Vorräten versehen, zu kleines Lager unterhalten.
undersubscribed loan nicht in voller Höhe gezeichnete Anleihe.
undertake *(v.) (guarantee)* garantieren, sich verbürgen (verpflichten);
~ **a business** Geschäftsbesorgung übernehmen; ~ **the collection of a bill** Wechsel zum Inkasso (Wechselinkasso) übernehmen; ~ **an obligation**

Verpflichtung eingehen; ~ **orders** Aufträge annehmen; ~ **a piece of work** Arbeit übernehmen; ~ **a risk** Risiko eingehen.

undertaker *(of enterprise)* Unternehmer, *(manager of funerals)* Leichenbestatter, Beerdigungsinstitut, *(speculator)* Spekulant, *(supplier)* Lieferant.

undertaking *(enterprise)* Unternehmen, -nehmung, Betrieb, *(obligation)* eingegangene Verpflichtung, Verpflichtungserklärung, Engagement, Sicherheitsleistung;
on the ~ auf die Zusicherung;
agricultural ~ landwirtschaftlicher Betrieb; **business** ~ Geschäftsunternehmen, Wirtschaftsbetrieb; **charitable** ~ wohltätiges Unternehmen; **commercial** ~ [Handels]unternehmen, Betrieb; **concerted** ~ gemeinschaftliche Unternehmung; **contributory** ~ Zuschußbetrieb; **governmental** ~ Staatsbetrieb; **industrial** ~ Gewerbebetrieb, gewerbliches Unternehmen, Industrieunternehmen, -betrieb; **large** ~ Großbetrieb, -unternehmen; **public-utility** ~ öffentlicher Versorgungsbetrieb; **small** ~ Kleinbetrieb; **speculative** ~ Spekulationsgeschäft; **subsidiary** ~ Tochterunternehmen; **voluntary** ~ freiwillige Verpflichtung;
~ **to pay** Zahlungsversprechen; ~ **of wide scope** großangelegtes Unternehmen, Großunternehmen; ~ **of a task** Übernahme einer Aufgabe.

undertenancy Untermiete, Untermietverhältnis.

undertenant Untermieter, -pächter.

undertone *(stock exchange)* Grundton, -stimmung, Tendenz.

undervaluation Unterbewertung, Taxe unter dem Wert, zu niedrige Wertangabe, *(customs)* Zollerklärung mit zu niedrigem Wert.

undervalue *(v.)* unterbewerten, zu niedrig bewerten, zu niedrig (unter dem Wert) schätzen.

underweight Mindergewicht, Gewichtsabgang, knappes (zu leichtes) Gewicht.

underwrite *(v.) (document)* unterschreiben, *(guarantee)* Haftung übernehmen, *(insurance business)* versichern, Versicherung abschließen (unterzeichnen), Versicherungsgeschäfte betreiben (tätigen), assekurieren, *(issue of securities)* Effektenemission garantieren (übernehmen), *(marine insurance)* Transportversicherungsgeschäfte erledigen;
~ **capital** Kapital zeichnen; ~ **the cost of a project** für die Finanzierung eines Projekts geradestehen; ~ **a policy** Versicherung abschließen; ~ **a risk** Versicherung unter Risikoverteilung übernehmen; ~ **marine risk** Seeversicherung unter Risikobeteiligung übernehmen.

underwriter Unterzeichneter, *(agent, US)* Versicherungsagent, *(banking)* Konsortialmitglied, *(insurance business)* Assekuranzversicherung, Versicherungsgeber, -träger, Einzel-, Seeversicherer, *(issue of securities)* Emissionsfirma, -bank, Anleihegarant, Garantiefondszeichner;
~**s** *(issue of securities)* Übernahmekonsortium, Garantiesyndikat, -Konsortium;
cargo ~ Frachtenversicherer; **leading** ~ *(banking)* Konsortialführerin, Federführung, *(insurance)* Erstversicherer, führende Gesellschaft, Führerin; **life** ~ *(US)* Lebensversicherungsvertreter; **local** ~ auf Provinzstellen beschränktes Emissionshaus; **national** ~ Emissionshaus für einheimische Werte; **private** ~ Privatversicherungsunternehmer;
~**s group** Emissions-, Garantiekonsortium.

underwriting *(insurance business)* Übernahme von Versicherungen, Abschluß [eines Versicherungsgeschäftes], [See]versicherungsgeschäft *(issue of securities)* Emissions-, Effektengarantie, Emissionsübernahmegeschäft;
firm ~ feste Übernahme;
~ **of a policy** Übernahme einer Versicherung; ~ **of a risk** Übernahme eines Versicherungsrisikos;
~ **agent** *(Br.)* Abschlußagent; ~ **agreement** Übernahmeabkommen, Konsortialvertrag; ~ **bank** Konsortialbank; ~ **business** Effektenemissionsgeschäft, *(insurance)* Versicherungsgeschäft; ~ **capacity** Versicherungsmöglichkeit; ~ **commission** Provision aus einer Konsortialbeteiligung; ~ **conditions** *(banking)* Zeichnungsbedingungen; ~ **contract** Konsortialvertrag, Übernahmeabkommen; ~ **costs** Kapitalemissionskosten; ~ **deficit** Versicherungsverlust; ~ **department** Risikoabteilung einer Versicherungsgesellschaft; ~ **expenses** Konsortialaufwendungen; ~ **fee** Übernahmespesen; ~ **group** [Emissions]konsortium; ~ **guarantee** Effektengarantie; ~ **house** *(US)* Emissionsfirma; ~ **income** Versicherungseinkommen; ~ **loss** Verlust im Geschäftsjahr; ~ **member** Mitglied eines Konsortiums, Konsortial-, Syndikatsmitglied; ~ **participation** Konsortialbeteiligung; ~ **price** Übernahmekurs; ~ **profit** Gewinn im Geschäftsjahr, *(insurance)* Versicherungsgewinn; ~ **prospectus** Zeichnungs-, Emissionsprospekt; ~ **provision** *(investment fund)* Verkaufsprovision; ~ **share** Konsortialanteil, -beteiligung; ~ **syndicate** Emissions-, Garantiekonsortium, Übernahme-, Beteiligungssyndikat, Konsortialgruppe; ~ **system** Emissionsgarantiesystem.

undeveloped unentwickelt, *(land)* unerschlossen, noch nicht baureif;
~ **land** *(Br.)* nicht erschlossenes Baugelände, *(balance sheet)* unbebaute Grundstücke; ~ **land duty** *(Br.)* Bauplatzsteuer.

undigested securities *(US)* nicht placierte Effekten.

undirected unadressiert, ohne Adresse.

undischarged nicht entlastet, *(ship)* nicht entladen, *(unpaid)* nicht bezahlt, unerledigt;
~ **bankrupt** nicht rehabilitierte Konkursschuldner.

undisclosed | **agency** verdeckte Stellvertretung; ~ **buyer** ungenannter Käufer; ~ **reserves** stille Rücklagen.
undiscountable bill nicht diskontierter Wechsel.
undisplay *(US, advertising)* [Anzeigen]fließsatz.
undisposed nicht vergeben, unbegeben, *(not sold)* unverkauft.
undistributed nicht auf Konten verteilt;
~ **cost** Handlungs-, Generalunkosten; ~ **profit** unverteilter Reingewinn, nicht ausgeschütteter Gewinn, Gewinnvortrag.
undiversified nicht aufgefächert.
undivided nicht verteilt, unverteilt;
~ **interest** Nutznießung zur gesamten Hand; ~ **profit** nicht ausgeschütteter Gewinn, unverteilter Reingewinn; ~ **share in land** Liegenschaftsanteil.
undo *(v.)* *(contract)* aufheben, annullieren, *(unwrap)* auswickeln, auspacken;
~ **a bargain** *(Br.)* Effektentransaktion rückgängig machen.
undock *(v.)* entdocken, aus einem Hafen auslaufen.
undrawn profit nicht entnommener Gewinn.
undue *(excessive)* übermäßig, *(not yet due)* noch nicht fällig (geschuldet);
~ **attachment** unberechtigte Pfändung; ~ **debt** nicht geschuldeter Betrag; ~ **hardship** unbillige Härte; ~ **preference** Gläubigerbegünstigung.
unearned nicht erarbeitet (verdient), unverdient;
~ **income** *(balance sheet)* transitorische Passiva, *(taxation)* Einkünfte aus Kapitalbesitz, Kapitaleinkommen; ~ **increment** nicht realisierter Wertzuwachs; ~ **interest** *(balance sheet)* transitorische Zinserträge; ~ **premium reserve** *(life insurance)* Prämienreserve; ~ **revenue** *(balance sheet)* transitorische Passiva, *(taxation)* Einkünfte aus Kapitalbesitz.
uneconomical unwirtschaftlich, unrentabel.
unembarrassed *(not in debt)* unverschuldet, schuldenfrei, *(real estate)* unbelastet.
unemployable Arbeitsunfähiger;
~ *(a.)* nicht verwendungsfähig, arbeits-, beschäftigungsunfähig.
unemployed arbeits-, stellen-, erwerbslos, unbeschäftigt, ohne Stellung, *(unused)* unbenutzt, nicht verwendet, brachliegend;
~ **on relief** ausgesteuerter Arbeitsloser;
to be ~ arbeitslos (ohne Beschäftigung, beschäftigungslos) sein; **to become** ~ erwerbslos werden;
~ **capital** brachliegendes (ungenutztes, totes) Kapital; ~ **person** Arbeitsloser; ≗ **Workmen Act** *(Br.)* Arbeitslosengesetz.
unemployment Arbeits-, Erwerbs-, Beschäftigungslosigkeit;
chronic ~ Dauerarbeitslosigkeit; **cyclical** ~ konjunkturbedingte (konjunkturelle) Arbeitslosigkeit; **frictional** ~ fluktuierende Arbeitslosigkeit; **long-run (-term)** ~ langfristige Arbeitslosigkeit; **mass** ~ Massenarbeitslosigkeit; **nonwhite** ~ Negerarbeitslosigkeit; **permanent** ~ Dauerarbeitslosigkeit; **seasonal** ~ saisonbedingte (jahreszeitlich bedingte) Arbeitslosigkeit; **secular** ~ zeitbedingte Arbeitslosigkeit; **structural** ~ strukturelle Arbeitslosigkeit; **technological** ~ entwicklungsmäßig (technisch) bedingte Arbeitslosigkeit;
to cause a lot of ~ bedingte Arbeitslosigkeit hervorrufen; **to focus on reducing** ~ alle Mittel zur Verringerung der Arbeitslosigkeit einsetzen;
~ **advance** Steigerung (Anwachsen) der Arbeitslosigkeit; ~ **-bedevilled** von Arbeitslosigkeit heimgesucht.
unemployment benefit *(Br.)* Arbeitslosenunterstützung;
partial ~ Teilarbeitslosenunterstützung; **plant** ~ betriebliche Arbeitslosenunterstützung; **state** ~ staatliche Arbeitslosenunterstützung;
to draw (receive) ~ Arbeitslosenunterstützung beziehen.
unemployment claim Arbeitslosenunterstützungsanspruch.
unemployment compensation *(US)* Arbeitslosenunterstützung;
to draw (receive) ~ Arbeitslosenunterstützung beziehen;
~ **law** *(US)* Arbeitslosenunterstützungsgesetz;
~ **program(me)** Arbeitslosenunterstützungsprogramm; ~ **contributions** Arbeitslosenunterstützungsbeiträge; ~ **curve** Arbeitslosenkurve;
~ **disturbance** Arbeitslosenunruhen; ~ **estimates** Arbeitslosenschätzungen; ~ **fund** Arbeitslosenunterstützungsfonds.
unemployment insurance Erwerbslosen-, Arbeitslosenversicherung;
to qualify for ~ Voraussetzungen für die Arbeitslosenunterstützung erfüllen;
≗ **Act** *(Br.)* Arbeitslosenversicherungsgesetz;
~ **contribution** Arbeitslosenversicherungsbeitrag; **supplementary** ~ **credit** Anspruch auf betriebliche Zuschüsse zur Arbeitslosenunterstützung; ~ **tax** *(US)* Arbeitslosenversicherungsbeitrag.
unemployment | **level** Größe der Arbeitslosigkeit;
~ **line** Arbeitslosenschlange; **to report to the** ~ **office** sich beim Arbeitsamt als beschäftigungslos melden; ~ **pay** Arbeitslosenunterstützung;
~ **peak** Arbeitslosenhöchstziffer; ~ **problem** Arbeitslosenproblem; ~ **projection** Arbeitslosenschub; ~ **rate** Arbeitslosenprozentsatz, -ziffer; **to live with high** ~ **rates** hohe Arbeitslosenziffern als gegeben hinnehmen; ~ **relief** Arbeitslosenunterstützung; ~ **-ridden** von der Arbeitslosigkeit betroffen; ~ **reserve fund** Arbeitslosenunterstützungsfonds; ~ **roll** Arbeitslosenregister; ~ **statistics** Arbeitslosenstatistik;
~ **subsidy fund** Arbeitslosenzuschußfonds; **full**

~ **surplus** Überbeschäftigung; ~ **trend** zunehmende Arbeitslosigkeit.
unencumbered schuldenfrei, *(real estate)* unbelastet, hypothekenfrei;
~ **allotment** *(government accounting)* noch nicht ausgegebene und nicht verplante Etatsmittel.
unendorsed ohne Giro, ungiriert.
unendowed nicht ausgestattet (dotiert).
unengaged unbeschäftigt, stellenlos.
unentered *(bookkeeping)* nicht gebucht, *(customs)* unverzollt, beim Zollamt nicht angegeben.
unethical standeswidrig.
unexcised verbrauchssteuerfrei, zollfrei.
unexpended nicht ausgegeben (aufgewendet);
~ **appropriation** *(governmental accounting)* noch nicht ausgegebene, jedoch verplante Etatsmittel.
unexpired bill noch nicht fälliger Wechsel; ~ **expense** transitorische Aktiva.
unfair | **business practices** unlautere Geschäftsmethoden; ~ **competition** unlauterer Wettbewerb; ~ **list** *(trade union, US)* schwarze [Arbeitgeber]liste; ≗ **Trade Practice Act** *(US)* Gesetz gegen den unlauteren Wettbewerb; ~ **wages** unangemessene Löhne.
unfavo(u)rable | **balance of trade** passive Handelsbilanz; ~ **exchange** ungünstiger Kurs; ~ **terms** unvorteilhafte Bedingungen.
unfilled *(blank)* leer, unausgefüllt, *(post)* unbesetzt;
~ **orders** Auftragsbestand.
unfinished unfertig, *(house)* unausgebaut;
~ **business** *(parliament)* unerledigte Punkte [der Tagesordnung]; ~ **goods** Halbfertigwaren.
unfit | **for business** geschäftsuntüchtig; ~ **for human consumption** für die menschliche Ernährung nicht geeignet;
to be ~ for one's job für seinen Beruf ungeeignet sein; **to be ~ for heavy traffic** nur wenig Verkehr aufnehmen können.
unfreeze *(v.)* **funds** Guthaben freigeben.
unfrequented wenig besucht, abgelegen.
unfriendly fire *(insurance)* Schadenfeuer.
unfunded *(debt)* unfundiert, nicht fundiert;
~ **debt** *(Br.)* schwebende (unfundierte) Schuld.
unfurnished unmöbliert, leer;
~ **room** Leerzimmer.
unhono(u)red *(bill)* nicht akzeptiert (honoriert).
unified | **bonds** Ablösungsschuldverschreibungen; ~ **debt** konsolidierte (fundierte) Schuld; ~ **stock** *(Br.)* konsolidierte Anleihe.
uniform | **accounting system** einheitliches Buchführungssystem; ≗ **Negotiable Instrument Act** *(US)* Wechselordnung; ~ **price** Einheitspreis; ~ **delivered price** *(US)* vom Lieferort unabhängiger Preis; ~ **system of accounts** *(US)* Kontenrahmen für Verkehrsbetriebe; ~ **tariff** Einheitstarif; ~ **trust** von Treuhändern geleiteter Investmentfunds; ~ **value** einheitlicher Wert.
uniformity | **of prices** Preisübereinstimmung; ~ **in taxation** gleichmäßige Besteuerung.
unilateral | **contract** einseitig bindender Vertrag; ~ **parking** auf eine Straßenseite beschränkte Parkerlaubnis.
unilinear tariff Einheitstarif.
unimproved unveredelt, *(land)* unkultiviert, -bebaut, *(real estate)* nicht im Wert gestiegen.
unincorporated association nicht eingetragener Verein.
unincumbered schuldenfrei, *(real estate)* unbelastet, hypothekenfrei.
unindorsed ungiriert, ohne Giro.
uninsurable nicht versicherungsfähig.
uninsured | **employment** versicherungsfreie Beschäftigung; ~ **parcel** nicht versichertes Paket; ~ **risk** ungedecktes Risiko.
uninvested *(capital)* nicht angelegt, brachliegend.
union *(society)* Verein, Verband, Vereinigung, *(trade ~)* Gewerkschaft;
amalgamated craft ~s zusammengeschlossene Berufsverbände; **closed** ~ *(US)* Gewerkschaft mit Mitgliederbeschränkung; **company** ~ *(US)* Betriebsgewerkschaft; **craft** ~ Fachgewerkschaft; **credit** ~ Kreditgenossenschaft; **customs** ~ Zollunion; **economic** ~ Wirtschaftsunion; **industrial** ~ Industriegewerkschaft; **labor** ~ *(US)* Gewerkschaft; **local** ~ Ortsverein; **monetary** ~ Währungsunion; **multicraft** ~ mehrere Berufsgruppen umfassende Gewerkschaft; **national** ~ *(US)* Zentralgewerkschaftsverband; **outside** ~ betriebsfremde Gewerkschaft; **peaceful** ~ *(US)* wirtschaftsfriedliche Gewerkschaft; **single-branch** ~ *(Br.)* Ortsgewerkschaft; **trade** ~ Gewerkschaft; **yellow** ~ *(US)* friedliche Gewerkschaft;
to establish a ~ Gewerkschaft gründen; **to join a** ~ einer Gewerkschaft als Mitglied beitreten;
~ **activity** gewerkschaftliche Tätigkeit; ~ **agent** Gewerkschaftsvertreter; ~ **agreement** Tarifvertrag; ~ **assessments** Gewerkschaftsbeiträge, -umlage; ~ **bank** Gemeinwirtschaftsbank; ~ **benefit** Gewerkschaftsunterstützung; ~ **card** Mitglieds-, Gewerkschaftsausweis; ~ **combative measures** gewerkschaftliche Kampfmaßnahmen; ~ **contract** Tarifabkommen; ~ **demand** Gewerkschaftsforderung; ~ **dues** Gewerkschaftsbeiträge; ~ **enterprise** gewerkschaftseigenes Unternehmen; ~ **funds** Gewerkschaftskasse, -vermögen; ~ **grievance committee** gewerkschaftlicher Beschwerdeausschuß; ~ **house** *(Br.)* Armenasyl; **to apply to the** ~ *(Br.)* sich an die Fürsorgebehörden wenden; ~ **labo(u)r** gewerkschaftlich organisierte Arbeitskräfte; ~ **leader** Gewerkschaftsführer; ~ **man** *(US)* gewerkschaftlich organisierter Arbeiter; ~ **meeting** Gewerkschaftskongreß; ~ **member** Gewerkschaftsmitglied; **compulsory** ~ **membership** Zwangsmitgliedschaft bei einer Gewerkschaft; ~ **officer** Gewerkschaftsfunk-

tionär, ~ **pressure** von der Gewerkschaft ausgeübter Druck; ~ **publication** Gewerkschaftsorgan; ~ **regulations** Gewerkschaftsvorschriften; ~ **representative** Gewerkschaftsvertreter; ~ **scale** *(US)* gewerkschaftlich festgesetzter Lohntarif; ~ **security clause** *(wage contract)* Schutzklausel gegen Mitgliederverlust; ~ **sop** *(US)* gewerkschaftspflichtiger Betrieb; ~ **steward** *(US)* Betriebsrat, -obmann; ~ **wages** gewerkschaftlich anerkannte Löhne.

unionism *(US)* Gewerkschaftswesen, -vereinigung.

unionist *(member of trade union)* gewerkschaftlich organisierter Arbeiter.

rank-and-file ~**s** einfache Gewerkschaftsmitglieder;
~ *(a.) (trade union)* gewerkschaftlich.

unionize *(v.)* gewerkschaftlich organisieren, *(become member)* einer Gewerkschaft beitreten.

unionized ~ **labo(u)r** gewerkschaftlich organisierte Arbeitskräfte.

unionship Gewerkschaftszugehörigkeit;
compulsory ~ Zwangsmitgliedschaft in einer Gewerkschaft.

unissued | **capital** *(Br.)* **(stock,** *US)* nicht ausgegebenes (emittiertes) Aktienkapital; ~ **debentures** noch nicht ausgegebene Schuldverschreibungen; ~ **debenture shares (stock,** *US)* noch nicht ausgegebene Aktien.

unit Einheit, Stück, *(block of securities)* Effektenbündel, *(building)* Bauelement, *(investment trust, Br.)* Investmentanteil;
bargaining ~ Tarifvertragspartei; **board-of-trade** ~ Kilowattstunde; **bread** ~ Brotmarke; **cost** ~ Kosteneinheit; **decision-making** ~ entscheidende Stelle; **dwelling** ~ Wohnungseinheit; **first-stage** ~ *(statistics)* Einheit der ersten Auswahlstufe; **fixed-asset** ~ *(accounting)* Anlageneinheit; **low-rent** ~ (US) billiges Mietshaus; **manageable** ~ dirigierbare Betriebseinheit; **monetary** ~ Münz-, Währungseinheit;
~ **of account** [Ver]rechnungseinheit; ~ **of assessment (taxation)** Veranlagungsobjekt; ~ **of cost** Kostenträger; ~**s in issue** *(Br.)* im Umlauf befindliche Investmentanteile; ~ **of labo(u)r** Arbeitseinheit; ~ **of output** Produktionseinheit; ~ **of trade** *(stock exchange)* Handelseinheit; ~ **of wage** Lohneinheit; ~ **of work** Arbeitseinheit;
~ **amount** Betrag pro Einheit; ~ **banking** *(US)* Einheitsbankwesen; ~ **calculation** Einzelkalkulation; ~ **charge** Gebühr pro Einheit; ~ **control** *(US)* Lagerkontrolle nach Wareneinheiten, buchmäßige Mengenkontrolle; ~ **costs** Stückkosten; ~ **evaluation** *(investment fund)* Anteilsbewertung; ~ **furniture** Anbaumöbel; ~ **holder** *(Br.)* Investment-, Anteilscheinbesitzer; ~ **labo(u)r cost** Arbeitsaufwand pro Einheit; ~ **price** Stück-, Einheitspreis; ~**-price labelling** Einheitspreisauszeichnung; ~ **pricing** Einheitspreisfestsetzung; ~**-pricing store** Einheitspreisgeschäft; ~**-of-sales method** Verkaufssoll-Quotenmethode; ~ **trust** *(Br.)* Investmenttrust; ~ **valuation** Einzelbewertung; ~ **value** *(investment fund)* Wertzuwachs pro Anteil; ~ **wage** Stück-, Akkordlohn.

unite *(v.)* **companies** Gesellschaften fusionieren.

United Nations | **Conference on Trade and Development** Weltwirtschaftskonferenz; ~ **Economic and Social Council** Wirtschafts- und Sozialrat der Vereinten Nationen.

United States | **Chamber of Commerce** *(US)* Industrie- und Handelskammer der USA; ~ **postal savings banks** *(US)* Postsparkassen der USA; ~ **Treasury Certificate of Indebtedness** kurzfristige Schatzanweisungen der USA.

unity Einheit, *(joint tenancy)* Gesamtbesitz;
economic ~ Wirtschaftseinheit.

universal | **agent** Generalvertreter, -bevollmächtigter; ~ **partnership** allgemeine Gütergemeinschaft; ~ **provider** *(Br.)* Gemischtwarenhändler, -handlung; ~ **providers** *(Br.)* Waren-, Kaufhaus; ~ **Standard Workmen's Compensation Policy** *(US)* Einheitspolice für die Arbeiterunfallversicherung.

unlade *(v.)* Ladung löschen, ent-, ausladen.

unlawful detainer unberechtigte Zurückhaltung; ~ **picketing** unerlaubtes Streikpostenstehen; ~ **profits** Gewinne aus einem nicht genehmigten Gewerbe.

unlicensed nicht konzessioniert, ohne Lizenz;
~ **broker** freier Makler; ~ **personnel** Belegschaftsangehörige ohne Arbeitserlaubnis.

unlimited *(liability)* unein-, unbeschränkt, *(stock exchange)* nicht limitiert;
~ **cheque** *(Br.)* der Höhe nach unbegrenzter Scheck; ~ **claim** ziffernmäßig nicht begrenzte Forderung; ~ **company** *(Br.)* Gesellschaft mit unbeschränkter Haftung; ~ **credit** Blankokredit; ~ **liability** unbeschränkte Haftpflicht; ~ **mortgage** offene Hypothek; ~ **order** unlimitierte Order, *(stock exchange)* unbegrenzter Börsenauftrag; ~ **partnership** [etwa] BGB-Gesellschaft; **for an** ~ **period** unbefristet; ~ **policy** Generalpolice; ~ **power** unbeschränkte Vollmacht; ~ **price** unbeschränkter Preis; **for an** ~ **time** unbefristet.

unliquidated *(not liquidated)* unliquidiert, *(unpaid)* unbezahlt, unbeglichen, offenstehen.
~ **damages** vertraglich nicht festgesetzter Schadensersatzanspruch; ~ **encumbrance** *(governmental accounting)* noch nicht bewilligte Umlage.

unlisted nicht eingetragen (aufgeführt), *(US, stock exchange)* unnotiert, nicht notiert (börsenfähig).

unload *(stock exchange)* Massenverkauf von Effekten;

~ *(v.)* ausladen, -schiffen, [Schiffs]ladung löschen, *(securities)* abstoßen, verkaufen, auf den Markt werfen;
~ **stock on the market** Markt mit Aktien überschwemmen.

unloading Ab-, Ausladen;
to do the ~ Abladen besorgen;
~ **berth** Lösch-, Ausladeplatz; ~ **charges** Abladegebühr, Ausladekosten, *(ship)* Löschungskosten; ~ **party** Abladekommando; ~ **platform** Ausladebahnsteig; ~ **port** Abladeplatz; ~ **risk** *(insurance)* Löschrisiko; ~ **siding** Absetzgleis.

unmanufactured materials Rohmaterialien.

unmarketable *(loan)* unplacierbar, *(nonnegotiable)* nicht marktgängig (marktfähig), verkehrsunfähig, *(unsalable)* unverkäuflich;
~ **assets** nicht verwertbare (realisierbare) Aktien.

unmortgaged unverpfändet, *(real estate)* nicht hypothekarisch belastet, unbelastet.

unnotified ohne vorherige Benachrichtigung.

unoccupied *(unemployed)* unbeschäftigt, *(untilled)* unbestellt, *(unused)* unbenutzt, *(vacant)* unbewohnt, leer[stehend], vakant.

unofficial nicht amtlich, inoffiziell, außerdienstlich, offiziös;
~ **broker** Freiverkehrs-, Kulissenmakler; **in an** ~ **capacity** nicht amtlich; ~ **market** *(Br.)* Nachbörse, *(curb market)* Freiverkehr; ~ **news** unbestätigte Nachricht; ~ **trading** inoffizieller Handel.

unopened market unerschlossener Markt.

unorganized | **industry** gewerkschaftsfreie Wirtschaft; ~ **labo(u)r** gewerkschaftlich nicht organisierte Arbeitskräfte.

unpaid unbezahlt, nicht bezahlt, unberichtigt, rückständig, *(not prepaid)* unfrankiert, nicht freigemacht;
to leave an account ~ Rechnung nicht bezahlen;
to return a bill ~ Wechsel nicht honorieren;
~ **agent** ehrenamtlicher Vertreter; ~ **bill** unbezahlter (nicht eingelöster) Wechsel; ~ **capital** noch nicht eingezahltes Kapital; ~ **dividend** fällige (noch nicht ausgezahlte) Dividende; ~ **interest** rückständige Zinsen; ~ **letter** nicht freigemachter (frankierter) Brief; ~ **letter stamp** Nachgebührmarke; ~ **position** ehrenamtliche Stellung; ~ **seller** [teilweise] unbefriedigter Verkäufer.

unpatronized ohne Kunden.

unpayable *(yielding on profit)* unrentabel.

unpegged [von der Goldwährung] losgelöst.

unpicked samples nicht ausgewählte Proben.

unposted *(Br.)* nicht aufgegeben.

unpractised in business geschäftlich unerfahren.

unpriced *(goods)* nicht [im Schaufenster] ausgezeichnet, ohne Preisangabe, *(priceless)* unschätzbar.

unprivileged creditor Massegläubiger.

unproductive unproduktiv, unergiebig;
~ **capital** totes Kapital; ~ **consumption** unproduktiver Verbrauch; ~ **wages** Gemeinkostenlöhne.

unprofessional *(contrary to professional etiquette)* berufswidrig, *(not belonging to a profession)* keinem Beruf (keiner Berufsgruppe) zugehörig, *(not pertaining to one's profession)* nicht fachmännisch, unfachmännisch;
~ **advertising** stümperhafte Reklame; ~ **conduct** standeswidriges Verhalten; ~ **work** unstandes-, fachgemäße Arbeitsweise.

unprofitable *(not benefited)* unvorteilhaft, ungünstig, *(not yielding any profit)* nicht einträglich, gewinnlos, unrentabel.

unprovided for unversorgt;
to be left ~ mittellos sein (zurückbleiben).

unqualified ungeeignet, untauglich, *(balance sheet approval)* uneingeschränkt, nicht qualifiziert.
~ **assent** uneingeschränkte Zustimmung.

unquoted *(stock exchange)* ohne Notierung, unnotiert, nicht notiert;
~ **list** *(Br.)* Freiverkehrsnotierung; ~ **securities** zur amtlichen Notierung nicht zugelassene Wertpapiere.

unrated untaxiert, nicht abgeschätzt.

unrationed nicht bewirtschaftet, punktfrei.

unrealizable *(impracticable)* unerfüllbar, *(unsalable)* unverwertbar, -verkäuflich, nicht realisierbar.

unrealized | **profit** nicht realisierter Gewinn; ~ **revenue** in der Bilanz noch nicht in Erscheinung tretender Einnahmeposten.

unreasonable *(price)* unbescheiden, unverschämt, *(restraint of trade, Br.)* Wettbewerb unzulässig einschränkend;
~ **restraint of trade** *(US)* unberechtigte Preisbindung.

unrecovered cost *(balance sheet)* nicht abschreibungsfähige Investitionskosten, *(insurance)* nicht versicherter Schaden.

unredeemable bonds untilgbare Obligationen.

unredeemed *(bill)* uneingelöst, *(debt)*, ungetilgt, nicht eingelöst (zurückbezahlt);
~ **pledge** uneingelöstes Pfand.

unregistered nicht eingetragen (registriert), *(securities)* nicht auf den Namen lautend, *(trademark)* nicht angemeldet (eingetragen);
~ **company** nicht eingetragene Gesellschaft; ~ **land** *(Br.)* nicht eingetragener Grundbesitz; ~ **letter** gewöhnlicher (einfacher) Brief; ~ **society** nicht eingetragener Verein.

unrelated business income *(income tax)* steuerpflichtiger Einkommensteil einer Stiftung.

unreliable unzuverlässig, *(business firm)* unsolide, unreell.

unremunerative unwirtschaftlich, brotlos, unrentabel;
~ **work** unbezahlte Arbeit.

unrescinded *(contract)* noch in Kraft.

unrest *(industry)* Unzufriedenheit, Unruhe;
labo(u)r ~ Arbeiterunruhen.
unsafe *(enterprise)* unsolide;
~ **paper** *(stock exchange)* dubioses Papier.
unrouted telegram Telegramm ohne Leitvermerk.
unsalaried unbesoldet, ehrenamtlich;
~ **clerk** Volontär; ~ **employment** unbezahlte Beschäftigung.
unsal(e)able unverkäulfich, nicht einschlagend, *(nonnegotiable)* nicht börsenfähig;
to be ~ liegenbleiben;
~ **article** Ladenhüter.
unsatisfied *(creditor)* nicht befriedigt, *(unpaid)* unbezahlt;
~ **execution** erfolglose Zwangsvollstreckung.
unscramble *(v.)* entschlüsseln, dechiffrieren;
~ **a business concern** Konzern entflechten.
unseal *(v.)* entsiegeln, *(fig.)* freien Lauf lassen;
~ **a letter** Brief öffnen.
unsearched *(luggage)* nicht durchsucht.
unseaworthy seeuntüchtig.
unsecured *(loan)* ungesichert, nicht abgesichert (sichergestellt), ohne Deckung;
~ **account** ungesichertes Kontokorrentkonto; ~ **claim** *(bankruptcy)* Masseanspruch; ~ **credit** Personal-, Blankokredit, offener Kredit; ~ **creditor** Massegläubiger; ~ **debt** ungesicherte Schuld, Masseschuld; ~ **liability** ungesicherte Verbindlichkeit; ~ **loan** nicht gesicherte Anleihe; ~ **overdraft** ungesicherter Kontokorrentkredit.
unsettled *(account)* nicht ausgeglichen, (abgerechnet, abgeschlossen, abgewickelt), *(market)* uneinheitlich, schwankend, unbeständig, veränderlich, *(not fixed in position)* in unsicherer Stellung, *(residence)* ohne festen Wohnsitz, *(unpaid)* unbezahlt, unbeglichen;
~ **bill** unbezahlte Rechnung; ~ **estate** noch nicht regulierte Erbschaft; ~ **region** unbesiedelte Gegend; ~ **state of the market** Unsicherheit der Börse.
unsheltered obdachlos;
~ **industry** zollpolitisch nicht geschützte Industriezweige.
unship *(v.)* ausladen, löschen.
unsinkable untilgbar.
unskilled ungelernt, ungeschickt
~ **labo(u)r** Handarbeit, mechanische Arbeit; ~ **labo(u)rer** ungelernter Arbeiter, Hilfsarbeiter; ~ **manpower** ungelernte Arbeitskräfte; ~ **workman** ungelernter Arbeiter, Hilfsarbeiter.
unsold nicht verkauft, unverkauft;
subject to being ~ Zwischenverkauf vorbehalten;
~ **copies** Remittenden.
unsolicited | testimonial kostenlose Werbeaussage.
unsound | finance finanzielle Mißwirtschaft; ~ **investment** Fehlanlage.
unspeculative zuverlässig, ohne Risiko.
unspent nicht verausgabt.
unstable schwankend, labil;
seasonally ~ **industries** saisonabhängige Industriezweige.
unstamped ungestempelt, nicht verstempelt, *(not prepaid)* unfrankiert, unfrei.
unsteady *(market)* unbeständig, schwankend;
~ **output** schwankende Produktionsziffern.
unstock *(v.)* **a store** Lager räumen.
unstored nicht auf Lager *(without supply)* ohne Vorräte.
unstring *(v.)* **one's purse** Geldbeutel zücken.
unsubscribed *(magazine)* nicht abonniert, *(new issue)* ungezeichnet.
unsubstantiated claim [noch] nicht nachgewiesene Forderung.
unsuccessful applicant zurückgewiesener Bewerber.
untaxable nicht besteuerungsfähig.
untaxed unbesteuert, steuerfrei.
untenantable unbewohnbar.
untenanted *(not inhabited)* unbewohnt, *(not let)* unvermietet, unverpachtet.
unthrifty unwirtschaftlich, verschwenderisch.
untouched provisions unangetastete Vorräte.
untransferable nicht übertragbar, unübertragbar.
unused | capital brachliegendes Kapital; ~ **portion of credit** nicht in Anspruch genommener Teil eines Kredits; ~ **room** unbenutztes Zimmer; ~ **ticket** nicht benutzte Fahrkarte.
unvalued unbewertet, *(policy)* untaxiert;
~ **shares (stocks,** *US)* Aktien ohne Nennwert, Quotenaktien.
unwarranted unberechtigt, *(without guarantee)*, unverbürgt, ohne Gewähr.
unwatered *(capital)* unverwässert.
unweighted index unbewerteter Index.
up *(rising price)* Preisanstieg, *(stock exchange)* Kursanstieg, steigender Kurs, *(upward course)* Aufwärtsbewegung, Aufstieg;
~**s and downs of employment** Schwankungen der Beschäftigungsziffer; ~**s and downs of the market** Kursschwankungen;
~ *(a.)* vorankommend, *(stock exchange)* hoch [im Kurs];
2d ~ *(stock exchange)* 2 Pence höher; ~ **to ...** *(account)* abgeschlossen am ...;
to be ~ **against bankruptcy** vom völligen Bankrott bedroht sein; **be** ~ **for cash** [voll] bei Kasse sein; **to be** ~ **for sale** zum Verkauf stehen; **to be still** ~ **with one's competitors** seinen Konkurrenten noch immer gewachsen sein; **to go** ~ *(prices)* steigen, in die Höhe gehen.
updating of inventory Lagerwirtschaft.
upgrade Aufsteigen, Aufstieg;
~ *(v.) (US)* höher einstufen, befördern, *(interchange inferior product)* minderwertiges Erzeugnis ersetzen;
~ **economically** auf einen wirtschaftlichen Höchststand bringen;

to be on the ~ sich erholen, *(price)* steigen, zur Hausse tendieren.

upgrading of income Einkommensanstieg; ~ **of management development efforts** erhöhte Anstrengungen zur Verbesserung der Führungsmethoden.

uphold *(v.)* aufrechterhalten, *(building, Br.)* instand halten, *(prices)* stützen.

upkeep and improvements Unterhaltungsaufwendungen und Instandhaltungskosten.

uplift *(economics)* Konjunkturanstieg.

upper | **-bracket** in der höheren Einkommensklasse; **the** ~ **classes** Oberschicht; ~**stor(e)y** obere Etage, Oberstock; ~ **ten** *(fig.)* die oberen Zehntausend.

upright aufrichtig, ehrlich;
to be ~ **in one's business dealings** sich in Geschäftsdingen anständig verhalten;
keep ~ **!** nicht stürzen!
~ **sight and across** *(advertising)* Hochformat; ~ **size** Hochformat.

upset price *(auction)* Ausgangsgebot, *(bankruptcy proceedings)* niedrigster Zuschlagswert, *(foreclosure proceedings)* Anschlagspreis.

upside potential Kursauftriebsmöglichkeiten.

upsurge | **in housing** Auftrieb in der Wohnungsbauwirtschaft, Wohnungsbaukonjunktur; ~ **in imports** rasanter Einfuhranstieg; ~ **in rates** kräftige Tariferhöhung; ~ **in sales** steiler Umsatzanstieg.

upswing Aufstieg, Aufschwung, konjunktureller Auftrieb;
seasonal ~ Saisonaufschwung;
to be on the ~ Hochkonjunktur haben.

uptick in production Produktionsanstieg.

uptown *(US)* im Wohnviertel gelegen.

uptrend steigende Tendenz, Aufschwung, konjunktureller Auftrieb, Aufwärtsbewegung.

upturn Aufschwung, Besserung, *(prices)* Aufwärtsbewegung, *(stock market)* Kursanstieg;
~ **in business (in the business cycle)** Konjunkturanstieg, -aufschwung; ~ **in quotations** Kursauftrieb; ~ **in wages** Lohnanstieg.

upvaluation Aufwertung.

upward steigend, anziehend;
to go ~**s** *(prices)* in die Höhe gehen;
~ **business trend** Konjunkturaufschwung, -anstieg; ~ **movement** Aufwärtsbewegung, *(stock exchange)* Kursanstieg, -auftrieb, Steigen der Kurse; ~ **push** *(market)* Aufwärtsbewegung; ~ **tendency** Aufwärtstendenz, Auftriebs-, Aufschwungs-, steigende [Kurs]tendenz; ~ **tendency of prices** Preisauftrieb; ~ **tendency of wages** Lohnauftrieb; **to show hardly any further** ~ **trend** sich konjunkturell kaum ausweiten; **to take an** ~ **trend** *(prices)* nach oben tendieren.

urban | **area** Stadtgebiet; ~ **center** *(US)* **(centre,** *Br.)* Ballungsgebiet; ~ **freeway** Stadtautobahn; ~ **planning** Städteplanung.

urge | **to buy** Kaufwut; ~ **to merge** Fusionsneigung; ~ *(v.)* **payment** auf Zahlung drängen.

urgency Beschleunigung, dringende Notwendigkeit, Dringlichkeit.

urgent | **creditor** drängender Gläubiger; ~ **items** dringende Postsendung; ~ **letter** eiliger Brief; **to be in** ~ **need of money** dringend Geld benötigen.

usage *(customary practice)* [Handels]brauch, Herkommen, Praxis, Usance, Sitte, Gepflogenheit; **commercial** ~ Handelsbrauch; **compulsory** ~ Benutzungszwang; **ordinary** ~ Verkehrssitte; ~ **of the port** Hafenusance; ~ **of trade** Handelsbrauch.

use *(advantage)* Nutzen, Vorteil, *(custom)* Gewohnheit, Herkommen, Brauch, *(employment)* Gebrauch, Nutzbarmachung, Verwendung, *(realization)* Verwertung, *(usufruct)* Nutzung, Nutznießung, Nießbrauch;
fit for ~ betriebsfähig; **for** ~ **or consumption** zum Ge- oder Verbrauch; **for a** ~ **of industrialization** für Industrialisierungszwecke;
charitable ~ Wohltätigkeitszweck; **exclusive** ~ ausschließliche Benutzung; **industrial** ~ gewerbliche Verwertung; **personal** ~ persönlicher Bedarf, *(tenant)* Eigenbedarf; **productive** ~ Gebrauchsüberlassung; **sole** ~ alleiniges Benutzungsrecht; **unauthorized** ~ unbefugte Benutzung;
~ **of air freight in delivery** Auslieferung im Luftfrachtwege; ~ **of capacity** Kapazitätsausnutzung; ~ **of capital** Kapitaleinsatz; **improper** ~ **of a firm's name** unbefugter Firmennamengebrauch; ~ **of a fund** Inanspruchnahme eines Fonds; ~ **of property** Eigentumsgebrauch; ~ **of registered trademark** Warenzeichenbenutzung;
~ *(v.)* [ge]brauchen, benutzen, verwenden, *(employ)* anwenden, *(raw material)* verarbeiten;
~ **diligence in business** gehörige Sorgfalt verwenden; ~ **the sea** Seemannsberuf ergreifen; ~ **a sum of money** Geldbetrag verwenden;
to alter the ~ **of premises** Wohnung zweckentfremden; **to make bad** ~ **of one's money** sein Geld schlecht anlegen; **to make full** ~ **of** voll auswerten (ausnutzen, verwerten); **to put out of** ~ *(coins)* außer Kurs setzen;
~ **charge** Benutzungsgebühr; **home** ~ **entry** *(customs)* Einfuhr zum eigenen Gebrauch; ~ **and occupancy insurance** Betriebsunterbrechungsversicherung; ~ **life** Nutzungswert; ~ **value** Gebrauchswert.

used gebraucht, ausgenutzt, *(clothes)* getragen, *(customary)* gebräuchlich;
hardly ~ *(marine insurance)* fast neuwertig;
~ **on short runs** *(bus)* auf Kurzstrecken eingesetzt;
~ **car** Gebrauchtwagen; ~ **stamp** entwertete Marke.

useful | **life** Nutzungsdauer; ~ **load** Nutzlast; ~ **work** Nutzeffekt, -leistung.

user Benutzer, Verbraucher, *(buyer)* Abnehmer,

Konsument, Bedarfsträger, *(usufruct)* Nießbraucher, Nutznießer;
large ~ Großabnehmer, -verbraucher; **road** ~ Verkehrsteilnehmer; **ultimate** ~ End-, Letztverbraucher;
~ **fee** Benutzungsgebühr.
usher Platzanweiser[in];
~ *(v.)* **in a period of prosperity** zu einer konjunkturellen Blütezeit führen.
usual üblich, gebräuchlich, gewöhnlich, herkömmlich, *(habitual)* gewohnheitsmäßig;
~ **charge** übliche Gebühr; ~ **course of employer's trade** üblicher Geschäftsablauf; ~ **place of abode** Wohnsitz; **under the** ~ **reserve** unter dem üblichen Vorbehalt.
usufruct of investment Nutznießung am angelegten Kapital.
usufructuary right Nießbrauch, Nutznießungsrecht.
usurious | contract Wuchervertrag; ~ **discounting of bills** Wechselwucher; ~ **interest** Wucherzinsen; ~ **price** Wucherpreis; ~ **rate of interest** gesetzlich erlaubter Höchstzinssatz; ~ **transaction** Wuchergeschäft.
usury Wucher[ei], Zinswucher, *(usurious interest)* Wucherzinsen;
to practise ~ Wucher treiben.
utilities *(stock exchange, US)* Versorgungswerte.
utility Nutzen, Nützlichkeit, *(patent law)* Nützlichkeits-, Nutzungswert, *(corporation, US)* gemeinnützige Gesellschaft, Versorgungsbetrieb;
of public ~ gemeinnützig;
marginal ~ Grenznutzen; **municipally owned** ~ kommunaler Versorgungsbetrieb; **public** ~ Gemeinnützigkeit; **subjective** ~ persönlicher Nutzen; **total** ~ Gesamtnutzen;
~ **article** Gebrauchsgegenstand; ~ **car** Gebrauchtwagen; **public** ~ **company (corporation)** gemeinnütziger Betrieb, öffentlicher Versorgungsbetrieb; ~ **department** Versorgungsdezernat; ~ **equipment** Versorgungseinrichtungen; ~ **fund** Fonds für Versorgungswerte; ~ **goods** Gebrauchsgüter, *(Br.)* Güter mit sozialem Preis; ~ **man** *(US)* Gelegenheitsarbeiter, Faktotum, *(theater)* Gelegenheitsschauspieler; ~ **squad** fliegende Kolonne; **~-operated stores** betriebseigene Läden der Versorgungsbetriebe; ~ **rates** Gebühren von Versorgungsbetrieben; ~ **shares (stocks,** *US)* Versorgungswerte; **marginal** ~ **theory** Grenznutzentheorie; ~ **type** einfache Gebrauchsausführung; **public** ~ **undertaking** öffentlicher Versorgungsbetrieb; ~ **van (wag(g)on)** Mehrzweckfahrzeug.
utilizable verwendbar, verwertbar, gebrauchsfähig.
utilization Verwendung, Auswertung, Nutzbarmachung, Verwertung;
~ **of plant capacities** Kapazitätsausnutzung; **economic** ~ **of raw materials** wirtschaftliche Rohstoffverwertung; **full** ~ **of plant** volle Ausnutzung der Betriebskapazität; ~ **rate** Nutzbarmachungskoeffizient.
utilize *(v.)* **workers** Arbeitskräfte einsetzen.
utter *(v.) (criminal law)* Falschgeld in Umlauf setzen.
uttering false notes Falschgeldverbreitung.

V

vacancies *(newspaper)* Stellenangebote;
good ~ **for typists and clerks** freie Plätze für Stenotypisten und Kontoristen.
vacancy Vakanz, unbesetzte (erledigte, offene, freie, frei werdende, leere) Stelle, *(fire insurance, US)* zeitweiliges Unbewohntsein, *(leisure time)* Erholungs-, Freizeit, *(unbuilt area)* unbebautes (freies) Gelände, *(US)* Unbewohntsein, Leerstehen;
~ **in the board of directors** nicht besetzter Direktorenposten;
to advertise a ~ freie Stelle ausschreiben.
vacant frei, unbesetzt, leer, *(abandoned)* herrenlos, *(house)* leerstehend, unbewohnt, frei, unvermietet, *(lot)* unbebaut;
~ **estate** herrenloser Nachlaß; ~ **house** leerstehendes Haus; **to apply for a** ~ **position** sich um eine freie Stelle bewerben; ~ **possession** *(advertisement)* freie Verfügbarkeit, sofort beziehbar; ~ **room** Leerzimmer, *(hotel)* freies (verfügbares) Zimmer; ~ **situation** unbesetzte (offene) Stelle.
vacate *(v.) (annul)* annullieren, für ungültig erklären, *(empty)* [Zimmer]räumen, ausziehen, *(job)* Stelle aufgeben, *(resign)* kündigen, zurücktreten
~ **a charter** Satzung zurücknehmen; ~ **a policy** Versicherung annullieren; ~ **one's residence** seinen Wohnsitz aufgeben;
vacation *(court, Br.)* Urlaub, Ferien, *(recreation)* Erholung, Erholungsaufenthalt;
eligible for **~s** *(US)* urlaubsberechtigt; **on** ~ auf Urlaub *(US);*
paid ~ *(US)* bezahlter Urlaub;
~ **of a charter** Satzungsrücknahme; ~ **of a house** Räumung eines Hauses; ~ **without pay** *(US)* unbezahlter Urlaub; ~ **of a good position** Aufgabe einer guten Stellung;
to have no ~ **from business** geschäftlich ununterbrochen in Anspruch genommen sein; **to spend** **~s abroad** *(US)* Ferien im Ausland verbringen; **to split** ~ *(US)* Urlaubszeit aufteilen;
~ **allowance** *(US)* Urlaubsabgeltung; ~ **barris-**

ter *(Br.)* Ferienvertreter; ~ **bonus** *(US)* Ferienzulage; ~ **court** *(Br.)* Ferienkammer; ~ **budget** *(US)* Urlaubs-, Ferienetat; ~ **bureau** *(US)* Reisebüro; ~ **compensation** *(US)* Urlaubsentschädigung; ~ **condomium** *(US)* Ferieneigentumswohnung; ~ **eligibility** *(US)* Urlaubsberechtigung; ~ **expense** *(US)* Ferienaufwand; ~ **facilities** *(US)* Ferienmöglichkeiten, -einrichtungen; ~ **home** *(US)* Ferienheim, -haus; ~ **information** *(US)* Reiseprospekte; ~ **information service** *(US)* Reiseberatungsdienst; ~ **judge** *(Br.)* Richter während der Gerichtsferien, Ferienrichter; ~ **land** *(US)* Ferienland; ~ **paradise** *(US)* Ferienparadies; ~ **pay** *(US)* bezahlter Urlaub; ~ **period** *(US)* Urlaubs-, Ferienzeit; ~ **planner** *(US)* Ferienplaner; ~ **policy** *(US)* Urlaubspolitik; ~ **privilege** *(right)* *(US)* Urlaubsanspruch; ~ **procedure** *(US)* Urlaubsverfahren; ~ **provisions** *(US)* Urlaubsbestimmungen; ~ **replacement** *(US)* Urlaubsvertretung; ~ **request** *(US)* Urlaubsgesuch; ~ **schedule** *(US)* Urlaubs-, Ferienzeitplan; ~ **school** *(US)* Ferienkurs; ~ **season** *(US)* Urlaubs-, Ferienzeit; ~ **section** *(US)* Urlaubs-, Ferienabteilung; ~ **shutdown** *(US)* Schließung, Werksferien; ~ **site** *(Br.)* Feriensitz; ~ **spot** *(US)* Urlaubs-Ferienort; ~ **system** *(US)* Urlaubswesen; ~ **time** *(US)* Ferien-, Urlaubszeit; ~ **time allotment** *(US)* Ferienzulage; **government** ~ **travel bureau** *(US)* staatliches Reisebüro; ~ **village** *(US)* Feriendorf; ~ **and welfare features of a contract** *(US)* Urlaubs- und Fürsorgebestimmungen eines Vertrages; ~ **work** *(US)* Ferienarbeit.

vacationist *(US)* Feriengast, Sommerfrischler, Urlauber.

vagabond wage Hungerlohn.

valeting service, good *(hotel)* [gut] geschultes Personal.

valid [rechts]gültig, rechtskräftig, vollgültig, triftig, *(enforceable)* durchsetzbar, vollstreckbar, *(ticket)* gültig;
to become ~ Rechtskraft erlangen; ~ **claim** berechtigter Anspruch; ~ **contract** rechtsgültiger Vertrag; ~ **ticket** gültiger Fahrschein.

validate *(v.)* **a claim** Anspruch anerkennen.

validation Gültigkeitserklärung, Validierung;
~ **of a fund** *(investment company)* Errechnung des Fondswertes;
to call for ~ *(bonds)* für rechtsgültig erklären;
~ **period** Gültigkeitsdauer.

validity [Rechts]gültigkeit, Rechtswirksamkeit, Geltung, *(of a ticket)* Gültigkeitsdauer;
~ **of a claim** Rechtsgültigkeit einer Forderung.

valorization Aufwertung, Valorisierung, *(US)* Preisstabilisierung, -stützung.

valorize *(v.)* aufwerten, valorisieren;
~ **prices** Preise stützen (stabilisieren).

valuable Wertgegenstand, -sache;
~**s** Wertsachen, -gegenstände, Kostbarkeiten;
~ *(a.)* *(assessable)* abschätzbar, bewertbar, *(of great value)* wertvoll, kostbar;
~ **articles** Wertsachen; ~ **consideration** Vertragsinteresse, Gegenleistung; **for** ~ **consideration** entgeltlich, gegen Entgelt; ~ **improvements** Wertsteigerungen; ~ **property** Vermögensgegenstand; ~ **security** *(Larcency Act)* Wertpapier.

valuation *(estimation)* [Ab]schätzung, Einschätzung, Taxe, Taxierung, Wertung, Veranschlagung, *(fixed value)* [festgesetzter, geschätzter] Wert, Schätzwert, *(fixing of value)* Wertbestimmung, -ansetzung, -ansatz, Bewertung, *(insurance business)* Reservenberechnung, *(life insurance)* Gegenwartswert einer Lebensversicherung, *(mintage)* Valvation;
at a ~ **of** zu einem Taxpreis (Wert) von;
actuarial ~ Aufstellung einer versicherungstechnischen Bilanz; **added** ~ *(national product)* Wertschöpfung; **American** ~ *(customs)* amerikanischer Inlandswert; **assessed** *(US)* **(assessor's)** ~ steuerliche Bewertung, Steuerbewertung, -veranlagung, Veranlagungswert; **conservative** ~ vorsichtige Bewertung; **domestic** ~ Inlandswert; **excess** ~ Mehrbewertung; **fixed-asset** ~ Bewertung fester Anlagen; **foreign** ~ *(customs)* Auslandswert; **going-concern** ~ Bilanzbewertung; **gross** ~ Reservenberechnung des Bruttowertes; **index-number** ~ Bewertung anhand des Wirtschaftsindex; **individual** ~ Einzelbewertung; **inventory** ~ Inventar-, Bestands-, Lagerbewertung; **judicial** ~ gerichtliche Abschätzung (Taxe); **net** ~ Reservenberechnung des Nettowertes; **new** ~ Neubewertung; **retrospective** ~ Rückvalutierung; **unit** ~ Einzelbewertung;
~ **of assets** Anlagenbewertung; ~ **of buildings** Baukostenvoranschlag; ~ **for duty purposes** Zollwertermittlung; ~ **of an estate** Grundstücksschätzung; ~ **of goods** Warenbewertung; ~ **of inventory** Inventarbewertung; ~ **of property** Vermögensaufnahme; ~ **of real estate** Grundstücksbewertung;
to arrive at different ~**s** zu verschiedenen Wertansätzen gelangen; **to draw up a** ~ Taxe aufstellen; **to make a** ~ **of the goods** Waren abschätzen (taxieren); **to sell at a figure above** ~ über Taxpreis verkaufen;
~ **account** Bewertungs-, Wertberichtigungskonto; ~ **basis** Bewertungsgrundlage; ~ **charge** *(air freight bill)* Wertzuschlag; ~ **clause** Wertklausel; ~ **constant** *(insurance business)* Hilfszahl für die Prämienreserveberechnung; ~ **deficit** Bewertungsausfall; ~ **item** Wertberichtigungsposten; ~ **list** Steuerliste, Einheitswerttabelle; ~ **process** Bewertungsverfahren; ~ **reserve** Rückstellung für Wertberichtigungen; ~ **sheet** Kreditblatt; ~ **table** Valvationstabelle.

value Wert, *(appraisal)* Einschätzung, *(assessed*

value) Verkehrswert, *(bill of exchange)* [Wechsel]-summe, Betrag, *(buying power)* Kaufkraft, *(currency, Br.)* Währung, Valuta, Münzwert, *(equivalent)* Gegenwert, -leistung, *(market price)* Preis, Wert, *(quality goods)* preiswerte (reelle) Ware, Qualitätsware, *(validity)* Geltung, Wirksamkeit, *(valuation)* Wertschätzung, *(value of material)* Materialwert, *(weight)* Wert, Bedeutung, Gewicht, *(worth)* [Vermögens]wert;

at ~ *(stock exchange)* zum Tageskurs; **for** ~ **received** Wert (Betrag) erhalten; **fixed in** ~ wertbeständig; **of inferior** ~ minderwertig; **absorption** ~ berichtigter Wert; **accounting** ~ Buch[ungs]wert; **actual** ~ Effektivwert, realer (effektiver, tatsächlicher, wahrer) Wert; **actuarial** ~ rechnungsmäßiger Wert; **added** ~ Mehrwert; **adjusted declared** ~ berichtigter, erklärter Wert des Aktienkapitals [für Berechnung der Kapital- und Übergewinnsteuer]; **aggregate sales** ~ Gesamtverkaufswert; **amenity** ~ Annehmlichkeitswert [eines Grundstücks]; **annual** ~ *(Br.)* Jahreswert; **approximate** [An]näherungswert; **arbitrary** ~ *(customs)* willkürlich angenommener Wert; **assay-office** ~ Feingehaltswert; **assessable** ~ *(Br.)* Steuerwert; **assessed** ~ Steuer-, Tax-, Einheitswert; **asset** ~ Substanzwert; **attached-business** ~ Verkehrswert; **book** ~ Buchwert; **breakup** ~ Altmaterialwert; **capitalized** ~ kapitalisierter Wert, Ertragswert; **caprice** ~ Liebhaberwert, -preis; **cash** ~ Barablösungswert, *(insurance)* Rückkaufswert; **commercial** ~ Handelswert; **cost** ~ Anschaffungs-, Herstellungs-, Einkaufs-, Erwerbswert; **currency** ~ [gegenwärtiger] Marktwert; **declared current** ~ Emissionswert; **customs** ~ Zollwert; **damaged** ~ Wert im beschädigten Zustand; **domestic** ~ *(of currency)* innerer [Tausch]wert des Geldes; **dutiable** ~ zollpflichtiger Wert, Zollwert; **earning-capacity** ~ Ertragswert, kapitalisierter Wert; **enterprise** ~ Firmenwert; **established-use** ~ festgelegter Gebrauchswert; **extended** ~ gerichtlich festgesetzter Wert; **face** ~ Nominal-, Nennwert; **fair** ~ angemessener Wert, *(of capital stock)* Kapitalwert; **fictitious** ~ Scheinwert, fiktiver Wert; **forced-sale** ~ Zwangsversteigerungs-, Zwangsverkaufswert; **fractional** ~ Bruchteilswert; **full** ~ *(insurance business)* Versicherungs-, Ersatzwert, **going** ~ Betriebs-, Gebrauchswert; **going-concern** ~ Betriebswert; **improved** ~ steigender Nutzertrag; **income** ~ Ertragswert; **increment** ~ Wertzuwachs; **insurance** ~ Versicherungswert; **intrinsic** ~ innerer Wert, *(stock exchange)* Anlagewert; **inventory** ~ Lagerwert; **invoice** ~ Faktura-, Rechnungswert; **junk** ~ Schrottwert; **land** ~ Grundstückswert; **leading** ~**s** *(stock exchange)* führende Werte; **liquidation** ~ Liquidationswert; **loan** ~ Anleihewert; **market** ~ Markt-,Tages-, Verkehrswert, gemeiner (gegenwärtiger) Wert; **common market** ~ gemeiner Handelswert; **marketable** ~ Verkaufswert, Kaufpreis; **net** ~ Nettowert, reiner Wert; **net annual** ~ *(income tax statement, Br.)* Nutzungswert des eigengenutzten Einfamilienhauses; **nonforfeiture** ~ Rückkaufswert einer Versicherungspolice; **nominal** ~ Nominalwert; **plottage** ~ Grundstückswert; **present** ~ jetziger Wert, Tages-, Gebrauchswert, *(stock exchange)* Wert bei aufgehobener Zahlung; **present-use** ~ augenblicklicher Gebrauchswert; **pre-war** ~ Vorkriegs-, Friedenswert; **prospective** ~ entgangener Gewinn; **quoted** ~ Kurswert; **rat(e)able** ~ steuerbarer Wert; **realization** ~ Liquidationswert; **reappraisal** ~ Neuschätzungswert; ~ **received** Betrag erhalten; ~ **received in cash** Wert in bar erhalten; **registered** ~ deklarierter Wert; **rental** ~ Mietertragswert; **replacement (reproduction cost)** ~ Wiederbeschaffungs-, Ersatzwert; **repurchase** ~ Rückkaufswert; **salvage** ~ Realisierungswert [bei sofortigem Verkauf]; **scarcity** ~ Seltenheitswert; **scrap** ~ Abschreibungswert; **sentimental** ~ Liebhaberwert; **service** ~ Eignungs-, Gebrauchswert; **site** ~ [steuerlicher] Einheitswert [eines Grundstücks]; **standard** ~ Normal-, Durchschnitts-, Festwert; **starting** ~ Ausgangswert; **stock-exchange** ~ Börsenwert; **surplus** ~ *(income above subsistence)* freies Einkommen; **surrender** ~ *(insurance)* Rücklaufswert; **tangible** ~ materieller Wert; **tax** ~ Steuerwert;

net ~ **added** *(national income accounting)* Wertschöpfung; ~ **added to zoning** durch Bebauungsbestimmungen hervorgerufene Wertsteigerung; ~ **of business** Geschäfts-, Firmenwert; ~ **of capital stock** Anlagenwert; ~ **of cargo** Ladungswert; **[fair]** ~ **as going concern** [angemessener] Betriebswert; ~ **in damages** [Schaden]ersatz-, Versicherungswert; ~ **of mortgage** Hypothekenwert; ~ **as new** Neuwert; ~ **of plant in successful operation** Betriebswert; ~ **at point of entry** Deklarationswert; ~ **based on price increment** Teuerungswert; ~ **of the total assets of the company** Gesamtbetriebswert; ~ **in use** Nutzungs-, Gebrauchswert;

~ *(v.)* *(appraise)* [ab]schätzen, einschätzen, *(assets)* taxieren, *(banking)* valutieren, *(draw bill)* ziehen, trassieren, abgeben, *(esteem)* schätzen, achten, *(estimate)* [be]werten, Bewertung vornehmen, *(negotiate)* begeben, verkaufen;

~ **cheques on London** Schecks auf London ausschreiben; ~ **at cost** zum Einkaufswert einsetzen; ~ **the damage [done] at five pounds** Schaden auf fünf Pfund abschätzen; ~ **an estate** Einheitswert [eines Grundstücks] festsetzen; ~ **goods** Waren bewerten, abschätzen; ~ **an income** Einkommensteuer festsetzen;

to assess the ~ Wert ermitteln (festsetzen); **to be liable to deteriorate in** ~ einer Wertminderung ausgesetzt sein; **to drop in** ~ Wertverlust erleiden; **to get good ~ for one's money** sein Geld gut anlegen, gute Ware für sein Geld bekommen, preiswert kaufen; **to go down in ~ all the time** fortgesetzten Wertverlusten ausgesetzt sein; **to increase in ~** Wertsteigerung erfahren; **to inflate the ~** niedriger bewerten; **to offer good ~ for long-range investment purposes** für langfristige Anlagezwecke billig liegen; **to pay off ~ received** für Valuta zahlen; **to raise the face ~** [Aktien] zum Nennwert berechnen; **to recover the ~ of lost merchandise** verlorene Ware wertmäßig ersetzt bekommen; **to sell for ~** gegen Bezahlung (dem Wert entsprechend) verkaufen; **to sell under the ~** unter dem Preis ablassen; **to set a high ~ on** hoch bewerten; **to set a low ~ on a stock** *(US)* Aktie niedrig ansetzen; **to state the ~** valvieren; **to transfer for ~** zur Gutschrift überreichen;

~-added tax Mehrwertsteuer; **~-added taxation** Mehrwertbesteuerung; **~ appreciation** Wertsteigerung; **~ adjustment** Wertberichtigung; **global ~ adjustment** Sammelwertberichtigung; **~ bill** Wechsel gegen Abtretung der Warenforderung, Warenwechsel; **~ -given clause** Valutaklausel; **~ date** *(bookkeeping)* Wertstellungstermin, Verbuchungsdatum, *(check)* Eingangsdatum, *(exchange)* Abrechnungstag; **average ~ date** Durchschnittsvaluta; **original ~ date** Originalvaluta; **~ depreciation** Wertverschlechterung; **~ fluctuations** Wertschwankungen; **fixed percentage ~ increment** prozentual festgelegte Wertsteigerung; **~ judgment** Werturteil; **diminishing ~ method** gleichmäßige Abschreibung vom Buchwert; **no par ~ stock** Aktienkapital ohne Nennwert; **~ surcharge** *(air freight bill)* Wertzuschlag II; **~ variance** Preisveränderung.

valued geschätzt, veranschlagt, taxiert;

~ at the lower of cost or market *(balancing method)* zum Einstands- oder Marktwert bewertet;

~ policy Police taxierte Versicherungspolice.

valuer *(Br.)* Schätzer, Taxator.

valuing Abschätzung, Bewertung, *(banking)* Wertannahme für Schecks.

van Last-, Transportwagen, *(Br.)* [geschlossener] Güter-, G-Wagen, *(light waggon, Br.)* Roll-, Lieferwagen;

delivery ~ *(Br.)* Lieferwagen; **luggage ~** *(railway, Br.)* Gepäckwagen; **moving ~** *(US)* Möbelwagen;

~ driver Lastwagenfahrer; **~ load** Waggonladung.

variable *(market)* veränderlich, wechselnd, schwankend;

~ annuity *(pension scheme)* auf den Lebenshaltungsindex (Anlagenwertzuwachs) abgestellte Rente; **~ budget** den Produktionsschwankungen angepaßter Etat; **~ cost (expenses)** veränderliche (bewegliche) Kosten; **~ deductions** variable Lohnabzüge; **~ exchange** variabler Kurs; **~ premium** veränderliche Prämie; **~ yield securities** Papiere mit schwankendem Ertrag.

variance Abweichung, Veränderung, *(in cost)* Kostenabweichung, *(fluctuation)* Schwankung;

price ~ Preisveränderung;

~ account Ausgleichskonto.

variation Veränderung, *(dispersion)* Streuung;

allowed ~ zulässige Abweichung; **seasonal ~s** saisonbedingte Schwankungen;

~ of guaranty Garantieänderung; **~s in prices** Preisschwankungen; **~ in income** Einkommensveränderungen; **~ of two pence in the pound** *(stock exchange)* Schwankungen von zwei Pence auf das Pfund.

variety *(collection)* Angebot, Sortimentsbreite, *(show, Br.)* Varieté;

wide ~ of product lines weit gestreutes Warensortiment; **~ of patterns** Mustersortiment;

~ chain store Kaufhaus, -hof; **~ entertainment** *(Br.)* Varietéunterhaltung; **~ performance** *(Br.)* Varietévorstellung; **~ shop** *(US)* Gemischtwarenhandlung, Kramladen; **~ show** *(Br.)* Varietévorstellung; **~ store** *(Br.)* Gemischtwarenhandlung.

vary | *(v.)* **the risk** versicherte Gefahr in eine andere abändern; **~ with the season** *(prices)* saisonalen Schwankungen unterworfen sein; **~ the terms of a contract** Vertragsbestimmungen abändern.

vault *(safe)* Stahlkammer, Tresor;

bank ~ Banktresor;

~ deposit Verwahrstück; **~ deposit scrip** Depotschein.

vehicle Fahrzeug, Gefährt, Wagen, Beförderungsmittel, Vehikel, *(fig.)*. Vermittler, Medium, Mittel, Träger;

commercial ~ Nutzfahrzeug; **for-hire ~** Mietfahrzeug;

~ for advertising Werbemittel, -träger;

to assign ~s Transportmittel zuteilen; **to use a ~** Kraftfahrzeughalter sein;

~ business Fahrzeugindustrie; **~ insurance** Fahrzeugversicherung.

vehicular traffic Fahrzeugverkehr.

vend *(v.)* verkaufen, hausieren.

vendee Käufer, Abnehmer, Erwerber.

vendible verkäuflich, gangbar, feil, absetzbar.

vending machine Waren-, Verkaufsautomat.

vendor, vender Verkäufer, *(supplier, US)* Lieferer, Lieferant, *(vending machine)* Verkaufsautomat;

conditional ~ unter Eigentumsvorbehalt veräußernder Verkäufer;

~ company veräußernde (einbringende) Gesellschaft; **~'s lien** Zurückbehaltungsrecht des Verkäufers, Verkäuferpfandrecht; **~'s mortgage** *(Br.)* Restkaufgeldhypothek; **~ number**

Verkaufsnummer; ~'s **shares** beim Umwandlung in eine Kapitalgesellschaft als Kaufpreis übernommene Gesellschaftsanteile, eingebrachte Aktien, Gründeranteile.

vendue *(US)* Versteigerung, Auktion;
~ **master** Auktionator.

venture *(goods)* schwimmendes Gut (Ware), *(object of speculation)* Spekulationsobjekt, *(risk)* Risiko, Wagnis, *(risky undertaking)* gewagtes Unternehmen, Wagnis, *(speculation)* [Handels]spekulation;
joint ~ Beteiligungsgeschäft; **real-estate** ~ Grundstücksspekulation;
~ **of exchange** Valutarisiko;
~ *(v.)* *(risk)* unternehmen, wagen, riskieren, aufs Spiel setzen;
~ **money in a speculation** Geld spekulativ anlegen;
~ **analysis** Risikoanalyse; ~ **capital** Risikokapital.

verbal offer mündlich gemachtes Angebot.

verbatim confirmation Wort-für-Wort-Bestätigung.

verge *(v.)* **on bankruptcy** am Rande des Bankrotts stehen;

verification *(auditing)* Bestätigung der Richtigkeit, *(confirmation)* Bestätigung, Richtigbefund, *(examination)* Nachprüfung, Überprüfung;
delivery ~ Wareneingangsbestätigung;
~ **of the cash** Kassenrevision; ~ **of prices** Preisprüfung; ~ **of signature** Unterschriftsbeglaubigung
~ **statement** Saldenbestätigung.

verify *(v.)* *(auditing)* Richtigkeit bestätigen, *(confirm)* bestätigen;
~ **an account** Richtigkeit eines Kontoauszuges bestätigen; ~ **a calculation** nachrechnen; ~ **the cash** Kasse revidieren; ~ **by invoices** mit Rechnungen belegen; ~ **the items of a bill** Rechnungsposten kontrollieren; ~ **a signature** Unterschrift bestätigen.

vernacular Berufs-, Fachsprache.

versatility training Vielseitigkeitsausbildung.

versed in business [matters] geschäftserfahren.

versedness in trade Geschäftserfahrung.

vertical | **amalgamation** vertikaler Zusammenschluß; ~ **combination (combine,** *US)* Vertikalkonzern; ~ **cooperation advertising** Gemeinschaftswerbung von Händlern und Herstellern; ~ **price-fixing contract** vertikale Preisvereinbarung, Preisbindung der zweiten Hand; ~ **trust** Vertikaltrust, Verbundwirtschaft.

vessel Schiff, Seefahrzeug, *(aircraft)* Luftfahrzeug, -schiff;
cargo ~ Frachtschiff; **idle** ~ stilliegendes Schiff; **laid-up** ~ außer Dienst gestelltes Schiff; **merchant** ~ Handels-, Kauffahrteischiff; **pilot** ~ Lotsenfahrzeug; **seaworthy** ~ seetüchtiges Schiff;

vest | *(v.)* **s. o. with authority** Vollmachten auf j. übertragen; ~ **property in s. o.** jem. den Besitz eines Vermögens verschaffen; ~ **in the trustee in bankruptcy** auf den Konkursverwalter übergehen.

vested | **estate** angefallene Erbschaft; ~ **interests** wohlerworbene Rechte, althergebrachte Ansprüche; **to have a** ~ **interest in a concern** an einem Unternehmen kapitalmäßig beteiligt sein.

vestibule | **car** *(US)* Eisenbahnwagen mit Verbindungsgang; ~ **train** *(US)* Durchgangszug, D-Zug; ~ **training** *(US)* Werkstattausbildung.

vesting | **date** Anschaffungstag; ~ **instrument** *(Br.)* Übertragungsurkunde.

vetoing stock Sperrmajorität.

via | **X** *(postal service)* über X; ~ **airmail** per Luftpost.

viability finanzielle Leistungsfähigkeit.

viable scheme lebensfähiges Projekt.

vicarious | **agent** Erfüllungsgehilfe; ~ **liability** Haftung für fremdes Verschulden (für den Erfüllungsgehilfen).

vice *(defect)* Fehler, Mangel [einer Sache];
~ *(a.)* an Stelle (in Vertretung) von, stellvertretend;
~**-chairman** stellvertretender Vorsitzender;
~**-president** stellvertretender Vorsitzender, Vizepräsident.

vicinity of a factory Fabriknähe.

victual|**s** *(Br.)* Lebens-, Nahrungsmittel, Proviant;
~ *(v.)* mit Lebensmitteln versehen, als Lieferant verpflegen.

victual[l]er Lebensmittelhändler;
licensed ~ *(Br.)* Schankwirt.

victual[l]ing | **bill** Zollschein für Schiffsproviant; ~ **note** *(Br.)* Verpflegungsgutschein; ~ **ship** Proviant-, Verpflegungsschiff.

video *(US)* Fernsehen;
~ **bus** Fernsehaufnahmewagen; ~ **cartridge** Fernsehfilmkassette; ~ **channel** Fernseh-, Bildfrequenzkanal; ~ **telephone** Bild-, Fernsehtelefon.

videotape | **recorder** Fernsehbandaufnahme-, Fernsehtonbandgerät; ~ **recording** Fernsehbandaufnahme.

view *(inquiry)* Untersuchung, Prüfung, *(opinion)* Ansicht, Blickwinkel, Aspekt, *(survey)* Übersicht, kurzes Gutachten, *(visit to the scene)* Lokaltermin.
aerial ~ Luftbild; **private** ~ private Vorführung; **true and fair** ~ *(balance sheet)* wahres und richtiges Bild;
~ *(v.)* **a matter from the taxpayers' standpoint** Angelegenheit mit den Augen des Steuerzahlers sehen; ~ **the coming year** Vorschau auf das nächste Jahr abgeben;
to give an order to ~ Besichtigungsgenehmigung erteilen.

viewer Zu-, Beschauer, Inspektor, *(looker-on)* Zuschauer, *(spectator)* Fernsehzuschauer.

vigilance committee *(US)* Überwachungsausschuß.

violating law clause *(life insurance)* Haftungsausschluß bei Tod infolge Teilnahme an rechtswidrigen Unternehmungen.

visa, visé Sichtvermerk, Einreisegenehmigung, Visum;
collective ~ Sammelvisum; **custom** ~ Zollvermerk; **entry** ~ Einreisevisum; **transit** ~ Durchreisevisum;
~ *(v.)* Einreisegenehmigung erteilen, Paß mit Sichtvermerk versehen;
to mark a passport with ~ Paß mit Sichtvermerk versehen; **to refuse a** ~ Visum verweigern.

visible sichtbar, *(balance sheet)* durchsichtig;
~ **envelope** Fensterumschlag; ~ **exports** sichtbare Ausfuhr; ~ **reserves** offene Reserven; ~ **supply** tatsächlicher Bestand; ~ **trade** sichtbare Ausfuhr, sichtbarer Außenhandel.

visit Besuch, Besuchsreise, *(search)* Durch-, [Unter]suchung, *(ship)* Flaggenkontrolle;
domiciliary ~ Haussuchung;
~ **of a commercial traveller** Vertreterbesuch;
~ *(v.)* besuchen, Besuch abstatten, *(search)* besichtigen, inspizieren, durchsuchen.

visiting Besuchemachen;
~ **at a new hotel** Aufenthalt in einem neu eröffneten Hotel;
~ **book** Besucherliste; ~ **group** Besuchergruppe; ~ **list** Besuchsliste.

visitor Besucher, [Kur]gast, Tourist, *(hotel)* Hotelgast, *(inspector of corporation)* Prüfer, Revisor, Inspekteur;
anticipated ~**s** geschätzte Besucherzahlen; **district** ~ Wohlfahrtspfleger; ~ **of the stock exchange** Börsenbesucher;
to attract foreign ~**s** Fremdenverkehr heben;
~**s' book** Fremdenbuch; **to enter one's name in the** ~**s' book** Anmeldeformular ausfüllen.

visual *(advertising)* Verkaufshilfe;
~ **aids in teaching** Anschauungsmaterial für den Unterricht.

visualizer *(US, advertising)* grafischer Ideengestalter, Ideenmann.

vital | **interests** lebenswichtige Interessen; ~ **merchandising** Verkaufsförderung durch Warenauslage;

vitiation of contract Vertragsanfechtung.

vocation *(aptitude)* Eignung, *(call)* Berufung, Neigung, *(occupation)* Beruf, Beschäftigung, Geschäft, Gewerbe;
in pursuance of my ~ in Ausübung meines Berufes;
overcrowded ~**s** überfüllte (übersetzte) Berufe (Berufszweige);
to change one's ~ seinen Beruf wechseln; **to purchase one's** ~ seinem Beruf nachgehen.

vocational beruflich, berufsmäßig;
~ **adviser** Berufsberater; ~ **adjustment** Einarbeitung; ~ **analysis** Berufsanalyse; ~ **aptitude** Berufseignung, berufliche Eignung; ~ **aptitude test** berufliche Eignungsprüfung; ~ **choice** Berufswahl; ~ **clinic** Berufsberatungsinstitut; ~ **counsel[ing]** Berufsberatung; ~ **counsel(l)ing interview** Berufsberatungsgespräch; ~ **counsellor** *(US)* Berufsberater; ~ **course** Fachausbildungslehrgang; ~ **data** Berufsangaben; ~ **director** Berufsschulleiter; ~ **disease** Berufskrankheit; ~ **education** Fach-, Berufsausbildung; ~ **equipment** berufliche Eignung; ~ **expert** Sachverständiger; ~ **guidance** Berufslenkung, -beratung; ~**-guidance adviser** Berufsberater; ~**-guidance center** *(US)* **(centre,** *Br.)* Berufsberatungsstelle; ~ **institution** *(US)* Jugendstrafanstalt; ~ **investment** berufliche Investitionen; ~ **knowledge** Fachkenntnisse; ~ **league** Berufsgenossenschaft; ~ **psychology** Berufspsychologie; ~ **reeducation** [Berufs]umschulung; ~ **rehabilitation** berufliche Wiedereingliederung; ~ **school** *(US)* Jugendstrafanstalt; ~ **teacher** Berufsschullehrer; ~ **training** Berufs-, Fachausbildung; **advanced** ~ **training** berufliche Fortbildung; ~ **work** Facharbeit.

vogue Mode, *(popularity)* Popularität, Erfolg, Anklang, Beliebtheit;
in ~ beliebt, gesucht;
to acquire ~ Anklang finden.

voice *(opinion)* Stimme, Meinung, *(voting right)* Stimmrecht, Stimme;
bigger ~ größere Stimmrechte;
~ **in the management** Mitspracherecht;
to have a technical 50-50 ~ **in the management** ziffernmäßig zu 50% an der Geschäftsführung beteiligt sein; **to have no** ~ **in a matter** keine Entscheidungsbefugnisse in einer Sache haben.

void *(a.) (unhabited)* unbewohnt, *(invalid)* nichtig, [rechts]unwirksam, rechtsungültig, kraftlos, *(space)* leer, *(vacant)* unbesetzt, frei, *(voidable)* anfechtbar;
under pain of being declared ~ bei Gefahr der Nichtigkeit;
~ **of seizable property** unpfändbar;
to fall ~ *(office)* frei werden, unbesetzt sein; **to make a clause** ~ Bestimmung nichtig machen;
~ **contract** ungültiger (nichtiger) Vertrag; ~ **money order** verfallene Postanweisung.

voidable preference *(bankruptcy law)* anfechtbare Vermögensübertragung, Gläubigerbevorzugung.

volume *(book)* Band, Buch, *(bulk)* Maß, Umfang, *(content)* Rauminhalt, Volumen, Gehalt;
prewar ~ Vorkriegsvolumen;
~ **of advertising** Werbeanteil; ~ **of business** Geschäftsvolumen, -umfang; ~ **of currency** Zahlungsmittelvolumen; ~ **of investment** Umfang der vorgenommenen Investitionen; ~ **of letters** Fülle von Briefen; ~ **of production** Produktionsvolumen; ~ **of traffic** Streckenbelastung, Verkehrsleistung; ~ **of work** Arbeitsanfall;

to deal in big ~s große Geschäftsabschlüsse (Umsätze) tätigen;
~ **discount** Mengenrabatt; ~ **market** Massenabsatz; ~**-produce** *(v.)* in Massen produzieren, in Mengen erzeugen, serienmäßig herstellen; ~ **production** serienmäßige Herstellung, Mengenerzeugung, Massenproduktion; ~ **purchase** Großeinkauf.

voluntary freiwillig, aus eigenem Antrieb, *(amicable)* gütlich, außergerichtlich, *(supported by voluntary action)* durch Spenden unterstützen;
~ **agency** freiwillige Hilfsorganisation; ~ **agreement** außergerichtlicher Vergleich; ~ **arbitration** frei vereinbarte Schiedsgerichtsbarkeit; ~ **assignment** freiwillige Vermögensübertragung auf den Konkursverwalter; ~ **association** *(US)* treuhänderische Handelsgesellschaft; ~ **bankruptcy** *(US)* selbst beantragte Konkurserklärung; ~ **chain** Gemeinschaftseinkauf [unabhängiger Einzelhändler]; ~ **checkoff** *(trade unionism)* vereinbarte Einbehaltung von Gewerkschaftsbeiträgen; ~ **contribution** Spende; ~ **conveyance** unentgeltliche Übereignung; ~ **group** Einkaufsvereinigung; ~ **insurance** freiwillige Versicherung; ~ **offer** spontanes Angebot; ~ **organization** Wohltätigkeitsorganisation; ~ **sale** Freiverkauf; ~ **settlement** außergerichtlicher Vergleich; ~ **staff** ehrenamtliche Mitarbeiter; ~ **trust** rechtsgeschäftliche errichtete Stiftung; ~ **waste** absichtlich herbeigeführter Schaden.

volunteer *(acquirer without valuable consideration)* unentgeltlicher Erwerber, *(agent of necessity)* Geschäftsführer ohne Auftrag
~ *(v.)* *(unsalaried clerk)* als Volontär arbeiten.

vote Wahlergebnis, *(money granted)* bewilligte Summe, Geldbewilligung, Butget;
majority ~ Majoritätsbeschluß; **show-of-hands** ~ *(US)* Abstimmung durch Handaufheben; **straw** ~ inoffizielle Probeabstimmung; **supplementary** ~ *(parl.)* Nachbewilligung;
~s of credit subject to delay verzögerte Kreditbewilligungen; ~ **of $ 100 000 for a project** bewilligter Betrag von 100 000 Dollars für ein Vorhaben;
~ *(v.)* **the appropriation** Haushaltsvoranschlag bewilligen; ~ **funds** Gelder bewilligen; ~ **$ 150 million in extra money** zusätzliche Mittel in Höhe von 150 Mio Dollar bewilligen; ~ **one's preference on a mail-in coupons** sich für Zugabekoupons aussprechen; ~ **[on] the stock** Stimmrecht einer Aktie (Aktienstimmrecht) ausüben; ~ **the straight ticket** *(US)* vorgeschriebene Kandidatenliste wählen; ~ **a sum** abstimmungsweise einen Betrag bewilligen; ~ **a sum for travel(l)ing expenses** Reisespesen in einer bestimmten Höhe bewilligen;
to have a controlling ~ maßgeblichen Einfluß haben.

voting Abstimmen, Stimmabgabe, Wählen, Wahl[beteiligung];
~ **capital stock** stimmberechtigtes Aktienkapital; ~ **and taxpaying citizen** Vollbürger; ~ **list of stockholders** *(US)* Liste der stimmberechtigten Aktionäre; ~**-pool stock** beschränkt stimmberechtigter Kapitalanteil; ~ **power** Stimmberechtigung, -recht, Abstimmungsbefugnis; **to control 10% of the** ~ **power** 10% des Aktienkapitals kontrollieren; ~ **procedure by proxy** Stimmrechtsausübung durch Stellvertreter; ~ **securities** stimmberechtigte Wertpapiere; **to transfer one's** ~ **shares** *(Br.)* seine Stimmrechte übertragen; ~ **stock of a company** *(US)* stimmberechtigtes Aktienkapital; ~ **trust** *(US)* Stimmrechtsübertragung auf einen Treuhänder; ~**-trust certificate** *(US)* Stimmberechtigungsschein, -bindungszertifikat; ~**-trust certificate holder** *(US)* stimmgebundener Aktionär; ~**-trust record** Stimmrechtsnachweis; ~ **trustee** *(US)* Stimmenvertreter.

vouch *(v.)* *(confirm)* bestätigen, bezeugen, *(corroborate)* belegen, durch Urkunden erhärten;
~ **for s. one's ability to pay** sich für jds. Zahlungsfähigkeit verbürgen.

voucher *(accounting)* [Buchungs]beleg, Buchungsunterlage, Belegschein, -zettel, *(advertising)* Durchführungsbeleg, *(document)* Urkunde, Dokument, *(evidence to disburse cash)* [Aus]zahlungsbeleg, *(receipt)* Gutschein, Quittung, Rechnungsbeleg, Bon *(ticket)* Nachweis, Zulassungsmarke, Eintrittskarte;
approved ~ anerkannter Beleg; ~ **attached** Beleg anliegend; **bookkeeping** ~ Buchungsbeleg; **cash** ~ Kassenanweisung; **check** ~ *(US)* Belegabschnitt am Scheck; **disbursement** ~ Zahlungsanweisung; **expense** ~ Spesen-, Ausgabenbeleg; **external** ~ Fremdbeleg; **gift** ~ Geschenkgutschein; **hotel** ~ Hotelgutschein; **journal** ~ Kassenbeleg; **luggage** ~ *(Br.)* Gepäckschein; **meal** ~ Essensbon, Verpflegungsmarke; **original** ~ Originalbeleg; **pay** ~ Kassenanweisung, *(wage earner)* Lohnzettel; **~s payable** Auszahlungsbelege; **payroll** ~ Lohnauszahlungsbeleg, -zettel; **petty-cash** ~ Portokassenbeleg; **purchase** ~ Einkaufsbeleg;
to file a ~ Beleg abheften; **to prepare a** ~ **for a bill** Rechnungsbeleg anfertigen; **to submit ~s** Belege einreichen; **to support by ~s** dokumentarisch belegen;
~ **audit** Prüfung der Auszahlungsbelege, *(governmental accounting)* Belegprüfung, Prüfung der Buchungsunterlagen; ~ **book** Juxtabuch; ~ **bookkeeping** Belegbuch; ~ **check** *(US)* Verrechnungsscheck; ~ **copy** Anzeigenbeleg; **complete** ~ **copy** Belegdoppel, vollständiges Belegduplikat; ~ **clerk** Kreditorenbuchhalter; ~ **files** Belegablage; ~ **form** Belegformular; ~ **index** alphabetisches Empfängerverzeichnis; ~ **jacket** Ausgabeformular, -beleg; ~ **number** Belegnummer; ~ **register** Belegverzeichnis, Verzeichnis der Buchungsunterlagen; ~ **stamp** ab-

gestempelter Originalbeleg; ~ **system** Beleg-, Buchungssystem.

voyage Seereise, *(journey)* Reise;
inaugural ~ Jungfernfahrt; ~ **out** Hinreise; **return** ~ *(Br.)* Rückreise;
~ **insurance** Reiseversicherung; ~ **policy** Reiseversicherungspolice; ~ **premium** Reiseversicherungsprämie.

vulnerable | **to depreciation** auf Abschreibungsmöglichkeiten stark reagierend; ~ **to inflation** inflationsempfindlich; ~ **to recession** rezessionsempfindlich.

W

wad *(of money, US sl.)* Haufen Geld, Moos;
~ **of bank notes** Bündel von Banknoten.

waddle *(v.)* **out of the alley** *(Br. sl.)* sich von der Börse zurückziehen, Zahlungen einstellen.

wage [Arbeits]lohn, Werklohn, Arbeitsentgelt, *(allowance)* Diäten, *(award)* Lohn, Belohnung, *(production cost)* Lohnanteil, *(ship)* Heuer;
actual ~ Reallohn; **advance** ~**s** Lohnvorschüsse; **aggregate** ~ Lohnsumme; **annual** ~ garantierter Jahreslohn; **apprentice** ~ Lehrlingsvergütung; **average** ~ Durchschnittslohn; **back** ~**s** rückständiger Lohn, Lohnrückstände; **basic** ~ Grund-, Schichtlohn; **poverty** ~ Lohn unter dem Existenzminimum; **bootleg** ~**s** außertariflich gezahlte Löhne; **competitive** ~ Konkurrenzlohn; **construction** ~ Bauarbeiterlohn; **contractual** ~ vertraglich vereinbarter Lohn; **day (daily)** ~ Tageslohn; **a day's** ~ Tageslohn; **dismissal** ~ Entlassungsausgleich, -zahlung; ~ **actually earned** Effektivlohn; **efficiency** ~ *(US)* Leistungslohn; **family** ~ Familienstandslohn; **farm** ~ Landarbeiterlohn; **fortnightly** ~ *(Br.)* Halbmonatslohn; **going** ~ üblicher Lohn; **guaranteed** ~ garantierter Jahreslohn; **half-daily** ~ Halbtagslohn; **hourly** ~ Stundenlohn, -verdienst; **individual** ~ Einzellohn; **industrial** ~**s** Industriearbeiterlöhne; **job** ~ Stück-, Akkordlohn; **journeyman** ~ Gesellenlohn; **learner** ~ Praktikantenlohn; **living** ~ auskömmlicher Lohn, gebundenes Einkommen, Existenzminimum; **local** ~ ortsüblicher Lohn; **low** ~ geringer Lohn; **maximum** ~ Höchstlohn; **medium** ~ *(US)* mittlerer Lohn; **minimum [weekly]** ~ [Wochen]mindestlohn; **money** ~ Geldlohn; **monopolistic** ~ Monopollohn; **monthly** ~ Monatslohn; **net** ~ Nettolohn; **nominal** ~ Nettolohn; **occupational** ~ Facharbeiterlohn; **pegged** ~ künstlich gehaltener Lohn, Indexlohn; **piece** ~ Stück-, Akkordlohn; **prevailing** ~ gültiger (gängiger) Lohn; **progressive** ~ progressiver Lohn; **real** ~ Reallohn; **regular** ~ Normallohn; **result** ~ Akkordlohn; **sliding** ~ gleitender Lohn; **standard** ~ Tariflohn; **starvation** ~**s** Hungerlöhne; **stipulated** ~ festgesetzter (vereinbarter) Lohn; **superannuated** ~ untertariflicher Lohn; **supplemental** ~ Zusatzlohn; **supplementary** ~ Lohnzulage; **task** ~ Akkordlohn; **time** ~ Zeit-, Stundenlohn; **union** ~ gewerkschaftlich ausgehandelter Tariflohn; **wartime** ~ Kriegslohn; **weekly** ~ Wochenlohn;
~ **paid in cash** Barlohn; ~ **per hour** Stundenlohn; ~ **of management** *(superintendence)* Gehalt leitender Angestellter, *(owner-manager)* Unternehmergewinn; ~ **based on the output** Leistungslohn; ~ **on piecework basis** Stücklohn;
~ *(v.)* **war** Krieg führen; ~ **effective war on s. th.** einer Sache wirksam zu Leibe gehen;
to assign specified amounts of earned ~**s** bestimmte Lohnbeträge abtreten; **to attach** ~**s** *(Br.)* Lohn pfänden; **to curb** ~**s** Löhne drosseln; **to cut** ~**s** Löhne kürzen (senken); **to deduct from the** ~ vom Lohn abziehen; **to earn good** ~**s** gut verdienen, schönes Gehalt haben; **to equalize** ~**s** Löhne angleichen; **to freeze** ~**s** Lohnstopp durchführen; **to get good** ~**s** gut verdienen; **to increase** ~ Löhne erhöhen; **to pay** ~ Lohn auszahlen, entlohnen; **to pay out the** ~**s** Lohnzahlungen vornehmen; **to peg the** ~**s at** Löhne stoppen bei; **to put up** ~**s** Löhne erhöhen; **to realign the** ~ Löhne angleichen; **to receive one's week's** ~**(s)** seinen Wochenlohn erhalten; **to reduce** ~**s** Lohnkürzungen vornehmen; **to retain** ~**s** Lohn einbehalten;
~ **account** Lohnkonto; ~ **accounting** Lohnabrechnung; ~ **adequacy** Lohnausgleich; ~ **adjustment** Lohnangleichung, -anpassung; ~ **administration** Lohngestaltung; ~ **and salary administration** Lohnbüro; ~ **advance** Lohnvorschuß, -vorauszahlung; ~ **agreement** Lohnabkommen, Tarifvertrag; ~ **arbitration** Schiedsgerichtswesen in Lohnstreitigkeiten; ~ **assignment** Lohnabtretung; ~ **award** Lohnschiedsspruch; ~ **bargaining** Lohnverhandlungen; ~ **bargaining machinery (system)** Lohntarifwesen; ~ **bill** Lohnliste; ~ **board** *(US)* [Lohn]-schlichtungsstelle; **national** ~ **board** *(US)* staatliches Schlichtungsamt, Landesschlichter; ~ **book** Lohnbuch; ~ **boom** Lohnkonjunktur; ~ **boost** *(US)* Lohnanstieg; **to tie** ~ **boosts to productive gains** Lohnanstieg mit Produktivitätszuwachs koppeln; ~ **bracket** Tarifklasse, Lohngruppe; ~ **capital** Lohnkapital; ~ **ceilings** Höchstlöhne; ~ **changes** Lohnveränderungen; ~ **check** *(US)* Lohnscheck; ~ **claims** Lohnansprüche, -forderungen; ~ **class** Tarifklasse, -gruppe; ~ **classification** Tarifeinstufung, Lohngruppierung; ~ **clause** Tarifklausel; ~ **clerk** Lohnbuchhalter; ~ **comparison** Lohnvergleich; ~ **compensation rate** Lohntarif; ~ **con-**

cessions Lohnzugeständnisse; ~ **and salary control** Lohnstopp; ~ **controversy** Lohnstreitigkeiten; ~ **costs** Lohnaufwand; ≗ **Council** *(Br.)* Lohnausschuß; ~ **curve** Lohnkurve; ~ **cut[ting]** Lohnkürzung, -herabsetzung; ~ **data** Lohnangaben; ~ **deflation** Lohnabbau, Absinken der Löhne; ~ **demands** Forderung nach Lohnerhöhungen, Lohnforderungen, -ansprüche; ~ **determination** Lohnbestimmung, -festsetzung; ~ **development** Entwicklung der Löhne, Lohnentwicklung; ~ **differentials** Tarifunterschiede; **intercity** ~ **differential** Ortsklassenunterschied; ~ **disparity** Lohnverschiedenheit; ~ **disputes** Lohnkämpfe, -streitigkeiten, Tarifstreitigkeiten; ~ **distribution** Lohnverteilung; ~ **dividend** Lohnprämie; ~ **docket** Lohntüte; ~ **drift** *(US)* Lohnauftrieb; ~ **earner** Lohn-, Gehaltsempfänger, Arbeitnehmer; **weekly** ~ **earner** Wochenlohnempfänger; ~ **earner group (class)** Lohnempfängerklasse; ~ **earnings** Arbeitsverdienst, Gehalts-, Lohneinnahmen; ~**-earning employment** nicht selbständige Beschäftigung; ~**-earning man** Lohn-, Gehaltsempfänger; ~ **escalation** Lohngleitregelung, gleitende Lohnregelung; ~**-examining bureau** Lohnprüfungsstelle; ~ **expenses** Lohnaufwand; ~ **exploitation** Lohnausbeutung; ~ **explosion** Lohnexplosion; ~ **factor in cost** Lohnkostenfaktor; ~ **fixing** Lohn-, Gehaltsfestsetzung; ~ **formula** Lohn-, Tarifformel; ~ **freeze** Lohnstopp; **one-year** ~ **freeze** einjähriges Lohnstillhalteabkommen; ~ **and price freeze** Lohn- und Preisstopp; ~**-freezing policy** Lohnstoppolitik; ~**-freezing and price-lowering policy** auf Lohnstabilisierung und Preissenkung gerichtete Politik; ~ **fund** Lohnfonds; ~**-fund theory** Lohnfondstheorie; ~ **gain** Lohnzuwachs; ~ **garnishment** Lohnpfändung; ~ **group** Tarifgruppe; ~ **guidelines** Lohnleitsätze; ~ **guidepost** Lohneckpfeiler; ~ **hike** Lohnanstieg; ~**-hour law** *(US)* Stundenlohngesetz; ~ **incentive** Lohn-, Leistungsanreiz; ~**-incentive payment plan** Leistungs-, Akkordlohnsystem; ~ **income** Erwerbseinkommen; ~ **increase** Lohnerhöhung, -steigerung, -aufbesserung; **across-the-board** ~ **increase** umfassender Lohnanstieg, Lohnwelle; **to pass on** ~ **increase to the consumer** ~ Lohnerhöhungen auf den Verbraucher abwälzen; ~ **increment** Lohnerhöhung; ~ **index** Lohnindex; **national** ~ **index corrected to take out inflationary effects** inflationsbereinigter Lohnkostenindex; **highest** ~ **industry** lohnintensivster Industriezweig; ~ **inequality** Lohnungleichheit, unberechtigter Lohnunterschied; ~ **inflation** inflationäre Löhne, Lohninflation; ~**-intensive** lohnintensiv; ~ **labo(u)r** Lohnarbeit, *(pl., US)* Lohnempfänger; ~ **leadership** Beeinflussung des Lohnniveaus, tarifpolitische Führerstellung, Lohnführerschaft; ~ **level** Lohnniveau, -stand, -durchschnitt, -höhe; ~ **line** Lohnkurve; ~ **loss** Lohnausfall; ~ **market** Arbeitsmarkt; ~ **matters** Tariffragen; ~ **mediation** Lohnschlichtung; ~ **minimum** Lohnminimum; ~ **negotiations** Lohn-, Tarifverhandlungen; ~ **objective** Lohnziel; ~ **office** Lohnbüro; ~ **packet** Lohntüte; ~ **parity** Lohnparität; ~ **pattern** Tarifordnung; ~ **paying** Gehaltsauszahlung; ~ **payment** Lohn[aus]zahlung; **advance** ~ **payment** Lohnvorauszahlung; **contract** ~ **payment** vertraglich vereinbarte Lohnzahlung; ~**-payment plan** Lohnauszahlungssystem, -zahlungsmethode; ~ **plan** Lohnbestimmungsverfahren, Lohn-, Tarifsystem; **guaranteed** ~ **plan** garantiertes Lohntarifsystem; ~ **policy** Lohnpolitik; **leading** ~ **policy** Tarifpolitik; ~ **pressure** Lohndruck; ~**-price control** Lohnpreiskontrolle; ~**-price guidelines** Richtungsdaten für die Lohn- und Preisentwicklung, Lohnpreisrichtzahlen; ~**-price guideposts** Orientierungsdaten; ~**-price spiral** Lohn-Preis-Spirale; ~**-price structure** Lohn-Preis-Gefüge; ~ **problem** Lohnproblem; **index-number** ~ **provisions** auf den Lebenshaltungsindex abgestimmte Lohnregelungen; ~ **push** Lohndruck, Durchsetzung von Lohnforderungen; ~**qualification** [höherer] Lohnanspruch; ~ **raise** Lohnsteigerung; ~ **range** Lohnspanne; ~ **rate** Grundlohntarif; **hourly** ~ **rate** Stundenlohn; **learner's** ~ **rate** Anlernlohn; **standard** ~ **rate** Tarifsatz; **to peg the** ~ **rates** Lohnniveau einfrieren; ~**-rate brackets** Tariflohngruppen; ~**-rate change** Lohntarifänderungen; ~**-rate determination process** Lohnfestsetzungsverfahren; ~ **and salary receipts** Lohn- und Gehaltseinnahmen; ~ **recommendations** Lohnempfehlungen; ~ **reduction** Lohnsenkung; ~ **regulation** Lohnregelung; ~ **relationship** Lohnverhältnis; ~ **reopening** Vereinbarung über erneute Tarifverhandlungen, neue Lohnverhandlungen; **-reopening clause** Wiederaufnahmeklausel für Lohnverhandlungen; ~ **request** Lohnforderung; ~ **restraint** Lohneinbehaltung; **voluntary** ~ **restraints** Selbstbeschränkung bei Lohnforderungen; ~ **review** Überprüfung der Tarifeinstufung; ~ **rise** Lohnerhöhung, -anstieg, -aufbesserung; ~ **savings** Lohnkostenersparnisse ~ **scale** Lohnskala, Tarif; ~ **schedule** Lohntabelle; ~ **solidarity** Lohnsolidarität; ~ **setting** Lohnbestimmungsverfahren, Tarifsystem; ~ **settlement** Lohn-, Tarifabkommen; ~ **share** Lohnquote; ~ **sheet** Lohnliste; ~ **slave** Arbeitssklave; ~ **slip** Lohnabrechnungszettel; -streifen; ~ **spread** Lohnspanne; ~ **stabilization** Lohnausgleich; ~ **stabilization board** *(US)* Lohnausgleichsamt; ~ **and prices standstill** Lohn- und Preisstopp; ~ **statistics** Lohntabelle, -statistik; ~ **stop** Lohnstopp; ~ **structure** Lohngefüge; ~ **supplement** Lohn-, Gehaltszulage; **community** ~ **survey** Überblick über die allgemeinen Lohnverhältnisse; ~ **system** Tarifvertragswesen; ~ **talks** Lohnverhandlungen; ~ **tax**

Lohnsteuer; ~ **theory** Lohntheorie; ~ **tribunal** Lohninstanz.
wagework Lohnarbeit.
wageworker *(US)* Lohnempfänger.
wag(g)on Fuhrwerk, Lastwagen, *(railway, Br.)* Gepäck-, Güterwagen, Waggon;
~**s available** Wagenbestand; **box (covered)** ~ *(Br.)* Frachtwaggon, Güterwagen, *(US)* Lore, Blockwagen; **closed** G-Wagen; **express** ~ Eilgutwagen; **goods** ~ Güterwagen; **open** ~ Rungenwagen; **station** ~ *(Br.)* Kombiwagen;
~ *(v.)* im Waggon befördern, Güter transportieren;
~ **distributor (jobber)** *(US)* Großhändler ohne eigenes Lager; ~**-lit** Schlafwagen; ~ **manifest** Ladeverzeichnis; ~ **train** *(US)* Güterzug.
wag(g)onage Waggonbeförderung, *(charge, US)* Frachtgeld, Fuhrlohn, Transportkosten.
wag(g)onload Wagenladung, Fuhre, *(railway)* Waggonladung;
waif Obdachloser, *(on shore)* Strandgut.
wait Wartezeit;
~ *(v.)* **to be collected** auf seine Abholung warten, abgeholt werden; ~ **out the market** *(sl.)* durch Zurückhaltung die Marktpreise beeinflussen; ~ **on with patterns** Muster vorführen;
~ **order** *(advertising)* Terminauftrag;
~**-and-see policy** abwartende Politik.
waiter Ober, Kellner, *(stock exchange, Br.)* Börsendiener.
waiting Warten, *(attendance)* Aufwartung, Bedienen;
in ~ dienstbereit;
no-~ **area** Halteverbotszone; ~ **line** Warteschlange; ~ **list** Warteliste, Vormerk-, Anwärterliste; ~ **period** *(insurance law)* Karenzzeit, *(securities commission, US)* Wartezeit; **initial** ~ **period** Anfangswartezeit; ~ **restriction** Halteverbot; ~ **room** Warte-, Vorzimmer, *(railway)* Wartesaal.
waive *(v.)* Verzicht leisten, verzichten [Ansprüche] aufgeben;
~ **the age limit** über die Altersgrenze hinaus tätig bleiben; ~ **a claim** sich eines Rechtsanspruches begeben; ~ **debts** Schulden erlassen.
waiver Aufgabe, Verzicht, *(declaration)* Verzichtleistung, -erklärung, *(insurance law)* Verzicht auf Haftungsbeschränkung;
~ **of demand, notice and protest** Verzichtsleistung auf Wechselprotest; ~ **of premiums** Prämienbefreiung; ~ **of the statute of limitations** Verzicht auf die Einrede der Verjährung;
~ **clause** Verzichtsleistungsklausel.
waiving | **of age limits** Altersdispens; ~ **of presentment** Vorlageverzicht.
walk *(conduct)* Betragen, Benehmen, Lebenswandel, *(line of business)* Distrikt, Route, *(postman)* Zustellbezirk, *(profession)* Beruf[szweig], Fach, Laufbahn, Lebensweg, Stellung, *(scope of work)* Arbeitsgebiet, -kreis, -bereich, Betätigungsfeld, *(social status)* soziale Stellung, Gesellschaftskreis;
~**s** *(Br.)* Inkassi auf nicht dem Stadtclearing angeschlossenen Banken;
conducted ~ Fußtour zur Stadtbesichtigung;
highest ~**s of life** *(Br.)* höchste Gesellschaftskreise;
~ **into one's stock of money** gehörigen Griff in seine Brieftasche tun; ~ **out** *(US)* Arbeit niederlegen, streiken; ~ **on golden slippers** im Gelde schwimmen;
~ **bill** *(Br.)* Platzwechsel; ~ **charges** *(Br.)* Inkassospesen; ~ **cheque** *(Br.)* Platzscheck; ~ **collection** *(Br.)* Boteninkasso.
walking | **charges** Einziehungskosten, -spesen; ~ **delegate** Branchen-, Geschäftsbevollmächtigter, *(trade union)* Gewerkschaftsvertreter, -funktionär; ~ **ticket (papers,** *US sl.)* Entlassungspapiere.
walkout *(coll.)* Arbeitsniederlegung, [Arbeiter]-ausstand, Streik.
wall Wand, Mauer, *(bankruptcy)* Bankrott, Konkurs;
customs ~**s** Zollschranken; **tariff** ~ Zollmauer; **to drive to the** ~ *(US)* zum Konkurs treiben; **to get the** ~ bankrott machen;
~ **advertisement** Maueranschlag; ~ **banner** Spannplakat; ~ **calendar** Wandkalender; ≗ **Street** *(US)* Wallstreet, *(fig.)* amerikanischer Geld- und Kapitalmarkt, New Yorker Hochfinanz; ≗ **-Street loan** Lombardkredit.
wallet Geldschein-, Brieftasche, *(bag)* Reisetasche;
bill ~ Wechselportefeuille.
wangle | *(v.)* **accounts** bei der Kontenführung Betrügereien begehen, Konten frisieren; ~ **an extra week's holiday** zusätzliche Urlaubswoche herausschinden.
want *(deficiency)* Mangel, *(need)* Notwendigkeit, Erfordernis, Bedarf, Bedürfnis, Bedürftigkeit, Not, *(scarcity)* Knappheit;
for ~ **of acceptance** mangels Annahme; **for** ~ **of advice** mangels Bericht; **for** ~ **of payment** mangels Zahlung;
local ~**s** Platzbedarf;
~ **of capital** Kapitalmangel; ~ **of ordinary care** Mangel der erforderlichen Sorgfalt; ~ **of consideration** fehlende Gegenleistung; ~ **of delivery** Mangel des Erfüllungsgeschäftes; ~ **of economy** Unwirtschaftlichkeit; ~ **of goods** Warenmangel; ~ **of money** Geld-, Kapitalbedarf; ~ **of provisions** mangelnde (fehlende) Vorräte; ~ **of repair** *(highway)* notwendige [Straßen]reparaturen;
to be in ~ **of money** keine Mittel zur Verfügung haben; **to be in** ~ **of repair** reparaturbedürftig sein;
~ **ads** *(US)* kleine Anzeigen, Klein-, Suchanzeigen, Stellengesuche; ~ **list** Wunschliste, *(US)* Bestelliste; ~ **slip** [Kunden]bestellschein.

wanted *(advertisement)* Kaufgesuch, *(stock exchange)* Geld gesucht;
help ~ offene Stelle; ~ **immediately** für sofort gesucht; **situation** ~ Stelle gesucht.

wanton | **negligence** grobe Fahrlässigkeit; ~ **strike** wilder Streik.

war | **damage** Kriegsschaden; ~ **debt** Kriegsschuld [eines Staates]; ~ **debtor** Kriegsschuldner; ~ **factory** Rüstungsfabrik; ~ **indemnity** Kriegskostenentschädigung; ~ **insurance** Versicherung gegen Kriegsgefahr; ~ **loan** *(Br.)* Kriegsanleihe; ~ **order** Rüstungsauftrag; ~ **pension** Hinterbliebenenpension;
~ **production** Kriegs-, Rüstungsproduktion;
~ **profit** Kriegs-, Rüstungsgewinn; ~ **profiteer** Kriegsgewinnler; ~ **reserve** *(insurance)* Kriegsrücklage; ~**-risk clause** Kriegsklausel; ~**-risk insurance** Versicherung gegen Kriegsgefahr, Kriegsrisikoversicherung; ~**-savings certificates** *(Br.)* Kriegsanleihe; ~ **profits tax** *(US)* Rüstungsgewinnsteuer.

ward Mündel, Pflegling, Schützling, Minderjähriger, *(custody)* Obhut, Verwaltung, *(guardianship)* Vormundschaft;
casualty ~ Unfallstation.

warden Vormund, *(institution)* Kustos, Kurator, Vorsteher, Präsident, Direktor;
port ~ *(US)* Hafenaufseher; **traffic** ~ Parkkontrolleur.

ware Ware, [Handels]artikel;
trumpery ~**s** Ausschußware, -güter;
to puff one's ~**s** seine Ware anpreisen.

warehouse *(storehouse)* Lager[haus], Waren-, Auslieferungslager, Magazin, Speicher, [Waren]niederlage, *(wholesale business, Br.)* Kauf-, Warenhaus, Großhandlung, Engrosgeschäft;
ex ~ ab Lager;
bonded ~ Transitlager, Packhaus, Entrepot, Zollspeicher, -gutlager, -niederlage; **branch** ~ Nebenspeicher; **commercial** ~ Warenspeicher; **custodian** ~ *(US)* Lagerung sicherungsübereigneter Waren, Konsignationslager; **customs** ~ Zollniederlage; **licensed** ~ Lagerhaus für zollpflichtige Güter; **merchandise** ~ Warenspeicher; **public** ~ öffentlicher Speicher; **Queen's** ~ *(Br.)* öffentliches Zollager; **unbonded** ~ Zollfreilager; **up-town** ~ Stadtlager;
~ *(v.)* *(customs)* unter Zollverschluß bringen, *(deposit)* zur Aufbewahrung übergeben, *(goods)* [Güter] [ein]lagern, [Waren] deponieren, auf Lager nehmen;
~ **furniture** Möbel auf einen öffentlichen Speicher bringen;
to be stored in a ~ eingelagert sein; **to deposit in a** ~ in ein Lager (auf den Speicher) bringen, einlagern; **to keep in** ~ lagern lassen; **to lie in a** ~ im Lager liegen, lagern; **to place in** ~ aufspeichern;
~ **account** Lagerkonto; ~ **bond** Kaution eines Lagerinhabers, *(customs)* Lagerschein, Zollverschlußschein, -bescheinigung; ~ **book** Bestands-, Lagerbuch; ~ **business** Lagerungsgeschäft; ~ **certificate** *(US)* Lagerschein; ~ **charges** Lagergebühren, -kosten, -miete, -geld, -spesen; ~**-to-**~ **clause** Transportversicherungsklausel; ~ **clerk** Lagerist, Lagerhalter; ~ **company (concern)** Lagerhausgesellschaft; ~ **facilities** Lagereinrichtungen; **to share** ~ **facilities** Lagermöglichkeiten haben; ~ **floor** Lagerbühne, Güterboden; ~ **foreman** Lagervorarbeiter; ~ **goods** Lagerwaren, Waren auf Lager; **bonded** ~ **goods** Lagergut, Güter unter Zollverschluß; ~ **hand** Lagerarbeiter; ~**-to-**~ **insurance** vollständige Transportversicherung; ~ **keeper** Lageraufseher, -halter, Lager-, Magazinverwalter; ~ **keeper's certificate** *(Br.)* Quittung über eingelagerte Güter, [nicht begebbarer] Lagerschein; ~ **keeper's warrant** *(Br.)* [begebbarer] Lagerschein; ~ **labo(u)rer** Speicher-, Lagerarbeiter; ~ **line** Lagerungsgeschäft; ~ **loan** Warenbevorschussung; ~ **period** Zollagerfrist; ~ **porter** Markthelfer; ~ **rates** Speichergebühren; ~ **receipt** Lagerpfandschein, *(US)* Lagerschein, -empfangsbescheinigung; **field** ~ **receipt** *(US)* Lagerschein für sicherungsübereignete [beim Eigentümer verbliebene] Waren; **negotiable** ~ **receipt** Namenslagerschein; **to use a** ~ **receipt as security for a loan** Lagerpfandschein als Kreditsicherheit verwenden; ≗ **Receipt Act** *(US)* Gesetz über das Lagerhauswesen; ~ **rent** Lagermiete, -geld, Niederlagegebühren; ~**-rent account** Lagermietenkonto; ~ **room** Lager-, Speicher-, Verkaufsraum; **cooperative** ~ **society** Lagergenossenschaft; ~ **sorter** Lagersortierer; ~ **space** Speicher-, Lagerraum; ~ **surplus** Lagerhausüberschüsse; ~ **system** Lagerhauswesen; ~ **warrant** Lagerschein.

warehouseman *(clerk)* Lagerist, Lagerverwalter, -aufseher, -halter, *(moving man)* Möbelspediteur, *(trader)* gewerblicher Lagerhalter, *(wholesale trader, Br.)* Großkaufmann, *(worker)* Lager-, Speicherarbeiter.

warehousing [Ein]lagerung, Lagern, Lagerhaltung, -hausgewerbe, *(under bond)* Lagerung unter Zollverschluß;
field ~ *(US)* Lagerung sicherungsübereigneter Waren, Sicherungsübereignung;
~ **business** Lagerungsgeschäft; ~ **charges (expenses)** Lagergeld, Speichergebühren; ~ **company** Lagerhausgesellschaft; ~ **costs** Lagerkosten; ~ **entry** Deklaration zur Einlagerung unter Zollverschluß; ~ **system** *(US)* Zollverschlußsystem.

wareroom Lager-, Verkaufs-, Warenraum.

warm | *(v.)* **to one's work** an seiner Arbeit Interesse bekommen;
to keep a business prospect ~ sich eine geschäftliche Aussicht warmhalten;
~ **existence** gesicherte Existenz.

warmup *(advertising)* Eisbrecher, Werbevorspann einer Sendung.
warn *(v.)* **a tenant out of the house** Räumungsurteil gegen einen Mieter erwirken.
warning [Vor]warnung, *(administration)* Verwarnung, *(giving notice)* Kündigung, *(previous notice)* Vorausbenachrichtigung;
at a minute's ~ auf jederzeitige Kündigung; **to give the tenant ~** *(landlord)* Mieter kündigen; **to give one's master ~** seinem Arbeitgeber kündigen; **to issue a ~ to pay taxes** rückständige Steuern anmahnen;
~ and fee gebührenpflichtige Verwarnung.
warrant *(of attorney)* Prozeßvollmacht, *(authority)* Befugnis, Berechtigung, Ermächtigung, Mandat, Vollmacht, *(bond note)* Zollbegleitschein, *(governmental accounting)* Schatzanweisung, *(guarantor)* Bürge, Gewährsmann, Bürgschaft[svertrag], Gewähr, *(municipal accounting)* kommunale Auszahlungsanweisung, *(order to pay)* Zahlungsanweisung, *(promissory note, US)* Schuldschein, *(qualifying certificate)* [Berechtigungs]ausweis, -schein, Beleg, *(to stock owner)* Options-, Bezugsberechtigungsschein, Bezugsrecht, *(warehouse receipt, Br.)* Lager-, Warenschein;
bond ~ *(Br.)* Zollbegleitschein; **county ~** kommunales Schuldscheindarlehn; **deposit ~** Lagerpfand-, Depotschein; **distress ~** Pfändungsbeschluß; **dividend ~** *(Br.)* Aktienabschnitt, Dividenden-, Gewinnanteilschein; **dock ~** *(Br.)* Waren-, Lagerschein; **interest ~** Zinsschein; **municipal ~** Kommunalschuldschein; **produce ~** Lagerschein über eingelagerte Waren; **share ~** Aktienzertifikat; **stock-allotment** *(US)* **(subscription,** *Br.)* ~ Berechtigungsschein zum Erwerb neuer Aktien, [Aktien]bezugsschein; **stock-purchase ~** *(US)* Bezugsberechtigungsschein; **tax-anticipation ~** Steuergutschein; **warehouse ~** Lager-, Depotschein; **withdrawal ~** Auszahlungsvollmacht;
~ of attachment Beschlagnahmeverfügung; **~ of distress** Pfändungsbeschluß; **~ of merchantability** Gewährleistung, Garantieverpflichtung; **~ for payment** Zahlungsanweisung;
~ *(v.)* *(acknowledge)* anerkennen, *(assure)* bestätigen, bescheinigen, bezeugen, *(authorize)* befugen, bevollmächtigen, berechtigen, autorisieren, *(guarantee)* gewährleisten, garantieren, zusichern, *(justify)* begründen, rechtfertigen, *(secure)* sicherstellen, bewahren, *(stand bail)* Bürgschaft leisten, [ver]bürgen, gutsagen;
to issue a warehouse ~ for goods für eingelagerte Waren einen Lagerschein ausstellen; **~ check** Schatzanweisung; **~ creditor** *(municipal accounting)* Schuldscheininhaber.
warranted garantiert, verbürgt, echt;
~ free from adulteration Reinheit garantiert.
warrantee Garantieempfänger, Sicherheitsnehmer.
warrantor Sicherheitsgeber, Bürge.
warranty *(authority)* Berechtigung, Ermächtigung, *(for bill)* Wechselbürgschaft, *(guaranty)* Gewähr[leistung], Garantie, Zusicherung, *(justification)* Rechtfertigung, *(insurance)* zugesicherte Angaben, *(marine insurance)* Garantie der Seetüchtigkeit, *(power)* Vollmacht, *(real property law)* Gewährleistung für den Bestand des Eigentums, Zusicherungsabrede, *(surety)* Bürgschaft, *(voucher)* Bürgschaftsschein;
express ~ *(US)* Sachmängelhaftung; **implied ~** *(US)* stillschweigende Gewährleistung, *(insurance)* stillschweigend miteingeschlossene Versicherungsbedingungen;
~ in the contract Sachmängelgewähr; **~ of fitness** *(US)* Eignungsgarantie; **~ of goods** *(US)* Sachmängelhaftung; **~ of quality** Mängelgewähr;
~ claim Garantieanspruch; **~ cost** Garantieunkosten; **~ responsibility** Gewährleistungspflicht; **~ work** Garantiearbeiten, *(auto dealer)* Garantiereparaturen.
wartime | boom Rüstungshausse; **~ economy** Kriegswirtschaft; **~ industry** Industrie der Kriegszeit, Kriegsindustrie; **~ rationing** Kriegsbedingte Rationierungen; **~ taxation** Kriegsbesteuerung.
wash *(stock exchange, US)* Börsenscheinverkauf, Simultankauf und -verkauf;
~ *(v.)* **20% out of costs in freight** Frachtkosten um 20% kürzen; **~ sales of stock** *(US)* Börsenmanöver durchführen, Scheinverkauf vornehmen;
~ sale *(US)* Scheinverkauf, *(stock exchange)* Börsenscheinverkauf.
washing *(stock market, US)* Börsenscheinverkauf.
washout *(sl.)* Reinfall, Fiasko, Pleite.
wastage Verschwendung, Vergeudung, *(refuse)* Ausschuß, *(wear and tear)* Verschleiß, Abnutzung.
waste übermäßiger Verbrauch, *(cargo)* Abgang, Verlust, Spillage, Schwund, *(extravagance)* übermäßiger Verbrauch, ungenützte Aufwendungen, Verschwendung, Wertverschleuderung, -verlust, *(leasehold)* Verfallenlassen, Wertverlust durch Vernachlässigung, *(real estate)* Wertminderung, *(refuse)* Ausschuß, Abfall, *(wear and tear)* Abnutzung, Verschleiß, *(wilderness)* Wüste, Ödland, öde Fläche;
equitable ~ normaler Verschleiß; **permissive ~** Vernachlässigung notwendiger Gebäudereparaturen;
~ of money Geldverschwendung;
~ *(v.)* *(loss in value)* Wertminderung (Vermögensschaden) erleiden, *(squander)* [übermäßig] verbrauchen, verschwenden;
~ one's labo(u)r umsonst arbeiten; **one's ~ property** sein Vermögen verprassen;
~ book Strazze, Kladde, Memorial; **~ circulation** *(advertising)* Fehlstreuung; **~ disposal** Ab-

fallbeseitigung; ~ **paper** Makulatur; ~ **-paper drive** Altpapiersammlung; ~ **stowage (tonnage)** leerer Schiffsraum; **municipal ~ treatment** kommunale Abfallverwertung; ~**-treatment plant** Abfallverwertungsunternehmen.

wasted money hinausgeworfenes Geld.

wasteful | administration aufwendige Verwaltung; ~ **process** kostspieliges Verfahren.

wasting | assets (property) kurzfristig abgenutztes Wirtschaftsgut; ~ **trust** Vermögensverwaltung mit genehmigtem Substanzanbruch.

watchdog committee Überwachungsausschuß.

water | *(v.)* the stock Aktienkapital verwässern;
to spend money like ~ Geld mit vollen Händen ausgeben;
~ **bonds** Obligationen kommunaler Wasserwerke; ~ **-borne** auf dem Wasserwege befördert; ~ **carriage** Wassertransport, Verschiffung; ~ **charges** *(US)* Wassergeld; ~ **-damage insurance** Wasserschadenversicherung; ~ **line** Ladelinie; ~ **rate** *(Br.)* Wassergeld; ~ **route** Wasserweg.

watered capital *(stock, US)* verwässertes Aktienkapital.

wave | of demand Nachfragewelle; ~ **of prosperity** Prosperitätszeit, Hochkonjunktur; ~ **of selling** steigende Kauflust;
~**-damage insurance** Hochwasserversicherung.

waver *(v.) (stock exchange)* schwanken.

way [Verkehrs]weg, Straße, *(course)* Gang, Verlauf, *(method)* Verfahren, Methode, *(profession)* Geschäfts-, Berufszweig, Tätigkeitsbereich, *(route)* Strecke, *(ship)* Fahrt[geschwindigkeit];
by ~ of negotation(s) im Verhandlungswege; **in the ~ of business** auf dem üblichen Geschäftsweg;
permanent ~ *(Br.)* Bahngleis-, Bahnkörper;
~ **of business** Geschäfts-, Berufszweig; ~ **to diversify** Auffächerungsmöglichkeiten; ~ **of living** Lebensart; ~**s and means** Geldbeschaffung, Deckungsmittel;
to be on the ~ *(stock exchange)* erhältlich sein; **to be on their** ~ auf Achse (unterwegs) sein; **to be in a bad** ~ *(business)* schlecht gehen; **to be in a bad ~ of business** schlechte Geschäfte machen; **to be in a good ~ of business** gut verdienen; **to be in a small ~ of business** kleines Geschäft haben; **to be in the shipping** ~ im Schiffshandel sein; **to give** ~ *(price)* sinken, nachgeben; **to live in a great** ~ auf großem Fuße leben; **to live in a small** ~ sehr bescheiden leben, sehr bescheidenes Leben führen, keinen Aufwand treiben; **to make** ~ *(ship)* Fahrt machen; **to make a penny go a long** ~ sich sein Geld sehr genau einteilen, jeden Groschen dreimal umdrehen; **to work one's ~ up** sich hocharbeiten;
~**s and means advance** *(Br.)* offene Buchkredite der Bank von England an die Regierung; ~ **freight** *(US)* für einen Lokalbahnhof bestimmtes Frachtgut; ~ **rate** *(US)* Ortstarif; ~ **station** Zwischenstation, Klein-, Lokalbahnhof, Durchgangsbahnhof; ~ **traffic** *(US)* Nah-, Ortsverkehr; ~ **train** *(US)* Vorort-, Bummelzug, Nahverkehrszug.

waybill Frachtbrief, -zettel, Beförderungsschein, *(advice of dispatch)* Versandanzeige, *(freight car, US)* Beförderungs-, Begleitschein bei Waggons, Frachtbrief, Abfertigungs-, Warenbegleitschein, *(list of passengers)* Passagierliste;
air ~ Luftfrachtbrief; **duplicate** ~ Frachtbriefduplikat;
~ *(v.)* mit Warenbegleitschein verschicken;
~ **number** Frachtbriefnummer.

wayleave *(Br.)* Durchgangs-, Wegerecht.

weak *(stock exchange)* schwach, flau;
financially ~ finanzschwach;
to hold ~ *(market)* flau liegen; **to turn** ~ *(market)* schwach werden.

weaker *(stock exchange)* abgeschwächt;
~ **tendency in prices** Kursabschwächung.

weakness *(market)* schwache Marktlage, Schwäche;
~ **in the market** Abgleiten der Kurse; ~ **in sterling** Pfundschwäche;
to be inclined to ~ *(market)* zur Schwäche neigen; **to develop** ~ schwach werden.

wealth Vermögen, Besitz, *(riches)* Reichtum, Wohlhabenheit;
active ~ flüssiges Kapital; **national** ~ Volksvermögen;
to be rolling in ~ im Gelde schwimmen;
~ **flow** Vermögensertrag; ~ **fund** Kapitalvermögen; ~ **tax** Vermögenssteuer.

wear Bekleidung, *(wearing quality)* Dauerhaftigkeit;
[natural) ~ and tear Verschleiß, Abnutzung durch Gebrauch, *(balance sheet)* Abschreibung für Wertminderung;
~ *(v.)* **off** Neuheitswert verlieren.

web | of business wirtschaftliche Verflechtung; ~ **of railroads (railway lines,** *Br.)* Schienennetz.

weed *(v.) (organization)* durchforsten;
~ **a garden** *(fig.)* Betrieb durchforsten; ~ **a stock of goods** Warenlager räumen.

weekend | entertainment Wochenendprogramm; ~ **paper** Wochenendzeitung; ~ **sale** Wochenendverkauf; ~ **ticket** Sonntagsfahrkarte.

weekly | allowance wöchentliches Taschengeld; ~ **bill** Wochenrechnung; ~ **fixture** *(banking)* Geld auf eine Woche; ~ **instal(l)ment** wöchentliche Rate; ~ **pay** Wochenlohn; ~ **return** *(Br.)* **(statement)** Wochenausweis; ~ **wages** Wochenlohn; ~ **wages return** *(Br.)* wöchentliche Lohnliste.

weigh *(v.)* Gewicht feststellen;
~ **in the gross** Bruttogewicht feststellen, brutto wiegen.

weight Gewicht, *(importance)* Bedeutung, Wichtigkeit, *(market research)* Bewerten;
additional ~ Gewichtszuschlag; **allowed free** ~ Frei-, Reingewicht; **carload minimum** ~ *(railroad) (US)* Mindestgewicht einer Stückgutladung; **commercial** ~ Handelsgewicht; **dead** ~ Leer-, Eigengewicht; **empty** ~ Leergewicht; **excess** ~ Mehr-, Übergewicht; **full** ~ reelles Gewicht; **gross** ~ Brutto-, Grobgewicht; **shipping** ~ Frachtgewicht, Gewicht einer Ladung; **short** ~ Minder-, Untergewicht, knappes Gewicht;
~ **of packing** Verpackungsgewicht;
~ *(v.)* wiegen, *(market research)* bewerten;
to be deficient in ~ kein volles Gewicht haben; **to sell by** ~ nach [dem] Gewicht verkaufen;;
~ **cargo** Schwergut; ~ **limit** *(postal service)* Gewichtsgrenze, Höchstgewicht; ~ **note** Wiegeschein.

weighted | **average** Bewertungsdurchschnitt; ~ **index** gewogener Index, Bewertungsindex.

welch, welsh *(v.) (sl.)* sich seinen Zahlungsverpflichtungen entziehen.

welcome | **address** Begrüßungsansprache; ~ **mat** roter Teppich.

welfare Wohlergehen, Wohlfahrt, *(~ work)* soziale Einrichtungen, Fürsorgearbeit, -tätigkeit, Sozialhilfe;
to be on the ~ Fürsorgeunterstützung (Sozialhilfe) beziehen; **to be eligible for** ~ sozialhilfe-, fürsorgeberechtigt sein;
~ **agency** Fürsorge-, Wohlfahrtsamt; ~ **association** soziales Hilfswerk; ~ **beneficiary** Wohlfahrts-, Unterstützungsempfänger; ~ **benefits** Sozial-, Fürsorgeleistungen; ~ **cheque** *(Br.)* Wohlfahrtsunterstützung; ~ **client** Fürsorgeempfänger; ~ **costs** Fürsorgelasten, Sozialaufwand; ~ **expenditures** Fürsorgeausgaben, -lasten, Sozialaufwand; ~ **facilities** Sozialeinrichtungen; **public** ~ **funds** Wohlfahrts-, Unterstützungsfonds; ~ **grant** Sozialzuschuß; ~ **officer** Sozialfürsorger; ~ **organization** Fürsorge-, Wohlfahrtsverband; ~ **payment** Wohlfahrtsunterstützung, Sozialzuwendung; ~ **recipient** Fürsorge-, Wohlfahrtsempfänger; **to expand the** ~ **rolls** Kreis der Fürsorgeberechtigten ausweiten; ~ **spending** Sozialaufwand; ~ **work** fürsorgerische Tätigkeit, soziale Fürsorge[tätigkeit], Sozialarbeit, Wohlfahrtspflege, *(factory)* betriebliche Sozialfürsorge; ~ **worker** Fürsorgebeamter, *(factory)* Sozialfürsorger.

welfarism Wohlfahrtspraktiken, Fürsorgesystem.

well | **-acquired** wohlerworben; ~**-financed** mit reichlichen Mitteln ausgestattet; ~ **-found** gut versorgt; ~**-landed** begütert; ~**-off** bemittelt, gutsituiert, in guten Verhältnissen, wohlhabend; ~**-positioned** in einer guten Stellung; ~**-priced** preisgünstig; ~**-situated business** Geschäft in guter Lage; ~**-stocked** reichhaltig; ~**-up in the trade** branchenkundig; ~**-versed firm** bekannte Firma.

wet-time pay Schlechtwetterzulage.

wharf Lande-, Lösch-, Ladeplatz, *(quay)* Kai, Dock, Pier, Anlagestelle, *(warehouse)* Lagerhaus [für nicht zollpflichtige Güter];
ex ~ ab Kai;
~ **dues** Dockgebühren, Kaigeld; ~ **labo(u)rer** Hafen-, Dockarbeiter; ~ **owner** Werftbesitzer.

wharfage Löschgelegenheit, *(charge)* Umschlaggebühr, Kai-, Löschgeld, Dockgebühren;
~ **charges** Löschungskosten.

wharfinger Kaiaufseher, -meister, *(owner-manager)* Werft-, Lagerhofbesitzer;
~**'s certificate** *(Br.)* Kaiablieferungsbescheinigung; ~**'s receipt** Lager-, Kaiannahmeschein; ~**'s warrant** *(Br.)* Kailagerschein.

whereabouts Aufenthaltsort.

wherewithal, the das nötige Kleingeld.

whip *(money contribution)* eingesammelter Beitrag;
~ *(v.)* **round for subscriptions** Spenden zusammentrommeln.

whipround *(Br.)* Spendenrundschreiben, *(fund raising)* Kollekte, Sammlung.

whipsawed, to be *(stock exchange, US)* doppelten Verlust erleiden.

whispering campaign Flüsterpropaganda;
to start a ~ **against s. one's products** Konkurrenzerzeugnisse madig machen.

whistle stop *(little town)* Kleinstadt, *(US)* Bedarfshaltestelle.

white *(a.) (licensed)* erlaubt, zulässig, *(print.)* blank, leer, unbedruckt, unbeschrieben.

white-collar | **crime** *(US)* Wirtschaftverbrechen; ~ **job** *(US)* Bürotätigkeit; ~ **man (worker)** *(US)* [Büro]angestellter; ~ **proletariat** Stehkragenproletariat; ~ **work** *(US)* Kopf-, Büro-, Geistesarbeit.

white | **elephant** unrentables Geschäft, lästiger Besitz; **to work at** ~**-hot speed** mit fieberhaftem Tempo arbeiten; ~ **paper** unbeschriebenes Blatt, *(bill of exchange, Br.)* erstklassiger Wechsel; ~ **sale** Weiße Woche, Ausverkauf; ~ **-sale ads** Ausverkaufsanzeigen; ~ **war** *(US)* Wirtschaftskrieg.

whitewash Ehrenrettung, Rehabilitierung, *(Br.)* Schuldnerentlastung;
~ *(v.)* rehabilitieren, *(bankrupt)* rehabilitieren, von weiteren Schuldenzahlungen entlasten, wieder zahlungsfähig machen.

whole Gesamtheit, Ganzes;
economic ~ wirtschaftliche Einheit;
to be sold as a ~ **or in sections** als Ganzes oder in Parzellen zu verkaufen; **to be steady on the** ~ *(prices)* im großen und ganzen unverändert sein; **to pay the** ~ **of one's rent** seine Miete auf einmal bezahlen;
~ *(a.)* gesamt, ganz voll;
~ **life assurance** Lebensversicherung auf den

Todesfall, Erlebensfallversicherung; ~ **-time job** ganztägige Beschäftigung; ~ **timer** ganztägig beschäftigter Arbeitnehmer.

wholesale Großhandel, -verkauf, Engroshandel, Massenabsatz;
at ~ *(US)* en gros, im Großhandel, zum Großhandelspreis, *(fig.)* pauschal, ohne Unterschied;
~ **and retail** Groß- und Einzelhandel;
~ *(v.)* en gros (im Großhandel) verkaufen;
to be ~ **only** nur Großhandelsartikel führen; **to be manufactured** ~ serienmäßig (fabrikmäßig) hergestellt sein; **to buy goods** ~ zu Großhandelspreisen einkaufen; **to sell** ~ im Großhandel verkaufen; **to send out invitations** ~ Einladungen massenweise verschicken; ~ *(a.)* im großen, engros, partienweise, *(extensive)* massenhaft, -weise, in Massen, bergeweise, *(fig.)* pauschal, in Bausch und Bogen;
~ **association** Großhandelsverband; ~ **bookseller** Großsortiment; ~ **borrowing** Schuldenmachen im großen Maßstab; ~ **branch** Großhandelsfiliale; ~ **business** Großhandels-, Engrosgeschäft, Großhandel, -handlung; **to carry on (to do) a** ~ **business** Großhandelsgeschäft (Engrosgeschäft) betreiben; ~ **center** *(US)* **(centre,** *Br.)* Großhandelszentrum; ~ **cost** Großhandels-, Grossisten-, Engrospreis; ~ **dealer** Großkaufmann, -händler, Grossist, Engroshändler; ~ **dealing** Großhandel; ~ **dealing in small quantities** Großhandelsverkauf an Einzelhändler; ~ **deliveries** Lieferungen im Großhandel; ~ **discount** Großhandelsrabatt; ~ **distribution** Großhandelsverteilung; ~ **distributor** Großhandelsverteilerstelle; ~ **district** Großhandelsbezirk; ~ **enterprise (establishment)** Großhandelsunternehmen; ~ **firm** Großhandelsfirma; ~ **goods** Großhandelserzeugnisse; ~ **grocer** Kolonialwarenhändler en gros, Lebensmittelgroßhändler; ~ **group rate** pauschalierter Gruppentarif; ~ **house** Engros-, Großhandelsfirma; ~ **investment bank** Effektenemissionsbank; ~ **manufacture** Serienfabrikation, fabrikmäßige Herstellung; ~ **margin** Großhandelsverdienstspanne; ~ **market** Großhandelsmarkt; ~ **merchant** Grossist, Großhändler, Großhandelskaufmann; ~ **middleman** Spekulativ-, Engroszwischenhändler; ~ **operation** [einzelnes] Großhandelsgeschäft; ~ **peddler** Engroshändler mit Wagenverkauf; ~ **price** Engros-, Grossisten-, Großhandels-, Partiepreis; ~ **price index** Großhandelspreis; ~ **purchase** Pauschalkauf, Einkauf en gros; ~ **purchaser** Großein-, Engroskäufer; ~**-purchasing company** Großeinkaufsgesellschaft; ~ **quotations** Großhandelspreise; ~ **receiver** *(US)* Zentralmarkthändler, Engrosabnehmer; ~ **representative** Großhandelsvertreter; ~ **selling** Großhandelsverkauf; ~ **shop** Großhandelsgeschäft; ~ **slaughter** Massenmord; ~ **society** *(Br.)* Großeinkaufsgenossenschaft; ~ **sponsored group** vom Großhandel begünstigte Gruppe; ~ **stock** Großhandelslager; ~ **store** Großhandelsgeschäft; ~ **trade** Groß-, Engroshandel; ~ **fashion trade** Großkonfektionshandel; ~ **trader** Grossist, Großhändler, -kaufmann; ~ **trading** Großhandel[sbetrieb]; ~ **warehouse** Großlager-, Großhandelshaus; ~ **writing-down** vollständige Abschreibung, Pauschalabschreibung.

wholesaler Engroshändler, Großhändler, -kaufmann, Grossist;
cash-and-carry ~ Engrossortimenter; **drop-shipment** ~ auftragsvermittelnder Großhändler; **limited-function** ~ Großhändler mit begrenzter Großhandelsfunktion; **mail-order** ~ Versandgroß-, Verlagshändler; **service** ~ Effektivhändler; **truck** ~ *(US)* Engroshändler (Großhändler) ohne eigenes Lager.

wholesaling Großhandelsgewerbe;
~ **network** Großhandelsnetz.

wide | **-branched** weitverzweigt; ~ **choice** große Auswahl; ~ **gauge** *(railway)* Breitspur; ~ **interests** vielseitige (weitgespannte) Interessen; ~ **opening** *(stock exchange)* stark voneinander abweichende Eröffnungskurse; ~ **prices** unterschiedliche Preise, *(stock exchange)* Kurse mit großer Spanne zwischen Geld- und Briefkurs; ~ **quotation** *(stock exchange)* große Kursspanne; ~ **-screen film** Breitwandfilm.

widow and orphan stock *(US)* mündelsichere Wertpapiere.

widow's | **allowance** *(Br.)* Witwengeld; ~ **bench** Pflichtteilsrecht der Ehefrau; ~ **benefit** *(Br.)* Hinterbliebenenbezüge; ~ **insurance** Witwenversicherung.

width of column Spaltenbreite.

wildcat *(business)* Schwindel-, unsolides Geschäftsunternehmen, *(coll.)* Spekulant, *(mining)* Probeschürfung;
~ *(v.)* *(railroad, US)* außerfahrplanmäßig fahren;
~ *(a.)* unsicher, riskant, spekulativ, *(not as scheduled)* nicht fahrplanmäßig, *(unlawful, US)* unrechtmäßig, unreell, ungesetzlich;
~ **bank** *(US)* Schwindelbank; ~ **brand** unerlaubtes Markenzeichen; ~ **brewery** Schwarzbrauerei; ~ **business house** unsolide Firma; ~ **company** Schwindelgesellschaft; ~ **credit market** Parallelmarkt; ~ **currency** *(US)* schlechte Kassenscheine; ~ **enterprise** riskantes Unternehmen; ~ **finance** ungesunde (wilde) Spekulation, unsolide Finanzverhältnisse; ~ **locomotive** Einzel-, Rangierlok; ~ **methods** anrüchige Methoden; ~ **scheme** unsolides Vorhaben; ~ **securities** hochspekulative Effekten; ~ **stocks** unsichere Aktien; ~ **strike (walkout)** wilder (unorganisierter) Streik; ~ **striker** wilder Streiker.

wildcatter *(US)* wilder Spekulant.

wildcatting *(US)* wilde Spekulation.

wilful | **damage** absichtliche Beschädigung; ~ **de-**

ception bewußte Täuschung; ~ **negligence** *(US)* bewußte Fahrlässigkeit.

will *(last will)* Testament, letztwillige Verfügung, letzter Wille;

at the time of making the ~ zur Zeit der Testamentserrichtung; **by** ~ testamentarisch; **properly executed** ~ ordnungsgemäß errichtetes Testament; **holographic** ~ handschriftliches Testament; **little** ~ Testamentsergänzung, -zusatz; **mutual** ~ gegenseitiges Testament;

~ *(v.)* testamentarisch hinterlassen, vermachen;

~ **one's money to a hospital** sein Geld einem Krankenhaus hinterlassen;

to be capable of making a ~ testierfähig sein; **to dispute a** ~ Testament anfechten; **to mention s. o. in one's** ~ j. in seinem Testament (testamentarisch) bedenken; **to take out probate of a** ~ sich einen Erbschein auf Grund eines Testaments ausstellen lassen.

will | -call for lay-away vom Kunden anbezahlter und zurückgelegter Gegenstand.

willingness | to pay Zahlungsbereitschaft; ~ **to sell** Abgabebereitschaft; ~ **to work** Arbeitswilligkeit.

win *(v.)* gewinnen, *(acquire)* erwerben, *(earn)* verdienen;

~ **a competition** Preisausschreiben gewinnen; **one's daily bread** sein tägliches Brot verdienen; ~ **support from a farm** vom Ertrag eines Landgutes leben können; ~ **one's way up from poverty** sich aus kleinsten Verhältnissen emporarbeiten.

wind up *(v.)* abschließen, beendigen, erledigen, *(bankruptcy)* bankrott (Konkurs) machen, *(business)* Geschäft aufgeben, auflösen, abwickeln, liquidieren;

~ **an account** Rechnung abschließen; ~ **affairs** Geschäfte abwickeln (erledigen); ~ **the affairs of a partnership** Gesellschaft liquidieren; ~ **behind bars** sich im Gefängnis wiederfinden; ~ **a business company** Handelsgesellschaft auflösen (liquidieren); ~ **the debate** Diskussion schließen; ~ **an estate** *(Br.)* Nachlaß regeln; ~ **liabilities** Verbindlichkeiten ordnen; ~ **a meeting** Versammlung für beendet erklären (schließen); ~ **partnership** [Handels]gesellschaft auflösen; ~ **in prison** im Gefängnis enden; ~ **by saying** mit den Worten schließen; ~ **in a top policy position** höchstmögliche berufliche Position erreichen.

windfall | profit unerwarteter Gewinn; ~ **receipts** nicht vorhergesehene Einkünfte.

winding up Liquidation[sverfahren], Abwicklung (Auflösung) eines Geschäftes, *(Br.)* Eröffnung des Konkursverfahrens;

compulsory ~ Zwangsliquidierung, -auflösung; **voluntary** ~ freiwillige Liquidation, Selbstauflösung;

~ **of an affair** Abschluß einer Angelegenheit; ~ **by arrangement** gütliche Liquidation; ~ **of companies** *(Br.)* Liquidation von Gesellschaften; ~ **by the court** gerichtliche Liquidation, Zwangsliquidierung; ~ **of a fund** Auflösung eines Fonds; ~ **of a speech** Schluß einer Rede; ~ **subject to the supervision of the court** Liquidation unter Aufsicht des Gerichtes;

~ **Act** Liquidationsordnung; ~ **order** Konkurs-, Auflösungs-, Liquidationsbeschluß; ~ **petition** Auflösungs-, Liquidationsantrag; ~ **sale** Ausverkauf wegen Geschäftsaufgabe, Totalausverkauf.

windmill *(Br.)* Reit-, Gefälligkeitswechsel.

window Fenster, *(office, US)* [Bank-, Post-]schalter, *(shop)* Schaufenster;

ticket ~ Fahrkartenschalter;

to display in the ~ im Schaufenster ausstellen; **to dress a** ~ Schaufenster dekorieren;

~ **advertising** Schaufensterreklame; ~ **clerk** *(post office, Br.)* Schalterbeamter; ~ **delivery** Schalterdienst.

window display Schaufensterdekoration, -reklame;

~ **competition** Schaufensterwettbewerb; ~ **man** Schaufensterdekorateur; ~ **material** Auslagematerial für Schaufenster, Dekorationsmaterial.

window | dresser Schaufensterdekorateur, -gestalter; ~ **dressing** Schaufensterdekoration, Dekorieren, *(balance sheet)* Bilanzverschleierung, *(bank statement)* kurzfristige Liquiditätsanhäufung, *(sham)* Aufmachung, Mache, Reklame; ~ **envelope** Fensterumschlag, Klarsichthülle; ~ **mirror** Spion; ~ **pane** Fensterscheibe; ~ **seat** Fenstersitz; ~ **shade** Jalousie; ~**-shop** *(v.)* Schaufensterbummel machen; **to go** ~**-shopping** Schaufensteranlagen ansehen, Schaufensterbummel machen; ~ **shutter** Fensterladen; ~ **sticker** Fensterklebeplakat; ~ **streamer** *(advertising)* Fenster[auf]kleber, Schaufensterstreifen; ~ **trimming** Dekorieren.

windowman Schalterbeamter.

windscreen *(Br.)* Windschutzscheibe;

~ **washer** *(Br.)* Scheibenwaschanlage; ~ **wiper** *(Br.)* Scheibenwischer.

windshield *(US)* Windschutzscheibe.

wing *(airplane)* Tragfläche, *(house)* Seitengebäude, Flügel.

winning Gewinn, Nutzen;

~ **formula** Gewinnformel; ~ **number** *(lottery)* Gewinnlos, -nummer; ~ **ticket** Lotteriegewinn.

winter | catalog(ue) Winterkatalog; ~ **peak in demand** winterlicher Spitzenbedarf; ~ **schedule** Winterfahrplan.

wipe off | (v.) the books voll abschreiben; ~ **a debit balance** Debetsaldo abbuchen, zweifelhafte Forderung abschreiben; ~ **debts** Schulden abtragen; ~ **a mortgage** Hypothek zurückzahlen; ~ **a score** etw. wieder in Ordnung bringen.

wire Telegramm, Depesche, Drahtnachricht;

by (per) ~ telegrafisch;
urgent ~ dringliches Telegramm;
~ *(v.)* telegrafieren, Telegramm schicken, drahten;
~ **back** zurücktelegrafieren; ~ **s. o. to sell shares** jem. einen telegrafischen Aktienverkaufsauftrag zukommen lassen;
to countermand by ~ abtelegrafieren; **to pull the ~s for office** sich durch Beziehungen eine Stellung verschaffen; **to send off a** ~ Telegramm aufgeben (expedieren); **to telephone a** ~ Telegramm telefonisch durchsagen;
~ **acceptance** Drahtannahme; ~ **address** Telegrammanschrift; ~ **answer** Drahtantwort; ~ **collect** *(US)* Telegramm mit bezahlter Rückantwort; ~ **transfer** *(US)* telegrafische Geldüberweisung.

wireless *(radio)* Radio, [Rund]funk, *(Br.)* Radio-, Rundfunkapparat;
~ **communications** Funkverkehr; ~ **installation** Funkanlage; ~ **licence** Rundfunkgenehmigung; ~ **licence fee** *(Br.)* Rundfunkgebühr; ~ **program(me)** Sendefolge; ~ **room** *(ship)* Bordfunkstelle; ~ **station** Funk-, Radiostation, Sender; ~ **telephony** Funk-, Radiotelefonie.

withdraw *(v.)* *(loan)* ablösen, *(money)* abheben, entnehmen, *(motion)* zurücknehmen, *(retire)* sich zurückziehen, zurück-, austreten, ausscheiden;
~ **from an association** aus einem Verein austreten; ~ **from a bank** von der Bank abheben; ~ **from circulation** aus dem Verkehr ziehen; ~ **from a company** aus einer Firma ausscheiden; ~ **a credit** Kredit kündigen; ~ **s. one's driving licence** *(Br.)* jds. Führerschein einziehen; ~ **one's money from a business** seine Beteiligung aufgeben; ~ **an order** Auftrag widerrufen (stornieren, rückgängig machen); ~ **a permit** Genehmigung widerrufen; ~ **restrictions** Beschränkungen aufheben; ~ **securities from a deposit** Effekten aus dem Depot nehmen; ~ **one's subscription** sein Abonnement aufgeben; ~ **from a warehouse** Auslagerung vornehmen.

withdrawal Zurücknahme, -ziehung, *(of action)* Klagerücknahme, *(from circulation)* Entwertung, Außerkurssetzung, *(of contract)* Rücktritt, Widerruf, *(money)* Abhebung, Entnahme, *(retirement)* Aus-, Rücktritt, Ausscheiden;
day-to-day ~**s** tägliche Abhebungen; **gold** ~**s** Goldabzüge; **gradual** ~ stufenweiser Abzug;
~ **of action** Klagerücknahme; ~ **from an agreement** Rücktritt von einer Vereinbarung; ~ **of an application** Rücknahme einer Bewerbung; ~ **of the authorization to operate** Konzessionsentzug; ~ **of bank notes** Einziehung von Banknoten; ~ **of a candidate** Zurückziehung eines Kandidaten; ~ **of capital** Kapitalentnahme; ~ **of cash** Barentnahme; ~ **from a company** Ausscheiden aus einer Firma; ~ **from a contract** Vertragsrücktritt; ~ **of credit** Kreditzurückziehung, -kündigung, -entziehung; ~ **of deposits** Aufhebung von Spareinlagen; ~ **of the driving licence** *(Br.)* Führerscheinentzug, Entzug des Führerscheins; ~ **of funds** Abhebungen; ~ **of gold** Goldabzüge; ~ **of a licence** Lizenzentzug; ~ **of material** Materialentnahme; ~ **of money from circulation** Außerkurssetzung von Banknoten; ~ **of a notice** Rücknahme einer Kündigung; ~ **of an order** Auftragsstornierung; ~ **of a partner** Firmenaustritt; ~ **of a passport** Paßeinziehung; ~ **of a permit** Widerruf einer Genehmigung; ~ **of a sum of money** Geldabhebung; ~ **from a transaction** Rücktritt von einem Geschäft; ~ **from a warehouse** Auslagerung;
to give notice of ~ **of bonds** Rückzahlung von Obligationen ankündigen;
~ **benefit** Abgangsregulierung; ~ **form** Aufhebungsformulare; ~ **notice** *(banking)* Kreditkündigung; ~ **order** *(stock)* Lagerausgabeanweisung; ~ **plan** Abzugsplan, *(warehouse)* Auslagerungsplan; ~ **plan account** Abhebungsplankonto; ~ **request** Rücknahmeantrag; ~ **period** Kündigungsfrist; ~ **restrictions** Abhebungsbeschränkungen; ~ **warrant** Auszahlungsermächtigung.

withhold *(v.)* entziehen, vorenthalten;
~ **a document** Urkunde nicht herausgeben; ~ **so much out of s. one's pay** soundso viel von jds. Lohn einbehalten; ~ **payment** Zahlung vorenthalten; ~ **supplies from a dealer** Lieferung verweigern; ~ **a tax from wage payment** Steuern bei der Lohnzahlung einbehalten.

withholding Ein-, Zurückbehaltung, Vorenthaltung, *(tax)* Steuereinbehaltung, -abzugsverfahren;
~ **of income tax** Einkommensteuereinbehaltung; ~ **means of support from dependants** Unterhaltsentzug; ~ **supplies of goods from a dealer** Lieferverweigerung; ~ **of wages** Lohneinbehaltung;
~ **agent** Lohnsteuer einbehaltende Stelle; ~ **exemption** *(US)* Lohnsteuerfreibetrag; ~**-exemption certificate** *(US)* Lohnsteuerfreibetragsbescheinigung; ~ **rate** *(employees)* Lohnsteuersatz, *(dividends)* Kapitalertragssteuersatz; ~ **regulations** *(US)* Lohnsteuerrichtlinien; ~ **table** *(US)* Lohnsteuertabelle; ~ **tax** *(US)* *(dividends)* Quellen-, Kapitalertragsteuer, *(employee)* Steuerabzug von Dienstbezügen, [im Quellenabzugsverfahren erhobene] Lohnsteuer; **personal** ~ **tax** *(US)* einbehaltene Lohnsteuer; ~ **tax table** *(US)* Lohnsteuertabelle.

without | **advice** ohne Bericht; ~ **extra charge** ohne Preisaufschlag; ~ **debt** schuldenfrei; ~ **engagement** ohne Obligo, freibleibend; ~ **expenses** ohne Kosten; ~ **extra charge** ohne Preisaufschlag; ~ **interest** franko Zinsen; ~ **notice** fristlos, ohne vorherige Benachrichtigung; ~ **resource** ohne Regreßmöglichkeit;

~ **reserve** *(auction sale)* ohne Vorbehalt; ~ **sales** umsatzlos.

wizard, financial Finanzgenie.

woman, career berufstätige Frau;

~ **caretaker** Hausmeisterin; ~ **executive** Unternehmerin; ~**'s service magazine** Hausfrauenzeitschrift.

wording Formulierung, [Ab]fassung von Schriftstücken, Wortlaut, *(caption)* Überschrift, Bildtext;

~ **of a bill** Wechseltext; ~ **of a contract** Wortlaut eines Vertrages.

work Arbeit, Beschäftigung, *(achievement)* fertiggestellte Arbeit, Werk, *(act)* Tat, Tätigkeit, Schaffen, *(building plot)* in Arbeit befindlicher Bau, Baustelle, Bauten, Anlagen, *(deed)* Handlung, *(machine)* Betrieb, Arbeit, Leistung, *(occupation)* Beschäftigung, Beruf, Berufsarbeit, -tätigkeit, -leben, Tätigkeit, *(performance)* Leistung, *(product)* Erzeugnis, Produkt;

at ~ bei der Arbeit, im Betrieb (Gang); **at the** ~**s** in der Fabrik; **ex** ~**s** ab Fabrik; **exempt from** ~ arbeitsbefreit; **unable (unfit) for** ~ arbeitsunfähig;

badly finished ~ schludrige Arbeit; **capital** ~**s** öffentliche Bauten; **casual** ~ Gelegenheitsarbeit; **contract** ~ Akkordarbeit; **day's** ~ Tagewerk; **desk** ~ Büroarbeit, -tätigkeit; **emergency** ~**s** Notstandsarbeiten; **factory** ~ Fabrikarbeit; **holiday** ~ Ferienbeschäftigung; **illicit** ~ Schwarzarbeit; **job** ~ Stück-, Akkord-, Handarbeit; **low-profit** ~ Arbeit mit geringer Verdienstspanne; **office** ~ Bürotätigkeit, -arbeit; **own** ~**s** eigene Fertigung; **part-time** ~ Teil-, Kurzarbeit; **public** ~**s** öffentliche Bauten; **qualified** ~ Qualitätsarbeit; **relief** ~**s** Notstandsarbeiten; **research** ~ Forschungstätigkeit; **short-time** ~ Kurzarbeit; **skilled** ~ Facharbeit; **spare-time** ~ Nebenarbeit, -beschäftigung; **sub-contracted** ~ Zulieferertätigkeit; **temporary** ~ Aushilfsarbeit; **unskilled** ~ ungelernte Arbeit, Hilfsarbeit; **white-collar** ~ *(US)* Bürotätigkeit;

~ **in arrears** Arbeitsrückstand; ~ **on the bonus system** Arbeiten auf Prämienbasis; ~ **according to the book** *(US)* Dienst nach Vorschrift, planmäßiges Langsamarbeiten; ~ **on contract** Akkordarbeit; ~ **with modern equipment** moderne Betriebsanlagen; **total** ~ **in hand** Gesamtaufträge; ~ **of national importance** staatswichtige Tätigkeit; ~ **by the job** Akkordarbeit; ~ **of necessity** *(Sunday statute)* notwendige Arbeiten; ~ **against payment** Lohnarbeit; ~ **in process** *(US)* **(progress,** *Br.) (balance sheet)* halbfertige Erzeugnisse, Erzeugnisse in der Fabrikation, Halbfabrikate; ~ **of research** Forschungstätigkeit; ~ **-to-rule** *(Br.)* Dienst nach Vorschrift, planmäßige Langsamarbeit;

~ *(v.)* Arbeit haben, arbeiten, tätig (beschäftigt) sein, schaffen, *(have effect)* wirken, *(exert o. s.)* sich anstrengen (bemühen), *(exploit)* ausbeuten, *(factory)* in Betrieb sein, *(keep going)* [Maschine] betreiben, bedienen, *(manage)* [Geschäft] leiten, betreiben, *(operate)* [Bergwerk, Fabrik]betreiben, *(v. i.)* funktionieren, gehen, laufen, arbeiten, *(prepare)* bearbeiten, *(put in operation)* in Betrieb setzen (Gang bringen), *(sales agent)* [Bezirk] geschäftlich bearbeiten, *(sell, sl.)* verkaufen, *(at social reform)* sich beschäftigen;

~ **on a full-time basis** hauptamtlich arbeiten; ~ **under a written six-month contract** mit halbjähriger Kündigungsfrist angestellt sein; ~ **a district** *(traveller)* Bezirk bearbeiten; ~ **economically at a lower output** bei geringer Produktion wirtschaftlicher arbeiten; ~ **a farm** Gut bewirtschaften; ~ **in one's father's firm** im Betrieb seines Vaters mitarbeiten; ~ **full-time** ganztägig arbeiten; ~ **half-time** halbtägig arbeiten; ~ **by the job** im Akkord arbeiten; ~ **on the assembly line** *(US)* am Fließband arbeiten; ~ **overtime** Überstunden machen; ~ **by the piece** im Akkord arbeiten; ~ **one's social relations in business** seine gesellschaftlichen Beziehungen geschäftlich ausnutzen; ~ **to rule** *(Br.)* streng nach Vorschrift (planmäßig langsam) arbeiten; ~ **in three shifts** in drei Schichten arbeiten; ~ **on short-time** kurzarbeiten; ~ **in snatches** unregelmäßig arbeiten; ~ **on a system** nach einer Methode arbeiten; ~ **one's way up** sich emporarbeiten (in die Höhe arbeiten).

work off | **one's arrears of correspondence** seine Briefschulden erledigen; ~ **a debt** Schuld abarbeiten; ~ **a stock of goods** Warenposten losschlagen.

work out *(calculate)* aus-, berechnen, *(plan)* ausarbeiten;

~ **heavy deficits** mit schweren Verlusten arbeiten; ~ **at £ 5 a head** *(cost)* auf 5 Pfund pro Kopf zu stehen kommen; ~ **interest** Zinsen berechnen; ~ **a coded message** verschlüsselten Funkspruch entziffern; ~ **a program(me) to the last detail** Programm fix und fertig ausarbeiten; ~ **s. one's share of expenses** jds. Unkostenanteil ausrechnen.

work over überarbeiten, revidieren.

work up *(business)* Geschäft hochbringen;

~ **a connexion** sich einen Kundenkreis schaffen; ~ **one's way the clerical route** sich im Büro hochdienen.

work, to be at an der Arbeit (beschäftigt) sein; **to be in** ~ im Beruf (Berufsleben) stehen; **to be in arrears with one's** ~ mit seiner Arbeit im Rückstand sein; **to be in regular** ~ fest angestellt sein; **to be out at** ~ auf Arbeit sein; **to be over head and ears in** ~ mit Arbeit überhäuft sein; **to be thrown out of** ~ arbeitslos werden; **to do one's** ~ **in an office** Büroangestellter sein; **to find no** ~ **in one's line** in seinem Beruf keine Arbeit finden; **to have data to** ~ **on** entsprechendes Zahlenmaterial zur Verfügung haben;

to resume ~ Arbeit (Betrieb) wiederaufnehmen; **to set to** ~ in Betrieb setzen.

~ **analysis** Arbeitsanalyse; ~**s area** Fabrikgelände; ~ **assignment** Arbeitsübergabe; ~ **attitude** Einstellung zur Arbeit; ~ **call** Arbeitsaufruf; ~ **camp** Arbeitslager; ~ **clothes** Arbeits-, Berufskleidung; ~**s committee (council)** Betriebsrat; ~**s competition** betrieblicher Wettbewerb; ~ **contract** Arbeitsvertrag; ~ **creation** Arbeitsbeschaffung; ~ **cure** Arbeitstherapie; ~ **curve** Ermüdungskurve; ~ **dodger** Arbeitsscheuer, Drückeberger; ~ **effort** Arbeitsanstrengung; ~ **elements** Arbeitselemente; ~ **environment** Umwelteinflüsse des Arbeitsplatzes; ~ **experience** Arbeits-, Berufserfahrung; ~ **fellow** Arbeitskollege; ~ **girl** Fabrikarbeiterin; ~ **habit** Arbeitsmethode; ~ **incentive** Arbeitsansporn; ~**s installation** Werksanlagen; ~**-in-process inventory** *(US)* Bestand in Halbfabrikaten; ~ **layout** Arbeitsplatzgestaltung; ~ **load** Arbeitsbelastung; ~**s manager** Betriebs-, Fabrikleiter; ~ **map** Arbeitskarte; ~ **material** Arbeitsmaterial; ~ **in process** *(US)* **(progress,** *Br.)* **material** Halbfabrikatematerial; ~ **measurement** Arbeitszeitermittlung, [etwa] REFA-System; ~ **measurement specialist** [etwa] REFA-Mann; ~ **order** Arbeitsanweisung, -auftrag; ~**s outing** Betriebsausflug; ~ **period** Arbeitszeit; ~ **permit** Arbeitsgenehmigung, *(trade union)* Arbeitserlaubnis [für Nichtmitglied]; ~ **piece** Werkstück; **[safe]** ~ **place** [sicherer] Arbeitsplatz; ~ **plans** Berufspläne; ~ **print** *(film)* Rohfassung; ~ **privileges** Arbeitsvorrechte; ~ **program(me)** Arbeitsprogramm, -stückliste; ~ **release** *(prison)* Arbeitsurlaub; **relief** ~**s program(me)** Notstandsprogramm; **relief** ~**s project** Arbeitsbeschaffungsprojekt; ~ **report** Karteiunterlagen über den einzelnen Arbeiter; ~**-requirement provisions** *(welfare system)* Bestimmungen über notwendige Arbeitsbereitschaft; ~ **restriction** Arbeitsverlangsamung; ~ **rules** Arbeitsrichtlinien; ~ **-rules settlement** Arbeitsrichtlinienvereinbarung; **to resume normal** ~ **schedules** wieder im gleichen Arbeitstempo arbeiten; ~ **session** Arbeitssitzung; ~ **sharing** Beschäftigung in Kurzarbeit [zwecks Vermeidung von Entlassungen]; ~ **sheet** *(balancing, US)* [Haupt]abschlußbericht, Rohbilanz, Bilanzvorbereitungsbogen; ~ **shift** Arbeitsschicht; ~ **simplification** [etwa] Arbeitsablaufstudie; ~ **spreading** Arbeitsstreckung; ~**s steward** Betriebsobmann; ~ **stoppage** Arbeitsunterbrechung, -niederlegung; ~ **study** Zeitstudie; ~**s superintendent** Betriebsdirektor; ~**s supervision** Betriebsüberwachung; **spread-**~ **system** Arbeitsstreckungsverfahren; ~ **ticket** Arbeitskarte; ~ **train** Baumaterialienzug; ~**s uniform** Betriebs-, Werksuniform; ~ **unit** Berechnungs-, Maßeinheit; ~ **urge** Arbeitslust, -eifer; ~ **week** Arbeitswoche.

workable *(material)* bearbeitungsfähig, *(plan)* ausführbar;

~ **competition** *(US)* funktionsfähiger Wettbewerb.

workbook Arbeitsbuch.

workday of eight hours Achtstundentag.

worker Arbeiter, Arbeitnehmer, Arbeitskraft, *(print.)* Galvano;

able ~ fähiger (gediegener) Arbeiter; **adult** ~ erwachsener Arbeiter; **auxiliary** ~ Hilfsarbeiter; **agricultural** ~ Landarbeiter; **assembly-line** ~ *(US)* Fließbandarbeiter; **black-coated** *(Br.)* Büroangestellter; **building** ~ Bauarbeiter; **casual** ~ Gelegenheitsarbeiter; **construction** ~ Bauarbeiter; **deft** ~ flinker Arbeiter; **domestic** ~ Hausgestellte; **farm** ~ Landarbeiter; **Federal** ~ *(US)* Staatsbeamter; **factory** ~ Fabrikarbeiter; **fellow** ~ Mitarbeiter, Kollege, Arbeitskamerad; **female** ~ Arbeiterin; **foreign** ~ Fremd-, Gastarbeiter; **general** ~ ungelernter Arbeiter; **heavy** ~ Schwerarbeiter; **home** ~ Heimarbeiter; **hourly** ~ gegen Stundenlohn beschäftigter Arbeiter; **industrial** ~ Industrie-, Fabrikarbeiter; **itinerant** ~ Wanderarbeiter; **job** ~ Akkord[lohn]arbeiter; **land** ~ *(Br.)* Landarbeiter; **low-salaried** ~ niedrig bezahlter Arbeiter; **male** ~ männlicher Arbeiter, männliche Arbeitskraft; **manual** ~ ungelernter Arbeiter; **maritime** ~ *(US)* Transportarbeiter; **mediocre** ~ mäßige Arbeitskraft; **migrant** ~ Wanderarbeiter; **part-time** ~ Kurzarbeiter; **piece** ~ Stück-, Akkordlohnarbeiter; **professional** ~ freiberufliche Arbeitskraft, Angehöriger der freien Berufe; **qualified** ~ qualifizierter Arbeiter, qualifizierte Arbeitskraft; **redundant** ~ überzähliger Arbeiter; ~**s released** freigesetzte Arbeitskräfte; **reliable** ~ zuverlässige Kraft; **relief** ~ Notstandsarbeiter; **rural** ~ Landarbeiter; **salaried** ~ Gehaltsempfänger; **seasonal** ~ Saisonarbeiter; **semi-skilled** ~ angelernter Arbeiter; **skilled** ~ Facharbeiter; **short-time** ~ Kurzarbeiter; **specialized** ~ Spezialkraft, Spezialist; **sub-standard** ~ unausgebildeter (ungelernter) Arbeiter; **temporary** ~ Aushilfsarbeiter, -kraft; **two-job** ~ Arbeiter mit zwei Berufen, Doppelverdiener; **underage** ~ *(US)* minderjährige Arbeiter; **underground** ~ Untertagearbeiter; **unskilled** ~ Hilfs-, ungelernter Arbeiter; **wage** ~ Lohnarbeiter; **war** ~ Rüstungsarbeiter; **white-collar** ~ *(US)* [Büro]angestellter; **woman** ~ Arbeiterin;

to be a good ~ tüchtig schaffen; **to lay off** ~**s** Arbeiter vorübergehend entlassen; **to recruit** ~**s** Arbeiter anwerben (einstellen);

~ **affluence** Wohlhabenheit der Arbeiterklasse; ~ **analysis** Analyse von Arbeitskräften; ~**s' committee** Arbeiterausschuß; ~**s' compensation** Arbeiterbeteiligung; ~**s' council** Betriebsrat; ~ **decline** Arbeitskräfterückgang; ~ **dissatisfaction** Unzufriedenheit von Arbeitskräften;

~'s dwelling Arbeiterwohnung; ~ **education program(me)** Fortbildungsprogramm; **≗s' Educational Association** *(Br.)* Arbeiterfortbildungsverein; ~ **expectations** Arbeitserwartungen; **~'s housing** Arbeiterwohnung; **~s' housing estate** Arbeitersiedlung; ~ **performance** Arbeitsleistung; ~ **productivity** Arbeitsproduktivität; **~'s season ticket** Arbeiterdauerfahrkarte; ~ **sentiment** Stimmung unter den Arbeitern.

workfellow Arbeitskamerad, Mitarbeiter, Kollege.

workforce Belegschaft;

to cut back on the ~ Belegschaftreduzierung vornehmen.

working Arbeiten, Arbeitsweise, *(execution)* Ausführung, *(of materials)* Be-, Verarbeitung, *(mining)* Abbau, *(operation)* Gang, Betrieb, Funktionieren, *(patent law)* Verwertung, *(railway)* Betrieb, *(setting into operation)* Inbetriebsetzung;

continuous ~ Dauerbetrieb; **disused ~s** stillgelegte Schachtanlagen; **hard** ~ *(US)* Schwerarbeit; **intermittent** ~ Stoßbetrieb; **single-line** ~ Einmannbetrieb;

~ **of an account** Kontoführung; ~ **of business** Betrieb eines Unternehmens; ~ **of a district** Bearbeitung eines Bezirks; ~ **out of interest** Zinsenberechnung; ~ **up of material** Materialverarbeitung; ~ **of mines** Bergbau; ~ **in an office** Bürotätigkeit; ~ **overtime** Überstunden; **of a patent** Patentausnutzung, -verwertung; **compulsory** ~ **of a patent** Zwangsverwertung eines Patents; ~ **out of a plan** Ausarbeitung eines Plans;

~ *(a.)* arbeitend, werk-, berufstätig, *(operating)* betriebsfähig, funktionierend, im Gang, im Betrieb;

to be ~ im Beruf stehen; **to begin** ~ Betrieb aufnehmen; **to cease** ~ Betrieb einstellen; **to start (set)** ~ (Produktion) anlaufen lassen, in Betrieb setzen, Betrieb aufnehmen; **to stop** ~ Arbeit einstellen, streiken;

~ **account** umsatzreiches laufendes Konto, *(plant)* Betriebsabrechnung; ~ **affiliation** Arbeitsverbindung; ~ **age** arbeitsfähiges Alter; ~ **agreement** Interessengemeinschaft; **joint** ~ **agreement** Konsortialvertrag; ~ **assets** Betriebs-, Umlaufsvermögen; ~ **atmosphere** Betriebsklima; ~ **basis** Arbeitsgrundlage, -basis; ~ **budget** Arbeitsetat; ~ **capacity** Arbeitskapazität, -fähigkeit, -kraft; **reduced** ~ **capacity** Erwerbsminderung.

working capital Betriebs-, Umlauf-, Umsatzkapital, Betriebsmittel, werbendes Kapital;

cushion ~ Ergänzungskapital; **fixed (permanent)** ~ Betriebsnotwendiges Kapital; **set** ~ Betriebskapital nach Abzug der Verbindlichkeiten; **regular** ~ normales Umlaufs-, Betriebsvermögen; **reserve-margin** ~ Ergänzungskapital;

to beef up ~ Betriebskapital verstärken;

~ **fund** Vorschußkonto, *(municipal accounting)* Fonds für Kommunalbetriebszwecke; ~ **needs** Betriebsmittelbedarf; ~ **ratio** *(US)* Verhältnis der flüssigen Aktiva zu laufenden Verbindlichkeiten, Liquiditätsgrad, -koeffizient; ~ **turnover** Verhältnis von Nettoumsatz zu Betriebskapital.

working | card *(US)* Gewerkschaftmitgliedskarte; ~ **charges** Betriebskosten; ~ **class** Arbeitertum, -klasse; ~ **classes** Arbeiterbevölkerung, -stand; ~ **-class district** Arbeitergegend; ~ **-class family** Arbeiterfamilie; ~ **-class vote** Arbeiterstimmen; ~ **clothes** Arbeitskleidung, -anzug; ~ **coefficient** Betriebskoeffizent; ~ **committee** Arbeitsausschuß; ~ **conditions** Arbeitsbedingungen, -verhältnisse, *(machine)* Betriebszustand; ~ **contract** Bauvertrag; ~ **control** Betriebskontrolle; ~ **copy** *(book)* Arbeitsexemplar; ~ **cost** Betriebskosten; ~ **day** Arbeits-, Werktag, *(daily hours)* tägliche Arbeitszeit; **ordinary** ~ **day** Normalarbeitstag, gewöhnlicher Werktag; ~ **-day** werktäglich; ~ **-day life** Alltagsleben; ~ **dinner** Arbeitsessen; ~ **drawing** Werkstatt-, Detail-, Konstruktionszeichnung, Bauplan, -riß; ~ **employer** mitarbeitender Betriebsinhaber; ~ **equipment** Arbeitsausrüstung; ~ **expenses** Betriebskosten; ~ **force** [Betriebs]belegschaft; ~ **fund** Betriebsmittel; ~ **group** Arbeitsgruppe; ~ **guides** Richtlinien; ~ **hour** Arbeitsstunde; ~ **hours** Arbeitszeit; ~ **hypothesis** Arbeitshypothese; ~ **instructions** Bedienungsanweisungen; ~ **interest** Beteiligungsprozentsatz; **to have a** ~ **knowledge of French** einige Kenntnisse im Französischen haben; ~ **language** Verständigungs-, Arbeitssprache; ~ **level** *(mining)* Bausohle; ~ **life** Berufsleben; ~ **load** Höchstgewicht, Maximalbelastung, *(el.)* Betriebsbelastung; ~ **lunch** *(politics)* Arbeitsessen; ~ **majority** arbeitsfähige Mehrheit; ~ **man** Arbeiter, Arbeitnehmer; **hard-~ man** Schwerarbeiter; ~ **management** Betriebsführung; ~ **margin** Sicherheitsbetrag für unvorhergesehene Fälle; ~ **mean** *(statistics)* provisorischer Durchschnitt; ~ **men's insurance law** Arbeiterversicherungsgesetz; ~ **men's cooperative society** *(Br.)* [Arbeiter]konsumverein; ~ **method** Arbeits-, Fabrikationsverfahren; ~ **model** Modell.

working order betriebsfähiger Zustand, Betriebszustand;

in ~ betriebsfertig, -fähig; **in full** ~ in vollem Betrieb,

to be in good ~ in gutem Betriebszustand sein, gut funktionieren; **to put in full** ~ in vollbetriebsfähigen Zustand versetzen.

working | organization betriebliche Gliederung, Betriebsgliederung; ~ **-out** *(calculation)* Berechnung, *(elaboration of details)* Ausbreitung; ~ **overtime** Überstundenarbeit; ~ **papers** *(US)* Arbeitsunterlagen, -papiere, *(accounting)* Prüfungs-, Revisionsbogen, *(worker)* Arbeitsausweis; ~ **partner** aktiver Teilhaber (Gesellschafter); ~ **party** *(Br.)* Arbeitsgemeinschaft, -gruppe; ~ **people** Arbeiterschaft, Berufstätige; ~ **period** Betriebsperiode, Arbeitszeit; **standard** ~ **period** regelmäßige Arbeitszeit; ~ **pit** *(mining)* Arbeitsgruppe; ~ **place** Arbeitsstätte; ~ **plan** Konstruktionszeichnung, *(banking)* Rahmenkreditvertrag; ~ **plant** Betriebsanlage; ~ **point** *(mining)* Ort; ~ **population** Arbeiterbevölkerung, werktätige Bevölkerung, berufstätiger Bevölkerungsteil; ~ **potential** Arbeitskräftepotential; ~ **power** *(machine)* Leistungsfähigkeit; ~ **proceeds** Fabrikationsertrag; ~ **process** Arbeitsverfahren; ~ **program(me)** Arbeitsprogramm; ~ **quarter** Arbeiterviertel; ~ **regulations** Betriebsvorschriften; **good** ~ **relationship** gutes Arbeitsverhältnis; ~ **result** Betriebsergebnis; ~ **scheme** Arbeitsplan, Fabrikationsprogramm; ~ **season** Betriebszeit; ~ **sheet** Arbeitsunterlage; ~ **statement** Betriebsaufstellung; ~ **stock** Betriebsmaterial; ~ **storage** *(data processing)* Arbeitsspeicher; ~ **system** Arbeitssystem; ~ **theory** Arbeitstheorie; ~ **time** Betriebsstunden, -dauer, [Werk]arbeitszeit; **to reduce** ~ **time** Arbeitszeit kürzen; **~-time regulation** Arbeitszeitordnung; ~ **visit** Arbeitsbesuch; ~ **vitality** Arbeitsvitalität; ~ **woman** berufstätige Frau, Arbeiterin, Arbeitnehmerin; ~ **year** Betriebs-, Rechnungs-, Geschäftsjahr.

workless arbeits-, beschäftigungslos.

workload *(fig.)* Arbeitsbelastung.

workman Arbeiter, *(artisan)* Handwerker;
average ~ Durchschnittsarbeiter; **good** ~ geschickter Arbeiter; **paid** ~ Lohnarbeiter; **skilled** ~ Facharbeiter; **striking** ~ Streikender; **travel(l)ing** ~ Wanderarbeiter; **unskilled** ~ ungelernter Arbeiter.

workmanship Arbeitsausführung, *(skill)* Geschicklichkeit, *(skillful execution of work)* Qualitätsarbeit, Wertarbeit;
expert ~ Facharbeit; **excellent (honest)** ~ feinste Qualitätsarbeit; **faulty** ~ fehlerhafte Ausführung.

workmaster Werkmeister, Faktor.

workmate Berufskamerad.

workmen Arbeiter, Arbeitskräfte, Arbeitnehmer;
locked-out ~ ausgesperrte Arbeiter;
to fire (sack) one's ~ *(fam.)* seine Arbeiter entlassen;
~'s compensation *(US)* Unfallentschädigung, -vergütung; **~'s compensation act** *(US)* Arbeitsunfallgesetz; **~-compensation insurance** *(US)* Betriebshaftpflichtversicherung; ~ **dwelling** Arbeiterwohnung.

workplace Arbeitsraum, -platz;
~ **layout** Arbeitsplatzgestaltung.

workroom Arbeitsraum, -saal, Werkstatt;
~ **costs** Werkstattkosten.

workshop Betrieb, Werkstatt;
~ **costs** Werkstattkosten; ~ **training** Werkstattausbildung.

workwoman Arbeiterin.

world *(sphere of business)* Berufssphäre;
business ~ Geschäftswelt; **commercial** ~ Handelskreise, Kaufleute; **financial** ~ Finanzleute, -welt;
~ **of buyers** Käuferseite; ~ **of high finance** Hochfinanz;
to withdraw from the ~ sich vom öffentlichen Leben zurückziehen;
~ **association** Weltverband; **to face** ~ **competition for export markets** auf dem Exportmarkt konkurrenzfähig bleiben; ~ **consumption** Weltverbrauch; ~ **currency** Weltwährung; ~ **demand** Weltbedarf; ~ **depression** Weltwirtschaftskrise.

world-economic | **recovery** Erholung der Weltwirtschaft; ~ **situation** Weltwirtschaftslage; ~ **system** Weltwirtschaftssystem.

world | **economy** Weltwirtschaft; ~ **export market** Weltexportmarkt; ~ **fair** Weltausstellung.

world | **market of raw materials** Weltrohstoffmarkt; ~ **price** Preis auf dem Weltmarkt, Weltmarktpreis; ~ **production** Weltproduktion; ~ **slump** Weltwirtschaftskrise; ~ **trader** Welthandelsnation.

world-wide | **financial crisis** weltweite Finanzkrise; ~ **letter of credit** überall gültiger Reisekreditbrief; ~ **reputation** Weltruf.

worse schlechter;
to be 1/2 ~ *(stock exchange)* einen halben Punkt niedriger stehen.

worsening of the balance of payment Zahlungsbilanzverschlechterung.

worth *(equivalent)* Gegenwert, *(merit)* Verdienst, Ansehen, *(price)* Preis, *(value)* Wert;
net ~ *(US)* Eigenkapital, Gesellschaftsvermögen;
to be ~ *(cost)* kosten, wert sein, im Preis stehen, *(to be quoted)* notieren, notiert sein mit, *(receive income)* Einkommen haben (beziehen), *(value)* wert sein, gelten; **to be** ~ **a million** millionenschwer sein,; **to be** ~ **the money** preiswert (-würdig) sein.

worthless bill fauler Wechsel.

wrap Umhüllung, Verpackung;
~ **of the news** Kurzfassung der Nachrichten.

wrap-up *(customer, sl.)* schnell entschlossener Käufer, *(easy sale)* leichter Verkauf, *(mail business)* Postversandartikel.

wrappage Verpackung, Packmaterial.

wrapper [Ein]packer, *(book)* Umschlag, Schutzhülle, *(outer covering)* Kreuz-, Streifband;
under ~ unter Kreuzband;
to post in ~**s** unter Kreuzband verschicken.

wrapping Verpackung;
original ~ Originalverpackung;
~ **material** Verpackungsmaterial; ~ **room** Pack-, Verpackungsraum.

wreck Schiffbruch, *(building)* Ruine, *(plane, ship)* gestrandetes (verlassenes) Schiff, (Flugzeug), Wrack;
total ~ *(insurance)* Totalverlust; **worthless** ~ *(car)* Totalschaden;
~ *(v.)* zugrunde richten, *(ship)* Schiffbruch erleiden, *(work upon wrecks)* mit Abwracken beschäftigt sein;
~ **a commercial house** Handelsfirma ruinieren;
~ **off a ship** Wrack abbrechen;
to collect the ~s of one's fortune Reste seines Vermögens sammeln;
~ **commissioner** *(Br.)* Strandvogt, Bergungsleiter.
wreckage *(cast-offs by society)* gescheiterte Existenzen, *(wreck)* Schiffbruch, *(flotsam)* Schiffstrümmer, Wrackgut, -teile, Strandgut;
~ **of an aircraft** Flugzeugtrümmer.
wrecked schiffbrüchig, *(fig.)* gescheitert, gestrandet;
~ **bank** ruinierte Bank; ~ **building** abgerissenes Gebäude; ~ **cargo** Wrackgut; ~ **freight** verlorene Fracht; ~ **goods** Strandgut; ~ **ship** schiffbrüchiges Schiff; ~ **train** entgleister Zug.
wrecker *(relief train)* Hilfszug, *(ship)* Bergungsdampfer, *(truck)* Abschleppwagen, *(worker)* Bergungsarbeiter.
wrecking | company *(US)* Abbruchgesellschaft; ~ **policy** Sabotagepolitik; ~ **service** *(US)* Abschleppdienst; ~ **train** Hilfszug; ~ **truck** *(US)* Abschleppwagen.
wreckmaster Strandvogt.
writ *(court order)* gerichtliche Verfügung, *(governmental decree)* behördlicher Erlaß;
~ **of assistance** Zolldurchsuchungsbefehl; ~ **of attachment** *(US)* Pfändungs- und Überweisungsbeschluß; ~ **of ejectment** *(US)* Räumungsurteil; ~ **of summons** *(Br.)* Zustellungsurkunde;
to issue a ~ of execution Vollstreckungsbefehl ausfertigen; **to serve a ~** Klage (Ladung) zustellen.
write *(v.)* Schriftstück abfassen, schreiben, *(insurance)* Versicherung übernehmen, versichern;
~ **an application** Bewerbungsschreiben verfassen; ~ **no new business for the month** im laufenden Monat keine Geschäfte mehr tätigen; ~ **a call naked** Leerverkauf tätigen; ~ **a check** *(US)* **(cheque,** *Br.)* Scheck ausschreiben; ~ **a contract** Vertrag aufsetzen; ~ **insurance upon s. one's life** Lebensversicherung für j. abschließen; ~ **shorthand** stenografieren; ~ **one's will** sein Testament machen.
write back antworten, *(bookkeeping)* rückbuchen, Stornobuchung vornehmen, stornieren.
write down nieder-, aufschreiben, eintragen, zu Papier bringen, *(depreciate)* teilweise abschreiben, Buchwert herabsetzen, abbuchen;
~ **the capital** Kapitalherabsetzung vornehmen.
write in einschreiben, eintragen, einfügen, *(US)* zwecks Reklamation einschicken.
write off *(balance sheet)* herunterschreiben, vollständig abschreiben;
~ **capital** Aktienkapital zusammenlegen; ~ **bad debts** *(US)* zweifelhafte Forderungen abschreiben; ~ **as a total loss** als Totalverlust (völlig) abschreiben; ~ **so much for wear and tear** bestimmen Betrag für Abnutzung absetzen.
write out ausstellen, -schreiben;
~ **a copy of an agreement** Vertragsabschrift herstellen.
write up eingehend berichten, *(balance sheet)* höher einsetzen, Buchwert heraufsetzen, aufwerten;
~ **the value of an asset** Wert einer Anlage (Anlagewert) heraufsetzen.
write-up schriftlicher Bericht, *(balance sheet, US)* Höherbewertung, *(property statement)* frisierte Vermögensaufstellung;
~ **of stock values** Lageraufwertung.
writedowns *(US)*, **write-downs** *(Br.)* Abschreibungen;
inventory ~ Abschreibungen auf Warenbestände.
writeoff *(US)*, **write-off** *(Br.)* Abschreibung, *(sl.)* abgestürztes Flugzeug;
accelerated ~ verkürzte Abschreibung; **complete** ~ *(airliner, car)* Totalverlust; **rapid** ~ beschleunigte Abschreibung;
~**s for losses on foreign exchange** Abschreibungen für Devisenverluste;
to vary ~s Abschreibungssätze variieren.
writing Schreiben, *(handwriting)* [Hand]schrift;
illegible ~ unleserliche Schrift; ~ **obligatory** Schuldverschreibung.
writing back *(bookkeeping)* Storno-, Rückbuchung, Stornierung.
writing-down Niederschrift;
~ **of capital** Herabsetzung (Zusammenlegung) des Aktienkapitals, Kapitalherabsetzung, -zusammenlegung;
writing off *(capital)* Kapitalherabsetzung, -zusammenlegung;
~ **of a bad debt** Abschreibung einer zweifelhaften Forderung; ~ **of depreciation** Abschreibung für Abnutzung.
writing-up Entwurf, *(balance sheet)* Zuschreibung, Höherbewertung.
writing | block Schreibblock; ~ **limit** *(reinsurance)* Zeichnungsgrenze; ~ **paper** Schreibpapier.
written schriftlich, geschrieben, in Schriftform;
~ **agreement** schriftliche Vereinbarung; ~ **evidence of debt** schriftliches Schuldenanerkenntnis; ~ **instrument** Urkunde; ~ **notice** schriftliche Kündigung.
wrong entry falsche Eintragung.
wrongful dismissal unberechtigte Entlassung.
wrought goods Fertigfabrikate.

XYZ

Xerox Fotokopie, Ablichtung;
~ *(v.)* ablichten, fotokopieren.

yankees *(stock exchange, Br.)* amerikanische Eisenbahnaktien.

yard Hof *(US)* Arbeitsplatz, Werkstätte, *(storing)* Lagerplatz;
goods ~ Warenlager; **naval** ~ *(US)* Staatswerft; **repair** ~ Ausbesserungswerft.

year [Kalender]jahr;
account ~ Rechnungsjahr; **budgetary** ~ Haushaltsjahr; **business** ~ Geschäftsjahr; **company's financial** ~ *(Br.)* Wirtschafts-, Gesellschaftsjahr; **economically depressing** ~ Jahr konjunkturellen Rückschlags; **financial** ~ staatliches Rechnungs-, Steuerjahr, *(Br.)* Haushaltsjahr; **fiscal** ~ *(Br.)* Steuerjahr, *(US)* Haushaltsjahr; ~ **reported on** Berichtsjahr; **taxable** ~ steuerpflichtiges Jahr; **trading** ~ Berichtsjahr;
~ **of assessment** Veranlagungsjahr; ~ **of coverage** *(social insurance)* anrechnungsfähiges Jahr; ~ **of manufacture** Baujahr, Fabrikationsjahr; ~**s to run** *(insurance)* noch nicht abgelaufene Versicherungsdauer;
to be let by the ~ auf ein Jahr vermietet werden; **to have a thousand a** ~ *(Br.)* 1000 Pfund im Jahre verdienen; **to hire s. th. by the** ~ Mietvertrag auf ein Jahr abschließen;
~**'s earnings** Jahresgewinn.

year-end | adjustment Ultimoausgleich; ~ **closing entry** Jahresschlußbuchung; ~ **need for cash** Geldanforderungen zum Jahresultimo.

year | -to ~ growth ratio jährliche Wachstumsrate; ~ **model** Jahresmodell.

yearbook Jahrbuch.

yearly | account Jahres[ab]rechnung; ~ **income** Jahreseinkommen; ~ **output** Jahresproduktion; ~ **payment** Jahreszahlung; ~ **receipts** Jahreseinnahme; ~ **subscription** Jahresbeitrag.

yellow | jack *(sl.)* Quarantäneflagge; ~ **journalism** *(US)* Boulevardjournalismus; ~ **paper** *(US)* Boulevardblatt.

yield *(crop)* Ernte, Bodenertrag, *(fig.)* Nachgeben, Zusammenbruch, *(gain)* Ausbeute, Ertrag, Ergebnis, *(interest)* [Effektiv]verzinsung, Zinsertrag, *(metallurgy)* Metallgehalt, *(right of way, US)* Vorfahrt beachten, *(stocks)* Rendite, Effektivverzinsung;
average ~ Durchschnittsertrag; **net** ~ Nettoerlös; **peak** ~ Ertragsspitze; **running** ~ *(Br.)* laufende Verzinsung; **total** ~ Gesamtaufkommen;
~ **on capital** Kapitalertrag; ~ **of depreciation** Abschreibungsbetrag; ~ **on shares (stocks)** Aktienrendite; ~ **of taxes** Steueraufkommen, -ertrag;
~ *(v.)* *(interest)* Zinsen tragen (bringen), *(produce)* [Ertrag] abwerfen;
~ **5 per cent** sich mit 5% verzinsen; ~ **14% dividend** Dividende von 14% bringen; ~ **high interest** hochverzinslich sein, *(shares)* hohe Rendite bringen; ~ **little** geringe Rendite abwerfen; ~ **a profit over the book value** den Buchwert übersteigenden Erlös abwerfen; ~ **no return** keinen Ertrag bringen; ~ **an effective sum equivalent to ...** *(loan)* Effektivverzinsung von ... bringen;
to sell on a ~ **basis** unter Berücksichtigung der Ertragsaussichten Absatz finden; ~ **capacity** Ertragsfähigkeit; **fixed** ~ **investment** Anlage mit festem Ertrag, festverzinsliche Anlage.

yielding ergiebig, einträglich;
~ **interest** verzinslich.

zero Null *(scale)* Ausgangs-, Nullpunkt;
~ *(v.)* **in on the construction industry** mit der Bauindustrie den Anfang machen;
~**-growth rate** keine Zuwachsrate; **to have produced** ~ **profit to date** bisher noch keinen Gewinn gemacht haben; ~**-rated** abgabenfrei.

zigzag *(traffic)* Ampel-, Druckknopf-Signalüberweg.

zip *(post office)* Postleitzahl;
~ **code** Postleitzahlwesen, -system; ~**-code area** *(US)* Postleitzone.

zone [Teil]gebiet, Zone, Landstrich, Gebietsstreifen, *(city planning, US)* im Wege des Planfeststellungsverfahrens festgelegtes Gebiet, *(parcel post)* Tarifzone, *(post)* Postzustellbezirk, *(railway, tram)* Tarifzone, -gebiet, -stufe, Teilstrecke;
architectural-freedom ~ von Baubeschränkungen freies Gebiet; **business** ~ Geschäftsviertel; **evacuated** ~ Evakuierungsgebiet; Evakurierungsgebiet; **free** ~ *(customs)* Zollausschuß-, Freihafengebiet; **limited-parking** ~ Kurzparkzone; **no-parking** ~ Parkverbotsgebiet; **no-stopping** ~ Halteverbotszone; **postal** ~ Zustellbezirk; **restricted** ~ Baubeschränkungen unterworfenes Gebiet; **slow-drive** ~ *(US)* 50-km-Gebiet; **three-mile** ~ Dreimeilenzone; **unrestricted** ~ Gebiet mit geringen Baubeschränkungen;
~ **of operations** Einflußzone; ~ **of preference** *(statistics)* Bevorzugungsbereich;
~ *(v.)* nach (in) Zonen einteilen, *(city planning, US)* in verschiedene Baubezirke einteilen, *(intr.)* in Zonen aufgeteilt sein, *(railway tariff)* Tarif nach Teilstrecken festsetzen;
spot-~ Bauausnahmegenehmigung für Geschäftshäuser erteilen;
~ **for business use** Grundstück zur Bebauung mit Geschäftshäusern freigeben; ~ **for one-family residences** für die Errichtung von Einfamilienhäusern vorsehen;

to be within the ~ of submarine activities im Operationsgebiet der U-Boote liegen;
~ **campaign** regionaler Werbefeldzug; ~ **center** *(tel.)* Durchgangsfernamt; ~ **change** *(US)* Änderung der Bebauungsvorschriften; ~ **merger** Zonenzusammenschluß; ~ **plan** *(advertising campaign)* Zonenplan, Schwerpunktwerbung; ~ **rates** Zonentarif; ~ **selector** Zonenwähler; ~ **[system of] pricing** räumliche Preisdifferenzierung; ~ **tariff** Zonentarif; ~ **ticket** Teilstrekkenfahrkarte; ~ **time** Landes-, Ortszeit.

zoned in Zonen eingeteilt;
~ **residential-A** *(US)* für die Errichtung von Einfamilienhäusern bestimmt;
to be ~ for manufacturing enterprise für Fabrikgebiete vorgesehen sein; **to be ~ for multiple-dwelling use** für die Errichtung von Wohnblocks freigegeben sein.

zoning Einteilung in Zonen, Flächenaufteilung, Gebietsabgrenzung, *(city planning, US)* Planfeststellung, Festsetzung des Fluchtlinienplanes;
flexible ~ *(US)* Beweglichkeit bei der Festsetzung von Bebauungsrichtlinien; **incentive ~** *(US)* Planfestsetzung mit Sonderbewilligungen; **spot ~** Bauausnahmegenehmigung für Errichtung von Geschäftshäusern;
to enforce ~ Fluchtlinienplan durchsetzen;
~ **act** Aufbaugesetz, Ortsstatut; ~ **administration** *(US)* Planfestsetzungsbehörde; ~ **board** *(US)* Planfestsetzungs-, Bau-, Fluchtlinienausschuß; ~ **case** *(US)* Planfeststellungsverfahren; ~ **classification** *(US)* Bebauungsbestimmungen; ~ **code** *(US)* Generalbebauungsplan; ~ **committee** *(US)* Planfeststellungsausschuß; ~ **district** *(US)* Bebauungsbezirk; ~ **law** Aufbaugesetz, Ortsstatut; ~ **ordinance** *(US)* Fluchtlinien-, Bebauungsplan; ~ **practice** *(US)* Fluchtlinienverfahren; ~ **regulations** *(US)* Fluchtlinienbestimmungen; ~ **restrictions** *(US)* Bebauungsbeschränkungen; ~ **status** Bebauungsstatus; ~ **system** *(post)* Leitzahlsystem; ~ **variance** *(US)* Abweichungen vom allgemeinen Bebauungsplan.

zoom *(v.)* *(prices)* senkrecht in die Höhe steigen.